C0-AYL-616

A Concordance to Five Middle English Poems

A CONCORDANCE TO FIVE MIDDLE ENGLISH POEMS

Cleanness

St. Erkenwald

Sir Gawain and the Green Knight

Patience

Pearl

BARNET KOTTLER and
ALAN M. MARKMAN

UNIVERSITY OF PITTSBURGH PRESS

Library of Congress Catalog Number 66-13311

Manufactured in the United States of America

CONTENTS

PREFACE

Texts

BECAUSE no single printed edition of all five poems concorded here exists, the concordance is based upon a series of printed editions. For each of the five poems concorded—*Cleanness, St. Erkenwald, Sir Gawain and the Green Knight, Patience,* and *Pearl*—we selected a base text (printed edition) and one or more variant texts (printed editions). We designated the titles of the five poems by substituting for each title its standard abbreviation. In the following list of the texts we used in the preparation of this concordance, the three-letter symbol alone signifies the base edition, and the symbol followed by v or a number signifies a variant edition. (See "A List of Variant Readings" for a full bibliographical citation of the texts.)

CLN	The 1921 Gollancz edition of *Cleanness*
CLN V	The 1920 Menner edition of *Purity*
ERK	The 1922 Gollancz edition of *St. Erkenwald*
ERK V	The 1926 Savage edition
GGK	The 1940 Gollancz edition of *Sir Gawain and the Green Knight*
GGK V	The 1952 reprint of the 1925 (1930) Tolkien and Gordon edition
PAT	The 1913 Gollancz edition of *Patience*
PAT V	The 1918 Bateson edition
PRL	The 1953 Gordon edition of *Pearl*
PRL 1	The 1906 Osgood edition
PRL 2	The 1921 Gollancz edition
PRL 3	The 1933 Bowdoin College edition

We are pleased to acknowledge the kind permission of the following publishers and societies to use, as indicated, either the whole or a part of these texts: extract from *Pearl,* ed. Sir Israel Gollancz, 1891 (Red Cross edition), 1921 (new edition), by permission of Chatto & Windus Ltd. (our PRL 2); *Sir Gawain and the Green Knight,* ed. J. R. R. Tolkien and E. V. Gordon, Oxford, 1925, and *Pearl,* ed. E. V. Gordon, Oxford, 1952, by permission of The Clarendon Press (our GGK V and PRL); *Sir Gawain and the Green Knight,* ed. Sir Israel Gollancz, E.E.T.S. O.S. No. 210, 1940, by permission of The Council of The Early English Text Society (our

GGK); *Cleanness, St. Erkenwald,* and *Patience,* from the *Select Early English Poems* series published by the Oxford University Press, are used by permission of the executors of the late Sir Israel Gollancz (our CLN, ERK, and PAT); *Pearl,* ed. C. G. Osgood, 1906, by permission of the D. C. Heath and Company (our PRL 1); from *The Pearl,* ed. Stanley P. Chase (Bowdoin College Edition), 1933, by permission of Bruce Humphries, Publishers, Boston, Massachusetts (our PRL 3); from *Patience,* ed. H. Bateson, 1918, by permission of the Manchester University Press (our PAT V); from *Purity,* ed. R. J. Menner, 1920 and from *St. Erkenwald,* ed. H. L. Savage, 1926, by permission of the Yale University Press (our CLN V and ERK V).

The Making of The Concordance

The rather detailed description of the technical procedures used to prepare the concordance which is found in the preliminary matter of all other computer concordances so far published is not to be found here; it has already appeared elsewhere. Users of this concordance should, therefore, if they are curious about those details, consult that description: "A Computer Concordance to Middle English Texts," *Studies in Bibliography, Papers of the Bibliographical Society of the University of Virginia,* XVII (1964), 55–75. We feel, consequently, that a more general account of the making of this concordance will be sufficient now.

The project was conceived in November 1960. It was in the fall of that year that all those necessary events for the making of the concordance fell together: Mr. Kottler was at the University of Pittsburgh for one year as an Andrew W. Mellon Post-Doctoral Fellow, the University of Pittsburgh's Computation and Data Processing Center had just installed an IBM 7070 computing system, and Mr. Markman was willing to join the cooperative adventure which has, at last, resulted in the publication of this volume. With the publication of Mr. Parrish's *Concordance to the Poems of Matthew Arnold* (Ithaca, 1959) as a spur, we decided one day that a natural choice of Middle English materials to concord would be the four poems contained in MS. Cott. Nero A. x. + 4 and St. Erkenwald. Taken as a unit—in spite of many doubts, there are good and sufficient reasons for doing so—the 6,437 lines of the five poems constituted a broad enough, yet manageable, corpus. Further, apart from the poetical works of Chaucer, already well concorded, these poems represent not only the very best accomplishment of Late Middle English but display as well a language sufficiently different from Chaucer's as to make them supremely worthy objects of study for all students of Middle English. With that justification we began our work.

We chose the base texts we did because they had one editor, hence a consistent editorial attitude and practice, for four of our five poems. That decision enabled us to work with the fewest orthographical variations possible, a matter of the largest significance when the problems of adapting natural language texts to computer techniques are considered. In short, we adjusted the orthography of all printed editions to the practices adopted by Gollancz; e.g., nothing was to be gained by retention, say, of Gordon's "vus" in place of the more frequently occurring "vs." Thus we have retained the u/v practice of both Gollancz and Gordon, and have retained the i/y practice of both editors. Owing to certain machine printing limitations present in the summer of 1961 when our first output listing was produced, no punctuation marks whatsoever have been retained, all occurrences of þ have been changed to TH, all brackets in our texts have been eliminated, & has been changed to AND, all italicized printings have been treated as if they were regularly printed, and the entire concordance is printed in uppercase letters. More sophisticated print-chains are, of course, now available, and future computer concordances of all Early English texts will not have to be adjusted to the restrictions of the machine printing capabilities available to us in 1961. Yet nothing of significance was lost by reason of the format we adopted. The only oddity visible is the throwing together, because no apostrophe was available, of certain genitive singular and common plural forms; e.g., ABRAHAMS equals Abraham's. Actually, that form reflects the MSS. more accurately than the printed editions do, for whatever added virtue of tone or distance it may possess. Also, we uncovered, as would be possible in a Modern English text, no embarrassing occurrences of *I'll* or *he'll,* which would, of course, thus become transformed to ILL and HELL.

We next set ourselves to the task of collating our variant texts with their corresponding base text, our principal aim to produce a uniform (and accurate) copy text of the five poems; i.e., the text which would be punched for transmittal, in machine format, to a magnetic tape record. The results of our collation, although not startling, were of considerable significance to the concordance. Even though we did not make and adopt a single new emendation, nor even suggest a single new reading of the MS., we did record and preserve a large number of variants, truly lexical variants. (See "List of Variant Readings" and, for a detailed account, the 1964 description in *SB,* pp. 61–63, and n. 10.) All in all, we found reasonable variant readings in 275 different lines of our seven variant texts. Thus, to the 6,437 lines of our five poems we were obliged to add those 275 variant lines, causing our corpus (hence our uniform copy text) to swell to 6,712 lines. There is an important corollary of that fact which must be kept in mind by those readers who are interested in the frequency of occurrence of any form. Appendix 2 lists the frequency of occurrence of every form (less the 152 words not concorded) in our uniform copy text. It is a numerical sort, in descending order of frequency. In many cases, a glance at that listing will supply the desired frequency; e.g., if it is desired to learn how many times AMESYNG occurred, the frequency sort will show, in the list of words occurring one time, one occurrence, and the main concordance will show that it occurs as a noun in PAT 400. But if we were asked how many times the equivalent of Modern English AMONG occurs, we would answer, 19 times. In this case, the frequency list will show that AMONG occurs 18 times and AMONGE 3 times. The main concordance, therefore, will show AMONG and AMONGE (V. AMONG), and 21 lines displaying those two forms. In addition, 2 occurrences of INMONG, a variant equivalent of Modern English AMONG, are also listed here. Therefore we should conclude that there are 23 occurrences of the equivalent of Modern English AMONG. Yet we must observe that 4 occurrences are found in variant lines; i.e., lines in which some other lexical variant is found, and that we must therefore subtract those 4 occurrences from the apparent total of 23, giving 19 real occurrences. It will further be observed that AMONG (CP. INMONGEȝ) is the main concordance listing. That simply means that we regarded INMONG as exactly equivalent to AMONG and AMONGE, but that INMONGEȝ, although closely related lexically to AMONG, is not an exact equivalent. What is involved, of course, is the vexing problem of identifying words and counting them. In Modern English, for example, is SPRING one word? Is SPRUNG another? Our solution, in short, was to count, in the frequency listing, each form, and that listing is therefore based on formal differences, while in the main concordance we brought lexical equivalents, in spite of their formal differences, together. It simply seemed to us, after a great deal of thought, that that solution rendered the concordance much more immediately useful and convenient, a principal aim, altogether, of our work.

Our pre-machine editing completed, we were now able to hand our 6,712-line uniform text over to the very capable technicians who supervised all the machine operations which were required to produce the concordance. (Again, see the description in *SB* for a more thorough account.) In approximately forty hours, 6,712 IBM cards were punched, so that each card carried in its punched format one line of text, the proper title abbreviation for that line, and the correct line number in the poem for that line. After those cards had been checked for accuracy of punching, the entire deck of 6,712 cards was loaded into the IBM 7070 system, thus transferring our uniform text to a magnetic tape record. A series of programs, devised earlier to perform these operations, sorted and classified the individual forms, compared them with the pre-planned lists of words not to be concorded, or just partially concorded, arranged the entire record of words in a single alphabetical listing, gathered every line of text in which a given word occurred under that word, and, finally, punched out a product deck of 36,831 cards which carried the whole format of the concordance in a form capable of being loaded into a machine printer. When run through the printer, that product deck generated the machine printed concordance. The total machine and printing time was 13 hours and 10 minutes; 40 hours were required to punch the initial deck of cards; thus 53 hours and 10 minutes represent the total post-editing time required to produce the initial print-out concordance. There is no way to account accurately for the number of hours of manual work, or of additional card punching operations, which have transpired between the date of the initial print-out concordance (July 1961) and the appearance of this volume. But it occurs to us that it might prove useful, or illuminating (and not simply an excuse), to indicate briefly something of the enormity of the work required to transform the initial print-out concordance into its present format. Two things should be noticed at once; first, all changes were effected manually (punching new cards, rearranging the line positions of cards, inserting additional and deleting obsolete cards, etc.) and, second, neither of us at any time was engaged only on this project, nor ever able to devote full time to it. Taken together, these two reasons will best account for our time since the summer of 1961.

Because we very early decided that the concordance should be as useful and convenient as it would be possible to make it, in addition to being accurate, and because we did, therefore, decide that all lexical equivalents, in spite of their formal differences, had to be displayed together under a single head word, we could not use our initial print-out concordance as the final format. As stated in the *SB* description, that initial print-out concordance became the concordance needed to make the final concordance. (See that description, pp. 65-70, for a much more detailed account than the one which now follows.) In the two lists of words printed below, the left column displays the first twenty words (just the head words, title abbreviations, and line numbers) on the initial print-out concordance, and the right column displays the first twenty words in the final format.

Word	Poem	Line
ABATAYLMENT		
	GGK	790
ABATE		
	CLN	1356
	PRL	617
ABATED		
	PRL	123
ABATYD		
	ERK	37
ABAYST		
	CLN	149
ABBAY		
	ERK	108
ABDAMA		
	CLN	958
ABELEF		
	GGK	2486
	GGK	2517
ABIDE		
	CLN	856
	CLN	1673
	GGK	1754
	GGK	2090
	PAT	70
ABIDEN		
	PRL	1090
ABIDES		
	GGK	1900
ABLE		
	PRL	599
ABLOY		
	GGK	1174
ABOD		
	CLN	365
ABODE		
	GGK	687

Word	Poem	Line
A (APP. 1)		
ABASHED		
	CLN	149
	GGK	376
ABASHES		
	ERK	261
ABASHMENT		
	PRL	174
ABATAYLMENT (V. BATTLEMENT)		
ABATE (ALSO V. ABIDED)		
	CLN	1356
ABATED		
	CLN	440
	ERK	37
	PRL	123
ABATYD (V. ABATED)		
ABAYST (V. ABASHED)		
ABBAY (V. ABBEY)		
ABBEY		
	ERK	108
ABDAMA (V. ADMAH)		
ABELEF		
	GGK	2486
	GGK	2517
ABIDE		
	CLN	764
	CLN	856
	CLN	1673
	GGK	1754
	GGK	2090
	GGK	2217
	PAT	7
	PAT	70
	PRL	348

ABOF

CLN	38
CLN	1120
CLN	1409
CLN	1464
CLN	1481
GGK	73
GGK	112
GGK	153
GGK	166
GGK	184
GGK	478
GGK	765
PAT	382
PAT	444
PRL	1017
PRL	1023
PRL 2	1017
PRL 3	1017

ABOMINACIONES

CLN	1173

ABOUE

CLN	1382
GGK	856

ABOUEN

GGK	2217

ABOUT

GGK	1653

ABIDED

CLN	365
PRL	617
PRL	1090

ABIDEN (V. ABIDED)

ABIDES

CLN	436
CLN	486
GGK	1900

ABIDING

PAT	419

ABLE

PRL	599

ABLOY

GGK	1174

Some of the differences between the first and final format of this portion of the concordance are these: (1) A, as an article, was included initially in the list of words not to be concorded, and therefore did not appear. But one occurrence of this form, GGK 1281, shows A as a variant of HO (equivalent to Modern English SHE) and consequently had to be included in Appendix 1, where personal pronouns are displayed. Three new cards had to be punched and inserted manually in the concordance: the new head word shown here, the head word in Appendix 1, and the title and line number in Appendix 1. (2) ABATAYLMENT fits better with other equivalents of Modern English BATTLEMENT, so that card was replaced by the present printing, ABATAYLMENT (V. BATTLEMENT), and was moved from the second to the fifth position because the forms of ABASH had to be moved to their positions, and the line of text for GGK 790 was moved hundreds of positions down into the B's. (3) One of the occurrences of ABATE equates with ABIDED; thus the new head word, ABATE (ALSO V. ABIDED), showing that the occurrence of that form in PRL 617 will be found under ABIDED. (4) The present disposition of those forms equating with Modern English ABIDE, ABIDED, ABIDES, and ABIDING is a fair indication of the labor involved, all effected manually—punching new head word cards, rearranging the order of listing, gathering equivalents together, and reinserting cards in the concordance deck—in constituting the final format of the concordance. (5) ABOF, ABOUE, and ABOUEN do not yet show up because they are all now to be found under ABOVE. (6) ABOUT, the twentieth listing on the initial print-out concordance, does not appear anywhere in the final format; it was deleted, found best to be included among those forms not concorded at all. (If we were asked why we retained equivalents of ABOVE and not those of ABOUT, we should have to give a partially devious answer, but would include this much: there appears to us to be more lexical significance in ABOVE—significant for the diction of poetry—than in ABOUT.) And so it went for the entire listing of 9,412 words. A steady eye and nimble fingers replaced the electronic computer for this large portion of our work. THE was a problem. As an article it was not retained, but as the second person pronoun it was; the 2,937 occurrences of THE, therefore, had to be examined to sift out the 147 occurrences of THE as equivalent to THEE, not to Modern English THE. Those occurrences are now listed in Appendix 1. Some sense, we believe, can be gained from this very slight sample of our own feeling of what this concordance should be. When it became clear to us early in 1961 that the cost of computer programs to effect all the changes in the concordance which we felt had to be made, on the order of those just described, was prohibitive, that the problem posed by these changes was not, after all, a computer problem [i.e., computers are not efficient problem solvers unless the same problem has to be solved many times, and each of the thousands of changes we eventually made was a new problem; e.g., consolidate all occurrences of ABOF, ABOUE, and ABOUEN under the new head word ABOVE, and move all the necessary cards to their new positions, or, reconstitute under NEAR all occurrences of NER and NERE, sift out the two occurrences of NERE which are equivalents of Modern English WERE NOT—negative particle plus a form of BE, hence to be included in Appendix 1—move all those cards, and insert new head word cards, NER (V. NEAR) and NERE

(V. NEAR AND APP. 1)], we realized that a great amount of time would be required to effect the changes manually. We have spent that time.

In that fashion the IBM 7070 electronic computer and we made this concordance. It might be said that this is not a computer concordance. We should reply that it is and it is not, that it truly represents a cooperative effort between men and machines. We needed the initial print-out concordance to make the final concordance: our experience has convinced us that it would be inconceivable to do it in any other way. And, of course, we very easily could have been content with the initial print-out concordance, have printed that, and have been doing other things during the past four years. But we would not have produced an efficient concordance, or one very easy to use. Above all, we wanted an efficient, accurate, easily useful concordance. Therefore we were less interested in majestic computer programs (today other possibilities present themselves), more interested in an efficient, reliable concordance. Yet, all in all, the experience has been invaluable. We have learned a great deal about Middle English, about "literary men" and "machine men," and about the capabilities and limitations of computers in literary research. In short, the whole thing has been worthwhile.

The Format

The concordance is disposed, apart from this Preface, in six Parts: (1) Instructions for Using the Concordance, (2) List of Omitted Words, (3) A List of Variant Readings, (4) The Main Concordance, (5) Appendix 1: Words Partially Concorded, and (6) Appendix 2: Head Words in Order of Frequency. By way of explanation, one or two things should be noted about each part.

1. If the ensuing discussion of the format of the concordance is of no immediate concern to him, the reader is advised to look at "Instructions for Using the Concordance."

2. The list of omitted words is largely self-explanatory. In this place are displayed, along with their frequency of occurrence, those lexically insignificant forms which, in order not to swell the concordance unnecessarily, are not concorded. Therefore, except as noted and explained by an asterisk, none of the words in that list will be found anywhere in this concordance.

3. Here we list all the variant readings we uncovered in our collation of our texts. Our reason for including this information is simply that it may well be helpful to some students of these poems.

4. The main concordance is completely cross-referenced. After giving the matter a great amount of thought, we concluded that for every head word which we

changed, i.e., either changed its position or its spelling to its Modern English equivalent form, we should have to provide a cross-reference. If we had not, the concordance, at best, would have been awkward, and, at the worst, unusable. As general principles, these were our guides:

a) Cite the word in its Middle English form when its Modern English equivalent form does not closely resemble it. (Thus DEWYNE—Modern English "languish"—is retained in its original form.)

b) Cite the word under its Modern English form when it does closely resemble it. (Thus occurrences of NEUER are found under NEVER; DEWOUTLY under DEVOUTLY.)

c) Where variant spellings occur, (1) cite them under their Modern English equivalent form or (2) under the most frequently occurring Middle English form. (Thus all occurrences of CRIST, CRISTE, CRYST, KRYST, and KRYSTE are found under CHRIST, but the one occurrence of BOLD is cited with the 27 occurrences of BOLDE.)

d) Whenever a word is not cited in its original form, insert a cross-reference listing at the position the original form would otherwise occupy.

No doubt inconsistencies will be found; we tried valiantly to avoid them, but some are likely to have occurred. The last principle, however, has without fail been applied, and no item, therefore, has been "lost." While it may be objected that we have unnecessarily cluttered the concordance, a moment's reflection should suggest that there was no other way; in this instance we were bound, we felt, by the rigor of "all or none." It will, it is true, seem otiose to even the beginning reader of Middle English to be told: HOND (V. HAND) and HONDE (V. HAND). But perhaps even the accomplished reader will be pleased that we have sorted out DEERE, DER, and DERE, or that we have indicated that while DEL equals DOLE, the 16 occurrences of DELE equate thirteen times with DEAL, twice with DOLE, and once with DEVIL. Similarly we arranged the paradigm FORGET, FORGETS, FORGOT, FORGOTTEN with great confidence, but trust we did not make a nightmare of GOD, GODDESS, GODS, GOOD, and GOODS. Lack of the apostrophe, once again, may cause a moment's disturbance when LOTS is encountered, but the text clearly implies either the wife of LOT or LOT himself. To guide the reader to the citations he wants to see, and to assure him that he sees all equivalent occurrences, ten types of head words were devised. Although that may at first seem a formidable array, the scheme is actually, as a glance at the main concordance reveals, quite simple and self-evident. These are the ten types:

a) ABELEF—i.e., the occurring word itself, with no direction or further instruction given; all citations listed in this place.

b) A (APP. 1)—i.e., look in Appendix 1.

c) AWEN (V. OWN)—i.e., all occurrences of AWEN will be found under OWN; no citations listed here.

d) AWHILE (CP. WHILE)—i.e., all equivalent forms of AWHILE are listed in this place, but also look under WHILE for some other closely related forms.

e) BED (N.)—i.e., the part of speech, noun, to distinguish it from equivalent forms of the verb or noun BID; citations are listed here.

f) BONE (ME)—i.e., Middle English BONE, equivalent of Modern English "murderer," to distinguish it from BONE when it equates with Modern English "bone" or "boon"; the citation is listed here.

g) ABATE (ALSO V. ABIDED)—i.e., of the 2 occurrences of this form, one is cited here, the other under ABIDED.

h) ARE (V. ERE AND APP. 1)—i.e., no occurrences of ARE are listed here; all will be found either under ERE or, as a form of BE, in Appendix 1.

i) ART (ALSO V. APP. 1)—i.e., of the 23 occurrences of ART, 2 are cited here as ART, noun, and 21, as a form of BE, in Appendix 1.

j) HAT (MNE)—i.e., Modern English HAT, "a covering for the head," to distinguish it from Middle English HAT, a form of HATEN.

Perhaps a word of caution is in order here. If it is remembered that one is always looking up *Middle English* words, moving from a text (printed edition) to the concordance, no difficulty will be encountered. Consider, for example, this short stretch:

GILE (V. GILES, GUILE)
GILES
GILES (V. GILLS)
GILLS

M.E. GILE occurs twice, GGK 1644, where it equates with the MnE proper noun "Giles," and GGK 1787, where it equates with MnE "guile." But M.E. GILES, also occurring, equates with MnE "gills." One therefore looks for the GILE citations under GILES or GUILE, and for GILES under GILLS. Similarly, from this short stretch,

HAT (MNE)
HAT (V. HATTE)
HATTE (ALSO V. HAT – MNE, CP. HETTE)

it will be seen that M.E. HAT, never equating with any MnE word meaning "a covering for the head," will be cited under HATTE, a form of HATEN, and that M.E. HATTE, sometimes a form of HATEN and sometimes a word equating with MnE "hat," is cited in its own place and under HAT (MNE). Again, one always goes from a M.E. form in the text to that same M.E. form in the concordance, and follows whatever directions are given there. Thus BORE, CLN 584, is cited under BORN, but BER, CLN 1273, is cited under BORE; therefore the stretch

BORE (V. BORN)
BORE

indicates that in the first instance BORE is the M.E. word, a MnE word in the second. At no place is a MnE head word ever followed by a direction to look elsewhere. Finally, with any nest of citations, the order of listing is always (1) alphabetical by title abbreviation, (2) in ascending numerical order by line number in the poem, when two or more lines of the same poem are cited, and (3) so disposed that all variant lines are cited at the end of the poem block of lines. In all alphabetical sorts, 3 *is always placed last*. Thus, the most inclusive nest of citations would look like this:

CLN 1
CLN 2
CLN V 1
ERK 1
ERK 2
ERK V 1
GGK 1
GGK 2
GGK V 1
PAT 1
PAT 2
PAT V 1
PRL 1
PRL 2
PRL 1 1
PRL 2 1
PRL 3 1

5. Appendix 1, in one alphabetical ordering, by title abbreviation and line number only (i.e., no lines of verse in which the forms occur are cited because we felt it was not necessary to do it, and also because we did not wish to swell the

concordance further) lists all occurrences of (*a*) personal pronouns, to include combining forms with -SELF, and to include, also, all occurrences of IT, ONE, as a pronoun, and equivalents, singular or plural, of Modern English EACHONE and EVERY (EACH) ONE, (*b*) all occurrences of equivalents of any form of BE, DO, and HAVE, and (*c*) all occurrences of the negative particle combined with any form of BE and HAVE (no instance of the negative particle combined with any form of DO occurs). Earlier editors of concordances have, in general, omitted these words. It appeared to us, however, as we thought of the varied functions which these forms, especially the second person pronoun, perform (syntactically and stylistically) in Middle English that it would be of interest to display their occurrence in these five poems in this appendix. It may well prove helpful to the student interested in the behavior of these forms, and that is our justification for doing it.

There are three exceptions to note. The occurrences of HAFYNG (PRL 450), VNDO (GGK 1327), and VNDYD (CLN 562) are not listed in this appendix, but are to be found in the main concordance. They are cited as follows: HAFYNG (V. HAVING), VNDO (V. UNDO), VNDYD (V. UNDID). All three exhibit a lexical content which is something more than that suggested by DO or HAVE. HAFYNG, a noun, equates with Modern English "possession," and although a modern noun "having" makes sense, we felt some confusion might result if we left it in this appendix. VNDO < O.E. UNDON, equates with something like the modern "cut up" or "destroy," and VNDYD with "destroyed," and are therefore placed in the main concordance, partially to show that something of the versatility of Modern English DO was present in these poems, partially to show a lexical content beyond the mere core, DO.

6. Appendix 2 is the frequency count. It is arranged, not alphabetically, but in descending order of frequency of occurrence. It contains every word in the poems except those which were omitted entirely (the frequency count of the omitted words is found in that separate listing). All words are in their original form; i.e., the Middle English orthographical shapes, as they were constituted in our uniform copy text, are retained unaltered in this frequency list. We considered two formats for this list: (*a*) that in which it is now constituted and (*b*) a straightforward alphabetical listing of the head words, with the frequency of occurrence of each printed after it. We rejected (*b*), although it would have been easier to arrange, because the information it would have most quickly provided—the frequency of occurrence of any single word—can almost as readily be found by counting the number of citations in the main concordance and because another kind of interesting information—what kind of word tends to be used more often than

some other word in these poems—can more quickly be had from the present format. Owing to the variant spellings which abound in Middle English texts, the matter is not as simple as it is for Modern English texts; nonetheless, the present arrangement of the frequency count does make the concordance more versatile. It should of course be realized that, owing to the many variant spellings for many words, a certain type of statistical information relevant to a description of the diction of these poems is not, without a considerable amount of sophisticated manipulation, to be had from an examination of this frequency list, or from a study of other data we have obtained during the preparation of this list. It is clear, to be sure, that LEDE occurs twice as frequently as COLDE, or that WLONK occurs only half as frequently as FACE. We can also state that 12.31 percent of the 9,412 words occurring begin with s–, and, as one thinks of the phonetic shape of that grapheme, some interesting conclusions might be reached as a result of that observation. But another kind of conclusion cannot be drawn. We were thinking of the number of words which occur only once, and what that might tell us about the richness, or density, of the diction of these poems, and whether or not a constant ratio of words occurring once to total words used might be found to exist in all five poems. This list will show that of the total words occurring, 5,451, over one-half, occur only once. But in view of our own pre-machine editing procedures and, too, of those many instances of variant spellings, it would be difficult to determine the poet's versatility precisely. Still, the basic data for solution of that problem, and a few others, are preserved in this frequency list.

Certain features of the format of the concordance represent changes from the shape of the concordance as we conceived it to be at the time the *SB* description was written. All such changes are, we feel, for the better, and were initiated, once again, to make it easier for the reader to use the concordance.

Compounds and the Hyphen

The existing printed editions of these poems display an almost bewildering variance of practice in handling hyphenated forms, and in printing either one word or two words in other instances where we might expect a hyphen to occur. We obviously had to arrive at a uniform practice in this matter, for not to have done so would have caused confusion and unnecessary proliferation of words in the original print-out concordance. In general, we eliminated the hyphen whenever it was possible to do so, and we chose one word rather than two words when it seemed to us that the form which resulted represented a unified lexical item which most readers of Middle English would recognize. For example, in two stretches of lines picked quite at random from GGK, vv. 140–198 and 1770–1820, we made the following changes:

	Printed Edition	>	*Uniform Copy Text*
150	OUER-AL		OUERAL
153	WITH-INNE		WITHINNE
157	HEME-WEL		HEMEWEL
164	HYM-SELF		HYMSELF
167	IN-MYDDES		INMYDDES
181	VMBE-FOLDES		VMBEFOLDES
184	VMBE-TORNE		VMBETORNE
184	A-BOF		ABOF
185	THER-VNDER		THERVNDER
194	THWARLE-KNOT		THWARLEKNOT
1770	DE-PRESSED		DEPRESSED
1771	BI-HOUED		BIHOUED
1772	RE-FUSE		REFUSE
1777	LUF-LAȜYNG		LUFLAȜYNG
1777	BY-SYDE		BYSYDE
1798	DE-PARTYNG		DEPARTYNG

Although the impact of these changes is quite self-evident, it might be worthwhile to dwell a moment on a few of them. In 1777, to have made two words would have falsely produced another occurrence of SYDE, cited under SIDE; to have retained the hyphen would have been to ignore the obvious equivalent of Modern English BESIDE. In 194 we regarded THWARLEKNOT as a unified lexical item, not as KNOT modified by THWARLE. Line 157 was a problem. Here we produced HEMEWEL, but in 157 v we produced HEME and WELHALED. We were not always successful. For example, in PRL 753 we had to retain the hyphens in FLOUR-DE-LYS. In PRL 754 we converted ANGEL-HAUYNG to ANGELHAUYNG, but then, in keeping with another of our aims, we had to cite it under a Modern English equivalent, ANGEL-HAVING. We also retained three delightful Middle English forms, thoroughly hyphenated: TO-HIR-WARDE (GGK 1200), MYD-OUER-VNDER (GGK 1730), and WHIDER-WARDE-SO-EUER (GGK 2478). It seemed unthinkable to spoil that portion of the Gawain-poet's practice. What the poet actually wrote, of course, will never be known, but it is good to think that, in these cases, he regarded these three words as unified lexical items, in spite of the fact that the editors of our two printed editions do not agree on their form, or, in the case of MYD-OUER-VNDER, on their meaning. It is unlikely that all readers will be thoroughly satisfied with our solution of the problem which the hyphen poses, but it is quite certain that all will agree that a solution had to be found.

Some General Remarks

This is the first concordance to any Early English texts to appear since the Tatlock-Kennedy concordance to the works of Chaucer was published in 1927. It is the first computer concordance to such texts. The model provided by the earlier Arnold concordance (Ithaca, 1959) was of course of great help in a general way. But the problems posed by our texts were of such large significance, both to our pre-machine editing and to our attempts to evolve a set of efficient machine programs, that we found ourselves constantly feeling our way along. Others have already devised more efficient techniques for solving some of the problems we have described here (and in the *SB* description) and still others will no doubt achieve further improvements in techniques for adapting Old English and Middle English texts to computer manipulations. We are glad to have had a hand in what surely will be a preoccupation of many for some time to come, for we believe that eventually we must have concordances to all important literary texts. As we have said several times, our aim was to produce an accurate (credit the computer) and easy to use (credit people) concordance. This volume, the culmination of those events which occurred in the fall of 1960, represents our joint labors, and does, we think, fulfill our aim.

The uses to which the concordance will be put represent an entirely new area of concern. Certainly those who are interested in the matter of a common authorship for these five poems will turn to the concordance for support. It is not proper for us to express any opinion about that problem here, but we will point to a type of information which, lacking this concordance, would most probably not have been uncovered. The form THEREAFTER occurs 16 times in these five poems, 8 times in CLN, 6 times in GGK, once each in ERK and PAT, and never in PRL. Always it falls at the end of the line of verse in which it occurs. Whether or not that is a stylistic or syntactic feature of the language of these poems, or whether it might tells us, say, something about the author of PRL, is a matter we shall leave to others to consider. It is easy, looking in another direction, to predict a rash of notes on the diction of these poems. For example, consider the 41 occurrences of BLISS and the 36 occurrences of HEAVEN: HEAVEN occurs only once in PAT, and BLISS does not occur there at all; *ergo,* something like *"Patience:* An Earthly Virtue" seems a natural title for a note. Or consider HEAVEN and HELL (13 occurrences): "Heaven and

Hell in *Pearl*" and "There Is No Hell in *Sir Gawain and the Green Knight*" are other possibilities. All studies of the imagery and the diction of Middle English poetry will derive support from this concordance.

It is difficult, after all this time, to find a proper set of last words. Perhaps it will not seem too much in jest if, before we acknowledge our debt to all who have helped us, we suggest an analogy between the making of a concordance and the game of golf (to which one of us is unreasonably addicted). Both experiences are, in the first place, "humblin'," and, in the second place, it is proper never to ask of either "how?" or "why?" Just ask, instead, "How many?" and "Where did it go?"

Acknowledgements

Our work could not have gone forward had it not been for the generosity and sympathetic concern of many people. Vice-Chancellor Charles H. Peake and Dean of the Division of Humanities Frank W. Wadsworth of the University of Pittsburgh approved grants-in-aid and the Purdue Research Foundation provided funds to support our project. Without that interest and support of our two universities this volume would not have appeared. Mrs. Agnes L. Starrett, former Director of the University of Pittsburgh Press, and Mr. Frederick A. Hetzel, Director and Editor of the University of Pittsburgh Press, patiently awaited the copy for the concordance. Their interest, and labors, are deeply appreciated.

We are indebted, also, to many others for assistance and encouragement. In keeping with the principal feature of the format of this volume, we display their kindnesses alphabetically: Professor Jess B. Bessinger, Jr., New York University, himself a concorder of Old English texts, directly and indirectly encouraged us; Professor Fredson Bowers, University of Virginia, forced us, by his request in the fall of 1962 for a description of our work, to settle certain features of our concordance, and we are deeply grateful for having had the opportunity to publish that description in *Studies in Bibliography*; Mrs. Mary F. Buckley and Mrs. Donald Geisler, the first in Lafayette and the second in Pittsburgh, diligently and intelligently aided us in classifying and sorting thousands of citations, and without their minds, eyes, and nimble fingers this volume would not yet be completed; Professor Coolidge O. Chapman, University of Puget Sound, whose model *Index of Names in Pearl, Purity, Patience, and Gawain* (Ithaca, 1951) was most helpful, very kindly advised us on certain matters of format; Mr. John F. Horty, Director, University of Pittsburgh Health Law Center, long interested in the application of computer technology to natural language texts, loaned very capable operators to us to punch and list our uniform copy text—without his generosity the concordance could not have been started; Professor Putnam F. Jones, Dean of the Graduate Faculties, University of Pittsburgh, himself a concorder, very patiently listened to us and offered sound advice; and Professor Sherman M. Kuhn, University of Michigan, provided guidance in two ways—the available sections of the *Middle English Dictionary,* which he has brought along for several years, was of enormous help, as was his advice about certain problems of form, and we are grateful for both. Without the assistance of these people (none of whom, of course, is in any way responsible for whatever errors might still be found in the concordance) our work could not have been completed.

Our appreciation of the contributions of the "machine men" to the making of this concordance must be stated separately. It has been a constant delight to discover how eagerly and intelligently men of science pooled their resources to solve literary and lexical problems. If one clear impression has emerged from our long association with computer scientists, it is this: humanists and scientists can indeed work together, they can communicate their ideas to each other, and they can attack common problems. We believe that a few computer scientists now know more about Middle English poetry than two humanists know about binary arithmetic, algorithms, and parameters, but we are gaining. Mr. William B. Kehl, Director, University of Pittsburgh Computation and Data Processing Center, from the very start gave us his support and encouragement, and it is to his genuine interest in the adaptation of computer technology to natural language texts that we owe our chief debt. Mr. Joseph D. Naughton and others on the staff of the center also gave us time and aid when we needed it. But it is Mr. Charles R. T. Bacon, who devised the first programs which generated our initial print-out concordance, and Mr. Anthony L. Fennessy, who supervised so many of our later manipulations, that we especially thank; without them there would be no concordance.

It is not outrageous, either, to thank the machine. As one of us has stated elsewhere, man made these machines, not in his own image, certainly, but for his profound benefit. We have received a portion of that benefit and it is a distinct pleasure to be able to state that our use of the IBM 7070 system was in part supported by National Science Foundation Research Grant No. G 11309.

Two separate groups of scholars must be mentioned in this last place. Both contributed enormously to the progress of our work. There are, first, the splendid editors of the printed editions we used. Without their work at hand, and particularly the capable glossaries in most of the editions, our concordance would not yet be finished. And, finally, we both owe an incalculable debt to our teachers in

New Haven and Ann Arbor who, two decades ago, properly introduced us to the magnificent poetry written in England in the fourteenth century. Some of them, no doubt, would be terrified were they able to look on this manifestation of their skill and teaching, but all of them, we trust, would be pleased with the care we took of their models and the spirit we hope this volume generates.

Barnet Kottler
Lafayette, Indiana

Alan M. Markman
Pittsburgh, Pennsylvania

INSTRUCTIONS FOR USING THE CONCORDANCE

THE order of entry is alphabetical in the main concordance and Appendix 1, and by descending order of frequency of occurrence in Appendix 2. Appendix 1, showing only title abbreviation and line of verse number for each form, contains (1) all equivalents of any form of Modern English, BE, DO, HAVE, (2) all personal pronouns, including combinations with -SELF and singular and plural forms of EACHONE and EVERY(EACH)ONE, and (3) all occurrences of a negative particle combined with any form of BE and HAVE. Appendix 2 is the frequency count. In all alphabetical listings the order is identical with Modern English practice, and ȝ comes last, after Z. No punctuation whatsoever has been retained, the concordance is printed entirely in capital letters, and all occurrences of the grapheme þ have been changed to TH. The poem title abbreviations are self-evident. Immediately following these instructions two lists will be found: (1) the list of omitted words and (2) the list of variant readings. The main concordance is thoroughly cross-referenced.

The following examples will make clear how the reader should proceed. Suppose one were interested in these words: ȜATEȜ, PRL 1034; DRYȜTYN, PAT 445; and AWHYLE, PRL 692.

a) ȜATEȜ. Check first in the list of omitted words to see if the word has been concorded; it has. Turn to the main concordance to find the head word; it will be found close to the end, between ȜATE and ȜAYNED. There 8 occurrences are listed along with 5 occurrences of ȜATES, and under ȜATES, immediately above, you will note the entry, ȜATES (V. ȜATESȜ). You have found all occurrences in these poems of the equivalent of Modern English "gates." In Appendix 2 you will find ȜATESȜ, aphabetically placed, in the list of words occurring 8 times, and ȜATES in the list for 5 occurrences.

b) DRYȜTYN. Following the procedure for (*a*), you will find the 27 occurrences of this word along with two variant spellings (DRYȜTTYN) and (DRYGHTYN) and, immediately following, the one occurrence of the word in its genitive singular form. In Appendix 2, by following the procedure shown for (*a*), all these forms will be found. We suggest that one also look at LORD, to discover the relation which exists between the two words.

c) AWHYLE. Once again, following the procedure for (*a*), you will find, immediately above AX, the entry AWHYLE (V. AWHILE). Under AWHILE you will find the one occurrence of AWHYLE. AWHILE (CP. WHILE), however, is the actual head word; the implication is that other words, closely related lexically, are to be found under WHILE.

All told, there are ten types of head words, all of which appear to us quite self-evident. The concordance has deliberately been arranged to make it easy to use, since, after having taken all possible care to see that it was accurate, we were chiefly guided by our aim to make it useable. From A to ȝYS, the 9,412 words are thus arranged in what we regard to be the most efficient and useful order. In the Preface, of course, we have described the concordance in greater detail, and answers to any questions that might occur now will, in all likelihood, be found there.

LIST OF OMITTED WORDS

THE following 152 words have not been concorded. In the event that some readers may be interested in them and their frequency (e.g., an investigation of their syntactic or stylistic functions) they are listed here. Since the magnetic tape record of our uniform copy text is on file in the University of Pittsburgh Computation and Data Processing Center, the retrieval of any word and its line of verse citation could easily be arranged, and nothing, therefore, can ever be lost. Two things are to be observed: (1) words marked with an asterisk represent Middle English homographs, and are explained below; (2) the disposition of WHATEȝ, AMEN, and HONY SOYT QUI MAL PENCE is explained below.

A*	789	ANI	5	FULLE	5
AA	1	ANY	55	HOV	6
ABOUT	1	AS	481	HOW	37
ABOUTE	63	AT	256	HOWE	1
ABOUTTE	2	ATE	1	ICHE	2
ABOWTE	3	AY	74	IF	93
ABUTE	1	AYE	1	IN	1032
AFTER	64	BI*	150	INN	1
AFTTER	1	BOT*	324	INNE	11
AL	228	BOTH	3	INTO	55
ALAS	1	BOTHE	79	LA	3
ALCE	2	BY*	139	NE	180
ALL	2	DE	3	NEE	1
ALLAS	3	FOL*	4	NIF	3
ALLE	325	FOR	593	NO	225
ALS	35	FORE	1	NOGHT	67
ALSE	1	FOUL	1	NONE	6
ALSO	31	FRAM	1	NOT	132
AN	41	FRO	110	NOV	7
AND	2409	FROM	1	NOW	135
ANDE	21	FUL	330	NOWE	3

Word	Count
NOȜT	43
NOȜTE	1
NYF	1
O	11
OF	1259
ON*	535
OO	1
OPON*	7
OR	7
OTHER	222
OTHEREȜ	1
OTHIR	1
OTHIRE	2
QUAT	27
QUEN	65
QUY	5
SO	391
SUCH	62
SUCHE	21
TEL	1
THAD	1
THAGHE	4
THANNE	1
THARE	7
THAT	1843
THAȜ	96
THAȜE	1
THE*	2937
THEN	152
THENE	1
THENN	12
THENNE	214
THER	291
THERE	56
THES	3
THESE	7
THET	1
THIS	238
THISE	36
THO*	50
THOF	2
THORE	3
THORȜ	1
THOS	1
THOSE	28
THOȜ	2
THURGHE	3
THURȜ	62
THURȜE	1
THYS	30
THYSE	24
THYSSE	1
TIL	29
TILLE	2
TO*	1253
TYL	16
TYLLE	5
VCH	48
VCHE	85
VNTO	9
VP	65
VPE	2
VPON*	180
VPONE	1
VPPE	1
VUCHE	1
WEL	92
WEN	1
WHAM	2
WHAT	56
WHATEȜ	2
WHATT	1
WHEN	87
WHY	11
WIT*	2
WITH	254
WITHIN	2
WITHINNE	13
WITHOUTE	4
WITHOUTEN	7
WY	4
WYT*	20
WYTH	389
WYTHINNE	40
WYTHOUTE	6
WYTHOUTEN	38
ȜET	87
ȜIF	37
ȜYF	1

1. Words Marked with an Asterisk

Certain occurrences of those words marked with an asterisk will be found in the main concordance or in Appendix 1. The instances of such occurrences are these:

A — When equivalent to HO, this form is listed in Appendix 1.

BI — When a form of BE, this form is listed in Appendix 1.

BOT	When equivalent to MnE "remedy" or "boat," this form is listed in the main concordance: BOT (V. BOAT, BOOT).
BY	When a form of BE, this form is listed in Appendix 1.
FOL	When equivalent to MnE "fool," this form is listed in the main concordance: FOL (V. FOOL).
ON	When equivalent to MnE "one," this form is listed in the main concordance and Appendix 1: ON (V. ONE AND APP. 1).
OPON	When equivalent to MnE "open," this form is listed in the main concordance: OPON (V. OPEN).
THE	When equivalent to MnE "thee," this form is listed in Appendix 1.
THO	When equivalent to MnE "thou," this form is listed in Appendix 1.
TO	When equivalent to MnE "take," this form is form is listed in the main concordance: TO (V. TAKE).
VPON	When equivalent to MnE "open," this form is listed in the main concordance: VPON (V. OPEN).
WIT	When equivalent to MnE "wit," this form is listed in the main concordance: WIT.
WYT	When equivalent to MnE "wit," this form is listed in the main concordance: WYT (V. WIT).

2. WHATEȜ, AMEN, and HONY SOYT QUI MAL PENCE

a) The form WHATEȜ occurs only in PRL 1 and PRL 3, line 1041. In PRL 1041 Gordon prints BYRTH-WHATEȜ. We print one word, BYRTHWHATEȜ. We simply agree with Gordon: "fortunes (order) of birth" is the equivalent Modern English sense, and WHATEȜ, which turned up from the texts of PRL 1 and PRL 3, we discarded. The MED, Part B.3, p. 886 cites this same line (definition 7, g, under BIRTH (E) and suggests that WHATEȜ will be regarded as a separate item, with an entry of its own, under W-.

b) AMEN is found once at the end of CLN, GGK, PAT, and twice at the end of PRL. It does not occur at all in ERK. We did not count it at all; i.e., we did not regard it as a part of the text, and, therefore, we ignored it altogether. Why did the poet (if it were indeed one poet) not close *St. Erkenwald* with AMEN? We do not know.

c) The motto HONY SOYT QUI MAL PENCE, found at the end of GGK, was also ignored for the same reason we ignored AMEN.

LIST OF VARIANT READINGS

THE purpose of this listing is to show at a glance where, as a result of our collation of the printed editions we used in the preparation of the concordance, we observed, and therefore retained, lexical variants. The information printed here is to be interpreted in this manner. For each of the five poems, the base edition and the variant edition(s) are cited. Where line numbers occur in this list, they signify that for that particular line of verse in the base edition, a variant reading occurs in the same line in the variant edition. Thus, GGK 46 and GGK v 46 do not agree, and GGK v 46, therefore, is listed here.

1. CLN

Base Text: *Cleanness*. Ed. Sir Israel Gollancz. Select Early English Poems, II. London, Oxford University Press, 1921.

Variant Text: *Purity*. Ed. Robert J. Menner. Yale Studies in English, No. LXI. New Haven, Yale University Press, 1920.

Coded: CLN V.

The following CLN v line numbers show a reading different from the corresponding CLN line numbers:

10	279	458	652	944	1315	1483	1618
15	318	475	654	966	1390	1485	1622
16	322	491	655	1015	1391	1494	1646
98	379	514	659	1040	1406	1507	1648
117	427	515	668	1051	1414	1518	1687
226	441	520	745	1101	1419	1559	1697
229	447	529	839	1107	1460	1566	1717
231	456	620	935	1267	1461	1598	1808

2. ERK

Base Text: *St. Erkenwald*. Ed. Sir Israel Gollancz. Select Early English Poems, IV. London, Oxford University Press, 1922.

Variant Text: *St. Erkenwald*. Ed. Henry L. Savage. Yale Studies in English,

No. LXXII. New Haven, Yale University Press, 1926.
Coded: ERK V.

The following ERK V line numbers show a reading different from the corresponding ERK line numbers:

1	55	103	123	171	192	206	252	292
49	74	116	168	190	205	251	262	297

3. GGK

Base Text: *Sir Gawain and the Green Knight.* Ed. Sir Israel Gollancz. EETS, O. S., No. 210. London, Oxford University Press, 1940.

Variant Text: *Sir Gawain and the Green Knight.* Ed. J. R. R. Tolkien and E. V. Gordon. Oxford, The Claredon Press, 1925 (corrected 1930) ; reprinted 1952.
Coded: GGK V.

The following GGK V line numbers show a reading different from the correponding GGK line numbers:

46	591	940	1141	1343	1457	1738	2053	2203
60	646	960	1212	1345	1493	1755	2055	2290
157	649	967	1283	1350	1579	1766	2096	2329
171	660	971	1295	1372	1595	1808	2110	2346
194	769	984	1304	1434	1611	1815	2124	2459
214	835	1028	1331	1440	1663	1941	2171	2472
243	881	1032	1333	1441	1696	2027	2177	
558	893	1082	1334	1444	1724	2029	2198	

4. PAT

Base Text: *Patience.* Ed. Sir Israel Gollancz. Select Early English Poems, I. London, Oxford University Press, 1913.

Variant Text: *Patience.* Ed. H. Bateson. 2nd Ed. Manchester University Press, 1918.
Coded: PAT V.

The following PAT V line numbers show a reading different from the corresponding PAT line numbers:

1	54	56	188	189	259	269	350	489

5. PRL

Base Text: *Pearl.* Ed. E. V. Gordon. Oxford, The Claredon Press, 1953.

Variant Texts: 1) *Pearl.* Ed. C. G. Osgood. Boston and London, 1906.
2) *Pearl.* Ed. Sir Israel Gollancz. London, 1921.
3) *Pearl.* Ed. S. P. Chase and Members of the Chaucer Course (English 21-22) in Bowdoin College. Boston, 1933.
Coded: PRL 1, PRL 2, and PRL 3.

The following PRL 1, PRL 2, and PRL 3 line numbers show a reading different from the corresponding PRL line numbers:

PRL 1	PRL 2	PRL 3	PRL 1	PRL 2	PRL 3
51	11	53	656	733	791
54	23	54	690	735	802
103	53	103	698	755	836
115	103	115	733	756	838
142	140	179	752	802	848
185	154	197	756	838	935
197	179	210	786	911	1017
200	197	307	802	935	1035
209	210	313	836	998	1041
210	331	315	838	1007	1064
302	358	358	848	1015	1086
307	359	359	935	1017	1186
358	499	499	981	1030	1196
359	565	528	1035	1050	
369	616	613	1041	1064	
382	630	616	1064	1086	
460	672	630	1086	1108	
528	690	690	1186	1112	
616	702	735	1193	1186	
630	709	786	1196		

MAIN CONCORDANCE

A (APP. 1)		
ABASHED		
THAT OTHER BURNE WAT3 ABAYST OF HIS BROTHE WORDE3	CLN	149
AND HE BALDLY HYM BYDE3 HE BAYST NEUER THE HELDER	GGK	376
ABASHES		
THI BODY MAY BE ENBAWMYD HIT BASHIS ME NOGHT.	ERK	261
ABASHMENT		
BOT BAYSMENT GEF MYN HERT A BRUNT	PRL	174
ABATAYLMENT (V. BATTLEMENT)		
ABATE (ALSO V. ABIDED)		
TIL THE LORDE OF THE LYFTE LISTE HIT ABATE	CLN	1356
ABATED		
BED BLYNNE OF THE RAYN HIT BATEDE AS FAST.	CLN	440
THEN WAS HIT ABATYD AND BETEN DON AND BUGGYD EFTE NEW.	ERK	37
BYLDE IN ME BLYS ABATED MY BALE3.	PRL	123
ABATYD (V. ABATED)		
ABAYST (V. ABASHED)		
ABBAY (V. ABBEY)		
ABBEY		
IN ESEX WAS SER ERKENWOLDE AN ABBAY TO VISITE	ERK	108
ABDAMA'(V. ADMAH)		
ABELEF		
ABELEF AS A BAUDERYK BOUNDEN BI HIS SYDE	GGK	2486
A BENDE ABELEF HYM ABOUTE OF A BRY3T GRENE	GGK	2517
ABIDE		
WYLT THOU MESE THY MODE AND MENDDYNG ABYDE	CLN	764
THAT HE NE PASSED THE PORT THE PERIL TO ABIDE	CLN	856
AND THOU REMUED FRO MONNES SUNES ON MOR MUST ABIDE.	CLN	1673
AND BIHOUES HIS BUFFET ABIDE WITHOUTE DEBATE MORE	GGK	1754
BEDE HIS MAYSTER ABIDE	GGK	2090
ABYDE QUOTH ON ON THE BONKE ABOUEN OUER HIS HEDE	GGK	2217
THEN IS BETTER TO ABYDE THE BUR VMBESTOUNDES.	PAT	7
AND HER MALYS IS SO MUCH I MAY NOT ABIDE	PAT	70
THOU MOSTE ABYDE THAT HE SCHAL DEME.	PRL	348
ABIDED		
WAT3 NO BRYMME THAT ABOD VNBROSTEN BYLYUE.	CLN	365
WHERE WYSTE3 THOU EUER ANY BOURNE ABATE	PRL	617
HADE BODYLY BURNE ABIDEN THAT BONE	PRL	1090
ABIDEN (V. ABIDED)		
ABIDES		
FOR TO MYNNE ON HIS MON HIS METH THAT ABYDE3.	CLN	436
ON STAMYN HO STOD AND STYLLE HYM ABYDE3	CLN	486
THE WY3E WAT3 WAR OF THE WYLDE AND WARLY ABIDES.	GGK	1900
ABIDING		
THY LONGE ABYDYNG WYTH LUR THY LATE VENGAUNCE	PAT	419
ABLE		
THENNE THE LASSE IN WERKE TO TAKE MORE ABLE	PRL	599
ABLOY		
THE LORDE FOR BLYS ABLOY	GGK	1174
ABOD (V. ABIDED)		
ABODE		
HE MADE NON ABODE.	GGK	687
ABOF (V. ABOVE)		
ABOMINATIONS		
HE VSED ABOMINACIONES OF IDOLATRYE	CLN	1173
ABOUE (V. ABOVE)		
ABOUEN (V. ABOVE)		
ABOVE		
ABOF DUKE3 ON DECE WYTH DAYNTYS SERUED.	CLN	38

Text	Poem	Line
THAT WYNNES WORSCHYP ABOF ALLE WHYTE STONES	CLN	1120
WYTH KOYNT CARNELES ABOUE CORUEN FUL CLENE	CLN	1382
BROTHE BABOYNES ABOF BESTTES ANVNDER	CLN	1409
AND AL BOLLED ABOF WYTH BRAUNCHES AND LEUES	CLN	1464
THE BO3ES BRY3T THER ABOF BRAYDEN OF GOLDE	CLN	1481
THE BEST BURNE AY ABOF AS HIT BEST SEMED	GGK	73
BISCHOP BAWDEWYN ABOF BIGINE3 THE TABLE	GGK	112
A MERE MANTILE ABOF MENSKED WITHINNE	GGK	153
THAT WERE ENBRAUDED ABOF WYTH BRYDDES AND FLY3ES	GGK	166
WAT3 EUESED AL VMBETORNE ABOF HIS ELBOWES.	GGK	184
AND HIT WAT3 DON ABOF THE DECE ON DOSER TO HENGE	GGK	478
ABOF A LAUNDE ON A LAWE LOKEN VNDER BO3E3.	GGK	765
OF BRY3T BLAUNNER ABOUE ENBRAWDED BISYDE3.	GGK	856
ABYDE QUOTH ON ON THE BONKE ABOUEN OUER HIS HEDE	GGK	2217
SEWED A SEKKE THER ABOF AND SYKED FUL COLDE	PAT	382
THE FAYREST BYNDE HYM ABOF THAT EUER BURNE WYSTE	PAT	444
THE WAL ABOF THE BANTELS BENT.	PRL	1017
THE CYTE STOD ABOF FUL SWARE	PRL	1023
THE WAL ABOF THE BANTELS BRENT	PRL 2	1017
THE WAL ABOF THE BANTELS BRENT	PRL 3	1017
ABRAHAM		
OLDE ABRAHAM IN ERDE ONE3 HE SYTTE3.	CLN	601
IN THE HY3E HETE THEROF ABRAHAM BIDE3	CLN	604
ABRAHAM AL HODLE3 WYTH ARME3 VPFOLDEN	CLN	643
I SCHAL EFTE HEREAWAY ABRAM THAY SAYDEN	CLN	647
ABRAHAM HELDE3 HEM WYTH HEM TO CONUEYE.	CLN	678
HOW MY3T I HYDE MYN HERT FRO HABRAHAM THE TRWE	CLN	682
AND ALLE MYN ATLYNG TO ABRAHAM VNHASPE BILYUE	CLN	688
THENNE AR3ED ABRAHAM AND ALLE HIS MOD CHAUNGED	CLN	713
NOW ATHEL LORDE QUOTH ABRAHAM ONE3 A SPECHE	CLN	761
AND ALS ABRAHAM THYN EME HIT AT HIMSELF ASKED	CLN	924
ABRAHAM FUL ERLY WAT3 VP ON THE MORNE	CLN	1001
THEN ABRAHAM OBECHED HYM AND HY3LY HIM THONKKE3.	CLN V	745
ABRAHAME3 (V. ABRAHAMS)		
ABRAHAMS		
THAT SCHAL BE ABRAHAME3 AYRE AND AFTER HYM WYNNE	CLN	650
ABRAM (V. ABRAHAM)		
ABROACHED		
THEN GLORY AND GLE WAT3 NWE ABROCHED	PRL	1123
ABROCHED (V. ABROACHED)		
ABSOLUCIOUN (V. ABSOLUTION)		
ABSOLUTION		
AND OF ABSOLUCIOUN HE ON THE SEGGE CALLES.	GGK	1882
ABYDE (V. ABIDE)		
ABYDE3 (V. ABIDES)		
ABYDYNG (V. ABIDING)		
ABYME (V. ABYSM)		
ABYSM		
DRY3TYN WYTH HIS DERE DOM HYM DROF TO THE ABYME.	CLN	214
THEN BOLNED THE ABYME AND BONKE3 CON RYSE.	CLN	363
THE GRETE BARRE3 OF THE ABYME HE BARST VP AT ONE3	CLN	963
LI3TLY LASSHIT THER A LEME LOGHE IN THE ABYME	ERK	334
AND EFTE BUSCHED TO THE ABYME THAT BREED FYSCHES	PAT	143
THAT WAT3 BETEN FRO THE ABYME BI THAT BOT FLOTTE	PAT	248
THE ABYME BYNDES THE BODY THAT I BYDE INNE	PAT	318
VPSODOUN SCHAL 3E DUMPE DEPE TO THE ABYME.	PAT	362
ABYT (V. HABIT)		
ACCESS		
FOR WHEN THE ACCES OF ANGUYCH WAT3 HID IN MY SAWLE.	PAT	325

ACCORD
FOR BY ACORDE OF COUENAUNT 3E CRAUE HIT AS YOUR AWEN . . . . . GGK 1384
TO ACORDE ME WITH COUETYSE MY KNYDE TO FORSAKE . . . . GGK 2380
WE SCHAL YOW WEL ACORDE. . . . . GGK 2405
LA3EN LOUDE THERAT AND LUFLYLY ACORDEN. . . . . GGK 2514
OF CARE AND ME 3E MADE ACORDE. . . . . PRL 371
INTO ACORDE THAY CON DECLYNE . . . . PRL 509
ACCORDED
THE CROPORE AND THE COUERTOR ACORDED WYTH THE ARSOUNE3 . . . . GGK 602
THAY ACORDED OF THE COUENAUNTE3 BYFORE THE COURT ALLE. . . . . GGK 1408
FOR THAT WAT3 ACORDED THE RENOUN OF THE ROUNDE TABLE . . . . . GGK 2519
HE WORDE3 ACORDED TO YSAYE. . . . . PRL 819
ACCORDS
FORTHY HIT ACORDE3 TO THIS KNY3T AND TO HIS CLER ARME3 . . . . GGK 631
BOT TO LELLY LAYNE FRO HIR LORDE THE LEUDE HYM ACORDE3 . . . . GGK 1863
ACCOUNT
BEFORE THAT KYNNED 3OUR CRISTE BY CRISTEN ACOUNTE . . . . . . ERK 209
ACHAPED (V. ESCAPED)
ACHAUFED
WAR THE THENNE FOR THE WRAKE HIS WRATH HAT3 ACHAUFED . . . . . CLN 1143
AND ACHAUFED HYM CHEFLY AND THENNE HIS CHER MENDED. . . . . . GGK 883
ACHEUE (V. ACHIEVE)
ACHEUED (V. ACHIEVED)
ACHIEVE (CP. CHEUE)
AND QUAT CHEK SO 3E ACHEUE CHAUNGE ME THERFORNE. . . . . GGK 1107
TO ACHEUE TO THE CHAUNCE THAT HE HADE CHOSEN THERE. . . . . . GGK 1838
WHAT MORE HONOUR MO3TE HE ACHEUE. . . . . PRL 475
ACHIEVED
NOW ACHEUED IS MY CHAUNCE I SCHAL AT YOUR WYLLE. . . . . GGK 1081
WHEN HE ACHEUED TO THE CHAPEL HIS CHEK FORTO FECH . . . . GGK 1857
ACOLEN
THAY ACOLEN AND KYSSEN BIKENNEN AYTHER OTHER. . . . . GGK 2472
THAY ACOLEN AND KYSSEN AND KENNEN AYTHER OTHER . . . . GGK V 2472
ACOLES
THEN ACOLES HE THE KNY3T AND KYSSES HYM THRYES . . . . GGK 1936
ACORDE (V. ACCORD)
ACORDED (V. ACCORDED)
ACORDEN (V. ACCORD)
ACORDE3 (V. ACCORDS)
ACOUNTE (V. ACCOUNT)
ACQUAINTANCE
THAY KALLEN HYM OF AQUOYNTAUNCE AND HE HIT QUYK ASKE3. . . . . GGK 975
ACROCHE
THE MONE MAY THEROF ACROCHE NO MY3TE . . . . PRL 1069
ADAM
ADAM INOBEDYENT ORDAYNT TO BLYSSE . . . . CLN 237
THE ATHEL AUNCETERE3 SUNE3 THAT ADAM WAT3 CALLED . . . . CLN 258
ADAM OURE ALDER THAT ETE OF THAT APPULLE . . . . ERK 295
FOR SO WAT3 ADAM IN ERDE WITH ONE BYGYLED. . . . . GGK 2416
THAT ADAM WYTH INNE DETH VS DROUNDE. . . . . PRL 656
THAT ADAM WYTHINNE DETH VS DROUNDE . . . . PRL 1 656
ADAUNT
MORE MERUAYLE CON MY DOM ADAUNT . . . . PRL 157
ADMAH
ABDAMA AND SYBOYM THISE CETEIS ALLE FAURE. . . . . CLN 958
ADMONISH
AND HIS MEN AMONESTES METE FOR TO DY3T. . . . . CLN 818
ADON (V. ADOWN)
ADOUN (V. ADOWN)

Word / Line	Poem	Line No.
ADOWN		
THE RAYN RUELED ADOUN RIDLANDE THIKKE	CLN	953
THE TERES TRILLYD ADON AND ON THE TOUMBE LIGHTEN	ERK	322
LI3T LUFLYCH ADOUN AND LENGE I THE PRAYE	GGK	254
COLDE CLENGE3 ADOUN CLOUDE3 VPLYFTEN	GGK	505
LOUTE3 LUFLYCH ADOUN AND THE LEUDE KYSSE3.	GGK	1306
THE LADY LOUTE3 ADOUN	GGK	1504
HE LY3TES LUFLYCH ADOUN LEUE3 HIS CORSOUR.	GGK	1583
HADE HIT DRYUEN ADOUN AS DRE3 AS HE ATLED.	GGK	2263
AS HIT COM GLYDANDE ADOUN ON GLODE HYM TO SCHENDE	GGK	2266
THAT DROF HEM DRY3LYCH ADOUN THE DEPE TO SERUE	PAT	235
AS HIT WAS LY3T FRO THE HEUEN ADOUN.	PRL	988
ADRE3		
THUS THAY DRO3 HEM ADRE3 WYTH DAUNGER VCHONE.	CLN	71
ADUBBEMENT		
OF HALF SO DERE ADUBBEMENTE	PRL	72
IN RESPECTE OF THAT ADUBBEMENT	PRL	84
THE ADUBBEMENTE OF THO DOWNE3 DERE	PRL	85
AS HERE AND SE HER ADUBBEMENT.	PRL	96
LORDE DERE WAT3 HIT ADUBBEMENT	PRL	108
SO DERE WAT3 HIT ADUBBEMENT	PRL	120
THE DUBBEMENT DERE OF DOUN AND DALE3	PRL	121
THE DUBBEMENTE OF THO DERWORTH DEPE.	PRL	109
ADUBBEMENTE (V. ADUBBEMENT)		
ADVENTURE (CP. AUNTER)		
AND AN OUTTRAGE AWENTURE OF ARTHURE3 WONDERE3	GGK	29
THENN ARTHOUR BIFORE THE HI3 DECE THAT AUENTURE BYHOLDE3.	GGK	250
THIS AUENTURE FORTO FRAYN	GGK	489
AND MONY AVENTURE IN VALE HE VENQUYST OFTE	GGK	2482
IN AUENTURE THER MERUAYLE3 MEUEN.	PRL	64
ADVENTUROUS		
OF SUM AUENTURUS THYNG AN VNCOUTHE TALE	GGK	93
OF ALDERES OF ARMES OF OTHER AUENTURUS.	GGK	95
THIS HANSELLE HAT3 ARTHUR OF AUENTURUS ON FYRST.	GGK	491
ADVISE		
WITH ALLE THE METE AND THE MIRTHE THAT MEN COUTHE AVYSE	GGK	45
AND KYSSES HYM AS COMLYLY AS HE COUTHE AWYSE.	GGK	1389
ADVISED		
SUCH A MANGERIE TO MAKE THE MAN WAT3 AUISED	CLN	1365
FULLE VERRAY WERE THE VIGURES THER AUISYDE HOM MONY	ERK	53
THAT HOLDE ON THAT ON SYDE THE HATHEL AUYSED.	GGK	771
ADYTE		
DEME DRY3TYN EUER HYM ADYTE	PRL	349
AENEAS		
HIT WAT3 ENNIAS THE ATHEL AND HIS HIGHE KYNDE	GGK	5
AFFIANCE		
AND ALLE HIS AFYAUNCE VPON FOLDE WAT3 IN THE FYUE WOUNDE3	GGK	642
AFFRAY		
I RAXLED AND FEL IN GRET AFFRAY	PRL	1174
AFFYEN		
THAT AFFYEN HYM IN VANYTE AND IN VAYNE THYNGES	PAT	331
AFRAYED		
3ET AFRAYED THAY NO FREKE FYRRE THAY PASSEN	CLN	1780
AFTERWARD		
AN ANSUARE OF THE HOLY GOSTE AND AFTERWARDE HIT DAWID.	ERK	127
AFTERWARDE (V. AFTERWARD)		
AFYAUNCE (V. AFFIANCE)		
AGAIN		

AND CONTROEUED AGAYN KYNDE CONTRARE WERKE3 . . . . CLN 266
I SCHAL 3EPLY A3AYN AND 3ELDE THAT I HY3T. . . . . CLN 665
AGAYNE THE BONE OF THE BURNE THAT HIT FORBODEN HADE . . . . . CLN 826
BOT FOR HIS BERYNG SO BADDE AGAYN HIS BLYTHE LORDE. . . . . . CLN 1228
THENNE SONE WAT3 HE SENDE AGAYN HIS SETE RESTORED . . . . . . CLN 1705
THAT OTHER ONSWARE3 AGAYN . . . . GGK 386
AND WYNTER WYNDE3 A3AYN AS THE WORLDE ASKE3 . . . . GGK 530
THEN 3EDE THE WY3E 3ARE AND COM A3AYN SWYTHE. . . . . GGK 815
AND THUS HE BOURDED A3AYN WITH MONY A BLYTHE LA3TER . . . . . GGK 1217
THE HEDE HYPPED A3AYN WERESOEUER HIT HITTE . . . . GGK 1459
AND HO HYM 3ELDE3 A3AYN FUL 3ERNE OF HIR WORDE3. . . . . . . GGK 1478
ALLE MY GET I SCHAL YOW GIF AGAYN BI MY TRAWTHE. . . . . . . GGK 1638
HE BLENCHED A3AYN BILYUE . . . . GGK 1715
AND OFTE RELED IN A3AYN SO RENIARDE WAT3 WYLE . . . . GGK 1728
AND THAY 3ELDEN HYM A3AYN 3EPLY THAT ILK . . . . GGK 1981
A3AYN HIS DYNTE3 SORE . . . . GGK 2116
AND I SCHAL HY3 ME HOM A3AYN AND HETE YOW FYRRE. . . . . . . GGK 2121
AND 3ELDE 3EDERLY A3AYN AND THERTO 3E TRYST . . . . GGK 2325
AND 3E SCHAL IN THIS NWE3ER A3AYN TO MY WONE3 . . . . GGK 2400
THER SCHYNE3 FUL SCHYR AGAYN THE SUNNE. . . . . PRL 28
TO DOL AGAYN THENNE I DOWYNE . . . . PRL 326
LORDE MAD HIT ARN THAT AGAYN THE STRYUEN . . . . PRL 1199
OTHER PROFEREN THE O3T AGAYN THY PAYE . . . . PRL 1200

AGAINST
AND AS TO GOD THE GOOD MON GOS HEM AGAYNE3 . . . . CLN 611
BOT AY HAT3 HOFEN THY HERT AGAYNES THE HY3E DRY3TYN . . . . . CLN 1711
WYTH LEUE LA3T OF THE LORDE HE LENT HEM A3AYNES. . . . . . . GGK 971
WYTH LEUE LA3T OF THE LORDE HE WENT HEM A3AYNES. . . . . . . GGK V 971
BOT HE NOLDE NOT FOR HIS NURTURE NURNE HIR A3AYNE3. . . . . . GGK 1661
QUEN GLEM OF GLODE3 AGAYN3 HEM GLYDE3 . . . . PRL 79

AGAYN (V. AGAIN)
AGAYNE (V. AGAIN)
AGAYNES (V. AGAINST)
AGAYNE3 (V. AGAINST)

AGAYNTOTE
AND AY GOANDE ON YOUR GATE WYTHOUTEN AGAYNTOTE . . . . CLN 931

AGAYN3 (V. AGAINST)

AGE
THE SEX HUNDRETH OF HIS AGE AND NONE ODDE 3ERE3. . . . . . . CLN 426
AND I SO HY3E OUT OF AGE AND ALSO MY LORDE . . . . CLN 656
THER IS NO LEDE OPON LYFE OF SO LONGE AGE. . . . . ERK 150
FOR AL WAT3 THIS FAYRE FOLK IN HER FIRST AGE. . . . . GGK 54
I WAT3 FUL 3ONG AND TENDER OF AGE . . . . PRL 412

AGHE
NE FOR MAYSTRIE NE FOR MEDE NE FOR NO MOUNES AGHE . . . . . . ERK 234

AGHLICH (V. A3LY)
AGHT (V. EIGHT, OUGHT)
AGHTENE (V. EIGHTEEN)
AGHTES (V. OUGHT)

AGLY3TE
SYTHEN INTO GRESSE THOU ME AGLY3TE . . . . PRL 245

AGRAUAYN
AND AGRAUAYN A LA DURE MAYN ON THAT OTHER SYDE SITTES. . . . GGK 110

AGRETE
AND I HYRED THE FOR A PENY AGRETE . . . . PRL 560

AGREUED (V. AGRIEVED)

AGRIEVED
SO AGREUED FOR GREME HE GRYED WITHINNE. . . . . GGK 2370

AILED

AS NON VNHAP HAD HYM AYLED THA3 HEDLE3 HE WERE . . . . GGK 438
AIM
SO THAT SCHOMELY TO SCHORT HE SCHOTE OF HIS AME. . . . . PAT 128
AIMED
AND AMED HIT IN MYN ORDENAUNCE ODDELY DERE . . . . CLN 698
AIQUERE (V. AYWHERE)
AIR
ASKE3 VPE IN THE AYRE AND VSELLE3 THER FLOWEN . . . . CLN 1010
ALABAUNDARYNES
ALABAUNDARYNES AND AMARAUN3 AND AMAFFISED STONES . . . . CLN 1470
ALARM
LOUDE ALAROM VPON LAUNDE LULTED WAT3 THENNE . . . . CLN 1207
ALAROM (V. ALARM)
ALCORAN
AS ALUM AND ALKARAN THAT ANGRE ARN BOTHE . . . . CLN 1035
ALDER (V. ELDER, OLDER)
ALDERES (V. ELDERS)
ALDERGRATTEST (V. ALTHERGRATTEST)
ALDERGRATTYST (V. ALTHERGRATTEST)
ALDERMEN
AND THE ALDERMEN SO SADDE OF CHERE . . . . PRL 887
THISE ALDERMEN QUEN HE APROCHED . . . . PRL 1119
ALDERTRUEST
BI ALDERTRUEST TOKEN OF TALK THAT I COWTHE . . . . GGK 1486
ALDEST (V. OLDEST)
ALEGGE (V. ALLEGE)
ALGATE
BOT MON MOST I ALGATE MYNN HYM TO BENE. . . . . GGK 141
ALHALDAY
3ET QUYL ALHALDAY WITH ARTHER HE LENGES . . . . GGK 536
ALICHE (V. ALIKE)
ALIKE
ON VCHE SYDE OF THE WORLDE AYWHERE ILYCHE. . . . . CLN 228
FERLY FERDE WAT3 HER FLESCH THAT FLOWEN AY ILYCHE . . . . . . CLN 975
WAT3 LONGE AND FUL LARGE AND EUER ILYCH SWARE . . . . CLN 1386
VPON THAT AVTER WAT3 AL ALICHE DRESSET. . . . . CLN 1477
FOR THER THE FEST WAT3 ILYCHE FUL FIFTEN DAYES . . . . GGK 44
BOT EUER WAT3 ILYCHE LOUD THE LOT OF THE WYNDES. . . . . PAT 161
THE SEGGE SESED NOT 3ET BOT SAYDE EUER ILYCHE . . . . PAT 369
AND GYF VCHON INLYCHE A PENY . . . . PRL 546
FOR THER IS VCH MON PAYED INLYCHE . . . . PRL 603
ALIVE
SCHAL NO FLESCH VPON FOLDE BY FONDEN ONLYUE . . . . CLN 356
FOR WERE I WORTH AL THE WONE OF WYMMEN ALYUE. . . . . GGK 1269
THE COURT OF THE KYNDOM OF GOD ALYUE . . . . PRL 445
ALKARAN (V. ALCORAN)
ALLEGE
ALEGGE THE RY3T THOU MAY BE INNOME . . . . PRL 703
ALLEKYNE3
THE ENDE OF ALLEKYNE3 FLESCH THAT ON VRTHE MEUE3 . . . . CLN 303
ALLOW
WHY SCHULDE HE NOT HER LABOUR ALOW . . . . PRL 634
ALLOWS
BOT THE RICHE KYNGE OF RESON THAT RI3T EUER ALOWES. . . . . . . ERK 267
ALLYT
HE MAY NOT DRY3E TO DRAW ALLYT BOT DREPE3 IN HAST . . . . CLN 599
ALMIGHTY
IN SOTHFOL GOSPEL OF GOD ALMY3T . . . . PRL 498
THE ALMY3TY WAT3 HER MYNSTER METE . . . . PRL 1063

ALMY3T (V. ALMIGHTY)		
ALMY3TY (V. ALMIGHTY)		
ALOFT (CP. LOFTE)		
FOR THE BOR3 WAT3 SO BYGGE BATAYLED ALOFTE	CLN	1183
THE SPEKE OF THE SPELUNKE THAT SPADDE HIT OLOFTE	ERK	49
THRE SPERLES OF THE SPELUNKE THAT SPARDE HIT OLOFTE	ERK V	49
SYTHEN THRAWEN WYTH A THWONG A THWARLEKNOT ALOFTE	GGK	194
STEPPE3 INTO STELBAWE AND STRYDE3 ALOFTE	GGK	435
AND MICHE WAT3 THE GYLD GERE THAT GLENT THER ALOFTE	GGK	569
AND SYTHEN A CRAFTY CAPADOS CLOSED ALOFT	GGK	572
THE LORDE LUFLYCH ALOFT LEPE3 FUL OFTE.	GGK	981
COWTHE WEL HALDE LAYK ALOFTE	GGK	1125
THENNE THAY TELDET TABLE3 TRESTES ALOFTE	GGK	1648
WYTH A STARANDE STON STONDANDE ALOFTE	GGK	1818
THENN STEPPE3 HE INTO STIROP AND STRYDE3 ALOFTE.	GGK	2060
HAF AT THE THENNE QUOTH THAT OTHER AND HEUE3 HIT ALOFTE	GGK	2288
SYTHEN THRAWEN WYTH A THWONG A THWARLE KNOT ALOFTE.	GGK V	194
LOKED ALOFTE ON THE LEF THAT LYLLED GRENE.	PAT	447
ALOFTE (V. ALOFT)		
ALONE		
AS LOOT IN A LOGEDOR LENED HYM ALONE	CLN	784
AND VCHE MON FOR HIS MAYSTER MACHCHES ALONE	CLN	1512
OFT LEUDLE3 ALONE HE LENGE3 ON NY3TE3	GGK	693
AND LY3TLY WHEN I AM LEST HE LETES ME ALONE	PAT	88
I TROWE ALONE 3E LENGE AND LOUTE.	PRL	933
ALONG		
DRE3LY ALLE ALONGE DAY THAT DORST NEUER LY3T.	CLN	476
AND ALS HE LOKED ALONG THERE AS OURE LORDE PASSED	CLN	769
ALONGE (V. ALONG)		
ALOSED		
THAT FOR HER LODLYCH LAYKE3 ALOSED THAY WERE.	CLN	274
AND OF ALLE CHEUALRY TO CHOSE THE CHEF THYNG ALOSED	GGK	1512
ALOW (V. ALLOW)		
ALOWES (V. ALLOWS)		
ALOYNTE		
FOR THAY ARN BO3T FRO THE VRTHE ALOYNTE	PRL	893
ALO3		
FOR THOU LA3ED ALO3 BOT LET WE HIT ONE.	CLN	670
ALTAR		
REKENLY WYTH REUERENCE THAT RECHEN HIS AUTER.	CLN	10
AND HEUENED VP AN AUTER AND HAL3ED HIT FAYRE.	CLN	506
THAT THE AUTER HADE VPON OF ATHEL GOLDE RYCHE	CLN	1276
THE ATHEL AUTER OF BRASSE WAT3 HADE INTO PLACE	CLN	1443
HOUEN VPON THIS AUTER WAT3 ATHEL VESSEL	CLN	1451
VPON THAT AVTER WAT3 AL ALICHE DRESSET.	CLN	1477
REKEN WYTH REUERENCE THAY RECHEN HIS AUTER	CLN V	10
THEN HELDYT FRO THE AUTERE ALLE THE HEGHE GYNGE.	ERK	137
OFFRED AND HONOURED AT THE HE3E AUTER	GGK	593
ALTHA3 (V. ALTHOUGH)		
ALTHERFAYREST		
PRUDLY ON A PLAT PLAYN PLEK ALTHERFAYREST.	CLN	1379
ALTHERFYNEST		
APYKE THE IN PORPRE CLOTHE PALLE ALTHERFYNEST	CLN	1637
ALTHERGRATTEST		
IN HIS TYME IN THAT TON THE TEMPLE ALDERGRATTYST	ERK	5
AND THER A MARCIALLE HYR METTE WITH MENSKE ALDERGRATTEST.	ERK	337
FOR HE WAT3 BRONDE BOR ALTHERGRATTEST	GGK	1441
FUL HE WAT3 BREME BOR ALTHERGRATTEST	GGK V	1441
ALTHERRYCHEST		

I HAF BIGGED BABILOYNE BUR3 ALTHERRYCHEST.	CLN	1666
ALTHERSWETTEST		
AND DY3T DRWRY THERINNE DOOLE ALTHERSWETTEST.	CLN	699
ALTHOUGH		
ME CHES TO HYS MAKE ALTHA3 VNMETE	PRL	759
ALTHA3 OURE CORSES IN CLOTTE3 CLYNGE	PRL	857
AND LEDDEN LOUDE ALTHA3 HIT WERE.	PRL	878
ALTOGEDER		
THEN AR THAY SYNFUL HEMSELF AND SULPEN ALTOGEDER	CLN	15
THEN AR THAY SYNFUL HEMSELF AND SULPED ALTOGEDER	CLN V	15
AND IN MY POWER THIS PLACE WAS PUTTE ALTOGEDER	ERK	228
ALUISCH (V. ELVISH)		
ALUM		
AS ALUM AND ALKARAN THAT ANGRE ARN BOTHE	CLN	1035
ALWAY (V. ALWAYS)		
ALWAYS		
WY3E THAT IS SO WEL WRAST ALWAY TO GOD.	GGK	1482
ALYUE (V. ALIVE)		
AM (APP. 1)		
AMAFFISED		
ALABAUNDARYNES AND AMARAUN3 AND AMAFFISED STONES	CLN	1470
AMARAUN3 (V. EMERALD)		
AMATYST (V. AMETHYST)		
AME (V. AIM)		
AMED (V. AIMED)		
AMEND		
AND EFT HIT SCHAL AMENDE	GGK	898
AMENDE (V. AMEND)		
AMENDED		
AND EFTE AMENDED WYTH A MAYDEN THAT MAKE HAD NEUER.	CLN	248
AMESYNG		
THAT IN HIS MYLDE AMESYNG HE MERCY MAY FYNDE.	PAT	400
AMETHYST		
THE AMATYST PURPRE WYTH YNDE BLENTE.	PRL	1016
AMONESTES (V. ADMONISH)		
AMONG (CP. INMONGE3)		
ME MYNE3 ON ONE AMONGE OTHER AS MATHEW RECORDE3.	CLN	25
AMONG THO MANSED MEN THAT HAN THE MUCH GREUED	CLN	774
TYMBRES AND TABORNES TUKKET AMONG	CLN	1414
TYMBRES AND TABORNES TULKET AMONG	CLN V	1414
INMONG THE LEUES OF THE LEFSEL LAMPES WER GRAYTHED.	CLN	1485
INMONG THE LEUES OF THE LAUNCES LAMPES WER GRAYTHED	CLN V	1485
AT VCH FARAND FEST AMONG HIS FRE MENY	GGK	101
A MERUAYL AMONG THO MENNE	GGK	466
AMONG THISE KYNDE CAROLES OF KNY3TE3 AND LADYE3.	GGK	473
AMONG THE CASTEL CARNELE3 CLAMBRED SO THIK	GGK	801
VNCOUPLED AMONG THO THORNE3	GGK	1419
AND SYTHEN HE MACE HYM AS MERY AMONG THE FRE LADYES	GGK	1885
AMONG THE LADIES FOR LUF HE LADDE MUCH IOYE	GGK	1927
AMONG PRYNCES OF PRYS AND THIS A PURE TOKEN	GGK	2398
AMONGE ENMYES SO MONY AND MANSED FENDES	PAT	82
THAT HAT3 GREUED HIS GOD AND GOT3 HERE AMONGE VS	PAT	171
AND CHARYTE GRETE BE YOW AMONG	PRL	470
AMONG VS COMME3 NOUTHER STROT NE STRYF.	PRL	848
I AM BOT MOKKE AND MUL AMONG	PRL	905
I LOKED AMONG HIS MEYNY SCHENE	PRL	1145
AMONG HER FERE3 THAT WAT3 SO QUYT	PRL	1150
AMONG VS COMME3 NON OTHER STROT NE STRYF	PRL 1	848
AMONG VS COMME3 NON OTHER STROT NE STRYF	PRL 3	848

AMONGE (V. AMONG)
AMOUNT
    HOW MY3T THI MERCY TO ME AMOUNTE ANY TYME. . . . . ERK 284
    MEUE OTHER AMOUNT TO MERUAYLE HYM THO3T . . . . GGK 1197
AMOUNTE (V. AMOUNT)
AMOUNTED
    THAT AMOUNTED THE MASE HIS MERCY WAT3 PASSED. . . . . CLN 395
ANAMAYLED (V. ENAMELLED)
ANANDE (V. ANENDE)
ANANIE (V. HANANIAH)
ANCESTORS
    THE ATHEL AUNCETERE3 SUNE3 THAT ADAM WAT3 CALLED . . . . . . CLN 258
ANCHORS
    WI3T AT THE WYNDAS WE3EN HER ANKRES. . . . . PAT 103
    KABLE OTHER CAPSTAN TO CLYPPE TO HER ANKRE3 . . . . CLN 418
ANCIENT
    THAT WAT3 ALDER THEN HO AN AUNCIAN HIT SEMED. . . . . GGK 948
    THE OLDE AUNCIAN WYF HE3EST HO SYTTE3 . . . . GGK 1001
    THAT IS HO THAT IS AT HOME THE AUNCIAN LADY . . . . GGK 2463
ANELEDE
    AND ETAYNE3 THAT HYM ANELEDE OF THE HE3E FELLE . . . . GGK 723
ANENDE
    ANANDE THAT IN FASTYNGE OF 3OUR FAITHE AND OF FYNE BILEUE . . ERK 173
    I DRED ONENDE QUAT SCHULDE BYFALLE . . . . PRL 186
    ANENDE RY3TWYS MEN 3ET SAYT3 A GOME. . . . . PRL 697
    ANENDE HYS HERT THUR3 HYDE TORENTE . . . . PRL 1136
ANENDE3
    AND I ANENDE3 THE ON THIS SYDE . . . . PRL 975
ANEW
    NOWEL NAYTED ONEWE NEUENED FUL OFTE. . . . . GGK 65
ANGARDE3
    HADET WYTH AN ALUISCH MON FOR ANGARDE3 PRYDE. . . . . GGK 681
ANGEL-HAVING
    THYN ANGELHAUYNG SO CLENE CORTE3. . . . . PRL 754
ANGELS
    WITH ANGELE3 ENOURLED IN ALLE THAT IS CLENE . . . . CLN 19
    OF ALLE THYSE ATHEL AUNGELE3 ATTLED THE FAYREST. . . . . . . CLN 207
    AND THENNE ENHERITE THAT HOME THAT AUNGELE3 FORGART . . . . . CLN 240
    IN THAT ILK EUENTYDE BY AUNGELS TWEYNE. . . . . CLN 782
    WAT3 NON AUCLY IN OUTHER FOR AUNGELS HIT WERN . . . . CLN 795
    FUL ERLY THOSE AUNGELE3 THIS HATHEL THAY RUTHEN. . . . . . . CLN 895
    THE AUNGELE3 HASTED THISE OTHER AND A3LY HEM THRATTEN. . . . . CLN 937
    THISE AUNGELE3 HADE HEM BY HANDE OUT AT THE 3ATE3 . . . . . . CLN 941
    FOR AUNGELLES WYTH INSTRUMENTES OF ORGANES AND PYPES . . . . . CLN 1081
    AS HE THAT HY3E IS IN HEUEN HIS AUNGELES THAT WELDES . . . . . CLN 1664
    LEGYOUNES OF AUNGELE3 TOGEDER UOCHED . . . . PRL 1121
ANGELE3 (V. ANGELS)
ANGELHAUYNG (V. ANGEL-HAVING)
ANGER
    IN THE ANGER OF HIS IRE THAT AR3ED MONY . . . . CLN 572
    OF MONY ANGER FUL HOTE WYTH HIS HOLY SPECHE . . . . CLN 1602
    I COUTHE WROTHELOKER HAF WARET TO THE HAF WRO3T ANGER. . . . . GGK 2344
    SO HAT3 ANGER ONHIT HIS HERT HE CALLE3. . . . . PAT 411
    WITH HATEL ANGER AND HOT HETERLY HE CALLE3 . . . . PAT 481
    FOR ANGER GAYNE3 THE NOT A CRESSE . . . . PRL 343
ANGLESAY (V. ANGLESEY)
ANGLESEY
    ALLE THE ILES OF ANGLESAY ON LYFT HALF HE HALDE3 . . . . . . GGK 698
ANGRE

AS ALUM AND ALKARAN THAT ANGRE ARN BOTHE . . . . CLN 1035
ANGUISH
FOR WHEN THE ACCES OF ANGUYCH WAT3 HID IN MY SAWLE. . . . . . PAT 325
ANGUYCH (V. ANGUISH)
ANIOUS
OF HIS ANIOUS UYAGE . . . . GGK 535
ANIOYNT
AND TO THE GENTYL LOMBE HIT ARN ANIOYNT . . . . PRL 895
ANOINTED
AND WYTH BESTEN BLOD BUSILY ANOYNTED . . . . CLN 1446
SOBERLY IN HIS SACRAFYCE SUMME WER ANOYNTED . . . . CLN 1497
ANKRES (V. ANCHORS)
ANKRE3 (V. ANCHORS)
ANON
NOE NYMMES HIR ANON AND NAYTLY HIR STAUE3. . . . . CLN 480
THE KYNG COMAUNDED ANON TO CLETHE THAT WYSE . . . . CLN 1741
ANON OUT OF THE NORTHEST THE NOYS BIGYNES. . . . . PAT 137
I WAT3 PAYED ANON OF AL AND SUM . . . . PRL 584
ANON THE DAY WYTH DERK ENDENTE . . . . PRL 629
ANOTHER
ANOTHER NAYED ALSO AND NURNED THIS CAWSE . . . . CLN 65
HE SECHE3 ANOTHER SONDE3MON AND SETTE3 ON THE DOUUE . . . . . CLN 469
NOE ON ANOTHER DAY NYMME3 EFTE THE DOWUE . . . . CLN 481
MO3T NEUER MY3T BOT MYN MAKE SUCH ANOTHER. . . . . CLN 1668
FOR DA3ED NEUER ANOTHER DAY THAT ILK DERK AFTER. . . . . . . CLN 1755
AND ALSO ANOTHER MANER MEUED HIM EKE . . . . GGK 90
AY A HERLE OF THE HERE ANOTHER OF GOLDE . . . . GGK 190
THAT DAR STIFLY STRIKE A STROK FOR ANOTHER . . . . GGK 287
ELLE3 THOU WYL DI3T ME THE DOM TO DELE HYM ANOTHER. . . . . . GGK 295
AND AT THIS TYME TWELMONYTH TAKE AT THE ANOTHER. . . . . . . GGK 383
ANOTHER LADY HIR LAD BI THE LYFT HONDE. . . . . GGK 947
BI MARY QUOTH THE MENSKFUL ME THYNK HIT ANOTHER. . . . . . . GGK 1268
ANOTHER THOU SAYS IN THYS COUNTRE . . . . PRL 297
ANOURNEMENTES
THE HOUS AND THE ANOURNEMENTES HE HY3TLED TOGEDERE. . . . . . CLN 1290
ANOYNTED (V. ANOINTED)
ANSUARE (V. ANSWER)
ANSWAR (V. ANSWER)
ANSWARE (V. ANSWER)
ANSWARED (V. ANSWERED)
ANSWER
THENNE THE GODLYCH GOD GEF HYM ONSWARE. . . . . CLN 753
AN ANSUARE OF THE HOLY GOSTE AND AFTERWARDE HIT DAWID. . . . . ERK 127
ANSUARE HERE TO MY SAWE COUNCELE NO TROUTHE . . . . ERK 184
THERFORE TO ANSWARE WAT3 AR3E MONY ATHEL FREKE . . . . GGK 241
ARTHOUR CON ONSWARE . . . . GGK 275
SO WAT3 AL SAMEN HER ANSWAR SO3T. . . . . PRL 518
HYMSELF TO ONSWARE HE IS NOT DYLLE . . . . PRL 680
ANSWERED
ANSWARED TO VCHE A CACE. . . . . GGK 1262
ANSWERS
THAT OTHER ONSWARE3 AGAYN . . . . GGK 386
TO HYM ANSWRE3 GAWAYN . . . . GGK 1044
ANSWRE3 (V. ANSWERS)
ANTER (V. AUNTER)
ANVNDER
FOR THE LEDE THAT THER LAYE THE LEUE3 ANVNDER . . . . CLN 609
WHEN BRY3T BRENNANDE BRONDE3 AR BET THER ANVNDER . . . . CLN 1012

HI3E SKELT WAT3 THE ASKRY THE SKEWES ANVNDER. . . . . CLN 1206
STALLED IN THE FAYREST STUD THE STERRE3 ANVNDER. . . . . . . CLN 1378
BROTHE BABOYNES ABOF BESTTES ANVNDER . . . . CLN 1409
PUTTEN PRISES THERTO PINCHID ONEVNDER . . . . ERK 70
RO3 RAKKES THER ROS WYTH RUDNYNG ANVNDER . . . . PAT 139
SO SCHON THAT SCHENE ANVNDER SCHORE. . . . . PRL 166
SO MONY A COMLY ONVUNDER CAMBE . . . . PRL 775
WYTH GENTYL GEMME3 ANVNDER PY3T . . . . PRL 991
THAT BERE3 ANY SPOT ANVNDER MONE. . . . . PRL 1068
ANVNDER MONE SO GREAT MERWAYLE . . . . PRL 1081
HIS LYF WERE LOSTE ANVNDER MONE . . . . PRL 1092
THAT WAT3 MY BLYSFUL ANVNDER CROUN . . . . PRL 1100

ANYSKYNNE3

WITH ANYSKYNNE3 COUNTENAUNCE HIT KEUERE3 ME ESE. . . . . . . GGK 1539

APARAUNT (V. APPARENT)

APASSED

THE DAY WAT3 AL APASSED DATE . . . . PRL 540

APENDES

APENDES TO HYS PERSOUN AND PRAYSED IS EUER . . . . GGK 913
AND QUY THE PENTANGEL APENDE3 TO THAT PRYNCE NOBLE. . . . . . GGK 623

APENDE3 (V. APENDES)

APERE (V. APPEAR)

APERED (V. APPEARED)

APERT

PINACLES PY3T THER APERT THAT PROFERT BITWENE . . . . CLN 1463
WITH PELURE PURED APERT THE PANE FUL CLENE . . . . GGK 154
AND HAT3 THE PENAUNCE APERT OF THE POYNT OF MYN EGGE . . . . . GGK 2392
THEN MORE I MELED AND SAYDE APERT . . . . PRL 589

APOCALYPPCE (V. APOCALYPSE)

APOCALYPPE3 (V. APOCALYPSE)

APOCALYPSE

AS IN THE APOCALYPPE3 HIT IS SENE . . . . PRL 787
IN APOKALYPE3 WRYTEN FUL 3ARE. . . . . PRL 834
IN APPOCALYPPECE IS WRYTEN IN WRO . . . . PRL 866
THE APOSTEL IN APOCALYPPCE IN THEME CON TAKE. . . . . PRL 944
IN THE APOKALYPCE IS THE FASOUN PREUED. . . . . PRL 983
IN APOCALYPPE3 THE APOSTEL JOHN . . . . PRL 996
IN THE APOCALYPPCE THE APOSTEL JOHN. . . . . PRL 1008
IN THE APOCALYPPE3 THE APOSTEL JOHN. . . . . PRL 1020

APOKALYPCE (V. APOCALYPSE)

APOKALYPE3 (V. APOCALYPSE)

APOLLO

THAT ERE WAS OF APPOLYN IS NOW OF SAYNT PETRE . . . . ERK 19

APOSTEL (V. APOSTLE)

APOSTLE

THE APOSTEL HEM SEGH IN GOSTLY DREM. . . . . PRL 790
THE APOSTEL JOHN HYM SA3 AS BARE. . . . . PRL 836
THE APOSTEL IN APOCALYPPCE IN THEME CON TAKE. . . . . PRL 944
AS DEUYSE3 HIT THE APOSTEL JHON . . . . PRL 984
AS JOHN THE APOSTEL HIT SY3 WYTH SY3T . . . . PRL 985
IN APOCALYPPE3 THE APOSTEL JOHN . . . . PRL 996
IN THE APOCALYPPCE THE APOSTEL JOHN. . . . . PRL 1008
IN THE APOCALYPPE3 THE APOSTEL JOHN. . . . . PRL 1020
FOR METEN HIT SY3 THE APOSTEL JOHN . . . . PRL 1032
AS JOHN THE APPOSTEL IN TERME3 TY3TE . . . . PRL 1053
THE APOSTEL JOHN HYM SY3 AS BARE. . . . . PRL 1 836
THE APOSTEL JOHN HYM SY3 AS BARE. . . . . PRL 3 836

APPAREL

THE APPARAYL OF THE PAYTTRURE AND OF THE PROUDE SKYRTE3 . . . GGK 601

APPARENT
AS APARAUNT TO PARADIS THAT PLANTTED THE DRY3TYN . . . . CLN 1007
APPARAYLMENTE
WYTH ALLE THE APPARAYLMENTE VMBEPY3TE . . . . PRL 1052
APPAREMENT
AND PYLED ALLE THE APPAREMENT THAT PENTED TO THE KYRKE . . . . CLN 1270
APPEAR
TO APERE IN HIS PRESENSE PRESTLY THAT TYME . . . . GGK 911
AND WHEN IN HYS PLACE THOU SCHAL APERE. . . . . PRL 405
APPEARED
THER APERED A PAUME WYTH POYNTEL IN FYNGRES . . . . CLN 1533
APPLE
BOT THUR3 THE EGGYNG OF EUE HE ETE OF AN APPLE . . . . CLN 241
THUR3 AN APPLE THAT HE VPON CON BYTE . . . . PRL 640
ADAM OURE ALDER THAT ETE OF THAT APPULLE . . . . ERK 295
APPLEGARNADE
AS ORENGE AND OTHER FRYT AND APPLEGARNADE. . . . . CLN 1044
APPOSE
QUOTH I MY PERLE THA3 I APPOSE . . . . PRL 902
APPROACH
AND APROCHEN TO HYS PRESENS AND PRESTE3 ARN CALLED. . . . . . CLN 8
TO SEE HEM PULLE IN THE PLOW APROCHE ME BYHOUE3. . . . . . . CLN 68
THAT WAT3 SO PREST TO APROCHE MY PRESENS HEREINNE . . . . . . CLN 147
FOR APROCH THOU TO THAT PRYNCE OF PARAGE NOBLE . . . . CLN 167
AT ALLE PERYLES QUOTH THE PROPHETE I APROCHE HIT NO NERRE . . PAT 85
RIS APROCHE THEN TO PRECH LO THE PLACE HERE . . . . PAT 349
APROCHE HE SCHAL THAT PROPER PYLE . . . . PRL 686
APPROACHED
AND TO THE PALAYS PRYNCIPAL THAY APROCHED FUL STYLLE . . . . . CLN 1781
PREUELY APROCHED TO A PREST AND PRAYED HYM THERE . . . . . . GGK 1877
THISE ALDERMEN QUEN HE APROCHED . . . . PRL 1119
APPULLE (V. APPLE)
APROCH (V. APPROACH)
APROCHE (V. APPROACH)
APROCHED (V. APPROACHED)
APROCHEN (V. APPROACH)
APYKE
APYKE THE IN PORPRE CLOTHE PALLE ALTHERFYNEST . . . . CLN 1637
APYKED
VPON THE PYLERES APYKED THAT PRAYSED HIT MONY . . . . CLN 1479
AQUILO
EWRUS AND AQUILOUN THAT ON EST SITTES . . . . PAT 133
AQUILOUN (V. AQUILO)
AQUOYNTAUNCE (V. ACQUAINTANCE)
AQUYLDE
BOT OF THE LOMBE I HAUE THE AQUYLDE. . . . . PRL 967
AQUYLE
HOW KOYNTISE ONOURE CON AQUYLE . . . . PRL 690
HOW KYNTLY OURE KYNG HYM CON AQUYLE. . . . . PRL 1 690
HOW KYNTLY OURE KOYNTYSE HYM CON AQUYLE . . . . PRL 2 690
HOW KYNTLY OURE KYNG HYM CON AQUYLE. . . . . PRL 3 690
AR (APP. 1)
ARABIA
WE CALLE HYR FENYX OF ARRABY . . . . PRL 430
ARAIDE (V. ARRAYED)
ARARACH (V. ARARAT)
ARARAT
ON THE MOUNTE OF ARARACH OF ARMENE HILLES. . . . . CLN 447
ON THE MOUNTE OF MARARACH OF ARMENE HILLES . . . . CLN V 447

ARAY (V. ARRAY)		
ARAYDE (V. ARRAYED)		
ARAYE (V. ARRAY)		
ARAYED (V. ARRAYED)		
ARAYNED		
ARAYNED HYM FUL RUNYSCHLY WHAT RAYSOUN HE HADE	PAT	191
ARBOR		
ALLAS I LESTE HYR IN ON ERBERE	PRL	9
I ENTRED IN THAT ERBER GRENE	PRL	38
THEN WAKNED I IN THAT ERBER WLONK	PRL	1171
ARC (V. ARK)		
ARE (V. ERE AND APP. 1)		
ARENDE (V. ERRAND)		
ARERED		
AND HE SCHUNT FOR THE SCHARP AND SCHULDE HAF ARERED	GGK	1902
AREST (V. ARREST, REST)		
ARETHEDE		
HOW JESUS HYM WELKE IN ARETHEDE	PRL	711
AREWE3 (V. ARROWS)		
ARIGHT		
WITH RYCH REUEL ORY3T AND RECHLES MERTHES.	GGK	40
AY RECHATANDE ARY3T TIL THAY THE RENK SE3EN	GGK	1911
WYTH A ROWNANDE ROURDE RAYKANDE ARY3T	PRL	112
ARISTOTLE		
NE ARYSTOTEL NAWTHER BY HYS LETTRURE	PRL	751
ARK		
AND LOKE EUEN THAT THYN ARK HAUE OF HE3THE THRETTE.	CLN	317
THOU SCHAL ENTER THIS ARK WYTH THYN ATHEL BARNE3	CLN	329
OF VCHE HORWED IN ARK HALDE BOT A PAYRE	CLN	335
OUTTAKEN YOW A3T IN THIS ARK STAUED.	CLN	357
HYM A3TSUM IN THAT ARK AS ATHEL GOD LYKED.	CLN	411
THE ARC HOUEN WAT3 ON HY3E WYTH HURLANDE GOTE3	CLN	413
HO HITTE3 ON THE EUENTYDE AND ON THE ARK SITTE3.	CLN	479
ON ARK ON AN EUENTYDE HOUE3 THE DOWUE	CLN	485
ARM		
LOKEN VNDER HIS LYFTE ARME THE LACE WITH A KNOT.	GGK	2487
AS HEUED AND ARME AND LEGG AND NAULE	PRL	459
ON ARME OTHER FYNGER THA3 THOU BER BY3E	PRL	466
ARME (V. ARM)		
ARMED		
ARMED FUL A3LE3 IN HERT HIT HYM LYKE3	GGK	2335
ARMENE (V. ARMENIA)		
ARMENIA		
ON THE MOUNTE OF ARARACH OF ARMENE HILLES.	CLN	447
ON THE MOUNTE OF MARARACH OF ARMENE HILLES	CLN V	447
ARMES (V. ARMS)		
ARME3 (V. ARMS)		
ARMS		
ABRAHAM AL HODLE3 WYTH ARME3 VPFOLDEN	CLN	643
AND DREPED ALLE THE DO3TYEST AND DERREST IN ARMES	CLN	1306
STABLED THERINNE VCHE A STON IN STRENKTHE OF MYN ARMES	CLN	1667
WYTH MONY A LEGIOUN FUL LARGE WYTH LEDES OF ARMES	CLN	1773
OF ALDERES OF ARMES OF OTHER AUENTURUS.	GGK	95
THAT HALF HIS ARMES THERVNDER WERE HALCHED IN THE WYSE	GGK	185
NE NO PYSAN NE NO PLATE THAT PENTED TO ARMES.	GGK	204
IF I WERE HASPED IN ARMES ON A HE3E STEDE.	GGK	281
ASKE3 ERLY HYS ARME3 AND ALLE WERE THAY BRO3T	GGK	567
AND WEL BORNYST BRACE VPON HIS BOTHE ARMES	GGK	582
WHEN HE WAT3 HASPED IN ARMES HIS HARNAYS WAT3 RYCHE	GGK	590

Entry	Line	Work	No.
	FORTHY HIT ACORDE3 TO THIS KNY3T AND TO HIS CLER ARME3	GGK	631
	AYTHER OTHER IN ARME3 CON FELDE	GGK	841
	THE LOUELOKER HE LAPPE3 A LYTTEL IN ARME3.	GGK	973
	HO COMES NERRE WITH THAT AND CACHE3 HYM IN ARME3	GGK	1305
	HE HASPPE3 HIS FAYRE HALS HIS ARME3 WYTHINNE.	GGK	1388
	IS THE LEL LAYK OF LUF THE LETTRURE OF ARMES.	GGK	1513
	AND TOWCHE THE TEME3 OF TYXT AND TALE3 OF ARME3.	GGK	1541
	THER PASSES NON BI THAT PLACE SO PROUDE IN HIS ARMES	GGK	2104
	AND THUS QUEN PRYDE SCHAL ME PRYK FOR PROWES OF ARMES.	GGK	2437
ARN (APP. 1)			
ARNDE (V. ERRAND)			
ARNE (APP.1)			
AROS (V. AROSE)			
AROSE			
	MORE THEN ME LYSTE MY DREDE AROS.	PRL	181
AROUND			
	NO3T BOT AROUNDE BRAYDEN BETEN WITH FYNGRE3	GGK	1833
AROUNDE (V. AROUND)			
ARRABY (V. ARABIA)			
ARRAY			
	THAT WERE RICHELY RAYLED IN HIS ARAY CLENE	GGK	163
	RISES AND RICHES HYM IN ARAYE NOBLE.	GGK	1873
	SO ROUNDE SO REKEN IN VCHE ARAYE.	PRL	5
	RYSE3 VP IN HIR ARAYE RYALLE	PRL	191
	OTHER ELLE3 A LADY OF LASSE ARAY.	PRL	491
ARRAYED			
	HIT WAT3 NOT FOR A HALYDAY HONESTLY ARAYED	CLN	134
	THAT WAT3 RYALLY ARAYED FOR HE WAT3 RYCHE EUER	CLN	812
	AND THAY WER SEMLY AND SWETE AND SWYTHE WEL ARAYED.	CLN	816
	BI THE SYDE OF THE SALE WERE SEMELY ARAYED	CLN	1442
	COUERED COWPES FOUL CLENE AS CASTELES ARAYED.	CLN	1458
	ARAIDE ON A RICHE WISE IN RIALLE WEDES.	ERK	77
	AND IF RENKES FOR RI3T THUS ME ARAYED HAS.	ERK	271
	THE WALLE3 WERE WEL ARAYED.	GGK	783
	RICHEN HEM THE RYCHEST TO RYDE ALLE ARAYDE	GGK	1130
	ARAYED FOR THE RYDYNG WITH RENKKE3 FUL MONY	GGK	1134
	TO SUCHE IS HEUENRYCHE ARAYED.	PRL	719
	ARAYED TO THE WEDDYNG IN THAT HYLCOPPE.	PRL	791
	OUER MERUELOUS MERE3 SO MAD ARAYDE	PRL	1166
	ARAYED TO THE WEDDYNG IN THAT HYLCOT	PRL 3	791
ARREST			
	AND THENNE AREST THE RENK AND RA3T NO FYRRE	CLN	766
ARRIVE			
	ALLE THAT MAY THERINNE ARYUE	PRL	447
ARROWS			
	THER MY3T MON SE AS THAY SLYPTE SLENTYNG OF ARWES	GGK	1160
	HALED TO HYM OF HER AREWE3 HITTEN HYM OFT.	GGK	1455
ARSOUNE3			
	AND HIS ARSOUN3 AL AFTER AND HIS ATHEL SKURTES	GGK	171
	THE CROPORE AND THE COUERTOR ACORDED WYTH THE ARSOUNE3	GGK	602
	AND HIS ARSOUN3 AL AFTER AND HIS ATHEL STURTES	GGK V	171
ARSOUN3 (V. ARSOUNE3)			
ART (ALSO V. APP. 1)			
	NOW OF THIS AUGUSTYNES ART IS ERKENWOLDE BISCHOP	ERK	33
	OF THAT ART BI THE HALF OR A HUNDRETH OF SECHE	GGK	1543
ARTE (APP. 1)			
ARTHER (V. ARTHUR)			
ARTHOR (V. ARTHUR)			
ARTHOUR (V. ARTHUR)			

ARTHUR
AY WAT3 ARTHUR THE HENDEST AS I HAF HERDE TELLE. . . . . GGK 26
BOT ARTHURE WOLDE NOT ETE TIL AL WERE SERUED. . . . . GGK 85
THENN ARTHOUR BIFORE THE HI3 DECE THAT AUENTURE BYHOLDE3. . . GGK 250
THE HEDE OF THIS OSTEL ARTHOUR I HAT . . . . GGK 253
ARTHOUR CON ONSWARE . . . . GGK 275
NOW HAT3 ARTHURE HIS AXE AND THE HALME GRYPE3 . . . . GGK 330
THA3 ARTHER THE HENDE KYNG AT HERT HADE WONDER . . . . GGK 467
THIS HANSELLE HAT3 ARTHUR OF AUENTURUS ON FYRST. . . . . . . GGK 491
3ET QUYL ALHALDAY WITH ARTHER HE LENGES . . . . GGK 536
THAT ATHEL ARTHURE THE HENDE HALDE3 HYM ONE . . . . GGK 904
NE KEST NO KAUELACION IN KYNGE3 HOUS ARTHOR . . . . GGK 2275
HALDE THE NOW THE HY3E HODE THAT ARTHUR THE RA3T . . . . . . GGK 2297
HADE ARTHUR VPON THAT ATHEL IS NOWTHE . . . . GGK 2466
ARTHURE (V. ARTHUR)
ARTHURES (V. ARTHURS)
ARTHURE3 (V. ARTHURS)
ARTHURS
AND AN OUTTRAGE AWENTURE OF ARTHURE3 WONDERE3 . . . . GGK 29
WHAT IS THIS ARTHURES HOUS QUOTH THE HATHEL THENNE. . . . . . GGK 309
THAT AR IN ARTHURE3 HOUS HESTOR OTHER OTHER . . . . GGK 2102
FETTLED IN ARTHURE3 HALLE3. . . . . GGK 2329
HO IS EUEN THYN AUNT ARTHURE3 HALFSUSTER . . . . GGK 2464
THUS IN ARTHURUS DAY THIS AUNTER BITIDDE . . . . GGK 2522
FERMED IN ARTHURE3 HALLE3 . . . . GGK V 2329
ARTHURUS (V. ARTHURS)
ARWES (V. ARROWS)
ARYSTOTEL (V. ARISTOTLE)
ARYUE (V. ARRIVE)
ARY3T (V. ARIGHT)
AR3E
THERFORE TO ANSWARE WAT3 AR3E MONY ATHEL FREKE . . . . GGK 241
AR3ED
IN THE ANGER OF HIS IRE THAT AR3ED MONY . . . . CLN 572
THENNE AR3ED ABRAHAM AND ALLE HIS MOD CHAUNGED . . . . CLN 713
AND MONY AR3ED THERAT AND ON LYTE DRO3EN . . . . GGK 1463
THAT NEUER AR3ED FOR NO HERE BY HYLLE NE BE VALE . . . . . . GGK 2271
AR3E3
AND THOU ER ANY HARME HENT AR3E3 IN HERT . . . . GGK 2277
I HOPE THAT THI HERT AR3E WYTH THYN AWEN SELUEN. . . . . . . GGK 2301
ASAUTE (V. ASSAULT)
ASAY (V. ASSAY)
ASAYLED (V. ASSAILED)
ASCAPED (V. ESCAPED)
ASCRY
AS A SCOWTEWACH SCARRED SO THE ASSCRY RYSED . . . . CLN 838
HI3E SKELT WAT3 THE ASKRY THE SKEWES ANVNDER. . . . . CLN 1206
ASCRY SCARRED ON THE SCUE THAT SCOMFYTED MONY . . . . CLN 1784
ASCRYED
RESTAYED WITH THE STABLYE THAT STOUTLY ASCRYED . . . . GGK 1153
THENNE ASCRYED THAY HYM SCKETE AND ASKED FUL LOUDE. . . . . . PAT 195
ASENT (V. ASSENT)
ASENTE (V. ASSENT)
ASHES
VNDER ASKE3 FUL HOTE HAPPE HEM BYLIUE . . . . CLN 626
3IF I MELE A LYTTEL MORE THAT MUL AM AND ASKE3 . . . . CLN 736
NO WORLDE3 GOUD HIT WYTHINNE BOT WYNDOWANDE ASKES . . . . . . CLN 1048
AND SYTHEN BET DOUN THE BUR3 AND BREND HIT IN ASKES . . . . . CLN 1292
THE BOR3 BRITTENED AND BRENT TO BRONDE3 AND ASKE3 . . . . . . GGK 2

AND OF A HEP OF ASKES HE HITTE IN THE MYDDE3.	PAT	380
ASK		
HE HELED HEM WYTH HYNDE SPECHE OF THAT THAY ASK AFTER.	CLN	1098
BOT GLEW WE ALLE OPON GODDE AND HIS GRACE ASKE	ERK	171
BOT GLOW WE ALLE OPON GODDE AND HIS GRACE ASKE	ERK V	171
THOU WYL GRANT ME GODLY THE GOMEN THAT I ASK.	GGK	273
NOW LEGE LORDE OF MY LYF LEUE I YOW ASK	GGK	545
ANDE THY MATYNE3 TOMORNE MEKELY I ASK	GGK	756
TO CHAMBRE TO CHEMNE AND CHEFLY THAY ASKEN	GGK	978
ME THYNK THE BURDE FYRST ASKE LEUE	PRL	316
WY SCHALTE THOU THENNE ASK MORE	PRL	564
BY THE WAY OF RY3T TO ASKE DOME	PRL	580
I WOLDE THE ASKE A THYNGE EXPRESSE	PRL	910
ASKE (V. ASK)		
ASKED		
AND ALS ABRAHAM THYN EME HIT AT HIMSELF ASKED	CLN	924
IN FROKKES OF FYN CLOTH AS FORWARD HIT ASKED.	CLN	1742
AND AL HIS WEDE VNWEMMYD THUS YLKA WEGHE ASKYD	ERK	96
CLANLY AL THE COUENAUNT THAT I THE KYNGE ASKED	GGK	393
THENNE ASCRYED THAY HYM SCKETE AND ASKED FUL LOUDE.	PAT	195
ASKEN (V. ASK)		
ASKES (V. ASKS)		
ASKE3 (V. ASKS)		
ASKING		
ANDE SAYDE HATHEL BY HEUEN THYN ASKYNG IS NYS	GGK	323
THER SUCH AN ASKYNG IS HEUENED SO HY3E IN YOUR SALE	GGK	349
ASKRY (V. ASCRY)		
ASKS		
AND REKKEN VP ALLE THE RESOUN3 THAT HO BY RI3T ASKE3	CLN	2
ASKE3 VPE IN THE AYRE AND VSELLE3 THER FLOWEN	CLN	1010
THUS IS HE KYRYOUS AND CLENE THAT THOU HIS CORT ASKES.	CLN	1109
NOBOT WASCH HIR WYTH WOURCHYP IN WYN AS HO ASKES	CLN	1127
AND WYNTER WYNDE3 A3AYN AS THE WORLDE ASKE3	GGK	530
ASKE3 ERLY HYS ARME3 AND ALLE WERE THAY BRO3T	GGK	567
THAY KALLEN HYM OF AQUOYNTAUNCE AND HE HIT QUYK ASKE3.	GGK	975
QUERFORE QUOTH THE FREKE AND FRESCHLY HE ASKE3	GGK	1294
AND DIDDEN HEM DERELY VNDO AS THE DEDE ASKE3.	GGK	1327
MIRY WAT3 THE MORNYNG HIS MOUNTURE HE ASKES	GGK	1691
HE ASKE3 HETERLY A HAYRE AND HASPED HYM VMBE.	PAT	381
ASKYD (V. ASKED)		
ASKYING (V. ASKING)		
ASLYPPED		
SYN HER SAYL WAT3 HEM ASLYPPED ON SYDE3 TO ROWE.	PAT	218
ASOYLED (V. ASSOILED)		
ASPALTOUN (V. ASPHALT)		
ASPERLY		
HETER HAYRE3 THAY HENT THAT ASPERLY BITED.	PAT	373
ASPHALT		
THE SPUMANDE ASPALTOUN THAT SPYSERE3 SELLEN	CLN	1038
ASPIED (V. ASSPYED)		
ASPYE (V. ASSPYE)		
ASS		
THAT BOTHE THE OX AND THE ASSE HYM HERED AT ONES	CLN	1086
ASSAILED		
THAT SEUEN SYTHE VCH A DAY ASAYLED THE 3ATES.	CLN	1188
ASSAULT		
SITHEN THE SEGE AND THE ASSAUT WAT3 SESED AT TROYE.	GGK	1
AFTER THE SEGGE AND THE ASAUTE WAT3 SESED AT TROYE.	GGK	2525
ASSAUT (V. ASSAULT)		

ASSAY
    SERCHED HEM AT THE ASAY SUMME THAT THER WERE. . . . . GGK 1328
    I SENDE HIR TO ASAY THE AND SOTHLY ME THYNKKE3 . . . . GGK 2362
    FOR TO ASSAY THE SURQUIDRE 3IF HIT SOTH WERE. . . . . GGK 2457
ASSCAPED (V. ESCAPED)
ASSCRY (V. ASCRY)
ASSE (V. ASS)
ASSEMBLE
    AND ASSEMBLE AT A SET DAY AT THE SAUDANS FEST . . . . CLN 1364
    SUMTYME SEMED THAT ASSEMBLE . . . . PRL 760
ASSEMBLED (CP. SEMBLED)
    NOW AR THAY SODENLY ASSEMBLED AT THE SELF TYME . . . . CLN 1769
ASSENT
    HE SY3E THER SWEY IN ASENT SWETE MEN TWEYNE . . . . CLN 788
    BY ASSENT OF THE SEXTENE THE SAYNTUARE THAI KEPTEN. . . . . ERK 66
    THIS WAT3 SETTE IN ASENT AND SEMBLED THAY WERE . . . . PAT 177
    THAY SONGEN WYTH A SWETE ASENT . . . . PRL 94
    3E WOLDE ME SAY IN SOBRE ASENTE . . . . PRL 391
ASSES
    WYTH WROTHE WOLFES TO WON AND WYTH WYLDE ASSES . . . . CLN 1676
ASSIGNS
    THER ASYNGNES HE A SERUAUNT TO SETT HYM IN THE WAYE . . . . GGK 1971
ASSIZE
    AS SEWER IN A GOD ASSYSE HE SERUED HEM FAYRE. . . . . CLN 639
    AS IS THE ASYSE OF SODOMAS TO SEGGE3 THAT PASSEN . . . . . . CLN 844
    SO AL WAT3 DUBBET ON DERE ASYSE . . . . PRL 97
ASSOILED
    AND HE ASOYLED HYM SURELY AND SETTE HYM SO CLENE . . . . . . GGK 1883
ASSPYE
    TO ASPYE WYTH MY SPELLE IN SPACE QUAT HO WOLDE . . . . GGK 1199
    SO TWELUE IN POURSENT I CON ASSPYE . . . . PRL 1035
    SO TWELUE IN POURSEUT I CON ASSPYE . . . . PRL 1 1035
    SO TWELUE IN POURSEUT I CON ASSPYE . . . . PRL 3 1035
ASSPYED
    QUEN THE MAIRE WITH HIS MEYNYE THAT MERUAILE ASPIED . . . . . ERK 65
    BY THYS ILKE SPECH I HAUE ASSPYED . . . . PRL 704
    TYL ON A HYL THAT I ASSPYED . . . . PRL 979
ASSTATE (V. ESTATE)
ASSUAGE
    SUFFRAUNCE MAY ASWAGEN HEM AND THE SWELME LETHE. . . . . . . PAT 3
ASSWYTHE (CP. SWYTHE)
    TO SOPER THAY 3EDE ASSWYTHE . . . . GGK 1400
ASSYSE (V. ASSIZE)
ASTATE (V. ESTATE)
ASTEL
    NEUER STEUEN HEM ASTEL SO STOKEN IS HOR TONGE . . . . CLN 1524
ASTIT
    I SCHAL TELLE HIT ASTIT AS I IN TOUN HERDE . . . . GGK 31
    NOW AR 3E TAN ASTYT BOT TRUE VS MAY SCHAPE . . . . GGK 1210
    BOT THERON COM A BOTE ASTYT . . . . PRL 645
ASTOUNT
    THAT STONGE MYN HERT FUL STRAY ASTOUNT. . . . . PRL 2 179
    THAT STONGE MYN HERT FUL STRAY ASTOUNT. . . . . PRL 3 179
ASTRAY
    WHEN I SCHULDE START IN THE STREM ASTRAYE. . . . . PRL 1162
ASTRAYE (V. ASTRAY)
ASTYT (V. ASTIT)
ASURE (V. AZURE)
ASWAGEN (V. ASSUAGE)

ASYNGNES (V. ASSIGNS)
ASYSE (V. ASSIZE)
ATE
BOT THUR3 THE EGGYNG OF EUE HE ETE OF AN APPLE . . . . CLN 241
AND ETE AY AS A HORCE WHEN ERBES WERE FALLEN. . . . . CLN 1684
ADAM OURE ALDER THAT ETE OF THAT APPULLE . . . . ERK 295
AND YWAN VRYN SON ETTE WIT HYMSELUEN . . . . GGK 113
ETE A SOP HASTYLY WHEN HE HADE HERDE MASSE . . . . GGK 1135
ATHEL
OF ALLE THYSE ATHEL AUNGELE3 ATTLED THE FAYREST. . . . . CLN 207
THE ATHEL AUNCETERE3 SUNE3 THAT ADAM WAT3 CALLED . . . . CLN 258
THOU SCHAL ENTER THIS ARK WYTH THYN ATHEL BARNE3 . . . . CLN 329
HYM A3TSUM IN THAT ARK AS ATHEL GOD LYKED. . . . . CLN 411
NOW ATHEL LORDE QUOTH ABRAHAM ONE3 A SPECHE . . . . CLN 761
THER SO3T NO MO TO SAUEMENT OF CITIES ATHEL FYUE . . . . CLN 940
THAT THE AUTER HADE VPON OF ATHEL GOLDE RYCHE . . . . CLN 1276
THAT WAT3 ATHEL OUER ALLE ISRAEL DRY3TYN . . . . CLN 1314
THE ATHEL AUTER OF BRASSE WAT3 HADE INTO PLACE . . . . CLN 1443
HOUEN VPON THIS AUTER WAT3 ATHEL VESSEL . . . . CLN 1451
HIT WAT3 ENNIAS THE ATHEL AND HIS HIGHE KYNDE . . . . GGK 5
AND HIS ARSOUN3 AL AFTER AND HIS ATHEL SKURTES . . . . GGK 171
THERFORE TO ANSWARE WAT3 AR3E MONY ATHEL FREKE . . . . GGK 241
THAT ATHEL ARTHURE THE HENDE HALDE3 HYM ONE . . . . GGK 904
AT THE SOPER AND AFTER MONY ATHEL SONGE3 . . . . GGK 1654
HADE ARTHUR VPON THAT ATHEL IS NOWTHE . . . . GGK 2466
AND HIS ARSOUN3 AL AFTER AND HIS ATHEL STURTES . . . . GGK V 171
ATLED (V. ATTLED)
ATLYNG
AND ALLE MYN ATLYNG TO ABRAHAM VNHASPE BILYUE . . . . CLN 688
ATOUNT
THAT STRONGE MYN HERT FUL STRAY ATOUNT. . . . . PRL 179
ATSLYKE3
AND THA3 HER SWENG WYTH LYTTEL ATSLYKE3 . . . . PRL 575
ATTAIN
TYL TO THE FYRSTE THAT THOU ATTENY . . . . PRL 548
ATTENY (V. ATTAIN)
ATTIRED
WOLDE LYKE IF A LADDE COM LYTHERLY ATTYRED . . . . CLN 36
AY THE BEST BYFORE AND BRY3TEST ATYRED. . . . . CLN 114
THE PRELATE IN PONTIFICALS WAS PRESTLY ATYRIDE . . . . ERK 130
HE SE3 HIR SO GLORIOUS AND GAYLY ATYRED . . . . GGK 1760
ATTLE
FORTHI AN AUNTER IN ERDE I ATTLE TO SCHAWE . . . . GGK 27
ATTLED
OF ALLE THYSE ATHEL AUNGELE3 ATTLED THE FAYREST. . . . . CLN 207
HADE HIT DRYUEN ADOUN AS DRE3 AS HE ATLED. . . . . GGK 2263
ATTYRED (V. ATTIRED)
ATWAPED
WHAT WYLDE SO ATWAPED WY3ES THAT SCHOTTEN. . . . . GGK 1167
ATWAPPE
BOT ER THAY ATWAPPE NE MO3T THE WACH WYTHOUTE . . . . CLN 1205
ATYRED (V. ATTIRED)
ATYRIDE (V. ATTIRED)
AUAY
I SHAL AUAY 3OW SO VERRAYLY OF VERTUES HIS . . . . ERK 174
AUAYED
OF SUCH VESSEL AUAYED THAT VAYLED SO HUGE. . . . . CLN 1311
AUCLY
WAT3 NON AUCLY IN OUTHER FOR AUNGELS HIT WERN . . . . CLN 795

AUE
    AND THERTO PRESTLY I PRAY MY PATER AND AUE . . . . GGK 757
AUEN (V. OWN)
AUENTAYLE (V. AVENTAIL)
AUENTURE (V. ADVENTURE)
AUENTURUS (V. ADENTUROUS)
AUGHT
    HOPE3 HO O3T MAY BE HARDE MY HONDE3 TO WORK . . . . CLN 663
    O3T THAT WAT3 VNGODERLY OTHER ORDURE WAT3 INNE . . . . CLN 1092
    DAR ANY HERINNE O3T SAY. . . . . GGK 300
    THA3 I NADE O3T OF YOURE3 . . . . GGK 1815
    IF ANY WY3E O3T WYL WYNNE HIDER FAST . . . . GGK 2215
    THAT O3T OF NO3T HAT3 MAD THE CLER . . . . PRL 274
    OTHER PROFEREN THE O3T AGAYN THY PAYE . . . . PRL 1200
AUGOSTE (V. AUGUST)
AUGUST
    IN AUGOSTE IN A HY3 SEYSOUN . . . . PRL 39
AUGUSTINE
    TIL SAYNT AUSTYN INTO SANDEWICHE WAS SENDE FRO THE POPE . . . . ERK 12
AUGUSTINES
    NOW OF THIS AUGUSTYNES ART IS ERKENWOLDE BISCHOP . . . . . . ERK 33
AUGUSTYNES (V. AUGUSTINES)
AUISED (V. ADVISED)
AUISYDE (V. ADVISED)
AUMAYL
    THEN GRENE AUMAYL ON GOLDE GLOWANDE BRY3TER . . . . GGK 236
AUNANT
    AUNANT . . . . GGK 806
AUNCETERE3 (V. ANCESTORS)
AUNCIAN (V. ANCIENT)
AUNE (V. OWN)
AUNGELES (V. ANGELS)
AUNGELE3 (V. ANGELS)
AUNGELLES (V. ANGELS)
AUNT
    HO IS EUEN THYN AUNT ARTHURE3 HALFSUSTER . . . . GGK 2464
    THERFORE I ETHE THE HATHEL TO COM TO THY NAUNT . . . . GGK 2467
    HO WAT3 ME NERRE THEN AUNTE OR NECE. . . . . PRL 233
AUNTE (V. AUNT)
AUNTER (CP. ADVENTURE)
    FORTHI AN AUNTER IN ERDE I ATTLE TO SCHAWE . . . . GGK 27
    THUS IN ARTHURUS DAY THIS AUNTER BITIDDE . . . . GGK 2522
    THA3 HE NOLDE SUFFER NO SORE HIS SEELE IS ON ANTER. . . . . . . PAT 242
AUNTERED
    HOW LEDES FOR HER LELE LUF HOR LYUE3 HAN AUNTERED . . . . GGK 1516
AUNTERES
    TO OPEN VCH A HIDE THYNG OF AUNTERES VNCOWTHE . . . . CLN 1600
    MONY AUNTERE3 HEREBIFORNE . . . . GGK 2527
AUSTYN (V. AUGUSTINE)
AUTER (V. ALTAR)
AUTERE (V. ALTAR)
AUTHER (V. EITHER)
AUWHERE (V. AYWHERE)
AUYSED (V. ADVISED)
AVAILED
    ALLE THAT SPYRAKLE INSPRANC NO SPRAWLYNG AWAYLED . . . . CLN 408
AVANTERS
    VOYDE3 OUT THE AVANTERS AND VERAYLY THERAFTER . . . . GGK 1342
AVAUNT

AND 3ET I AVOW VERAYLY THE AVAUNT THAT I MADE	CLN	664
AVAYMENT		
TO VOUCHE ON AVAYMENT OF HIS VAYNEGLORIE	CLN	1358
AVENTAIL		
WYTH A LY3TLY VRYSOUN OUER THE AUENTAYLE	GGK	608
AVENTURE (V. ADVENTURE)		
AVISION		
TO VOUCHESAFE TO REUELE HYM HIT BY AVISION OR ELLES	ERK	121
IN THIS VERAY AVYSYOUN	PRL	1184
AVOW		
AND 3ET I AVOW VERAYLY THE AVAUNT THAT I MADE	CLN	664
BOT I DEWOUTLY AWOWE THAT VERRAY BET3 HALDEN.	PAT	333
AVOWES (V. AVOWS)		
AVOWS		
SUMME TO VERNAGU THER VOUCHED AVOWES SOLEMNE.	PAT	165
AVOY		
AVOY HIT IS YOUR VYLAYNYE 3E VYLEN YOURSELUEN	CLN	863
AVYLED		
FOR HE THE VESSELLES AVYLED THAT VAYLED IN THE TEMPLE.	CLN	1151
AND NOW HIS VESSAYLES AVYLED IN VANYTE VNCLENE	CLN	1713
AVTER (V. ALTAR)		
AVYSE (V. ADVISE)		
AVYSYOUN (V. AVISION)		
AWAY		
BOT I SCHAL DELYUER AND DO AWAY THAT DOTEN ON THIS MOLDE.	CLN	286
AND VOYDE AWAY MY VENGAUNCE THA3 ME VYL THYNK	CLN	744
DOT3 AWAY YOUR DERF DYN AND DERE3 NEUER MY GESTES	CLN	862
WHAT THE MAYSTERRY WAT3 MENE THE MEN WERN AWAY	CLN	1241
THAY CA3T AWAY THAT CONDELSTIK AND THE CROWNE ALS	CLN	1275
TO THE WOD HE WENT AWAY.	GGK	1718
AND GOT3 AWAY SUM OTHER GATE VPON GODDE3 HALUE	GGK	2119
HIS WODBYNDE WAT3 AWAY HE WEPED FOR SOR3E.	PAT	480
BOT AT A WAP HIT HERE WAX AND AWAY AT AN OTHER	PAT	499
THAT GOD WOLDE WRYTHE SO WRANGE AWAY	PRL	488
THAT WASCHE3 AWAY THE GYLTE3 FELLE	PRL	655
THAT DOT3 AWAY THE SYNNE3 DRY3E	PRL	823
TO SAY YOUR PERLE IS AL AWAYE.	PRL	258
AWAYE (V. AWAY)		
AWAYED		
HE LOKE ON BOK AND BE AWAYED	PRL	710
AWAYLED (V. AVAILED)		
AWEN (V. OWN)		
AWENTURE (V. ADVENTURE)		
AWHARF		
AND WYTH QUETTYNG AWHARF ER HE WOLDE LY3T.	GGK	2220
AWHILE (CP. WHILE)		
AND SCHEUED HYM THE RENGNE OF GOD AWHYLE	PRL	692
AWHYLE (V. AWHILE)		
AWOWE (V. AVOW)		
AWYSE (V. ADVISE)		
AX		
AND AN AX IN HIS OTHER A HOGE AND VNMETE	GGK	208
THIS AX THAT IS HEUE INNOGH TO HONDELE AS HYM LYKES	GGK	289
QUOTH GAWAN HIS AX HE STROKES.	GGK	416
GAUAN GRIPPED TO HIS AX AND GEDERES HIT ON HY3T.	GGK	421
NOW SIR HENG VP THYN AX THAT HAT3 INNOGH HEWEN	GGK	477
A DENE3 AX NWE DY3T THE DYNT WITH TO 3ELDE	GGK	2223
HE HYPPED OUER ON HYS AX AND ORPEDLY STRYDE3.	GGK	2232

TIL THYN AX HAUE ME HITTE HAF HERE MY TRAWTHE . . . . GGK 2287
THE HATHEL HELDET HYM FRO AND ON HIS AX RESTED . . . . GGK 2331
NOW HAT3 ARTHURE HIS AXE AND THE HALME GRYPE3 . . . . GGK 330
AXE (V. AX)
AYLASTANDE
FOR THE AYLASTANDE LIFE THAT LETHE SHALLE NEUER. . . . . ERK 347
AYLED (V. AILED)
AYQUERE (V. AYWHERE)
AYRE (V. AIR)
AYTHER (V. EITHER)
AYWAN (V. IWAIN)
AYWHERE
THAT ANY VNCLANNESSE HAT3 ON AUWHERE ABOWTE . . . . CLN 30
ON VCHE SYDE OF THE WORLDE AYWHERE ILYCHE. . . . . CLN 228
AND CLOUEN ALLE IN LYTTEL CLOUTES THE CLYFFE3 AYWHERE. . . . . CLN 965
AND BAROUNES AT THE SIDEBORDES BOUNET AYWHERE . . . . CLN 1398
AYWHERE BY THE WOWES WRASTEN KRAKKES . . . . CLN 1403
OF THE GODELIEST GODDE3 THAT GAYNES AYWHERE . . . . CLN 1608
AYQUERE NAYLET FUL NWE FOR THAT NOTE RYCHED . . . . GGK 599
AND AYQUERE HIT IS ENDELE3 AND ENGLYCH HIT CALLEN . . . . . . GGK 629
WITH RO3E RAGED MOSSE RAYLED AYWHERE . . . . GGK 745
SO MONY PYNAKLE PAYNTET WAT3 POUDRED AYQUERE. . . . . GGK 800
RICHE RED ON THAT ON RAYLED AYQUERE. . . . . GGK 952
HIR FROUNT FOLDEN IN SYLK ENFOUBLED AYQUERE . . . . GGK 959
YOUR WORDE AND YOUR WORCHIP WALKE3 AYQUERE . . . . GGK 1521
AND OUERGROWEN WITH GRESSE IN GLODES AYWHERE. . . . . GGK 2181
WITHOUTEN ENDE AT ANY NOKE AIQUERE I FYNDE . . . . GGK V 660
AZARIAH
AS ANANIE AND A3ARIE AND ALS MI3AEL. . . . . CLN 1301
A3ARIE (V. AZARIAH)
A3AYN (V. AGAIN)
A3AYNES (V. AGAINST)
A3AYNE3 (V. AGAINST)
AZURE
AND AL IN ASURE AND YNDE ENAUMAYLD RYCHE . . . . CLN 1411
ENAUMAYLDE WYTH A3ER AND EWERES OF SUTE . . . . CLN 1457
A3ARIE (V. AZARIAH)
A3ER (V. AZURE)
A3LE3
ARMED FUL A3LE3 IN HERT HIT HYM LYKE3 . . . . GGK 2335
A3LY
THAT A3LY HURLED IN HIS ERE3 HER HARLOTE3 SPECHE . . . . . . CLN 874
THE AUNGELE3 HASTED THISE OTHER AND A3LY HEM THRATTEN. . . . CLN 937
THER HALES IN AT THE HALLE DOR AN AGHLICH MAYSTER . . . . . . GGK 136
A3T (V. OUGHT)
A3TSUM
HYM A3TSUM IN THAT ARK AS ATHEL GOD LYKED. . . . . CLN 411
A3TTHE (V. EIGHTH)
BAALPEOR
BELFAGOR AND BELYAL AND BELSSABUB ALS . . . . CLN 1526
BABBLE
THA3 THOU BERE THYSELF BABEL BYTHENK THE SUMTYME . . . . . . CLN 582
BABOONS
BROTHE BABOYNES ABOF BESTTES ANVNDER . . . . CLN 1409
BABYLON
AND THAT WAT3 BARED IN BABYLOYN IN BALTA3AR TYME . . . . . . CLN 1149
AND BEDE THE BURNE TO BE BRO3T TO BABYLOYN THE RYCHE . . . . CLN 1223
AND BROTHELY BRO3T TO BABYLOYN THER BALE TO SUFFER. . . . . CLN 1256

IN THE BUR3 OF BABILOYNE THE BIGGEST HE TRAWED . . . . CLN 1335
BALTA3AR THUR3 BABILOYN HIS BANNE GART CRYE . . . . CLN 1361
AND MONY A BAROUN FUL BOLDE TO BABYLOYN THE NOBLE . . . . . . CLN 1372
THER BOWED TOWARD BABILOYN BURNES SO MONY. . . . . CLN 1373
I HAF BIGGED BABILOYNE BUR3 ALTHERRYCHEST. . . . . CLN 1666

BACHELORS
BRO3TEN BACHLERE3 HEM WYTH THAT THAY BY BONKE3 METTEN. . . . . CLN 86
TO BORGES AND TO BACHELERES THAT IN THAT BUR3 LENGED . . . . . PAT 366

BACK
BYNDE3 BYHYNDE AT HIS BAK BOTHE TWO HIS HANDE3 . . . . CLN 155
BLUSCHED BYHYNDEN HER BAK THAT BALE FOR TO HERKKEN. . . . . . CLN 980
AND AL ON BLONKKEN BAK BERE HIT ON HONDE . . . . CLN 1412
FOR OF BAK AND OF BREST AL WERE HIS BODI STURNE. . . . . GGK 143
HE GETE THE BONK AT HIS BAK BIGYNE3 TO SCRAPE . . . . GGK 1571
THE BLYTHE BRETHE AT HER BAK THE BOSUM HE FYNDES . . . . PAT 107
THE BYGGE BORNE ON HIS BAK THAT BETE ON HIS SYDES . . . . . . PAT 302
AND THOSE THAY BOUNDEN TO HER BAK AND TO HER BARE SYDE3 . . . . PAT 374
HE BOWED VNDER HIS LYTTEL BOTHE HIS BAK TO THE SUNNE . . . . . PAT 441

BACKBONE
BI THE BAKBON TO VNBYNDE . . . . GGK 1352

BACKS
AND BOTE THE BEST OF HIS BRACHE3 THE BAKKE3 IN SUNDER. . . . . GGK 1563

BAD
BOT FOR HIS BERYNG SO BADDE AGAYN HIS BLYTHE LORDE. . . . . . CLN 1228

BADE
AND TO THE BEST ON THE BENCH AND BEDE HYM BE MYRY . . . . . . CLN 130
BED BLYNNE OF THE RAYN HIT BATEDE AS FAST. . . . . CLN 440
BEDE HEM DRAWE TO THE DOR DELYUER HEM HE WOLDE . . . . CLN 500
THAT WAT3 TENDER AND NOT TO3E BED TYRUE OF THE HYDE . . . . . CLN 630
PRECHANDE HEM THE PERILE AND BEDEN HEM PASSE FAST . . . . . . CLN 942
AND BEDE THE BURNE TO BE BRO3T TO BABYLOYN THE RYCHE . . . . . CLN 1223
BOT BEDE AL TO THE BRONDE VNDER BARE EGGE. . . . . CLN 1246
BALTA3AR IN A BRAYD BEDE VS THEROF . . . . CLN 1507
HE BEDE HIS BURNES BO3 TO THAT WERE BOKLERED. . . . . CLN 1551
THY BOLDE FADER BALTA3AR BEDE BY HIS NAME. . . . . CLN 1610
BOLDE BALTA3AR BED THAT HYM BOWE SCHULDE . . . . CLN 1746
BALTA3AR IN A BRAYD BEDE BUS THEROF. . . . . CLN V 1507
AND BEDE THE CETE TO SECHE SEGGES THUR3OUT . . . . CLN V 1559
BEDE VNLOUKE THE LIDDE AND LAY HIT BYSIDE. . . . . ERK 67
THAGHE HAD BENE MY FADER BONE I BEDE HYM NO WRANGES . . . . . ERK 243
THENNE THAY BETEN ON THE BUSKE3 AND BEDE HYM VPRYSE . . . . . GGK 1437
HO BEDE HIT HYM FUL BYSILY AND HE HIR BODE WERNES . . . . . . GGK 1824
AND THAT HO BEDE TO THE BURNE AND BLYTHELY BISO3T . . . . . . GGK 1834
AND HO BERE ON HYM THE BELT AND BEDE HIT HYM SWYTHE . . . . . GGK 1860
AND BEDE HYM BRYNG HYM HIS BRUNY AND HIS BLONK SADEL . . . . . GGK 2012
THE BURNE BEDE BRYNG HIS BLONK . . . . GGK 2024
BEDE HIS MAYSTER ABIDE . . . . GGK 2090
BUSK NO MORE DEBATE THEN I THE BEDE THENNE . . . . GGK 2248
FOR BOTHE TWO HERE I THE BEDE BOT TWO BARE MYNTES . . . . . . GGK 2352
THE FREKE HYM FRUNT WYTH HIS FOT AND BEDE HYM FERK.VP. . . . . PAT 187
AND THER HE BRAKE3 VP THE BUYRNE AS BEDE HYM OURE LORDE . . . . PAT 340
HIS DESSYPELE3 WYTH BLAME LET BE HEM BEDE. . . . . PRL 715

BADE (V. BIDED)

BAFT
THE BUR BER TO HIT BAFT THAT BRASTE ALLE HER GERE . . . . PAT 148

BAGS
HER BAGGES AND HER FETHERBEDDES AND HER BRY3T WEDES . . . . . PAT 158

BAIT

THEN BRAYNWOD FOR BATE ON BURNE3 HE RASE3. . . . . GGK 1461
BAKED
SUMME BAKEN IN BRED SUMME BRAD ON THE GLEDE3. . . . . GGK 891
BAKEN (V. BAKED)
BALDRIC
HE BRAYDE3 HIT BY THE BAUDERYK ABOUTE THE HALS KESTES. . . . . GGK 621
ABELEF AS A BAUDERYK BOUNDEN BI HIS SYDE . . . . GGK 2486
VCHE BURNE OF THE BROTHERHEDE A BAUDERYK SCHULDE HAUE. . . . . GGK 2516
BALDWIN
BISCHOP BAWDEWYN ABOF BIGINE3 THE TABLE . . . . GGK 112
BALE
AND AY THE BIGEST IN BALE THE BEST WAT3 HALDEN . . . . CLN 276
BLUSCHED BYHYNDEN HER BAK THAT BALE FOR TO HERKKEN. . . . . . CLN 980
AND THO THAT BYDEN WER SO BITEN WITH THE BALE HUNGER . . . . . CLN 1243
AND BROTHELY BRO3T TO BABYLOYN THER BALE TO SUFFER. . . . . . CLN 1256
THE BISSHOP BAYTHES HYM 3ET WITH BALE AT HIS HERT . . . . ERK 257
FRO BALE HAS BRO3T VS TO BLIS BLESSID THOU WORTHE . . . . ERK 340
TO BYDE BALE WITHOUTE DEBATE OF BRONDE HYM TO WERE. . . . . . GGK 2041
WAT3 BLENDED WITH BARSABE THAT MUCH BALE THOLED. . . . . GGK 2419
THER WAT3 BUSY OUERBORDE BALE TO KEST . . . . PAT 157
THER WAT3 BYLDED HIS BOUR THAT WYL NO BALE SUFFER . . . . . . PAT 276
AS LYTTEL BARNE3 ON BARME THAT NEUER BALE WRO3T. . . . . PAT 510
MY BRESTE IN BALE BOT BOLNE AND BELE . . . . PRL 18
MY BLYSSE MY BALE 3E HAN BEN BOTHE . . . . PRL 373
WYTH BODYLY BALE HYM BLYSSE TO BYYE. . . . . PRL 478
THE BLOD VS BO3T FRO BALE OF HELLE . . . . PRL 651
ANI BRESTE FOR BALE A3T HAF FORBRENT . . . . PRL 1139
BALEFUL
BOT THE BALLEFUL BURDE THAT NEUER BODE KEPED. . . . . CLN 979
BALEFULLY
AND THE BYSSHOP BALEFULLY BERE DON HIS EGHEN. . . . . ERK 311
BALELESS
THAT THAY IN BALELE3 BLOD THER BLENDEN HER HANDE3 . . . . . . PAT 227
BALES
BYLDE IN ME BLYS ABATED MY BALE3. . . . . PRL 123
AL OURE BALE3 TO BERE FUL BAYN . . . . PRL 807
BALESTOUR
BED ME BILYUE MY BALESTOUR AND BRYNG ME ON ENDE. . . . . PAT 426
BALE3 (V. BALES)
BALKE
MY BODY ON BALKE THER BOD IN SWEUEN. . . . . PRL 62
BALLEFUL (V. BALEFUL)
BALM
AND BRYNGE A MORSEL OF BRED TO BAUME YOUR HERTTE . . . . CLN 620
BALTA3AR (V. BELSHAZZAR)
BALTERANDE
AND THA3 THAY BEN BOTHE BLYNDE AND BALTERANDE CRUPPELE3 . . . . CLN 103
BALTERES
SO BLYTHE OF HIS WODBYNDE HE BALTERES THERVNDER. . . . . PAT 459
BAL3
BI HE HADE BELTED THE BRONDE VPON HIS BAL3E HAUNCHE3 . . . . . GGK 2032
A BAL3 BER3 BI A BONKE THE BRYMME BYSYDE . . . . GGK 2172
HIR BUTTOKE3 BAL3 AND BRODE . . . . GGK V 967
BAL3E (V. BAL3)
BAN
AND AT THI BANNE WE HAF BRO3T AS THOU BEDEN HABBE3. . . . . . . CLN 95
BALTA3AR THUR3 BABILOYN HIS BANNE GART CRYE . . . . CLN 1361
BAND

AND BOUNDEN BOTHE WYTH A BANDE OF A BRY3T GRENE. GGK 192
THIS IS THE BENDE OF THIS BLAME I BERE ON MY NEK GGK 2506
A BENDE ABELEF HYM ABOUTE OF A BRY3T GRENE GGK 2517
BANDE (V. BAND)
BANER (V. BANNER)
BANERES (V. BANNERS)
BANK
AND BOWED TO THE HY3 BONK THER BRENTEST HIT WERN CLN 379
AND BOWED TO THE HY3 BONK THER BRENTEST HIT WERE CLN V 379
BI BONK GGK 511
OUER AT THE HOLY HEDE TIL HE HADE EFT BONK GGK 700
IN MONY A BONK VNBENE GGK 710
THE BURNE BODE ON BONK THAT ON BLONK HOUED GGK 785
HE GETE THE BONK AT HIS BAK BIGYNE3 TO SCRAPE GGK 1571
RIDE3 THUR3 THE RO3E BONK RY3T TO THE DALE GGK 2162
A BAL3 BER3 BI A BONKE THE BRYMME BYSYDE GGK 2172
BI3ONDE THE BROKE IN A BONK A WONDER BREME NOYSE GGK 2200
ABYDE QUOTH ON ON THE BONKE ABOUEN OUER HIS HEDE GGK 2217
TYL A SWETTER FUL SWYTHE HEM SWE3ED TO BONK PAT 236
THE BARRE3 OF VCHE A BONK FUL BIGLY ME HALDES PAT 321
NO BONK SO BYG THAT DID ME DERE3. PRL 102
DOUN THE BONKE CON BO3E BYDENE PRL 196
AND BYDE3 HERE BY THYS BLYSFUL BONC. PRL 907
FOR RY3T AS I SPARRED VNTO THE BONC. PRL 1169
BANKS
BRO3TEN BACHLERE3 HEM WYTH THAT THAY BY BONKE3 METTEN. CLN 86
THEN BOLNED THE ABYME AND BONKE3 CON RYSE. CLN 363
ER VCH BOTHOM WAT3 BRURDFUL TO THE BONKE3 EGGE3. CLN 383
BUKKE3 BAUSENE3 AND BULE3 TO THE BONKKE3 HY3ED CLN 392
AND BYDDE3 HIR BOWE OUER THE BORNE EFTE BONKE3 TO SECHE CLN 482
BY ALLE BRETAYNES BONKES WERE BOT OTHIRE TWAYNE. ERK 32
ON MONY BONKKES FUL BRODE BRETAYN HE SETTE3 GGK 14
WHAT THAY BRAYEN AND BLEDEN BI BONKKE3 THAY DE3EN GGK 1163
SWE3 HIS VNCELY SWYN THAT SWYNGE3 BI THE BONKKE3 GGK 1562
THAY BO3EN BI BONKKE3 THER BO3E3 AR BARE GGK 2077
BROKE3 BYLED AND BREKE BI BONKKE3 ABOUTE GGK 2082
BOT HY3E BONKKE3 AND BRENT VPON BOTHE HALUE GGK 2165
THE BONKES THAT HE BLOSCHED TO AND BODE HYM BISYDE. PAT 343
AS FYLDOR FYN HER BONKES BRENT PRL 106
WERN BONKE3 BENE OF BERYL BRY3T PRL 110
WHAT3 THER OUER GAYN THO BONKE3 BRADE PRL 138
AND BY THYSE BONKE3 THER I CON GELE. PRL 931
BANNE (ALSO V. BAN)
BANNE
AND BRYNGE A MORSEL OF BRED TO BANNE YOUR HERTTE CLN V 620
BANNED
BANNED HYM FUL BYTTERLY WYTH BESTES ALLE SAMEN CLN 468
THAY BLWE A BOFFET IN BLANDE THAT BANNED PEPLE CLN 885
BANNER
WYTH MONY BANER FUL BRY3T THAT THERBI HENGED. GGK 117
BANNERS
AND BRODE BANERES THERBI BLUSNANDE OF GOLD CLN 1404
BANTELS
ENBANED VNDER BATELMENT WYTH BANTELLES QUOYNT CLN 1459
WYTH BANTELE3 TWELUE ON BASYNG BOUN. PRL 992
THE WAL ABOF THE BANTELS BENT. PRL 1017
THE WAL ABOF THE BANTELS BRENT PRL 2 1017
THE WAL ABOF THE BANTELS BRENT PRL 3 1017
BANTELE3 (V. BANTELS)

BANTELLES (V. BANTESL)			
BAPTEM (V. BAPTISM)			
BAPTEME (V. BAPTISM)			
BAPTISM			
THE BRY3T BOURNE OF THIN EGHEN MY BAPTEME IS WORTHYN	ERK		330
IN THE WATER OF BABTEM THAY DYSSENTE	PRL		627
THE WATER IS BAPTEM THE SOTHE TO TELLE.	PRL		653
BAPTIZED			
THER AS BAPTYSED THE GOUDE SAYNT JON	PRL		818
BAPTYSED (V. BAPTIZED)			
BARAYN (V. BARREN)			
BARAYNE (V. BARREN)			
BARB			
WITH THE BARBE OF THE BITTE BI THE BARE NEK	GGK		2310
BARBE (V. BARB)			
BARBE3 (V. BARBS)			
BARBICAN			
A BETTER BARBICAN THAT BURNE BLUSCHED VPON NEUER	GGK		793
BARBS			
AND THE BARBE3 OF HIS BROWE BITE NON WOLDE	GGK		1457
AND THE BARBE3 OF HIS BROWEN BITE NON WOLDE	GGK	V	1457
BARE			
THAT THE BURNE BYNNE BORDE BYHELDE THE BARE ERTHE	CLN		452
OF BLE AS THE BREREFLOUR WHERESO THE BARE SCHEWEED.	CLN		791
BOT BEDE AL TO THE BRONDE VNDER BARE EGGE.	CLN		1246
THAY WER CAGGED AND KA3T ON CAPELES AL BARE	CLN		1254
OUTTAKEN BARE TWO AND THENNE HE THE THRYDDE	CLN		1573
HIS BERDE IBRAD ALLE HIS BREST TO THE BARE VRTHE	CLN		1693
THAT IS GRATTEST IN GRENE WHEN GREUE3 AR BARE	GGK		207
IF THOU CRAUE BATAYL BARE	GGK		277
AND I SCHAL BIDE THE FYRST BUR AS BARE AS I SITTE	GGK		290
3ET BREUED WAT3 HIT FUL BARE	GGK		465
WITH MONY BRYDDE3 VNBLYTHE VPON BARE TWYGES	GGK		746
HIR BREST AND HIR BRY3T THROTE BARE DISPLAYED	GGK		955
THAT NO3T WAT3 BARE OF THAT BURDE BOT THE BLAKE BRO3ES	GGK		961
NAF I NOW TO BUSY BOT BARE THRE DAYE3	GGK		1066
BLWE BYGLY IN BUGLE3 THRE BARE MOTE3	GGK		1141
HIR BREST BARE BIFORE AND BIHINDE EKE	GGK		1741
THAY BO3EN BI BONKKE3 THER BO3E3 AR BARE	GGK		2077
AND SCHEWED THAT SCHYRE AL BARE	GGK		2256
WITH THE BARBE OF THE BITTE BI THE BARE NEK	GGK		2310
FOR BOTHE TWO HERE I THE BEDE BOT TWO BARE MYNTES	GGK		2352
BLWE BYGLY IN BUGLE3 THRE BARE MOTE.	GGK	V	1141
AND THOSE THAY BOUNDEN TO HER BAK AND TO HER BARE SYDE3	PAT		374
THE APOSTEL JOHN HYM SA3 AS BARE.	PRL		836
THE STRETE3 OF GOLDE AS GLASSE AL BARE.	PRL		1025
THE APOSTEL JOHN HYM SY3 AS BARE.	PRL	1	836
THE APOSTEL JOHN HYM SY3 AS BARE.	PRL	3	836
BARED			
AND THAT WAT3 BARED IN BABYLOYN IN BALTA3AR TYME	CLN		1149
BARE-HEADED			
THE BURNE TO BE BAREHEUED BUSKE3 HYM THENNE	CLN		633
BAREHEUED (V. BARE-HEADED)			
BARELY			
BOT I AM BOUN TO THE BUR BARELY TOMORNE	GGK		548
BARERES (V. BARRIERS)			
BARERS (V. BARRIERS)			
BARET			
BOLDE BREDDEN THERINNE BARET THAT LOFDEN	GGK		21

Headword / Context	Text	Line
NE BETTER BODYES ON BENT THER BARET IS RERED.	GGK	353
OF A BURDE WAT3 BORNE OURE BARET TO QUELLE	GGK	752
ON BENT MUCH BARET BENDE	GGK	2115
BARGAIN		
WHO BRYNGE3 VS THE BEUERAGE THIS BARGAYN IS MAKED	GGK	1112
BARGAYN (V. BARGAIN)		
BARLAY		
BARLAY	GGK	296
BARME		
AS LYTTEL BARNE3 ON BARME THAT NEUER BALE WRO3T.	PAT	510
BARN		
VUCHE BURDE WYTH HER BARNE THE BYGGYNG THAY LEUE3	CLN	378
THENNE WAT3 HER BLYTHE BARNE BURNYST SO CLENE	CLN	1085
BOT THENN THE BOLDE BALTA3AR THAT WAT3 HIS BARN ALDEST	CLN	1333
BOT THOU BALTA3AR HIS BARNE AND HIS BOLDE AYRE	CLN	1709
THAT BER A BARNE OF VYRGYN FLOUR.	PRL	426
BARNAGE		
AND AY HAT3 BEN AND WYL BE 3ET FRO HER BARNAGE	CLN	517
BARNE (V. BARN)		
BARNES		
THOU SCHAL ENTER THIS ARK WYTH THYN ATHEL BARNE3	CLN	329
BOTHE THE BURNE AND HIS BARNE3 BOWED THEROUTE	CLN	502
BATHED BARNES IN BLOD AND HER BRAYN SPYLLED	CLN	1248
AS LYTTEL BARNE3 ON BARME THAT NEUER BALE WRO3T.	PAT	510
AND BURNE3 HER BARNE3 VNTO HYM BRAYDE	PRL	712
OF ISRAEL BARNE3 FOLEWANDE HER DATE3	PRL	1040
BARNE3 (V. BARNES)		
BARON		
AND MONY A BAROUN FUL BOLDE TO BABYLOYN THE NOBLE	CLN	1372
THOU SCHAL BE BAROUN VPON BENCHE BEDE I THE NO LASSE	CLN	1640
BARONAGE		
AND HIS BOLDE BARONAGE ABOUTE BI THE WO3ES	CLN	1424
BARONES (V. BARONS)		
BARONS		
AND BRYNGE3 HEM BLYTHLY TO BOR3E AS BAROUNE3 THAY WERE	CLN	82
AND BAROUNES AT THE SIDEBORDES BOUNET AYWHERE	CLN	1398
HIS BAROUNES BO3ED HYM TO BLYTHE OF HIS COME.	CLN	1706
BIFORE THE BAROUN3 HAT3 HEM BRO3T AND BYRLED THERINNE.	CLN	1715
WYTH ALLE THE BAROUN3 THERABOUTE THAT BOWED HYM AFTER.	CLN	1796
THE BYSCHOP COME TO THE BURYNES HIM BARONES BESYDE.	ERK	142
BAROUN (V. BARON)		
BAROUNES (V. BARONS)		
BAROUN3 (V. BARONS)		
BARRED		
OF BRY3T GOLDE VPON SILK BORDES BARRED FUL RYCHE	GGK	159
THE BRYDEL BARRED ABOUTE WITH BRY3T GOLDE BOUNDEN	GGK	600
BARREN		
FRO MONY A BROD DAY BYFORE HO BARAYN AY BYDENE	CLN	659
FRO MONY A BROD DAY BYFORE HO BARAYN AY BENE.	CLN V	659
TO HUNT IN HOLTE3 AND HETHE AT HYNDE3 BARAYNE	GGK	1320
BARRES (V. BARS)		
BARRE3 (V. BARS)		
BARRIERS		
HE BREK THE BARERES AS BYLYUE AND THE BUR3 AFTER	CLN	1239
BETES ON THE BARERS BRESTES VP THE 3ATES	CLN	1263
BARS		
AND STEKEN THE 3ATES STONHARDE WYTH STALWORTH BARRE3	CLN	884
THE GRETE BARRE3 OF THE ABYME HE BARST VP AT ONE3	CLN	963
BOTHE THE BARRES OF HIS BELT AND OTHER BLYTHE STONES	GGK	162

THE BARRE3 OF VCHE A BONK FUL BIGLY ME HALDES . . . . PAT 321
BARSABE (V. BATHSHEBA)
BARST (V. BURST)
BASE
THAT I ON THE FYRST BASSE CON WALE . . . . PRL 1000
BASES
THE BASES OF THE BRY3T POSTES AND BASSYNES SO SCHYRE . . . . . CLN 1278
VPON HIT BASE3 OF BRASSE THAT BER VP THE WERKES. . . . . CLN 1480
BASE3 (V. BASES)
BASHIS (V. ABASHES)
BASIN
THA3 HIT BE BOT A BASSYN A BOLLE OTHER A SCOLE . . . . CLN 1145
BASING
WYTH BANTELE3 TWELUE ON BASYNG BOUN. . . . . PRL 992
BASINS
THE BASES OF THE BRY3T POSTES AND BASSYNES SO SCHYRE . . . . . CLN 1278
FOR THER WER BASSYNES FUL BRY3T OF BRENDE GOLDE CLERE. . . . . CLN 1456
BASSE (V. BASE)
BASSYN (V. BASIN)
BASSYNES (V. BASINS)
BASTEL
VPON BASTEL ROUE3 THAT BLENKED FUL QUYTE . . . . GGK 799
BASTELES
AT VCH BRUGGE A BERFRAY ON BASTELES WYSE . . . . CLN 1187
BASYNG (V. BASING)
BATAILLED
FOR THE BOR3 WAT3 SO BYGGE BATAYLED ALOFTE . . . . CLN 1183
BATAYL (V. BATTLE)
BATAYLED (V. BATAILLED)
BATE (V. BAIT)
BATEDE (V. ABATED)
BATELMENT (V. BATTELMENT)
BATERED (V. BATTERED)
BATHE
FORTHY BERE3 ME TO THE BORDE AND BATHES ME THEROUTE . . . . . PAT 211
BATHED
BATHED BARNES IN BLOD AND HER BRAYN SPYLLED . . . . CLN 1248
AND BRED BATHED IN BLOD BLENDE THERAMONGE3 . . . . GGK 1361
BATHES (V. BATHE)
BATHSHEBA
WAT3 BLENDED WITH BARSABE THAT MUCH BALE THOLED. . . . . GGK 2419
BATTELMENT
ENBANED VNDER BATELMENT WYTH BANTELLES QUOYNT . . . . CLN 1459
ENBANED VNDER THE ABATAYLMENT IN THE BEST LAWE . . . . GGK 790
BATTERED
AND BOUGOUN3 BUSCH BATERED SO THIKKE . . . . CLN 1416
BATTLE
IF THOU CRAUE BATAYL BARE . . . . GGK 277
BAUDERYK (V. BALDRIC)
BAULE3 (V. BOWELS)
BAUME (V. BALM)
BAUSENE3
BUKKE3 BAUSENE3 AND BULE3 TO THE BONKKE3 HY3ED . . . . CLN 392
BAWDEWYN (V. BALDWIN)
BAWELYNE (V. BOWLINE)
BAWEMEN (V. BOWMEN)
BAY
SO BROD BILDE IN A BAY THAT BLONKKES MY3T RENNE. . . . . CLN 1392

HIR BUTTOKE3 BAY AND BRODE. . . . GGK 967
FUL OFT HE BYDE3 THE BAYE . . . GGK 1450
THER HE BODE IN HIS BAY TEL BAWEMEN HIT BREKEN . . . GGK 1564
SY3 HYM BYDE AT THE BAY HIS BURNE3 BYSYDE. . . . GGK 1582
AND THER BAYEN HYM MONY BRATH HOUNDE3 . . . GGK 1909

BAYARD
THAT THAY BLUSTERED AS BLYNDE AS BAYARD WAT3 EUER . . . CLN 886

BAYE (V. BAY)

BAYED
BRACHES BAYED THERFORE AND BREME NOYSE MAKED. . . . GGK 1142
BALDELY THAY BLW PRYS BAYED THAYR RACHCHE3 . . . GGK 1362
BRACHETES BAYED THAT BEST AS BIDDEN THE MAYSTERE3 . . . GGK 1603

BAYEN (V. BAY)

BAYLE
AS QUEN I BLUSCHED VPON THAT BAYLE . . . PRL 1083
THOU SAYT3 THOU SCHAL WON IN THIS BAYLE . . . PRL 3 315

BAYLY
THOU SAYT3 THOU SCHAL WON IN THIS BAYLY . . . PRL 315
AND VRTHE AND HELLE IN HER BAYLY. . . . PRL 442

BAYN
IN BRY3T BOLLE3 FUL BAYN BIRLEN THISE OTHER . . . CLN 1511
WHYL I BYDE IN YOWRE BOR3E BE BAYN TO 3OWRE HEST . . . GGK 1092
TO GODDE3 WYLLE I AM FUL BAYN. . . . GGK 2158
SO BAYN WER THAY BOTHE TWO HIS BONE FOR TO WYRK. . . . PAT 136
AL OURE BALE3 TO BERE FUL BAYN . . . PRL 807

BAYSMENT (V. ABASHMENT)

BAYST (V. ABASHED)

BAYTED
FOR MY BOLES AND MY BORE3 ARN BAYTED AND SLAYNE. . . . CLN 55

BAYTHE
AND LETTE3 BE YOUR BISINESSE FOR I BAYTHE HIT YOW NEUER . . . GGK 1840

BAYTHEN
AND I SCHAL BAYTHEN THY BONE THAT THOU BODEN HABBES . . . GGK 327
AND EFTE IN HER BOURDYNG THAY BAYTHEN IN THE MORN . . . GGK 1404

BAYTHES
THE BISSHOP BAYTHES HYM 3ET WITH BALE AT HIS HERT . . . ERK 257

BE (APP. 1)

BEADLES
BURGEYS BOGHIT THERTO BEDELS ANDE OTHIRE . . . ERK 59
THE BISCHOP SENDE HIT TO BLYNNE BY BEDELS AND LETTRES. . . . ERK 111

BEAK
WHAT HO BRO3T IN HIR BEKE A BRONCH OF OLYUE . . . CLN 487

BEAKER
BI VCHE BEKYR ANDE BOLLE THE BRURDES AL VMBE. . . . CLN 1474

BEAM
BRY3T BLYKKED THE BEM OF THE BRODE HEUEN . . . CLN 603
AND BREDE VPON A BOSTWYS BEM . . . PRL 814
AS HE WAS BENDE ON A BEME QUEN HE HIS BLODE SCHEDDE . . . ERK 182

BEAMS
THAT BERE BLUSSCHANDE BEME3 AS THE BRY3T SUNNE . . . GGK 1819

BEAR
THA3 THOU BERE THYSELF BABEL BYTHENK THE SUMTYME . . . CLN 582
AND THENNE SCHAL SARE CONSAYUE AND A SUN BERE . . . CLN 649
AND THAY BORGOUNE3 AND BERES BLOME3 FUL FAYRE . . . CLN 1042
3E MAY BE SEKER BI THIS BRAUNCH THAT I BERE HERE . . . GGK 265
WITH LORDE3 WYTH LADYES WITH ALLE THAT LYF BERE. . . . GGK 1229
NE BERE THE FELA3SCHYP THUR3 THIS FRYTH ON FOTE FYRRE. . . . GGK 2151
THIS IS THE BENDE OF THIS BLAME I BERE ON MY NEK . . . GGK 2506
THE BRUTUS BOKE3 THEROF BERES WYTTENESSE . . . GGK 2523

FORTHY BERE3 ME TO THE BORDE AND BATHES ME THEROUTE PAT 211
ON ARME OTHER FYNGER THA3 THOU BER BY3E PRL 466
AL OURE BALE3 TO BERE FUL BAYN PRL 807
THAT TWELUE FRYTE3 OF LYF CON BERE FUL SONE PRL 1078
THAT BEREN THYS PERLE VPON OURE BERESTE PRL 854
OF SPOTLE3 PERLE3 THAT BEREN THE CRESTE PRL 856
TWELUE SYTHE3 ON 3ER THAY BEREN FUL FRYM PRL 1079

BEARD
A MUCH BERD AS A BUSK OUER HIS BREST HENGES GGK 182
HIS BERDE IBRAD ALLE HIS BREST TO THE BARE VRTHE CLN 1693
WAYUED HIS BERDE FOR TO WAYTE QUOSO WOLDE RYSE GGK 306
WYTH STURNE SCHERE THER HE STOD HE STROKED HIS BERDE GGK 334
BROCE BRY3T WAT3 HIS BERDE AND AL BEUERHWED GGK 845
BOTHE THE LYRE AND THE LEGGE3 LOKKE3 AND BERDE GGK 2228

BEARDLESS
BOLCE BURNE3 WER THAY BOTHE WYTH BERDLES CHYNNE3 CLN 789
HIT ARN ABOUTE ON THIS BENCH BOT BERDLE3 CHYLDER GGK 280

BEARING
OF WICH BERYNG THAT HO BE AND WYCH HO BEST LOUYES CLN 1060
BOT FOR HIS BERYNG SO BADDE AGAYN HIS BLYTHE LORDE. CLN 1228
BURNES BERANDE THE BREDES VPON BRODE SKELES CLN 1405

BEARS
OF VCHE BEST THAT BERE3 LYF BUSK THE A CUPPLE CLN 333
AND NO3T MAY LENGE IN THAT LAKE THAT ANY LYF BERE3. CLN 1023
BOTHE WYTH BULLE3 AND BERE3 AND BORE3 OTHERQUYLE GGK 722
NOW THAT BERE THE CROUN OF THORNE GGK 2529
NIS NO WY3 WORTHE THAT TONGE BERE3 PRL 100
THAT BERE3 QUOTH I THE PERLE OF PRYS PRL 746
BERE3 THE PERLE SO MASKELLE3 PRL 756
THAT BERE3 ANY SPOT ANVNDER MONE. PRL 1068
BERE3 THE PERLE SO MASKELLE3 PRL 1 756
BERE3 THE PERLE SO MASKELLE3 PRL 2 756

BEAST
FRO THE BURNE TO THE BEST FRO BRYDDE3 TO FYSCHE3 CLN 288
OF VCHE BEST THAT BERE3 LYF BUSK THE A CUPPLE CLN 333
THERWYTH HE BLESSE3 VCH A BEST AND BYTA3T HEM THIS ERTHE. CLN 528
VCHE BESTE TO THE BENT THAT BYTES ON ERBE3 CLN 532
AND VCHE BEST AT A BRAYDE THER HYM BEST LYKE3 CLN 539
WYTH MONY A BORLYCH BEST AL OF BRENDE GOLDE CLN 1488
AS BEST BYTE ON THE BENT OF BRAKEN AND ERBES. CLN 1675
BOT A BEST THAT HE BE A BOL OTHER AN OXE CLN 1682
VPON A FELLE OF THE FAYRE BEST FEDE THAY THAYR HOUNDES GGK 1359
THE BEST THAT THER BREUED WAT3 WYTH THE BLODHOUNDE3 GGK 1436
BRACHETES BAYED THAT BEST AS BIDDEN THE MAYSTERE3 GGK 1603
FOR SUCHE A BRAWNE OF A BEST THE BOLDE BURNE SAYDE. GGK 1631
AND BRAYDE3 OUT THE BRY3T BRONDE AND AT THE BEST CASTE3 GGK 1901
HOW FRO THE BOT INTO THE BLOBER WAT3 WYTH A BEST LACHCHED PAT 266
SO IN A BOUEL OF THAT BEST HE BIDE3 ON LYUE PAT 293
NE BEST BITE ON NO BROM NE NO BENT NAUTHER PAT 392

BEASTS
BESTE3 AS I BEDENE HAUE BOSK THERINNE ALS. CLN 351
AND SED THAT I WYL SAUE OF THYSE SER BESTE3 CLN 358
BANNED HYM FUL BYTTERLY WYTH BESTES ALLE SAMEN CLN 468
AND THE SA3TLYNG OF HYMSELF WYTH THO SELY BESTE3 CLN 490
WHEN BREMLY BRENED THOSE BESTE3 AND THE BRETHE RYSED CLN 509
AND ALLE LYST ON HIR LIK THAT ARN ON LAUNDE BESTES. CLN 1000
BROTHE BABOYNES ABOF BESTTES ANVNDER CLN 1409
AND WYTH BESTEN BLOD BUSILY ANOYNTED CLN 1446
TECHE3 HYM TO THE TAYLES OF FUL TAYT BESTES GGK 1377

Line	Text	Line no.
BOTHE BURNES AND BESTES BURDE3 AND CHILDER	PAT	388
AND ALS THER BEN DOUMBE BESTE3 IN THE BUR3 MONY.	PAT	516
AND THE FOWRE BESTE3 THAT HYM OBES	PRL	886
BEAT		
AND SYTHEN BET DOUN THE BUR3 AND BREND HIT IN ASKES	CLN	1292
THAI BETE OUTE THE BRETONS AND BRO3T HOM INTO WALES	ERK	9
THENNE THAY BETEN ON THE BUSKE3 AND BEDE HYM VPRYSE	GGK	1437
THE BYGGE BORNE ON HIS BAK THAT BETE ON HIS SYDES	PAT	302
FOR QUEN THOSE BRYDDE3 HER WYNGE3 BETE.	PRL	93
BEATEN		
BALTA3AR IN HIS BED WAT3 BETEN TO DETHE	CLN	1787
THEN WAS HIT ABATYD AND BETEN DON AND BUGGYD EFTE NEW.	ERK	37
THAT WERE ENBRAWDED AND BETEN WYTH THE BEST GEMMES.	GGK	78
NO3T BOT AROUNDE BRAYDEN BETEN WITH FYNGRE3	GGK	1833
ABOUTE BETEN AND BOUNDEN ENBRAUDED SEME3	GGK	2028
THAT WAT3 BETEN FRO THE ABYME BI THAT BOT FLOTTE	PAT	248
BEATS		
BETES ON THE BARERS BRESTES VP THE 3ATES	CLN	1263
BEAU		
NAY FORSOTHE BEAU SIR SAYD THAT SWETE	GGK	1222
AL BLYSNANDE WHYT WAT3 HIR BEAU BIYS	PRL	197
AL BLYSNANDE WHYT WAT3 HIR BEAU MYS.	PRL 2	197
AL BLYSNANDE WHYT WAT3 HIR BEAU MYS.	PRL 3	197
BEAUTE (V. BEAUTY)		
BEAUTY		
OF BEWTE AND DEBONERTE AND BLYTHE SEMBLAUNT	GGK	1273
THY BEAUTE COM NEUER OF NATURE	PRL	749
HE GEF ME MY3T AND ALS BEWTE	PRL	765
BEAVER-HUED		
BRODE BRY3T WAT3 HIS BERDE AND AL BEUERHWED	GGK	845
BECALL		
NEUERTHELESE CLER I YOW BYCALLE	PRL	913
BECALLED		
OUT OF THAT CASTE I WAT3 BYCALT	PRL	1163
BECAME		
THAT SITHEN DEPRECED PROUINCES AND PATROUNES BICOME	GGK	6
TO QUAT KYTH HE BECOM KNWE NON THERE	GGK	460
AND YOWRE KNY3T I BECOM AND KRYST YOW FOR3ELDE	GGK	1279
SONE THE WORLDE BYCOM WEL BROUN	PRL	537
BECAUSE		
CONCUBINES AND KNY3TES BI CAUSE OF THAT MERTHE	CLN	1519
BICAUSE OF YOUR SEMBELAUNT.	GGK	1843
BYCAWSE THOU MAY WYTH Y3EN.ME.SE.	PRL	296
BECOM (V. BECAME, BECOME)		
BECOME		
HO BY KYNDE SCHAL BECOM CLERER THEN ARE	CLN	1128
BECOMES		
WEL BYCOMMES SUCH CRAFT VPON CRISTMASSE	GGK	471
THAT BICUMES VCHE A KNY3T THAT CORTAYSY VSES.	GGK	1491
BED (V. BED - N., BADE, BID)		
BED (N.)		
ER EUER THAY BOSKED TO BEDDE THE BOR3 WAT3 AL VP	CLN	834
BALTA3AR TO HIS BEDD WITH BLYSSE WAT3 CARYED.	CLN	1765
BALTA3AR IN HIS BED WAT3 BETEN TO DETHE	CLN	1787
AND TO HIS BED HYM DI3T.	GGK	994
BOT 3E SCHAL BE IN YOWRE BED BURNE AT THYN ESE	GGK	1071
VCHE BURNE TO HIS BED WAT3 BRO3T AT THE LASTE	GGK	1120
TO BED 3ET ER THAY 3EDE.	GGK	1122
AND GAWAYN THE GOD MON IN GAY BED LYGE3	GGK	1179

AND BO3ED TOWARDE THE BED AND THE BURNE SCHAMED.	GGK	1189
AND HO STEPPED STILLY AND STEL TO HIS BEDDE	GGK	1191
I SCHAL BYNDE YOW IN YOUR BEDDE THAT BE 3E TRAYST	GGK	1211
I WOLDE BO3E OF THIS BED AND BUSK ME BETTER	GGK	1220
3E SCHAL NOT RISE OF YOUR BEDDE I RYCH YOW BETTER	GGK	1223
OTHER BURNE3 IN HER BEDDE AND MY BURDE3 ALS	GGK	1232
VCHE BURNE TO HIS BEDDE BUSKED BYLYUE	GGK	1411
THE LORDE WAT3 LOPEN OF HIS BEDDE THE LEUDE3 VCHONE	GGK	1413
WHYLE OURE LUFLYCH LEDE LYS IN HIS BEDDE	GGK	1469
BLITHE BRO3T WAT3 HYM DRYNK AND THAY TO BEDDE 3EDEN	GGK	1684
BURNE3 TO HOR BEDDE BEHOUED AT THE LASTE	GGK	1959
AND BLYTHELY BRO3T TO HIS BEDDE TO BE AT HIS REST	GGK	1990
THE LEUDE LYSTENED FUL WEL THAT LE3 IN HIS BEDDE	GGK	2006
BEDDE3 (V. BIDS)		
BEDDING		
THAT BRO3T HYM TO A BRY3T BOURE THER BEDDYNG WAT3 NOBLE	GGK	853
BEDDYNG (V. BEDDING)		
BEDE (V. BID, BADE)		
BEDELS (V. BEADLES)		
BEDEN (V. BADE, BIDDEN)		
BEDENE (V. BIDDEN)		
BEDIVERE		
SIR BOOS AND SIR BYDUER BIG MEN BOTHE	GGK	554
BEDSIDE		
AND SET HIR FUL SOFTLY ON THE BEDSYDE	GGK	1193
BEDSYDE (V. BEDSIDE)		
BEELZEBUB		
BELFAGOR AND BELYAL AND BELSSABUB ALS	CLN	1526
BEER		
GOOD BER AND BRY3T WYN BOTHE	GGK	129
BEFALL		
GOD SCHYLDE QUOTH THE SCHALK THAT SCHAL NOT BEFALLE	GGK	1776
I DRED ONENDE QUAT SCHULDE BYFALLE	PRL	186
BEFALLE (V. BEFALL)		
BEFALLEN		
VNFOLDE HEM ALLE THIS FERLY THAT IS BIFALLEN HERE	CLN	1563
AND HERE IS A FERLY BYFALLEN AND I FAYN WOLDE	CLN	1629
BEFALLS		
THAT BEDE THE THIS BUFFET QUATSO BIFALLE3 AFTER.	GGK	382
BEFELL		
FORTHY A FERLY BIFEL THAT FELE FOLK SE3EN.	CLN	1529
BEFORE		
AY THE BEST BYFORE AND BRY3TEST ATYRED.	CLN	114
EUEN BYFORE HIS HOUSDORE VNDER AN OKE GRENE	CLN	602
MYNYSTRED METE BYFORE THO MEN THAT MY3TES AL WELDE3	CLN	644
FRO MONY A BROD DAY BYFORE HO BARAYN AY BYDENE	CLN	659
FOUNDE3 FASTE ON YOUR FETE BIFORE YOUR FACE LOKES	CLN	903
NE WHETHER HIS FOOSCHIP ME FOL3E3 BIFORE OTHER BIHYNDE	CLN	918
AY FOL3ED HERE FACE BIFORE HER BOTHE Y3EN.	CLN	978
ON HO SERUED AT THE SOPER SALT BIFORE DRY3TYN	CLN	997
IN SERUYSE OF THE SOUERAYN SUMTYME BYFORE.	CLN	1152
FOR HADE THE FADER BEN HIS FRENDE THAT HYM BIFORE KEPED	CLN	1229
BIFORE THE SANCTA SANCTORUM THER SELCOUTH WAT3 OFTE	CLN	1274
WYTH SOLACE AT THE SERE COURSE BIFORE THE SELF LORDE	CLN	1418
THAT HADE BEN BLESSED BIFORE WYTH BISCHOPES HONDES.	CLN	1445
BIFORE THE LORDE OF THE LYFTE IN LOUYNG HYMSELUEN	CLN	1448
BIFORE THE BOLDE BALTA3AR WYTH BOST AND WYTH PRYDE.	CLN	1450
BIFORE THE SANCTA SANCTORUM THER SOTHEFAST DRY3TYN.	CLN	1491
THE BURNE BYFORE BALTA3AR WAT3 BRO3T IN A WHYLE.	CLN	1620

WHEN HE COM BIFORE THE KYNG AND CLANLY HAD HALSED	CLN		1621
BIFORE THE BAROUN3 HAT3 HEM BRO3T AND BYRLED THERINNE.	CLN		1715
BIFORE THY BORDE HAT3 THOU BRO3T BEUERAGE IN THE YDRES	CLN		1717
FRO MONY A BROD DAY BYFORE HO BARAYN AY BENE.	CLN	V	659
BIFORE THY BORDE HAT3 THOU BRO3T BEUERAGE IN THEDE.	CLN	V	1717
THE MAIRE WITH MONY MA3TI MEN AND MACERS BEFORE HYM	ERK		143
BEFORE THAT KYNNED 3OUR CRISTE BY CRISTEN ACOUNTE	ERK		209
TALKKANDE BIFORE THE HY3E TABLE OF TRIFLES FUL HENDE	GGK		108
THAT PINE TO FYNDE THE PLACE THE PEPLE BIFORNE	GGK		123
THENN ARTHOUR BIFORE THE HI3 DECE THAT AUENTURE BYHOLDE3.	GGK		250
THE STIF MON HYM BIFORE STOD VPON HY3T.	GGK		332
I WOLDE COM TO YOUR COUNSEYL BIFORE YOUR CORT RYCHE	GGK		347
KNELED DOUN BIFORE THE KYNG AND CACHE3 THAT WEPPEN.	GGK		368
AS THOU DELES ME TODAY BIFORE THIS DOUTHE RYCHE.	GGK		397
THE KAY FOT ON THE FOLDE HE BEFORE SETTE	GGK		422
THER HE FONDE NO3T HYM BYFORE THE FARE THAT HE LYKED	GGK		694
HE FONDE A FOO HYM BYFORE BOT FERLY HIT WERE.	GGK		716
A CHEYER BYFORE THE CHEMNE THER CHARCOLE BRENNED	GGK		875
BYFORE ALLE MEN VPON MOLDE HIS MENSK IS THE MOST	GGK		914
FUL ERLY BIFORE THE DAY THE FOLK VPRYSEN	GGK		1126
THER SCHULDE NO FREKE VPON FOLDE BIFORE YOW BE CHOSEN.	GGK		1275
BIFORE ALLE THE FOLK ON THE FLETTE FREKE3 HE BEDDE3	GGK		1374
VERAYLY HIS VENYSOUN TO FECH HYM BYFORNE	GGK		1375
TO FYLLE THE SAME FORWARDE3 THAT THAY BYFORE MADEN.	GGK		1405
THAY ACORDED OF THE COUENAUNTE3 BYFORE THE COURT ALLE.	GGK		1408
HE HADE HURT SO MONY BYFORNE	GGK		1577
THE BORES HED WAT3 BORNE BIFORE THE BURNES SELUEN	GGK		1616
LEUDE ON NW3ERE3 LY3T LONGE BIFORE PRYME	GGK		1675
WERE BOUN BUSKED ON HOR BLONKKE3 BIFORE THE HALLE 3ATE3	GGK		1693
AND HE FYSKE3 HEM BYFORE THAY FOUNDEN HYM SONE	GGK		1704
HIR BREST BARE BIFORE AND BIHINDE EKE	GGK		1741
BIFORE ALLE THE WY3E3 IN THE WORLDE WOUNDED IN HERT	GGK		1781
AND RY3T BIFORE THE HORS FETE THAY FEL ON HYM ALLE.	GGK		1904
PRAYSES THE PORTER BIFORE THE PRYNCE KNELED	GGK		2072
WITH HIS HEDE IN HIS HONDE BIFORE THE HY3E TABLE	GGK		2462
AS IN THE BULK OF THE BOTE THER HE BYFORE SLEPED	PAT		292
THAT THER QUIKKEN NO CLOUDE BIFORE THE CLER SUNNE	PAT		471
BIFORE THAT SPOT MY HONDE I SPENNED.	PRL		49
AS LYTTEL BYFORE THERTO WAT3 WONTE	PRL		172
THY WORDE BYFORE THY WYTTE CON FLE	PRL		294
ON OURE BYFORE THE SONNE GO DOUN.	PRL		530
AND THOU TO PAYMENT COM HYM BYFORE	PRL		598
RY3T BYFORE GODE3 CHAYERE	PRL		885
THE LOMBE BYFORE CON PROUDLY PASSE	PRL		1110

BEGAN

AND THAY BIGONNE TO BE GLAD THAT GOD DRINK HADEN	CLN	123
FOR HE BIGAN IN ALLE THE GLORI THAT HYM THE GOME LAFTE	CLN	1337
WHEREEUER THE GOMEN BYGAN OR GLOD TO AN ENDE.	GGK	661
AND THENNE THE FYRST BYGONNE TO PLENY	PRL	549

BEGIN

GAWAN WAT3 GLAD TO BEGYNNE THOSE GOMNE3 IN HALLE	GGK	495
AND I BE NUMMEN IN NUNIUE MY NYES BEGYNES.	PAT	76
BYGYN AT THE LASTE THAT STANDE3 LOWE	PRL	547
QUY BYGYNNE3 THOU NOW TO THRETE	PRL	561
WHETHER WELNYGH NOW I CON BYGYNNE	PRL	581

BEGINNER

BLESSED BYGYNNER OF VCH A GRACE	PRL	436

BEGINS

THAT THE WY3E THAT AL WRO3T FUL WROTHLY BYGYNNE3	CLN	280

NOW NOE NEUER STYNTE3 THAT NY3T HE BYGYNNE3 . . . . CLN 359
THE GRETE GOD IN HIS GREME BYGYNNE3 ON LOFTE. . . . . CLN 947
WHEN ALLE SEGGES WERE THER SET THEN SERUYSE BYGYNNES . . . . . CLN 1401
MANERLY WITH HIS MINISTRES THE MASSE HE BEGYNNES . . . . . . ERK 131
TICIUS TO TUSKAN AND TELDES BIGYNNES . . . . GGK 11
BISCHOP BAWDEWYN ABOF BIGINE3 THE TABLE . . . . GGK 112
AND EFT AT THE GARGULUN BIGYNE3 ON THENNE. . . . . GGK 1340
HE GETE THE BONK AT HIS BAK BIGYNE3 TO SCRAPE . . . . GGK 1571
TO VNLACE THIS BOR LUFLY BIGYNNE3 . . . . GGK 1606
ANON OUT OF THE NORTHEST THE NOYS BIGYNES. . . . . PAT 137

BEGUILED (CP. BIWYLED)
THAT THUS HOR KNY3T WYTH HOR KEST HAN KOYNTLY BIGYLED. . . . . GGK 2413
FOR SO WAT3 ADAM IN ERDE WITH ONE BYGYLED. . . . . GGK 2416
THA3 I BE NOW BIGYLED . . . . GGK 2427

BEGUN
BOT I HAUE BYGONNEN WYTH MY GOD AND HE HIT GAYN THYNKE3 . . . . CLN 749
OF GOUD VCHE GOUDE IS AY BYGONNE. . . . . PRL 33

BEGYNES (V. BEGIN, BEGINS)
BEGYNNE (V. BEGIN)
BEGYNNES (V. BEGINS)

BEHALF
BE THOU BONE TO HIS BODE I BYDDE IN HIS BEHALUE. . . . . . . ERK 181

BEHALUE (V. BEHALF)

BEHELD
THAT THE BURNE BYNNE BORDE BYHELDE THE BARE ERTHE . . . . . . CLN 452
AND INNERMORE HE BEHELDE THAT HALLE FUL HY3E. . . . . GGK 794

BEHELDE (V. BEHELD)

BEHIND
BYNDE3 BYHYNDE AT HIS BAK BOTHE TWO HIS HANDE3 . . . . CLN 155
THENNE THE BURDE BYHYNDE THE DOR FOR BUSMAR LA3ED . . . . . . CLN 653
THAT A CLYKET HIT CLE3T CLOS HYM BYHYNDE . . . . CLN 858
BOT BES NEUER SO BOLDE TO BLUSCH YOW BIHYNDE. . . . . CLN 904
NE WHETHER HIS FOOSCHIP ME FUL3E3 BIFORE OTHER BIHYNDE . . . . CLN 918
BLUSCHED BYHYNDEN HER BAK THAT BALE FOR TO HERKKEN. . . . . . CLN 980
AND SYTHEN HO BLUSCHED HIR BIHYNDE THA3 HIR FORBODEN WERE . . CLN 998
HIT WAT3 HY3E ON HIS HEDE HASPED BIHYNDE . . . . GGK 607
THE LAPPE3 THAY LAUCE BIHYNDE. . . . . GGK 1350
HIR BREST BARE BIFORE AND BIHINDE EKE . . . . GGK 1741
MARY QUOTH THAT OTHER MON MYN IS BIHYNDE . . . . GGK 1942
THE LAPPE3 THAY LANCE BIHYNDE. . . . . GGK V 1350

BEHOLD
NOW TURNE I THEDER ALS TYD THE TOUN TO BYHOLDE . . . . CLN 64
IF THAY WERE FARANDE AND FRE AND FAYRE TO BEHOLDE . . . . . . CLN 607
THER WAT3 LOKYNG ON LENTHE THE LUDE TO BEHOLDE . . . . GGK 232
HIT WAT3 THE LADI LOFLYEST TO BEHOLDE . . . . GGK 1187
THAT WAT3 SO FAYR ON TO BYHOLDE . . . . PRL 810

BEHOLDE (V. BEHOLD)

BEHOLDEN
AS I AM HY3LY BIHALDEN AND EUERMORE WYLLE. . . . . GGK 1547
I AM DERELY TO YOW BIHOLDE. . . . . GGK 1842

BEHOLDING
AY BIHOLDAND THE HONDE TIL HIT HADE AL GRAUEN . . . . CLN 1544

BEHOLDS
AND HURKELE3 DOUN WITH HIS HEDE THE VRTHE HE BIHOLDE3. . . . . CLN 150
FOR HE WAYTE3 ON WYDE HIS WENCHES BYHOLDES . . . . CLN 1423
THENN ARTHOUR BIFORE THE HI3 DECE THAT AUENTURE BYHOLDE3. . . . GGK 250

BEHOOVED
THEN VCHE A SEGGE SE3 WEL THAT SYNK HYM BYHOUED. . . . . CLN 398
AND THAT SO FOULE AND SO FELLE THAT FE3T HYM BYHODE . . . . . GGK 717

NURNED HYM SO NE3E THE THRED THAT NEDE HYM BIHOUED. . . . . . GGK 1771
BURNE3 TO HOR BEDDE BEHOUED AT THE LASTE . . . . GGK 1959
BOT FORTO SAUEN HYMSELF WHEN SUFFER HYM BYHOUED. . . . . . . GGK 2040
THE SAYL SWEYED ON THE SEE THENNE SUPPE BIHOUED. . . . . . . PAT 151
AND QUEN HIT NE3EC TO NA3T NAPPE HYM BIHOUED. . . . . PAT 465
YOW BYHOD HAUE WYTHOUTEN DOUTE . . . . PRL 928
BEHOOVES
TO SEE HEM PULLE IN THE PLOW APROCHE ME BYHOUE3. . . . . . . CLN 68
AS THE BERYL BORNYST BYHOUE3 BE CLENE . . . . CLN 554
ME BOS TELLE TO THAT TOLK THE TENE OF MY WYLLE . . . . CLN 687
THE COMFORTHE OF THE CREATORE BYHOUES THE CREATURE TAKE . . . . ERK 168
THE COMFORTHE OF THE CREATORE BYHOUES THE CURE TAKE . . . . . ERK V 168
AND AS THOU FOLY HAT3 FRAYST FYNDE THE BEHOUES . . . . GGK 324
THERFORE COM OTHER RECREAUNT BE CALDE THE BEHOUES . . . . . . GGK 456
FORTHI IWYSSE BI 3OWRE WYLLE WENDE ME BIHOUES . . . . GGK 1065
THENNE LA3ANDE QUOTH THE LORDE NOW LENG THE BYHOUES . . . . . GGK 1068
AND THAT IS THE BEST BE MY DOME FOR ME BYHOUE3 NEDE . . . . . GGK 1216
ME BEHOUE3 OF FYNE FORCE . . . . GGK 1239
AND BIHOUES HIS BUFFET ABIDE WITHOUTE DEBATE MORE . . . . . . GGK 1754
SO NOW THOU HAT3 THI HERT HOLLE HITTE ME BIHOUES . . . . . . GGK 2296
SYTHEN I AM SETTE WYTH HEM SAMEN SUFFER ME BYHOUES. . . . . . PAT 46
FUL SOFTLY WYTH SUFFRAUNCE SA3TTEL ME BIHOUE3 . . . . PAT 529
THUR3 DRWRY DETH BO3 VCH MAN DREUE . . . . PRL 323
BEHOUED (V. BEHOOVED)
BEHOUES (V. BEHOOVES)
BEHOUE3 (V. BEHOOVES)
BEING
HAT3 A PROPERTY IN HYTSELF BEYNG. . . . . PRL 446
BEKE (V. BEAK)
BEKNEW
THAT HE FUL CLANLY BICNV HIS CARP BI THE LASTE . . . . CLN 1327
THAT HE BEKNEW CORTAYSLY OF THE COURT THAT HE WERE. . . . . . GGK 903
BEKNOW
THE BISSHOP BIDDES THAT BODY BIKNOWE THE CAUSE . . . . ERK 221
I BIKNOWE YOW KNY3T HERE STYLLE . . . . GGK 2385
BEKNOWEN (V. BEKNOWN)
BEKNOWN
THOU ART CONFESSED SO CLENE BEKNOWEN OF THY MYSSES. . . . . . GGK 2391
BEKNOWS
BIKNOWE3 ALLE THE COSTES OF CARE THAT HE HADE . . . . GGK 2495
BEKYR (V. BEAKER)
BELDE
THAT QUEN HE BLUSCHED THERTO HIS BELDE NEUER PAYRED . . . . . GGK 650
BELE
MY BRESTE IN BALE BOT BOLNE AND BELE . . . . PRL 18
BELFAGOR (V. BAALPEOR)
BELFRY
AT VCH BRUGGE A BERFRAY ON BASTELES WYSE . . . . CLN 1187
BELIAL
BELFAGOR AND BELYAL AND BELSSABUB ALS . . . . CLN 1526
BELIEF
ANANDE THAT IN FASTYNGE OF 3OUR FAITHE AND OF FYNE BILEUE . . ERK 173
THAT IS FULLOGHT IN FONTE WITH FAITHEFUL BILEUE. . . . . . . ERK 299
BELLE
AND ENBELYSE HIS BUR3 WITH HIS BELE CHERE. . . . . GGK 1034
BELLES (V. BELLS)
BELLE3 (V. BELLS)
BELLS
AND ALLE THE BELLES IN THE BURGHE BERYD AT ONES. . . . . . . ERK 352

THER MONY BELLE3 FUL BRY3T OF BRENDE GOLDE RUNGEN . . . . . . GGK 195
BELLY
THEN BREK THAY THE BALE THE BOUELE3 OUT TOKEN . . . . GGK 1333
THEN BREK THAY THE BALE THE BAULE3 OUT TOKEN. . . . . GGK V 1333
BELOW
AND SYTHEN ON LENTHE BILOOGHE LEDE3 INOGH. . . . . CLN 116
BELSHAZZAR
AND THAT WAT3 BARED IN BABYLOYN IN BALTA3AR TYME . . . . CLN 1149
BOT THENN THE BOLDE BALTA3AR THAT WAT3 HIS BARN ALDEST . . . . CLN 1333
THENNE THIS BOLDE BALTA3AR BITHENKKES HYM ONES . . . . CLN 1357
BALTA3AR THUR3 BABILOYN HIS BANNE GART CRYE . . . . CLN 1361
AND BALTA3AR VPON BENCH WAS BUSKED TO SETE . . . . CLN 1395
THER IS NO BOUNTE IN BURNE LYK BALTA3AR THEWES . . . . CLN 1436
BIFORE THE BOLDE BALTA3AR WYTH BOST AND WYTH PRYDE. . . . . . CLN 1450
BALTA3AR IN A BRAYD BEDE VS THEROF . . . . CLN 1507
WHEN THAT BOLDE BALTA3AR BLUSCHED TO THAT NEUE . . . . CLN 1537
THENNE THE BOLDE BALTA3AR BRED NER WODE . . . . CLN 1558
THE BURNE BYFORE BALTA3AR WAT3 BRO3T IN A WHYLE. . . . . CLN 1620
BALTA3AR VMBEBRAYDE HYM AND BEUE SIR HE SAYDE . . . . CLN 1622
BOT THOU BALTA3AR HIS BARNE AND HIS BOLDE AYRE . . . . CLN 1709
BOLDE BALTA3AR BED THAT HYM BOWE SCHULDE . . . . CLN 1746
TO BO3 AFTER BALTA3AR IN BOR3E AND IN FELDE . . . . CLN 1750
BALTA3AR TO HIS BEDD WITH BLYSSE WAT3 CARYED. . . . . CLN 1765
BALTA3AR IN HIS BED WAT3 BETEN TO DETHE . . . . CLN 1787
BALTA3AR IN A BRAYD BEDE BUS THEROF. . . . . CLN V 1507
BALTA3AR UMBEBRAYDE HYM AND LEUE SIR HE SAYDE . . . . CLN V 1622
BELSSABUB (V. BEELZEBUB)
BELT
BOTHE THE BARRES OF HIS BELT AND OTHER BLYTHE STONES . . . . . GGK 162
AND HO BERE ON HYM THE BELT AND BEDE HIT HYM SWYTHE . . . . . GGK 1860
BRAYDE BROTHELY THE BELT TO THE BURNE SELUEN. . . . . GGK 2377
AND THE BLYKKANDE BELT HE BERE THERABOUTE. . . . . GGK 2485
BELTED
BI HE HADE BELTED THE BRONDE VPON HIS BAL3E HAUNCHE3 . . . . . GGK 2032
BELTESHAZZAR
THY BOLDE FADER BALTA3AR BEDE BY HIS NAME. . . . . CLN 1610
BELYAL (V. BELIAL)
BELYN
THE BOLDE BRETON SER BELYN SER BERYNGE WAS HIS BROTHIRE . . . . ERK 213
BEM (V. BEAM)
BEME3 (V. BEAMS)
BEN (APP. 1)
BENCH
AND TO THE BEST ON THE BENCH AND BEDE HYM BE MYRY . . . . CLN 130
AND BOWE3 FORTH FRO THE BENCH INTO THE BRODE 3ATES. . . . . . CLN 854
AND BALTA3AR VPON BENCH WAS BUSKED TO SETE . . . . CLN 1395
NOW A BOSTER ON BENCHE BIBBES THEROF . . . . CLN 1499
THOU SCHAL BE BAROUN VPON BENCHE BEDE I THE NO LASSE . . . . . CLN 1640
IN MANTEL FOR THE MEKEST AND MONLOKEST ON BENCHE . . . . ERK 250
HIT ARN ABOUTE ON THIS BENCH BOT BERDLE3 CHYLDER . . . . GGK 280
THEN ANY BURNE VPON BENCH HADE BRO3T HYM TO DRYNK . . . . GGK 337
BID ME BO3E FRO THIS BENCHE AND STONDE BY YOW THERE . . . . . GGK 344
WHIL MONY SO BOLDE YOW ABOUTE VPON BENCH SYTTEN. . . . . GGK 351
BENCHE (V. BENCH)
BENDE (V. BENT)
BENE (ALSO APP. 1)
FUL BENE. . . . . GGK 2402
GAWAYN ON BLONK FUL BENE . . . . GGK 2475
THY BOUNTE OF DEBONERTE AND THY BENE GRACE . . . . PAT 418

Entry	Text	Line
WERN BONKE3 BENE OF BERYL BRY3T	PRL	110
VPON AT SYDE3 AND BOUNDEN BENE	PRL	198
BENT		
VCHE BESTE TO THE BENT THAT BYTES ON ERBE3	CLN	532
AS BEST BYTE ON THE BENT OF BRAKEN AND ERBES.	CLN	1675
AS HE WAS BENDE ON A BEME QUEN HE HIS BLODE SCHEDDE	ERK	182
BENDE HIS BRESED BRO3E3 BLYCANDE GRENE.	GGK	305
NE BETTER BODYES ON BENT THER BARET IS RERED.	GGK	353
AS BURNE BOLDE VPON BENT HIS BUGLE HE BLOWE3.	GGK	1465
BURNE3 HIM BRO3T TO BENT	GGK	1599
ON BENT MUCH BARET BENDE	GGK	2115
AND THE BORELYCH BURNE ON BENT THAT HIT KEPE3	GGK	2148
WITH A BORELYCH BYTTE BENDE BY THE HALME	GGK	2224
BREMLY BROTHE ON A BENT THAT BRODE WAT3 ABOUTE	GGK	2233
BOLDE BURNE ON THIS BENT BE NOT SO GRYNDEL	GGK	2338
NE BEST BITE ON NO BROM NE NO BENT NAUTHER	PAT	392
AND BYDE THE PAYNE THERTO IS BENT	PRL	664
THE WAL ABOF THE BANTELS BENT.	PRL	1017
TO THAT PRYNCE3 PAYE HADE I AY BENTE	PRL	1189
BENTE (V. BENT)		
BENTFELDE		
WITH BUGLE TO BENTFELDE HE BUSKE3 BYLYUE	GGK	1136
BER (V. BEAR, BEER, BORE)		
BERANDE (V. BEARING)		
BERCILAK		
BERCILAK DE HAUTDESERT I HAT IN THIS LONDE	GGK	2445
BERD (V. BEARD)		
BERDE (V. BEARD)		
BERDLES (V. BEARDLESS)		
BERDLE3 (V. BEARDLESS)		
BERE (V. BEAR, BEARS, BORE)		
BEREN (V. BEAR)		
BERES (V. BEAR)		
BERESTE (V. BREAST)		
BERE3 (V. BEARS)		
BERFRAY (V. BELFRY)		
BERYD		
AND ALLE THE BELLES IN THE BURGHE BERYD AT ONES.	ERK	352
BERYL		
AS THE BERYL BORNYST BYHOUE3 BE CLENE	CLN	554
WEL BRY3TER THEN THE BERYL OTHER BROWDEN PERLES.	CLN	1132
WERN BONKE3 BENE OF BERYL BRY3T	PRL	110
THE A3TTHE THE BERYL CLER AND QUYT	PRL	1011
BERYNG (V. BEARING)		
BERYNGE		
THE BOLDE BRETON SER BELYN SER BERYNGE WAS HIS BROTHIRE	ERK	213
BER3		
A BAL3 BER3 BI A BONKE THE BRYMME BYSYDE	GGK	2172
THENNE HE BO3E3 TO THE BER3E ABOUTE HIT HE WALKE3	GGK	2178
BER3E (V. BER3)		
BES (APP. 1)		
BESECHE (V. BESEECH)		
BESECHE3 (V. BESEECHES)		
BESEECH		
LENGE A LYTTEL WITH THY LEDE I LO3LY BISECHE.	CLN	614
AND SYTHEN SOBERLY SYRE3 I YOW BYSECHE.	CLN	799
TO BISECHE HIS SOUERAYN OF HIS SWETE GRACE	ERK	120
I BESECHE NOW WITH SA3E3 SENE.	GGK	341
AND THERFORE SYKYNG HE SAYDE I BESECHE THE LORDE	GGK	753

NOW BONE HOSTEL COTHE THE BURNE I BESECHE YOW 3ETTE . . . . . GGK 776
I BISECHE THE SYRE NOW THOU SELF IUGGE. . . . . PAT 413
I WOLDE BYSECH WYTHOUTEN DEBATE . . . . PRL 390

BESEECHES
OF THE MORE AND THE MYNNE AND MERCI BESECHE3. . . . . GGK 1881

BESEEM
THAT VCHE GOD MON MAY EUEL BYSEME . . . . PRL 310

BESEEMED
THAT BISEMED THE SEGGE SEMLYLY FAYRE . . . . GGK 622
THE GORDEL OF THE GRENE SILKE THAT GAY WEL BISEMED. . . . . . GGK 2035

BESEEMS
AND HAT3 OUT THE HASTLETTE3 AS HI3TLY BISEME3 . . . . GGK 1612
WEL BISEME3 THE WY3E WRUXLED IN GRENE . . . . GGK 2191

BESIDE
BEDE VNLOUKE THE LIDDE AND LAY HIT BYSIDE. . . . . ERK 67
THE BYSCHOP COME TO THE BURYNES HIM BARONES BESYDE. . . . . . ERK 142
THERE GODE GAWAN WAT3 GRAYTHED GWENORE BISYDE . . . . GGK 109
LEDES HYM TO HIS AWEN CHAMBRE THE CHYMNE BYSYDE. . . . . . . GGK 1030
THENNE SESED HYM THE SYRE AND SET HYM BYSYDE. . . . . GGK 1083
SY3 HYM BYDE AT THE BAY HIS BURNE3 BYSYDE. . . . . GGK 1582
AND EUER OURE LUFLYCH KNY3T THE LADY BISYDE . . . . GGK 1657
THE QUYTE SNAW LAY BISYDE . . . . GGK 2088
WITH LUFLA3YNG A LYT HE LAYD HYM BYSYDE . . . . GGK 1777
A BAL3 BER3 BI A BONKE THE BRYMME BYSYDE . . . . GGK 2172
SETTE THE STELE TO THE STONE AND STALKED BYSYDE. . . . . . . GGK 2230
BOT GAWAYN ON THAT GISERNE GLYFTE HYM BYSYDE. . . . . GGK 2265
THE BONKES THAT HE BLOSCHED TO AND BODE HYM BISYDE. . . . . . PAT 343

BESIDES
SMAL SENDAL BISIDES A SELURE HIR OUER . . . . GGK 76
OF BRY3T BLAUNNER ABOUE ENBRAWDED BISYDE3. . . . . GGK 856
AND SE3E NO SYNGNE OF RESETTE BISYDE3 NOWHERE . . . . GGK 2164

BESIEGED
AND THE GENTYLEST OF JUDEE IN JERUSALEM BISEGED. . . . . . . CLN 1180

BESIET (V. BUSIED)

BESOUGHT
OTHER SUM SEGG HYM BISO3T OF SUM SIKER KNY3T. . . . . GGK 96
AND THAT HO BEDE TO THE BURNE AND BLYTHELY BISO3T . . . . . . GGK 1834
AND BISO3T HYM FOR HIR SAKE DISCEUER HIT NEUER . . . . GGK 1862
DROPPED DUST ON HER HEDE AND DYMLY BISO3TEN . . . . PAT 375

BESPEAK
THENNE BISPEKE THE SPAKEST DISPAYRED WEL NERE . . . . PAT 169

BEST (ALSO V. BEAST)
AY THE BEST BYFORE AND BRY3TEST ATYRED. . . . . CLN 114
AND TO THE BEST ON THE BENCH AND BEDE HYM BE MYRY . . . . . . CLN 130
THAT SCHAL SCHEWE HEM SO SCHENE SCHROWDE OF THE BEST . . . . . CLN 170
HE WAT3 FAMED FOR FRE THAT FE3T LOUED BEST . . . . CLN 275
AND AY THE BIGEST IN BALE THE BEST WAT3 HALDEN . . . . CLN 276
THEN LALED LOTH LORDE WHAT IS BEST . . . . CLN 913
OF WICH BERYNG THAT HO BE AND WYCH HO BEST LOUYES . . . . . . CLN 1060
HE HER3ED VP ALLE ISRAEL AND HENT OF THE BESTE . . . . CLN 1179
WYTH THE BEST OF HIS BURNES A BLENCH FOR TO MAKE . . . . CLN 1202
THE BEST BO3ED WYTH THE BURNE THAT THE BOR3 3EMED . . . . . . CLN 1242
HE HAS LANT ME TO LAST THAT LOUES RY3T BEST . . . . ERK 272
WITH MONY LUFLYCH LORDE LEDE3 OF THE BEST. . . . . GGK 38
THE BEST BURNE AY ABOF AS HIT BEST SEMED . . . . GGK 73
THAT WERE ENBRAWDED AND BETEN WYTH THE BEST GEMMES. . . . . . GGK 78
AND THY BUR3 AND THY BURNES BEST AR HOLDEN . . . . GGK 259
THENNE THE BEST OF THE BUR3 BO3ED TOGEDER. . . . . GGK 550
ENBRAWDEN AND BOUNDEN WYTH THE BEST GEMME3 . . . . GGK 609

ENBANED VNDER THE ABATAYLMENT IN THE BEST LAWE . . . . GGK 790
FOR TO CHARGE AND TO CHAUNGE AND CHOSE OF THE BEST. . . . . . GGK 863
AND FAYRE FURRED WYTHINNE WITH FELLE3 OF THE BEST . . . . . . GGK 880
WYTH SERE SEWES AND SETE SESOUNDE OF THE BEST . . . . GGK 889
AND I SCHAL FONDE BI MY FAYTH TO FYLTER WYTH THE BEST. . . . . GGK 986
DERF MEN VPON DECE DREST OF THE BEST . . . . GGK 1000
AND SYTHEN THUR3 AL THE SALE AS HEM BEST SEMED . . . . . . GGK 1005
THE BEST. . . . . GGK 1145
AND THAT IS THE BEST BE MY DOME FOR ME BYHOUE3 NEDE . . . . . GGK 1216
THE BEST BO3ED THERTO WITH BURNE3 INNOGHE. . . . . GGK 1325
AND BOTE THE BEST OF HIS BRACHE3 THE BAKKE3 IN SUNDER. . . . . GGK 1563
3E AR THE BEST THAT I KNAWE . . . . GGK 1645
NOW THRID TYME THROWE BEST THENK ON THE MORNE . . . . GGK 1680
AND HIS BODY BIGGER THEN THE BEST FOWRE . . . . GGK 2101
AS HIT IS BREUED IN THE BEST BOKE OF ROMAUNCE . . . . GGK 2521
BOT VCHON GLEWED ON HIS GOD THAT GAYNED HYM BESTE . . . . . . PAT 164
AND THENNE HE LURKKES AND LAYTES WHERE WAT3 LE BEST . . . . . PAT 277
THER HE BUSKED HYM A BOUR THE BEST THAT HE MY3T. . . . . . . PAT 437
IWYSE QUOTH I MY BLYSFOL BESTE . . . . PRL 279
VCHONE3 BLYSSE IS BREME AND BESTE . . . . PRL 863
BEST WAT3 HE BLYTHEST AND MOSTE TO PRYSE . . . . PRL 1131

BESTE (V. BEAST, BEST)
BESTEN (V. BEASTS)
BESTERNAYS
3E SETTEN HYS WORDE3 FUL BESTERNAYS. . . . . PRL 1 307
3E SETTEN HYS WORDE3 FUL BESTORNAYS. . . . . PRL 3 307

BESTES (V. BEASTS)
BESTE3 (V. BEASTS)
BESTORNAYS (V. BESTERNAYS)
BESTTES (V. BEASTS)
BESYDE (V. BESIDE)
BET (ALSO V. BEAT)
WHEN BRY3T BRENNANDE BRONDE3 AR BET THER ANVNDER . . . . . . CLN 1012
WYTH BLYS AND BRY3T FYR BETTE. . . . . GGK 1368

BETE (ALSO V. BEAT)
QUYL I FETE SUMQUAT FAT THOU THE FYR BETE. . . . . CLN 627
MY MAKELE3 LAMBE THAT AL MAY BETE . . . . PRL 757

BETEN (V. BEAT, BEATEN)
BETES (V. BEATS)
BETHELEN (V. BETHLEHEM)
BETHINK
THA3 THOU BERE THYSELF BABEL BYTHENK THE SUMTYME . . . . . . CLN 582
THENNE BYTHENK THE MON IF THE FORTHYNK SORE . . . . PAT 495

BETHINKS
THENNE THIS BOLDE BALTA3AR BITHENKKES HYM ONES . . . . CLN 1357

BETHOUGHT
NOW INMYDDE3 THE METE THE MAYSTER HYM BITHO3T . . . . CLN 125

BETHLEHEM
AND EFTE WHEN HE BORNE WAT3 IN BETHELEN THE RYCHE . . . . . . CLN 1073

BETIDE
MULTYPLYE3 ON THIS MOLDE AND MENSKE YOW BYTYDE . . . . CLN 522
NOW HYM LENGE IN THAT LEE THER LUF LYM BITYDE . . . . GGK 1893
THE LEUE LADY ON LYUE LUF HIR BITYDE . . . . GGK 2054
THIS IS A CHAPEL OF MESCHAUNCE THAT CHEKKE HIT BYTYDE. . . . . GGK 2195
OF TRECHERYE AND VNTRAWTHE BOTHE BITYDE SOR3E . . . . GGK 2383
I HAF SOIORNED SADLY SELE YOW BYTYDE . . . . GGK 2409
BOT AL WAT3 NEDLES NOTE THAT NOLDE NOT BITYDE . . . . PAT 220
NOW BLYSSE BURNE MOT THE BYTYDE . . . . PRL 397

BETIDED

WHOSO WOLDE WEL DO WEL HYM BITYDE . . . . CLN 1647
TIL HIT BITIDE ON A TYME TOWCHED HYM PRYDE . . . . CLN 1657
THUS IN ARTHURUS DAY THIS AUNTER BITIDDE . . . . GGK 2522
HIT BITYDDE SUMTYME IN THE TERMES OF JUDE. . . . . PAT 61
BETIDES
TO LOKE ON OURE LOFLY LORDE LATE BETYDES . . . . CLN 1804
THAT CHAUNCE SO BYTYDE3 HOR CHEUYSAUNCE TO CHAUNGE. . . . . . GGK 1406
BETIME
ANDE BUSKYD THIDERWARDE BYTYME ON HIS BLONKE AFTER. . . . . . ERK 112
BETOKENING
IN BYTOKNYNG OF TRAWTHE BI TYTLE THAT HIT HABBE3 . . . . . . GGK 626
BETTE (V. BET)
BETTER
BOTHE BURNE3 AND BURDE3 THE BETTER AND THE WERS. . . . . . . CLN 80
FOR ALLE ARN LATHED LUFLYLY THE LUTHER AND THE BETTER. . . . CLN 163
THA3 HE BE KEST INTO KARE HE KEPES NO BETTER. . . . . CLN 234
WEL NY3E PURE PARADYS MO3T PREUE NO BETTER . . . . CLN 704
BOT I SCHAL KENNE YOW BY KYNDE A CRAFTE THAT IS BETTER . . . CLN 865
TO SAMEN WYTH THO SEMLY THE SOLACE IS BETTER. . . . . CLN 870
AND CHAUNGIT CHEUELY HOR NOMES AND CHARGIT HOM BETTER. . . . ERK 18
NE BETTER BODYES ON BENT THER BARET IS RERED. . . . . GGK 353
AND IF I SPENDE NO SPECHE THENNE SPEDE3 THOU THE BETTER . . . GGK 410
AND SO HAD BETTER HAF BEN THEN BRITNED TO NO3T . . . . GGK 680
A BETTER BARBICAN THAT BURNE BLUSCHED VPON NEUER . . . . . . GGK 793
IWYSSE SIR QUYL I LEUE ME WORTHE3 THE BETTER. . . . . GGK 1035
LET THE LADIE3 BE FETTE TO LYKE HEM THE BETTER . . . . GGK 1084
QUETHER LEUDE SO LYMP LERE OTHER BETTER . . . . GGK 1109
I WOLDE BO3E OF THIS BED AND BUSK ME BETTER . . . . GGK 1220
3E SCHAL NOT RISE OF YOUR BEDDE I RYCH YOW BETTER . . . . . . GGK 1223
IWYSSE WORTHY QUOTH THE WY3E 3E HAF WALED WEL BETTER . . . . GGK 1276
HIT MAY BE SUCH HIT IS THE BETTER AND 3E ME BREUE WOLDE . . . GGK 1393
BOT IF 3E HAF A LEMMAN A LEUER THAT YOW LYKE3 BETTER . . . . GGK 1782
THAT HE WOLDE LYFTE HIS LYF AND LERN HYM BETTER. . . . . . . GGK 1878
WOLDE 3E WORCH BI MY WYTTE YOW WORTHED THE BETTER . . . . . . GGK 2096
WHERFORE THE BETTER BURNE ME BURDE BE CALLED. . . . . GGK 2278
WOLDE 3E WORCHE BI MY WYTTE 3E WORTHED THE BETTER . . . . . . GGK V 2096
THEN IS BETTER TO ABYDE THE BUR VMBESTOUNDES. . . . . PAT 7
HE WERE HAPPEN THAT HADE ONE ALLE WERE THE BETTER . . . . . . PAT 34
THE O3TE BETTER THYSELUEN BLESSE. . . . . PRL 341
BETWEEN
METE MESSE3 OF MYLKE HE MERKKE3 BYTWENE . . . . CLN 637
BYTWENE A MALE AND HIS MAKE SUCH MERTHE SCHULDE COME . . . . . CLN 703
LUFLOWE HEM BYTWENE LASCHED SO HOTE. . . . . CLN 707
CLOWDE3 CLUSTERED BYTWENE KESTEN VP TORRES . . . . CLN 951
TROCHED TOURES BITWENE TWENTY SPERE LENTHE . . . . CLN 1383
FOLES IN FOLER FLAKERANDE BITWENE . . . . CLN 1410
PINACLES PY3T THER APERT THAT PROFERT BITWENE . . . . CLN 1463
PENITOTES AND PYNKARDINES AY PERLES BITWENE . . . . CLN 1472
AL HEUEN AND HELLE HELDES TO AND ERTHE BITWENE . . . . ERK 196
MONY ONE WAS THE BUSMARE BODEN HOM BITWENE . . . . ERK 214
AS PAPIAYE3 PAYNTED PERNYNG BITWENE. . . . . GGK 611
AND SYTHEN GARYTE3 FUL GAYE GERED BITWENE. . . . . GGK 791
TOWRES TELDED BYTWENE TROCHET FUL THIK. . . . . GGK 795
THAY TAN HYM BYTWENE HEM WYTH TALKYNG HYM LEDEN. . . . . . . GGK 977
THER WAT3 STABLED BI STATUT A STEUEN VS BYTWENE. . . . . . . GGK 1060
BITWENE TWO SO DYNGNE DAME. . . . . GGK 1316
BITWENE A FLOSCHE IN THAT FRYTH AND A FOO CRAGGE . . . . . . GGK 1430
THAT AL WAT3 BLIS AND BONCHEF THAT BREKE HEM BITWENE . . . . . GGK 1764
GRET PERILE BITWENE HEM STOD . . . . GGK 1768

AND THOU KNOWE3 THE COUENAUNTE3 KEST VS BYTWENE.	GGK	2242
THENNE WAT3 NO TOM THER BYTWENE HIS TALE AND HER DEDE.	PAT	135
BITWENE THE STELE AND THE STAYRE DISSERNE NO3T CUNEN	PAT	513
WHAT RULE RENES IN ROUN BITWENE THE RY3T HANDE	PAT	514
AND PYONYS PCWDERED AY BYTWENE	PRL	44
BYTWENE MYRTHE3 BY MERE3 MADE.	PRL	140
BYTWENE VS AND BLYSSE BOT THAT HE WYTHDRO3	PRL	658
BYTWENE MERE3 BY MYRTHE MADE	PRL 2	140
BETWIXT		
IS TACHED OTHER TY3ED THY LYMME3 BYTWYSTE.	PRL	464
BETYDES (V. BETIDES)		
BET3 (APP. 1)		
BEUE		
BALTA3AR VMBEBRAYDE HYM AND BEUE SIR HE SAYDE	CLN	1622
BEUERAGE (V. BEVERAGE)		
BEUERHWED (V. BEAVER-HUED)		
BEVERAGE		
BRYNG HEM NOW TO MY BORDE OF BEUERAGE HEM FYLLES	CLN	1433
BIFORE THY BORDE HAT3 THOU BRO3T BEUERAGE IN THE YDRES	CLN	1717
BIFORE THY BORDE HAT3 THOU BRO3T BEUERAGE IN THEDE.	CLN V	1717
WHO BRYNGE3 VS THE BEUERAGE THIS BARGAYN IS MAKED	GGK	1112
THE BEUERAGE WAT3 BRO3T FORTH IN BOURDE AT THAT TYME	GGK	1409
BEWTE (V. BEAUTY)		
BEYOND		
BI3ONDE THE BROKE IN A BONK A WONDER BREME NOYSE	GGK	2200
BY3ONDE THE BROKE BY SLENTE OTHER SLADE	PRL	141
ME LYSTE TO SE THE BROKE BY3ONDE.	PRL	146
I SE3 BY3ONDE THAT MYRY MERE	PRL	158
NOW WERE I AT YOW BY3ONDE THISE WAWE3	PRL	287
BY3ONDE THE BROK FRO ME WARDE KEUED.	PRL	981
BY3ONDE THE WATER THA3 HO WERE WALTE	PRL	1156
BY3ONDE THE BROK FRO ME WARDE BREUED	PRL 1	981
BEYNG (V. BEING)		
BI (APP. 1)		
BIBBES		
NOW A BOSTER ON BENCHE BIBBES THEROF	CLN	1499
BICAUSE (V. BECAUSE)		
BICNV (V. BEKNEW)		
BICOME (V. BECAME)		
BICUMES (V. BECOMES)		
BID		
THOU SCHAL BE BAROUN VPON BENCHE BEDE I THE NO LASSE	CLN	1640
BE THOU BONE TO HIS BODE I BYCDE IN HIS BEHALUE.	ERK	181
BID ME BO3E FRO THIS BENCHE AND STONDE BY YOW THERE	GGK	344
THAT THOU SCHAL BYDEN THE BUR THAT HE SCHAL BEDE AFTER	GGK	374
THAT BEDE THE THIS BUFFET QUATSO BIFALLE3 AFTER.	GGK	382
3E HAN DEMED TO DO THE DEDE THAT I BIDDE	GGK	1089
BRACHETES BAYED THAT BEST AS BIDDEN THE MAYSTERE3	GGK	1603
BLYNNE BURNE OF THY BUR BEDE ME NO MO	GGK	2322
OTHER 3IF MY LEGE LORDE LYST ON LYUE ME TO BIDDE	PAT	51
BED ME BILYUE MY BALESTOUR AND BRYNG ME ON ENDE.	PAT	426
BIDDE (V. BID)		
BIDDEN (ALSO V. BID)		
AND AT THI BANNE WE HAF BRO3T AS THOU BEDEN HABBE3.	CLN	95
BESTE3 AS I BEDENE HAUE BOSK THERINNE ALS.	CLN	351
MONY ONE WAS THE BUSMARE BODEN HOM BITWENE	ERK	214
AND I SCHAL BAYTHEN THY BONE THAT THOU BODEN HABBES	GGK	327
BIDDES (V. BIDS)		
BIDDE3 (V. BIDS)		

BIDE

MAY NOT BYDE THAT BURRE THAT HIT HIS BODY NE3E . . . . CLN 32
MAY NOT BYDE THAT BURNE THAT HIT HIS BODY NE3EN. . . . . CLN V 32
BOT THA3 THE KYSTE IN THE CRAGE3 WERE CLOSED TO BYDE . . . . . CLN 449
BY BOLE OF THIS BRODE TRE WE BYDE THE HERE . . . . CLN 622
AND I SCHAL BIDE THE FYRST BUR AS BARE AS I SITTE . . . . . . GGK 290
THAT THOU SCHAL BYDEN THE BUR THAT HE SCHAL BEDE AFTER . . . GGK 374
TO BIDE A BLYSFUL BLUSCH OF THE BRY3T SUNNE . . . . GGK 520
WHYL I BYDE IN YOWRE BOR3E BE BAYN TO 3OWRE HEST . . . . GGK 1092
SY3 HYM BYDE AT THE BAY HIS BURNE3 BYSYDE. . . . . GGK 1582
TO BYDE BALE WITHOUTE DEBATE OF BRONDE HYM TO WERE. . . . . . GGK 2041
THE ABYME BYNDES THE BODY THAT I BYDE INNE . . . . PAT 318
AND FARANDELY ON A FELDE HE FETTELE3 HYM TO BIDE . . . . . . PAT 435
HOLTEWODE3 BRY3T ABOUTE HEM BYDE3 . . . . PRL 75
AND WELCUM HERE TO WALK AND BYDE. . . . . PRL 399
AND BYDE THE PAYNE THERTO IS BENT . . . . PRL 664
AND BYDE3 HERE BY THYS BLYSFUL BONC. . . . . PRL 907
THEN WOLDE I NO LENGER BYDE . . . . PRL 977

BIDED

BOT THE BURNE BYNNE BORDE THAT BOD TO HYS COME . . . . CLN 467
ER THOU HAF BIDEN WITH THI BURNE AND VNDER BO3E RESTTED . . . . CLN 616
ONES HO BLUSCHET TO THE BUR3E BOT BOD HO NO LENGER. . . . . . CLN 982
THA3 HE BODE IN THAT BOTHEM BROTHELY A MONYTH . . . . CLN 1030
AND THO THAT BYDEN WER SO BITEN WITH THE BALE HUNGER . . . . . CLN 1243
THE BURNE BODE ON BONK THAT ON BLONK HOUED . . . . GGK 785
THER HE BODE IN HIS BAY TEL BAWEMEN HIT BREKEN . . . . GGK 1564
SUMME FEL IN THE FUTE THER THE FOX BADE . . . . GGK 1699
THE BONKES THAT HE BLOSCHED TO AND BODE HYM BISYDE. . . . . . PAT 343
MY BODY ON BALKE THER BOD IN SWEUEN. . . . . PRL 62

BIDEN (V. BIDED)

BIDES

IN THE HY3E HETE THEROF ABRAHAM BIDE3 . . . . CLN 604
AND HE BALDLY HYM BYDE3 HE BAYST NEUER THE HELDER . . . . . . GGK 376
INTO THE COMLY CASTEL THER THE KNY3T BIDE3 . . . . GGK 1366
FUL OFT HE BYDE3 THE BAYE . . . . GGK 1450
FOUNDE3 FAST THUR3 THE FORTH THER THE FELLE BYDE3 . . . . . . GGK 1585
GAWAYN GRAYTHELY HIT BYDE3 AND GLENT WITH NO MEMBRE . . . . . GGK 2292
SO IN A BOUEL OF THAT BEST HE BIDE3 ON LYUE . . . . PAT 293

BIDE3 (V. BIDES)

BIDS

AND TALKE3 TO HIS TORMENTTOURE3 TAKE3 HYM HE BIDDE3 . . . . . CLN 154
AND BYDDE3 HIR BOWE OUER THE BORNE EFTE BONKE3 TO SECHE . . . . CLN 482
THAT WE MAY LERE HYM OF LOF AS OURE LYST BIDDE3. . . . . . . CLN 843
THE BISSHOP BIDDES THAT BODY BIKNOWE THE CAUSE . . . . ERK 221
AND GEF HYM GODDE3 BLESSYNG AND GLADLY HYM BIDDES . . . . . . GGK 370
BIFORE ALLE THE FOLK ON THE FLETTE FREKE3 HE BEDDE3 . . . . . GGK 1374
THE DAY DRYUE3 TO THE DERK AS DRY3TYN BIDDE3. . . . . GGK 1999
THENNE OURE FADER TO THE FYSCH FERSLYCH BIDDE3 . . . . PAT 337
AND NO MON BYDDE3 VS DO RY3T NO3T . . . . PRL 520

BIFALLEN (V. BEFALLEN)

BIFALLE3 (V. BEFALLS)

BIFEL (V. BEFELL)

BIFORE (V. BEFORE)

BIFORNE (V. BEFORE)

BIG

WITH MONY BLAME FUL BYGGE A BOFFET PERAUNTER. . . . . CLN 43
3ISSE HIT WAT3 A BREM BREST AND A BYGE WRACHE . . . . CLN 229
FOR THE BOR3 WAT3 SO BYGGE BATAYLED ALOFTE . . . . CLN 1183
IN BIGGE BRUTAGE OF BORDE BULDE ON THE WALLES . . . . CLN 1190

FOR THE BOUR3 WAT3 SO BROD AND SO BIGGE ALCE.	CLN	1377
THIS HIT WAT3 A BREM BREST AND A BYGE WRACHE.	CLN V	229
SIR BOOS AND SIR BYDUER BIG MEN BOTHE	GGK	554
THE BYGGE BORNE ON HIS BAK THAT BETE ON HIS SYDES	PAT	302
NO BONK SO BYG THAT DID ME DERE3.	PRL	102
BIGAN (V. BEGAN)		
BIGES		
WITH GRET BOBBAUNCE THAT BUR3E HE BIGES VPON FYRST.	GGK	9
BIGEST (V. BIGGEST)		
BIGGE (V. BIG)		
BIGGED		
I HAF BIGGED BABILOYNE BUR3 ALTHERRYCHEST.	CLN	1666
ANDE QUEN THIS BRETAYN WAT3 BIGGED BI THIS BURN RYCH	GGK	20
HIT MAY NOT BE THAT HE IS BLYNDE THAT BIGGED VCHE Y3E.	PAT	124
BIGGER		
AND HIS BODY BIGGER THEN THE BEST FOWRE	GGK	2101
BOT MUCH THE BYGGER 3ET WAT3 MY MON.	PRL	374
BIGGEST		
AND AY THE BIGEST IN BALE THE BEST WAT3 HALDEN	CLN	276
IN THE BUR3 OF BABILOYNE THE BIGGEST HE TRAWED	CLN	1335
BIGINE3 (V. BEGINS)		
BIGLY		
BLWE BYGLY IN BUGLE3 THRE BARE MOTE3	GGK	1141
THAT BIGLY BOTE ON THE BROUN WITH FUL BRODE HEDE3	GGK	1162
BRAYDE3 OUT A BRY3T BRONT AND BIGLY FORTH STRYDE3	GGK	1584
BLWE BYGLY IN BUGLE3 THRE BARE MOTE.	GGK V	1141
THE BARRE3 OF VCHE A BONK FUL BIGLY ME HALDES	PAT	321
BRYNG ME TO THAT BYGLY BYLDE	PRL	963
BIGOG		
BIGOG QUOTH THE GRENE KNY3T SIR GAWAN ME LYKES	GGK	390
BIGONNE (V. BEGAN)		
BIGRAUEN		
AND AL BIGRAUEN WITH GRENE IN GRACIOS WERKES.	GGK	216
BIGRIPIDE (V. BIGRYPTE)		
BIGRYPTE		
THE STELE OF A STIF STAF THE STURNE HIT BIGRYPTE	GGK	214
AND A GURDILLE OF GOLDE BIGRIPIDE HIS MYDELLE	ERK	80
BIGYLED (V. BEGUILED)		
BIGYNES (V. BEGINS)		
BIGYNE3 (V. BEGINS)		
BIGYNNES (V. BEGINS)		
BIGYNNE3 (V. BEGINS)		
BIHALDEN (V. BEHOLDEN)		
BIHINDE (V. BEHIND)		
BIHOLDAND (V. BEHOLDING)		
BIHOLDE (V. BEHOLDEN)		
BIHOLDE3 (V. BEHOLDS)		
BIHOUED (V. BEHOOVED)		
BIHOUES (V. BEHOOVES)		
BIHOUE3 (V. BEHOOVES)		
BIHYNDE (V. BEHIND)		
BIHY3T		
THESE ARN THE HAPPES ALLE A3T THAT VS BIHY3T WEREN.	PAT	29
THA3 HE OTHER BIHY3T WHTHHELDE HIS VENGAUNCE.	PAT	408
BIKENDE		
AND THAY HYM KYST AND CONUEYED BIKENDE HYM TO KRYST	GGK	596
THAY BIKENDE HYM TO KRYST WITH FUL COLDE SYKYNGE3	GGK	1982
BIKENNEN		
THAY COMLY BYKENNEN TO KRYST AYTHER OTHER.	GGK	1307

THAY ACOLEN AND KYSSEN BIKENNEN AYTHER OTHER. . . . . GGK 2472
BIKENNES
BIKENNES THE CATEL TO THE KYNG THAT HE CA3T HADE . . . . . . CLN 1296
BIKOWE (V. BEKNOW)
BILEUED
BOT THE LETTRES BILEUED FUL LARGE VPON PLASTER . . . . CLN 1549
BIKNOSE3 (V. BEKNOWS)
BILDE (V. BUILT)
BILEUE (V. BELIEF)
BILIUE (V. BYLYUE)
BILOOGHE (V. BELOW)
BILYUE (V. BYLYUE)
BIND
BYNDE3 BYHYNDE AT HIS BAK BOTHE TWO HIS HANDE3 . . . . CLN 155
I SCHAL BYNDE YOW IN YOUR BEDDE THAT BE 3E TRAYST . . . . . . GGK 1211
THE FAYREST BYNDE HYM ABOF THAT EUER BURNE WYSTE . . . . . . PAT 444
BINDS
THE ABYME BYNDES THE BODY THAT I BYDE INNE . . . . PAT 318
BIRDS
FRO THE BURNE TO THE BEST FRO BRYDDE3 TO FYSCHE3 . . . . . . CLN 288
BRAUNCHES BREDANDE THERON AND BRYDDES THER SETEN . . . . . . CLN 1482
THAT WERE ENBRAUDED ABOF WYTH BRYDDES AND FLY3ES . . . . . . GGK 166
BRYDDE3 BUSKEN TO BYLDE AND BREMLYCH SYNGEN . . . . GGK 519
ON BRODE SYLKYN BORDE AND BRYDDE3 ON SEME3 . . . . GGK 610
WITH MONY BRYDDE3 VNBLYTHE VPON BARE TWYGES . . . . GGK 746
FOR QUEN THOSE BRYDDE3 HER WYNGE3 BETE. . . . . PRL 93
BIRLEN
IN BRY3T BOLLE3 FUL BAYN BIRLEN THISE OTHER . . . . CLN 1511
BIROLLED
AL BIROLLED WYTH THE RAYN ROSTTED AND BRENNED . . . . CLN 959
BIRTH
WHEN BURNE3 BLYTHE OF HIS BURTHE SCHAL SITTE. . . . . GGK 922
THAT IS TO SAY AS HER BYRTH WHATE3 . . . . PRL 1 1041
THAT IS TO SAY AS HER BYRTH WHATE3 . . . . PRL 3 1041
BISCHOP (V. BISHOP)
BISCHOPES (V. BISHOPS)
BISECHE (V. BESEECH)
BISEGED (V. BESIEGED)
BISEMED (V. BESEEMED)
BISEME3 (V. BESEEMS)
BISHOP
THER WAS A BYSCHOP IN THAT BURGHE BLESSYD AND SACRYD . . . . . ERK 3
NOW OF THIS AUGUSTYNES ART IS ERKENWOLDE BISCHOP . . . . . . ERK 33
THE BODEWORDE TO THE BYSCHOP WAS BROGHT ON A QUILE. . . . . . ERK 105
THE BISCHOP SENDE HIT TO BLYNNE BY BEDELS AND LETTRES. . . . . ERK 111
THE BYSCHOP HYM SHOPE SOLEMPLY TO SYNGE THE HEGHE MASSE . . . ERK 129
THE BYSCHOP COME TO THE BURYNES HIM BARONES BESYDE. . . . . . ERK 142
THOU SAYS SOTHE QUOTH THE SEGGE THAT SACRID WAS BYSCHOP . . . ERK 159
BISSHOP QUOTH THIS ILKE BODY THI BODE IS ME DERE . . . . . . ERK 193
THE BISSHOP BIDDES THAT BODY BIKNOWE THE CAUSE . . . . ERK 221
THE BISSHOP BAYTHES HYM 3ET WITH BALE AT HIS HERT . . . . . . ERK 257
NAY BISSHOP QUOTH THAT BODY ENBAWMYD WOS I NEUER . . . . . . ERK 265
3EA BOT SAY THOU OF THI SAULE THEN SAYD THE BISSHOP . . . . . ERK 273
AND THE BYSSHOP BALEFULLY BERE DON HIS EGHEN. . . . . ERK 311
AND ALSO BE THOU BYSSHOP THE BOTE OF MY SOROWE . . . . ERK 327
I HEERE THEROF MY HEGHE GOD AND ALSO THE BYSSHOP . . . . . . ERK 339
BISCHOP BAWDEWYN ABOF BIGINE3 THE TABLE . . . . GGK 112
BISHOPS
THAT HADE BEN BLESSED BIFORE WYTH BISCHOPES HONDES. . . . . . CLN 1445

THAT BLYTHELY WERE FYRST BLEST WYTH BISCHOPES HONDES . . . . CLN 1718
BISIDES (V. BESIDES)
BISIED (V. BUSIED)
BISINESSE (V. BUSINESS)
BISO3T (V. BESOUGHT)
BISO3TEN (V. BESOUGHT
BISPEKE (V. BESPEAK)
BISSHOP (V. BISHOP)
BISYDE (V. BESIDE)
BISYDE3 (V. BESIDES)
BIT (V. BIT-N.)
BIT
THAT BIGLY BOTE ON THE BROUN WITH FUL BRODE HEDE3 . . . . . . GGK 1162
AND BOTE THE BEST OF HIS BRACHE3 THE BAKKE3 IN SUNDER. . . . GGK 1563
HETER HAYRE3 THAY HENT THAT ASPERLY BITED. . . . . PAT 373
BIT (N.)
THE BIT BURNYST BRY3T WITH A BROD EGGE. . . . . GGK 212
THAT THE BIT OF THE BROUN STEL BOT ON THE GROUNDE . . . . . . GGK 426
WITH A BORELYCH BYTTE BENDE BY THE HALME . . . . GGK 2224
WITH THE BARBE OF THE BITTE BI THE BARE NEK . . . . GGK 2310
BITALT
BOT OF THAT MUNT I WAT3 BITALT . . . . PRL 1161
BITAN
AND THE TITLE OF THE TEMPLE BITAN WAS HIS NAME . . . . ERK 28
BITE
AS BEST BYTE ON THE BENT OF BRAKEN AND ERBES. . . . . CLN 1675
AND THE BARBE3 OF HIS BROWE BITE NON WOLDE . . . . GGK 1457
THAT BREMELY CON HYM BITE . . . . GGK 1598
AND THE BARBE3 OF HIS BROWEN BITE NON WOLDE . . . . GGK V 1457
NE BEST BITE ON NO BROM NE NO BENT NAUTHER . . . . PAT 392
THY PRAYER MAY HYS PYTE BYTE . . . . PRL 355
THUR3 AN APPLE THAT HE VPON CON BYTE . . . . PRL 640
BITECHE
I SCHAL BITECHE YOW THO TWO THAT TAYT ARN AND QUOYNT . . . . CLN 871
BITED (V. BIT)
BITEN (V. BITTEN)
BITES
VCHE BESTE TO THE BENT THAT BYTES ON ERBE3 . . . . CLN 532
BITHENKKES (V. BETHINKS)
BITHO3T (V. BETHOUGHT)
BITIDDE (V. BETIDED)
BITIDE (V. BETIDED)
BITTE (V. BIT-N.)
BITTEN
BOT QUEN HIT IS BRUSED OTHER BROKEN OTHER BYTEN IN TWYNNE . . CLN 1047
AND THO THAT BYDEN WER SO BITEN WITH THE BALE HUNGER . . . . CLN 1243
BITTER
FOR HIT IS BROD AND BOTHEMLE3 AND BITTER AS THE GALLE. . . . CLN 1022
BITTERLY
BANNED HYM FUL BYTTERLY WYTH BESTES ALLE SAMEN . . . . CLN 468
BITWENE (V. BETWEEN)
BITYDDE (V. BETIDED)
BITYDE (V. BETIDE)
BIWYLED (CP. BEGUILED)
AND ALLE THAY WERE BIWYLED. . . . . GGK 2425
BIYS
AL BLYSNANDE WHYT WAT3 HIR BEAU BIYS . . . . PRL 197
AL BLYSNANDE WHYT WAT3 HIR BLEAUNT OF BIYS . . . . PRL 1 197
BI3ONDE (V. BEYOND)

BLACK		
FELLEN FRO THE FYRMAMENT FENDE3 FUL BLAKE.	CLN	221
I AM BOT ERTHE FUL EUEL AND VSLE SO BLAKE.	CLN	747
SUCHE A ROTHUN OF A RECHE ROS FRO THE BLAKE	CLN	1009
BLO BLUBRANDE AND BLAK VNBLYTHE TO NE3E	CLN	1017
NOW IS SETTE FOR TO SERUE SATANAS THE BLAKE	CLN	1449
AND ALLE THE BLEE OF HIS BODY WOS BLAKKE AS THE MOLDES . . .	ERK	343
CHYMBLED OUER HIR BLAKE CHYN WITH CHALKQUYTE VAYLES	GGK	958
THAT NO3T WAT3 BARE OF THAT BURDE BOT THE BLAKE BRO3ES . . .	GGK	961
THE LOMPE THER WYTHOUTEN SPOTTE3 BLAKE.	PRL	945
BLADES		
FORTHY BREK HE THE BRED BLADES WYTHOUTEN	CLN	1105
BLAK (V. BLACK)		
BLAKE (V. BLACK)		
BLAKKE (V. BLACK)		
BLAME		
WITH MONY BLAME FUL BYGGE A BOFFET PERAUNTER.	CLN	43
ALLE THE BLYSSE BOUTE BLAME THAT BODI MY3T HAUE.	CLN	260
WHO JOYNED THE BE IOSTYSE OURE IAPE3 TO BLAME	CLN	877
THENNE BLYNNES HE NOT OF BLASFEMY ON TO BLAME THE DRY3TYN . .	CLN	1661
BOUT BLAME	GGK	361
IF HIT BE SOTHE THAT 3E BREUE THE BLAME IS MYN AWEN	GGK	1488
QUOTH THAT BURDE TO THE BURNE BLAME 3E DISSERUE.	GGK	1779
BOT FOR 3E LUFED YOUR LYF THE LASSE I YOW BLAME.	GGK	2368
FOR BLAME	GGK	2500
THIS IS THE BENDE OF THIS BLAME I BERE ON MY NEK	GGK	2506
AND MUCH TO BLAME AND VNCORTAYSE.	PRL	303
HIS DESSYPELE3 WYTH BLAME LET BE HEM BEDE.	PRL	715
BLAMES		
THOU BLAME3 THE BOTE OF THY MESCHEF.	PRL	275
BLAME3 (V. BLAMES)		
BLANDE (V. BLEND, BLENDED)		
BLASFAMYE (V. BLASPHEYM)		
BLASFEMY (V. BLASPHEMY)		
BLASOUN (V. BLAZON)		
BLASPHEMY		
THENNE BLYNNES HE NOT OF BLASFEMY ON TO BLAME THE DRY3TYN . .	CLN	1661
WYTY BOBAUNCE AND WYTH BLASFAMYE BOST AT HYM KEST	CLN	1712
BLAST		
HIT DUT NO WYNDE3 BLASTE	GGK	784
BLASTE (V. BLAST)		
BLASTES (V. BLASTS)		
BLASTE3 (V. BLASTS)		
BLASTS		
BLASTES OUT OF BRY3T BRASSE BRESTES SO HY3E	CLN	1783
THER ROS FOR BLASTE3 GODE	GGK	1148
BLAUNNER		
WITH BLYTHE BLAUNNER FUL BRY3T AND HIS HOD BOTHE	GGK	155
THAT WYTH A BRY3T BLAUNNER WAS BOUNDEN WITHINNE.	GGK	573
OF BRY3T BLAUNNER ABOUE ENBRAWDED BISYDE3.	GGK	856
BLANDE AL OF BLAUNNER WERE BOTHE AL ABOUTE	GGK	1931
BLAWYNG (V. BLOWING)		
BLAYKE (V. BLEAK)		
BLAZON		
HIS BRONDE AND HIS BLASOUN BOTHE THAY TOKEN	GGK	828
BLA3T		
HER BLE MORE BLA3T THEN WHALLE3 BON.	PRL	212
BLE		
OF BLE AS THE BREREFLOUR WHERESO THE BARE SCHEWEED.	CLN	791

THAT HO BLYNDES OF BLE IN BOUR THER HO LYGGES . . . . CLN 1126
THENNE BLYKNED THE BLE OF THE BRY3T SKWES. . . . . CLN 1759
AND ALS BRY3T OF HOR BLEE IN BLYSNANDE HEWES. . . . . ERK 87
AND ALLE THE BLEE OF HIS BODY WOS BLAKKE AS THE MOLDES . . . . ERK 343
OF BOLLE3 AS BLWE AS BLE OF YNDE. . . . . PRL 76
HER BLE MORE BLA3T THEN WHALLE3 BON. . . . . PRL 212
BLEAK
BLOME3 BLAYKE AND BLWE AND REDE . . . . PRL 27
BLEARED
AND THOSE WERE SOURE TO SE AND SELLYLY BLERED . . . . GGK 963
BLEAUNT
OF A BROUN BLEEAUNT ENBRAUDED FUL RYCHE . . . . GGK 879
HE WERE A BLEAUNT OF BLWE THAT BRADDE TO THE ERTHE. . . . . . GGK 1928
BLYSNANDE WHYT WAT3 HYR BLEAUNT . . . . PRL 163
AL BLYSNANDE WHYT WAT3 HIR BLEAUNT OF BIYS . . . . PRL 1 197
BLED
THAT VGLY BODI THAT BLEDDE. . . . . GGK 441
BLEDDE (V. BLED)
BLEDEN (V. BLEED)
BLEE (V. BLE)
BLEEAUNT (V. BLEAUNT)
BLEED
WHAT THAY BRAYEN AND BLEDEN BI BONKKE3 THAY DE3EN . . . . . . GGK 1163
BLEMISHED
AND BREYTHED VPPE IN TO HIS BRAYN AND BLEMYST HIS MYNDE . . . . CLN 1421
BLEMYST (V. BLEMISHED)
BLENCH
WYTH THE BEST OF HIS BURNES A BLENCH FOR TO MAKE . . . . . . CLN 1202
BLENCHED
HE BLENCHED A3AYN BILYUE . . . . GGK 1715
BLEND
THAY BLWE A BOFFET IN BLANDE THAT BANNED PEPLE . . . . CLN 885
BOTHE QUIT AND RED IN BLANDE . . . . GGK 1205
BLENDE (V. BLENDED)
BLENDED
THE BRETHE OF THE BRYNSTON BI THAT HIT BLENDE WERE. . . . . . CLN 967
THAT BOTHE HIS BLOD AND HIS BRAYN BLENDE ON THE CLOTHES . . . . CLN 1788
AND BRED BATHED IN BLOD BLENDE THERAMONGE3 . . . . GGK 1361
WITH BRED BLENT THERWITH HIS BRACHES REWARDE3 . . . . GGK 1610
BLANDE AL OF BLAUNNER WERE BOTHE AL ABOUTE . . . . GGK 1931
ALLE THE BLODE OF HIS BREST BLENDE IN HIS FACE . . . . GGK 2371
THAT THAY IN BALELE3 BLOD THER BLENDEN HER HANDE3 . . . . . . PAT 227
IN BLYSSE I SE THE BLYTHELY BLENT . . . . PRL 385
THE AMATYST PURPRE WYTH YNDE BLENTE. . . . . PRL 1016
BLENDEN (V. BLENDED)
BLENK
AND QUEN THE BURNE SE3 THE BLODE BLENK ON THE SNAWE . . . . . GGK 2315
BLENKED
VPON BASTEL ROUE3 THAT BLENKED FUL QUYTE . . . . GGK 799
BLENT (V. BLENDED)
BLENTE (V. BLENDED)
BLERED (V. BLEARED)
BLESS
THE O3TE BETTER THYSELUEN BLESSE. . . . . PRL 341
THE MO THE MYRYER SO GOD ME BLESSE . . . . PRL 850
BLESSE (V. BLESS)
BLESSED
BRYNGE3 THAT BRY3T VPON BORDE BLESSED AND SAYDE. . . . . . . CLN 470
AND VCHE BLOD IN THAT BURNE BLESSED SCHAL WORTHE . . . . . . CLN 686

AA BLESSED BE THOW QUOTH THE BURNE SO BONER AND THEWED . . . . CLN 733
THAT HADE BEN BLESSED BIFORE WYTH BISCHOPES HONDES. . . . . . CLN 1445
THAT BLYTHELY WERE FYRST BLEST WYTH BISCHOPES HONDES . . . . . CLN 1718
THER WAS A BYSCHOP IN THAT BURGHE BLESSYD AND SACRYD . . . . . ERK 3
AND BLISSID BE THAT BLISFUL HOURE THAT HO THE BERE.IN. . . . . ERK 326
FRO BALE HAS BRO3T VS TO BLIS BLESSID THOU WORTHE . . . . . . ERK 340
BOT THE BURDE HYM BLESSED AND BI THIS SKYL SAYDE . . . . GGK 1296
THE BURNE BLESSED HYM BILYUE AND THE BREDE3 PASSED. . . . . . GGK 2071
BLESSED BYGYNNER OF VCH A GRACE . . . . PRL 436

BLESSES
THERWYTH HE BLESSE3 VCH A BEST AND BYTA3T HEM THIS ERTHE. . . . CLN 528

BLESSE3 (V. BLESSES)

BLESSID (V. BLESSED)

BLESSING
AND GEF HYM GODDE3 BLESSYNG AND GLADLY HYM BIDDES . . . . . . GGK 370
IN KRYSTE3 DERE BLESSYNG AND MYN. . . . . PRL 1208

BLESSYD (V. BLESSED)

BLESSYNG (V. BLESSING)

BLEST (V. BLESSED)

BLEW
THAY BLWE A BOFFET IN BLANDE THAT BANNED PEPLE . . . . CLN 885
BLWE BYGLY IN BUGLE3 THRE BARE MOTE3 . . . . GGK 1141
BALDELY THAY BLW PRYS BAYED THAYR RACHCHE3 . . . . GGK 1362
ALLE THAT EUER BER BUGLE BLOWED AT ONES . . . . GGK 1913
BLWE BYGLY IN BUGLE3 THRE BARE MOTE. . . . . GGK V 1141

BLIND
AND THA3 THAY BEN BOTHE BLYNDE AND BALTERANDE CRUPPELE3 . . . . CLN 103
3IF HYMSELF BE BORE BLYNDE HIT IS A BROD WONDER. . . . . CLN 584
THAT THAY BLUSTERED AS BLYNDE AS BAYARD WAT3 EUER . . . . . . CLN 886
SUMME LEPRE SUMME LOME AND LOMERANDE BLYNDE . . . . CLN 1094
HIT MAY NOT BE THAT HE IS BLYNDE THAT BIGGED VCHE Y3E. . . . . PAT 124
THE SUNNEBEME3 BOT BLO AND BLYNDE . . . . PRL 83

BLINDED
WAT3 BLENDED WITH BARSABE THAT MUCH BALE THOLED. . . . . GGK 2419

BLINDS
THAT HO BLYNDES OF BLE IN BOUR THER HO LYGGES . . . . CLN 1126

BLIS (V. BLISS)

BLISFUL (V. BLISSFUL)

BLISFULLE (V. BLISSFUL)

BLISS
FOR FELER FAUTE3 MAY A FREKE FORFETE HIS BLYSSE. . . . . CLN 177
ADAM INOBEDYENT ORDAYNT TO BLYSSE . . . . CLN 237
ALLE THE BLYSSE BOUTE BLAME THAT BODI MY3T HAUE. . . . . CLN 260
BRYNG BODWORDE TO BOT BLYSSE TO VS ALLE . . . . CLN 473
IN HIS COMLYCH COURTE THAT KYNG IS OF BLYSSE. . . . . CLN 546
BALTA3AR TO HIS BEDD WITH BLYSSE WAT3 CARYED. . . . . CLN 1765
FOR FELE FAUTE3 MAY A FREKE FORFETE HIS BLYSSE . . . . CLN V 177
FRO BALE HAS BRO3T VS TO BLIS BLESSID THOU WORTHE . . . . . . ERK 340
FOR AS SONE AS THE SOULE WAS SESYD IN BLISSE. . . . . ERK 345
AND OFT BOTHE BLYSSE AND BLUNDER. . . . . GGK 18
FOR TO BRYNG THIS BUURNE WYTH BLYS INTO HALLE . . . . GGK 825
THE LORDE FOR BLYS ABLOY . . . . GGK 1174
WYTH BLYS AND BRY3T FYR BETTE. . . . . GGK 1368
AND BRO3T BLYSSE INTO BOURE WITH BOUNTEES HOR AWEN. . . . . . GGK 1519
BOT BLYSSE . . . . GGK 1553
THAT AL WAT3 BLIS AND BONCHEF THAT BREKE HEM BITWENE . . . . . GGK 1764
WITH BLYS . . . . GGK 1888
HE BRYNG VS TO HIS BLYSSE . . . . GGK 2530
BYLDE IN ME BLYS ABATED MY BALE3. . . . . PRL 123

I BOWED IN BLYS BREDFUL MY BRAYNE3	PRL	126
THAT HAT3 ME BRO3T THYS BLYS NER.	PRL	286
THAT ER WAT3 GROUNDE OF ALLE MY BLYSSE.	PRL	372
MY BLYSSE MY BALE 3E HAN BEN BOTHE	PRL	373
THISE ARN THE GROUNDE OF ALLE MY BLISSE	PRL	384
IN BLYSSE I SE THE BLYTHELY BLENT	PRL	385
HIT IS IN GROUNDE OF ALLE MY BLYSSE.	PRL	396
NOW BLYSSE BURNE MOT THE BYTYDE	PRL	397
THAT IS THE GROUNDE OF ALLE MY BLYSSE	PRL	408
COROUNDE ME QUENE IN BLYSSE TO BREDE	PRL	415
IS ROTE AND GROUNDE OF ALLE MY BLYSSE	PRL	420
WYTH BODYLY BALE HYM BLYSSE TO BYYE.	PRL	478
MORE HAF I OF IOYE AND BLYSSE HEREINNE.	PRL	577
NO BLYSSE BET3 FRO HEM REPARDE	PRL	611
FYRSTE WAT3 WRO3T TO BLYSSE PARFYT	PRL	638
BYTWENE VS AND BLYSSE BOT THAT HE WYTHDRO3	PRL	658
THER IS THE BLYS THAT CON NOT BLYNNE	PRL	729
THE LAMBE3 VYUE3 IN BLYSSE WE BENE	PRL	785
MY IOY MY BLYS MY LEMMAN FRE	PRL	796
LASSE OF BLYSSE MAY NON VS BRYNG.	PRL	853
VCHONE3 BLYSSE IS BREME AND BESTE	PRL	863
THER GLORY AND BLYSSE SCHAL EUER ENCRES	PRL	959
BLISSE (V. BLISS)		
BLISSFUL		
WAT3 NEUER SO BLYSFUL A BOUR AS WAT3 A BOS THENNE	CLN	1075
AND A BLISFULLE BODY OPON THE BOTHUM LYGGID	ERK	76
AND BLISSID BE THAT BLISFUL HOURE THAT HO THE BERE.IN.	ERK	326
TO BIDE A BLYSFUL BLUSCH OF THE BRY3T SUNNE	GGK	520
IWYSE QUOTH I MY BLYSFOL BESTE	PRL	279
A BLYSFUL LYF THOU SAYS I LEDE	PRL	409
BLYSFUL QUOTH I MAY THYS BE TRWE.	PRL	421
AND BYDE3 HERE BY THYS BLYSFUL BONC.	PRL	907
AND LET ME SE THY BLYSFUL BOR.	PRL	964
THAT WAT3 MY BLYSFUL ANVNDER CROUN	PRL	1100
THE BLYSFUL PERLE WYTH GRET DELYT	PRL	1104
BLISSID (V. BLESSED)		
BLITHE (N.)		
AND SECH HYS BLYTHE FUL SWEFTE AND SWYTHE.	PRL	354
BLITHE		
THENNE WAT3 HER BLYTHE BARNE BURNYST SO CLENE	CLN	1085
BOT FOR HIS BERYNG SO BADDE AGAYN HIS BLYTHE LORDE.	CLN	1228
HIS BAROUNES BO3ED HYM TO BLYTHE OF HIS COME.	CLN	1706
WITH BLYTHE BLAUNNER FUL BRY3T AND HIS HOD BOTHE	GGK	155
BOTHE THE BARRES OF HIS BELT AND OTHER BLYTHE STONES	GGK	162
WHEN BURNE3 BLYTHE OF HIS BURTHE SCHAL SITTE.	GGK	922
GOUD MOROUN GAY QUOP GAWAYN THE BLYTHE.	GGK	1213
AND THUS HE BOURDED A3AYN WITH MONY A BLYTHE LA3TER	GGK	1217
OF BEWTE AND DEBONERTE AND BLYTHE SEMBLAUNT	GGK	1273
THAY LA3ED AND MADE HEM BLYTHE	GGK	1398
BLITHE BRO3T WAT3 HYM DRYNK AND THAY TO BEDDE 3EDEN	GGK	1684
WAT3 HE NEUER IN THIS WORLDE WY3E HALF SO BLYTHE	GGK	2321
THE BLYTHE BRETHE AT HER BAK THE BOSUM HE FYNDES	PAT	107
SO BLYTHE OF HIS WODBYNDE HE BALTERES THERVNDER.	PAT	459
THA3 THOU FOR SOR3E BE NEUER BLYTHE.	PRL	352
AND ENDELE3 ROUNDE AND BLYTHE OF MODE	PRL	738
BLITHELY		
AND BRYNGE3 HEM BLYTHLY TO BOR3E AS BAROUNE3 THAY WERE	CLN	82
THAT BLYTHELY WERE FYRST BLEST WYTH BISCHOPES HONDES	CLN	1718
BO3E3 FORTH QUEN HE WAT3 BOUN BLYTHELY TO MASSE.	GGK	1311

AND THAT HO BEDE TO THE BURNE AND BLYTHELY BISO3T GGK 1834
AND BLYTHELY BRO3T TO HIS BEDDE TO BE AT HIS REST GGK 1990
IN BLYSSE I SE THE BLYTHELY BLENT PRL 385

BLITHEST
BEST WAT3 HE BLYTHEST AND MOSTE TO PRYSE PRL 1131

BLO
BLO BLUBRANDE AND BLAK VNBLYTHE TO NE3E CLN 1017
WITH THE BLODE OF THI BODY VPON THE BLO RODE. ERK 290
BLOWES BOTHE AT MY BODE VPON BLO WATTERES. PAT 134
WHEN BOTHE BRETHES CON BLOWE VPON BLO WATTERES PAT 138
IN BLUBER OF THE BLO FLOD BURSTEN HER ORES PAT 221
THE SUNNEBEME3 BOT BLO AND BLYNDE PRL 83
AND AS THUNDER THROWE3 IN TORRE3 BLO PRL 875

BLOBER (V. BLUBBER)
BLOD (V. BLOOD)
BLODE (V. BLOOD)
BLODHOUNDE3 (V. BLOODHOUNDS)
BLODY (V. BLOODY)

BLOK
TIL HE BLUNT IN A BLOK AS BROD AS A HALLE. PAT 272

BLOM (V. BLOOM)
BLOMES (V. BLOOMS)
BLOME3 (V. BLOOMS)

BLONK
ANDE BUSKYD THIDERWARDE BYTYME ON HIS BLONKE AFTER. ERK 112
AND SYTHEN BO3E3 TO HIS BLONK THE BRYDEL HE CACHCHE3 GGK 434
THE BURNE BODE ON BONK THAT ON BLONK HOUED GGK 785
TIL THE KNY3T COM HYMSELF KACHANDE HIS BLONK. GGK 1581
AND BEDE HYM BRYNG HYM HIS BRUNY AND HIS BLONK SADEL GGK 2012
THE BURNE BEDE BRYNG HIS BLONK GGK 2024
GAWAYN ON BLONK FUL BENE GGK 2475

BLONKE (V. BLONKE)

BLONKE3
SWYERE3 THAT SWYFTLY SWYED ON BLONKE3 CLN 87
SO BROD BILDE IN A BAY THAT BLONKKES MY3T RENNE. CLN 1392
AND AL ON BLONKKEN BAK BERE HIT ON HONDE CLN 1412
AND THAY BUSKEN VP BILYUE BLONKKE3 TO SADEL GGK 1128
WERE BOUN BUSKED ON HOR BLONKKE3 BIFORE THE HALLE 3ATE3 GGK 1693

BLONKKEN (V. BLONKE3)
BLONKKES (V. BLONKE3)
BLONKKE3 (V. BLONKE3)

BLOOD
AND VCHE BLOD IN THAT BURNE BLESSED SCHAL WORTHE CLN 686
BATHED BARNES IN BLOD AND HER BRAYN SPYLLED CLN 1248
AND WYTH BESTEN BLOD BUSILY ANOYNTED CLN 1446
THAT BOTHE HIS BLOD AND HIS BRAYN BLENDE ON THE CLOTHES CLN 1788
AS HE WAS BENDE ON A BEME QUEN HE HIS BLODE SCHEDDE ERK 182
WITH THE BLODE OF THI BODY VPON THE BLO RODE. ERK 290
SO BISIED HIM HIS 3ONGE BLOD AND HIS BRAYN WYLDE GGK 89
BE SO BOLDE IN HIS BLOD BRAYN IN HYS HEDE. GGK 286
THE BLOD SCHOT FOR SCHAM INTO HIS SCHYRE FACE GGK 317
NO BOUNTE BOT YOUR BLOD I IN MY BODE KNOWE GGK 357
THE BLOD BRAYD FRO THE BODY THAT BLYKKED ON THE GRENE. GGK 429
AND BRED BATHED IN BLOD BLENDE THERAMONGE3 GGK 1361
THAT THE SCHENE BLOD OUER HIS SCHULDERES SCHOT TO THE ERTHE. GGK 2314
AND QUEN THE BURNE SE3 THE BLODE BLENK ON THE SNAWE GGK 2315
ALLE THE BLODE OF HIS BREST BLENDE IN HIS FACE GGK 2371
THE BLOD IN HIS FACE CON MELLE GGK 2503
THAT THAY IN BALELE3 BLOD THER BLENDEN HER HANDE3 PAT 227

RYCHE BLOD RAN ON RODE SO ROGHE	PRL	646
BLOD AND WATER OF BRODE WOUNDE	PRL	650
THE BLOD VS BO3T FRO BALE OF HELLE	PRL	651
MY LORDE THE LOMBE THAT SCHEDE HYS BLODE	PRL	741
IN HYS BLOD HE WESCH MY WEDE ON DESE	PRL	766
OF HIS QUYTE SYDE HIS BLOD OUTSPRENT	PRL	1137
BLOODHOUNDS		
THE BEST THAT THER BREUED WAT3 WYTH THE BLODHOUNDE3	GGK	1436
BLOODY		
BOT HE ON RODE THAT BLODY DYED	PRL	705
BLOOM		
OF LADYSCHYP GRET AND LYUE3 BLOM.	PRL	578
BLOOMS		
AND THAY BORGOUNE3 AND BERES BLOME3 FUL FAYRE	CLN	1042
FOR ALLE THE BLOMES OF THE BO3ES WER BLYKNANDE PERLES.	CLN	1467
BLOME3 BLAYKE AND BLWE AND REDE	PRL	27
BLOSCHED (V. BLUSHED)		
BLOSE		
AND THA3 I BE BUSTWYS AS A BLOSE.	PRL	911
BLOSSOMS		
AND BLOSSUME3 BOLNE TO BLOWE	GGK	512
BLOSSUME3 (V. BLOSSOMS)		
BLOT		
VNBLEMYST I AM WYTHOUTEN BLOT.	PRL	782
BLOW		
THEN HE WAKENED A WYNDE ON WATTERE3 TO BLOWE.	CLN	437
AND BLOSSUME3 BOLNE TO BLOWE	GGK	512
BLOWES BOTHE AT MY BODE VPON BLO WATTERES.	PAT	134
WHEN BOTHE BRETHES CON BLOWE VPON BLO WATTERES	PAT	138
BLOWE (V. BLOW)		
BLOWED (V. BLEW)		
BLOWES (V. BLOW)		
BLOWE3 (V. BLOWS)		
BLOWING		
THERE WAT3 BLAWYNG OF PRYS IN MONY BREME HORNE	GGK	1601
BLOWS		
AS BURNE BOLDE VPON BENT HIS BUGLE HE BLOWE3.	GGK	1465
BLUBER (V. BLUBBER)		
BLUBBER		
IN BLUBER OF THE BLO FLOD BURSTEN HER ORES	PAT	221
HOW FRO THE BOT INTO THE BLOBER WAT3 WYTH A BEST LACHCHED	PAT	266
BLUBBERED		
THE BORNE BLUBRED THERINNE AS HIT BOYLED HADE	GGK	2174
BLUBBERING		
BLO BLUBRANDE AND BLAK VNBLYTHE TO NE3E	CLN	1017
BLUBRANDE (V. BLUBBERING)		
BLUBRED (V. BLUBBERED)		
BLUE		
HE WERE A BLEAUNT OF BLWE THAT BRADDE TO THE ERTHE.	GGK	1928
BLOME3 BLAYKE AND BLWE AND REDE	PRL	27
OF BOLLE3 AS BLWE AS BLE OF YNDE.	PRL	76
ART THOU THE QUENE OF HEUENE3 BLWE	PRL	423
BLUK		
HE BRAYDE HIS BLUK ABOUTE	GGK	440
BLUNDER		
AND OFT BOTHE BLYSSE AND BLUNDER.	GGK	18
BLUNT		
TIL HE BLUNT IN A BLOK AS BROD AS A HALLE.	PAT	272
SUCH A BURRE MY3T MAKE MYN HERT BLUNT	PRL	176

BLUSCH (V. BLUSH)
BLUSCHED (V. BLUSHED)
BLUSCHET (V. BLUSHED)
BLUSH
BOT BES NEUER SO BOLDE TO BLUSCH YOW BIHYNDE. . . . . CLN 904
TO BIDE A BLYSFUL BLUSCH OF THE BRY3T SUNNE . . . . GGK 520
BLUSHED
BLUSCHED BYHYNDEN HER BAK THAT BALE FOR TO HERKKEN. . . . . . CLN 980
ONES HO BLUSCHET TO THE BUR3E BOT BOD HO NO LENGER. . . . . . CLN 982
AND SYTHEN HO BLUSCHED HIR BIHYNDE THA3 HIR FORBODEN WERE . . CLN 998
WHEN THAT BOLDE BALTA3AR BLUSCHED TO THAT NEUE . . . . CLN 1537
THAT QUEN HE BLUSCHED THERTO HIS BELDE NEUER PAYRED . . . . . GGK 650
A BETTER BARBICAN THAT BURNE BLUSCHED VPON NEUER . . . . GGK 793
3ISE HE BLUSCHED FUL BRODE THAT BURDE HYM BY SURE . . . . PAT 117
THE BONKES THAT HE BLOSCHED TO AND BODE HYM BISYDE. . . . . . PAT 343
AND BLUSCHED TO HIS WODBYNDE THAT BROTHELY WAT3 MARRED . . . . PAT 474
AND BLUSCHED ON THE BURGHE AS I FORTH DREUED. . . . . PRL 980
AS QUEN I BLUSCHED VPON THAT BAYLE . . . . PRL 1083
BLUSHING
THAT BERE BLUSSCHANDE BEME3 AS THE BRY3T SUNNE . . . . GGK 1819
BLUSNANDE
AND BRODE BANERES THERBI BLUSNANDE OF GOLD . . . . CLN 1404
BLUSTERED
THAT THAY BLUSTERED AS BLYNDE AS BAYARD WAT3 EUER . . . . . . CLN 886
BLUSSCHANDE (V. BLUSHING)
BLW (V. BLEW)
BLWE (V. BLEW, BLUE)
BLYCANDE (V. BLYKKANDE)
BLYKKANDE
BENDE HIS BRESED BRO3E3 BLYCANDE GRENE. . . . . GGK 305
AND THE BLYKKANDE BELT HE BERE THERABOUTE. . . . . GGK 2485
BLYKKED
BRY3T BLYKKED THE BEM OF THE BRODE HEUEN . . . . CLN 603
THE BLOD BRAYD FRO THE BODY THAT BLYKKED ON THE GRENE. . . . GGK 429
BLYKNANDE
FOR ALLE THE BLOMES OF THE BO3ES WER BLYKNANDE PERLES. . . . CLN 1467
BLYKNED
THENNE BLYKNED THE BLE OF THE BRY3T SKWES. . . . . CLN 1759
BLYNDE (V. BLIND)
BLYNDES (V. BLINDS)
BLYNNE
BED BLYNNE OF THE RAYN HIT BATEDE AS FAST. . . . . CLN 440
THE BISCHOP SENDE HIT TO BLYNNE BY BEDELS AND LETTRES. . . . ERK 111
BLYNNE BURNE OF THY BUR BEDE ME NO MO . . . . GGK 2322
THER IS THE BLYS THAT CON NOT BLYNNE . . . . PRL 729
BLYNNES
THENNE BLYNNES HE NOT OF BLASFEMY ON TO BLAME THE DRY3TYN . . CLN 1661
THAT WE MAY SERUE IN HIS SY3T THER SOLACE NEUER BLYNNE3 . . . CLN 1812
BLYNNE3 (V. BLYNNES)
BLYS (V. BLISS)
BLYSFOL (V. BLISSFUL)
BLYSFUL (V. BLISSFUL)
BLYSNANDE
AND ALS BRY3T OF HOR BLEE IN BLYSNANDE HEWES. . . . . ERK 87
BLYSNANDE WHYT WAT3 HYR BLEAUNT . . . . PRL 163
AL BLYSNANDE WHYT WAT3 HIR BEAU BIYS . . . . PRL 197
AL BLYSNANDE WHYT WAT3 HIR BLEAUNT OF BIYS . . . . PRL 1 197
AL BLYSNANDE WHYT WAT3 HIR BEAU MYS. . . . . PRL 2 197
AL BLYSNANDE WHYT WAT3 HIR BEAU MYS. . . . . PRL 3 197

BLYSNED		
THUR3 HYM BLYSNED THE BOR3 AL BRY3T.	PRL	1048
BLYSSE (V. BLISS)		
BLYTHE (V. BLITHE)		
BLYTHELY (V. BLITHELY)		
BLYTHEST (V. BLITHEST)		
BLYTHLY (V. BLITHELY)		
BOAR		
FOR HE WAT3 BRONDE BOR ALTHERGRATTEST	GGK	1441
THAT BUSKKE3 AFTER THIS BOR WITH BOST AND WYTH NOYSE	GGK	1448
THAT THE BURNE AND THE BOR WERE BOTH VPON HEPE3.	GGK	1590
TO VNLACE THIS BOR LUFLY BIGYNNE3	GGK	1606
FUL HE WAT3 BREME BOR ALTHERGRATTEST	GGK V	1441
BOARD		
THAT THE BURNE BYNNE BORDE BYHELDE THE BARE ERTHE	CLN	452
BOT THE BURNE BYNNE BORDE THAT BOD TO HYS COME	CLN	467
BRYNGE3 THAT BRY3T VPON BORDE BLESSED AND SAYDE.	CLN	470
IN BIGGE BRUTAGE OF BORDE BULDE ON THE WALLES	CLN	1190
BRYNG HEM NOW TO MY BORDE OF BEUERAGE HEM FYLLES	CLN	1433
BIFORE THY BORDE HAT3 THOU BRO3T BEUERAGE IN THE YDRES	CLN	1717
BIFORE THY BORDE HAT3 THOU BRO3T BEUERAGE IN THEDE.	CLN V	1717
THENNE THAY BO3ED TO A BORDE THISE BURNES TOGEDER	GGK	481
AND BRO3T HYM VP BY THE BREST AND VPON BORDE SETTE.	PAT	190
FORTHY BERE3 ME TO THE BORDE AND BATHES ME THEROUTE	PAT	211
BOARS		
FOR MY BOLES AND MY BORE3 ARN BAYTED AND SLAYNE.	CLN	55
BOTHE WYTH BULLE3 AND BERE3 AND BORE3 OTHERQUYLE	GGK	722
THE BORES HED WAT3 BORNE BIFORE THE BURNES SELUEN	GGK	1616
BOAST		
AS FOR BOBAUNCE AND BOST AND BOLNANDE PRIYDE.	CLN	179
BIFORE THE BOLDE BALTA3AR WYTH BOST AND WYTH PRYDE.	CLN	1450
WYTY BOBAUNCE AND WYTH BLASFAMYE BOST AT HYM KEST	CLN	1712
THAT BUSKKE3 AFTER THIS BOR WITH BOST AND WYTH NOYSE	GGK	1448
BOASTER		
NOW A BOSTER ON BENCHE BIBBES THEROF	CLN	1499
BOAT		
WHEN THE BRETH AND THE BROK AND THE BOTE METTEN.	PAT	145
INTO THE BOTHEM OF THE BOT AND ON A BREDE LYGGEDE	PAT	184
AS IN THE BULK OF THE BOTE THER HE BYFORE SLEPED	PAT	292
BOBAUNCE		
AS FOR BOBAUNCE AND BOST AND BOLNANDE PRIYDE.	CLN	179
WYTY BOBAUNCE AND WYTH BLASFAMYE BOST AT HYM KEST	CLN	1712
WITH GRET BOBBAUNCE THAT BUR3E HE BIGES VPON FYRST.	GGK	9
BOBBAUNCE (V. BOBAUNCE)		
BOBBE		
BOT IN HIS ON HONDE HE HADE A HOLYN BOBBE.	GGK	206
BODE (ALSO V. BIDED)		
BOT THE BALLEFUL BURDE THAT NEUER BODE KEPED.	CLN	979
BE THOU BONE TO HIS BODE I BYDDE IN HIS BEHALUE.	ERK	181
BISSHOP QUOTH THIS ILKE BODY THI BODE IS ME DERE	ERK	193
AND THERE WERE BOUN AT HIS BODE BURNE3 INNO3E	GGK	852
HO BEDE HIT HYM FUL BYSILY AND HE HIR BODE WERNES	GGK	1824
THE HAD BOWED TO HIS BODE BONGRE MY HYURE.	PAT	56
IF I BOWE TO HIS BODE AND BRYNG HEM THIS TALE	PAT	75
BLOWES BOTHE AT MY BODE VPON BLO WATTERES.	PAT	134
THET HAD BOWED TO HIS BODE BONGRE MY HYURE	PAT V	56
BODEN (V. BIDDEN)		
BODEWORDE		
BRYNG BODWORDE TO BOT BLYSSE TO VS ALLE	CLN	473

THE BODEWORDE TO THE BYSCHOP WAS BROGHT ON A QUILE.	ERK		105
BODI (V. BODY)			
BODIES			
NE BETTER BODYES ON BENT THER BARET IS RERED.	GGK		353
THAT ALLE THE BODYES THAT BEN WYTHINNE THIS BOR3 QUYK. . . .	PAT		387
BODILY			
WYTH BODYLY BALE HYM BLYSSE TO BYYE.	PRL		478
HADE BODYLY BURNE ABIDEN THAT BONE	PRL		1090
BODWORDE (V. BODEWORDE)			
BODY			
THAY HONDEL THER HIS AUNE BODY AND VSEN HIT BOTHE	CLN		11
MAY NOT BYDE THAT BURRE THAT HIT HIS BODY NE3E	CLN		32
ALLE THE BLYSSE BOUTE BLAME THAT BODI MY3T HAUE.	CLN		260
AND BE RY3T SUCH IN VCH A BOR3E OF BODY AND OF DEDES	CLN		1061
MAY NOT BYDE THAT BURNE THAT HIT HIS BODY NE3EN.	CLN	V	32
AND A BLISFULLE BODY OPON THE BOTHUM LYGGID	ERK		76
QUAT BODY HIT MY3T BE THAT BURIED WOS THER	ERK		94
OF THAT BURIEDE BODY AL THE BOLDE WONDER	ERK		106
THE BRY3T BODY IN THE BURYNES BRAYTHED A LITELLE	ERK		190
BISSHOP QUOTH THIS ILKE BODY THI BODE IS ME DERE	ERK		193
THE BISSHOP BIDDES THAT BODY BIKNOWE THE CAUSE	ERK		221
DERE SER QUOTH THE DEDE BODY DEUYSE THE I THENKE	ERK		225
AND THUS TO BOUNTY MY BODY THAI BURIET IN GOLDE.	ERK		248
THI BODY MAY BE ENBAWMYD HIT BASHIS ME NOGHT.	ERK		261
NAY BISSHOP QUOTH THAT BODY ENBAWMYD WOS I NEUER	ERK		265
WITH THE BLODE OF THI BODY VPON THE BLO RODE.	ERK		290
THUS DULFULLY THIS DEDE BODY DEUISYT HIT SOROWE.	ERK		309
AND ALLE THE BLEE OF HIS BODY WOS BLAKKE AS THE MOLDES	ERK		343
THE BRY3T BODY IN THE BURYNES BRAYED A LITELLE	ERK	V	190
FOR OF BAK AND OF BREST AL WERE HIS BODI STURNE.	GGK		143
NO BOUNTE BOT YOUR BLOD I IN MY BODE KNOWE . , ...	GGK		357
THE BLOD BRAYD FRO THE BODY THAT BLYKKED ON THE GRENE. . . .	GGK		429
THAT VGLY BODI THAT BLEDDE.	GGK		441
HIR BODY WAT3 SCHORT AND THIK.	GGK		966
AND HIS BODY BIGGER THEN THE BEST FOWRE	GGK		2101
WITH ALLE THE BUR IN HIS BODY HE BER HIT ON LOFTE	GGK		2261
THE ABYME BYNDES THE BODY THAT I BYDE INNE	PAT		318
MY BODY ON BALKE THER BOD IN SWEUEN.	PRL		62
TEMEN TO HYS BODY FUL TRWE AND TRYSTE	PRL		460
TO SPOTTY HO IS OF BODY TO GRYM	PRL		1070
TEMEN TO HYS BODY FUL TRWE AND TYSTE	PRL	1	460
BODYES (V. BODIES)			
BODYLY (V. BODILY)			
BOERNE (V. BORNE)			
BOFFET (V. BUFFET)			
BOFFETE3 (V. BUFFETS)			
BOGHE (V. BOW)			
BOGHIT (V. BOWED)			
BOGHTES (V. BOUGHT)			
BOILED			
BROKE3 BYLED AND BREKE BI BONKKE3 ABOUTE	GGK		2082
THE BORNE BLUBRED THERINNE AS HIT BOYLED HADE	GGK		2174
BOILS			
AS A FORNES FUL OF FLOT THAT VPON FYR BOYLES.	CLN		1011
BOK (V. BOOK)			
BOKE (V. BOOK)			
BOKE3 (V. BOOKS)			
BOKLERED			
HE BEDE HIS BURNES BO3 TO THAT WERE BOKLERED. . . . . . . ,	CLN		1551

BOL (V. BULL)		
BOLD (V. BOLDE)		
BOLDE		
BOLDE BURNE3 WER THAY BOTHE WYTH BERDLES CHYNNE3	CLN	789
THE BOLDE TO HIS BYGGYNG BRYNGE3 HEM BYLYUE	CLN	811
BOT BES NEUER SO BOLDE TO BLUSCH YOW BIHYNDE.	CLN	904
BOT THENN THE BOLDE BALTA3AR THAT WAT3 HIS BARN ALDEST	CLN	1333
THENNE THIS BOLDE BALTA3AR BITHENKKES HYM ONES	CLN	1357
AND MONY A BAROUN FUL BOLDE TO BABYLOYN THE NOBLE	CLN	1372
AND HIS BOLDE BARONAGE ABOUTE BI THE WO3ES	CLN	1424
BIFORE THE BOLDE BALTA3AR WYTH BOST AND WYTH PRYDE.	CLN	1450
WHEN THAT BOLDE BALTA3AR BLUSCHED TO THAT NEUE	CLN	1537
THENNE THE BOLDE BALTA3AR BRED NER WODE	CLN	1558
THY BOLDE FADER BALTA3AR BEDE BY HIS NAME.	CLN	1610
BOT THOU BALTA3AR HIS BARNE AND HIS BOLDE AYRE	CLN	1709
BOLDE BALTA3AR BED THAT HYM BOWE SCHULDE	CLN	1746
OF THAT BURIEDE BODY AL THE BOLDE WONDER	ERK	106
THE BOLDE BRETON SER BELYN SER BERYNGE WAS HIS BROTHIRE	ERK	213
BOLDE BREDDEN THERINNE BARET THAT LOFDEN	GGK	21
BOT IF THOU BE SO BOLD AS ALLE BURNE3 TELLEN.	GGK	272
BE SO BOLDE IN HIS BLOD BRAYN IN HYS HEDE.	GGK	286
WHIL MONY SO BOLDE YOW ABOUTE VPON BENCH SYTTEN.	GGK	351
AND THU3T HIT A BOLDE BURNE THAT THE BUR3 A3TE	GGK	843
AS BURNE BOLDE VPON BENT HIS BUGLE HE BLOWE3.	GGK	1465
ALLE THE BURNE3 SO BOLDE THAT HYM BY STODEN	GGK	1574
FOR SUCHE A BRAWNE OF A BEST THE BOLDE BURNE SAYDE.	GGK	1631
BI THAT THE BOLDE MON BOUN.	GGK	2043
BOLDE BURNE ON THIS BENT BE NOT SO GRYNDEL	GGK	2338
TO THE KYNGE3 BUR3 BUSKE3 BOLDE	GGK	2476
SYTHEN BRUTUS THE BOLDE BURNE BO3ED HIDER FYRST.	GGK	2524
AND RENT ON RODE WYTH BOYE3 BOLDE	PRL	806
BOLDLY		
BALDELY THAY BLW PRYS BAYED THAYR RACHCHE3	GGK	1362
AND HE BALDLY HYM BYDE3 HE BAYST NEUER THE HELDER	GGK	376
BOLE		
BY BOLE OF THIS BRODE TRE WE BYDE THE HERE	CLN	622
OF MONY BORELYCH BOLE ABOUTE BI THE DICHES	GGK	766
BOLES (ALSO V. BULLS)		
OF BOLLE3 AS BLWE AS BLE OF YNDE.	PRL	76
BOLLE (V. BOWL)		
BOLLED		
AND AL BOLLED ABOF WYTH BRAUNCHES AND LEUES	CLN	1464
BOLLE3 (V. BOLES, BOWLS)		
BOLNANDE		
AS FOR BOBAUNCE AND BOST AND BOLNANDE PRIYDE.	CLN	179
BOLNE		
AND BLOSSUME3 BOLNE TO BLOWE	GGK	512
MY BRESTE IN BALE BOT BOLNE AND BELE	PRL	18
BOLNED		
THEN BOLNED THE ABYME AND BONKE3 CON RYSE.	CLN	363
BON (V. BONE)		
BON		
FOR HE SCHAL LOKE ON OURE LORDE WYTH A BONE CHERE	CLN V	28
NOW BONE HOSTEL COTHE THE BURNE I BESECHE YOW 3ETTE	GGK	776
BONC (V. BANK)		
BONCHEF		
THAT AL WAT3 BLIS AND BONCHEF THAT BREKE HEM BITWENE	GGK	1764
BONDE		
AND ALSO FELE VPON FOTE OF FRE AND OF BONDE	CLN	88

BONE (V. BON, BONE - M.E., BOON, BOUN)

BONE

HER BLE MORE BLA3T THEN WHALLE3 BON.	PRL		212

BONE (ME)

THAGHE HAD BENE MY FADER BONE I BEDE HYM NO WRANGES	ERK		243

BONER

AA BLESSED BE THOW QUOTH THE BURNE SO BONER AND THEWED	CLN		733

BONERTE

HE CALDE ME TO HYS BONERTE.	PRL		762

BONES

THAT FEL FRETES AND FLESCH AND FESTRED BONES.	CLN		1040
THAT FEL FRETES THE FLESCH AND FESTRES BONES.	CLN	V	1040
CORRUPT WAS THAT OTHER CRAFT THAT COUERT THE BONES.	ERK		346
THAT THE SCHARP OF THE SCHALK SCHYNDERED THE BONES.	GGK		424
SO RYDE THAY OF BY RESOUN BI THE RYGGE BONE3.	GGK		1344

BONE3 (V. BONES)

BONGRE

THE HAD BOWED TO HIS BODE BONGRE MY HYURE.	PAT		56
THET HAD BOWED TO HIS BODE BONGRE MY HYURE	PAT	V	56

BONK (V. BANK)

BONKE (V. BANK)

BONKES (V. BANKS)

BONKE3 (V. BANKS)

BONKKES (V. BANKS)

BONKKE3 (V. BANKS)

BOOK

THE BOK AS I HERDE SAY	GGK		690
HE LOKE ON BOK AND BE AWAYED	PRL		710
BOT NEUER 3ET IN NO BOKE BREUED I HERDE	CLN		197
AS LAUCE LEUE3 OF THE BOKE THAT LEPES IN TWYNNE.	CLN		966
AS LANCE LEUE3 OF THE BOKE THAT LEPES IN TWYNNE.	CLN	V	966
THAT WOS BREUYT IN BRUT NE IN BOKE NOTYDE.	ERK		103
THAT EUER WOS BREUYT IN BURGHE NE IN BOKE NOTYDE	ERK	V	103
AS HIT IS BREUED IN THE BEST BOKE OF ROMAUNCE	GGK		2521
LESANDE THE BOKE WITH LEUE3 SWARE	PRL		837

BOOKS

THE BRUTUS BOKE3 THEROF BERES WYTTENESSE	GGK		2523

BOON

AGAYNE THE BONE OF THE BURNE THAT HIT FORBODEN HADE	CLN		826
I MAY NOT BOT BOGHE TO THI BONE FOR BOTHE MYN EGHEN	ERK		194
AND I SCHAL BAYTHEN THY BONE THAT THOU BODEN HABBES	GGK		327
SO BAYN WER THAY BOTHE TWO HIS BONE FOR TO WYRK.	PAT		136
LET MY BONE VAYL NEUERTHELESE.	PRL		912
WYTHNAY THOU NEUER MY RUFUL BONE.	PRL		916
HADE BODYLY BURNE ABIDEN THAT BONE	PRL		1090

BOOS

SIR BOOS AND SIR BYDUER BIG MEN BOTHE	GGK		554

BOOT

BRYNG BODWORDE TO BOT BLYSSE TO VS ALLE	CLN		473
LOKE 3E BOWE NOW BI BOT BOSKE3 FAST HENCE.	CLN		944
AS THAY HAD LOKED IN THE LETHER OF MY LYFT BOTE.	CLN		1581
AND WYNNE HYM WYTH THI WORCHYP TO WAYNE THE BOTE	CLN		1616
LOKE 3E BOWE NOW BI BOT BOWE3 FAST HENCE	CLN	V	944
TO SECHE THE SOTHE AT OURESELFE 3E SE THER NO BOTE.	ERK		170
AND ALSO BE THOU BYSSHOP THE BOTE OF MY SOROWE	ERK		327
THEN THO WERY FORWRO3T WYST NO BOTE.	PAT		163
THOU BLAME3 THE BOTE OF THY MESCHEF.	PRL		275
BOT THERON COM A BOTE ASTYT	PRL		645

BOOTH

HE BOWED VNDER HIS LYTTEL BOTHE HIS BAK TO THE SUNNE . . . . . PAT 441
BOOZE
BALTA3AR IN A BRAYD BEDE BUS THEROF. . . . . CLN V 1507
BOR (V. BOAR, BOWER)
BORDE (ALSO V. BOARD, BOURDE)
ON BRODE SYLKYN BORDE AND BRYDDE3 ON SEME3 . . . . GGK 610
BORDER
AND THE BORDURE ENBELICIT WITH BRY3T GOLDE LETTRES. . . . . . ERK 51
BORDERS
THE CLOTHE OF CAMELYN FUL CLENE WITH CUMLY BORDURES . . . . . ERK 82
BORDES
OF BRY3T GOLDE VPON SILK BORDES BARRED FUL RYCHE . . . . . . GGK 159
WITH LA3YNG OF LADIES WITH LOTE3 OF BORDES . . . . GGK 1954
BORDURE (V. BORDER)
BORDURES (V. BORDERS)
BORE (V. BORN)
BORE
THAT BER THE LAMP VPON LOFTE THAT LEMED EUERMORE . . . . CLN 1273
AND AL ON BLONKKEN BAK BERE HIT ON HONDE . . . . CLN 1412
VPON HIT BASE3 OF BRASSE THAT BER VP THE WERKES. . . . . CLN 1480
AND THE BYSSHOP BALEFULLY BERE DON HIS EGHEN. . . . . ERK 311
AND BLISSID BE THAT BLISFUL HOURE THAT HO THE BERE.IN. . . . . ERK 326
HE BER IN SCHELDE AND COTE. . . . . GGK 637
THAT BERE BLUSSCHANDE BEME3 AS THE BRY3T SUNNE . . . . GGK 1819
AND HO BERE ON HYM THE BELT AND BEDE HIT HYM SWYTHE . . . . . GGK 1860
ALLE THAT EUER BER BUGLE BLOWED AT ONES . . . . GGK 1913
THAT BERE HIS SPERE AND LAUNCE . . . . GGK 2066
WITH ALLE THE BUR IN HIS BODY HE BER HIT ON LOFTE . . . . . . GGK 2261
AND THE BLYKKANDE BELT HE BERE THERABOUTE. . . . . GGK 2485
THE BUR BER TO HIT BAFT THAT BRASTE ALLE HER GERE . . . . . . PAT 148
TOWARDE A FORESTE I BERE THE FACE . . . . PRL 67
THAT BER A BARNE OF VYRGYN FLOUR. . . . . PRL 426
BORELYCH
WYTH MONY A BORLYCH BEST AL OF BRENDE GOLDE . . . . CLN 1488
OF MONY BORELYCH BOLE ABOUTE BI THE DICHES . . . . GGK 766
AND THE BORELYCH BURNE ON BENT THAT HIT KEPE3 . . . . GGK 2148
WITH A BORELYCH BYTTE BENDE BY THE HALME . . . . GGK 2224
BORES (V. BOARS)
BORE3 (V. BOARS)
BORGES (V. BURGESSES)
BORGOUNE3 (V. BURGEON)
BORLYCH (V. BORELYCH)
BORN
3IF HYMSELF BE BORE BLYNDE HIT IS A BROD WONDER. . . . . CLN 584
AND EFTE WHEN HE BORNE WAT3 IN BETHELEN THE RYCHE . . . . . . CLN 1073
OF A BURDE WAT3 BORNE OURE BARET TO QUELLE . . . . GGK 752
THAT DRY3TYN FOR OURE DESTYNE TO DE3E WAT3 BORNE . . . . GGK 996
THE BORES HED WAT3 BORNE BIFORE THE BURNES SELUEN . . . . . . GGK 1616
VNBARRED AND BORN OPEN VPON BOTHE HALUE . . . . GGK 2070
NEUER SYN THAT HE WAT3 BURNE BORNE OF HIS MODER. . . . . GGK 2320
AS THOU HADE3 NEUER FORFETED SYTHEN THOU WAT3 FYRST BORNE . . . GGK 2394
I AM AN EBRU QUOTH HE OF ISRAYL BORNE . . . . PAT 205
WEL WAT3 ME THAT EUER I WAT3 BORE . . . . PRL 239
AS SONE AS THAY ARN BORNE BY LYNE . . . . PRL 626
BORNE (ALSO V. BORN)
AND BYDDE3 HIR BOWE OUER THE BORNE EFTE BONKE3 TO SECHE . . . . CLN 482
THE BRY3T BOURNE OF THIN EGHEN MY BAPTEME IS WORTHYN . . . . . ERK 330
THER AS CLATERANDE FRO THE CREST THE COLDE BORNE RENNE3 . . . . GGK 731
OF A RASSE BI A ROKK THER RENNE3 THE BOERNE . . . . GGK 1570

THE BORNE BLUBRED THERINNE AS HIT BOYLED HADE . . . . GGK 2174
THE BYGGE BORNE ON HIS BAK THAT BETE ON HIS SYDES . . . . . . PAT 302
BORNE3
BOW VP TOWARDE THYS BORNE3 HEUED. . . . . PRL 974
BORNYST (V. BURNISHED)
BORNYSTE (V. BURNISHED)
BORO3T (V. BROUGHT)
BOR3 (V. BURGH)
BOR3E (V. BURGH)
BOS (ALSO V. BEHOOVES)
WAT3 NEUER SO BLYSFUL A BOUR AS WAT3 A BOS THENNE . . . . . . CLN 1075
BOSK (V. BUSK)
BOSKED (V. BUSKED)
BOSKEN3
BOTHE BOSKEN3 AND BOURE3 AND WEL BOUNDEN PENE3 . . . . CLN 322
BOSKE3 (V. BUSKE3)
BOSOM
THE BLYTHE BRETHE AT HER BAK THE BOSUM HE FYNDES . . . . . . PAT 107
BOST (V. BOAST)
BOSTER (V. BOASTER)
BOSTWYS (V. BUSTWYS)
BOSUM (V. BOSOM)
BOT (V. BOAT, BOOT)
BOTE (V. BIT, BOAT, BOOT)
BOTHEM (V. BOTTOM)
BOTHEME3 (V. BOTTOMS)
BOTHEMLE3 (V. BOTTOMLESS)
BOTHOM (V. BOTTOM)
BOTHUM (V. BOTTOM)
BOTOUN3 (V. BUTTONS)
BOTTOM
ER VCH BOTHOM WAT3 BRURDFUL TO THE BONKE3 EGGE3. . . . . . . CLN 383
THA3 HE BODE IN THAT BOTHEM BROTHELY A MONYTH . . . . CLN 1030
AND A BLISFULLE BODY OPON THE BOTHUM LYGGID . . . . ERK 76
TIL THOU BE BRO3T TO THE BOTHEM OF THE BREM VALAY . . . . . . GGK 2145
DURST NOWHERE FOR RO3 AREST AT THE BOTHEM. . . . . PAT 144
INTO THE BOTHEM OF THE BOT AND ON A BREDE LYGGEDE . . . . . . PAT 184
FOR HIT WAT3 BROD AT THE BOTHEM BO3TED ON LOFTE. . . . . . . PAT 449
BOTTOMLESS
FOR HIT IS BROD AND BOTHEMLE3 AND BITTER AS THE GALLE. . . . . CLN 1022
BOTTOMS
3ET FYNED NOT THE FLOD NE FEL TO THE BOTHEME3 . . . . CLN 450
BOUEL (V. BOWEL)
BOUELE3 (V. BOWELS)
BOUGH
ER THOU HAF BIDEN WITH THI BURNE AND VNDER BO3E RESTTED . . . . CLN 616
BOUGHS
FOR ALLE THE BLOMES OF THE BO3ES WER BLYKNANDE PERLES. . . . . CLN 1467
THE BO3ES BRY3T THER ABOF BRAYDEN OF GOLDE . . . . CLN 1481
ABOF A LAUNDE ON A LAWE LOKEN VNDER BO3E3. . . . . GGK 765
THAY BO3EN BI BONKKE3 THER BO3E3 AR BARE . . . . GGK 2077
BOUGHT
ON HADE BO3T HYM A BOR3 HE SAYDE BY HYS TRAWTHE. . . . . . . CLN 63
AND FOR MY HY3E3 HEM BO3T TO BOWE HAF I MESTER . . . . CLN 67
I WAS NON OF THE NOMBRE THAT THOU WITH NOY BOGHTES. . . . . . ERK 289
THE BLOD VS BO3T FRO BALE OF HELLE . . . . PRL 651
THIS MAKELLE3 PERLE THAT BO3T IS DERE . . . . PRL 733
FOR THAY ARN BO3T FRO THE VRTHE ALOYNTE . . . . PRL 893
THIS MASKELLE3 PERLE THAT BO3T IS DERE. . . . . PRL 1 733

THIS MASKELLE3 PERLE THAT BO3T IS DERE.	PRL 2	733
BOUGOUN3		
AND BOUGOUN3 BUSCH BATERED SO THIKKE	CLN	1416
BOUN		
BE THOU BONE TO HIS BODE I BYDDE IN HIS BEHALUE.	ERK	181
BOT I AM BOUN TO THE BUR BARELY TOMORNE	GGK	548
AND THERE WERE BOUN AT HIS BODE BURNE3 INNO3E	GGK	852
BO3E3 FORTH QUEN HE WAT3 BOUN BLYTHELY TO MASSE.	GGK	1311
WERE BOUN BUSKED ON HOR BLONKKE3 BIFORE THE HALLE 3ATE3	GGK	1693
BI THAT THE BOLDE MON BOUN.	GGK	2043
THAY SAYDEN HER HYRE WAT3 NAWHERE BOUN.	PRL	534
WYTH BANTELE3 TWELUE ON BASYNG BOUN.	PRL	992
IN VCHONE3 BRESTE WAT3 BOUNDEN BOUN.	PRL	1103
BOUND		
BOTHE BOSKEN3 AND BOURE3 AND WEL BOUNDEN PENE3	CLN	322
BOTHE BOSKE3 AND BOURE3 AND WEL BOUNDEN PENE3	CLN V	322
AND BOUNDEN BOTHE WYTH A BANDE OF A BRY3T GRENE.	GGK	192
THAT WYTH A BRY3T BLAUNNER WAS BOUNDEN WITHINNE.	GGK	573
THE BRYDEL BARRED ABOUTE WITH BRY3T GOLDE BOUNDEN	GGK	600
ENBRAWDEN AND BOUNDEN WYTH THE BEST GEMME3	GGK	609
ABOUTE BETEN AND BOUNDEN ENBRAUDED SEME3	GGK	2028
ABELEF AS A BAUDERYK BOUNDEN BI HIS SYDE	GGK	2486
AND THOSE THAY BOUNDEN TO HER BAK AND TO HER BARE SYDE3	PAT	374
VPON AT SYDE3 AND BOUNDEN BENE	PRL	198
IN VCHONE3 BRESTE WAT3 BOUNDEN BOUN.	PRL	1103
BOUNDEN (V. BOUND)		
BOUNET		
AND BAROUNES AT THE SIDEBORDES BOUNET AYWHERE	CLN	1398
BOUNTE (V. BOUNTY)		
BOUNTEES (V. BOUNTIES)		
BOUNTIES		
AND BRO3T BLYSSE INTO BOURE WITH BOUNTEES HOR AWEN.	GGK	1519
BOUNTY		
THER IS NO BOUNTE IN BURNE LYK BALTA3AR THEWES	CLN	1436
AND THUS TO BOUNTY MY BODY THAI BURIET IN GOLDE.	ERK	248
NO BOUNTE BOT YOUR BLOD I IN MY BODE KNOWE	GGK	357
THY BOUNTE OF DEBONERTE AND THY BENE GRACE	PAT	418
BOUR (V. BOWER)		
BOURDE		
THE BEUERAGE WAT3 BRO3T FORTH IN BOURDE AT THAT TYME	GGK	1409
WY BORDE 3E MEN SO MADDE 3E BE	PRL	290
BOURDED		
AND THUS HE BOURDED A3AYN WITH MONY A BLYTHE LA3TER	GGK	1217
BOURDE3		
AL LA3ANDE THE LADY LAUCED THO BOURDE3.	GGK	1212
WITH LA3YNG OF LADIES WITH LOTE3 OF BORDES	GGK	1954
AL LA3ANDE THE LADY LANCED THO BOURDE3.	GGK V	1212
BOURDYNG		
AND EFTE IN HER BOURDYNG THAY BAYTHEN IN THE MORN	GGK	1404
BOURE (V. BOWER)		
BOURE3 (V. BOWERS)		
BOURNE (V. BORNE, BURNE)		
BOUR3 (V. BURGHT		
BOUT (V. BOUTE)		
BOUTE		
ALLE THE BLYSSE BOUTE BLAME THAT BODI MY3T HAUE.	CLN	260
THAT OTHER BURNE BE BOUTE THA3 BOTHE BE NYSE.	CLN	824
BOUT BLAME	GGK	361

BOUTE HONE . . . . GGK 1285
AND SPEDE HYM FORTH GOOD SPED BOUTE SPYT MORE . . . . GGK 1444
BOUTE SCATHE . . . . GGK 2353
AND SPARRED FORTH GOOD SPED BOUTE SPYT MORE . . . . GGK V 1444
FOR MALYSE IS NO3T TO MAYNTYNE BOUTE MERCY WYTHINNE . . . . . PAT 523

BOW
AND BE FORBODEN THAT BOR3E TO BOWE THIDER NEUER. . . . . CLN 45
AND FOR MY HY3E3 HEM BO3T TO BOWE HAF I MESTER . . . . CLN 67
AND BYDDE3 HIR BOWE OUER THE BORNE EFTE BONKE3 TO SECHE . . . . CLN 482
LOKE 3E BOWE NOW BI BOT BOSKE3 FAST HENCE. . . . . CLN 944
HE BEDE HIS BURNES BO3 TO THAT WERE BOKLERED. . . . . CLN 1551
BOLDE BALTA3AR BED THAT HYM BOWE SCHULDE . . . . CLN 1746
TO BO3 AFTER BALTA3AR IN BOR3E AND IN FELDE . . . . CLN 1750
LOKE 3E BOWE NOW BI BOT BOWE3 FAST HENCE . . . . CLN V 944
I MAY NOT BOT BOGHE TO THI BONE FOR BOTHE MYN EGHEN . . . . . ERK 194
BID ME BO3E FRO THIS BENCHE AND STONDE BY YOW THERE . . . . . GGK 344
I WOLDE BO3E OF THIS BED AND BUSK ME BETTER . . . . GGK 1220
THAY BO3EN BI BONKKE3 THER BO3E3 AR BARE . . . . GGK 2077
IF I BOWE TO HIS BODE AND BRYNG HEM THIS TALE . . . . PAT 75
DOUN THE BONKE CON BO3E BYDENE . . . . PRL 196
BOW VP TOWARDE THYS BORNE3 HEUED. . . . . PRL 974

BOWE (V. BOW)

BOWED
AND BOWED TO THE HY3 BONK THER BRENTEST HIT WERN . . . . CLN 379
BOTHE THE BURNE AND HIS BARNE3 BOWED THEROUTE . . . . CLN 502
THE BEST BO3ED WYTH THE BURNE THAT THE BOR3 3EMED . . . . . . CLN 1242
THER BOWED TOWARD BABILOYN BURNES SO MONY. . . . . CLN 1373
HIS BAROUNES BO3ED HYM TO BLYTHE OF HIS COME. . . . . CLN 1706
WYTH ALLE THE BAROUN3 THERABOUTE THAT BOWED HYM AFTER. . . . . CLN 1796
AND BOWED TO THE HY3 BONK THER BRENTEST HIT WERE . . . . CLN V 379
BURGEYS BOGHIT THERTO BEDELS ANDE OTHIRE . . . . ERK 59
THENNE THAY BO3ED TO A BORDE THISE BURNES TOGEDER . . . . . . GGK 481
THENNE THE BEST OF THE BUR3 BO3ED TOGEDER. . . . . GGK 550
AND BO3ED TOWARDE THE BED AND THE BURNE SCHAMED. . . . . GGK 1189
THE BEST BO3ED THERTO WITH BURNE3 INNOGHE. . . . . GGK 1325
SYTHEN BRUTUS THE BOLDE BURNE BO3ED HIDER FYRST. . . . . . . GGK 2524
THE HAD BOWED TO HIS BODE BONGRE MY HYURE. . . . . PAT 56
HE BOWED VNDER HIS LYTTEL BOTHE HIS BAK TO THE SUNNE . . . . . PAT 441
THET HAD BOWED TO HIS BODE BONGRE MY HYURE . . . . PAT V 56
I BOWED IN BLYS BREDFUL MY BRAYNE3 . . . . PRL 126

BOWEL
SO IN A BOUEL OF THAT BEST HE BIDE3 ON LYUE . . . . PAT 293

BOWELES (V. BOWELS)

BOWELS
THAT HER BOWELES OUTBORST ABOUTE THE DICHES . . . . CLN 1251
THEN BREK THAY THE BALE THE BOUELE3 OUT TOKEN . . . . GGK 1333
THEN BREK THAY THE BALE THE BAULE3 OUT TOKEN. . . . . GGK V 1333
BRAYDE3 OUT THE BOWELES BRENNE3 HOM ON GLEDE. . . . . GGK 1609

BOWER
THEN HE BOWE3 FRO HIS BOUR INTO THE BRODE HALLE. . . . . CLN 129
WAT3 NEUER SO BLYSFUL A BOUR AS WAT3 A BOS THENNE . . . . . . CLN 1075
THAT HO BLYNDES OF BLE IN BOUR THER HO LYGGES . . . . CLN 1126
THAT BRO3T HYM TO A BRY3T BOURE THER BEDDYNG WAT3 NOBLE . . . . GGK 853
AND BRO3T BLYSSE INTO BOURE WITH BOUNTEES HOR AWEN. . . . . . GGK 1519
THER WAT3 BYLDED HIS BOUR THAT WYL NO BALE SUFFER . . . . . . PAT 276
THER HE BUSKED HYM A BOUR THE BEST THAT HE MY3T. . . . . PAT 437
AND LET ME SE THY BLYSFUL BOR. . . . . PRL 964

BOWERS
BOTHE BOSKEN3 AND BOURE3 AND WEL BOUNDEN PENE3 . . . . CLN 322

BOTHE BOSKE3 AND BOURE3 AND WEL BOUNDEN PENE3 . . . . CLN V 322
BOWE3 (V. BOWS)
BOWL
THA3 HIT BE BOT A BASSYN A BOLLE OTHER A SCOLE . . . . CLN 1145
BI VCHE BEKYR ANDE BOLLE THE BRURDES AL VMBE. . . . . CLN 1474
BOWLINE
WITHOUTEN MAST OTHER MYKE OTHER MYRY BAWELYNE . . . . CLN 417
SPRUDE SPAK TO THE SPRETE THE SPARE BAWELYNE. . . . . PAT 104
BOWLS
IN BRY3T BOLLE3 FUL BAYN BIRLEN THISE OTHER . . . . CLN 1511
BOWMEN
THER HE BODE IN HIS BAY TEL BAWEMEN HIT BREKEN . . . . GGK 1564
BOWS
THEN HE BOWE3 FRO HIS BOUR INTO THE BRODE HALLE. . . . . CLN 129
AND BOWE3 FORTH FRO THE BENCH INTO THE BRODE 3ATES. . . . . . CLN 854
LOKE 3E BOWE NOW BI BOT BOWE3 FAST HENCE . . . . CLN V 944
AND SYTHEN BO3E3 TO HIS BLONK THE BRYDEL HE CACHCHE3 . . . . . GGK 434
BO3E3 FORTH QUEN HE WAT3 BOUN BLYTHELY TO MASSE. . . . . GGK 1311
THENNE HE BO3E3 TO THE BER3E ABOUTE HIT HE WALKE3 . . . . . . GGK 2178
BOY
THAT COM A BOY TO THIS BOR3 THA3 THOU BE BURNE RYCHE . . . . . CLN 878
BOYE3 (V. BOYS)
BOYLED (V. BOILED)
BOYLES (V. BOILS)
BOYS
AND RENT ON RODE WYTH BOYE3 BOLDE . . . . PRL 806
BO3 (V. BEHOOVES, BOW)
BO3E (V. BOUGH, BOW)
BO3ED (V. BOWED)
BO3EN (V. BOW)
BO3ES (V. BOUGHS)
BO3E3 (V. BOUGHS, BOWS)
BO3SOMLY (V. BUXOMLY)
BO3T (V. BOUGHT)
BO3TED
FOR HIT WAT3 BROD AT THE BOTHEM BO3TED ON LOFTE. . . . . PAT 449
BRACE
AND WEL BORNYST BRACE VPON HIS BOTHE ARMES . . . . GGK 582
BRACHES
BRACHES BAYED THERFORE AND BREME NOYSE MAKED. . . . . GGK 1142
AND BOTE THE BEST OF HIS BRACHE3 THE BAKKE3 IN SUNDER. . . . . GGK 1563
BRACHETES BAYED THAT BEST AS BIDDEN THE MAYSTERE3 . . . . . . GGK 1603
WITH BRED BLENT THERWITH HIS BRACHES REWARDE3 . . . . GGK 1610
BRACHETES (V. BRACHES)
BRACHE3 (V. BRACHES)
BRACKEN
AS BEST BYTE ON THE BENT OF BRAKEN AND ERBES. . . . . CLN 1675
BRAD
SUMME BAKEN IN BRED SUMME BRAD ON THE GLEDE3. . . . . GGK 891
BRADDE (CP. IBRAD)
HE WERE A BLEAUNT OF BLWE THAT BRADDE TO THE ERTHE. . . . . . GGK 1928
WHAT3 THER OUER GAYN THO BONKE3 BRADE . . . . PRL 138
BRADE (V. BRADDE)
BRAID
AND VCHE BEST AT A BRAYDE THER HYM BEST LYKE3 . . . . CLN 539
THE BO3ES BRY3T THER ABOF BRAYDEN OF GOLDE . . . . CLN 1481
BALTA3AR IN A BRAYD BEDE VS THEROF . . . . CLN 1507
BALTA3AR IN A BRAYD BEDE BUS THEROF. . . . . CLN V 1507
BRAIDED

	WEL BRY3TER THEN THE BERYL OTHER BROWDEN PERLES.	CLN	1132
	THE BRY3T BODY IN THE BURYNES BRAYED A LITELLE	ERK V	190
	IN BRAWDEN BRYDEL QUIK	GGK	177
	ON BOTOUN3 OF THE BRY3T GRENE BRAYDEN FUL RYCHE.	GGK	220
	THE BLOD BRAYD FRO THE BODY THAT BLYKKED ON THE GRENE.	GGK	429
	HE BRAYDE HIS BLUK ABOUTE	GGK	440
	AND SYTHEN THE BRAWDEN BRYNE OF BRY3T STEL RYNGE3	GGK	580
	SITHEN BRITNED THAY THE BREST AND BRAYDEN HIT IN TWYNNE	GGK	1339
	NO3T BOT AROUNDE BRAYDEN BETEN WITH FYNGRE3	GGK	1833
	THE BRYGGE WAT3 BRAYDE DOUN AND THE BRODE 3ATE3.	GGK	2069
	BRAYDE BROTHELY THE BELT TO THE BURNE SELUEN.	GGK	2377
	AND BURNE3 HER BARNE3 VNTO HYM BRAYDE	PRL	712
	THAT BRATHTHE OUT OF MY DREM ME BRAYDE.	PRL	1170
BRAIDS			
	HE BRAYDE3 HIT BY THE BAUDERYK ABOUTE THE HALS KESTES.	GGK	621
	BRAYDE3 OUT A BRY3T BRONT AND BIGLY FORTH STRYDE3	GGK	1584
	BRAYDE3 OUT THE BOWELES BRENNE3 HOM ON GLEDE.	GGK	1609
	AND BRAYDE3 OUT THE BRY3T BRONDE AND AT THE BEST CASTE3	GGK	1901
	BRAYDE3 OUT A BRY3T SWORDE AND BREMELY HE SPEKE3	GGK	2319
BRAINS			
	I BOWED IN BLYS BREDFUL MY BRAYNE3	PRL	126
BRAKEN (V. BRACKEN)			
BRAKE3			
	AND THER HE BRAKE3 VP THE BUYRNE AS BEDE HYM OURE LORDE	PAT	340
BRANCH			
	WHAT HO BRO3T IN HIR BEKE A BRONCH OF OLYUE	CLN	487
	MY3T EUEL FORGO THE TO GYFE OF HIS GRACE SUMME BRAWNCHE	ERK	276
	3E MAY BE SEKER BI THIS BRAUNCH THAT I BERE HERE	GGK	265
	THE RAYNE AND HIT RICHED WITH A RO3E BRAUNCHE	GGK	2177
	THE RAYNE AND HIS RICHE WITH A RO3E BRAUNCHE.	GGK V	2177
BRANCHES			
	AND AL BOLLED ABOF WYTH BRAUNCHES AND LEUES	CLN	1464
	BRAUNCHES BREDANDE THERON AND BRYDDES THER SETEN	CLN	1482
BRAND			
	BOT BEDE AL TO THE BRONDE VNDER BARE EGGE.	CLN	1246
	WYTH BRONDE.	GGK	561
	GURDE WYTH A BRONT FUL SURE	GGK	588
	HIS BRONDE AND HIS BLASOUN BOTHE THAY TOKEN	GGK	828
	BRAYDE3 OUT A BRY3T BRONT AND BIGLY FORTH STRYDE3	GGK	1584
	AND BRAYDE3 OUT THE BRY3T BRONDE AND AT THE BEST CASTE3	GGK	1901
	BI HE HADE BELTED THE BRONDE VPON HIS BAL3E HAUNCHE3	GGK	2032
	TO BYDE BALE WITHOUTE DEBATE OF BRONDE HYM TO WERE.	GGK	2041
BRANDISH			
	BRAUNDYSCH AND BRAY THY BRATHE3 BREME	PRL	346
BRANDS			
	WHEN BRY3T BRENNANDE BRONDE3 AR BET THER ANVNDER	CLN	1012
	THE BOR3 BRITTENED AND BRENT TO BRONDE3 AND ASKE3	GGK	2
BRAS (V. BRASS)			
BRASS			
	THE PURE PYLERES OF BRAS POURTRAYD IN GOLDE	CLN	1271
	THE ATHEL AUTER OF BRASSE WAT3 HADE INTO PLACE	CLN	1443
	VPON HIT BASE3 OF BRASSE THAT BER VP THE WERKES.	CLN	1480
	BLASTES OUT OF BRY3T BRASSE BRESTES SO HY3E	CLN	1783
BRASSE (V. BRASS)			
BRASTE (V. BURST)			
BRATH			
	THAT OTHER BURNE WAT3 ABAYST OF HIS BROTHE WORDE3	CLN	149
	IN THE BRATH OF HIS BRETH THAT BRENNE3 ALLE THINKE3	CLN	916
	BROTHE BABOYNES ABOF BESTTES ANVNDER	CLN	1409

AND THER BAYEN HYM MONY BRATH HOUNDE3	GGK	1909
BREMLY BROTHE ON A BENT THAT BRODE WAT3 ABOUTE	GGK	2233
THAT BRATHTHE OUT OF MY DREM ME BRAYDE.	PRL	1170
BRATHE3		
BRAUNDYSCH AND BRAY THY BRATHE3 BREME	PRL	346
BRATHTHE (V. BRATH)		
BRAUNCH (V. BRANCH)		
BRAUNCHE (V. BRANCH)		
BRAUNCHES (V. BRANCHES)		
BRAUNDYSCH (V. BRANDISH)		
BRAWDEN (V. BRAIDED)		
BRAWEN (V. BRAWN)		
BRAWN		
SYTHEN HE BRITNE3 OUT THE BRAWEN IN BRY3T BRODE SCHELDE3.	GGK	1611
SYTHEN HE BRITNE3 OUT THE BRAWEN IN BRY3T BRODE CHELDE3	GGK V	1611
FOR SUCHE A BRAWNE OF A BEST THE BOLDE BURNE SAYDE.	GGK	1631
BRAWNCHE (V. BRANCH)		
BRAWNE (V. BRAWN)		
BRAY		
WHAT THAY BRAYEN AND BLEDEN BI BONKKE3 THAY DE3EN	GGK	1163
BRAUNDYSCH AND BRAY THY BRATHE3 BREME	PRL	346
BRAYD (V. BRAIDED)		
BRAYDE (V. BRAIDED)		
BRAYDEN (V. BRAIDED)		
BRAYDE3 (V. BRAIDS)		
BRAYED (V. BRAIDED)		
BRAYEN (V. BRAY)		
BRAYN		
BATHED BARNES IN BLOD AND HER BRAYN SPYLLED	CLN	1248
AND BREYTHED VPPE IN TO HIS BRAYN AND BLEMYST HIS MYNDE	CLN	1421
THAT BOTHE HIS BLOD AND HIS BRAYN BLENDE ON THE CLOTHES	CLN	1788
SO BISIED HIM HIS 3ONGE BLOD AND HIS BRAYN WYLDE	GGK	89
BE SO BOLDE IN HIS BLOD BRAYN IN HYS HEDE.	GGK	286
BRAYNE3 (V. BRAINS)		
BRAYTHED (V. BREYTHED)		
BRAYNWOD		
THEN BRAYNWOD FOR BATE ON BURNE3 HE RASE3.	GGK	1461
THAT BREME WAT3 AND BRAYNWOD BOTHE	GGK	1580
BRAYTHED (V. BREYTHED)		
BREAD		
AND BRYNGE A MORSEL OF BRED TO BAUME YOUR HERTTE	CLN	620
AND BRYNGE3 BUTTER WYTHAL AND BY THE BRED SETTE3	CLN	636
FORTHY BREK HE THE BRED BLADES WYTHOUTEN	CLN	1105
AND BRYNGE A MORSEL OF BRED TO BANNE YOUR HERTTE	CLN V	620
SUMME BAKEN IN BRED SUMME BRAD ON THE GLEDE3.	GGK	891
AND BRED BATHED IN BLOD BLENDE THERAMONGE3	GGK	1361
WITH BRED BLENT THERWITH HIS BRACHES REWARDE3	GGK	1610
THAT IN THE FORME OF BRED AND WYN	PRL	1209
BREAST		
HIS BERDE IBRAD ALLE HIS BREST TO THE BARE VRTHE	CLN	1693
FOR OF BAK AND OF BREST AL WERE HIS BODI STURNE.	GGK	143
A MUCH BERD AS A BUSK OUER HIS BREST HENGES	GGK	182
HIR BREST AND HIR BRY3T THROTE BARE DISPLAYED	GGK	955
SITHEN BRITNED THAY THE BREST AND BRAYDEN HIT IN TWYNNE	GGK	1339
HIR BREST BARE BIFORE AND BIHINDE EKE	GGK	1741
ALLE THE BLODE OF HIS BREST BLENDE IN HIS FACE	GGK	2371
AND BRO3T HYM VP BY THE BREST AND VPON BORDE SETTE.	PAT	190
MY BRESTE IN BALE BOT BOLNE AND BELE	PRL	18
INMYDDE3 HYR BRESTE WAT3 SETTE SO SURE.	PRL	222

LO EUEN INMYDDE3 MY BRESTE HIT STODE . . . . PRL 740
THAT BEREN THYS PERLE VPON OURE BERESTE . . . . PRL 854
IN VCHONE3 BRESTE WAT3 BOUNDEN BOUN. . . . . PRL 1103
ANI BRESTE FOR BALE A3T HAF FORBRENT . . . . PRL 1139

BREATH

WHEN BREMLY BRENED THOSE BESTE3 AND THE BRETHE RYSED . . . . . CLN 509
IN THE BRATH OF HIS BRETH THAT BRENNE3 ALLE THINKE3 . . . . . CLN 916
THE BRETHE OF THE BRYNSTON BI THAT HIT BLENDE WERE. . . . . . CLN 967
THE BLYTHE BRETHE AT HER BAK THE BOSUM HE FYNDES . . . . . . PAT 107
WHEN THE BRETH AND THE BROK AND THE BOTE METTEN. . . . . . . PAT 145

BREATHS

WHEN BOTHE BRETHES CON BLOWE VPON BLO WATTERES . . . . PAT 138

BRED (ALSO V. BREAD)

FOR HIT WAS THE FORMEFOSTER THAT THE FOLDE BRED. . . . . . . CLN 257
THENNE THE BOLDE BALTA3AR BRED NER WODE . . . . CLN 1558
BOLDE BREDDEN THERINNE BARET THAT LOFDEN . . . . GGK 21

BREDANDE (V. BREEDING)

BREDDEN (V. BRED)

BREDE (ALSO V. BREED)

OF FYFTY FAYRE OUERTHWERT FORME THE BREDE. . . . . CLN 316
INTO THE BOTHEM OF THE BOT AND ON A BREDE LYGGEDE . . . . . . PAT 184
HIT WAT3 A CETE FUL SYDE AND SELLY OF BREDE . . . . PAT 353
OF HE3T OF BREDE OF LENTHE TO CAYRE. . . . . PRL 1031

BREDES

BURNES BERANDE THE BREDES VPON BRODE SKELES . . . . CLN 1405

BREDE3

THE BURNE BLESSED HYM BILYUE AND THE BREDE3 PASSED. . . . . . GGK 2071

BREED

AND EFTE BUSCHED TO THE ABYME THAT BREED FYSCHES . . . . . . PAT 143
COROUNDE ME QUENE IN BLYSSE TO BREDE . . . . PRL 415
AND BREDE VPON A BOSTWYS BEM . . . . PRL 814

BREEDING

BRAUNCHES BREDANDE THERON AND BRYDDES THER SETEN . . . . . . CLN 1482

BREDFUL

I BOWED IN BLYS BREDFUL MY BRAYNE3 . . . . PRL 126

BREF (V. BRIEF)

BREK (V. BROKE)

BREKE (V. BROKE)

BREKEN (V. BROKE)

BREM (V. BREME)

BREME

3ISSE HIT WAT3 A BREM BREST AND A BYGE WRACHE . . . . CLN 229
THIS HIT WAT3 A BREM BREST AND A BYGE WRACHE. . . . . CLN V 229
THE BRYGE WAT3 BREME VPBRAYDE. . . . . GGK 781
BRACHES BAYED THERFORE AND BREME NOYSE MAKED. . . . . GGK 1142
THE BREME BUKKE3 ALSO WITH HOR BRODE PAUME3 . . . . GGK 1155
THAT BREME WAT3 AND BRAYNWOD BOTHE . . . . GGK 1580
THERE WAT3 BLAWYNG OF PRYS IN MONY BREME HORNE . . . . GGK 1601
TIL THOU BE BRO3T TO THE BOTHEM OF THE BREM VALAY . . . . . . GGK 2145
BI3ONDE THE BROKE IN A BONK A WONDER BREME NOYSE . . . . . . GGK 2200
FUL HE WAT3 BREME BOR ALTHERGRATTEST . . . . GGK V 1441
THAT VPBRAYDES THIS BURNE VPON A BREME WYSE . . . . PAT 430
BRAUNDYSCH AND BRAY THY BRATHE3 BREME . . . . PRL 346
VCHONE3 BLYSSE IS BREME AND BESTE . . . . PRL 863

BREMELY

WHEN BREMLY BRENED THOSE BESTE3 AND THE BRETHE RYSED . . . . . CLN 509
BRYDDE3 BUSKEN TO BYLDE AND BREMLYCH SYNGEN . . . . GGK 519
THAT BRO3T BREMLY THE BURNE TO THE BRYGE ENDE . . . . GGK 779
BREMLY BROTHE ON A BENT THAT BRODE WAT3 ABOUTE . . . . GGK 2233

THAT BREMELY CON HYM BITE . . . . GGK 1598
BRAYDE3 OUT A BRY3T SWORDE AND BREMELY HE SPEKE3 . . . . . . GGK 2319
BREMLY (V. BREMELY)
BREMLYCH (V. BREMELY)
BREND (V. BURNED)
BRENDE (V. BURNED)
BRENED (V. BURNED)
BRENNANDE (V. BURNING)
BRENNE (V. BURN)
BRENNED (V. BURNED)
BRENNE3 (V. BURNS)
BRENT (ALSO V. BURNED)
BOT HY3E BONKKE3 AND BRENT VPON BOTHE HALUE . . . . GGK 2165
AS FYLDOR FYN HER BONKES BRENT . . . . PRL 106
BRENTEST
AND BOWED TO THE HY3 BONK THER BRENTEST HIT WERN . . . . . . CLN 379
AND BOWED TO THE HY3 BONK THER BRENTEST HIT WERE . . . . . . CLN V 379
BREREFLOUR
OF BLE AS THE BREREFLOUR WHERESO THE BARE SCHEWEED. . . . . CLN 791
BRERES (V. BRIARS)
BRESED
HIS BROWES BRESED AS BRERES ABOUTE HIS BRODE CHEKES . . . . . CLN 1694
BENDE HIS BRESED BRO3E3 BLYCANDE GRENE. . . . . GGK 305
BREST (ALSO V. BREAST)
3ISSE HIT WAT3 A BREM BREST AND A BYGE WRACHE . . . . CLN 229
THIS HIT WAT3 A BREM BREST AND A BYGE WRACHE. . . . . CLN V 229
BRESTE (V. BREAST)
BRESTES (V. BURST, BURSTS)
BRETAYGNE (V. BRITAIN)
BRETAYN (V. BRITAIN)
BRETAYNES (V. BRITAINS)
BRETH (V. BREATH)
BRETHE (V. BREATH)
BRETHER
REKENLY OF THE ROUNDE TABLE ALLE THO RICH BRETHER . . . . . . GGK 39
BRETHES (V. BREATHS)
BRETON (V. BRITON)
BRETONS (V. BRITONS)
BREUE
HIT MAY BE SUCH HIT IS THE BETTER AND 3E ME BREUE WOLDE . . . . GGK 1393
IF HIT BE SOTHE THAT 3E BREUE THE BLAME IS MYN AWEN . . . . . GGK 1488
BREUE ME BRY3T QUAT KYN OFFYS. . . . . PRL 755
BREUE ME BRY3T QUAT KYN OF TRIYS. . . . . PRL 2 755
BREUED
BOT NEUER 3ET IN NO BOKE BREUED I HERDE . . . . CLN 197
THAT WOS BREUYT IN BRUT NE IN BOKE NOTYDE. . . . . ERK 103
THAT EUER WOS BREUYT IN BURGHE NE IN BOKE NOTYDE . . . . . . ERK V 103
3ET BREUED WAT3 HIT FUL BARE . . . . GGK 465
THE BEST THAT THER BREUED WAT3 WYTH THE BLODHOUNDE3 . . . . . GGK 1436
AS HIT IS BREUED IN THE BEST BOKE OF ROMAUNCE . . . . GGK 2521
BY3ONDE THE BROK FRO ME WARDE BREUED . . . . PRL 1 981
BREUYT (V. BREUED)
BREYTHED
AND BREYTHED VPPE IN TO HIS BRAYN AND BLEMYST HIS MYNDE . . . . CLN 1421
THE BRY3T BODY IN THE BURYNES BRAYTHED A LITELLE . . . . . . ERK 190
BRIARS
HIS BROWES BRESED AS BRERES ABOUTE HIS BRODE CHEKES . . . . . CLN 1694
BRIDAL
THOU BURNE FOR NO BRYDALE ART BUSKED IN WEDE3 . . . . CLN 142

Word / Context	Text		Line
BRIDE			
WHY MASKELLE3 BRYD THAT BRY3T CON FLAMBE	PRL		769
BRIDGE			
AT VCH BRUGGE A BERFRAY ON BASTELES WYSE	CLN		1187
THAT BRO3T BREMLY THE BURNE TO THE BRYGE ENDE	GGK		779
THE BRYGE WAT3 BREME VPBRAYDE.	GGK		781
AND HE HEM RAYSED REKENLY AND ROD OUER THE BRYGGE	GGK		821
THE BRYGGE WAT3 BRAYDE DOUN AND THE BRODE 3ATE3.	GGK		2069
BRIDLE			
IN BRAWDEN BRYDEL QUIK	GGK		177
AND SYTHEN BO3E3 TO HIS BLONK THE BRYDEL HE CACHCHE3	GGK		434
THE BRYDEL BARRED ABOUTE WITH BRY3T GOLDE BOUNDEN	GGK		600
BI THAT THE WY3E IN THE WOD WENDE3 HIS BRYDEL	GGK		2152
BRIDLES			
LEPEN VP LY3TLY LACHEN HER BRYDELES.	GGK		1131
BRIEF			
AND BUSYE3 THE ABOUTE A RAYSOUN BREF	PRL		268
BRIGHT			
BOTHE WYTHINNE AND WYTHOUTEN IN WEDE3 FUL BRY3T.	CLN		20
AND HIS GLORIOUS GLEM THAT GLENT SO BRY3T.	CLN		218
BRYNGE3 THAT BRY3T VPON BORDE BLESSED AND SAYDE.	CLN		470
BRY3T BLYKKED THE BEM OF THE BRODE HEUEN	CLN		603
WHEN BRY3T BRENNANDE BRONDE3 AR BET THER ANVNDER	CLN		1012
THE BASES OF THE BRY3T POSTES AND BASSYNES SO SCHYRE	CLN		1278
AND HIS CLERE CONCUBYNES IN CLOTHES FUL BRY3T	CLN		1400
MONY BURTHEN FUL BRY3T WAT3 BRO3T INTO HALLE.	CLN		1439
THE IUELES OUT OF IERUSALEM WYTH GEMMES FUL BRY3T	CLN		1441
FOR THER WER BASSYNES FUL BRY3T OF BRENDE GOLDE CLERE.	CLN		1456
THE BO3ES BRY3T THER ABOF BRAYDEN OF GOLDE	CLN		1481
STAD IN A RYCHE STAL AND STARED FUL BRY3TE	CLN		1506
IN BRY3T BOLLE3 FUL BAYN BIRLEN THISE OTHER	CLN		1511
AND THE BY3E OF BRY3T GOLDE ABOWTE THYN NEKKE	CLN		1638
THENNE BLYKNED THE BLE OF THE BRY3T SKWES.	CLN		1759
BLASTES OUT OF BRY3T BRASSE BRESTES SO HY3E	CLN		1783
AND THE BORDURE ENBELICIT WITH BRY3T GOLDE LETTRES.	ERK		51
AND ALS BRY3T OF HOR BLEE IN BLYSNANDE HEWES.	ERK		87
THE BRY3T BODY IN THE BURYNES BRAYTHED A LITELLE	ERK		190
THE BRY3T BOURNE OF THIN EGHEN MY BAPTEME IS WORTHYN	ERK		330
THE BRY3T BODY IN THE BURYNES BRAYED A LITELLE	ERK	V	190
WYTH MONY BANER FUL BRY3T THAT THERBI HENGED.	GGK		117
GOOD BER AND BRY3T WYN BOTHE	GGK		129
WITH BLYTHE BLAUNNER FUL BRY3T AND HIS HOD BOTHE	GGK		155
OF BRY3T GOLDE VPON SILK BORDES BARRED FUL RYCHE	GGK		159
AND BOUNDEN BOTHE WYTH A BANDE OF A BRY3T GRENE.	GGK		192
THER MONY BELLE3 FUL BRY3T OF BRENDE GOLDE RUNGEN	GGK		195
THE BIT BURNYST BRY3T WITH A BROD EGGE.	GGK		212
ON BOTOUN3 OF THE BRY3T GRENE BRAYDEN FUL RYCHE.	GGK		220
A SCHELDE AND A SCHARP SPERE SCHINANDE BRY3T.	GGK		269
TO BIDE A BLYSFUL BLUSCH OF THE BRY3T SUNNE	GGK		520
THAT WYTH A BRY3T BLAUNNER WAS BOUNDEN WITHINNE.	GGK		573
AND SYTHEN THE BRAWDEN BRYNE OF BRY3T STEL RYNGE3	GGK		580
THE BRYDEL BARRED ABOUTE WITH BRY3T GOLDE BOUNDEN	GGK		600
THAT BOTHE WERE BRY3T AND BROUN	GGK		618
BRODE BRY3T WAT3 HIS BERDE AND AL BEUERHWED	GGK		845
THAT BRO3T HYM TO A BRY3T BOURE THER BEDDYNG WAT3 NOBLE	GGK		853
OF BRY3T BLAUNNER ABOUE ENBRAWDED BISYDE3.	GGK		856
THE BURN OF HIS BRUNY AND OF HIS BRY3T WEDE3.	GGK		861
HIR BREST AND HIR BRY3T THROTE BARE DISPLAYED	GGK		955

WYTH BLYS AND BRY3T FYR BETTE.	GGK	1368
BRAYDE3 OUT A BRY3T BRONT AND BIGLY FORTH STRYDE3	GGK	1584
SYTHEN HE BRITNE3 OUT THE BRAWEN IN BRY3T BRODE SCHELDE3.	GGK	1611
THAT BERE BLUSSCHANDE BEME3 AS THE BRY3T SUNNE	GGK	1819
AND BRAYDE3 OUT THE BRY3T BRONDE AND AT THE BEST CASTE3	GGK	1901
HIT WAT3 NO LASSE BI THAT LACE THAT LEMED FUL BRY3T	GGK	2226
BRAYDE3 OUT A BRY3T SWORDE AND BREMELY HE SPEKE3	GGK	2319
A BENDE ABELEF HYM ABOUTE OF A BRY3T GRENE	GGK	2517
SYTHEN HE BRITNE3 OUT THE BRAWEN IN BRY3T BRODE CHELDE3	GGK V	1611
HER BAGGES AND HER FETHERBEDDES AND HER BRY3T WEDES	PAT	158
HOLTEWODE3 BRY3T ABOUTE HEM BYDE3	PRL	75
WERN BONKE3 BENE OF BERYL BRY3T	PRL	110
BREUE ME BRY3T QUAT KYN OFFYS.	PRL	755
WHY MASKELLE3 BRYD THAT BRY3T CON FLAMBE	PRL	769
THE BOR3 WAT3 AL OF BRENDE GOLDE BRY3T.	PRL	989
THUR3 HYM BLYSNED THE BOR3 AL BRY3T.	PRL	1048
BREUE ME BRY3T QUAT KYN OF TRIYS.	PRL 2	755
BRIGHTER		
WEL BRY3TER THEN THE BERYL OTHER BROWDEN PERLES.	CLN	1132
THEN GRENE AUMAYL ON GOLDE GLOWANDE BRY3TER	GGK	236
WAT3 BRY3TER THEN BOTHE THE SUNNE AND MONE	PRL	1056
BRIGHTEST		
AY THE BEST BYFORE AND BRY3TEST ATYRED.	CLN	114
THA3 HO WERE BURDE BRY3TEST THE BURNE IN MYNDE HADE	GGK	1283
THA3 I WERE BURDE BRY3TEST THE BURDE IN MYNDE HADE.	GGK V	1283
BRIM		
WAT3 NO BRYMME THAT ABOD VNBROSTEN BYLYUE.	CLN	365
A BAL3 BER3 BI A BONKE THE BRYMME BYSYDE	GGK	2172
THEN I QUEN HO ON BRYMME WORE.	PRL	232
THAT SCHYNE3 VPON THE BROKE3 BRYM	PRL	1074
BRIMSTONE		
THE BRETHE OF THE BRYNSTON BI THAT HIT BLENDE WERE.	CLN	967
BRING		
AND BRYNGE3 HEM BLYTHLY TO BOR3E AS BAROUNE3 THAY WERE	CLN	82
BRYNG BODWORDE TO BOT BLYSSE TO VS ALLE	CLN	473
AND BRYNGE A MORSEL OF BRED TO BAUME YOUR HERTTE	CLN	620
AND BRYNGE A MORSEL OF BRED TO BANNE YOUR HERTTE	CLN V	620
BRYNG HEM NOW TO MY BORDE OF BEUERAGE HEM FYLLES	CLN	1433
FOR IF THOU REDES HIT BY RY3T AND HIT TO RESOUN BRYNGES	CLN	1633
THER BESIET HOM ABOUTE NO3T TO BRYNGE HOM IN WORDES	ERK	56
FOR TO BRYNG THIS BUURNE WYTH BLYS INTO HALLE	GGK	825
THIS BURNE NOW SCHAL VS BRYNG.	GGK	925
SPYCE3 THAT VNSPARELY MEN SPEDED HOM TO BRYNG	GGK	979
AND BEDE HYM BRYNG HYM HIS BRUNY AND HIS BLONK SADEL	GGK	2012
THE BURNE BEDE BRYNG HIS BLONK	GGK	2024
BOT BUSK BURNE BI THI FAYTH AND BRYNG ME TO THE POYNT.	GGK	2284
HE BRYNG VS TO HIS BLYSSE	GGK	2530
IF I BOWE TO HIS BODE AND BRYNG HEM THIS TALE	PAT	75
FOR TO LAYTE MO LEDES AND HEM TO LOTE BRYNG	PAT	180
BED ME BILYUE MY BALESTOUR AND BRYNG ME ON ENDE.	PAT	426
LASSE OF BLYSSE MAY NON VS BRYNG.	PRL	853
BRYNG ME TO THAT BYGLY BYLDE	PRL	963
BRINGS		
BRYNGE3 THAT BRY3T VPON BORDE BLESSED AND SAYDE.	CLN	470
HE CACHED TO HIS COVHOUS AND A CALF BRYNGE3	CLN	629
AND BRYNGE3 BUTTER WYTHAL AND BY THE BRED SETTE3	CLN	636
THE BOLDE TO HIS BYGGYNG BRYNGE3 HEM BYLYUE	CLN	811
WHO BRYNGE3 VS THE BEUERAGE THIS BARGAYN IS MAKED	GGK	1112
BRINKS		

AND VCHE A DALE SO DEPE THAT DEMMED AT THE BRYNKE3. . . . . . CLN 384
BRITAIN
ON MONY BONKKES FUL BRODE BRETAYN HE SETTE3 . . . . GGK 14
ANDE QUEN THIS BRETAYN WAT3 BIGGED BI THIS BURN RYCH . . . . . GGK 20
BOT OF ALLE THAT HERE BULT OF BRETAYGNE KYNGES . . . . GGK 25
BRITAINS
BY ALLE BRETAYNES BONKES WERE BOT OTHIRE TWAYNE. . . . . ERK 32
BRITNED
THE BOR3 BRITTENED AND BRENT TO BRONDE3 AND ASKE3 . . . . GGK 2
AND SO HAD BETTER HAF BEN THEN BRITNED TO NO3T . . . . GGK 680
SITHEN BRITNED THAY THE BREST AND BRAYDEN HIT IN TWYNNE . . . . GGK 1339
BRITNE3
SYTHEN HE BRITNE3 OUT THE BRAWEN IN BRY3T BRODE SCHELDE3. . . . GGK 1611
SYTHEN HE BRITNE3 OUT THE BRAWEN IN BRY3T BRODE CHELDE3 . . . . GGK V 1611
BRITON
THE BOLDE BRETON SER BELYN SER BERYNGE WAS HIS BROTHIRE . . . . ERK 213
BRITONS
THAI BETE OUTE THE BRETONS AND BRO3T HOM INTO WALES . . . . . ERK 9
BRITTENED (V. BRITNED)
BROAD
THEN HE BOWE3 FRO HIS BOUR INTO THE BRODE HALLE. . . . . CLN 129
3IF HYMSELF BE BORE BLYNDE HIT IS A BROD WONDER. . . . . CLN 584
BRY3T BLYKKED THE BEM OF THE BRODE HEUEN . . . . CLN 603
BY BOLE OF THIS BRODE TRE WE BYDE THE HERE . . . . CLN 622
FRO MONY A BROD DAY BYFORE HO BARAYN AY BYDENE . . . . CLN 659
AND BOWE3 FORTH FRO THE BENCH INTO THE BRODE 3ATES. . . . . . CLN 854
FOR HIT IS BROD AND BOTHEMLE3 AND BITTER AS THE GALLE. . . . . CLN 1022
FOR THE BOUR3 WAT3 SO BROD AND SO BIGGE ALCE. . . . . CLN 1377
SO BROD BILDE IN A BAY THAT BLONKKES MY3T RENNE. . . . . CLN 1392
AND BRODE BANERES THERBI BLUSNANDE OF GOLD . . . . CLN 1404
BURNES BERANDE THE BREDES VPON BRODE SKELES . . . . CLN 1405
HIS BROWES BRESED AS BRERES ABOUTE HIS BRODE CHEKES . . . . . CLN 1694
FRO MONY A BROD DAY BYFORE HO BARAYN AY BENE. . . . . CLN V 659
MONY CLERKE IN THAT CLOS WITH CROWNES FUL BRODE. . . . . ERK 55
MONY CLERKES IN THAT CLOS WITH CROWNES FUL BRODE . . . . ERK V 55
ON MONY BONKKES FUL BRODE BRETAYN HE SETTE3 . . . . GGK 14
THE BIT BURNYST BRY3T WITH A BROD EGGE. . . . . GGK 212
AND HIT LYFTE VP THE Y3ELYDDE3 AND LOKED FUL BRODE. . . . . . GGK 446
ON BRODE SYLKYN BORDE AND BRYDDE3 ON SEME3 . . . . GGK 610
THAY 3ULDEN HYM THE BRODE 3ATE 3ARKED VP WYDE . . . . GGK 820
BRODE BRY3T WAT3 HIS BERDE AND AL BEUERHWED . . . . GGK 845
HIR BUTTOKE3 BAY AND BRODE. . . . . GGK 967
THE BREME BUKKE3 ALSO WITH HOR BRODE PAUME3 . . . . GGK 1155
THAT BIGLY BOTE ON THE BROUN WITH FUL BRODE HEDE3 . . . . . . GGK 1162
SYTHEN HE BRITNE3 OUT THE BRAWEN IN BRY3T BRODE SCHELDE3. . . . GGK 1611
THE BRYGGE WAT3 BRAYDE DOUN AND THE BRODE 3ATE3. . . . . . . GGK 2069
BREMLY BROTHE ON A BENT THAT BRODE WAT3 ABOUTE . . . . GGK 2233
HIR BUTTOKE3 BAL3 AND BRODE . . . . GGK V 967
SYTHEN HE BRITNE3 OUT THE BRAWEN IN BRY3T BRODE CHELDE3 . . . . GGK V 1611
3ISE HE BLUSCHED FUL BRODE THAT BURDE HYM BY SURE . . . . . . PAT 117
TIL HE BLUNT IN A BLOK AS BROD AS A HALLE. . . . . PAT 272
FOR HIT WAT3 BROD AT THE BOTHEM BO3TED ON LOFTE. . . . . . . PAT 449
AND HO SCHAL BUSCH VP FUL BRODE AND BRENNE AS A CANDEL . . . . PAT 472
BLOD AND WATER OF BRODE WOUNDE . . . . PRL 650
THISE TWELUE DEGRES WERN BRODE AND STAYRE. . . . . PRL 1022
AS LONGE AS BRODE AS HY3E FUL FAYRE. . . . . PRL 1024
BROD (V. BROAD)
BRODE (V. BROAD)
BROGHT (V. BROUGHT)

Entry	Text	Line
BROK (V. BROOK)		
BROKE (V. BROOK)		
BROKE		
FORTHY BREK HE THE BRED BLADES WYTHOUTEN	CLN	1105
HE BREK THE BARERES AS BYLYUE AND THE BUR3 AFTER	CLN	1239
THEN BREK THAY THE BALE THE BOUELE3 OUT TOKEN	GGK	1333
THAT AL WAT3 BLIS AND BONCHEF THAT BREKE HEM BITWENE	GGK	1764
BROKE3 BYLED AND BREKE BI BONKKE3 ABOUTE	GGK	2082
THEN BREK THAY THE BALE THE BAULE3 OUT TOKEN.	GGK V	1333
THER HE BODE IN HIS BAY TEL BAWEMEN HIT BREKEN	GGK	1564
BROKEN		
BOT QUEN HIT IS BRUSED OTHER BROKEN OTHER BYTEN IN TWYNNE . .	CLN	1047
BROKE3 (V. BROOKS)		
BRONDE (V. BRAND)		
BRONDE		
FOR HE WAT3 BRONDE BOR ALTHERGRATTEST	GGK	1441
BROM (V. BROOM)		
BRONCH (V. BRANCH)		
BRONDE (V. BRAND)		
BRONDE3 (V. BRANDS)		
BRONT (V. BRAND)		
BROOK		
BI3ONDE THE BROKE IN A BONK A WONDER BREME NOYSE	GGK	2200
WHEN THE BRETH AND THE BROK AND THE BOTE METTEN.	PAT	145
BY3ONDE THE BROKE BY SLENTE OTHER SLADE	PRL	141
ME LYSTE TO SE THE BROKE BY3ONDE.	PRL	146
BY3ONDE THE BROK FRO ME WARDE KEUED.	PRL	981
BY3ONDE THE BROK FRO ME WARDE BREUED	PRL 1	981
BROOKS		
BROKE3 BYLED AND BREKE BI BONKKE3 ABOUTE	GGK	2082
THAT SCHYNE3 VPON THE BROKE3 BRYM	PRL	1074
BROOM		
NE BEST BITE ON NO BROM NE NO BENT NAUTHER	PAT	392
BROTHE (V. BRATH)		
BROTHELY		
OF THE BRYCH THAT VPBRAYDE3 THOSE BROTHELYCH WORDE3	CLN	848
THA3 HE BODE IN THAT BOTHEM BROTHELY A MONYTH	CLN	1030
AND BROTHELY BRO3T TO BABYLOYN THER BALE TO SUFFER.	CLN	1256
BRAYDE BROTHELY THE BELT TO THE BURNE SELUEN.	GGK	2377
AND BLUSCHED TO HIS WODBYNDE THAT BROTHELY WAT3 MARRED . . .	PAT	474
BROTHELYCH (V. BROTHELY)		
BROTHER		
LOTH LENGE3 IN 3ON LEEDE THAT IS MY LEF BROTHER.	CLN	772
THE BOLDE BRETON SER BELYN SER BERYNGE WAS HIS BROTHIRE . . .	ERK	213
BROTHERHEDE (V. BROTHERHOOD)		
BROTHERHOOD		
VCHE BURNE OF THE BROTHERHEDE A BAUDERYK SCHULDE HAUE. . . .	GGK	2516
BROTHIRE (V. BROTHER)		
BROUGHT		
BRO3TEN BACHLERE3 HEM WYTH THAT THAY BY BONKE3 METTEN. . . .	CLN	86
AND AT THI BANNE WE HAF BRO3T AS THOU BEDEN HABBE3.	CLN	95
WHAT HO BRO3T IN HIR BEKE A BRONCH OF OLYUE	CLN	487
AND BEDE THE BURNE TO BE BRO3T TO BABYLOYN THE RYCHE	CLN	1223
AND BROTHELY BRO3T TO BABYLOYN THER BALE TO SUFFER.	CLN	1256
MONY LUDISCH LORDES THAT LADIES BRO3TEN	CLN	1375
AND FECH FORTH THE VESSEL THAT HIS FADER BRO3T	CLN	1429
MONY BURTHEN FUL BRY3T WAT3 BRO3T INTO HALLE.	CLN	1439
THE BURNE BYFORE BALTA3AR WAT3 BRO3T IN A WHYLE.	CLN	1620
BIFORE THE BAROUN3 HAT3 HEM BRO3T AND BYRLED THERINNE. . . .	CLN	1715

```
    BIFORE THY BORDE HAT3 THOU BRO3T BEUERAGE IN THE YDRES . . . . CLN        1717
    BIFORE THY BORDE HAT3 THOU BRO3T BEUERAGE IN THEDE. . . . . .  CLN V      1717
    THAI BETE OUTE THE BRETONS AND BRO3T HOM INTO WALES . . . . .  ERK           9
    THE BODEWORDE TO THE BYSCHOP WAS BROGHT ON A QUILE. . . . . .  ERK         105
    FRO BALE HAS BRO3T VS TO BLIS BLESSID THOU WORTHE . . . . . .  ERK         340
    THEN ANY BURNE VPON BENCH HADE BRO3T HYM TO DRYNK . . . . . .  GGK         337
    ASKE3 ERLY HYS ARME3 AND ALLE WERE THAY BRO3T . . . . . . . .  GGK         567
    THAT BRO3T BREMLY THE BURNE TO THE BRYGE ENDE . . . . . . . .  GGK         779
    THAT BRO3T HYM TO A BRY3T BOURE THER BEDDYNG WAT3 NOBLE . . .  GGK         853
    RYCHE ROBES FUL RAD RENKKE3 HYM BRO3TEN . . . . . . . . . . .  GGK         862
    VCHE BURNE TO HIS BED WAT3 BRO3T AT THE LASTE . . . . . . . .  GGK        1120
    THE BEUERAGE WAT3 BRO3T FORTH IN BOURDE AT THAT TYME . . . . . GGK        1409
    AND BRO3T BLYSSE INTO BOURE WITH BOUNTEES HOR AWEN. . . . . .  GGK        1519
    BURNE3 HIM BRO3T TO BENT . . . . . . . . . . . . . . . . . . . GGK        1599
    BLITHE BRO3T WAT3 HYM DRYNK AND THAY TO BEDDE 3EDEN . . . . .  GGK        1684
    AND BLYTHELY BRO3T TO HIS BEDDE TO BE AT HIS REST . . . . . .  GGK        1990
    TIL THOU BE BRO3T TO THE BOTHEM OF THE BREM VALAY . . . . . .  GGK        2145
    AND BRO3T HYM VP BY THE BREST AND VPON BORDE SETTE. . . . . .  PAT         190
    THAT HAT3 ME BRO3T THYS BLYS NER. . . . . . . . . . . . . . .  PRL         286
    AND NW MEN TO HYS VYNE HE BRO3TE. . . . . . . . . . . . . . .  PRL         527
    THEN ARNE THAY BORO3T INTO THE VYNE. . . . . . . . . . . . . . PRL         628
BROUN (V. BROWN)
BROW
    AND THE BARBE3 OF HIS BROWE BITE NON WOLDE . . . . . . . . . . GGK        1457
    AND FROUNSES BOTHE LYPPE AND BROWE . . . . . . . . . . . . . . GGK        2306
BROWDEN (V. BRAIDED)
BROWE (V. BROW)
BROWEN
    AND THE BARBE3 OF HIS BROWEN BITE NON WOLDE . . . . . . . . .  GGK V      1457
BROWN
    THAT THE BIT OF THE BROUN STEL BOT ON THE GROUNDE . . . . . .  GGK         426
    THAT BOTHE WERE BRY3T AND BROUN . . . . . . . . . . . . . . .  GGK         618
    OF A BROUN BLEEAUNT ENBRAUDED FUL RYCHE . . . . . . . . . . .  GGK         879
    THAT BIGLY BOTE ON THE BROUN WITH FUL BRODE HEDE3 . . . . . .  GGK        1162
    SONE THE WORLDE BYCOM WEL BROUN . . . . . . . . . . . . . . .  PRL         537
    AS GLEMANDE GLAS BURNIST BROUN . . . . . . . . . . . . . . . . PRL         990
BROWES (V. BROWS)
BROWS
    HIS BROWES BRESED AS BRERES ABOUTE HIS BRODE CHEKES . . . . .  CLN        1694
    BENDE HIS BRESED BRO3E3 BLYCANDE GRENE. . . . . . . . . . . .  GGK         305
    THAT NO3T WAT3 BARE OF THAT BURDE BOT THE BLAKE BRO3ES . . . . GGK         961
BRO3ES (V. BROWS)
BRO3E3 (V. BROWS)
BRO3T (V. BROUGHT)
BRO3TE (V. BROUGHT
BRO3TEN (V. BROUGHT)
BRUGGE (V. BRIDGE)
BRUISED
    BOT QUEN HIT IS BRUSED OTHER BROKEN OTHER BYTEN IN TWYNNE . .  CLN        1047
BRUNT
    BOT BAYSMENT GEF MYN HERT A BRUNT . . . . . . . . . . . . . .  PRL         174
BRUNY
    AND SYTHEN THE BRAWDEN BRYNE OF BRY3T STEL RYNGE3 . . . . . .  GGK         580
    THE BURN OF HIS BRUNY AND OF HIS BRY3T WEDE3. . . . . . . . .  GGK         861
    AND BEDE HYM BRYNG HYM HIS BRUNY AND HIS BLONK SADEL . . . . . GGK        2012
    THE RYNGE3 ROKKED OF THE ROUST OF HIS RICHE BRUNY . . . . . .  GGK        2018
BRURDES
    BI VCHE BEKYR ANDE BOLLE THE BRURDES AL VMBE. . . . . . . . .  CLN        1474
BRURDFUL
```

ER VCH BOTHOM WAT3 BRURDFUL TO THE BONKE3 EGGE3. . . . . CLN 383
BRUSED (V. BRUISED)
BRUSTEN (V. BURST)
BRUT
THAT WOS BREUYT IN BRUT NE IN BOKE NOTYDE. . . . . ERK 103
BRUTAGE
IN BIGGE BRUTAGE OF BORDE BULDE ON THE WALLES . . . . CLN 1190
BRUTUS
AFTER THAT BRUTUS THIS BURGHE HAD BUGGID ON FYRSTE. . . . . . ERK 207
AND FER OUER THE FRENCH FLOD FELIX BRUTUS. . . . . GGK 13
THE BRUTUS BOKE3 THEROF BERES WYTTENESSE . . . . GGK 2523
SYTHEN BRUTUS THE BOLDE BURNE BO3ED HIDER FYRST. . . . . GGK 2524
BRUXLE3
THENNE A WYNDE OF GODDE3 WORDE EFTE THE WY3E BRUXLE3 . . . . . PAT 345
BRYCH
OF THE BRYCH THAT VPBRAYDE3 THOSE BROTHELYCH WORDE3 . . . . . CLN 848
BRYD (V. BRIDE)
BRYDALE (V. BRIDAL)
BRYDDES (V. BIRDS)
BRYDDE3 (V. BIRDS)
BRYDEL (V. BRIDLE)
BRYDELES (V. BRIDLES)
BRYGE (V. BRIDGE)
BRYGGE (V. BRIDGE)
BRYM (V. BRIM)
BRYMME (V. BRIM)
BRYNE (V. BRUNY)
BRYNG (V. BRING)
BRYNGE (V. BRING)
BRYNGES (V. BRING)
BRYNGE3 (V. BRING, BRINGS)
BRYNKE3 (V. BRINKS)
BRYNSTON (V. BRIMSTONE)
BRY3T (V. BRIGHT)
BRY3TE (V. BRIGHT)
BRY3TER (V. BRIGHTER)
BRY3TEST (V. BRIGHTEST)
BUCKS
BUKKE3 BAUSENE3 AND BULE3 TO THE BONKKE3 HY3ED . . . . CLN 392
THE BREME BUKKE3 ALSO WITH HOR BRODE PAUME3 . . . . GGK 1155
BUFFET
WITH MONY BLAME FUL BYGGE A BOFFET PERAUNTER. . . . . CLN 43
THAY BLWE A BOFFET IN BLANDE THAT BANNED PEPLE . . . . CLN 885
THAT BEDE THE THIS BUFFET QUATSO BIFALLE3 AFTER. . . . . GGK 382
AND BIHOUES HIS BUFFET ABIDE WITHOUTE DEBATE MORE . . . . GGK 1754
3IF I DELIUER HAD BENE A BOFFET PARAUNTER. . . . . GGK 2343
BUFFETS
WYTH BOFFETE3 WAT3 HYS FACE FLAYN . . . . PRL 809
BUGGID
THEN WAS HIT ABATYD AND BETEN DON AND BUGGYD EFTE NEW. . . . . ERK 37
AFTER THAT BRUTUS THIS BURGHE HAD BUGGID ON FYRSTE. . . . . . ERK 207
BUGGYD (V. BUGGID)
BUGLE
WITH BUGLE TO BENTFELDE HE BUSKE3 BYLYUE . . . . GGK 1136
AS BURNE BOLDE VPON BENT HIS BUGLE HE BLOWE3. . . . . GGK 1465
ALLE THAT EUER BER BUGLE BLOWED AT ONES . . . . GGK 1913
BUGLES
BLWE BYGLY IN BUGLE3 THRE BARE MOTE3 . . . . GGK 1141
BLWE BYGLY IN BUGLE3 THRE BARE MOTE. . . . . GGK V 1141

BUGLE3 (V. BUGLES)

BUILD

BRYDDE3 BUSKEN TO BYLDE AND BREMLYCH SYNGEN	GGK	519

BUILT

IN BIGGE BRUTAGE OF BORDE BULDE ON THE WALLES	CLN	1190
SO BROD BILDE IN A BAY THAT BLONKKES MY3T RENNE.	CLN	1392
BOT OF ALLE THAT HERE BULT OF BRETAYGNE KYNGES	GGK	25
THER WAT3 BYLDED HIS BOUR THAT WYL NO BALE SUFFER	PAT	276
BYLDE IN ME BLYS ABATED MY BALE3.	PRL	123

BUKKE3 (V. BUCKS)

BULDE (V. BUILT)

BULE3 (V. BULLS)

BULK

AS IN THE BULK OF THE BOTE THER HE BYFORE SLEPED	PAT	292

BULL

BOT A BEST THAT HE BE A BOL OTHER AN OXE	CLN	1682

BULLS

FOR MY BOLES AND MY BORE3 ARN BAYTED AND SLAYNE.	CLN	55
BUKKE3 BAUSENE3 AND BULE3 TO THE BONKKE3 HY3ED	CLN	392
BOTHE WYTH BULLE3 AND BERE3 AND BORE3 OTHERQUYLE	GGK	722

BULLE3 (V. BULLS)

BULT (V. BUILT)

BUR

MAY NOT BYDE THAT BURRE THAT HIT HIS BODY NE3E	CLN	32
AND I SCHAL BIDE THE FYRST BUR AS BARE AS I SITTE	GGK	290
THAT THOU SCHAL BYDEN THE BUR THAT HE SCHAL BEDE AFTER	GGK	374
BOT I AM BOUN TO THE BUR BARELY TOMORNE	GGK	548
WITH ALLE THE BUR IN HIS BODY HE BER HIT ON LOFTE	GGK	2261
BLYNNE BURNE OF THY BUR BEDE ME NO MO	GGK	2322
THEN IS BETTER TO ABYDE THE BUR VMBESTOUNDES.	PAT	7
THE BUR BER TO HIT BAFT THAT BRASTE ALLE HER GERE	PAT	148
SUCH A BURRE MY3T MAKE MYN HERT BLUNT	PRL	176
TO FECH ME BUR AND TAKE ME HALTE.	PRL	1158

BURDE

VUCHE BURDE WYTH HER BARNE THE BYGGYNG THAY LEUE3	CLN	378
THENNE THE BURDE BYHYNDE THE DOR FOR BUSMAR LA3ED	CLN	653
BOT THE BALLEFUL BURDE THAT NEUER BODE KEPED.	CLN	979
HOM BURDE HAUE ROTID AND BENE RENT IN RATTES LONGE SYTHEN	ERK	260
AS MONY BURDE THERABOUTE HAD BEN SEUEN WYNTER	GGK	613
OF A BURDE WAT3 BORNE OURE BARET TO QUELLE	GGK	752
THAT NO3T WAT3 BARE OF THAT BURDE BOT THE BLAKE BRO3ES	GGK	961
GAWAN AND THE GAY BURDE TOGEDER THAY SETEN	GGK	1003
BOT 3ET I WOT THAT WAWEN AND THE WALE BURDE	GGK	1010
THA3 HO WERE BURDE BRY3TEST THE BURNE IN MYNDE HADE	GGK	1283
BOT THE BURDE HYM BLESSED AND BI THIS SKYL SAYDE	GGK	1296
QUOTH THAT BURDE TO THE BURNE BLAME 3E DISSERUE.	GGK	1779
NOW FORSAKE 3E THIS SILKE SAYDE THE BURDE THENNE	GGK	1846
WHERFORE THE BETTER BURNE ME BURDE BE CALLED.	GGK	2278
ME THINK ME BURDE BE EXCUSED	GGK	2428
THA3 I WERE BURDE BRY3TEST THE BURDE IN MYNDE HADE.	GGK V	1283
THA3 I WERE BURDE BRY3TEST THE BURDE IN MYNDE HADE.	GGK V	1283
3ISE HE BLUSCHED FUL BRODE THAT BURDE HYM BY SURE	PAT	117
THE SOR OF SUCH A SWETE PLACE BURDE SYNK TO MY HERT	PAT	507
ME THYNK THE BURDE FYRST ASKE LEUE	PRL	316

BURDEN

MONY BURTHEN FUL BRY3T WAT3 BRO3T INTO HALLE.	CLN	1439

BURDES

BOTHE BURNE3 AND BURDE3 THE BETTER AND THE WERS.	CLN	80
IN SODAMAS THA3 I HIT SAY NON SEMLOKER BURDES	CLN	868

THAY SLOWEN OF SWETTEST SEMLYCH BURDES.	CLN		1247
THAT SUMTYME SETE IN HER SALE SYRES AND BURDES	CLN		1260
CLATERING OF COUACLE3 THAT KESTEN THO BURDES.	CLN		1515
THENNE COM HO OF HIR CLOSET WITH MONY CLER BURDE3	GGK		942
OTHER BURNE3 IN HER BEDDE AND MY BURDE3 ALS	GGK		1232
BOTHE THE LADYES ON LOGHE TO LY3T WITH HER BURDES	GGK		1373
BOTHE BURNES AND BESTES BURDE3 AND CHILDER	PAT		388
BURDE3 (V. BURDES)			
BURGEON			
AND THAY BORGOUNE3 AND BERES BLOME3 FUL FAYRE	CLN		1042
BURGESSES			
BURGEYS BOGHIT THERTO BEDELS ANDE OTHIRE	ERK		59
TO BORGES AND TO BACHELERES THAT IN THAT BUR3 LENGED	PAT		366
BURGEYS (V. BURGESSES)			
BURGH			
AND BE FORBODEN THAT BOR3E TO BOWE THIDER NEUER.	CLN		45
AND BRYNGE3 HEM BLYTHLY TO BOR3E AS BAROUNE3 THAY WERE	CLN		82
ON HADE BO3T HYM A BOR3 HE SAYDE BY HYS TRAWTHE.	CLN		63
ER EUER THAY BOSKED TO BEDDE THE BOR3 WAT3 AL VP	CLN		834
THAT COM A BOY TO THIS BOR3 THA3 THOU BE BURNE RYCHE	CLN		878
ONES HO BLUSCHET TO THE BUR3E BOT BOD HO NO LENGER.	CLN		982
AND BE RY3T SUCH IN VCH A BOR3E OF BODY AND OF DEDES	CLN		1061
FOR THE BOR3 WAT3 SO BYGGE BATAYLED ALOFTE	CLN		1183
HE BREK THE BARERES AS BYLYUE AND THE BUR3 AFTER	CLN		1239
THE BEST BO3ED WYTH THE BURNE THAT THE BOR3 3EMED	CLN		1242
AND SYTHEN BET DOUN THE BUR3 AND BREND HIT IN ASKES	CLN		1292
IN THE BUR3 OF BABILOYNE THE BIGGEST HE TRAWED	CLN		1335
FOR THE BOUR3 WAT3 SO BROD AND SO BIGGE ALCE.	CLN		1377
I HAF BIGGED BABILOYNE BUR3 ALTHERRYCHEST.	CLN		1666
TO BO3 AFTER BALTA3AR IN BOR3E AND IN FELDE	CLN		1750
THER WAS A BYSCHOP IN THAT BURGHE BLESSYD AND SACRYD	ERK		3
AFTER THAT BRUTUS THIS BURGHE HAD BUGGID ON FYRSTE.	ERK		207
AND ALLE THE BELLES IN THE BURGHE BERYD AT ONES.	ERK		352
THAT EUER WOS BREUYT IN BURGHE NE IN BOKE NOTYDE	ERK	V	103
THE BOR3 BRITTENED AND BRENT TO BRONDE3 AND ASKE3	GGK		2
WITH GRET BOBBAUNCE THAT BUR3E HE BIGES VPON FYRST.	GGK		9
AND THY BUR3 AND THY BURNES BEST AR HOLDEN	GGK		259
THENNE THE BEST OF THE BUR3 BO3ED TOGEDER.	GGK		550
AND THU3T HIT A BOLDE BURNE THAT THE BUR3 A3TE	GGK		843
AND ENBELYSE HIS BUR3 WITH HIS BELE CHERE.	GGK		1034
WHYL I BYDE IN YOWRE BOR3E BE BAYN TO 3OWRE HEST	GGK		1092
TO THE KYNGE3 BUR3 BUSKE3 BOLDE	GGK		2476
TO BORGES AND TO BACHELERES THAT IN THAT BUR3 LENGED	PAT		366
THAT ALLE THE BODYES THAT BEN WYTHINNE THIS BOR3 QUYK.	PAT		387
AND ALS THER BEN DOUMBE BESTE3 IN THE BUR3 MONY.	PAT		516
THAT IS THE BOR3 THAT WE TO PRES.	PRL		957
AND BLUSCHED ON THE BURGHE AS I FORTH DREUED.	PRL		980
THE BOR3 WAT3 AL OF BRENDE GOLDE BRY3T.	PRL		989
THUR3 HYM BLYSNED THE BOR3 AL BRY3T.	PRL		1048
BURGHE (V. BURGH)			
BURIED			
QUAT BODY HIT MY3T BE THAT BURIED WOS THER	ERK		94
OF THAT BURIEDE BODY AL THE BOLDE WONDER	ERK		106
AND THUS TO BOUNTY MY BODY THAI BURIET IN GOLDE.	ERK		248
BURIEDE (V. BURIED)			
BURIET (V. BURIED)			
BURN (V. BURNE)			
BURN			
AND HO SCHAL BUSCH VP FUL BRODE AND BRENNE AS A CANDEL . . .	PAT		472

BURNE

THOU BURNE FOR NO BRYDALE ART BUSKED IN WEDE3	CLN	142
THAT OTHER BURNE WAT3 ABAYST OF HIS BROTHE WORDE3	CLN	149
FRO THE BURNE TO THE BEST FRO BRYDDE3 TO FYSCHE3	CLN	288
THAT THE BURNE BYNNE BORDE BYHELDE THE BARE ERTHE	CLN	452
BOT THE BURNE BYNNE BORDE THAT BOD TO HYS COME	CLN	467
BOTHE THE BURNE AND HIS BARNE3 BOWED THEROUTE	CLN	502
ER THOU HAF BIDEN WITH THI BURNE AND VNDER BO3E RESTTED	CLN	616
THE BURNE TO BE BAREHEUED BUSKE3 HYM THENNE	CLN	633
AND VCHE BLOD IN THAT BURNE BLESSED SCHAL WORTHE	CLN	686
AA BLESSED BE THOW QUOTH THE BURNE SO BONER AND THEWED	CLN	733
THEN THE BURNE OBECHED HYM AND BO3SOMLY HIM THONKKE3	CLN	745
THAT OTHER BURNE BE BOUTE THA3 BOTHE BE NYSE.	CLN	824
AGAYNE THE BONE OF THE BURNE THAT HIT FORBODEN HADE	CLN	826
THAT COM A BOY TO THIS BOR3 THA3 THOU BE BURNE RYCHE	CLN	878
AND BEDE THE BURNE TO BE BRO3T TO BABYLOYN THE RYCHE	CLN	1223
THE BEST BO3ED WYTH THE BURNE THAT THE BOR3 3EMED	CLN	1242
THER IS NO BOUNTE IN BURNE LYK BALTA3AR THEWES	CLN	1436
THE BURNE BYFORE BALTA3AR WAT3 BRO3T IN A WHYLE.	CLN	1620
MAY NOT BYDE THAT BURNE THAT HIT HIS BODY NE3EN.	CLN V	32
ANDE QUEN THIS BRETAYN WAT3 BIGGED BI THIS BURN RYCH	GGK	20
THE BEST BURNE AY ABOF AS HIT BEST SEMED	GGK	73
THEN ANY BURNE VPON BENCH HADE BRO3T HYM TO DRYNK	GGK	337
NOW BONE HOSTEL COTHE THE BURNE I BESECHE YOW 3ETTE	GGK	776
THAT BRO3T BREMLY THE BURNE TO THE BRYGE ENDE	GGK	779
THE BURNE BODE ON BONK THAT ON BLONK HOUED	GGK	785
A BETTER BARBICAN THAT BURNE BLUSCHED VPON NEUER	GGK	793
FOR TO BRYNG THIS BUURNE WYTH BLYS INTO HALLE	GGK	825
AND THU3T HIT A BOLDE BURNE THAT THE BUR3 A3TE	GGK	843
THE BURN OF HIS BRUNY AND OF HIS BRY3T WEDE3.	GGK	861
THIS BURNE NOW SCHAL VS BRYNG.	GGK	925
BOT 3E SCHAL BE IN YOWRE BED BURNE AT THYN ESE	GGK	1071
VCHE BURNE TO HIS BED WAT3 BRO3T AT THE LASTE	GGK	1120
AND BO3ED TOWARDE THE BED AND THE BURNE SCHAMED.	GGK	1189
THA3 HO WERE BURDE BRY3TEST THE BURNE IN MYNDE HADE	GGK	1283
VCHE BURNE TO HIS BEDDE BUSKED BYLYUE	GGK	1411
AS BURNE BOLDE VPON BENT HIS BUGLE HE BLOWE3.	GGK	1465
THAT THE BURNE AND THE BOR WERE BOTH VPON HEPE3.	GGK	1590
FOR SUCHE A BRAWNE OF A BEST THE BOLDE BURNE SAYDE.	GGK	1631
QUOTH THAT BURDE TO THE BURNE BLAME 3E DISSERUE.	GGK	1779
AND THAT HO BEDE TO THE BURNE AND BLYTHELY BISO3T	GGK	1834
THE BURNE BEDE BRYNG HIS BLONK	GGK	2024
THE BURNE BLESSED HYM BILYUE AND THE BREDE3 PASSED.	GGK	2071
THE BURNE THAT ROD HYM BY	GGK	2089
AND THE BORELYCH BURNE ON BENT THAT HIT KEPE3	GGK	2148
WHERFORE THE BETTER BURNE ME BURDE BE CALLED.	GGK	2278
BOT BUSK BURNE BI THI FAYTH AND BRYNG ME TO THE POYNT.	GGK	2284
AND QUEN THE BURNE SE3 THE BLODE BLENK ON THE SNAWE	GGK	2315
NEUER SYN THAT HE WAT3 BURNE BORNE OF HIS MODER.	GGK	2320
BLYNNE BURNE OF THY BUR BEDE ME NO MO	GGK	2322
BOLDE BURNE ON THIS BENT BE NOT SO GRYNDEL	GGK	2338
BRAYDE BROTHELY THE BELT TO THE BURNE SELUEN.	GGK	2377
VCHE BURNE OF THE BROTHERHEDE A BAUDERYK SCHULDE HAUE.	GGK	2516
SYTHEN BRUTUS THE BOLDE BURNE BO3ED HIDER FYRST.	GGK	2524
AND THER HE BRAKE3 VP THE BUYRNE AS BEDE HYM OURE LORDE	PAT	340
THAT VPBRAYDES THIS BURNE VPON A BREME WYSE	PAT	430
THE FAYREST BYNDE HYM ABOF THAT EUER BURNE WYSTE	PAT	444
NOW BLYSSE BURNE MOT THE BYTYDE	PRL	397
WHERE WYSTE3 THOU EUER ANY BOURNE ABATE	PRL	617

HADE BODYLY BURNE ABIDEN THAT BONE . . . . PRL 1090

BURNED

WHEN BREMLY BRENED THOSE BESTE3 AND THE BRETHE RYSED . . . . . CLN 509
AL BIROLLED WYTH THE RAYN ROSTTED AND BRENNED . . . . CLN 959
AND SYTHEN BET DOUN THE BUR3 AND BREND HIT IN ASKES . . . . . CLN 1292
FOR THER WER BASSYNES FUL BRY3T OF BRENDE GOLDE CLERE. . . . . CLN 1456
WYTH MONY A BORLYCH BEST AL OF BRENDE GOLDE . . . . CLN 1488
THE BOR3 BRITTENED AND BRENT TO BRONDE3 AND ASKE3 . . . . GGK 2
THER MONY BELLE3 FUL BRY3T OF BRENDE GOLDE RUNGEN . . . . GGK 195
THER FAYRE FYRE VPON FLET FERSLY BRENNED . . . . GGK 832
A CHEYER BYFORE THE CHEMNE THER CHARCOLE BRENNED . . . . GGK 875
AND THEN HEF VP THE HETE AND HETERLY BRENNED. . . . . PAT 477
THE BOR3 WAT3 AL OF BRENDE GOLDE BRY3T. . . . . PRL 989
THE WAL ABOF THE BANTELS BRENT . . . . PRL 2 1017
THE WAL ABOF THE BANTELS BRENT . . . . PRL 3 1017

BURNES

BOTHE BURNE3 AND BURDE3 THE BETTER AND THE WERS. . . . . CLN 80
BOLDE BURNE3 WER THAY BOTHE WYTH BERDLES CHYNNE3 . . . . CLN 789
WYTH THE BEST OF HIS BURNES A BLENCH FOR TO MAKE . . . . CLN 1202
THER BOWED TOWARD BABILOYN BURNES SO MONY. . . . . CLN 1373
BURNES BERANDE THE BREDES VPON BRODE SKELES . . . . CLN 1405
HE BEDE HIS BURNES BO3 TO THAT WERE BOKLERED. . . . . CLN 1551
BOTHE BURNES AND BESTES BURDE3 AND CHILDER . . . . PAT 388
AND THY BUR3 AND THY BURNES BEST AR HOLDEN . . . . GGK 259
BOT IF THOU BE SO BOLD AS ALLE BURNE3 TELLEN. . . . . GGK 272
THENNE THAY BO3ED TO A BORDE THISE BURNES TOGEDER . . . . GGK 481
AND THERE WERE BOUN AT HIS BODE BURNE3 INNO3E . . . . GGK 852
WHEN BURNE3 BLYTHE OF HIS BURTHE SCHAL SITTE. . . . . GGK 922
OTHER BURNE3 IN HER BEDDE AND MY BURDE3 ALS . . . . GGK 1232
THE BEST BO3ED THERTO WITH BURNE3 INNOGHE. . . . . GGK 1325
THEN BRAYNWOD FOR BATE ON BURNE3 HE RASE3. . . . . GGK 1461
ALLE THE BURNE3 SO BOLDE THAT HYM BY STODEN . . . . GGK 1574
SY3 HYM BYDE AT THE BAY HIS BURNE3 BYSYDE. . . . . GGK 1582
BURNE3 HIM BRO3T TO BENT . . . . GGK 1599
THE BORES HED WAT3 BORNE BIFORE THE BURNES SELUEN . . . . GGK 1616
BURNE3 TO HOR BEDDE BEHOUED AT THE LASTE . . . . GGK 1959
AND BURNE3 HER BARNE3 VNTO HYM BRAYDE . . . . PRL 712

BURNE3 (V. BURNES)

BURNING

WHEN BRY3T BRENNANDE BRONDE3 AR BET THER ANVNDER . . . . CLN 1012

BURNISHED

AS THE BERYL BORNYST BYHOUE3 BE CLENE . . . . CLN 554
THENNE WAT3 HER BLYTHE BARNE BURNYST SO CLENE . . . . CLN 1085
THE BIT BURNYST BRY3T WITH A BROD EGGE. . . . . GGK 212
AND WEL BORNYST BRACE VPON HIS BOTHE ARMES . . . . GGK 582
AS BORNYST SYLUER THE LEF ONSLYDE3 . . . . PRL 77
AND BORNYSTE QUYTE WAT3 HYR UESTURE. . . . . PRL 220
AS GLEMANDE GLAS BURNIST BROUN . . . . PRL 990

BURNIST (V. BURNISHED)

BURNS

IN THE BRATH OF HIS BRETH THAT BRENNE3 ALLE THINKE3 . . . . . CLN 916
BRAYDE3 OUT THE BOWELES BRENNE3 HOM ON GLEDE. . . . . GGK 1609

BURNYST (V. BURNISHED)

BURRE (V. BUR)

BURST

THE GRETE BARRE3 OF THE ABYME HE BARST VP AT ONE3 . . . . CLN 963
BLASTES OUT OF BRY3T BRASSE BRESTES SO HY3E . . . . CLN 1783
WYTH SUCH A CRAKKANDE KRY AS KLYFFES HADEN BRUSTEN. . . . . . GGK 1166
THE BUR BER TO HIT BAFT THAT BRASTE ALLE HER GERE . . . . PAT 148

IN BLUBER OF THE BLO FLOD BURSTEN HER ORES . . . . PAT 221
BURSTEN (V. BURST)
BURSTS
BETES ON THE BARERS BRESTES VP THE 3ATES . . . . CLN 1263
BURTHE (V. BIRTH)
BURTHEN (V. BURDEN)
BURYNES
THE BYSCHOP COME TO THE BURYNES HIM BARONES BESYDE. . . . . . ERK 142
THE BRY3T BODY IN THE BURYNES BRAYTHED A LITELLE . . . . . . ERK 190
THE BRY3T BODY IN THE BURYNES BRAYED A LITELLE . . . . ERK V 190
BUR3 (V. BURGH)
BUR3E (V. BURGH)
BUS (V. BOOZE)
BUSCH
AND BOUGOUN3 BUSCH BATERED SO THIKKE . . . . CLN 1416
AND HO SCHAL BUSCH VP FUL BRODE AND BRENNE AS A CANDEL . . . . PAT 472
BUSCHED
AND EFTE BUSCHED TO THE ABYME THAT BREED FYSCHES . . . . . . PAT 143
BUSIED
THER BESIET HOM ABOUTE NO3T TO BRYNGE HOM IN WORDES . . . . . ERK 56
SO BISIED HIM HIS 3ONGE BLOD AND HIS BRAYN WYLDE . . . . . . GGK 89
BUSILY
AND WYTH BESTEN BLOD BUSILY ANOYNTED . . . . CLN 1446
DEBATED BUSYLY ABOUTE THO GIFTES. . . . . GGK 68
HO BEDE HIT HYM FUL BYSILY AND HE HIR BODE WERNES . . . . . . GGK 1824
BUSINESS
AND LETTE3 BE YOUR BISINESSE FOR I BAYTHE HIT YOW NEUER . . . . GGK 1840
THAT THAY WYTH BUSYNES HAD BEN ABOUTE HYM TO SERUE. . . . . . GGK 1986
BUSK
OF VCHE BEST THAT BERE3 LYF BUSK THE A CUPPLE . . . . CLN 333
BESTE3 AS I BEDENE HAUE BOSK THERINNE ALS. . . . . CLN 351
A MUCH BERD AS A BUSK OUER HIS BREST HENGES . . . . GGK 182
I WOLDE BO3E OF THIS BED AND BUSK ME BETTER . . . . GGK 1220
BUSK NO MORE DEBATE THEN I THE BEDE THENNE . . . . GGK 2248
BOT BUSK BURNE BI THI FAYTH AND BRYNG ME TO THE POYNT. . . . . GGK 2284
BUSKED
THOU BURNE FOR NO BRYDALE ART BUSKED IN WEDE3 . . . . CLN 142
ER EUER THAY BOSKED TO BEDDE THE BOR3 WAT3 AL VP . . . . . . CLN 834
AND BALTA3AR VPON BENCH WAS BUSKED TO SETE . . . . CLN 1395
ANDE BUSKYD THIDERWARDE BYTYME ON HIS BLONKE AFTER. . . . . . ERK 112
VCHE BURNE TO HIS BEDDE BUSKED BYLYUE . . . . GGK 1411
WERE BOUN BUSKED ON HOR BLONKKE3 BIFORE THE HALLE 3ATE3 . . . . GGK 1693
THER HE BUSKED HYM A BOUR THE BEST THAT HE MY3T. . . . . . . PAT 437
BUSKEN
BRYDDE3 BUSKEN TO BYLDE AND BREMLYCH SYNGEN . . . . GGK 519
AND THAY BUSKEN VP BILYUE BLONKKE3 TO SADEL . . . . GGK 1128
BUSKE3
THE BURNE TO BE BAREHEUED BUSKE3 HYM THENNE . . . . CLN 633
LOKE 3E BOWE NOW BI BOT BOSKE3 FAST HENCE. . . . . CLN 944
BOTHE BOSKE3 AND BOURE3 AND WEL BOUNDEN PENE3 . . . . CLN V 322
WITH BUGLE TO BENTFELDE HE BUSKE3 BYLYUE . . . . GGK 1136
THENNE THAY BETEN ON THE BUSKE3 AND BEDE HYM VPRYSE . . . . . GGK 1437
THAT BUSKKE3 AFTER THIS BOR WITH BOST AND WYTH NOYSE . . . . . GGK 1448
TO THE KYNGE3 BUR3 BUSKE3 BOLDE . . . . GGK 2476
BUSKKE3 (V. BUSKE3)
BUSKYD (V. BUSKED)
BUSMAR
THENNE THE BURDE BYHYNDE THE DOR FOR BUSMAR LA3ED . . . . . . CLN 653
MONY ONE WAS THE BUSMARE BODEN HOM BITWENE . . . . ERK 214

BUSMARE (V. BUSMAR)		
BUSTWYS		
AND BREDE VPON A BOSTWYS BEM	PRL	814
AND THA3 I BE BUSTWYS AS A BLOSE.	PRL	911
AND THA3 I BE BUSTWYS AS A WOSE	PRL 2	911
BUSY		
NAF I NOW TO BUSY BOT BARE THRE DAYE3	GGK	1066
THER WAT3 BUSY OUERBORDE BALE TO KEST	PAT	157
AND BUSYE3 THE ABOUTE A RAYSOUN BREF	PRL	268
BUSYE3 (V. BUSY)		
BUSYLY (V. BUSILY)		
BUSYNES (V. BUSINESS)		
BUTTER		
AND BRYNGE3 BUTTER WYTHAL AND BY THE BRED SETTE3	CLN	636
BUTTOCKS		
HIR BUTTOKE3 BAY AND BRODE.	GGK	967
HIR BUTTOKE3 BAL3 AND BRODE	GGK V	967
BUTTONS		
ON BOTOUN3 OF THE BRY3T GRENE BRAYDEN FUL RYCHE.	GGK	220
BUURNE (V. BURNE)		
BUXOMLY		
THEN THE BURNE OBECHED HYM AND BO3SOMLY HIM THONKKE3	CLN	745
BUY		
THAT MY3T BE PREUED OF PRYS WYTH PENYES TO BYE	GGK	79
TO BYE HYM A PERLE WAT3 MASCELLE3	PRL	732
WYTH BODYLY BALE HYM BLYSSE TO BYYE.	PRL	478
BUYRNE (V. BURNE)		
BY (APP. 1)		
BYCALLE (V. BECALL)		
BYCALT (V. BECALLED)		
BYCAWSE (V. BECAUSE)		
BYCOM (V. BECAME)		
BYCOMMES (V. BECOMES)		
BYDEN (V. BIDE, BIDED)		
BYDENE		
FRO MONY A BROD DAY BYFORE HO BARAYN AY BYDENE	CLN	659
DOUN THE BONKE CON BO3E BYDENE	PRL	196
BYDE3 (V. BIDE, BIDES)		
BYDDE (V. BID)		
BYDDE3 (V. BIDS)		
BYDE (V. BIDE)		
BYDUER (V. BEDIVERE)		
BYE (V. BUY)		
BYFALLE (V. BEFALL)		
BYFALLEN (V. BEFALLEN)		
BYFORE (V. BEFORE)		
BYFORNE (V. BEFORE)		
BYG (V. BIG)		
BYGAN (V. BEGAN)		
BYGE (V. BIG)		
BYGGE (V. BIG)		
BYGGER (V. BIGGER)		
BYGGYNG		
VUCHE BURDE WYTH HER BARNE THE BYGGYNG THAY LEUE3	CLN	378
THE BOLDE TO HIS BYGGYNG BRYNGE3 HEM BYLYUE	CLN	811
I SE NO BYGYNG NAWHERE ABOUTE.	PRL	932
BYGLY (V. BIGLY)		
BYGONNE (V. BEGAN, BEGUN)		
BYGONNEN (V. BEGUN)		

BYGYLED (V. BEGUILED)
BYGYN (V. BEGIN)
BYGYNG (V. BYGGYNG)
BYGYNGE3

IF THOU HAT3 OTHER BYGYNGE3 STOUTE	PRL	935

BYGYNNE (V. BEGIN)
BYGYNNER (V. BEGINNER)
BYGYNNES (V. BEGINS)
BYGYNNE3 (V. BEGIN, BEGINS)
BYHELDE (V. BEHELD)
BYHOD (V. BEHOOVED)
BYHODE (V. BEHOOVED)
BYHOLDE (V. BEHOLD)
BYHOLDES (V. BEHOLDS)
BYHOLDE3 (V. BEHOLDS)
BYHOUED (V. BEHOOVED)
BYHOUES (V. BEHOOVES)
BYHOUE3 (V. BEHOOVES)
BYHYNDE (V. BEHIND)
BYHYNDEN (V. BEHIND)
BYKENNEN (V. BIKENNEN)
BYLDE (ALSO V. BUILD, BUILT)

QUEN SUCH THER CNOKEN ON THE BYLDE	PRL	727
BRYNG ME TO THAT BYGLY BYLDE	PRL	963

BYLDED (V. BUILT)
BYLED (V. BOILED)
BYLIUE (V. BYLYUE)
BYLYUE

VNDER ASKE3 FUL HOTE HAPPE HEM BYLIUE	CLN	626
AND FELLE FETTERE3 TO HIS FETE FESTENE3 BYLYUE	CLN	156
THROLY INTO THE DEUELE3 THROTE MAN THRYNGE3 BYLYUE.	CLN	180
FRO SEUEN DAYE3 BEN SEYED I SENDE OUT BYLYUE.	CLN	353
WAT3 NO BRYMME THAT ABOD VNBROSTEN BYLYUE.	CLN	365
HE IS SO SKOYMOS OF THAT SKATHE HE SCARRE3 BYLYUE	CLN	598
WHEN HE HADE OF HEM SY3T HE HY3E3 BYLYUE	CLN	610
AND HE DERUELY AT HIS DOME DY3T HIT BYLYUE	CLN	632
AND ALLE MYN ATLYNG TO ABRAHAM VNHASPE BILYUE	CLN	688
THE BOLDE TO HIS BYGGYNG BRYNGE3 HEM BYLYUE	CLN	811
THENNE SETEN THAY AT THE SOPER WERN SERUED BYLYUE	CLN	829
HE WAT3 FERLYLY FAYN VNFOLDED BYLYUE	CLN	962
INTO THAT MALSCRANDE MERE MARRED BYLYUE	CLN	991
FOL3ANDE THAT OTHER FLOTE AND FONDE HEM BILYUE	CLN	1212
HE BREK THE BARERES AS BYLYUE AND THE BUR3 AFTER	CLN	1239
SENDE INTO THE CETE TO SECHE HYM BYLYUE	CLN	1615
AND QUOSO HYM LYKED TO LAY WAT3 LO3ED BYLYUE.	CLN	1650
AN OTHER NOYSE FUL NEWE NE3ED BILIUE	GGK	132
AND THAY BUSKEN VP BILYUE BLONKKE3 TO SADEL	GGK	1128
WITH BUGLE TO BENTFELDE HE BUSKE3 BYLYUE	GGK	1136
AND THE GREHOUNDE3 SO GRETE THAT GETEN HEM BYLYUE	GGK	1171
VCHE BURNE TO HIS BEDDE BUSKED BYLYUE	GGK	1411
HE BLENCHED A3AYN BILYUE	GGK	1715
THE LORDE LY3TE3 BILYUE AND LACHE3 HYM SONE	GGK	1906
WYNNE3 THEROUTE BILYUE	GGK	2044
THE BURNE BLESSED HYM BILYUE AND THE BREDE3 PASSED.	GGK	2071
BOT VENGE ME ON HER VILANYE AND VENYM BILYUE.	PAT	71
I COM WYTH THOSE TYTHYNGES THAY TA ME BYLYUE.	PAT	78
THENNE HE RYSES RADLY AND RAYKES BILYUE	PAT	89
BOT IONAS INTO HIS JUIS JUGGE BYLYUE	PAT	224
THENNE SAYDE HE TO HIS SERIAUNTES SAMNES YOW BILYUE	PAT	385

BED ME BILYUE MY BALESTOUR AND BRYNG ME ON ENDE. . . . . . . PAT 426
BYNDE (V. BIND)
BYNDES (V. BINDS)
BYNDE3 (V. BIND)
BYNNE
THAT THE BURNE BYNNE BORDE BYHELDE THE BARE ERTHE . . . . . . CLN 452
BOT THE BURNE BYNNE BORDE THAT BOD TO HYS COME . . . . CLN 467
BYRLED
BIFORE THE BAROUN3 HAT3 HEM BRO3T AND BYRLED THERINNE. . . . CLN 1715
BYRTH (V. BIRTH)
BYRTHWHATE3
THAT IS TO SAY AS HER BYRTHWHATE3 . . . . PRL 1041
BYSCHOP (V. BISHOP)
BYSECH (V. BESEECH)
BYSECHE (V. BESEECH)
BYSEME (V. BESEEM)
BYSEME (V. BESEEM))
BYSIDE (V. BESIDE)
BYSILY (V. BUSILY)
BYSSHOP (V. BISHOP)
BYSULPE3
THAT BYSULPE3 MANNE3 SAULE IN VNSOUNDE HERT . . . . CLN 575
BYSYDE (V. BESIDE)
BYSWYKE3
FOR I AM GOUDE AND NON BYSWYKE3 . . . . PRL 568
BYTA3TE
THERWYTH HE BLESSE3 VCH A BEST AND BYTA3T HEM THIS ERTHE. . . CLN 528
AND SYTHEN TO GOD I HIT BYTA3TE . . . . PRL 1207
BYTA3T (V. BYTA3TE)
BYTE (V. BITE)
BYTEN (V. BITTEN)
BYTES (V. BITES)
BYTHENK (V. BETHINK)
BYTOKNYNG (V. BETOKENING)
BYTTE (V. BIT-N.)
BYTTERLY (V. BITTERLY)
BYTWENE (V. BETWEEN)
BYTWYSTE (V. BETWIXT)
BYTYDE (V. BETIDE)
BYTYDE3 (V. BETIDES)
BYTYME (V. BETIME)
BYYE (V. BUY)
BY3E
AND THE BY3E OF BRY3T GOLDE ABOWTE THYN NEKKE . . . . CLN 1638
ON ARME OTHER FYNGER THA3 THOU BER BY3E . . . . PRL 466
BY3ONDE (V. BEYOND)
BY3T
RYUE3 HIT VP RADLY RY3T TO THE BY3T. . . . . GGK 1341
BI THE BY3T AL OF THE THY3ES . . . . GGK 1349
CABLE
KABLE OTHER CAPSTAN TO CLYPPE TO HER ANKRE3 . . . . CLN 418
CABLES
CACHEN VP THE CROSSAYL CABLES THAY FASTEN. . . . . PAT 102
CACE (V. CASE)
CACH (V. CATCH)
CACHCHES (V. CATCH)
CACHCHE3 (V. CATCHES)
CACHE (V. CATCH)
CACHED (V. CAUGHT)

CACHEN (V. CATCH)
CACHERES (V. CATCHERS)
CACHE3 (V. CATCHES)
CACKLED

BI THAT THE COKE HADE CROWEN AND CAKLED BOT THRYSE.	GGK	1412

CAGGED

THAY WER CAGGED AND KA3T ON CAPELES AL BARE	CLN	1254

CAGGEN

KERUEN AND CAGGEN AND MAN HIT CLOS	PRL	512

CAITIFF

AND A CAYTIF COUNSAYL HE CA3T BI HYMSELUEN	CLN	1426
HE KEUERED HYM WYTH HIS COUNSAYL OF CAYTYF WYRDES	CLN	1605

CAKES

THRE METTE3 OF MELE MENGE AND MA KAKE3.	CLN	625
THRWE THRYFTYLY THERON THO THRE THERUE KAKE3.	CLN	635

CAKLED (V. CACKLED)
CAL (V. CALL)
CALDE (V. CALLED, CHALDEA, CHALDEAN)
CALDEE (V. CHALDEA, CHALDEAN)
CALDEE3 (V. CHALDEANS)
CALDEN (V. CALLED)
CALDER (V. COLDER)
CALDYE (V. CHALDEA)
CALF

HE CACHED TO HIS COVHOUS AND A CALF BRYNGE3	CLN	629

CALL

WHEN THAY KNEWEN HIS CAL THAT THIDER COM SCHULDE	CLN	61
TO LOKE ON HIS LEMANES AND LADIS HEM CALLE	CLN	1370
AND GLORYED ON HER FALCE GODDES AND HER GRACE CALLES	CLN	1522
CALLE HEM ALLE TO MY CORT THO CALDE CLERKKES.	CLN	1562
AND CALLE WYTH A HI3E CRY HE THAT THE KYNG WYSSES.	CLN	1564
AND AYQUERE HIT IS ENDELE3 AND ENGLYCH HIT CALLEN	GGK	629
A MENSK LADY ON MOLDE MON MAY HIR CALLE	GGK	964
SONE THAY CALLE OF A QUEST IN A KER SYDE	GGK	1421
TO CHAMBRE HE CON HYM CALLE	GGK	1666
THENNE THE KNY3T CON CALLE FUL HY3E.	GGK	2212
HAT3 THOU GOME NO GOUERNOUR NE GOD ON TO CALLE	PAT	199
TO CALLE HYR LYSTE CON ME ENCHACE	PRL	173
I STOD FUL STYLLE AND DORSTE NOT CALLE.	PRL	182
WE CALLE HYR FENYX OF ARRABY	PRL	430
IESUS CON CALLE TO HYM HYS MYLDE.	PRL	721

CALLE (V. CALL)
CALLED

AND APROCHEN TO HYS PRESENS AND PRESTE3 ARN CALLED.	CLN	8
TO THIS FRELYCH FESTE THAT FELE ARN TO CALLED	CLN	162
THE ATHEL AUNCETERE3 SUNE3 THAT ADAM WAT3 CALLED	CLN	258
THER THE FYUE CITEES WERN SET NOV IS A SEE CALLED	CLN	1015
ALLE CALLED ON THAT CORTAYSE AND CLAYMED HIS GRACE.	CLN	1097
QUAT MAY THE CAUSE BE CALLED BOT FOR HIR CLENE HWES	CLN	1119
AND MONY A LEMMAN NEUER THE LATER THAT LADIS WER CALLED	CLN	1352
WHAT HE CORSED HIS CLERKES AND CALDE HEM CHORLES	CLN	1583
THER FAURE CITEES WERN SET NOV IS A SEE CALLED	CLN V	1015
AND CLANSYD HOM IN CRISTES NOME AND KYRKES HOM CALLID.	ERK	16
THERFORE COM OTHER RECREAUNT BE CALDE THE BEHOUES	GGK	456
THAT IS THE PURE PENTAUNGEL WYTH THE PEPLE CALLED	GGK	664
HE CALDE AND SONE THER COM.	GGK	807
THE FREKE CALDE HIT A FEST FUL FRELY AND OFTE	GGK	894
GESTES THAT GO WOLDE HOR GROME3 THAY CALDEN	GGK	1127

VNCLOSED THE KENEL DORE AND CALDE HEM THEROUTE	GGK	1140
AND AL GODLY IN GOMEN GAWAYN HE CALLED.	GGK	1376
HE CALDE AND HE COM GAYN	GGK	1621
THER HE WAT3 THRETED AND OFTE THEF CALLED.	GGK	1725
HE CALLED TO HIS CHAMBERLAYN THAT COFLY HYM SWARED.	GGK	2011
WHERFORE THE BETTER BURNE ME BURDE BE CALLED.	GGK	2278
FOR THAY THE GRACIOUS GODES SUNES SCHAL GODLY BE CALLED	PAT	26
HE CALDE ON THAT ILK CRAFTE HE CARF WYTH HIS HONDES	PAT	131
AND THER HE LENGED AT THE LAST AND TO THE LEDE CALLED.	PAT	281
I CALDE AND THOU KNEW MYN VNCLER STEUEN	PAT	307
AND THOU HAT3 CALLED THY WYRDE A THEF	PRL	273
CALLED TO THE REUE LEDE PAY THE MEYNY	PRL	542
FOR MONY BEN CALLED THA3 FEWE BE MYKE3.	PRL	572
HE CALDE ME TO HYS BONERTE.	PRL	762
CALLEN (V. CALL)		
CALLES (V. CALLS)		
CALLE3 (V. CALLS)		
CALID (V. CALLED)		
CALLING		
AND THUR3 THE CUNTRE OF CALDEE HIS CALLYNG CON SPRYNG.	CLN	1362
CALLYNG (V. CALLING)		
CALLS		
TO WAKEN WEDERE3 SO WYLDE THE WYNDE3 HE CALLE3	CLN	948
AND OF STOKKES AND STONES HE STOUTE GODDES CALL3	CLN	1343
AND THERE HE KNELES AND CALLE3 AND CLEPES AFTER HELP	CLN	1345
MAYNLY HIS MARSCHAL THE MAYSTER VPON CALLES	CLN	1427
AND COUTHLY HYM KNOWE3 AND CALLE3 HYM HIS NOME	GGK	937
THAY KALLEN HYM OF AQUOYNTAUNCE AND HE HIT QUYK ASKE3.	GGK	975
A KENET KRYES THEROF THE HUNT ON HYM CALLES	GGK	1701
WAYUE3 VP A WYNDOW AND ON THE WY3E CALLE3.	GGK	1743
AND OF ABSOLUCIOUN HE ON THE SEGGE CALLES.	GGK	1882
SO HAT3 ANGER ONHIT HIS HERT HE CALLE3.	PAT	411
WITH HATEL ANGER AND HOT HETERLY HE CALLE3	PAT	481
CALL3 (V. CALLS)		
CALSYDOYNE (V. CHALCEDONY)		
CAM (V. HAM)		
CAMBE (V. COMB)		
CAME		
WOLDE LYKE IF A LADDE COM LYTHERLY ATTYRED	CLN	36
THEN THAY CAYRED AND COM THAT THE COST WAKED.	CLN	85
WHEN THAY COM TO THE COURTE KEPPTE WERN THAY FAYRE.	CLN	89
THENNE SONE COM THE SEUENTHE DAY WHEN SAMNED WERN ALLE	CLN	361
THAT COM A BOY TO THIS BOR3 THA3 THOU BE BURNE RYCHE	CLN	878
ERLY ER ANY HEUENGLEM THAY TO A HIL COMEN.	CLN	946
FOR NON SO CLENE OF SUCH A CLOS COM NEUER ER THENNE	CLN	1088
AND 3IF CLANLY HE THENNE COM FUL CORTAYS THERAFTER.	CLN	1089
3ET COMEN LODLY TO THAT LEDE AS LA3ARES MONYE	CLN	1093
COMEN NEUER OUT OF KYTH TO CALDEE REAMES	CLN	1316
SO KENE A KYNG IN CALDEE COM NEUER ER THENNE.	CLN	1339
THIS CRY WAT3 VPCASTE AND THER COMEN MONY.	CLN	1574
WHEN HE COM BIFORE THE KYNG AND CLANLY HAD HALSED	CLN	1621
THAT HE COM TO KNAWLACH AND KENNED HYMSELUEN.	CLN	1702
THER COMMEN THIDER OF ALLE KYNNES SO KENELY MONY	ERK	63
BY THAT HE COME TO THE KYRKE KYDDE OF SAYNT PAULE	ERK	113
THE BYSCHOP COME TO THE BURYNES HIM BARONES BESYDE.	ERK	142
THEN THE FIRST CORS COME WITH CRAKKYNG OF TRUMPES	GGK	116
AFTER CRYSTENMASSE COM THE CRABBED LENTOUN	GGK	502
ALLE THIS COMPAYNY OF COURT COM THE KYNG NERRE	GGK	556
HE CALDE AND SONE THER COM.	GGK	807

THEN 3EDE THE WY3E 3ARE AND COM A3AYN SWYTHE. . . . . GGK 815
KNY3TE3 AND SWYERE3 COMEN DOUN THENNE . . . . GGK 824
THENNE COM HO OF HIR CLOSET WITH MONY CLER BURDE3 . . . . . . GGK 942
EUEN INMYDDE3 AS THE MESSE METELY COME. . . . . GGK 1004
TIL THE KNY3T COM HYMSELF KACHANDE HIS BLONK. . . . . GGK 1581
HE CALDE AND HE COM GAYN . . . . GGK 1621
OF ALLE THE COUENAUNTES THAT WE KNYT SYTHEN I COM HIDER . . . GGK 1642
THE LADY LUFLYCH COM LA3ANDE SWETE . . . . GGK 1757
THEN KEST THE KNY3T AND HIT COME TO HIS HERT. . . . . GGK 1855
SYN HE COM HIDER ER THIS . . . . GGK 1892
RENAUD COM RICHCHANDE THUR3 A RO3E GREUE . . . . GGK 1898
THE KNY3T KACHE3 HIS CAPLE AND COM TO THE LAWE . . . . GGK 2175
HIT IS THE CORSEDEST KYRK THAT EUER I COM INNE . . . . GGK 2196
AS HIT COM GLYDANDE ADOUN ON GLODE HYM TO SCHENDE . . . . . . GGK 2266
BOT QUEN THAT COMLY COM HE KEUERED HIS WYTTES . . . . GGK V 1755
THENNE NWE NOTE ME COM ON HONDE . . . . PRL 155
ON WYTHER HALF WATER COM DOUN THE SCHORE . . . . PRL 230
IN EUENTYDE INTO THE VYNE I COME. . . . . PRL 582
AND THOU TO PAYMENT COM HYM BYFORE . . . . PRL 598
THOU SAY3 THAT I THAT COME TO LATE . . . . PRL 615
BOT THERON COM A BOTE ASTYT . . . . PRL 645
BOT HE COM THYDER RY3T AS A CHYLDE . . . . PRL 723
OTHER ELLE3 NEUER MORE COM THERINNE. . . . . PRL 724
THY BEAUTE COM NEUER OF NATURE . . . . PRL 749

CAMELOT
THIS KYNG LAY AT CAMYLOT VPON KRYSTMASSE . . . . GGK 37

CAMELYN
THE CLOTHE OF CAMELYN FUL CLENE WITH CUMLY BORDURES . . . . . ERK 82

CAMPE
HOL3E WERE HIS Y3EN AND VNDER CAMPE HORES. . . . . CLN 1695

CAN (V. CON)

CANDEL (V. CANDLE)

CANDLE
AND HO SCHAL BUSCH VP FUL BRODE AND BRENNE AS A CANDEL . . . . PAT 472

CANDELSTIK (V. CANDELSTICK)

CANDLESTICK
THAY CA3T AWAY THAT CONDELSTIK AND THE CROWNE ALS . . . . CLN 1275
THE CANDELSTIK BI A COST WAT3 CAYRED THIDER SONE . . . . CLN 1478
IN CONTRARY OF THE CANDELSTIK THER CLEREST HIT SCHYNED . . . . CLN 1532

CAPADOS
OF A KYNGE3 CAPADOS THAT CLOSES HIS SWYRE. . . . . GGK 186
AND SYTHEN A CRAFTY CAPADOS CLOSED ALOFT . . . . GGK 572

CAPELES
THAY WER CAGGED AND KA3T ON CAPELES AL BARE . . . . CLN 1254

CAPLE
THE KNY3T KACHE3 HIS CAPLE AND COM TO THE LAWE . . . . GGK 2175

CAPSTAN
KABLE OTHER CAPSTAN TO CLYPPE TO HER ANKRE3 . . . . CLN 418

CAPTIVITY
THAT CA3T WAT3 IN THE CAPTYUIDE IN CUNTRE OF IUES . . . . CLN 1612

CAPTYUIDE (V. CAPTIVITY)

CARALDES
HER KYSTTES AND HER COFERES HER CARALDES ALLE . . . . PAT 159

CARANDE
CARANDE FOR THAT COMLY BI KRYST HIT IS SCATHE . . . . GGK 674
CARANDE FOR HIS COSTES LEST HE NE KEUER SCHULDE. . . . . GGK 750

CARAYNE (V. CARRION)

CARE
THA3 HE BE KEST INTO KARE HE KEPES NO BETTER. . . . . CLN 234

AND ALLE CRYED FOR CARE TO THE KYNG OF HEUEN. CLN 393
THEN HE WENDE3 HIS WAY WEPANDE FOR CARE CLN 777
SONE SO THE KYNGE FOR HIS CARE CARPING MY3T WYNNE CLN 1550
THE COMFORTHE OF THE CREATORE BYHOUES THE CURE TAKE ERK V 168
FOR TO COUNSEYL THE KNY3T WITH CARE AT HER HERT. GGK 557
AND AFTER WENGED WITH HER WALOUR AND VOYDED HER CARE GGK 1518
WITH CARE AND WYTH KYSSYNG HE CARPPE3 HEM TILLE. GGK 1979
FOR CARE OF THY KNOKKE COWARDYSE ME TA3T GGK 2379
AND CARE. GGK 2384
BIKNOWE3 ALLE THE COSTES OF CARE THAT HE HADE GGK 2495
LORDE COLDE WAT3 HIS CUMFORT AND HIS CARE HUGE PAT 264
NOW HE KNAWE3 HYM IN CARE THAT COUTHE NOT IN SELE PAT 296
FOR CARE FUL COLDE THAT TO ME CA3T PRL 50
OF CARE AND ME 3E MADE ACORDE. PRL 371
THE LOMBE VS GLAD3 OURE CARE IS KEST PRL 861
THA3 ALLE CLERKE3 HYM HADE IN CURE PRL 1091

CARED
HE CARED FOR HIS CORTAYSYE LEST CRATHAYN HE WERE GGK 1773

CAREFUL
3ET HE CRYED HYM AFTER WYTH CAREFUL STEUEN CLN 770
CAREFUL AM I KEST OUT FRO THY CLER Y3EN PAT 314

CAREFULLY
AND AL WAT3 CARFULLY KYLDE THAT THAY CACH MY3T CLN 1252
AND CARFULLY IS OUTKAST TO CONTRE VNKNAWEN CLN 1679

CARELES (V. CARELESS)

CARELESS
THAT CARELES IS OF COUNSELLE VS COMFORTHE TO SENDE. ERK 172

CARES
KEUER HEM COMFORT AND COLEN HER CARE3 GGK 1254
LORDE TO THE HAF I CLEPED IN CARE3 FUL STRONGE PAT 305
HE TOKE ON HYMSELF OURE CARE3 COLDE. PRL 808

CARE3 (V. CARES)

CARF (V. CARVED)

CARFULLY (V. CAREFULLY)

CARL
AND HE VNKYNDELY AS A KARLE KYDDE A REWARD CLN 208
AN OUTCOMLYNG A CARLE WE KYLLE OF THYN HEUED. CLN 876

CARLE (V. CARL)

CARNELES
WYTH KOYNT CARNELES ABOUE CORUEN FUL CLENE CLN 1382
AMONG THE CASTEL CARNELE3 CLAMBRED SO THIK GGK 801

CARNELE3 (V. CARNELES)

CAROLES (V. CAROLS)

CAROLE3 (V. CAROLS)

CAROLS
SYTHEN KAYRED TO THE COURT CAROLES TO MAKE GGK 43
AMONG THISE KYNDE CAROLES OF KNY3TE3 AND LADYE3. GGK 473
WITH COMLYCH CAROLES AND ALLE KYNNES IOYE. GGK 1886
DAUNSED FUL DRE3LY WYTH DERE CAROLE3 GGK 1026
AS COUNDUTES OF KRYSTMASSE AND CAROLE3 NEWE GGK 1655

CARP
KRYST KYDDE HIT HYMSELF IN A CARP ONE3. CLN 23
THAT HE FUL CLANLY BICNV HIS CARP BI THE LASTE CLN 1327
AND CAST VPON THI FAIRE CORS AND CARPE THES WORDES. ERK 317
AND HERE IS KYDDE CORTAYSYE AS I HAF HERD CARP GGK 263
WHEN NON WOLDE KEPE HYM WITH CARP HE CO3ED FUL HY3E GGK 307
AND IF I CARP NOT COMLYLY LET ALLE THIS CORT RYCH GGK 360
NE NO GOME BOT GOD BI GATE WYTH TO KARP GGK 696
IF THAY HADE HERDE ANY KARP OF A KNY3T GRENE. GGK 704

WYTH CLENE CORTAYS CARP CLOSED FRO FYLTHE. . . . . GGK 1013
I SCHULDE KEUER THE MORE COMFORT TO KARP YOW WYTH . . . . . . GGK 1221
AND SYTHEN KARP WYTH MY KNY3T THAT I KA3T HAUE . . . . GGK 1225
THAT OFTE KYD HIM THE CARPE THAT KYNG SAYDE . . . . PAT 118
THAT I KEST IN MY CUNTRE WHEN THOU THY CARP SENDE3. . . . . . PAT 415
AND CUM AND CNAWE ME FOR KYNG AND MY CARPE LEUE. . . . . . . PAT 519
THA3 CORTAYSLY 3E CARP CON. . . . . PRL 381
IN SOUNANDE NOTE3 A GENTYL CARPE. . . . . PRL 883
OF MOTES TWO TO CARPE CLENE . . . . PRL 949
OF CARPE THE KYNDE THESE PROPERTY3 . . . . PRL 1 752

CARPE (V. CARP)

CARPED
THENNE HE CARPED TO THE KNY3T CRIANDE LOUDE . . . . GGK 1088
OF CARPED THE KYNDE THESE PROPERTE3. . . . . PRL 752

CARPES (V. CARPS)

CARPE3 (V. CARPS)

CARPING
SONE SO THE KYNGE FOR HIS CARE CARPING MY3T WYNNE . . . . . . CLN 1550

CARPPE3 (V. CARPS)

CARPS
AND HADE DEDAYN OF THAT DEDE FUL DRY3LY HE CARPE3 . . . . . . CLN 74
HO KNELES ON THE COLDE ERTHE AND CARPES TO HYMSELUEN . . . . . CLN 1591
THEN CARPPE3 TO SIR GAWAN THE KNY3T IN THE GRENE . . . . . . GGK 377
WITH CARE AND WYTH KYSSYNG HE CARPPE3 HEM TILLE. . . . . . . GGK 1979

CARRIED
BALTA3AR TO HIS BEDD WITH BLYSSE WAT3 CARYED. . . . . CLN 1765

CARRION
HE CROUKE3 FOR COMFORT WHEN CARAYNE HE FYNDE3 . . . . CLN 459

CART
BOTHE TO CAYRE AT THE KART AND THE KUY MYLKE. . . . . CLN 1259

CARVE
NAUTHER TO COUT NE TO KERUE WYTH KNYF NE WYTH EGGE. . . . . . CLN 1104
THENNE ALLE THE TOLES OF TOLOWSE MO3T TY3T HIT TO KERUE . . . . CLN 1108

CARVED
WYTH KOYNT CARNELES ABOUE CORUEN FUL CLENE . . . . CLN 1382
LYFTE LOGGES THEROUER AND ON LOFTE CORUEN. . . . . CLN 1407
THAT WYTH SO CURIOUS A CRAFTE CORUEN WAT3 WYLY . . . . CLN 1452
WITH COROUN COPROUNES CRAFTYLY SLE3E . . . . GGK 797
HE CALDE ON THAT ILK CRAFTE HE CARF WYTH HIS HONDES . . . . . PAT 131
3ET CORUEN THAY THE CORDES AND KEST AL THEROUTE. . . . . . . PAT 153
QUEN CORNE IS CORUEN WYTH CROKE3 KENE . . . . PRL 40
KERUEN AND CAGGEN AND MAN HIT CLOS . . . . PRL 512

CARVES
AS A COLTOUR IN CLAY CERUES THE FOR3ES. . . . . CLN 1547
THENNE CRYES THE KYNG AND KERUES HIS WEDES . . . . CLN 1582

CARYED (V. CARRIED)

CAS (V. CASE)

CASE
3E KNOWE THE COST OF THIS CACE KEPE I NO MORE . . . . GGK 546
COMEN TO THAT KRYSTMASSE AS CASE HYM THEN LYMPED . . . . . . GGK 907
FOR HE KNEW VCHE A CACE AND KARK THAT HYM LYMPED . . . . . . PAT 265
ANSWARED TO VCHE A CACE. . . . . GGK 1262
COMPAST IN HIS CONCIENCE TO QUAT THAT CACE MY3T. . . . . . . GGK 1196
RY3T THUS I KNAW WEL IN THIS CAS. . . . . PRL 673

CAST
THA3 HE BE KEST INTO KARE HE KEPES NO BETTER. . . . . CLN 234
KEST TO KYTHE3 VNCOUTHE THE CLOWDE3 FUL NERE. . . . . CLN 414
KAST VP ON A CLYFFE THER COSTESE LAY DRYE. . . . . CLN 460
AND HE CONUEYEN HYM CON WYTH CAST OF HIS Y3E. . . . . CLN 768

CLOWDE3 CLUSTERED BYTWENE KESTEN VP TORRES	CLN	951
BY HOW COMLY A KEST HE WAT3 CLOS THERE.	CLN	1070
FOR TO COMPAS AND KEST TO HAF HEM CLENE WRO3T	CLN	1455
CLATERING OF COUACLE3 THAT KESTEN THO BURDES.	CLN	1515
WYTY BOBAUNCE AND WITH BLASFAMYE BOST AT HYM KEST	CLN	1712
AND A COLER OF CLER GOLDE KEST VMBE HIS SWYRE	CLN	1744
AND ON HIS COYFE WOS KEST A CORON FUL RICHE	ERK	83
AND CAST VPON THI FAIRE CORS AND CARPE THES WORDES.	ERK	317
LOUDE CRYE WAT3 THER KEST OF CLERKE3 AND OTHER	GGK	64
TO KNY3TE3 HE KEST HIS Y3E.	GGK	228
CAST VNTO THAT WY3E	GGK	249
AND THENNE A MERE MANTYLE WAT3 ON THAT MON CAST.	GGK	878
COUPLES HUNTES OF KEST	GGK	1147
KEST VP THE CORTYN AND CREPED WITHINNE.	GGK	1192
AND THE CORBELES FEE THAY KEST IN A GREUE.	GGK	1355
AND IF MON KENNES YOW HOM TO KNOWE 3E KEST HOM OF YOUR MYNDE	GGK	1484
KESTEN CLOTHE3 VPON CLERE LY3T THENNE	GGK	1649
THEN KEST THE KNY3T AND HIT COME TO HIS HERT.	GGK	1855
CLOWDES KESTEN KENLY THE COLDE TO THE ERTHE	GGK	2001
AND THOU KNOWE3 THE COUENAUNTE3 KEST VS BYTWENE.	GGK	2242
NE KEST NO KAUELACION IN KYNGE3 HOUS ARTHOR	GGK	2275
AND KEPE THY KANEL AT THIS KEST 3IF HIT KEUER MAY	GGK	2298
HENT HETERLY HIS HELME AND ON HIS HED CAST	GGK	2317
THENNE HE KA3T TO THE KNOT AND THE KEST LAWSE3	GGK	2376
THAT THUS HOR KNY3T WYTH HOR KEST HAN KOYNTLY BIGYLED.	GGK	2413
3ET CORUEN THAY THE CORDES AND KEST AL THEROUTE.	PAT	153
MONY LADDE THER FORTHLEP TO LAUE AND TO KEST.	PAT	154
THER WAT3 BUSY OUERBORDE BALE TO KEST	PAT	157
CAREFUL AM I KEST OUT FRO THY CLER Y3EN	PAT	314
THAT I KEST IN MY CUNTRE WHEN THOU THY CARP SENDE3.	PAT	415
FOR TO SCHYLDE FRO THE SCHENE OTHER ANY SCHADE KESTE	PAT	440
BOT I KNEW ME KESTE THER KLYFE3 CLEUEN.	PRL	66
THE LOMBE VS GLAD3 OURE CARE IS KEST	PRL	861
THER KESTEN ENSENS OF SWETE SMELLE	PRL	1122
OUT OF THAT CASTE I WAT3 BYCALT	PRL	1163
AND I KASTE OF KYTHE3 THAT LASTE3 AYE	PRL	1198
CASTE (V. CAST)		
CASTEL (V. CASTLE)		
CASTELES (V. CASTLES)		
CASTELWALLE (V. CASTLE-WALL)		
CASTES (V. CASTS)		
CASTE3 (V. CASTS)		
CASTLE		
A CASTEL THE COMLOKEST THAT EUER KNY3T A3TE	GGK	767
AMONG THE CASTEL CARNELE3 CLAMBRED SO THIK	GGK	801
INTO THE COMLY CASTEL THER THE KNY3T BIDE3	GGK	1366
THIS KASTEL TO KRYST I KENNE	GGK	2067
CASTLES		
COUERED COWPES FOUL CLENE AS CASTELES ARAYED.	CLN	1458
CASTLE-WALL		
HAF 3E NO WONE3 IN CASTELWALLE	PRL	917
CASTS		
CLECHE3 TO A CLENE CLOTHE AND KESTE3 ON THE GRENE	CLN	634
HE BRAYDE3 HIT BY THE BAUDERYK ABOUTE THE HALS KESTES.	GGK	621
AND FUL CLERE CASTE3 THE CLOWDES OF THE WELKYN	GGK	1696
AND BRAYDE3 OUT THE BRY3T BRONDE AND AT THE BEST CASTE3	GGK	1901
FERDE LEST HE HADE FAYLED IN FOURME OF HIS CASTES	GGK V	1295
CASYDOYNES (V. CHALCEDONIES)		
CATCH		

BOTHE GOD AND HIS GERE AND HYM TO GREME CACHEN	CLN	16
THAY COMAUNDED HYM COF TO CACH THAT HE HADE	CLN	898
AND AL WAT3 CARFULLY KYLDE THAT THAY CACH MY3T	CLN	1252
QUEN RENKKES IN THAT RYCHE ROK RENNEN HIT TO CACHE.	CLN	1514
HIS CNES CACHCHES TO CLOSE AND HE CLUCHCHES HIS HOMMES	CLN	1541
LOTHE GOD AND HIS GERE AND HYM TO GREME CACHEN	CLN V	16
THAT THE LUDE MY3T HAF LEUE LIFLODE TO CACH	GGK	133
KYSSE ME NOW COMLY AND I SCHAL CACH HETHEN	GGK	1794
BI KRYST QUOTH THAT OTHER KNY3T 3E CACH MUCH SELE	GGK	1938
CACHEN VP THE CROSSAYL CABLES THAY FASTEN.	PAT	102
CATCHERS		
THENNE THISE CACHERES THAT COUTHE COWPLED HOR HOUNDE3.	GGK	1139
CATCHES		
KNELED DOUN BIFORE THE KYNG AND CACHE3 THAT WEPPEN.	GGK	368
AND SYTHEN BO3E3 TO HIS BLONK THE BRYDEL HE CACHCHE3	GGK	434
HO COMES NERRE WITH THAT AND CACHE3 HYM IN ARME3	GGK	1305
THE KNY3T KACHE3 HIS CAPLE AND COM TO THE LAWE	GGK	2175
CATCHING		
TIL THE KNY3T COM HYMSELF KACHANDE HIS BLONK.	GGK	1581
CATEL (V. CHATTEL)		
CAUE		
AND AL WAT3 HOL3 INWITH NOBOT AN OLDE CAUE	GGK	2182
CAUELACIOUN3 (V. CAVILLATIONS)		
CAUGHT		
HE CACHED TO HIS COVHOUS AND A CALF BRYNGE3	CLN	629
AND THER WAT3 THE KYNG KA3T WYTH CALDE PRYNCES	CLN	1215
THAY WER CAGGED AND KA3T ON CAPELES AL BARE	CLN	1254
THAY CA3T AWAY THAT CONDELSTIK AND THE CROWNE ALS	CLN	1275
BIKENNES THE CATEL TO THE KYNG THAT HE CA3T HADE	CLN	1296
AND A CAYTIF COUNSAYL HE CA3T BI HYMSELUEN	CLN	1426
THAT CA3T WAT3 IN THE CAPTYUIDE IN CUNTRE OF IUES	CLN	1612
THAT GODE COUNSEYL AT THE QUENE WAT3 CACHED AS SWYTHE.	CLN	1619
THE KYNG IN HIS CORTYN WAT3 KA3T BI THE HELES	CLN	1789
HE WAT3 CORSED FOR HIS VNCLANNES AND CACHED THERINNE	CLN	1800
KAGHTEN BY THE CORNERS WITH CROWES OF YRNE	ERK	71
AND 3ET HIS COLOUR AND HIS CLOTHE HAS CA3T NO DEFAUTE.	ERK	148
THAT CRYST KA3T ON THE CROYS AS THE CREDE TELLE3	GGK	643
SUCH COMFORT OF HER COMPAYNYE CA3TEN TOGEDER.	GGK	1011
KYSTEN FUL COMLYLY AND KA3TEN HER LEUE.	GGK	1118
A CORNER OF THE CORTYN HE CA3T VP A LYTTEL	GGK	1185
AND SYTHEN KARP WYTH MY KNY3T THAT I KA3T HAUE	GGK	1225
THENNE HE KA3T TO THE KNOT AND THE KEST LAWSE3	GGK	2376
OF COUARDISE AND COUETYSE THAT I HAF CA3T THARE.	GGK	2508
I KEUERED ME A CUMFORT THAT NOW IS CA3T FRO ME	PAT	485
FOR CARE FUL COLDE THAT TO ME CA3T	PRL	50
CA3TE OF HER COROUN OF GRETE TRESORE	PRL	237
CAUSE		
ANOTHER NAYED ALSO AND NURNED THIS CAWSE	CLN	65
QUAT MAY THE CAUSE BE CALLED BOT FOR HIR CLENE HWES	CLN	1119
WHEN HO WAT3 WYTERED BI WY3ES WHAT WAT3 THE CAUSE	CLN	1587
THE BISSHOP BIDDES THAT BODY BIKNOWE THE CAUSE	ERK	221
AT THIS CAUSE THE KNY3T COMLYCHE HADE	GGK	648
CAUSES		
TO SYTTE VPON SAYD CAUSES THIS CITE I 3EMYD	ERK	202
THER ALLE OURE CAUSE3 SCHAL BE TRYED	PRL	702
THER ALLE OURE CAUSE3 SCHAL BE CRYED	PRL 2	702
CAUSE3 (V. CAUSES)		
CAVILLATION		
NE KEST NO KAUELACION IN KYNGE3 HOUS ARTHOR	GGK	2275

Entry	Text	Line
CAVILLATIONS		
AS KNY3TE3 IN CAUELACIOUN3 ON CRYSTMASSE GOMNE3.	GGK	683
CAWSE (V. CAUSE)		
CAYRE		
CAYRE TID OF THIS KYTHE ER COMBRED THOU WORTHE	CLN	901
AND THAY KAYRE NE CON AND KENELY FLOWEN	CLN	945
BOTHE TO CAYRE AT THE KART AND THE KUY MYLKE.	CLN	1259
SO KENLY FRO THE KYNGE3 KOURT TO KAYRE AL HIS ONE	GGK	1048
BOT THE KNY3T CRAUED LEUE TO KAYRE ON THE MORN	GGK	1670
OF HE3T OF BREDE OF LENTHE TO CAYRE.	PRL	1031
CAYRED		
THEN THAY CAYRED AND COM THAT THE COST WAKED.	CLN	85
THE CANDELSTIK BI A COST WAT3 CAYRED THIDER SONE	CLN	1478
SYTHEN KAYRED TO THE COURT CAROLES TO MAKE	GGK	43
CAYRE3		
BI CONTRAY CAYRE3 THIS KNY3T TYL KRYSTMASSE EUEN	GGK	734
CAYRE3 BI SUM OTHER KYTH THER KRYST MOT YOW SPEDE	GGK	2120
CAYSER (V. KAISER)		
CAYSERES (V. KAISERS)		
CAYTIF (V. CAITIFF)		
CAYTYF (V. CAITIFF)		
CA3T (V. CAUGHT)		
CA3TE (V. CAUGHT)		
CA3TEN (V. CAUGHT)		
CEASE		
SESOUNE3 SCHAL YOW NEUER SESE OF SEDE NE OF HERUEST	CLN	523
CEASED		
TILLE CESSYD WAS THE SERUICE AND SAYDE THE LATER ENDE.	ERK	136
WYT THIS CESSYD HIS SOWNE SAYD HE NO MORE.	ERK	341
SITHEN THE SEGE AND THE ASSAUT WAT3 SESED AT TROYE.	GGK	1
FOR VNETHE WAT3 THE NOYCE NOT A WHYLE SESED	GGK	134
AFTER THE SEGGE AND THE ASAUTE WAT3 SESED AT TROYE.	GGK	2525
HE WAT3 NO TYTTER OUTTULDE THAT TEMPEST NE SESSED	PAT	231
THE SEGGE SESED NOT 3ET BOT SAYDE EUER ILYCHE	PAT	369
CEMMED		
WEL CRESPED AND CEMMED WYTH KNOTTES FUL MONY.	GGK	188
CENACLE		
INTO THE CENACLE SOLEMPLY THER SOUPEN ALLE TREW.	ERK	336
CERCLE (V. CIRCLE)		
CERTAIN		
SERTAYN	GGK	174
THE RY3TWYS MAN ALSO SERTAYN	PRL	685
CERTES		
FOR CERTE3 THYSE ILK RENKE3 THAT ME RENAYED HABBE	CLN	105
CERTE3 (V. CERTES)		
CERUES (V. CARVES)		
CESSYD (V. CEASED)		
CETE (V. CITY)		
CETEIS (V. CITIES)		
CETY (V. CITY)		
CEUER (V. KEUER)		
CHACE (V. CHASE)		
CHAFFER		
SUCH CHAFFER AND 3E DRAWE	GGK	1647
IN CHEUISAUNCE OF THIS CHAFFER 3IF 3E HADE GOUD CHEPE3	GGK	1939
CHAIR		
NABIGODENO3AR NOBEL IN HIS CHAYER	CLN	1218
A CHEYER BYFORE THE CHEMNE THER CHARCOLE BRENNED	GGK	875
AND HE RADLY VPROS AND RAN FRO HIS CHAYER.	PAT	378

Entry	Text	Line
RY3T BYFORE GODE3 CHAYERE	PRL	885
CHALCEDONIES		
CASYDOYNES AND CRYSOLYTES AND CLERE RUBIES	CLN	1471
CHALCEDONY		
THE CALSYDOYNE THENNE WYTHOUTEN WEMME	PRL	1003
CHALDEA		
TO COLDE WER ALLE CALDE AND KYTHES OF YNDE	CLN	1231
SO KENE A KYNG IN CALDEE COM NEUER ER THENNE.	CLN	1339
AND THUR3 THE CUNTRE OF CALDEE HIS CALLYNG CON SPRYNG.	CLN	1362
CLERKES OUT OF CALDYE THAT KENNEST WER KNAUEN	CLN	1575
THE COMYNES AL OF CALDE THAT TO THE KYNG LONGED.	CLN	1747
CHALDEAN		
AND THER WAT3 THE KYNG KA3T WYTH CALDE PRYNCES	CLN	1215
COMEN NEUER OUT OF KYTH TO CALDEE REAMES	CLN	1316
CALLE HEM ALLE TO MY CORT THO CALDE CLERKKES.	CLN	1562
FOR ALLE CALDE CLERKES HAN COWWARDELY FAYLED.	CLN	1631
CHALDEANS		
THAT NOW HAT3 SPYED A SPACE TO SPOYLE CALDEE3	CLN	1774
CHALKWHITE		
CHALKWHYT CHYMNEES THER CHES HE INNO3E.	GGK	798
CHYMBLED OUER HIR BLAKE CHYN WITH CHALKQUYTE VAYLES	GGK	958
CHALKQUYTE (V. CHALKWHITE)		
CHALKWHYT (V. CHALKWHITE)		
CHAMBER		
HO HERDE HYM CHYDE TO THE CHAMBRE THAT WAT3 THE CHEF QUENE	CLN	1586
THENNE THE LORDE OF THE LEDE LOUTE3 FRO HIS CHAMBRE	GGK	833
THE LORDE HYM CHARRED TO A CHAMBRE AND CHEFLY CUMAUNDE3	GGK	850
TO CHAMBRE TO CHEMNE AND CHEFLY THAY ASKEN	GGK	978
LEDES HYM TO HIS AWEN CHAMBRE THE CHYMNE BYSYDE.	GGK	1030
AND SYTHEN BY THE CHYMNE IN CHAMBER THAY SETEN	GGK	1402
TO CHAMBRE HE CON HYM CALLE	GGK	1666
HO COME3 WITHINNE THE CHAMBRE DORE AND CLOSES HIT HIR AFTER.	GGK	1742
THEN WITH LEDES AND LY3T HE WAT3 LADDE TO HIS CHAMBRE.	GGK	1989
FOR THERE WAT3 LY3T OF A LAUMPE THAT LEMED IN HIS CHAMBRE	GGK	2010
TO KRYSTE3 CHAMBRE THAT ART ICHOSE	PRL	904
CHAMBERLAIN		
CLEPES TO HIS CHAMBERLAYN CHOSES HIS WEDE.	GGK	1310
HE CALLED TO HIS CHAMBERLAYN THAT COFLY HYM SWARED.	GGK	2011
CHAMBERLAYN (V. CHAMBERLAIN)		
CHAMBERS		
AL WAT3 HAP VPON HE3E IN HALLE3 AND CHAMBRE3.	GGK	48
CHAMBRE (V. CHAMBER)		
CHAMBRE3 (V. CHAMBERS)		
CHANCE		
AND IF HIT CHEUE THE CHAUNCE VNCHERYST HO WORTHE	CLN	1125
SO IF FOLK BE DEFOWLED BY VNFRE CHAUNCE	CLN	1129
HOV CHARGED MORE WAT3 HIS CHAUNCE THAT HEM CHERYCH NOLDE.	CLN	1154
SUCHE A CHAUNGANDE CHAUNCE IN THE CHEF HALLE.	CLN	1588
NOW ACHEUED IS MY CHAUNCE I SCHAL AT YOUR WYLLE.	GGK	1081
THAT CHAUNCE SO BYTYDE3 HOR CHEUYSAUNCE TO CHAUNGE.	GGK	1406
TO ACHEUE TO THE CHAUNCE THAT HE HADE CHOSEN THERE.	GGK	1838
HE GEF HIT AY GOD CHAUNCE	GGK	2068
HE CHEUE3 THAT CHAUNCE AT THE CHAPEL GRENE	GGK	2103
BOT I WYL TO THE CHAPEL FOR CHAUNCE THAT MAY FALLE.	GGK	2132
OF THE CHAUNCE OF THE GRENE CHAPEL AT CHEUALROUS KNY3TE3.	GGK	2399
THE CHAUNCE OF THE CHAPEL THE CHERE OF THE KNY3T	GGK	2496
CHANCEL		
HE CHES THUR3 THE CHAUNSEL TO CHERYCHE THAT HENDE	GGK	946
CHANCELY		

AND HE FUL CHAUNCELY HAT3 CHOSEN TO THE CHEF GATE . . . . . . GGK 778
CHANDELIER
AND THE CHEF CHAUNDELER CHARGED WITH THE LY3T . . . . CLN 1272
CHANGE
HIS CHER FUL OFT CON CHAUNGE . . . . GGK 711
FOR TO CHARGE AND TO CHAUNGE AND CHOSE OF THE BEST. . . . . . GGK 863
AND QUAT CHEK SO 3E ACHEUE CHAUNGE ME THERFORNE. . . . . . . GGK 1107
THAT CHAUNCE SO BYTYDE3 HOR CHEUYSAUNCE TO CHAUNGE. . . . . . GGK 1406
CHAUNGE WYTH THE CHEUISAUNCE BI THAT I CHARRE HIDER . . . . . GGK 1678
CHANGED
THENNE AR3ED ABRAHAM AND ALLE HIS MOD CHAUNGED . . . . CLN 713
NOW AR CHAUNGED TO CHORLES AND CHARGED WYTH WERKKES . . . . . CLN 1258
AND CHAUNGIT CHEUELY HOR NOMES AND CHARGIT HOM BETTER. . . . . ERK 18
AND OFTE CHAUNGED HIS CHER THE CHAPEL TO SECHE . . . . GGK 2169
THAT AL CHAUNGED HER CHERE AND CHYLLED AT THE HERT. . . . . . PAT 368
CHANGING
SUCHE A CHAUNGANDE CHAUNCE IN THE CHEF HALLE. . . . . CLN 1588
CHANTRY
THE CHAUNTRE OF THE CHAPEL CHEUED TO AN ENDE. . . . . GGK 63
CHAPAYLE (V. CHAPEL)
CHAPEL
THE CHAUNTRE OF THE CHAPEL CHEUED TO AN ENDE. . . . . GGK 63
TO THE GRENE CHAPEL THOU CHOSE I CHARGE THE TO FOTTE . . . . . GGK 451
THE KNY3T OF THE GRENE CHAPEL MEN KNOWEN ME MONY . . . . . . GGK 454
IN ANY GROUNDE THERABOUTE OF THE GRENE CHAPEL . . . . GGK 705
THAT CHAPEL ER HE MY3T SENE . . . . GGK 712
OF THE GRENE CHAPEL QUERE HIT ON GROUNDE STONDE3 . . . . . . GGK 1058
THE GRENE CHAPAYLE VPON GROUNDE GREUE YOW NO MORE . . . . . GGK 1070
THOU SCHAL CHEUE TO THE GRENE CHAPEL THY CHARRES TO MAKE. . . . GGK 1674
AT THE GRENE CHAPEL WHEN HE THE GOME METES . . . . GGK 1753
WHEN HE ACHEUED TO THE CHAPEL HIS CHEK FORTO FECH . . . . . . GGK 1857
SYTHEN CHEUELY TO THE CHAPEL CHOSES HE THE WAYE. . . . . . . GGK 1876
THE GATE TO THE GRENE CHAPEL AS GOD WYL ME SUFFER . . . . . . GGK 1967
HE CHEUE3 THAT CHAUNCE AT THE CHAPEL GRENE . . . . GGK 2103
FOR BE HIT CHORLE OTHER CHAPLAYN THAT BI THE CHAPEL RYDES . . . GGK 2107
BOT I WYL TO THE CHAPEL FOR CHAUNCE THAT MAY FALLE. . . . . . GGK 2132
AND THOU SCHAL SE IN THAT SLADE THE SELF CHAPEL. . . . . . . GGK 2147
AND OFTE CHAUNGED HIS CHER THE CHAPEL TO SECHE . . . . GGK 2169
WHETHER THIS BE THE GRENE CHAPELLE . . . . GGK 2186
THIS IS A CHAPEL OF MESCHAUNCE THAT CHEKKE HIT BYTYDE. . . . . GGK 2195
OF THE CHAUNCE OF THE GRENE CHAPEL AT CHEUALROUS KNY3TE3. . . . GGK 2399
THE CHAUNCE OF THE CHAPEL THE CHERE OF THE KNY3T . . . . . . GGK 2496
CHAPEL NE TEMPLE THAT EUER WAT3 SET. . . . . PRL 1062
CHAPELES (V. CHAPELS)
CHAPELLE (V. CHAPEL)
CHAPELS
CHAPLAYNE3 TO THE CHAPELES CHOSEN THE GATE . . . . GGK 930
CHAPLAIN
FOR BE HIT CHORLE OTHER CHAPLAYN THAT BI THE CHAPEL RYDES . . . GGK 2107
CHAPLAINS
CHAPLAYNE3 TO THE CHAPELES CHOSEN THE GATE . . . . GGK 930
CHAPLAYN (V. CHAPLAIN)
CHAPLAYNE3 (V. CHAPLAINS)
CHARCOAL
A CHEYER BYFORE THE CHEMNE THER CHARCOLE BRENNED . . . . . . GGK 875
CHARCOLE (V. CHARCOAL)
CHARDE
OTHER GOTE3 OF GOLF THAT NEUER CHARDE . . . . PRL 608
CHARG (V. CHARGE)

Entry	Text	Line
CHARGE		
TO THE GRENE CHAPEL THOU CHOSE I CHARGE THE TO FOTTE	GGK	451
FOR TO CHARGE AND TO CHAUNGE AND CHOSE OF THE BEST.	GGK	863
3E OF THE CHEPE NO CHARG QUOTH CHEFLY THAT OTHER	GGK	1940
CHARGEAUNT		
OF THAT CHARGEAUNT CHACE THAT WERE CHEF HUNTES	GGK	1604
CHARGED		
HOW THE CHEUETAYN HYM CHARGED THAT THE KYST 3EMED	CLN	464
HOV CHARGED MORE WAT3 HIS CHAUNCE THAT HEM CHERYCH NOLDE.	CLN	1154
NOW AR CHAUNGED TO CHORLES AND CHARGED WYTH WERKKES	CLN	1258
AND THE CHEF CHAUNDELER CHARGED WITH THE LY3T	CLN	1272
WYTH CHARGED CHARIOTES THE CHEFTAYN HE FYNDE3	CLN	1295
AND CHAUNGIT CHEUELY HOR NOMES AND CHARGIT HOM BETTER.	ERK	18
CHARIOTS		
WYTH CHARGED CHARIOTES THE CHEFTAYN HE FYNDE3	CLN	1295
CHARGIT (V. CHARGED)		
CHARIOTES (V. CHARIOTS)		
CHARITY		
THUS THAY FOR CHARYTE CHERYSEN A GEST	GGK	2055
3IF THAY FOR CHARYTE CHERYSEN A GEST	GGK V	2055
AND CHARYTE GRETE BE YOW AMONG	PRL	470
CHARRE		
CHAUNGE WYTH THE CHEUISAUNCE BI THAT I CHARRE HIDER	GGK	1678
CHARRED		
THE LORDE HYM CHARRED TO A CHAMBRE AND CHEFLY CUMAUNDE3	GGK	850
AND THAY CHASTYSED AND CHARRED ON CHASYNG THAT WENT	GGK	1143
CHARRES (V. CHORES)		
CHARYTE (V. CHARITY)		
CHASE		
TO CHACE.	GGK	1416
OF THAT CHARGEAUNT CHACE THAT WERE CHEF HUNTES	GGK	1604
OF ERYTAGE 3ET NON WYL HO CHACE	PRL	443
CHASING		
AND THAY CHASTYSED AND CHARRED ON CHASYNG THAT WENT	GGK	1143
CHAST (V. CHASTEN)		
CHASTEN		
FOR HARLOTE3 WYTH HIS HENDELAYK HE HOPED TO CHAST	CLN	860
CHASTISED		
THAT HE CHYSLY HADE CHERISCHED HE CHASTYSED FUL HARDE.	CLN	543
AND THAY CHASTYSED AND CHARRED ON CHASYNG THAT WENT	GGK	1143
CHASTYSED (V. CHASTISED)		
CHASYNG (V. CHASING)		
CHATTEL		
BIKENNES THE CATEL TO THE KYNG THAT HE CA3T HADE	CLN	1296
CHAUFEN		
AND CHERISCH HEM ALLE WYTH HIS CHER AND CHAUFEN HER JOYE.	CLN	128
CHAUNCE (V. CHANCE)		
CHAUNCELY (V. CHANCELY)		
CHAUNDELER (V. CHANDELIER)		
CHAUNGANDE (V. CHANGING)		
CHAUNGE (V. CHANGE)		
CHAUNGED (V. CHANGED)		
CHAUNGIT (V. CHANGED)		
CHAUNSEL (V. CHANCEL)		
CHAUNTRE (V. CHANTRY)		
CHAWLE3		
AS MOTE IN AT A MUNSTER DOR SO MUKEL WERN HIS CHAWLE3.	PAT	268
CHAYER (V. CHAIR)		
CHAYERE (V. CHAIR)		

CHEAP			
	AND I SCHULDE CHEPEN AND CHOSE TO CHEUE ME A LORDE.	GGK	1271
	3E OF THE CHEPE NO CHARG QUOTH CHEFLY THAT OTHER	GGK	1940
CHEAPS			
	IN CHEUISAUNCE OF THIS CHAFFER 3IF 3E HADE GOUD CHEPE3	GGK	1939
	AS IS PERTLY PAYED THE CHEPE3 THAT I A3TE.	GGK V	1941
CHECK			
	AND QUAT CHEK SO 3E ACHEUE CHAUNGE ME THERFORNE.	GGK	1107
	WHEN HE ACHEUED TO THE CHAPEL HIS CHEK FORTO FECH	GGK	1857
	THIS IS A CHAPEL OF MESCHAUNCE THAT CHEKKE HIT BYTYDE.	GGK	2195
CHECKS			
	THE CHEF OF HIS CHEUALRYE HIS CHEKKES TO MAKE	CLN	1238
CHEEK			
	WYTH CHYNNE AND CHEKE FUL SWETE	GGK	1204
CHEEKS			
	HIS BROWES BRESED AS BRERES ABOUTE HIS BRODE CHEKES	CLN	1694
	RUGH RONKLED CHEKE3 THAT OTHER ON ROLLED	GGK	953
	AND MUTH 3IF HE ME MANDE MAUGREF MY CHEKES	PAT	54
	MUCH 3IF HE NE ME MADE MAUGREF MY CHEKES	PAT V	54
CHEER			
	FOR HE SCHAL LOKE ON OURE LORDE WYTH A LEUE CHERE	CLN	28
	AND CHERISCH HEM ALLE WYTH HIS CHER AND CHAUFEN HER JOYE.	CLN	128
	SAY ME FRENDE QUOTH THE FREKE WYTH A FELLE CHERE	CLN	139
	AND GOD AS A GLAD GEST MAD GOD CHERE	CLN	641
	THAT AL FALEWED HIS FACE AND FAYLED THE CHERE	CLN	1539
	FOR HE SCHAL LOKE ON OURE LORDE WYTH A BONE CHERE	CLN V	28
	BOT SODENLY HIS SWETE CHERE SWYNDID AND FAYLIDE.	ERK	342
	WYTH STURNE SCHERE THER HE STOD HE STROKED HIS BERDE	GGK	334
	THE KNY3T MAD AY GOD CHERE.	GGK	562
	HIS CHER FUL OFT CON CHAUNGE	GGK	711
	AND ACHAUFED HYM CHEFLY AND THENNE HIS CHER MENDED.	GGK	883
	AND ENBELYSE HIS BUR3 WITH HIS BELE CHERE.	GGK	1034
	SCHO MADE HYM SO GRET CHERE	GGK	1259
	WITH CHERE	GGK	1745
	HE WELCUME3 HIR WORTHILY WITH A WALE CHERE	GGK	1759
	AND OFTE CHAUNGED HIS CHER THE CHAPEL TO SECHE	GGK	2169
	THE CHAUNCE OF THE CHAPEL THE CHERE OF THE KNY3T	GGK	2496
	THAT AL CHAUNGED HER CHERE AND CHYLLED AT THE HERT.	PAT	368
	MY LORDE THE LAMB LOUE3 AY SUCH CHERE	PRL	407
	AND THE ALDERMEN SO SADDE OF CHERE	PRL	887
	TOR TO KNAW THE GLADDEST CHERE	PRL	1109

CHEF (V. CHIEF)
CHEFLY (V. CHIEFLY)
CHEFTAYN (V. CHIEFTAN)
CHEK (V. CHECK)
CHEKE (V. CHEEK)
CHEKES (V. CHEEKS)
CHEKE3 (V. CHEEKS)
CHEKKE (V. CHECK)
CHEKKES (V. CHECKS)
CHELDE3 (V. SHIELDS)
CHEMNE (V. CHIMNEY)
CHEPE (V. CHEAP)
CHEPEN (V. CHEAP)
CHEPE3 (V. CHEAPS)
CHER (V. CHEER)
CHERE (V. CHEER)
CHERISCH (V. CHERISH)
CHERISCHED (V. CHERISHED)

CHERISH
AND CHERISCH HEM ALLE WYTH HIS CHER AND CHAUFEN HER JOYE. . . . CLN 128
HOV CHARGED MORE WAT3 HIS CHAUNCE THAT HEM CHERYCH NOLDE. . . CLN 1154
HE CHES THUR3 THE CHAUNSEL TO CHERYCHE THAT HENDE . . . . . . GGK 946
THUS THAY FOR CHARYTE CHERYSEN A GEST . . . . GGK 2055
3IF THAY FOR CHARYTE CHERYSEN A GEST . . . . GGK V 2055
CHERISHED
THAT HE CHYSLY HADE CHERISCHED HE CHASTYSED FUL HARDE. . . . . CLN 543
FYLSENED EUER THY FADER AND VPON FOLDE CHERYCHED . . . . . . CLN 1644
CHERYCH (V. CHERISH)
CHERYCHE (V. CHERISH)
CHERYCHED (V. CHERISH)
CHERYSEN (V. CHERISH)
CHES (V. CHOSE)
CHESE (V. CHOSE)
CHEUALROUS (V. CHIVALROUS)
CHEUALRY (V. CHIVALRY)
CHEUALRYE (V. CHIVALRY)
CHEUE (CP. ACHIEVE)
AND IF HIT CHEUE THE CHAUNCE VNCHERYST HO WORTHE . . . . . . CLN 1125
AND I SCHULDE CHEPEN AND CHOSE TO CHEUE ME A LORDE. . . . . . GGK 1271
THOU SCHAL CHEUE TO THE GRENE CHAPEL THY CHARRES TO MAKE. . . GGK 1674
CHEUED
THE CHAUNTRE OF THE CHAPEL CHEUED TO AN ENDE. . . . . GGK 63
TAS YOW THERE MY CHEUICAUNCE I CHEUED NO MORE . . . . GGK 1390
CHEUELY (V. CHIEFLY)
CHEUENTAYN (V. CHIEFTAN)
CHEUETAYN (V. CHIEFTAN)
CHEUE3
HE CHEUE3 THAT CHAUNCE AT THE CHAPEL GRENE . . . . GGK 2103
CHEUICAUNCE (V. CHEUISAUNCE)
CHEUISAUNCE
TAS YOW THERE MY CHEUICAUNCE I CHEUED NO MORE . . . . GGK 1390
THAT CHAUNCE SO BYTYDE3 HOR CHEUYSAUNCE TO CHAUNGE. . . . . . GGK 1406
CHAUNGE WYTH THE CHEUISAUNCE BI THAT I CHARRE HIDER . . . . . GGK 1678
IN CHEUISAUNCE OF THIS CHAFFER 3IF 3E HADE GOUD CHEPE3 . . . . GGK 1939
CHEUYSAUNCE (V. CHEUISAUNCE)
CHEYER (V. CHAIR)
CHIDE
HO HERDE HYM CHYDE TO THE CHAMBRE THAT WAT3 THE CHEF QUENE . . CLN 1586
MY LORDE NE LOUE3 NOT FOR TO CHYDE . . . . PRL 403
CHIEF
SYTHEN HE IS CHOSEN TO BE CHEF CHYLDRYN FADER . . . . CLN 684
THE CHEF OF HIS CHEUALRYE HIS CHEKKES TO MAKE . . . . CLN 1238
AND THE CHEF CHAUNDELER CHARGED WITH THE LY3T . . . . CLN 1272
HO HERDE HYM CHYDE TO THE CHAMBRE THAT WAT3 THE CHEF QUENE . . CLN 1586
SUCHE A CHAUNGANDE CHAUNCE IN THE CHEF HALLE. . . . . CLN 1588
AND HE FUL CHAUNCELY HAT3 CHOSEN TO THE CHEF GATE . . . . . . GGK 778
AND OF ALLE CHEUALRY TO CHOSE THE CHEF THYNG ALOSED . . . . . GGK 1512
OF THAT CHARGEAUNT CHACE THAT WERE CHEF HUNTES . . . . GGK 1604
CHIEFLY
AND CHAUNGIT CHEUELY HOR NOMES AND CHARGIT HOM BETTER. . . . . ERK 18
THE LORDE HYM CHARRED TO A CHAMBRE AND CHEFLY CUMAUNDE3 . . . GGK 850
AND ACHAUFED HYM CHEFLY AND THENNE HIS CHER MENDED. . . . . . GGK 883
TO CHAMBRE TO CHEMNE AND CHEFLY THAY ASKEN . . . . GGK 978
SYTHEN CHEUELY TO THE CHAPEL CHOSES HE THE WAYE. . . . . GGK 1876
3E OF THE CHEPE NO CHARG QUOTH CHEFLY THAT OTHER . . . . GGK 1940
CHIEFTAN
HOW THE CHEUETAYN HYM CHARGED THAT THE KYST 3EMED . . . . . . CLN 464

Headword / Line	Text	Line No.
WYTH CHARGED CHARIOTES THE CHEFTAYN HE FYNDE3	CLN	1295
FOR THE GENTYL CHEUENTAYN IS NO CHYCHE.	PRL	605
CHILD		
THAT THE HENDE HEUEN QUENE HAD OF HIR CHYLDE.	GGK	647
BOT HE COM THYDER RY3T AS A CHYLDE	PRL	723
CHILDGERED		
HE WAT3 SO JOLY OF HIS JOYFNES AND SUMQUAT CHILDGERED.	GGK	86
CHILDER (V. CHILDREN)		
CHILDES (V. CHILDS)		
CHILDREN		
SYTHEN HE IS CHOSEN TO BE CHEF CHYLDRYN FADER	CLN	684
THE PRUDDEST OF THE PROUINCE AND PROPHETES CHILDER.	CLN	1300
HIT ARN ABOUTE ON THIS BENCH BOT BERDLE3 CHYLDER	GGK	280
BOTHE BURNES AND BESTES BURDE3 AND CHILDER	PAT	388
SESE3 CHILDER OF HER SOK SOGHE HEM SO NEUER	PAT	391
TO TOUCH HER CHYLDER THAY FAYR HYM PRAYED.	PRL	714
DO WAY LET CHYLDER VNTO ME TY3T	PRL	718
CHILDS		
I FOLWE THE IN THE FADER NOME AND HIS FRE CHILDES	ERK	318
CHILLED		
THAT AL CHAUNGED HER CHERE AND CHYLLED AT THE HERT.	PAT	368
CHIMNEY		
A CHEYER BYFORE THE CHEMNE THER CHARCOLE BRENNED	GGK	875
TO CHAMBRE TO CHEMNE AND CHEFLY THAY ASKEN	GGK	978
LEDES HYM TO HIS AWEN CHAMBRE THE CHYMNE BYSYDE.	GGK	1030
AND SYTHEN BY THE CHYMNE IN CHAMBER THAY SETEN	GGK	1402
AND TO THE CHEMNE THAY PAST	GGK	1667
CHIMNEYS		
CHALKWHYT CHYMNEES THER CHES HE INNO3E.	GGK	798
CHIN		
CHYMBLED OUER HIR BLAKE CHYN WITH CHALKQUYTE VAYLES	GGK	958
WYTH CHYNNE AND CHEKE FUL SWETE	GGK	1204
CHINE		
AND SYTHEN SUNDER THAY THE SYDE3 SWYFT FRO THE CHYNE	GGK	1354
CHINS		
BOLDE BURNE3 WER THAY BOTHE WYTH BERDLES CHYNNE3	CLN	789
CHIVALROUS		
OF THE CHAUNCE OF THE GRENE CHAPEL AT CHEUALROUS KNY3TE3.	GGK	2399
CHIVALRY		
AND OF ALLE CHEUALRY TO CHOSE THE CHEF THYNG ALOSED	GGK	1512
THE CHEF OF HIS CHEUALRYE HIS CHEKKES TO MAKE	CLN	1238
CHOOSE		
TO THE GRENE CHAPEL THOU CHOSE I CHARGE THE TO FOTTE	GGK	451
FOR TO CHARGE AND TO CHAUNGE AND CHOSE OF THE BEST.	GGK	863
AND I SCHULDE CHEPEN AND CHOSE TO CHEUE ME A LORDE.	GGK	1271
AND OF ALLE CHEUALRY TO CHOSE THE CHEF THYNG ALOSED	GGK	1512
CHOOSES		
CLEPES TO HIS CHAMBERLAYN CHOSES HIS WEDE.	GGK	1310
SYTHEN CHEUELY TO THE CHAPEL CHOSES HE THE WAYE.	GGK	1876
CHORLE (V. CHURL)		
CHORLES (V. CHURLS)		
CHORES		
THOU SCHAL CHEUE TO THE GRENE CHAPEL THY CHARRES TO MAKE.	GGK	1674
CHOS (V. CHOSE)		
CHOSE (V. CHOOSE)		
CHOSE		
CHALKWHYT CHYMNEES THER CHES HE INNO3E.	GGK	798
HE CHES THUR3 THE CHAUNSEL TO CHERYCHE THAT HENDE	GGK	946
LEST HO ME ESCHAPED THAT I THER CHOS	PRL	187

Entry	Quotation	Poem	Line
	ME CHES TO HYS MAKE ALTHA3 VNMETE	PRL	759
	WYTH PAYNE TO SUFFER THE LOMBE HIT CHESE	PRL	954
CHOSEN			
	SYTHEN HE IS CHOSEN TO BE CHEF CHYLDRYN FADER	CLN	684
	AND HE FUL CHAUNCELY HAT3 CHOSEN TO THE CHEF GATE	GGK	778
	CHAPLAYNE3 TO THE CHAPELES CHOSEN THE GATE	GGK	930
	THER SCHULDE NO FREKE VPON FOLDE BIFORE YOW BE CHOSEN.	GGK	1275
	TO ACHEUE TO THE CHAUNCE THAT HE HADE CHOSEN THERE.	GGK	1838
	TO KRYSTE3 CHAMBRE THAT ART ICHOSE	PRL	904
CHOSES (V. CHOOSES)			
CHRIST			
	KRYST KYDDE HIT HYMSELF IN A CARP ONE3.	CLN	23
	THUS COMPARISUNE3 KRYST THE KYNDOM OF HEUEN	CLN	161
	THEROF CLATERED THE CLOUDES THAT KRYST MY3T HAF RAWTHE	CLN	972
	THENNE CONFOURME THE TO KRYST AND THE CLENE MAKE	CLN	1067
	SYTHEN CRIST SUFFRIDE ON CROSSE AND CRISTENDOME STABLYDE.	ERK	2
	BEFORE THAT KYNNED 3OUR CRISTE BY CRISTEN ACOUNTE	ERK	209
	AND THAY HYM KYST AND CONUEYED BIKENDE HYM TO KRYST	GGK	596
	THAT CRYST KA3T ON THE CROYS AS THE CREDE TELLE3	GGK	643
	CARANDE FOR THAT COMLY BI KRYST HIT IS SCATHE	GGK	674
	THER KRYST HIT YOW FOR3ELDE	GGK	839
	THAT A COMLOKER KNY3T NEUER KRYST MADE.	GGK	869
	AND YOWRE KNY3T I BECOM AND KRYST YOW FOR3ELDE	GGK	1279
	THAY COMLY BYKENNEN TO KRYST AYTHER OTHER.	GGK	1307
	BI KRYST QUOTH THAT OTHER KNY3T 3E CACH MUCH SELE	GGK	1938
	THAY BIKENDE HYM TO KRYST WITH FUL COLDE SYKYNGE3	GGK	1982
	THIS KASTEL TO KRYST I KENNE	GGK	2067
	CAYRE3 BI SUM OTHER KYTH THER KRYST MOT YOW SPEDE	GGK	2120
	THA3 KYNDE OF KRYST ME COMFORT KENNED	PRL	55
	AL ARN WE MEMBRE3 OF JESU KRYST	PRL	458
	THUS SCHAL I QUOTH KRYSTE HIT SKYFTE	PRL	569
	FOR KRYST HAN LYUED IN MUCH STRYF	PRL	776
CHRISTENDOM			
	SYTHEN CRIST SUFFRIDE ON CROSSE AND CRISTENDOME STABLYDE.	ERK	2
	AND CONUERTYD ALLE THE COMMUNNATES TO CRISTENDAME NEWE	ERK	14
CHRISTIAN			
	IN CONFIRMYNGE THI CRISTEN FAITHE FULSEN ME TO KENNE	ERK	124
	BEFORE THAT KYNNED 3OUR CRISTE BY CRISTEN ACOUNTE	ERK	209
	RY3T SO IS VCH A KRYSTEN SAWLE	PRL	461
	HIT IS FUL ETHE TO THE GOD KRYSTYIN.	PRL	1202
CHRISTMAS			
	THIS KYNG LAY AT CAMYLOT VPON KRYSTMASSE	GGK	37
	FORTHY I CRAUE IN THIS COURT A CRYSTEMAS GOMEN	GGK	283
	WEL BYCOMMES SUCH CRAFT VPON CRISTMASSE	GGK	471
	AFTER CRYSTENMASSE COM THE CRABBED LENTOUN	GGK	502
	AS KNY3TE3 IN CAUELACIOUN3 ON CRYSTMASSE GOMNE3.	GGK	683
	BI CONTRAY CAYRE3 THIS KNY3T TYL KRYSTMASSE EUEN	GGK	734
	COMEN TO THAT KRYSTMASSE AS CASE HYM THEN LYMPED	GGK	907
	THAT MOST MYRTHE MY3T MEUE THAT CRYSTENMAS WHYLE	GGK	985
	AS COUNDUTES OF KRYSTMASSE AND CAROLE3 NEWE	GGK	1655
CHRISTS			
	AND CLANSYD HOM IN CRISTES NOME AND KYRKES HOM CALLID.	ERK	16
	THE MOST KYD KNY3TE3 VNDER KRYSTES SELUEN.	GGK	51
	BOT CRYSTES MERSY AND MARY AND JON	PRL	383
	TO KRYSTE3 CHAMBRE THAT ART ICHOSE	PRL	904
	IN KRYSTE3 DERE BLESSYNG AND MYN.	PRL	1208
CHRONICLE			
	BOT ONE CRONICLE OF THIS KYNGE CON WE NEUER FYNDE	ERK	156
CHRONICLES			

	AS 3ET IN CRAFTY CRONECLES IS KYDDE THE MEMORIE.	ERK	44
CHRYSOLITE			
	3ET JOYNED JOHN THE CRYSOLYT	PRL	1009
CHRYSOLITES			
	CASYDOYNES AND CRYSOLYTES AND CLERE RUBIES	CLN	1471
CHRYSOPRASE			
	THE CRYSOPASE THE TENTHE IS TY3T.	PRL	1013
CHURL			
	FOR BE HIT CHORLE OTHER CHAPLAYN THAT BI THE CHAPEL RYDES	GGK	2107
CHURLS			
	NOW AR CHAUNGED TO CHORLES AND CHARGED WYTH WERKKES	CLN	1258
	WHAT HE CORSED HIS CLERKES AND CALDE HEM CHORLES	CLN	1583
CHYCHE			
	FOR THE GENTYL CHEUENTAYN IS NO CHYCHE.	PRL	605
CHYDE (V. CHIDE)			
CHYLDE (V. CHILD)			
CHYLDER (V. CHILDREN)			
CHYLDRYN (V. CHILDREN)			
CHYLLED (V. CHILLED)			
CHYMBLED			
	CHYMBLED OUER HIR BLAKE CHYN WITH CHALKQUYTE VAYLES	GGK	958
CHYMNE (V. CHIMNEY)			
CHYMNEES (V. CHIMNEYS)			
CHYN (V. CHIN)			
CHYNE (V. CHINE)			
CHYNNE (V. CHIN)			
CHYNNE3 (V. CHINS)			
CHYSLY			
	THAT HE CHYSLY HADE CHERISCHED HE CHASTYSED FUL HARDE.	CLN	543
CIENCES (V. SCIENCES)			
CIRCLE			
	THE CERCLE WAT3 MORE O PRYS	GGK	615
CITE (V. CITY)			
CITEES (V. CITIES)			
CITIES			
	THER SO3T NO MO TO SAUEMENT OF CITIES ATHEL FYUE	CLN	940
	ABDAMA AND SYBOYM THISE CETEIS ALLE FAURE.	CLN	958
	AL THO CITEES AND HER SYDES SUNKKEN TO HELLE.	CLN	968
	THER THE FYUE CITEES WERN SET NOV IS A SEE CALLED	CLN	1015
	THER FAURE CITEES WERN SET NOV IS A SEE CALLED	CLN V	1015
CITOLE-STRING			
	BOT SYTOLESTRYNG AND GYTERNERE	PRL	91
CITY			
	AND FORSETTE3 ON VCHE A SYDE THE CETE ABOUTE.	CLN	78
	FOR THAT CITE THERBYSYDE WAT3 SETTE IN A VALE	CLN	673
	IN TOWARDE THE CETY OF SODAMAS THAT SYNNED HAD THENNE.	CLN	679
	IN THE CETY OF SODAMAS AND ALSO GOMORRE	CLN	722
	THER IS A CITE HERBISYDE THAT SEGOR HIT HATTE	CLN	926
	THENNE WAT3 THE SEGE SETTE THE CETE ABOUTE	CLN	1185
	AND ETHEDE THE CETE TO SECHE SEGGES THUR3OUT.	CLN	1559
	SENDE INTO THE CETE TO SECHE HYM BYLYUE	CLN	1615
	THAT CETE SESES FUL SOUNDE AND SA3TLYNG MAKES	CLN	1795
	AND BEDE THE CETE TO SECHE SEGGES THUR3OUT	CLN V	1559
	TO SYTTE VPON SAYD CAUSES THIS CITE I 3EMYD	ERK	202
	AND IN THAT CETE MY SA3ES SOGHE ALLE ABOUTE	PAT	67
	HIT WAT3 A CETE FUL SYDE AND SELLY OF BREDE	PAT	353
	THE NWE CYTE O JERUSALEM	PRL	792
	A GRET CETE FOR 3E ARN FELE	PRL	927
	THAT IS THE CYTE THAT THE LOMBE CON FONDE.	PRL	939

BOT CETE OF GOD OTHER SY3T OF PES . . . . PRL 952
I SY3E THAT CYTY OF GRET RENOUN . . . . PRL 986
THE CYTE STOD ABOF FUL SWARE . . . . PRL 1023
THIS NOBLE CITE OF RYCHE ENPRYSE. . . . . PRL 1097

CLAD
CLADDEN ME FOR THE CURTEST THAT COURTE COUTHE THEN HOLDE. . . . ERK 249
CLAD WYTH A CLENE CLOTHE THAT CLER QUYT SCHEWED. . . . . . . GGK 885
FYRST HE CLAD HYM IN HIS CLOTHE3 THE COLDE FOR TO WERE . . . . GGK 2015
TO THENKE HIR COLOR SO CLAD IN CLOT. . . . . PRL 22

CLADDEN (V. CLAD)

CLAIM
QUERESO COUNTENAUNCE IS COUTHE QUIKLY TO CLAYME. . . . . . . GGK 1490
WHETHER ON HYMSELF HE CON AL CLEM . . . . PRL 826

CLAIMED
ALLE CALLED ON THAT CORTAYSE AND CLAYMED HIS GRACE. . . . . . CLN 1097

CLAM (V. CLIMBED)

CLAMBE (V. CLIMBED)

CLAMBERANDE (V. CLAMBERING)

CLAMBERED
AMONG THE CASTEL CARNELE3 CLAMBRED SO THIK . . . . GGK 801

CLAMBERING
AS ALLE THE CLAMBERANDE CLYFFES HADE CLATERED ON HEPES . . . . GGK 1722

CLAMBRED (V. CLAMBERED)

CLANLY (V. CLEANLY)

CLANLYCH (V. CLEANLY)

CLANNER (V. CLEANER)

CLANNES (V. CLEANNESS)

CLANNESSE (V. CLEANNESS)

CLANSYD (V. CLEANSED)

CLARENCE
SIR DODDINAUAL DE SAUAGE THE DUK OF CLARENCE. . . . . GGK 552

CLARION
CLER CLARYOUN CRAK CRYED ON LOFTE . . . . CLN 1210

CLARYOUN (V. CLARION)

CLATER (V. CLATTER)

CLATERANDE (V. CLATTERING)

CLATERED (V. CLATTERED)

CLATER3 (V. CLATTER)

CLATTER
WYTH KENE CLOBBE3 OF THAT CLOS THAY CLATER3 ON THE WOWE3. . . . CLN 839
AND VCHE A KOSTE OF THIS KYTHE CLATER VPON HEPES . . . . CLN 912

CLATTERED
THEROF CLATERED THE CLOUDES THAT KRYST MY3T HAF RAWTHE . . . . CLN 972
AS ALLE THE CLAMBERANDE CLYFFES HADE CLATERED ON HEPES . . . . GGK 1722
QUAT HIT CLATERED IN THE CLYFF AS HIT CLEUE SCHULDE . . . . . GGK 2201

CLATTERING
CLATERING OF COUACLE3 THAT KESTEN THO BURDES. . . . . CLN 1515
THER AS CLATERANDE FRO THE CREST THE COLDE BORNE RENNE3 . . . . GGK 731

CLAT3
WYTH KENE CLOBBE3 OF THAT CLOS THAY CLAT3 ON THE WOWE3 . . . . CLN V 839

CLAWRES
AND AL WAT3 GRAY AS THE GLEDE WYTH FUL GRYMME CLAWRES. . . . . CLN 1696

CLAY
AND THENNE CLEME HIT WYTH CLAY COMLY WYTHINNE . . . . CLN 312
HAT3 THOU CLOSED THY KYST WYTH CLAY ALLE ABOUTE. . . . . . . CLN 346
THE CLAY THAT CLENGES THEREBY ARN CORSYES STRONG . . . . CLN 1034
AS A COLTOUR IN CLAY CERUES THE FOR3ES. . . . . CLN 1547
HE SCHAL DECLAR HIT ALSO CLER AS HIT ON CLAY STANDE3 . . . . . CLN 1618
HE SCHAL DECLAR HIT ALSO AS HIT ON CLAY STANDE . . . . CLN V 1618

CLAYDAUBED
AND MUCH COMFORT IN THAT COFER THAT WAT3 CLAYDAUBED . . . . . CLN 492
CLAYME (V. CLAIM)
CLAYMED (V. CLAIMED)
CLEAN
HE IS SO CLENE IN HIS COURTE THE KYNG THAT AL WELDE3 . . . . . CLN 17
WITH ANGELE3 ENOURLED IN ALLE THAT IS CLENE . . . . CLN 19
THE HATHEL CLENE OF HIS HERT HAPENE3 FUL FAYRE . . . . CLN 27
CLENE MEN IN COMPAYNYE FORKNOWEN WERN LYTE . . . . CLN 119
BOT WAR THE WEL IF THOU WYLT THY WEDE3 BEN CLENE . . . . . . CLN 165
AND SYTHEN ALLE THYN OTHER LYME3 LAPPED FUL CLENE . . . . . . CLN 175
OF VCHE CLENE COMLY KYNDE ENCLOSE SEUEN MAKE3 . . . . CLN 334
THAT WAT3 COMLY AND CLENE GOD KEPE3 NON OTHER . . . . CLN 508
AS THE BERYL BORNYST BYHOUE3 BE CLENE . . . . CLN 554
CLECHE3 TO A CLENE CLOTHE AND KESTE3 ON THE GRENE . . . . . . CLN 634
AND THAY BE FOUNDEN IN THAT FOLK OF HER FYLTHE CLENE . . . . . CLN 730
FUL CLENE WAT3 THE COUNTENAUNCE OF HER CLER Y3EN . . . . . . CLN 792
AND IF HE LOUYES CLENE LAYK THAT IS OURE LORDE RYCHE . . . . . CLN 1053
CLERRER COUNSAYL CON I NON BOT THAT THOU CLENE WORTHE. . . . . CLN 1056
FOR SO CLOPYNGNEL IN THE COMPAS OF HIS CLENE ROSE . . . . . . CLN 1057
THENNE CONFOURME THE TO KRYST AND THE CLENE MAKE . . . . . . CLN 1067
THENNE WAT3 HER BLYTHE BARNE BURNYST SO CLENE . . . . CLN 1085
FOR NON SO CLENE OF SUCH A CLOS COM NEUER ER THENNE . . . . . CLN 1088
THUS IS HE KYRYOUS AND CLENE THAT THOU HIS CORT ASKES. . . . . CLN 1109
HOV SCHULDE THOU COM TO HIS KYTH BOT IF THOU CLENE WERE . . . . CLN 1110
QUAT MAY THE CAUSE BE CALLED BOT FOR HIR CLENE HWES . . . . . CLN 1119
WYTH ALLE THE COYNTYSE THAT HE COWTHE CLENE TO WYRKE . . . . . CLN 1287
DEUISED HE THE VESSELMENT THE VESTURES CLENE. . . . . CLN 1288
WYTH KOYNT CARNELES ABOUE CORUEN FUL CLENE . . . . CLN 1382
FOR TO COMPAS AND KEST TO HAF HEM CLENE WRO3T . . . . CLN 1455
COUERED COWPES FOUL CLENE AS CASTELES ARAYED. . . . . CLN 1458
ALLE THAT HE SPURED HYM IN SPACE HE EXPOWNED CLENE. . . . . . CLN 1606
HAT3 COUNTED THY KYNDAM BI A CLENE NOUMBRE . . . . CLN 1731
SO CLENE WAT3 HIS HONDELYNG VCHE ORDURE HIT SCHONIED . . . . . CLN V 1101
THE CLOTHE OF CAMELYN FUL CLENE WITH CUMLY BORDURES . . . . . ERK 82
THAT HIS CLOTHES WERE SO CLENE IN CLOUTES ME THYNKES . . . . . ERK 259
FUL CLENE . . . . GGK 146
WITH PELURE PURED APERT THE PANE FUL CLENE . . . . GGK 154
THAT SPENET ON HIS SPARLYR AND CLENE SPURES VNDER . . . . . . GGK 158
AND ALLE HIS VESTURE UERAYLY WAT3 CLENE VERDURE. . . . . . . GGK 161
THAT WERE RICHELY RAYLED IN HIS ARAY CLENE . . . . GGK 163
WITH POLAYNE3 PICHED THERTO POLICED FUL CLENE . . . . GGK 576
WYTH MONY LUFLYCH LOUPE THAT LOUKED FUL CLENE . . . . GGK 792
OF CORTYNES OF CLENE SYLK WYTH CLER GOLDE HEMME3 . . . . . . GGK 854
CLAD WYTH A CLENE CLOTHE THAT CLER QUYT SCHEWED. . . . . . . GGK 885
WYTH CLENE CORTAYS CARP CLOSED FRO FYLTHE. . . . . GGK 1013
AND CORTAYSYE IS CLOSED SO CLENE IN HYMSELUEN . . . . GGK 1298
AND HE ASOYLED HYM SURELY AND SETTE HYM SO CLENE . . . . . . GGK 1883
BOTHE HIS PAUNCE AND HIS PLATE3 PIKED FUL CLENE. . . . . . . GGK 2017
THOU ART CONFESSED SO CLENE BEKNOWEN OF THY MYSSES. . . . . . GGK 2391
I HALDE THE POLYSED OF THAT PLY3T AND PURED AS CLENE . . . . . GGK 2393
THAY AR HAPPEN ALSO THAT ARN OF HERT CLENE . . . . PAT 23
SO WAT3 HIT CLENE AND CLER AND PURE. . . . . PRL 227
JUELER SAYDE THAT GEMME CLENE. . . . . PRL 289
THAT IS OF HERT BOTHE CLENE AND LY3T . . . . PRL 682
FOR HIT IS WEMLE3 CLENE AND CLERE . . . . PRL 737
THYN ANGELHAUYNG SO CLENE CORTE3. . . . . PRL 754
AND CORONDE CLENE IN VERGYNTE. . . . . PRL 767
OF MOTES TWO TO CARPE CLENE . . . . PRL 949

Line	Work	No.
VTWYTH TO SE THAT CLENE CLOYSTOR.	PRL	969
BOT THOU WER CLENE WYTHOUTEN MOTE	PRL	972
CLEANER		
WEL CLANNER THEN ANY CRAFTE COWTHE DEVYSE.	CLN	1100
BOT MUCH CLENER WAT3 HIR CORSE GOD KYNNED THERINNE.	CLN	1072
CLEANLY		
AND KEPE TO HIT AND ALLE HIT CORS CLANLY FULFYLLE	CLN	264
A COFER CLOSED OF TRES CLANLYCH PLANED.	CLN	310
AND 3IF CLANLY HE THENNE COM FUL CORTAYS THERAFTER.	CLN	1089
THAT HE FUL CLANLY BICNV HIS CARP BI THE LASTE	CLN	1327
WHEN HE COM BIFORE THE KYNG AND CLANLY HAD HALSED	CLN	1621
CLANLY AL THE COUENAUNT THAT I THE KYNGE ASKED	GGK	393
TO CLANLY CLOS IN GOLDE SO CLERE.	PRL	2
CLEANNESS		
CLANNESSE WHOSO KYNDLY COWTHE COMMENDE.	CLN	1
IF THAY IN CLANNES BE CLOS THAY CLECHE GRET MEDE	CLN	12
THAT THUS OF CLANNESSE VNCLOSE3 A FUL CLER SPECHE	CLN	26
THAY KNEWE HYM BY HIS CLANNES FOR KYNG OF NATURE	CLN	1087
ANDE CLANNES IS HIS COMFORT AND COYNTYSE HE LOUYES.	CLN	1809
HIS CLANNES AND HIS CORTAYSYE CROKED WERE NEUER.	GGK	653
DAME MEKENESSE DAME MERCY AND MIRY CLANNESSE.	PAT	32
CLEANSED		
AND CLANSYD HOM IN CRISTES NOME AND KYRKES HOM CALLID.	ERK	16
CLEAR		
THAT THUS OF CLANNESSE VNCLOSE3 A FUL CLER SPECHE	CLN	26
FUL CLENE WAT3 THE COUNTENAUNCE OF HER CLER Y3EN	CLN	792
CLER CLARYOUN CRAK CRYED ON LOFTE	CLN	1210
AND HIS CLERE CONCUBYNES IN CLOTHES FUL BRY3T	CLN	1400
FOR THER WER BASSYNES FUL BRY3T OF BRENDE GOLDE CLERE.	CLN	1456
CASYDOYNES AND CRYSOLYTES AND CLERE RUBIES	CLN	1471
OF MONY CLER KYNDES OF FELE KYN HUES	CLN	1483
AND A COLER OF CLER GOLDE CLOS VMBE HIS THROTE	CLN	1569
HE SCHAL DECLAR HIT ALSO CLER AS HIT ON CLAY STANDE3	CLN	1618
AND A COLER OF CLER GOLDE KEST VMBE HIS SWYRE	CLN	1744
FORTHY HIT ACORDE3 TO THIS KNY3T AND TO HIS CLER ARME3	GGK	631
WHEN THE COLDE CLER WATER FRO THE CLOUDE3 SCHADDE	GGK	727
OF CORTYNES OF CLENE SYLK WYTH CLER GOLDE HEMME3	GGK	854
CLAD WYTH A CLENE CLOTHE THAT CLER QUYT SCHEWED.	GGK	885
THENNE COM HO OF HIR CLOSET WITH MONY CLER BURDE3	GGK	942
KERCHOFES OF THAT ON WYTH MONY CLER PERLE3	GGK	954
VNDER COUERTOUR FUL CLERE CORTYNED ABOUTE.	GGK	1181
3ET I KENDE YOW OF KYSSYNG QUOTH THE CLERE THENNE	GGK	1489
KESTEN CLOTHE3 VPON CLERE LY3T THENNE	GGK	1649
AND FUL CLERE CASTE3 THE CLOWDES OF THE WELKYN	GGK	1696
THIS MORNING IS SO CLERE	GGK	1747
KNIT VPON HIR KYRTEL VNDER THE CLERE MANTYLE.	GGK	1831
HIS COTE WYTH THE CONYSAUNCE OF THE CLERE WERKE3	GGK	2026
THOU KYSSEDES MY CLERE WYF THE COSSE3 ME RA3TE3.	GGK	2351
AND FUL CLERE COSTE3 THE CLOWDES OF THE WELKYN	GGK V	1696
CAREFUL AM I KEST OUT FRO THY CLER Y3EN	PAT	314
AND THENNE HE CRYED SO CLER THAT KENNE MY3T ALLE	PAT	357
AL SCHAL CRYE FORCLEMMED WYTH ALLE OURE CLERE STRENTHE	PAT	395
THAT THER QUIKKEN NO CLOUDE BIFORE THE CLER SUNNE	PAT	471
TO CLANLY CLOS IN GOLDE SO CLERE.	PRL	2
WYTH CRYSTAL KLYFFE3 SO CLER OF KYNDE	PRL	74
HI3E PYNAKLED OF CLER QUYT PERLE.	PRL	207
SO WAT3 HIT CLENE AND CLER AND PURE.	PRL	227
THAT O3T OF NO3T HAT3 MAD THE CLER	PRL	274
THE MEDE SUMTYME OF HEUENE3 CLERE	PRL	620

IS LYKE THE REME OF HEUENESSE CLERE.	PRL	735
FOR HIT IS WEMLE3 CLENE AND CLERE	PRL	737
THAT NWE SONGE THAY SONGEN FUL CLER.	PRL	882
NEUERTHELESE CLER I YOW BYCALLE	PRL	913
THE A3TTHE THE BERYL CLER AND QUYT	PRL	1011
FOR SOTYLE CLER NO3T LETTE NO LY3T	PRL	1050
WYTH HORNE3 SEUEN OF RED GOLDE CLER.	PRL	1111
FOR SOTYLE CLER NO3T LETTE NO SY3T	PRL 2	1050
CLEARER		
CLERRER COUNSAYL CON I NON BOT THAT THOU CLENE WORTHE.	CLN	1056
HO BY KYNDE SCHAL BECOM CLERER THEN ARE	CLN	1128
CLEAREST		
IN CONTRARY OF THE CANDELSTIK THER CLEREST HIT SCHYNED	CLN	1532
CLEARNESS		
IN THE CLERNES OF HIS CONCUBINES AND CURIOUS WEDE3.	CLN	1353
CLEAVE		
QUAT HIT CLATERED IN THE CLYFF AS HIT CLEUE SCHULDE	GGK	2201
THEN MO3TE BY RY3T VPON HEM CLYUEN	PRL	1196
THEN MO3TEN BY RY3T VPON HEM CLYUEN.	PRL 1	1196
THEN MO3TEN BY RY3T VPON HEM CLYUEN.	PRL 3	1196
CLEAVE (CP. CLYUY)		
BOT I KNEW ME KESTE THER KLYFE3 CLEUEN.	PRL	66
CLEAVES		
WYT THE WYTTE OF THE WRYT THAT ON THE WOWE CLYUES	CLN	1630
CLECHE		
IF THAY IN CLANNES BE CLOS THAY CLECHE GRET MEDE	CLN	12
CLECHES		
CLECHE3 TO A CLENE CLOTHE AND KESTE3 ON THE GRENE	CLN	634
HE CLECHES TO A GRET KLUBBE AND KNOKKES HEM TO PECES	CLN	1348
CLECHE3 (V. CLECHES)		
CLEF (V. CLEFT)		
CLEFT		
MONY CLUSTERED CLOWDE CLEF ALLE IN CLOWTE3	CLN	367
CLEM (V. CLAIM)		
CLEME		
AND THENNE CLEME HIT WYTH CLAY COMLY WYTHINNE	CLN	312
CLENE (V. CLEAN)		
CLENER (V. CLEANER)		
CLENGED		
FERLY FAYRE WAT3 THE FOLDE FOR THE FORST CLENGED	GGK	1694
CLENGES		
THE CLAY THAT CLENGES THEREBY ARN CORSYES STRONG	CLN	1034
COLDE CLENGE3 ADOUN CLOUDE3 VPLYFTEN	GGK	505
THAY CLOMBEN BI CLYFFE3 THER CLENGE3 THE COLDE	GGK	2078
CLENGE3 (V. CLENGES)		
CLENTE		
THAT IS IN COFER SO COMLY CLENTE.	PRL	259
CLEPED		
THAY WAKENED WEL THE WROTHELOKER FOR WROTHELY HE CLEPED	PAT	132
LORDE TO THE HAF I CLEPED IN CARE3 FUL STRONGE	PAT	305
CLEPES		
AND THERE HE KNELES AND CALLE3 AND CLEPES AFTER HELP	CLN	1345
CLEPES TO HIS CHAMBERLAYN CHOSES HIS WEDE.	GGK	1310
CLER (V. CLEAR)		
CLERE (V. CLEAR)		
CLERER (V. CLEARER)		
CLEREST (V. CLEAREST)		
CLERGY		
HE SCHAL BE PRYMATE AND PRYNCE OF PURE CLERGYE	CLN	1570

AND KOYNTYSE OF CLERGYE BI CRAFTES WEL LERNED . . . . GGK 2447
CLERGYE (V. CLERGY)
CLERK
MONY CLERKE IN THAT CLOS WITH CROWNES FUL BRODE. . . . . ERK 55
WITH THAT CONABLE KLERK THAT KNOWES ALLE YOUR KNY3TE3. . . . . GGK 2450
CLERKE (V. CLERK)
CLERKES (V. CLERKS)
CLERKE3 (V. CLERKS)
CLERKKES (V. CLERKS)
CLERKS
BOT I HAUE HERKNED AND HERDE OF MONY HY3E CLERKE3 . . . . CLN 193
DI3TEN DEKENES TO DETHE DUNGEN DOUN CLERKKES. . . . . CLN 1266
CALLE HEM ALLE TO MY CORT THO CALDE CLERKKES. . . . . CLN 1562
CLERKES OUT OF CALDYE THAT KENNEST WER KNAUEN . . . . CLN 1575
SORSERS OF EXORSISMUS AND FELE SUCH CLERKES . . . . CLN 1579
WHAT HE CORSED HIS CLERKES AND CALDE HEM CHORLES . . . . CLN 1583
FOR ALLE CALDE CLERKES HAN COWWARDELY FAYLED. . . . . CLN 1631
MONY CLERKES IN THAT CLOS WITH CROWNES FUL BRODE . . . . ERK V 55
LOUDE CRYE WAT3 THER KEST OF CLERKE3 AND OTHER . . . . GGK 64
THA3 ALLE CLERKE3 HYM HADE IN CURE . . . . PRL 1091
CLERNES (V. CLEARNESS)
CLERRER (V. CLEARER)
CLETHE (CP. CLOTHE)
THE KYNG COMAUNDED ANON TO CLETHE THAT WYSE . . . . CLN 1741
CLEUE (V. CLEAVE)
CLEUEN (V. CLEAVED)
CLE3T
THAT A CLYKET HIT CLE3T CLOS HYM BYHYNDE . . . . CLN 858
AND WHYLE THAT COYNTISE WAT3 CLE3T CLOS IN HIS HERT . . . . . CLN 1655
CLIFF
FOR HIT CLAM VCHE A CLYFFE CUBITES FYFTENE . . . . CLN 405
KAST VP ON A CLYFFE THER COSTESE LAY DRYE. . . . . CLN 460
MONY KLYF HE OUERCLAMBE IN CONTRAYE3 STRAUNGE . . . . GGK 713
IN A KNOT BI A CLYFFE AT THE KERRE SYDE . . . . GGK 1431
QUAT HIT CLATERED IN THE CLYFF AS HIT CLEUE SCHULDE . . . . . GGK 2201
A CRYSTAL CLYFFE FUL RELUSAUNT . . . . PRL 159
CLIFFS
AND CLOUEN ALLE IN LYTTEL CLOUTES THE CLYFFE3 AYWHERE. . . . . CLN 965
WYTH SUCH A CRAKKANDE KRY AS KLYFFES HADEN BRUSTEN. . . . . . GGK 1166
AS ALLE THE CLAMBERANDE CLYFFES HADE CLATERED ON HEPES . . . . GGK 1722
THAY CLOMBEN BI CLYFFE3 THER CLENGE3 THE COLDE . . . . GGK 2078
BOT I KNEW ME KESTE THER KLYFE3 CLEUEN. . . . . PRL 66
WYTH CRYSTAL KLYFFE3 SO CLER OF KYNDE . . . . PRL 74
CLIMB
LORDE QUO SCHAL KLYMBE THY HY3 HYLLE . . . . PRL 678
WHAT SCHULDE THE MONE THER COMPAS CLYM. . . . . PRL 1072
CLIMBED
FOR HIT CLAM VCHE A CLYFFE CUBITES FYFTENE . . . . CLN 405
THAY CLOMBEN BI CLYFFE3 THER CLENGE3 THE COLDE . . . . GGK 2078
OUER ALLE OTHER SO HY3 THOU CLAMBE . . . . PRL 773
CLING
ALTHA3 OURE CORSES IN CLOTTE3 CLYNGE . . . . PRL 857
CLIP
KABLE OTHER CAPSTAN TO CLYPPE TO HER ANKRE3 . . . . CLN 418
CLIPPER
AND AS LOMBE THAT CLYPPER IN HANDE NEM. . . . . PRL 802
AND AS LOMBE THAT CLYPPER IN LANDE NEM. . . . . PRL 1 802
AND AS LOMBE THAT CLYPPER IN LANDE NEM. . . . . PRL 2 802
AND AS LOMBE THAT CLYPPER IN LANDE NEM. . . . . PRL 3 802

CLOBBE3 (V. CLUBS)

CLOISTER

MEN VNCLOSID HYM THE CLOYSTER WITH CLUSTREDE KEIES. . . . . . ERK 140
IF HE MY3T KEUER TO COM THE CLOYSTER WYTHINNE . . . . GGK 804
VTWYTH TO SE THAT CLENE CLOYSTOR. . . . . PRL 969

CLOMBEN (V. CLIMBED)

CLOPINEL

FOR SO CLOPYNGNEL IN THE COMPAS OF HIS CLENE ROSE . . . . . . CLN 1057

CLOPYNGNEL (V. CLOPINEL)

CLOS (V. CLOSE, CLOSED)

CLOSE

WYTH KENE CLOBBE3 OF THAT CLOS THAY CLATER3 ON THE WOWE3. . . . CLN 839
FOR NON SO CLENE OF SUCH A CLOS COM NEUER ER THENNE . . . . . CLN 1088
HIS CNES CACHCHES TO CLOSE AND HE CLUCHCHES HIS HOMMES . . . . CLN 1541
WYTH KENE CLOBBE3 OF THAT CLOS THAY CLAT3 ON THE WOWE3 . . . . CLN V 839
MONY CLERKE IN THAT CLOS WITH CROWNES FUL BRODE. . . . . . . ERK 55
MCNY CLERKES IN THAT CLOS WITH CROWNES FUL BRODE . . . . . . ERK V 55
TO CLANLY CLOS IN GOLDE SO CLERE. . . . . PRL 2
NOW THUR3 KYNDE OF THE KYSTE THAT HYT CON CLOSE. . . . . . . PRL 271

CLOSED

IF THAY IN CLANNES BE CLOS THAY CLECHE GRET MEDE . . . . . . CLN 12
A COFER CLOSED OF TRES CLANLYCH PLANED. . . . . CLN 310
HAT3 THOU CLOSED THY KYST WYTH CLAY ALLE ABOUTE. . . . . . . CLN 346
BOT THA3 THE KYSTE IN THE CRAGE3 WERE CLOSED TO BYDE . . . . CLN 449
IN COMLY COMFORT FUL CLOS AND CORTAYS WORDE3. . . . . CLN 512
THAT A CLYKET HIT CLE3T CLOS HYM BYHYNDE . . . . CLN 858
BY HOW COMLY A KEST HE WAT3 CLOS THERE. . . . . CLN 1070
AND A COLER OF CLER GOLDE CLOS VMBE HIS THROTE . . . . CLN 1569
AND WHYLE THAT COYNTISE WAT3 CLE3T CLOS IN HIS HERT . . . . . CLN 1655
AND SYTHEN A CRAFTY CAPADOS CLOSED ALOFT . . . . GGK 572
QUEME QUYSSEWES THEN THAT COYNTLYCH CLOSED . . . . GGK 578
WYTH CLENE CORTAYS CARP CLOSED FRO FYLTHE. . . . . GGK 1013
AND CORTAYSYE IS CLOSED SO CLENE IN HYMSELUEN . . . . GGK 1298
WYTH Y3EN OPEN AND MOUTH FUL CLOS . . . . PRL 183
KERUEN AND CAGGEN AND MAN HIT CLOS . . . . PRL 512
SO CLOSED HE HYS MOUTH FRO VCH QUERY . . . . PRL 803

CLOSES

OF A KYNGE3 CAPADOS THAT CLOSES HIS SWYRE. . . . . GGK 186
HO COME3 WITHINNE THE CHAMBRE DORE AND CLOSES HIT HIR AFTER. . GGK 1742

CLOSET

INTO A COMLY CLOSET COYNTLY HO ENTRE3 . . . . GGK 934
THENNE COM HO OF HIR CLOSET WITH MONY CLER BURDE3 . . . . . . GGK 942

CLOT

TO THENKE HIR COLOR SO CLAD IN CLOT. . . . . PRL 22
THY CORSE IN CLOT MOT CALDER KEUE . . . . PRL 320
ON THE HYL OF SYON THAT SEMLY CLOT . . . . PRL 789

CLOTH

CLECHE3 TO A CLENE CLOTHE AND KESTE3 ON THE GRENE . . . . . . CLN 634
APYKE THE IN PORPRE CLOTHE PALLE ALTHERFYNEST . . . . CLN 1637
IN FROKKES OF FYN CLOTH AS FORWARD HIT ASKED. . . . . CLN 1742
THE CLOTHE OF CAMELYN FUL CLENE WITH CUMLY BORDURES . . . . . ERK 82
AND 3ET HIS COLOUR AND HIS CLOTHE HAS CA3T NO DEFAUTE. . . . . ERK 148
BOT THI COLOURE NE THI CLOTHE I KNOW IN NO WISE. . . . . . . ERK 263
NE NO MONNES COUNSELLE MY CLOTHE HAS KEPYD VNWEMMYD . . . . . ERK 266
ON CLOTHE . . . . GGK 125
CLAD WYTH A CLENE CLOTHE THAT CLER QUYT SCHEWED. . . . . . . GGK 885
VPON THAT RYOL RED CLOTHE THAT RYCHE WAT3 TO SCHEWE . . . . . GGK 2036
GEDEREN TO THE GYDEROPES THE GRETE CLOTH FALLES. . . . . . . PAT 105

CLOTHE (ALSO V. CLOTH)

THE KYNG COMAUNDED ANON TO CLETHE THAT WYSE . . . . CLN 1741
CLOTHED
A THRAL THRY3T IN THE THRONG VNTHRYUANDELY CLOTHED. . . . . . CLN 135
CLOTHES
AND HIS CLERE CONCUBYNES IN CLOTHES FUL BRY3T . . . . CLN 1400
AND COUERED MONY A CUPBORDE WITH CLOTHES FUL QUITE. . . . . . CLN 1440
THAT BOTHE HIS BLOD AND HIS BRAYN BLENDE ON THE CLOTHES . . . . CLN 1788
THAT HIS CLOTHES WERE SO CLENE IN CLOUTES ME THYNKES . . . . . ERK 259
AND HE HEUE3 VP HIS HED OUT OF THE CLOTHES . . . . GGK 1184
KESTEN CLOTHE3 VPON CLERE LY3T THENNE . . . . GGK 1649
FYRST HE CLAD HYM IN HIS CLOTHE3 THE COLDE FOR TO WERE . . . . GGK 2015
THENNE HE SWEPE TO THE SONDE IN SLUCHCHED CLOTHES . . . . . . PAT 341
FOR HE THAT IS TO RAKEL TO RENDEN HIS CLOTHE3 . . . . PAT 526
CLOTHE3 (V. CLOTHES)
CLOTHS
WAT3 GRAYTHED FOR SIR GAWAN GRAYTHELY WITH CLOTHE3. . . . . . GGK 876
CLOTS
ALTHA3 OURE CORSES IN CLOTTE3 CLYNGE . . . . PRL 857
CLOTTE3 (V. CLOTS)
CLOUD
MONY CLUSTERED CLOWDE CLEF ALLE IN CLOWTE3 . . . . CLN 367
THAT THER QUIKKEN NO CLOUDE BIFORE THE CLER SUNNE . . . . PAT 471
CLOUDE (V. CLOUD)
CLOUDES (V. CLOUDS)
CLOUDE3 (V. CLOUDS)
CLOUDS
KEST TO KYTHE3 VNCOUTHE THE CLOWDE3 FUL NERE. . . . . CLN 414
CLOWDE3 CLUSTERED BYTWENE KESTEN VP TORRES . . . . CLN 951
THEROF CLATERED THE CLOUDES THAT KRYST MY3T HAF RAWTHE . . . . CLN 972
COLDE CLENGE3 ADOUN CLOUDE3 VPLYFTEN . . . . GGK 505
WHEN THE COLDE CLER WATER FRO THE CLOUDE3 SCHADDE . . . . GGK 727
AND FUL CLERE CASTE3 THE CLOWDES OF THE WELKYN . . . . GGK 1696
CLOWDES KESTEN KENLY THE COLDE TO THE ERTHE . . . . GGK 2001
AND FUL CLERE COSTE3 THE CLOWDES OF THE WELKYN . . . . GGK V 1696
CLOUTS
WYTH RENT COKRE3 AT THE KNE AND HIS CLUTTE3 TRASCHED . . . . . CLN 40
MONY CLUSTERED CLOWDE CLEF ALLE IN CLOWTE3 . . . . CLN 367
AND CLOUEN ALLE IN LYTTEL CLOUTES THE CLYFFE3 AYWHERE. . . . . CLN 965
THAT HIS CLOTHES WERE SO CLENE IN CLOUTES ME THYNKES . . . . . ERK 259
CLOUEN (V. CLOVEN)
CLOUTES (V. CLOUTS)
CLOVEN
AND CLOUEN ALLE IN LYTTEL CLOUTES THE CLYFFE3 AYWHERE. . . . . CLN 965
CLOWDE (V. CLOUD)
CLOWDES (V. CLOUDS)
CLOWDE3 (V. CLOUDS)
CLOWTE3 (V. CLOUTS)
CLOYSTER (V. CLOISTER)
CLOYSTOR (V. CLOISTER)
CLUB
HE CLECHES TO A GRET KLUBBE AND KNOKKES HEM TO PECES . . . . . CLN 1348
CLUBS
WYTH KENE CLOBBE3 OF THAT CLOS THAY CLATER3 ON THE WOWE3. . . . CLN 839
WYTH KENE CLOBBE3 OF THAT CLOS THAY CLAT3 ON THE WOWE3 . . . . CLN V 839
CLUCHCHES (V. CLUTCHES)
CLUSTERED
MONY CLUSTERED CLOWDE CLEF ALLE IN CLOWTE3 . . . . CLN 367
CLOWDE3 CLUSTERED BYTWENE KESTEN VP TORRES . . . . CLN 951
MEN VNCLOSID HYM THE CLOYSTER WITH CLUSTREDE KEIES. . . . . . ERK 140

CLUSTERS
    TRASED ABOUTE HIR TRESSOUR BE TWENTY IN CLUSTERES . . . . . . GGK 1739
CLUSTREDE (V. CLUSTERED)
CLUTCHES
    HIS CNES CACHCHES TO CLOSE AND HE CLUCHCHES HIS HOMMES . . . . CLN 1541
CLUTTE
    WYTH RENT COKRE3 AT THE KNE AND HIS CLUTTE TRASCHE3 . . . . . CLN V 40
CLUTTE3 (V. CLOUTS)
CLYDE
    THER MONY CLYUY AS CLYDE HIT CLY3T TOGEDER . . . . CLN 1692
CLYFF (V. CLIFF)
CLYFFE (V. CLIFF)
CLYFFES (V. CLIFFS)
CLYKET
    THAT A CLYKET HIT CLE3T CLOS HYM BYHYNDE . . . . CLN 858
CLYM (V. CLIMB)
CLYNGE (V. CLING)
CLYPPE (V. CLIP)
CLYPPER (V. CLIPPER)
CLYUEN (V. CLEAVE)
CLYUES (V. CLEAVES)
CLYUY (CP. CLEAVE)
    THER MONY CLYUY AS CLYDE HIT CLY3T TOGEDER . . . . CLN 1692
CLY3T
    THER MONY CLYUY AS CLYDE HIT CLY3T TOGEDER . . . . CLN 1692
CNAWE (V. KNOW)
CNAWYNG (V. KNOWING)
CNES (V. KNEES)
CNOKEN (V. KNOCK)
CNOKE3 (V. KNOCKS)
CNOWEN (V. KNOWN)
COAL
    HE WAT3 COLORED AS THE COLE CORBY AL VNTRWE . . . . CLN 456
    HE WAT3 COLORED AS THE COLE CORBYAL UNTRWE . . . . CLN V 456
COAST
    THEN THAY CAYRED AND COM THAT THE COST WAKED. . . . . CLN 85
    HO VMBEKESTE3 THE COSTE AND THE KYST SECHE3 . . . . CLN 478
    AND VCHE A KOSTE OF THIS KYTHE CLATER VPON HEPES . . . . . . CLN 912
    AS CONQUEROUR OF VCHE A COST HE CAYSER WAT3 HATTE . . . . . . CLN 1322
COASTS
    KAST VP ON A CLYFFE THER COSTESE LAY DRYE. . . . . CLN 460
    AND ALLE THE COSTE3 OF KYNDE HIT COMBRE3 VCHONE. . . . . . . CLN 1024
    AND AS HIT IS CORSED OF KYNDE AND HIT COOSTE3 ALS . . . . . . CLN 1033
    AND FUL CLERE COSTE3 THE CLOWDES OF THE WELKYN . . . . GGK V 1696
COAT
    COME3 TO YOUR KNAUES KOTE I CRAUE AT THIS ONE3 . . . . CLN 801
    A STRAYT COTE FUL STRE3T THAT STEK ON HIS SIDES. . . . . . . GGK 152
    AND WYTH A COUNTENAUNCE DRY3E HE DRO3 DOUN HIS COTE . . . . . GGK 335
    HE BER IN SCHELDE AND COTE. . . . . GGK 637
    AND TYRUEN OF HIS COTE . . . . GGK 1921
    HIS COTE WYTH THE CONYSAUNCE OF THE CLERE WERKE3 . . . . . . GGK 2026
COAT-ARMOUR
    WYTH RYCHE COTEARMURE . . . . GGK 586
COCK
    BI THAT THE COKE HADE CROWEN AND CAKLED BOT THRYSE. . . . . . GGK 1412
    BI VCH KOK THAT CRUE HE KNWE WEL THE STEUEN . . . . GGK 2008
COF
    COME3 COF TO MY CORTE ER HIT COLDE WORTHE. . . . . CLN 60
    COMAUNDED HIR TO BE COF AND QUYK AT THIS ONE3 . . . . CLN 624

```
    THAY COMAUNDED HYM COF TO CACH THAT HE HADE . . . . . . . . .  CLN        898
COFER (V. COFFER)
COFERES (V. COFFERS)
COFFER
    A COFER CLOSED OF TRES CLANLYCH PLANED. . . . . . . . . . .  CLN        310
    WYTH ALLE THE FODE THAT MAY BE FOUNDE FRETTE THY COFER . . .  CLN        339
    AND MUCH COMFORT IN THAT COFER THAT WAT3 CLAYDAUBED . . . .  CLN        492
    THAT IS IN COFER SO COMLY CLENTE. . . . . . . . . . . . . .  PRL        259
COFFERS
    AND COMAUNDES HYM COFLY COFERES TO LAUCE . . . . . . . . . .  CLN       1428
    HER KYSTTES AND HER COFERES HER CARALDES ALLE . . . . . . . .  PAT        159
COFLY
    AND COMAUNDES HYM COFLY COFERES TO LAUCE . . . . . . . . . .  CLN       1428
    HE CALLED TO HIS CHAMBERLAYN THAT COFLY HYM SWARED. . . . . .  GGK       2011
COGE
    THE COGE OF THE COLDE WATER AND THENNE THE CRY RYSES . . . .  PAT        152
COGNIZANCE
    HIS COTE WYTH THE CONYSAUNCE OF THE CLERE WERKE3 . . . . . .  GGK       2026
COIF
    AND ON HIS COYFE WOS KEST A CORON FUL RICHE . . . . . . . . .  ERK         83
COKE (V. COCK)
COKRE3
    WYTH RENT COKRE3 AT THE KNE AND HIS CLUTTE3 TRASCHED . . . .  CLN         40
    WYTH RENT COKRE3 AT THE KNE AND HIS CLUTTE TRASCHE3 . . . . .  CLN V       40
COLD
    COME3 COF TO MY CORTE ER HIT COLDE WORTHE. . . . . . . . . .  CLN         60
    TO COLDE WER ALLE CALDE AND KYTHES OF YNDE . . . . . . . . .  CLN       1231
    HO KNELES ON THE COLDE ERTHE AND CARPES TO HYMSELUEN . . . . .  CLN       1591
    MY SOULE MAY SITTE THER IN SOROW AND SIKE FUL COLDE . . . . .  ERK        305
    COLDE CLENGE3 ADOUN CLOUDE3 VPLYFTEN . . . . . . . . . . .  GGK        505
    WHEN THE COLDE CLER WATER FRO THE CLOUDE3 SCHADDE . . . . . .  GGK        727
    THER AS CLATERANDE FRO THE CREST THE COLDE BORNE RENNE3 . . .  GGK        731
    THAT PITOSLY THER PIPED FOR PYNE OF THE COLDE . . . . . . . .  GGK        747
    AND KNELED DOUN ON HER KNES VPON THE COLDE ERTHE . . . . . .  GGK        818
    WITHINNE THE COMLY CORTYNES ON THE COLDE MORNE . . . . . . .  GGK       1732
    AND EUER IN HOT AND COLDE . . . . . . . . . . . . . . . . .  GGK       1844
    THAY BIKENDE HYM TO KRYST WITH FUL COLDE SYKYNGE3 . . . . . .  GGK       1982
    CLOWDES KESTEN KENLY THE COLDE TO THE ERTHE . . . . . . . . .  GGK       2001
    FYRST HE CLAD HYM IN HIS CLOTHE3 THE COLDE FOR TO WERE . . .  GGK       2015
    THAY CLUMBEN BI CLYFFE3 THER CLENGE3 THE COLDE . . . . . . .  GGK       2078
    ON COOLDE . . . . . . . . . . . . . . . . . . . . . . . . .  GGK       2474
    THE COGE OF THE COLDE WATER AND THENNE THE CRY RYSES . . . . .  PAT        152
    LORDE COLDE WAT3 HIS CUMFORT AND HIS CARE HUGE . . . . . . .  PAT        264
    SEWED A SEKKE THER ABOF AND SYKED FUL COLDE . . . . . . . . .  PAT        382
    FOR CARE FUL COLDE THAT TO ME CA3T . . . . . . . . . . . . .  PRL         50
    HE TOKE ON HYMSELF OURE CARE3 COLDE. . . . . . . . . . . . .  PRL        808
COLDE (V. COLD)
COLDER
    THY CORSE IN CLOT MOT CALDER KEUE . . . . . . . . . . . . . .  PRL        320
COLE (V. COAL, COOL)
COLEN (V. COOL)
COLER (V. COLLAR)
COLLAR
    AND A COLER OF CLER GOLDE CLOS VMBE HIS THROTE . . . . . . . .  CLN       1569
    AND A COLER OF CLER GOLDE KEST VMBE HIS SWYRE . . . . . . . .  CLN       1744
COLOR
    AND 3ET HIS COLOUR AND HIS CLOTHE HAS CA3T NO DEFAUTE. . . . .  ERK        148
    BOT THI COLOURE NE THI CLOTHE I KNOW IN NO WISE. . . . . . . .  ERK        263
    AND OF COMPAS AND COLOUR AND COSTES OF ALLE OTHER . . . . . .  GGK        944
```

AND OF THE KNY3T THAT HIT KEPES OF COLOUR OF GRENE. GGK 1059
TO THENKE HIR COLOR SO CLAD IN CLOT. PRL 22
HER DEPE COLOUR 3ET WONTED NON PRL 215
THY COLOUR PASSE3 THE FLOUR-DE-LYS PRL 753
COLORED
HE WAT3 COLORED AS THE COLE CORBY AL VNTRWE CLN 456
HE WAT3 COLORED AS THE COLE CORBYAL UNTRWE CLN V 456
COLOUR (V. COLOR)
COLOURE (V. COLOR)
COLTER
AS A COLTOUR IN CLAY CERUES THE FOR3ES. CLN 1547
COLTOUR (V. COLTER)
COLWARDE
FOR COUETYSE AND COLWARDE AND CROKED DEDE3 CLN 181
COM (V. CAME, COME)
COMAUNDED (V. COMMANDED)
COMAUNDEMENT (V. COMMANDMENT)
COMAUNDES (V. COMMANDS)
COMAUNDET (V. COMMANDED)
COMAUNDE3 (V. COMMANDS)
COMAUNDIT (V. COMMANDED)
COMB
SO MONY A COMLY ONVUNDER CAMBE PRL 775
COMBRAUNCE (V. CUMBRANCE)
COMBRED (V. CUMBERED)
COMBRE3 (V. CUMBERS)
COME (ALSO V. CAME)
AND IN COMLY QUOYNTIS TO COM TO HIS FESTE. CLN 54
COME3 COF TO MY CORTE ER HIT COLDE WORTHE. CLN 60
WHEN THAY KNEWEN HIS CAL THAT THIDER COM SCHULDE CLN 61
EXCUSE ME AT THE COURT I MAY NOT COM THERE CLN 70
AND IN THE CREATORES CORT COM NEUER MORE CLN 191
BOT THE BURNE BYNNE BORDE THAT BOD TO HYS COME CLN 467
BYTWENE A MALE AND HIS MAKE SUCH MERTHE SCHULDE COME CLN 703
COME3 TO YOUR KNAUES KOTE I CRAUE AT THIS ONE3 CLN 801
HOV SCHULDE THOU COM TO HIS KYTH BOT IF THOU CLENE WERE CLN 1110
THAT ALLE GOUDES COM OF GOD AND GEF HIT HYM BI SAMPLES CLN 1326
THAT VCHE A KYTHYN KYNG SCHULD COM THIDER. CLN 1366
SCHULDE COM TO HIS COURT TO KYTHE HYM FOR LEGE CLN 1368
FER INTO A FYR FRYTH THERE FREKES NEUER COMEN CLN 1680
HIS BAROUNES BO3ED HYM TO BLYTHE OF HIS COME. CLN 1706
THAT MY3T NOT COME TO TOKNOWE A QUONTYSE STRANGE ERK 74
THAT MY3T NOT COME TO KNOWE A QUONTYSE STRANGE ERK V 74
WYLE NW3ER WAT3 SO 3EP THAT HIT WAT3 3ISTERNEUE CUMMEN GGK 60
FRO THE KYNG WAT3 CUMMEN WITH KNY3TES IN TO THE HALLE. GGK 62
I WOLDE COM TO YOUR COUNSEYL BIFORE YOUR CORT RYCHE GGK 347
THERFORE COM OTHER RECREAUNT BE CALDE THE BEHOUES GGK 456
WAT3 CUMEN WYTH WYNTER WAGE GGK 533
IF HE MY3T KEUER TO COM THE CLOYSTER WYTHINNE GGK 804
COMEN TO THAT KRYSTMASSE AS CASE HYM THEN LYMPED GGK 907
AND CUM TO THAT MERK AT MYDMORN TO MAKE QUAT YOW LIKE3 GGK 1073
THE LORDE IS COMEN THERTYLLE GGK 1369
COM TO HYM TO SALUE GGK 1473
I COM HIDER SENGEL AND SITTE GGK 1531
BI THAT WAT3 COMEN HIS COMPEYNY NOBLE GGK 1912
COM 3E THERE 3E BE KYLLED MAY THE KNY3T REDE. GGK 2111
THERFORE I ETHE THE HATHEL TO COM TO THY NAUNT GGK 2467
THAT GODE GAWAYN WAT3 COMMEN GAYN HIT HYM THO3T. GGK 2491
WYLE NW3ER WAT3 SO 3EP THAT HIT WAT3 NWE CUMMEN. GGK V 60

I COM WYTH THOSE TYTHYNGES THAY TA ME BYLYUE. PAT 78
AND CUM AND CNAWE ME FOR KYNG AND MY CARPE LEUE. PAT 519
THER MYS NEE MORNYNG COM NEUER NERE. PRL 262
THA3 THAY COM LATE AND LYTTEL WORE . PRL 574
THE HARMLE3 HATHEL SCHAL COM HYM TYLLE. PRL 676
FORTHY TO CORTE QUEN THOU SCHAL COM. PRL 701
CUM HYDER TO ME MY LEMMAN SWETE . PRL 763
DELYT THAT HYS COME ENCROCHED. PRL 1117

COMELILY
AND IF I CARP NOT COMLYLY LET ALLE THIS CORT RYCH . GGK 360
HE KYSSES HIR COMLYLY AND KNY3TLY HE MELE3 GGK 974
KYSTEN FUL COMLYLY AND KA3TEN HER LEUE. GGK 1118
AND KYSSES HYM AS COMLYLY AS HE COUTHE AWYSE. GGK 1389
AND COMLYLY KYSSES HIS FACE GGK 1505

COMELY (CP. COMLOKER)
AND IN COMLY QUOYNTIS TO COM TO HIS FESTE. CLN 54
AND THENNE CLEME HIT WYTH CLAY COMLY WYTHINNE CLN 312
OF VCHE CLENE COMLY KYNDE ENCLOSE SEUEN MAKE3 CLN 334
THAT WAT3 COMLY AND CLENE GOD KEPE3 NON OTHER CLN 508
IN COMLY COMFORT FUL CLOS AND CORTAYS WORDE3. CLN 512
IN HIS COMLYCH COURTE THAT KYNG IS OF BLYSSE. CLN 546
BY HOW COMLY A KEST HE WAT3 CLOS THERE. CLN 1070
THE CLOTHE OF CAMELYN FUL CLENE WITH CUMLY BORDURES ERK 82
TO THE COMLYCH QUENE WYTH CORTAYS SPECHE . GGK 469
KNY3TE3 FUL CORTAYS AND COMLYCH LADIES. GGK 539
AT THIS CAUSE THE KNY3T COMLYCHE HADE . GGK 648
CARANDE FOR THAT COMLY BI KRYST HIT IS SCATHE GGK 674
AND COUERTORE3 FUL CURIOUS WITH COMLYCH PANE3 GGK 855
INTO A COMLY CLOSET COYNTLY HO ENTRE3 . GGK 934
THAY COMLY BYKENNEN TO KRYST AYTHER OTHER. GGK 1307
INTO THE COMLY CASTEL THER THE KNY3T BIDE3 GGK 1366
THAT OTHER KNY3T FUL COMLY COMENDED HIS DEDE3 GGK 1629
WITHINNE THE COMLY CORTYNES ON THE COLDE MORNE . GGK 1732
BOT QUEN THAT COMLY HE KEUERED HIS WYTTES. GGK 1755
KYSSE ME NOW COMLY AND I SCHAL CACH HETHEN GGK 1794
WITH COMLYCH CAROLES AND ALLE KYNNES IOYE. GGK 1886
AND COMAUNDE3 ME TO THAT CORTAYS YOUR COMLYCH FERE. GGK 2411
BOT QUEN THAT COMLY COM HE KEUERED HIS WYTTES GGK V 1755
THAT IS IN COFER SO COMLY CLENTE. PRL 259
SO MONY A COMLY ONVUNDER CAMBE PRL 775
SO CUMLY A PAKKE OF JOLY JUELE PRL 929

COMEN (V. CAME, COME)

COMENDED (V. COMMENDED)

COMES
SYTHEN HE COME3 TO THE KYNG AND TO HIS CORTFERE3 GGK 594
HO COMES NERRE WITH THAT AND CACHE3 HYM IN ARME3 GGK 1305
HO COMMES TO THE CORTYN AND AT THE KNY3T TOTES . GGK 1476
HO COME3 WITHINNE THE CHAMBRE DORE AND CLOSES HIT HIR AFTER. GGK 1742
AND SYTHEN HE KEUERE3 BI A CRAGGE AND COME3 OF A HOLE. GGK 2221
AND THUS HE COMMES TO THE COURT KNY3T AL IN SOUNDE. GGK 2489
AMONG VS COMME3 NOUTHER STROT NE STRYF. PRL 848
AMONG VS COMME3 NON OTHER STROT NE STRYF . PRL 1 848
AMONG VS COMME3 NON OTHER STROT NE STRYF . PRL 3 848

COME3 (V. COMES)

COMFORT
HE CROUKE3 FOR COMFORT WHEN CARAYNE HE FYNDE3 CLN 459
AND MUCH COMFORT IN THAT COFER THAT WAT3 CLAYDAUBED CLN 492
IN COMLY COMFORT FUL CLOS AND CORTAYS WORDE3. CLN 512
ANDE CLANNES IS HIS COMFORT AND COYNTYSE HE LOUYES. CLN 1809

THE COMFORTHE OF THE CREATORE BYHOUES THE CREATURE TAKE . . . . ERK 168
THAT CARELES IS OF COUNSELLE VS COMFORTHE TO SENDE. . . . . . ERK 172
THE COMFORTHE OF THE CREATORE BYHOUES THE CURE TAKE . . . . . ERK V 168
SUCH COMFORT OF HER COMPAYNYE CA3TEN TOGEDER. . . . . GGK 1011
AND COMFORT YOW WITH COMPAYNY TIL I TO CORT TORNE . . . . . . GGK 1099
I SCHULDE KEUER THE MORE COMFORT TO KARP YOW WYTH . . . . . . GGK 1221
KEUER HEM COMFORT AND COLEN HER CARE3 . . . . GGK 1254
FOR THAY SCHAL COMFORT ENCROCHE IN KYTHES FUL MONY. . . . . . PAT 18
THENNE NAS NO COUMFORT TO KEUER NE COUNSEL NON OTHER . . . . . PAT 223
LORDE COLDE WAT3 HIS CUMFORT AND HIS CARE HUGE . . . . PAT 264
I KEUERED ME A CUMFORT THAT NOW IS CA3T FRO ME . . . . PAT 485
THA3 KYNDE OF KRYST ME COMFORT KENNED . . . . PRL 55
HYS COMFORTE MAY THY LANGOUR LYTHE . . . . PRL 357
BOT KYTHE3 ME KYNDELY YOUR COUMFORDE . . . . PRL 369
BOT LYTHE3 ME KYNDELY WYTH YOUR COUMFORDE. . . . . PRL 1 369

COMFORTE (V. COMFORT)
COMFORTE3 (V. COMFORTS)
COMFORTHE (V. COMFORT)
COMFORTS
THE KYNG COMFORTE3 THE KNY3T AND ALLE THE COURT ALS . . . . . GGK 2513

COMLOKER (CP. COMELY)
THAT A COMLOKER KNY3T NEUER KRYST MADE. . . . . GGK 869

COMLOKEST
AND HE THE COMLOKEST KYNG THAT THE COURT HALDES. . . . . . . GGK 53
THE COMLOKEST TO DISCRYE . . . . GGK 81
A CASTEL THE COMLOKEST THAT EUER KNY3T A3TE . . . . GGK 767
AND 3E AR KNY3T COMLOKEST KYD OF YOUR ELDE . . . . GGK 1520

COMLY (V. COMELY)
COMLYCH (V. COMELY)
COMLYCHE (V. COMELY)
COMLYLY (V. COMELY)
COMMANDED
COMAUNDED HIR TO BE COF AND QUYK AT THIS ONE3 . . . . CLN 624
THAY COMAUNDED HYM COF TO CACH THAT HE HADE . . . . CLN 898
THE KYNG COMAUNDED ANON TO CLETHE THAT WYSE . . . . CLN 1741
HE PASSYD INTO HIS PALAIS AND PES HE COMAUNDIT . . . . ERK 115
THEN COMMAUNDED THE KYNG THE KNY3T FOR TO RYSE . . . . GGK 366
THE LORD COMAUNDET LY3T. . . . . GGK 992
THENNE COMAUNDED THE SYRE IN THAT SALE TO SAMEN ALLE THE MENY . GGK 1372
THENNE COMAUNDED THE LORDE IN THAT SALE TO SAMEN ALLE THE MENY. GGK V 1372

COMMANDMENT
I SCHAL KYSSE AT YOUR COMAUNDEMENT AS A KNY3T FALLE3 . . . . . GGK 1303
I AM AT YOUR COMAUNDEMENT TO KYSSE QUEN YOW LYKE3 . . . . . . GGK 1501

COMMANDS
AND COMAUNDES HYM COFLY COFERES TO LAUCE . . . . CLN 1428
THE LORDE HYM CHARRED TO A CHAMBRE AND CHEFLY CUMAUNDE3 . . . . GGK 850
AND COMAUNDE3 ME TO THAT CORTAYS YOUR COMLYCH FERE. . . . . . GGK 2411

COMMAUNDED (V. COMMANDED)
COMMEN (V. CAME, COME)
COMMEND
CLANNESSE WHOSO KYNDLY COWTHE COMMENDE. . . . . CLN 1

COMMENDE (V. COMMEND)
COMMENDED
THAT OTHER KNY3T FUL COMLY COMENDED HIS DEDE3 . . . . GGK 1629

COMMES (V. COMES)
COMME3 (V. COMES)
COMMITTED
I WAS COMMITTID AND MADE A MAYSTERMON HERE . . . . ERK 201

COMMITTID (V. COMMITTED)

COMMON
AND COMMUNE TO ALLE THAT RY3TWYS WERE . . . . PRL 739
COMMONS
THE COMYNES AL OF CALDE THAT TO THE KYNG LONGED. . . . . . . CLN 1747
COMMUNE (V. COMMON)
COMMUNNATES
AND CONUERTYD ALLE THE COMMUNNATES TO CRISTENDAME NEWE . . . . ERK 14
COMPANY
CLENE MEN IN COMPAYNYE FORKNOWEN WERN LYTE . . . . CLN 119
ALLE THIS COMPAYNY OF COURT COM THE KYNG NERRE . . . . GGK 556
SUCH COMFORT OF HER COMPAYNYE CA3TEN TOGEDER. . . . . GGK 1011
AND COMFORT YOW WITH COMPAYNY TIL I TO CORT TORNE . . . . . . GGK 1099
AND CONNE3 NOT OF COMPAYNYE THE COSTE3 VNDERTAKE . . . . . . GGK 1483
BI THAT WAT3 COMEN HIS COMPEYNY NOBLE . . . . GGK 1912
IN COMPAYNY GRET OUR LUF CON THRYF . . . . PRL 851
COMPARISONS
THUS COMPARISUNE3 KRYST THE KYNDOM OF HEUEN . . . . CLN 161
COMPARISUNE3 (V. COMPARISONS)
COMPAS (V. COMPASS)
COMPASS
IN THE COMPAS OF A CUBIT KYNDELY SWARE. . . . . CLN 319
FOR SO CLOPYNGNEL IN THE COMPAS OF HIS CLENE ROSE . . . . . . CLN 1057
FOR TO COMPAS AND KEST TO HAF HEM CLENE WRO3T . . . . CLN 1455
AND OF COMPAS AND COLOUR AND COSTES OF ALLE OTHER . . . . . . GGK 944
WHAT SCHULDE THE MONE THER COMPAS CLYM. . . . . PRL 1072
COMPASSED
I COMPAST HEM A KYNDE CRAFTE AND KENDE HIT HEM DERNE . . . . . CLN 697
COMPAST IN HIS CONCIENCE TO QUAT THAT CACE MY3T. . . . . . . GGK 1196
COMPAST (V. COMPASSED)
COMPAYNY (V. COMPANY)
COMPAYNYE (V. COMPANY)
COMPEYNY (V. COMPANY)
COMYNES (V. COMMONS)
CON
NOW GOD IN NWY TO NOE CON SPEKE . . . . CLN 301
THENN CON DRY3TTYN HYM DELE DRY3LY THYSE WORDE3. . . . . . . CLN 344
THEN BOLNED THE ABYME AND BONKE3 CON RYSE. . . . . CLN 363
AND HE CONUEYEN HYM CON WYTH CAST OF HIS Y3E. . . . . CLN 768
AND THAY KAYRE NE CON AND KENELY FLOWEN . . . . CLN 945
CLERRER COUNSAYL CON I NON BOT THAT THOU CLENE WORTHE. . . . . CLN 1056
AND THUR3 THE CUNTRE OF CALDEE HIS CALLYNG CON SPRYNG. . . . . CLN 1362
THAT CON DELE WYTH DEMERLAYK AND DEUINE LETTRES. . . . . . . CLN 1561
BOT ONE CRONICLE OF THIS KYNGE CON WE NEUER FYNDE . . . . . . ERK 156
HE STEMMED AND CON STUDIE . . . . GGK 230
ARTHOUR CON ONSWARE . . . . GGK 275
RUCHE TOGEDER CON ROUN . . . . GGK 362
HIS CHER FUL OFT CON CHAUNGE . . . . GGK 711
AYTHER OTHER IN ARME3 CON FELDE . . . . GGK 841
THAT MON MUCH MERTHE CON MAKE. . . . . GGK 899
SIR GAWEN HIS LEUE CON NYME . . . . GGK 993
TO THE KYNG HE CAN ENCLYNE. . . . . GGK 340
THE LORDE FAST CAN HYM PAYNE . . . . GGK 1042
FUL OFT CON LAUNCE AND LY3T . . . . GGK 1175
FUL LUFLY CON HO LETE . . . . GGK 1206
HIT IS THE WORCHYP OF YOURSELF THAT NO3T BOT WEL CONNE3 . . . GGK 1267
AND CONNE3 NOT OF COMPAYNYE THE COSTE3 VNDERTAKE . . . . . . GGK 1483
AT THE LAST SCHO CON HYM KYSSE . . . . GGK 1555
HIR LEUE FAYRE CON SCHO FONGE. . . . . GGK 1556
THAT BREMELY CON HYM BITE . . . . GGK 1598

TO CHAMBRE HE CON HYM CALLE	GGK	1666
BOT THENNE HE CON HIR HERE.	GGK	1749
NIF MARYE OF HIR KNY3T CON MYNNE.	GGK	1769
AND SMETHELY CON HE SMYLE	GGK	1789
THE LORDE GAWAYN CON THONK.	GGK	1975
FUL WEL CON DRY3TYN SCHAPE.	GGK	2138
THENNE THE KNY3T CON CALLE FUL HY3E.	GGK	2212
SIR GAWAYN THE KNY3T CON METE.	GGK	2235
I CON NOT HIT RESTORE	GGK	2283
THEN MURYLY EFTE CON HE MELE THE MON IN THE GRENE	GGK	2295
THAT HO NE CON MAKE FUL TAME	GGK	2455
THE BLOD IN HIS FACE CON MELLE	GGK	2503
HOW MATHEW MELEDE THAT HIS MAYSTER HIS MEYNY CON TECHE	PAT	10
THAY AR HAPPEN ALSO THAT CON HER HERT STERE	PAT	27
WHEN BOTHE BRETHES CON BLOWE VPON BLO WATTERES	PAT	138
WHEN THE DAWANDE DAY DRY3TYN CON SENDE.	PAT	445
BITWENE THE STELE AND THE STAYRE DISSERNE NO3T CUNEN	PAT	513
THAT THIKE CON TRYLLE ON VCH A TYNDE	PRL	78
THE GRAUAYL THAT ON GROUNDE CON GRYNDE.	PRL	81
AS FODE HIT CON ME FAYRE REFETE	PRL	88
THE FYRRE IN THE FRYTH THE FEIER CON RYSE.	PRL	103
SWANGEANDE SWETE THE WATER CON SWEPE	PRL	111
FOR IF HIT WAT3 FAYR THER I CON FARE	PRL	147
ABOWTE ME CON I STOTE AND STARE	PRL	149
TO FYNDE A FORTHE FASTE CON I FONDE.	PRL	150
MORE MERUAYLE CON MY DOM ADAUNT	PRL	157
MONY RYAL RAY CON FRO HIT RERE	PRL	160
AS GLYSNANDE GOLDE THAT MAN CON SCHERE.	PRL	165
SUCHE GLADANDE GLORY CON TO ME GLACE	PRL	171
TO CALLE HYR LYSTE CON ME ENCHACE	PRL	173
DOUN THE BONKE CON BO3E BYDENE	PRL	196
AND SOBERLY AFTER THENNE CON HO SAY.	PRL	256
NOW THUR3 KYNDE OF THE KYSTE THAT HYT CON CLOSE.	PRL	271
THY WORDE BYFORE THY WYTTE CON FLE	PRL	294
DEME NOW THYSELF IF THOU CON DAYLY	PRL	313
OURE 3OREFADER HIT CON MYSSE3EME.	PRL	322
THA3 CORTAYSLY 3E CARP CON.	PRL	381
THOW WOST WEL WHEN THY PERLE CON SCHEDE	PRL	411
THENNE ROS HO VP AND CON RESTAY	PRL	437
BOT MY LADY OF QUOM JESU CON SPRYNG.	PRL	453
3YF HYT BE SOTH THAT THOU CONE3 SAYE	PRL	482
FOR AL IS TRAWTHE THAT HE CON DRESSE	PRL	495
IN SAMPLE HE CAN FUL GRAYTHELY GESSE	PRL	499
INTO ACORDE THAY CON DECLYNE	PRL	509
GOS INTO MY VYNE DOT3 THAT 3E CONNE.	PRL	521
THE DATE OF THE DAYE THE LORDE CON KNAW	PRL	541
THESE BOT ON OURE HEM CON STRENY.	PRL	551
WHETHER WELNYGH NOW I CON BYGYNNE	PRL	581
FYRST OF MY HYRE MY LORDE CON MYNNE.	PRL	583
OURE FORME FADER HIT CON FORFETE.	PRL	639
THUR3 AN APPLE THAT HE VPON CON BYTE	PRL	640
BOT RESOUN OF RY3T THAT CON NO3T RAUE	PRL	665
HOW KOYNTISE ONOURE CON AQUYLE	PRL	690
BY WAYE3 FUL STRE3T HO CON HYM STRAYN	PRL	691
RY3TWYSLY QUO CON REDE	PRL	709
IESUS CON CALLE TO HYM HYS MYLDE.	PRL	721
THER IS THE BLYS THAT CON NOT BLYNNE	PRL	729
WHY MASKELLE3 BRYD THAT BRY3T CON FLAMBE	PRL	769
AND THOU CON ALLE THO DERE OUTDRYF	PRL	777

THE PROFETE YSAYE OF HYM CON MELLE	PRL	797
THAT GLORYOUS GYLTLE3 THAT MON CON QUELLE.	PRL	799
WHEN JESUS CON TO HYM WARDE GON	PRL	820
WHETHER ON HYMSELF HE CON AL CLEM	PRL	826
HYS GENERACYOUN QUO RECEN CON.	PRL	827
AND AT THAT SY3T VCHE DOUTH CON DARE	PRL	839
IN COMPAYNY GRET OUR LUF CON THRYF	PRL	851
NOW HYNDE THAT SYMPELNESSE CONE3 ENCLOSE	PRL	909
IF 3E CON SE HYT BE TO DONE	PRL	914
BOT BY THYSE HOLTE3 HIT CON NOT HONE	PRL	921
THYS MOTELE3 MEYNY THOU CONE3 OF MELE	PRL	925
AND BY THYSE BONKE3 THER I CON GELE.	PRL	931
THAT IS THE CYTE THAT THE LOMBE CON FONDE.	PRL	939
THE APOSTEL IN APOCALYPPCE IN THEME CON TAKE.	PRL	944
AS JOHN THISE STONE3 IN WRIT CON NEMME.	PRL	997
THAT I ON THE FYRST BASSE CON WALE	PRL	1000
IN THE THRYD TABLE CON PURLY PALE	PRL	1004
THE SEXTE THE RYBE HE CON HIT WALE	PRL	1007
SO TWELUE IN POURSENT I CON ASSPYE	PRL	1035
VCHON IN SCRYPTURE A NAME CON PLYE	PRL	1039
THAT TWELUE FRYTE3 OF LYF CON BERE FUL SONE	PRL	1078
RY3T AS THE MAYNFUL MONE CON RYS.	PRL	1093
THE LOMBE BYFORE CON PROUDLY PASSE	PRL	1110
BOT A WOUNDE FUL WYDE AND WEETE CON WYSE	PRL	1135
AND REWFULLY THENNE I CON TO REME	PRL	1181
SO WAT3 HIT ME DERE THAT THOU CON DEME.	PRL	1183
THE FYRRE IN THE FRYTH THE FEIRER CON RYSE	PRL 1	103
HOW KYNTLY OURE KYNG HYM CON AQUYLE.	PRL 1	690
SO TWELUE IN POURSEUT I CON ASSPYE	PRL 1	1035
THE FYRRE IN THE FRYTH THE FEIRER CON RYSE	PRL 2	103
INSAMPLE HE CAN FUL GRAYTHELY GESSE.	PRL 2	499
HOW KYNTLY OURE KOYNTYSE HYM CON AQUYLE	PRL 2	690
RY3TWYSLY QUOSO CON REDE	PRL 2	709
THE SEXTE THE SARDE HE CON HIT WALE.	PRL 2	1007
THE FYRRE IN THE FRYTH THE FEIRER CON RYSE	PRL 3	103
DEME NOW THYSELF IF THOU CON DAYLE	PRL 3	313
INSAMPLE HE CAN FUL GRAYTHELY GESSE.	PRL 3	499
HOW KYNTLY OURE KYNG HYM CON AQUYLE.	PRL 3	690
SO TWELUE IN POURSEUT I CON ASSPYE	PRL 3	1035
CONABLE		
WITH THAT CONABLE KLERK THAT KNOWES ALLE YOUR KNY3TE3.	GGK	2450
CONCEAL		
ANSUARE HERE TO MY SAWE COUNCELE NO TROUTHE	ERK	184
CONCEIVE		
AND THENNE SCHAL SARE CONSAYUE AND A SUN BERE	CLN	649
CONCIENCE (V. CONSCIENCE)		
CONCIENS (V. CONSCIENCE)		
CONCUBINES		
IN THE CLERNES OF HIS CONCUBINES AND CURIOUS WEDE3.	CLN	1353
AND HIS CLERE CONCUBYNES IN CLOTHES FUL BRY3T	CLN	1400
CONCUBINES AND KNY3TES BI CAUSE OF THAT MERTHE	CLN	1519
CONCUBYNES (V. CONCUBINES)		
CONDELSTIK (V. CANDLESTICK)		
CONDUCT		
AND COUNDUE HYM BY THE DOWNE3 THAT HE NO DRECHCH HAD	GGK	1972
CONDUITS		
AS COUNDUTES OF KRYSTMASSE AND CAROLE3 NEWE	GGK	1655
CONE3 (V. CON)		
CONFESSED		

THOU ART CONFESSED SO CLENE BEKNOWEN OF THY MYSSES. . . . . . GGK 2391
CONFIRMING
IN CONFIRMYNGE THI CRISTEN FAITHE FULSEN ME TO KENNE . . . . . ERK 124
CONFIRMYNGE (V. CONFIRMING)
CONFORM
THENNE CONFOURME THE TO KRYST AND THE CLENE MAKE . . . . . . CLN 1067
CONFORMED
ALS FERFORTHE AS MY FAITHE CONFOURMYD MY HERT . . . . ERK 242
CONFOURME (V. CONFORM)
CONFOURMYD (V. CONFORMED)
CONINGES (V. CUNNINGS)
CONNE (V. CON)
CONNE3 (V. CON)
CONNYNG (V. CUNNING)
CONQUER
IF THOU WYTH QUAYNTYSE CONQUERE HIT I QUYTE THE THY MEDE. . . . CLN 1632
CONQUERD (V. CONQUERED)
CONQUERE (V. CONQUER)
CONQUERED
CONQUERD WITH HIS KNY3TES AND OF KYRK RAFTE . . . . CLN 1431
CONQUEROR
AS CONQUEROUR OF VCHE A COST HE CAYSER WAT3 HATTE . . . . . . CLN 1322
CONQUEROUR (V. CONQUEROR)
CONQUEST
NOV HE THE KYNG HAT3 CONQUEST AND THE KYTH WUNNEN . . . . . . CLN 1305
CONQUESTES (V. CONQUESTS)
CONQUESTS
WHERE IS NOW YOUR SOURQUYDRYE AND YOUR CONQUESTES . . . . . . GGK 311
CONSAYUE (V. CONCEIVE)
CONSCIENCE
DECLYNET NEUER MY CONSCIENS FOR COUETISE ON ERTHE . . . . . . ERK 237
COMPAST IN HIS CONCIENCE TO QUAT THAT CACE MY3T. . . . . . . GGK 1196
FOR I DAR SAY WYTH CONCIENS SURE. . . . . PRL 1089
CONSCIENS (V. CONSCIENCE)
CONSTRAIN
3E AR STIF INNOGHE TO CONSTRAYNE WYTH STRENKTHE 3IF YOW LYKE3 . GGK 1496
CONSTRAYNE (V. CONSTRAIN)
CONTERFETE (V. COUNTERFEIT)
CONTRARE (V. CONTRARY)
CONTRARY
AND IN THE CONTRARE KARK AND COMBRAUNCE HUGE. . . . . CLN 4
AND CONTROEUED AGAYN KYNDE CONTRARE WERKE3 . . . . CLN 266
IN CONTRARY OF THE CANDELSTIK THER CLEREST HIT SCHYNED . . . . CLN 1532
CONTRAY (V. COUNTRY)
CONTRAYE3 (V. COUNTRIES)
CONTRE (V. COUNTRY)
CONTRITION
THE GYLTYF MAY COUNTRYSSYOUN HENTE . . . . PRL 669
CONTRIVED
AND CONTROEUED AGAYN KYNDE CONTRARE WERKE3 . . . . CLN 266
CONTROEUED (V. CONTRIVED)
CONUERTYD (V. CONVERTED)
CONUEYE (V. CONVEY)
CONUEYED (V. CONVEYED)
CONUEYEN (V. CONVEY)
CONVERTED
AND CONUERTYD ALLE THE COMMUNNATES TO CRISTENDAME NEWE . . . . ERK 14
CONVEY
ABRAHAM HELDE3 HEM WYTH HEM TO CONUEYE. . . . . CLN 678

AND HE CONUEYEN HYM CON WYTH CAST OF HIS Y3E. . . . . CLN 768
CONVEYED
AND THAY HYM KYST AND CONUEYED BIKENDE HYM TO KRYST . . . . . GGK 596
CONYSAUNCE (V. COGNIZANCE)
COOL
KEUER HEM COMFORT AND COLEN HER CARE3 . . . . GGK 1254
BOT AL SCHET IN A SCHA3E THAT SCHADED FUL COLE . . . . PAT 452
THAT EUER WAYUED A WYNDE SO WYTHE AND SO COLE . . . . PAT 454
COOLDE (V. COLD)
COOSTE3 (V. COASTS)
COPEROUNES
THE COPEROUNES OF THE COUACLES THAT ON THE CUPPES RERE . . . . CLN 1461
THE COPEROUNES OF THE COUACLES THAT ON THE CUPPE RERES . . . . CLN V 1461
WITH COROUN COPROUNES CRAFTYLY SLE3E . . . . GGK 797
COPROUNES (V. COPEROUNES)
CORAGE (V. COURAGE)
CORBELES
AND THE CORBELES FEE THAY KEST IN A GREUE. . . . . GGK 1355
CORBY
HE WAT3 COLORED AS THE COLE CORBY AL VNTRWE . . . . CLN 456
CORBYAL
HE WAT3 COLORED AS THE COLE CORBYAL UNTRWE . . . . CLN V 456
CORCE (V. CORSE)
CORDS
3ET CORUEN THAY THE CORDES AND KEST AL THEROUTE. . . . . . . PAT 153
CORDES (V. CORDS)
CORN
QUEN CORNE IS CORUEN WYTH CROKE3 KENE . . . . PRL 40
CORNE (V. CORN)
CORNER
A CORNER OF THE CORTYN HE CA3T VP A LYTTEL . . . . GGK 1185
CORNERS
KAGHTEN BY THE CORNERS WITH CROWES OF YRNE . . . . ERK 71
CORON (V. CROWN)
CORONDE (V. CROWNED)
CORONYD (V. CROWNED)
COROUN (V. CROWN)
COROUNDE (V. CROWNED)
COROUNE (V. CROWN)
COROUNE3 (V. CROWNS)
CORS (V. CORSE, COURSE)
CORSE
THAT I NE DYSCOUERED TO HIS CORSE MY COUNSAYL SO DERE. . . . . CLN 683
BOT MUCH CLENER WAT3 HIR CORSE GOD KYNNED THERINNE. . . . . . CLN 1072
AND SUCHE A CRY ABOUTE A CORS CRAKIT EUERMORE . . . . ERK 110
THEN HE TURNES TO THE TOUMBE AND TALKES TO THE CORCE . . . . . ERK 177
AND CAST VPON THI FAIRE CORS AND CARPE THES WORDES. . . . . . ERK 317
3E AR WELCUM TO MY CORS. . . . . GGK 1237
THY CORSE IN CLOT MOT CALDER KEUE . . . . PRL 320
CORSED (V. CURSED)
CORSEDEST (V. CURSEDEST)
CORSES
ALTHA3 OURE CORSES IN CLOTTE3 CLYNGE . . . . PRL 857
CORSOUR (V. COURSER)
CORSYES
THE CLAY THAT CLENGES THEREBY ARN CORSYES STRONG . . . . CLN 1034
CORT (V. COURT)
CORTAYS (V. COURTEOUS)
CORTAYSE (V. COURTEOUS, COURTESY)

CORTAYSLY (V. COURTEOUSLY)
CORTAYSY (V. COURTESY)
CORTAYSYE (V. COURTESY)
CORTE (V. COURT)
CORTEL (V. KIRTLE)
CORTE3 (V. COURTEOUS)
CORTFERE3

SYTHEN HE COME3 TO THE KYNG AND TO HIS CORTFERE3	GGK	594

CORTYN (V. CURTAIN)
CORTYNED (V. CURTAINED)
CORTYNES (V. CURTAINS)
CORUEN (V. CARVED)
CORUPPTE (V. CORRUPT)
CORRUPT

WHEN HE KNEW VCHE CONTRE CORUPPTE IN HITSELUEN	CLN	281
CORRUPT WAS THAT OTHER CRAFT THAT COUERT THE BONES.	ERK	346

COSSE

BOT HE HAD CRAUED A COSSE BI HIS COURTAYSYE	GGK	1300

COSSES

AS 3E HAF THRY3T ME HERE THRO SUCHE THRE COSSES.	GGK	1946
THOU KYSSEDES MY CLERE WYF THE COSSE3 ME RA3TE3.	GGK	2351
NOW KNOW I WEL THY COSSES AND THY COSTES ALS.	GGK	2360

COSSE3 (V. COSSES)
COST (ALSO V. COAST)

THE CANDELSTIK BI A COST WAT3 CAYRED THIDER SONE	CLN	1478
3E KNOWE THE COST OF THIS CACE KEPE I NO MORE	GGK	546

COSTE (V. COAST)
COSTES

CARANDE FOR HIS COSTES LEST HE NE KEUER SCHULDE.	GGK	750
AND OF COMPAS AND COLOUR AND COSTES OF ALLE OTHER	GGK	944
FOR THE COSTES THAT I HAF KNOWEN VPON THE KYN3T HERE	GGK	1272
FERDE LEST HE HADE FAYLED IN FOURME OF HIS COSTES	GGK	1295
AND CONNE3 NOT OF COMPAYNYE THE COSTE3 VNDERTAKE	GGK	1483
BOT WHOSO KNEW THE COSTES THAT KNIT AR THERINNE.	GGK	1849
NOW KNOW I WEL THY COSSES AND THY COSTES ALS.	GGK	2360
BIKNOWE3 ALLE THE COSTES OF CARE THAT HE HADE	GGK	2495

COSTESE (V. COASTS)
COSTE3 (V. COASTS, COSTES)
COSTOUM (V. CUSTOM)
COSYN (V. COUSIN)
COTE (V. COAT)
COTEARMURE (V. COAT-ARMOUR)
COTHE (V. QUOTH)
COUACLES

THE COPEROUNES OF THE COUACLES THAT ON THE CUPPES RERE . . .	CLN	1461
CLATERING OF COUACLE3 THAT KESTEN THO BURDES.	CLN	1515
THE COPEROUNES OF THE COUACLES THAT ON THE CUPPE RERES . . .	CLN V	1461

COUACLE3 (V. COUACLES)
COUARDISE (V. COWARDICE)
COUENAUNDE (V. COVENANT)
COUENAUNT (V. COVENANT)
COUENAUNTES (V. COVENANTS)
COUENAUNTE3 (V. COVENANTS)
COUERED (V. COVERED)
COUERT (V. COVERED)
COUERTOR (V. COVERTURE)
COUERTORE3 (V. COVERTURES)
COUERTOUR (V. COVERTURE)
COUETISE (V. COVETISE)

COUETYSE (V. COVETISE)
COUEYTES (V. COVETS)
COUGHED
WHEN NON WOLDE KEPE HYM WITH CARP HE CO3ED FUL HY3E . . . . . GGK 307
COUMFORDE (V. COMFORT)
COUMFORT (V. COMFORT)
COUNCELE (V. CONCEAL)
COUNDUE (V. CONDUCT)
COUNDUTES (V. CONDUITS)
COUNSAYL (V. COUNSEL)
COUNSAYLE (V. COUNSEL)
COUNSEL
THAT I NE DYSCOUERED TO HIS CORSE MY COUNSAYL SO DERE. . . . . CLN 683
CLERRER COUNSAYL CON I NON BOT THAT THOU CLENE WORTHE. . . . . CLN 1056
THENNE THE KYNG OF THE KYTH A COUNSAYL HYM TAKES . . . . CLN 1201
AND A CAYTIF COUNSAYL HE CA3T BI HYMSELUEN . . . . CLN 1426
HE KEUERED HYM WYTH HIS COUNSAYL OF CAYTYF WYRDES . . . . . . CLN 1605
THAT GODE COUNSEYL AT THE QUENE WAT3 CACHED AS SWYTHE. . . . . CLN 1619
THERE AS CREATURES CRAFTE OF COUNSELLE OUTE SWARUES . . . . . ERK 167
THAT CARELES IS OF COUNSELLE VS COMFORTHE TO SENDE. . . . . . ERK 172
NE NO MONNES COUNSELLE MY CLOTHE HAS KEPYD VNWEMMYD . . . . . ERK 266
I WOLDE COM TO YOUR COUNSEYL BIFORE YOUR CORT RYCHE . . . . . GGK 347
FOR TO COUNSEYL THE KNY3T WITH CARE AT HER HERT. . . . . . . GGK 557
WHO KNEW EUER ANY KYNG SUCH COUNSEL TO TAKE . . . . GGK 682
THENNE NAS NO COUMFORT TO KEUER NE COUNSEL NON OTHER . . . . . PAT 223
ER MOSTE THOU CEUER TO OTHER COUNSAYLE. . . . . PRL 319
COUNSELLE (V. COUNSEL)
COUNSEYL (V. COUNSEL)
COUNTED
HAT3 COUNTED THY KYNDAM BI A CLENE NOUMBRE . . . . CLN 1731
COUNTENANCE
FUL CLENE WAT3 THE COUNTENAUNCE OF HER CLER Y3EN . . . . . . CLN 792
THIS WAT3 THE KYNGES COUNTENAUNCE WHERE HE IN COURT WERE. . . . GGK 100
AND WYTH A COUNTENAUNCE DRY3E HE DRO3 DOUN HIS COTE . . . . . GGK 335
QUERESO COUNTENAUNCE IS COUTHE QUIKLY TO CLAYME. . . . . . . GGK 1490
WITH ANYSKYNNE3 COUNTENAUNCE HIT KEUERE3 ME ESE. . . . . . . GGK 1539
WYTH STILLE STOLLEN COUNTENAUNCE THAT STALWORTH TO PLESE. . . . GGK 1659
COUNTENAUNCE (V. COUNTENANCE)
COUNTERFEIT
BOT IF THAY CONTERFETE CRAFTE AND CORTAYSYE WONT . . . . . . CLN 13
AND THOU DOT3 HEM VS TO COUNTERFETE. . . . . PRL 556
COUNTERFETE (V. COUNTERFEIT)
COUNTES
THUS HE COUNTES HYM A KOW THAT WAT3 A KYNG RYCHE . . . . . . CLN 1685
OF COUNTES DAMYSEL PAR MA FAY. . . . . PRL 489
COUNTRE (V. COUNTRY)
CONTRIES
MONY KLYF HE OUERCLAMBE IN CONTRAYE3 STRAUNGE . . . . GGK 713
COUNTRY
WHEN HE KNEW VCHE CONTRE CORUPPTE IN HITSELUEN . . . . CLN 281
AND THUR3 THE CUNTRE OF CALDEE HIS CALLYNG CON SPRYNG. . . . . CLN 1362
THAT CA3T WAT3 IN THE CAPTYUIDE IN CUNTRE OF IUES . . . . . . CLN 1612
AND CARFULLY IS OUTKAST TO CONTRE VNKNAWEN . . . . CLN 1679
BI CONTRAY CAYRE3 THIS KNY3T TYL KRYSTMASSE EUEN . . . . . . GGK 734
THAT I KEST IN MY CUNTRE WHEN THOU THY CARP SENDE3. . . . . . PAT 415
ANOTHER THOU SAYS IN THYS COUNTRE . . . . PRL 297
COUNTRYSSYOUN (V. CONTRITION)
COUPLE
OF VCHE BEST THAT BERE3 LYF BUSK THE A CUPPLE . . . . CLN 333

COUPLED
THENNE THISE CACHERES THAT COUTHE COWPLED HOR HOUNDE3. GGK 1139
COUPLES
COUPLES HUNTES OF KEST GGK 1147
COURAGE
THAT VNCLANNES TOCLEUES IN CORAGE DERE. CLN 1806
COURCE (V. COURSE)
COURSE
AND KEPE TO HIT AND ALLE HIT CORS CLANLY FULFYLLE CLN 264
WYTH SOLACE AT THE SERE COURSE BIFORE THE SELF LORDE CLN 1418
THEN THE FIRST CORS COME WITH CRAKKYNG OF TRUMPES GGK 116
AND THE FYRST COURCE IN THE COURT KYNDELY SERUED GGK 135
COURSER
HE LY3TES LUFLYCH ADOUN LEUE3 HIS CORSOUR. GGK 1583
COURT
HE IS SO CLENE IN HIS COURTE THE KYNG THAT AL WELDE3 CLN 17
COME3 COF TO MY CORTE ER HIT COLDE WORTHE. CLN 60
EXCUSE ME AT THE COURT I MAY NOT COM THERE CLN 70
WHEN THAY COM TO THE COURTE KEPPTE WERN THAY FAYRE. CLN 89
AND IN THE CREATORES CORT COM NEUER MORE CLN 191
IN HIS COMLYCH COURTE THAT KYNG IS OF BLYSSE. CLN 546
AND TO BE COUTHE IN HIS COURTE THOU COUEYTES THENNE CLN 1054
THUS IS HE KYRYOUS AND CLENE THAT THOU HIS CORT ASKES. CLN 1109
SCHULDE COM TO HIS COURT TO KYTHE HYM FOR LEGE CLN 1368
KYNGES CAYSERES FUL KENE TO THE COURT WONNEN. CLN 1374
FYRST KNEW HIT THE KYNG AND ALLE THE CORT AFTER. CLN 1530
CALLE HEM ALLE TO MY CORT THO CALDE CLERKKES. CLN 1562
THYS WAT3 CRYED AND KNAWEN IN CORT ALS FAST CLN 1751
CLADDEN ME FOR THE CURTEST THAT COURTE COUTHE THEN HOLDE. ERK 249
SYTHEN KAYRED TO THE COURT CAROLES TO MAKE GGK 43
AND HE THE COMLOKEST KYNG THAT THE COURT HALDES. GGK 53
THIS WAT3 THE KYNGES COUNTENAUNCE WHERE HE IN COURT WERE. GGK 100
AND THE FYRST COURCE IN THE COURT KYNDELY SERUED GGK 135
FORTHY I CRAUE IN THIS COURT A CRYSTEMAS GOMEN GGK 283
I WOLDE COM TO YOUR COUNSEYL BIFORE YOUR CORT RYCHE GGK 347
AND IF I CARP NOT COMLYLY LET ALLE THIS CORT RYCH GGK 360
NE I KNOW NOT THE KNY3T BY CORT NE THI NAME GGK 400
ALLE THIS COMPAYNY OF COURT COM THE KYNG NERRE GGK 556
THAT HE BEKNEW CORTAYSLY OF THE COURT THAT HE WERE. GGK 903
SO KENLY FRO THE KYNGE3 KOURT TO KAYRE AL HIS ONE GGK 1048
AND COMFORT YOW WITH COMPAYNY TIL I TO CORT TORNE GGK 1099
THAY ACORDED OF THE COUENAUNTE3 BYFORE THE COURT ALLE. GGK 1408
NE KYD BOT AS COUENAUNDE AT KYNGE3 KORT SCHAPED. GGK 2340
AND THUS HE COMMES TO THE COURT KNY3T AL IN SOUNDE. GGK 2489
THE KYNG COMFORTE3 THE KNY3T AND ALLE THE COURT ALS GGK 2513
THE COURT OF THE KYNDOM OF GOD ALYUE PRL 445
FORTHY TO CORTE QUEN THOU SCHAL COM. PRL 701
COURTAYSYE (V. COURTESY)
COURTE (V. COURT)
COURTEOUS
IN COMLY COMFORT FUL CLOS AND CORTAYS WORDE3. CLN 512
AND 3IF CLANLY HE THENNE COM FUL CORTAYS THERAFTER. CLN 1089
AND SAYD SIR CORTAYS KNY3T. GGK 276
TO THE COMLYCH QUENE WYTH CORTAYS SPECHE GGK 469
KNY3TE3 FUL CORTAYS AND COMLYCH LADIES. GGK 539
WYTH CLENE CORTAYS CARP CLOSED FRO FYLTHE. GGK 1013
SO CORTAYSE SO KNY3TYLY AS 3E AR KNOWEN OUTE. GGK 1511
AND 3E THAT AR SO CORTAYS AND COYNT OF YOUR HETES GGK 1525
AND COMAUNDE3 ME TO THAT CORTAYS YOUR COMLYCH FERE. GGK 2411

CORTAYSE QUEN THENNE SAYDE THAT GAYE	PRL	433
THYN ANGELHAUYNG SO CLENE CORTE3.	PRL	754
COURTEOUSLY		
HE KNYT A COUENAUNDE CORTAYSLY WYTH MONKYNDE THERE.	CLN	564
THAT SCHAL I CORTAYSLY KYTHE AND THAY SCHIN KNAWE SONE	CLN	1435
THAT CORTAYSLY HADE HYM KYDDE AND HIS CRY HERKENED.	GGK	775
THAT HE BEKNEW CORTAYSLY OF THE COURT THAT HE WERE.	GGK	903
THA3 CORTAYSLY 3E CARP CON.	PRL	381
COURTESY		
BOT IF THAY CONTERFETE CRAFTE AND CORTAYSYE WONT	CLN	13
ALLE CALLED ON THAT CORTAYSE AND CLAYMED HIS GRACE.	CLN	1097
BOT SUM FOR CORTAYSYE	GGK	247
AND HERE IS KYDDE CORTAYSYE AS I HAF HERD CARP	GGK	263
HIS CLANNES AND HIS CORTAYSYE CROKED WERE NEUER.	GGK	653
AND CORTAYSYE IS CLOSED SO CLENE IN HYMSELUEN	GGK	1298
BOT HE HAD CRAUED A COSSE BI HIS COURTAYSYE	GGK	1300
THAT BICUMES VCHE A KNY3T THAT CORTAYSY VSES.	GGK	1491
HE CARED FOR HIS CORTAYSYE LEST CRATHAYN HE WERE	GGK	1773
WEL KNEW I THI CORTAYSYE THY QUOYNT SOFFRAUNCE	PAT	417
LYK TO THE QUEN OF CORTAYSYE	PRL	432
FOR HO IS QUEN OF CORTAYSYE	PRL	444
FOR HO IS QUENE OF CORTAYSYE	PRL	456
OF COURTAYSYE AS SAYT3 SAYNT POULE	PRL	457
TO KYNG AND QUENE BY CORTAYSYE	PRL	468
CORTAYSE QUOTH I I LEUE	PRL	469
THEN COROUNDE BE KYNG BY CORTAYSE	PRL	480
THAT CORTAYSE IS TO FRE OF DEDE	PRL	481
COUSIN		
KEPE THE COSYN QUOTH THE KYNG THAT THOU ON KYRF SETTE.	GGK	372
COUT (V. CUT)		
COUTH		
CLANNESSE WHOSO KYNDLY COWTHE COMMENDE.	CLN	1
BOT AL WAT3 NEDLE3 HER NOTE FOR NEUER COWTHE STYNT.	CLN	381
VCHE FYSCH TO THE FLOD THAT FYNNE COUTHE NAYTE	CLN	531
THE WY3E3 WERN WELCOM AS THE WYF COUTHE	CLN	813
AND TO BE COUTHE IN HIS COURTE THOU COUEYTES THENNE	CLN	1054
WEL CLANNER THEN ANY CRAFTE COWTHE DEVYSE.	CLN	1100
WYTH ALLE THE COYNTYSE THAT HE COWTHE CLENE TO WYRKE	CLN	1287
BOT THER WAT3 NEUER ON SO WYSE COUTHE ON WORDE REDE	CLN	1555
AS THE SAGE SATHRAPAS THAT SORSORY COUTHE.	CLN	1576
DEUINORES OF DEMORLAYKES THAT DREMES COWTHE REDE	CLN	1578
AND COWTHE VCHE KYNDAM TOKERUE AND KEUER WHEN HYM LYKED	CLN	1700
BOT SUMME SEGGE COUTHE SAY THAT HE HYM SENE HADE	ERK	100
BOT THAT ILKE NOTE WOS NOGHT FOR NOURNE NONE COUTHE	ERK	101
CLADDEN ME FOR THE CURTEST THAT COURTE COUTHE THEN HOLDE.	ERK	249
WITH ALLE THE METE AND THE MIRTHE THAT MEN COUTHE AVYSE	GGK	45
COWTHE WEL HALDE LAYK ALOFTE	GGK	1125
THENNE THISE CACHERES THAT COUTHE COWPLED HOR HOUNDE3.	GGK	1139
COUTH NOT LY3TLY HAF LENGED SO LONG WYTH A LADY.	GGK	1299
AND KYSSES HYM AS COMLYLY AS HE COUTHE AWYSE.	GGK	1389
BI ALDERTRUEST TOKEN OF TALK THAT I COWTHE	GGK	1486
QUERESO COUNTENAUNCE IS COUTHE QUIKLY TO CLAYME.	GGK	1490
AS SAUERLY AND SADLY AS HE HEM SETTE COUTHE	GGK	1937
OR A CREUISSE OF AN OLDE CRAGGE HE COUTHE HIT NO3T DEME	GGK	2183
SUCH COWARDISE OF THAT KNY3T COWTHE I NEUER HERE	GGK	2273
I COUTHE WROTHELOKER HAF WARET TO THE HAF WRO3T ANGER.	GGK	2344
TO LUF HOM WEL AND LEUE HEM NOT A LEUDE THAT COUTHE	GGK	2421
FOR QUOSO SUFFER COWTHE SYT SELE WOLDE FOL3E.	PAT	5
NOW HE KNAWE3 HYM IN CARE THAT COUTHE NOT IN SELE	PAT	296

I WYST WEL WHEN I HADE WORDED QUATSOEUER I COWTHE	PAT	421
AND WYMMEN VNWYTTE THAT WALE NE COUTHE.	PAT	511
COUTHE I NOT THOLE BOT AS THOU THER THRYUED FUL FEWE	PAT	521
SO GRACIOS GLE COUTHE NO MON GETE	PRL	95
THEN I COWTHE TELLE THA3 I TOM HADE.	PRL	134
FOR THAY OF MOTE COUTHE NEUER MYNGE.	PRL	855
COUTHE (V. COUTH)		
COUTHELY (V. COUTHLY)		
COUTHLY		
HE HAS BEN KYNGE OF THIS KITHE AS COUTHELY HIT SEMES	ERK	98
AND COUTHLY HYM KNOWE3 AND CALLE3 HYM HIS NOME	GGK	937
COVENANT		
HE KNYT A COUENAUNDE CORTAYSLY WYTH MONKYNDE THERE.	CLN	564
CLANLY AL THE COUENAUNT THAT I THE KYNGE ASKED	GGK	393
FOR BY ACORDE OF COUENAUNT 3E CRAUE HIT AS YOUR AWEN	GGK	1384
THE COUENAUNT SCHOP RY3T SO	GGK	2328
NE KYD BOT AS COUENAUNDE AT KYNGE3 KORT SCHAPED.	GGK	2340
WAT3 NOT A PENE THY COUENAUNT THORE.	PRL	562
FYRRE THEN COUENAUNDE IS NO3T TO PLETE.	PRL	563
COVENANTS		
RECORDED COUENAUNTE3 OFTE	GGK	1123
THAY ACORDED OF THE COUENAUNTE3 BYFORE THE COURT ALLE. . . .	GGK	1408
OF ALLE THE COUENAUNTES THAT WE KNYT SYTHEN I COM HIDER . . .	GGK	1642
AND THOU KNOWE3 THE COUENAUNTE3 KEST VS BYTWENE.	GGK	2242
COVERED		
AND COUERED MONY A CUPBORDE WITH CLOTHES FUL QUITE.	CLN	1440
COUERED COWPES FOUL CLENE AS CASTELES ARAYED.	CLN	1458
HA3ERLY IN HIS AUNE HWE HIS HEUED WAT3 COUERED	CLN	1707
CORRUPT WAS THAT OTHER CRAFT THAT COUERT THE BONES.	ERK	346
COVERTURE		
THE CROPORE AND THE COUERTOR ACORDED WYTH THE ARSOUNE3 . . .	GGK	602
VNDER COUERTOUR FUL CLERE CORTYNED ABOUTE.	GGK	1181
COVERTURES		
AND COUERTORE3 FUL CURIOUS WITH COMLYCH PANE3	GGK	855
COVETISE		
FOR COUETYSE AND COLWARDE AND CROKED DEDE3	CLN	181
DECLYNET NEUER MY CONSCIENS FOR COUETISE ON ERTHE	ERK	237
CORSED WORTH COWARDDYSE AND COUETYSE BOTHE	GGK	2374
TO ACORDE ME WITH COUETYSE MY KNYDE TO FORSAKE	GGK	2380
OF COUARDISE AND COUETYSE THAT I HAF CA3T THARE.	GGK	2508
COVETS		
AND TO BE COUTHE IN HIS COURTE THOU COUEYTES THENNE	CLN	1054
COVHOUS (V. COWHOUSE)		
COW		
THUS HE COUNTES HYM A KOW THAT WAT3 A KYNG RYCHE	CLN	1685
COWARD		
I WERE A KNY3T KOWARDE I MY3T NOT BE EXCUSED.	GGK	2131
COWARDDYSE (V. COWARDICE)		
COWARDICE		
SUCH COWARDISE OF THAT KNY3T COWTHE I NEUER HERE	GGK	2273
CORSED WORTH COWARDDYSE AND COUETYSE BOTHE	GGK	2374
FOR CARE OF THY KNOKKE COWARDYSE ME TA3T	GGK	2379
OF COUARDISE AND COUETYSE THAT I HAF CA3T THARE.	GGK	2508
COWARDISE (V. COWARDICE)		
COWARDLY		
FOR ALLE CALDE CLERKES HAN COWWARDELY FAYLED.	CLN	1631
COWARDYSE (V. COWARDICE)		
COWHOUSE		
HE CACHED TO HIS COVHOUS AND A CALF BRYNGE3	CLN	629

COWPES (V. CUPS)
COWPLED (V. COUPLED)
COWTERS
    WITH GODE COWTERS AND GAY AND GLOUE3 OF PLATE . . . . GGK 583
COWTHE (V. COUTH)
COWTHE3
    THOU COWTHE3 NEUER GOD NAUTHER PLESE NE PRAY. . . . . PRL 484
COWWARDELY (V. COWARDLY)
COYFE (V. COIF)
COYNT (V. QUAINT)
COYNTISE (V. QUEINTISE)
COYNTLY (V. QUAINTLY)
CO3ED (V. COUGHED)
CRABBED
    AFTER CRYSTENMASSE COM THE CRABBED LENTOUN . . . . GGK 502
    THE FAUT AND THE FAYNTYSE OF THE FLESCHE CRABBED . . . . GGK 2435
CRACK
    CLER CLARYOUN CRAK CRYED ON LOFTE . . . . CLN 1210
CRACKED
    AND SUCHE A CRY ABOUTE A CORS CRAKIT EUERMORE . . . . ERK 110
CRACKING
    THEN THE FIRST CORS COME WITH CRAKKYNG OF TRUMPES . . . . . . GGK 116
    WYTH SUCH A CRAKKANDE KRY AS KLYFFES HADEN BRUSTEN. . . . . . GGK 1166
CRACKS
    AYWHERE BY THE WOWES WRASTEN KRAKKES . . . . CLN 1403
CRAFT
    BOT IF THAY CONTERFETE CRAFTE AND CORTAYSYE WONT . . . . CLN 13
    I COMPAST HEM A KYNDE CRAFTE AND KENDE HIT HEM DERNE . . . . . CLN 697
    BOT I SCHAL KENNE YOW BY KYNDE A CRAFTE THAT IS BETTER . . . . CLN 865
    WEL CLANNER THEN ANY CRAFTE COWTHE DEVYSE. . . . . CLN 1100
    THAT WYTH SO CURIOUS A CRAFTE CORUEN WAT3 WYLY . . . . CLN 1452
    THERE AS CREATURES CRAFTE OF COUNSELLE OUTE SWARUES . . . . . ERK 167
    CORRUPT WAS THAT OTHER CRAFT THAT COUERT THE BONES. . . . . . ERK 346
    WEL BYCOMMES SUCH CRAFT VPON CRISTMASSE . . . . GGK 471
    HAUE I THRYUANDELY THONK THUR3 MY CRAFT SERUED . . . . GGK 1380
    HE CALDE ON THAT ILK CRAFTE HE CARF WYTH HIS HONDES . . . . . PAT 131
CRAFTE (V. CRAFT)
CRAFTES (V. CRAFTS)
CRAFTE3 (V. CRAFTS)
CRAFTILY
    WITH COROUN COPROUNES CRAFTYLY SLE3E . . . . GGK 797
CRAFTS
    FOR IS NO SEGGE VNDER SUNNE SO SEME OF HIS CRAFTE3. . . . . . CLN 549
    AND TECHE SUM TOKENE3 OF TRWELUF CRAFTES . . . . GGK 1527
    THE LORDE THAT HIS CRAFTE3 KEPES. . . . . GGK 1688
    AND KOYNTYSE OF CLERGYE BI CRAFTES WEL LERNED . . . . GGK 2447
    THAT MERCY SCHAL HYR CRAFTE3 KYTHE . . . . PRL 356
    FOR ALLE THE CRAFTE3 THAT EUER THAY KNEWE. . . . . PRL 890
CRAFTY
    AS 3ET IN CRAFTY CRONECLES IS KYDDE THE MEMORIE. . . . . ERK 44
    AND SYTHEN A CRAFTY CAPADOS CLOSED ALOFT . . . . GGK 572
CRAFTYLY (V. CRAFTILY)
CRAG
    BITWENE A FLOSCHE IN THAT FRYTH AND A FOO CRAGGE . . . . GGK 1430
    OR A CREUISSE OF AN OLDE CRAGGE HE COUTHE HIT NO3T DEME . . . . GGK 2183
    AND SYTHEN HE KEUERE3 BI A CRAGGE AND COME3 OF A HOLE. . . . . GGK 2221
CRAGS
    BOT THA3 THE KYSTE IN THE CRAGE3 WERE CLOSED TO BYDE . . . . . CLN 449
CRAGE3 (V. CRAGS)

CRAGGE (V. CRAG)
CRAK (V. CRACK)
CRAKIT (V. CRACKED)
CRAKKANDE (V. CRACKING)
CRAKKYNG (V. CRACKING)
CRANES
WYTH SCHELDE3 OF WYLDE SWYN SWANE3 AND CRONE3 . . . . CLN 58
CRATHAYN
HE CARED FOR HIS CORTAYSYE LEST CRATHAYN HE WERE . . . . . . GGK 1773
CRAUE (V. CRAVE)
CRAUED (V. CRAVED)
CRAVE
COME3 TO YOUR KNAUES KOTE I CRAUE AT THIS ONE3 . . . . CLN 801
IF THOU CRAUE BATAYL BARE . . . . GGK 277
FORTHY I CRAUE IN THIS COURT A CRYSTEMAS GOMEN . . . . GGK 283
TO THE HE3 LORDE OF THIS HOUS HERBER TO CRAUE . . . . GGK 812
FOR BY ACORDE OF COUENAUNT 3E CRAUE HIT AS YOUR AWEN . . . . . GGK 1384
BOT WYTH SOR3 AND SYT HE MOT HIT CRAUE. . . . . PRL 663
CRAVED
BOT HE HAD CRAUED A COSSE BI HIS COURTAYSYE . . . . GGK 1300
BOT THE KNY3T CRAUED LEUE TO KAYRE ON THE MORN . . . . GGK 1670
CREATOR
RECOUERER OF THE CREATOR THAY CRYED VCHONE . . . . CLN 394
TO CREPE FRO MY CREATOUR I KNOW NOT WHEDER . . . . CLN 917
THE COMFORTHE OF THE CREATORE BYHOUES THE CREATURE TAKE . . . ERK 168
THE COMFORTHE OF THE CREATORE BYHOUES THE CURE TAKE . . . . . ERK V 168
CREATORE (V. CREATOR)
CREATORES (V. CREATORS)
CREATORS
AND IN THE CREATORES CORT COM NEUER MORE . . . . CLN 191
CREATURE
THE COMFORTHE OF THE CREATORE BYHOUES THE CREATURE TAKE . . . ERK 168
CREATURES
THERE AS CREATURES CRAFTE OF COUNSELLE OUTE SWARUES . . . . . ERK 167
CREDE (V. CREED)
CREED
THAT CRYST KA3T ON THE CROYS AS THE CREDE TELLE3 . . . . . . GGK 643
AND CREDE . . . . GGK 758
NE NEUER NAWTHER PATER NE CREDE . . . . PRL 485
CREEP
TO CREPE FRO MY CREATOUR I KNOW NOT WHEDER . . . . CLN 917
CREEPED
KEST VP THE CORTYN AND CREPED WITHINNE. . . . . GGK 1192
CREPE (V. CREEP)
CREPED (V. CREEPED)
CRESPED (V. CRISPED)
CRESS
FOR ANGER GAYNE3 THE NOT A CRESSE . . . . PRL 343
CRESSE (V. CRESS)
CREST
THER AS CLATERANDE FRO THE CREST THE COLDE BORNE RENNE3 . . . GGK 731
OF SPOTLE3 PERLE3 THAT BEREN THE CRESTE . . . . PRL 856
CRESTE (V. CREST)
CREUISSE (V. CREVICE)
CREVICE
OR A CREUISSE OF AN OLDE CRAGGE HE COUTHE HIT NO3T DEME . . . GGK 2183
CREW
BI VCH KOK THAT CRUE HE KNWE WEL THE STEUEN . . . . GGK 2008
CRIANDE (V. CRYING)

CRIED
THEN THE LORDE WONDER LOUDE LALED AND CRYED . . . . CLN 153
AND ALLE CRYED FOR CARE TO THE KYNG OF HEUEN. . . . . CLN 393
RECOUERER OF THE CREATOR THAY CRYED VCHONE . . . . CLN 394
3ET HE CRYED HYM AFTER WYTH CAREFUL STEUEN . . . . CLN 770
AND THER WAT3 SOLACE AND SONGE WHER SOR3 HAT3 AY CRYED . . . CLN 1080
CLER CLARYOUN CRAK CRYED ON LOFTE . . . . CLN 1210
THYS WAT3 CRYED AND KNAWEN IN CORT ALS FAST . . . . CLN 1751
AND CRYED FOR HIS MYSDEDE . . . . GGK 760
THISE OTHER HALOWED HYGHE FUL HY3E AND HAY HAY CRYED . . . . . GGK 1445
AND THENNE HE CRYED SO CLER THAT KENNE MY3T ALLE . . . . . . PAT 357
THER ALLE OURE CAUSE3 SCHAL BE CRYED . . . . PRL 2 702
CRIES
WE3E WYN IN THIS WON WASSAYL HE CRYES . . . . CLN 1508
THENNE CRYES THE KYNG AND KERUES HIS WEDES . . . . CLN 1582
A KENET KRYES THEROF THE HUNT ON HYM CALLES . . . . GGK 1701
AND AY HE CRYES IN THAT KYTH TYL THE KYNG HERDE. . . . . . . PAT 377
CRIPPLES
AND THA3 THAY BEN BOTHE BLYNDE AND BALTERANDE CRUPPELE3 . . . CLN 103
CRISPED
WEL CRESPED AND CEMMED WYTH KNOTTES FUL MONY. . . . . GGK 188
CRIST (V. CHRIST)
CRISTE (V. CHRIST)
CRISTEN (V. CHRISTIAN)
CRISTENDAME (V. CHRISTENDOM)
CRISTENDOME (V. CHRISTENDOM)
CRISTES (V. CHRISTS)
CRISTMASSE (V. CHRISTMAS)
CROAKS
HE CROUKE3 FOR COMFORT WHEN CARAYNE HE FYNDE3 . . . . CLN 459
CROKED (V. CROOKED)
CROKE3
QUEN CORNE IS CORUEN WYTH CROKE3 KENE . . . . PRL 40
CRON (V. CROWN)
CRONECLES (V. CHRONICLES)
CRONE3 (V. CRANES)
CRONICLE (V. CHRONICLE)
CROOKED
FOR COUETYSE AND COLWARDE AND CROKED DEDE3 . . . . CLN 181
THAT WERE CROKED AND KENE AS THE KYTE PAUUE . . . . CLN 1697
THAT WERE CROKED AND KENE AS THE KYTE PAUNE . . . . CLN V 1697
HIS CLANNES AND HIS CORTAYSYE CROKED WERE NEUER. . . . . . . GGK 653
CROPORE (V. CRUPPER)
CROPURE (V. CRUPPER)
CROSKRYST (V. CROSS-CHRIST)
CROSS
SYTHEN CRIST SUFFRIDE ON CROSSE AND CRISTENDOME STABLYDE. . . ERK 2
THAT CRYST KA3T ON THE CROYS AS THE CREDE TELLE3 . . . . . . GGK 643
CROSSAYL (V. CROSS-SAIL)
CROSS-CHRIST
AND SAYDE CROSKRYST ME SPEDE . . . . GGK 762
CROSSE (V. CROSS)
CROSS-SAIL
CACHEN VP THE CROSSAYL CABLES THAY FASTEN. . . . . PAT 102
CROUKE3 (V. CROAKS)
CROUN (V. CROWN)
CROUNE (V. CROWN)
CROWED
BI THAT THE COKE HADE CROWEN AND CAKLED BOT THRYSE. . . . . GGK 1412

CROWEN (V. CROWED)
CROWES (V. CROWS)
CROWN
THAY CA3T AWAY THAT CONDELSTIK AND THE CROWNE ALS . . . . CLN 1275
THE GAY COROUN OF GOLDE GERED ON LOFTE. . . . . CLN 1444
AND ON HIS COYFE WOS KEST A CORON FUL RICHE . . . . ERK 83
SITHEN THOU WAS KIDDE FOR NO KYNGE QUY THOU THE CRON WERES . . ERK 222
TO RYD THE KYNG WYTH CROUN. . . . . GGK 364
HIS LONGE LOUELYCH LOKKE3 HE LAYD OUER HIS CROUN . . . . GGK 419
THAT VMBECLYPPED HYS CROUN. . . . . GGK 616
WITH COROUN COPROUNES CRAFTYLY SLE3E . . . . GGK 797
NOW THAT BERE THE CROUN OF THORNE . . . . GGK 2529
A PY3T COROUNE 3ET WER THAT GYRLE . . . . PRL 205
CA3TE OF HER COROUN OF GRETE TRESORE . . . . PRL 237
SET ON HYR COROUN OF PERLE ORIENT . . . . PRL 255
THE CROUNE FRO HYR QUO MO3T REMWE . . . . PRL 427
THAT WAT3 MY BLYSFUL ANVNDER CROUN . . . . PRL 1100
CROWNED
THAI CORONYD ME THE KIDDE KYNGE OF KENE IUSTISES . . . . ERK 254
COROUNDE ME QUENE IN BLYSSE TO BREDE . . . . PRL 415
THEN COROUNDE BE KYNG BY CORTAYSE . . . . PRL 480
AND CORONDE CLENE IN VERGYNTE. . . . . PRL 767
AND CORONDE WERN ALLE OF THE SAME FASOUN . . . . PRL 1101
CROWNES (V. CROWNS)
CROWNS
MONY CLERKE IN THAT CLOS WITH CROWNES FUL BRODE. . . . . ERK 55
MONY CLERKES IN THAT CLOS WITH CROWNES FUL BRODE . . . . ERK V 55
AND WOLDE HER COROUNE3 WERN WORTHE THO FYUE . . . . PRL 451
CROWS
KAGHTEN BY THE CORNERS WITH CROWES OF YRNE . . . . ERK 71
CROYS (V. CROSS)
CRUE (V. CREW)
CRUPPELE3 (V. CRIPPLES)
CRUPPER
THE PENDAUNTES OF HIS PAYTTRURE THE PROUDE CROPURE. . . . . . GGK 168
THE CROPORE AND THE COUERTOR ACORDED WYTH THE ARSOUNE3 . . . . GGK 602
CRY
BALTA3AR THUR3 BABILOYN HIS BANNE GART CRYE . . . . CLN 1361
AND CALLE WYTH A HI3E CRY HE THAT THE KYNG WYSSES. . . . . . CLN 1564
THIS CRY WAT3 VPCASTE AND THER COMEN MONY. . . . . CLN 1574
AND SUCHE A CRY ABOUTE A CORS CRAKIT EUERMORE . . . . ERK 110
LOUDE CRYE WAT3 THER KEST OF CLERKE3 AND OTHER . . . . GGK 64
THAT CORTAYSLY HADE HYM KYDDE AND HIS CRY HERKENED. . . . . . GGK 775
WYTH SUCH A CRAKKANDE KRY AS KLYFFES HADEN BRUSTEN. . . . . . GGK 1166
THE COGE OF THE COLDE WATER AND THENNE THE CRY RYSES . . . . . PAT 152
AL SCHAL CRYE FORCLEMMED WYTH ALLE OURE CLERE STRENTHE . . . . PAT 395
CRYE (V. CRY)
CRYED (V. CRIED)
CRYES (V. CRIES)
CRYING
THENNE HE CARPED TO THE KNY3T CRIANDE LOUDE . . . . GGK 1088
CRYSOLYT (V. CHRYSOLITE)
CRYSOLYTES (V. CHRYSOLITES)
CRYSOPAST (V. CHRYSOPRASE)
CRYST (V. CHRIST)
CRYSTAL
WYTH CRYSTAL KLYFFE3 SO CLER OF KYNDE . . . . PRL 74
A CRYSTAL CLYFFE FUL RELUSAUNT . . . . PRL 159
CRYSTEMAS (V. CHRISTMAS)

CRYSTENMAS (V. CHRISTMAS)
CRYSTENMASSE (V. CHRISTMAS)
CRYSTES (V. CHRISTS)
CRYSTMASSE (V. CHRISTMAS)
CUBIT
IN THE COMPAS OF A CUBIT KYNDELY SWARE. . . . . CLN 319
CUBITES (V. CUBITS)
CUBITS
THRE HUNDRED OF CUPYDE3 THOU HOLDE TO THE LENTHE . . . . CLN 315
FOR HIT CLAM VCHE A CLYFFE CUBITES FYFTENE . . . . CLN 405
CUISSES
QUEME QUYSSEWES THEN THAT COYNTLYCH CLOSED . . . . GGK 578
CUM (V. COME)
CUMAUNDE3 (V. COMMANDS)
CUMEN (V. COME)
CUMBERED
CAYRE TID OF THIS KYTHE ER COMBRED THOU WORTHE . . . . CLN 901
BOT HI3LY HEUENED THI HELE FRO HEM THAT ARN COMBRED . . . . . CLN 920
CUMBERS
AND ALLE THE COSTE3 OF KYNDE HIT COMBRE3 VCHONE. . . . . CLN 1024
CUMBRANCE
AND IN THE CONTRARE KARK AND COMBRAUNCE HUGE. . . . . CLN 4
CUMFORT (V. COMFORT)
CUMLY (V. COMELY)
CUMMEN (V. COME)
CUNEN (V. CON)
CUNNING
ANDE THAT THOU HAT3 IN THY HERT HOLY CONNYNG. . . . . CLN 1625
CUNNINGS
THAT NOW IS DEMED DANYEL OF DERNE CONINGES . . . . CLN 1611
CUNTRE (V. COUNTRY)
CUP
AS VCHON HADE HYM IN HELDE HE HALED OF THE CUPPE . . . . CLN 1520
THE COPEROUNES OF THE COUACLES THAT ON THE CUPPE RERES . . . . CLN V 1461
CUPBOARD
AND COUERED MONY A CUPBORDE WITH CLOTHES FUL QUITE. . . . . . CLN 1440
CUPBORDE (V. CUPBOARD)
CUPPE (V. CUP)
CUPPES (V. CUPS)
CUPPLE (V. COUPLE)
CUPS
COUERED COWPES FOUL CLENE AS CASTELES ARAYED. . . . . CLN 1458
THE COPEROUNES OF THE COUACLES THAT ON THE CUPPES RERE . . . . CLN 1461
KYPPE KOWPES IN HONDE KYNGE3 TO SERUE . . . . CLN 1510
CUPYDE3 (V. CUBITS)
CURE (V. CARE)
CURIOUS
THUS IS HE KYRYOUS AND CLENE THAT THOU HIS CORT ASKES. . . . . CLN 1109
IN THE CLERNES OF HIS CONCUBINES AND CURIOUS WEDE3. . . . . . CLN 1353
THAT WYTH SO CURIOUS A CRAFTE CORUEN WAT3 WYLY . . . . CLN 1452
OF MONY CURIOUS KYNDES OF FELE KYN HUES . . . . CLN V 1483
AND COUERTORE3 FUL CURIOUS WITH COMLYCH PANE3 . . . . GGK 855
CURSED
CORSED WORTH COWARDDYSE AND COUETYSE BOTHE . . . . GGK 2374
HE WAT3 CORSED FOR HIS VNCLANNES AND CACHED THERINNE . . . . . CLN 1800
WHAT HE CORSED HIS CLERKES AND CALDE HEM CHORLES . . . . CLN 1583
AND AS HIT IS CORSED OF KYNDE AND HIT COOSTE3 ALS . . . . . . CLN 1033
CURSEDEST
HIT IS THE CORSEDEST KYRK THAT EUER I COM INNE . . . . GGK 2196

CURTAIN		
THE KYNG IN HIS CORTYN WAT3 KA3T BI THE HELES	CLN	1789
A CORNER OF THE CORTYN HE CA3T VP A LYTTEL	GGK	1185
KEST VP THE CORTYN AND CREPED WITHINNE.	GGK	1192
HO COMMES TO THE CORTYN AND AT THE KNY3T TOTES	GGK	1476
CURTAINED		
VNDER COUERTOUR FUL CLERE CORTYNED ABOUTE.	GGK	1181
CURTAINS		
OF CORTYNES OF CLENE SYLK WYTH CLER GOLDE HEMME3	GGK	854
WITHINNE THE COMLY CORTYNES ON THE COLDE MORNE	GGK	1732
CURTEST (CP. COURTEOUS)		
CLADDEN ME FOR THE CURTEST THAT COURTE COUTHE THEN HOLDE. . .	ERK	249
CUSHIONS		
QUYSSYNES VPON QUELDEPOYNTES THAT KOYNT WER BOTHE	GGK	877
CUSTOM		
FOR HE KNEW THE COSTOUM THAT KYTHED THOSE WRECHE3	CLN	851
CUT		
NAUTHER TO COUT NE TO KERUE WYTH KNYF NE WYTH EGGE.	CLN	1104
CYMBALS		
SYMBALES AND SONETE3 SWARE THE NOYSE	CLN	1415
CYTE (V. CITY)		
CYTY (V. CITY)		
DAINTIES		
ABOF DUKE3 ON DECE WYTH DAYNTYS SERUED.	CLN	38
AS ANY DOM MY3T DEUICE OF DAYNTYE3 OUTE	CLN	1046
DAYNTES DRYUEN THERWYTH OF FUL DERE METES.	GGK	121
OF ALLE DAYNTYE3 DOUBLE AS DERREST MY3T FALLE	GGK	483
SO DID HIT THERE ON THAT DAY THUR3 DAYNTES MONY.	GGK	998
WYTH DAYNTES NWE INNOWE.	GGK	1401
DAINTY		
IF I HIT LAKKED OTHER SET AT LY3T HIT WERE LITTEL DAYNTE. . .	GGK	1250
TO DALY WITH DERELY YOUR DAYNTE WORDE3.	GGK	1253
BOT THE DAYNTE THAT THAY DELEN FOR MY DISERT NYSEN.	GGK	1266
BOT DALT WITH HIR AL IN DAYNTE HOWSEEUER THE DEDE TURNED. . .	GGK	1662
VCHE MON HADE DAYNTE THARE.	GGK	1889
DAIS		
ABOF DUKE3 ON DECE WYTH DAYNTYS SERUED.	CLN	38
THE DERREST AT THE HY3E DESE THAT DUBBED WER FAYREST	CLN	115
DERE DRO3EN THERTO AND VPON DES METTEN.	CLN	1394
FOR NON WAT3 DRESSED VPON DECE BOT THE DERE SELUEN.	CLN	1399
THEN THE DOTEL ON DECE DRANK THAT HE MY3T.	CLN	1517
THAT DAY DOUBBLE ON THE DECE WAT3 THE DOUTH SERUED.	GGK	61
DRESSED ON THE DERE DES DUBBED AL ABOUTE	GGK	75
THISE WERE DI3T ON THE DES AND DERWORTHLY SERUED	GGK	114
DRIUANDE TO THE HE3E DECE DUT HE NO WOTHE.	GGK	222
THENN ARTHOUR BIFORE THE HI3 DECE THAT AUENTURE BYHOLDE3. . .	GGK	250
TOWARD THE DERREST ON THE DECE HE DRESSE3 THE FACE.	GGK	445
AND HIT WAT3 DON ABOF THE DECE ON DOSER TO HENGE	GGK	478
DERF MEN VPON DECE DREST OF THE BEST	GGK	1000
DYNGNE DAUID ON DES THAT DEMED THIS SPECHE	PAT	119
IN HYS BLOD HE WESCH MY WEDE ON DESE	PRL	766
DALE		
AND VCHE A DALE SO DEPE THAT DEMMED AT THE BRYNKE3.	CLN	384
DER DROF IN THE DALE DOTED FOR DREDE	GGK	1151
AND DROF VCHE DALE FUL OF DRYFTES FUL GRETE	GGK	2005
RIDE3 THUR3 THE RO3E BONK RY3T TO THE DALE	GGK	2162
DALES		
THE DUBBEMENT DERE OF DOUN AND DALE3	PRL	121
DALE3 (V. DALES)		

DALFE (V. DELVED)
DALLIANCE
THUR3 HER DERE DALYAUNCE OF HER DERNE WORDE3. . . . . GGK 1012
OTHER ELLES 3E DEMEN ME TO DILLE YOUR DALYAUNCE TO HERKEN . . GGK 1529
DALLIED
THAY DRONKEN AND DAYLYEDEN AND DALTEN VNTY3TEL . . . . GGK 1114
DALLY
TO DALY WITH DERELY YOUR DAYNTE WORDE3. . . . . GGK 1253
DALT (V. DEALT)
DALTEN (V. DEALT)
DALY (V. DALLY)
DALYAUNCE (V. DALLIANCE)
DALYDA (V. DELILAH)
DAM
DROF VPON THE DEPE DAM IN DAUNGER HIT SEMED . . . . CLN 416
IN ON DASCHANDE DAM DRYUE3 ME OUER . . . . PAT 312
ER OUER THYS DAM HYM DRY3TYN DEME . . . . PRL 324
DAME
DERE DAME TODAY DEMAY YOW NEUER . . . . GGK 470
BITWENE TWO SO DYNGNE DAME. . . . . GGK 1316
DAME POUERT DAME PITEE DAME PENAUNCE THE THRYDDE . . . . PAT 31
DAME POUERT DAME PITEE DAME PENAUNCE THE THRYDDE . . . . PAT 31
DAME POUERT DAME PITEE DAME PENAUNCE THE THRYDDE . . . . PAT 31
DAME MEKENESSE DAME MERCY AND MIRY CLANNESSE. . . . . PAT 32
DAME MEKENESSE DAME MERCY AND MIRY CLANNESSE. . . . . PAT 32
AND THENNE DAME PES AND PACYENCE PUT IN THERAFTER . . . . PAT 33
DAMNED (CP. DAMPPED)
AL WER WE DAMPNED FOR THAT METE . . . . PRL 641
QUEN WE ARE DAMPNYD DULFULLY INTO THE DEPE LAKE. . . . . ERK 302
DAMPNED (V. DAMNED)
DAMPNYD (V. DAMNED)
DAMPPED (CP. DAMNED)
AL WAT3 DAMPPED AND DON AND DROWNED BY THENNE . . . . CLN 989
DAMSEL
THENNE DEMED I TO THAT DAMYSELLE. . . . . PRL 361
OF COUNTES DAMYSEL PAR MA FAY. . . . . PRL 489
DAMYSEL (V. DAMSEL)
DAMYSELLE (V. DAMSEL)
DANCE
FOR THO3 THOU DAUNCE AS ANY DO . . . . PRL 345
DANCED
DAUNSED FUL DRE3LY WYTH DERE CAROLE3 . . . . GGK 1026
DANCING
DERE DYN VPON DAY DAUNSYNG ON NY3TES . . . . GGK 47
DANGER
THUS THAY DRO3 HEM ADRE3 WYTH DAUNGER VCHONE. . . . . CLN 71
IN DRY3 DRED AND DAUNGER THAT DURST DO NON OTHER . . . . CLN 342
DROF VPON THE DEPE DAM IN DAUNGER HIT SEMED . . . . CLN 416
THAT THE DAUNGER OF DRY3TYN SO DERFLY ASCAPED . . . . PAT 110
AND DON ME IN THYS DEL AND GRET DAUNGER . . . . PRL 250
DANGERED
THEN THOF THOU DROPPYD DOUN DEDE HIT DAUNGERDE ME LASSE . . . . ERK 320
DANIEL
DANYEL IN HIS DIALOKE3 DEVYSED SUMTYME. . . . . CLN 1157
AND DERE DANIEL ALSO THAT WAT3 DEUINE NOBLE . . . . CLN 1302
AND AL THUR3 DOME OF DANIEL FRO HE DEUISED HADE. . . . . CLN 1325
THAT NOW IS DEMED DANYEL OF DERNE CONINGES . . . . CLN 1611
DERFLY THENNE DANYEL DELES THYSE WORDES . . . . CLN 1641
THENNE SONE WAT3 DANYEL DUBBED IN FUL DERE PORPOR . . . . CLN 1743

BOT HOWSO DANYEL WAT3 DY3T THAT DAY OUER3EDE.	CLN	1753
ER DALT WERE THAT ILK DOME THAT DANYEL DEUYSED	CLN	1756
DANISH		
A DENE3 AX NWE DY3T THE DYNT WITH TO 3ELDE	GGK	2223
DANYEL (V. DANIEL)		
DAR (V. DARE, DARES)		
DARD (V. DARED)		
DARE		
DAR ANY HERINNE O3T SAY.	GGK	300
3IF HE NE SLEPE SOUNDYLY SAY NE DAR.I	GGK	1991
FOR DREDE HE WOLDE NOT DARE	GGK	2258
AND AT THAT SY3T VCHE DOUTH CON DARE	PRL	839
FOR I DAR SAY WYTH CONCIENS SURE.	PRL	1089
DARED		
HYS FRAUNCHYSE IS LARGE THAT EUER DARD.	PRL	609
DARES		
THAT DAR STIFLY STRIKE A STROK FOR ANOTHER	GGK	287
FOR AL DARES FOR DREDE WITHOUTE DYNT SCHEWED.	GGK	315
DARIUS		
HIT WAT3 THE DERE DARYUS THE DUK OF THISE MEDES.	CLN	1771
DERE DARYOUS THAT DAY DY3T VPON TRONE	CLN	1794
DARK		
FORTHY THE DERK DEDE SEE HIT IS DEMED EUERMORE	CLN	1020
FOR DA3ED NEUER ANOTHER DAY THAT ILK DERK AFTER.	CLN	1755
THE DERKE NY3T OUERDROFE AND DAYBELLE RONGE	ERK	117
DWYNANDE IN THE DERKE DETHE THAT DY3T VS OURE FADER	ERK	294
DYMLY IN THAT DERKE DETHE THER DAWES NEUER MOROWEN.	ERK	306
THUS TO THE DERK NY3T	GGK	1177
AS NEUER HE DID BOT THAT DAYE TO THE DERK NY3T	GGK	1887
THE DAY DRYUE3 TO THE DERK AS DRY3TYN BIDDE3.	GGK	1999
AND ALSO DRYUEN THUR3 THE DEPE AND IN DERK WALTERE3	PAT	263
ANON THE DAY WYTH DERK ENDENTE	PRL	629
DARYOUS (V. DARIUS)		
DARYUS (V. DARIUS)		
DASANDE (V. DAZING)		
DASCHANDE (F. DASHING)		
DASED		
THER HE DASED IN THAT DUSTE WYTH DROPPANDE TERES	PAT	383
I STOD AS STYLLE AS DASED QUAYLE.	PRL	1085
DASHING		
IN ON DASCHANDE DAM DRYUE3 ME OUER	PAT	312
DATE		
OF THE LENTHE OF NOE LYF TO LAY A LEL DATE	CLN	425
THE LENGTHE OF MY LYINGE HERE THAT IS A LAPPID DATE	ERK	205
THE LENGTHE OF MY LYINGE HERE THAT IS A LEWID DATE.	ERK V	205
BOT A QUENE HIT IS TO DERE A DATE	PRL	492
THER IS NO DATE OF HYS GODNESSE	PRL	493
TO LABOR VYNE WAT3 DERE THE DATE.	PRL	504
THAT DATE OF 3ERE WEL KNAWE THYS HYNE	PRL	505
NE KNAWE 3E OF THIS DAY NO DATE	PRL	516
ER DATE OF DAYE HIDER ARN WE WONNE	PRL	517
WELNE3 WYL DAY WAT3 PASSED DATE	PRL	528
AT THE DATE OF DAY OF EUENSONGE	PRL	529
THE DAY WAT3 AL APASSED DATE	PRL	540
THE DATE OF THE DAYE THE LORDE CON KNAW	PRL	541
WELNE3 WYLDAY WAT3 PASSED DATE	PRL 1	528
WELNE3 WYLDAY WAT3 PASSED DATE	PRL 3	528
DATES		

OF ISRAEL BARNE3 FOLEWANDE HER DATE3 . . . . PRL 1040
DATE3 (V. DATES)
DAUB
AND ALLE THE ENDENTUR DRYUEN DAUBE WYTHOUTEN. . . . . CLN 313
DAUBE (V. DAUB)
DAUGHTER
HOW THE DE3TER OF THE DOUTHE WERN DERELYCH FAYRE . . . . CLN 270
I HAF A TRESOR IN MY TELDE OF TWO MY FAYRE DE3TER . . . . CLN 866
THO WERN LOTH AND HIS LEF HIS LUFLYCHE DE3TER . . . . CLN 939
LOTH AND THO LULYWHIT HIS LEFLY TWO DE3TER . . . . CLN 977
THE THRE LEDE3 LENT THERIN LOTH AND HIS DE3TER . . . . CLN 993
THE DUCHES DO3TER OF TYNTAGELLE THAT DERE VTER AFTER . . . . . GGK 2465
DAUGHTERS
HIS TWO DERE DO3TERE3 DEUOUTLY HEM HAYLSED . . . . CLN 814
WYTH THY WYF AND THY WY3E3 AND THY WLONC DE3TTERS . . . . . . CLN 899
THE WY3E WAKENED HIS WYF AND HIS WLONK DE3TERES. . . . . CLN 933
DAUID (V. DAVID)
DAUNCE (V. DANCE)
DAUNGER (V. DANGER)
DAUNGERDE (V. DANGERED)
DAUNSED (V. DANCED)
DAUNSYNG (V. DANCING)
DAUYTH (V. DAVID)
DAVID
DALYDA DALT HYM HYS WYRDE AND DAUYTH THERAFTER . . . . GGK 2418
DYNGNE DAUID ON DES THAT DEMED THIS SPECHE . . . . PAT 119
DAUID IN SAUTER IF EUER 3E SY3 HIT . . . . PRL 698
THER DAUID DERE WAT3 DY3T ON TRONE . . . . PRL 920
DAUID IN SAUTER IF EUER 3E SE3 HIT . . . . PRL 1 698
DAWANDE
WHEN THE DAWANDE DAY DRY3TYN CON SENDE. . . . . PAT 445
DAWED
BOT TO DELE YOW FOR DRURYE THAT DAWED BOT NEKED. . . . . GGK 1805
DAWES (ALSO V. DAYS)
I TRAWED MY PERLE DON OUT OF DAWE3 . . . . PRL 282
DAWID
FOR DA3ED NEUER ANOTHER DAY THAT ILK DERK AFTER. . . . . CLN 1755
AN ANSUARE OF THE HOLY GOSTE AND AFTERWARDE HIT DAWID. . . . . ERK 127
DAWE3 (V. DAWES)
DAY
THENNE SONE COM THE SEUENTHE DAY WHEN SAMNED WERN ALLE . . . . CLN 361
OF SECOUNDE MONYTH THE SEUENTETHE DAY RY3TE3. . . . . CLN 427
HIT SA3TLED ON A SOFTE DAY SYNKANDE TO GROUNDE . . . . CLN 445
DRE3LY ALLE ALONGE DAY THAT DORST NEUER LY3T. . . . . CLN 476
NOE ON ANOTHER DAY NYMME3 EFTE THE DOWUE . . . . CLN 481
THAT FALLE3 FORMAST IN THE 3ER AND THE FYRST DAY . . . . CLN 494
NE THE NY3T NE THE DAY NE THE NEWE3ERE3 . . . . CLN 526
FRO MONY A BROD DAY BYFORE HO BARAYN AY BYDENE . . . . CLN 659
THAT SEUEN SYTHE VCH A DAY ASAYLED THE 3ATES. . . . . CLN 1188
AND ASSEMBLE AT A SET DAY AT THE SAUDANS FEST . . . . CLN 1364
BOT HOWSO DANYEL WAT3 DY3T THAT DAY OUER3EDE. . . . . CLN 1753
FOR DA3ED NEUER ANOTHER DAY THAT ILK DERK AFTER. . . . . CLN 1755
THAT WAT3 SO DO3TY THAT DAY AND DRANK OF THE VESSAYL . . . . . CLN 1791
DERE DARYOUS THAT DAY DY3T VPON TRONE . . . . CLN 1794
OF SECOUNDE MONYTH THE SEUENTHE DAY RY3TE3 . . . . CLN V 427
FRO MONY A BROD DAY BYFORE HO BARAYN AY BENE. . . . . CLN V 659
FOR TO DRESSE A WRANGE DOME NO DAY OF MY LYUE . . . . ERK 236
DERE DYN VPON DAY DAUNSYNG ON NY3TES . . . . GGK 47
THAT DAY DOUBBLE ON THE DECE WAT3 THE DOUTH SERUED. . . . . . . GGK 61

IN DAYE	GGK	80
VPON SUCH A DERE DAY ER HYM DEUISED WERE	GGK	92
A TWELMONYTH AND A DAY	GGK	298
WYTH WELE WALT THAY THAT DAY TIL WORTHED AN ENDE	GGK	485
HE DOWELLE3 THER AL THAT DAY AND DRESSE3 ON THE MORN	GGK	566
AND GEF HEM ALLE GOUD DAY	GGK	668
THAD DAYE	GGK	686
SO DID HIT THERE ON THAT DAY THUR3 DAYNTES MONY.	GGK	998
MUCH DUT WAT3 THER DRYUEN THAT DAY AND THAT OTHER	GGK	1020
THE IOYE OF SAYN JONE3 DAY WAT3 GENTYLE TO HERE.	GGK	1022
GAWAN GEF HYM GOD DAY THE GODMON HYM LACHCHE3	GGK	1029
DOWELLE3 WHYLE NEW3ERES DAYE	GGK	1075
FUL ERLY BIFORE THE DAY THE FOLK VPRYSEN	GGK	1126
AND DROF THAT DAY WYTH JOY.	GGK	1176
THENNE HO GEF HYM GOD DAY AND WYTH A GLENT LA3ED	GGK	1290
AND MADE MYRY AL DAY TIL THE MONE RYSED	GGK	1313
THE DOUTHE DRESSED TO THE WOD ER ANY DAY SPRENGED	GGK	1415
THIS DAY WYTH THIS ILK DEDE THAY DRYUEN ON THIS WYSE	GGK	1468
THE LEDE WITH THE LADYE3 LAYKED ALLE DAY	GGK	1560
HOW THAT DESTINE SCHULDE THAT DAY DELE HYM HIS WYRDE	GGK	1752
AS NEUER HE DID BOT THAT DAYE TO THE DERK NY3T	GGK	1887
FOR I HAF HUNTED AL THIS DAY AND NO3T HAF I GETEN	GGK	1943
TO DELE ON NW3ERE3 DAY THE DOME OF MY WYRDES.	GGK	1968
THE DAY DRYUE3 TO THE DERK AS DRY3TYN BIDDE3.	GGK	1999
DELIUERLY HE DRESSED VP ER THE DAY SPRENGED	GGK	2009
GEF HYM GOD AND GOUD DAY THAT GAWAYN HE SAUE.	GGK	2073
THUS IN ARTHURUS DAY THIS AUNTER BITIDDE	GGK	2522
I HAF MELED WYTH THY MAYSTRES MONY LONGE DAY.	PAT	329
WHEN THE DAWANDE DAY DRY3TYN CON SENDE.	PAT	445
THAT OF NO DIETE THAT DAY THE DEUEL HAF HE RO3T.	PAT	460
AND QUEN MAD ON THE FYRST DAY.	PRL	486
FOR A PENE ON A DAY AND FORTH THAY GOT3	PRL	510
NE KNAWE 3E OF THIS DAY NO DATE	PRL	516
ER DATE OF DAYE HIDER ARN WE WONNE	PRL	517
AND AL DAY THE LORDE THUS 3EDE HIS GATE	PRL	526
WELNE3 WYL DAY WAT3 PASSED DATE	PRL	528
AT THE DATE OF DAY OF EUENSONGE	PRL	529
THE DATE OF THE DAYE THE LORDE CON KNAW	PRL	541
THE DAY WAT3 AL APASSED DATE	PRL	540
NOW HE THAT STOD THE LONG DAY STABLE	PRL	597
ANON THE DAY WYTH DERK ENDENTE	PRL	629
AND THA3 VCH DAY A STORE HE FECHE	PRL	847
FOR I HAF FOUNDEN HYM BOTHE DAY AND NA3TE.	PRL	1203
THE PRESTE VS SCHEWE3 VCH A DAYE.	PRL	1210
DAYBELLE		
THE DERKE NY3T OUERDROFE AND DAYBELLE RONGE	ERK	117
DAYE (V. DAY)		
DAYES (V. DAYS)		
DAYE3 (V. DAYS)		
DAYGLEM		
ER THENNE THE DAYGLEM DRYUE AL DOUN.	PRL	1094
DAYLE (V. DAYLY)		
DAYLIGHT		
BY THAT ANY DAYLY3T LEMED VPON ERTHE	GGK	1137
LURKKE3 QUYL THE DAYLY3T LEMED ON THE WOWES	GGK	1180
BI THAT THE DAYLY3T WAT3 DONE THE DOUTHE WAT3 AL WONEN	GGK	1365
DAYLY		
DEME NOW THYSELF IF THOU CON DAYLY	PRL	313
DEME NOW THYSELF IF THOU CON DAYLE	PRL 3	313

DAYLYEDEN (V. DALLIED)
DAYLY3T (V. DAYLIGHT)
DAYNTE (V. DAINTY)
DAYNTES (V. DAINTIES)
DAYNTYE3 (V. DAINTIES)
DAYNTYS (V. DAINTIES)
DAYRAWE

RUDDON OF THE DAYRAWE ROS VPON V3TEN	CLN	893

DAYS

FYLTER FENDEN FOLK FORTY DAYE3 LENCTHE.	CLN	224
IN THE DREDE OF DRY3TYN HIS DAYE3 HE VSE3.	CLN	295
FRO SEUEN DAYE3 BEN SEYED I SENDE OUT BYLYUE.	CLN	353
FCN NEUER IN FORTY DAYE3 AND THEN THE FLOD RYSES	CLN	369
BY FORTY DAYE3 WERN FAREN ON FOLDE NO FLESCH STYRYED	CLN	403
AND THRYE3 FYFTY THE FLOD OF FOLWANDE DAYE3	CLN	429
AFTER HARDE DAYE3 WERN OUT AN HUNDRETH AND FYFTE	CLN	442
AS DYSSTRYE AL FOR THE DOUTHE DAYE3 OF THIS ERTHE	CLN	520
BOT NON NUYE3 HYM ON NA3T NE NEUER VPON DAYE3	CLN	578
AND NEUER DRY3E NO DETHE TO DAYES OF ENDE.	CLN	1032
EUER LASTE THY LYF IN LENTHE OF DAYES	CLN	1594
AS DYSSTRYE AL FOR MANE3 DEDES DAYE3 OF THIS ERTHE.	CLN V	520
FOR HIT HETHEN HAD BENE IN HENGYST DAWES	ERK	7
AND WE HAUE OURE LIBRARIE LAITID THES LONGE SEUEN DAYES	ERK	155
DYMLY IN THAT DERKE DETHE THER DAWES NEUER MOROWEN.	ERK	306
FOR THER THE FEST WAT3 ILYCHE FUL FIFTEN DAYES	GGK	44
NAF I NOW TO BUSY BOT BARE THRE DAYE3	GGK	1066
QUYLE FORTH DAYE3 AND FERK ON THE FYRST OF THE 3ERE	GGK	1072
THRE DAYES AND THRE NY3T AY THENKANDE ON DRY3TYN	PAT	294
ON TO THRENGE THERTHUR3E WAT3 THRE DAYES DEDE	PAT	354
3ET SCHAL FORTY DAYE3 FULLY FARE TO AN ENDE	PAT	359
IN LENGHE OF DAYE3 THAT EUER SCHAL WAGE	PRL	416
WY STONDE 3E YDEL THISE DAYE3 LONGE.	PRL	533

DAZING

SUCH A DASANDE DREDE DUSCHED TO HIS HERT	CLN	1538
THAT SUFFRED HAN THE DAYE3 HETE	PRL	554

DA3ED (V. DAWID)
DEACONS

DI3TEN DEKENES TO DETHE DUNGEN DOUN CLERKKES.	CLN	1266

DEAD

AL SCHAL DOUN AND BE DED AND DRYUEN OUT OF ERTHE	CLN	289
THAT AY IS DROUY AND DYM AND DED IN HIT KYNDE	CLN	1016
FORTHY THE DERK DEDE SEE HIT IS DEMED EUERMORE	CLN	1020
DRYE FOLK AND YDROPIKE AND DEDE AT THE LASTE.	CLN	1096
DERE SER QUOTH THE DEDE BODY DEUYSE THE I THENKE	ERK	225
THUS DULFULLY THIS DEDE BODY DEUISYT HIT SOROWE.	ERK	309
THEN THOF THOU DROPPYD DOUN DEDE HIT DAUNGERDE ME LASSE	ERK	320
AND DEUOYDIT FRO THE DEDE AND DITTE THE DURRE AFTER	ERK V	116
DOUTELES HE HADE BEN DED AND DREPED FUL OFTE.	GGK	725
THER HADE BEN DED OF HIS DYNT THAT DO3TY WAT3 EUER.	GGK	2264
FOR VCH GRESSE MOT GROW OF GRAYNE3 DEDE	PRL	31

DEAL

THE GOME WAT3 VNGARNYST WYTH GOD MEN TO DELE.	CLN	137
THENN CON DRY3TTYN HYM DELE DRY3LY THYSE WORDE3.	CLN	344
IF THOU WYL DELE DRWRYE WYTH DRY3TYN THENNE	CLN	1065
THA3 HIT NOT DERREST BE DEMED TO DELE FOR PENIES	CLN	1118
THAT CON DELE WYTH DEMERLAYK AND DEUINE LETTRES.	CLN	1561
ELLE3 THOU WYL DI3T ME THE DOM TO DELE HYM ANOTHER.	GGK	295
AS THOU DELES ME TODAY BIFORE THIS DOUTHE RYCHE.	GGK	397
TO DRY3E A DELFUL DYNT AND DELE NO MORE	GGK	560

BOT THE DAYNTE THAT THAY DELEN FOR MY DISERT NYSEN. . . . . . GGK 1266
HOW THAT DESTINE SCHULDE THAT DAY DELE HYM HIS WYRDE . . . . . GGK 1752
BOT TO DELE YOW FOR DRURYE THAT DAWED BOT NEKED. . . . . . . GGK 1805
TO DELE ON NW3ERE3 DAY THE DOME OF MY WYRDES. . . . . GGK 1968
DELE HERE HIS DEUOCIOUN ON THE DEUELE3 WYSE . . . . GGK 2192
DELE TO ME MY DESTINE AND DO HIT OUT OF HONDE . . . . GGK 2285
QUETHERSOEUER HE DELE NESCH OTHER HARDE . . . . PRL 606

DEALS

DERFLY THENNE DANYEL DELES THYSE WORDES . . . . CLN 1641

DEALT

ER DALT WERE THAT ILK DOME THAT DANYEL DEUYSED . . . . CLN 1756
SUCH A DUNT AS THOU HAT3 DALT DISSERUED THOU HABBE3 . . . . . GGK 452
THAY DRONKEN AND DAYLYEDEN AND DALTEN VNTY3TEL . . . . GGK 1114
BOT DALT WITH HIR AL IN DAYNTE HOWSEEUER THE DEDE TURNED. . . . GGK 1662
ANDE THER THAY DRONKEN AND DALTEN AND DEMED EFT NWE . . . . . GGK 1668
DALYDA DALT HYM HYS WYRDE AND DAUYTH THERAFTER . . . . GGK 2418
FOR HO HAT3 DALT DRWRY FUL DERE SUMTYME . . . . GGK 2449
SONE HAF THAY HER SORTES SETTE AND SERELYCH DELED . . . . . . PAT 193

DEAN

THE DENE OF THE DERE PLACE DEUYSIT AL ON FYRST . . . . ERK 144

DEAR

THAT MADE THE MUKEL MANGERYE TO MARIE HIS HERE DERE . . . . . CLN 52
AS HE WAT3 DERE OF DEGRE DRESSED HIS SEETE . . . . CLN 92
DRY3TYN WYTH HIS DERE DOM HYM DROF TO THE ABYME. . . . . . . CLN 214
THAT I NE DYSCOUERED TO HIS CORSE MY COUNSAYL SO DERE. . . . . CLN 683
AND AMED HIT IN MYN ORDENAUNCE ODDELY DERE . . . . CLN 698
HIS TWO DERE DO3TERE3 DEUOUTLY HEM HAYLSED . . . . CLN 814
DERE DISCHES OF GOLDE AND DUBLERES FAYRE . . . . CLN 1279
AND DERE DANIEL ALSO THAT WAT3 DEUINE NOBLE . . . . CLN 1302
VCHE DUK WYTH HIS DUTHE AND OTHER DERE LORDES . . . . CLN 1367
DERE DRO3EN THERTO AND VPON DES METTEN. . . . . CLN 1394
FOR NON WAT3 DRESSED VPON DECE BOT THE DERE SELUEN. . . . . . CLN 1399
HE DEVYSED HIS DREMES TO THE DERE TRAWTHE. . . . . CLN 1604
FOR HIS DEPE DIUINITE AND HIS DERE SAWES . . . . CLN 1609
THENNE SONE WAT3 DANYEL DUBBED IN FUL DERE PORPOR . . . . . . CLN 1743
HIT WAT3 THE DERE DARYUS THE DUK OF THISE MEDES. . . . . . . CLN 1771
NOW IS A DOGGE ALSO DERE THAT IN A DYCH LYGGES . . . . CLN 1792
DERE DARYOUS THAT DAY DY3T VPON TRONE . . . . CLN 1794
THAT VNCLANNES TOCLEUES IN CORAGE DERE. . . . . CLN 1806
SO HE HOM DEDIFIET AND DYGHT ALLE TO DERE HALOWES . . . . . . ERK 23
THURGHE THI DEERE DEBONERTE DIGNE HIT MY LORDE . . . . ERK 123
THE DENE OF THE DERE PLACE DEUYSIT AL ON FYRST . . . . ERK 144
BISSHOP QUOTH THIS ILKE BODY THI BODE IS ME DERE . . . . . . ERK 193
DERE SER QUOTH THE DEDE BODY DEUYSE THE I THENKE . . . . . . ERK 225
DERE DYN VPON DAY DAUNSYNG ON NY3TES . . . . GGK 47
DRESSED ON THE DERE DES DUBBED AL ABOUTE . . . . GGK 75
VPON SUCH A DERE DAY ER HYM DEUISED WERE . . . . GGK 92
DAYNTES DRYUEN THERWYTH OF FUL DERE METES. . . . . GGK 121
DUBBED WYTH FUL DERE STONE3 AS THE DOK LASTED . . . . GGK 193
DERE DAME TODAY DEMAY YOW NEUER . . . . GGK 470
OF DESTINES DERF AND DERE . . . . GGK 564
DUBBED IN A DUBLET OF A DERE TARS . . . . GGK 571
AND HAF DY3T 3ONDER DERE A DUK TO HAUE WORTHED . . . . GGK 678
AND MARY THAT IS MYLDEST MODER SO DERE. . . . . GGK 754
BI THAT THE DINER WAT3 DONE AND THE DERE VP . . . . GGK 928
THUR3 HER DERE DALYAUNCE OF HER DERNE WORDE3. . . . . GGK 1012
DAUNSED FUL DRE3LY WYTH DERE CAROLE3 . . . . GGK 1026
QUAT DERUE DEDE HAD HYM DRYUEN AT THAT DERE TYME . . . . . . GGK 1047
DO WAY QUOTH THAT DERF MON MY DERE THAT SPECHE . . . . GGK 1492

NOW DERE AT THIS DEPARTYNG DO ME THIS ESE.	GGK	1798
FOR HO HAT3 DALT DRWRY FUL DERE SUMTYME	GGK	2449
THE DUCHES DO3TER OF TYNTAGELLE THAT DERE VTER AFTER	GGK	2465
OF HALF SO DERE ADUBBEMENTE	PRL	72
THE ADUBBEMENTE OF THO DOWNE3 DERE	PRL	85
SO AL WAT3 DUBBET ON DERE ASYSE	PRL	97
LORDE DERE WAT3 HIT ADUBBEMENT	PRL	108
SO DERE WAT3 HIT ADUBBEMENT	PRL	120
THE DUBBEMENT DERE OF DOUN AND DALE3	PRL	121
THA3 I FORLOYNE MY DERE ENDORDE	PRL	368
FOR NOW THY SPECHE IS TO ME DERE.	PRL	400
BOT A QUENE HIT IS TO DERE A DATE	PRL	492
TO LABOR VYNE WAT3 DERE THE DATE.	PRL	504
THIS MAKELLE3 PERLE THAT BO3T IS DERE	PRL	733
QUOTH SCHO MY DERE DESTYNE.	PRL	758
AND THOU CON ALLE THO DERE OUTDRYF	PRL	777
MY LOMBE MY LORDE MY DERE JUELLE.	PRL	795
TO LYSTEN THAT WAT3 FUL LUFLY DERE	PRL	880
THER DAUID DERE WAT3 DY3T ON TRONE	PRL	920
SO WAT3 HIT ME DERE THAT THOU CON DEME.	PRL	1183
IN KRYSTE3 DERE BLESSYNG AND MYN.	PRL	1208
THIS MASKELLE3 PERLE THAT BO3T IS DERE.	PRL 1	733
THIS MASKELLE3 PERLE THAT BO3T IS DERE.	PRL 2	733
DEAREST		
THE DERREST AT THE HY3E DESE THAT DUBBED WER FAYREST	CLN	115
THA3 HIT NOT DERREST BE DEMED TO DELE FOR PENIES	CLN	1118
AND DREPED ALLE THE DO3TYEST AND DERREST IN ARMES	CLN	1306
AND THENNE THAT DERREST ARN DRESSED DUKE3 AND PRYNCES.	CLN	1518
FOR HE WAS DRYGHTYN DERREST OF YDOLS PRAYSID.	ERK	29
TOWARD THE DERREST ON THE DECE HE DRESSE3 THE FACE.	GGK	445
OF ALLE DAYNTYE3 DOUBLE AS DERREST MY3T FALLE	GGK	483
DEARLY		
HOW THE DE3TER OF THE DOUTHE WERN DERELYCH FAYRE	CLN	270
THAY LET DOUN THE GRETE DRA3T AND DERELY OUT 3EDEN.	GGK	817
AND THERE HE DRA3E3 HYM ON DRY3E AND DERELY HYM THONKKE3.	GGK	1031
TO DALY WITH DERELY YOUR DAYNTE WORDE3.	GGK	1253
AND DIDDEN HEM DERELY VNDO AS THE DEDE ASKE3.	GGK	1327
AND SITHEN HOR DINER WAT3 DY3T AND DERELY SERUED	GGK	1559
I AM DERELY TO YOW BIHOLDE.	GGK	1842
AS DERELY DEUYSE3 THIS ILK TOUN	PRL	995
DEARTH		
THE DERTHE THEROF FOR TO DEUYSE	PRL	99
DEATH		
AND THE DOM IS THE DETHE THAT DREPE3 VS ALLE.	CLN	246
ALLE THAT DETH MO3T DRY3E DROWNED THERINNE	CLN	372
THAT NO3T DOWED BOT THE DETH IN THE DEPE STREME3	CLN	374
FOR HIT DEDE3 OF DETHE DUREN THERE 3ET.	CLN	1021
AND NEUER DRY3E NO DETHE TO DAYES OF ENDE.	CLN	1032
PRESTES AND PRELATES THAY PRESED TO DETHE.	CLN	1249
DI3TEN DEKENES TO DETHE DUNGEN DOUN CLERKKES.	CLN	1266
AND QUOS DETH SO HE DE3YRED HE DREPED ALS FAST	CLN	1648
BALTA3AR IN HIS BED WAT3 BETEN TO DETHE	CLN	1787
AND QUOS DETH SO HE DE3YRE HE DREPED ALS FAST	CLN V	1648
ALLE MENYD MY DETHE THE MORE AND THE LASSE	ERK	247
DWYNANDE IN THE DERKE DETHE THAT DY3T VS OURE FADER	ERK	294
DYMLY IN THAT DERKE DETHE THER DAWES NEUER MOROWEN.	ERK	306
AND DOGGE3 TO DETHE ENDITE.	GGK	1600
THAT HE NE DYNGE3 HYM TO DETHE WITH DYNT OF HIS HONDE.	GGK	2105
THUR3 DRWRY DETH BO3 VCH MAN DREUE	PRL	323

THE NIY3T OF DETH DOT3 TO ENCLYNE	PRL	630
AND DELYUERED VS OF THE DETH SECOUNDE	PRL	652
THAT ADAM WYTH INNE DETH VS DROUNDE.	PRL	656
OF ON DETHE FUL OURE HOPE IS DREST	PRL	860
THE MY3T OF DETH DOT3 TO ENCLYNE.	PRL 1	630
THAT ADAM WYTHINNE DETH VS DROUNDE	PRL 1	656
THE MY3T OF DETH DOT3 TO ENCLYNE.	PRL 2	630
THE MY3T OF DETH DOT3 TO ENCLYNE.	PRL 3	630
DEBATANDE (V. DEBATING)		
DEBATE		
AND BIHOUES HIS BUFFET ABIDE WITHOUTE DEBATE MORE	GGK	1754
TO BYDE BALE WITHOUTE DEBATE OF BRONDE HYM TO WERE.	GGK	2041
BUSK NO MORE DEBATE THEN I THE BEDE THENNE	GGK	2248
I WOLDE BYSECH WYTHOUTEN DEBATE	PRL	390
DEBATED		
DEBATED BUSYLY ABOUTE THO GIFTES.	GGK	68
DEBATING		
DEBATANDE WITH HYMSELF QUAT HIT BE MY3T	GGK	2179
DEBONAIRE		
THE GESTES GAY AND FUL GLAD OF GLAM DEBONERE.	CLN	830
A MAYDEN OF MENSKE FUL DEBONERE	PRL	162
DEBONAIRITY		
THURGHE THI DEERE DEBONERTE DIGNE HIT MY LORDE	ERK	123
OF BEWTE AND DEBONERTE AND BLYTHE SEMBLAUNT	GGK	1273
THY BOUNTE OF DEBONERTE AND THY BENE GRACE	PAT	418
PITOUSLY OF HYS DEBONERTE	PRL	798
DEBONERE (V. DEBONAIRE)		
DEBONERTE (V. DEBONAIRITY)		
DECE (V. DAIS)		
DECLAR (V. DECLARE)		
DECLARE		
HE SCHAL DECLAR HIT ALSO CLER AS HIT ON CLAY STANDE3	CLN	1618
HE SCHAL DECLAR HIT ALSO AS HIT ON CLAY STANDE	CLN V	1618
DECLINE		
NOW RECH I NEUER FOR TO DECLYNE	PRL	333
INTO ACORDE THAY CON DECLYNE	PRL	509
DECLINED		
DECLYNET NEUER MY CONSCIENS FOR COUETISE ON ERTHE	ERK	237
DECLYNE (V. DECLINE)		
DECLYNET (V. DECLINED)		
DECRE (V. DECREE)		
DECREE		
THEN WAT3 DEMED A DECRE BI THE DUK SELUEN.	CLN	1745
DO DRYUE OUT A DECRE DEMED OF MYSELUEN.	PAT	386
DED (V. DEAD, AND APP. 1)		
DEDAYN (V. DISDAIN)		
DEDE (V. DEAD, DEED)		
DEDES (V. DEEDS)		
DEDE3 (V. DEEDS)		
DEDIFIE		
WAS DRAWEN DON THAT ONE DOLE TO DEDIFIE NEW	ERK	6
DEDIFIET		
SO HE HOM DEDIFIET AND DYGHT ALLE TO DERE HALOWES	ERK	23
DEED		
AND HADE DEDAYN OF THAT DEDE FUL DRY3LY HE CARPE3	CLN	74
AND DIDEN THE DEDE THAT WAT3 DEMED AS HE DEUISED HADE.	CLN	110
THER IS NO DEDE SO DERNE THAT DITTE3 HIS Y3EN	CLN	588
AND SO DO WE NOW OURE DEDE DEUYNE WE NO FYRRE	ERK	169
QUAT DERUE DEDE HAD HYM DRYUEN AT THAT DERE TYME	GGK	1047

3E HAN DEMED TO DO THE DEDE THAT I BIDDE . . . . GGK 1089
AND DIDDEN HEM DERELY VNDO AS THE DEDE ASKE3. . . . . GGK 1327
THIS DAY WYTH THIS ILK DEDE THAY DRYUEN ON THIS WYSE . . . . . GGK 1468
BOT DALT WITH HIR AL IN DAYNTE HOWSEEUER THE DEDE TURNED. . . . GGK 1662
THENNE WAT3 NO TOM THER BYTWENE HIS TALE AND HER DEDE. . . . PAT 135
ON TO THRENGE THERTHUR3E WAT3 THRE DAYES DEDE . . . . PAT 354
FOR ANY DEDE THAT I HAF DON OTHER DEMED THE 3ET. . . . . . . PAT 432
THAT CORTAYSE IS TO FRE OF DEDE . . . . PRL 481
I YOW PAY IN DEDE AND THO3TE . . . . PRL 524

DEEDS

FOR COUETYSE AND COLWARDE AND CROKED DEDE3 . . . . CLN 181
AND THENNE FOUNDEN THAY FYLTHE IN FLESCHLYCH DEDE3. . . . . . CLN 265
LO SUCHE A WRAKFUL WO FOR WLATSUM DEDE3 . . . . CLN 541
FOR HE IS THE GROPANDE GOD THE GROUNDE OF ALLE DEDE3 . . . . . CLN 591
BOT OF THE DOME OF THE DOUTHE FOR DEDE3 OF SCHAME . . . . . . CLN 597
FOR HIT DEDE3 OF DETHE DUREN THERE 3ET. . . . . CLN 1021
AND BE RY3T SUCH IN VCH A BOR3E OF BODY AND OF DEDES . . . . . CLN 1061
FOR THENNE THOU DRY3TYN DYSPLESES WYTH DEDES FUL SORE. . . . . CLN 1136
BOT IF ALLE THE WORLDE WYT HIS WYKKED DEDES . . . . CLN 1360
HE HADE SO HUGE AN INSY3T TO HIS AUNE DEDES . . . . CLN 1659
DONE DOUN OF HIS DYNGNETE FOR DEDE3 VNFAYRE . . . . CLN 1801
AS DYSSTRYE AL FOR MANE3 DEDES DAYE3 OF THIS ERTHE. . . . . . CLN V 520
AND OTHER FUL MUCH OF OTHER FOLK FONGEN HOR DEDE3 . . . . . . GGK 1265
THAT OTHER KNY3T FUL COMLY COMENDED HIS DEDE3 . . . . GGK 1629
LO THY DOM IS THE DY3T FOR THY DEDES ILLE. . . . . PAT 203
WEPANDE FUL WONDERLY ALLE HIS WRANGE DEDES . . . . PAT 384

DEEM

I DEME HIT NOT AL FOR DOUTE . . . . GGK 246
DOWELLE AND ELLE3 DO QUATSO 3E DEMEN . . . . GGK 1082
OF DOS AND OF OTHER DERE TO DEME WERE WONDER. . . . . GGK 1322
OTHER ELLES 3E DEMEN ME TO DILLE YOUR DALYAUNCE TO HERKEN . . GGK 1529
OR A CREUISSE OF AN OLDE CRAGGE HE COUTHE HIT NO3T DEME . . . GGK 2183
DOWELLE AND ELLE3 DO QUAT 3E DEMEN . . . . GGK V 1082
BOT THAT HYS ONE SKYL MAY DEM. . . . . PRL 312
DEME NOW THYSELF IF THOU CON DAYLY . . . . PRL 313
ER OUER THYS DAM HYM DRY3TYN DEME . . . . PRL 324
DEME3 THOU ME QUOTH I MY SWETE . . . . PRL 325
BOT DURANDE DOEL WHAT MAY MEN DEME . . . . PRL 336
THOW DEME3 NO3T BOT DOELDYSTRESSE . . . . PRL 337
THOU MOSTE ABYDE THAT HE SCHAL DEME. . . . . PRL 348
DEME DRY3TYN EUER HYM ADYTE . . . . PRL 349
AL LYS IN HYM TO DY3T AND DEME . . . . PRL 360
SO WAT3 HIT ME DERE THAT THOU CON DEME. . . . . PRL 1183
DEME NOW THYSELF IF THOU CON DAYLE . . . . PRL 3 313

DEEMED

AND DIDEN THE DEDE THAT WAT3 DEMED AS HE DEUISED HADE. . . . . CLN 110
FORTHY THE DERK DEDE SEE HIT IS DEMED EUERMORE . . . . CLN 1020
THA3 HIT NOT DERREST BE DEMED TO DELE FOR PENIES . . . . . . CLN 1118
THAT NOW IS DEMED DANYEL OF DERNE CONINGES . . . . CLN 1611
THEN WAT3 DEMED A DECRE BI THE DUK SELUEN. . . . . CLN 1745
FORTHI FOR FANTOUM AND FAYRY3E THE FOLK THERE HIT DEMED . . . GGK 240
3E HAN DEMED TO DO THE DEDE THAT I BIDDE . . . . GGK 1089
ANDE THER THAY DRONKEN AND DALTEN AND DEMED EFT NWE . . . . . GGK 1668
DYNGNE DAUID ON DES THAT DEMED THIS SPECHE . . . . PAT 119
DO DRYUE OUT A DECRE DEMED OF MYSELUEN. . . . . PAT 386
FOR ANY DEDE THAT I HAF DON OTHER DEMED THE 3ET. . . . . . . PAT 432
THENNE DEMED I TO THAT DAMYSELLE. . . . . PRL 361

DEEP

DEPE IN MY DOUNGOUN THER DOEL EUER DWELLE3 . . . . CLN 158

THAT NO3T DOWED BOT THE DETH IN THE DEPE STREME3 CLN 374
AND VCHE A DALE SO DEPE THAT DEMMED AT THE BRYNKE3. CLN 384
DROF VPON THE DEPE DAM IN DAUNGER HIT SEMED CLN 416
HE DOTED NEUER FOR NO DOEL SO DEPE IN HIS MYNDE. CLN 852
THENNE A COTAGE FUL DEPE DROF TO HIS HERT. CLN 1425
FOR HIS DEPE DIUINITE AND HIS DERE SAWES CLN 1609
FOR AS THAI DY3T AND DALFE SO DEPE INTO THE ERTHE ERK 45
HE LYES DOLUEN THUS DEPE HIT IS A DERFE WONDER ERK 99
QUEN WE ARE DAMPNYD DULFULLY INTO THE DEPE LAKE. ERK 302
INTO A FOREST FUL DEP THAT FERLY WAT3 WYLDE GGK 741
OF THE DEPE DOUBLE DICH THAT DROF TO THE PLACE GGK 786
THE WALLE WOD IN THE WATER WONDERLY DEPE GGK 787
THE DOES DRYUEN WITH GRET DYN TO THE DEPE SLADE3 GGK 1159
HE WAT3 IN DROWPING DEPE GGK 1748
THAT DROF HEM DRY3LYCH ADOUN THE DEPE TO SERUE PAT 235
AND ALSO DRYUEN THUR3 THE DEPE AND IN DERK WALTERE3 PAT 263
ANDE EUER WALTERES THIS WHAL BI WYLDREN DEPE. PAT 297
THOU DIPTE3 ME OF THE DEPE SE INTO THE DYMME HERT PAT 308
VPSODOUN SCHAL 3E DUMPE DEPE TO THE ABYME. PAT 362
THE DUBBEMENTE OF THO DERWORTH DEPE. PRL 109
BOT THE WATER WAT3 DEPE I DORST NOT WADE PRL 143
HER DEPE COLOUR 3ET WONTED NON PRL 215
BE DEP DEUOTE IN HOL MEKENESSE PRL 406

DEER
DER DROF IN THE DALE DOTED FOR DREDE GGK 1151
THAT THER SCHULDE NO MON MEUE TO THE MALE DERE GGK 1157
OF DOS AND OF OTHER DERE TO DEME WERE WONDER. GGK 1322
AND QUYKLY OF THE QUELLED DERE A QUERRE THAY MAKED. GGK 1324

DEERE (V. DEAR)

DEFAULT
AND 3ET HIS COLOUR AND HIS CLOTHE HAS CA3T NO DEFAUTE. ERK 148

DEFAUTE (V. DEFAULT)

DEFENCE (V. DEFENSE)

DEFEND
FOR THE FRE LORDE HADE DEFENDE IN FERMYSOUN TYME GGK 1156
3E MAY NOT YOW DEFENDE GGK 2117

DEFENDE (V. DEFEND)

DEFENDED
BOT HE DEFENDED HYM SO FAYR THAT NO FAUT SEMED GGK 1551

DEFENSE
FOR A DEFENCE THAT WAT3 DY3T OF DRY3TYN SELUEN CLN 243
THE DEFENCE WAT3 THE FRYT THAT THE FREKE TOWCHED CLN 245
THE FREKE FERDE WITH DEFENCE AND FETED FUL FAYRE GGK 1282

DEFOUL
TO DEFOWLE HIT EUER VPON FOLDE FAST HE FORBEDES. CLN 1147
THER NO DEFOULE OF NO FYLTHE WAT3 FEST HYM ABUTE PAT 290

DEFOULE (V. DEFOUL)

DEFOULED
SO IF FOLK BE DEFOWLED BY VNFRE CHAUNCE CLN 1129
AND THE FYLTHE OF THE FREKE THAT DEFOWLED HADE CLN 1798

DEFOWLE (V. DEFOUL)

DEFOWLED (V. DEFOULED)

DEGHED (V. DIED)

DEGRE (V. DEGREE)

DEGREE
AS HE WAT3 DERE OF DEGRE DRESSED HIS SEETE CLN 92
BI VCHE GROME AT HIS DEGRE GRAYTHELY WAT3 SERUED GGK 1006

DEGREES
THISE TWELUE DEGRES WERN BRODE AND STAYRE. PRL 1022

DEGRES (V. DEGREES)
DEIGN
THURGHE THI DEERE DEBONERTE DIGNE HIT MY LORDE . . . . ERK 123
DEKENES (V. DEACONS)
DEL (V. DOLE)
DELE (V. DEAL, DEVIL, DOLE)
DELED (V. DEALT)
DELEN (V. DEAL)
DELES (V. DEAL, DEALS)
DELFUL (V. DOLEFUL)
DELFULLY (V. DOLEFULLY)
DELIGHT
TO DY3E IN DOEL OUT OF DELYT . . . . PRL 642
THE BLYSFUL PERLE WYTH GRET DELYT . . . . PRL 1104
WYTH GRET DELYT THAY GLOD IN FERE . . . . PRL 1105
SO DRO3 THAY FORTH WYTH GRET DELYT . . . . PRL 1116
DELYT THAT HYS COME ENCROCHED. . . . . PRL 1117
IWYSSE I LA3T A GRET DELYT. . . . . PRL 1128
DELIT THE LOMBE FOR TO DEUISE. . . . . PRL 1129
ER HE THERTO HADE HAD DELYT . . . . PRL 1140
THE LOMBE DELYT NON LYSTE TO WENE . . . . PRL 1141
FOR LUFLONGYNG IN GRET DELYT . . . . PRL 1152
DELYT ME DROF IN Y3E AND ERE . . . . PRL 1153
DELILAH
DALYDA DALT HYM HYS WYRDE AND DAUYTH THERAFTER . . . . GGK 2418
DELIT (V. DELIGHT)
DELIUER (V. DELIVER)
DELIUERLY (V. DELIVERLY)
DELIVER
BOT I SCHAL DELYUER AND DO AWAY THAT DUTEN ON THIS MOLDE. . . . CLN 286
BEDE HEM DRAWE TO THE DOR DELYUER HEM HE WOLDE . . . . CLN 500
ABOUTTE MY LADY WAT3 LENT QUEN HO DELYUER WERE . . . . CLN 1084
TO DELYUER HYM A LEUDE HYM LO3LY TO SERUE. . . . . GGK 851
3IF I DELIUER HAD BENE A BOFFET PARAUNTER. . . . . GGK 2343
DELIVERED
SO THAT THE METE AND THE MASSE WAT3 METELY DELYUERED . . . . . GGK 1414
AND DELYUERED VS OF THE DETH SECOUNDE . . . . PRL 652
DELIVERLY
DELIUERLY HE DRESSED VP ER THE DAY SPRENGED . . . . GGK 2009
DELVED
FOR AS THAI DY3T AND DALFE SO DEPE INTO THE ERTHE . . . . ERK 45
HE LYES DOLUEN THUS DEPE HIT IS A DERFE WONDER . . . . ERK 99
DELYT (V. DELIGHT)
DELYUER (V. DELIVER)
DELYUERED (V. DELIVERED)
DEM (V. DEEM)
DEMAY (CP. DISMAYED)
DERE DAME TODAY DEMAY YOW NEUER . . . . GGK 470
DEME (V. DEEM)
DEMED (V. DEEMED)
DEMEN (V. DEEM)
DEMERLAYK (CP. DEMORLAYKES)
THAT CON DELE WYTH DEMERLAYK AND DEUINE LETTRES. . . . . CLN 1561
DEME3 (V. DEEM)
DEMME
A MANNE3 DOM MO3T DRY3LY DEMME . . . . PRL 223
DEMMED
AND VCHE A DALE SO DEPE THAT DEMMED AT THE BRYNKE3. . . . . . CLN 384
DEMORLAYKES (CP. DEMERLAYK)

DEUINORES OF DEMORLAYKES THAT DREMES COWTHE REDE . . . . CLN 1578
DENAYED (V. DENIED)
DENE (ALSO V. DEAN)
THOU SAYS THOU TRAWE3 ME IN THIS DENE . . . . PRL 295
DENE3 (V. DANISH)
DENIED
FOR THAT DURST I NOT DO LEST I DENAYED WERE . . . . GGK V 1493
DENNED
A DEUELY DELE IN MY HERT DENNED . . . . PRL 51
A DERUELY DELE IN MY HERT DENNED. . . . . PRL 1 51
DENOUNCED
AND DENOUNCED ME NO3T NOW AT THIS TYME. . . . . CLN 106
DENYED (V. DINNED)
DEP (V. DEEP)
DEPARTED
AND ALLE HIS PYTE DEPARTED FRO PEPLE THAT HE HATED. . . . . . CLN 396
IN WYCH PURYTE THAY DEPARTED THA3 THAY POUER WERE . . . . . . CLN 1074
INMYDDE THE POYNT OF HIS PRYDE DEPARTED HE THERE . . . . . . CLN 1677
DEPARTED IS THY PRYNCIPALTE DEPRYUED THOU WORTHES . . . . . . CLN 1738
THAY GRYPED TO THE GARGULUN AND GRAYTHELY DEPARTED. . . . . . GGK 1335
AND QUEN WE DEPARTED WE WERN AT ON . . . . PRL 378
DEPARTES (V. DEPARTS)
DEPARTING
NOW DERE AT THIS DEPARTYNG DO ME THIS ESE. . . . . GGK 1798
DEPARTS
SYTHEN FRO THE MEYNY HE MENSKLY DEPARTES . . . . GGK 1983
DEPARTYNG (V. DEPARTING)
DEPAYNT (V. DEPAYNTED)
DEPAYNTED
WYTH THE PENTANGEL DEPAYNT OF PURE GOLDE HWE3 . . . . GGK 620
IN THE INNERMORE HALF OF HIS SCHELDE HIR YMAGE DEPAYNTED. . . GGK 649
IN THE MORE HALF OF HIS SCHELDE HIR YMAGE DEPAYNTED . . . . . GGK V 649
DEPAYNT IN PERLE3 AND WEDE3 QWYTE . . . . PRL 1102
DEPE (V. DEEP)
DEPRECE
AND DEPRECE YOUR PRYSOUN AND PRAY HYM TO RYSE . . . . GGK 1219
DEPRECED (V. DEPRESSED)
DEPRES (V. DEPRESS)
DEPRESS
AND FRO THAT MARYAG AL OTHER DEPRES. . . . . PRL 778
DEPRESSED
THAT SITHEN DEPRECED PROUINCES AND PATROUNES BICOME . . . . . GGK 6
FOR THAT PRYNCES OF PRIS DEPRESED HYM SO THIKKE. . . . . . . GGK 1770
DEPRIVE
AND DYSHERIETE AND DEPRYUE DOWRIE OF WYDOE3 . . . . CLN 185
AND NEUER OTHER 3ET SCHAL DEPRYUE . . . . PRL 449
DEPRIVED
THAT OTHER DEPRYUED WAT3 OF PRYDE WITH PAYNES STRONGE. . . . CLN 1227
DEPARTED IS THY PRYNCIPALTE DEPRYUED THOU WORTHES . . . . . . CLN 1738
DEPRYUE (V. DEPRIVE)
DEPRYUED (V. DEPRIVED)
DEPUTATE
I WOS DEPUTATE AND DOMESMON VNDER A DUKE NOBLE . . . . ERK 227
DER (V. DEER)
DERE (ALSO V. DEAR, DEER)
I THO3T THAT NOTHYNG MY3T ME DERE . . . . PRL 1157
DERED
BOT QUEN THE DYNTE3 HYM DERED OF HER DRY3E STROKE3. . . . . . GGK 1460
DERELY (V. DEARLY)

DERELYCH (V. DEARLY)
DERE3
DOT3 AWAY YOUR DERF DYN AND DERE3 NEUER MY GESTES . . . . CLN 862
NO BONK SO BYG THAT DID ME DERE3. . . . . PRL 102
DERF
DOT3 AWAY YOUR DERF DYN AND DERE3 NEUER MY GESTES . . . . CLN 862
HE LYES DOLUEN THUS DEPE HIT IS A DERFE WONDER . . . . ERK 99
OF DESTINES DERF AND DERE . . . . GGK 564
DERF MEN VPON DECE DREST OF THE BEST . . . . GGK 1000
QUAT DERUE DEDE HAD HYM DRYUEN AT THAT DERE TYME . . . . GGK 1047
THE DOR DRAWEN AND DIT WITH A DERF HASPE . . . . GGK 1233
DO WAY QUOTH THAT DERF MON MY DERE THAT SPECHE . . . . GGK 1492
THERE WAT3 MUCH DERUE DOEL DRIUEN IN THE SALE . . . . GGK V 558
SUMME TO DIANA DEUOUT AND DERF NEPTURNE . . . . PAT 166
DERFE (V. DERF)
DERFLY
AND HE DERUELY AT HIS DOME DY3T HIT BYLYUE . . . . CLN 632
DERFLY THENNE DANYEL DELES THYSE WORDES . . . . CLN 1641
A LITTEL DYN AT HIS DOR AND DERFLY VPON . . . . GGK 1183
HOW THAT DO3TY DREDLES DERUELY THER STONDE3 . . . . GGK 2334
THAT THE DAUNGER OF DRY3TYN SO DERFLY ASCAPED . . . . PAT 110
A DERUELY DELE IN MY HERT DENNED. . . . . PRL 1 51
DERK (V. DARK)
DERKE (V. DARK)
DERNE
THER IS NO DEDE SO DERNE THAT DITTE3 HIS Y3EN . . . . CLN 588
I COMPAST HEM A KYNDE CRAFTE AND KENDE HIT HEM DERNE . . . . . CLN 697
THAT NOW IS DEMED DANYEL OF DERNE CONINGES . . . . CLN 1611
THERE WAT3 MUCH DERNE DOEL DRIUEN IN THE SALE . . . . GGK 558
THUR3 HER DERE DALYAUNCE OF HER DERNE WORDE3. . . . . GGK 1012
SAF JONAS THE JWE THAT JOWKED IN DERNE. . . . . PAT 182
DERNLY
THAT DRO3 THE DOR AFTER HIR FUL DERNLY AND STYLLE . . . . . . GGK 1188
DERREST (V. DEAREST)
DERTHE (V. DEARTH)
DERUE (V. DERF)
DERUELY (V. DERFLY)
DERWORTH
THE DUBBEMENTE OF THO DERWORTH DEPE. . . . . PRL 109
DERWORTHLY
THISE WERE DI3T ON THE DES AND DERWORTHLY SERUED . . . . . . GGK 114
DES (V. DAIS)
DESCEND
IN THE WATER OF BABTEM THAY DYSSENTE . . . . PRL 627
DESCRY
THE COMLOKEST TO DISCRYE . . . . GGK 81
WHERE RYCH ROKKE3 WER TO DYSCREUEN . . . . PRL 68
DESE (V. DAIS)
DESERT
BOT THE DAYNTE THAT THAY DELEN FOR MY DISERT NYSEN. . . . . . GGK 1266
SUNDERLUPES FOR HIT DISSERT VPON A SER WYSE . . . . PAT 12
FOR DESERT OF SUM SAKE THAT I SLAYN WERE . . . . PAT 84
THOU QUYTE3 VCHON AS HYS DESSERTE . . . . PRL 595
DESERUED (V. DESERVED)
DESERVE
QUOTH THAT BURDE TO THE BURNE BLAME 3E DISSERUE. . . . . . . GGK 1779
DESERVED
3IF EUER THY MON VPON MOLDE MERIT DISSERUED . . . . CLN 613
SUCH A DUNT AS THOU HAT3 DALT DISSERUED THOU HABBE3 . . . . . GGK 452

FOR 3E HAF DESERUED FORSOTHE SELLYLY OFTE. . . . . GGK 1803
DESEUERED (V. DESEVERED)
DESEVERED
AND DESEUERED FRO THY SY3T 3ET SURELY I HOPE. . . . . PAT 315
DESIRE
AND QUOS DETH SO HE DE3YRE HE DREPED ALS FAST . . . . CLN V 1648
DESIRED
AND QUOS DETH SO HE DE3YRED HE DREPED ALS FAST . . . . CLN 1648
DESIRES
FORTHY WAR THE NOW WY3E THAT WORSCHYP DESYRES . . . . CLN 545
I HAF HIT HOLLY IN MY HONDE THAT AL DESYRES . . . . GGK 1257
DESPAIRED
THENNE BISPEKE THE SPAKEST DISPAYRED WEL NERE . . . . PAT 169
DESPISED
FERYED OUT BI THE FETE AND FOWLE DISPYSED. . . . . CLN 1790
DESPITE
BOT 3ET I WENE THAT THE WYF HIT WROTH TO DYSPYT. . . . . . . CLN 821
WHAT DOWES ME THE DEDAYN OTHER DISPIT MAKE . . . . PAT 50
DESPOILED
THER HE WAT3 DISPOYLED WYTH SPECHE3 OF MYERTHE . . . . GGK 860
THA3 I BE NUMMEN IN NUNNIUE AND NAKED DISPOYLED. . . . . . . PAT 95
DESSERTE (V. DESERT)
DESSYPELE3 (V. DISCIPLES)
DESTINE (V. DESTINY)
DESTINES (V. DESTINIES)
DESTINIES
OF DESTINES DERF AND DERE . . . . GGK 564
DESTINY
TO DRY3 HER DELFUL DESTYNE AND DY3EN ALLE SAMEN. . . . . . . CLN 400
THAT DRY3TYN FOR OURE DESTYNE TO DE3E WAT3 BORNE . . . . . . GGK 996
HOW THAT DESTINE SCHULDE THAT DAY DELE HYM HIS WYRDE . . . . . GGK 1752
DELE TO ME MY DESTINE AND DO HIT OUT OF HONDE . . . . GGK 2285
3IF ME BE DY3T A DESTYNE DUE TO HAUE . . . . PAT 49
QUOTH SCHO MY DERE DESTYNE. . . . . PRL 758
DESTROY
AS DYSSTRYE AL FOR THE DOUTHE DAYE3 OF THIS ERTHE . . . . . . CLN 520
FOR WE SCHAL TYNE THIS TOUN AND TRAYTHELY DISSTRYE. . . . . . CLN 907
AS DYSSTRYE AL FOR MANE3 DEDES DAYE3 OF THIS ERTHE. . . . . . CLN V 520
DESTROYED
WAT3 DISSTRYED WYTH DISTRES AND DRAWEN TO THE ERTHE . . . . . CLN 1160
FORDIDDEN MY STRESSE DYSTRYED MY PAYNE3 . . . . PRL 124
DESTROYS
IN YOW IS VYLANY AND VYSE THAT VERTUE DISSTRYE3. . . . . . . GGK 2375
DESTYNE (V. DESTINY)
DESYRES (V. DESIRES)
DETERMINABLE
THAT SPEKE3 A POYNT DETERMYNABLE. . . . . PRL 594
DETERMYNABLE (V. DETERMINABLE)
DETH (V. DEATH)
DETHE (V. DEATH)
DEUAYED
FOR THAT DURST I NOT DO LEST I DEUAYED WERE . . . . GGK 1493
DEUE
THE DUNTE THAT SCHULDE HYM DEUE . . . . GGK 1286
DEUEL (V. DEVIL)
DEUELE3 (V. DEVILS)
DEUELLE (V. DEVIL)
DEUELY (V. DEVILISH)
DEUICE (V. DEVISE)

DEUINE (V. DIVINE)
DEUINORES (V. DIVINERS)
DEUISE (V. DEVISE)
DEUISED (V. DEVISED)
DEUISYT (V. DEVISED)
DEUOCIOUN (V. DEVOTION)
DEUOTE (V. DEVOUT)
DEUOUT (V. DEVOUT)
DEUOUTLY (V. DEVOUTLY)
DEUOYDE (V. DEVOID)
DEUOYDES (V. DEVOIDS)
DEUOYDIT (V. DEVOIDED)
DEUYNE (V. DIVINE)
DEUYS (V. DEVICE)
DEUYSE (V. DEVICE, DEVISE)
DEUYSED (V. DEVISED)
DEUYSEMENT (V. DEVISEMENT)
DEUYSE3 (V. DEVISES)
DEUYSIT (V. DEVISED)
DEVAYE
3IF ANY WERE SO VILANOUS THAT YOW DEVAYE WOLDE . . . . GGK 1497
DEVICE
OF DIAMAUNTE3 A DEUYS . . . . GGK 617
I HOPED THE WATER WERE A DEUYSE . . . . PRL 139
WYTH THE MYRYESTE MARGARYS AT MY DEUYSE . . . . PRL 199
DEVIL
TYL HE BE DRONKKEN AS THE DEUEL AND DOTES THER HE SYTTES. . . . CLN 1500
HE TURNYD TEMPLES THAT TYME THAT TEMYD TO THE DEUELLE. . . . . ERK 15
THE MECUL MYNSTER THERINNE A MAGHTY DEUEL AGHT . . . . ERK 27
THE DELE HIS MATYNNES TELLE . . . . GGK 2188
WHAT THE DEUEL HAT3 THOU DON DOTED WRECH . . . . PAT 196
AND STOD VP IN HIS STOMAK THAT STANK AS THE DEUEL . . . . . . PAT 274
THAT OF NO DIETE THAT DAY THE DEUEL HAF HE RO3T. . . . . . . PAT 460
DEVILISH
A DEUELY DELE IN MY HERT DENNED . . . . PRL 51
DEVILS
THROLY INTO THE DEUELE3 THROTE MAN THRYNGE3 BYLYUE. . . . . . CLN 180
DELE HERE HIS DEUOCIOUN ON THE DEUELE3 WYSE . . . . GGK 2192
DEVISE
AS ANY DOM MY3T DEUICE OF DAYNTYE3 OUTE . . . . CLN 1046
WEL CLANNER THEN ANY CRAFTE COWTHE DEVYSE. . . . . CLN 1100
DERE SER QUOTH THE DEDE BODY DEUYSE THE I THENKE . . . . ERK 225
THE DERTHE THEROF FOR TO DEUYSE . . . . PRL 99
DELIT THE LOMBE FOR TO DEUISE. . . . . PRL 1129
DEVISED
AND DIDEN THE DEDE THAT WAT3 DEMED AS HE DEUISED HADE. . . . . CLN 110
THER PRYUELY IN PARADYS HIS PLACE WAT3 DEVISED . . . . CLN 238
DANYEL IN HIS DIALOKE3 DEVYSED SUMTYME. . . . . CLN 1157
DEUISED HE THE VESSELMENT THE VESTURES CLENE. . . . . CLN 1288
AND AL THUR3 DOME OF DANIEL FRO HE DEUISED HADE. . . . . CLN 1325
HE DEVYSED HIS DREMES TO THE DERE TRAWTHE. . . . . CLN 1604
ER DALT WERE THAT ILK DOME THAT DANYEL DEUYSED . . . . CLN 1756
THE DENE OF THE DERE PLACE DEUYSIT AL ON FYRST . . . . ERK 144
THUS DULFULLY THIS DEDE BODY DEUISYT HIT SOROWE. . . . . ERK 309
VPON SUCH A DERE DAY ER HYM DEUISED WERE . . . . GGK 92
AS JOHN DEUYSED 3ET SA3 I THARE . . . . PRL 1021
DEVISEMENT
I KNEW HIT BY HIS DEUYSEMENT . . . . PRL 1019
DEVISES

AS DEUYSE3 HIT THE APOSTEL JHON . . . . PRL 984
AS DERELY DEUYSE3 THIS ILK TOUN . . . . PRL 995
DEVOID
WYTH ALLE THISE WY3E3 SO WYKKE WY3TLY DEVOYDE . . . . CLN 908
DEWOYDE NOW THY VENGAUNCE THUR3 VERTU OF RAUTHE. . . . . . . PAT 284
THAT WONT WAT3 WHYLE DEUOYDE MY WRANGE. . . . . PRL 15
DEVOIDED
AND DEUOYDIT FRO THE DOUTHE AND DITTE THE DURRE AFTER. . . . . ERK 116
AND DEUOYDIT FRO THE DEDE AND DITTE THE DURRE AFTER . . . . . ERK V 116
DEVOIDING
IN DEVOYDYNGE THE VYLANYE THAT VENKQUYST HIS THEWE3 . . . . . CLN 544
DEVOIDS
DEUOYDES VCHE A VAYNEGLORIE THAT VAYLES SO LITELLE. . . . . . ERK 348
DEVOTION
DELE HERE HIS DEUOCIOUN ON THE DEUELE3 WYSE . . . . GGK 2192
DEVOUT
SUMME TO DIANA DEUOUT AND DERF NEPTURNE . . . . PAT 166
BE DEP DEUOTE IN HOL MEKENESSE . . . . PRL 406
DEVOUTLY
HIS TWO DERE DO3TERE3 DEUOUTLY HEM HAYLSED . . . . CLN 814
BOT I DEWOUTLY AWOWE THAT VERRAY BET3 HALDEN. . . . . PAT 333
DEVOYDE (V. DEVOID)
DEVOYDYNGE (V. DEVOIDING)
DEVYSE (V. DEVISE)
DEVYSED (V. DEVISED)
DEW
THAT ALLE WAT3 DUBBED AND DY3T IN THE DEW OF HEUEN. . . . . . CLN 1688
WHEN THE DONKANDE DEWE DROPE3 OF THE LEUE3 . . . . GGK 519
DEWE (V. DEW)
DEWOUTLY (V. DEVOUTLY)
DEWOYDE (V. DEVOID)
DEWYNE
I DEWYNE FORDOLKED OF LUFDAUNGERE . . . . PRL 11
TO DOL AGAYN THENNE I DOWYNE . . . . PRL 326
I DEWYNE FORDOKKED OF LUFDAUNGERE . . . . PRL 2 11
DE3E (V. DIE)
DE3EN (V. DIE)
DE3TER (V. DAUGHTER)
DE3TERES (V. DAUGHTERS)
DE3TTERS (V. DAUGHTERS)
DE3YRE (V. DESIRE)
DE3YRED (V. DESIRED)
DIALOGUES
DANYEL IN HIS DIALOKE3 DEVYSED SUMTYME. . . . . CLN 1157
DIALOKE3 (V. DIALOGUES)
DIAMAUNTE3 (V. DIAMONDS)
DIAMONDS
OF DIAMAUNTE3 A DEUYS . . . . GGK 617
DIANA
SUMME TO DIANA DEUOUT AND DERF NEPTURNE . . . . PAT 166
DICH (V. DITCH)
DICHES (V. DITCHES)
DID (APP. 1)
DIDDEN (APP. 1)
DIDEN (APP. 1)
DIE
TO DRY3 HER DELFUL DESTYNE AND DY3EN ALLE SAMEN. . . . . . . CLN 400
BOT AL DRAWES TO DY3E WYTH DOEL VPON ENDE. . . . . CLN 1329
THAT DRY3TYN FOR OURE DESTYNE TO DE3E WAT3 BORNE . . . . . . GGK 996

WHAT THAY BRAYEN AND BLEDEN BI BONKKE3 THAY DE3EN . . . . GGK 1163
AND TO HAF GREUED GAYNOUR AND GART HIR TO DY3E . . . . GGK 2460
WHY NE DY3TTE3 THOU ME TO DI3E I DURE TO LONGE. . . . . PAT 488
THA3 FORTUNE DYD YOUR FLESCH TO DY3E . . . . PRL 306
TO DY3E IN DOEL OUT OF DELYT . . . . PRL 642

DIED
QUEN I DEGHED FOR DUL DENYED ALLE TROYE . . . . ERK 246
BOT HE ON RODE THAT BLODY DYED . . . . PRL 705
THAT DY3ED FOR VS IN JERUSALEM . . . . PRL 828

DIET
THAT OF NO DIETE THAT DAY THE DEUEL HAF HE RO3T. . . . . . . PAT 460

DIETE (V. DIET)

DIGHT
FOR A DEFENCE THAT WAT3 DY3T OF DRY3TYN SELUEN . . . . CLN 243
AND HE DERUELY AT HIS DOME DY3T HIT BYLYUE . . . . CLN 632
AND DY3T DRWRY THERINNE DOOLE ALTHERSWETTEST. . . . . CLN 699
AND HIS MEN AMONESTES METE FOR TO DY3T. . . . . CLN 818
DI3TEN DEKENES TO DETHE DUNGEN DOUN CLERKKES. . . . . CLN 1266
THAT ALLE WAT3 DUBBED AND DY3T IN THE DEW OF HEUEN. . . . . . CLN 1688
BOT HOWSO DANYEL WAT3 DY3T THAT DAY OUER3EDE. . . . . CLN 1753
DERE DARYOUS THAT DAY DY3T VPON TRONE . . . . CLN 1794
SO HE HOM DEDIFIET AND DYGHT ALLE TO DERE HALOWES . . . . . . ERK 23
FOR AS THAI DY3T AND DALFE SO DEPE INTO THE ERTHE . . . . . . ERK 45
DWYNANDE IN THE DERKE DETHE THAT DY3T VS OURE FADER . . . . . ERK 294
THISE WERE DI3T ON THE DES AND DERWORTHLY SERUED . . . . . . GGK 114
ELLE3 THOU WYL DI3T ME THE DOM TO DELE HYM ANOTHER. . . . . . GGK 295
AND HAF DY3T 3ONDER DERE A DUK TO HAUE WORTHED . . . . GGK 678
AND TO HIS BED HYM DI3T. . . . . GGK 994
AND SITHEN HOR DINER WAT3 DY3T AND DERELY SERUED . . . . . . GGK 1559
FUL ERLY HE WAT3 DI3T . . . . GGK 1689
AS DOME3DAY SCHULDE HAF BEN DI3T ON THE MORN. . . . . GGK 1884
A DENE3 AX NWE DY3T THE DYNT WITH TO 3ELDE . . . . GGK 2223
3IF ME BE DY3T A DESTYNE DUE TO HAUE . . . . PAT 49
LO THY DOM IS THE DY3T FOR THY DEDES ILLE. . . . . PAT 203
WHY NE DY3TTE3 THOU ME TO DI3E I DURE TO LONGE. . . . . PAT 488
DUBBED WITH DOUBLE PERLE AND DY3TE . . . . PRL 202
AL LYS IN HYM TO DY3T AND DEME . . . . PRL 360
THER DAUID DERE WAT3 DY3T ON TRONE . . . . PRL 920
JERUSALEM SO NWE AND RYALLY DY3T. . . . . PRL 987

DIGNE (V. DEIGN)

DIGNITY
DONE DOUN OF HIS DYNGNETE FOR DEDE3 VNFAYRE . . . . CLN 1801

DILLE
OTHER ELLES 3E DEMEN ME TO DILLE YOUR DALYAUNCE TO HERKEN . . GGK 1529

DIM
DRYF OUER THIS DYMME WATER IF THOU DRUYE FYNDE3. . . . . . . CLN 472
THAT AY IS DROUY AND DYM AND DED IN HIT KYNDE . . . . CLN 1016
THOU DIPTE3 ME OF THE DEPE SE INTO THE DYMME HERT . . . . . . PAT 308
AND THE SELF SUNNE FUL FER TO DYM . . . . PRL 1076

DIMLY
DYMLY IN THAT DERKE DETHE THER DAWES NEUER MOROWEN. . . . . . ERK 306
DROPPED DUST ON HER HEDE AND DYMLY BISO3TEN . . . . PAT 375

DIN
IF THAY HAF DON AS THE DYNE DRYUE3 ON LOFTE . . . . CLN 692
DOT3 AWAY YOUR DERF DYN AND DERE3 NEUER MY GESTES . . . . . . CLN 862
DERE DYN VPON DAY DAUNSYNG ON NY3TES . . . . GGK 47
THE DOES DRYUEN WITH GRET DYN TO THE DEPE SLADE3 . . . . . . GGK 1159
A LITTEL DYN AT HIS DOR AND DERFLY VPON . . . . GGK 1183
HO DOS HIR FORTH AT THE DORE WITHOUTEN DYN MORE. . . . . . . GGK 1308

FOR DYNE OF DOEL OF LURE3 LESSE	PRL	339
DINNED		
QUEN I DEGHED FOR DUL DENYED ALLE TROYE	ERK	246
DINER (V. DINNER)		
DINNER		
BI THAT THE DINER WAT3 DONE AND THE DERE VP	GGK	928
AND SITHEN HOR DINER WAT3 DY3T AND DERELY SERUED	GGK	1559
DINT		
THEN ANY DUNT OF THAT DOUTHE THAT DOWELLED THEROUTE	CLN	1196
FOR AL DARES FOR DREDE WITHOUTE DYNT SCHEWED.	GGK	315
THIS DINT THAT THOU SCHAL DRYUE	GGK	389
SUCH A DUNT AS THOU HAT3 DALT DISSERUED THOU HABBE3	GGK	452
TO DRY3E A DELFUL DYNT AND DELE NO MORE	GGK	560
THE DUNTE THAT SCHULDE HYM DEUE	GGK	1286
THAT HE NE DYNGE3 HYM TO DETHE WITH DYNT OF HIS HONDE.	GGK	2105
A DENE3 AX NWE DY3T THE DYNT WITH TO 3ELDE	GGK	2223
THER HADE BEN DED OF HIS DYNT THAT DO3TY WAT3 EUER.	GGK	2264
BOT HE DREDES NO DYNT THAT DOTES FOR ELDE.	PAT	125
DINTE3 (V. DINTS)		
DINTS		
VNDER HIS DYNTTE3 DRY3E.	GGK	202
NO MORE MATE NE DISMAYD FOR HYS MAYN DINTE3	GGK	336
BOT QUEN THE DYNTE3 HYM DERED OF HER DRY3E STROKE3.	GGK	1460
A3AYN HIS DYNTE3 SORE	GGK	2116
DIPPED		
FOR WHATSO WORTHED OF THAT WY3E FRO HE IN WATER DIPPED	PAT	243
THOU DIPTE3 ME OF THE DEPE SE INTO THE DYMME HERT	PAT	308
DIPTE3 (V. DIPPED)		
DISCERN		
BITWENE THE STELE AND THE STAYRE DISSERNE NO3T CUNEN	PAT	513
DISCEUER (V. DISCOVER)		
DISCHES (V. DISHES)		
DISCIPLES		
HIS DESSYPELE3 WYTH BLAME LET BE HEM BEDE.	PRL	715
DISCOUERE3 (V. DISCOVERS)		
DISCOVER		
AND BISO3T HYM FOR HIR SAKE DISCEUER HIT NEUER	GGK	1862
DISCOVERED		
THAT I NE DYSCOUERED TO HIS CORSE MY COUNSAYL SO DERE.	CLN	683
DISCOVERS		
A LITTEL LUT WITH THE HEDE THE LERE HE DISCOUERE3	GGK	418
DISCRYE (V. DESCRY)		
DISDAIN		
AND HADE DEDAYN OF THAT DEDE FUL DRY3LY HE CARPE3	CLN	74
WHAT DOWES ME THE DEDAYN OTHER DISPIT MAKE	PAT	50
DISERT (V. DESERT)		
DISH		
A DYSCHE OTHER A DOBLER THAT DRY3TYN ONE3 SERUED	CLN	1146
DISHERIT		
AND DYSHERIETE AND DEPRYUE DOWRIE OF WYDOE3	CLN	185
DISHES		
DERE DISCHES OF GOLDE AND DUBLERES FAYRE	CLN	1279
FOYSOUN OF THE FRESCHE AND ON SO FELE DISCHES	GGK	122
AY TWO HAD DISCHES TWELUE	GGK	128
DISMAYED (CP. DEMAY)		
NO MORE MATE NE DISMAYD FOR HYS MAYN DINTE3	GGK	336
DISPAYRED (V. DESPAIRED)		
DISPIT (V. DESPITE)		
DISPLAYED		

DISPLAYED MORE PRYSTYLY WHEN HE HIT PART SCHULDE	CLN	1107
DISPLAYED MORE PRYUYLY WHEN HE HIT PART SCHULDE.	CLN V	1107
HIR BREST AND HIR BRY3T THROTE BARE DISPLAYED	GGK	955
DISPLAYES (V. DISPLAYS)		
DISPLAYS		
AND WYTH PLATTYNG HIS PAUMES DISPLAYES HIS LERS.	CLN	1542
DISPLEASE		
FOR THENNE THOU DRY3TYN DYSPLESES WYTH DEDES FUL SORE. . . .	CLN	1136
THAT FERES LEST HE DISPLESE YOW SO PLEDE HIT NO MORE	GGK	1304
AND THERFORE I PRAY YOW DISPLESE YOW NO3T.	GGK	1839
BOT ON I WOLDE YOW PRAY DISPLESES YOW NEUER	GGK	2439
AND FIRE LEST HE DISPLESE YOW SO PLEDE HIT NO MORE.	GGK V	1304
PACIENCE IS A POYNT THA3 HIT DISPLESE OFTE	PAT	1
THAT PACIENCE IS A NOBEL POYNT THA3 HIT DISPLESE OFTE. . . .	PAT	531
PATIENCE IS A NOBEL POYNT THA3 HIT DISPLESE OFTE	PAT V	1
DYSPLESE3 NOT IF I SPEKE ERROUR	PRL	422
DISPLEASED		
IS DISPLESED AT VCH A POYNT THAT PLYES TO SCATHE	CLN	196
DISPLESED MUCH AT THAT PLAY IN THAT PLYT STRANGE	CLN	1494
DISPLESED MUCH AT THAT PLAY IN THAT PLYT STRONGE	CLN V	1494
DISPLEASES		
AND THAT DYSPLESE3 NON OF OURE GYNG.	PRL	455
DISPLESE (V. DISPLEASE)		
DISPLESED (V. DISPLEASED)		
DISPLESES (V. DISPLEASE)		
DISPORT		
NOW HE THAT SPEDE3 VCHE SPECH THIS DISPORT 3ELDE YOW	GGK	1292
DISPOYLED (V. DESPOILED)		
DISPYSED (V. DESPISED)		
DISSERNE (V. DISCERN)		
DISSERT (V. DESERT)		
DISSERUE (V. DESERVE)		
DISSERUED (V. DESERVED)		
DISSTRYE (V. DESTROY)		
DISSTRYED (V. DESTROYED)		
DISSTRYE3 (V. DESTROYS)		
DISTRES (V. DISTRESS)		
DISTRESED (V. DISTRESSED)		
DISTRESS		
I SCHAL STRENKLE MY DISTRESSE AND STRYE AL TOGEDER.	CLN	307
WAT3 DISSTRYED WYTH DISTRES AND DRAWEN TO THE ERTHE	CLN	1160
MY GRETE DYSTRESSE THOU AL TODRAWE3.	PRL	280
NE TOWCHED HER TONGE FOR NO DYSSTRESSE.	PRL	898
DISTRESSE (V. DISTRESS)		
DISTRESSED		
AND DISTRESED HYM WONDER STRAYT WYTH STRENKTHE IN THE PRECE. .	CLN	880
DISTRESSES		
IN YOW IS VYLANY AND VYSE THAT VERTUE DISSTRYE3.	GGK	2375
DIT		
AND DEUOYDIT FRO THE DOUTHE AND DITTE THE DURRE AFTER. . . .	ERK	116
AND DEUOYDIT FRO THE DEDE AND DITTE THE DURRE AFTER	ERK V	116
THE DOR DRAWEN AND DIT WITH A DERF HASPE	GGK	1233
DITCH		
NOW IS A DOGGE ALSO DERE THAT IN A DYCH LYGGES	CLN	1792
OF THE DEPE DOUBLE DICH THAT DROF TO THE PLACE	GGK	786
AT THE LAST BI A LITTEL DICH HE LEPE3 OUER A SPENNE	GGK	1709
HE LAUE3 HYS GYFTE3 AS WATER OF DYCHE	PRL	607
DITCHES		
THAT HER BOWELES OUTBORST ABOUTE THE DICHES	CLN	1251

Entry	Text	Line
OF MONY BORELYCH BOLE ABOUTE BI THE DICHES	GGK	766
DITTE (V. DIT)		
DITTE3		
THER IS NO DEDE SO DERNE THAT DITTE3 HIS Y3EN	CLN	588
DIUINITE (V. DIVINITY)		
DIVERSE		
AND MONY A MESTERSMON OF MANERS DYUERSE	ERK	60
DIVINE		
AND DERE DANIEL ALSO THAT WAT3 DEUINE NOBLE	CLN	1302
THAT CON DELE WYTH DEMERLAYK AND DEUINE LETTRES.	CLN	1561
AND SO DO WE NOW OURE DEDE DEUYNE WE NO FYRRE	ERK	169
DIVINERS		
DEUINORES OF DEMORLAYKES THAT DREMES COWTHE REDE	CLN	1578
DIVINITY		
FOR HIS DEPE DIUINITE AND HIS DERE SAWES	CLN	1609
DI3E (V. DIE)		
DI3T (V. DIGHT)		
DI3TEN (V. DIGHT)		
DO (V. DOE AND APP. 1)		
DOBLER (V. DOUBLER)		
DOC (V. DUKE)		
DOCK		
DUBBED WYTH FUL DERE STONE3 AS THE DOK LASTED	GGK	193
DODDINAUAL		
SIR DODDINAUAL DE SAUAGE THE DUK OF CLARENCE.	GGK	552
DOE		
FOR THO3 THOU DAUNCE AS ANY DO	PRL	345
DOEL (V. DOLE)		
DOELDOUNGOUN (V. DOLE-DUNGEON)		
DOELDYSTRESSE (V. DOLE-DISTRESS)		
DOES (V. DOES-N.)		
DOES (N.)		
THE DOES DRYUEN WITH GRET DYN TO THE DEPE SLADE3	GGK	1159
OF DOS AND OF OTHER DERE TO DEME WERE WONDER.	GGK	1322
DOG		
NOW IS A DOGGE ALSO DERE THAT IN A DYCH LYGGES	CLN	1792
DOGGE (V. DOG)		
DOGGE3 (V. DOGS)		
DOGS		
AND DOGGE3 TO DETHE ENDITE.	GGK	1600
DOK (V. DOCK)		
DOL (V. DOLE)		
DOLE		
DEPE IN MY DOUNGOUN THER DOEL EUER DWELLE3	CLN	158
BOT THER HE TYNT THE TYTHE DOOL OF HIS TOUR RYCHE	CLN	216
AND DY3T DRWRY THERINNE DOOLE ALTHERSWETTEST.	CLN	699
HE DOTED NEUER FOR NO DOEL SO DEPE IN HIS MYNDE.	CLN	852
BOT AL DRAWES TO DY3E WYTH DOEL VPON ENDE.	CLN	1329
WAS DRAWEN DON THAT ONE DOLE TO DEDIFIE NEW	ERK	6
QUEN I DEGHED FOR DUL DENYED ALLE TROYE	ERK	246
THERE WAT3 MUCH DERNE DOEL DRIUEN IN THE SALE	GGK	558
HIT WERE TO TORE FOR TO TELLE OF THE TENTH DOLE.	GGK	719
THERE WAT3 MUCH DERUE DOEL DRIUEN IN THE SALE	GGK V	558
A DEUELY DELE IN MY HERT DENNED	PRL	51
TO THE TENTHE DOLE OF THO GLADNE3 GLADE	PRL	136
AND DON ME IN THYS DEL AND GRET DAUNGER	PRL	250
TO DOL AGAYN THENNE I DOWYNE	PRL	326
BOT DURANDE DOEL WHAT MAY MEN DEME	PRL	336

FOR DYNE OF DOEL OF LURE3 LESSE	PRL	339
TO DY3E IN DOEL OUT OF DELYT	PRL	642
A DERUELY DELE IN MY HERT DENNED.	PRL 1	51
DOLE-DISTRESS		
THOW DEME3 NO3T BOT DOELDYSTRESSE	PRL	337
DOLE-DUNGEON		
SO WEL IS ME IN THYS DOELDOUNGOUN	PRL	1187
DOLEFUL		
TO DRY3 HER DELFUL DESTYNE AND DY3EN ALLE SAMEN.	CLN	400
TO DRY3E A DELFUL DYNT AND DELE NO MORE	GGK	560
ENDURED FOR HER DRURY DULFUL STOUNDE3	GGK	1517
DOLEFULLY		
QUEN WE ARE DAMPNYD DULFULLY INTO THE DEPE LAKE.	ERK	302
THUS DULFULLY THIS DEDE BODY DEUISYT HIT SOROWE.	ERK	309
DELFULLY THUR3 HONDE3 THRY3T	PRL	706
DOLUEN (V. DELVED)		
DOM (V. DOOM)		
DOME (V. DOOM)		
DOMESMON (V. DOOMSMAN)		
DOME3 (V. DOOMS)		
DOME3DAY (V. DOOMSDAY)		
DOMINI		
OF SPIRITUS DOMINI FOR HIS SPEDE ON SUTILE WISE.	ERK	132
DON (V. DOWN AND APP. 1)		
DONE (APP. 1)		
DONKANDE		
WHEN THE DONKANDE DEWE DROPE3 OF THE LEUE3	GGK	519
DOOL (V. DOLE)		
DOOLE (V. DOLE)		
DOOM		
DRY3TYN WYTH HIS DERE DOM HYM DROF TO THE ABYME.	CLN	214
AS SONE AS DRY3TYNE3 DOME DROF TO HYMSELUEN	CLN	219
AND THE DOM IS THE DETHE THAT DREPE3 VS ALLE.	CLN	246
BOT OF THE DOME OF THE DOUTHE FOR DEDE3 OF SCHAME	CLN	597
AND HE DERUELY AT HIS DOME DY3T HIT BYLYUE	CLN	632
AS ANY DOM MY3T DEUICE OF DAYNTYE3 OUTE	CLN	1046
AND AL THUR3 DOME OF DANIEL FRO HE DEUISED HADE.	CLN	1325
ER DALT WERE THAT ILK DOME THAT DANYEL DEUYSED	CLN	1756
FOR TO DRESSE A WRANGE DOME NO DAY OF MY LYUE	ERK	236
ELLE3 THOU WYL DI3T ME THE DOM TO DELE HYM ANOTHER.	GGK	295
AND THAT IS THE BEST BE MY DOME FOR ME BYHOUE3 NEDE	GGK	1216
TO DELE ON NW3ERE3 DAY THE DOME OF MY WYRDES.	GGK	1968
LO THY DOM IS THE DY3T FOR THY DEDES ILLE.	PAT	203
MORE MERUAYLE CON MY DOM ADAUNT	PRL	157
A MANNE3 DOM MO3T DRY3LY DEMME	PRL	223
BY THE WAY OF RY3T TO ASKE DOME	PRL	580
HIT IS A DOM THAT NEUER GOD GAUE.	PRL	667
LORDE THY SERUANT DRA3 NEUER TO DOME	PRL	699
DOOMS		
WETHER EUER HIT LYKE MY LORDE TO LYFTE SUCH DOME3	CLN	717
DOOMSDAY		
AS DOME3DAY SCHULDE HAF BEN DI3T ON THE MORN.	GGK	1884
DOOMSMAN		
I WOS DEPUTATE AND DOMESMON VNDER A DUKE NOBLE	ERK	227
DOOR		
HURLED TO THE HALLE DORE AND HARDE THEROUTE SCHOWUED	CLN	44
A WEL DUTANDE DOR DON ON THE SYDE	CLN	320
BEDE HEM DRAWE TO THE DOR DELYUER HEM HE WOLDE	CLN	500
THENNE THE BURDE BYHYNDE THE DOR FOR BUSMAR LA3ED	CLN	653

AT VCHE A DOR A DO3TY DUK AND DUTTE HEM WYTHINNE . . . . . . CLN 1182
AND DEUOYDIT FRO THE DOUTHE AND DITTE THE DURRE AFTER. . . . . ERK 116
AND DEUOYDIT FRO THE DEDE AND DITTE THE DURRE AFTER . . . . . ERK V 116
THER HALES IN AT THE HALLE DOR AN AGHLICH MAYSTER . . . . . . GGK 136
HALLED OUT AT THE HAL DOR HIS HED IN HIS HANDE . . . . GGK 458
VNCLOSED THE KENEL DORE AND CALDE HEM THEROUTE . . . . GGK 1140
A LITTEL DYN AT HIS DOR AND DERFLY VPON . . . . GGK 1183
THAT DRO3 THE DOR AFTER HIR FUL DERNLY AND STYLLE . . . . . . GGK 1188
THE DOR DRAWEN AND DIT WITH A DERF HASPE . . . . GGK 1233
HO DOS HIR FORTH AT THE DORE WITHOUTEN DYN MORE. . . . . . . GGK 1308
HO COME3 WITHINNE THE CHAMBRE DORE AND CLOSES HIT HIR AFTER. . GGK 1742
AS MOTE IN AT A MUNSTER DOR SO MUKEL WERN HIS CHAWLE3. . . . PAT 268

DOR (V. DOOR)
DORE (V. DOOR)
DORST (V. DURST)
DORSTE (V. DURST)
DORSTEN (V. DURST)
DOS (V. DOES-N. AND APP. 1)
DOSER
AND HIT WAT3 DON ABOF THE DECE ON DOSER TO HENGE . . . . . . GGK 478
DOTAGE
THENNE A DOTAGE FUL DEPE DROF TO HIS HERT. . . . . CLN 1425
DOTE
BOT I SCHAL DELYUER AND DO AWAY THAT DOTEN ON THIS MOLDE. . . CLN 286
DOTED
HE DOTED NEUER FOR NO DOEL SO DEPE IN HIS MYNDE. . . . . . . CLN 852
DER DROF IN THE DALE DOTED FOR DREDE . . . . GGK 1151
BOT IF THE DOUTHE HAD DOTED OTHER DRONKEN BEN OTHER . . . . GGK 1956
WHAT THE DEUEL HAT3 THOU DON DOTED WRECH . . . . PAT 196
DOTEL
THEN THE DOTEL ON DECE DRANK THAT HE MY3T. . . . . CLN 1517
DOTEN (V. DOTE)
DOTES
TYL HE BE DRONKKEN AS THE DEUEL AND DOTES THER HE SYTTES. . . CLN 1500
BOT HE DREDES NO DYNT THAT DOTES FOR ELDE. . . . . PAT 125
DOT3 (APP. 1)
DOUBBLE (V. DOUBLE)
DOUBLE
THAT DAY DOUBBLE ON THE DECE WAT3 THE DOUTH SERUED. . . . . . GGK 61
OF ALLE DAYNTYE3 DOUBLE AS DERREST MY3T FALLE . . . . GGK 483
OF THE DEPE DOUBLE DICH THAT DROF TO THE PLACE . . . . GGK 786
THENN DRESSED HE HIS DRURYE DOUBLE HYM ABOUTE . . . . GGK 2033
DUBBED WITH DOUBLE PERLE AND DY3TE . . . . PRL 202
DOUBLEFELDE (V. DOUBLE-FOLD)
DOUBLE-FOLD
DOUBLEFELDE AS HIT FALLE3 AND FELE KYN FISCHE3 . . . . GGK 890
DOUBLER
A DYSCHE OTHER A DOBLER THAT DRY3TYN ONE3 SERUED . . . . . . CLN 1146
DOUBLERS
DERE DISCHES OF GOLDE AND DUBLERES FAYRE . . . . CLN 1279
DOUBLET
DUBBED IN A DUBLET OF A DERE TARS . . . . GGK 571
DOUBT
I DEME HIT NOT AL FOR DOUTE . . . . GGK 246
MONI ON OF HYM HAD DOUTE . . . . GGK 442
YOW BYHOD HAUE WYTHOUTEN DOUTE . . . . PRL 928
DOUBTED
DRIUANDE TO THE HE3E DECE DUT HE NO WOTHE. . . . . GGK 222

HIT DUT NO WYNDE3 BLASTE . . . . GGK 784
AND LETTE AS HE NO3T DUTTE. . . . . GGK 2257
DOUBTLESS
DOUTELES HE HADE BEN DED AND DREPED FUL OFTE. . . . . GGK 725
DOUGHTIEST
AND DREPED ALLE THE DO3TYEST AND DERREST IN ARMES . . . . . . CLN 1306
DOUGHTY
AT VCHE A DOR A DO3TY DUK AND DUTTE HEM WYTHINNE . . . . CLN 1182
THAT WAT3 SO DO3TY THAT DAY AND DRANK OF THE VESSAYL . . . . . CLN 1791
NADE HE BEN DU3TY AND DRY3E AND DRY3TYN HAD SERUED. . . . . . GGK 724
THER HADE BEN DED OF HIS DYNT THAT DO3TY WAT3 EUER. . . . . . GGK 2264
HOW THAT DO3TY DREDLES DERUELY THER STONDE3 . . . . GGK 2334
DOUMBE (V. DUMB)
DOUN (V. DOWN)
DOUNE3 (V. DOWNS)
DOUNGOUN (V. DUNGEON)
DOURED
AND FOR THE DREDE OF DRY3TYN DOURED IN HERT . . . . PAT 372
DOUSOUR
NOW FOR SYNGLERTY O HYR DOUSOUR . . . . PRL 429
DOUTE (V. DOUBT)
DOUTELES (V. DOUBTLESS)
DOUTH
HOW THE DE3TER OF THE DOUTHE WERN DERELYCH FAYRE . . . . CLN 270
AS DYSSTRYE AL FOR THE DOUTHE DAYE3 OF THIS ERTHE . . . . . . CLN 520
BOT OF THE DOME OF THE DOUTHE FOR DEDE3 OF SCHAME . . . . . . CLN 597
THEN ANY DUNT OF THAT DOUTHE THAT DOWELLED THEROUTE . . . . . CLN 1196
VCHE DUK WYTH HIS DUTHE AND OTHER DERE LORDES . . . . CLN 1367
AND DEUOYDIT FRO THE DOUTHE AND DITTE THE DURRE AFTER. . . . . ERK 116
THAT DAY DOUBBLE ON THE DECE WAT3 THE DOUTH SERUED. . . . . . GGK 61
AS THOU DELES ME TODAY BIFORE THIS DOUTHE RYCHE. . . . . GGK 397
BI THAT THE DAYLY3T WAT3 DONE THE DOUTHE WAT3 AL WONEN . . . . GGK 1365
THE DOUTHE DRESSED TO THE WOD ER ANY DAY SPRENGED . . . . . . GGK 1415
BOT IF THE DOUTHE HAD DOTED OTHER DRONKEN BEN OTHER . . . . . GGK 1956
AND AT THAT SY3T VCHE DOUTH CON DARE . . . . PRL 839
DOUTHE (V. DOUTH)
DOUUE (V. DOVE)
DOVE
HE SECHE3 ANOTHER SONDE3MON AND SETTE3 ON THE DOUUE . . . . . CLN 469
NOE ON ANOTHER DAY NYMME3 EFTE THE DOWUE . . . . CLN 481
ON ARK ON AN EUENTYDE HOUE3 THE DOWUE . . . . CLN 485
DOWED
THAT NO3T DOWED BOT THE DETH IN THE DEPE STREME3 . . . . CLN 374
DOWELLE (V. DWELL)
DOWELLED (V. DWELLED)
DOWELLE3 (V. DWELL, DWELLS)
DOWES
WHAT DOWES ME THE DEDAYN OTHER DISPIT MAKE . . . . PAT 50
DOWN
AND HURKELE3 DOUN WITH HIS HEDE THE VRTHE HE BIHOLDE3. . . . . CLN 150
AL SCHAL DOUN AND BE DED AND DRYUEN OUT OF ERTHE . . . . CLN 289
DI3TEN DEKENES TO DETHE DUNGEN DOUN CLERKKES. . . . . CLN 1266
AND SYTHEN BET DOUN THE BUR3 AND BREND HIT IN ASKES . . . . . CLN 1292
GLYDES DOUN BY THE GRECE AND GOS TO THE KYNG. . . . . CLN 1590
DONE DOUN OF HIS DYNGNETE FOR DEDE3 VNFAYRE . . . . CLN 1801
WAS DRAWEN DON THAT ONE DOLE TO DEDIFIE NEW . . . . ERK 6
AND THE BYSSHOP BALEFULLY BERE DON HIS EGHEN. . . . . ERK 311
THEN THOF THOU DROPPYD DOUN DEDE HIT DAUNGERDE ME LASSE . . . . ERK 320
AND RELED HYM VP AND DOUN . . . . GGK 229

AND WYTH A COUNTENAUNCE DRY3E HE DRO3 DOUN HIS COTE . . . GGK 335
KNELED DOUN BIFORE THE KYNG AND CACHE3 THAT WEPPEN. . . . GGK 368
LET HIM DOUN LY3TLY LY3T ON THE NAKED . . . GGK 423
THAY LET DOUN THE GRETE DRA3T AND DERELY OUT 3EDEN. . . . GGK 817
AND KNELED DOUN ON HER KNES VPON THE COLDE ERTHE . . . GGK 818
KNY3TE3 AND SWYERE3 COMEN DOUN THENNE . . . GGK 824
AND LAYDE HYM DOUN LYSTYLY AND LET AS HE SLEPTE. . . . GGK 1190
SYKANDE HO SWE3E DOUN AND SEMLY HYM KYSSED . . . GGK 1796
THE BRYGGE WAT3 BRAYDE DOUN AND THE BRODE 3ATE3. . . . GGK 2069
SCHYRE SCHATERANDE ON SCHORE3 THER THAY DOUN SCHOWUED. . . . GGK 2083
AND RYDE ME DOUN THIS ILK RAKE BI 3ON ROKKE SYDE . . . GGK 2144
LI3TE3 DOUN LUFLYLY AND AT A LYNDE TACHE3. . . . GGK 2176
HE LYFTES LY3TLY HIS LOME AND LET HIT DOWN FAYRE . . . GGK 2309
AND TYPE DOUN 3ONDER TOUN WHEN HIT TURNED WERE . . . PAT 506
THER HIT DOUN DROF IN MOLDE3 DUNNE . . . PRL 30
ON HUYLE THER PERLE HIT TRENDELED DOUN. . . . PRL 41
THE DUBBEMENT DERE OF DOUN AND DALE3 . . . PRL 121
DOUN AFTER A STREM THAT DRY3LY HALE3 . . . PRL 125
DOUN THE BONKE CON BO3E BYDENE . . . PRL 196
ON WYTHER HALF WATER COM DOUN THE SCHORE . . . PRL 230
ON OURE BYFORE THE SONNE GO DOUN. . . . PRL 530
THE SUNNE WAT3 DOUN AND HIT WEX LATE . . . PRL 538
ER THENNE THE DAYGLEM DRYUE AL DOUN. . . . PRL 1094

DOWNE3 (V. DOWNS)

DOWNS

HADE HE NO FERE BOT HIS FOLE BI FRYTHE3 AND DOUNE3. . . . GGK 695
AND COUNDUE HYM BY THE DOWNE3 THAT HE NO DRECHCH HAD . . . GGK 1972
DUBBED WERN ALLE THO DOWNE3 SYDE3 . . . PRL 73
THE ADUBBEMENTE OF THO DOWNE3 DERE . . . PRL 85

DOWRIE (V. DOWRY)

DOWRY

AND DYSHERIETE AND DEPRYUE DOWRIE OF WYDOE3 . . . CLN 185

DOWUE (V. DOVE)

DOWYNE (V. DEWYNE)

DO3TER (V. DAUGHTER)

DO3TERE3 (V. DAUGHTERS)

DO3TY (V. DOUGHTY)

DO3TYEST (V. DOUGHTIEST)

DRANK

THEN THE DOTEL ON DECE DRANK THAT HE MY3T. . . . CLN 1517
THAT WAT3 SO DO3TY THAT DAY AND DRANK OF THE VESSAYL . . . CLN 1791
FORTHY WONDERLY THAY WOKE AND THE WYN DRONKEN . . . GGK 1025
THAY DRONKEN AND DAYLYEDEN AND DALTEN VNTY3TEL . . . GGK 1114
ANDE THER THAY DRONKEN AND DALTEN AND DEMED EFT NWE . . . GGK 1668

DRAUELED

IN DRE3 DROUPYNG OF DREME DRAUELED THAT NOBLE . . . GGK 1750

DRAW

THUS THAY DRO3 HEM ADRE3 WYTH DAUNGER VCHONE. . . . CLN 71
BEDE HEM DRAWE TO THE DOR DELYUER HEM HE WOLDE . . . CLN 500
HE MAY NOT DRY3E TO DRAW ALLYT BOT DREPE3 IN HAST . . . CLN 599
SUCH CHAFFER AND 3E DRAWE . . . GGK 1647
LORDE THY SERUANT DRA3 NEUER TO DOME . . . PRL 699

DRAWE (V. DRAW)

DRAWEN (V. DRAWN)

DRAWES (V. DRAWS)

DRAWN

WAT3 DISSTRYED WYTH DISTRES AND DRAWEN TO THE ERTHE . . . CLN 1160
WAS DRAWEN DON THAT ONE DOLE TO DEDIFIE NEW . . . ERK 6
THE DOR DRAWEN AND DIT WITH A DERF HASPE . . . GGK 1233

AS HELDE DRAWEN TO GODDE3 PRESENT . . . . PRL 1193
AS HELDER DRAWEN TO GODDE3 PRESENT . . . . PRL 1 1193

DRAWS
BOT AL DRAWES TO DY3E WYTH DOEL VPON ENDE. . . . . CLN 1329
AND THERE HE DRA3E3 HYM ON DRY3E AND DERELY HYM THONKKE3. . . GGK 1031

DRA3 (V. DRAW)

DRA3E3 (V. DRAWS)

DRA3T
THAY LET DOUN THE GRETE DRA3T AND DERELY OUT 3EDEN. . . . . . GGK 817

DRA3TES
WHAT TYTHYNG NE TALE TOKENED THO DRA3TES . . . . CLN 1557

DREAD
IN THE DREDE OF DRY3TYN HIS DAYE3 HE VSE3. . . . . CLN 295
IN DRY3 DRED AND DAUNGER THAT DURST DO NON OTHER . . . . . . CLN 342
RWLY WYTH A LOUD RURD RORED FOR DREDE . . . . CLN 390
THE LEDE3 OF THAT LYTTEL TOUN WERN LOPEN OUT FOR DREDE . . . . CLN 990
SUCH A DASANDE DREDE DUSCHED TO HIS HERT . . . . CLN 1538
AND ROMYES AS A RAD RYTH THAT RORE3 FOR DREDE . . . . CLN 1543
BOT FOR WOTHE NE WELE NE WRATHE NE DREDE . . . . ERK 233
FOR AL DARES FOR DREDE WITHOUTE DYNT SCHEWED. . . . . GGK 315
DER DROF IN THE DALE DOTED FOR DREDE . . . . GGK 1151
DREDE DOT3 ME NO LOTE . . . . GGK 2211
FOR DREDE HE WOLDE NOT DARE . . . . GGK 2258
THENNE THAR MON DREDE NO WATHE . . . . GGK 2355
WYTH THE MON IN HIS MAWE MALSKRED IN DREDE . . . . PAT 255
SUCH A HIDOR HEM HENT AND A HATEL DREDE . . . . PAT 367
AND FOR THE DREDE OF DRY3TYN DOURED IN HERT . . . . PAT 372
MORE THEN ME LYSTE MY DREDE AROS. . . . . PRL 181
I DRED ONENDE QUAT SCHULDE BYFALLE . . . . PRL 186
THE LOMBE HER LANTYRNE WYTHOUTEN DREDE. . . . . PRL 1047

DREADLESS
HOW THAT DO3TY DREDLES DERUELY THER STONDE3 . . . . GGK 2334

DREADS
BOT HE DREDES NO DYNT THAT DOTES FOR ELDE. . . . . PAT 125
THA3 THAY BE JOLEF FOR JOYE JONAS 3ET DREDES. . . . . PAT 241

DREAM
AND WITH A DRERY DREME HE DRYUES OWTE WORDES. . . . . ERK 191
IN DRE3 DROUPYNG OF DREME DRAUELED THAT NOBLE . . . . GGK 1750
THE APOSTEL HEM SEGH IN GOSTLY DREM. . . . . PRL 790
THAT BRATHTHE OUT OF MY DREM ME BRAYDE. . . . . PRL 1170

DREAMS
DEUINORES OF DEMORLAYKES THAT DREMES COWTHE REDE . . . . . . CLN 1578
HE DEVYSED HIS DREMES TO THE DERE TRAWTHE. . . . . CLN 1604
THER RAGNEL IN HIS RAKENTES HYM RERE OF HIS DREMES. . . . . . PAT 188
THER RAGUEL IN HIS RAKENTES HYM RERE OF HIS DREMES. . . . . . PAT V 188

DREARY
AND WITH A DRERY DREME HE DRYUES OWTE WORDES. . . . . ERK 191
THUR3 DRWRY DETH BO3 VCH MAN DREUE . . . . PRL 323

DRECHCH
AND COUNDUE HYM BY THE DOWNE3 THAT HE NO DRECHCH HAD . . . . . GGK 1972

DRED (V. DREAD)

DREDE (V. DREAD)

DREDES (V. DREADS)

DREDLES (V. DREADLESS)

DREM (V. DREAM)

DREME (V. DREAM)

DREMES (V. DREAMS)

DREPED
AND DREPED ALLE THE DO3TYEST AND DERREST IN ARMES . . . . . . CLN 1306

Context	Text	Line
AND QUOS DETH SO HE DE3YRED HE DREPED ALS FAST	CLN	1648
AND QUOS DETH SO HE DE3YRE HE DREPED ALS FAST	CLN V	1648
DOUTELES HE HADE BEN DED AND DREPED FUL OFTE.	GGK	725
DREPE3		
AND THE DOM IS THE DETHE THAT DREPE3 VS ALLE.	CLN	246
HE MAY NOT DRY3E TO DRAW ALLYT BOT DREPE3 IN HAST	CLN	599
DRERY (V. DREARY)		
DRES (V. DRESS)		
DRESS		
FOR TO DRESSE A WRANGE DOME NO DAY OF MY LYUE	ERK	236
NEUERTHELECE TO MY METE I MAY ME WEL DRES.	GGK	474
FOR AL IS TRAWTHE THAT HE CON DRESSE	PRL	495
DRESSE (V. DRESS)		
DRESSED		
AS HE WAT3 DERE OF DEGRE DRESSED HIS SEETE	CLN	92
FOR NON WAT3 DRESSED VPON DECE BOT THE DERE SELUEN.	CLN	1399
VPON THAT AVTER WAT3 AL ALICHE DRESSET.	CLN	1477
AND THENNE THAT DERREST ARN DRESSED DUKE3 AND PRYNCES.	CLN	1518
AND THENNE DRINKE3 ARN DRESSED TO DUKE3 AND PRYNCES	CLN V	1518
DRESSED ON THE DERE DES DUBBED AL ABOUTE	GGK	75
DERF MEN VPON DECE DREST OF THE BEST	GGK	1000
THE DOUTHE DRESSED TO THE WOD ER ANY DAY SPRENGED	GGK	1415
DELIUERLY HE DRESSED VP ER THE DAY SPRENGED	GGK	2009
THENN DRESSED HE HIS DRURYE DOUBLE HYM ABOUTE	GGK	2033
OF ON DETHE FUL OURE HOPE IS DREST	PRL	860
DRESSES		
THE GRENE KNY3T VPON GROUNDE GRAYTHELY HYM DRESSES.	GGK	417
TOWARD THE DERREST ON THE DECE HE DRESSE3 THE FACE.	GGK	445
HE DOWELLE3 THER AL THAT DAY AND DRESSE3 ON THE MORN	GGK	566
DRESSET (V. DRESSED)		
DRESSE3 (V. DRESSES)		
DREST (V. DRESSED)		
DREUE		
THUR3 DRWRY DETH BO3 VCH MAN DREUE	PRL	323
DREUED		
AND BLUSCHED ON THE BURGHE AS I FORTH DREUED.	PRL	980
DREW		
DERE DRO3EN THERTO AND VPON DES METTEN.	CLN	1394
AND WYTH A COUNTENAUNCE DRY3E HE DRO3 DOUN HIS COTE	GGK	335
THAT DRO3 THE DOR AFTER HIR FUL DERNLY AND STYLLE	GGK	1188
AND MONY AR3ED THERAT AND ON LYTE DRO3EN	GGK	1463
SO DRO3 THAY FORTH WYTH GRET DELYT	PRL	1116
DRE3 (V. DRY3E)		
DRE3E (V. DRY3E)		
DRE3ED (V. DRY3ED)		
DRE3LY (V. DRY3LY)		
DRIED		
HOW THAT WATTERE3 WERN WONED AND THE WORLDE DRYED	CLN	496
DRIFTS		
AND DROF VCHE DALE FUL OF DRYFTES FUL GRETE	GGK	2005
DRINK		
AND THAY BIGONNE TO BE GLAD THAT GOD DRINK HADEN	CLN	123
FOR MONSWORNE AND MENSCLA3T AND TO MUCH DRYNK	CLN	182
THEN ANY BURNE VPON BENCH HADE BRO3T HYM TO DRYNK	GGK	337
FOR THA3 MEN BEN MERY IN MYNDE QUEN THAY HAN MAYN DRYNK	GGK	497
BLITHE BRO3T WAT3 HYM DRYNK AND THAY TO BEDDE 3EDEN	GGK	1684
THAT WE SPEDLY HAN SPOKEN THER SPARED WAT3 NO DRYNK	GGK	1935
DRINKS		
AND THENNE DRINKE3 ARN DRESSED TO DUKE3 AND PRYNCES	CLN V	1518

DRINKE3 (V. DRINKS)
DRIUANDE (V. DRIVING)
DRIUEN (V. DRIVEN)
DRIVE

DRYF OUER THIS DYMME WATER IF THOU DRUYE FYNDE3.	CLN	472
THIS DINT THAT THOU SCHAL DRYUE	GGK	389
THIS DAY WYTH THIS ILK DEDE THAY DRYUEN ON THIS WYSE	GGK	1468
DO DRYUE OUT A DECRE DEMED OF MYSELUEN.	PAT	386
ER THENNE THE DAYGLEM DRYUE AL DOUN.	PRL	1094

DRIVEN

AL SCHAL DOUN AND BE DED AND DRYUEN OUT OF ERTHE	CLN	289
AND ALLE THE ENDENTUR DRYUEN DAUBE WYTHOUTEN.	CLN	313
DAYNTES DRYUEN THERWYTH OF FUL DERE METES.	GGK	121
THERE WAT3 MUCH DERNE DOEL DRIUEN IN THE SALE	GGK	558
MUCH DUT WAT3 THER DRYUEN THAT DAY AND THAT OTHER	GGK	1020
QUAT DERUE DEDE HAD HYM DRYUEN AT THAT DERE TYME	GGK	1047
THE DOES DRYUEN WITH GRET DYN TO THE DEPE SLADE3	GGK	1159
HADE HIT DRYUEN ADOUN AS DRE3 AS HE ATLED.	GGK	2263
THERE WAT3 MUCH DERUE DOEL DRIUEN IN THE SALE	GGK V	558
AND ALSO DRYUEN THUR3 THE DEPE AND IN DERK WALTERE3	PAT	263
TO MO OF HIS MYSTERYS I HADE BEN DRYUEN	PRL	1194

DRIVES

THAT RO3LY WAT3 THE REMNAUNT THAT THE RAC DRYUE3	CLN	433
IF THAY HAF DON AS THE DYNE DRYUE3 ON LOFTE	CLN	692
MOURKENES THE MERY WEDER AND THE MYST DRYUES.	CLN	1760
AND WITH A DRERY DREME HE DRYUES OWTE WORDES.	ERK	191
HE DRYUES WYTH DRO3T THE DUST FOR TO RYSE.	GGK	523
THE DAY DRYUE3 TO THE DERK AS DRY3TYN BIDDE3.	GGK	1999
IN ON DASCHANDE DAM DRYUE3 ME OUER	PAT	312

DRIVING

DRIUANDE TO THE HE3E DECE DUT HE NO WOTHE.	GGK	222

DROF (V. DROVE)
DRONKEN (V. DRANK, DRUNK)
DRONKKEN (V. DRUNK)
DROOPING

HE WAT3 IN DROWPING DEPE	GGK	1748
IN DRE3 DROUPYNG OF DREME DRAUELED THAT NOBLE	GGK	1750

DROPE3 (V. DROPS)
DROPPANDE (V. DROPPING)
DROPPED

THEN THOF THOU DROPPYD DOUN DEDE HIT DAUNGERDE ME LASSE	ERK	320
DROPPED DUST ON HER HEDE AND DYMLY BISO3TEN	PAT	375

DROPPING

THER HE DASED IN THAT DUSTE WYTH DROPPANDE TERES	PAT	383

DROPPYD (V. DROPPED)
DROPS

WHEN THE DONKANDE DEWE DROPE3 OF THE LEUE3	GGK	519

DROUGHT

NE HETE NE NO HARDE FORST VMBRE NE DRO3THE	CLN	524
HE DRYUES WYTH DRO3T THE DUST FOR TO RYSE.	GGK	523

DROUNDE (V. DROWNED)
DROUPYNG (V. DROOPING)
DROUY

THAT AY IS DROUY AND DYM AND DED IN HIT KYNDE	CLN	1016

DROVE

DRY3TYN WYTH HIS DERE DOM HYM DROF TO THE ABYME.	CLN	214
AS SONE AS DRY3TYNE3 DOME DROF TO HYMSELUEN	CLN	219
DROF VPON THE DEPE DAM IN DAUNGER HIT SEMED	CLN	416
THENNE A DOTAGE FUL DEPE DROF TO HIS HERT.	CLN	1425

OF THE DEPE DOUBLE DICH THAT DROF TO THE PLACE . . . . GGK 786
DER DROF IN THE DALE DOTED FOR DREDE . . . . GGK 1151
AND DROF THAT DAY WYTH JOY. . . . . GGK 1176
AND DROF VCHE DALE FUL OF DRYFTES FUL GRETE . . . . GGK 2005
THAT DROF HEM DRY3LYCH ADOUN THE DEPE TO SERUE . . . . PAT 235
THER HIT DOUN DROF IN MOLDE3 DUNNE . . . . PRL 30
DELYT ME DROF IN Y3E AND ERE . . . . PRL 1153
DROWN
NOW IS JONAS THE JWE JUGGED TO DROWNE . . . . PAT 245
DROWNE (V. DROWN)
DROWNED
ALLE THAT DETH MO3T DRY3E DROWNED THERINNE . . . . CLN 372
AL WAT3 DAMPPED AND DON AND DROWNED BY THENNE . . . . CLN 989
THAT ADAM WYTH INNE DETH VS DROUNDE. . . . . PRL 656
THAT ADAM WYTHINNE DETH VS DROUNDE . . . . PRL 1 656
DROWPING (V. DROOPING)
DRO3 (V. DRAW, DREW)
DRO3EN (V. DREW)
DRO3T (V. DROUGHT)
DRO3THE (V. DROUGHT)
DRUNK
TYL HE BE DRONKKEN AS THE DEUEL AND DOTES THER HE SYTTES. . . . CLN 1500
BOT IF THE DOUTHE HAD DOTED OTHER DRONKEN BEN OTHER . . . . . GGK 1956
DRURY
AND DY3T DRWRY THERINNE DOOLE ALTHERSWETTEST. . . . . CLN 699
IF THOU WYL DELE DRWRYE WYTH DRY3TYN THENNE . . . . CLN 1065
ENDURED FOR HER DRURY DULFUL STOUNDE3 . . . . GGK 1517
BOT TO DELE YOW FOR DRURYE THAT DAWED BOT NEKED. . . . . . . GGK 1805
THENN DRESSED HE HIS DRURYE DOUBLE HYM ABOUTE . . . . GGK 2033
FOR HO HAT3 DALT DRWRY FUL DERE SUMTYME . . . . GGK 2449
DRURYE (V. DRURY)
DRUYE (V. DRIVE)
DRURYES
OF DRURYES GREME AND GRACE. . . . . GGK 1507
DRWRY (V. DREARY, DRURY)
DRWRYE (V. DRURY)
DRY
THE MOSTE MOUNTAYNE3 ON MOR THENNE ON MORE DRY3E . . . . . . CLN 385
THER ALLE LEDE3 IN LOME LENGED DRUYE . . . . CLN 412
KAST VP ON A CLYFFE THER COSTESE LAY DRYE. . . . . CLN 460
DRYF OUER THIS DYMME WATER IF THOU DRUYE FYNDE3. . . . . . . CLN 472
DRYE FOLK AND YDROPIKE AND DEDE AT THE LASTE. . . . . CLN 1096
THAT HE HYM SPUT SPAKLY VPON SPARE DRYE . . . . PAT 338
DRYE (V. DRY)
DRYED (V. DRIED)
DRYF (V. DRIVE)
DRYFTES (V. DRIFTS)
DRYGHTYN (V. DRY3TYN)
DRYNK (V. DRINK)
DRYUE (V. DRIVE)
DRYUEN (V. DRIVEN)
DRYUES (V. DRIVES)
DRYUE3 (V. DRIVES)
DRY3 (V. DRY3E)
DRY3E
IN DRY3 DRED AND DAUNGER THAT DURST DO NON OTHER . . . . . . CLN 342
ALLE THAT DETH MO3T DRY3E DROWNED THERINNE . . . . CLN 372
TO DRY3 HER DELFUL DESTYNE AND DY3EN ALLE SAMEN. . . . . . CLN 400
THEN WAT3 THER JOY IN THAT GYN WHERE WAT3 JUMPRED ER DRY3E . . CLN 491

HE MAY NOT DRY3E TO DRAW ALLYT BOT DREPE3 IN HAST . . . . CLN 599
AND NEUER DRY3E NO DETHE TO DAYES OF ENDE. . . . . CLN 1032
AND THERE IN DOUNGOUN BE DON TO DRE3E THER HIS WYRDES. . . . . CLN 1224
VNDER HIS DYNTTE3 DRY3E. . . . . GGK 202
AND WYTH A COUNTENAUNCE DRY3E HE DRO3 DOUN HIS COTE . . . . . GGK 335
TO DRY3E A DELFUL DYNT AND DELE NO MORE . . . . GGK 560
NADE HE BEN DU3TY AND DRY3E AND DRY3TYN HAD SERUED. . . . . . GGK 724
AND THERE HE DRA3E3 HYM ON DRY3E AND DERELY HYM THONKKE3. . . . GGK 1031
BOT QUEN THE DYNTE3 HYM DERED OF HER DRY3E STROKE3. . . . . . GGK 1460
IN DRE3 DROUPYNG OF DREME DRAUELED THAT NOBLE . . . . GGK 1750
HADE HIT DRYUEN ADOUN AS DRE3 AS HE ATLED. . . . . GGK 2263
THAT DOT3 AWAY THE SYNNE3 DRY3E . . . . PRL 823
DRY3ED
THEN WAT3 THER JOY IN THAT GYN WHERE JUMPRED ER DRY3ED . . . . CLN V 491
AS LYTTEL WONDER HIT WAT3 3IF HE WO DRE3ED . . . . PAT 256
DRY3LY
AND HADE DEDAYN OF THAT DEDE FUL DRY3LY HE CARPE3 . . . . . . CLN 74
THENN CON DRY3TTYN HYM DELE DRY3LY THYSE WORDE3. . . . . . . CLN 344
DRE3LY ALLE ALONGE DAY THAT DORST NEUER LY3T. . . . . CLN 476
THAT DROF HEM DRY3LYCH ADOUN THE DEPE TO SERUE . . . . PAT 235
DAUNSED FUL DRE3LY WYTH DERE CAROLE3 . . . . GGK 1026
DOUN AFTER A STREM THAT DRY3LY HALE3 . . . . PRL 125
A MANNE3 DOM MO3T DRY3LY DEMME . . . . PRL 223
DRY3LYCH (V. DRY3LY)
DRY3TTYN (V. DRY3TYN)
DRY3TYN
DRY3TYN WYTH HIS DERE DOM HYM DROF TO THE ABYME. . . . . . . CLN 214
FOR A DEFENCE THAT WAT3 DY3T OF DRY3TYN SELUEN . . . . CLN 243
IN THE DREDE OF DRY3TYN HIS DAYE3 HE VSE3. . . . . CLN 295
THENN CON DRY3TTYN HYM DELE DRY3LY THYSE WORDE3. . . . . . . CLN 344
NOW INNOGHE HIT IS NOT SO THENNE NURNED THE DRY3TYN . . . . . CLN 669
ON HO SERUED AT THE SOPER SALT BIFORE DRY3TYN . . . . CLN 997
AS APARAUNT TO PARADIS THAT PLANTTED THE DRY3TYN . . . . . . CLN 1007
IF THOU WYL DELE DRWRYE WYTH DRY3TYN THENNE . . . . CLN 1065
FOR THENNE THOU DRY3TYN DYSPLESES WYTH DEDES FUL SORE. . . . . CLN 1136
FOR WHEN A SAWELE IS SA3TLED AND SAKRED TO DRY3TYN. . . . . . CLN 1139
A DYSCHE OTHER A DOBLER THAT DRY3TYN ONE3 SERUED . . . . . . CLN 1146
THAT WAT3 ATHEL OUER ALLE ISRAEL DRY3TYN . . . . CLN 1314
BIFORE THE SANCTA SANCTORUM THER SOTHEFAST DRY3TYN. . . . . . CLN 1491
STYFLY STABLED THE RENGNE BI THE STRONGE DRY3TYN . . . . . . CLN 1652
THENNE BLYNNES HE NOT OF BLASFEMY ON TO BLAME THE DRY3TYN . . . CLN 1661
BOT AY HAT3 HOFEN THY HERT AGAYNES THE HY3E DRY3TYN . . . . . CLN 1711
FOR HE WAS DRYGHTYN DERREST OF YDOLS PRAYSID. . . . . ERK 29
NADE HE BEN DU3TY AND DRY3E AND DRY3TYN HAD SERUED. . . . . . GGK 724
THAT DRY3TYN FOR OURE DESTYNE TO DE3E WAT3 BORNE . . . . . . GGK 996
BE SERUAUNT TO YOURSELUEN SO SAUE ME DRY3TYN. . . . . GGK 1548
THE DAY DRYUE3 TO THE DERK AS DRY3TYN BIDDE3. . . . . GGK 1999
FUL WEL CON DRY3TYN SCHAPE. . . . . GGK 2138
THAT THE DAUNGER OF DRY3TYN SO DERFLY ASCAPED . . . . PAT 110
THAT HE WAT3 FLAWEN FRO THE FACE OF FRELYCH DRY3TYN . . . . . PAT 214
THRE DAYES AND THRE NY3T AY THENKANDE ON DRY3TYN . . . . . . PAT 294
AND FOR THE DREDE OF DRY3TYN DOURED IN HERT . . . . PAT 372
WHEN THE DAWANDE DAY DRY3TYN CON SENDE. . . . . PAT 445
ER OUER THYS DAM HYM DRY3TYN DEME . . . . PRL 324
DEME DRY3TYN EUER HYM ADYTE . . . . PRL 349
DRY3TYNE3
AS SONE AS DRY3TYNE3 DOME DROF TO HYMSELUEN . . . . CLN 219
DUBBED
THE DERREST AT THE HY3E DESE THAT DUBBED WER FAYREST . . . . . CLN 115

THAT ALLE WAT3 DUBBED AND DY3T IN THE DEW OF HEUEN. . . . . . CLN 1688
THENNE SONE WAT3 DANYEL DUBBED IN FUL DERE PORPOR . . . . CLN 1743
DRESSED ON THE DERE DES DUBBED AL ABOUTE . . . . GGK 75
DUBBED WYTH FUL DERE STONE3 AS THE DOK LASTED . . . . GGK 193
DUBBED IN A DUBLET OF A DERE TARS . . . . GGK 571
DUBBED WERN ALLE THO DOWNE3 SYDE3 . . . . PRL 73
SO AL WAT3 DUBBET ON DERE ASYSE . . . . PRL 97
DUBBED WITH DOUBLE PERLE AND DY3TE . . . . PRL 202

DUBBEMENT (V. ADUBBEMENT)
DUBBEMENTE (V. ADUBBEMENT)
DUBBET (V. DUBBED)
DUBLERES (V. DOUBLERS)
DUBLET
DUBLET (V. DOUBLET)
DUC (V. DUKE)
DUCHES (V. DUCHESS)
DUCHESS

THE DUCHES DO3TER OF TYNTAGELLE THAT DERE VTER AFTER . . . . . GGK 2465

DUE

3IF ME BE DY3T A DESTYNE DUE TO HAUE . . . . PAT 49
AS NEWE FRYT TO GOD FUL DUE . . . . PRL 894

DUK (V. DUKE)
DUKE

AT VCHE A DOR A DO3TY DUK AND DUTTE HEM WYTHINNE . . . . CLN 1182
HE IOYNED VNTO JERUSALEM A GENTYLE DUC THENNE . . . . CLN 1235
VCHE DUK WYTH HIS DUTHE AND OTHER DERE LORDES . . . . CLN 1367
THEN WAT3 DEMED A DECRE BI THE DUK SELUEN. . . . . CLN 1745
HIT WAT3 THE DERE DARYUS THE DUK OF THISE MEDES. . . . . CLN 1771
I WOS DEPUTATE AND DOMESMON VNDER A DUKE NOBLE . . . . ERK 227
SIR DODDINAUAL DE SAUAGE THE DUK OF CLARENCE. . . . . GGK 552
AND HAF DY3T 3ONDER DERE A DUK TO HAUE WORTHED . . . . GGK 678
HER SEMBLAUNT SADE FOR DOC OTHER ERLE . . . . PRL 211

DUKES

ABOF DUKE3 ON DECE WYTH DAYNTYS SERUED. . . . . CLN 38
AND THENNE THAT DERREST ARN DRESSED DUKE3 AND PRYNCES. . . . . CLN 1518
AND THENNE DRINKE3 ARN DRESSED TO DUKE3 AND PRYNCES . . . . . CLN V 1518

DUKE3 (V. DUKES)
DUL (V. DOLE)
DULFUL (V. DOLEFUL)
DULFULLY (V. DOLEFULLY)
DUMB

AND ALS THER BEN DOUMBE BESTE3 IN THE BUR3 MONY. . . . . PAT 516

DUMP

VPSODOUN SCHAL 3E DUMPE DEPE TO THE ABYME. . . . . PAT 362

DUMPE (V. DUMP)
DUN

THER HIT DOUN DROF IN MOLDE3 DUNNE . . . . PRL 30

DUNGEN

DI3TEN DEKENES TO DETHE DUNGEN DOUN CLERKKES. . . . . CLN 1266

DUNGEON

DEPE IN MY DOUNGOUN THER DOEL EUER DWELLE3 . . . . CLN 158
AND THERE IN DOUNGOUN BE DON TO DRE3E THER HIS WYRDES. . . . . CLN 1224

DUNNE (V. DUN)
DUNT (V. DINT)
DUNTE (V. DINT)
DURANDE (V. DURING)
DURE (ALSO V. ENDURE)

AND AGRAUAYN A LA DURE MAYN ON THAT OTHER SYDE SITTES. . . . . GGK 110

DURED (V. ENDURED)

Entry / Line	Text	Var.	Line no.
DUREN (V. ENDURE)			
DURING			
BOT DURANDE DOEL WHAT MAY MEN DEME	PRL		336
DURRE (V. DOOR)			
DURST			
IN DRY3 DRED AND DAUNGER THAT DURST DO NON OTHER	CLN		342
DRE3LY ALLE ALONGE DAY THAT DORST NEUER LY3T.	CLN		476
PASSE NEUER FRO THI POUERE 3IF I HIT PRAY DURST.	CLN		615
TRYNANDE AY A HY3E TROT THAT TORNE NEUER DORSTEN	CLN		976
FOR THAT DURST I NOT DO LEST I DEUAYED WERE	GGK		1493
TO NYE HYM ONFERUM BOT NE3E HYM NON DURST.	GGK		1575
FOR THAT DURST I NOT DO LEST I DENAYED WERE	GGK	V	1493
DURST NOWHERE FOR RO3 AREST AT THE BOTHEM.	PAT		144
BOT THE WATER WAT3 DEPE I DORST NOT WADE	PRL		143
I STOD FUL STYLLE AND DORSTE NOT CALLE.	PRL		182
DUSCHED			
SUCH A DASANDE DREDE DUSCHED TO HIS HERT	CLN		1538
DUST			
HE DRYUES WYTH DRO3T THE DUST FOR TO RYSE.	GGK		523
DROPPED DUST ON HER HEDE AND DYMLY BISO3TEN	PAT		375
THER HE DASED IN THAT DUSTE WYTH DROPPANDE TERES	PAT		383
DUSTE (V. DUST)			
DUT (ALSO V. DOUBTED)			
MUCH DUT WAT3 THER DRYUEN THAT DAY AND THAT OTHER	GGK		1020
DUTANDE			
A WEL DUTANDE DOR DON ON THE SYDE	CLN		320
DUTHE (V. DOUTH)			
DUTTE (ALSO V. DOUBTED)			
AT VCHE A DOR A DO3TY DUK AND DUTTE HEM WYTHINNE	CLN		1182
DU3TY (V. DOUGHTY)			
DWELL			
AND IN WASTURNE WALK AND WYTH THE WYLDE DOWELLE.	CLN		1674
DOWELLE3 WHYLE NEW3ERES DAYE	GGK		1075
DOWELLE AND ELLE3 DO QUATSO 3E DEMEN	GGK		1082
DOWELLE AND ELLE3 DO QUAT 3E DEMEN	GGK	V	1082
TO MANCE ALLE THISE MODY MEN THAT IN THIS MOTE DOWELLE3	PAT		422
DWELLED			
OF HEM WYST NO WY3E THAT IN THAT WON DOWELLED	CLN		1770
THEN ANY DUNT OF THAT DOUTHE THAT DOWELLED THEROUTE	CLN		1196
HURLED INTO VCH HOUS HENT THAT THER DOWELLED.	CLN		376
AND PERUERTYD ALLE THE PEPUL THAT IN THAT PLACE DWELLIDE.	ERK		10
DWELLE3 (V. DWELLS)			
DWELLIDE (V. DWELLED)			
DWELLS			
DEPE IN MY DOUNGOUN THER DOEL EUER DWELLE3	CLN		158
HE DOWELLE3 THER AL THAT DAY AND DRESSE3 ON THE MORN	GGK		566
FOR IWYSSE HIT ARN SO WYKKE THAT IN THAT WON DOWELLE3.	PAT		69
DWYNANDE			
DWYNANDE IN THE DERKE DETHE THAT DY3T VS OURE FADER	ERK		294
DYCH (V. DITCH)			
DYCHE (V. DITCH)			
DYD (APP. 1)			
DYDEN (APP. 1)			
DYED (V. DIED)			
DYGHT (V. DIGHT)			
DYLLE			
HYMSELF TO ONSWARE HE IS NOT DYLLE	PRL		680
DYM (V. DIM)			
DYMLY (V. DIMLY)			

DYMME (V. DIM)
DYN (V. DIN)
DYNE (V. DIN)
DYNGE3
THAT HE NE DYNGE3 HYM TO DETHE WITH DYNT OF HIS HONDE. . . . . GGK 2105
DYNGNE
BITWENE TWO SO DYNGNE DAME. . . . . GGK 1316
DYNGNE DAUID ON DES THAT DEMED THIS SPECHE . . . . PAT 119
DYNGNETE (V. DIGNITY)
DYNT (V. DINT)
DYNTE3 (V. DINTS)
DYNTTE3 (V. DINTS)
DYSCHE (V. DISH)
DYSCOUERED (V. DISCOVERED)
DYSCREUEN (V. DESCRY)
DYSHERIETE (V. DISHERIT)
DYSPLESES (V. DISPLEASE)
DYSPLESE3 (V. DISPLEASE, DISPLEASES)
DYSPYT (V. DESPITE)
DYSSENTE (V. DESCEND)
DYSSTRESSE (V. DISTRESS)
DYSSTRYE (V. DESTROY)
DYSTRESSE (V. DISTRESS)
DYSTRYED (V. DESTROYED)
DYT (APP. 1)
DYUERSE (V. DIVERSE)
DY3E (V. DIE)
DY3ED (V. DIED)
DY3EN (V. DIE)
DY3T (V. DIGHT)
DY3TE (V. DIGHT)
DY3TTE3 (V. DIGHT)
EAR
WYTH A ROGHLYCH RURD ROWNED IN HIS ERE. . . . . PAT 64
THE SOUN OF OURE SOUERAYN THEN SWEY IN HIS ERE . . . . PAT 429
DELYT ME DROF IN Y3E AND ERE . . . . PRL 1153
EARL
HER SEMBLAUNT SADE FOR DOC OTHER ERLE . . . . PRL 211
EARLY
FUL ERLY THOSE AUNGELE3 THIS HATHEL THAY RUTHEN. . . . . . . CLN 895
ERLY ER ANY HEUENGLEM THAY TO A HIL COMEN. . . . . CLN 946
ABRAHAM FUL ERLY WAT3 VP ON THE MORNE . . . . CLN 1001
ASKE3 ERLY HYS ARME3 AND ALLE WERE THAY BRO3T . . . . GGK 567
AND I SCHAL ERLY RYSE . . . . GGK 1101
FUL ERLY BIFORE THE DAY THE FOLK VPRYSEN . . . . GGK 1126
FUL ERLY HO WAT3 HYM ATE . . . . GGK 1474
FUL ERLY HE WAT3 DI3T . . . . GGK 1689
WHAT LYF 3E LEDE ERLY AND LATE . . . . PRL 392
THE LORDE FUL ERLY VP HE ROS . . . . PRL 506
EARNESTLY
AND THENNE EUELE3 ON ERTHE ERNESTLY GREWEN . . . . CLN 277
AND ENTERES IN FUL ERNESTLY IN YRE OF HIS HERT . . . . CLN 1240
EARS
AND HE THAT FETLY IN FACE FETTLED ALLE ERES . . . . CLN 585
THE GRETE SOUN OF SODAMAS SYNKKE3 IN MYN ERE3 . . . . CLN 689
THAT A3LY HURLED IN HIS ERE3 HER HARLOTE3 SPECHE . . . . . . CLN 874
THUS THAY THROBLED AND THRONG AND THRWE VMBE HIS ERE3. . . . . CLN 879
ER THENNE THE SOUERAYN SA3E SOUNED IN HIS ERES . . . . CLN 1670
BI HIS ERES AND BI HIS HONDES THAT OPENLY SHEWID . . . . . . ERK 90

HOPE 3E THAT HE HERES NOT THAT ERES ALLE MADE	PAT	123
EARTH		
AND HURKELE3 DOUN WITH HIS HEDE THE VRTHE HE BIHOLDE3.	CLN	150
THOSE WERN MEN METHELE3 OF MA3TY ON VRTHE.	CLN	273
AND THENNE EUELE3 ON ERTHE ERNESTLY GREWEN	CLN	277
AL SCHAL DOUN AND BE DED AND DRYUEN OUT OF ERTHE	CLN	289
THE ENDE OF ALLEKYNE3 FLESCH THAT ON VRTHE MEUE3	CLN	303
I SCHAL WAST WITH MY WRATH THAT WONS VPON VRTHE.	CLN	326
TORENT VCH A RAYNRYFTE AND RUSCHED TO THE VRTHE.	CLN	368
OUER THE HY3EST HYLLE THAT HURKLED ON ERTHE	CLN	406
THAT THE BURNE BYNNE BORDE BYHELDE THE BARE ERTHE	CLN	452
AS DYSSTRYE AL FOR THE DOUTHE DAYE3 OF THIS ERTHE	CLN	520
THERWYTH HE BLESSE3 VCH A BEST AND BYTA3T HEM THIS ERTHE.	CLN	528
WYLDE WORME3 TO HER WON WYRTHE3 IN THE ERTHE.	CLN	533
3ET ER THY LYUE3 LY3T LETHE VPON ERTHE.	CLN	648
AND AL HALDE3 IN THY HONDE THE HEUEN AND THE ERTHE.	CLN	734
I AM BOT ERTHE FUL EUEL AND VSLE SO BLAKE.	CLN	747
LORDE LOUED HE WORTHE QUOTH LOTH VPON ERTHE	CLN	925
THAT EUER HADE BEN AN ERDE OF ERTHE THE SWETTEST	CLN	1006
AND THER WATER MAY WALTER TO WETE ANY ERTHE	CLN	1027
WAT3 DISSTRYED WYTH DISTRES AND DRAWEN TO THE ERTHE	CLN	1160
EMPEROUR OF ALLE THE ERTHE AND ALSO THE SAUDAN	CLN	1323
FOR ALLE HIS EMPIRE SO HI3E IN ERTHE IS HE GRAUEN	CLN	1332
THAT NAUTHER IN HEUEN NE ON ERTHE HADE HE NO PERE	CLN	1336
HO KNELES ON THE COLDE ERTHE AND CARPES TO HYMSELUEN	CLN	1591
KENE KYNG QUOTH THE QUENE KAYSER OF VRTHE.	CLN	1593
HIS BERDE IBRAD ALLE HIS BREST TO THE BARE VRTHE	CLN	1693
AS DYSSTRYE AL FOR MANE3 DEDES DAYE3 OF THIS ERTHE.	CLN V	520
FOR AS THAI DY3T AND DALFE SO DEPE INTO THE ERTHE	ERK	45
AL HEUEN AND HELLE HELDES TO AND ERTHE BITWENE	ERK	196
ONE THE VNHAPNEST HATHEL THAT EUER ON ERTHE 3ODE	ERK	198
DECLYNET NEUER MY CONSCIENS FOR COUETISE ON ERTHE	ERK	237
WAT3 TRIED FOR HIS TRICHERIE THE TREWEST ON ERTHE	GGK	4
THE FAYRE HEDE FRO THE HALCE HIT TO THE ERTHE	GGK	427
AND FRES ER HIT FALLE MY3T TO THE FALE ERTHE.	GGK	728
AND KNELED DOUN ON HER KNES VPON THE COLDE ERTHE	GGK	818
BY THAT ANY DAYLY3T LEMED VPON ERTHE	GGK	1137
FOR THRE AT THE FYRST THRAST HE THRY3T TO THE ERTHE	GGK	1443
IN A MERY MANTYLE METE TO THE ERTHE.	GGK	1736
FOR HE MY3T NOT BE SLAYN FOR SLY3T VPON ERTHE	GGK	1854
HE WERE A BLEAUNT OF BLWE THAT BRADDE TO THE ERTHE.	GGK	1928
CLOWDES KESTEN KENLY THE COLDE TO THE ERTHE	GGK	2001
THER WONE3 A WY3E IN THAT WASTE THE WORST VPON ERTHE	GGK	2098
SAUE THAT FAYRE ON HIS FOTE HE FOUNDE3 ON THE ERTHE	GGK	2229
THAT THE SCHENE BLOD OUER HIS SCHULDERES SCHOT TO THE ERTHE.	GGK	2314
TO BE SWOL3ED SWYFTLY WYTH THE SWART ERTHE	PAT	363
AND VRTHE AND HELLE IN HER BAYLY.	PRL	442
IN HELLE IN ERTHE AND JERUSALEM	PRL	840
FOR THAY ARN BO3T FRO THE VRTHE ALOYNTE	PRL	893
THE STEUEN MO3T STRYKE THUR3 THE VRTHE TO HELLE.	PRL	1125
EARTHLY		
FOR WHAT VRTHLY HATHEL THAT HY3 HONOUR HALDE3	CLN	35
FOR VRTHELY HERTE MY3T NOT SUFFYSE	PRL	135
EASE		
AND VCH MON WYTH HIS MACH MADE HYM AT ESE.	CLN	124
BOT 3E SCHAL BE IN YOWRE BED BURNE AT THYN ESE	GGK	1071
3E SCHAL LENGE IN YOUR LOFTE AND LY3E IN YOUR ESE	GGK	1096
WITH ANYSKYNNE3 COUNTENAUNCE HIT KEUERE3 ME ESE.	GGK	1539
FORTHY THOW LYE IN THY LOFT AND LACH THYN ESE	GGK	1676

Line	Text	Line no.
NOW DERE AT THIS DEPARTYNG DO ME THIS ESE.	GGK	1798
EAST		
EWRUS AND AQUILOUN THAT ON EST SITTES	PAT	133
AND HALDE3 OUT ON EST HALF OF THE HY3E PLACE.	PAT	434
EAT		
BOT ARTHURE WOLDE NOT ETE TIL AL WERE SERUED.	GGK	85
THAT HE THUR3 NOBELAY HAD NOMEN HE WOLDE NEUER ETE.	GGK	91
EAVES		
THUS LAYKE3 THIS LORDE BY LYNDEWODE3 EUE3.	GGK	1178
EBRU (V. HEBREW)		
EBRV (V. HEBREW)		
EDGE		
NAUTHER TO COUT NE TO KERUE WYTH KNYF NE WYTH EGGE.	CLN	1104
BOT BEDE AL TO THE BRONDE VNDER BARE EGGE.	CLN	1246
THE BIT BURNYST BRY3T WITH A BROD EGGE.	GGK	212
AND HAT3 THE PENAUNCE APERT OF THE POYNT OF MYN EGGE	GGK	2392
EDGED		
HARDE STONES FOR TO HEWE WITH EGGIT TOLES.	ERK	40
EDGES		
ER VCH BOTHOM WAT3 BRURDFUL TO THE BONKE3 EGGE3.	CLN	383
BOT THE HY3EST OF THE EGGE3 VNHULED WERN A LYTTEL	CLN	451
EFFRAYM (V. EPHRAIM)		
EFT		
AND EFTE AMENDED WYTH A MAYDEN THAT MAKE HAD NEUER.	CLN	248
NOE ON ANOTHER DAY NYMME3 EFTE THE DOWUE	CLN	481
AND BYDDE3 HIR BOWE OUER THE BORNE EFTE BONKE3 TO SECHE	CLN	482
AND EFTE THAT HE HEM VNDYD HARD HIT HYM THO3T	CLN	562
I SCHAL EFTE WHEN HEREAWAY ABRAM THAY SAYDEN	CLN	647
AND EFTE WHEN HE BORNE WAT3 IN BETHELEN THE RYCHE	CLN	1073
THENNE EFTE LASTES HIT LIKKES HE LOSES HIT ILLE.	CLN	1141
FOR THAT THAT ONES WAT3 HIS SCHULDE EFTE BE VNCLENE	CLN	1144
THEN WAS HIT ABATYD AND BETEN DON AND BUGGYD EFTE NEW.	ERK	37
AND EFTE FAYLED NEUER THE FREKE IN HIS FYUE FYNGRES	GGK	641
OUER AT THE HOLY HEDE TIL HE HADE EFT BONK	GGK	700
ANDE EFT A FUL HUGE HE3T HIT HALED VPON LOFTE	GGK	788
AND EFT HIT SCHAL AMENDE	GGK	898
AND EFT AT THE GARGULUN BIGYNE3 ON THENNE.	GGK	1340
AND EFTE IN HER BOURDYNG THAY BAYTHEN IN THE MORN	GGK	1404
ANDE THER THAY DRONKEN AND DALTEN AND DEMED EFT NWE	GGK	1668
HID HIT FUL HOLDELY THER HE HIT EFT FONDE.	GGK	1875
THEN MURYLY EFTE CON HE MELE THE MON IN THE GRENE	GGK	2295
AND EFTE I SCHAL BE WARE	GGK	2388
AND EFTE BUSCHED TO THE ABYME THAT BREED FYSCHES	PAT	143
EFTE TO TREDE ON THY TEMPLE AND TEME TO THYSELUEN	PAT	316
THENNE A WYNDE OF GODDE3 WORDE EFTE THE WY3E BRUXLE3	PAT	345
MOT EFTE SITTE WYTH MORE VNSOUNDE TO SEWE HEM TOGEDER.	PAT	527
SCHAL I EFTE FORGO HIT ER EUER I FYNE	PRL	328
WHEN HE HIT SCHAL EFTE WYTH TENE3 TYNE.	PRL	332
EFTE (V. EFT)		
EFTERSONES		
AND EFTERSONES OF THE SAME HE SERUED HYM THERE	GGK	1640
EFTSONE3		
AND SALAMON WITH FELE SERE AND SAMSON EFTSONE3	GGK	2417
EGGE (V. EDGE)		
EGGE3 (V. EDGES)		
EGGING		
BOT THUR3 THE EGGYNG OF EUE HE ETE OF AN APPLE	CLN	241
EGGIT (V. EDGED)		
EGGYNG (V. EGGING)		

Entry	Text	Line
EGHELYDDES (V. EYE-LIDS)		
EGHEN (V. EYES)		
EIGHT		
THRE HUNDRED 3ERE AND THRITTY MO AND 3ET THRENEN AGHT.	ERK	210
NO3T BOT AGHT HUNDRED 3ERE THER AGHTENE WONTYD	ERK	208
EIGHTEEN		
NO3T BOT AGHT HUNDRED 3ERE THER AGHTENE WONTYD	ERK	208
EIGHTH		
THE A3TTHE THE BERYL CLER AND QUYT	PRL	1011
EITHER		
VCHE PAYRE BY PAYRE TO PLESE AYTHER OTHER.	CLN	338
ELLE3 THAY MO3T HONESTLY AYTHER OTHER WELDE	CLN	705
WAT3 NON AUCLY IN OUTHER FOR AUNGELS HIT WERN	CLN	795
AUTHER TO LONGE LYE OR TO LONGE SITTE	GGK	88
THAT AUTHER GOD OTHER GOME WYTH GOUD HERT LOUIED	GGK	702
HIT HADE A HOLE ON THE ENDE AND ON AYTHER SYDE	GGK	2180
AND HENGED THENNE AYTHER BI HO3ES OF THE FOURCHE3	GGK	1357
THENN THURLED THAY AYTHER THIK SIDE THUR3 BI THE RYBBE	GGK	1356
THAY COMLY BYKENNEN TO KRYST AYTHER OTHER.	GGK	1307
AND HE HYM THONKKED THROLY AND AYTHER HALCHED OTHER	GGK	939
AYTHER OTHER IN ARME3 CON FELDE	GGK	841
BOT STODE STYLLE AS THE STON OTHER A STUBBE AUTHER.	GGK	2293
HAPPED VPON AYTHER HALF A HOUS AS HIT WERE	PAT	450
BY TRW RECORDE OF AYTHER PROPHETE	PRL	831
THAY ACOLEN AND KYSSEN BIKENNEN AYTHER OTHER.	GGK	2472
THAY ACOLEN AND KYSSEN AND KENNEN AYTHER OTHER	GGK V	2472
EIRE		
I WAS ON EIRE OF AN OYER IN THE NEW TROIE.	ERK	211
EKE		
AND ALSO ANOTHER MANER MEUED HIM EKE	GGK	90
HIR BREST BARE BIFORE AND BIHINDE EKE	GGK	1741
HER HERE HEKE AL HYR VMBEGON	PRL 2	210
ELBOWES (V. ELBOWS)		
ELBOWS		
WAT3 EUESED AL VMBETORNE ABOF HIS ELBOWES.	GGK	184
ELDE		
FOR SOTHELY AS SAYS THE WRYT HE WERN OF SADDE ELDE.	CLN	657
A HOGE HATHEL FOR THE NONE3 AND OF HYGHE ELDEE	GGK	844
AND 3E AR KNY3T COMLOKEST KYD OF YOUR ELDE	GGK	1520
BOT HE DREDES NO DYNT THAT DOTES FOR ELDE.	PAT	125
ELDEE (V. ELDE)		
ELDER		
ADAM OURE ALDER THAT ETE OF THAT APPULLE	ERK	295
ELDERS		
OF ALDERES OF ARMES OF OTHER AUENTURUS.	GGK	95
ELEVENTH		
THE JACYNGHT THE ENLEUENTHE GENT.	PRL	1014
ELLES (V. ELSE)		
ELLE3 (V. ELSE)		
ELN3ERDE		
THE HEDE OF AN ELN3ERDE THE LARGE LENKTHE HADE	GGK	210
ELSE		
HOW ALLE FODE3 THER FARE ELLE3 HE FYNDE METE.	CLN	466
ELLE3 THAY MO3T HONESTLY AYTHER OTHER WELDE	CLN	705
TO VOUCHESAFE TO REUELE HYM HIT BY AVISION OR ELLES	ERK	121
ELLE3 THOU WYL DI3T ME THE DOM TO DELE HYM ANOTHER.	GGK	295
WYTH WHAT WEPPEN SO THOU WYLT AND WYTH NO WY3 ELLE3	GGK	384
DOWELLE AND ELLE3 DO QUATSO 3E DEMEN	GGK	1082
OTHER ELLES 3E DEMEN ME TO DILLE YOUR DALYAUNCE TO HERKEN . .	GGK	1529

FORTO HAF WONNEN HYM TO WO3E WHATSO SCHO THO3T ELLE3 . . . . . GGK 1550
MONK OTHER MASSEPREST OTHER ANY MON ELLES. . . . . GGK 2108
DOWELLE AND ELLE3 DO QUAT 3E DEMEN . . . . GGK V 1082
WHEN HEUY HERTTES BEN HURT WYTH HETHYNG OTHER ELLES . . . . . PAT 2
A NOS ON THE NORTH SYDE AND NOWHERE NON ELLE3 . . . . PAT 451
NO WHETE WERE ELLE3 TO WONE3 WONNE . . . . PRL 32
WHETHER SOLACE HO SENDE OTHER ELLE3 SORE . . . . PRL 130
OTHER ELLE3 A LADY OF LASSE ARAY. . . . . PRL 491
OTHER ELLE3 THYN Y3E TO LYTHER IS LYFTE . . . . PRL 567
OTHER ELLE3 NEUER MORE COM THERINNE. . . . . PRL 724

ELVISH
HADET WYTH AN ALUISCH MON FOR ANGARDE3 PRYDE. . . . . GGK 681

EM
AND ALS ABRAHAM THYN EME HIT AT HIMSELF ASKED . . . . CLN 924
BOT FOR AS MUCH AS 3E AR MYN EM I AM ONLY TO PRAYSE . . . . . GGK 356
FOR AFTTER METE WITH MOURNYNG HE MELE3 TO HIS EME . . . . . . GGK 543

EMBELLISH
AND ENBELYSE HIS BUR3 WITH HIS BELE CHERE. . . . . GGK 1034

EMBELLISHED
AND THE BORDURE ENBELICIT WITH BRY3T GOLDE LETTRES. . . . . . ERK 51

EME (V. EM)
EMERAD (V. EMERALD)
EMERADE (V. EMERALD)

EMERALD
ALABAUNDARYNES AND AMARAUN3 AND AMAFFISED STONES . . . . . . CLN 1470
WAT3 EMERAD SAFFER OTHER GEMME GENTE . . . . PRL 118
THE EMERADE THE FURTHE SO GRENE OF SCALE . . . . PRL 1005

EMPERISE (V. EMPRESS)

EMPEROR
EMPEROUR OF ALLE THE ERTHE AND ALSO THE SAUDAN . . . . CLN 1323

EMPEROUR (V. EMPEROR)

EMPIRE
THE FOWRE FREKE3 OF THE FOLDE FONGE3 THE EMPYRE. . . . . . . CLN 540
FOR ALLE HIS EMPIRE SO HI3E IN ERTHE IS HE GRAUEN . . . . . . CLN 1332
THUS IN PRYDE AND OLIPRAUNCE HIS EMPYRE HE HALDES . . . . . . CLN 1349
HO HALDE3 THE EMPYRE OUER VS FUL HY3E . . . . PRL 454

EMPYRE (V. EMPIRE)

EMPRESS
THAT EMPERISE AL HEUEN3 HAT3 . . . . PRL 441

ENAMELLED
AND AL IN ASURE AND YNDE ENAUMAYLD RYCHE . . . . CLN 1411
ENAUMAYLDE WYTH A3ER AND EWERES OF SUTE . . . . CLN 1457
HIS MOLAYNES AND ALLE THE METAIL ANAMAYLD WAS THENNE . . . . . GGK 169

ENAUMAYLD (V. ENAMELLED)
ENAUMAYLDE (V. ENAMELLED)

ENBALMED
THI BODY MAY BE ENBAWMYD HIT BASHIS ME NOGHT. . . . . ERK 261
NAY BISSHOP QUOTH THAT BODY ENBAWMYD WOS I NEUER . . . . . . ERK 265

ENBANED
ENBANED VNDER BATELMENT WYTH BANTELLES QUOYNT . . . . CLN 1459
ENBANED VNDER THE ABATAYLMENT IN THE BEST LAWE . . . . GGK 790

ENBAWYD (V. ENBALMED)
ENBELICIT (V. EMBELLISHED)
ENBELYSE (V. EMBELLISH)

ENBRAUDED
THAT WERE ENBRAWDED AND BETEN WYTH THE BEST GEMMES. . . . . . GGK 78
THAT WERE ENBRAUDED ABOF WYTH BRYDDES AND FLY3ES . . . . . . GGK 166
ENBRAWDEN AND BOUNDEN WYTH THE BEST GEMME3 . . . . GGK 609
OF BRY3T BLAUNNER ABOUE ENBRAWDED BISYDE3. . . . . GGK 856

OF A BROUN BLEEAUNT ENBRAUDED FUL RYCHE	GGK	879
ABOUTE BETEN AND BOUNDEN ENBRAUDED SEME3	GGK	2028
ENBRAWDED (V. ENBRAUDED)		
ENBRAWDEN (V. ENBRAUDED)		
ENCHACE		
TO CALLE HYR LYSTE CON ME ENCHACE	PRL	173
ENCLOSE		
OF VCHE CLENE COMLY KYNDE ENCLOSE SEUEN MAKE3	CLN	334
NOW HYNDE THAT SYMPELNESSE CONE3 ENCLOSE	PRL	909
ENCLYIN (V. INCLINE)		
ENCLYNANDE (V. INCLINING)		
ENCLYNE (V. INCLINE)		
ENCLYNED (V. INCLINED)		
ENCRES (V. INCREASE)		
ENCROACH		
FOR THAY SCHAL COMFORT ENCROCHE IN KYTHES FUL MONY.	PAT	18
ENCROACHED		
DELYT THAT HYS COME ENCROCHED.	PRL	1117
ENCROCHE (V. ENCROACH)		
ENCROCHED (V. ENCROACHED)		
END		
THE ENDE OF ALLEKYNE3 FLESCH THAT ON VRTHE MEUE3	CLN	303
FOR TO ENDE ALLE AT ONE3 AND FOR EUER TWYNNE.	CLN	402
OFTE HIT ROLED ON ROUNDE AND RERED ON ENDE	CLN	423
HIT IS ETHE TO LEUE BY THE LAST ENDE	CLN	608
THAT WY3E3 SCHAL BE BY HEM WAR WORLDE WYTHOUTEN ENDE	CLN	712
AND NEUER DRY3E NO DETHE TO DAYES OF ENDE.	CLN	1032
BOT AL DRAWES TO DY3E WYTH DOEL VPON ENDE.	CLN	1329
AND FULFYLLED HIT IN FAYTH TO THE FYRRE ENDE.	CLN	1732
TILLE CESSYD WAS THE SERUICE AND SAYDE THE LATER ENDE.	ERK	136
THE CHAUNTRE OF THE CHAPEL CHEUED TO AN ENDE.	GGK	63
THAT WAT3 WOUNDEN WYTH YRN TO THE WANDE3 ENDE	GGK	215
WYTH WELE WALT THAY THAT DAY TIL WORTHED AN ENDE	GGK	485
BOT THA3 THE ENDE BE HEUY HAF 3E NO WONDER	GGK	496
AND VCHONE HALCHED IN OTHER THAT NON ENDE HADE	GGK	657
WITHOUTEN ENDE AT ANY NOKE IWIS NOQUERE FYNDE	GGK	660
WHEREEUER THE GOMEN BYGAN OR GLOD TO AN ENDE.	GGK	661
THAT BRO3T BREMLY THE BURNE TO THE BRYGE ENDE	GGK	779
FOR I SCHAL TECHE YOW TO THAT TERME BI THE TYME3 ENDE.	GGK	1069
BI SUM TOWCH OF SUMME TRYFLE AT SUM TALE3 ENDE	GGK	1301
HIT HADE A HOLE ON THE ENDE AND ON AYTHER SYDE	GGK	2180
WITHOUTEN ENDE AT ANY NOKE AIQUERE I FYNDE	GGK V	660
3ET SCHAL FORTY DAYE3 FULLY FARE TO AN ENDE	PAT	359
BED ME BILYUE MY BALESTOUR AND BRYNG ME ON ENDE.	PAT	426
ENDE (V. END)		
ENDELES (V. ENDLESS)		
ENDELE3 (V. ENDLESS)		
ENDENT (V. INDENT)		
ENDENTE (V. INDENT)		
ENDENTUR (V. INDENTURE)		
ENDEURE (V. ENDURE)		
ENDE3 (V. ENDS)		
ENDITE (V. INDITE)		
ENDLESS		
AND AYQUERE HIT IS ENDELE3 AND ENGLYCH HIT CALLEN	GGK	629
OUERAL AS I HERE THE ENDELES KNOT	GGK	630
AND ENDELE3 ROUNDE AND BLYTHE OF MODE	PRL	738
ENDORDE		

THA3 I FORLOYNE MY DERE ENDORDE	PRL	368
ENDS		
AND THA3 THE GLYTERANDE GOLDE GLENT VPON ENDE3	GGK	2039
ENDURE		
THE SOLACE OF THE SOLEMPNETE IN THAT SALE DURED.	CLN	1757
FOR HIT DEDE3 OF DETHE DUREN THERE 3ET.	CLN	1021
WHY NE DY3TTE3 THOU ME TO DI3E I DURE TO LONGE.	PAT	488
I HOPE NO TONG MO3T ENDURE.	PRL	225
NO FLESCHLY HERT NE MY3T ENDEURE.	PRL	1082
ENDURED		
ENDURED FOR HER DRURY DULFUL STOUNDE3	GGK	1517
THAT HADE ENDURED IN WORLDE STRONGE.	PRL	476
ENDYTE (V. INDITE)		
ENE (ALSO V. EYES, CP. ONCE)		
THRE WORDE3 HAT3 THOU SPOKEN AT ENE.	PRL	291
IN THAT ON OURE PES WAT3 MAD AT ENE.	PRL	953
ENEMIES		
AND HARDE HURLES THUR3 THE OSTE ER ENMIES HIT WYSTE	CLN	1204
AMONGE ENMYES SO MONY AND MANSED FENDES	PAT	82
ENEMY		
THAT WAT3 YOUR ENMY KENE	GGK	2406
ENFAMINED		
FASTE FAYLED HEM THE FODE ENFAMINED MONIE.	CLN	1194
ENFORCED		
AND ENFORSED ALLE FAWRE FORTH AT THE 3ATE3	CLN	938
ENFORSED (V. ENFORCED)		
ENFOUBLED		
HIR FROUNT FOLDEN IN SYLK ENFOUBLED AYQUERE	GGK	959
ENGENDERED		
AND ENGENDERED ON HEM IEAUNTE3 WYTH HER JAPE3 ILLE.	CLN	272
ENGLAND		
AT LONDON IN ENGLONDE NO3T FULLE LONGE TYME	ERK	1
AT LONDON IN ENGLONDE NO3T FULLE LONGE SYTHEN	ERK V	1
ENGLISH		
AND AYQUERE HIT IS ENDELE3 AND ENGLYCH HIT CALLEN	GGK	629
ENGLONDE (V. ENGLAND)		
ENGLYCH (V. ENGLISH)		
ENHERITE (V. INHERIT)		
ENIOYNYD (V. ENJOINED)		
ENJOINED (CP. JOYNED)		
THEN WAS I IUGE HERE ENIOYNYD IN GENTIL LAWE.	ERK	216
ENKER		
AND OUERAL ENKER GRENE	GGK	150
AND THE KNY3T IN THE ENKER GRENE.	GGK	2477
ENLE		
BOT VCHON ENLE WE WOLDE WERE FYF.	PRL	849
ENLEUENTHE (V. ELEVENTH)		
ENMIES (V. ENEMIES)		
ENMY (V. ENEMY)		
ENMYES (V. ENEMIES)		
ENNIAS (V. AENEAS)		
ENNOURNED		
VOYDED OF VCHE VYLANY WYTH VERTUE3 ENNOURNED.	GGK	634
ALLE OF ERMYN INURNDE HIS HODE OF THE SAME	GGK V	881
ENNURNED VPON VELUET VERTUUS STONE3.	GGK V	2027
THE WONE3 WYTHINNE ENURNED WARE	PRL	1027
ENNURNED (V. ENNOURNED)		
ENOUGH		
AND SYTHEN ON LENTHE BILOOGHE LEDE3 INOGH.	CLN	116

HYM WAT3 THE NOME NOE AS IS INNOGHE KNAWEN CLN 297
NOW INNOGHE HIT IS NOT SO THENNE NURNED THE DRY3TYN CLN 669
HIT WAT3 HOUS INNO3E TO HEM THE HEUEN VPON LOFTE CLN 808
WITH MONI A MODEY MODERCHYLDE MO THEN INNOGHE CLN 1303
HIT IS NOT INNOGHE TO THE NICE AL NO3TY THINK VSE CLN 1359
NOW NABUGODENO3AR INNO3E HAT3 SPOKEN CLN 1671
OF TRYED TOLOUSE AND TARS TAPITES INNOGHE. GGK 77
WYTH TRYED TASSELE3 THERTO TACCHED INNOGHE GGK 219
THIS AX THAT IS HEUE INNOGH TO HONDELE AS HYM LYKES GGK 289
THAT IS INNOGH IN NWE3ER HIT NEDES NO MORE GGK 404
NOW SIR HENG VP THYN AX THAT HAT3 INNOGH HEWEN GGK 477
THEN NOTE3 NOBLE INNO3E. GGK 514
MO NY3TE3 THEN INNOGHE IN NAKED ROKKE3. GGK 730
CHALKWHYT CHYMNEES THER CHES HE INNO3E. GGK 798
THE FRE FREKE ON THE FOLE HIT FAYR INNOGHE THO3T GGK 803
AND SYTHEN STABELED HIS STEDE STIF MEN INNO3E GGK 823
QUEN HE HEF VP HIS HELME THER HI3ED INNOGHE GGK 826
AND THERE WERE BOUN AT HIS BODE BURNE3 INNO3E GGK 852
SEGGE3 HYM SERUED SEMLY INNO3E GGK 888
BOT HIT AR LADYES INNO3E THAT LEUER WER NOWTHE GGK 1251
THE BEST BO3ED THERTO WITH BURNE3 INNOGHE. GGK 1325
WYTH DAYNTES NWE INNOWE. GGK 1401
3E AR STIF INNOGHE TO CONSTRAYNE WYTH STRENKTHE 3IF YOW LYKE3 GGK 1496
INO3 QUOTH SIR GAWAYN GGK 1948
WYTH NY3E INNOGHE OF THE NORTHE THE NAKED TO TENE GGK 2002
AS HELP ME GOD AND THE HALYDAM AND OTHE3 INNOGHE GGK 2123
FORTHY WHEN POUERTE ME ENPRECE3 AND PAYNE3 INNO3E PAT 528
FOR THE GRACE OF GOD IS GRET INOGHE. PRL 612
FOR THE GRACE OF GOD IS GRET INNO3E. PRL 624
BOT INNOGHE OF GRACE HAT3 INNOCENT PRL 625
FOR THE GRACE OF GOD IS GRET INNOGHE PRL 636
INO3E IS KNAWEN THAT MANKYN GRETE PRL 637
THE GRACE OF GOD WEX GRET INNOGHE PRL 648
INNOGHE THER WAX OUT OF THAT WELLE PRL 649
AND THE GRACE OF GOD IS GRET INNOGH. PRL 660
GRACE INNOGH THE MON MAY HAUE. PRL 661
BOT INOW THOU MOTE3 ME FOR TO MATE PRL 3 613

ENOURLED
WITH ANGELE3 ENOURLED IN ALLE THAT IS CLENE CLN 19

ENPOISONED
THAT ENPOYSENED ALLE PEPLE3 THAT PARTED FRO HEM BOTHE. CLN 242

ENPOYSENED (V. ENPOISONED)

ENPRECE3 (V. ENPRESSES)

ENPRESSES
AND THERE AS POUERT ENPRESSES THA3 MON PYNE THYNK PAT 43
FORTHY WHEN POUERTE ME ENPRECE3 AND PAYNE3 INNO3E PAT 528

ENPRISE
FOR THE HONOUR OF MYN HONESTE OF HEGHEST ENPRISE ERK 253
THIS NOBLE CITE OF RYCHE ENPRYSE. PRL 1097

ENPRYSE (V. ENPRISE)

ENPRYSONMENT (V. INPRISONMENT)

ENQUEST (V. INQUEST)

ENQUYLEN
AND BY QUEST OF HER QUOYNTYSE ENQUYLEN ON MEDE PAT 39

ENSENS (V. INCENSE)

ENTAILED
TORTORS AND TRULOFE3 ENTAYLED SO THYK GGK 612

ENTAYLED (V. ENTAILED)

ENTENT (V. INTENT)

ENTER
THOU SCHAL ENTER THIS ARK WYTH THYN ATHEL BARNE3 . . . . CLN 329
ENTER IN THENN QUOTH HE AND HAF THI WYF WITH THE . . . . CLN 349
THAT INTO HIS HOLY HOUS MYN ORISOUN MO3T ENTRE . . . . PAT 328
THOU MAY NOT ENTER WYTHINNE HYS TOR. . . . . PRL 966
ENTERED
3ETE VS OUT THOSE 3ONG MEN THAT 3OREWHYLE HERE ENTRED. . . . . CLN 842
I ENTRED IN THAT ERBER GRENE . . . . PRL 38
ENTERES (V. ENTERS)
ENTERLUDE3 (V. INTERLUDES)
ENTERS
AND ENTERES IN FUL ERNESTLY IN YRE OF HIS HERT . . . . CLN 1240
THIS HATHEL HELDE3 HYM IN AND THE HALLE ENTRES . . . . GGK 221
INTO A COMLY CLOSET COYNTLY HO ENTRE3 . . . . GGK 934
THER ENTRE3 NON TO TAKE RESET. . . . . PRL 1067
ENTICE
AND ENTYSES HYM TO TENE MORE TRAYTHLY THEN EUER. . . . . CLN 1137
HOW TENDER HIT IS TO ENTYSE TECHES OF FYLTHE. . . . . GGK 2436
ENTICES
ENTYSES HYM TO BE TENE TELLED VP HIS WRAKE . . . . CLN 1808
ENTYSES HYM TO BE TENE TELDES VP HIS WRAKE . . . . CLN V 1808
ENTOUCHID
3E WERE ENTOUCHID WITH HIS TECHE AND TOKE IN THE GLETTE . . . . ERK 297
3E WERE ENTOUCHID WITH HIS TETHE AND TAKE IN THE GLOTTE . . . . ERK V 297
ENTRE (V. ENTER, ENTRY)
ENTRED (V. ENTERED)
ENTRES (V. ENTERS)
ENTRE3 (V. ENTERS)
ENTRY
WYTHINNE AN OURE OF THE NY3T AN ENTRE THAY HADE. . . . . CLN 1779
ENTYSE (V. ENTICE)
ENTYSES (V. ENTICE, ENTICES)
ENUIRENED (V. ENVIRONED)
ENURNED (V. ENNOURNED)
ENVIRONED
ENUIRENED VPON VELUET VERTUUS STONE3 . . . . GGK 2027
EPHRAIM
ON HE3E VPON EFFRAYM OTHER ERMONNES HILLE3 . . . . PAT 463
ER (V. ERE)
ERANDE (V. ERRAND)
ERBER (ALSO V. ARBOR)
SYTHEN THAY SLYT THE SLOT SESED THE ERBER. . . . . GGK 1330
ERBERE (V. ARBOR)
ERBES (V. HERBS)
ERBE3 (V. HERBS)
ERD (V. ERDE)
ERDE
AND HARDE HONYSE3 THISE OTHER AND OF HIS ERDE FLEME3 . . . . . CLN 596
OLDE ABRAHAM IN ERDE ONE3 HE SYTTE3. . . . . CLN 601
OF ON THE VGLOKEST VNHAP EUER ON ERD SUFFRED. . . . . CLN 892
THAT EUER HADE BEN AN ERDE OF ERTHE THE SWETTEST . . . . CLN 1006
FORTHI AN AUNTER IN ERDE I ATTLE TO SCHAWE . . . . GGK 27
HALF ETAYN IN ERDE I HOPE THAT HE WERE. . . . . GGK 140
ALLE OF ERMYN IN ERDE HIS HODE OF THE SAME . . . . GGK 881
AS I AM OTHER EUER SCHAL IN ERDE THER I LEUE. . . . . GGK 1544
FOR SO WAT3 ADAM IN ERDE WITH ONE BYGYLED. . . . . GGK 2416
IN PARADYS ERDE OF STRYF VNSTRAYNED. . . . . PRL 248
ERDE3
AND I AM HERE ON AN ERANDE IN ERDE3 VNCOUTHE. . . . . GGK 1808

Line	Text	No.
AND I AM HERE AN ERANDE IN ERDE3 VNCOUTHE.	GGK V	1808
ERE (ALSO V. EAR)		
COME3 COF TO MY CORTE ER HIT COLDE WORTHE.	CLN	60
ER THAT STYNGANDE STORME STYNT NE MY3T.	CLN	225
ER AL WER STAWED AND STOKEN AS THE STEUEN WOLDE.	CLN	360
ER VCH BOTHOM WAT3 BRURDFUL TO THE BONKE3 EGGE3.	CLN	383
THENNE LASNED THE LLAK THAT LARGE WAT3 ARE	CLN	438
THEN WAT3 THER JOY IN THAT GYN WHERE WAT3 JUMPRED ER DRY3E	CLN	491
THAT HIT NE THRAWE3 TO HYM THRO ER HE HIT THO3T HAUE	CLN	590
ER THOU HAF BIDEN WITH THI BURNE AND VNDER BO3E RESTTED	CLN	616
3ET ER THY LYUE3 LY3T LETHE VPON ERTHE.	CLN	648
ER EUER THAY BOSKED TO BEDDE THE BOR3 WAT3 AL VP	CLN	834
CAYRE TID OF THIS KYTHE ER COMBRED THOU WORTHE	CLN	901
FOR ALLE THIS LONDE SCHAL BE LORNE LONGE ER THE SONNE RISE	CLN	932
ERLY ER ANY HEUENGLEM THAY TO A HIL COMEN.	CLN	946
FOR NON SO CLENE OF SUCH A CLOS COM NEUER ER THENNE	CLN	1088
HO BY KYNDE SCHAL BECOM CLERER THEN ARE	CLN	1128
THAY STEL OUT ON A STYLLE NY3T ER ANY STEUEN RYSED.	CLN	1203
AND HARDE HURLES THUR3 THE OSTE ER ENMIES HIT WYSTE	CLN	1204
BOT ER THAY ATWAPPE NE MO3T THE WACH WYTHOUTE	CLN	1205
ER HE HADE TYRUED THIS TOUN AND TORNE HIT TO GROUNDE	CLN	1234
ER HE TO THE TEMPPLE TEE WYTH HIS TULKKES ALLE	CLN	1262
NEUER 3ET NAS NABUGODENO3AR ER THENNE	CLN	1312
SO KENE A KYNG IN CALDEE COM NEUER ER THENNE.	CLN	1339
BOT ER HARME HEM HE WOLDE IN HASTE OF HIS YRE	CLN	1503
ER THENNE THE SOUERAYN SA3E SOUNED IN HIS ERES	CLN	1670
ER DALT WERE THAT ILK DOME THAT DANYEL DEUYSED	CLN	1756
STALEN STYLLY THE TOUN ER ANY STEUEN RYSED	CLN	1778
SEGGES SLEPANDE WERE SLAYNE ER THAY SLYPPE MY3T.	CLN	1785
THEN WAT3 THER JOY IN THAT GYN WHERE JUMPRED ER DRY3ED	CLN V	491
THAT ERE WAS OF APPOLYN IS NOW OF SAYNT PETRE	ERK	19
THAT ERE WOS SETT OF SATHANAS IN SAXONES TYME	ERK	24
THAT WAS THE TEMPLE TRIAPOLITAN AS I TOLDE ARE	ERK	36
AND SER ERKENWOLDE WAS VP IN THE VGHTEN ERE THEN	ERK	118
LONGE ER HO THAT SOPER SE OTHER SEGGE HYR TO LATHE.	ERK	308
VPON SUCH A DERE DAY ER HYM DEUISED WERE	GGK	92
WAT3 NEUER SENE IN THAT SALE WYTH SY3T ER THAT TYME	GGK	197
FOR FELE SELLYE3 HAD THAT SEN BOT SUCH NEUER ARE	GGK	239
REFOURME WE OURE FORWARDES ER WE FYRRE PASSE.	GGK	378
AND AL GRAYES THE GRES THAT GRENE WAT3 ERE	GGK	527
THAT CHAPEL ER HE MY3T SENE	GGK	712
AND FRES ER HIT FALLE MY3T TO THE FALE ERTHE.	GGK	728
ER HE WAT3 WAR IN THE WOD OF A WON IN A MOTE.	GGK	764
ER ME WONT THE WEDE WITH HELP OF MY FRENDE3	GGK	987
ER THE HALIDAYE3 HOLLY WERE HALET OUT OF TOUN	GGK	1049
TO BED 3ET ER THAY 3EDE.	GGK	1122
AND THAT I HAF ER HERKKENED AND HALDE HIT HERE TRWEE	GGK	1274
THE DOUTHE DRESSED TO THE WOD ER ANY DAY SPRENGED	GGK	1415
NE SUCH SYDES OF A SWYN SEGH HE NEUER ARE.	GGK	1632
THENNE WAT3 HE WENT ER HE WYST TO A WALE TRYSTER	GGK	1712
NAUTHER GOLDE NE GARYSOUN ER GOD HYM GRACE SENDE	GGK	1837
THUS MYRY HE WAT3 NEUER ARE	GGK	1891
SYN HE COM HIDER ER THIS	GGK	1892
A RACH RAPES HYM TO RY3T ER HE MY3T.	GGK	1903
DELIUERLY HE DRESSED VP ER THE DAY SPRENGED	GGK	2009
AND WYTH QUETTYNG AWHARF ER HE WOLDE LY3T.	GGK	2220
AND NOW THOU FLES FOR FERDE ER THOU FELE HARME3.	GGK	2272
AND THOU ER ANY HARME HENT AR3E3 IN HERT	GGK	2277
WITHHELDE HETERLY HIS HONDE ER HIT HURT MY3T.	GGK	2291

HAF FALLEN SUCHE ER THIS . . . GGK 2528
FOR HORES IS THE HEUENRYCHE AS I ER SAYDE. . . . PAT 28
DO GYF GLORY TO THY GODDE ER THOU GLYDE HENS. . . . PAT 204
ER GETE 3E NO HAPPE I HOPE FORSOTHE. . . . PAT 212
ER EUER HE WARPPED ANY WORDE TO WY3E THAT HE METTE. . . . PAT 356
THE SCHYRE SUNNE HADE HEM SCHENT ER EUER THE SCHALK WYST. . . . PAT 476
I KNEW HYR WEL I HADE SEN HYR ERE . . . PRL 164
ER I AT STEUEN HIR MO3T STALLE . . . PRL 188
ER MYNDE MO3T MALTE IN HIT MESURE . . . PRL 224
ER MOSTE THOU CEUER TO OTHER COUNSAYLE. . . . PRL 319
ER OUER THYS DAM HYM DRY3TYN DEME . . . PRL 324
SCHAL I EFTE FORGO HIT ER EUER I FYNE . . . PRL 328
THAT ER WAT3 GROUNDE OF ALLE MY BLYSSE. . . . PRL 372
ER DATE OF DAYE HIDER ARN WE WONNE . . . PRL 517
THAT WRO3T NEUER WRANG ER THENNE THAY WENTE . . . PRL 631
TWELUE FORLONGE SPACE ER EUER HIT FON . . . PRL 1030
ER THENNE THE DAYGLEM DRYUE AL DOUN. . . . PRL 1094
ER HE THERTO HADE HAD DELYT . . . PRL 1140
TWELUE THOWSANDE FORLONGE ER EUER HIT FON. . . . PRL 2 1030
ERES (V. EARS)
ERE3 (V. EARS)
ERIGAUT
HOPE3 THOU I BE A HARLOT THI ERIGAUT TO PRAYSE . . . CLN 148
ERIC
AYWAN AND ERRIK AND OTHER FUL MONY . . . GGK 551
ERKENWALD
SAYNT ERKENWOLDE AS I HOPE THAT HOLY MON HATTE . . . ERK 4
NOW OF THIS AUGUSTYNES ART IS ERKENWOLDE BISCHOP . . . ERK 33
IN ESEX WAS SER ERKENWOLDE AN ABBAY TO VISITE . . . ERK 108
AND SER ERKENWOLDE WAS VP IN THE VGHTEN ERE THEN . . . ERK 118
ERKENWOLDE (V. ERKENWALD)
ERLE (V. EARL)
ERLY (V. EARLY)
ERMINE
ALLE OF ERMYN IN ERDE HIS HODE OF THE SAME . . . GGK 881
ALLE OF ERMYN INURNDE HIS HODE OF THE SAME . . . GGK V 881
ERMONNES (V. HERMONS)
ERMYN (V. ERMINE)
ERND (V. ERRAND)
ERNDE (V. ERRAND)
ERNE-HUED
ERNEHWED HE WAT3 AND AL OUERBRAWDEN. . . . CLN 1698
ERNEHWED (V. ERNE-HUED)
ERNES
HERNE3 AND HAUEKE3 TO THE HY3E ROCHE3 . . . CLN 537
ERNESTLY (V. EARNESTLY)
ERRAND
TO WONE ANY QUYLE IN THIS WON HIT WAT3 NOT MYN ERNDE . . . GGK 257
THAT SO WORTHE AS WAWAN SCHULDE WENDE ON THAT ERNDE . . . GGK 559
ON THE WAL HIS ERND HE NOME . . . GGK 809
GODE SIR QUOTH GAWAN WOLDE3 THOU GO MYN ERNDE . . . GGK 811
A HE3E ERNDE AND A HASTY ME HADE FRO THO WONE3 . . . GGK 1051
AND ME ALS FAYN TO FALLE FEYE AS FAYLY OF MYYN ERNDE . . . GGK 1067
AND I AM HERE ON AN ERANDE IN ERDE3 VNCOUTHE. . . . GGK 1808
I WYL NO LENGER ON LYTE LETTE THIN ERNDE . . . GGK 2303
AND I AM HERE AN ERANDE IN ERDE3 VNCOUTHE. . . . GGK V 1808
OTHER TO RYDE OTHER TO RENNE TO ROME IN HIS ERNDE . . . PAT 52
NOW SWE3E ME THIDER SWYFTLY AND SAY ME THIS ARENDE. . . . PAT 72
WHYDER IN WORLDE THAT THOU WYLT AND WHAT IS THYN ARNDE . . . PAT 202

Entry	Text	Line
ERRANT		
AND HAYLSED THE KNY3T ERRAUNT.	GGK	810
ERRAUNT (V. ERRANT)		
ERRIK (V. ERIC)		
ERROR		
DYSPLESE3 NOT IF I SPEKE ERROUR	PRL	422
ERROUR (V. ERROR)		
ERTHE (V. EARTH)		
ERYTAGE (V. HERITAGE)		
ESCAPED		
THAT ILKE SKYL FOR NO SCATHE ASCAPED HYM NEUER	CLN	569
WHEN THAY WERN WAR OF THE WRAKE THAT NO WY3E ACHAPED	CLN	970
ASSCAPED OUER THE SKYRE WATTERES AND SCAYLED THE WALLES	CLN	1776
THAT THE DAUNGER OF DRY3TYN SO DERFLY ASCAPED	PAT	110
LEST HO ME ESCHAPED THAT I THER CHOS	PRL	187
ESCHAPED (V. ESCAPED)		
ESE (V. EASE)		
ESEX (V. ESSEX)		
ESSEX		
IN ESEX WAS SER ERKENWOLDE AN ABBAY TO VISITE	ERK	108
EST (V. EAST)		
ESTATE		
FOR I AM FUL FAYN THAT YOUR ASTATE	PRL	393
WER FAYR IN HEUEN TO HALDE ASSTATE	PRL	490
ETAYN		
HALF ETAYN IN ERDE I HOPE THAT HE WERE.	GGK	140
ETAYNE3		
AND ETAYNE3 THAT HYM ANELEDE OF THE HE3E FELLE	GGK	723
ETE (V. ATE, EAT)		
ETHE		
HIT IS ETHE TO LEUE BY THE LAST ENDE	CLN	608
FYRST I ETHE THE HATHEL HOW THAT THOU HATTES.	GGK	379
TO FYNDE HYS FERE VPON FOLDE IN FAYTH IS NOT ETHE	GGK	676
THERFORE I ETHE THE HATHEL TO COM TO THY NAUNT	GGK	2467
HIT IS FUL ETHE TO THE GOD KRYSTYIN.	PRL	1202
ETHEDE		
AND ETHEDE THE CETE TO SECHE SEGGES THUR3OUT.	CLN	1559
ETTE (V. ATE)		
EUE (V. EVE)		
EUEL (V. EVIL)		
EUELE3 (V. EVILS)		
EUEN (V. EVEN)		
EUENDEN (V. EVENDOWN)		
EUENDOUN (V. EVENDOWN)		
EUENSONG (V. EVENSONG)		
EUENSONGE (V. EVENSONG)		
EUENTIDE (V. EVENTIDE)		
EUENTYDE (V. EVENTIDE)		
EUER (V. EVER)		
EUERFERNE (V. EVERFERN)		
EUERMORE (V. EVERMORE)		
EUERVCHONE (APP. 1)		
EUESED		
WAT3 EUESED AL VMBETORNE ABOF HIS ELBOWES.	GGK	184
EUE3 (V. EAVES)		
EURUS		
EWRUS AND AQUILOUN THAT ON EST SITTES	PAT	133
EVE		
BOT THUR3 THE EGGYNG OF EUE HE ETE OF AN APPLE	CLN	241

EVEN		
AND LOKE EUEN THAT THYN ARK HAUE OF HE3THE THRETTE.	CLN	317
THE SAUOUR OF HIS SACRAFYSE SO3T TO HYM EUEN.	CLN	510
EUEN BYFORE HIS HOUSDORE VNDER AN OKE GREME	CLN	602
THAT VCHE POUER PAST OUT OF THAT PRYNCE EUEN.	CLN	1654
FOR THE HEDE IN HIS HONDE HE HALDE3 VP EUEN	GGK	444
BI CONTRAY CAYRE3 THIS KNY3T TYL KRYSTMASSE EUEN	GGK	734
EUEN INMYDDE3 AS THE MESSE METELY COME.	GGK	1004
THE SWYN SETTE3 HYM OUT ON THE SEGGE EUEN.	GGK	1589
SET SADLY THE SCHARP IN THE SLOT EUEN	GGK	1593
NOW AR WE EUEN QUOTH THE HATHEL IN THIS EUENTIDE	GGK	1641
TO NORNE ON THE SAME NOTE ON NWE3ERE3 EUEN	GGK	1669
HO IS EUEN THYN AUNT ARTHURE3 HALFSUSTER	GGK	2464
RYS RADLY HE SAYS AND RAYKE FORTH EUEN.	PAT	65
AND TO NINIUE THAT NA3T HE NE3ED FUL EUEN.	PAT	352
LO EUEN INMYDDE3 MY BRESTE HIT STODE	PRL	740
AND TO EUEN WYTH THAT WORTHLY LY3T	PRL	1073
EVENDOWN		
EUENDOUN TO THE HAUNCHE THAT HENGED ALLE SAMEN	GGK	1345
EUENDEN TO THE HAUNCHE THAT HENGED ALLE SAMEN	GGK V	1345
EVENSONG		
TO THE HERSUM EUENSONG OF THE HY3E TYDE	GGK	932
AT THE DATE OF DAY OF EUENSONGE	PRL	529
EVENTIDE		
HO HITTE3 ON THE EUENTYDE AND ON THE ARK SITTE3.	CLN	479
ON ARK ON AN EUENTYDE HOUE3 THE DOWUE	CLN	485
IN THAT ILK EUENTYDE BY AUNGELS TWEYNE.	CLN	782
NOW AR WE EUEN QUOTH THE HATHEL IN THIS EUENTIDE	GGK	1641
IN EUENTYDE INTO THE VYNE I COME.	PRL	582
EVER		
DEPE IN MY DOUNGOUN THER DOEL EUER DWELLE3	CLN	158
THAT EUER WERN FUL3ED IN FONT THAT FEST TO HAUE.	CLN	164
THAT EUER HE WREK SO WYTHERLY ON WERK THAT HE MADE.	CLN	198
THE MOST AND THE MYRIEST THAT MAKED WERN EUER	CLN	254
THE STYFEST THE STALWORTHEST THAT STOD EUER ON FETE	CLN	255
ME FORTHYNKE3 FUL MUCH THAT EUER I MON MADE	CLN	285
THAT EUER I SETTE SAULE INNE AND SORE HIT ME RWE3	CLN	290
THAT EUER I MADE HEM MYSELF BOT IF I MAY HERAFTER	CLN	291
FOR THOU IN REYSOUN HAT3 RENGNED AND RY3TWYS BEN EUER.	CLN	328
FOR TO ENDE ALLE AT ONE3 AND FOR EUER TWYNNE.	CLN	402
THAT EUER FLOTE OTHER FLWE OTHER ON FOTE 3EDE	CLN	432
THAT WAT3 THE RAUEN SO RONK THAT REBEL WAT3 EUER	CLN	455
THA3 THAT FOWLE BE FALSE FRE BE THOU EUER.	CLN	474
BOT EUER RENNE RESTLE3 RENGNE3 3E THERINNE	CLN	527
THAT EUER HE MAN VPON MOLDE MERKED TO LYUY	CLN	558
3IF EUER THY MON VPON MOLDE MERIT DISSERUED	CLN	613
WETHER EUER HIT LYKE MY LORDE TO LYFTE SUCH DOME3	CLN	717
THAT WAT3 RYALLY ARAYED FOR HE WAT3 RYCHE EUER	CLN	812
ER EUER THAY BOSKED TO BEDDE THE BOR3 WAT3 AL VP	CLN	834
THAT THAY BLUSTERED AS BLYNDE AS BAYARD WAT3 EUER	CLN	886
OF ON THE VGLOKEST VNHAP EUER ON ERD SUFFRED.	CLN	892
THAT EUER HADE BEN AN ERDE OF ERTHE THE SWETTEST	CLN	1006
THAT EUER OF SMELLE AND OF SMACH SMART IS TO FELE	CLN	1019
THAT EUER IS POLYCED ALS PLAYN AS THE PERLE SELUEN.	CLN	1068
AND THER WAT3 ROSE REFLAYR WHERE ROTE HAT3 BEN EUER	CLN	1079
AND WAX HO EUER IN THE WORLDE IN WERYNG SO OLDE.	CLN	1123
AND ENTYSES HYM TO TENE MORE TRAYTHLY THEN EUER.	CLN	1137
TO DEFOWLE HIT EUER VPON FOLDE FAST HE FORBEDES.	CLN	1147
SO IS HE SCOYMUS OF SCATHE THAT SCYLFUL IS EUER.	CLN	1148

Line	Text	No.
THAT HADEN HY3T THE HY3E GOD TO HALDE OF HYM EUER	CLN	1162
WAT3 LONGE AND FUL LARGE AND EUER ILYCH SWARE	CLN	1386
EUER LASTE THY LYF IN LENTHE OF DAYES	CLN	1594
FYLSENED EUER THY FADER AND VPON FOLDE CHERYCHED	CLN	1644
AND OF THYSE WORLDES WORCHYP WRAST OUT FOR EUER.	CLN	1802
THAT EUER MYNNYD SUCHE A MON MORE NE LASSE	ERK	104
THAT MERKID IS IN OURE MARTILAGE HIS MYNDE FOR EUER	ERK	154
ONE THE VNHAPNEST HATHEL THAT EUER ON ERTHE 3ODE	ERK	198
AND EUER IN FOURME OF GODE FAITHE MORE THEN FOURTY WYNTER	ERK	230
THAT EUER WAS TRONYD IN TROYE OTHER TROWID EUER SHULDE	ERK	255
THAT EUER WAS TRONYD IN TROYE OTHER TROWID EUER SHULDE	ERK	255
AND FOR I REWARDID EUER RI3T THAI RAGHT ME THE SEPTRE.	ERK	256
BOT THE RICHE KYNGE OF RESON THAT RI3T EUER ALOWES.	ERK	267
THAT EUER THOU LORD WOS LOUYD IN ALLAS THE HARDE STOUNDES	ERK	288
THAT MONY A PLY3TLES PEPUL HAS POYSNED FOR EUER.	ERK	296
AND WITH REUERENCE A ROWME HE RA3T HYR FOR EUER.	ERK	338
THAT EUER WOS BREUYT IN BURGHE NE IN BOKE NOTYDE	ERK V	103
AND THE LOUELOKKEST LADIES THAT EUER LIF HADEN	GGK	52
A SEMLOKER THAT EUER HE SY3E	GGK	83
THAT EUER GLEMERED AND GLENT AL OF GRENE STONES.	GGK	172
I QUITCLAYME HIT FOR EUER KEPE HIT AS HIS AUEN	GGK	293
HE WENDE FOR EUER MORE	GGK	669
WHO KNEW EUER ANY KYNG SUCH COUNSEL TO TAKE	GGK	682
A CASTEL THE COMLOKEST THAT EUER KNY3T A3TE	GGK	767
APENDES TO HYS PERSOUN AND PRAYSED IS EUER	GGK	913
THAT 3E ME TELLE WITH TRAWTHE IF EUER 3E TALE HERDE	GGK	1057
THAT EUER LONGED TO LUF LASSE NE MORE	GGK	1524
AS I AM OTHER EUER SCHAL IN ERDE THER I LEUE.	GGK	1544
AND EUER OURE LUFLYCH KNY3T THE LADY BISYDE	GGK	1657
AND EUER IN HOT AND COLDE	GGK	1844
ALLE THAT EUER BER BUGLE BLOWED AT ONES	GGK	1913
HIT WAT3 THE MYRIEST MUTE THAT EUER MEN HERDE	GGK	1915
AL THAT EUER I YOW HY3T HALDE SCHAL I REDE	GGK	1970
AS THAY HADE WONDE WORTHYLY WITH THAT WLONK EUER	GGK	1988
THAT EUER 3E FONDET TO FLE FOR FREKE THAT I WYST	GGK	2125
HIT IS THE CORSEDEST KYRK THAT EUER I COM INNE	GGK	2196
THER HADE BEN DED OF HIS DYNT THAT DO3TY WAT3 EUER.	GGK	2264
ON THE FAUTLEST FREKE THAT EUER ON FOTE 3EDE.	GGK	2363
NOW AM I FAWTY AND FALCE AND FERDE HAF BEN EUER.	GGK	2382
FOR HORES IS THE HEUENRYCHE TO HOLDE FOR EUER	PAT	14
BOT EUER WAT3 ILYCHE LOUD THE LOT OF THE WYNDES.	PAT	161
AND EUER WROTHER THE WATER AND WODDER THE STREMES	PAT	162
IN WYCH GUT SO EUER HE GOT3 BOT EUER IS GOD SWETE	PAT	280
IN WYCH GUT SO EUER HE GOT3 BOT EUER IS GOD SWETE	PAT	280
ANDE EUER WALTERES THIS WHAL BI WYLDREN DEPE.	PAT	297
ER EUER HE WARPPED ANY WORDE TO WY3E THAT HE METTE.	PAT	356
THE SEGGE SESED NOT 3ET BOT SAYDE EUER ILYCHE	PAT	369
THE FAYREST BYNDE HYM ABOF THAT EUER BURNE WYSTE	PAT	444
THAT EUER WAYUED A WYNDE SO WYTHE AND SO COLE	PAT	454
AND EUER HE LA3ED AS HE LOKED THE LOGE ALLE ABOUTE.	PAT	461
THE SCHYRE SUNNE HADE HEM SCHENT ER EUER THE SCHALK WYST.	PAT	476
AND EUER ME LONGED AY MORE AND MORE.	PRL	144
AND EUER ME THO3T I SCHULDE NOT WONDE	PRL	153
AND EUER THE LENGER THE MORE AND MORE	PRL	180
THAT EUER I SE3 3ET WITH MYN ENE.	PRL	200
WEL WAT3 ME THAT EUER I WAT3 BORE	PRL	239
HEREINNE TO LENGE FOR EUER AND PLAY.	PRL	261
SCHAL I EFTE FORGO HIT ER EUER I FYNE	PRL	328
DEME DRY3TYN EUER HYM ADYTE	PRL	349

IN LENGHE OF DAYE3 THAT EUER SCHAL WAGE . . . . PRL 416
AND EUER THE LENGER THE LASSE THE MORE. . . . . PRL 600
HYS FRAUNCHYSE IS LARGE THAT EUER DARD. . . . . PRL 609
WHERE WYSTE3 THOU EUER ANY BOURNE ABATE . . . . PRL 617
EUER SO HOLY IN HYS PRAYERE . . . . PRL 618
THAT EUER THE GYLTE3 SCHULDE BE SCHENTE . . . . PRL 668
DAUID IN SAUTER IF EUER 3E SY3 HIT . . . . PRL 698
FOR ALLE THE CRAFTE3 THAT EUER THAY KNEWE. . . . . PRL 890
THER GLORY AND BLYSSE SCHAL EUER ENCRES . . . . PRL 959
TWELUE FORLONGE SPACE ER EUER HIT FON . . . . PRL 1030
CHAPEL NE TEMPLE THAT EUER WAT3 SET. . . . . PRL 1062
THAT EUER I HERDE OF SPECHE SPENT . . . . PRL 1132
THAT EUER I SE3 3ET WITH MYN Y3EN . . . . PRL 1 200
DAUID IN SAUTER IF EUER 3E SE3 HIT . . . . PRL 1 698
TWELUE THOWSANDE FORLONGE ER EUER HIT FON. . . . . PRL 2 1030

EVERFERN
OF HAY AND OF EUERFERNE AND ERBE3 A FEWE . . . . PAT 438

EVERMORE
FORTHY THE DERK DEDE SEE HIT IS DEMED EUERMORE . . . . CLN 1020
HE MOST AY LYUE IN THAT LO3E IN LOSYNG EUERMORE. . . . . . . CLN 1031
THAT BER THE LAMP VPON LOFTE THAT LEMED EUERMORE . . . . . . CLN 1273
THAT WERE OF STOKKES AND STONES STILLE EUERMORE. . . . . . . CLN 1523
THE METROPOL AND THE MAYSTERTON HIT EUERMORE HAS BENE. . . . ERK 26
AND SUCHE A CRY ABOUTE A CORS CRAKIT EUERMORE . . . . ERK 110
AS I AM HY3LY BIHALDEN AND EUERMORE WYLLE. . . . . GGK 1547
AND HE HONOURED THAT HIT HADE EUERMORE AFTER. . . . . GGK 2520
GODDE3 RY3T IS REDY AND EUERMORE RERT . . . . PRL 591
SAUE3 EUERMORE THE INNOSSENT . . . . PRL 666
BOT EUERMORE VPEN AT VCHE A LONE. . . . . PRL 1066

EVIL
AND AL WAT3 FOR THIS ILK EUEL THAT VNHAPPEN GLETTE. . . . . CLN 573
I AM BOT ERTHE FUL EUEL AND VSLE SO BLAKE. . . . . CLN 747
MY3T EUEL FORGO THE TO GYFE OF HIS GRACE SUMME BRAWNCHE . . . ERK 276
NE NON EUEL ON NAWTHER HALUE NAWTHER THAY WYSTEN . . . . . . GGK 1552
THAT VCHE GOD MON MAY EUEL BYSEME . . . . PRL 310
WER EUEL DON SCHULDE LY3 THEROUTE . . . . PRL 930

EVILS
AND THENNE EUELE3 ON ERTHE ERNESTLY GREWEN . . . . CLN 277

EWERS
ENAUMAYLDE WYTH A3ER AND EWERES OF SUTE . . . . CLN 1457

EWERES (V. EWERS)

EWRUS (V. EURUS)

EXCELLENTLY
EXELLENTLY OF ALLE THYSE OTHER VNDER HEUENRYCHE. . . . . . . GGK 2423

EXCUSE
EXCUSE ME AT THE COURT I MAY NOT COM THERE . . . . CLN 70

EXCUSED
ALLE EXCUSED HEM BY THE SKYLY HE SCAPE BY MO3T . . . . CLN 62
I WERE A KNY3T KOWARDE I MY3T NOT BE EXCUSED. . . . . GGK 2131
ME THINK ME BURDE BE EXCUSED . . . . GGK 2428
TO BE EXCUSED I MAKE REQUESTE. . . . . PRL 281

EXELLENTLY (V. EXCELLENTLY)

EXILED
AND EXILED FRO THAT SOPER SO THAT SOLEMPNE FEST. . . . . . . ERK 303

EXORCISMS
SORSERS OF EXORSISMUS AND FELE SUCH CLERKES . . . . CLN 1579

EXORSISMUS (V. EXORCISMS)

EXPOUN (V. EXPOUND)

EXPOUND

NOW EXPOWNE THE THIS SPECHE SPEDLY I THENK . . . . CLN 1729
A SPETOS SPARTHE TO EXPOUN IN SPELLE QUOSO MY3T. . . . . . . GGK 209
MUCH SPECHE THAY THER EXPOUN . . . . GGK 1506
BOT TO TAKE THE TORUAYLE TO MYSELF TO TRWLUF EXPOUN . . . . GGK 1540
TO THAT SPOT THAT I IN SPECHE EXPOUN . . . . PRL 37

EXPOUNDE3 (V. EXPOUNDS)

EXPOUNDS
THER HE EXPOUNDE3 A SPECHE TO HYM THAT SPEDE WOLDE. . . . . CLN 1058

EXPOUNDED
EXPOUNED HIS SPECHE SPIRITUALLY TO SPECIAL PROPHETES . . . . CLN 1492
ALLE THAT HE SPURED HYM IN SPACE HE EXPOWNED CLENE. . . . . CLN 1606

EXPOUNDING
IN EXPOUNYNG OF SPECHE THAT SPREDES IN THISE LETTRES . . . . CLN 1565

EXPOUNED (V. EXPOUNDED)

EXPOUNYNG (V. EXPOUNDING)

EXPOWNE (V. EXPOUND)

EXPOWNED (V. EXPOUNDED)

EXPRESS
AS 3ET IS PROUED EXPRESSE IN HIS PROFECIES . . . . CLN 1158
I WOLDE THE ASKE A THYNGE EXPRESSE . . . . PRL 910

EXPRESSE (V. EXPRESS)

EYE
BOT AS HE FERKED OUER THE FLOR HE FANDE WYTH HIS Y3E . . . . . CLN 133
WHETHER HE THAT STYKKED VCHE A STARE IN VCHE STEPPE Y3E . . . CLN 583
AND HE CONUEYEN HYM CON WYTH CAST OF HIS Y3E. . . . . CLN 768
WITH Y3E. . . . . GGK 198
TO KNY3TE3 HE KEST HIS Y3E. . . . . GGK 228
HIT MAY NOT BE THAT HE IS BLYNDE THAT BIGGED VCHE Y3E. . . . PAT 124
THAT LEUE3 WEL THAT HE SE3 WYTH Y3E. . . . . PRL 302
OTHER ELLE3 THYN Y3E TO LYTHER IS LYFTE . . . . PRL 567
DELYT ME DROF IN Y3E AND ERE . . . . PRL 1153
THAT LOUE3 WEL THAT HE SE3 WYTH Y3E. . . . . PRL 1 302

EYE-LIDS
LYFTANDE VP HIS EGHELYDDES HE LOUSED SUCHE WORDES . . . . . . ERK 178
AND HIT LYFTE VP THE Y3ELYDDE3 AND LOKED FUL BRODE. . . . . GGK 446
AND VNLOUKED HIS Y3ELYDDE3 AND LET AS HYM WONDERED. . . . . GGK 1201

EYES
THAT HE HIS SAUEOUR NE SEE WYTH SY3T OF HIS Y3EN . . . . . . CLN 576
THER IS NO DEDE SO DERNE THAT DITTE3 HIS Y3EN . . . . CLN 588
FUL CLENE WAT3 THE COUNTENAUNCE OF HER CLER Y3EN . . . . . . CLN 792
AY FOL3ED HERE FACE BIFORE HER BOTHE Y3EN. . . . . CLN 978
HE SENDE TOWARD SODOMAS THE SY3T OF HIS Y3EN. . . . . CLN 1005
AND HOLKKED OUT HIS AUEN Y3EN HETERLY BOTHE . . . . CLN 1222
HOL3E WERE HIS Y3EN AND VNDER CAMPE HORES. . . . . CLN 1695
I MAY NOT BOT BOGHE TO THI BONE FOR BOTHE MYN EGHEN . . . . . ERK 194
AND THE BYSSHOP BALEFULLY BERE DON HIS EGHEN. . . . . ERK 311
WITH THAT WORDE THAT HE WARPYD OF HIS WETE EGHEN . . . . . . ERK 321
THE BRY3T BOURNE OF THIN EGHEN MY BAPTEME IS WORTHYN . . . . . ERK 330
THER GLENT WITH Y3EN GRAY . . . . GGK 82
AND RUNISCHLY HIS REDE Y3EN HE RELED ABOUTE . . . . GGK 304
WEL MUCH WAT3 THE WARME WATER THAT WALTERED OF Y3EN . . . . . GGK 684
THE TWEYNE Y3EN AND THE NASE THE NAKED LYPPE3 . . . . GGK 962
FOR THAY HER SAUYOUR IN SETE SCHAL SE WYTH HER Y3EN . . . . . PAT 24
WRYTHE ME IN A WARLOK WRAST OUT MYN Y3EN . . . . PAT 80
CAREFUL AM I KEST OUT FRO THY CLER Y3EN . . . . PAT 314
WYTH Y3EN OPEN AND MOUTH FUL CLOS . . . . PRL 183
THAT EUER I SE3 3ET WITH MYN ENE. . . . . PRL 200
VERED VP HER VYSE WYTH Y3EN GRAYE . . . . PRL 254
BYCAWSE THOU MAY WYTH Y3EN.ME.SE. . . . . PRL 296

THAT EUER I SE3 3ET WITH MYN Y3EN	PRL 1	200
FABLE		
OTHER HOLY WRYT IS BOT A FABLE	PRL	592
FACE		
HIT WERN THE FAYREST OF FORME AND OF FACE ALS	CLN	253
IS FALLEN FORTHWYTH MY FACE AND FORTHER HIT I THENK	CLN	304
AND HE THAT FETLY IN FACE FETTLED ALLE ERES	CLN	585
SENDE3 HYM A SAD SY3T TO SE HIS AUEN FACE.	CLN	595
FOUNDE3 FASTE ON YOUR FETE BIFORE YOUR FACE LOKES	CLN	903
AY FOL3ED HERE FACE BIFORE HER BOTHE Y3EN.	CLN	978
TO SE THAT SEMLY IN SETE AND HIS SWETE FACE	CLN	1055
THAT AL FALEWED HIS FACE AND FAYLED THE CHERE	CLN	1539
AND THOSE THAT SENE ARN AND SWETE SCHYN SE HIS FACE	CLN	1810
AND THOSE THAT SENE ARN AND SWETE SCHYN SE HIS FACE	CLN	1810
AND ALS FRESHE HYM THE FACE AND THE FLESHE NAKYDE	ERK	89
AND ONE FELLE ON HIS FACE AND THE FREKE SYKED	ERK	323
THERFORE OF FACE SO FERE	GGK	103
THE BLOD SCHOT FOR SCHAM INTO HIS SCHYRE FACE	GGK	317
TOWARD THE DERREST ON THE DECE HE DRESSE3 THE FACE.	GGK	445
FRO THE FACE OF THE FOLDE TO FLY3E FUL HY3E	GGK	524
FELLE FACE AS THE FYRE AND FRE OF HYS SPECHE.	GGK	847
THAT WAT3 SO FAYR OF FACE	GGK	1260
AND COMLYLY KYSSES HIS FACE	GGK	1505
HIR THRYUEN FACE AND HIR THROTE THROWEN AL NAKED	GGK	1740
FELLE OUER HIS FAYRE FACE AND FETLY HYM KYSSED	GGK	1758
ALLE THE BLODE OF HIS BREST BLENDE IN HIS FACE	GGK	2371
THE BLOD IN HIS FACE CON MELLE	GGK	2503
THAT HE WAT3 FLAWEN FRO THE FACE OF FRELYCH DRY3TYN	PAT	214
TOWARDE A FORESTE I BERE THE FACE	PRL	67
THE MORE I FRAYSTE HYR FAYRE FACE	PRL	169
KNELANDE TO GROUNDE FOLDE VP HYR FACE	PRL	434
THE RY3TWYS MAN SCHAL SE HYS FACE	PRL	675
WYTH BOFFETE3 WAT3 HYS FACE FLAYN	PRL	809
FADE		
HE FERDE AS FREKE WERE FADE	GGK	149
FADER (V. FATHER)		
FADERE3 (V. FATHERS)		
FADES		
A PARFYT PERLE THAT NEUER FATE3	PRL	1038
FAGE		
NO FAGE	GGK	531
FAIL		
TYL ANY WATER IN THE WORLDE TO WASCHE THE FAYLY.	CLN	548
WHAT IF FYUE FAYLEN OF FYFTY THE NOUMBRE	CLN	737
FORTHI ME FOR TO FYNDE IF THOU FRAYSTE3 FAYLE3 THOU NEUER	GGK	455
AND ME ALS FAYN TO FALLE FEYE AS FAYLY OF MYYN ERNDE	GGK	1067
SO SEMLY A SEDE MO3T FAYLY NOT	PRL	34
AND 3ET OF GRAUNT THOU MY3TE3 FAYLE.	PRL	317
FAILED		
THUR3 THE FAUT OF A FREKE THAT FAYLED IN TRAWTHE	CLN	236
BOTHE THE WY3E AND HIS WYF SUCH WERK WAT3 HEM FAYLED	CLN	658
THENNE VCH TOLKE TY3T HEM THAT HADE OF TAYT FAYLED.	CLN	889
FASTE FAYLED HEM THE FODE ENFAMINED MONIE.	CLN	1194
THAT AL FALEWED HIS FACE AND FAYLED THE CHERE	CLN	1539
FOR ALLE CALDE CLERKES HAN COWWARDELY FAYLED.	CLN	1631
OF THAT FARAND FEST TYL FAYLED THE SUNNE	CLN	1758
BOT AY A FREKE FAITHELES THAT FAYLID THI LAGHES.	ERK	287
BOT SODENLY HIS SWETE CHERE SWYNDID AND FAYLIDE.	ERK	342
AND EFTE FAYLED NEUER THE FREKE IN HIS FYUE FYNGRES	GGK	641

AND FYCHED VPON FYUE POYNTE3 THAT FAYLD NEUER . . . . GGK 658
FERDE LEST HE HADE FAYLED IN FOURME OF HIS COSTES . . . . GGK 1295
AT THE THRID THOU FAYLED THORE . . . . GGK 2356
FERDE LEST HE HADE FAYLED IN FOURME OF HIS CASTES . . . . GGK V 1295
BOT HYM FAYLED NO FREKE THAT HE FYNDE MY3T . . . . PAT 181
THAT FLOWRED AND FAYLED AS KYNDE HYT GEF . . . . PRL 270

FAILING

NON OTHER FORME BOT A FUST FAYLANDE THE WRYSTE . . . . CLN 1535

FAILS

HERE FAYLE3 THOU NOT TO FY3T . . . . GGK 278

FAIN

THAT WAT3 FAYN OF HIS FRENDE AND HIS FEST PRAYSED . . . . CLN 642
HE WAT3 FERLYLY FAYN VNFOLDED BYLYUE . . . . CLN 962
AND HERE IS A FERLY BYFALLEN AND I FAYN WOLDE . . . . CLN 1629
AND ALLE THE FOLK THEROF FAYN THAT FOL3ED HYM TYLLE . . . . . . CLN 1752
AND FAYNE 3OUR TALENT TO FULFILLE IF 3E HYM FRENDE LEUES. . . . ERK 176
AS I AM FERLY FAYN . . . . GGK 388
AS FREKE3 THAT SEMED FAYN . . . . GGK 840
AND ME ALS FAYN TO FALLE FEYE AS FAYLY OF MYYN ERNDE . . . . . GGK 1067
AND AL WAT3 FRESCH AS VPON FYRST AND HE WAT3 FAYN THENNE. . . . GGK 2019
SCOPEN OUT THE SCATHEL WATER THAT FAYN SCAPE WOLDE. . . . . . PAT 155
FOR I AM FUL FAYN THAT YOUR ASTATE . . . . PRL 393
BOT VCHON FAYN OF OTHERE3 HAFYNG. . . . . PRL 450

FAINEST

AND HE THE FAYNEST FREKE THAT HE HIS FO HADE. . . . . CLN 1219

FAINTISE

THE FAUT AND THE FAYNTYSE OF THE FLESCHE CRABBED . . . . GGK 2435

FAIR

FAYRE FORME3 MY3T HE FYNDE IN FORTHERING HIS SPECHE . . . . . CLN 3
THE HATHEL CLENE OF HIS HERT HAPENE3 FUL FAYRE . . . . CLN 27
WHEN THAY COM TO THE COURTE KEPPTE WERN THAY FAYRE. . . . . . CLN 89
AND FETYSE OF A FAYR FORME TO FOTE AND TO HONDE. . . . . . . CLN 174
THA3 THE FELOUN WERE SO FERS FOR HIS FAYRE WEDE3 . . . . CLN 217
HOW THE DE3TER OF THE DOUTHE WERN DERELYCH FAYRE . . . . CLN 270
FUL REDY AND FUL RY3TWYS AND REWLED HYM FAYRE . . . . CLN 294
OF FYFTY FAYRE OUERTHWERT FORME THE BREDE. . . . . CLN 316
MYRYLY ON A FAYR MORN MONYTH THE FYRST. . . . . CLN 493
AND HEUENED VP AN AUTER AND HAL3ED HIT FAYRE. . . . . CLN 506
AND THERE HE FYNDE3 AL FAYRE A FREKE WYTHINNE . . . . CLN 593
IF THAY WERE FARANDE AND FRE AND FAYRE TO BEHOLDE . . . . CLN 607
AS SEWER IN A GOD ASSYSE HE SERUED HEM FAYRE. . . . . CLN 639
NAY FOR FYFTY QUOTH THE FADER AND THY FAYRE SPECHE. . . . . . . CLN 729
I HAF A TRESOR IN MY TELDE OF TWO MY FAYRE DE3TER . . . . CLN 866
THAT FOUNDERED HAT3 SO FAYR A FOLK AND THE FOLDE SONKKEN. . . . CLN 1014
AND THAY BORGOUNE3 AND BERES BLOME3 FUL FAYRE . . . . CLN 1042
FOR HIT FERDE FRELOKER IN FETE IN HIS FAYRE HONDE . . . . CLN 1106
DERE DISCHES OF GOLDE AND DUBLERES FAYRE . . . . CLN 1279
AND OTHER LOUELYCH LY3T THAT LEMED FUL FAYRE. . . . . CLN 1486
THAI FOUNDEN FOURMYT ON A FLORE A FERLY FAIRE TOUMBE . . . . . ERK 46
AND CAST VPON THI FAIRE CORS AND CARPE THES WORDES. . . . . . . ERK 317
FOR AL WAT3 THIS FAYRE FOLK IN HER FIRST AGE. . . . . GGK 54
FAYRE FANNAND FAX VMBEFOLDES HIS SCHULDERES . . . . GGK 181
FOLDEN IN WYTH FILDORE ABOUTE THE FAYRE GRENE . . . . GGK 189
AND HE FUL RADLY VPROS AND RUCHCHED HYM FAYRE . . . . GGK 367
THE FAYRE HEDE FRO THE HALCE HIT TO THE ERTHE . . . . GGK 427
FALLE3 VPON FAYRE FLAT FLOWRE3 THERE SCHEWEN. . . . . GGK 507
THAT BISEMED THE SEGGE SEMLYLY FAYRE . . . . GGK 622
FAYRE FYLYOLE3 THAT FY3ED AND FERLYLY LONG . . . . GGK 796
THE FRE FREKE ON THE FOLE HIT FAYR INNOGHE THO3T . . . . GGK 803

THER FAYRE FYRE VPON FLET FERSLY BRENNED . . . . GGK 832
AND FAYRE FURRED WYTHINNE WITH FELLE3 OF THE BEST . . . . . . GGK 880
SONE WAT3 TELDED VP A TABIL ON TRESTE3 FUL FAYRE . . . . . . GGK 884
THEN FRAYNED THE FREKE FUL FAYRE AT HIMSELUEN . . . . GGK 1046
AND SYTHEN WITH FRENKYSCH FARE AND FELE FAYRE LOTE3 . . . . . GGK 1116
THAT WAT3 SO FAYR OF FACE . . . . GGK 1260
THE FREKE FERDE WITH DEFENCE AND FETED FUL FAYRE . . . . . . GGK 1282
VPON A FELLE OF THE FAYRE BEST FEDE THAY THAYR HOUNDES . . . . GGK 1359
HE HASPPE3 HIS FAYRE HALS HIS ARME3 WYTHINNE. . . . . GGK 1388
BOT HE DEFENDED HYM SO FAYR THAT NO FAUT SEMED . . . . GGK 1551
HIR LEUE FAYRE CON SCHO FONGE. . . . . GGK 1556
FERLY FAYRE WAT3 THE FOLDE FOR THE FORST CLENGED . . . . . . GGK 1694
FELLE OUER HIS FAYRE FACE AND FETLY HYM KYSSED . . . . GGK 1758
FOCHCHE3 THIS FRE MON AND FAYRE HE HYM THONKKE3. . . . . . . GGK 1961
AND FERLY FURRED WITHINNE WYTH FAYRE PELURES. . . . . GGK 2029
SAUE THAT FAYRE ON HIS FOTE HE FOUNDE3 ON THE ERTHE . . . . . GGK 2229
HE LYFTES LY3TLY HIS LOME AND LET HIT DOWN FAYRE . . . . . . GGK 2309
SCHOT WITH HIS SCHULDERE3 HIS FAYRE SCHELDE VNDER . . . . . . GGK 2318
AND HE FUL RADLY VPROS AND RUCHCHED HYM FAYRE . . . . GGK V 368
AND FAYRE FURRED WITHINNE WYTH FAYRE PELURES. . . . . GGK V 2029
AND FAYRE FURRED WITHINNE WYTH FAYRE PELURES. . . . . GGK V 2029
FYNDES HE A FAYR SCHYP TO THE FARE REDY . . . . PAT 98
AS FODE HIT CON ME FAYRE REFETE . . . . PRL 88
A FAYR REFLAYR 3ET FRO HIT FLOT . . . . PRL 46
FOR IF HIT WAT3 FAYR THER I CON FARE . . . . PRL 147
THE MORE I FRAYSTE HYR FAYRE FACE . . . . PRL 169
THENNE VERE3 HO VP HER FAYRE FROUNT. . . . . PRL 177
WER FAYR IN HEUEN TO HALDE ASSTATE . . . . PRL 490
TO TOUCH HER CHYLDER THAY FAYR HYM PRAYED. . . . . PRL 714
QUO FORMED THE THY FAYRE FYGURE . . . . PRL 747
THAT WAT3 SO FAYR ON TO BYHOLDE . . . . PRL 810
FUL FAYRE THE MODE3 THAY FONGE IN FERE. . . . . PRL 884
HAT3 FERYED THYDER HYS FAYRE FLOTE . . . . PRL 946
AS LONGE AS BRODE AS HY3E FUL FAYRE. . . . . PRL 1024
SO SODENLY OF THAT FAYRE REGIOUN. . . . . PRL 1178

FAIRE (V. FAIR)

FAIRER

AS FORTUNE WOLDE FULSUN HOM THE FAYRER TO HAUE . . . . GGK 99
WAT3 NEUER FREKE FAYRER FONGE. . . . . GGK 1315
THE FYRRE IN THE FRYTH THE FEIER CON RYSE. . . . . PRL 103
THE FYRRE IN THE FRYTH THE FEIRER CON RYSE . . . . PRL 1 103
THE FYRRE IN THE FRYTH THE FEIRER CON RYSE . . . . PRL 2 103
THE FYRRE IN THE FRYTH THE FEIRER CON RYSE . . . . PRL 3 103

FAIREST

THE DERREST AT THE HY3E DESE THAT DUBBED WER FAYREST . . . . . CLN 115
OF ALLE THYSE ATHEL AUNGELE3 ATTLED THE FAYREST. . . . . CLN 207
HIT WERN THE FAYREST OF FORME AND OF FACE ALS . . . . CLN 253
AND THE FAYREST FRYT THAT MAY ON FOLDE GROWE. . . . . CLN 1043
STALLED IN THE FAYREST STUD THE STERRE3 ANVNDER. . . . . CLN 1378
HO WAT3 THE FAYREST IN FELLE OF FLESCHE AND OF LYRE . . . . . GGK 943
3E IWYSSE QUOTH THAT OTHER WY3E HERE IS WAYTH FAYREST. . . . . GGK 1381
THE FAYREST BYNDE HYM ABOF THAT EUER BURNE WYSTE . . . . PAT 444

FAITH

FOR THAT FOLKE IN HER FAYTH WAT3 FOUNDEN VNTRWE. . . . . CLN 1161
AND THAY FORLOYNE HER FAYTH AND FOL3ED OTHER GODDES . . . . . CLN 1165
TO FORFARE THE FALCE IN THE FAYTHE TRWE . . . . CLN 1168
AND FULFYLLED HIT IN FAYTH TO THE FYRRE ENDE. . . . . CLN 1732
THEN PRECHYD HE HERE THE PURE FAYTHE AND PLANTYD THE TROUTHE . ERK 13
IN CONFIRMYNGE THI CRISTEN FAITHE FULSEN ME TO KENNE . . . . . ERK 124

ANANDE THAT IN FASTYNGE OF 3OUR FAITHE AND OF FYNE BILEUE . . .	ERK	173
AND VCHE SEGGE THAT HIM SEWIDE THE SAME FAYTHE TROWID. . . .	ERK	204
AND EUER IN FOURME OF GODE FAITHE MORE THEN FOURTY WYNTER . .	ERK	230
ALS FERFORTHE AS MY FAITHE CONFOURMYD MY HERT	ERK	242
FURRID ME FOR THE FYNEST OF FAITHE THER WITHINNE	ERK	252
FURRID ME FOR THE FYNEST OF FAITHE ME WITHINNE	ERK V	252
NAY FRAYST I NO FY3T IN FAYTH I THE TELLE.	GGK	279
IN GOD FAYTH QUOTH THE GOODE KNY3T GAWAN I HATTE	GGK	381
TO FYNDE HYS FERE VPON FOLDE IN FAYTH IS NOT ETHE	GGK	676
AND I SCHAL FONDE BI MY FAYTH TO FYLTER WYTH THE BEST. . . .	GGK	986
GRANT MERCI SIR QUOTH GAWAYN IN GOD FAYTH HIT IS YOWRE3 . . .	GGK	1037
IN GOD FAYTHE QUOTH GAWAYN GAYN HIT ME THYNKKE3.	GGK	1241
IN GOD FAYTH SIR GAWAYN QUOTH THE GAY LADY	GGK	1248
FOR I HAF FOUNDEN IN GOD FAYTHE YOWRE FRAUNCHIS NOBELE . . .	GGK	1264
IN GOUD FAYTHE QUOTH GAWAYN GOD YOW FOR3ELDE.	GGK	1535
AND FOLDEN FAYTH TO THAT FRE FESTNED SO HARDE	GGK	1783
IN FAYTH I WELDE RI3T NON	GGK	1790
IN GOD FAYTHE QUOTH THE GODMON WYTH A GOUD WYLLE	GGK	1969
BOT BUSK BURNE BI THI FAYTH AND BRYNG ME TO THE POYNT. . . .	GGK	2284
SO IS GAWAYN IN GOD FAYTH BI OTHER GAY KNY3TE3	GGK	2365
AND I WOL THE AS WEL WY3E BI MY FAYTHE.	GGK	2469
FAITH-DEEDS		
AND IS FUNDE FUL FEWE OF HIT FAYTHDEDES	CLN	1735
FAITHE (V. FAITH)		
FAITHEFUL (V. FAITHFUL)		
FAITHELES (V. FAITHLESS)		
FAITHFUL		
THAT HE FYLSENED THE FAYTHFUL IN THE FALCE LAWE.	CLN	1167
THAT IS FULLOGHT IN FONTE WITH FAITHEFUL BILEUE.	ERK	299
FOR AY FAYTHFUL IN FYUE AND SERE FYUE SYTHE3.	GGK	632
FOR I HAF FRAYSTED THE TWYS AND FAYTHFUL I FYNDE THE	GGK	1679
FAITHILY		
BI FYN FORWARDE AND FASTE FAYTHELY 3E KNOWE	GGK	1636
FAITHLESS		
BOT AY A FREKE FAITHELES THAT FAYLID THI LAGHES.	ERK	287
FALCE (V. FALSE)		
FALE		
AND FRES ER HIT FALLE MY3T TO THE FALE ERTHE.	GGK	728
THA3 THE FADER THAT HYM FORMED WERE FALE OF HIS HELE	PAT	92
FALEWED		
THAT AL FALEWED HIS FACE AND FAYLED THE CHERE	CLN	1539
FALL		
HIT WERE A MERUAYL TO MUCH HIT MO3T NOT FALLE	CLN	22
AND FALLEN IN FELA3SCHYP WYTH HEM ON FOLKEN WYSE	CLN	271
AS TO QUELLE ALLE QUYKE3 FOR QUED THAT MY3T FALLE	CLN	567
THAT SO FELE FOLK SCHAL FALLE FRO TO FLETE ALL THE WORLDE . .	CLN	685
SCHAL THAY FALLE IN THE FAUTE THAT OTHER FREKE3 WRO3T. . . .	CLN	725
IN GRETE FLOKKE3 OF FOLK THAY FALLEN TO HIS 3ATE3	CLN	837
OF ALLE DAYNTYE3 DOUBLE AS DERREST MY3T FALLE	GGK	483
AND FRES ER HIT FALLE MY3T TO THE FALE ERTHE.	GGK	728
AND ME ALS FAYN TO FALLE FEYE AS FAYLY OF MYYN ERNDE	GGK	1067
HIS FELA3ES FALLEN HYM TO THAT FNASTED FUL THIKE	GGK	1702
BOT I WYL TO THE CHAPEL FOR CHAUNCE THAT MAY FALLE.	GGK	2132
BOT THA3 MY HEDE FALLE ON THE STONE3	GGK	2282
LO THER THE FALSSYNG FOULE MOT HIT FALLE	GGK	2378
FALLE (V. FALL)		
FALLED (V. FELL)		
FALLEN (ALSO V. FALL)		
IS FALLEN FORTHWYTH MY FACE AND FORTHER HIT I THENK	CLN	304

FOR HE IN FYLTHE WAT3 FALLEN FELLY HE UENGED. . . . . CLN 559
AND ETE AY AS A HORCE WHEN ERBES WERE FALLEN. . . . . CLN 1684
MO FERLYES ON THIS FOLDE HAN FALLEN HERE OFT. . . . . GGK 23
THER AS THE ROGH ROCHER VNRYDELY WAT3 FALLEN. . . . . GGK 1432
HAF FALLEN SUCHE ER THIS . . . . GGK 2528
TO LASTE MERE OF VCHE A MOUNT MAN AM I FALLEN . . . . PAT 320
FALLES (V. FALLS)
FALLE3 (V. FALLS)
FALLS
FALLE3 ON THE FOULE FLESCH AND FYLLE3 HIS WOMBE. . . . . CLN 462
THAT FALLE3 FORMAST IN THE 3ER AND THE FYRST DAY . . . . . . CLN 494
AND SYTHEN THIS NOTE IS SO NYS THAT NO3T HIT YOW FALLES . . . . GGK 358
FALLE3 VPON FAYRE FLAT FLOWRE3 THERE SCHEWEN. . . . . GGK 507
DOUBLEFELDE AS HIT FALLE3 AND FELE KYN FISCHE3 . . . . GGK 890
I SCHAL KYSSE AT YOUR COMAUNDEMENT AS A KNY3T FALLE3 . . . . . GGK 1303
VCHE FREKE FOR HIS FEE AS FALLE3 FORTO HAUE . . . . GGK 1358
I SCHAL GRUCH THE NO GRWE FOR GREM THAT FALLE3 . . . . GGK 2251
BOT ON STROKE HERE ME FALLE3 . . . . GGK 2327
GEDEREN TO THE GYDEROPES THE GRETE CLOTH FALLES. . . . . . . PAT 105
HER3ED OUT OF VCHE HYRNE TO HENT THAT FALLES. . . . . PAT 178
FALS (V. FALSE)
FALSE
AND FOR FALS FAMACIONS AND FAYNED LAWE3 . . . . CLN 188
FOR THE FYRSTE FELONYE THE FALCE FENDE WRO3T. . . . . CLN 205
THA3 THAT FOWLE BE FALSE FRE BE THOU EUER. . . . . CLN 474
THAT HE FYLSENED THE FAYTHFUL IN THE FALCE LAWE. . . . . . . CLN 1167
TO FORFARE THE FALCE IN THE FAYTHE TRWE . . . . CLN 1168
BOT FALS FANTUMMES OF FENDES FORMED WITH HANDES. . . . . . . CLN 1341
AND GLORYED ON HER FALCE GODDES AND HER GRACE CALLES . . . . . CLN 1522
THE FOLKE WAS FELONSE AND FALS AND FROWARDE TO REULE . . . . . ERK 231
NE FALS FAUOUR TO MY FADER THAGHE FELLE HYM BE HONGYT. . . . . ERK 244
NOW AM I FAWTY AND FALCE AND FERDE HAF BEN EUER. . . . . . . GGK 2382
THA3 I BE FOL AND FYKEL AND FALCE OF MY HERT. . . . . PAT 283
ALLE FASTE FRELY FOR HER FALCE WERKES . . . . PAT 390
FALSSYNG
LO THER THE FALSSYNG FOULE MOT HIT FALLE . . . . GGK 2378
FALTERED
AND NAWTHER FALTERED NE FEL THE FREKE NEUER THE HELDER . . . . GGK 430
FAMACIONS
AND FOR FALS FAMACIONS AND FAYNED LAWE3 . . . . CLN 188
FAMED
HE WAT3 FAMED FOR FRE THAT FE3T LOUED BEST . . . . CLN 275
FANDE (V. FOUND)
FANGE (V. FONGE)
FANNAND (V. FANNING)
FANNE3 (V. FANS)
FANNING
FAYRE FANNAND FAX VMBEFOLDES HIS SCHULDERES . . . . GGK 181
FANS
AND HE FONGE3 TO THE FLY3T AND FANNE3 ON THE WYNDE3 . . . . . CLN 457
FANTOUM (V. PHANTOM)
FANTUMMES (V. PHANTOMS)
FAR
FOR HE THAT FLEMUS VCH FYLTHE FER FRO HIS HERT . . . . CLN 31
FER INTO A FYR FRYTH THERE FREKES NEUER COMEN . . . . CLN 1680
FER INTO A FYR FRYTH THERE FREKES NEUER COMEN . . . . CLN 1680
FERRE OUT IN THE FELDE AND FECHE3 MO GESTE3 . . . . CLN V 98
AND FER OUER THE FRENCH FLOD FELIX BRUTUS. . . . . GGK 13
FER FLOTEN FRO HIS FRENDE3 FREMEDLY HE RYDE3. . . . . GGK 714

FOR 3E HAF TRAUAYLED QUOTH THE TULK TOWEN FRO FERRE . . . . . GGK 1093
AND NOW NAR 3E NOT FER FRO THAT NOTE PLACE . . . . GGK 2092
FOR HE WAT3 FER IN THE FLOD FOUNDANDE TO TARCE . . . . PAT 126
AND THERFORE I WOLDE HAF FLOWEN FER INTO TARCE . . . . PAT 424
NE HOW FER OF FOLDE THAT MAN ME FLEME . . . . PRL 334
AND THE SELF SUNNE FUL FER TO DYM . . . . PRL 1076

FARAND
IF THAY WERE FARANDE AND FRE AND FAYRE TO BEHOLDE . . . . CLN 607
OF THAT FARAND FEST TYL FAYLED THE SUNNE . . . . CLN 1758
AT VCH FARAND FEST AMONG HIS FRE MENY . . . . GGK 101
LEST LES THOU LEUE MY TALE FARANDE . . . . PRL 865

FARANDE (V. FARAND)

FARANDELY
AND FARANDELY ON A FELDE HE FETTELE3 HYM TO BIDE . . . . PAT 435

FARE
WHATKYN FOLK SO THER FARE FECHE3 HEM HIDER . . . . CLN 100
HOW ALLE FODE3 THER FARE ELLE3 HE FYNDE METE. . . . . CLN 466
AND FAST ABOUTE SCHAL I FARE YOUR FETTE WER WASCHENE . . . . . . CLN 618
FARE FORTHE QUOTH THE FREKE3 AND FECH AS THOU SEGGE3 . . . . . . CLN 621
OO MY FRENDE3 SO FRE YOUR FARE IS TO STRANGE. . . . . CLN 861
THENN FARE FORTH QUOTH THAT FRE AND FYNE THOU NEUER . . . . . . CLN 929
THEN MAY THOU FRAYST MY FARE AND FORWARDE3 HOLDE . . . . GGK 409
AND HE MADE A FARE ON THAT FEST FOR THE FREKE3 SAKE . . . . . . GGK 537
THER HE FONDE NO3T HYM BYFORE THE FARE THAT HE LYKED . . . . . GGK 694
AND SYTHEN WITH FRENKYSCH FARE AND FELE FAYRE LOTE3 . . . . . . GGK 1116
RUNNEN FORTH IN A RABEL IN HIS RY3T FARE . . . . GGK 1703
FOR TO FERK THUR3 THE FRYTH AND FARE AT THE GAYNEST . . . . . . GGK 1973
NOW FARE3 WEL ON GODE3 HALF GAWAYN THE NOBLE. . . . . GGK 2149
AL FAWTY IS MY FARE . . . . GGK 2386
OF HIS FARE THAT HYM FRAYNED AND FERLYLY HE TELLES. . . . . . . GGK 2494
FYNDES HE A FAYR SCHYP TO THE FARE REDY . . . . PAT 98
3ET SCHAL FORTY DAYE3 FULLY FARE TO AN ENDE . . . . PAT 359
FOR IF HIT WAT3 FAYR THER I CON FARE . . . . PRL 147
SO FARE WE ALLE WYTH LUF AND LYSTE . . . . PRL 467
FOR MODE SO MEKE AND AL HYS FARE. . . . . PRL 832

FARED
BY FORTY DAYE3 WERN FAREN ON FOLDE NO FLESCH STYRYED . . . . . CLN 403
FOR HIT FERDE FRELOKER IN FETE IN HIS FAYRE HONDE . . . . CLN 1106
HE FERDE AS FREKE WERE FADE . . . . GGK 149
AND AY HE FRAYNED AS HE FERDE AT FREKE3 THAT HE MET . . . . . . GGK 703
MY LORDE AND HIS LEDE3 AR ON LENTHE FAREN. . . . . GGK 1231
THE FREKE FERDE WITH DEFENCE AND FETED FUL FAYRE . . . . GGK 1282
THAY FERDEN TO THE FYNDYNG AND FREKE3 HEM AFTER. . . . . GGK 1433

FAREN (V. FARED)

FARES
HE FARES FORTH ON ALLE FAURE FOGGE WAT3 HIS METE . . . . CLN 1683
AND FARE3 OUER THE FORDE3 BY THE FORLONDE3 . . . . GGK 699
AS FORTUNE FARES THERAS HO FRAYNE3 . . . . PRL 129

FARE3 (V. FARE, FARES)

FARFORTH
ALS FERFORTHE AS MY FAITHE CONFOURMYD MY HERT . . . . ERK 242

FASHION
IN THE APOKALYPCE IS THE FASOUN PREUED. . . . . PRL 983
AND CORONDE WERN ALLE OF THE SAME FASOUN . . . . PRL 1101

FASOR
THAT FRELES FLE3E OF HYR FASOR . . . . PRL 431

FAST
AND HETERLY TO THE HY3E HYLLE3 THAY HALED ON FASTE. . . . . . . CLN 380
BED BLYNNE OF THE RAYN HIT BATEDE AS FAST. . . . . CLN 440

AND FAST ABOUTE SCHAL I FARE YOUR FETTE WER WASCHENE . . . . . CLN 618
AND SAYDE TO HIS SERUAUNT THAT HE HIT SETHE FASTE . . . . . . CLN 631
FAST THE FREKE FERKE3 VP FUL FERD AT HIS HERT . . . . CLN 897
FOUNDE3 FASTE ON YOUR FETE BIFORE YOUR FACE LOKES . . . . . . CLN 903
AND LOKE 3E STEMME NO STEPE BOT STRECHE3 ON FASTE . . . . . . CLN 905
THA3 FAST LATHED HEM LOTH THAY LE3EN FUL STYLLE. . . . . . . CLN 936
PRECHANDE HEM THE PERILE AND BEDEN HEM PASSE FAST . . . . . . CLN 942
LOKE 3E BOWE NOW BI BOT BOSKE3 FAST HENCE. . . . . CLN 944
TO DEFOWLE HIT EUER VPON FOLDE FAST HE FORBEDES. . . . . . . CLN 1147
FASTE FAYLED HEM THE FODE ENFAMINED MONIE. . . . . CLN 1194
SO FASTE THAY WE3ED TO HIM WYNE HIT WARMED HIS HERT . . . . . CLN 1420
AND QUOS DETH SO HE DE3YRED HE DREPED ALS FAST . . . . CLN 1648
THYS WAT3 CRYED AND KNAWEN IN CORT ALS FAST . . . . CLN 1751
VCHE HATHEL TO HIS HOME HY3ES FUL FAST. . . . . CLN 1762
LOKE 3E BOWE NOW BI BOT BOWE3 FAST HENCE . . . . CLN V 944
AND QUOS DETH SO HE DE3YRE HE DREPED ALS FAST . . . . CLN V 1648
THE 3ATE3 WER STOKEN FASTE. . . . . GGK 782
THE LORDE FAST CAN HYM PAYNE . . . . GGK 1042
AND HEM TOFYLCHED AS FAST AS FREKE3 MY3T LOKE . . . . GGK 1172
AND FELLEN AS FAST TO THE FUYT FOURTY AT ONES . . . . GGK 1425
FOUNDE3 FAST THUR3 THE FORTH THER THE FELLE BYDE3 . . . . . . GGK 1585
BI FYN FORWARDE AND FASTE FAYTHELY 3E KNOWE . . . . GGK 1636
AND QUEN THAY SEGHE HYM WITH SY3T THAY SUED HYM FAST . . . . . GGK 1705
HALDE3 HE3E OUER HIS HEDE HALOWE3 FASTE . . . . GGK 1908
IF ANY WY3E O3T WYL WYNNE HIDER FAST . . . . GGK 2215
FOR THE FORWARDE THAT WE FEST IN THE FYRST NY3T. . . . . . . GGK 2347
THER LATHED HYM FAST THE LORDE . . . . GGK 2403
IN SUCH SLA3TES OF SOR3E TO SLEPE SO FASTE . . . . PAT 192
ALLE FASTE FRELY FOR HER FALCE WERKES . . . . PAT 390
WYTH FYRCE SKYLLE3 THAT FASTE FA3T . . . . PRL 54
TO FYNDE A FORTHE FASTE CON I FONDE. . . . . PRL 150
WYTH FYRTE SKYLLE3 THAT FASTE FA3T . . . . PRL 1 54
WYTH FYRTE SKYLLE3 THAT FASTE FA3T . . . . PRL 3 54

FASTE (V. FAST)

FASTEN

AND FELLE FETTERE3 TO HIS FETE FESTENE3 BYLYUE . . . . CLN 156
BOT MY FORWARDE WYTH THE I FESTEN ON THIS WYSE . . . . CLN 327
CACHEN VP THE CROSSAYL CABLES THAY FASTEN. . . . . PAT 102

FASTENED

FESTNED FETTRES TO HER FETE VNDER FOLE WOMBES . . . . CLN 1255
AND FOLDEN FAYTH TO THAT FRE FESTNED SO HARDE . . . . GGK 1783

FASTENS

AND THER HE FESTNES THE FETE AND FATHME3 ABOUTE. . . . . . . PAT 273

FASTING

ANANDE THAT IN FASTYNGE OF 3OUR FAITHE AND OF FYNE BILEUE . . . ERK 173

FASURE

SO FERLY THEROF WAT3 THE FASURE . . . . PRL 1084

FASTYNGE (V. FASTING)

FAT

QUYL I FETE SUMQUAT FAT THOU THE FYR BETE. . . . . CLN 627
I SCHAL FETTE YOW A FATTE YOUR FETTE FORTO WASCHE . . . . . . CLN 802

FATE3 (V. FADES)

FATHER

HIT WEREN NOT ALLE ON WYUE3 SUNE3 WONEN WYTH ON FADER. . . . . CLN 112
PARFORMED THE HY3E FADER ON FOLKE THAT HE MADE . . . . CLN 542
IN THE FAUTE OF THIS FYLTHE THE FADER HEM THRETES . . . . . . CLN 680
SYTHEN HE IS CHOSEN TO BE CHEF CHYLDRYN FADER . . . . CLN 684
NAY FOR FYFTY QUOTH THE FADER AND THY FAYRE SPECHE. . . . . . CLN 729
THE FREKE SAYDE NO FOSCHIP OURE FADER HAT3 THE SCHEWED . . . . CLN 919

THAT OURE FADER FORTHERDE FOR FYLTHE OF THOSE LEDES	CLN	1051
THEN HIS FADER FORLOYNE THAT FECHED HEM WYTH STRENTHE.	CLN	1155
FORTHI OURE FADER VPON FOLDE A FOMAN HYM WAKNED.	CLN	1175
FOR HADE THE FADER BEN HIS FRENDE THAT HYM BIFORE KEPED . . .	CLN	1229
NABUGODENO3AR THAT WAT3 HIS NOBLE FADER	CLN	1338
AND FECH FORTH THE VESSEL THAT HIS FADER BRO3T	CLN	1429
THAT IS HE THAT FUL OFTE HAT3 HEUENED THY FADER.	CLN	1601
THY BOLDE FADER BALTA3AR BEDE BY HIS NAME.	CLN	1610
PROFETE OF THAT PROUYNCE THAT PRAYED MY FADER	CLN	1624
FYLSENED EUER THY FADER AND VPON FOLDE CHERYCHED	CLN	1644
AND FOR THAT FROTHANDE FYLTHE THE FADER OF HEUEN	CLN	1721
BY VCH FYGURE AS I FYNDE AS OURE FADER LYKES.	CLN	1726
THAT OURE FADER FORFERDE FOR FYLTHE OF THOSE LEDES.	CLN V	1051
THAGHE HAD BENE MY FADER BONE I BEDE HYM NO WRANGES	ERK	243
NE FALS FAUOUR TO MY FADER THAGHE FELLE HYM BE HONGYT.	ERK	244
DWYNANDE IN THE DERKE DETHE THAT DY3T VS OURE FADER	ERK	294
I FOLWE THE IN THE FADER NOME AND HIS FRE CHILDES	ERK	318
SYN WE HAF FONGED THAT FYNE FADER OF NURTURE.	GGK	919
THA3 THE FADER THAT HYM FORMED WERE FALE OF HIS HELE	PAT	92
THENNE OURE FADER TO THE FYSCH FERSLYCH BIDDE3	PAT	337
OURE FORME FADER HIT CON FORFETE.	PRL	639
SO SAYDE THE FADER OF FOLDE AND FLODE	PRL	736
FATHERS		
THE LOMBE3 NOME HYS FADERE3 ALSO.	PRL	872
FATHMED (V. FATHOMED)		
FATHME3 (V. FATHOMS)		
FATHOMED		
FRENDE3 FELLEN IN FERE AND FATHMED TOGEDER	CLN	399
FATHOMS		
AND THER HE FESTNES THE FETE AND FATHME3 ABOUTE.	PAT	273
FATTE (V. FAT)		
FATTED		
AND MY FEDDE FOULE3 FATTED WYTH SCLA3T.	CLN	56
FAULT		
THUR3 THE FAUT OF A FREKE THAT FAYLED IN TRAWTHE	CLN	236
FUL FELLY FOR THAT ILK FAUTE FORFERDE A KYTH RYCHE.	CLN	571
IN THE FAUTE OF THIS FYLTHE THE FADER HEM THRETES	CLN	680
SCHAL THAY FALLE IN THE FAUTE THAT OTHER FREKE3 WRO3T.	CLN	725
WYTHOUTEN FAUT OTHER FYLTHE 3IF HO FYN WERE	CLN	1122
BOT HE DEFENDED HYM SO FAYR THAT NO FAUT SEMED	GGK	1551
THE FAUT AND THE FAYNTYSE OF THE FLESCHE CRABBED	GGK	2435
IN TOKENYNG HE WAT3 TANE IN TECH OF A FAUTE	GGK	2488
FAULTLESS (CP. FAUTLEST)		
OF ALLE FETURE3 FUL FYN AND FAUTLE3 BOTHE.	CLN	794
FYRST HE WAT3 FUNDEN FAUTLE3 IN HIS FYUE WYTTE3.	GGK	640
SO FAUTLES OF HIR FETURES AND OF SO FYNE HEWES	GGK	1761
FAULTS		
FOR FELER FAUTE3 MAY A FREKE FORFETE HIS BLYSSE.	CLN	177
THAT THAY HAN FOUNDEN IN HER FLESCH OF FAUTE3 THE WERST	CLN	694
FOR TWO FAUTES THAT THE FOL WAT3 FOUNDE IN MISTRAUTHE. . . .	CLN	996
AND PHARES FOL3ES FOR THOSE FAWTES TO FRAYST THE TRAWTHE. . .	CLN	1736
FOR FELE FAUTE3 MAY A FREKE FORFETE HIS BLYSSE	CLN V	177
FAULTY		
AND QUAT IF FAURTY BE FRE AND FAUTY THYSE OTHER.	CLN	741
NOW AM I FAWTY AND FALCE AND FERDE HAF BEN EUER.	GGK	2382
AL FAWTY IS MY FARE	GGK	2386
FAUNT		
AT THE FOTE THEROF THER SETE A FAUNT	PRL	161
FAUOR (V. FAVOR)		

FAUOUR (V. FAVOR)
FAURE (V. FOUR)
FAURTY (V. FORTY)
FAUT (V. FAULT)
FAUTE (V. FAULT)
FAUTES (V. FAULTS)
FAUTE3 (V. FAULTS)
FAUTLES (V. FAULTLESS)
FAUTLEST (CP. FAULTLESS)
    ON THE FAUTLEST FREKE THAT EUER ON FOTE 3EDE. . . . . GGK 2363
FAUTLE3 (V. FAULTLESS)
FAUTY (V. FAULTY)
FAVOR
    NE FALS FAUOUR TO MY FADER THAGHE FELLE HYM BE HONGYT. . . . . ERK 244
    BOT HO HIR PASSED IN SUM FAUOUR . . . . PRL 428
    FOR A SY3T THEROF THUR3 GRET FAUOR . . . . PRL 968
FAWN
    HER HEDE3 THAY FAWNE AND FROTE . . . . GGK 1919
FAWNE (V. FAWN)
FAWRE (V. FOUR)
FAWTES (V. FAULTS)
FAWTY (V. FAULTY)
FAX
    RYOL ROLLANDE FAX TO RAW SYLK LYKE . . . . CLN 790
    FAXE FYLTERED AND FELT FLOSED HYM VMBE. . . . . CLN 1689
    FAYRE FANNAND FAX VMBEFOLDES HIS SCHULDERES . . . . GGK 181
    AS SCHORNE GOLDE SCHYR HER FAX THENNE SCHON . . . . PRL 213
FAXE (V. FAX)
FAY
    MA FAY QUOTH THE MERE WYF 3E MAY NOT BE WERNED . . . . GGK 1495
    THUR3 MY3T OF MORGNE LA FAYE THAT IN MY HOUS LENGES . . . . . GGK 2446
    HER WERE A FORSER FOR THE IN FAYE . . . . PRL 263
    OF COUNTES DAMYSEL PAR MA FAY. . . . . PRL 489
FAYE (V. FAYE)
FAYLANDE (V. FAILING)
FAYLD (V. FAILED)
FAYLE (V. FAIL)
FAYLED (V. FAILED)
FAYLEN (V. FAIL)
FAYLE3 (V. FAIL, FAILS)
FAYLID (V. FAILED)
FAYLIDE (V. FAILED)
FAYLY (V. FAIL)
FAYN (V. FAIN)
FAYNE (V. FAIN)
FAYNED (V. FEIGNED)
FAYNEST (V. FAINEST)
FAYNTYSE (V. FAINTISE)
FAYR (V. FAIR)
FAYRE (V. FAIR)
FAYRER (V. FAIRER)
FAYREST (V. FAIREST)
FAYRY3E
    FORTHI FOR FANTOUM AND FAYRY3E THE FOLK THERE HIT DEMED . . . GGK 240
FAYTH (V. FAITH)
FAYTHDEDES (V. FAITH-DEEDS)
FATTHE (V. FAITH)
FAYTHELY (V. FAITHILY)
FAYTHFUL (V. FAITHFUL)

FA3T (V. FOUGHT)
FEARED
    AND THERON FLOKKED THE FOLKE FOR FERDE OF THE WRAKE . . . . . CLN 386
    FAST THE FREKE FERKE3 VP FUL FERD AT HIS HERT . . . . CLN 897
    FERLY FERDE WAT3 HER FLESCH THAT FLOWEN AY ILYCHE . . . . . . CLN 975
    FERDE LEST HE HADE FAYLED IN FOURME OF HIS COSTES . . . . . . GGK 1295
    THAT FELE FERDE FOR THE FREKE LEST FELLE HYM THE WORRE . . . GGK 1588
    FOUNDED FOR FERDE FOR TO FLE IN FOURME THAT THOU TELLE3 . . . GGK 2130
    AND NOW THOU FLES FOR FERDE ER THOU FELE HARME3. . . . . . . GGK 2272
    NOW AM I FAWTY AND FALCE AND FERDE HAF BEN EUER. . . . . . . GGK 2382
    FERDE LEST HE HADE FAYLED IN FOURME OF HIS CASTES . . . . . . GGK V 1295
    HE WAT3 FLOWEN FOR FERDE OF THE FLODELOTES . . . . PAT 183
    THENNE SUCH A FERDE ON HEM FEL AND FLAYED HEM WYTHINNE . . . PAT 215
FEARS
    THAT FERES LEST HE DISPLESE YOW SO PLEDE HIT NO MORE . . . . . GGK 1304
FEAST
    AND IN COMLY QUOYNTIS TO COM TO HIS FESTE. . . . . CLN 54
    LATHE3 HEM ALLE LUFLYLY TO LENGE AT MY FEST . . . . CLN 81
    TO THIS FRELYCH FESTE THAT FELE ARN TO CALLED . . . . CLN 162
    THAT EUER WERN FUL3ED IN FONT THAT FEST TO HAUE. . . . . . . CLN 164
    THAT WAT3 FAYN OF HIS FRENDE AND HIS FEST PRAYSED . . . . . . CLN 642
    AND ASSEMBLE AT A SET DAY AT THE SAUDANS FEST . . . . CLN 1364
    WHEN THE TERME OF THE TYDE WAT3 TOWCHED OF THE FESTE . . . . . CLN 1393
    OF THAT FARAND FEST TYL FAYLED THE SUNNE . . . . CLN 1758
    AND EXILED FRO THAT SOPER SO THAT SOLEMPNE FEST. . . . . . . ERK 303
    FOR THER THE FEST WAT3 ILYCHE FUL FIFTEN DAYES . . . . GGK 44
    AT VCH FARAND FEST AMONG HIS FRE MENY . . . . GGK 101
    AND HE MADE A FARE ON THAT FEST FOR THE FREKE3 SAKE . . . . . GGK 537
    THE FREKE CALDE HIT A FEST FUL FRELY AND OFTE . . . . GGK 894
    THAT GAWAYN HAT3 BEN MY GEST AT GODDE3 AWEN FEST . . . . . . GGK 1036
    YOUR HONOUR AT THIS HY3E FEST THE HY3E KYNG YOW 3ELDE. . . . . GGK 1963
    AND WE SCHYN REUEL THE REMNAUNT OF THIS RYCHE FEST. . . . . . GGK 2401
    THER NO DEFOULE OF NO FYLTHE WAT3 FEST HYM ABUTE . . . . . . PAT 290
    NOW HAF I FONDE HYT I SCHAL MA FESTE . . . . PRL 283
FEAT (CP. FETLY)
    FOR HIT FERDE FRELOKER IN FETE IN HIS FAYRE HONDE . . . . . . CLN 1106
FEATED
    THE FREKE FERDE WITH DEFENCE AND FETED FUL FAYRE . . . . . . GGK 1282
FEATHER
    AND FOLDE THERON A LY3T FYTHER AND HIT TO FOUNS SYNKKE3 . . . CLN 1026
FEATHER-BEDS
    HER BAGGES AND HER FETHERBEDDES AND HER BRY3T WEDES . . . . . PAT 158
FEATHERS
    VCHE FOWLE TO THE FLY3T THAT FYTHERE3 MY3T SERUE . . . . . . CLN 530
    AS THAY WYTH WYNGE VPON WYNDE HADE WAGED HER FYTHERES. . . . CLN 1484
FEATURES
    OF ALLE FETURE3 FUL FYN AND FAUTLE3 BOTHE. . . . . CLN 794
    AND ALLE HIS FETURES FOL3ANDE IN FORME THAT HE HADE . . . . . GGK 145
    SO FAUTLES OF HIR FETURES AND OF SO FYNE HEWES . . . . GGK 1761
FEBELE (V. FEEBLE)
FEBLE (V. FEEBLE)
FEBLEST (V. FEEBLEST)
FECH (V. FETCH)
FECHE (V. FETCH)
FECHED (V. FETCHES)
FECHES (V. FETCHES)
FECHE3 (V. FETCHES)
FED
    AND MY FEDDE FOULE3 FATTED WYTH SCLA3T. . . . . CLN 56

FEDDE (V. FED)
FEDE (ALSO V. FEED)
FLOR AND FRYTE MAY NOT BE FEDE . . . . PRL 29
FEE
AND THE CORBELES FEE THAY KEST IN A GREUE. . . . . GGK 1355
VCHE FREKE FOR HIS FEE AS FALLE3 FORTO HAUE . . . . GGK 1358
FEEBLE
AND THUS SCHAL HE BE SCHENT FOR HIS SCHROWDE FEBLE. . . . . . CLN 47
BE THAY FERS BE THAY FEBLE FORLETE3 NONE . . . . CLN 101
THOW ART A GOME VNGODERLY IN THAT GOUN FEBELE . . . . CLN 145
FEEBLEST
I AM THE WAKKEST I WOT AND OF WYT FEBLEST. . . . . GGK 354
FEED
VPON A FELLE OF THE FAYRE BEST FEDE THAY THAYR HOUNDES . . . . GGK 1359
FEEL
SCHUL NEUER SITTE IN MY SALE MY SOPER TO FELE . . . . CLN 107
THAT EUER OF SMELLE AND OF SMACH SMART IS TO FELE . . . . . . CLN 1019
NOW I FELE HIT IS THE FENDE IN MY FYUE WYTTE3 . . . . GGK 2193
AND NOW THOU FLES FOR FERDE ER THOU FELE HARME3. . . . . GGK 2272
O FOLE3 IN FOLK FELE3 OTHER WHYLE . . . . PAT 121
FEERSLY (V. FIERCELY)
FEES
AND FERLY FLAYED THAT FOLK THAT IN THOSE FEES LENGED . . . . . CLN 960
HIS FEE3 THER FOR TO FONGE. . . . . GGK 1622
FEET
AND FELLE FETTERE3 TO HIS FETE FESTENE3 BYLYUE . . . . CLN 156
THE STYFEST THE STALWORTHEST THAT STOD EUER ON FETE . . . . . CLN 255
BI THAT THE FLOD TO HER FETE FLO3ED AND WAXED . . . . CLN 397
AND FAST ABOUTE SCHAL I FARE YOUR FETTE WER WASCHENE . . . . . CLN 618
I SCHAL FETTE YOW A FATTE YOUR FETTE FORTO WASCHE . . . . . . CLN 802
FOUNDE3 FASTE ON YOUR FETE BIFORE YOUR FACE LOKES . . . . . . CLN 903
AND FOL3 THE FET OF THAT FERE THAT THOU FRE HALDES. . . . . . CLN 1062
FESTNED FETTRES TO HER FETE VNDER FOLE WOMBES . . . . CLN 1255
FERYED OUT BI THE FETE AND FOWLE DISPYSED. . . . . CLN 1790
THAT FELE HIT FOYNED WYTH HER FETE THERE HIT FORTH ROLED. . . . GGK 428
THENNE SET THAY THE SABATOUN3 VPON THE SEGGE FOTE3. . . . . . GGK 574
AND VNDER FETE ON THE FLET OF FOL3ANDE SUTE . . . . GGK 859
AND RY3T BIFORE THE HORS FETE THAY FEL ON HYM ALLE. . . . . . GGK 1904
THE FOLK 3ET HALDANDE HIS FETE THE FYSCH HYM TYD HENTES . . . . PAT 251
AND THER HE FESTNES THE FETE AND FATHME3 ABOUTE. . . . . PAT 273
GROUELYNG TO HIS FETE THAY FELLE. . . . . PRL 1120
FEE3 (V. FEES)
FEIGNED
AND FOR FALS FAMACIONS AND FAYNED LAWE3 . . . . CLN 188
FEIER (V. FAIRER)
FEIRER (V. FAIRER)
FEL (V. FELL)
FELA3ES (V. FELLOWS)
FELA3SCHYP (V. FELLOWSHIP)
FELDE (V. FELT, FIELD, FOLD)
FELDE3 (V. FIELDS)
FELE (ALSO V. FEEL, FELL)
AND ALSO FELE VPON FOTE OF FRE AND OF BONDE . . . . CLN 88
TO THIS FRELYCH FESTE THAT FELE ARN TO CALLED . . . . CLN 162
THAT SO FELE FOLK SCHAL FALLE FRO TO FLETE ALL THE WORLDE . . . CLN 685
IF I ME FELE VPON FOTE THAT I FLE MO3T. . . . . CLN 914
SO WAT3 SERUED FELE SYTHE THE SALE ALLE ABOUTE . . . . CLN 1417
OF MONY CLER KYNDES OF FELE KYN HUES . . . . CLN 1483
FORTHY A FERLY BIFEL THAT FELE FOLK SE3EN. . . . . CLN 1529

SORSERS OF EXORSISMUS AND FELE SUCH CLERKES . . . . CLN 1579
FOR FELE FAUTE3 MAY A FREKE FORFETE HIS BLYSSE . . . . CLN V 177
OF MONY CURIOUS KYNDES OF FELE KYN HUES . . . . CLN V 1483
FOYSOUN OF THE FRESCHE AND ON SO FELE DISCHES . . . . GGK 122
FOR FELE SELLYE3 HAD THAY SEN BOT SUCH NEUER ARE . . . . . . GGK 239
THAT FELE HIT FOYNED WYTH HER FETE THERE HIT FORTH ROLED. . . . GGK 428
DOUBLEFELDE AS HIT FALLE3 AND FELE KYN FISCHE3 . . . . GGK 890
AND SYTHEN WITH FRENKYSCH FARE AND FELE FAYRE LOTE3 . . . . . GGK 1116
SO FELLE FLONE3 THER FLETE WHEN THE FOLK GEDERED . . . . . . GGK 1566
THAT FELE FERDE FOR THE FREKE LEST FELLE HYM THE WORRE . . . . GGK 1588
ABOUT THE FYRE VPON FLET AND ON FELE WYSE. . . . . GGK 1653
AND FELE THRYUANDE THONKKE3 HE THRAT HOM TO HAUE . . . . . . GGK 1980
AND SALAMON WITH FELE SERE AND SAMSON EFTSONE3 . . . . GGK 2417
FORSOTHE THER FLETEN TO ME FELE . . . . PRL 21
SIR FELE HERE PORCHASE3 AND FONGE3 PRAY . . . . PRL 439
AND WYTH HER RESOUNE3 FUL FELE RESTAYED . . . . PRL 716
LYK FLODE3 FELE LADEN RUNNEN ON RESSE . . . . PRL 874
A GRET CETE FOR 3E ARN FELE . . . . PRL 927
THA3 THAY WERN FELE NO PRES IN PLYT. . . . . PRL 1114

FELEFOLDE
HIT WERE A FOLE FELEFOLDE MY FRE BY MY TRAWTHE . . . . GGK 1545

FELER
FOR FELER FAUTE3 MAY A FREKE FORFETE HIS BLYSSE. . . . . CLN 177
I WOWCHE HIT SAF FYNLY THA3 FELER HIT WERE . . . . GGK 1391

FELE3 (V. FEEL)

FELIX
AND FER OUER THE FRENCH FLOD FELIX BRUTUS. . . . . GGK 13

FELL
SAY ME FRENDE QUOTH THE FREKE WYTH A FELLE CHERE . . . . CLN 139
AND FELLE FETTERE3 TO HIS FETE FESTENE3 BYLYUE . . . . CLN 156
FELLEN FRO THE FYRMAMENT FENDE3 FUL BLAKE. . . . . CLN 221
FELLE TEMPTANDE TENE TOWCHED HIS HERT . . . . CLN 283
FRENDE3 FELLEN IN FERE AND FATHMED TOGEDER . . . . CLN 399
BOT FLOTE FORTHE WYTH THE FLYT OF THE FELLE WYNDE3. . . . . . CLN 421
3ET FYNED NOT THE FLOD NE FEL TO THE BOTHEME3 . . . . CLN 450
OF FELLE FLAUNKES OF FYR AND FLAKES OF SOUFRE . . . . CLN 954
THAT FEL FRETES AND FLESCH AND FESTRED BONES. . . . . CLN 1040
IN PHARES FYNDE I FORSOTHE THISE FELLE SA3ES. . . . . CLN 1737
THAT FEL FRETES THE FLESCH AND FESTRES BONES. . . . . CLN V 1040
NE FALS FAUOUR TO MY FADER THAGHE FELLE HYM BE HONGYT. . . . . ERK 244
AND ONE FELLE ON HIS FACE AND THE FREKE SYKED . . . . ERK 323
IF ANY FREKE BE SO FELLE TO FONDE THAT I TELLE . . . . GGK 291
AND NAWTHER FALTERED NE FEL THE FREKE NEUER THE HELDER . . . . GGK 430
AND THAT SO FOULE AND SO FELLE THAT FE3T HYM BYHODE . . . . . GGK 717
FELLE FACE AS THE FYRE AND FRE OF HYS SPECHE. . . . . GGK 847
IN FELDE THER FELLE MEN FO3T . . . . GGK 874
AND FELLEN AS FAST TO THE FUYT FOURTY AT ONES . . . . GGK 1425
FOUNDE3 FAST THUR3 THE FORTH THER THE FELLE BYDE3 . . . . . . GGK 1585
THAT FELE FERDE FOR THE FREKE LEST FELLE HYM THE WORRE . . . . GGK 1588
SUMME FEL IN THE FUTE THER THE FOX BADE . . . . GGK 1699
FELLE OUER HIS FAYRE FACE AND FETLY HYM KYSSED . . . . GGK 1758
AND RY3T BIFORE THE HORS FETE THAY FEL ON HYM ALLE. . . . . . GGK 1904
WHYRLANDE OUT OF A WRO WYTH A FELLE WEPPEN . . . . GGK 2222
AT THIS TYME TWELMONYTH THOU TOKE THAT THE FALLED . . . . GGK 2243
THENNE SUCH A FERDE ON HEM FEL AND FLAYED HEM WYTHINNE . . . . PAT 215
I FELLE VPON THAT FLOURY FLA3T . . . . PRL 57
REBUKE ME NEUER WYTH WORDE3 FELLE . . . . PRL 367
THAT WASCHE3 AWAY THE GYLTE3 FELLE . . . . PRL 655
GROUELYNG TO HIS FETE THAY FELLE. . . . . PRL 1120

I RAXLED AND FEL IN GRET AFFRAY . . . . PRL 1174
FELLE (ALSO V. FELL)
AND ETAYNE3 THAT HYM ANELEDE OF THE HE3E FELLE . . . . GGK 723
HO WAT3 THE FAYREST IN FELLE OF FLESCHE AND OF LYRE . . . . . GGK 943
VPON A FELLE OF THE FAYRE BEST FEDE THAY THAYR HOUNDES . . . . GGK 1359
BOT THIS FOULE FOX FELLE THE FENDE HAF THE GODE3 . . . . GGK 1944
FELLEN (V. FELL)
FELLE3
AND FAYRE FURRED WYTHINNE WITH FELLE3 OF THE BEST . . . . . . GGK 880
THAT WAT3 FURRED FUL FYNE WITH FELLE3 WEL PURED. . . . . GGK 1737
FELLOWS
HIS FELA3ES FALLEN HYM TO THAT FNASTED FUL THIKE . . . . GGK 1702
FELLOWSHIP
AND FALLEN IN FELA3SCHYP WYTH HEM ON FOLKEN WYSE . . . . CLN 271
THEN FOUNDE3 VCH A FELA3SCHYP FYRRE AT FORTH NA3TES . . . . . CLN 1764
WAT3 FRAUNCHYSE AND FELA3SCHYP FORBE AL THYNG . . . . GGK 652
NE BERE THE FELA3SCHYP THUR3 THIS FRYTH ON FOTE FYRRE. . . . . GGK 2151
FELLY
FOR HE IN FYLTHE WAT3 FALLEN FELLY HE UENGED. . . . . CLN 559
FUL FELLY FOR THAT ILK FAUTE FORFERDE A KYTH RYCHE. . . . . . CLN 571
FORSOTHE QUOTH THAT OTHER FREKE SO FELLY THOU SPEKE3 . . . . . GGK 2302
FELON
THA3 THE FELOUN WERE SO FERS FOR HIS FAYRE WEDE3 . . . . CLN 217
FELONSE
THE FOLKE WAS FELONSE AND FALS AND FROWARDE TO REULE . . . . . ERK 231
FELONY
FOR THE FYRSTE FELONYE THE FALCE FENDE WRO3T. . . . . CLN 205
WYTHOUTEN ANY SAKE OF FELONYE. . . . . PRL 800
FELONYE (V. FELONY)
FELOUN (V. FELON)
FELT
FAXE FYLTERED AND FELT FLOSED HYM VMBE. . . . . CLN 1689
THAT FELDE I NAWTHER RESTE NE TRAUAYLE. . . . . PRL 1087
FEMALES
AND FYLTER FOLYLY IN FERE ON FEMMALE3 WYSE . . . . CLN 696
FEMED
THE FROTHE FEMED AT HIS MOUTH VNFAYRE BI THE WYKE3. . . . . . GGK 1572
FEMMALE3 (V. FEMALES)
FEND
THAY FE3T AND THAY FENDE OF AND FYLTER TOGEDER . . . . CLN 1191
FENDE (V. FEND, FIEND, FIENDS)
FENDEN (V. FIENDS)
FENDES (V. FIENDS)
FENDE3 (V. FIENDS)
FENG (V. FONG)
FENNY
3IS THAT MAYSTER IS MERCYABLE THA3 THOU BE MAN FENNY . . . . . CLN 1113
FENYX (V. PHOENIX)
FER (V. FAR)
FERD (V. FEARED)
FERDE (V. FARED, FEARED)
FERDEN (V. FARED)
FERE
FRENDE3 FELLEN IN FERE AND FATHMED TOGEDER . . . . CLN 399
AND FYLTER FOLYLY IN FERE ON FEMMALE3 WYSE . . . . CLN 696
AND FOL3 THE FET OF THAT FERE THAT THOU FRE HALDES. . . . . . CLN 1062
THERFORE OF FACE SO FERE . . . . GGK 103
FOR HAD I FOUNDED IN FERE IN FE3TYNG WYSE. . . . . GGK 267
TO FYNDE HYS FERE VPON FOLDE IN FAYTH IS NOT ETHE . . . . . . GGK 676

```
    HADE HE NO FERE BOT HIS FOLE BI FRYTHE3 AND DOUNE3. . . . . . GGK      695
    VCH SEGGE FUL SOFTLY SAYDE TO HIS FERE. . . . . . . . . . . GGK      915
    AND COMAUNDE3 ME TO THAT CORTAYS YOUR COMLYCH FERE. . . . . . GGK     2411
    FOWLE3 THER FLOWEN IN FRYTH IN FERE. . . . . . . . . . . . PRL       89
    AM NOT WORTHY SO GRET FERE. . . . . . . . . . . . . . . . PRL      616
    FUL FAYRE THE MODE3 THAY FONGE IN FERE. . . . . . . . . . . PRL      884
    WYTH GRET DELYT THAY GLOD IN FERE . . . . . . . . . . . . PRL     1105
FERES (V. FEARS)
FERE3 (ALSO V. FERRIES)
    AMONG HER FERE3 THAT WAT3 SO QUYT . . . . . . . . . . . . PRL     1150
FERFORTHE (V. FARFORTH)
FERK
    QUYLE FORTH DAYE3 AND FERK ON THE FYRST OF THE 3ERE . . . . . GGK     1072
    FOR TO FERK THUR3 THE FRYTH AND FARE AT THE GAYNEST . . . . . GGK     1973
    THE FREKE HYM FRUNT WYTH HIS FOT AND BEDE HYM FERK.VP. . . . . PAT      187
FERKED
    BOT AS HE FERKED OUER THE FLOR HE FANDE WYTH HIS Y3E . . . . . CLN      133
    BI A FOR3 OF A FLODE THAT FERKED THARE. . . . . . . . . . . GGK     2173
FERKE3
    FERKE3 OUT IN THE FELDE AND FECHE3 MO GESTE3. . . . . . . . CLN       98
    FAST THE FREKE FERKE3 VP FUL FERD AT HIS HERT . . . . . . . . CLN      897
    THE FOLE THAT HE FERKKES ON FYN OF THAT ILKE. . . . . . . . GGK      173
    THAT OTHER FERKE3 HYM VP AND FECHE3 HYM HIS WEDE3 . . . . . . GGK     2013
FERKKES (V. FERKE3)
FERLY
    SO FERLY FOWLED HER FLESCH THAT THE FENDE LOKED. . . . . . . CLN      269
    AND FERLY FLAYED THAT FOLK THAT IN THOSE FEES LENGED . . . . . CLN      960
    FERLY FERDE WAT3 HER FLESCH THAT FLOWEN AY ILYCHE . . . . . . CLN      975
    FORTHY A FERLY BIFEL THAT FELE FOLK SE3EN. . . . . . . . . . CLN     1529
    VNFOLDE HEM ALLE THIS FERLY THAT IS BIFALLEN HERE . . . . . . CLN     1563
    AND HERE IS A FERLY BYFALLEN AND I FAYN WOLDE . . . . . . . . CLN     1629
    AND FYLED OUT OF FYGURES OF FERLYCHE SCHAPPES . . . . . . . . CLN V   1460
    THAI FOUNDEN FOURMYT ON A FLORE A FERLY FAIRE TOUMBE . . . . . ERK       46
    THE FYNDYNGE OF THAT FERLY WITH FYNGER HE MYNTE. . . . . . . ERK      145
    AS I AM FERLY FAYN . . . . . . . . . . . . . . . . . . . GGK      388
    HE FONDE A FOO HYM BYFORE BOT FERLY HIT WERE. . . . . . . . GGK      716
    INTO A FOREST FUL DEP THAT FERLY WAT3 WYLDE . . . . . . . . GGK      741
    FERLY FAYRE WAT3 THE FOLDE FOR THE FORST CLENGED . . . . . . GGK     1694
    AND FERLY FURRED WITHINNE WYTH FAYRE PELURES. . . . . . . . GGK     2029
    BOT HIT IS NO FERLY THA3 A FOLE MADDE . . . . . . . . . . . GGK     2414
    SO FERLY THEROF WAT3 THE FASURE . . . . . . . . . . . . . PRL     1084
    FOR FERLY OF THAT FRELICH FYGURE. . . . . . . . . . . . . PRL     1086
    FOR FERLY OF THAT FREUCH FYGURE . . . . . . . . . . . . . PRL 1   1086
    FOR FERLY OF THAT FREUCH FYGURE . . . . . . . . . . . . . PRL 2   1086
    FOR FERLY OF THAT FREUCH FYGURE . . . . . . . . . . . . . PRL 3   1086
FERLYCHE (V. FERLY)
FERLYES
    MO FERLYES ON THIS FOLDE HAN FALLEN HERE OFT. . . . . . . . GGK       23
FERLYLE
    AND FYLED OUT OF FYGURES OF FERLYLE SCHAPPES. . . . . . . . CLN     1460
FERLYLY
    HE WAT3 FERLYLY FAYN VNFOLDED BYLYUE . . . . . . . . . . . CLN      962
    FAYRE FYLYOLE3 THAT FY3ED AND FERLYLY LONG . . . . . . . . GGK      796
    OF HIS FARE THAT HYM FRAYNED AND FERLYLY HE TELLES. . . . . . GGK     2494
FERMED (V. FIRMED)
FERMYSOUN
    FOR THE FRE LORDE HADE DEFENDE IN FERMYSOUN TYME . . . . . . GGK     1156
FERRE (V. FAR, FYRRE)
FERRIED
```

FERYED OUT BI THE FETE AND FOWLE DISPYSED. . . . . CLN 1790
HAT3 FERYED THYDER HYS FAYRE FLOTE . . . . PRL 946
FERRIES
THAT FRYTH THER FORTWNE FORTH ME FERE3. . . . . PRL 98
FERS (V. FIERCE)
FERSLY (V. FIERCELY)
FERSLYCH (V. FIERCELY)
FERSNES (V. FIERCENESS)
FERYED (V. FERRIED)
FEST (V. FAST, FEAST)
FESTE (V. FEAST)
FESTEN (V. FASTEN)
FESTENE3 (V. FASTEN)
FESTERED
THAT FEL FRETES AND FLESCH AND FESTRED BONES. . . . . CLN 1040
FESTERS
THAT FEL FRETES THE FLESCH AND FESTRES BONES. . . . . CLN V 1040
FESTIUAL (V. FESTIVAL)
FESTIVAL
NE IN NO FESTIUAL FROK BOT FYLED WITH WERKKE3 . . . . CLN 136
FESTNED (V. FASTENED)
FESTNES (V. FASTENS)
FESTRED (V. FESTERED)
FESTRES (V. FESTERS)
FET (V. FEET)
FETCH
FERKE3 OUT IN THE FELDE AND FECHE3 MO GESTE3. . . . . CLN 98
WHATKYN FOLK SO THER FARE FECHE3 HEM HIDER . . . . CLN 100
FARE FORTHE QUOTH THE FREKE3 AND FECH AS THOU SEGGE3 . . . . CLN 621
AND FECH FORTH THE VESSEL THAT HIS FADER BRO3T . . . . CLN 1429
FERRE OUT IN THE FELDE AND FECHE3 MO GESTE3 . . . . CLN V 98
I MAY BE FUNDE VPON FOLDE AND FOCH THE SUCH WAGES . . . . . . GGK 396
VERAYLY HIS VENYSOUN TO FECH HYM BYFORNE . . . . GGK 1375
WHEN HE ACHEUED TO THE CHAPEL HIS CHEK FORTO FECH . . . . . . GGK 1857
AND THA3 VCH DAY A STORE HE FECHE . . . . PRL 847
TO FECH ME BUR AND TAKE ME HALTE. . . . . PRL 1158
FETCHED
THEN HIS FADER FORLOYNE THAT FECHED HEM WYTH STRENTHE. . . . CLN 1155
FETCHES
FOCHCHE3 THIS FRE MON AND FAYRE HE HYM THONKKE3. . . . . . . GGK 1961
THAT OTHER FERKE3 HYM VP AND FECHE3 HYM HIS WEDE3 . . . . . . GGK 2013
TO SETTE HYM TO SEWRTE VNSOUNDE HE HYM FECHES . . . . PAT 58
FETE (V. FEAT, FEET, FETTE)
FETED (V. FEATED)
FETHERBEDDES (V. FEATHER-BEDS)
FETLED (V. FETTLED)
FETLY (CP. FEAT)
AND HE THAT FETLY IN FACE FETTLED ALLE ERES . . . . CLN 585
FELLE OUER HIS FAYRE FACE AND FETLY HYM KYSSED . . . . GGK 1758
FETTE (ALSO V. FEET)
QUYL I FETE SUMQUAT FAT THOU THE FYR BETE. . . . . CLN 627
I SCHAL FETTE YOW A FATTE YOUR FETTE FORTO WASCHE . . . . . . CLN 802
LET THE LADIE3 BE FETTE TO LYKE HEM THE BETTER . . . . GGK 1084
FETTELE3 (V. FETTLES)
FETTERS
AND FELLE FETTERE3 TO HIS FETE FESTENE3 BYLYUE . . . . CLN 156
FESTNED FETTRES TO HER FETE VNDER FOLE WOMBES . . . . CLN 1255
FETTERE3 (V. FETTERS)
FETTLED

WEN HIT WAT3 FETTLED AND FORGED AND TO THE FULLE GRAYTHED . . CLN 343
AND HE THAT FETLY IN FACE FETTLED ALLE ERES . . . . CLN 585
NOW ALLE THESE FYUE SYTHE3 FORSOTHE WERE FETLED ON THIS KNY3T . GGK 656
FETTLED IN ARTHURE3 HALLE3. . . . . GGK 2329
HIT ARN FETTLED IN ON FORME THE FORME AND THE LASTE . . . . . PAT 38
FETTLES
AND FARANDELY ON A FELDE HE FETTELE3 HYM TO BIDE . . . . . . PAT 435
FETTRES (V. FETTERS)
FETURES (V. FEATURES)
FETURE3 (V. FEATURES)
FETYS
AND FETYSE OF A FAYR FORME TO FOTE AND TO HONDE. . . . . . . CLN 174
THAT FOR FETYS OF HIS FYNGERES FONDED HE NEUER . . . . CLN 1103
FETYSE (V. FETYS)
FETYSELY
WER FETYSELY FORMED OUT IN FYLYOLES LONGE. . . . . CLN 1462
FEW
AND IS FUNDE FUL FEWE OF HIT FAYTHDEDES . . . . CLN 1735
OF HAY AND OF EUERFERNE AND ERBE3 A FEWE . . . . PAT 438
COUTHE I NOT THOLE BOT AS THOU THER THRYUED FUL FEWE . . . . . PAT 521
FOR MONY BEN CALLED THA3 FEWE BE MYKE3. . . . . PRL 572
FEWE (V. FEW)
FEWTERERS
TO TRYSTORS VEWTERS 3OD. . . . . GGK 1146
FEYE
AND ME ALS FAYN TO FALLE FEYE AS FAYLY OF MYYN ERNDE . . . . . GGK 1067
FE3T (V. FIGHT)
FE3TANDE (V. FIGHTING)
FE3TYNG (V. FIGHTING)
FICKLE
THA3 I BE FOL AND FYKEL AND FALCE OF MY HERT. . . . . PAT 283
FIDDLE
AND RIAL RYNGANDE ROTES AND THE REKEN FYTHEL. . . . . CLN 1082
FIELD
FERKE3 OUT IN THE FELDE AND FECHE3 MO GESTE3. . . . . CLN 98
TO BO3 AFTER BALTA3AR IN BOR3E AND IN FELDE . . . . CLN 1750
FOR HIS FOES IN THE FELDE IN FLOKKES FUL GRETE . . . . CLN 1767
FERRE OUT IN THE FELDE AND FECHE3 MO GESTE3 . . . . CLN V 98
IN FELDE THER FELLE MEN FO3T . . . . GGK 874
AND FARANDELY ON A FELDE HE FETTELE3 HYM TO BIDE . . . . . . PAT 435
FIELDS
OUERWALTE3 VCHE A WOD AND THE WYDE FELDE3. . . . . CLN 370
FIEND
FOR THE FYRSTE FELONYE THE FALCE FENDE WRO3T. . . . . CLN 205
BOT THIS FOULE FOX FELLE THE FENDE HAF THE GODE3 . . . . . . GGK 1944
NOW I FELE HIT IS THE FENDE IN MY FYUE WYTTE3 . . . . GGK 2193
FIENDS
FELLEN FRO THE FYRMAMENT FENDE3 FUL BLAKE. . . . . CLN 221
FYLTER FENDEN FOLK FORTY DAYE3 LENCTHE. . . . . CLN 224
SO FERLY FOWLED HER FLESCH THAT THE FENDE LOKED. . . . . . . CLN 269
BOT FALS FANTUMMES OF FENDES FORMED WITH HANDES. . . . . . . CLN 1341
AMONGE ENMYES SO MONY AND MANSED FENDES . . . . PAT 82
FIERCE
THA3 THE FELOUN WERE SO FERS FOR HIS FAYRE WEDE3 . . . . . . CLN 217
BE THAY FERS BE THAY FEBLE FORLETE3 NONE . . . . CLN 101
WYTH FYRCE SKYLLE3 THAT FASTE FA3T . . . . PRL 54
FIERCELY
THEN FEERSLY THAT OTHER FREKE VPON FOTE LY3TIS . . . . GGK 329
THER FAYRE FYRE VPON FLET FERSLY BRENNED . . . . GGK 832

THENNE FERSLY THAY FLOKKED IN FOLK AT THE LASTE. . . . . GGK 1323
THENNE OURE FADER TO THE FYSCH FERSLYCH BIDDE3 . . . . PAT 337
FIERCENESS
THAT ALLE HIS FERSNES HE FENG AT THE FYUE JOYE3. . . . . GGK V 646
FIFTEEN
FOR HIT CLAM VCHE A CLYFFE CUBITES FYFTENE . . . . CLN 405
FOR THER THE FEST WAT3 ILYCHE FUL FIFTEN DAYES . . . . GGK 44
FIFTEN (V. FIFTEEN)
FIFTH
THE FYFT FYUE THAT I FINDE THAT THE FREK VSED . . . . GGK 651
THE SARDONYSE THE FYFTHE STON. . . . . PRL 1006
FIFTY
OF FYFTY FAYRE OUERTHWERT FORME THE BREDE. . . . . CLN 316
AND THRYE3 FYFTY THE FLOD OF FOLWANDE DAYE3 . . . . CLN 429
AFTER HARDE DAYE3 WERN OUT AN HUNDRETH AND FYFTE . . . . CLN 442
NOW FYFTY FYN FRENDE3 WER FOUNDE IN 3ONDE TOUNE. . . . . CLN 721
NAY FOR FYFTY QUOTH THE FADER AND THY FAYRE SPECHE. . . . . . . CLN 729
WHAT IF FYUE FAYLEN OF FYFTY THE NOUMBRE . . . . CLN 737
AND FYUE WONT OF FYFTY QUOTH GOD I SCHAL FOR3ETE ALLE. . . . . CLN 739
FIGHT
HE WAT3 FAMED FOR FRE THAT FE3T LOUED BEST . . . . CLN 275
THAY FE3T AND THAY FENDE OF AND FYLTER TOGEDER . . . . CLN 1191
HERE FAYLE3 THOU NOT TO FY3T . . . . GGK 278
NAY FRAYST I NO FY3T IN FAYTH I THE TELLE. . . . . GGK 279
AND THAT SO FOULE AND SO FELLE THAT FE3T HYM BYHODE . . . . . GGK 717
FIGHTING
THAT THE FLOD NADE AL FRETEN WYTH FE3TANDE WA3E3 . . . . CLN 404
FOR HAD I FOUNDED IN FERE IN FE3TYNG WYSE. . . . . GGK 267
FIGURE
BY VCH FYGURE AS I FYNDE AS OURE FADER LYKES. . . . . CLN 1726
FOR HIT IS A FIGURE THAT HALDE3 FYUE POYNTE3. . . . . GGK 627
HER FYGURE FYN QUEN I HAD FONTE . . . . PRL 170
QUO FORMED THE THY FAYRE FYGURE . . . . PRL 747
FOR FERLY OF THAT FRELICH FYGURE. . . . . PRL 1086
FOR FERLY OF THAT FREUCH FYGURE . . . . PRL 1 1086
FOR FERLY OF THAT FREUCH FYGURE . . . . PRL 2 1086
FOR FERLY OF THAT FREUCH FYGURE . . . . PRL 3 1086
FIGURES
AND FYLED OUT OF FYGURES OF FERLYLE SCHAPPES. . . . . CLN 1460
AND FYLED OUT OF FYGURES OF FERLYCHE SCHAPPES . . . . CLN V 1460
FULLE VERRAY WERE THE VIGURES THER AUISYDE HOM MONY . . . . . ERK 53
FILDORE
FOLDEN IN WYTH FILDORE ABOUTE THE FAYRE GRENE . . . . GGK 189
AS FYLDOR FYN HER BONKES BRENT . . . . PRL 106
FILED
NE IN NO FESTIUAL FROK BOT FYLED WITH WERKKE3 . . . . CLN 136
AND FYLED OUT OF FYGURES OF FERLYLE SCHAPPES. . . . . CLN 1460
AND FYLED OUT OF FYGURES OF FERLYCHE SCHAPPES . . . . CLN V 1460
FYLED IN A FYLOR FOWRE FOTE LARGE . . . . GGK 2225
FILL
AND WYTH PEPLE OF ALLE PLYTE3 THE PALAYS THAY FYLLEN . . . . . CLN 111
BRYNG HEM NOW TO MY BORDE OF BEUERAGE HEM FYLLES . . . . CLN 1433
TO FYLLE THE SAME FORWARDE3 THAT THAY BYFORE MADEN. . . . . . . GGK 1405
I SCHAL FYLLE VPON FYRST OURE FORWARDE3 NOUTHE . . . . GGK 1934
FILLED
THAT MY HOUS MAY HOLLY BY HALKE3 BY FYLLED . . . . CLN 104
NOV IS HIT PLUNGED IN A PIT LIKE OF PICH FYLLED. . . . . CLN 1008
FILLS
FALLE3 ON THE FOULE FLESCH AND FYLLE3 HIS WOMBE. . . . . CLN 462

FILTER
FYLTER FENDEN FOLK FORTY DAYE3 LENCTHE. . . . . CLN 224
AND FYLTER FOLYLY IN FERE ON FEMMALE3 WYSE . . . . CLN 696
THAY FE3T AND THAY FENDE OF AND FYLTER TOGEDER . . . . CLN 1191
AND I SCHAL FONDE BI MY FAYTH TO FYLTER WYTH THE BEST. . . . GGK 986
FILTERED
FAXE FYLTERED AND FELT FLOSED HYM VMBE. . . . . CLN 1689
FILTH
WYTH THE FREKE THAT IN FYLTHE FOL3ES HYM AFTER . . . . CLN 6
FOR HE THAT FLEMUS VCH FYLTHE FER FRO HIS HERT . . . . CLN 31
AS FOR FYLTHE OF THE FLESCH THAT FOLES HAN VSED. . . . . . . CLN 202
THAT WAT3 FOR FYLTHE VPON FOLDE THAT THE FOLK VSED. . . . . . CLN 251
AND THENNE FOUNDEN THAY FYLTHE IN FLESCHLYCH DEDE3. . . . . . CLN 265
THAT SCHAL WASCH ALLE THE WORLDE OF WERKE3 OF FYLTHE . . . . . CLN 355
IN THE FYLTHE OF THE FLESCH THAT THOU BE FOUNDEN NEUER . . . . CLN 547
FOR HE IN FYLTHE WAT3 FALLEN FELLY HE UENGED. . . . . CLN 559
THE VENYM AND THE VYLANYE AND THE VYCIOS FYLTHE. . . . . . . CLN 574
IN THE FAUTE OF THIS FYLTHE THE FADER HEM THRETES . . . . . . CLN 680
AND THAY BE FOUNDEN IN THAT FOLK OF HER FYLTHE CLENE . . . . . CLN 730
WHATT THAY SPUTEN AND SPEKEN OF SO SPITOUS FYLTHE . . . . . . CLN 845
FOR THOU ART ODDELY THYN ONE OUT OF THIS FYLTHE. . . . . . . CLN 923
THAT OURE FADER FORTHERDE FOR FYLTHE OF THOSE LEDES . . . . . CLN 1051
WYTHOUTEN FAUT OTHER FYLTHE 3IF HO FYN WERE . . . . CLN 1122
AND FOR THAT FROTHANDE FYLTHE THE FADER OF HEUEN . . . . . . CLN 1721
AND THE FYLTHE OF THE FREKE THAT DEFOWLED HADE . . . . CLN 1798
THAT OURE FADER FORFERDE FOR FYLTHE OF THOSE LEDES. . . . . . CLN V 1051
WYTH CLENE CORTAYS CARP CLOSED FRO FYLTHE. . . . . GGK 1013
HOW TENDER HIT IS TO ENTYSE TECHES OF FYLTHE. . . . . GGK 2436
THER NO DEFOULE OF NO FYLTHE WAT3 FEST HYM ABUTE . . . . . . PAT 290
WYTHOUTEN FYLTHE OTHER GALLE OTHER GLET . . . . PRL 1060
FILTHS
AS BE HONEST VTWYTH AND INWITH ALLE FYLTHE3 . . . . CLN 14
FIN
VCHE FYSCH TO THE FLOD THAT FYNNE COUTHE NAYTE . . . . CLN 531
FIND
FAYRE FORME3 MY3T HE FYNDE IN FORTHERING HIS SPECHE . . . . . CLN 3
FOR AS I FYNDE THER HE FOR3ET ALLE HIS FRE THEWE3 . . . . . . CLN 203
HOW ALLE FODE3 THER FARE ELLE3 HE FYNDE METE. . . . . CLN 466
DRYF OUER THIS DYMME WATER IF THOU DRUYE FYNDE3. . . . . . . CLN 472
TRAVE THOU NEUER THAT TALE VNTRWE THOU HIT FYNDE3 . . . . . . CLN 587
THAY LEST OF LOTE3 LOGGING ANY LYSOUN TO FYNDE . . . . CLN 887
WITH ALLE THI HERE VPON HASTE TYL THOU A HIL FYNDE. . . . . . CLN 902
SCOLERES SKELTEN THERATTE THE SKYL FOR TO FYNDE. . . . . . . CLN 1554
BY VCH FYGURE AS I FYNDE AS OURE FADER LYKES. . . . . CLN 1726
IN PHARES FYNDE I FORSOTHE THISE FELLE SA3ES. . . . . CLN 1737
BOT ONE CRONICLE OF THIS KYNGE CON WE NEUER FYNDE . . . . . . ERK 156
THAT PINE TO FYNDE THE PLACE THE PEPLE BIFORNE . . . . GGK 123
AND AS THOU FOLY HAT3 FRAYST FYNDE THE BEHOUES . . . . GGK 324
AND LAYTE AS LELLY TIL THOU ME LUDE FYNDE. . . . . GGK 449
FORTHI ME FOR TO FYNDE IF THOU FRAYSTE3 FAYLE3 THOU NEUER . . GGK 455
THE FYFT FYUE THAT I FINDE THAT THE FREK VSED . . . . GGK 651
TO FYNDE HYS FERE VPON FOLDE IN FAYTH IS NOT ETHE . . . . . . GGK 676
I NE WOT IN WORLDE WHEDERWARDE TO WENDE HIT TO FYNDE . . . . . GGK 1053
FOR I HAF FRAYSTED THE TWYS AND FAYTHFUL I FYNDE THE . . . . . GGK 1679
WITHOUTEN ENDE AT ANY NOKE AIQUERE I FYNDE . . . . GGK V 660
BOT HYM FAYLED NO FREKE THAT HE FYNDE MY3T . . . . PAT 181
THAT IN HIS MYLDE AMESYNG HE MERCY MAY FYNDE. . . . . PAT 400
TO FYNDE A FORTHE FASTE CON I FONDE. . . . . PRL 150
FINDE (V. FIND)

FINDING

THE FYNDYNGE OF THAT FERLY WITH FYNGER HE MYNTE. ERK 145
THAY FERDEN TO THE FYNDYNG AND FREKE3 HEM AFTER. GGK 1433

FINDS

HE CROUKE3 FOR COMFORT WHEN CARAYNE HE FYNDE3 CLN 459
AND WHEN HO FYNDE3 NO FOLDE HER FOTE ON TO PYCHE CLN 477
AND THERE HE FYNDE3 AL FAYRE A FREKE WYTHINNE CLN 593
WYTH CHARGED CHARIOTES THE CHEFTAYN HE FYNDE3 CLN 1295
SO MONY MERUAYL BI MOUNT THER THE MON FYNDE3. GGK 718
FYNDE3 FIRE VPON FLET THE FREKE THERBYSIDE GGK 1925
FYNDES HE A FAYR SCHYP TO THE FARE REDY PAT 98
THE BLYTHE BRETHE AT HER BAK THE BOSUM HE FYNDES PAT 107
IN VCHE A NOK OF HIS NAUEL BOT NOWHERE HE FYNDE3 PAT 278
THE WHAL WENDE3 AT HIS WYLLE AND A WARTHE FYNDE3 PAT 339
AND FYNDE3 THER SUMME TO HYS PORPOS. PRL 508
AND YDEL MEN STANDE HE FYNDE3 THERATE PRL 514

FINE (CP. FON)

NOW FYFTY FYN FRENDE3 WER FOUNDE IN 3ONDE TOUNE. CLN 721
OF ALLE FETURE3 FUL FYN AND FAUTLE3 BOTHE. CLN 794
THENN FARE FORTH QUOTH THAT FRE AND FYNE THOU NEUER CLN 929
WYTHOUTEN FAUT OTHER FYLTHE 3IF HO FYN WERE CLN 1122
IN FROKKES OF FYN CLOTH AS FORWARD HIT ASKED. CLN 1742
ANANDE THAT IN FASTYNGE OF 3OUR FAITHE AND OF FYNE BILEUE ERK 173
THE FOLE THAT HE FERKKES ON FYN OF THAT ILKE. GGK 173
SYN WE HAF FONGED THAT FYNE FADER OF NURTURE. GGK 919
ME BEHOUE3 OF FYNE FORCE GGK 1239
BI FYN FORWARDE AND FASTE FAYTHELY 3E KNOWE GGK 1636
THAT WAT3 FURRED FUL FYNE WITH FELLE3 WEL PURED. GGK 1737
SO FAUTLES OF HIR FETURES AND OF SO FYNE HEWES GGK 1761
AS FYLDOR FYN HER BONKES BRENT PRL 106
HER FYGURE FYN QUEN I HAD FONTE PRL 170
SCHAL I EFTE FORGO HIT ER EUER I FYNE PRL 328
STYNT OF THY STROT AND FYNE TO FLYTE PRL 353
3YS AND PAY HEM AT THE FYRST FYNE PRL 635
A GOD A LORDE A FRENDE FUL FYIN PRL 1204

FINELY

I WOWCHE HIT SAF FYNLY THA3 FELER HIT WERE GGK 1391

FINEST

FURRID ME FOR THE FYNEST OF FAITHE THER WITHINNE ERK 252
FURRID ME FOR THE FYNEST OF FAITHE ME WITHINNE ERK V 252

FINGER

THE FYNDYNGE OF THAT FERLY WITH FYNGER HE MYNTE. ERK 145
THEN LETTES HIT HYM FUL LITELLE TO LOUSE WYT A FYNGER. ERK 165
ON ARME OTHER FYNGER THA3 THOU BER BY3E PRL 466

FINGERS

THAT FOR FETYS OF HIS FYNGERES FONDED HE NEUER CLN 1103
THER APERED A PAUME WYTH POYNTEL IN FYNGRES CLN 1533
FOR AL HIT FRAYES MY FLESCHE THE FYNGRES SO GRYMME. CLN 1553
THE FYSTE WYTH THE FYNGERES THAT FLAYED THI HERT CLN 1723
AND EFTE FAYLED NEUER THE FREKE IN HIS FYUE FYNGRES GGK 641
TWO FYNGERES THAY FONDE OF THE FOWLEST OF ALLE GGK 1329
NO3T BOT AROUNDE BRAYDEN BETEN WITH FYNGRE3 GGK 1833

FIRE (ALSO V. FYRRE)

QUYL I FETE SUMQUAT FAT THOU THE FYR BETE. CLN 627
OF FELLE FLAUNKES OF FYR AND FLAKES OF SOUFRE CLN 954
AS A FORNES FUL OF FLOT THAT VPON FYR BOYLES. CLN 1011
THAT THE FYR OF THE FLYNT FLA3E FRO FOLE HOUES GGK 459
THER FAYRE FYRE VPON FLET FERSLY BRENNED GGK 832
FELLE FACE AS THE FYRE AND FRE OF HYS SPECHE. GGK 847

Word / Line	Text	Line no.
ABOUT THE FYRE VPON FLET AND ON FELE WYSE.	GGK	1653
WYTH BLYS AND BRY3T FYR BETTE.	GGK	1368
FYNDE3 FIRE VPON FLET THE FREKE THERBYSIDE	GGK	1925
FIRES		
POYSENED AND PARLATYK AND PYNED IN FYRES	CLN	1095
FIRMAMENT		
FELLEN FRO THE FYRMAMENT FENDE3 FUL BLAKE.	CLN	221
FIRMED		
FERMED IN ARTHURE3 HALLE3	GGK V	2329
FIRRE (V. FYRRE)		
FIRST		
FOR THE FYRSTE FELONYE THE FALCE FENDE WRO3T.	CLN	205
SWEUED AT THE FYRST SWAP AS THE SNAW THIKKE	CLN	222
FYRST FENG TO THE FLY3T ALLE THAT FLE MY3T	CLN	377
MYRYLY ON A FAYR MORN MONYTH THE FYRST.	CLN	493
THAT FALLE3 FORMAST IN THE 3ER AND THE FYRST DAY	CLN	494
FOR LOKE FRO FYRST THAT HE LY3T WYTHINNE THE LEL MAYDEN	CLN	1069
FYRST KNEW HIT THE KYNG AND ALLE THE CORT AFTER.	CLN	1530
FYRST TELLE ME THE TYXTE OF THE TEDE LETTRES.	CLN	1634
THAT IN HIS HOWS HYM TO HONOUR WERE HEUENED OF FYRST	CLN	1714
THAT BLYTHELY WERE FYRST BLEST WYTH BISCHOPES HONDES	CLN	1718
THAT THE FUNDEMENT ON FYRST SHULD THE FOTE HALDE	ERK	42
THE DENE OF THE DERE PLACE DEUYSIT AL ON FYRST	ERK	144
FYRST TO SAY THE THE SOTHE QUO MYSELFE WERE	ERK	197
AFTER THAT BRUTUS THIS BURGHE HAD BUGGID ON FYRSTE.	ERK	207
THE FYRST SLENT THAT ON ME SLODE SLEKKYD AL MY TENE	ERK	331
WITH GRET BOBBAUNCE THAT BUR3E HE BIGES VPON FYRST.	GGK	9
FOR AL WAT3 THIS FAYRE FOLK IN HER FIRST AGE.	GGK	54
THEN THE FIRST CORS COME WITH CRAKKYNG OF TRUMPES	GGK	116
AND THE FYRST COURCE IN THE COURT KYNDELY SERUED	GGK	135
THE FYRST WORD THAT HE WARP WHER IS HE SAYD	GGK	224
AND I SCHAL BIDE THE FYRST BUR AS BARE AS I SITTE	GGK	290
IF HE HEM STOWNED VPON FYRST STILLER WERE THANNE	GGK	301
AND I HAUE FRAYNED HIT AT YOW FYRST FOLDE3 HIT TO ME	GGK	359
FYRST I ETHE THE HATHEL HOW THAT THOU HATTES.	GGK	379
THIS HANSELLE HAT3 ARTHUR OF AUENTURUS ON FYRST.	GGK	491
THENNE AL RYPE3 AND ROTE3 THAT ROS VPON FYRST	GGK	528
FYRST A TULE TAPIT TY3T OUER THE FLET	GGK	568
FYRST HE WAT3 FUNDEN FAUTLE3 IN HIS FYUE WYTTE3.	GGK	640
QUYLE FORTH DAYE3 AND FERK ON THE FYRST OF THE 3ERE	GGK	1072
AT THE FYRST QUETHE OF THE QUEST QUAKED THE WYLDE	GGK	1150
THE HUNT REHAYTED THE HOUNDE3 THAT HIT FYRST MYNGED	GGK	1422
FOR THRE AT THE FYRST THRAST HE THRY3T TO THE ERTHE	GGK	1443
SIR WAWEN HER WELCUMED WORTHY ON FYRST.	GGK	1477
FOR THE MON MERKKE3 HYM WEL AS THAY METTE FYRST.	GGK	1592
FYRST HE HEWES OF HIS HED AND ON HI3E SETTE3.	GGK	1607
I SCHAL FYLLE VPON FYRST OURE FORWARDE3 NOUTHE	GGK	1934
THENNE LO3LY HIS LEUE AT THE LORDE FYRST	GGK	1960
FYRST HE CLAD HYM IN HIS CLOTHE3 THE COLDE FOR TO WERE	GGK	2015
AND AL WAT3 FRESCH AS VPON FYRST AND HE WAT3 FAYN THENNE.	GGK	2019
AND THE GOME IN THE GRENE GERED AS FYRST	GGK	2227
FYRST I MANSED THE MURYLY WITH A MYNT ONE.	GGK	2345
FOR THE FORWARDE THAT WE FEST IN THE FYRST NY3T.	GGK	2347
AS THOU HADE3 NEUER FORFETED SYTHEN THOU WAT3 FYRST BORNE	GGK	2394
SYTHEN BRUTUS THE BOLDE BURNE BO3ED HIDER FYRST.	GGK	2524
FURST TOMURTE MONY ROP AND THE MAST AFTER.	PAT	150
FYRST THAY PRAYEN TO THE PRYNCE THAT PROPHETES SERUEN.	PAT	225
FYRST I MADE HEM MYSELF OF MATERES MYN ONE	PAT	503
ME THYNK THE BURDE FYRST ASKE LEUE	PRL	316

AND QUEN MAD ON THE FYRST DAY. . . . PRL 486
TYL TO THE FYRSTE THAT THOU ATTENY . . . PRL 548
AND THENNE THE FYRST BYGONNE TO PLENY . . . PRL 549
THE LASTE SCHAL BE THE FYRST THAT STRYKE3. . . . PRL 570
AND THE FYRST THE LASTE BE HE NEUER SO SWYFT. . . . PRL 571
FYRST OF MY HYRE MY LORDE CON MYNNE. . . . PRL 583
3YS AND PAY HEM AT THE FYRST FYNE . . . PRL 635
FYRSTE WAT3 WRO3T TO BLYSSE PARFYT . . . PRL 638
JASPER HY3T THE FYRST GEMME . . . PRL 999
THAT I ON THE FYRST BASSE CON WALE . . . PRL 1000
THE ALDEST AY FYRST THERON WAT3 DONE . . . PRL 1042

FISCHE3 (V. FISHES)

FISH
VCHE FYSCH TO THE FLOD THAT FYNNE COUTHE NAYTE . . . CLN 531
THAT FRAYSTE3 FLESCH WYTH THE FYSCHE AND FODE MORE SYMPLE . . . GGK 503
THE FOLK 3ET HALDANDE HIS FETE THE FYSCH HYM TYD HENTES . . . PAT 251
THA3 WERE WANLE3 OF WELE IN WOMBE OF THAT FISSCHE . . . PAT 262
THENNE OURE FADER TO THE FYSCH FERSLYCH BIDDE3 . . . PAT 337

FISHES
FRO THE BURNE TO THE BEST FRO BRYDDE3 TO FYSCHE3 . . . CLN 288
DOUBLEFELDE AS HIT FALLE3 AND FELE KYN FISCHE3 . . . GGK 890
AND EFTE BUSCHED TO THE ABYME THAT BREED FYSCHES . . . PAT 143

FISSCHE (V. FISH)

FIST
NON OTHER FORME BOT A FUST FAYLANDE THE WRYSTE . . . CLN 1535
THE FYSTE WYTH THE FYNGERES THAT FLAYED THI HERT . . . CLN 1723
THAT I SCHAL FANGE AT THY FUST THAT I HAF FRAYST HERE. . . . GGK 391

FIVE
WHAT IF FYUE FAYLEN OF FYFTY THE NOUMBRE . . . CLN 737
AND FYUE WONT OF FYFTY QUOTH GOD I SCHAL FOR3ETE ALLE. . . . CLN 739
THER SO3T NO MO TO SAUEMENT OF CITIES ATHEL FYUE . . . CLN 940
THER THE FYUE CITEES WERN SET NOV IS A SEE CALLED . . . CLN 1015
FOR HIT IS A FIGURE THAT HALDE3 FYUE POYNTE3. . . . GGK 627
FOR AY FAYTHFUL IN FYUE AND SERE FYUE SYTHE3. . . . GGK 632
FOR AY FAYTHFUL IN FYUE AND SERE FYUE SYTHE3. . . . GGK 632
FYRST HE WAT3 FUNDEN FAUTLE3 IN HIS FYUE WYTTE3. . . . GGK 640
AND EFTE FAYLED NEUER THE FREKE IN HIS FYUE FYNGRES . . . GGK 641
AND ALLE HIS AFYAUNCE VPON FOLDE WAT3 IN THE FYUE WOUNDE3 . . . GGK 642
THAT ALLE HIS FORSNES HE FONG AT THE FYUE JOYE3. . . . GGK 646
THE FYFT FYUE THAT I FINDE THAT THE FREK VSED . . . GGK 651
AND PITE THAT PASSE3 ALLE POYNTE3 THYSE PURE FYUE . . . GGK 654
NOW ALLE THESE FYUE SYTHE3 FORSOTHE WERE FETLED ON THIS KNY3T . GGK 656
AND FYCHED VPON FYUE POYNTE3 THAT FAYLD NEUER . . . GGK 658
NOW I FELE HIT IS THE FENDE IN MY FYUE WYTTE3 . . . GGK 2193
THAT ALLE HIS FERSNES HE FENG AT THE FYUE JOYE3. . . . GGK V 646
AND WOLDE HER COROUNE3 WERN WORTHE THO FYUE . . . PRL 451
BOT VCHON ENLE WE WOLDE WERE FYF. . . . PRL 849

FLAKE
AND AS HYS FLOK IS WYTHOUTEN FLAKE . . . PRL 947

FLAKERANDE
FOLES IN FOLER FLAKERANDE BITWENE . . . CLN 1410

FLAKES
OF FELLE FLAUNKES OF FYR AND FLAKES OF SOUFRE . . . CLN 954

FLAMBE (V. FLAME)

FLAME
WHY MASKELLE3 BRYD THAT BRY3T CON FLAMBE . . . PRL 769

FLAMING
AND ALLE THE FRUYT IN THO FORMES OF FLAUMBEANDE GEMMES . . . CLN 1468
OF FLAUMBANDE HWE3 BOTHE SMALE AND GRETE . . . PRL 90

FLAT
FALLE3 VPON FAYRE FLAT FLOWRE3 THERE SCHEWEN. . . . . GGK 507
FLAUMBANDE (V. FLAMING)
FLAUMBEANDE (V. FLAMING)
FLAUNKES
OF FELLE FLAUNKES OF FYR AND FLAKES OF SOUFRE . . . . CLN 954
FLAUORE3 (V. FLAVORS)
FLAVORS
SO FRECH FLAUORE3 OF FRYTE3 WERE. . . . . PRL 87
FLAWEN (V. FLED)
FLAY
FOR VS HE LETTE HYM FLY3E AND FOLDE. . . . . PRL 813
FLAYED
AND FERLY FLAYED THAT FOLK THAT IN THOSE FEES LENGED . . . . . CLN 960
THE FYSTE WYTH THE FYNGERES THAT FLAYED THI HERT . . . . . . CLN 1723
THENNE SUCH A FERDE ON HEM FEL AND FLAYED HEM WYTHINNE . . . . PAT 215
WYTH BOFFETE3 WAT3 HYS FACE FLAYN . . . . PRL 809
FLAYN (V. FLAYED)
FLA3 (V. FLED, FLEW)
FLA3T
I FELLE VPON THAT FLOURY FLA3T . . . . PRL 57
FLE (V. FLEE)
FLEE3 (V. FLEECE)
FLED
AND THAY KAYRE NE CON AND KENELY FLOWEN . . . . CLN 945
FERLY FERDE WAT3 HER FLESCH THAT FLOWEN AY ILYCHE . . . . CLN 975
OF THE WERE OF THE WYLDE SWYN IN WOD THER HE FLED . . . . . . GGK 1628
MY HEDE FLA3 TO MY FOTE AND 3ET FLA3 I NEUER. . . . . GGK 2276
HE WAT3 FLOWEN FOR FERDE OF THE FLODELOTES . . . . PAT 183
THAT HE WAT3 FLAWEN FRO THE FACE OF FRELYCH DRY3TYN . . . . . PAT 214
AND THERFORE I WOLDE HAF FLOWEN FER INTO TARCE . . . . PAT 424
FLEE
FYRST FENG TO THE FLY3T ALLE THAT FLE MY3T . . . . CLN 377
IF I ME FELE VPON FOTE THAT I FLE MO3T. . . . . CLN 914
THAT EUER 3E FONDET TO FLE FOR FREKE THAT I WYST . . . . . . GGK 2125
FOUNDED FOR FERDE FOR TO FLE IN FOURME THAT THOU TELLE3 . . . . GGK 2130
AND NOW THOU FLES FOR FERDE ER THOU FELE HARME3. . . . . . . GGK 2272
THY WORDE BYFORE THY WYTTE CON FLE . . . . PRL 294
FLEECE
AND FYOLES FRETTED WYTH FLORES AND FLEE3 OF GOLDE . . . . CLN 1476
FLEET
THAT SO FELE FOLK SCHAL FALLE FRO TO FLETE ALL THE WORLDE . . . CLN 685
FLEETED
SYTHEN THE WYLDE OF THE WODE ON THE WATER FLETTE . . . . . . CLN 387
FER FLOTEN FRO HIS FRENDE3 FREMEDLY HE RYDE3. . . . . GGK 714
SO FELLE FLONE3 THER FLETE WHEN THE FOLK GEDERED . . . . . . GGK 1566
FORSOTHE THER FLETEN TO ME FELE . . . . PRL 21
FLEETS
FOR LAY THERON A LUMP OF LED AND HIT ON LOFT FLETE3 . . . . . CLN 1025
FLEM
THE GRETE FLEM OF THY FLOD FOLDED ME VMBE. . . . . PAT 309
FLEME
AND FLEME OUT OF THE FOLDE AL THAT FLESCH WERE3. . . . . . . CLN 287
NE HOW FER OF FOLDE THAT MAN ME FLEME . . . . PRL 334
AND THY LURE3 OF LY3TLY FLEME. . . . . PRL 358
FLEME3
FOR HE THAT FLEMUS VCH FYLTHE FER FRO HIS HERT . . . . CLN 31
AND HARDE HONYSE3 THISE OTHER AND OF HIS ERDE FLEME3 . . . . . CLN 596
FLEMUS (V. FLEME3)

FLES (V. FLEE)
FLESCH (V. FLESH)
FLESCHE (V. FLESH)
FLESCHLY (V. FLESHLY)
FLESCHLYCH (V. FLESHLY)
FLESH

AS FOR FYLTHE OF THE FLESCH THAT FOLES HAN VSED.	CLN	202
SO FERLY FOWLED HER FLESCH THAT THE FENDE LOKED.	CLN	269
AND FLEME OUT OF THE FOLDE AL THAT FLESCH WERE3.	CLN	287
THE ENDE OF ALLEKYNE3 FLESCH THAT ON VRTHE MEUE3	CLN	303
SCHAL NO FLESCH VPON FOLDE BY FONDEN ONLYUE	CLN	356
BY FORTY DAYE3 WERN FAREN ON FOLDE NO FLESCH STYRYED	CLN	403
FALLE3 ON THE FOULE FLESCH AND FYLLE3 HIS WOMBE.	CLN	462
IN THE FYLTHE OF THE FLESCH THAT THOU BE FOUNDEN NEUER	CLN	547
QUEN FORFERDE ALLE THE FLESCH THAT HE FORMED HADE	CLN	560
THAT THAY HAN FOUNDEN IN HER FLESCH OF FAUTE3 THE WERST . . .	CLN	694
FERLY FERDE WAT3 HER FLESCH THAT FLOWEN AY ILYCHE	CLN	975
THAT FEL FRETES AND FLESCH AND FESTRED BONES.	CLN	1040
FOR AL HIT FRAYES MY FLESCHE THE FYNGRES SO GRYMME.	CLN	1553
THAT FEL FRETES THE FLESCH AND FESTRES BONES.	CLN V	1040
AND ALS FRESHE HYM THE FACE AND THE FLESHE NAKYDE	ERK	89
THAT FRAYSTE3 FLESCH WYTH THE FYSCHE AND FODE MORE SYMPLE . .	GGK	503
HO WAT3 THE FAYREST IN FELLE OF FLESCHE AND OF LYRE	GGK	943
SYTHEN FONGE THAY HER FLESCHE FOLDEN TO HOME.	GGK	1363
THE SCHARP SCHRANK TO THE FLESCHE THUR3 THE SCHYRE GRECE. . .	GGK	2313
THE FAUT AND THE FAYNTYSE OF THE FLESCHE CRABBED	GGK	2435
THA3 FORTUNE DYD YOUR FLESCH TO DY3E	PRL	306
FRO THAT OURE FLESCH BE LAYD TO ROTE	PRL	958

FLESHE (V. FLESH)
FLESHLY

AND THENNE FOUNDEN THAY FYLTHE IN FLESCHLYCH DEDE3.	CLN	265
NO FLESCHLY HERT NE MY3T ENDEURE.	PRL	1082

FLET

AND I SCHAL STONDE HYM A STROK STIF ON THIS FLET	GGK	294
FYRST A TULE TAPIT TY3T OUER THE FLET	GGK	568
THER FAYRE FYRE VPON FLET FERSLY BRENNED	GGK	832
AND VNDER FETE ON THE FLET OF FOL3ANDE SUTE	GGK	859
BIFORE ALLE THE FOLK ON THE FLETTE FREKE3 HE BEDDE3	GGK	1374
ABOUT THE FYRE VPON FLET AND ON FELE WYSE.	GGK	1653
FYNDE3 FIRE VPON FLET THE FREKE THERBYSIDE , ...	GGK	1925
AS THAT FOYSOUN FLODE OUT OF THAT FLET.	PRL	1058

FLETE (V. FLEET, FLEETED)
FLETEN (V. FLEETED)
FLETE3 (V. FLEETS)
FLETTE (V. FLEETED, FLET)
FLEW

THAT EUER FLOTE OTHER FLWE OTHER ON FOTE 3EDE	CLN	432
ASKE3 VPE IN THE AYRE AND VSELLE3 THER FLOWEN	CLN	1010
THAT THE FYR OF THE FLYNT FLA3E FRO FOLE HOUES	GGK	459
NAWTHER FYKED I NE FLA3E FREKE QUEN THOU MYNTEST	GGK	2274
MY HEDE FLA3 TO MY FOTE AND 3ET FLA3 I NEUER.	GGK	2276
THAT FRELES FLE3E OF HYR FASOR	PRL	431

FLE3E (V. FLEW)
FLIES

THAT WERE ENBRAUDED ABOF WYTH BRYDDES AND FLY3ES	GGK	166

FLIGHT

FYRST FENG TO THE FLY3T ALLE THAT FLE MY3T	CLN	377
AND HE FONGE3 TO THE FLY3T AND FANNE3 ON THE WYNDE3	CLN	457
VCHE FOWLE TO THE FLY3T THAT FYTHERE3 MY3T SERUE	CLN	530

FLINT		
THAT THE FYR OF THE FLYNT FLA3E FRO FOLE HOUES	GGK	459
FLITE		
BOT FLOTE FORTHE WYTH THE FLYT OF THE FELLE WYNDE3.	CLN	421
STYNT OF THY STROT AND FYNE TO FLYTE	PRL	353
FLITING		
FRO FAWRE HALF OF THE FOLDE FLYTANDE LOUDE	CLN	950
FLOATED		
BOT FLOTE FORTHE WYTH THE FLYT OF THE FELLE WYNDE3.	CLN	421
THAT EUER FLOTE OTHER FLWE OTHER ON FOTE 3EDE	CLN	432
THAT WAT3 BETEN FRO THE ABYME BI THAT BOT FLOTTE	PAT	248
A FAYR REFLAYR 3ET FRO HIT FLOT	PRL	46
FLOATY		
THE FYRRE I FOL3ED THOSE FLOTY VALE3	PRL	127
FLOCK		
AND AS HYS FLOK IS WYTHOUTEN FLAKE	PRL	947
FLOCKED		
AND THERON FLOKKED THE FOLKE FOR FERDE OF THE WRAKE	CLN	386
THENNE FERSLY THAY FLOKKED IN FOLK AT THE LASTE.	GGK	1323
FLOCKS		
IN GRETE FLOKKE3 OF FOLK THAY FALLEN TO HIS 3ATE3	CLN	837
FOR HIS FOES IN THE FELDE IN FLOKKES FUL GRETE	CLN	1767
FLOD (V. FLOOD)		
FLODE (V. FLOOD)		
FLODE3 (V. FLOODS)		
FLODELOTES		
HE WAT3 FLOWEN FOR FERDE OF THE FLODELOTES	PAT	183
FLOK (V. FLOCK)		
FLOKKED (V. FLOCKED)		
FLOKKES (V. FLOCKS)		
FLOKKE3 (V. FLOCKS)		
FLONC (V. FLUNG)		
FLONE		
AT VCHE WENDE VNDER WANDE WAPPED A FLONE	GGK	1161
FLONE3		
SO FELLE FLONE3 THER FLETE WHEN THE FOLK GEDERED	GGK	1566
FLOOD		
FON NEUER IN FORTY DAYE3 AND THEN THE FLOD RYSES	CLN	369
BI THAT THE FLOD TO HER FETE FLO3ED AND WAXED	CLN	397
THAT THE FLOD NADE AL FRETEN WYTH FE3TANDE WA3E3	CLN	404
HIT WALTERED ON THE WYLDE FLOD WENT AS HIT LYSTE	CLN	415
AND THRYE3 FYFTY THE FLOD OF FOLWANDE DAYE3	CLN	429
3ET FYNED NOT THE FLOD NE FEL TO THE BOTHEME3	CLN	450
VCHE FYSCH TO THE FLOD THAT FYNNE COUTHE NAYTE	CLN	531
THE HOLEFOTED FOWLE TO THE FLOD HY3E3	CLN	538
AND FER OUER THE FRENCH FLOD FELIX BRUTUS.	GGK	13
BI A FOR3 OF A FLODE THAT FERKED THARE.	GGK	2173
FOR HE WAT3 FER IN THE FLOD FOUNDANDE TO TARCE	PAT	126
IN BLUBER OF THE BLO FLOD BURSTEN HER ORES	PAT	221
THE GRETE FLEM OF THY FLOD FOLDED ME VMBE.	PAT	309
SO SAYDE THE FADER OF FOLDE AND FLODE	PRL	736
AS THAT FOYSOUN FLODE OUT OF THAT FLET.	PRL	1058
FLOODS		
AND QUELLE ALLE THAT IS QUIK WYTH QUAUENDE FLODE3	CLN	324
LYK FLODE3 FELE LADEN RUNNEN ON RESSE	PRL	874
FLOOR		
BOT AS HE FERKED OUER THE FLOR HE FANDE WYTH HIS Y3E	CLN	133
THAI FOUNDEN FOURMYT ON A FLORE A FERLY FAIRE TOUMBE	ERK	46
FOR TO METE WYTH MENSKE THE MON ON THE FLOR	GGK	834

HE METE3 ME THIS GODMON INMYDDE3 THE FLORE . . . . GGK 1932
FLOR (V. FLOOR, FLOWER)
FLOR-DE-LYS
QUEN THAT FRECH AS FLOR-DE-LYS . . . . PRL 195
THY COLOUR PASSE3 THE FLOUR-DE-LYS . . . . PRL 753
FLORE (V. FLOOR)
FLORES (V. FLOWERS)
FLOSCHE
BITWENE A FLOSCHE IN THAT FRYTH AND A FOO CRAGGE . . . . . . GGK 1430
FLOSED
FAXE FYLTERED AND FELT FLOSED HYM VMBE. . . . . CLN 1689
FLOT (ALSO V. FLOATED, FLOTE)
AS A FORNES FUL OF FLOT THAT VPON FYR BOYLES. . . . . CLN 1011
FLOTE (ALSO V. FLOATED)
FOL3ANDE THAT OTHER FLOTE AND FONDE HEM BILYUE . . . . CLN 1212
A HONDRED AND FORTY FOWRE THOWSANDE FLOT . . . . PRL 786
HAT3 FERYED THYDER HYS FAYRE FLOTE . . . . PRL 946
A HONDRED AND FORTY THOWSANDE FLOT . . . . PRL 1 786
A HONDRED AND FORTY THOWSANDE FLOT . . . . PRL 3 786
FLOTEN (V. FLEETED)
FLOTEN (V. FLEETED)
FLOTTE (V. FLOATED)
FLOTY (V. FLOATY)
FLOUR (V. FLOOR)
FLOURY (V. FLOWERY)
FLOWED
BI THAT THE FLOD TO HER FETE FLO3ED AND WAXED . . . . CLN 397
TOWALTEN ALLE THYSE WELLEHEDE3 AND THE WATER FLOWED . . . . . CLN 428
FLOWEN (V. FLED, FLEW, FLOWN)
FLOWER
FLOR AND FRYTE MAY NOT BE FEDE . . . . PRL 29
THAT BER A BARNE OF VYRGYN FLOUR. . . . . PRL 426
THEN SAYDE I TO THAT LUFLY FLOR . . . . PRL 962
FLOWERED
THAT FLOWRED AND FAYLED AS KYNDE HYT GEF . . . . PRL 270
FLOWERS
AND FYOLES FRETTED WYTH FLORES AND FLEE3 OF GOLDE . . . . . . CLN 1476
FALLE3 VPON FAYRE FLAT FLOWRE3 THERE SCHEWEN. . . . . GGK 507
WYTH FLURTED FLOWRE3 PERFET VPON. . . . . PRL 208
FLOWERY
I FELLE VPON THAT FLOURY FLA3T . . . . PRL 57
FLOWN
FOWLE3 THER FLOWEN IN FRYTH IN FERE. . . . . PRL 89
FLOWRED (V. FLOWERED)
FLOWRE3 (V. FLOWERS)
FLO3ED (V. FLOWED)
FLUNG
HIT PAYED HYM NOT THAT I SO FLONC . . . . PRL 1165
FLURTED
WYTH FLURTED FLOWRE3 PERFET VPON. . . . . PRL 208
FLWE (V. FLEW)
FLY
FRO THE FACE OF THE FOLDE TO FLY3E FUL HY3E . . . . GGK 524
FLYNT (V. FLINT)
FLYT (V. FLITE)
FLYTANDE (V. FLITING)
FLYTE (V. FLITE)
FLY3E (V. FLAY, FLY)
FLY3ES (V. FLIES)

FLY3T (V. FLIGHT)

FNAST

HEF HY3LY THE HERE SO HETTERLY HE FNAST	GGK	1587

FNASTED

HIS FELA3ES FALLEN HYM TO THAT FNASTED FUL THIKE	GGK	1702

FO (V. FOE)

FOAL

FESTNED FETTRES TO HER FETE VNDER FOLE WOMBES	CLN	1255
THE FOLE THAT HE FERKKES ON FYN OF THAT ILKE.	GGK	173
SUCH A FOLE VPON FOLDE NE FREKE THAT HYM RYDES	GGK	196
THAT THE FYR OF THE FLYNT FLA3E FRO FOLE HOUES	GGK	459
HADE HE NO FERE BOT HIS FOLE BI FRYTHE3 AND DOUNE3.	GGK	695
THE FRE FREKE ON THE FOLE HIT FAYR INNOGHE THO3T	GGK	803

FOCH (V. FETCH)

FOCHCHE3 (V. FETCHES)

FODE (V. FOOD)

FODE3 (CP. FOOD)

HOW ALLE FODE3 THER FARE ELLE3 HE FYNDE METE.	CLN	466

FOE

AND HE THE FAYNEST FREKE THAT HE HIS FO HADE.	CLN	1219
HE FONDE A FOO HYM BYFORE BOT FERLY HIT WERE.	GGK	716
BITWENE A FLOSCHE IN THAT FRYTH AND A FOO CRAGGE	GGK	1430
AND FOO	GGK	2326

FOE-MAN

FORTHI OURE FADER VPON FOLDE A FOMAN HYM WAKNED.	CLN	1175

FOES

FOR HIS FOES IN THE FELDE IN FLOKKES FUL GRETE	CLN	1767

FOE-SHIP

NE WHETHER HIS FOOSCHIP ME FOL3E3 BIFORE OTHER BIHYNDE	CLN	918
THE FREKE SAYDE NO FOSCHIP OURE FADER HAT3 THE SCHEWED	CLN	919

FOGGE

HE FARES FORTH ON ALLE FAURE FOGGE WAT3 HIS METE	CLN	1683

FOISON

FOYSOUN OF THE FRESCHE AND ON SO FELE DISCHES	GGK	122
AS THAT FOYSOUN FLODE OUT OF THAT FLET.	PRL	1058

FOL (V. FOOL)

FOLD

THAT WAT3 FOR FYLTHE VPON FOLDE THAT THE FOLK VSED.	CLN	251
FOR HIT WAS THE FORMEFOSTER THAT THE FOLDE BRED.	CLN	257
AND FLEME OUT OF THE FOLDE AL THAT FLESCH WERE3.	CLN	287
SCHAL NO FLESCH VPON FOLDE BY FONDEN ONLYUE	CLN	356
BY FORTY DAYE3 WERN FAREN ON FOLDE NO FLESCH STYRYED	CLN	403
AND WHEN HO FYNDE3 NO FOLDE HER FOTE ON TO PYCHE	CLN	477
THE FOWRE FREKE3 OF THE FOLDE FONGE3 THE EMPYRE.	CLN	540
FRO FAWRE HALF OF THE FOLDE FLYTANDE LOUDE	CLN	950
THAT FOUNDERED HAT3 SO FAYR A FOLK AND THE FOLDE SONKKEN.	CLN	1014
AND FOLDE THERON A LY3T FYTHER AND HIT TO FOUNS SYNKKE3	CLN	1026
AND THE FAYREST FRYT THAT MAY ON FOLDE GROWE.	CLN	1043
TO DEFOWLE HIT EUER VPON FOLDE FAST HE FORBEDES.	CLN	1147
FORTHI OURE FADER VPON FOLDE A FOMAN HYM WAKNED.	CLN	1175
FYLSENED EUER THY FADER AND VPON FOLDE CHERYCHED	CLN	1644
IF HE HAT3 FORMED THE FOLDE AND FOLK THERVPONE	CLN	1665
MO FERLYES ON THIS FOLDE HAN FALLEN HERE OFT.	GGK	23
SUCH A FOLE VPON FOLDE NE FREKE THAT HYM RYDES	GGK	196
I MAY BE FUNDE VPON FOLDE AND FOCH THE SUCH WAGES	GGK	396
THE KAY FOT ON THE FOLDE HE BEFORE SETTE	GGK	422
FRO THE FACE OF THE FOLDE TO FLY3E FUL HY3E	GGK	524
AND ALLE HIS AFYAUNCE VPON FOLDE WAT3 IN THE FYUE WOUNDE3	GGK	642
TO FYNDE HYS FERE VPON FOLDE IN FAYTH IS NOT ETHE	GGK	676

AYTHER OTHER IN ARME3 CON FELDE . . . . GGK 841
THER SCHULDE NO FREKE VPON FOLDE BIFORE YOW BE CHOSEN. . . . . GGK 1275
FERLY FAYRE WAT3 THE FOLDE FOR THE FORST CLENGED . . . . GGK 1694
THE FORME WORDE VPON FOLDE THAT THE FREKE MELED. . . . . GGK 2373
NE HOW FER OF FOLDE THAT MAN ME FLEME . . . . PRL 334
KNELANDE TO GROUNDE FOLDE VP HYR FACE . . . . PRL 434
SO SAYDE THE FADER OF FOLDE AND FLODE . . . . PRL 736
FOR VS HE LETTE HYM FLY3E AND FOLDE. . . . . PRL 813
FOLDE (V. FOLD)
FOLDED
FOLDEN IN WYTH FILDORE ABOUTE THE FAYRE GRENE . . . . GGK 189
HIR FROUNT FOLDEN IN SYLK ENFOUBLED AYQUERE . . . . GGK 959
SYTHEN FONGE THAY HER FLESCHE FOLDEN TO HOME. . . . . GGK 1363
AND FOLDEN FAYTH TO THAT FRE FESTNED SO HARDE . . . . GGK 1783
THE GRETE FLEM OF THY FLOD FOLDED ME VMBE. . . . . PAT 309
FOLDEN (V. FOLDED)
FOLDE3 (V. FOLDS)
FOLDS
AND I HAUE FRAYNED HIT AT YOW FYRST FOLDE3 HIT TO ME . . . . . GGK 359
THE FORME TO THE FYNISMENT FOLDE3 FUL SELDEN. . . . . GGK 499
FOLE (V. FOAL, FOOL, FOLLY)
FOLES (V. FOOLS, FOWLS)
FOLER
FOLES IN FOLER FLAKERANDE BITWENE . . . . CLN 1410
FOLEWANDE (V. FOLLOWING)
FOLE3 (V. FOOLS)
FOLILY
AND FYLTER FOLYLY IN FERE ON FEMMALE3 WYSE . . . . CLN 696
FOLK
WHATKYN FOLK SO THER FARE FECHE3 HEM HIDER . . . . CLN 100
FYLTER FENDEN FOLK FORTY DAYE3 LENCTHE. . . . . CLN 224
THAT WAT3 FOR FYLTHE VPON FOLDE THAT THE FOLK VSED. . . . . . CLN 251
AND FALLEN IN FELA3SCHYP WYTH HEM ON FOLKEN WYSE . . . . . . CLN 271
AND THERON FLOKKED THE FOLKE FOR FERDE OF THE WRAKE . . . . . CLN 386
PARFORMED THE HY3E FADER ON FOLKE THAT HE MADE . . . . CLN 542
THAT SO FELE FOLK SCHAL FALLE FRO TO FLETE ALL THE WORLDE . . . CLN 685
AND THAY BE FOUNDEN IN THAT FOLK OF HER FYLTHE CLENE . . . . . CLN 730
IN GRETE FLOKKE3 OF FOLK THAY FALLEN TO HIS 3ATE3 . . . . . . CLN 837
AND FERLY FLAYED THAT FOLK THAT IN THOSE FEES LENGED . . . . . CLN 960
THAT FOUNDERED HAT3 SO FAYR A FOLK AND THE FOLDE SONKKEN. . . . CLN 1014
DRYE FOLK AND YDROPIKE AND DEDE AT THE LASTE. . . . . CLN 1096
SO IF FOLK BE DEFOWLED BY VNFRE CHAUNCE . . . . CLN 1129
FOR THAT FOLKE IN HER FAYTH WAT3 FOUNDEN VNTRWE. . . . . CLN 1161
FORTHY A FERLY BIFEL THAT FELE FOLK SE3EN. . . . . CLN 1529
IF HE HAT3 FORMED THE FOLDE AND FOLK THERVPONE . . . . CLN 1665
AND ALLE THE FOLK THEROF FAYN THAT FOL3ED HYM TYLLE . . . . . CLN 1752
THE FOLKE WAS FELONSE AND FALS AND FROWARDE TO REULE . . . . . ERK 231
FOR AL WAT3 THIS FAYRE FOLK IN HER FIRST AGE. . . . . GGK 54
FORTHI FOR FANTOUM AND FAYRY3E THE FOLK THERE HIT DEMED . . . GGK 240
AND FOLKE FRELY HYM WYTH TO FONGE THE KNY3T . . . . GGK 816
FUL ERLY BIFORE THE DAY THE FOLK VPRYSEN . . . . GGK 1126
AND OTHER FUL MUCH OF OTHER FOLK FONGEN HOR DEDE3 . . . . . . GGK 1265
THENNE FERSLY THAY FLOKKED IN FOLK AT THE LASTE. . . . . . . GGK 1323
BIFORE ALLE THE FOLK ON THE FLETTE FREKE3 HE BEDDE3 . . . . . GGK 1374
SO FELLE FLONE3 THER FLETE WHEN THE FOLK GEDERED . . . . . . GGK 1566
O FOLE3 IN FOLK FELE3 OTHER WHYLE . . . . PAT 121
THE FOLK 3ET HALDANDE HIS FETE THE FYSCH HYM TYD HENTES . . . PAT 251
FOLKE (V. FOLK)
FOLKEN (V. FOLK)

FOLLOW
AND FOL3 THE FET OF THAT FERE THAT THOU FRE HALDES. CLN 1062
AND AY RACHCHES IN A RES RADLY HEM FOL3ES. GGK 1164
FOR QUOSO SUFFER COWTHE SYT SELE WOLDE FOL3E. PAT 5
FOLLOWED
AND THE WENCHES HYM WYTH THAT BY THE WAY FOL3ED. CLN 974
AY FOL3ED HERE FACE BIFORE HER BOTHE Y3EN. CLN 978
AND THAY FORLOYNE HER FAYTH AND FOL3ED OTHER GODDES CLN 1165
AND ALLE THE FOLK THEROF FAYN THAT FOL3ED HYM TYLLE CLN 1752
THAI PASSYD FORTHE IN PROCESSION AND ALLE THE PEPULLE FOLOWID ERK 351
HE HAT3 FORFAREN THIS FOX THAT HE FOL3ED LONGE GGK 1895
FOR THES WER FORNE THE FREEST THAT FOL3ED ALLE THE SELE GGK 2422
THE FYRRE I FOL3ED THOSE FLOTY VALE3 PRL 127
THAT FOL3ED THE GLAYUE SO GRYMLY GROUNDE PRL 654
FOLLOWING
AND THRYE3 FYFTY THE FLOD OF FOLWANDE DAYE3 CLN 429
FOL3ANDE THAT OTHER FLOTE AND FONDE HEM BILYUE CLN 1212
AND ALLE HIS FETURES FOL3ANDE IN FORME THAT HE HADE GGK 145
AND VNDER FETE ON THE FLET OF FOL3ANDE SUTE GGK 859
OF ISRAEL BARNE3 FOLEWANDE HER DATE3 PRL 1040
FOLLOWS
WYTH THE FREKE THAT IN FYLTHE FOL3ES HYM AFTER CLN 6
THEN GLYDE3 FORTH GOD THE GOD MON HYM FOL3E3. CLN 677
NE WHETHER HIS FOOSCHIP ME FOL3E3 BIFORE OTHER BIHYNDE CLN 918
AND PHARES FOL3ES FOR THOSE FAWTES TO FRAYST THE TRAWTHE. CLN 1736
FOLLY
AND AS THOU FOLY HAT3 FRAYST FYNDE THE BEHOUES GGK 324
HIT WERE A FOLE FELEFOLDE MY FRE BY MY TRAWTHE GGK 1545
AND VNDERSTONDES VMBESTOUNDE THA3 3E STAPE IN FOLE. PAT 122
FOLMARDE
THE FOX AND THE FOLMARDE TO THE FRYTH WYNDE3. CLN 534
FOLOWID (V. FOLLOWED)
FOLWANDE (V. FOLLOWING)
FOLWE (CP. FUL3ED)
I FOLWE THE IN THE FADER NOME AND HIS FRE CHILDES ERK 318
FOLY (V. FOLLY)
FOLYLY (V. FOLILY)
FOLYLY (V. FOLILY)
FOL3 (V. FOLLOW)
FOL3ANDE (V. FOLLOWING)
FOL3E (V. FOLLOW)
FOL3ES (V. FOLLOW, FOLLOWS)
FOL3E3 (V. FOLLOWS)
FOMAN (V. FOE-MAN)
FON (CP. FINE)
FON NEUER IN FORTY DAYE3 AND THEN THE FLOD RYSES CLN 369
TWELUE FORLONGE SPACE ER EUER HIT FON PRL 1030
TWELUE THOWSANDE FORLONGE ER EUER HIT FON. PRL 2 1030
FONDE (ALSO V. FOUND)
IF ANY FREKE BE SO FELLE TO FONDE THAT I TELLE GGK 291
WHAT MAY MON DO BOT FONDE GGK 565
AND I SCHAL FONDE BI MY FAYTH TO FYLTER WYTH THE BEST. GGK 986
TO FYNDE A FORTHE FASTE CON I FONDE. PRL 150
THAT IS THE CYTE THAT THE LOMBE CON FONDE. PRL 939
FONDED
THAT FOR FETYS OF HIS FYNGERES FONDED HE NEUER CLN 1103
THUS HYM FRAYNED THAT FRE AND FONDET HYM OFTE GGK 1549
THAT EUER 3E FONDET TO FLE FOR FREKE THAT I WYST GGK 2125
FONDEN (V. FOUND)

FONDET (V. FONDED)
FONG (CP. FONGE, FONGED)
FYRST FENG TO THE FLY3T ALLE THAT FLE MY3T . . . . CLN 377
THAT ALLE HIS FORSNES HE FONG AT THE FYUE JOYE3. . . . . . . GGK 646
SYTHEN FONGE THAY HER FLESCHE FOLDEN TO HOME. . . . . GGK 1363
THAT ALLE HIS FERSNES HE FENG AT THE FYUE JOYE3. . . . . . . GGK V 646
FUL FAYRE THE MODE3 THAY FONGE IN FERE. . . . . PRL 884
FONGE (CP. FONG, FONGED)
THAT I SCHAL FANGE AT THY FUST THAT I HAF FRAYST HERE. . . . GGK 391
AND FOLKE FRELY HYM WYTH TO FONGE THE KNY3T . . . . GGK 816
HIR LEUE FAYRE CON SCHO FONGE. . . . . GGK 1556
HIS FEE3 THER FOR TO FONGE. . . . . GGK 1622
WHAT MORE WORSCHYP MO3T HE FONGE. . . . . PRL 479
FONGED (CP. FONG, FONGE)
SYN WE HAF FONGED THAT FYNE FADER OF NURTURE. . . . . GGK 919
WAT3 NEUER FREKE FAYRER FONGE. . . . . GGK 1315
FONGEN
AND OTHER FUL MUCH OF OTHER FOLK FONGEN HOR DEDE3 . . . . . . GGK 1265
FONGE3
AND HE FONGE3 TO THE FLY3T AND FANNE3 ON THE WYNDE3 . . . . . CLN 457
THE FOWRE FREKE3 OF THE FOLDE FONGE3 THE EMPYRE. . . . . . . CLN 540
SIR FELE HERE PORCHASE3 AND FONGE3 PRAY . . . . PRL 439
FONT
THAT EUER WERN FUL3ED IN FONT THAT FEST TO HAUE. . . . . . . CLN 164
THAT IS FULLOGHT IN FONTE WITH FAITHEFUL BILEUE. . . . . . . ERK 299
FONTE (V. FONT, FOUND)
FOO (V. FOE)
FOOD (CP. FODE3)
WYTH ALLE THE FODE THAT MAY BE FOUNDE FRETTE THY COFER . . . . CLN 339
FASTE FAYLED HEM THE FODE ENFAMINED MONIE. . . . . CLN 1194
THAT FRAYSTE3 FLESCH WYTH THE FYSCHE AND FODE MORE SYMPLE . . GGK 503
AS FODE HIT CON ME FAYRE REFETE . . . . PRL 88
FOOL
3IF I FORLOYNE AS A FOL THY FRAUNCHYSE MAY SERUE . . . . . . CLN 750
FOR TWO FAUTES THAT THE FOL WAT3 FOUNDE IN MISTRAUTHE. . . . CLN 996
BOT HIT IS NO FERLY THA3 A FOLE MADDE . . . . GGK 2414
THA3 I BE FOL AND FYKEL AND FALCE OF MY HERT. . . . . PAT 283
FOOLS
AS FOR FYLTHE OF THE FLESCH THAT FOLES HAN VSED. . . . . . . CLN 202
AND AL WAYKNED HIS WYT AND WEL NE3E HE FOLES. . . . . CLN 1422
O FOLE3 IN FOLK FELE3 OTHER WHYLE . . . . PAT 121
FOOSCHIP (V. FOE-SHIP)
FOOT
THE WAYFERANDE FREKE3 ON FOTE AND ON HORS. . . . . CLN 79
AND ALSO FELE VPON FOTE OF FRE AND OF BONDE . . . . CLN 88
AND FETYSE OF A FAYR FORME TO FOTE AND TO HONDE. . . . . . . CLN 174
THAT EUER FLOTE OTHER FLWE OTHER ON FOTE 3EDE . . . . CLN 432
AND WHEN HO FYNDE3 NO FOLDE HER FOTE ON TO PYCHE . . . . . . CLN 477
IF I ME FELE VPON FOTE THAT I FLE MO3T. . . . . CLN 914
A FOTE FRO THAT FORSELET TO FORRAY NO GOUDES. . . . . CLN 1200
THAT THE FUNDEMENT ON FYRST SHULD THE FOTE HALDE . . . . . . ERK 42
THEN FEERSLY THAT OTHER FREKE VPON FOTE LY3TIS . . . . GGK 329
THE KAY FOT ON THE FOLDE HE BEFORE SETTE . . . . GGK 422
NE BERE THE FELA3SCHYP THUR3 THIS FRYTH ON FOTE FYRRE. . . . GGK 2151
FYLED IN A FYLOR FOWRE FOTE LARGE . . . . GGK 2225
SAUE THAT FAYRE ON HIS FOTE HE FOUNDE3 ON THE ERTHE . . . . . GGK 2229
MY HEDE FLA3 TO MY FOTE AND 3ET FLA3 I NEUER. . . . . GGK 2276
ON THE FAUTLEST FREKE THAT EUER ON FOTE 3EDE. . . . . GGK 2363
THE FREKE HYM FRUNT WYTH HIS FOT AND BEDE HYM FERK.VP. . . . PAT 187

AT THE FOTE THEROF THER SETE A FAUNT	PRL	161
OF THE WAY A FOTE NE WYL HE WRYTHE	PRL	350
THOU MAY BOT INWYTH NOT A FOTE	PRL	970
FORAY		
A FOTE FRO THAT FORSELET TO FORRAY NO GOUDES.	CLN	1200
FORBE (V. FORBY)		
FORBEDE (V. FORBID)		
FORBEDES (V. FORBIDS)		
FORBI (V. FORBY)		
FORBID		
GOD FORBEDE WE BE NOW WROTHE	PRL	379
FORBIDDEN		
AND BE FORBODEN THAT BOR3E TO BOWE THIDER NEUER.	CLN	45
AGAYNE THE BONE OF THE BURNE THAT HIT FORBODEN HADE	CLN	826
AND SYTHEN HO BLUSCHED HIR BIHYNDE THA3 HIR FORBODEN WERE	CLN	998
FORBIDS		
TO DEFOWLE HIT EUER VPON FOLDE FAST HE FORBEDES.	CLN	1147
FORBODEN (V. FORBIDDEN)		
FORBRENT		
ANI BRESTE FOR BALE A3T HAF FORBRENT	PRL	1139
FORBY		
WAT3 FRAUNCHYSE AND FELA3SCHYP FORBE AL THYNG	GGK	652
THUS THY FREKE TO FORFARE FORBI ALLE OTHER	PAT	483
FORCE		
ME BEHOUE3 OF FYNE FORCE	GGK	1239
THAT HIM FORFERDE IN THE FORTHE THUR3 FORSE OF HIS HONDE.	GGK	1617
FORCLEMMED		
AL SCHAL CRYE FORCLEMMED WYTH ALLE OURE CLERE STRENTHE	PAT	395
FORD		
FOUNDE3 FAST THUR3 THE FORTH THER THE FELLE BYDE3	GGK	1585
THAT HIM FORFERDE IN THE FORTHE THUR3 FORSE OF HIS HONDE.	GGK	1617
TO FYNDE A FORTHE FASTE CON I FONDE.	PRL	150
FORDE3 (V. FORDS)		
FORDIDDEN		
FORDIDDEN MY STRESSE DYSTRYED MY PAYNE3	PRL	124
FORDOKKED		
I DEWYNE FORDOKKED OF LUFDAUNGERE	PRL 2	11
FORDOLKED		
I DEWYNE FORDOLKED OF LUFDAUNGERE	PRL	11
FORDS		
AND FARE3 OUER THE FORDE3 BY THE FORLONDE3	GGK	699
FORELANDS		
AND FARE3 OUER THE FORDE3 BY THE FORLONDE3	GGK	699
FOREMOST		
THAT FALLE3 FORMAST IN THE 3ER AND THE FYRST DAY	CLN	494
FOREST		
INTO A FOREST FUL DEP THAT FERLY WAT3 WYLDE	GGK	741
GRET RURD IN THAT FOREST	GGK	1149
TOWARDE A FORESTE I BERE THE FACE	PRL	67
FORESTE (V. FOREST)		
FORFARE		
TO FORFARE THE FALCE IN THE FAYTHE TRWE	CLN	1168
THUS THY FREKE TO FORFARE FORBI ALLE OTHER	PAT	483
FORFAREN		
HE HAT3 FORFAREN THIS FOX THAT HE FOL3ED LONGE	GGK	1895
FORFERDE		
QUEN FORFERDE ALLE THE FLESCH THAT HE FORMED HADE	CLN	560
FUL FELLY FOR THAT ILK FAUTE FORFERDE A KYTH RYCHE.	CLN	571
THAT OURE FADER FORFERDE FOR FYLTHE OF THOSE LEDES.	CLN V	1051

THAT HIM FORFERDE IN THE FORTHE THUR3 FORSE OF HIS HONDE. . . . GGK 1617
FORFEIT
FOR FELER FAUTE3 MAY A FREKE FORFETE HIS BLYSSE. . . . . CLN 177
NAY THA3 FAURTY FORFETE 3ET FRYST I A WHYLE . . . . CLN 743
FOR FELE FAUTE3 MAY A FREKE FORFETE HIS BLYSSE . . . . CLN V 177
OURE FORME FADER HIT CON FORFETE. . . . . PRL 639
FORFEITED
AS THOU HADE3 NEUER FORFETED SYTHEN THOU WAT3 FYRST BORNE . . GGK 2394
THAT HE NE FORFETED BY SUMKYN GATE . . . . PRL 619
FORFETE (V. FORFEIT)
FORFETED (V. FORFEITED)
FORGART
AND THENNE ENHERITE THAT HOME THAT AUNGELE3 FORGART . . . . . CLN 240
FOR HIT WAT3 FORGARTE AT PARADYS GREUE. . . . . PRL 321
FORGARTE (V. FORGART)
FORGAT (V. FORGOT)
FORGAVE
AND GOD THUR3 HIS GODNESSE FORGEF AS HE SAYDE . . . . PAT 407
FORGEF (V. FORGAVE)
FORGED
WEN HIT WAT3 FETTLED AND FORGED AND TO THE FULLE GRAYTHED . . CLN 343
FORGET
AND FYUE WONT OF FYFTY QUOTH GOD I SCHAL FOR3ETE ALLE. . . . . CLN 739
BOT HYM THAT ALLE GOUDES GIUES THAT GOD THAY FOR3ETEN. . . . . CLN 1528
GARTEN MY GOSTE AL GREFFE FOR3ETE . . . . PRL 86
FORGETS
THAT THE POWER OF THE HY3E PRYNCE HE PURELY FOR3ETES . . . . . CLN 1660
FORGIF (V. FORGIVE)
FORGIVE
I SCHAL FORGYUE ALLE THE GYLT THUR3 MY GRACE ONE . . . . . . CLN 731
AND FORGIF VS THIS GULT 3IF WE HYM GOD LEUEN. . . . . PAT 404
FORGO
MY3T EUEL FORGO THE TO GYFE OF HIS GRACE SUMME BRAWNCHE . . . . ERK 276
MY LIF THA3 I FORGOO. . . . . GGK 2210
SCHAL I EFTE FORGO HIT ER EUER I FYNE . . . . PRL 328
FORGOES
OFTE MONY MON FORGOS THE MO . . . . PRL 340
FORGOO (V. FORGO)
FORGOS (V. FORGOES)
FORGOT
FOR AS I FYNDE THER HE FOR3ET ALLE HIS FRE THEWE3 . . . . . . CLN 203
AND SONE 3EDERLY FOR3ETE 3ISTERDAY STEUEN. . . . . CLN 463
THE LADY NO3T FOR3ATE . . . . GGK 1472
THAT FORGAT NOT GAWAYN FOR GODE OF HYMSELUEN. . . . . GGK 2031
FORGOTTEN
THOU HAT3 FOR3ETEN 3EDERLY THAT 3ISTERDAY I TA3TTE. . . . . . GGK 1485
FORGYUE (V. FORGIVE)
FORHEADS
ON ALLE HER FORHEDE3 WRYTEN I FANDE. . . . . PRL 871
FORHEDE3 (V. FORHEADS)
FORJOUSTED
AND ALLE HISE GENTYLE FORIUSTED ON IERICO PLAYNES . . . . . . CLN 1216
FORIUSTED (V. FORJOUSTED)
FORKNOWN
CLENE MEN IN COMPAYNYE FORKNOWEN WERN LYTE . . . . CLN 119
FORKNOWEN (V. FORKNOWN)
FORLANCYNG
LYSTILY FORLANCYNG AND LERE OF THE KNOT . . . . GGK V 1334
FORLET

NOW HAF I FONTE THAT I FORLETE	PRL	327
FORLETE (V. FORLET)		
FORLETE3 (V. FORLETS)		
FORLETS		
BE THAY FERS BE THAY FEBLE FORLETE3 NONE	CLN	101
FORLONDE3 (V. FORELANDS)		
FORLONGE (V. FURLONG)		
FORLOTE3		
BE THAY FERS BE THAY FEBLE FORLOTE3 NONE	CLN V	101
FORLOYNE		
3IF I FORLOYNE AS A FOL THY FRAUNCHYSE MAY SERUE	CLN	750
THEN HIS FADER FORLOYNE THAT FECHED HEM WYTH STRENTHE.	CLN	1155
AND THAY FORLOYNE HER FAYTH AND FOL3ED OTHER GODDES	CLN	1165
THA3 I FORLOYNE MY DERE ENDORDE	PRL	368
FORLOYNED		
AND VCH FREKE FORLOYNED FRO THE RY3T WAYE3	CLN	282
FORM		
AND FETYSE OF A FAYR FORME TO FOTE AND TO HONDE.	CLN	174
HIT WERN THE FAYREST OF FORME AND OF FACE ALS	CLN	253
OF FYFTY FAYRE OUERTHWERT FORME THE BREDE.	CLN	316
NON OTHER FORME BOT A FUST FAYLANDE THE WRYSTE	CLN	1535
AND EUER IN FOURME OF GODE FAITHE MORE THEN FOURTY WYNTER	ERK	230
AND ALLE HIS FETURES FOL3ANDE IN FORME THAT HE HADE	GGK	145
FERDE LEST HE HADE FAYLED IN FOURME OF HIS COSTES	GGK	1295
FOUNDED FOR FERDE FOR TO FLE IN FOURME THAT THOU TELLE3	GGK	2130
FERDE LEST HE HADE FAYLED IN FOURME OF HIS CASTES	GGK V	1295
HIT ARN FETTLED IN ON FORME THE FORME AND THE LASTE	PAT	38
THAT IN THE FORME OF BRED AND WYN	PRL	1209
FORMAST (V. FOREMOST)		
FORME (ALSO V. FORM)		
THE FORME TO THE FYNISMENT FOLDE3 FUL SELDEN.	GGK	499
THE FORME WORDE VPON FOLDE THAT THE FREKE MELED.	GGK	2373
HIT ARN FETTLED IN ON FORME THE FORME AND THE LASTE	PAT	38
OURE FORME FADER HIT CON FORFETE.	PRL	639
FORMED		
QUEN FORFERDE ALLE THE FLESCH THAT HE FORMED HADE	CLN	560
BOT FALS FANTUMMES OF FENDES FORMED WITH HANDES.	CLN	1341
WER FETYSELY FORMED OUT IN FYLYOLES LONGE.	CLN	1462
IF HE HAT3 FORMED THE FOLDE AND FOLK THERVPONE	CLN	1665
THAI FOUNDEN FOURMYT ON A FLORE A FERLY FAIRE TOUMBE	ERK	46
THA3 THE FADER THAT HYM FORMED WERE FALE OF HIS HELE	PAT	92
QUO FORMED THE THY FAYRE FYGURE	PRL	747
FORMEFOSTER		
FOR HIT WAS THE FORMEFOSTER THAT THE FOLDE BRED.	CLN	257
FORMES (V. FORMS)		
FORME3 (V. FORMS)		
FORMS		
FAYRE FORME3 MY3T HE FYNDE IN FORTHERING HIS SPECHE	CLN	3
AND ALLE THE FRUYT IN THO FORMES OF FLAUMBEANDE GEMMES	CLN	1468
FORNE		
FOR THES WER FORNE THE FREEST THAT FOL3ED ALLE THE SELE	GGK	2422
FORNES (V. FURNACE)		
FOROLDE		
LONG SYTHEN FRO THE SOUNDER THAT WI3T FOROLDE	GGK V	1440
FORPAINED		
PENSYF PAYRED I AM FORPAYNED	PRL	246
FORPAYNED (V. FORPAINED)		
FORRAY (V. FORAY)		
FORRED (V. FURRED)		

FORSAKE
FOR I HAF SEN A SELLY I MAY NOT FORSAKE — GGK 475
NOW FORSAKE 3E THIS SILKE SAYDE THE BURDE THENNE — GGK 1846
TO ACORDE ME WITH COUETYSE MY KNYDE TO FORSAKE — GGK 2380
FOR THINK THAT MOUNTES TO NO3T HER MERCY FORSAKEN — PAT 332
I REDE THE FORSAKE THE WORLDE WODE — PRL 743
FORSAKEN (ALSO V. FORSAKE)
HE SAYT3 NOW FOR HER OWNE SOR3E THAY FORSAKEN HABBE3 — CLN 75
FORSE (V. FORCE)
FORSELET
A FOTE FRO THAT FORSELET TO FORRAY NO GOUDES. — CLN 1200
FORSER
HER WERE A FORSER FOR THE IN FAYE — PRL 263
FORSET
AND FORSETTE3 ON VCHE A SYDE THE CETE ABOUTE. — CLN 78
FORSETTE3 (V. FORSET)
FORSNES
THAT ALLE HIS FORSNES HE FONG AT THE FYUE JOYE3. — GGK 646
FORSOKE (V. FORSOOK)
FORSOOK
BOT HIS SOUERAYN HE FORSOKE AND SADE THYSE WORDE3 — CLN 210
AND HO SORE THAT HE FORSOKE AND SAYDE THERAFTER. — GGK 1826
FORSOOTH
IN PHARES FYNDE I FORSOTHE THISE FELLE SA3ES. — CLN 1737
AND THAT I SWERE THE FORSOTHE AND BY MY SEKER TRAWETH. — GGK 403
GLADLY SIR FORSOTHE — GGK 415
NOW ALLE THESE FYUE SYTHE3 FORSOTHE WERE FETLED ON THIS KNY3T — GGK 656
AND WEL HYM SEMED FORSOTHE AS THE SEGGE THU3T — GGK 848
GOD HAT3 GEUEN VS HIS GRACE GODLY FORSOTHE — GGK 920
FORSOTHE SIR QUOTH THE SEGGE 3E SAYN BOT THE TRAWTHE — GGK 1050
3E SIR FORSOTHE SAYD THE SEGGE TRWE. — GGK 1091
NAY FORSOTHE BEAU SIR SAYD THAT SWETE — GGK 1222
BOT I AM SWARED FORSOTHE THAT SORE ME THINKKE3 — GGK 1793
FOR 3E HAF DESERUED FORSOTHE SELLYLY OFTE. — GGK 1803
BOT I SCHAL SAY YOW FORSOTHE SYTHEN I YOW KNOWE. — GGK 2094
FORSOTHE QUOTH THAT OTHER FREKE SO FELLY THOU SPEKE3 — GGK 2302
MYN OWEN WYF HIT THE WEUED I WOT WEL FORSOTHE — GGK 2359
NAY FORSOTHE QUOTH THE SEGGE AND SESED HYS HELME — GGK 2407
ER GETE 3E NO HAPPE I HOPE FORSOTHE. — PAT 212
FORSOTHE THER FLETEN TO ME FELE — PRL 21
VNAVYSED FORSOTHE WERN ALLE THRE. — PRL 292
FORSOTHE (V. FORSOOTH)
FORST (V. FROST)
FORTH (ALSO V. FORD)
THENNE GOT3 FORTH MY GOME3 TO THE GRETE STREETE3 — CLN 77
BOT FLOTE FORTHE WYTH THE FLYT OF THE FELLE WYNDE3. — CLN 421
THE RAUEN RAYKE3 HYM FORTH THAT RECHES FUL LYTTEL — CLN 465
BOT WAXE3 NOW AND WENDE3 FORTH AND WORTHE3 TO MONYE — CLN 521
FARE FORTHE QUOTH THE FREKE3 AND FECH AS THOU SEGGE3 — CLN 621
THENNE SWENGED FORTH SARE AND SWER BY HIR TRAWTHE — CLN 667
THEN GLYDE3 FORTH GOD THE GOD MON HYM FOL3E3. — CLN 677
AND BOWE3 FORTH FRO THE BENCH INTO THE BRODE 3ATES. — CLN 854
HE WENT FORTHE AT THE WYKET AND WAFT HIT HYM AFTER. — CLN 857
THENN FARE FORTH QUOTH THAT FRE AND FYNE THOU NEUER — CLN 929
AND ENFORSED ALLE FAWRE FORTH AT THE 3ATE3 — CLN 938
AND FECH FORTH THE VESSEL THAT HIS FADER BRO3T — CLN 1429
HE FARES FORTH ON ALLE FAURE FOGGE WAT3 HIS METE — CLN 1683
THEN FOUNDE3 VCH A FELA3SCHYP FYRRE AT FORTH NA3TES — CLN 1764
THAI PASSYD FORTHE IN PROCESSION AND ALLE THE PEPULLE FOLOWID — ERK 351

Entry	Text	Line
AND SYTHEN RICHE FORTH RUNNEN TO RECHE HONDESELLE	GGK	66
THAT FELE HIT FOYNED WYTH HER FETE THERE HIT FORTH ROLED. . .	GGK	428
BOT STYTHLY HE START FORTH VPON STYF SCHONKES	GGK	431
QUYLE FORTH DAYE3 AND FERK ON THE FYRST OF THE 3ERE	GGK	1072
HO DOS HIR FORTH AT THE DORE WITHOUTEN DYN MORE.	GGK	1308
BO3E3 FORTH QUEN HE WAT3 BOUN BLYTHELY TO MASSE.	GGK	1311
THE BEUERAGE WAT3 BRO3T FORTH IN BOURDE AT THAT TYME	GGK	1409
AND SPEDE HYM FORTH GOOD SPED BOUTE SPYT MORE	GGK	1444
HURTE3 HEM FUL HETERLY THER HE FORTH HY3E3	GGK	1462
BRAYDE3 OUT A BRY3T BRONT AND BIGLY FORTH STRYDE3	GGK	1584
AND LET LODLY THERAT THE LORDE FORTH HERE.	GGK	1634
RUNNEN FORTH IN A RABEL IN HIS RY3T FARE	GGK	1703
HE SPRIT FORTH SPENNEFOTE MORE THEN A SPERE LENTHE.	GGK	2316
THENK VPON THIS ILKE THREPE THER THOU FORTH THRYNGE3	GGK	2397
AND SPARRED FORTH GOOD SPED BOUTE SPYT MORE	GGK V	1444
THEN AY THROW FORTH MY THRO THA3 ME THYNK YLLE	PAT	8
RYS RADLY HE SAYS AND RAYKE FORTH EUEN.	PAT	65
BE NO3T SO GRYNDEL GODMAN BOT GO FORTH THY WAYES	PAT	524
THAT FRYTH THER FORTWNE FORTH ME FERE3.	PRL	98
I WELKE AY FORTH IN WELY WYSE.	PRL	101
FOR A PENE ON A DAY AND FORTH THAY GOT3	PRL	510
AND BLUSCHED ON THE BURGHE AS I FORTH DREUED.	PRL	980
SO DRO3 THAY FORTH WYTH GRET DELYT	PRL	1116
FORTHE (V. FORD, FORTH)		
FORTHER (V. FURTHER)		
FORTHERDE (V. FURTHERED)		
FORTHERING (V. FURTHERING)		
FORTHI (V. FORTHY)		
FORTHICK		
BOT AS SMYLT MELE VNDER SMAL SIUE SMOKE3 FORTHIKKE.	CLN V	226
FORTHIKKE (V. FORTHICK)		
FORTHINK		
THENNE BYTHENK THE MON IF THE FORTHYNK SORE	PAT	495
FORTHINKS		
ME FORTHYNKE3 FUL MUCH THAT EUER I MON MADE	CLN	285
FORTHLEP		
MONY LADDE THER FORTHLEP TO LAUE AND TO KEST.	PAT	154
FORTHOUGHT		
SYTHEN THE SOUERAYN IN SETE SO SORE FORTHO3T.	CLN	557
FORTHRAST		
BOT IN THE THRYD WAT3 FORTHRAST AL THAT THRYUE SCHULD. . . .	CLN	249
FORTHWITH		
IS FALLEN FORTHWYTH MY FACE AND FORTHER HIT I THENK	CLN	304
FORTHWYTH (V. FORTHWITH)		
FORTHY		
FORTHY HY3 NOT TO HEUEN IN HATERE3 TOTORNE	CLN	33
FORTHY THA3 THE RAPE WERE RANK THE RAWTHE WAT3 LYTTEL. . . .	CLN	233
FORTHY SO SEMLY TO SEE SYTHEN WERN NONE	CLN	262
FORTHY SCHAL I NEUER SCHENDE SO SCHORTLY AT ONES	CLN	519
FORTHY WAR THE NOW WY3E THAT WORSCHYP DESYRES	CLN	545
FORTHY THE DERK DEDE SEE HIT IS DEMED EUERMORE	CLN	1020
FORTHY BREK HE THE BRED BLADES WYTHOUTEN	CLN	1105
FORTHI OURE FADER VPON FOLDE A FOMAN HYM WAKNED.	CLN	1175
NABI3ARDAN NO3T FORTHY NOLDE NOT SPARE.	CLN	1245
FORTHY A FERLY BIFEL THAT FELE FOLK SE3EN.	CLN	1529
FORTHI SAY ME OF THI SOULE IN SELE QUERE HO WONNES.	ERK	279
FORTHI AN AUNTER IN ERDE I ATTLE TO SCHAWE	GGK	27
FORTHI FOR FANTOUM AND FAYRY3E THE FOLK THERE HIT DEMED . . .	GGK	240
FORTHY I CRAUE IN THIS COURT A CRYSTEMAS GOMEN	GGK	283

FORTHI ME FOR TO FYNDE IF THOU FRAYSTE3 FAYLE3 THOU NEUER	GGK	455
FORTHI THIS 3OL OUER3EDE AND THE 3ERE AFTER	GGK	500
FORTHY HIT ACORDE3 TO THIS KNY3T AND TO HIS CLER ARME3	GGK	631
FORTHY THE PENTANGEL NWE	GGK	636
FORTHY WONDERLY THAY WOKE AND THE WYN DRONKEN	GGK	1025
FORTHY SIR THIS ENQUEST I REQUIRE YOW HERE	GGK	1056
FORTHI IWYSSE BI 3OWRE WYLLE WENDE ME BIHOUES	GGK	1065
FORTHY THOW LYE IN THY LOFT AND LACH THYN ESE	GGK	1676
FORTHY I SAY YOW AS SOTHE AS 3E IN SADEL SITTE	GGK	2110
FORTHY GOUDE SIR GAWAYN LET THE GOME ONE	GGK	2118
FORTHY I SAY THE AS SOTHE AS 3E IN SADEL SITTE	GGK V	2110
FORTHY BERE3 ME TO THE BORDE AND BATHES ME THEROUTE	PAT	211
FORTHY WHEN POUERTE ME ENPRECE3 AND PAYNE3 INNO3E	PAT	528
FORTHY I THO3T THAT PARADYSE	PRL	137
MY JOY FORTHY WAT3 MUCH THE MORE.	PRL	234
FORTHY TO CORTE QUEN THOU SCHAL COM.	PRL	701
FORTHY VCHE SAULE THAT HADE NEUER TECHE	PRL	845

FORTHYNK (V. FORTHINK)
FORTHYNKE3 (V. FORTHINKS)
FORTO

I SCHAL FETTE YOW A FATTE YOUR FETTE FORTO WASCHE	CLN	802
THIS AUENTURE FORTO FRAYN	GGK	489
AND THAT YOW LYST FORTO LAYKE LEF HIT ME THYNKES	GGK	1111
VCHE FREKE FOR HIS FEE AS FALLE3 FORTO HAUE	GGK	1358
HIS MODE FORTO REMWE.	GGK	1475
FORTO HAF WONNEN HYM TO WO3E WHATSO SCHO THO3T ELLE3	GGK	1550
AND MADEE HYM MAWGREF HIS HED FORTO MWE VTTER	GGK	1565
WHEN HE ACHEUED TO THE CHAPEL HIS CHEK FORTO FECH	GGK	1857
BOT FORTO SAUEN HYMSELF WHEN SUFFER HYM BYHOUED.	GGK	2040
HIS SERUAUNTE3 FORTO SAUE	GGK	2139

FORTUNE

AS FORTUNE WOLDE FULSUN HOM THE FAYRER TO HAUE	GGK	99
AS FORTUNE FARES THERAS HO FRAYNE3	PRL	129
THA3 FORTUNE DYD YOUR FLESCH TO DY3E	PRL	306
THAT FRYTH THER FORTWNE FORTH ME FERE3.	PRL	98

FORTWNE (V. FORTUNE)
FORWARDE (V. FORWARD)
FORTY

FYLTER FENDEN FOLK FORTY DAYE3 LENCTHE.	CLN	224
FON NEUER IN FORTY DAYE3 AND THEN THE FLOD RYSES	CLN	369
BY FORTY DAYE3 WERN FAREN ON FOLDE NO FLESCH STYRYED	CLN	403
AND QUAT IF FAURTY BE FRE AND FAUTY THYSE OTHER.	CLN	741
NAY THA3 FAURTY FORFETE 3ET FRYST I A WHYLE	CLN	743
AND EUER IN FOURME OF GODE FAITHE MORE THEN FOURTY WYNTER	ERK	230
AND FELLEN AS FAST TO THE FUYT FOURTY AT ONES	GGK	1425
3ET SCHAL FORTY DAYE3 FULLY FARE TO AN ENDE	PAT	359
A HONDRED AND FORTY FOWRE THOWSANDE FLOT	PRL	786
AND FOWRE AND FORTY THOWSANDE.MO.	PRL	870
A HONDRED AND FORTY THOWSANDE FLOT	PRL 1	786
A HONDRED AND FORTY THOWSANDE FLOT	PRL 3	786

FORWARD

BOT MY FORWARDE WYTH THE I FESTEN ON THIS WYSE	CLN	327
IN FROKKES OF FYN CLOTH AS FORWARD HIT ASKED.	CLN	1742
3ET FIRRE QUOTH THE FREKE A FORWARDE WE MAKE.	GGK	1105
THAT WAT3 NOT FORWARD QUOTH HE FRAYST ME NO MORE	GGK	1395
BI FYN FORWARDE AND FASTE FAYTHELY 3E KNOWE	GGK	1636
FOR THE FORWARDE THAT WE FEST IN THE FYRST NY3T.	GGK	2347

FORWARDES (V. FORWARDS)
FORWARDE3 (V. FORWARDS)

FORWARDS

REFOURME WE OURE FORWARDES ER WE FYRRE PASSE.	GGK	378
THEN MAY THOU FRAYST MY FARE AND FORWARDE3 HOLDE	GGK	409
TO FYLLE THE SAME FORWARDE3 THAT THAY BYFORE MADEN.	GGK	1405
I SCHAL FYLLE VPON FYRST OURE FORWARDE3 NOUTHE	GGK	1934

FORWONDERED

THAT AL FORWONDERED WAT3 THE WY3E AND WROTH WITH HYMSELUEN	GGK	1660

FORWRAST

WITH MECHE WONDER FORWRAST AND WEPID FUL MONY	ERK	220

FORWROUGHT

THEN THO WERY FORWRO3T WYST NO BOTE.	PAT	163

FORWRO3T (V. FORWROUGHT)

FORYIELD

THER KRYST HIT YOW FOR3ELDE	GGK	839
AND YOWRE KNY3T I BECOM AND KRYST YOW FOR3ELDE	GGK	1279
IN GOUD FAYTHE QUOTH GAWAYN GOD YOW FOR3ELDE.	GGK	1535
BOT YOUR GORDEL QUOTH GAWAYN GOD YOW FOR3ELDE	GGK	2429

FOR3

BI A FOR3 OF A FLODE THAT FERKED THARE.	GGK	2173

FOR3ATE (V. FORGOT)
FOR3ELDE (V. FORYIELD)
FOR3ES (V. FURROWS)
FOR3ET (V. FORGOT)
FOR3ETE (V. FORGET, FORGOT)
FOR3ETEN (V. FORGET, FORGOTTEN)
FOR3ETES (V. FORGETS)
FOSCHIP (V. FOE-SHIP)
FOT (V. FOOT)
FOTE (V. FOOT)
FOTE3 (V. FEET)

FOTTE

TO THE GRENE CHAPEL THOU CHOSE I CHARGE THE TO FOTTE	GGK	451

FOUGHT

IN FELDE THER FELLE MEN FO3T	GGK	874
WYTH FYRCE SKYLLE3 THAT FASTE FA3T	PRL	54
WYTH FYRTE SKYLLE3 THAT FASTE FA3T	PRL 1	54
WYTH FYRTE SKYLLE3 THAT FASTE FA3T	PRL 3	54

FOUL

HOV WAN THOU INTO THIS WON IN WEDE3 SO FOWLE.	CLN	140
FALLE3 ON THE FOULE FLESCH AND FYLLE3 HIS WOMBE.	CLN	462
FERYED OUT BI THE FETE AND FOWLE DISPYSED.	CLN	1790
AND THAT SO FOULE AND SO FELLE THAT FE3T HYM BYHODE	GGK	717
BOT THIS FOULE FOX FELLE THE FENDE HAF THE GODE3	GGK	1944
LO THER THE FALSSYNG FOULE MOT HIT FALLE	GGK	2378

FOULE (V. FOUL)

FOULED

SO FERLY FOWLED HER FLESCH THAT THE FENDE LOKED.	CLN	269
THAT HIS IUELES SO GENT WYTH IAUELES WER FOULED.	CLN	1495

FOULEST

TWO FYNGERES THAY FONDE OF THE FOWLEST OF ALLE	GGK	1329

FOULE3 (V. FOWLS)

FOUNCE

IN THE FOUNCE THER STONDEN STONE3 STEPE	PRL	113

FOUND

BOT AS HE FERKED OUER THE FLOR HE FANDE WYTH HIS Y3E	CLN	133
THAT THO BE FRELY AND FRESCH FONDE IN THY LYUE	CLN	173
AND THENNE FOUNDEN THAY FYLTHE IN FLESCHLYCH DEDE3.	CLN	265
WYTH ALLE THE FODE THAT MAY BE FOUNDE FRETTE THY COFER	CLN	339
SCHAL NO FLESCH VPON FOLDE BY FONDEN ONLYUE	CLN	356

IN THE FYLTHE OF THE FLESCH THAT THOU BE FOUNDEN NEUER	CLN	547
THAT THAY HAN FOUNDEN IN HER FLESCH OF FAUTE3 THE WERST	CLN	694
NOW FYFTY FYN FRENDE3 WER FOUNDE IN 3ONDE TOUNE.	CLN	721
AND THAY BE FOUNDEN IN THAT FOLK OF HER FYLTHE CLENE	CLN	730
FOR TWO FAUTES THAT THE FOL WAT3 FOUNDE IN MISTRAUTHE.	CLN	996
FOR THAT FOLKE IN HER FAYTH WAT3 FOUNDEN VNTRWE.	CLN	1161
FOL3ANDE THAT OTHER FLOTE AND FONDE HEM BILYUE	CLN	1212
AND IS FUNDE FUL FEWE OF HIT FAYTHDEDES	CLN	1735
AND AS THAI MUKKYDE AND MYNDE A MERUAYLE THAI FOUNDEN.	ERK	43
THAI FOUNDEN FOURMYT ON A FLORE A FERLY FAIRE TOUMBE	ERK	46
I MAY BE FUNDE VPON FOLDE AND FOCH THE SUCH WAGES	GGK	396
FYRST HE WAT3 FUNDEN FAUTLE3 IN HIS FYUE WYTTE3.	GGK	640
THER HE FONDE NO3T HYM BYFORE THE FARE THAT HE LYKED	GGK	694
HE FONDE A FOO HYM BYFORE BOT FERLY HIT WERE.	GGK	716
FOR I HAF FOUNDEN IN GOD FAYTHE YOWRE FRAUNCHIS NOBELE	GGK	1264
TWO FYNGERES THAY FONDE OF THE FOWLEST OF ALLE	GGK	1329
AND HE FYSKE3 HEM BYFORE THAY FOUNDEN HYM SONE	GGK	1704
HID HIT FUL HOLDELY THER HE HIT EFT FONDE.	GGK	1875
FOR I HAF GREUED MY GOD AND GULTY AM FOUNDEN.	PAT	210
HER FYGURE FYN QUEN I HAD FONTE	PRL	170
NOW HAF I FONDE HYT I SCHAL MA FESTE	PRL	283
NOW HAF I FONTE THAT I FORLETE	PRL	327
ON ALLE HER FORHEDE3 WRYTEN I FANDE.	PRL	871
FOR I HAF FOUNDEN HYM BOTHE DAY AND NA3TE.	PRL	1203
FOUNDANDE		
FOR HE WAT3 FER IN THE FLOD FOUNDANDE TO TARCE	PAT	126
FOUNDE (V. FOUND)		
FOUNDED		
FOR HAD I FOUNDED IN FERE IN FE3TYNG WYSE.	GGK	267
FOUNDED FOR FERDE FOR TO FLE IN FOURME THAT THOU TELLE3	GGK	2130
FOUNDEMENTE3 (V. FUNDAMENTS)		
FOUNDEN (V. FOUND)		
FOUNDERED		
THAT FOUNDERED HAT3 SO FAYR A FOLK AND THE FOLDE SONKKEN. . . .	CLN	1014
FOUNDE3		
FOUNDE3 FASTE ON YOUR FETE BIFORE YOUR FACE LOKES	CLN	903
THEN FOUNDE3 VCH A FELA3SCHYP FYRRE AT FORTH NA3TES	CLN	1764
FOUNDE3 FAST THUR3 THE FORTH THER THE FELLE BYDE3	GGK	1585
SAUE THAT FAYRE ON HIS FOTE HE FOUNDE3 ON THE ERTHE	GGK	2229
FOUNS		
AND FOLDE THERON A LY3T FYTHER AND HIT TO FOUNS SYNKKE3	CLN	1026
FOUR		
THE FOWRE FREKE3 OF THE FOLDE FONGE3 THE EMPYRE.	CLN	540
AND ENFORSED ALLE FAWRE FORTH AT THE 3ATE3	CLN	938
FRO FAWRE HALF OF THE FOLDE FLYTANDE LOUDE	CLN	950
ABDAMA AND SYBOYM THISE CETEIS ALLE FAURE.	CLN	958
THAT ON WYF HADE BEN WORTHE THE WELGEST FOURRE	CLN	1244
HE FARES FORTH ON ALLE FAURE FOGGE WAT3 HIS METE	CLN	1683
THER FAURE CITEES WERN SET NOV IS A SEE CALLED	CLN V	1015
SYTHEN RYTTE THAY THE FOURE LYMMES AND RENT OF THE HYDE	GGK	1332
AND HIS BODY BIGGER THEN THE BEST FOWRE	GGK	2101
FYLED IN A FYLOR FOWRE FOTE LARGE	GGK	2225
A HONDRED AND FORTY FOWRE THOWSANDE FLOT	PRL	786
AND FOWRE AND FORTY THOWSANDE.MO.	PRL	870
AND THE FOWRE BESTE3 THAT HYM OBES	PRL	886
FOURCHE3		
AND HENGED THENNE AYTHER BI HO3ES OF THE FOURCHE3	GGK	1357
FOURE (V. FOUR)		
FOURME (V. FORM)		

Entry	Text	Line
FOURMYT (V. FORMED)		
FOURRE (V. FOUR)		
FOURTH		
THE EMERADE THE FURTHE SO GRENE OF SCALE	PRL	1005
FOURTY (V. FORTY)		
FOWL		
THA3 THAT FOWLE BE FALSE FRE BE THOU EUER.	CLN	474
VCHE FOWLE TO THE FLY3T THAT FYTHERE3 MY3T SERUE	CLN	530
THE HOLEFOTED FOWLE TO THE FLOD HY3E3	CLN	538
FOWLE (V. FOUL, FOWL)		
FOWLED (V. FOULED)		
FOWLEST (V. FOULEST)		
FOWLE3 (V. FOWLS)		
FOWLS		
AND MY FEDDE FOULE3 FATTED WYTH SCLA3T.	CLN	56
FOLES IN FOLER FLAKERANDE BITWENE	CLN	1410
FOWLE3 THER FLOWEN IN FRYTH IN FERE.	PRL	89
FOWRE (V. FOUR)		
FOX		
THE FOX AND THE FOLMARDE TO THE FRYTH WYNDE3.	CLN	534
SUMME FEL IN THE FUTE THER THE FOX BADE	GGK	1699
HE HAT3 FORFAREN THIS FOX THAT HE FOL3ED LONGE	GGK	1895
BOT THIS FOULE FOX FELLE THE FENDE HAF THE GODE3	GGK	1944
AND HOW THE FOX WAT3 SLAYN.	GGK	1950
FOYNED		
THAT FELE HIT FOYNED WYTH HER FETE THERE HIT FORTH ROLED.	GGK	428
FOYSOUN (V. FOISON)		
FO3T (V. FOUGHT)		
FRANCHISE		
3IF I FORLOYNE AS A FOL THY FRAUNCHYSE MAY SERUE	CLN	750
WAT3 FRAUNCHYSE AND FELA3SCHYP FORBE AL THYNG	GGK	652
FOR I HAF FOUNDEN IN GOD FAYTHE YOWRE FRAUNCHIS NOBELE	GGK	1264
HYS FRAUNCHYSE IS LARGE THAT EUER DARD.	PRL	609
FRANKISH		
AND SYTHEN WITH FRENKYSCH FARE AND FELE FAYRE LOTE3	GGK	1116
FRAUNCHIS (V. FRANCHISE)		
FRAUNCHYSE (V. FRANCHISE)		
FRAYES (V. FRAYS)		
FRAYN		
THIS AUENTURE FORTO FRAYN	GGK	489
FRAYNED		
AND I HAUE FRAYNED HIT AT YOW FYRST FOLDE3 HIT TO ME	GGK	359
AND AY HE FRAYNED AS HE FERDE AT FREKE3 THAT HE MET	GGK	703
THEN FRAYNED THE FREKE FUL FAYRE AT HIMSELUEN	GGK	1046
THUS HYM FRAYNED THAT FRE AND FONDET HYM OFTE	GGK	1549
OF HIS FARE THAT HYM FRAYNED AND FERLYLY HE TELLES.	GGK	2494
FRAYNE3		
AS FORTUNE FARES THERAS HO FRAYNE3	PRL	129
FRAYS		
FOR AL HIT FRAYES MY FLESCHE THE FYNGRES SO GRYMME.	CLN	1553
FRAYST (ALSO V. FRAYSTED)		
AND PHARES FOL3ES FOR THOSE FAWTES TO FRAYST THE TRAWTHE.	CLN	1736
NAY FRAYST I NO FY3T IN FAYTH I THE TELLE.	GGK	279
THEN MAY THOU FRAYST MY FARE AND FORWARDE3 HOLDE	GGK	409
THAT WAT3 NOT FORWARD QUOTH HE FRAYST ME NO MORE	GGK	1395
FRAYSTE		
THE MORE I FRAYSTE HYR FAYRE FACE	PRL	169
FRAYSTED		
AND AS THOU FOLY HAT3 FRAYST FYNDE THE BEHOUES	GGK	324

THAT I SCHAL FANGE AT THY FUST THAT I HAF FRAYST HERE.	GGK	391
FOR I HAF FRAYSTED THE TWYS AND FAYTHFUL I FYNDE THE	GGK	1679
FRAYSTE3		
FORTHI ME FOR TO FYNDE IF THOU FRAYSTE3 FAYLE3 THOU NEUER . .	GGK	455
THAT FRAYSTE3 FLESCH WYTH THE FYSCHE AND FODE MORE SYMPLE . .	GGK	503
FRE (V. FREE)		
FRECH (V. FRESH)		
FREE		
AND ALSO FELE VPON FOTE OF FRE AND OF BONDE	CLN	88
FOR AS I FYNDE THER HE FOR3ET ALLE HIS FRE THEWE3	CLN	203
HE WAT3 FAMED FOR FRE THAT FE3T LOUED BEST	CLN	275
THA3 THAT FOWLE BE FALSE FRE BE THOU EUER.	CLN	474
IF THAY WERE FARANDE AND FRE AND FAYRE TO BEHOLDE	CLN	607
AND QUAT IF FAURTY BE FRE AND FAUTY THYSE OTHER.	CLN	741
OO MY FRENDE3 SO FRE YOUR FARE IS TO STRANGE.	CLN	861
THENN FARE FORTH QUOTH THAT FRE AND FYNE THOU NEUER	CLN	929
AND FOL3 THE FET OF THAT FERE THAT THOU FRE HALDES.	CLN	1062
I FOLWE THE IN THE FADER NOME AND HIS FRE CHILDES	ERK	318
AT VCH FARAND FEST AMONG HIS FRE MENY	GGK	101
THE FRE FREKE ON THE FOLE HIT FAYR INNOGHE THO3T	GGK	803
FELLE FACE AS THE FYRE AND FRE OF HYS SPECHE.	GGK	847
FOR THE FRE LORDE HADE DEFENDE IN FERMYSOUN TYME	GGK	1156
HIT WERE A FOLE FELEFOLDE MY FRE BY MY TRAWTHE	GGK	1545
THUS HYM FRAYNED THAT FRE AND FONDET HYM OFTE	GGK	1549
AND FOLDEN FAYTH TO THAT FRE FESTNED SO HARDE	GGK	1783
AND SYTHEN HE MACE HYM AS MERY AMONG THE FRE LADYES	GGK	1885
FOCHCHE3 THIS FRE MON AND FAYRE HE HYM THONKKE3.	GGK	1961
THE THRYDDE TO PASSE THYS WATER FRE.	PRL	299
THAT CORTAYSE IS TO FRE OF DEDE	PRL	481
MY IOY MY BLYS MY LEMMAN FRE	PRL	796
FREELY (CP. FRELOKER)		
TO THIS FRELYCH FESTE THAT FELE ARN TO CALLED	CLN	162
THAT THO BE FRELY AND FRESCH FONDE IN THY LYUE	CLN	173
AND FOLKE FRELY HYM WYTH TO FONGE THE KNY3T	GGK	816
THE FREKE CALDE HIT A FEST FUL FRELY AND OFTE	GGK	894
FOR THAY SCHAL FRELY BE REFETE FUL OF ALLE GODE.	PAT	20
THAT HE WAT3 FLAWEN FRO THE FACE OF FRELYCH DRY3TYN	PAT	214
ALLE FASTE FRELY FOR HER FALCE WERKES	PAT	390
FOR FERLY OF THAT FRELICH FYGURE.	PRL	1086
QUEN I SE3 MY FRELY I WOLDE BE THERE	PRL	1155
FREEST		
FOR THES WER FORNE THE FREEST THAT FOL3ED ALLE THE SELE	GGK	2422
FREK (V. FREKE)		
FREKE		
WYTH THE FREKE THAT IN FYLTHE FOL3ES HYM AFTER	CLN	6
SAY ME FRENDE QUOTH THE FREKE WYTH A FELLE CHERE	CLN	139
FOR FELER FAUTE3 MAY A FREKE FORFETE HIS BLYSSE.	CLN	177
THUR3 THE FAUT OF A FREKE THAT FAYLED IN TRAWTHE	CLN	236
THE DEFENCE WAT3 THE FRYT THAT THE FREKE TOWCHED	CLN	245
AND VCH FREKE FORLOYNED FRO THE RY3T WAYE3	CLN	282
AND THERE HE FYNDE3 AL FAYRE A FREKE WYTHINNE	CLN	593
FAST THE FREKE FERKE3 VP FUL FERD AT HIS HERT	CLN	897
THE FREKE SAYDE NO FOSCHIP OURE FADER HAT3 THE SCHEWED	CLN	919
AND HE THE FAYNEST FREKE THAT HE HIS FO HADE.	CLN	1219
3ET AFRAYED THAY NO FREKE FYRRE THAY PASSEN	CLN	1780
AND THE FYLTHE OF THE FREKE THAT DEFOWLED HADE	CLN	1798
FOR FELE FAUTE3 MAY A FREKE FORFETE HIS BLYSSE	CLN V	177
BOT AY A FREKE FAITHELES THAT FAYLID THI LAGHES.	ERK	287
AND ONE FELLE ON HIS FACE AND THE FREKE SYKED	ERK	323

HE FERDE AS FREKE WERE FADE	GGK	149
SUCH A FOLE VPON FOLDE NE FREKE THAT HYM RYDES	GGK	196
THERFORE TO ANSWARE WAT3 AR3E MONY ATHEL FREKE	GGK	241
IF ANY FREKE BE SO FELLE TO FONDE THAT I TELLE	GGK	291
THEN FEERSLY THAT OTHER FREKE VPON FOTE LY3TIS	GGK	329
AND NAWTHER FALTERED NE FEL THE FREKE NEUER THE HELDER	GGK	430
AND EFTE FAYLED NEUER THE FREKE IN HIS FYUE FYNGRES	GGK	641
THE FYFT FYUE THAT I FINDE THAT THE FREK VSED	GGK	651
THE FRE FREKE ON THE FOLE HIT FAYR INNOGHE THO3T	GGK	803
THE FREKE CALDE HIT A FEST FUL FRELY AND OFTE	GGK	894
THEN FRAYNED THE FREKE FUL FAYRE AT HIMSELUEN	GGK	1046
3ET FIRRE QUOTH THE FREKE A FORWARDE WE MAKE.	GGK	1105
THER SCHULDE NO FREKE VPON FOLDE BIFORE YOW BE CHOSEN.	GGK	1275
THE FREKE FERDE WITH DEFENCE AND FETED FUL FAYRE	GGK	1282
QUERFORE QUOTH THE FREKE AND FRESCHLY HE ASKE3	GGK	1294
WAT3 NEUER FREKE FAYRER FONGE.	GGK	1315
VCHE FREKE FOR HIS FEE AS FALLE3 FORTO HAUE	GGK	1358
THAT FELE FERDE FOR THE FREKE LEST FELLE HYM THE WORRE	GGK	1588
FYNDE3 FIRE VPON FLET THE FREKE THERBYSIDE	GGK	1925
THAT EUER 3E FONDET TO FLE FOR FREKE THAT I WYST	GGK	2125
NAWTHER FYKED I NE FLA3E FREKE QUEN THOU MYNTEST	GGK	2274
FORSOTHE QUOTH THAT OTHER FREKE SO FELLY THOU SPEKE3	GGK	2302
ON THE FAUTLEST FREKE THAT EUER ON FOTE 3EDE.	GGK	2363
THE FORME WORDE VPON FOLDE THAT THE FREKE MELED.	GGK	2373
BOT HYM FAYLED NO FREKE THAT HE FYNDE MY3T	PAT	181
THE FREKE HYM FRUNT WYTH HIS FOT AND BEDE HYM FERK.VP.	PAT	187
THUS THY FREKE TO FORFARE FORBI ALLE OTHER	PAT	483
FREKES (V. FREKE3)		
FREKE3		
THE WAYFERANDE FREKE3 ON FOTE AND ON HORS.	CLN	79
THE FOWRE FREKE3 OF THE FOLDE FONGE3 THE EMPYRE.	CLN	540
FARE FORTHE QUOTH THE FREKE3 AND FECH AS THOU SEGGE3	CLN	621
SCHAL THAY FALLE IN THE FAUTE THAT OTHER FREKE3 WRO3T.	CLN	725
FER INTO A FYR FRYTH THERE FREKES NEUER COMEN	CLN	1680
AND HE MADE A FARE ON THAT FEST FOR THE FREKE3 SAKE	GGK	537
AND AY HE FRAYNED AS HE FERDE AT FREKE3 THAT HE MET	GGK	703
AS FREKE3 THAT SEMED FAYN	GGK	840
AND HEM TOFYLCHED AS FAST AS FREKE3 MY3T LOKE	GGK	1172
BIFORE ALLE THE FOLK ON THE FLETTE FREKE3 HE BEDDE3	GGK	1374
THAY FERDEN TO THE FYNDYNG AND FREKE3 HEM AFTER.	GGK	1433
FRELES		
THAT FRELES FLE3E OF HYR FASOR	PRL	431
FRELICH (V. FREELY)		
FRELOKER (CP. FREELY)		
FOR HIT FERDE FRELOKER IN FETE IN HIS FAYRE HONDE	CLN	1106
FRELY (V. FREELY)		
FRELYCH (V. FREELY)		
FREMEDLY		
FER FLOTEN FRO HIS FRENDE3 FREMEDLY HE RYDE3.	GGK	714
FRENCH		
AND FER OUER THE FRENCH FLOD FELIX BRUTUS.	GGK	13
FRENDE (V. FRIEND)		
FRENDE3 (V. FRIENDS)		
FRENGES (V. FRINGES)		
FRENKYSCH (V. FRANKISH)		
FRES (V. FROZE)		
FRESCH (V. FRESH)		
FRESCHE (V. FRESH)		
FRESCHLY (V. FRESHLY)		

FRESH
THAT THO BE FRELY AND FRESCH FONDE IN THY LYUE . . . . CLN 173
AND ALS FRESHE HYM THE FACE AND THE FLESHE NAKYDE . . . . . . ERK 89
FOYSOUN OF THE FRESCHE AND ON SO FELE DISCHES . . . . GGK 122
AND AL WAT3 FRESCH AS VPON FYRST AND HE WAT3 FAYN THENNE. . . . GGK 2019
SO FRECH FLAUORE3 OF FRYTE3 WERE. . . . . PRL 87
QUEN THAT FRECH AS FLOR-DE-LYS . . . . PRL 195
FRESHE (V. FRESH)
FRESHLY
QUERFORE QUOTH THE FREKE AND FRESCHLY HE ASKE3 . . . . GGK 1294
FRET
WYTH ALLE THE FODE THAT MAY BE FOUNDE FRETTE THY COFER . . . . CLN 339
FRETEN
THAT THE FLOD NADE AL FRETEN WYTH FE3TANDE WA3E3 . . . . CLN 404
FRETES
THAT FEL FRETES AND FLESCH AND FESTRED BONES. . . . . CLN 1040
THAT FEL FRETES THE FLESCH AND FESTRES BONES. . . . . CLN V 1040
FRETTED
AND FYOLES FRETTED WYTH FLORES AND FLEE3 OF GOLDE . . . . . . CLN 1476
FREUCH
FOR FERLY OF THAT FREUCH FYGURE . . . . PRL 1 1086
FOR FERLY OF THAT FREUCH FYGURE . . . . PRL 2 1086
FOR FERLY OF THAT FREUCH FYGURE . . . . PRL 3 1086
FRIEND
SAY ME FRENDE QUOTH THE FREKE WYTH A FELLE CHERE . . . . CLN 139
THAT WAT3 FAYN OF HIS FRENDE AND HIS FEST PRAYSED . . . . CLN 642
FOR HADE THE FADER BEN HIS FRENDE THAT HYM BIFORE KEPED . . . . CLN 1229
AND FAYNE 3OUR TALENT TO FULFILLE IF 3E HYM FRENDE LEUES. . . . ERK 176
FRENDE NO WANING I WYL THE 3ETE . . . . PRL 558
A GOD A LORDE A FRENDE FUL FYIN . . . . PRL 1204
FRIENDS
FRENDE3 FELLEN IN FERE AND FATHMED TOGEDER . . . . CLN 399
NOW FYFTY FYN FRENDE3 WER FOUNDE IN 3ONDE TOUNE. . . . . CLN 721
OO MY FRENDE3 SO FRE YOUR FARE IS TO STRANGE. . . . . CLN 861
FER FLOTEN FRO HIS FRENDE3 FREMEDLY HE RYDE3. . . . . GGK 714
ER ME WONT THE WEDE WITH HELP OF MY FRENDE3 . . . . GGK 987
FRINGES
THAT GLEMED FUL GAYLY WITH MONY GOLDE FRENGES . . . . GGK 598
FRITH
THE FOX AND THE FOLMARDE TO THE FRYTH WYNDE3. . . . . CLN 534
FER INTO A FYR FRYTH THERE FREKES NEUER COMEN . . . . CLN 1680
BITWENE A FLOSCHE IN THAT FRYTH AND A FOO CRAGGE . . . . GGK 1430
FOR TO FERK THUR3 THE FRYTH AND FARE AT THE GAYNEST . . . . . GGK 1973
NE BERE THE FELA3SCHYP THUR3 THIS FRYTH ON FOTE FYRRE. . . . . GGK 2151
FOWLE3 THER FLOWEN IN FRYTH IN FERE. . . . . PRL 89
THAT FRYTH THER FORTWNE FORTH ME FERE3. . . . . PRL 98
THE FYRRE IN THE FRYTH THE FEIER CON RYSE. . . . . PRL 103
THE FYRRE IN THE FRYTH THE FEIRER CON RYSE . . . . PRL 1 103
THE FYRRE IN THE FRYTH THE FEIRER CON RYSE . . . . PRL 2 103
THE FYRRE IN THE FRYTH THE FEIRER CON RYSE . . . . PRL 3 103
FRITHS
HADE HE NO FERE BOT HIS FOLE BI FRYTHE3 AND DOUNE3. . . . . . GGK 695
FROCK
NE IN NO FESTIUAL FROK BOT FYLED WITH WERKKE3 . . . . CLN 136
FROCKS
IN FROKKES OF FYN CLOTH AS FORWARD HIT ASKED. . . . . CLN 1742
FROK (V. FROCK)
FROKKES (V. FROCKS)
FRONT

HIR FROUNT FOLDEN IN SYLK ENFOUBLED AYQUERE . . . . GGK 959
THENNE VERE3 HO VP HER FAYRE FROUNT. . . . . PRL 177

FROST
NE HETE NE NO HARDE FORST VMBRE NE DRO3THE . . . . CLN 524
FERLY FAYRE WAT3 THE FOLDE FOR THE FORST CLENGED . . . . . . GGK 1694

FROTE
HER HEDE3 THAY FAWNE AND FROTE . . . . GGK 1919

FROTH
THE FROTHE FEMED AT HIS MOUTH VNFAYRE BI THE WYKE3. . . . . . GGK 1572

FROTHANDE (V. FROTHING)

FROTHE (V. FROTH)

FROTHING
AND FOR THAT FROTHANDE FYLTHE THE FADER OF HEUEN . . . . . . CLN 1721

FROUNCES
AND FROUNSES BOTHE LYPPE AND BROWE . . . . GGK 2306

FROUNSES (V. FROUNCES)

FROUNT (V. FRONT)

FROWARDE
THE FOLKE WAS FELONSE AND FALS AND FROWARDE TO REULE . . . . . ERK 231

FROZE
AND FRES ER HIT FALLE MY3T TO THE FALE ERTHE. . . . . GGK 728

FRUIT
THE DEFENCE WAT3 THE FRYT THAT THE FREKE TOWCHED . . . . CLN 245
AND THE FAYREST FRYT THAT MAY ON FOLDE GROWE. . . . . CLN 1043
AS ORENGE AND OTHER FRYT AND APPLEGARNADE. . . . . CLN 1044
AND ALLE THE FRUYT IN THO FORMES OF FLAUMBEANDE GEMMES . . . . CLN 1468
FLOR AND FRYTE MAY NOT BE FEDE . . . . PRL 29
AS NEWE FRYT TO GOD FUL DUE . . . . PRL 894

FRUITS
SO FRECH FLAUORE3 OF FRYTE3 WERE. . . . . PRL 87
THAT TWELUE FRYTE3 OF LYF CON BERE FUL SONE . . . . PRL 1078

FRUNT
THE FREKE HYM FRUNT WYTH HIS FOT AND BEDE HYM FERK.VP. . . . . PAT 187

FRUYT (V. FRUIT)

FRYM
TWELUE SYTHE3 ON 3ER THAY BEREN FUL FRYM . . . . PRL 1079

FRYST
NAY THA3 FAURTY FORFETE 3ET FRYST I A WHYLE . . . . CLN 743

FRYT (V. FRUIT)

FRYTE (V. FRUIT)

FRYTE3 (V. FRUITS)

FRYTH (V. FRITH)

FRYTHE3 (V. FRITHS)

FULFILL
AND KEPE TO HIT AND ALLE HIT CORS CLANLY FULFYLLE . . . . . . CLN 264
AND FAYNE 3OUR TALENT TO FULFILLE IF 3E HYM FRENDE LEUES. . . . ERK 176

FULFILLE (V. FULFILL)

FULFILLED
AND FULFYLLED HIT IN FAYTH TO THE FYRRE ENDE. . . . . CLN 1732

FULFYLLE (V. FULFILL)

FULFYLLED (V. FULFILLED)

FULLOGHT
THAT IS FULLOGHT IN FONTE WITH FAITHEFUL BILEUE. . . . . . . ERK 299

FULLY
3ET SCHAL FORTY DAYE3 FULLY FARE TO AN ENDE . . . . PAT 359

FULSEN
IN CONFIRMYNGE THI CRISTEN FAITHE FULSEN ME TO KENNE . . . . . ERK 124
AS FORTUNE WOLDE FULSUN HOM THE FAYRER TO HAUE . . . . GGK 99

FULSUN (V. FULSEN)

FUL3ED (CP. FOLWE)
    THAT EUER WERN FUL3ED IN FONT THAT FEST TO HAUE. . . . . CLN 164
FUNDAMENT
    THAT THE FUNDEMENT ON FYRST SHULD THE FOTE HALDE . . . . ERK 42
    THE SEUENTHE GEMME IN FUNDAMENT . . . . PRL 1010
FUNDAMENTS
    THE FOUNDEMENTE3 TWELUE OF RICHE TENOUN . . . . PRL 993
FUNDE (V. FOUND)
FUNDEMENT (V. FUNDAMENT)
FUNDEN (V. FOUND)
FURLONG
    TWELUE FORLONGE SPACE ER EUER HIT FON . . . . PRL 1030
    TWELUE THOWSANDE FORLONGE ER EUER HIT FON. . . . . PRL 2 1030
FURNACE
    AS A FORNES FUL OF FLOT THAT VPON FYR BOYLES. . . . . CLN 1011
FURRED
    A MECHE MANTEL ON LOFTE WITH MENYUER FURRIT . . . . ERK 81
    FURRID ME FOR THE FYNEST OF FAITHE THER WITHINNE . . . . ERK 252
    FURRID ME FOR THE FYNEST OF FAITHE ME WITHINNE . . . . ERK V 252
    AND FAYRE FURRED WYTHINNE WITH FELLE3 OF THE BEST . . . . . . GGK 880
    THAT WAT3 FURRED FUL FYNE WITH FELLE3 WEL PURED. . . . . GGK 1737
    HIS SURKOT SEMED HYM WEL THAT SOFTE WAT3 FORRED. . . . . GGK 1929
    AND FERLY FURRED WITHINNE WYTH FAYRE PELURES. . . . . GGK 2029
    AND FAYRE FURRED WITHINNE WYTH FAYRE PELURES. . . . . GGK V 2029
FURRID (V. FURRED)
FURRIT (V. FURRED)
FURROWS
    AS A COLTOUR IN CLAY CERUES THE FOR3ES. . . . . CLN 1547
FURST (V. FIRST)
FURTHE (V. FOURTH)
FURTHER
    IS FALLEN FORTHWYTH MY FACE AND FORTHER HIT I THENK . . . . . CLN 304
FURTHERD
    THAT OURE FADER FORTHERDE FOR FYLTHE OF THOSE LEDES . . . . . CLN 1051
FURTHERING
    FAYRE FORME3 MY3T HE FYNDE IN FORTHERING HIS SPECHE . . . . . CLN 3
FUST (V. FIST)
FUTE
    AND FELLEN AS FAST TO THE FUYT FOURTY AT ONES . . . . GGK 1425
    SUMME FEL IN THE FUTE THER THE FOX BADE . . . . GGK 1699
FUYT (V. FUTE)
FYCHED
    AND FYCHED VPON FYUE POYNTE3 THAT FAYLD NEUER . . . . GGK 658
FYF (V. FIVE)
FYFT (V. FIFTH)
FYFTE (V. FIFTY)
FYFTENE (V. FIFTEEN)
FYFTHE (V. FIFTH)
FYGURE (V. FIGURE)
FYGURES (V. FIGURES)
FYIN (V. FINE)
FYKED
    NAWTHER FYKED I NE FLA3E FREKE QUEN THOU MYNTEST . . . . GGK 2274
FYKEL (V. FICKLE)
FYLDOR (V. FILDORE)
FYLED (V. FILED)
FYLLE (V. FILL)
FYLLED (V. FILLED)
FYLLEN (V. FILL)

FYLLES (V. FILL)
FYLLE3 (V. FILLS)
FYLOR
    FYLED IN A FYLOR FOWRE FOTE LARGE . . . . GGK 2225
FYLSENED
    THAT HE FYLSENED THE FAYTHFUL IN THE FALCE LAWE. . . . . CLN 1167
    FYLSENED EUER THY FADER AND VPON FOLDE CHERYCHED . . . . CLN 1644
FYLTER (V. FILTER)
FYLTERED (V. FILTERED)
FYLTHE (V. FILTH)
FYLTHE3 (V. FILTHS)
FYLYOLES
    WER FETYSELY FORMED OUT IN FYLYOLES LONGE. . . . . CLN 1462
    FAYRE FYLYOLE3 THAT FY3ED AND FERLYLY LONG . . . . GGK 796
FYLYOLE3 (V. FYLYOLES)
FYN (V. FINE)
FYNDE (V. FIND, FYNED)
FYNDES (V. FINDS)
FYNDE3 (V. FIND, FINDS)
FYNDYNG (V. FINDING)
FYNDYNGE (V. FINDING)
FYNE (V. FINE)
FYNED
    3ET FYNED NOT THE FLOD NE FEL TO THE BOTHEME3 . . . . CLN 450
    WITHOUTEN ENDE AT ANY NOKE IWIS NOQUERE FYNDE . . . . GGK 660
FYNEST (V. FINEST)
FYNGER (V. FINGER)
FYNGERES (V. FINGERS)
FYNGRES (V. FINGERS)
FYNGRE3 (V. FINGERS)
FYNISMENT
    THE FORME TO THE FYNISMENT FOLDE3 FUL SELDEN. . . . . GGK 499
FYNLY (V. FINELY)
FYNNE (V. FIN)
FYOLES
    AND FYOLES FRETTED WYTH FLORES AND FLEE3 OF GOLDE . . . . CLN 1476
FYR (V. FAR, FIRE)
FYRCE (V. FIERCE)
FYRE (V. FIRE)
FYRES (V. FIRES)
FYRMAMENT (V. FIRMAMENT)
FYRRE
    SAYDE THE LORDE TO THO LEDE3 LAYTE3 3ET FERRE . . . . CLN 97
    SOLASED HEM WYTH SEMBLAUNT AND SYLED FYRRE . . . . CLN 131
    AND THENNE AREST THE RENK AND RA3T NO FYRRE . . . . CLN 766
    AND FULFYLLED HIT IN FAYTH TO THE FYRRE ENDE. . . . . CLN 1732
    THEN FOUNDE3 VCH A FELA3SCHYP FYRRE AT FORTH NA3TES . . . . . CLN 1764
    3ET AFRAYED THAY NO FREKE FYRRE THAY PASSEN . . . . CLN 1780
    AND SO DO WE NOW OURE DEDE DEUYNE WE NO FYRRE . . . . ERK 169
    AND THER SITTES MY SOULE THAT SE MAY NO FYRRE . . . . ERK 293
    REFOURME WE OURE FORWARDES ER WE FYRRE PASSE. . . . . GGK 378
    FOR THOU MAY LENG IN THY LONDE AND LAYT NO FYRRE . . . . GGK 411
    3ET FIRRE QUOTH THE FREKE A FORWARDE WE MAKE. . . . . GGK 1105
    AND I SCHAL HY3 ME HOM A3AYN AND HETE YOW FYRRE. . . . . GGK 2121
    NE BERE THE FELA3SCHYP THUR3 THIS FRYTH ON FOTE FYRRE. . . . . GGK 2151
    AND FIRE LEST HE DISPLESE YOW SO PLEDE HIT NO MORE. . . . . . . GGK V 1304
    THA3 HE WERE SO3T FRO SAMARYE THAT GOD SE3 NO FYRRE . . . . . PAT 116
    THE FYRRE IN THE FRYTH THE FEIER CON RYSE. . . . . PRL 103
    THE FYRRE I FOL3ED THOSE FLOTY VALE3 . . . . PRL 127

WEL LOUELOKER WAT3 THE FYRRE LONDE . . . . PRL 148
THE FYRRE I STALKED BY THE STRONDE . . . . PRL 152
WHEN THOU NO FYRRE MAY TO NE FRO. . . . . PRL 347
AND FYRRE THAT NON ME MAY REPRENE . . . . PRL 544
FYRRE THEN COUENAUNDE IS NO3T TO PLETE. . . . . PRL 563
THE FYRRE IN THE FRYTH THE FEIRER CON RYSE . . . . PRL 1 103
THE FYRRE IN THE FRYTH THE FEIRER CON RYSE . . . . PRL 2 103
THE FYRRE IN THE FRYTH THE FEIRER CON RYSE . . . . PRL 3 103
FYRST (V. FIRST)
FYRSTE (V. FIRST)
FYRTE
WYTH FYRTE SKYLLE3 THAT FASTE FA3T . . . . PRL 1 54
WYTH FYRTE SKYLLE3 THAT FASTE FA3T . . . . PRL 3 54
FYSCH (V. FISH)
FYSCHE (V. FISH)
FYSCHES (V. FISHES)
FYSCHE3 (V. FISHES)
FYSKE3
AND HE FYSKE3 HEM BYFORE THAY FOUNDEN HYM SONE . . . . GGK 1704
FYSTE (V. FIST)
FYTHEL (V. FIDDLE)
FYTHER (V. FEATHER)
FYTHERES (V. FEATHERS)
FYTHERE3 (V. FEATHERS)
FYUE (V. FIVE)
FY3ED
FAYRE FYLYOLE3 THAT FY3ED AND FERLYLY LONG . . . . GGK 796
FY3T (V. FIGHT)
GAFE (V. GAVE)
GAILY
THAT GLEMED FUL GAYLY WITH MONY GOLDE FRENGES . . . . GGK 598
HE SE3 HIR SO GLORIOUS AND GAYLY ATYRED . . . . GGK 1760
GAIN
TO WHAM GOD HADE GEUEN ALLE THAT GAYN WERE . . . . CLN 259
BOT I HAUE BYGONNEN WYTH MY GOD AND HE HIT GAYN THYNKE3 . . . . CLN 749
TO THE GOME HE WAT3 FUL GAYN . . . . GGK 178
AND ALLE THE GODLYCH GERE THAT HYM GAYN SCHULDE. . . . . GGK 584
IN GOD FAYTHE QUOTH GAWAYN GAYN HIT ME THYNKKE3. . . . . GGK 1241
HE CALDE AND HE COM GAYN . . . . GGK 1621
AL THE GAYNE THOW ME GEF AS GOD MON SCHULDE . . . . GGK 2349
THAT GODE GAWAYN WAT3 COMMEN GAYN HIT HYM THO3T. . . . . GGK 2491
WHAT3 THER OUER GAYN THO BONKE3 BRADE . . . . PRL 138
GAINED
BOT VCHON GLEWED ON HIS GOD THAT GAYNED HYM BESTE . . . . PAT 164
GAINEST
FOR TO FERK THUR3 THE FRYTH AND FARE AT THE GAYNEST . . . . . GGK 1973
GAINLY
THAT ART SO GAYNLY A GOD AND OF GOSTE MYLDE . . . . CLN 728
HE GLENT VPON SIR GAWEN AND GAYNLY HE SAYDE . . . . GGK 476
SO GOD AS GAWAYN GAYNLY IS HALDEN . . . . GGK 1297
BOT IF MY GAYNLYCH GOD SUCH GREF TO ME WOLDE. . . . . PAT 83
GAINS
OF THE GODELIEST GODDE3 THAT GAYNES AYWHERE . . . . CLN 1608
I SCHAL GIF YOW MY GIRDEL THAT GAYNES YOW LASSE. . . . . GGK 1829
FOR TO GO AT THI GRE ME GAYNE3 NON OTHER . . . . PAT 348
FOR ANGER GAYNE3 THE NOT A CRESSE . . . . PRL 343
GAIT
FOR TO TENT HYM WYTH TALE AND TECHE HYM THE GATE . . . . CLN 676
AND GODDE GLYDE3 HIS GATE BY THOSE GRENE WAYE3 . . . . CLN 767

AND AY GOANDE ON YOUR GATE WYTHOUTEN AGAYNTOTE	CLN	931
NON GETE ME FRO THE HEGHE GATE TO GLENT OUT OF RY3T	ERK	241
NE NO GOME BOT GOD BI GATE WYTH TO KARP	GGK	696
AND HE FUL CHAUNCELY HAT3 CHOSEN TO THE CHEF GATE	GGK	778
CHAPLAYNE3 TO THE CHAPELES CHOSEN THE GATE	GGK	930
THAY LET THE HERTTE3 HAF THE GATE WITH THE HY3E HEDES.	GGK	1154
THE GATE TO THE GRENE CHAPEL AS GOD WYL ME SUFFER	GGK	1967
AND GOT3 AWAY SUM OTHER GATE VPON GODDE3 HALUE	GGK	2119
OF ALLE MY JOY THE HY3E GATE	PRL	395
AND AL DAY THE LORDE THUS 3EDE HIS GATE	PRL	526
THAT HE NE FORFETED BY SUMKYN GATE	PRL	619
GAITS		
THE KNY3T TOK GATES STRAUNGE	GGK	709
ON GOLDEN GATE3 THAT GLENT AS GLASSE	PRL	1106
GALALYE (V. GALILEE)		
GALILEE		
IN JERUSALEM JORDAN AND GALALYE	PRL	817
GALL		
FOR HIT IS BROD AND BOTHEMLE3 AND BITTER AS THE GALLE.	CLN	1022
THA3 I BE GULTY OF GYLE AS GAULE OF PROPHETES	PAT	285
THAT GRACIOS GAY WYTHOUTEN GALLE.	PRL	189
THENNE LOKE WHAT HATE OTHER ANY GAWLE	PRL	463
AS THOU ART GLORYOUS WYTHOUTEN GALLE	PRL	915
WYTHOUTEN FYLTHE OTHER GALLE OTHER GLET	PRL	1060
GALLE (V. GALL)		
GALLS		
ALLE THE GOUDE GOLDEN GODDES THE GAULE3 3ET NEUENEN	CLN	1525
GAME (V. GOMEN)		
GAMNE3 (V. GOMNE3)		
GARDEN		
AS IN THIS GARDYN GRACIOS GAYE	PRL	260
GARDYN (V. GARDEN)		
GARE		
WHAT SERUE3 TRESOR BOT GARE MEN GRETE	PRL 2	331
GARE3		
AND THE GULT OF GOMORRE GARE3 ME TO WRATH.	CLN	690
WHAT SERUE3 TRESOR BOT GARE3 MEN GRETE.	PRL	331
GARGELES (V. GARGOYLES)		
GARGOYLES		
WITH GARGELES GARNYSHT ABOUTE ALLE OF GRAY MARBRE	ERK	48
GARGULUN		
THAY GRYPED TO THE GARGULUN AND GRAYTHELY DEPARTED.	GGK	1335
AND EFT AT THE GARGULUN BIGYNE3 ON THENNE.	GGK	1340
GARLAND		
THAT THOU SO STYKE3 IN GARLANDE GAY.	PRL	1186
THAT THOU SO STRYKE3 IN GARLANDE GAY	PRL 1	1186
THAT THOU SO STRYKE3 IN GARLANDE GAY	PRL 2	1186
THAT THOU SO STRYKE3 IN GARLANDE GAY	PRL 3	1186
GARLANDE (V. GARLAND)		
GARNISHED		
THE GREDIRNE AND THE GOBLOTES GARNYST OF SYLUER.	CLN	1277
WITH GARGELES GARNYSHT ABOUTE ALLE OF GRAY MARBRE	ERK	48
GARNYSHT (V. GARNISHED)		
GARRETS		
AND SYTHEN GARYTE3 FUL GAYE GERED BITWENE.	GGK	791
GARRISON		
THEN MUCH OF THE GARYSOUN OTHER GOLDE THAT THAY HAUEN.	GGK	1255
A GLOUE FOR A GARYSOUN OF GAWAYNE3 GIFTE3.	GGK	1807
NAUTHER GOLDE NE GARYSOUN ER GOD HYM GRACE SENDE	GGK	1837

GARYSOUN (V. GARRISON)
GART
AND GLOPNEDLY ON GODE3 HALUE GART HYM VPRYSE. . . . . CLN 896
BALTA3AR THUR3 BABILOYN HIS BANNE GART CRYE . . . . CLN 1361
GART HYM GRATTEST TO BE OF GOUERNORES ALLE . . . . CLN 1645
AND TO HAF GREUED GAYNOUR AND GART HIR TO DY3E . . . . GGK 2460
THAT SY3T ME GART TO THENK TO WADE . . . . PRL 1151
GARTEN
GARTEN MY GOSTE AL GREFFE FOR3ETE . . . . PRL 86
GARYTE3 (V. GARRETS)
GAST
I KNOW NO GOME THAT IS GAST OF THY GRETE WORDES. . . . . GGK 325
GATE (V. GAIT)
GATES (V. GAITS)
GATE3 (V. GAITS)
GATHER
THAT ALLE THE GRETE VPON GROUNDE SCHULDE GEDER HEM SAMEN. . . . CLN 1363
GEDEREN TO THE GYDEROPES THE GRETE CLOTH FALLES. . . . . PAT 105
GATHERED
MONY A GAY GRETE LORDE WAS GEDRID TO HERKEN HIT. . . . . ERK 134
GEDERED THE GRATTEST OF GRES THAT THER WERE . . . . GGK 1326
THENNE SUCH A GLAUER ANDE GLAM OF GEDERED RACHCHE3. . . . . . . GGK 1426
SO FELLE FLONE3 THER FLETE WHEN THE FOLK GEDERED . . . . GGK 1566
THE GOUDE LADYE3 WERE GETEN AND GEDERED THE MEYNY . . . . GGK 1625
GATHERS
GAUAN GRIPPED TO HIS AX AND GEDERES HIT ON HY3T. . . . . GGK 421
THENNE GEDERE3 HE TO GRYNGOLET WITH THE GILT HELE3. . . . . . . GGK 777
THENNE GYRDE3 HE TO GRYNGOLET AND GEDERE3 THE RAKE. . . . . . . GGK 2160
GEDERE3 VP HYS GRYMME TOLE GAWAYN TO SMYTE . . . . GGK 2260
GAUAN (V. GAWAIN)
GAUAYN (V. GAWAIN)
GAUDI (V. GAUDY)
GAUDY
WITH GAY GAUDI OF GRENE THE GOLDE AY INMYDDES . . . . GGK 167
GAUE (V. GAVE)
GAULE (V. GALL)
GAULE3 (V. GALLS)
GAVE
THENNE THE GODLYCH GOD GEF HYM ONSWARE. . . . . CLN 753
THAT ALLE GOUDES COM OF GOD AND GEF HIT HYM BI SAMPLES . . . . CLN 1326
AND GEFE A GRONYNGE FUL GRETE AND TO GODDE SAYDE . . . . ERK 282
AND GEF HYM GODDE3 BLESSYNG AND GLADLY HYM BIDDES . . . . GGK 370
AND GEF HEM ALLE GOUD DAY . . . . GGK 668
GAWAN GEF HYM GOD DAY THE GODMON HYM LACHCHE3 . . . . GGK 1029
THENNE HO GEF HYM GOD DAY AND WYTH A GLENT LA3ED . . . . GGK 1290
AND HE GRANTED AND HO HYM GAFE WITH A GOUD WYLLE . . . . GGK 1861
GEF HYM GOD AND GOUD DAY THAT GAWAYN HE SAUE. . . . . GGK 2073
AL THE GAYNE THOW ME GEF AS GOD MON SCHULDE . . . . GGK 2349
THAT HE GEF HEM THE GRACE TO GREUEN HYM NEUER . . . . PAT 226
BOT BAYSMENT GEF MYN HERT A BRUNT . . . . PRL 174
THAT FLOWRED AND FAYLED AS KYNDE HYT GEF . . . . PRL 270
HIT IS A DOM THAT NEUER GOD GAUE. . . . . PRL 667
THE JOUELER GEF FORE ALLE HYS GOD . . . . PRL 734
HE GEF ME MY3T AND ALS BEWTE . . . . PRL 765
HE GEF VS TO BE HIS HOMLY HYNE . . . . PRL 1211
GAWAIN
THERE GODE GAWAN WAT3 GRAYTHED GWENORE BISYDE . . . . GGK 109
GAWAN THAT SATE BI THE QUENE . . . . GGK 339
WOLDE 3E WORTHILYCH LORDE QUOTH WAWAN TO THE KYNG . . . . GGK 343

AND GIF GAWAN THE GAME	GGK	365
GAWAN GOT3 TO THE GOME WITH GISERNE IN HONDE.	GGK	375
THEN CARPPE3 TO SIR GAWAN THE KNY3T IN THE GRENE	GGK	377
IN GOD FAYTH QUOTH THE GOODE KNY3T GAWAN I HATTE	GGK	381
SIR GAWAN SO MOT I THRYUE	GGK	387
BIGOG QUOTH THE GRENE KNY3T SIR GAWAN ME LYKES	GGK	390
WHERE SCHULDE I WALE THE QUOTH GAUAN WHERE IS THY PLACE	GGK	398
QUOTH THE GOME IN THE GRENE TO GAWAN THE HENDE	GGK	405
QUOTH GAWAN HIS AX HE STROKES.	GGK	416
GAUAN GRIPPED TO HIS AX AND GEDERES HIT ON HY3T.	GGK	421
LOKE GAWAN THOU BE GRAYTHE TO GO AS THOU HETTE3.	GGK	448
THE KYNG AND GAWEN THARE	GGK	463
HE GLENT VPON SIR GAWEN AND GAYNLY HE SAYDE	GGK	476
NOW THENK WEL SIR GAWAN.	GGK	487
GAWAN WAT3 GLAD TO BEGYNNE THOSE GOMNE3 IN HALLE	GGK	495
THEN THENKKE3 GAWAN FUL SONE	GGK	534
THAT SO WORTHE AS WAWAN SCHULDE WENDE ON THAT ERNDE	GGK	559
GAWAN WAT3 FOR GUDE KNAWEN AND AS GOLDE PURED	GGK	633
NOW GRAYTHED IS GAWAN GAY	GGK	666
SIR GAUAN ON GODE3 HALUE THA3 HYM NO GOMEN THO3T	GGK	692
GODE SIR QUOTH GAWAN WOLDE3 THOU GO MYN ERNDE	GGK	811
GRAUNT MERCY QUOTH GAWAYN	GGK	838
GAWAYN GLY3T ON THE GOME THAT GODLY HYM GRET.	GGK	842
WAT3 GRAYTHED FOR SIR GAWAN GRAYTHELY WITH CLOTHE3.	GGK	876
AND HIT WAT3 WAWEN HYMSELF THAT IN THAT WON SYTTE3.	GGK	906
THAT SUCH A GEST AS GAWAN GRAUNTE3 VS TO HAUE	GGK	921
GAWAN GLYDE3 FUL GAY AND GOS THEDER SONE	GGK	935
WHEN GAWAYN GLY3T ON THAT GAY THAT GRACIOUSLY LOKED	GGK	970
FOR TO GLADE SIR GAWAYN WITH GOMNE3 IN HALLE.	GGK	989
SIR GAWEN HIS LEUE CON NYME	GGK	993
GAWAN AND THE GAY BURDE TOGEDER THAY SETEN	GGK	1003
BOT 3ET I WOT THAT WAWEN AND THE WALE BURDE	GGK	1010
GAWAN GEF HYM GOD DAY THE GODMON HYM LACHCHE3	GGK	1029
THAT GAWAYN HAT3 BEN MY GEST AT GODDE3 AWEN FEST	GGK	1036
GRANT MERCI SIR QUOTH GAWAYN IN GOD FAYTH HIT IS YOWRE3	GGK	1037
TO HYM ANSWRE3 GAWAYN	GGK	1044
THENNE WAT3 GAWAN FUL GLAD AND GOMENLY HE LA3ED.	GGK	1079
GAUAYN GRANTE3 ALLE THYSE	GGK	1103
BI GOD QUOTH GAWAYN THE GODE I GRANT THERTYLLE	GGK	1110
AND GAWAYN THE GOD MON IN GAY BED LYGE3	GGK	1179
GOD MOROUN SIR GAWAYN SAYDE THAT GAY LADY.	GGK	1208
GOUD MOROUN GAY QUOP GAWAYN THE BLYTHE.	GGK	1213
FOR I WENE WEL IWYSSE SIR WOWEN 3E ARE.	GGK	1226
IN GOD FAYTHE QUOTH GAWAYN GAYN HIT ME THYNKKE3.	GGK	1241
IN GOD FAYTH SIR GAWAYN QUOTH THE GAY LADY	GGK	1248
BOT THAT 3E BE GAWAN HIT GOT3 NOT IN MYNDE	GGK	1293
SO GOD AS GAWAYN GAYNLY IS HALDEN	GGK	1297
THEN QUOTH WOWEN IWYSSE WORTHE AS YOW LYKE3	GGK	1302
WHEN GAWAYN WYTH HYM METTE.	GGK	1370
AND AL GODLY IN GOMEN GAWAYN HE CALLED.	GGK	1376
AND AL I GIF YOW GAWAYN QUOTH THE GOME THENNE	GGK	1383
GAWAYN GRAYTHELY AT HOME IN GERE3 FUL RYCHE	GGK	1470
SIR WAWEN HER WELCUMED WORTHY ON FYRST.	GGK	1477
SIR 3IF 3E BE WAWEN WONDER ME THYNKKE3.	GGK	1481
3E BE GOD QUOTH GAWAYN GOOD IS YOUR SPECHE	GGK	1498
IN GOUD FAYTHE QUOTH GAWAYN GOD YOW FOR3ELDE.	GGK	1535
TIL HE SE3 SIR GAWAYNE	GGK	1619
WHEN HE SE3E SIR GAWAYN WITH SOLACE HE SPEKE3	GGK	1624
NOW GAWAYN QUOTH THE GODMON THIS GOMEN IS YOUR AWEN	GGK	1635

THIS WAT3 GRAYTHELY GRAUNTED AND GAWAYN IS LENGED	GGK	1683
SIR GAWAYN LIS AND SLEPES	GGK	1686
WHEN HO WAT3 GON SIR GAWAYN GERE3 HYM SONE	GGK	1872
SIR GAWAYN THE GODE THAT GLAD WAT3 WITHALLE	GGK	1926
INO3 QUOTH SIR GAWAYN	GGK	1948
GAWAYN AND THE GODEMON SO GLAD WERE THAY BOTHE	GGK	1955
THE LORDE GAWAYN CON THONK.	GGK	1975
AND GRAYTHE3 ME SIR GAWAYN VPON A GRETT WYSE.	GGK	2014
THAT FORGAT NOT GAWAYN FOR GODE OF HYMSELUEN.	GGK	2031
GEF HYM GOD AND GOUD DAY THAT GAWAYN HE SAUE.	GGK	2073
FORTHY GOUDE SIR GAWAYN LET THE GOME ONE	GGK	2118
GRANT MERCI QUOTH GAWAYN AND GRUCHYNG HE SAYDE	GGK	2126
NOW FARE3 WEL ON GODE3 HALF GAWAYN THE NOBLE.	GGK	2149
BI GODDE3 SELF QUOTH GAWAYN	GGK	2156
NOW IWYSSE QUOTH WOWAYN WYSTY IS HERE	GGK	2189
THENNE BI GODDE QUOTH GAWAYN THAT GERE AS I TROWE	GGK	2205
FOR NOW IS GODE GAWAYN GOANDE RY3T HERE	GGK	2214
SIR GAWAYN THE KNY3T CON METE.	GGK	2235
GAWAYN QUOTH THAT GRENE GOME GOD THE MOT LOKE	GGK	2239
NAY BI GOD QUOTH GAWAYN THAT ME GOST LANTE	GGK	2250
GEDERE3 VP HYS GRYMME TOLE GAWAYN TO SMYTE	GGK	2260
BOT GAWAYN ON THAT GISERNE GLYFTE HYM BYSYDE.	GGK	2265
THOU ART NOT GAWAYN QUOTH THE GOME THAT IS SO GOUD HALDEN	GGK	2270
QUOTH GAWAYN I SCHUNT ONE3.	GGK	2280
GAWAYN GRAYTHELY HIT BYDE3 AND GLENT WITH NO MEMBRE	GGK	2292
GAWAYN FUL GRYNDELLY WITH GREME THENNE SAYDE.	GGK	2299
SO IS GAWAYN IN GOD FAYTH BI OTHER GAY KNY3TE3	GGK	2365
FOR HIT IS GRENE AS MY GOUNE SIR GAWAYN 3E MAYE.	GGK	2396
BOT YOUR GORDEL QUOTH GAWAYN GOD YOW FOR3ELDE	GGK	2429
GAWAYN ON BLONK FUL BENE	GGK	2475
WYLDE WAYE3 IN THE WORLDE WOWEN NOW RYDE3.	GGK	2479
THAT GODE GAWAYN WAT3 COMMEN GAYN HIT HYM THO3T.	GGK	2491
GAWAINS		
A GLOUE FOR A GARYSOUN OF GAWAYNE3 GIFTE3.	GGK	1807
GAWAN (V. GAWAIN)		
GAWAYN (V. GAWAIN)		
GAWAYNE (V. GAWAIN)		
GAWAYNE3 (V. GAWAINS)		
GAWEN (V. GAWAIN)		
GAWLE (V. GALL)		
GAY		
THE GESTES GAY AND FUL GLAD OF GLAM DEBONERE.	CLN	830
SUCH GODES SUCH GOUNES SUCH GAY VESSELLES.	CLN	1315
THE GAY COROUN OF GOLDE GERED ON LOFTE.	CLN	1444
HE SCHAL BE GERED FUL GAYE IN GOUNES OF PORPRE	CLN	1568
THAT WE GON GAY IN OURE GERE HIS GRACE HE VS SENDE.	CLN	1811
SUCH GOD SUCH GOMES SUCH GAY VESSELLES.	CLN V	1315
SO WAS THE GLODE WITHIN GAY AL WITH GOLDE PAYNTYDE.	ERK	75
MONY A GAY GRETE LORDE WAS GEDRID TO HERKEN HIT.	ERK	134
WHENE GUENORE FUL GAY GRAYTHED IN THE MYDDES.	GGK	74
WITH GAY GAUDI OF GRENE THE GOLDE AY INMYDDES	GGK	167
WEL GAY WAT3 THIS GOME GERED IN GRENE	GGK	179
WITH GODE COWTERS AND GAY AND GLOUE3 OF PLATE	GGK	583
NOW GRAYTHED IS GAWAN GAY	GGK	666
AND SYTHEN GARYTE3 FUL GAYE GERED BITWENE.	GGK	791
GAWAN GLYDE3 FUL GAY AND GOS THEDER SONE	GGK	935
WHEN GAWAYN GLY3T ON THAT GAY THAT GRACIOUSLY LOKED	GGK	970
GAWAN AND THE GAY BURDE TOGEDER THAY SETEN	GGK	1003
AND GAWAYN THE GOD MON IN GAY BED LYGE3	GGK	1179

GOD MOROUN SIR GAWAYN SAYDE THAT GAY LADY. . . . . GGK 1208
GOUD MOROUN GAY QUOP GAWAYN THE BLYTHE. . . . . GGK 1213
IN GOD FAYTH SIR GAWAYN QUOTH THE GAY LADY . . . . GGK 1248
I WIL NO GIFTE3 FOR GODE MY GAY AT THIS TYME. . . . . GGK 1822
THE GORDEL OF THE GRENE SILKE THAT GAY WEL BISEMED. . . . . . GGK 2035
SO IS GAWAYN IN GOD FAYTH BI OTHER GAY KNY3TE3 . . . . GGK 2365
THENNE WAT3 THE GOME SO GLAD OF HIS GAY LOGGE . . . . PAT 457
QUERESOEUER I JUGGED GEMME3 GAYE. . . . . PRL 7
THAT GRACIOS GAY WYTHOUTEN GALLE. . . . . PRL 189
AS IN THIS GARDYN GRACIOS GAYE . . . . PRL 260
CORTAYSE QUEN THENNE SAYDE THAT GAYE . . . . PRL 433
AL SONGE TO LOUE THAT GAY JUELLE. . . . . PRL 1124
THAT THOU SO STYKE3 IN GARLANDE GAY. . . . . PRL 1186
THAT THOU SO STRYKE3 IN GARLANDE GAY . . . . PRL 1 1186
THAT THOU SO STRYKE3 IN GARLANDE GAY . . . . PRL 2 1186
THAT THOU SO STRYKE3 IN GARLANDE GAY . . . . PRL 3 1186
GAYE (V. GAY)
GAYEST
THE GAYEST INTO GRECE . . . . GGK 2023
GAYLY (V. GAILY)
GAYN V. GAIN)
GAYNE (V. GAIN)
GAYNED (V. GAINED)
GAYNES (V. GAINS)
GAYNEST (V. GAINEST)
GAYNE3 (V. GAINS)
GAYNLY (V. GAINLY)
GAYNLYCH (V. GAINLY)
GAYNOUR (V. GUENEVERE)
GA3AFYLACE
THE GOLDE OF THE GA3AFYLACE TO SWYTHE GRET NOUMBRE. . . . . . CLN 1283
GEAR
BOTHE GOD AND HIS GERE AND HYM TO GREME CACHEN . . . . CLN 16
NOV IS ALLE THIS GUERE GETEN GLOTOUNES TO SERUE. . . . . . . CLN 1505
THAT WE GON GAY IN OURE GERE HIS GRACE HE VS SENDE. . . . . . CLN 1811
LOTHE GOD AND HIS GERE AND HYM TO GREME CACHEN . . . . CLN V 16
AND MICHE WAT3 THE GYLD GERE THAT GLENT THER ALOFTE . . . . . GGK 569
AND ALLE THE GODLYCH GERE THAT HYM GAYN SCHULDE. . . . . . . GGK 584
THENNE BI GODDE QUOTH GAWAYN THAT GERE AS I TROWE . . . . . . GGK 2205
THE BUR BER TO HIT BAFT THAT BRASTE ALLE HER GERE . . . . . . PAT 148
GEARED
WHEN THAY AR GILDE AL WITH GOLDE AND GERED WYTH SLYUER . . . . CLN 1344
THE GAY COROUN OF GOLDE GERED ON LOFTE. . . . . CLN 1444
HE SCHAL BE GERED FUL GAYE IN GOUNES OF PORPRE . . . . CLN 1568
WEL GAY WAT3 THIS GOME GERED IN GRENE . . . . GGK 179
AND SYTHEN GARYTE3 FUL GAYE GERED BITWENE. . . . . GGK 791
THAT OTHER WYTH A GORGER WAT3 GERED OUER THE SWYRE. . . . . . GGK 957
GERED HIT WAT3 WITH GRENE SYLKE AND WITH GOLDE SCHAPED . . . . GGK 1832
AND THE GOME IN THE GRENE GERED AS FYRST . . . . GGK 2227
GEARS
GAWAYN GRAYTHELY AT HOME IN GERE3 FUL RYCHE . . . . GGK 1470
WHEN HO WAT3 GON SIR GAWAYN GERE3 HYM SONE . . . . GGK 1872
GEDER (V. GATHER)
GEDERED (V. GATHERED)
GEDEREN (V. GATHER)
GEDERES (V. GATHERS)
GEDERE3 (V. GATHERS)
GEDRID (V. GATHERED)
GEF (V. GAVE)

GEFE (V. GAVE)
GELE
AND BY THYSE BONKE3 THER I CON GELE. PRL 931
GEM
WAT3 EMERAD SAFFER OTHER GEMME GENTE PRL 118
WYTH WHYTE PERLE AND NON OTHER GEMME PRL 219
THY IOY FOR A GEMME THAT THE WAT3 LEF PRL 266
JUELER SAYDE THAT GEMME CLENE. PRL 289
JASPER HY3T THE FYRST GEMME PRL 999
THE SEUENTHE GEMME IN FUNDAMENT PRL 1010
GEMME (V. GEM)
GEMMES (V. GEMS)
GEMME3 (V. GEMS)
GEMS
THE IUELES OUT OF IERUSALEM WYTH GEMMES FUL BRY3T CLN 1441
AND ALLE THE FRUYT IN THO FORMES OF FLAUMBEANDE GEMMES CLN 1468
THAT WERE ENBRAWDED AND BETEN WYTH THE BEST GEMMES. GGK 78
ENBRAWDEN AND BOUNDEN WYTH THE BEST GEMME3 GGK 609
QUERESOEUER I JUGGED GEMME3 GAYE. PRL 7
THAT JUEL THENNE IN GEMME3 GENTE. PRL 253
WYTH GENTYL GEMME3 ANVNDER PY3T PRL 991
GENDERED
AND THE JOLEF JAPHETH WAT3 GENDERED THE THRYD CLN 300
GENDRE3
THAT ALLE GENDRE3 SO IOYST WERN IOYNED WYTHINNE. CLN 434
GENERATION
HYS GENERACYOUN QUO RECEN CON. PRL 827
GENERACYOUN (V. GENERATION)
GENT
THAT HIS IUELES SO GENT WYTH IAUELES WER FOULED. CLN 1495
WAT3 EMERAD SAFFER OTHER GEMME GENTE PRL 118
THAT JUEL THENNE IN GEMME3 GENTE. PRL 253
BOT JUELER GENTE IF THOU SCHAL LOSE. PRL 265
THE JACYNGHT THE ENLEUENTHE GENT. PRL 1014
HIS LOKE3 SYMPLE HYMSELF SO GENT. PRL 1134
GENTE (V. GENT)
GENTIL (V. GENTILE, GENTLE)
GENTILE
MORE TO WYTE IS HER WRANGE THEN ANY WYLLE GENTYL CLN 76
THEN WAS I IUGE HERE ENIOYNYD IN GENTIL LAWE. ERK 216
GENTLE
AND ALLE HISE GENTYLE FORIUSTED ON IERICO PLAYNES CLN 1216
HE IOYNED VNTO JERUSALEM A GENTYLE DUC THENNE CLN 1235
TO SYTTE IN SERUAGE AND SYTE THAT SUMTYME WER GENTYLE. CLN 1257
BOT THE IOY OF THE IUELRYE SO GENTYLE AND RYCHE. CLN 1309
IN IUDE IN IERUSALEM IN GENTYLE WYSE CLN 1432
I IUSTIFIET THIS IOLY TOUN ON GENTIL WISE. ERK 229
JUSTED FUL JOLILE THISE GENTYLE KNI3TES GGK 42
MCNY IOYLE3 FOR THAT IENTYLE IAPE3 THER MADEN GGK 542
JESUS AND SAYN GILYAN THAT GENTYLE AR BOTHE GGK 774
THE IOYE OF SAYN JONE3 DAY WAT3 GENTYLE TO HERE. GGK 1022
WE LORDE QUOTH THE GENTYLE KNY3T. GGK 2185
JONAS JOYNED WAT3 THERINNE JENTYLE PROPHETE PAT 62
IF THOU WERE A GENTYL JUELER PRL 264
AND IUELE3 WERN HYR GENTYL SAWE3. PRL 278
THAT GENTYL SAYDE LYS NO JOPARDE. PRL 602
FOR THE GENTYL CHEUENTAYN IS NO CHYCHE. PRL 605
THE GENTYLE LORDE THENNE PAYE3 HYS HYNE PRL 632
IN SOUNANDE NOTE3 A GENTYL CARPE. PRL 883

AND TO THE GENTYL LOMBE HIT ARN ANIOYNT . . . . PRL 895
WYTH GENTYL GEMME3 ANVNDER PY3T . . . . PRL 991
GENTLEMEN
AND 3E AR IOLYF GENTYLMEN YOUR IAPE3 AR ILLE. . . . . CLN 864
GENTLEST
AND THE GENTYLEST OF JUDEE IN JERUSALEM BISEGED. . . . . . . CLN 1180
AND GENTYLEST KNY3T OF LOTE . . . . GGK 639
THE TWELFTHE THE GENTYLESTE IN VCH A PLYT. . . . . PRL 1015
GENTRYSE
HOV THE GENTRYSE OF JUISE AND JHERUSALEM THE RYCHE. . . . . . CLN 1159
THAT IS HENDE IN THE HY3T OF HIS GENTRYSE. . . . . PAT 398
GENTYL (V. GENTILE, GENTLE)
GENTYLE (V. GENTLE)
GENTYLEST (V. GENTLEST)
GENTYLESTE (V. GENTLEST)
GENTYLMEN (V. GENTLEMEN)
GERE (V. GEAR)
GERED (V. GEARED)
GERE3 (V. GEARS)
GESERNE (V. GISERNE)
GESSE (V. GUESS)
GEST (V. GUEST)
GESTE (V. GUEST)
GESTES (V. GUESTS)
GESTE3 (V. GUESTS)
GET
3ETE VS OUT THOSE 3ONG MEN THAT 3OREWHYLE HERE ENTRED. . . . CLN 842
NON GETE ME FRO THE HEGHE GATE TO GLENT OUT OF RY3T . . . . . ERK 241
HE GETE THE BONK AT HIS BAK BIGYNE3 TO SCRAPE . . . . GGK 1571
ALLE MY GET I SCHAL YOW GIF AGAYN BI MY TRAWTHE. . . . . . . GGK 1638
FOR MORE MYRTHE OF THAT MON MO3T HO NOT GETE. . . . . GGK 1871
ER GETE 3E NO HAPPE I HOPE FORSOTHE. . . . . PAT 212
WYTH A PRAYER AND A PYNE THAY MY3T HER PESE GETE . . . . . . PAT 423
SO GRACIOS GLE COUTHE NO MON GETE . . . . PRL 95
GETE (V. GET)
GETEN (V. GOT, GOTTEN)
GETTES
IN NOTYNG OF NWE METES AND OF NICE GETTES. . . . . CLN 1354
GEUEN (V. GIVEN)
GHOST
ALLE THAT GLYDE3 AND GOT3 AND GOST OF LYF HABBE3 . . . . . . CLN 325
THAT ART SO GAYNLY A GOD AND OF GOSTE MYLDE . . . . CLN 728
THAT HAT3 THE GOST OF GOD THAT GYES ALLE SOTHES. . . . . . . CLN 1598
GODDES GOST IS THE GEUEN THAT GYES ALLE THYNGES. . . . . . . CLN 1627
AN ANSUARE OF THE HOLY GOSTE AND AFTERWARDE HIT DAWID. . . . ERK 127
THURGHE SUM LYFLY GOSTE LANT OF HYM THAT AL REDES . . . . . . ERK 192
AND OF THE GRACIOUS HOLY GOSTE AND NOT ONE GRUE LENGER . . . ERK 319
THURGHE SUM LANT GOSTE LYFE OF HYM THAT AL REDES . . . . . . ERK V 192
NAY BI GOD QUOTH GAWAYN THAT ME GOST LANTE . . . . GGK 2250
MY GOSTE IS GON IN GODE3 GRACE . . . . PRL 63
GARTEN MY GOSTE AL GREFFE FOR3ETE . . . . PRL 86
GHOSTLY
WITH GLOPNYNG OF THAT ILKE GOMEN THAT GOSTLYCH SPEKED. . . . GGK 2461
I HOPED THAT GOSTLY WAT3 THAT PORPOSE . . . . PRL 185
THE APOSTEL HEM SEGH IN GOSTLY DREM. . . . . PRL 790
I HOPE THAT GOSTLY WAT3 THAT PORPOSE . . . . PRL 1 185
GHOSTS
THAT HAT3 THE GOSTES OF GOD THAT GYES ALLE SOTHES. . . . . . CLN V 1598
GIANTS

AND ENGENDERED ON HEM IEAUNTE3 WYTH HER JAPE3 ILLE. . . . . . CLN 272
GIF (V. GIVE)
GIFT
I SCHAL GIF HYM OF MY GYFT THYS GISERNE RYCHE . . . . GGK 288
AND VCHE GIFT THAT IS GEUEN NOT WITH GOUD WYLLE. . . . . . . GGK 1500
GIF ME SUMQUAT OF THY GIFTE THI GLOUE IF HIT WERE . . . . . . GGK 1799
3ET LAFT HE NOT THE LACE THE LADIE3 GIFTE. . . . . GGK 2030
AND OFFER THE FOR MY HELE A FUL HOL GYFTE. . . . . PAT 335
MORE WETHER LOUYLY IS ME MY GYFTE . . . . PRL 565
MOREWETHER LEUYLY IS ME MY GYFTE. . . . . PRL 2 565
GIFTE (V. GIFT)
GIFTES (V. GIFTS)
GIFTE3 (V. GIFTS)
GIFTS
3E3ED 3ERES 3IFTES ON HI3 3ELDE HEM BI HOND . . . . GGK 67
DEBATED BUSYLY ABOUTE THO GIFTES. . . . . GGK 68
A GLOUE FOR A GARYSOUN OF GAWAYNE3 GIFTE3. . . . . GGK 1807
I WIL NO GIFTE3 FOR GODE MY GAY AT THIS TYME. . . . . GGK 1822
HE LAUE3 HYS GYFTE3 AS WATER OF DYCHE . . . . PRL 607
GILDE (V. GILED)
GILDED (CP. GILT)
WHEN THAY AR GILDE AL WITH GOLDE AND GERED WYTH SLYUER . . . . CLN 1344
AND MICHE WAT3 THE GYLD GERE THAT GLENT THER ALOFTE . . . . . GGK 569
GILE (V. GILES, GUILE)
GILES (V. GILLS)
GILES
THE LORDE SAYDE BI SAYNT GILE. . . . . GGK 1644
GILLS
HE GLYDES IN BY THE GILES THUR3 GLAYMANDE GLETTE . . . . . . PAT 269
HE GLYDES IN BY THE GILES THUR3 GLAYM ANDE GLETTE . . . . . . PAT V 269
GILLY-FLOWER
GILOFRE GYNGURE AND GROMYLYOUN . . . . PRL 43
GILOFRE (V. GILLY-FLOWER)
GILT (CP. GILDED)
THENNE GEDERE3 HE TO GRYNGOLET WITH THE GILT HELE3. . . . . . GGK 777
GORDE3 TO GRYNGOLET WITH HIS GILT HELE3 . . . . GGK 2062
GILYAN (V. JULIAN)
GINGER
GILOFRE GYNGURE AND GROMYLYOUN . . . . PRL 43
GIRDEL (V. GIRDLE)
GIRDLE
AND A GURDILLE OF GOLDE BIGRIPIDE HIS MYDELLE . . . . ERK 80
I SCHAL GIF YOW MY GIRDEL THAT GAYNES YOW LASSE. . . . . . . GGK 1829
THE GORDEL OF THE GRENE SILKE THAT GAY WEL BISEMED. . . . . . GGK 2035
BOT WERED NOT THIS ILK WY3E FOR WELE THIS GORDEL . . . . . . GGK 2037
FOR HIT IS MY WEDE THAT THOU WERE3 THAT ILKE WOUEN GIRDEL . . . GGK 2358
AND I GIF THE SIR THE GURDEL THAT IS GOLDEHEMMED . . . . . . GGK 2395
BOT YOUR GORDEL QUOTH GAWAYN GOD YOW FOR3ELDE . . . . GGK 2429
GIRL
A PY3T COROUNE 3ET WER THAT GYRLE . . . . PRL 205
GIRT
GURDEN ME FOR GOUERNANCE THE GRAYTHIST OF TROIE. . . . . . . ERK 251
GURDEN ME FOR THE GOUERNOUR AND GRAYTHIST OF TROIE. . . . . . ERK V 251
GURDE WYTH A BRONT FUL SURE . . . . GGK 588
BI THAT WAT3 GRYNGOLET GRAYTH AND GURDE WITH A SADEL . . . . . GGK 597
FOR QUAT GOME SO IS GORDE WITH THIS GRENE LACE . . . . GGK 1851
GISERNE
I SCHAL GIF HYM OF MY GYFT THYS GISERNE RYCHE . . . . GGK 288
GIF ME NOW THY GESERNE VPON GODE3 HALUE . . . . GGK 326

GAWAN GOT3 TO THE GOME WITH GISERNE IN HONDE. . . . . GGK 375
BOT GAWAYN ON THAT GISERNE GLYFTE HYM BYSYDE. . . . . GGK 2265
GITTERNER
BOT SYTOLESTRYNG AND GYTERNERE . . . . PRL 91
GIUES (V. GIVES)
GIVE
MY3T EUEL FORGO THE TO GYFE OF HIS GRACE SUMME BRAWNCHE . . . . ERK 276
I SCHAL GIF HYM OF MY GYFT THYS GISERNE RYCHE . . . . GGK 288
AND 3ET GIF HYM RESPITE. . . . . GGK 297
GIF ME NOW THY GESERNE VPON GODE3 HALUE . . . . GGK 326
AND GIF GAWAN THE GAME . . . . GGK 365
AND AL I GIF YOW GAWAYN QUOTH THE GOME THENNE . . . . GGK 1383
ALLE MY GET I SCHAL YOW GIF AGAYN BI MY TRAWTHE. . . . . . . GGK 1638
GIF ME SUMQUAT OF THY GIFTE THI GLOUE IF HIT WERE . . . . . . GGK 1799
I SCHAL GIF YOW MY GIRDEL THAT GAYNES YOW LASSE. . . . . . . GGK 1829
I 3EF YOW ME FOR ON OF YOURE3 IF YOWRESELF LYKE3 . . . . . . GGK 1964
HE GEF HIT AY GOD CHAUNCE . . . . GGK 2068
AND I GIF THE SIR THE GURDEL THAT IS GOLDEHEMMED . . . . . . GGK 2395
DO GYF GLORY TO THY GODDE ER THOU GLYDE HENS. . . . . PAT 204
GYF HEM THE HYRE THAT I HEM OWE . . . . PRL 543
AND GYF VCHON INLYCHE A PENY . . . . PRL 546
GYUE THE TO PASSE WHEN THOU ARTE TRYED. . . . . PRL 707
GIVEN
AND VCHE GIFT THAT IS GEUEN NOT WITH GOUD WYLLE. . . . . . . GGK 1500
GOD HAT3 GEUEN VS HIS GRACE GODLY FORSOTHE . . . . GGK 920
GODDES GOST IS THE GEUEN THAT GYES ALLE THYNGES. . . . . . . CLN 1627
TO WHAM GOD HADE GEUEN ALLE THAT GAYN WERE . . . . CLN 259
AND 3ERNED NO MORE THEN WAT3 ME GYUEN . . . . PRL 1190
GIVES
BOT HYM THAT ALLE GOUDES GIUES THAT GOD THAY FOR3ETEN. . . . . CLN 1528
GLACE
SUCHE GLADANDE GLORY CON TO ME GLACE . . . . PRL 171
GLAD
AND THAY BIGONNE TO BE GLAD THAT GOD DRINK HADEN . . . . . . CLN 123
AND GOD AS A GLAD GEST MAD GOD CHERE . . . . CLN 641
THE GESTES GAY AND FUL GLAD OF GLAM DEBONERE. . . . . CLN 830
NE NON SO GLAD VNDER GOD AS HO THAT GRONE SCHULDE . . . . . . CLN 1077
AND ALLE HENDE THAT HONESTLY MO3T AN HERT GLADE. . . . . . . CLN 1083
GAWAN WAT3 GLAD TO BEGYNNE THOSE GOMNE3 IN HALLE . . . . . . GGK 495
FOR TO GLADE SIR GAWAYN WITH GOMNE3 IN HALLE. . . . . GGK 989
THENNE WAT3 GAWAN FUL GLAD AND GOMENLY HE LA3ED. . . . . . . GGK 1079
BI GOD I WERE GLAD AND YOW GOD THO3T . . . . GGK 1245
SIR GAWAYN THE GODE THAT GLAD WAT3 WITHALLE . . . . GGK 1926
GAWAYN AND THE GODEMON SO GLAD WERE THAY BOTHE . . . . GGK 1955
THENNE WAT3 THE GOME SO GLAD OF HIS GAY LOGGE . . . . PAT 457
TO THE TENTHE DOLE OF THO GLADNE3 GLADE . . . . PRL 136
SO WERN HIS GLENTE3 GLORYOUS GLADE . . . . PRL 1144
GLADANDE (V. GLADDING)
GLADDED
THEN GODE3 GLAM TO HEM GLOD THAT GLADED HEM ALLE . . . . . . CLN 499
GLADDER
NO GLADDER GOME HETHEN INTO GRECE . . . . PRL 231
GLADDEST
TOR TO KNAW THE GLADDEST CHERE . . . . PRL 1109
GLADDING
SUCHE GLADANDE GLORY CON TO ME GLACE . . . . PRL 171
GLADE (V. GLAD)
GLADED (V. GLADDED)
GLADLOKER (CP. GLADLY)

GLADLOKER BI GODDE3 SUN THEN ANY GOD WELDE . . . . GGK 1064
GLADLY (CP. GLADLOKER)
THE GOUERNOUR OF THIS GYNG GLADLY I WOLDE. . . . . GGK 225
AND GEF HYM GODDE3 BLESSYNG AND GLADLY HYM BIDDES . . . . . . GGK 370
GLADLY SIR FORSOTHE . . . . GGK 415
GLADNESS
TO THE TENTHE DOLE OF THO GLADNE3 GLADE . . . . PRL 136
GLADNE3 (V. GLADNESS)
GLADS
THE LOMBE VS GLAD3 OURE CARE IS KEST . . . . PRL 861
GLAD3 (V. GLADS)
GLAIVE
THAT FOL3ED THE GLAYUE SO GRYMLY GROUNDE . . . . PRL 654
GLAM
THEN GODE3 GLAM TO HEM GLOD THAT GLADED HEM ALLE . . . . . . CLN 499
THE GESTES GAY AND FUL GLAD OF GLAM DEBONERE. . . . . CLN 830
THE GOD MAN GLYFTE WYTH THAT GLAM AND GLOPED FOR NOYSE . . . CLN 849
THENNE SUCH A GLAUER ANDE GLAM OF GEDERED RACHCHE3. . . . . . GGK 1426
MUCH GLAM AND GLE GLENT VP THERINNE. . . . . GGK 1652
GODDES GLAM TO HYM GLOD THAT HYM VNGLAD MADE. . . . . PAT 63
GLARE
THE WAL OF JASPER THAT GLENT AS GLAYRE. . . . . PRL 1026
GLAS (V. GLASS)
GLASS
AS GLENTE THUR3 GLAS THAT GLOWED AND GLY3T . . . . PRL 114
AS GLEMANDE GLAS BURNIST BROUN . . . . PRL 990
O JASPORYE AS GLAS THAT GLYSNANDE SCHON . . . . PRL 1018
THE STRETE3 OF GOLDE AS GLASSE AL BARE. . . . . PRL 1025
ON GOLDEN GATE3 THAT GLENT AS GLASSE . . . . PRL 1106
GLASSE (V. GLASS)
GLAUER
THENNE SUCH A GLAUER ANDE GLAM OF GEDERED RACHCHE3. . . . . . GGK 1426
GLAUERE3
NE GLAUERE3 HER NIE3BOR WYTH NO GYLE . . . . PRL 688
GLAUM
SUCH GLAUM ANDE GLE GLORIOUS TO HERE . . . . GGK V 46
GLAUMANDE
SUCH GLAUMANDE GLE GLORIOUS TO HERE. . . . . GGK 46
GLAYM
HE GLYDES IN BY THE GILES THUR3 GLAYM ANDE GLETTE . . . . . . PAT V 269
GLAYMANDE
HE GLYDES IN BY THE GILES THUR3 GLAYMANDE GLETTE . . . . . . PAT 269
GLAYRE (V. GLARE)
GLAYUE (V. GLAIVE)
GLE (V. GLEE)
GLEAM
AND HIS GLORIOUS GLEM THAT GLENT SO BRY3T. . . . . CLN 218
THAT AL GLYTERED AND GLENT AS GLEM OF THE SUNNE. . . . . . . GGK 604
QUEN GLEM OF GLODE3 AGAYN3 HEM GLYDE3 . . . . PRL 79
GLEAMED
THAT GLEMED FUL GAYLY WITH MONY GOLDE FRENGES . . . . GGK 598
GLEAMING
THE GLEMANDE GLORY THAT OF HEM GLENT . . . . PRL 70
AS GLEMANDE GLAS BURNIST BROUN . . . . PRL 990
GLEAN
IN THAT OTHER IS NO3T BOT PES TO GLENE. . . . . PRL 955
GLEDE (ALSO V. GLEED)
AND AL WAT3 GRAY AS THE GLEDE WYTH FUL GRYMME CLAWRES. . . . CLN 1696
GLEDE3 (V. GLEEDS)

GLEE
SUCH GLAUMANDE GLE GLORIOUS TO HERE. . . . . GGK 46
GRET IS THE GODE GLE AND GOMEN TO ME HUGE. . . . . GGK 1536
MUCH GLAM AND GLE GLENT VP THERINNE. . . . . GGK 1652
SUCH GLAUM ANDE GLE GLORIOUS TO HERE . . . . GGK V 46
SO GRACIOS GLE COUTHE NO MON GETE . . . . PRL 95
THEN GLORY AND GLE WAT3 NWE ABROCHED . . . . PRL 1123
GLEED
BRAYDE3 OUT THE BOWELES BRENNE3 HOM ON GLEDE. . . . . GGK 1609
GLEEDS
SUMME BAKEN IN BRED SUMME BRAD ON THE GLEDE3. . . . . GGK 891
GLEM (V. GLEAM)
GLEMANDE (V. GLEAMING)
GLEMED (V. GLEAMED)
GLEMERED (V. GLIMMERED)
GLENE (V. GLEAN)
GLENT (V. GLINT, GLINTED)
GLENTE (V. GLINT, GLINTED)
GLENTE3 (V. GLINTS)
GLET (V. GLETTE)
GLETTE
THE CORE THEROF ME HAT3 GREUED AND THE GLETTE NWYED . . . . . CLN 306
AND AL WAT3 FOR THIS ILK EUEL THAT VNHAPPEN GLETTE. . . . . . CLN 573
3E WERE ENTOUCHID WITH HIS TECHE AND TOKE IN THE GLETTE . . . . ERK 297
3E WERE ENTOUCHID WITH HIS TETHE AND TAKE IN THE GLOTTE . . . . ERK V 297
HE GLYDES IN BY THE GILES THUR3 GLAYMANDE GLETTE . . . . . . PAT 269
HE GLYDES IN BY THE GILES THUR3 GLAYM ANDE GLETTE . . . . . . PAT V 269
WYTHOUTEN FYLTHE OTHER GALLE OTHER GLET . . . . PRL 1060
GLEW
BOT GLEW WE ALLE OPON GODDE AND HIS GRACE ASKE . . . . ERK 171
BOT GLOW WE ALLE OPON GODDE AND HIS GRACE ASKE . . . . ERK V 171
GLEWED
BOT VCHON GLEWED ON HIS GOD THAT GAYNED HYM BESTE . . . . . . PAT 164
GLIDE
DO GYF GLORY TO THY GODDE ER THOU GLYDE HENS. . . . . PAT 204
GLIDED
THEN GODE3 GLAM TO HEM GLOD THAT GLADED HEM ALLE . . . . . . CLN 499
WHEREEUER THE GOMEN BYGAN OR GLOD TO AN ENDE. . . . . GGK 661
GODDES GLAM TO HYM GLOD THAT HYM VNGLAD MADE. . . . . PAT 63
WYTH GRET DELYT THAY GLOD IN FERE . . . . PRL 1105
GLIDES
ALLE THAT GLYDE3 AND GOT3 AND GOST OF LYF HABBE3 . . . . . . CLN 325
THEN GLYDE3 FORTH GOD THE GOD MON HYM FOL3E3. . . . . CLN 677
AND GODDE GLYDE3 HIS GATE BY THOSE GRENE WAYE3 . . . . CLN 767
GLYDES DOUN BY THE GRECE AND GOS TO THE KYNG. . . . . CLN 1590
THE GOME VPON GRYNGOLET GLYDE3 HEM VNDER . . . . GGK 748
GAWAN GLYDE3 FUL GAY AND GOS THEDER SONE . . . . GGK 935
HE GLYDES IN BY THE GILES THUR3 GLAYMANDE GLETTE . . . . . . PAT 269
HE GLYDES IN BY THE GILES THUR3 GLAYM ANDE GLETTE . . . . . . PAT V 269
QUEN GLEM OF GLODE3 AGAYN3 HEM GLYDE3 . . . . PRL 79
GLIDING
AND AY GLYDANDE WYTH HIS GOD HIS GRACE WAT3 THE MORE . . . . . CLN 296
AS HIT COM GLYDANDE ADOUN ON GLODE HYM TO SCHENDE . . . . . . GGK 2266
GLIMMERED
THAT EUER GLEMERED AND GLENT AL OF GRENE STONES. . . . . GGK 172
GLINT
NON GETE ME FRO THE HEGHE GATE TO GLENT OUT OF RY3T . . . . . ERK 241
THENNE HO GEF HYM GOD DAY AND WYTH A GLENT LA3ED . . . . . . GGK 1290
AS GLENTE THUR3 GLAS THAT GLOWED AND GLY3T . . . . PRL 114

GLINTED
AND HIS GLORIOUS GLEM THAT GLENT SO BRY3T. . . . . CLN 218
THER GLENT WITH Y3EN GRAY . . . . GGK 82
THAT EUER GLEMERED AND GLENT AL OF GRENE STONES. . . . . . . GGK 172
HE GLENT VPON SIR GAWEN AND GAYNLY HE SAYDE . . . . GGK 476
AND MICHE WAT3 THE GYLD GERE THAT GLENT THER ALOFTE . . . . . GGK 569
THAT AL GLYTERED AND GLENT AS GLEM OF THE SUNNE. . . . . . . GGK 604
MUCH GLAM AND GLE GLENT VP THERINNE. . . . . GGK 1652
AND THA3 THE GLYTERANDE GOLDE GLENT VPON ENDE3 . . . . GGK 2039
GAWAYN GRAYTHELY HIT BYDE3 AND GLENT WITH NO MEMBRE . . . . . GGK 2292
THE GLEMANDE GLORY THAT OF HEM GLENT . . . . PRL 70
BOT HE TO GYLE THAT NEUER GLENTE. . . . . PRL 671
HE GLENTE GRENE IN THE LOWEST HEMME. . . . . PRL 1001
THE WAL OF JASPER THAT GLENT AS GLAYRE. . . . . PRL 1026
ON GOLDEN GATE3 THAT GLENT AS GLASSE . . . . PRL 1106
GLINTS
SO WERN HIS GLENTE3 GLORYOUS GLADE . . . . PRL 1144
GLISNANDE (V. GLISTENING)
GLISTENING
AL WITH GLISNANDE GOLDE HIS GOWNE WOS HEMMYD. . . . . ERK 78
AS GLYSNANDE GOLDE THAT MAN CON SCHERE. . . . . PRL 165
O JASPORYE AS GLAS THAT GLYSNANDE SCHON . . . . PRL 1018
GLITTERED
THAT AL GLYTERED AND GLENT AS GLEM OF THE SUNNE. . . . . . . GGK 604
GLITTERING
AND THA3 THE GLYTERANDE GOLDE GLENT VPON ENDE3 . . . . GGK 2039
GLOD (V. GLIDED)
GLODE
SO WAS THE GLODE WITHIN GAY AL WITH GOLDE PAYNTYDE. . . . . . ERK 75
AS HIT COM GLYDANDE ADOUN ON GLODE HYM TO SCHENDE . . . . . . GGK 2266
GLODES
AND OUERGROWEN WITH GRESSE IN GLODES AYWHERE. . . . . GGK 2181
QUEN GLEM OF GLODE3 AGAYN3 HEM GLYDE3 . . . . PRL 79
GLODE3 (V. GLODES)
GLOOMS
IN HIS GLOWANDE GLORYE AND GLOUMBES FUL LYTTEL . . . . PAT 94
GLOPED
THE GOD MAN GLYFTE WYTH THAT GLAM AND GLOPED FOR NOYSE . . . . CLN 849
GLOPNEDLY
AND GLOPNEDLY ON GODE3 HALUE GART HYM VPRYSE. . . . . CLN 896
GLOPNYNG
WITH GLOPNYNG OF THAT ILKE GOMEN THAT GOSTLYCH SPEKED. . . . . GGK 2461
GLORI (V. GLORY)
GLORIED
AND GLORYED ON HER FALCE GODDES AND HER GRACE CALLES . . . . . CLN 1522
GLORIOUS
AND HIS GLORIOUS GLEM THAT GLENT SO BRY3T. . . . . CLN 218
SUCH GLAUMANDE GLE GLORIOUS TO HERE. . . . . GGK 46
HE SE3 HIR SO GLORIOUS AND GAYLY ATYRED . . . . GGK 1760
SUCH GLAUM ANDE GLE GLORIOUS TO HERE . . . . GGK V 46
THAT GLORYOUS GYLTLE3 THAT MON CON QUELLE. . . . . PRL 799
AS THOU ART GLORYOUS WYTHOUTEN GALLE . . . . PRL 915
SO WERN HIS GLENTE3 GLORYOUS GLADE . . . . PRL 1144
GLORY
FOR HE BIGAN IN ALLE THE GLORI THAT HYM THE GOME LAFTE . . . . CLN 1337
IN HIS GLOWANDE GLORYE AND GLOUMBES FUL LYTTEL . . . . PAT 94
DO GYF GLORY TO THY GODDE ER THOU GLYDE HENS. . . . . PAT 204
THE GLEMANDE GLORY THAT OF HEM GLENT . . . . PRL 70
SUCHE GLADANDE GLORY CON TO ME GLACE . . . . PRL 171

TO LOKE ON THE GLORY OF THYS GRACIOUS GOTE . . . . PRL 934
THER GLORY AND BLYSSE SCHAL EUER ENCRES . . . . PRL 959
THEN GLORY AND GLE WAT3 NWE ABROCHED . . . . PRL 1123
GLORYE (V. GLORY)
GLORYED (V. GLORIED)
GLORYOUS (V. GLORIOUS)
GLOTOUNES (V. GLUTTONS)
GLOTTE (V. GLETTE)
GLOUE (V. GLOVE)
GLOUE3 (V. GLOVES)
GLOUMBES (V. GLOOMS)
GLOVE
GIF ME SUMQUAT OF THY GIFTE THI GLOUE IF HIT WERE . . . . . . GGK 1799
A GLOUE FOR A GARYSOUN OF GAWAYNE3 GIFTE3. . . . . GGK 1807
GLOVES
WITH GODE COWTERS AND GAY AND GLOUE3 OF PLATE . . . . GGK 583
GLOW (V. GLEW)
GLOWANDE (V. GLOWING)
GLOWED
AS GLENTE THUR3 GLAS THAT GLOWED AND GLY3T . . . . PRL 114
GLOWING
THEN GRENE AUMAYL ON GOLDE GLOWANDE BRY3TER . . . . GGK 236
IN HIS GLOWANDE GLORYE AND GLOUMBES FUL LYTTEL . . . . PAT 94
GLUTTONS
NOV IS ALLE THIS GUERE GETEN GLOTOUNES TO SERUE. . . . . . . CLN 1505
GLYDANDE (V. GLIDING)
GLYDE (V. GLIDE)
GLYDES (V. GLIDES)
GLYDE3 (V. GLIDES)
GLYFTE
THE GOD MAN GLYFTE WYTH THAT GLAM AND GLOPED FOR NOYSE . . . CLN 849
BOT GAWAYN ON THAT GISERNE GLYFTE HYM BYSYDE. . . . . GGK 2265
GLYMME
SO WAT3 I RAUYSTE WYTH GLYMME PURE . . . . PRL 1088
GLYSNANDE (V. GLISTENING)
GLYTERANDE (V. GLITTERING)
GLYTERED (V. GLITTERED)
GLY3T
GAWAYN GLY3T ON THE GOME THAT GODLY HYM GRET. . . . . GGK 842
WHEN GAWAYN GLY3T ON THAT GAY THAT GRACIOUSLY LOKED . . . . . GGK 970
THE GOME GLY3T ON THE GRENE GRACIOUSE LEUES . . . . PAT 453
AS GLENTE THUR3 GLAS THAT GLOWED AND GLY3T . . . . PRL 114
GNEDE
THOU PRAYSED ME AND MY PLACE FUL POUER AND FUL GNEDE . . . . . CLN 146
GO
THENNE GOT3 FORTH MY GOME3 TO THE GRETE STREETE3 . . . . . . CLN 77
THAT THAY HYM GRAUNTED TO GO AND GRU3T NO LENGER . . . . . . CLN 810
THAT WE GON GAY IN OURE GERE HIS GRACE HE VS SENDE. . . . . . CLN 1811
LOKE GAWAN THOU BE GRAYTHE TO GO AS THOU HETTE3. . . . . . . GGK 448
GODE SIR QUOTH GAWAN WOLDE3 THOU GO MYN ERNDE . . . . GGK 811
THER WER GESTES TO GO VPON THE GRAY MORNE. . . . . GGK 1024
GESTES THAT GO WOLDE HOR GROME3 THAY CALDEN . . . . GGK 1127
HYM THYNK AS QUEME HYM TO QUELLE AS QUYK GO HYMSELUEN. . . . . GGK 2109
AND GOT3 AWAY SUM OTHER GATE VPON GODDE3 HALUE . . . . GGK 2119
FOR ALLE THE GOLDE VPON GROUNDE I NOLDE GO WYTH THE . . . . . GGK 2150
FOR TO GO AT THI GRE ME GAYNE3 NON OTHER . . . . PAT 348
BE NO3T SO GRYNDEL GODMAN BOT GO FORTH THY WAYES . . . . . . PAT 524
FOR A PENE ON A DAY AND FORTH THAY GOT3 . . . . PRL 510
GOS INTO MY VYNE DOT3 THAT 3E CONNE. . . . . PRL 521

ON OURE BYFORE THE SONNE GO DOUN.	PRL	530
GOT3 TO MY VYNE 3EMEN 3ONGE	PRL	535
TAKE THAT IS THYN OWNE AND.GO.	PRL	559
WHEN JESUS CON TO HYM WARDE GON	PRL	820
GOANDE (V. GOING)		
GOBELOTES (V. GOBLETS)		
GOBLETS		
THE GREDIRNE AND THE GOBLOTES GARNYST OF SYLUER.	CLN	1277
THE GOBELOTES OF GOLDE GRAUEN ABOUTE	CLN	1475
GOBLOTES (V. GOBLETS)		
GOD (ALSO V. GOOD)		
BOTHE GOD AND HIS GERE AND HYM TO GREME CACHEN	CLN	16
NE NEUER WOLDE FOR WYLNESFUL HIS WORTHY GOD KNAWE	CLN	231
TO WHAM GOD HADE GEUEN ALLE THAT GAYN WERE	CLN	259
AND AY GLYDANDE WYTH HIS GOD HIS GRACE WAT3 THE MORE	CLN	296
NOW GOD IN NWY TO NOE CON SPEKE	CLN	301
HYM A3TSUM IN THAT ARK AS ATHEL GOD LYKED.	CLN	411
THAT WAT3 COMLY AND CLENE GOD KEPE3 NON OTHER	CLN	508
FOR HE IS THE GROPANDE GOD THE GROUNDE OF ALLE DEDE3	CLN	591
AND AS TO GOD THE GOOD MON GOS HEM AGAYNE3	CLN	611
AND GOD AS A GLAD GEST MAD GOD CHERE	CLN	641
THEN GLYDE3 FORTH GOD THE GOD MON HYM FOL3E3.	CLN	677
THAT ART SO GAYNLY A GOD AND OF GOSTE MYLDE	CLN	728
AND FYUE WONT OF FYFTY QUOTH GOD I SCHAL FOR3ETE ALLE.	CLN	739
BOT I HAUE BYGONNEN WYTH MY GOD AND HE HIT GAYN THYNKE3	CLN	749
THENNE THE GODLYCH GOD GEF HYM ONSWARE.	CLN	753
I GRAUNT QUOTH THE GRETE GOD GRAUNT MERCY THAT OTHER	CLN	765
AND GODDE GLYDE3 HIS GATE BY THOSE GRENE WAYE3	CLN	767
THE GRETE GOD IN HIS GREME BYGYNNE3 ON LOFTE.	CLN	947
BOT MUCH CLENER WAT3 HIR CORSE GOD KYNNED THERINNE.	CLN	1072
NE NON SO GLAD VNDER GOD AS HO THAT GRONE SCHULDE	CLN	1077
AND THE GROPYNG SO GOUD OF GOD AND MAN BOTHE.	CLN	1102
THAT HADEN HY3T THE HY3E GOD TO HALDE OF HYM EUER	CLN	1162
AND ALS THE GOD OF THE GROUNDE WAT3 GRAUEN HIS NAME	CLN	1324
THAT ALLE GOUDES COM OF GOD AND GEF HIT HYM BI SAMPLES	CLN	1326
BOT HYM THAT ALLE GOUDES GIUES THAT GOD THAY FOR3ETEN.	CLN	1528
THAT HAT3 THE GOST OF GOD THAT GYES ALLE SOTHES.	CLN	1598
I AM GOD OF THE GROUNDE TO GYE AS ME LYKES	CLN	1663
MANE MENES ALS MUCH AS MAYNFUL GODE.	CLN	1730
LOTHE GOD AND HIS GERE AND HYM TO GREME CACHEN	CLN V	16
NE NEUER WOLDE FOR WYLFULNES HIS WORTHY GOD KNAWE	CLN V	231
THAT HAT3 THE GOSTES OF GOD THAT GYES ALLE SOTHES.	CLN V	1598
BOT GLEW WE ALLE OPON GODDE AND HIS GRACE ASKE	ERK	171
AND GEFE A GRONYNGE FUL GRETE AND TO GODDE SAYDE	ERK	282
NOW HERID BE THOU HEGHE GOD AND THI HENDE MODER.	ERK	325
I HEERE THEROF MY HEGHE GOD AND ALSO THE BYSSHOP	ERK	339
BOT GLOW WE ALLE OPON GODDE AND HIS GRACE ASKE	ERK V	171
TO SECH THE GOME OF THE GRENE AS GOD WYL ME WYSSE	GGK	549
NE NO GOME BOT GOD BI GATE WYTH TO KARP	GGK	696
THAT AUTHER GOD OTHER GOME WYTH GOUD HERT LOUIED	GGK	702
GOD HAT3 GEUEN VS HIS GRACE GODLY FORSOTHE	GGK	920
FOR GODE.	GGK	965
AND I WOLDE LOKE ON THAT LEDE IF GOD ME LET WOLDE	GGK	1063
BI GOD QUOTH GAWAYN THE GODE I GRANT THERTYLLE	GGK	1110
BI GOD I WERE GLAD AND YOW GOD THO3T	GGK	1245
3E BE GOD QUOTH GAWAYN GOOD IS YOUR SPECHE	GGK	1498
IN GOUD FAYTHE QUOTH GAWAYN GOD YOW FOR3ELDE.	GGK	1535
GOD SCHYLDE QUOTH THE SCHALK THAT SCHAL NOT BEFALLE	GGK	1776
I WIL NO GIFTE3 FOR GODE MY GAY AT THIS TYME.	GGK	1822

NAUTHER GOLDE NE GARYSOUN ER GOD HYM GRACE SENDE	GGK	1837
THE GATE TO THE GRENE CHAPEL AS GOD WYL ME SUFFER	GGK	1967
GEF HYM GOD AND GOUD DAY THAT GAWAYN HE SAUE.	GGK	2073
THAT I SCHAL SWERE BI GOD AND ALLE HIS GODE HAL3E3.	GGK	2122
AS HELP ME GOD AND THE HALYDAM AND OTHE3 INNOGHE	GGK	2123
THENNE BI GODDE QUOTH GAWAYN THAT GERE AS I TROWE	GGK	2205
LET GOD WORCHE WE LOO	GGK	2208
GAWAYN QUOTH THAT GRENE GOME GOD THE MOT LOKE	GGK	2239
NAY BI GOD QUOTH GAWAYN THAT ME GOST LANTE	GGK	2250
BOT YOUR GORDEL QUOTH GAWAYN GOD YOW FOR3ELDE	GGK	2429
AS ANY GOME VNDER GOD FOR THY GRETE TRAUTHE	GGK	2470
BOT IF MY GAYNLYCH GOD SUCH GREF TO ME WOLDE.	PAT	83
THA3 HE WERE SO3T FRO SAMARYE THAT GOD SE3 NO FYRRE	PAT	116
BOT VCHON GLEWED ON HIS GOD THAT GAYNED HYM BESTE	PAT	164
THAT HAT3 GREUED HIS GOD AND GOT3 HERE AMONGE VS	PAT	171
HAT3 THOU GOME NO GOUERNOUR NE GOD ON TO CALLE	PAT	199
DO GYF GLORY TO THY GODDE ER THOU GLYDE HENS.	PAT	204
FOR I HAF GREUED MY GOD AND GULTY AM FOUNDEN.	PAT	210
TO OURE MERCYABLE GOD ON MOYSES WYSE	PAT	238
AND GRAUNTED HYM ON TO BE GOD AND GRAYTHLY NON OTHER	PAT	240
IN WYCH GUT SO EUER HE GOT3 BOT EUER IS GOD SWETE	PAT	280
THOU ART GOD AND ALLE GOWDE3 AR GRAYTHELY THYN OWEN	PAT	286
THE VERRAY VENGAUNCE OF GOD SCHAL VOYDE THIS PLACE.	PAT	370
AND FORGIF VS THIS GULT 3IF WE HYM GOD LEUEN.	PAT	404
AND GOD THUR3 HIS GODNESSE FORGEF AS HE SAYDE	PAT	407
THE WHYLE GOD OF HIS GRACE DED GROWE OF THAT SOYLE.	PAT	443
WHIL GOD WAYNED A WORME THAT WROT VPE THE ROTE	PAT	467
AS MAN TO GOD WORDE3 SCHULDE HEUE	PRL	314
AND LOUE AY GOD IN WELE AND WO	PRL	342
GOD FORBEDE WE BE NOW WROTHE	PRL	379
THE COURT OF THE KYNDOM OF GOD ALYUE	PRL	445
THOU COWTHE3 NEUER GOD NAUTHER PLESE NE PRAY.	PRL	484
I MAY NOT TRAW SO GOD ME SPEDE	PRL	487
THAT GOD WOLDE WRYTHE SO WRANGE AWAY	PRL	488
IN SOTHFOL GOSPEL OF GOD ALMY3T	PRL	498
THE MERCI OF GOD IS MUCH THE MORE	PRL	576
FOR THE GRACE OF GOD IS GRET INOGHE.	PRL	612
FOR THE GRACE OF GOD IS GRET INNO3E.	PRL	624
FOR THE GRACE OF GOD IS GRET INNOGHE	PRL	636
THE GRACE OF GOD WEX GRET INNOGHE	PRL	648
AND THE GRACE OF GOD IS GRET INNOGH.	PRL	660
HIT IS A DOM THAT NEUER GOD GAUE.	PRL	667
TWO MEN TO SAUE IS GOD BY SKYLLE.	PRL	674
AND SCHEUED HYM THE RENGNE OF GOD AWHYLE	PRL	692
THE MO THE MYRYER SO GOD ME BLESSE	PRL	850
AS NEWE FRYT TO GOD FUL DUE	PRL	894
BOT CETE OF GOD OTHER SY3T OF PES	PRL	952
THAT SCHENE SAYDE THAT GOD WYL SCHYLDE.	PRL	965
THE SELF GOD WAT3 HER LOMBELY3T	PRL	1046
A GOD A LORDE A FRENDE FUL FYIN	PRL	1204
AND SYTHEN TO GOD I HIT BYTA3TE	PRL	1207
GODDE (V. GOD)		
GODDES (V. GODDESS, GODS)		
GODDESS		
MORGNE THE GODDES.	GGK	2452
GODDE3 (V. GODS)		
GODE (V. GOD, GOOD)		
GODELIEST (V. GOODLIEST)		
GODEMON (V. GOODMAN)		

GODES (V. GODS, GOODS)
GODE3 (V. GODS, GOODS)
GODHEAD

BOT MY LORDE THE LOMBE THUR3 HYS GODHEDE	PRL	413

GODHEDE (V. GODHEAD)
GODLY (V. GOODLY)
GODLYCH (V. GOODLY)
GODMON (V. GOODMAN)
GODNESSE (V. GOODNESS)
GODS

FUL GRAYTHELY GOT3 THIS GOD MAN AND DOS GODE3 HESTES	CLN	341
THEN GODE3 GLAM TO HEM GLOD THAT GLADED HEM ALLE	CLN	499
AND GLOPNEDLY ON GODE3 HALUE GART HYM VPRYSE.	CLN	896
AND THAY FORLOYNE HER FAYTH AND FOL3ED OTHER GODDES	CLN	1165
AND OF STOKKES AND STONES HE STOUTE GODDES CALL3	CLN	1343
AND GLORYED ON HER FALCE GODDES AND HER GRACE CALLES	CLN	1522
ALLE THE GOUDE GOLDEN GODDES THE GAULE3 3ET NEUENEN	CLN	1525
OF THE GODELIEST GODDE3 THAT GAYNES AYWHERE	CLN	1608
GODDES GOST IS THE GEUEN THAT GYES ALLE THYNGES.	CLN	1627
HIS MY3T METE TO GODDES HE MADE WYTH HIS WORDES.	CLN	1662
LOUANDE THERON LESE GODDE3 THAT LYF HADEN NEUER.	CLN	1719
THE ORNEMENTES OF GODDE3 HOUS THAT HOLY WERE MAKED.	CLN	1799
BY GODDES LEUE AS LONGE AS I MY3T LACCHE WATER	ERK	316
GIF ME NOW THY GESERNE VPON GODE3 HALUE	GGK	326
AND GEF HYM GODDE3 BLESSYNG AND GLADLY HYM BIDDES	GGK	370
SIR GAUAN ON GODE3 HALUE THA3 HYM NO GOMEN THO3T	GGK	692
THAT GAWAYN HAT3 BEN MY GEST AT GODDE3 AWEN FEST	GGK	1036
GLADLOKER BI GODDE3 SUN THEN ANY GOD WELDE	GGK	1064
AND GOT3 AWAY SUM OTHER GATE VPON GODDE3 HALUE	GGK	2119
NOW FARE3 WEL ON GODE3 HALF GAWAYN THE NOBLE.	GGK	2149
BI GODDE3 SELF QUOTH GAWAYN	GGK	2156
TO GODDE3 WYLLE I AM FUL BAYN.	GGK	2158
FOR THAY THE GRACIOUS GODES SUNES SCHAL GODLY BE CALLED	PAT	26
GODDES GLAM TO HYM GLOD THAT HYM VNGLAD MADE.	PAT	63
THENNE A WYNDE OF GODDE3 WORDE EFTE THE WY3E BRUXLE3	PAT	345
GODDE3 RY3T IS REDY AND EUERMORE RERT	PRL	591
MY GOSTE IS GON IN GODE3 GRACE	PRL	63
OF MORE AND LASSE IN GODE3 RYCHE.	PRL	601
LO GODE3 LOMBE AS TRWE AS STON	PRL	822
RY3T BYFORE GODE3 CHAYERE	PRL	885
BOT THE NWE THAT LY3T OF GODE3 SONDE	PRL	943
THE HY3E GODE3 SELF HIT SET VPONE	PRL	1054
AS HELDE DRAWEN TO GODDE3 PRESENT	PRL	1193
AS HELDER DRAWEN TO GODDE3 PRESENT	PRL 1	1193

GOES

ALLE THAT GLYDE3 AND GOT3 AND GOST OF LYF HABBE3	CLN	325
FUL GRAYTHELY GOT3 THIS GOD MAN AND DOS GODE3 HESTES	CLN	341
AND AS TO GOD THE GOOD MON GOS HEM AGAYNE3	CLN	611
GLYDES DOUN BY THE GRECE AND GOS TO THE KYNG.	CLN	1590
GAWAN GOT3 TO THE GOME WITH GISERNE IN HONDE.	GGK	375
GAWAN GLYDE3 FUL GAY AND GOS THEDER SONE	GGK	935
BOT THAT 3E BE GAWAN HIT GOT3 NOT IN MYNDE	GGK	1293
THAT HAT3 GREUED HIS GOD AND GOT3 HERE AMONGE VS	PAT	171
IN WYCH GUT SO EUER HE GOT3 BOT EUER IS GOD SWETE	PAT	280
AS WALLANDE WATER GOT3 OUT OF WELLE.	PRL	365

GOING

AND AY GOANDE ON YOUR GATE WYTHOUTEN AGAYNTOTE	CLN	931
FOR NOW IS GODE GAWAYN GOANDE RY3T HERE	GGK	2214

GOLD

THE PURE PYLERES OF BRAS POURTRAYD IN GOLDE	CLN	1271
THAT THE AUTER HADE VPON OF ATHEL GOLDE RYCHE	CLN	1276
DERE DISCHES OF GOLDE AND DUBLERES FAYRE	CLN	1279
THE GOLDE OF THE GA3AFYLACE TO SWYTHE GRET NOUMBRE.	CLN	1283
WHEN THAY AR GILDE AL WITH GOLDE AND GERED WYTH SLYUER	CLN	1344
AND BRODE BANERES THERBI BLUSNANDE OF GOLD	CLN	1404
PARED OUT OF PAPER AND POYNTED OF GOLDE	CLN	1408
THE GAY COROUN OF GOLDE GERED ON LOFTE.	CLN	1444
FOR THER WER BASSYNES FUL BRY3T OF BRENDE GOLDE CLERE.	CLN	1456
THE GOBELOTES OF GOLDE GRAUEN ABOUTE	CLN	1475
AND FYOLES FRETTED WYTH FLORES AND FLEE3 OF GOLDE	CLN	1476
THE BO3ES BRY3T THER ABOF BRAYDEN OF GOLDE	CLN	1481
WYTH MONY A BORLYCH BEST AL OF BRENDE GOLDE	CLN	1488
AND A COLER OF CLER GOLDE CLOS VMBE HIS THROTE	CLN	1569
AND THE BY3E OF BRY3T GOLDE ABOWTE THYN NEKKE	CLN	1638
AND A COLER OF CLER GOLDE KEST VMBE HIS SWYRE	CLN	1744
AND THE BORDURE ENBELICIT WITH BRY3T GOLDE LETTRES.	ERK	51
SO WAS THE GLODE WITHIN GAY AL WITH GOLDE PAYNTYDE.	ERK	75
AL WITH GLISNANDE GOLDE HIS GOWNE WOS HEMMYD.	ERK	78
AND A GURDILLE OF GOLDE BIGRIPIDE HIS MYDELLE	ERK	80
AND THUS TO BOUNTY MY BODY THAI BURIET IN GOLDE.	ERK	248
OF BRY3T GOLDE VPON SILK BORDES BARRED FUL RYCHE	GGK	159
WITH GAY GAUDI OF GRENE THE GOLDE AY INMYDDES	GGK	167
AY A HERLE OF THE HERE ANOTHER OF GOLDE	GGK	190
THER MONY BELLE3 FUL BRY3T OF BRENDE GOLDE RUNGEN	GGK	195
THE GRAYN AL OF GRENE STELE AND OF GOLDE HEWEN	GGK	211
THEN GRENE AUMAYL ON GOLDE GLOWANDE BRY3TER	GGK	236
ABOUTE HIS KNE3 KNAGED WYTH KNOTE3 OF GOLDE	GGK	577
HIS GOLD SPORE3 SPEND WITH PRYDE.	GGK	587
THE LEST LACHET OUER LOUPE LEMED OF GOLDE.	GGK	591
THAT GLEMED FUL GAYLY WITH MONY GOLDE FRENGES	GGK	598
THE BRYDEL BARRED ABOUTE WITH BRY3T GOLDE BOUNDEN	GGK	600
AND AL WAT3 RAYLED ON RED RYCHE GOLDE NAYLE3.	GGK	603
WYTH THE PENTANGEL DEPAYNT OF PURE GOLDE HWE3	GGK	620
GAWAN WAT3 FOR GODE KNAWEN AND AS GOLDE PURED	GGK	633
RYALLY WYTH RED GOLDE VPON REDE GOWLE3.	GGK	663
OF CORTYNES OF CLENE SYLK WYTH CLER GOLDE HEMME3	GGK	854
RUDELE3 RENNANDE ON ROPE3 RED GOLDE RYNGE3	GGK	857
THEN MUCH OF THE GARYSOUN OTHER GOLDE THAT THAY HAUEN.	GGK	1255
HO RA3T HYM A RICHE RYNK OF RED GOLDE WERKE3.	GGK	1817
GERED HIT WAT3 WITH GRENE SYLKE AND WITH GOLDE SCHAPED	GGK	1832
NAUTHER GOLDE NE GARYSOUN ER GOD HYM GRACE SENDE	GGK	1837
AND THA3 THE GLYTERANDE GOLDE GLENT VPON ENDE3	GGK	2039
FOR ALLE THE GOLDE VPON GROUNDE I NOLDE GO WYTH THE	GGK	2150
THAT WYL I WELDE WYTH GOUD WYLLE NOT FOR THE WYNNE GOLDE. . . .	GGK	2430
THE LEST LACHET OTHER LOUPE LEMED OF GOLDE	GGK V	591
TO CLANLY CLOS IN GOLDE SO CLERE.	PRL	2
AS GLYSNANDE GOLDE THAT MAN CON SCHERE.	PRL	165
AS SCHORNE GOLDE SCHYR HER FAX THENNE SCHON	PRL	213
THE BOR3 WAT3 AL OF BRENDE GOLDE BRY3T.	PRL	989
THE STRETE3 OF GOLDE AS GLASSE AL BARE.	PRL	1025
WYTH HORNE3 SEUEN OF RED GOLDE CLER.	PRL	1111

GOLDE (V. GOLD)

GOLDEHEMMED (V. GOLD-HEMMED)

GOLDEN

ALLE THE GOUDE GOLDEN GODDES THE GAULE3 3ET NEUENEN	CLN	1525
ON GOLDEN GATE3 THAT GLENT AS GLASSE	PRL	1106

GOLD-HEMMED

AND I GIF THE SIR THE GURDEL THAT IS GOLDEHEMMED	GGK	2395

Entry	Text	Poem	Line
GOLF (V. GULF)			
GOME			
	THE GOME WAT3 VNGARNYST WYTH GOD MEN TO DELE.	CLN	137
	THOW ART A GOME VNGODERLY IN THAT GOUN FEBELE	CLN	145
	FOR HE BIGAN IN ALLE THE GLORI THAT HYM THE GOME LAFTE	CLN	1337
	ANDE AL GRAYTHED IN GRENE THIS GOME AND HIS WEDES	GGK	151
	TO THE GOME HE WAT3 FUL GAYN	GGK	178
	WEL GAY WAT3 THIS GOME GERED IN GRENE	GGK	179
	I KNOW NO GOME THAT IS GAST OF THY GRETE WORDES.	GGK	325
	GAWAN GOT3 TO THE GOME WITH GISERNE IN HONDE.	GGK	375
	QUOTH THE GOME IN THE GRENE TO GAWAN THE HENDE	GGK	405
	TO SECH THE GOME OF THE GRENE AS GOD WYL ME WYSSE	GGK	549
	NE NO GOME BOT GOD BI GATE WYTH TO KARP	GGK	696
	THAT AUTHER GOD OTHER GOME WYTH GOUD HERT LOUIED	GGK	702
	THE GOME VPON GRYNGOLET GLYDE3 HEM VNDER	GGK	748
	GAWAYN GLY3T ON THE GOME THAT GODLY HYM GRET.	GGK	842
	AND AL I GIF YOW GAWAYN QUOTH THE GOME THENNE	GGK	1383
	AT THE GRENE CHAPEL WHEN HE THE GOME METES	GGK	1753
	FOR QUAT GOME SO IS GORDE WITH THIS GRENE LACE	GGK	1851
	FORTHY GOUDE SIR GAWAYN LET THE GOME ONE	GGK	2118
	AND THE GOME IN THE GRENE GERED AS FYRST	GGK	2227
	GAWAYN QUOTH THAT GRENE GOME GOD THE MOT LOKE	GGK	2239
	THEN THE GOME IN THE GRENE GRAYTHED HYM SWYTHE	GGK	2259
	THOU ART NOT GAWAYN QUOTH THE GOME THAT IS SO GOUD HALDEN	GGK	2270
	AS ANY GOME VNDER GOD FOR THY GRETE TRAUTHE	GGK	2470
	AND QUEN THE GULTY IS GON WHAT MAY GOME TRAWE	PAT	175
	HAT3 THOU GOME NO GOUERNOUR NE GOD ON TO CALLE	PAT	199
	ALLE THE GOTE3 OF THY GUFERES AND GROUNDELE3 POWLE3	PAT	310
	THE GOME GLY3T ON THE GRENE GRACIOUSE LEUES	PAT	453
	THENNE WAT3 THE GOME SO GLAD OF HIS GAY LOGGE	PAT	457
	NO GLADDER GOME HETHEN INTO GRECE	PRL	231
	ANENDE RY3TWYS MEN 3ET SAYT3 A GOME.	PRL	697
GOMEN			
	THOU WYL GRANT ME GODLY THE GOMEN THAT I ASK.	GGK	273
	FORTHY I CRAUE IN THIS COURT A CRYSTEMAS GOMEN	GGK	283
	AND GIF GAWAN THE GAME	GGK	365
	WHEREEUER THE GOMEN BYGAN OR GLOD TO AN ENDE.	GGK	661
	SIR GAUAN ON GODE3 HALUE THA3 HYM NO GOMEN THO3T	GGK	692
	THAT HOR PLAY WAT3 PASSANDE VCHE PRYNCE GOMEN	GGK	1014
	WITH GAME	GGK	1314
	AND AL GODLY IN GOMEN GAWAYN HE CALLED.	GGK	1376
	TO LERNE AT YOW SUM GAME	GGK	1532
	GRET IS THE GODE GLE AND GOMEN TO ME HUGE.	GGK	1536
	NOW GAWAYN QUOTH THE GODMON THIS GOMEN IS YOUR AWEN	GGK	1635
	AND AL WITH GOMEN HE HYM GRET AND GOUDLY HE SAYDE	GGK	1933
	WITH GLOPNYNG OF THAT ILKE GOMEN THAT GOSTLYCH SPEKED.	GGK	2461
GOMENLY			
	THENNE WAT3 GAWAN FUL GLAD AND GOMENLY HE LA3ED.	GGK	1079
GOMES			
	THENNE GOT3 FORTH MY GOME3 TO THE GRETE STREETE3	CLN	77
	WAYTE3 GORSTE3 AND GREUE3 IF ANI GOME3 LYGGE3	CLN	99
	SUCH GOD SUCH GOMES SUCH GAY VESSELLES.	CLN V	1315
GOME3 (V. GOMES)			
GOMORRAH			
	AND THE GULT OF GOMORRE GARE3 ME TO WRATH.	CLN	690
	IN THE CETY OF SODAMAS AND ALSO GOMORRE	CLN	722
	AND THE GROUNDE OF GOMORRE GORDE INTO HELLE	CLN	911
	GORDE TO GOMORRA THAT THE GROUNDE LAUSED	CLN	957
GOMNES (V. GOMNE3)			

Entry	Text	Line
GOMNE3		
GAWAN WAT3 GLAD TO BEGYNNE THOSE GOMNE3 IN HALLE	GGK	495
AS KNY3TE3 IN CAUELACIOUN3 ON CRYSTMASSE GOMNE3.	GGK	683
FOR TO GLADE SIR GAWAYN WITH GOMNE3 IN HALLE.	GGK	989
AND AY THE LORDE OF THE LONDE IS LENT ON HIS GAMNE3	GGK	1319
3ET IS THE LORDE ON THE LAUNDE LEDANDE HIS GOMNES	GGK	1894
GOMORRA (V. GOMORRAH)		
GOMORRE (V. GOMORRAH)		
GON (V. GO, GONE)		
GONE		
WHEN HO WAT3 GON SIR GAWAYN GERE3 HYM SONE	GGK	1872
AND QUEN THE GULTY IS GON WHAT MAY GOME TRAWE	PAT	175
MY GOSTE IS GON IN GODE3 GRACE	PRL	63
I WYSTE NEUER QUERE MY PERLE WAT3 GON	PRL	376
GOOD		
AND THAY BIGONNE TO BE GLAD THAT GOD DRINK HADEN	CLN	123
THE GOME WAT3 VNGARNYST WYTH GOD MEN TO DELE.	CLN	137
FUL GRAYTHELY GOT3 THIS GOD MAN AND DOS GODE3 HESTES	CLN	341
AND AS TO GOD THE GOOD MON GOS HEM AGAYNE3	CLN	611
AS SEWER IN A GOD ASSYSE HE SERUED HEM FAYRE.	CLN	639
AND GOD AS A GLAD GEST MAD GOD CHERE	CLN	641
THEN GLYDE3 FORTH GOD THE GOD MON HYM FOL3E3.	CLN	677
THE GOD MAN GLYFTE WYTH THAT GLAM AND GLOPED FOR NOYSE	CLN	849
NO WORLDE3 GOUD HIT WYTHINNE BOT WYNDOWANDE ASKES	CLN	1048
AND THE GROPYNG SO GOUD OF GOD AND MAN BOTHE.	CLN	1102
IN THE SOLEMPNE SACREFYCE THAT GOUD SAUOR HADE	CLN	1447
ALLE THE GOUDE GOLDEN GODDES THE GAULE3 3ET NEUENEN	CLN	1525
THAT GODE COUNSEYL AT THE QUENE WAT3 CACHED AS SWYTHE.	CLN	1619
SUCH GOD SUCH GOMES SUCH GAY VESSELLES.	CLN V	1315
AND EUER IN FOURME OF GODE FAITHE MORE THEN FOURTY WYNTER	ERK	230
THERE GODE GAWAN WAT3 GRAYTHED GWENORE BISYDE	GGK	109
GOOD BER AND BRY3T WYN BOTHE	GGK	129
IN GOD FAYTH QUOTH THE GOODE KNY3T GAWAN I HATTE	GGK	381
IN GOD FAYTH QUOTH THE GOODE KNY3T GAWAN I HATTE	GGK	381
THE KYNG AND THE GODE KNY3T AND KENE MEN HEM SERUED	GGK	482
LAUNCELOT AND LYONEL AND LUCAN THE GODE	GGK	553
THE KNY3T MAD AY GOD CHERE.	GGK	562
WITH GODE COWTERS AND GAY AND GLOUE3 OF PLATE	GGK	583
GAWAN WAT3 FOR GODE KNAWEN AND AS GOLDE PURED	GGK	633
AND GEF HEM ALLE GOUD DAY	GGK	668
THAT AUTHER GOD OTHER GOME WYTH GOUD HERT LOUIED	GGK	702
GODE SIR QUOTH GAWAN WOLDE3 THOU GO MYN ERNDE	GGK	811
TO LEDE A LORTSCHYP IN LEE OF LEUDE3 FUL GODE	GGK	849
GAWAN GEF HYM GOD DAY THE GODMON HYM LACHCHE3	GGK	1029
GRANT MERCI SIR QUOTH GAWAYN IN GOD FAYTH HIT IS YOWRE3	GGK	1037
GLADLOKER BI GODDE3 SUN THEN ANY GOD WELDE	GGK	1064
BI GOD QUOTH GAWAYN THE GODE I GRANT THERTYLLE	GGK	1110
THER ROS FOR BLASTE3 GODE	GGK	1148
AND GAWAYN THE GOD MON IN GAY BED LYGE3	GGK	1179
GOD MOROUN SIR GAWAYN SAYDE THAT GAY LADY.	GGK	1208
GOUD MOROUN GAY QUOP GAWAYN THE BLYTHE.	GGK	1213
IN GOD FAYTHE QUOTH GAWAYN GAYN HIT ME THYNKKE3.	GGK	1241
BI GOD I WERE GLAD AND YOW GOD THO3T	GGK	1245
HIT IS GOD QUOTH THE GODMON GRANT MERCY THERFORE	GGK	1392
IWYSSE WITH AS GOD WYLLE HIT WORTHE3 TO 3OURE3	GGK	1387
SO GOD AS GAWAYN GAYNLY IS HALDEN	GGK	1297
THENNE HO GEF HYM GOD DAY AND WYTH A GLENT LA3ED	GGK	1290
FOR I HAF FOUNDEN IN GOD FAYTHE YOWRE FRAUNCHIS NOBELE	GGK	1264
IN GOD FAYTH SIR GAWAYN QUOTH THE GAY LADY	GGK	1248

AND SPEDE HYM FORTH GOOD SPED BOUTE SPYT MORE . . . GGK 1444
WY3E THAT IS SO WEL WRAST ALWAY TO GOD. . . . GGK 1482
3E BE GOD QUOTH GAWAYN GOOD IS YOUR SPECHE . . . GGK 1498
AND VCHE GIFT THAT IS GEUEN NOT WITH GOUD WYLLE. . . . GGK 1500
IN GOUD FAYTHE QUOTH GAWAYN GOD YOW FOR3ELDE. . . . GGK 1535
GRET IS THE GODE GLE AND GOMEN TO ME HUGE. . . . GGK 1536
THE GOUDE LADYE3 WERE GETEN AND GEDERED THE MEYNY . . . GGK 1625
NO HWE GOUD ON HIR HEDE BOT THE HA3ER STONES. . . . GGK 1738
THAY LAUCED WORDES GODE. . . . GGK 1766
AND HE GRANTED AND HO HYM GAFE WITH A GOUD WYLLE . . . GGK 1861
SIR GAWAYN THE GODE THAT GLAD WAT3 WITHALLE . . . GGK 1926
IN CHEUISAUNCE OF THIS CHAFFER 3IF 3E HADE GOUD CHEPE3 . . . GGK 1939
SO GODE . . . GGK 1947
IN GOD FAYTHE QUOTH THE GODMON WYTH A GOUD WYLLE . . . GGK 1969
IN GOD FAYTHE QUOTH THE GODMON WYTH A GOUD WYLLE . . . GGK 1969
THAT FORGAT NOT GAWAYN FOR GODE OF HYMSELUEN. . . . GGK 2031
HE GEF HIT AY GOD CHAUNCE . . . GGK 2068
GEF HYM GOD AND GOUD DAY THAT GAWAYN HE SAUE. . . . GGK 2073
FORTHY GOUDE SIR GAWAYN LET THE GOME ONE . . . GGK 2118
THAT I SCHAL SWERE BI GOD AND ALLE HIS GODE HAL3E3. . . . GGK 2122
WEL WORTH THE WY3E THAT WOLDE3 MY GODE. . . . GGK 2127
FOR NOW IS GODE GAWAYN GOANDE RY3T HERE . . . GGK 2214
THOU ART NOT GAWAYN QUOTH THE GOME THAT IS SO GOUD HALDEN . . GGK 2270
AL THE GAYNE THOW ME GEF AS GOD MON SCHULDE . . . GGK 2349
SO IS GAWAYN IN GOD FAYTH BI OTHER GAY KNY3TE3 . . . GGK 2365
THAT WYL I WELDE WYTH GOUD WYLLE NOT FOR THE WYNNE GOLDE. . . GGK 2430
THAT GODE GAWAYN WAT3 COMMEN GAYN HIT HYM THO3T. . . . GGK 2491
AND SPARRED FORTH GOOD SPED BOUTE SPYT MORE . . . GGK V 1444
NO HWE3 GOUD ON HIR HEDE BOT THE HA3ER STONES . . . GGK V 1738
THAY LANCED WORDES GODE. . . . GGK V 1766
FOR THAY SCHAL FRELY BE REFETE FUL OF ALLE GODE. . . . PAT 20
AND HALDE GOUD THAT THOU ME HETES HAF HERE MY TRAUTHE. . . . PAT 336
OF GOUD VCHE GOUDE IS AY BYGONNE. . . . PRL 33
OF GOUD VCHE GOUDE IS AY BYGONNE. . . . PRL 33
THAT VCHE GOD MON MAY EUEL BYSEME . . . PRL 310
FOR I AM GOUDE AND NON BYSWYKE3 . . . PRL 568
AND SOLDE ALLE HYS GOUD BOTHE WOLEN AND LYNNE . . . PRL 731
THE JOUELER GEF FORE ALLE HYS GOD . . . PRL 734
THER AS BAPTYSED THE GOUDE SAYNT JON . . . PRL 818
HIT IS FUL ETHE TO THE GOD KRYSTYIN. . . . PRL 1202

GOODE (V. GOOD)

GOODLIEST

OF THE GODELIEST GODDE3 THAT GAYNES AYWHERE . . . CLN 1608

GOODLY

THENNE THE GODLYCH GOD GEF HYM ONSWARE. . . . CLN 753
THOU WYL GRANT ME GODLY THE GOMEN THAT I ASK. . . . GGK 273
AND ALLE THE GODLYCH GERE THAT HYM GAYN SCHULDE. . . . GGK 584
GAWAYN GLY3T ON THE GOME THAT GODLY HYM GRET. . . . GGK 842
GOD HAT3 GEUEN VS HIS GRACE GODLY FORSOTHE . . . GGK 920
AND AL GODLY IN GOMEN GAWAYN HE CALLED. . . . GGK 1376
AND AL WITH GOMEN HE HYM GRET AND GOUDLY HE SAYDE . . . GGK 1933
FOR THAY THE GRACIOUS GODES SUNES SCHAL GODLY BE CALLED . . . PAT 26

GOODMAN

GAWAN GEF HYM GOD DAY THE GODMON HYM LACHCHE3 . . . GGK 1029
HIT IS GOD QUOTH THE GODMON GRANT MERCY THERFORE . . . GGK 1392
NOW GAWAYN QUOTH THE GODMON THIS GOMEN IS YOUR AWEN . . . GGK 1635
HE METE3 ME THIS GODMON INMYDDE3 THE FLORE . . . GGK 1932
GAWAYN AND THE GODEMON SO GLAD WERE THAY BOTHE . . . GGK 1955
IN GOD FAYTHE QUOTH THE GODMON WYTH A GOUD WYLLE . . . GGK 1969

BE NO3T SO GRYNDEL GODMAN BOT GO FORTH THY WAYES . . . . . . PAT 524

GOODNESS
AND GOD THUR3 HIS GODNESSE FORGEF AS HE SAYDE . . . . PAT 407
THER IS NO DATE OF HYS GODNESSE . . . . PRL 493

GOODS
A FOTE FRO THAT FORSELET TO FORRAY NO GOUDES. . . . . CLN 1200
AND PYLED THAT PRECIOUS PLACE AND PAKKED THOSE GODES . . . . . CLN 1282
SUCH GODES SUCH GOUNES SUCH GAY VESSELLES. . . . . CLN 1315
THAT ALLE GOUDES COM OF GOD AND GEF HIT HYM BI SAMPLES . . . . CLN 1326
BOT HYM THAT ALLE GOUDES GIUES THAT GOD THAY FOR3ETEN. . . . . CLN 1528
BOT THIS FOULE FOX FELLE THE FENDE HAF THE GODE3 . . . . . . GGK 1944
THOU ART GOD AND ALLE GOWDE3 AR GRAYTHELY THYN OWEN . . . . . PAT 286

GORDE (ALSO V. GIRT)
AND THE GROUNDE OF GOMORRE GORDE INTO HELLE . . . . CLN 911
GORDE TO GOMORRA THAT THE GROUNDE LAUSED . . . . CLN 957

GORDEL (V. GIRDLE)

GORDE3
GORDE3 TO GRYNGOLET WITH HIS GILT HELE3 . . . . GGK 2062
THENNE GYRDE3 HE TO GRYNGOLET AND GEDERE3 THE RAKE. . . . . . GGK 2160

GORE
THE GORE THEROF ME HAT3 GREUED AND THE GLETTE NWYED . . . . . CLN 306

GORGER
THAT OTHER WYTH A GORGER WAT3 GERED OUER THE SWYRE. . . . . . GGK 957

GORSE
WAYTE3 GORSTE3 AND GREUE3 IF ANI GOME3 LYGGE3 . . . . CLN 99
HERTTES TO HY3E HETHE HARE3 TO GORSTE3. . . . . CLN 535

GORSTE3 (V. GORSE)
GOS (V. GO, GOES)

GOSPEL
IN SOTHFOL GOSPEL OF GOD ALMY3T . . . . PRL 498

GOST (V. GHOST)
GOSTE (V. GHOST)
GOSTES (V. GHOSTS)
GOSTLY (V. GHOSTLY)
GOSTLYCH (V. GHOSTLY)

GOT
AND THE GREHOUNDE3 SO GRETE THAT GETEN HEM BYLYUE . . . . . . GGK 1171

GOTE
TO LOKE ON THE GLORY OF THYS GRACIOUS GOTE . . . . PRL 934

GOTE3
THE ARC HOUEN WAT3 ON HY3E WYTH HURLANDE GOTE3 . . . . CLN 413
ALLE THE GOTE3 OF THY GUFERES AND GROUNDELE3 SO MONY . . . . . PAT 310
OTHER GOTE3 OF GOLF THAT NEUER CHARDE . . . . PRL 608

GOTTEN
I HAF 3ERNED AND 3AT 3OKKE3 OF OXEN. . . . . CLN 66
NOV IS ALLE THIS GUERE GETEN GLOTOUNES TO SERUE. . . . . . . CLN 1505
THE GOUDE LADYE3 WERE GETEN AND GEDERED THE MEYNY . . . . . . GGK 1625
FOR I HAF HUNTED AL THIS DAY AND NO3T HAF I GETEN . . . . . . GGK 1943
ON GRYNGOLET THAT THE GRACE HADE GETEN OF HIS LYUE. . . . . . GGK 2480

GOT3 (V. GO, GOES)
GOUD (V. GOOD)
GOUDE (V. GOODS)
GOUDES (V. GOODS)
GOUDLY (V. GOODLY)
GOUERNANCE (V. GOVERNANCE)
GOUERNORES (V. GOVERNORS)
GOUERNOUR (V. GOVERNOR)
GOULE3 (V. GULES)
GOUN (V. GOWN)

GOUNE (V. GOWN)
GOUNES (V. GOWNS)
GOVERNANCE

Line	Text	Line no.
GURDEN ME FOR GOUERNANCE THE GRAYTHIST OF TROIE.	ERK	251

GOVERNOR

Line	Text	Line no.
GURDEN ME FOR THE GOUERNOUR AND GRAYTHIST OF TROIE.	ERK V	251
THE GOUERNOUR OF THIS GYNG GLADLY I WOLDE.	GGK	225
HAT3 THOU GOME NO GOUERNOUR NE GOD ON TO CALLE	PAT	199

GOVERNORS

Line	Text	Line no.
GART HYM GRATTEST TO BE OF GOUERNORES ALLE	CLN	1645

GOWDE3 (V. GOODS)
GOWLE3 (V. GULES)
GOWN

Line	Text	Line no.
THOW ART A GOME VNGODERLY IN THAT GOUN FEBELE	CLN	145
AL WITH GLISNANDE GOLDE HIS GOWNE WOS HEMMYD.	ERK	78
FOR HIT IS GRENE AS MY GOUNE SIR GAWAYN 3E MAYE.	GGK	2396

GOWNE (V. GOWN)
GOWNS

Line	Text	Line no.
SUCH GODES SUCH GOUNES SUCH GAY VESSELLES.	CLN	1315
HE SCHAL BE GERED FUL GAYE IN GOUNES OF PORPRE	CLN	1568

GRACE

Line	Text	Line no.
AND AY GLYDANDE WYTH HIS GOD HIS GRACE WAT3 THE MORE	CLN	296
I SCHAL FORGYUE ALLE THE GYLT THUR3 MY GRACE ONE	CLN	731
NAY 3IF THOU 3ERNE3 HIT 3ET 3ARK I HEM GRACE.	CLN	758
ALLE CALLED ON THAT CORTAYSE AND CLAYMED HIS GRACE.	CLN	1097
AND IF THAY GRUCHEN HIM GRACE TO GREMEN HIS HERT	CLN	1347
AND GLORYED ON HER FALCE GODDES AND HER GRACE CALLES	CLN	1522
THAT WE GON GAY IN OURE GERE HIS GRACE HE VS SENDE.	CLN	1811
TO BISECHE HIS SOUERAYN OF HIS SWETE GRACE	ERK	120
AND SO LONGE HE GRETTE AFTER GRACE THAT HE GRAUNTE HADE	ERK	126
BOT GLEW WE ALLE OPON GODDE AND HIS GRACE ASKE	ERK	171
MY3T EUEL FORGO THE TO GYFE OF HIS GRACE SUMME BRAWNCHE	ERK	276
BOT GLOW WE ALLE OPON GODDE AND HIS GRACE ASKE	ERK V	171
GOD HAT3 GEUEN VS HIS GRACE GODLY FORSOTHE	GGK	920
FOR I 3ELDE ME 3EDERLY AND 3E3E AFTER GRACE	GGK	1215
THUR3E GRACE	GGK	1258
OF DRURYES GREME AND GRACE.	GGK	1507
NAUTHER GOLDE NE GARYSOUN ER GOD HYM GRACE SENDE	GGK	1837
ON GRYNGOLET THAT THE GRACE HADE GETEN OF HIS LYUE.	GGK	2480
THAT HE GEF HEM THE GRACE TO GREUEN HYM NEUER	PAT	226
3ISSE LORDE QUOTH THE LEDE LENE ME THY GRACE.	PAT	347
THY BOUNTE OF DEBONERTE AND THY BENE GRACE	PAT	418
THE WHYLE GOD OF HIS GRACE DED GROWE OF THAT SOYLE.	PAT	443
MY GOSTE IS GON IN GODE3 GRACE	PRL	63
THERE MO3T MON BY GRACE HAF SENE.	PRL	194
WE LEUEN ON MARYE THAT GRACE OF GREWE	PRL	425
BLESSED BYGYNNER OF VCH A GRACE	PRL	436
FOR THE GRACE OF GOD IS GRET INOGHE.	PRL	612
MERCY AND GRACE MOSTE HEM THEN STERE	PRL	623
FOR THE GRACE OF GOD IS GRET INNO3E.	PRL	624
BOT INNOGHE OF GRACE HAT3 INNOCENT	PRL	625
FOR THE GRACE OF GOD IS GRET INNOGHE	PRL	636
THE GRACE OF GOD WEX GRET INNOGHE	PRL	648
AND THE GRACE OF GOD IS GRET INNOGH.	PRL	660
GRACE INNOGH THE MON MAY HAUE.	PRL	661
AND BE THUR3 MERCY TO GRACE THRY3T	PRL	670

GRACIOS (V. GRACIOUS)
GRACIOUS

Line	Text	Line no.
AND OF THE GRACIOUS HOLY GOSTE AND NOT ONE GRUE LENGER	ERK	319

AND AL BIGRAUEN WITH GRENE IN GRACIOS WERKES. GGK 216
FOR THAY THE GRACIOUS GODES SUNES SCHAL GODLY BE CALLED PAT 26
THE GOME GLY3T ON THE GRENE GRACIOUSE LEUES PAT 453
SO GRACIOS GLE COUTHE NO MON GETE PRL 95
THAT GRACIOS GAY WYTHOUTEN GALLE. PRL 189
AS IN THIS GARDYN GRACIOS GAYE PRL 260
TO LOKE ON THE GLORY OF THYS GRACIOUS GOTE PRL 934

GRACIOUSE (V. GRACIOUS)

GRACIOUSLY
GRACYOUSLY VMBEGROUEN AL WYTH GRENE LEUE3. CLN 488
WHEN GAWAYN GLY3T ON THAT GAY THAT GRACIOUSLY LOKED GGK 970

GRACYOUSLY (V. GRACIOUSLY)

GRAINS
FOR VCH GRESSE MOT GROW OF GRAYNE3 DEDE PRL 31

GRAME
HE GRONED FOR GREF AND GRAME GGK 2502
WHAT GRAYTHED ME THE GRYCHCHYNG BOT GRAME MORE SECHE PAT 53

GRANT
I GRAUNT QUOTH THE GRETE GOD GRAUNT MERCY THAT OTHER CLN 765
I GRAUNT QUOTH THE GRETE GOD GRAUNT MERCY THAT OTHER CLN 765
AND SO LONGE HE GRETTE AFTER GRACE THAT HE GRAUNTE HADE ERK 126
THOU WYL GRANT ME GODLY THE GOMEN THAT I ASK. GGK 273
GRAUNT MERCY QUOTH GAWAYN GGK 838
GRANT MERCI SIR QUOTH GAWAYN IN GOD FAYTH HIT IS YOWRE3 GGK 1037
BI GOD QUOTH GAWAYN THE GODE I GRANT THERTYLLE GGK 1110
BOT WOLDE 3E LADY LOUELY THEN LEUE ME GRANTE. GGK 1218
HIT IS GOD QUOTH THE GODMON GRANT MERCY THERFORE GGK 1392
TO GRAUNTE GGK 1841
GRANT MERCI QUOTH GAWAYN AND GRUCHYNG HE SAYDE GGK 2126
AND 3ET OF GRAUNT THOU MY3TE3 FAYLE. PRL 317

GRANTE (V. GRANT)

GRANTED
THAT THAY HYM GRAUNTED TO GO AND GRU3T NO LENGER CLN 810
HE GRANTED HIR FUL SONE. GGK 1289
THIS WAT3 GRAYTHELY GRAUNTED AND GAWAYN IS LENGED GGK 1683
AND HE GRANTED AND HO HYM GAFE WITH A GOUD WYLLE GGK 1861
AND GRAUNTED HYM ON TO BE GOD AND GRAYTHLY NON OTHER PAT 240

GRANTE3 (V. GRANTS)

GRANTS
THAT SUCH A GEST AS GAWAN GRAUNTE3 VS TO HAUE GGK 921
GAUAYN GRANTE3 ALLE THYSE GGK 1103

GRASS
SCHAL NEUER GRENE THERON GROWE GRESSE NE WOD NAWTHER CLN 1028
AS GROWE GRENE AS THE GRES AND GRENER HIT SEMED. GGK 235
AND AL GRAYES THE GRES THAT GRENE WAT3 ERE GGK 527
AND OUERGROWEN WITH GRESSE IN GLODES AYWHERE. GGK 2181
THUR3 GRESSE TO GROUNDE HIT FRO ME YOT. PRL 10
FOR VCH GRESSE MOT GROW OF GRAYNE3 DEDE PRL 31
SYTHEN INTO GRESSE THOU ME AGLY3TE PRL 245

GRATTEST (V. GREATEST)
GRAUAYL (V. GRAVEL)
GRAUE (V. GRAVE)
GRAUEN (V. GRAVEN)
GRAUNT (V. GRANT)
GRAUNTE (V. GRANT)
GRAUNTED (V. GRANTED)
GRAUNTE3 (V. GRANTS)

GRAVE
QUETHER MONY PORER IN THIS PLACE IS PUTTE INTO GRAUE ERK 153

GRAVEL
THE GRAUAYL THAT ON GROUNDE CON GRYNDE. PRL 81
GRAVEN
AND ALS THE GOD OF THE GROUNDE WAT3 GRAUEN HIS NAME CLN 1324
FOR ALLE HIS EMPIRE SO HI3E IN ERTHE IS HE GRAUEN CLN 1332
THE GOBELOTES OF GOLDE GRAUEN ABOUTE CLN 1475
AY BIHOLDAND THE HONDE TIL HIT HADE AL GRAUEN CLN 1544
GRAY
VCHE HILLE WAT3 THER HIDDE WYTH YTHE3 FUL GRAYE. CLN 430
AND AL WAT3 GRAY AS THE GLEDE WYTH FUL GRYMME CLAWRES. CLN 1696
WITH GARGELES GARNYSHT ABOUTE ALLE OF GRAY MARBRE ERK 48
THER GLENT WITH Y3EN GRAY GGK 82
THER WER GESTES TO GO VPON THE GRAY MORNE. GGK 1024
AL GRAYE. GGK 1714
VERED VP HER VYSE WYTH Y3EN GRAYE PRL 254
GRAYE (V. GRAY)
GRAYES (V. GRAYS)
GRAYN
THE GRAYN AL OF GRENE STELE AND OF GOLDE HEWEN GGK 211
GRAYNE3 (V. GRAINS)
GRAYS
AND AL GRAYES THE GRES THAT GRENE WAT3 ERE GGK 527
GRAYTH
LOKE GAWAN THOU BE GRAYTHE TO GO AS THOU HETTE3. GGK 448
BI THAT WAT3 GRYNGOLET GRAYTH AND GURDE WITH A SADEL GGK 597
THENNE WAT3 GRYNGOLET GRAYTHE THAT GRET WAT3 AND HUGE GGK 2047
GRAYTHE (V. GRAYTH)
GRAYTHED
WEN HIT WAT3 FETTLED AND FORGED AND TO THE FULLE GRAYTHED CLN 343
INMONG THE LEUES OF THE LEFSEL LAMPES WER GRAYTHED. CLN 1485
INMONG THE LEUES OF THE LAUNCES LAMPES WER GRAYTHED CLN V 1485
WHENE GUENORE FUL GAY GRAYTHED IN THE MYDDES. GGK 74
THERE GODE GAWAN WAT3 GRAYTHED GWENORE BISYDE GGK 109
ANDE AL GRAYTHED IN GRENE THIS GOME AND HIS WEDES GGK 151
NOW GRAYTHED IS GAWAN GAY GGK 666
WAT3 GRAYTHED FOR SIR GAWAN GRAYTHELY WITH CLOTHE3. GGK 876
THEN THE GOME IN THE GRENE GRAYTHED HYM SWYTHE GGK 2259
WHAT GRAYTHED ME THE GRYCHCHYNG BOT GRAME MORE SECHE PAT 53
GRAYTHELY
FUL GRAYTHELY GOT3 THIS GOD MAN AND DOS GODE3 HESTES CLN 341
THE GRENE KNY3T VPON GROUNDE GRAYTHELY HYM DRESSES. GGK 417
WAT3 GRAYTHED FOR SIR GAWAN GRAYTHELY WITH CLOTHE3. GGK 876
BI VCHE GROME AT HIS DEGRE GRAYTHELY WAT3 SERUED GGK 1006
THAY GRYPED TO THE GARGULUN AND GRAYTHELY DEPARTED. GGK 1335
GAWAYN GRAYTHELY AT HOME IN GERE3 FUL RYCHE GGK 1470
THIS WAT3 GRAYTHELY GRAUNTED AND GAWAYN IS LENGED GGK 1683
GAWAYN GRAYTHELY HIT BYDE3 AND GLENT WITH NO MEMBRE GGK 2292
AND GRAUNTED HYM ON TO BE GOD AND GRAYTHLY NON OTHER PAT 240
THOU ART GOD AND ALLE GOWDE3 AR GRAYTHELY THYN OWEN PAT 286
IN SAMPLE HE CAN FUL GRAYTHELY GESSE PRL 499
INSAMPLE HE CAN FUL GRAYTHELY GESSE. PRL 2 499
INSAMPLE HE CAN FUL GRAYTHELY GESSE. PRL 3 499
GRAYTHE3
AND GRAYTHE3 ME SIR GAWAYN VPON A GRETT WYSE. GGK 2014
GRAYTHIST
GURDEN ME FOR GOUERNANCE THE GRAYTHIST OF TROIE. ERK 251
GURDEN ME FOR THE GOUERNOUR AND GRAYTHIST OF TROIE. ERK V 251
GRAYTHLY (V. GRAYTHELY)
GRE (V. GREE)

GREASE
AND SCHRANK THUR3 THE SCHYIRE GRECE AND SCHADE HIT IN TWYNNE . GGK 425
GEDERED THE GRATTEST OF GRES THAT THER WERE . . . . GGK 1326
SCHEWE3 HYM THE SCHYREE GRECE SCHORNE VPON RYBBES . . . . . . GGK 1378
THE SCHARP SCHRANK TO THE FLESCHE THUR3 THE SCHYRE GRECE. . . GGK 2313
GREAT
IF THAY IN CLANNES BE CLOS THAY CLECHE GRET MEDE . . . . CLN 12
THENNE GOT3 FORTH MY GOME3 TO THE GRETE STREETE3 . . . . CLN 77
AND GREMED THERWYTH THE GRETE LORDE AND GREUE HYM HE THO3T . . CLN 138
THE GRETE SOUN OF SODAMAS SYNKKE3 IN MYN ERE3 . . . . CLN 689
I GRAUNT QUOTH THE GRETE GOD GRAUNT MERCY THAT OTHER . . . . . CLN 765
IN GRETE FLOKKE3 OF FOLK THAY FALLEN TO HIS 3ATE3 . . . . CLN 837
THE GRETE GOD IN HIS GREME BYGYNNE3 ON LOFTE. . . . . CLN 947
THE GRETE BARRE3 OF THE ABYME HE BARST VP AT ONE3 . . . . CLN 963
THAT ALLE THE REGIOUN TOROF IN RIFTES FUL GRETE. . . . . CLN 964
RYDELLES WERN THO GRETE ROWTES OF RENKKES WYTHINNE. . . . . . CLN 969
AND THER WALTE3 OF THAT WATER IN WAXLOKES GRETE. . . . . CLN 1037
THE GOLDE OF THE GA3AFYLACE TO SWYTHE GRET NOUMBRE. . . . . . CLN 1283
THAT RYCHE IN GRET RIALTE RENGNED HIS LYUE . . . . CLN 1321
HE CLECHES TO A GRET KLUBBE AND KNOKKES HEM TO PECES . . . . . CLN 1348
THAT ALLE THE GRETE VPON GROUNDE SCHULDE GEDER HEM SAMEN. . . . CLN 1363
VMBESWEYED ON VCH A SYDE WYTH SEUEN GRETE WATERES . . . . . . CLN 1380
THAT WAT3 GRYSLY AND GRET AND GRYMLY HE WRYTES . . . . CLN 1534
FOR HIS FOES IN THE FELDE IN FLOKKES FUL GRETE . . . . CLN 1767
THENNE RAN THAY IN UN A RES ON ROWTES FUL GRETE. . . . . CLN 1782
MONY GRUBBER IN GRETE THE GROUNDE FOR TO SECHE . . . . ERK 41
MONY A GAY GRETE LORDE WAS GEDRID TO HERKEN HIT. . . . . ERK 134
BOT PYNE WOS WITH THE GRETE PRECE THAT PASSYD HYM AFTER . . . . ERK 141
AND GEFE A GRONYNGE FUL GRETE AND TO GODDE SAYDE . . . . ERK 282
MA3TY MAKER OF MEN THI MYGHTES ARE GRETE . . . . ERK 283
WITH GRET BOBBAUNCE THAT BUR3E HE BIGES VPON FYRST. . . . . . GGK 9
HIT WERE NOW GRET NYE TO NEUEN . . . . GGK 58
A GRENE HORS GRET AND THIKKE . . . . GGK 175
AND HIS LYNDES AND HIS LYMES SO LONGE AND SO GRETE. . . . . . GGK 139
YOUR GRYNDELLAYK AND YOUR GREME AND YOUR GRETE WORDES. . . . . GGK 312
I KNOW NO GOME THAT IS GAST OF THY GRETE WORDES. . . . . GGK 325
THAY LET DOUN THE GRETE DRA3T AND DERELY OUT 3EDEN. . . . . . GGK 817
GRET RURD IN THAT FOREST . . . . GGK 1149
THE DOES DRYUEN WITH GRET DYN TO THE DEPE SLADE3 . . . . GGK 1159
AND THE GREHOUNDE3 SO GRETE THAT GETEN HEM BYLYUE . . . . GGK 1171
SCHO MADE HYM SO GRET CHERE . . . . GGK 1259
GRET IS THE GODE GLE AND GOMEN TO ME HUGE. . . . . GGK 1536
AND PRAYSED HIT AS GRET PRYS THAT HE PROUED HADE . . . . GGK 1630
GRET PERILE BITWENE HEM STOD . . . . GGK 1768
AND DROF VCHE DALE FUL OF DRYFTES FUL GRETE . . . . GGK 2005
AND GRAYTHE3 ME SIR GAWAYN VPON A GRETT WYSE. . . . . GGK 2014
THENNE WAT3 GRYNGOLET GRAYTHE THAT GRET WAT3 AND HUGE . . . . GGK 2047
THAT OTHER STIF MON IN STUDY STOD A GRET WHYLE . . . . GGK 2369
THAT RENNES OF THE GRETE RENOUN OF THE ROUNDE TABLE . . . . . GGK 2458
AS ANY GOME VNDER GOD FOR THY GRETE TRAUTHE . . . . GGK 2470
THER WAKNED WELE IN THAT WONE WHEN WYST THE GRETE . . . . . . GGK 2490
GEDEREN TO THE GYDEROPES THE GRETE CLOTH FALLES. . . . . PAT 105
THE SEE SOU3ED FUL SORE GRET SELLY TO HERE . . . . PAT 140
THE GRETE FLEM OF THY FLOD FOLDED ME VMBE. . . . . PAT 309
OF FLAUMBANDE HWE3 BOTHE SMALE AND GRETE . . . . PRL 90
CA3TE OF HER COROUN OF GRETE TRESORE . . . . PRL 237
AND DON ME IN THYS DEL AND GRET DAUNGER . . . . PRL 250
MY GRETE DYSTRESSE THOU AL TODRAWE3. . . . . PRL 280
MY PRECIOS PERLE DOT3 ME GRET PYNE . . . . PRL 330

AND CHARYTE GRETE BE YOW AMONG	PRL	470
WRYTHEN AND WORCHEN AND DON GRET PYNE	PRL	511
OF LADYSCHYP GRET AND LYUE3 BLOM.	PRL	578
FOR THE GRACE OF GOD IS GRET INOGHE.	PRL	612
AM NOT WORTHY SO GRET FERE.	PRL	616
FOR THE GRACE OF GOD IS GRET INNO3E.	PRL	624
FOR THE GRACE OF GOD IS GRET INNOGHE	PRL	636
INO3E IS KNAWEN THAT MANKYN GRETE	PRL	637
THE GRACE OF GOD WEX GRET INNOGHE	PRL	648
AND THE GRACE OF GOD IS GRET INNOGH.	PRL	660
IN COMPAYNY GRET OUR LUF CON THRYF	PRL	851
OF THOUSANDE3 THRY3T SO GRET A ROUTE	PRL	926
A GRET CETE FOR 3E ARN FELE	PRL	927
FOR A SY3T THEROF THUR3 GRET FAUOR	PRL	968
I SY3E THAT CYTY OF GRET RENOUN	PRL	986
ANVNDER MONE SO GREAT MERWAYLE	PRL	1081
THE BLYSFUL PERLE WYTH GRET DELYT	PRL	1104
WYTH GRET DELYT THAY GLOD IN FERE	PRL	1105
SO DRO3 THAY FORTH WYTH GRET DELYT	PRL	1116
IWYSSE I LA3T A GRET DELYT.	PRL	1128
FOR LUFLONGYNG IN GRET DELYT	PRL	1152
I RAXLED AND FEL IN GRET AFFRAY	PRL	1174
AM NOT WORTHY SO GRET HERE.	PRL 1	616
AM NOT WORTHY SO GRET HERE.	PRL 2	616
AM NOT WORTHY SO GRET HERE.	PRL 3	616

GREATEST

GART HYM GRATTEST TO BE OF GOUERNORES ALLE	CLN	1645
THAT IS GRATTEST IN GRENE WHEN GREUE3 AR BARE	GGK	207
GEDERED THE GRATTEST OF GRES THAT THER WERE	GGK	1326

GREAVES

HIS LEGE3 LAPPED IN STEL WITH LUFLYCH GREUE3.	GGK	575

GRECE (ALSO V. GREASE, GREECE)

GLYDES DOUN BY THE GRECE AND GOS TO THE KYNG.	CLN	1590

GREDIRNE (V. GRIDIRON)

GREE

FOR TO GO AT THI GRE ME GAYNE3 NON OTHER	PAT	348

GREECE

THE GAYEST INTO GRECE	GGK	2023
NO GLADDER GOME HETHEN INTO GRECE	PRL	231

GREEN

GRACYOUSLY VMBEGROUEN AL WYTH GRENE LEUE3.	CLN	488
CLECHE3 TO A CLENE CLOTHE AND KESTE3 ON THE GRENE	CLN	634
AND GODDE GLYDE3 HIS GATE BY THOSE GRENE WAYE3	CLN	767
SCHAL NEUER GRENE THERON GROWE GRESSE NE WOD NAWTHER	CLN	1028
AND OUERAL ENKER GRENE	GGK	150
ANDE AL GRAYTHED IN GRENE THIS GOME AND HIS WEDES	GGK	151
HEMEWEL HALED HOSE OF THAT SAME GRENE	GGK	157
WITH GAY GAUDI OF GRENE THE GOLDE AY INMYDDES	GGK	167
THAT EUER GLEMERED AND GLENT AL OF GRENE STONES.	GGK	172
A GRENE HORS GRET AND THIKKE	GGK	175
WEL GAY WAT3 THIS GOME GERED IN GRENE	GGK	179
FOLDEN IN WYTH FILDORE ABOUTE THE FAYRE GRENE	GGK	189
AND BOUNDEN BOTHE WYTH A BANDE OF A BRY3T GRENE.	GGK	192
THAT IS GRATTEST IN GRENE WHEN GREUE3 AR BARE	GGK	207
THE GRAYN AL OF GRENE STELE AND OF GOLDE HEWEN	GGK	211
AND AL BIGRAUEN WITH GRENE IN GRACIOS WERKES.	GGK	216
ON BOTOUN3 OF THE BRY3T GRENE BRAYDEN FUL RYCHE.	GGK	220
AS GROWE GRENE AS THE GRES AND GRENER HIT SEMED.	GGK	235
THEN GRENE AUMAYL ON GOLDE GLOWANDE BRY3TER	GGK	236

BENDE HIS BRESED BRO3E3 BLYCANDE GRENE. GGK 305
THEN CARPPE3 TO SIR GAWAN THE KNY3T IN THE GRENE GGK 377
BIGOG QUOTH THE GRENE KNY3T SIR GAWAN ME LYKES GGK 390
QUOTH THE GOME IN THE GRENE TO GAWAN THE HENDE GGK 405
THE GRENE KNY3T VPON GROUNDE GRAYTHELY HYM DRESSES. GGK 417
THE BLOD BRAYD FRO THE BODY THAT BLYKKED ON THE GRENE. GGK 429
TO THE GRENE CHAPEL THOU CHOSE I CHARGE THE TO FOTTE GGK 451
THE KNY3T OF THE GRENE CHAPEL MEN KNOWEN ME MONY GGK 454
AT THAT GRENE THAY LA3E AND GRENNE GGK 464
BOTHE THE GROUNDE3 AND THE GREUE3 GRENE AT HER WEDE3 GGK 508
AND AL GRAYES THE GRES THAT GRENE WAT3 ERE GGK 527
TO SECH THE GOME OF THE GRENE AS GOD WYL ME WYSSE GGK 549
IF THAY HADE HERDE ANY KARP OF A KNY3T GRENE. GGK 704
IN ANY GROUNDE THERABOUTE OF THE GRENE CHAPEL GGK 705
OF GRENE. GGK 708
OF THE GRENE CHAPEL QUERE HIT ON GROUNDE STONDE3 GGK 1058
AND OF THE KNY3T THAT HIT KEPES OF COLOUR OF GRENE. GGK 1059
THE GRENE CHAPAYLE VPON GROUNDE GREUE YOW NO MORE GGK 1070
THOU SCHAL CHEUE TO THE GRENE CHAPEL THY CHARRES TO MAKE. GGK 1674
AT THE GRENE CHAPEL WHEN HE THE GOME METES GGK 1753
GERED HIT WAT3 WITH GRENE SYLKE AND WITH GOLDE SCHAPED GGK 1832
FOR QUAT GOME SO IS GORDE WITH THIS GRENE LACE GGK 1851
THE GATE TO THE GRENE CHAPEL AS GOD WYL ME SUFFER GGK 1967
THE GORDEL OF THE GRENE SILKE THAT GAY WEL BISEMED. GGK 2035
HE CHEUE3 THAT CHAUNCE AT THE CHAPEL GRENE GGK 2103
WHETHER THIS BE THE GRENE CHAPELLE GGK 2186
WEL BISEME3 THE WY3E WRUXLED IN GRENE GGK 2191
AND THE GOME IN THE GRENE GERED AS FYRST GGK 2227
GAWAYN QUOTH THAT GRENE GOME GOD THE MOT LOKE GGK 2239
THEN THE GOME IN THE GRENE GRAYTHED HYM SWYTHE GGK 2259
THEN MURYLY EFTE CON HE MELE THE MON IN THE GRENE GGK 2295
FOR HIT IS GRENE AS MY GOUNE SIR GAWAYN 3E MAYE. GGK 2396
OF THE CHAUNCE OF THE GRENE CHAPEL AT CHEUALROUS KNY3TE3. GGK 2399
AND THE KNY3T IN THE ENKER GRENE. GGK 2477
A BENDE ABELEF HYM ABOUTE OF A BRY3T GRENE GGK 2517
HEME WELHALED HOSE OF THAT SAME GRENE GGK V 157
LOKED ALOFTE ON THE LEF THAT LYLLED GRENE. PAT 447
THE GOME GLY3T ON THE GRENE GRACIOUSE LEUES PAT 453
I ENTRED IN THAT ERBER GRENE PRL 38
HE GLENTE GRENE IN THE LOWEST HEMME. PRL 1001
THE EMERADE THE FURTHE SO GRENE OF SCALE PRL 1005

GREENER
AS GROWE GRENE AS THE GRES AND GRENER HIT SEMED. GGK 235

GREET
I WYL NAUTHER GRETE NE GRONE GGK 2157
WHAT SERUE3 TRESOR BOT GARE3 MEN GRETE. PRL 331
WHAT SERUE3 TRESOR BOT GARE MEN GRETE PRL 2 331

GREETED
AND SO LONGE HE GRETTE AFTER GRACE THAT HE GRAUNTE HADE ERK 126
GAWAYN GLY3T ON THE GOME THAT GODLY HYM GRET. GGK 842
AND AL WITH GOMEN HE HYM GRET AND GOUDLY HE SAYDE GGK 1933

GREETING
GREUING AND GRETYNG AND GRYSPYTYNG HARDE CLN 159
GREUING AND GRETYNG AND GRYSPYNG HARDE. CLN V 159

GREF (V. GRIEF)
GREFFE (V. GRIEF)
GREHOUNDE3 (V. GREYHOUNDS)
GREM (V. GREME)
GREME

BOTHE GOD AND HIS GERE AND HYM TO GREME CACHEN . . . . CLN 16
EUEN BYFORE HIS HOUSDORE VNDER AN OKE GREME . . . . CLN 602
THE GRETE GOD IN HIS GREME BYGYNNE3 ON LOFTE. . . . . CLN 947
LOTHE GOD AND HIS GERE AND HYM TO GREME CACHEN . . . . CLN V 16
YOUR GRYNDELLAYK AND YOUR GREME AND YOUR GRETE WORDES. . . . . GGK 312
OF DRURYES GREME AND GRACE. . . . . GGK 1507
I SCHAL GRUCH THE NO GRWE FOR GREM THAT FALLE3 . . . . GGK 2251
GAWAYN FUL GRYNDELLY WITH GREME THENNE SAYDE. . . . . GGK 2299
SO AGREUED FOR GREME HE GRYED WITHINNE. . . . . GGK 2370
BOT LENGE WHERESOEUER HIR LYST LYKE OTHER GREME. . . . . . . PAT 42
THY HEUED HAT3 NAUTHER GREME NE GRYSTE. . . . . PRL 465

GREMED
AND GREMED THERWYTH THE GRETE LORDE AND GREUE HYM HE THO3T . . CLN 138

GREMEN
AND IF THAY GRUCHEN HIM GRACE TO GREMEN HIS HERT . . . . . . CLN 1347

GRENE (V. GREEN)
GRENER (V. GREENER)
GRENNE (V. GRIN)
GRES (V. GRASS, GREASE)
GRESSE (V. GRASS)
GRET (V. GREAT, GREETED)
GRETE (V. GREAT, GREET)
GRETT (V. GREAT)
GRETTE (V. GREETED)
GRETYNG (V. GREETING)
GREUE (V. GRIEVE, GROVE)
GREUED (V. GRIEVED)
GREUEN (V. GRIEVE)
GREUE3 (V. GROVES)
GREUING (V. GRIEVING)

GREW
AND THENNE EUELE3 ON ERTHE ERNESTLY GREWEN . . . . CLN 277
WE LEUEN ON MARYE THAT GRACE OF GREWE . . . . PRL 425

GREWE (V. GREW)
GREWEN (V. GREW)

GREYHOUNDS
AND THE GREHOUNDE3 SO GRETE THAT GETEN HEM BYLYUE . . . . . . GGK 1171

GRIDIRON
THE GREDIRNE AND THE GOBLOTES GARNYST OF SYLUER. . . . . . . CLN 1277

GRIEF
HE GRONED FOR GREF AND GRAME . . . . GGK 2502
GARTEN MY GOSTE AL GREFFE FOR3ETE . . . . PRL 86
BOT IF MY GAYNLYCH GOD SUCH GREF TO ME WOLDE. . . . . PAT 83

GRIEVE
AND GREMED THERWYTH THE GRETE LORDE AND GREUE HYM HE THO3T . . CLN 138
THE GRENE CHAPAYLE VPON GROUNDE GREUE YOW NO MORE . . . . . . GGK 1070
HAD NO MA3T IN THAT MERE NO MAN FOR TO GREUE. . . . . PAT 112
THAT HE GEF HEM THE GRACE TO GREUEN HYM NEUER . . . . PAT 226
THAT MAY NOT SYNNE IN NO SYT HEMSELUEN TO GREUE. . . . . . . PAT 517
BOT MY SPECHE THAT YOW NE GREUE . . . . PRL 471

GRIEVED
WYLDE WRAKFUL WORDE3 IN HIS WYLLE GREUED . . . . CLN 302
THE GORE THEROF ME HAT3 GREUED AND THE GLETTE NWYED . . . . . CLN 306
AMONG THO MANSED MEN THAT HAN THE MUCH GREUED . . . . CLN 774
WYTH THIS HE LA3ES SO LOUDE THAT THE LORDE GREUED . . . . . . GGK 316
FUL GRYMME QUEN HE GRONYED THENNE GREUED MONY . . . . GGK 1442
AND TO HAF GREUED GAYNOUR AND GART HIR TO DY3E . . . . GGK 2460
THAT HAT3 GREUED HIS GOD AND GOT3 HERE AMONGE VS . . . . . . PAT 171
FOR I HAF GREUED MY GOD AND GULTY AM FOUNDEN. . . . . PAT 210

GRIEVING
GREUING AND GRETYNG AND GRYSPYTYNG HARDE . . . . CLN 159
GREUING AND GRETYNG AND GRYSPYNG HARDE. . . . . CLN V 159
GRIM
FOR AL HIT FRAYES MY FLESCHE THE FYNGRES SO GRYMME. . . . . . CLN 1553
AND AL WAT3 GRAY AS THE GLEDE WYTH FUL GRYMME CLAWRES. . . . . CLN 1696
TA NOW THY GRYMME TOLE TO THE. . . . . GGK 413
FUL GRYMME QUEN HE GRONYED THENNE GREUED MONY . . . . GGK 1442
GEDERE3 VP HYS GRYMME TOLE GAWAYN TO SMYTE . . . . GGK 2260
TO SPOTTY HO IS OF BODY TO GRYM . . . . PRL 1070
GRIMLY
THAT WAT3 GRYSLY AND GRET AND GRYMLY HE WRYTES . . . . CLN 1534
THAT FOL3ED THE GLAYUE SO GRYMLY GROUNDE . . . . PRL 654
GRIN
AT THAT GRENE THAY LA3E AND GRENNE . . . . GGK 464
GRIND
THE GRAUAYL THAT ON GROUNDE CON GRYNDE. . . . . PRL 81
GRINDLESTONE
AS ONE VPON A GRYNDELSTON HADE GROUNDEN SYTHE . . . . GGK 2202
GRIPPED
GAUAN GRIPPED TO HIS AX AND GEDERES HIT ON HY3T. . . . . . . GGK 421
THAY GRYPED TO THE GARGULUN AND GRAYTHELY DEPARTED. . . . . . GGK 1335
THE STELE OF A STIF STAF THE STURNE HIT BI GRYPTE . . . . . . GGK V 214
GRIPS
NOW HAT3 ARTHURE HIS AXE AND THE HALME GRYPE3 . . . . GGK 330
GRISLY
THAT WAT3 GRYSLY AND GRET AND GRYMLY HE WRYTES . . . . CLN 1534
GROAN
NE NON SO GLAD VNDER GOD AS HO THAT GRONE SCHULDE . . . . . . CLN 1077
I WYL NAUTHER GRETE NE GRONE . . . . GGK 2157
GROANED
HE GRONED FOR GREF AND GRAME . . . . GGK 2502
GROANING
AND GEFE A GRONYNGE FUL GRETE AND TO GODDE SAYDE . . . . . . ERK 282
GROME (V. GROOM)
GROME3 (V. GROOMS)
GROMWELL
GILOFRE GYNGURE AND GROMYLYOUN . . . . PRL 43
GROMYLYOUN (V. GROMWELL)
GRONE (V. GROAN)
GRONED (V. GROANED)
GRONYED
FUL GRYMME QUEN HE GRONYED THENNE GREUED MONY . . . . GGK 1442
GRONYNGE (V. GROANING)
GROOM
BI VCHE GROME AT HIS DEGRE GRAYTHELY WAT3 SERUED . . . . . . GGK 1006
GROOMS
GESTES THAT GO WOLDE HOR GROME3 THAY CALDEN . . . . GGK 1127
GROPANDE (V. GROPING)
GROPING
FOR HE IS THE GROPANDE GOD THE GROUNDE OF ALLE DEDE3 . . . . . CLN 591
AND THE GROPYNG SO GOUD OF GOD AND MAN BOTHE. . . . . CLN 1102
GROPYNG (V. GROPING)
GROUELYNG (V. GROVELING)
GROUND
HIT SA3TLED ON A SOFTE DAY SYNKANDE TO GROUNDE . . . . CLN 445
FOR HE IS THE GROPANDE GOD THE GROUNDE OF ALLE DEDE3 . . . . . CLN 591
AND LO3E HE LOUTE3 HEM TO LOTH TO THE GROUNDE . . . . CLN 798
SODOMAS SCHAL FUL SODENLY SYNK INTO GROUNDE . . . . CLN 910

AND THE GROUNDE OF GOMORRE GORDE INTO HELLE . . . . CLN 911
GORDE TO GOMORRA THAT THE GROUNDE LAUSED . . . . CLN 957
TYL VCHE PRYNCE HADE HIS PER PUT TO THE GROUNDE. . . . . . . CLN 1214
ER HE HADE TYRUED THIS TOUN AND TORNE HIT TO GROUNDE . . . . CLN 1234
AND THE LEDERES OF HER LAWE LAYD TO THE GROUNDE. . . . . . . CLN 1307
AND ALS THE GOD OF THE GROUNDE WAT3 GRAUEN HIS NAME . . . . CLN 1324
BI A HATHEL NEUER SO HY3E HE HELDES TO GROUNDE . . . . CLN 1330
THAT ALLE THE GRETE VPON GROUNDE SCHULDE GEDER HEM SAMEN. . . CLN 1363
I AM GOD OF THE GROUNDE TO GYE AS ME LYKES . . . . CLN 1663
MONY GRUBBER IN GRETE THE GROUNDE FOR TO SECHE . . . . ERK 41
THE GRENE KNY3T VPON GROUNDE GRAYTHELY HYM DRESSES. . . . . . GGK 417
THAT THE BIT OF THE BROUN STEL BOT ON THE GROUNDE . . . . . . GGK 426
THE LEUE3 LAUCEN FRO THE LYNDE AND LY3TEN ON THE GROUNDE. . . GGK 526
IN ANY GROUNDE THERABOUTE OF THE GRENE CHAPEL . . . . GGK 705
OF THE GRENE CHAPEL QUERE HIT ON GROUNDE STONDE3 . . . . . . GGK 1058
THE GRENE CHAPAYLE VPON GROUNDE GREUE YOW NO MORE . . . . . . GGK 1070
FOR ALLE THE GOLDE VPON GROUNDE I NOLDE GO WYTH THE . . . . . GGK 2150
AS ONE VPON A GRYNDELSTON HADE GROUNDEN SYTHE . . . . GGK 2202
THAT RATHELED IS IN ROCHE GROUNDE WITH ROTE3 A HUNDRETH . . . GGK 2294
TRULY THIS ILK TOUN SCHAL TYLTE TO GROUNDE . . . . PAT 361
THUR3 GRESSE TO GROUNDE HIT FRO ME YOT. . . . . PRL 10
THE GRAUAYL THAT ON GROUNDE CON GRYNDE. . . . . PRL 81
THAT ER WAT3 GROUNDE OF ALLE MY BLYSSE. . . . . PRL 372
THISE ARN THE GROUNDE OF ALLE MY BLISSE . . . . PRL 384
HIT IS IN GROUNDE OF ALLE MY BLYSSE. . . . . PRL 396
THAT IS THE GROUNDE OF ALLE MY BLYSSE . . . . PRL 408
IS ROTE AND GROUNDE OF ALLE MY BLYSSE . . . . PRL 420
KNELANDE TO GROUNDE FOLDE VP HYR FACE . . . . PRL 434
THAT FOL3ED THE GLAYUE SO GRYMLY GROUNDE . . . . PRL 654
THERAS MY PERLE TO GROUNDE STRAYD . . . . PRL 1173

GROUNDE (V. GROUND)
GROUNDELE3 (V. GROUNDLESS)
GROUNDEN (V. GROUND)
GROUNDE3 (V. GROUNDS)

GROUNDLESS

ALLE THE GOTE3 OF THY GUFERES AND GROUNDELE3 POWLE3 . . . . . PAT 310

GROUNDS

BOTHE THE GROUNDE3 AND THE GREUE3 GRENE AT HER WEDE3 . . . . . GGK 508

GROVE

AND THE CORBELES FEE THAY KEST IN A GREUE. . . . . GGK 1355
AND HE TRANTES AND TORNAYEE3 THUR3 MONY TENE GREUE. . . . . . GGK 1707
RENAUD COM RICHCHANDE THUR3 A RO3E GREUE . . . . GGK 1898
BI GREUE. . . . . GGK 1974
FOR HIT WAT3 FORGARTE AT PARADYS GREUE. . . . . PRL 321

GROVELING

GROUELYNG TO HIS FETE THAY FELLE. . . . . PRL 1120

GROVES

WAYTE3 GORSTE3 AND GREUE3 IF ANI GOME3 LYGGE3 . . . . CLN 99
THAT IS GRATTEST IN GRENE WHEN GREUE3 AR BARE . . . . GGK 207
BOTHE THE GROUNDE3 AND THE GREUE3 GRENE AT HER WEDE3 . . . . . GGK 508
FOR HIT WAT3 PLAYN IN THAT PLACE FOR PLYANDE GREUE3 . . . . . PAT 439

GROW

SCHAL NEUER GRENE THERON GROWE GRESSE NE WOD NAWTHER . . . . . CLN 1028
AND THE FAYREST FRYT THAT MAY ON FOLDE GROWE. . . . . CLN 1043
AS GROWE GRENE AS THE GRES AND GRENER HIT SEMED. . . . . GGK 235
THE WHYLE GOD OF HIS GRACE DED GROWE OF THAT SOYLE. . . . . . PAT 443
FOR VCH GRESSE MOT GROW OF GRAYNE3 DEDE . . . . PRL 31

GROWE (V. GROW)

GRUBBER

MONY GRUBBER IN GRETE THE GROUNDE FOR TO SECHE	ERK	41
GRUCH (CP. GRU3T)		
I SCHAL GRUCH THE NO GRWE FOR GREM THAT FALLE3	GGK	2251
GRUCHEN		
AND IF THAY GRUCHEN HIM GRACE TO GREMEN HIS HERT	CLN	1347
GRUCHYNG		
GRANT MERCI QUOTH GAWAYN AND GRUCHYNG HE SAYDE	GGK	2126
WHAT GRAYTHED ME THE GRYCHCHYNG BOT GRAME MORE SECHE	PAT	53
GRUE		
AND OF THE GRACIOUS HOLY GOSTE AND NOT ONE GRUE LENGER	ERK	319
I SCHAL GRUCH THE NO GRWE FOR GREM THAT FALLE3	GGK	2251
GRU3T (CP. GRUCH)		
THAT THAY HYM GRAUNTED TO GO AND GRU3T NO LENGER	CLN	810
GRWE (V. GRUE)		
GRYCHCHYNG (V. GRUCHYNG)		
GRYED		
SO AGREUED FOR GREME HE GRYED WITHINNE.	GGK	2370
GRYM (V. GRIM)		
GRYMLY (V. GRIMLY)		
GRYMME (V. GRIM)		
GRYNDE (V. GRIND)		
GRYNDEL		
BOLDE BURNE ON THIS BENT BE NOT SO GRYNDEL	GGK	2338
BE NO3T SO GRYNDEL GODMAN BOT GO FORTH THY WAYES	PAT	524
GRYNDELLAYK		
YOUR GRYNDELLAYK AND YOUR GREME AND YOUR GRETE WORDES.	GGK	312
GRYNDELLY		
GAWAYN FUL GRYNDELLY WITH GREME THENNE SAYDE.	GGK	2299
GRYNDELSTON (V. GRINDLESTONE)		
GRYNGOLET		
BI THAT WAT3 GRYNGOLET GRAYTH AND GURDE WITH A SADEL	GGK	597
THE GOME VPON GRYNGOLET GLYDE3 HEM VNDER	GGK	748
THENNE GEDERE3 HE TO GRYNGOLET WITH THE GILT HELE3.	GGK	777
THENNE WAT3 GRYNGOLET GRAYTHE THAT GRET WAT3 AND HUGE	GGK	2047
GORDE3 TO GRYNGOLET WITH HIS GILT HELE3	GGK	2062
THENNE GYRDE3 HE TO GRYNGOLET AND GEDERE3 THE RAKE.	GGK	2160
ON GRYNGOLET THAT THE GRACE HADE GETEN OF HIS LYUE.	GGK	2480
GRYPED (V. GRIPPED)		
GRYPE3 (V. GRIPS)		
GRYPTE (V. GRIPS)		
GRYSLY (V. GRISLY)		
GRYSPYNG		
GREUING AND GRETYNG AND GRYSPYNG HARDE.	CLN V	159
GRYSPYTYNG		
GREUING AND GRETYNG AND GRYSPYTYNG HARDE	CLN	159
GRYSTE		
THY HEUED HAT3 NAUTHER GREME NE GRYSTE.	PRL	465
GUENEVERE		
WHENE GUENORE FUL GAY GRAYTHED IN THE MYDDES.	GGK	74
THERE GODE GAWAN WAT3 GRAYTHED GWENORE BISYDE	GGK	109
AND WENER THEN WENORE AS THE WY3E THO3T	GGK	945
AND TO HAF GREUED GAYNOUR AND GART HIR TO DY3E	GGK	2460
GUENORE (V. GUENEVERE)		
GUERE (V. GEAR)		
GUESS		
IN SAMPLE HE CAN FUL GRAYTHELY GESSE	PRL	499
INSAMPLE HE CAN FUL GRAYTHELY GESSE.	PRL 2	499
INSAMPLE HE CAN FUL GRAYTHELY GESSE.	PRL 3	499
GUEST		

AND GOD AS A GLAD GEST MAD GOD CHERE . . . . CLN 641
THAT SUCH A GEST AS GAWAN GRAUNTE3 VS TO HAUE . . . . GGK 921
THAT GAWAYN HAT3 BEN MY GEST AT GODDE3 AWEN FEST . . . . . . GGK 1036
THUS THAY FOR CHARYTE CHERYSEN A GEST . . . . GGK 2055
3IF THAY FOR CHARYTE CHERYSEN A GEST . . . . GGK V 2055
A JUEL TO ME THEN WAT3 THYS GESTE . . . . PRL 277

GUESTS
FERKE3 OUT IN THE FELDE AND FECHE3 MO GESTE3. . . . . CLN 98
THE GESTES GAY AND FUL GLAD OF GLAM DEBONERE. . . . . CLN 830
DOT3 AWAY YOUR DERF DYN AND DERE3 NEUER MY GESTES . . . . . . CLN 862
AND LAYKE3 WYTH HEM AS YOW LYST AND LETE3 MY GESTES ONE . . . . CLN 872
FERRE OUT IN THE FELDE AND FECHE3 MO GESTE3 . . . . CLN V 98
THER WER GESTES TO GO VPON THE GRAY MORNE. . . . . GGK 1024
GESTES THAT GO WOLDE HOR GROME3 THAY CALDEN . . . . GGK 1127

GUFERES
ALLE THE GOTE3 OF THY GUFERES AND GROUNDELE3 POWLE3 . . . . . PAT 310

GUIDE-ROPES
GEDEREN TO THE GYDEROPES THE GRETE CLOTH FALLES. . . . . . . PAT 105

GUILE
FOR GILE. . . . . GGK 1787
THA3 I BE GULTY OF GYLE AS GAULE OF PROPHETES . . . . PAT 285
BOT HE TO GYLE THAT NEUER GLENTE. . . . . PRL 671
NE GLAUERE3 HER NIE3BOR WYTH NO GYLE . . . . PRL 688

GUILT
AND THE GULT OF GOMORRE GARE3 ME TO WRATH. . . . . CLN 690
I SCHAL FORGYUE ALLE THE GYLT THUR3 MY GRACE ONE . . . . . . CLN 731
AND FORGIF VS THIS GULT 3IF WE HYM GOD LEUEN. . . . . PAT 404
FOR THERE THE OLDE GULTE WAT3 DON TO SLAKE . . . . PRL 942

GUILTLESS
THAT GLORYOUS GYLTLE3 THAT MON CON QUELLE. . . . . PRL 799

GUILTS
THAT WASCHE3 AWAY THE GYLTE3 FELLE . . . . PRL 655
THAT EUER THE GYLTE3 SCHULDE BE SCHENTE . . . . PRL 668

GUILTY
AND QUEN THE GULTY IS GON WHAT MAY GOME TRAWE . . . . PAT 175
FOR I HAF GREUED MY GOD AND GULTY AM FOUNDEN. . . . . PAT 210
THA3 I BE GULTY OF GYLE AS GAULE OF PROPHETES . . . . PAT 285
THE GYLTYF MAY COUNTRYSSYOUN HENTE . . . . PRL 669

GUISE
OF SUCH VERGYNE3 IN THE SAME GYSE . . . . PRL 1099

GULES
THEN THAY SCHEWED HYM THE SCHELDE THAT WAS OF SCHYR GOULE3 . . GGK 619
RYALLY WYTH RED GOLDE VPON REDE GOWLE3. . . . . GGK 663

GULF
OTHER GOTE3 OF GOLF THAT NEUER CHARDE . . . . PRL 608

GULT (V. GUILT)
GULTE (V. GUILT)
GULTY (V. GUILTY)
GURDE (V. GIRT)
GURDEL (V. GIRDLE)
GURDEN (V. GIRT)
GURDILLE (V. GIRDLE)

GUT
IN WYCH GUT SO EUER HE GOT3 BOT EUER IS GOD SWETE . . . . . . PAT 280

GUTS
THE WESAUNT FRO THE WYNTHOLE AND WALT OUT THE GUTTE3 . . . . GGK 1336
WARDED THIS WRECH MAN IN WARLOWES GUTTE3 . . . . PAT 258

GUTTE3 (V. GUTS)

GUY

I AM GOD OF THE GROUNDE TO GYE AS ME LYKES . . . . CLN 1663
GUYS
THAT HAT3 THE GOST OF GOD THAT GYES ALLE SOTHES. . . . . . . CLN 1598
GODDES GOST IS THE GEUEN THAT GYES ALLE THYNGES. . . . . . . CLN 1627
THAT HAT3 THE GOSTES OF GOD THAT GYES ALLE SOTHES. . . . . . CLN V 1598
GWENORE (V. GUENEVERE)
GYDEROPES (V. GUIDE-ROPES)
GYE (V. GUY)
GYES (V. GUYS)
GYF (V. GIVE)
GYFE (V. GIVE)
GYFT (V. GIFT)
GYFTE (V. GIFT)
GYFTE3 (V. GIFTS)
GYLD (V. GILDED)
GYLE (V. GUILE)
GYLT (V. GUILT)
GYLTE3 (V. GUILTS)
GYLTLE3 (V. GUILTLESS)
GYLTYF (V. GUILTY)
GYN
THEN WAT3 THER JOY IN THAT GYN WHERE WAT3 JUMPRED ER DRY3E . . CLN 491
THEN WAT3 THER JOY IN THAT GYN WHERE JUMPRED ER DRY3ED . . . CLN V 491
HIT WAT3 A IOYLES GYN THAT JONAS WAT3 INNE . . . . PAT 146
GYNFUL
IN NO GYNFUL IUGEMENT NO IAPES TO MAKE. . . . . ERK 238
GYNG
THEN HELDYT FRO THE AUTERE ALLE THE HEGHE GYNGE. . . . . . . ERK 137
THE GOUERNOUR OF THIS GYNG GLADLY I WOLDE. . . . . GGK 225
AND THAT DYSPLESE3 NON OF OURE GYNG. . . . . PRL 455
GYNGE (V. GYNG)
GYNGURE (V. GINGER)
GYRDE3 (V. GORDE3)
GYRLE (V. GIRL)
GYSE (V. GUISE)
GYTERNERE (V. GITTERNER)
GYUE (V. GIVE)
GYUEN (V. GIVEN)
HABBE (APP. 1)
HABBES (APP. 1)
HABBE3 (APP. 1)
HABES (APP. 1)
HABIT
THE ABYT THAT THOU HAT3 VPON NO HALYDAY HIT MENSKE3 . . . . . CLN 141
HABRAHAM (V. ABRAHAM)
HACH (V. HATCH)
HACHCHES (V. HATCHES)
HAD (APP. 1)
HADE (APP. 1)
HADEN (APP. 1)
HADES (APP. 1)
HADET
HADET WYTH AN ALUISCH MON FOR ANGARDE3 PRYDE. . . . . GGK 681
HADE3 (APP. 1)
HAF (APP. 1)
HAFE (APP. 1)
HAFYNG (V. HAVING,
HAGHERLYCH (V. HA3ERLY)
HAIR

AND THE HERE OF HIS HED OF HIS HORS SWETE. . . . . GGK 180
THAT WYTH HIS HI3LICH HERE THAT OF HIS HED RECHES . . . . GGK 183
AY A HERLE OF THE HERE ANOTHER OF GOLDE . . . . GGK 190
AND HIS HEDE BY THE HERE IN HIS HONDE HALDE3. . . . . GGK 436
HEF HY3LY THE HERE SO HETTERLY HE FNAST . . . . GGK 1587
BI THE HAYRE HASPEDE HE HENTES HYM THENNE. . . . . PAT 189
HE ASKE3 HETERLY A HAYRE AND HASPED HYM VMBE. . . . . PAT 381
HER HERE LEKE AL HYR VMBEGON . . . . PRL 210
HER HERE HEKE AL HYR VMBEGON . . . . PRL 2 210

HAIRS
HOL3E WERE HIS Y3EN AND VNDER CAMPE HORES. . . . . CLN 1695
HETER HAYRE3 THAY HENT THAT ASPERLY BITED. . . . . PAT 373

HAL (V. HALL)

HALAWED (V. HALLOOED)

HALCE (V. HALS)

HALCHED
THAT HALF HIS ARMES THERVNDER WERE HALCHED IN THE WYSE . . . . GGK 185
AND SO AFTER THE HALME HALCHED FUL OFTE . . . . GGK 218
AND VCHONE HALCHED IN OTHER THAT NON ENDE HADE . . . . GGK 657
AND HE HYM THONKKED THROLY AND AYTHER HALCHED OTHER . . . . . GGK 939
WHILE HE HIT HADE HEMELY HALCHED ABOUTE . . . . GGK 1852

HALCHE3
AND 3ET HEM HALCHE3 AL HOLE THE HALUE3 TOGEDER . . . . GGK 1613

HALDANDE (V. HOLDING)

HALDE (V. HOLD)

HALDEN (V. HELD, HOLD)

HALDES (V. HOLD, HOLDS)

HALDE3 (V. HOLD, HOLDS)

HALED
AND HETERLY TO THE HY3E HYLLE3 THAY HALED ON FASTE. . . . . . CLN 380
AS VCHON HADE HYM IN HELDE HE HALED OF THE CUPPE . . . . . . CLN 1520
HEMEWEL HALED HOSE OF THAT SAME GRENE . . . . GGK 157
HALLED OUT AT THE HAL DOR HIS HED IN HIS HANDE . . . . GGK 458
ANDE EFT A FUL HUGE HE3T HIT HALED VPON LOFTE . . . . GGK 788
ER THE HALIDAYE3 HOLLY WERE HALET OUT OF TOUN . . . . GGK 1049
HALED HEM BY A LYTTEL HOLE TO HAUE HOLE SYDES . . . . GGK 1338
HALED TO HYM OF HER AREWE3 HITTEN HYM OFT. . . . . GGK 1455
HEF AND HALED VPON HY3T TO HELPEN HYMSELUEN . . . . PAT 219

HALES
HALE3 HY3E VPON HY3T TO HERKEN TYTHYNGE3 . . . . CLN 458
THER HALES IN AT THE HALLE DOR AN AGHLICH MAYSTER . . . . . . GGK 136
DOUN AFTER A STREM THAT DRY3LY HALE3 . . . . PRL 125

HALET (V. HALED)

HALE3 (V. HALES)

HALF
AND WEYE VPON THE WORRE HALF THAT WRATHED THE NEUER . . . . . CLN 719
AND GLOPNEDLY ON GODE3 HALUE GART HYM VPRYSE. . . . . CLN 896
FRO FAWRE HALF OF THE FOLDE FLYTANDE LOUDE . . . . CLN 950
HALF ETAYN IN ERDE I HOPE THAT HE WERE. . . . . GGK 140
THAT WERE TO TOR FOR TO TELLE OF TRYFLES THE HALUE. . . . . . GGK 165
THAT HALF HIS ARMES THERVNDER WERE HALCHED IN THE WYSE . . . . GGK 185
GIF ME NOW THY GESERNE VPON GODE3 HALUE . . . . GGK 326
IN THE INNERMORE HALF OF HIS SCHELDE HIR YMAGE DEPAYNTED. . . . GGK 649
SIR GAUAN ON GODE3 HALUE THA3 HYM NO GOMEN THO3T . . . . . . GGK 692
ALLE THE ILES OF ANGLESAY ON LYFT HALF HE HALDE3 . . . . . . GGK 698
HI3E HILLE3 ON VCHE A HALUE AND HOLTWODE3 VNDER. . . . . . . GGK 742
I SCHAL HAPPE YOW HERE THAT OTHER HALF ALS . . . . GGK 1224
OF THAT ART BI THE HALF OR A HUNDRETH OF SECHE . . . . GGK 1543
NE NON EUEL ON NAWTHER HALUE NAWTHER THAY WYSTEN . . . . . . GGK 1552

VNBARRED AND BORN OPEN VPON BOTHE HALUE . . . . GGK 2070
AND GOT3 AWAY SUM OTHER GATE VPON GODDE3 HALUE . . . . GGK 2119
NOW FARE3 WEL ON GODE3 HALF GAWAYN THE NOBLE. . . . . GGK 2149
BOT HY3E BONKKE3 AND BRENT VPON BOTHE HALUE . . . . GGK 2165
WAT3 HE NEUER IN THIS WORLDE WY3E HALF SO BLYTHE . . . . . . GGK 2321
IN THE MORE HALF OF HIS SCHELDE HIR YMAGE DEPAYNTED . . . . . GGK V 649
AND HALDE3 OUT ON EST HALF OF THE HY3E PLACE. . . . . PAT 434
HAPPED VPON AYTHER HALF A HOUS AS HIT WERE . . . . PAT 450
OF HALF SO DERE ADUBBEMENTE . . . . PRL 72
ON WYTHER HALF WATER COM DOUN THE SCHORE . . . . PRL 230

HALF-SISTER
HO IS EUEN THYN AUNT ARTHURE3 HALFSUSTER . . . . GGK 2464

HALFSUSTER (V. HALF-SISTER)
HALIDAYE3 (V. HOLIDAYS)

HALKE3
THAT MY HOUS MAY HOLLY BY HALKE3 BY FYLLED . . . . CLN 104
HAF HALLE3 THERINNE AND HALKE3 FUL MONY . . . . CLN 321

HALIDOM
AS HELP ME GOD AND THE HALYDAM AND OTHE3 INNOGHE . . . . . . GGK 2123

HALL
HURLED TO THE HALLE DORE AND HARDE THEROUTE SCHOWUED . . . . . CLN 44
STY3TLED WYTH THE STEWARDE STAD IN THE HALLE. . . . . CLN 90
THEN HE BOWE3 FRO HIS BOUR INTO THE BRODE HALLE. . . . . . . CLN 129
HE3E HOUSES WYTHINNE THE HALLE TO HIT MED. . . . . CLN 1391
STURNE TRUMPEN STRAKE STEUEN IN HALLE . . . . CLN 1402
MONY BURTHEN FUL BRY3T WAT3 BRO3T INTO HALLE. . . . . CLN 1439
SUCHE A CHAUNGANDE CHAUNCE IN THE CHEF HALLE. . . . . CLN 1588
HE3E HOUSES WYTHINNE THE HALLE TO HIT MAD. . . . . CLN V 1391
FRO THE KYNG WAT3 CUMMEN WITH KNY3TES IN TO THE HALLE. . . . . GGK 62
IN HALLE. . . . . GGK 102
THER HALES IN AT THE HALLE DOR AN AGHLICH MAYSTER . . . . . . GGK 136
THIS HATHEL HELDE3 HYM IN AND THE HALLE ENTRES . . . . GGK 221
ALLE THE HEREDMEN IN HALLE THE HY3 AND THE LO3E. . . . . . . GGK 302
AS THOU HAT3 HETTE IN THIS HALLE HERANDE THISE KNY3TES . . . . GGK 450
HALLED OUT AT THE HAL DOR HIS HED IN HIS HANDE . . . . GGK 458
GAWAN WAT3 GLAD TO BEGYNNE THOSE GOMNE3 IN HALLE . . . . . . GGK 495
AND INNERMORE HE BEHELDE THAT HALLE FUL HY3E. . . . . GGK 794
FOR TO BRYNG THIS BUURNE WYTH BLYS INTO HALLE . . . . GGK 825
ALLE HASPED IN HIS HE3 WEDE TO HALLE THAY HYM WONNEN . . . . . GGK 831
FOR TO GLADE SIR GAWAYN WITH GOMNE3 IN HALLE. . . . . GGK 989
IN HALLE HYM THO3T FUL LONGE . . . . GGK 1620
QUEN THAY HADE PLAYED IN HALLE . . . . GGK 1664
WERE BOUN BUSKED ON HOR BLONKKE3 BIFORE THE HALLE 3ATE3 . . . . GGK 1693
HO WAYNED ME VPON THIS WYSE TO YOUR WYNNE HALLE. . . . . . . GGK 2456
TIL HE BLUNT IN A BLOK AS BROD AS A HALLE. . . . . PAT 272
I STOD AS HENDE AS HAWK IN HALLE. . . . . PRL 184

HALLE (V. HALL)
HALLED (V. HALED)

HALL-FLOOR
THENNE WAT3 ALLE THE HALLEFLOR HILED WYTH KNY3TES . . . . . . CLN 1397

HALLEFLOR (V. HALL-FLOOR)
HALLE3 (V. HALLS)

HALLOOED
THISE OTHER HALOWED HYGHE FUL HY3E AND HAY HAY CRYED . . . . . GGK 1445
HERE HE WAT3 HALAWED WHEN HATHELE3 HYM METTEN . . . . GGK 1723
AND ALLE THISE OTHER HALOWED THAT HADE NO HORNES . . . . GGK 1914

HALLOOING
HE3E HALOWING ON HI3E WITH HATHELE3 THAT MY3T . . . . GGK 1602

HALLOOS

SO HE HOM DEDIFIET AND DYGHT ALLE TO DERE HALOWES . . . . ERK 23
HALDE3 HE3E OUER HIS HEDE HALOWE3 FASTE . . . . GGK 1908
HALOWED (V. HALLOOED)
HALOWES (V. HALLOOS)
HALOWE3 (V. HALLOOS)
HALOWING (V. HALLOOING)
HALLS
HAF HALLE3 THERINNE AND HALKE3 FUL MONY . . . . CLN 321
AL WAT3 HAP VPON HE3E IN HALLE3 AND CHAMBRE3. . . . . GGK 48
FETTLED IN ARTHURE3 HALLE3. . . . . GGK 2329
FERMED IN ARTHURE3 HALLE3 . . . . GGK V 2329
HALME
AND SO AFTER THE HALME HALCHED FUL OFTE . . . . GGK 218
NOW HAT3 ARTHURE HIS AXE AND THE HALME GRYPE3 . . . . GGK 330
WITH A BORELYCH BYTTE BENDE BY THE HALME . . . . GGK 2224
HALS
THE FAYRE HEDE FRO THE HALCE HIT TO THE ERTHE . . . . GGK 427
HE BRAYDE3 HIT BY THE BAUDERYK ABOUTE THE HALS KESTES. . . . . GGK 621
BOTHE THE HEDE AND THE HALS THAY HWEN OF THENNE. . . . . . . GGK 1353
HE HASPPE3 HIS FAYRE HALS HIS ARME3 WYTHINNE. . . . . GGK 1388
HE HENT THE HATHEL ABOUTE THE HALSE AND HENDELY HYM KYSSES . . GGK 1639
HALSED (CP. HAYLSED)
WHEN HE COM BIFORE THE KYNG AND CLANLY HAD HALSED . . . . CLN 1621
HALT
BE THAY HOL BE THAY HALT BE THAY ONY3ED . . . . CLN 102
TO FECH ME BUR AND TAKE ME HALTE. . . . . PRL 1158
HALTE (V. HALT)
HALUE (V. HALF)
HALUES (V. HALVES)
HALUE3 (V. HALVES)
HALVES
AND SUCHE IS ALLE THE SOYLE BY THAT SE HALUES . . . . CLN 1039
AND 3ET HEM HALCHE3 AL HOLE THE HALUE3 TOGEDER . . . . GGK 1613
HALYDAM (V. HALIDOM)
HALYDAY (V. HOLIDAY)
HAL3ED
AND HEUENED VP AN AUTER AND HAL3ED HIT FAYRE. . . . . CLN 506
AND HE HEM HAL3ED FOR HIS AND HELP AT HER NEDE . . . . CLN 1163
HAL3E3
THAT I SCHAL SWERE BI GOD AND ALLE HIS GODE HAL3E3. . . . . . GGK 2122
HAM
SEM SOTHLY THAT ON THAT OTHER HY3T CAM. . . . . CLN 299
HAME (V. HOME)
HAMMERED
THA3 HE HOMERED HETERLY HURT HYM NO MORE . . . . GGK 2311
HAMPERED
WYTH ALLE THE VRNMENTES OF THAT HOUS HE HAMPPRED TOGEDER. . . . CLN 1284
HAMPPRED (V. HAMPERED)
HAMS
HIS CNES CACHCHES TO CLOSE AND HE CLUCHCHES HIS HOMMES . . . . CLN 1541
HAN (APP. 1)
HANANIAH
AS ANANIE AND A3ARIE AND ALS MI3AEL. . . . . CLN 1301
HAND
AND FETYSE OF A FAYR FORME TO FOTE AND TO HONDE. . . . . CLN 174
AND AL HALDE3 IN THY HONDE THE HEUEN AND THE ERTHE. . . . . . CLN 734
AND WYTHHALDE MY HONDE FOR HORTYNG ON LEDE . . . . CLN 740
THISE AUNGELE3 HADE HEM BY HANDE OUT AT THE 3ATE3 . . . . . . CLN 941
FOR HIT FERDE FRELOKER IN FETE IN HIS FAYRE HONDE . . . . CLN 1106

AND AL ON BLONKKEN BAK BERE HIT ON HONDE	CLN	1412
KYPPE KOWPES IN HONDE KYNGE3 TO SERUE	CLN	1510
AY BIHOLDAND THE HONDE TIL HIT HADE AL GRAUEN	CLN	1544
HIT WAT3 NON OTHER THEN HE THAT HADE AL IN HONDE	CLN	1704
AND A SEMELY SEPTURE SETT IN HIS HONDE.	ERK	84
QUY HALDES THOU SO HEGHE IN HONDE THE SEPTRE.	ERK	223
3E3ED 3ERES 3IFTES ON HI3 3ELDE HEM BI HOND	GGK	67
BOT IN HIS ON HONDE HE HADE A HOLYN BOBBE.	GGK	206
LY3TLY LEPE3 HE HYM TO AND LA3T AT HIS HONDE.	GGK	328
AND HE LUFLYLY HIT HYM LAFT AND LYFTE VP HIS HONDE.	GGK	369
THAT HIS HERT AND HIS HONDE SCHULDE HARDI BE BOTHE.	GGK	371
GAWAN GOT3 TO THE GOME WITH GISERNE IN HONDE.	GGK	375
AND HIS HEDE BY THE HERE IN HIS HONDE HALDE3.	GGK	436
FOR THE HEDE IN HIS HONDE HE HALDE3 VP EUEN	GGK	444
HALLED OUT AT THE HAL DOR HIS HED IN HIS HANDE	GGK	458
THAT THOU HAT3 TAN ON HONDE	GGK	490
NOW AR THAY STOKEN OF STURNE WERK STAFFUL HER HOND.	GGK	494
FOR TO HENT HIT AT HIS HONDE THE HENDE TO SERUEN	GGK	827
ANOTHER LADY HIR LAD BI THE LYFT HONDE.	GGK	947
WITH HANDE	GGK	1203
I HAF HIT HOLLY IN MY HONDE THAT AL DESYRES	GGK	1257
AND AL THE WELE OF THE WORLDE WERE IN MY HONDE	GGK	1270
THE WYLDE WAT3 WAR OF THE WY3E WITH WEPPEN IN HONDE	GGK	1586
THAT HIM FORFERDE IN THE FORTHE THUR3 FORSE OF HIS HONDE.	GGK	1617
THAT HALDEN HONOUR IN HER HONDE THE HATHEL HEM 3ELDE	GGK	2056
THAT HE NE DYNGE3 HYM TO DETHE WITH DYNT OF HIS HONDE.	GGK	2105
HAF HERE THI HELME ON THY HEDE THI SPERE IN THI HONDE.	GGK	2143
THENNE LOKE A LITTEL ON THE LAUNDE ON THI LYFTE HONDE.	GGK	2146
WITH HE3E HELME ON HIS HEDE HIS LAUNCE IN HIS HONDE	GGK	2197
DELE TO ME MY DESTINE AND DO HIT OUT OF HONDE	GGK	2285
WITHHELDE HETERLY HIS HONDE ER HIT HURT MY3T.	GGK	2291
WITH HIS HEDE IN HIS HONDE BIFORE THE HY3E TABLE	GGK	2462
THENNE HADE THAY NO3T IN HER HONDE THAT HEM HELP MY3T.	PAT	222
THAT ON HANDE FRO THAT OTHER FOR ALLE THIS HY3E WORLDE	PAT	512
WHAT RULE RENES IN ROUN BITWENE THE RY3T HANDE	PAT	514
BIFORE THAT SPOT MY HONDE I SPENNED.	PRL	49
THENNE NWE NOTE ME COM ON HONDE	PRL	155
AT HONDE AT SYDE3 AT OUERTURE.	PRL	218
AND AS LOMBE THAT CLYPPER IN HANDE NEM.	PRL	802
HANDE (V. HAND)		
HANDEHELME		
HURROK OTHER HANDEHELME HASPED ON ROTHER	CLN	419
HANDES (V. HANDS)		
HANDE3 (V. HANDS)		
HANDLE		
THAY HONDEL THER HIS AUNE BODY AND VSEN HIT BOTHE	CLN	11
THIS AX THAT IS HEUE INNOGH TO HONDELE AS HYM LYKES	GGK	289
HANDLED		
THENNE HONDELED THAY THE HOGE HED THE HENDE MON HIT PRAYSED.	GGK	1633
LO LORDE QUOTH THE LEUDE AND THE LACE HONDELED	GGK	2505
HANDLES		
THE STIF MON STEPPE3 THERON AND THE STEL HONDELE3	GGK	570
HANDLING		
SO HENDE WAT3 HIS HONDELYNG VCHE ORDURE HIT SCHONIED	CLN	1101
SO CLENE WAT3 HIS HONDELYNG VCHE ORDURE HIT SCHONIED	CLN V	1101
HANDLINGS		
HONDELYNGE3 HARME THAT DYT NOT ILLE.	PRL	681
HAND-MIGHT		
FOR NADE THE HY3E HEUENKYNG THUR3 HIS HONDEMY3T.	PAT	257

HANDS
NE IN THE HARLATE3 HOD AND HANDE3 VNWASCHEN . . . . CLN 34
BYNDE3 BYHYNDE AT HIS BAK BOTHE TWO HIS HANDE3 . . . . CLN 155
HOPE3 HO O3T MAY BE HARDE MY HONDE3 TO WORK . . . . CLN 663
AND BY THE HONDE3 HYM HENT AND HORYED HYM WYTHINNE. . . . . . CLN 883
BOT FALS FANTUMMES OF FENDES FORMED WITH HANDES. . . . . . . CLN 1341
THAT HADE BEN BLESSED BIFORE WYTH BISCHOPES HONDES. . . . . . CLN 1445
THAT BLYTHELY WERE FYRST BLEST WYTH BISCHOPES HONDES . . . . . CLN 1718
BI HIS ERES AND BI HIS HONDES THAT OPENLY SHEWID . . . . . . ERK 90
THAT ALLE THE HONDES VNDER HEUEN HALDE MY3T NEUER . . . . . . ERK 166
THAT HE LA3T FOR HIS VNLEUTE AT THE LEUDES HONDES . . . . . . GGK 2499
HE CALDE ON THAT ILK CRAFTE HE CARF WYTH HIS HONDES . . . . . PAT 131
THAT THAY IN BALELE3 BLOD THER BLENDEN HER HANDE3 . . . . . . PAT 227
DELFULLY THUR3 HONDE3 THRY3T . . . . PRL 706
HANDSEL
AND SYTHEN RICHE FORTH RUNNEN TO RECHE HONDESELLE . . . . . . GGK 66
THIS HANSELLE HAT3 ARTHUR OF AUENTURUS ON FYRST. . . . . . . GGK 491
HANDWORK
IF I WOLDE HELP MY HONDEWERK HAF THOU NO WONDER. . . . . . . PAT 496
HANG
TO HENGE THE HARLOTES HE HE3ED FUL OFTE . . . . CLN 1584
THY WALE RENGNE IS WALT IN WE3TES TO HENG. . . . . CLN 1734
NOW SIR HENG VP THYN AX THAT HAT3 INNOGH HEWEN . . . . GGK 477
AND HIT WAT3 DON ABOF THE DECE ON DOSER TO HENGE . . . . . . GGK 478
HANGED
NE FALS FAUOUR TO MY FADER THAGHE FELLE HYM BE HONGYT. . . . ERK 244
HANGS
A MUCH BERD AS A BUSK OUER HIS BREST HENGES . . . . GGK 182
AND SYTHEN ON A STIF STANGE STOUTLY HEM HENGES . . . . GGK 1614
HANSELLE (V. HANDSEL)
HAP
AL WAT3 HAP VPON HE3E IN HALLE3 AND CHAMBRE3. . . . . GGK 48
ER GETE 3E NO HAPPE I HOPE FORSOTHE. . . . . PAT 212
AND HEUEN MY HAPPE AND AL MY HELE . . . . PRL 16
FOR HAPPE AND HELE THAT FRO HYM 3EDE . . . . PRL 713
BOT AY WOLDE MAN OF HAPPE MORE HENTE . . . . PRL 1195
HAPENE3 (V. HAPPENS)
HAPNEST
THE HAPNEST VNDER HEUEN. . . . . GGK 56
HAPPE (ALSO V. HAP)
VNDER ASKE3 FUL HOTE HAPPE HEM BYLIUE . . . . CLN 626
I SCHAL HAPPE YOW HERE THAT OTHER HALF ALS . . . . GGK 1224
HAPPED
WERE HARDER HAPPED ON THAT HATHEL THEN ON ANY OTHER . . . . . GGK 655
SONE AS HE ON HENT AND WAT3 HAPPED THERINNE . . . . GGK 864
HAPPED VPON AYTHER HALF A HOUS AS HIT WERE . . . . PAT 450
HAPPEN
THAY ARN HAPPEN THAT HAN IN HERT POUERTE . . . . PAT 13
THAY AR HAPPEN ALSO THAT HAUNTE MEKENESSE. . . . . PAT 15
THAY AR HAPPEN ALSO THAT FOR HER HARME WEPES. . . . . PAT 17
THAY AR HAPPEN ALSO THAT HUNGERES AFTER RY3T. . . . . PAT 19
THAY AR HAPPEN ALSO THAT HAN IN HERT RAUTHE . . . . PAT 21
THAY AR HAPPEN ALSO THAT ARN OF HERT CLENE . . . . PAT 23
THAY AR HAPPEN ALSO THAT HALDEN HER PESE . . . . PAT 25
THAY AR HAPPEN ALSO THAT CON HER HERT STERE . . . . PAT 27
HE WERE HAPPEN THAT HADE ONE ALLE WERE THE BETTER . . . . . . PAT 34
HAPPENS
THE HATHEL CLENE OF HIS HERT HAPENE3 FUL FAYRE . . . . CLN 27
HAPPES (V. HAPS)

HAPPE3 (V. HAPS)
HAPS

THER AS HE HEUENED A3T HAPPE3 AND HY3T HEM HER MEDE3	CLN		24
A3T HAPPES HE HEM HY3T AND VCHE ON A MEDE.	PAT		11
THESE ARN THE HAPPES ALLE A3T THAT VS BIHY3T WEREN.	PAT		29

HARBOR

OF SUM HERBER THER HE3LY I MY3T HERE MASSE	GGK		755
TO HERBER IN THAT HOSTEL WHYL HALYDAY LESTED.	GGK		805
TO THE HE3 LORDE OF THIS HOUS HERBER TO CRAUE	GGK		812

HARBORED

OFTE HE HERBERED IN HOUSE AND OFTE AL THEROUTE	GGK		2481

HARD

HURLED TO THE HALLE DORE AND HARDE THEROUTE SCHOWUED	CLN		44
GREUING AND GRETYNG AND GRYSPYTYNG HARDE	CLN		159
NYF OURE LORDE HADE BEN HER LODE3MON HEM HAD LUMPEN HARDE . .	CLN		424
AFTER HARDE DAYE3 WERN OUT AN HUNDRETH AND FYFTE	CLN		442
NE HETE NE NO HARDE FORST VMBRE NE DRO3THE	CLN		524
THAT HE CHYSLY HADE CHERISCHED HE CHASTYSED FUL HARDE.	CLN		543
AND EFTE THAT HE HEM VNDYD HARD HIT HYM THO3T	CLN		562
AND HARDE HONYSE3 THISE OTHER AND OF HIS ERDE FLEME3	CLN		596
HOPE3 HO O3T MAY BE HARDE MY HONDE3 TO WORK	CLN		663
FOR HOPE OF THE HARDE HATE THAT HY3T HAT3 OURE LORDE	CLN		714
HOV HARDE VNHAP THER HYM HENT AND HASTYLY SONE	CLN		1150
AND HARDE HURLES THUR3 THE OSTE ER ENMIES HIT WYSTE	CLN		1204
HARD HATTES THAY HENT AND ON HORS LEPES	CLN		1209
WYTH TOOL OUT OF HARDE TRE AND TELDED ON LOFTE	CLN		1342
GREUING AND GRETYNG AND GRYSPYNG HARDE.	CLN	V	159
HARDE STONES FOR TO HEWE WITH EGGIT TOLES.	ERK		40
THAT EUER THOU LORD WOS LOUYD IN ALLAS THE HARDE STOUNDES . .	ERK		288
AND HENGED HE3E OUER HIS HEDE IN HARD YSSEIKKLES	GGK		732
THUS IN PERYL AND PAYNE AND PLYTES FUL HARDE.	GGK		733
OF HARDE HEWEN STON VP TO THE TABLE3	GGK		789
AND FOLDEN FAYTH TO THAT FRE FESTNED SO HARDE	GGK		1783
HIT THE HORS WITH THE HELE3 AS HARDE AS HE MY3T.	GGK		2153
THENE HERDE HE OF THAT HY3E HIL IN A HARDE ROCHE	GGK		2199
QUETHERSOEUER HE DELE NESCH OTHER HARDE	PRL		606

HARDE (V. HARD)
HARDENED

HUNTERE3 HEM HARDENED WITH HORNE AND WYTH MUTHE.	GGK		1428

HARDENES (V. HARDENS)
HARDENS

BOT THEN HY3ES HERUEST AND HARDENES HYM SONE.	GGK		521

HARDER

3ET HYM IS THE HY3E KYNG HARDER IN HEUEN	CLN		50
WERE HARDER HAPPED ON THAT HATHEL THEN ON ANY OTHER	GGK		655

HARDI (V. HARDY)
HARDILY

I HALDE HIT HARDILY HOLE THE HARME THAT I HADE	GGK		2390
OUTE OF ORYENT I HARDYLY SAYE.	PRL		3
BOT HARDYLY WYTHOUTE PERYLE	PRL		695

HARDY

HOW WAT3 THOU HARDY THIS HOUS FOR THYN VNHAP TO NE3E	CLN		143
SO HARDY A HERE ON HILLE	GGK		59
IF ANY SO HARDY IN THIS HOUS HOLDE3 HYMSELUEN	GGK		285
THAT HIS HERT AND HIS HONDE SCHULDE HARDI BE BOTHE.	GGK		371

HARDYLY (V.HARDILY)
HARES

HARE3 HERTTE3 ALSO TO THE HY3E RUNNEN	CLN		391

HERTTES TO HY3E HETHE HARE3 TO GORSTE3.	CLN	535
HARE3 (V. HARES)		
HARK		
HALE3 HY3E VPON HY3T TO HERKEN TYTHYNGE3	CLN	458
BLUSCHED BYHYNDEN HER BAK THAT BALE FOR TO HERKKEN.	CLN	980
AND TO RECHE HYM REUERENS AND HIS REUEL HERKKEN.	CLN	1369
HOVE3 HY3E VPON HY3T TO HERKEN TYTHYNGE3	CLN V	458
MONY A GAY GRETE LORDE WAS GEDRID TO HERKEN HIT.	ERK	134
HUNGRIE INWITH HELLEHOLE AND HERKEN AFTER MEELES	ERK	307
OTHER ELLES 3E DEMEN ME TO DILLE YOUR DALYAUNCE TO HERKEN . .	GGK	1529
HERK RENK IS THIS RY3T SO RONKLY TO WRATH.	PAT	431
HARKENED		
BOT I HAUE HERKNED AND HERDE OF MONY HY3E CLERKE3	CLN	193
THAT CORTAYSLY HADE HYM KYDDE AND HIS CRY HERKENED.	GGK	775
AND THAT I HAF ER HERKKENED AND HALDE HIT HERE TRWEE	GGK	1274
HARKENS		
SO HARNAYST AS HE WAT3 HE HERKNE3 HIS MASSE	GGK	592
HAUILOUNE3 AND HERKENE3 BI HEGGE3 FUL OFTE	GGK	1708
HARLATE3 (V. HARLOTS)		
HARLED		
THE HASEL AND THE HA3THORNE WERE HARLED AL SAMEN	GGK	744
HARLOT		
THEN THE HARLOT WYTH HASTE HELDED TO THE TABLE	CLN	39
HOPE3 THOU I BE A HARLOT THI ERIGAUT TO PRAYSE	CLN	148
HARLOTES (V. HARLOTS)		
HARLOTE3 (V. HARLOTS)		
HARLOTRY		
AS HARLOTTRYE VNHONEST HETHYNG OF SELUEN	CLN	579
HARLOTS		
NE IN THE HARLATE3 HOD AND HANDE3 VNWASCHEN	CLN	34
FOR HARLOTE3 WYTH HIS HENDELAYK HE HOPED TO CHAST	CLN	860
THAT A3LY HURLED IN HIS ERE3 HER HARLOTE3 SPECHE	CLN	874
TO HENGE THE HARLOTES HE HE3ED FUL OFTE	CLN	1584
HARLOTTRYE (V. HARLOTRY)		
HARM		
AND HONEST FOR THE HALYDAY LEST THOU HARME LACHE	CLN	166
BOT ER HARME HEM HE WOLDE IN HASTE OF HIS YRE	CLN	1503
AND THOU ER ANY HARME HENT AR3E3 IN HERT	GGK	2277
I HALDE HIT HARDILY HOLE THE HARME THAT I HADE	GGK	2390
FOR NON MAY HYDEN HIS HARME BOT VNHAP NE MAY HIT	GGK	2511
THAY AR HAPPEN ALSO THAT FOR HER HARME WEPES.	PAT	17
WER I AS HASTIF AS THOU HEERE WERE HARME LUMPEN.	PAT	520
HONDELYNGE3 HARME THAT DYT NOT ILLE.	PRL	681
HARME (V. HARM)		
HARMES (V. HARMS)		
HARME3 (V. HARMS)		
HARMLESS		
THE HARMLE3 HATHEL SCHAL COM HYM TYLLE.	PRL	676
HARMLE3 TRWE AND VNDEFYLDE.	PRL	725
HARMLE3 (V. HARMLESS)		
HARMS		
I HENT HARMES FUL OFTE TO HOLDE HOM TO RI3T	ERK	232
AND NOW THOU FLES FOR FERDE ER THOU FELE HARME3.	GGK	2272
THA3 I HENTE OFTE HARME3 HATE.	PRL	388
HARNAYS (V. HARNESS)		
HARNAYST (V. HARNESSED)		
HARNESS		
WHEN HE WAT3 HASPED IN ARMES HIS HARNAYS WAT3 RYCHE	GGK	590
AND SYTHEN HIS OTHER HARNAYS THAT HOLDELY WAT3 KEPED	GGK	2016

HARNESSED		
SO HARNAYST AS HE WAT3 HE HERKNE3 HIS MASSE	GGK	592
HARP		
AS HARPORE3 HARPEN IN HER HARPE	PRL	881
AS HARPORE3 HARPEN IN HER HARPE	PRL	881
HARPE (V. HARP)		
HARPERS		
AS HARPORE3 HARPEN IN HER HARPE	PRL	881
HARPORE3 (V. HARPERS)		
HARTS		
HARE3 HERTTE3 ALSO TO THE HY3E RUNNEN	CLN	391
TO VNTHRYFTE ARN ALLE THRAWEN WYTH THO3T OF HER HERTTE3 . . .	CLN	516
HERTTES TO HY3E HETHE HARE3 TO GORSTE3.	CLN	535
THAY LET THE HERTTE3 HAF THE GATE WITH THE HY3E HEDES. . . .	GGK	1154
HARVEST		
SESOUNE3 SCHAL YOW NEUER SESE OF SEDE NE OF HERUEST	CLN	523
BOT THEN HY3ES HERUEST AND HARDENES HYM SONE.	GGK	521
HAS (APP. 1)		
HASEL (V. HAZEL)		
HASP		
THE DOR DRAWEN AND DIT WITH A DERF HASPE	GGK	1233
HASPE (V. HASP)		
HASPED		
HURROK OTHER HANDEHELME HASPED ON ROTHER	CLN	419
IF I WERE HASPED IN ARMES ON A HE3E STEDE.	GGK	281
WHEN HE WAT3 HASPED IN ARMES HIS HARNAYS WAT3 RYCHE	GGK	590
HIT WAT3 HY3E ON HIS HEDE HASPED BIHYNDE	GGK	607
ALLE HASPED IN HIS HE3 WEDE TO HALLE THAY HYM WONNEN	GGK	831
BI THE HAYRE HASPEDE HE HENTES HYM THENNE.	PAT	189
HE ASKE3 HETERLY A HAYRE AND HASPED HYM VMBE.	PAT	381
BY THE HATER HASPEDE HE HENTES HYM THENNE.	PAT V	189
HASPEDE (V. HASPED)		
HASPPE3 (V. HASPS)		
HASPS		
HE HASPPE3 HIS FAYRE HALS HIS ARME3 WYTHINNE.	GGK	1388
HAST (V. HASTE)		
HASTE		
THEN THE HARLOT WYTH HASTE HELDED TO THE TABLE	CLN	39
HE MAY NOT DRY3E TO DRAW ALLYT BOT DREPE3 IN HAST	CLN	599
WITH ALLE THI HERE VPON HASTE TYL THOU A HIL FYNDE.	CLN	902
BOT ER HARME HEM HE WOLDE IN HASTE OF HIS YRE	CLN	1503
IN HASTE.	GGK	780
BOT IN THE HAST THAT HE MY3T HE TO A HOLE WYNNE3	GGK	1569
SWENGES OUT OF THE SWEUENES AND SWARE3 WITH HAST	GGK	1756
AND THOU SCHAL HAF AL IN HAST THAT I THE HY3T ONES.	GGK	2218
HATHELES HY3ED IN HASTE WYTH ORES FUL LONGE	PAT	217
HASTED		
THE AUNGELE3 HASTED THISE OTHER AND A3LY HEM THRATTEN.	CLN	937
HUNTERE3 WYTH HY3E HORNE HASTED HEM AFTER.	GGK	1165
THE HOWNDE3 THAT HIT HERDE HASTID THIDER SWYTHE.	GGK	1424
THER AS HE HERD THE HOWNDES THAT HASTED HYM SWYTHE.	GGK	1897
HASTID (V. HASTED)		
HASTIF		
WER I AS HASTIF AS THOU HEERE WERE HARME LUMPEN.	PAT	520
HASTILY		
HOV HARDE VNHAP THER HYM HENT AND HASTYLY SONE	CLN	1150
THENNE HENTES HE THE HELME AND HASTILY HIT KYSSES	GGK	605
ETE A SOP HASTYLY WHEN HE HADE HERDE MASSE	GGK	1135
HASTLETTE3		

Line	Text	No.
AND HAT3 OUT THE HASTLETTE3 AS HI3TLY BISEME3	GGK	1612
HASTY		
A HE3E ERNDE AND A HASTY ME HADE FRO THO WONE3	GGK	1051
HASTYFLY		
NE SO HASTYFLY WAT3 HOT FOR HATEL OF HIS WYLLE	CLN	200
HASTYLY (V. HASTILY)		
HAT (V. HATTE)		
HAT (MNE)		
VCH HILLE HADE A HATTE A MYSTHAKEL HUGE	GGK	2081
HATCH		
SAUE THE HATHEL VNDER HACH AND HIS HERE STRAUNGE	CLN	409
HATCHES		
A LODESMON LY3TLY LEP VNDER HACHCHES	PAT	179
HATE		
FOR HOPE OF THE HARDE HATE THAT HY3T HAT3 OURE LORDE	CLN	714
HOV SCHULDE I HUYDE ME FRO HYM THAT HAT3 HIS HATE KYNNED.	CLN	915
AND WEL HATTER TO HATE THEN HADE THOU NOT WASCHEN	CLN	1138
THA3 I HENTE OFTE HARME3 HATE.	PRL	388
THENNE LOKE WHAT HATE OTHER ANY GAWLE	PRL	463
HATED		
AND ALLE HIS PYTE DEPARTED FRO PEPLE THAT HE HATED.	CLN	396
THAT ALLE THAT LONGED TO LUTHER FUL LODLY HE HATED.	CLN	1090
I HETE THE ARN HETERLY HATED HERE	PRL	402
HATEL		
NE SO HASTYFLY WAT3 HOT FOR HATEL OF HIS WYLLE	CLN	200
SO FRO HEUEN TO HELLE THAT HATEL SCHOR LASTE.	CLN	227
SUCH A HIDOR HEM HENT AND A HATEL DREDE	PAT	367
WITH HATEL ANGER AND HOT HETERLY HE CALLE3	PAT	481
HATER		
BY THE HATER HASPEDE HE HENTES HYM THENNE.	PAT V	189
HATERE3		
FORTHY HY3 NOT TO HEUEN IN HATERE3 TOTORNE	CLN	33
HATES		
HE HATES HELLE NO MORE THEN HEM THAT AR SOWLE	CLN	168
ALLE ILLE3 HE HATES AS HELLE THAT STYNKKE3	CLN	577
HATHEL		
THE HATHEL CLENE OF HIS HERT HAPENE3 FUL FAYRE	CLN	27
FOR WHAT VRTHLY HATHEL THAT HY3 HONOUR HALDE3	CLN	35
SAUE THE HATHEL VNDER HACH AND HIS HERE STRAUNGE	CLN	409
WYTH HERT HONEST AND HOL THAT HATHEL HE HONOURE3	CLN	594
FUL ERLY THOSE AUNGELE3 THIS HATHEL THAY RUTHEN.	CLN	895
BI A HATHEL NEUER SO HY3E HE HELDES TO GROUNDE	CLN	1330
AND HAT3 A HATHEL IN THY HOLDE AS I HAF HERDE OFTE.	CLN	1597
VCHE HATHEL TO HIS HOME HY3ES FUL FAST.	CLN	1762
ONE THE VNHAPNEST HATHEL THAT EUER ON ERTHE 3ODE	ERK	198
THIS HATHEL HELDE3 HYM IN AND THE HALLE ENTRES	GGK	221
THAT A HATHEL AND A HORSE MY3T SUCH A HWE LACH	GGK	234
NAY AS HELP ME QUOTH THE HATHEL HE THAT ON HY3E SYTTES	GGK	256
WHAT IS THIS ARTHURES HOUS QUOTH THE HATHEL THENNE.	GGK	309
ANDE SAYDE HATHEL BY HEUEN THYN ASKYNG IS NYS	GGK	323
FYRST I ETHE THE HATHEL HOW THAT THOU HATTES.	GGK	379
WERE HARDER HAPPED ON THAT HATHEL THEN ON ANY OTHER	GGK	655
THAT HOLDE ON THAT ON SYDE THE HATHEL AUYSED.	GGK	771
A HOGE HATHEL FOR THE NONE3 AND OF HYGHE ELDEE	GGK	844
WELNE3 TO VCHE HATHEL ALLE OUER HWES	GGK	867
HE HENT THE HATHEL ABOUTE THE HALSE AND HENDELY HYM KYSSES	GGK	1639
NOW AR WE EUEN QUOTH THE HATHEL IN THIS EUENTIDE	GGK	1641
THER IS NO HATHEL VNDER HEUEN TOHEWE HYM THAT MY3T.	GGK	1853
THAT HALDEN HONOUR IN HER HONDE THE HATHEL HEM 3ELDE	GGK	2056

HIS HATHEL ON HORS WAT3 THENNE . . . . GGK 2065
THE HATHEL HELDET HYM FRO AND ON HIS AX RESTED . . . . GGK 2331
AND HAT3 HIT OF HENDELY AND THE HATHEL THONKKE3. . . . . . . GGK 2408
THERFORE I ETHE THE HATHEL TO COM TO THY NAUNT . . . . GGK 2467
THA3 THAT HATHEL WER HIS THAT THAY HERE QUELLED. . . . . . . PAT 228
THE HARMLE3 HATHEL SCHAL COM HYM TYLLE. . . . . PRL 676
HATHELES
THEN HAYLSED HE FUL HENDLY THO HATHELE3 VCHONE . . . . GGK 829
FUL HENDELY QUEN ALLE THE HATHELES REHAYTED HYM AT ONE3 . . . . GGK 895
AND HE3LY HONOWRED WITH HATHELE3 ABOUTE . . . . GGK 949
HE WITH HIS HATHELES ON HY3E HORSSES WEREN . . . . GGK 1138
HE3E HALOWING ON HI3E WITH HATHELE3 THAT MY3T . . . . GGK 1602
ALLE THE HATHELES THAT ON HORSE SCHULDE HELDEN HYM AFTER. . . GGK 1692
HERE HE WAT3 HALAWED WHEN HATHELE3 HYM METTEN . . . . GGK 1723
HATHELES HY3ED IN HASTE WYTH ORES FUL LONGE . . . . PAT 217
HATHELE3 (V. HATHELES)
HATS
HARD HATTES THAY HENT AND ON HORS LEPES . . . . CLN 1209
HATTE (ALSO V. HAT - MNE, CP. HETTE)
THAT OTHERWAYE3 ON EBRV HIT HAT THE THANES . . . . CLN 448
THER IS A CITE HERBISYDE THAT SEGOR HIT HATTE . . . . CLN 926
AS CONQUEROUR OF VCHE A COST HE CAYSER WAT3 HATTE . . . . CLN 1322
SAYNT ERKENWOLDE AS I HOPE THAT HOLY MON HATTE . . . . ERK 4
NOW THAT LONDON IS NEUENYD HATTE THE NEW TROIE . . . . ERK 25
A NOBLE NOTE FOR THE NONES AND NEW WERKE HIT HATTE. . . . . . ERK 38
AND NEUENES HIT HIS AUNE NOME AS HIT NOW HAT. . . . . GGK 10
THE HEDE OF THIS OSTEL ARTHOUR I HAT . . . . GGK 253
IN GOD FAYTH QUOTH THE GOODE KNY3T GAWAN I HATTE . . . . . . GGK 381
BERCILAK DE HAUTDESERT I HAT IN THIS LONDE . . . . GGK 2445
BOT SYN I AM PUT TO A POYNT THAT POUERTE HATTE . . . . PAT 35
HATTER (V. HOTTER)
HATTES (CP. HETES)
FYRST I ETHE THE HATHEL HOW THAT THOU HATTES. . . . . GGK 379
BOT TECHE ME TRULY THERTO AND TELLE ME HOWE THOU HATTES . . . . GGK 401
HAT3 (APP. 1)
HAUBERK
WHETHER HADE HE NO HELME NE HAWBERGH NAUTHER. . . . . GGK 203
I HAUE A HAUBERGHE AT HOME AND A HELME BOTHE. . . . . GGK 268
HAUEKE3 (V. HAWKS)
HAUEN (V. HAVEN AND APP. 1)
HAUE3 (APP. 1)
HAUILOUNE3
HAUILOUNE3 AND HERKENE3 BI HEGGE3 FUL OFTE . . . . GGK 1708
HAUNCH
EUENDOUN TO THE HAUNCHE THAT HENGED ALLE SAMEN . . . . GGK 1345
EUENDEN TO THE HAUNCHE THAT HENGED ALLE SAMEN . . . . GGK V 1345
HAUNCHE (V. HAUNCH)
HAUNCHES
BI HE HADE BELTED THE BRONDE VPON HIS BAL3E HAUNCHE3 . . . . . GGK 2032
HAUNCHE3 (V. HAUNCHES)
HAUNT
THAY AR HAPPEN ALSO THAT HAUNTE MEKENESSE. . . . . PAT 15
HAUNTE (V. HAUNT)
HAUTDESERT
BERCILAK DE HAUTDESERT I HAT IN THIS LONDE . . . . GGK 2445
HAVEN
OTHER ANY SWEANDE SAYL TO SECHE AFTER HAUEN . . . . CLN 420
HE SWENGES ME THYS SWETE SCHIP SWEFTE FRO THE HAUEN . . . . . PAT 108
HAVING

BOT VCHON FAYN OF OTHERE3 HAFYNG. . . . . PRL 450
HAWBERGH (V. HAUBERK)
HAWK
I STOD AS HENDE AS HAWK IN HALLE. . . . . PRL 184
HAWKS
HERNE3 AND HAUEKE3 TO THE HY3E ROCHE3 . . . . CLN 537
HAWTESSE
WELDE3 NON SO HY3E HAWTESSE . . . . GGK 2454
HAWTHORNE
THE HASEL AND THE HA3THORNE WERE HARLED AL SAMEN . . . . . . GGK 744
HAY
THE HINDE3 WERE HALDEN IN WITH HAY AND WAR . . . . GGK 1158
THISE OTHER HALOWED HYGHE FUL HY3E AND HAY HAY CRYED . . . . . GGK 1445
THISE OTHER HALOWED HYGHE FUL HY3E AND HAY HAY CRYED . . . . . GGK 1445
NE NON OXE TO NO HAY NE NO HORSE TO WATER. . . . . PAT 394
OF HAY AND OF EUERFERNE AND ERBE3 A FEWE . . . . PAT 438
HAYLÇE
AND SYTHEN MONY SYKER KNY3T THAT SO3T HYM TO HAYLCE . . . . . GGK 2493
HAYLSED (CP. HALSED)
AND HAYLSED HEM IN ONHEDE AND SAYDE HENDE LORDE. . . . . . . CLN 612
HIS TWO DERE DO3TERE3 DEUOUTLY HEM HAYLSED . . . . CLN 814
HAYLSED HE NEUER ONE BOT HE3E HE OUER LOKED . . . . GGK 223
AND HAYLSED THE KNY3T ERRAUNT. . . . . GGK 810
THEN HAYLSED HE FUL HENDLY THO HATHELE3 VCHONE . . . . GGK 829
AND HAYLSED ME WYTH A LOTE LY3TE. . . . . PRL 238
HAYLSES
THE ALDER HE HAYLSES HELDANDE FUL LOWE. . . . . GGK 972
HAYRE (V. HAIR, HEIR)
HAYRE3 (V. HAIRS)
HAZEL
THE HASEL AND THE HA3THORNE WERE HARLED AL SAMEN . . . . . . GGK 744
HA3ER
NO HWE GOUD ON HIR HEDE BOT THE HA3ER STONES. . . . . GGK 1738
NO HWE3 GOUD ON HIR HEDE BOT THE HA3ER STONES . . . . GGK V 1738
HA3ERER
THAT VNDER HEUEN I HOPE NON HA3ERER OF WYLLE. . . . . GGK 352
HA3ERLY
AND HONESTE IN HIS HOUSHOLDE AND HAGHERLYCH SERUED. . . . . . CLN 18
HA3ERLY IN HIS AUNE HWE HIS HEUED WAT3 COUERED . . . . CLN 1707
HA3THORNE (V. HAWTHORNE)
HE (APP. 1)
HEAD
AND HURKELE3 DOUN WITH HIS HEDE THE VRTHE HE BIHOLDE3. . . . . CLN 150
AN OUTCOMLYNG A CARLE WE KYLLE OF THYN HEUED. . . . . CLN 876
HA3ERLY IN HIS AUNE HWE HIS HEUED WAT3 COUERED . . . . CLN 1707
THEN HUMMYD HE THAT THER LAY AND HIS HEDDE WAGGYD . . . . . . ERK 281
AND THE HERE OF HIS HED OF HIS HORS SWETE. . . . . GGK 180
THAT WYTH HIS HI3LICH HERE THAT OF HIS HED RECHES . . . . . . GGK 183
THE HEDE OF AN ELN3ERDE THE LARGE LENKTHE HADE . . . . GGK 210
A LACE LAPPED ABOUTE THAT LOUKED AT THE HEDE. . . . . GGK 217
THE HEDE OF THIS OSTEL ARTHOUR I HAT . . . . GGK 253
BE SO BOLDE IN HIS BLOD BRAYN IN HYS HEDE. . . . . GGK 286
HERRE THEN ANI IN THE HOUS BY THE HEDE AND MORE. . . . . . . GGK 333
A LITTEL LUT WITH THE HEDE THE LERE HE DISCOUERE3 . . . . . . GGK 418
THE FAYRE HEDE FRO THE HALCE HIT TO THE ERTHE . . . . GGK 427
LA3T TO HIS LUFLY HED AND LYFT HIT VP SONE . . . . GGK 433
AND HIS HEDE BY THE HERE IN HIS HONDE HALDE3. . . . . GGK 436
FOR THE HEDE IN HIS HONDE HE HALDE3 VP EUEN . . . . GGK 444
HALLED OUT AT THE HAL DOR HIS HED IN HIS HANDE . . . . GGK 458

HIT WAT3 HY3E ON HIS HEDE HASPED BIHYNDE . . . . GGK 607
OUER AT THE HOLY HEDE TIL HE HADE EFT BONK . . . . GGK 700
AND HENGED HE3E OUER HIS HEDE IN HARD YSSEIKKLES . . . . . . GGK 732
FOR WYN IN HIS HED THAT WENDE. . . . . GGK 900
AND HE HEUE3 VP HIS HED OUT OF THE CLOTHES . . . . GGK 1184
BOTHE THE HEDE AND THE HALS THAY HWEN OF THENNE. . . . . . . GGK 1353
THE HEDE HYPPED A3AYN WERESOEUER HIT HITTE . . . . GGK 1459
3ET HERDE I NEUER OF YOUR HED HELDE NO WORDE3 . . . . GGK 1523
AND MADEE HYM MAWGREF HIS HED FORTO MWE VTTER . . . . GGK 1565
FYRST HE HEWES OF HIS HED AND ON HI3E SETTE3. . . . . GGK 1607
THE BORES HED WAT3 BORNE BIFORE THE BURNES SELUEN . . . . . . GGK 1616
THENNE HONDELED THAY THE HOGE HED THE HENDE MON HIT PRAYSED. . GGK 1633
SUCHE A SOR3E AT THAT SY3T THAY SETTE ON HIS HEDE . . . . . . GGK 1721
NO HWE GOUD ON HIR HEDE BOT THE HA3ER STONES. . . . . GGK 1738
HALDE3 HE3E OUER HIS HEDE HALOWE3 FASTE . . . . GGK 1908
HAF HERE THI HELME ON THY HEDE THI SPERE IN THI HONDE. . . . . GGK 2143
WITH HE3E HELME ON HIS HEDE HIS LAUNCE IN HIS HONDE . . . . . GGK 2197
ABYDE QUOTH ON ON THE BONKE ABOUEN OUER HIS HEDE . . . . . . GGK 2217
HAF THY HELME OF THY HEDE AND HAF HERE THY PAY . . . . GGK 2247
WHEN THOU WYPPED OF MY HEDE AT A WAP ONE . . . . GGK 2249
MY HEDE FLA3 TO MY FOTE AND 3ET FLA3 I NEUER. . . . . GGK 2276
BOT THA3 MY HEDE FALLE ON THE STONE3 . . . . GGK 2282
HENT HETERLY HIS HELME AND ON HIS HED CAST . . . . GGK 2317
WITH HIS HEDE IN HIS HONDE BIFORE THE HY3E TABLE . . . . . . GGK 2462
NO HWE3 GOUD ON HIR HEDE BOT THE HA3ER STONES . . . . GGK V 1738
THE PURE POPLANDE HOURLE PLAYES ON MY HEUED . . . . PAT 319
DROPPED DUST ON HER HEDE AND DYMLY BISO3TEN . . . . PAT 375
AY HELE OUER HED HOURLANDE ABOUTE . . . . PAT 271
MY WODBYNDE SO WLONK THAT WERED MY HEUED . . . . PAT 486
TO HED HADE HO NON OTHER WERLE . . . . PRL 209
AS HEUED AND ARME AND LEGG AND NAULE . . . . PRL 459
THY HEUED HAT3 NAUTHER GREME NE GRYSTE. . . . . PRL 465
BOW VP TOWARDE THYS BORNE3 HEUED. . . . . PRL 974
THE HY3E TRONE THER MO3T 3E HEDE. . . . . PRL 1051
MY HEDE VPON THAT HYLLE WAT3 LAYDE . . . . PRL 1172
TO HED HADE HO NON OTHER HERLE . . . . PRL 1 209

HEADLESS
AS NON VNHAP HAD HYM AYLED THA3 HEDLE3 HE WERE . . . . GGK 438

HEADS
PULDEN PRESTES BI THE POLLE AND PLAT OF HER HEDES . . . . . . CLN 1265
THAY LET THE HERTTE3 HAF THE GATE WITH THE HY3E HEDES. . . . . GGK 1154
THAT BIGLY BOTE ON THE BROUN WITH FUL BRODE HEDE3 . . . . . . GGK 1162
HER HEDE3 THAY FAWNE AND FROTE . . . . GGK 1919

HEAL
BOT HI3LY HEUENED THI HELE FRO HEM THAT ARN COMBRED . . . . . CLN 920
FOR WHATSO HE TOWCHED ALSO TYD TOURNED TO HELE . . . . CLN 1099
THA3 THE FADER THAT HYM FORMED WERE FALE OF HIS HELE . . . . . PAT 92
AND OFFER THE FOR MY HELE A FUL HOL GYFTE. . . . . PAT 335
AND HEUEN MY HAPPE AND AL MY HELE . . . . PRL 16
FOR HAPPE AND HELE THAT FRO HYM 3EDE . . . . PRL 713

HEALED
HE HELED HEM WYTH HYNDE SPECHE OF THAT THAY ASK AFTER. . . . . CLN 1098

HEAP
BY THAT WAT3 ALLE ON A HEPE HURLANDE SWYTHE . . . . CLN 1211
THEN HURLED ON A HEPE THE HELME AND THE STERNE . . . . PAT 149
AND OF A HEP OF ASKES HE HITTE IN THE MYDDE3. . . . . PAT 380

HEAPS
AND VCHE A KOSTE OF THIS KYTHE CLATER VPON HEPES . . . . . . CLN 912
THAY THRONGEN THEDER IN THE THESTER ON THRAWEN HEPES . . . . . CLN 1775

THAT THE BURNE AND THE BOR WERE BOTH VPON HEPE3. . . . . . . GGK 1590
AS ALLE THE CLAMBERANDE CLYFFES HADE CLATERED ON HEPES . . . . GGK 1722

HEAR

IN MUKEL MESCHEFES MONY THAT IS MERUAYL TO HERE. . . . . . . CLN 1164
SUCH GLAUMANDE GLE GLORIOUS TO HERE. . . . . GGK 46
AND MELED THUS MUCH WITH HIS MUTHE AS 3E MAY NOW HERE. . . . . GGK 447
IN 3ONGE 3ER FOR HE 3ERNED 3ELPYNG TO HERE . . . . GGK 492
OUERAL AS I HERE THE ENDELES KNOT . . . . GGK 630
OF SUM HERBER THER HE3LY I MY3T HERE MASSE . . . . GGK 755
I HOPE THAT MAY HYM HERE . . . . GGK 926
THE IOYE OF SAYN JONE3 DAY WAT3 GENTYLE TO HERE. . . . . . GGK 1022
FORTHY SIR THIS ENQUEST I REQUIRE YOW HERE . . . . GGK 1056
AND LET LODLY THERAT THE LORDE FORTH HERE. . . . . GGK 1634
BOT THENNE HE CON HIR HERE. . . . . GGK 1749
WHAT HIT RUSCHED AND RONGE RAWTHE TO HERE. . . . . GGK 2204
SUCH COWARDISE OF THAT KNY3T COWTHE I NEUER HERE . . . . . . GGK 2273
SUCH GLAUM ANDE GLE GLORIOUS TO HERE . . . . GGK V 46
THE SEE SOU3ED FUL SORE GRET SELLY TO HERE . . . . PAT 140
PRAYANDE HIM FOR PETE HIS PROPHETE TO HERE . . . . PAT 327
AS HERE AND SE HER ADUBBEMENT. . . . . PRL 96

HEARD

BOT I HAUE HERKNED AND HERDE OF MONY HY3E CLERKE3 . . . . . . CLN 193
BOT NEUER 3ET IN NO BOKE BREUED I HERDE . . . . CLN 197
FOR WHEN THAT THE HELLE HERDE THE HOUNDE3 OF HEUEN. . . . . CLN 961
THE SEGGE HERDE THAT SOUN TO SEGOR THAT 3EDE. . . . . . . CLN 973
HO HERDE HYM CHYDE TO THE CHAMBRE THAT WAT3 THE CHEF QUENE . . CLN 1586
AND HAT3 A HATHEL IN THY HOLDE AS I HAF HERDE OFTE. . . . . CLN 1597
THAT ALLE WEPYD FOR WOO THE WORDES THAT HERDEN . . . . ERK 310
AY WAT3 ARTHUR THE HENDEST AS I HAF HERDE TELLE. . . . . . . GGK 26
I SCHAL TELLE HIT ASTIT AS I IN TOUN HERDE . . . . GGK 31
AND HERE IS KYDDE CORTAYSYE AS I HAF HERD CARP . . . . GGK 263
AR HERDE IN WOD SO WLONK . . . . GGK 515
THE BOK AS I HERDE SAY . . . . GGK 690
IF THAY HADE HERDE ANY KARP OF A KNY3T GRENE. . . . . GGK 704
THAT 3E ME TELLE WITH TRAWTHE IF EUER 3E TALE HERDE . . . . . GGK 1057
ETE A SOP HASTYLY WHEN HE HADE HERDE MASSE . . . . GGK 1135
A HUNDRETH OF HUNTERES AS I HAF HERDE TELLE . . . . GGK 1144
AND AS IN SLOMERYNG HE SLODE SLE3LY HE HERDE. . . . . GGK 1182
THE HOWNDE3 THAT HIT HERDE HASTID THIDER SWYTHE. . . . . . . GGK 1424
3ET HERDE I NEUER OF YOUR HED HELDE NO WORDE3 . . . . GGK 1523
THER AS HE HERD THE HOWNDES THAT HASTED HYM SWYTHE. . . . . . GGK 1897
HIT WAT3 THE MYRIEST MUTE THAT EUER MEN HERDE . . . . GGK 1915
THENE HERDE HE OF THAT HY3E HIL IN A HARDE ROCHE . . . . . . GGK 2199
I HERDE ON A HALYDAY AT A HY3E MASSE . . . . PAT 9
ANDE AS SAYLED THE SEGGE AY SYKERLY HE HERDE. . . . . PAT 301
OUT OF THE HOLE THOU ME HERDE OF HELLEN WOMBE . . . . PAT 306
AND AY HE CRYES IN THAT KYTH TYL THE KYNG HERDE. . . . . . . PAT 377
A HUE FROM HEUEN I HERDE THOO. . . . . PRL 873
A NOTE FUL NWE I HERDE HEM WARPE. . . . . PRL 879
THAT EUER I HERDE OF SPECHE SPENT . . . . PRL 1132

HEARING

AS THOU HAT3 HETTE IN THIS HALLE HERANDE THISE KNY3TES . . . . GGK 450

HEARS

HOPE 3E THAT HE HERES NOT THAT ERES ALLE MADE . . . . PAT 123

HEART

THE HATHEL CLENE OF HIS HERT HAPENE3 FUL FAYRE . . . . CLN 27
FOR HE THAT FLEMUS VCH FYLTHE FER FRO HIS HERT . . . . CLN 31
AND LYUED WYTH THE LYKYNG THAT LY3E IN THYN HERT . . . . . . CLN 172
AND WEX WOD TO THE WRACHE FOR WRATH AT HIS HERT. . . . . . . CLN 204

FELLE TEMPTANDE TENE TOWCHED HIS HERT	CLN	283
FOR QUEN THE SWEMANDE SOR3E SO3T TO HIS HERT.	CLN	563
THAT BYSULPE3 MANNE3 SAULE IN VNSOUNDE HERT	CLN	575
RYPANDE OF VCHE A RING THE REYNYE3 AND HERT	CLN	592
WYTH HERT HONEST AND HOL THAT HATHEL HE HONOURE3	CLN	594
AND BRYNGE A MORSEL OF BRED TO BAUME YOUR HERTTE	CLN	620
HOW MY3T I HYDE MYN HERT FRO HABRAHAM THE TRWE	CLN	682
SO SCHARPE SCHAME TO HYM SCHOT HE SCHRANK AT THE HERT. . . .	CLN	850
FAST THE FREKE FERKE3 VP FUL FERD AT HIS HERT	CLN	897
THAT ALLE NA3T MUCH NIYE HADE NOMEN IN HIS HERT.	CLN	1002
AND ALLE HENDE THAT HONESTLY MO3T AN HERT GLADE.	CLN	1083
THE HOTE HUNGER WYTHINNE HERT HEM WEL SARRE	CLN	1195
AND ENTERES IN FUL ERNESTLY IN YRE OF HIS HERT	CLN	1240
AND IF THAY GRUCHEN HIM GRACE TO GREMEN HIS HERT	CLN	1347
SO FASTE THAY WE3ED TO HIM WYNE HIT WARMED HIS HERT	CLN	1420
THENNE A DOTAGE FUL DEPE DROF TO HIS HERT.	CLN	1425
LET THISE LADYES OF HEM LAPE I LUF HEM IN HERT	CLN	1434
SUCH A DASANDE DREDE DUSCHED TO HIS HERT	CLN	1538
ANDE THAT THOU HAT3 IN THY HERT HOLY CONNYNG.	CLN	1625
FOR OF THE HY3EST HE HADE A HOPE IN HIS HERT.	CLN	1653
AND WHYLE THAT COYNTISE WAT3 CLE3T CLOS IN HIS HERT	CLN	1655
HIS HERT HELDET VNHOLE HE HOPED NON OTHER.	CLN	1681
BOT AY HAT3 HOFEN THY HERT AGAYNES THE HY3E DRY3TYN	CLN	1711
THE FYSTE WYTH THE FYNGERES THAT FLAYED THI HERT	CLN	1723
AND BRYNGE A MORSEL OF BRED TO BANNE YOUR HERTTE	CLN V	620
ALS FERFORTHE AS MY FAITHE CONFOURMYD MY HERT	ERK	242
THE BISSHOP BAYTHES HYM 3ET WITH BALE AT HIS HERT	ERK	257
THAT MONY HERT FUL HI3E HEF AT HER TOWCHES	GGK	120
THAT HIS HERT AND HIS HONDE SCHULDE HARDI BE BOTHE.	GGK	371
THA3 ARTHER THE HENDE KYNG AT HERT HADE WONDER	GGK	467
FOR TO COUNSEYL THE KNY3T WITH CARE AT HER HERT.	GGK	557
AL THAT SE3 THAT SEMLY SYKED IN HERT	GGK	672
THAT AUTHER GOD OTHER GOME WYTH GOUD HERT LOUIED	GGK	702
HIT HYM VP TO THE HULT THAT THE HERT SCHYNDERED.	GGK	1594
NE THE PURPOSE TO PAYRE THAT PY3T IN HIR HERT	GGK	1734
WI3T WALLANDE JOYE WARMED HIS HERT	GGK	1762
BIFORE ALLE THE WY3E3 IN THE WORLDE WOUNDED IN HERT	GGK	1781
THEN KEST THE KNY3T AND HIT COME TO HIS HERT.	GGK	1855
FUL THRO WITH HERT AND THO3T	GGK	1867
AND THOU ER ANY HARME HENT AR3E3 IN HERT	GGK	2277
SO NOW THOU HAT3 THI HERT HOLLE HITTE ME BIHOUES	GGK	2296
I HOPE THAT THI HERT AR3E WYTH THYN AWEN SELUEN.	GGK	2301
ARMED FUL A3LE3 IN HERT HIT HYM LYKE3	GGK	2335
THE LOKE TO THIS LUFLACE SCHAL LETHE MY HERT.	GGK	2438
THAY ARN HAPPEN THAT HAN IN HERT POUERTE	PAT	13
THAY AR HAPPEN ALSO THAT HAN IN HERT RAUTHE	PAT	21
THAY AR HAPPEN ALSO THAT ARN OF HERT CLENE	PAT	23
THAY AR HAPPEN ALSO THAT CON HER HERT STERE	PAT	27
THAT IN THAT PLACE AT THE POYNT I PUT IN THI HERT	PAT	68
AND VCHE LEDE AS HE LOUED AND LAYDE HAD HIS HERT	PAT	168
THA3 I BE FOL AND FYKEL AND FALCE OF MY HERT.	PAT	283
THA3 HIT LYTTEL WERE HYM WYTH TO WAMEL AT HIS HERT.	PAT	300
THOU DIPTE3 ME OF THE DEPE SE INTO THE DYMME HERT	PAT	308
THAT AL CHAUNGED HER CHERE AND CHYLLED AT THE HERT.	PAT	368
AND FOR THE DREDE OF DRY3TYN DOURED IN HERT	PAT	372
SO HAT3 ANGER ONHIT HIS HERT HE CALLE3.	PAT	411
THE SOR OF SUCH A SWETE PLACE BURDE SYNK TO MY HERT	PAT	507
THAT DOT3 BOT THRYCH MY HERT THRANGE	PRL	17
A DEUELY DELE IN MY HERT DENNED	PRL	51

Text	Source	Line
THE MORE STRENGHTHE OF IOYE MYN HERTE STRAYNE3	PRL	128
FOR VRTHELY HERTE MY3T NOT SUFFYSE	PRL	135
BOT BAYSMENT GEF MYN HERT A BRUNT	PRL	174
SUCH A BURRE MY3T MAKE MYN HERT BLUNT	PRL	176
THAT STRONGE MYN HERT FUL STRAY ATOUNT.	PRL	179
MY HERTE WAT3 AL WYTH MYSSE REMORDE.	PRL	364
THAT IS OF HERT BOTHE CLENE AND LY3T	PRL	682
NO FLESCHLY HERT NE MY3T ENDEURE.	PRL	1082
ANENDE HYS HERT THUR3 HYDE TORENTE	PRL	1136
A DERUELY DELE IN MY HERT DENNED.	PRL 1	51
THAT STONGE MYN HERT FUL STRAY ASTOUNT.	PRL 2	179
THAT STONGE MYN HERT FUL STRAY ASTOUNT.	PRL 3	179
HEARTS		
WHEN HEUY HERTTES BEN HURT WYTH HETHYNG OTHER ELLES	PAT	2
HEAT		
NE HETE NE NO HARDE FORST VMBRE NE DRO3THE	CLN	524
IN THE HY3E HETE THEROF ABRAHAM BIDE3	CLN	604
AND THEN HEF VP THE HETE AND HETERLY BRENNED.	PAT	477
THAT SUFFRED HAN THE DAYE3 HETE	PRL	554
AND SYTHEN WENDE TO HELLE HETE	PRL	643
HEATH		
HERTTES TO HY3E HETHE HARE3 TO GORSTE3.	CLN	535
TO HUNT IN HOLTE3 AND HETHE AT HYNDE3 BARAYNE	GGK	1320
HEATHEN		
FOR HIT HETHEN HAD BENE IN HENGYST DAWES	ERK	7
HEAVE		
AND HEUEN HIT VP AL HOLE AND HWEN HIT OF THERE	GGK	1346
HEF AND HALED VPON HY3T TO HELPEN HYMSELUEN	PAT	219
AND HEUEN MY HAPPE AND AL MY HELE	PRL	16
AS MAN TO GOD WORDE3 SCHULDE HEUE	PRL	314
THYSELF IN HEUEN OUER HY3 THOU HEUE.	PRL	473
HEAVED (CP. HEUENED)		
THAT MONY HERT FUL HI3E HEF AT HER TOWCHES	GGK	120
QUEN HE HEF VP HIS HELME THER HI3ED INNOGHE	GGK	826
HEF HY3LY THE HERE SO HETTERLY HE FNAST	GGK	1587
AND THEN HEF VP THE HETE AND HETERLY BRENNED.	PAT	477
HEAVEN		
FORTHY HY3 NOT TO HEUEN IN HATERE3 TOTORNE	CLN	33
3ET HYM IS THE HY3E KYNG HARDER IN HEUEN	CLN	50
THUS COMPARISUNE3 KRYST THE KYNDOM OF HEUEN	CLN	161
WHYL HE WAT3 HY3E IN THE HEUEN HOUEN VPON LOFTE.	CLN	206
SO FRO HEUEN TO HELLE THAT HATEL SCHOR LASTE.	CLN	227
SUMME STY3E TO A STUD AND STARED TO THE HEUEN	CLN	389
AND ALLE CRYED FOR CARE TO THE KYNG OF HEUEN.	CLN	393
BRY3T BLYKKED THE BEM OF THE BRODE HEUEN	CLN	603
AND AL HALDE3 IN THY HONDE THE HEUEN AND THE ERTHE.	CLN	734
HIT WAT3 HOUS INNO3E TO HEM THE HEUEN VPON LOFTE	CLN	808
FOR WHEN THAT THE HELLE HERDE THE HOUNDE3 OF HEUEN.	CLN	961
THAT NAUTHER IN HEUEN NE ON ERTHE HADE HE NO PERE	CLN	1336
BOT HONOURED HE NOT HYM THAT IN HEUEN WONIES.	CLN	1340
HERYED HEM AS HY3LY AS HEUEN WER THAYRES	CLN	1527
HIT IS SURELY SOTH THE SOUERAYN OF HEUEN	CLN	1643
AS HE THAT HY3E IS IN HEUEN HIS AUNGELES THAT WELDES	CLN	1664
THAT ALLE WAT3 DUBBED AND DY3T IN THE DEW OF HEUEN.	CLN	1688
AND FOR THAT FROTHANDE FYLTHE THE FADER OF HEUEN	CLN	1721
OF THAT WYNNELYCH LORDE THAT WONYES IN HEUEN.	CLN	1807
THAT ALLE THE HONDES VNDER HEUEN HALDE MY3T NEUER	ERK	166
AL HEUEN AND HELLE HELDES TO AND ERTHE BITWENE	ERK	196
THE HAPNEST VNDER HEUEN.	GGK	56

Text	Poem	Line
ANDE SAYDE HATHEL BY HEUEN THYN ASKYNG IS NYS	GGK	323
THAT VNDER HEUEN I HOPE NON HA3ERER OF WYLLE.	GGK	352
THAT THE HENDE HEUEN QUENE HAD OF HIR CHYLDE.	GGK	647
THER IS NO HATHEL VNDER HEUEN TOHEWE HYM THAT MY3T.	GGK	1853
THAT HALDE3 THE HEUEN VPON HY3E AND ALSO YOW ALLE	GGK	2057
THE HEUEN WAT3 VPHALT BOT VGLY THERVNDER	GGK	2079
THAT VPHALDE3 THE HEUEN AND ON HY3 SITTE3.	GGK	2442
ONHELDE BY THE HURROK FOR THE HEUEN WRACHE	PAT	185
THYSELF IN HEUEN OUER HY3 THOU HEUE.	PRL	473
WER FAYR IN HEUEN TO HALDE ASSTATE	PRL	490
AND LYKNE3 HIT TO HEUEN LY3TE.	PRL	500
A HUE FROM HEUEN I HERDE THOO.	PRL	873
AS HIT WAS LY3T FRO THE HEUEN ADOUN.	PRL	988
THAT THE VERTUES OF HEUEN OF JOYE ENDYTE	PRL	1126
HEAVEN-GLEAM		
ERLY ER ANY HEUENGLEM THAY TO A HIL COMEN.	CLN	946
HEAVEN-KING		
AND THOU VNHYLES VCH HIDDE THAT HEUENKYNG MYNTES	CLN	1628
FOR NADE THE HY3E HEUENKYNG THUR3 HIS HONDEMY3T.	PAT	257
HEAVENS		
ART THOU THE QUENE OF HEUENE3 BLWE	PRL	423
THAT EMPERISE AL HEUEN3 HAT3	PRL	441
THE MEDE SUMTYME OF HEUENE3 CLERE	PRL	620
IS LYKE THE REME OF HEUENESSE CLERE.	PRL	735
IS LYKE THE REME OF HEUENES SPERE	PRL 2	735
IS LYKE THE REME OF HEUENES SPERE	PRL 3	735
HEAVES		
AND HE HEUE3 VP HIS HED OUT OF THE CLOTHES	GGK	1184
HAF AT THE THENNE QUOTH THAT OTHER AND HEUE3 HIT ALOFTE	GGK	2288
HEAVY		
THIS AX THAT IS HEUE INNOGH TO HONDELE AS HYM LYKES	GGK	289
BOT THA3 THE ENDE BE HEUY HAF 3E NO WONDER	GGK	496
WHEN HEUY HERTTES BEN HURT WYTH HETHYNG OTHER ELLES	PAT	2
A LONGEYNG HEUY ME STROK IN SWONE	PRL	1180
HEBREW		
THAT OTHERWAYE3 ON EBRV HIT HAT THE THANES	CLN	448
I AM AN EBRU QUOTH HE OF ISRAYL BORNE	PAT	205
HECTOR		
THAT AR IN ARTHURE3 HOUS HESTOR OTHER OTHER	GGK	2102
HED (V. HEAD)		
HEDDE (V. HEAD)		
HEDE (V. HEAD)		
HEDES (V. HEADS)		
HEDE3 (V. HEADS)		
HEDGES		
HAUILOUNE3 AND HERKENE3 BI HEGGE3 FUL OFTE	GGK	1708
HEDLE3 (V. HEADLESS)		
HEEL		
AY HELE OUER HED HOURLANDE ABOUTE	PAT	271
HEELS		
THE KYNG IN HIS CORTYN WAT3 KA3T BI THE HELES	CLN	1789
THENNE GEDERE3 HE TO GRYNGOLET WITH THE GILT HELE3.	GGK	777
AND ALLE THE RABEL IN A RES RY3T AT HIS HELE3	GGK	1899
GORDE3 TO GRYNGOLET WITH HIS GILT HELE3	GGK	2062
HIT THE HORS WITH THE HELE3 AS HARDE AS HE MY3T.	GGK	2153
HEERE (ALSO V. HERE-MNE)		
I HEERE THEROF MY HEGHE GOD AND ALSO THE BYSSHOP	ERK	339
HEF (V. HEAVE, HEAVED)		
HEGGE3 (V. HEDGES)		

HEGHE (V. HIGH)
HEGHEST (V. HIGHEST)
HEIGHT

AND LOKE EUEN THAT THYN ARK HAUE OF HE3THE THRETTE.	CLN	317
HALE3 HY3E VPON HY3T TO HERKEN TYTHYNGE3	CLN	458
HOVE3 HY3E VPON HY3T TO HERKEN TYTHYNGE3	CLN V	458
THE STIF MON HYM BIFORE STOD VPON HY3T.	GGK	332
GAUAN GRIPPED TO HIS AX AND GEDERES HIT ON HY3T.	GGK	421
ANDE EFT A FUL HUGE HE3T HIT HALED VPON LOFTE	GGK	788
THAT IS HENDE IN THE HY3T OF HIS GENTRYSE.	PAT	398
MY REGNE HE SAYT3 IS LYK ON HY3T.	PRL	501
OF HE3T OF BREDE OF LENTHE TO CAYRE.	PRL	1031

HEIR

THAT MADE THE MUKEL MANGERYE TO MARIE HIS HERE DERE	CLN	52
THAT SCHAL BE ABRAHAME3 AYRE AND AFTER HYM WYNNE	CLN	650
AND SOTHELY SENDE TO SARE A SOUN AND AN HAYRE	CLN	666
BOT THOU BALTA3AR HIS BARNE AND HIS BOLDE AYRE	CLN	1709

HEKE (V. EKE)
HELD

OTHER ANI ON OF ALLE THYSE HE SCHULDE BE HALDEN VTTER.	CLN	42
AND A PAYNE THERON PUT AND PERTLY HALDEN	CLN	244
AND AY THE BIGEST IN BALE THE BEST WAT3 HALDEN	CLN	276
FOR THER WAT3 SEKNESSE AL SOUNDE THAT SARREST IS HALDEN	CLN	1078
AND VCH A SYDE VPON SOYLE HELDE SEUEN MYLE	CLN	1387
THAT A SELLY IN SI3T SUMME MEN HIT HOLDEN.	GGK	28
AND THY BUR3 AND THY BURNES BEST AR HOLDEN	GGK	259
AS I AM HALDEN THERTO IN HY3E AND IN LO3E.	GGK	1040
THE HINDE3 WERE HALDEN IN WITH HAY AND WAR	GGK	1158
SO GOD AS GAWAYN GAYNLY IS HALDEN	GGK	1297
3E WOLDE NOT SO HY3LY HALDEN BE TO ME	GGK	1828
THE PLACE THAT 3E PRECE TO FUL PERELOUS IS HALDEN	GGK	2097
BOT HELDE THOU HIT NEUER SO HOLDE AND I HERE PASSED	GGK	2129
THOU ART NOT GAWAYN QUOTH THE GOME THAT IS SO GOUD HALDEN . . .	GGK	2270
WITH THAT HE HITTE TO A HYRNE AND HELDE HYM THERINNE	PAT	289
BOT I DEWOUTLY AWOWE THAT VERRAY BET3 HALDEN.	PAT	333
I MAY NOT BE SO MALICIOUS AND MYLDE BE HALDEN	PAT	522
SAFFER HELDE THE SECOUNDE STALE	PRL	1002
THENNE HELDE VCH SWARE OF THIS MANAYRE.	PRL	1029
AND HALDEN ME THER IN TRWE ENTENT	PRL	1191

HELDANDE

THE ALDER HE HAYLSES HELDANDE FUL LOWE.	GGK	972
HYM HELDANDE AS THE HENDE	GGK	1104

HELDE (ALSO V. HELD)

AS VCHON HADE HYM IN HELDE HE HALED OF THE CUPPE	CLN	1520
3ET HERDE I NEUER OF YOUR HED HELDE NO WORDE3	GGK	1523
AS HELDE DRAWEN TO GODDE3 PRESENT	PRL	1193

HELDED

THEN THE HARLOT WYTH HASTE HELDED TO THE TABLE	CLN	39
HIS HERT HELDET VNHOLE HE HOPED NON OTHER.	CLN	1681
THEN HELDYT FRO THE AUTERE ALLE THE HEGHE GYNGE.	ERK	137
SUCH A SOWME HE THER SLOWE BI THAT THE SUNNE HELDET	GGK	1321
THE HATHEL HELDET HYM FRO AND ON HIS AX RESTED	GGK	2331

HELDEN

ALLE THE HATHELES THAT ON HORSE SCHULDE HELDEN HYM AFTER. . . .	GGK	1692
AND THENNE THAY HELDEN TO HOME FOR HIT WAT3 NIE3 NY3T.	GGK	1922

HELDER

AND HE BALDLY HYM BYDE3 HE BAYST NEUER THE HELDER	GGK	376
AND NAWTHER FALTERED NE FEL THE FREKE NEUER THE HELDER	GGK	430
AS HELDER DRAWEN TO GODDE3 PRESENT	PRL 1	1193

HELDES
    ABRAHAM HELDE3 HEM WYTH HEM TO CONUEYE. . . . . CLN 678
    BI A HATHEL NEUER SO HY3E HE HELDES TO GROUNDE . . . . CLN 1330
    AL HEUEN AND HELLE HELDES TO AND ERTHE BITWENE . . . . ERK 196
    THIS HATHEL HELDE3 HYM IN AND THE HALLE ENTRES . . . . GGK 221
HELDET (V. HELDED)
HELDE3 (V. HELDES)
HELDYT (V. HELDED)
HELE (V. HEAL, HEEL)
HELES (V. HEELS)
HELE3 (V. HEELS)
HELL
    HE HATES HELLE NO MORE THEN HEM THAT AR SOWLE . . . . CLN 168
    SO FRO HEUEN TO HELLE THAT HATEL SCHOR LASTE. . . . . CLN 227
    ALLE ILLE3 HE HATES AS HELLE THAT STYNKKE3 . . . . CLN 577
    AND THE GROUNDE OF GOMORRE GORDE INTO HELLE . . . . CLN 911
    FOR WHEN THAT THE HELLE HERDE THE HOUNDE3 OF HEUEN. . . . . . CLN 961
    AL THO CITEES AND HER SYDES SUNKKEN TO HELLE. . . . . CLN 968
    AL HEUEN AND HELLE HELDES TO AND ERTHE BITWENE . . . . ERK 196
    THER IN SAYM AND IN SOR3E THAT SAUOURED AS HELLE . . . . PAT 275
    AND VRTHE AND HELLE IN HER BAYLY. . . . . PRL 442
    AND SYTHEN WENDE TO HELLE HETE . . . . PRL 643
    THE BLOD VS BO3T FRO BALE OF HELLE . . . . PRL 651
    IN HELLE IN ERTHE AND JERUSALEM . . . . PRL 840
    THE STEUEN MO3T STRYKE THUR3 THE VRTHE TO HELLE. . . . . . . PRL 1125
HELLE (V. HELL)
HELLEN
    OUT OF THE HOLE THOU ME HERDE OF HELLEN WOMBE . . . . PAT 306
HELLEHOLE (V. HELL-HOLE)
HELL-HOLE
    HURLED INTO HELLEHOLE AS THE HYUE SWARME3. . . . . CLN 223
    QUEN THOU HERGHEDES HELLEHOLE AND HENTES HOM THEROUTE. . . . . ERK 291
    HUNGRIE INWITH HELLEHOLE AND HERKEN AFTER MEELES . . . . ERK 307
HELM
    WHETHER HADE HE NO HELME NE HAWBERGH NAUTHER. . . . . GGK 203
    I HAUE A HAUBERGHE AT HOME AND A HELME BOTHE. . . . . GGK 268
    THENNE HENTES HE THE HELME AND HASTILY HIT KYSSES . . . . . . GGK 605
    THENNE HAT3 HE HENDLY OF HIS HELME AND HE3LY HE THONKE3 . . . . GGK 773
    QUEN HE HEF VP HIS HELME THER HI3ED INNOGHE . . . . GGK 826
    HAF HERE THI HELME ON THY HEDE THI SPERE IN THI HONDE. . . . . GGK 2143
    WITH HE3E HELME ON HIS HEDE HIS LAUNCE IN HIS HONDE . . . . . GGK 2197
    HAF THY HELME OF THY HEDE AND HAF HERE THY PAY . . . . GGK 2247
    HENT HETERLY HIS HELME AND ON HIS HED CAST . . . . GGK 2317
    NAY FORSOTHE QUOTH THE SEGGE AND SESED HYS HELME . . . . GGK 2407
    THEN HURLED ON A HEPE THE HELME AND THE STERNE . . . . PAT 149
HELME (V. HELM)
HELP
    AND I SCHAL SCHAPE NO MORE THO SCHALKKE3 TO HELPE . . . . . . CLN 762
    AND HE HEM HAL3ED FOR HIS AND HELP AT HER NEDE . . . . CLN 1163
    AND THERE HE KNELES AND CALLE3 AND CLEPES AFTER HELP . . . . . CLN 1345
    NAY AS HELP ME QUOTH THE HATHEL HE THAT ON HY3E SYTTES . . . . GGK 256
    ER ME WONT THE WEDE WITH HELP OF MY FRENDE3 . . . . GGK 987
    FOR ALLE THE LONDE INWYTH LOGRES SO ME OURE LORDE HELP . . . . GGK 1055
    AS HELP ME GOD AND THE HALYDAM AND OTHE3 INNOGHE . . . . GGK 2123
    HEF AND HALED VPON HY3T TO HELPEN HYMSELUEN . . . . PAT 219
    THENNE HADE THAY NO3T IN HER HONDE THAT HEM HELP MY3T. . . . . PAT 222
    IF I WOLDE HELP MY HONDEWERK HAF THOU NO WONDER. . . . . PAT 496
    THENNE WYTE NOT ME FOR THE WERK THAT I HIT WOLDE HELP. . . . . PAT 501
HELPE (V. HELP)

HELPEN (V. HELP)
HELPPE3 (V. HELPS)
HELPS
    HIT HELPPE3 ME NOT A MOTE . . . . GGK 2209
HEM (APP. 1)
HEM
    PY3T WAT3 POYNED AND VCHE A HEMME . . . . PRL 217
    HE GLENTE GRENE IN THE LOWEST HEMME. . . . . PRL 1001
HEME
    HEME WELHALED HOSE OF THAT SAME GRENE . . . . GGK V 157
HEMELY
    WHILE HE HIT HADE HEMELY HALCHED ABOUTE . . . . GGK 1852
HEMEWEL
    HEMEWEL HALED HOSE OF THAT SAME GRENE . . . . GGK 157
HEMME (V. HEM)
HEMMED
    AL WITH GLISNANDE GOLDE HIS GOWNE WOS HEMMYD. . . . . ERK 78
HEMME3 (V. HEMS)
HEMMYD (V. HEMMED)
HEMS
    OF CORTYNES OF CLENE SYLK WYTH CLER GOLDE HEMME3 . . . . . . GGK 854
HEMSELF (APP. 1)
HEMSELUEN (APP. 1)
HENCE (CP. HENNE, HETHEN)
    LOKE 3E BOWE NOW BI BOT BOSKE3 FAST HENCE. . . . . CLN 944
    LOKE 3E BOWE NOW BI BOT BOWE3 FAST HENCE . . . . CLN V 944
    DO GYF GLORY TO THY GODDE ER THOU GLYDE HENS. . . . . PAT 204
HENDE
    AND HAYLSED HEM IN ONHEDE AND SAYDE HENDE LORDE. . . . . . . CLN 612
    AND ALLE HENDE THAT HONESTLY MO3T AN HERT GLADE. . . . . . . CLN 1083
    HE HELED HEM WYTH HYNDE SPECHE OF THAT THAY ASK AFTER. . . . CLN 1098
    SO HENDE WAT3 HIS HONDELYNG VCHE ORDURE HIT SCHONIED . . . . CLN 1101
    BOT OF LEAUTE HE WAT3 LAT TO HIS LORDE HENDE. . . . . CLN 1172
    MONY HUNDRID HENDE MEN HIGHIDE THIDER SONE . . . . ERK 58
    NOW HERID BE THOU HEGHE GOD AND THI HENDE MODER. . . . . . . ERK 325
    TALKKANDE BIFORE THE HY3E TABLE OF TRIFLES FUL HENDE . . . . GGK 108
    QUOTH THE GOME IN THE GRENE TO GAWAN THE HENDE . . . . GGK 405
    THA3 ARTHER THE HENDE KYNG AT HERT HADE WONDER . . . . GGK 467
    THAT THE HENDE HEUEN QUENE HAD OF HIR CHYLDE. . . . . GGK 647
    FOR TO HENT HIT AT HIS HONDE THE HENDE TO SERUEN . . . . . . GGK 827
    AS HENDE. . . . . GGK 896
    THAT ATHEL ARTHURE THE HENDE HALDE3 HYM ONE . . . . GGK 904
    HE CHES THUR3 THE CHAUNSEL TO CHERYCHE THAT HENDE . . . . . . GGK 946
    HYM HELDANDE AS THE HENDE . . . . GGK 1104
    HAF THE HENDE IN HOR HOLDE AS I THE HABBE HERE . . . . GGK 1252
    THENNE HONDELED THAY THE HOGE HED THE HENDE MON HIT PRAYSED. . GGK 1633
    WHYLE THE HENDE KNY3T AT HOME HOLSUMLY SLEPE3 . . . . GGK 1731
    NAY HENDE OF HY3E HONOURS . . . . GGK 1813
    AND THERFORE HENDE NOW HOO. . . . . GGK 2330
    THAT IS HENDE IN THE HY3T OF HIS GENTRYSE. . . . . PAT 398
    I STOD AS HENDE AS HAWK IN HALLE. . . . . PRL 184
    NOW HYNDE THAT SYMPELNESSE CONE3 ENCLOSE . . . . PRL 909
HENDELAYK
    FOR HARLOTE3 WYTH HIS HENDELAYK HE HOPED TO CHAST . . . . . . CLN 860
    YOUR HONOUR YOUR HENDELAYK IS HENDELY PRAYSED . . . . GGK 1228
HENDELY
    THENNE HAT3 HE HENDLY OF HIS HELME AND HE3LY HE THONKE3 . . . GGK 773
    THEN HAYLSED HE FUL HENDLY THO HATHELE3 VCHONE . . . . GGK 829
    FUL HENDELY QUEN ALLE THE HATHELES REHAYTED HYM AT ONE3 . . . GGK 895

YOUR HONOUR YOUR HENDELAYK IS HENDELY PRAYSED . . . . GGK 1228
HE HENT THE HATHEL ABOUTE THE HALSE AND HENDELY HYM KYSSES . . GGK 1639
AND HAT3 HIT OF HENDELY AND THE HATHEL THONKKE3. . . . . GGK 2408
HENDEST
AY WAT3 ARTHUR THE HENDEST AS I HAF HERDE TELLE. . . . . GGK 26
HENDLY (V. HENDELY)
HENG (V. HANG)
HENGE (V. HANG)
HENGED (V. HUNG)
HENGES (V. HANGS)
HENGYST
FOR HIT HETHEN HAD BENE IN HENGYST DAWES . . . . ERK 7
HENNE (CP. HENCE, HETHEN)
HIT IS NOT TWO MYLE HENNE . . . . GGK 1078
HENS (V. HENCE)
HENT
HE WAT3 SO SCOUMFIT OF HIS SCYLLE LEST HE SKATHE HENT. . . . . CLN 151
HURLED INTO VCH HOUS HENT THAT THER DOWELLED. . . . . CLN 376
AND BY THE HONDE3 HYM HENT AND HORYED HYM WYTHINNE. . . . . . CLN 883
HOV HARDE VNHAP THER HYM HENT AND HASTYLY SONE . . . . CLN 1150
HE HER3ED VP ALLE ISRAEL AND HENT OF THE BESTE . . . . CLN 1179
HARD HATTES THAY HENT AND ON HORS LEPES . . . . CLN 1209
I HENT HARMES FUL OFTE TO HOLDE HOM TO RI3T . . . . ERK 232
FOR TO HENT HIT AT HIS HONDE THE HENDE TO SERUEN . . . . GGK 827
SONE AS HE ON HENT AND WAT3 HAPPED THERINNE . . . . GGK 864
HENT HE3LY OF HIS HODE AND ON A SPERE HENGED. . . . . GGK 983
A HUNDRETH HOUNDE3 HYM HENT . . . . GGK 1597
HE HENT THE HATHEL ABOUTE THE HALSE AND HENDELY HYM KYSSES . . GGK 1639
AND THOU ER ANY HARME HENT AR3E3 IN HERT . . . . GGK 2277
HENT HETERLY HIS HELME AND ON HIS HED CAST . . . . GGK 2317
I HAF A STROKE IN THIS STED WITHOUTE STRYF HENT. . . . . GGK 2323
THE HURT WAT3 HOLE THAT HE HADE HENT IN HIS NEK. . . . . GGK 2484
HER3ED OUT OF VCHE HYRNE TO HENT THAT FALLES. . . . . PAT 178
SUCH A HIDOR HEM HENT AND A HATEL DREDE . . . . PAT 367
HETER HAYRE3 THAY HENT THAT ASPERLY BITED. . . . . PAT 373
THA3 I HENTE OFTE HARME3 HATE. . . . . PRL 388
THE GYLTYF MAY COUNTRYSSYOUN HENTE . . . . PRL 669
BOT AY WOLDE MAN OF HAPPE MORE HENTE . . . . PRL 1195
HENTE (V. HENT)
HENTES
AND HENTTE3 HEM IN HETHYNG AN VSAGE VNCLENE . . . . CLN 710
QUEN THOU HERGHEDES HELLEHOLE AND HENTES HOM THEROUTE. . . . . ERK 291
THENNE HENTES HE THE HELME AND HASTILY HIT KYSSES . . . . GGK 605
BI THE HAYRE HASPEDE HE HENTES HYM THENNE. . . . . PAT 189
THE FOLK 3ET HALDANDE HIS FETE THE FYSCH HYM TYD HENTES . . . . PAT 251
BY THE HATER HASPEDE HE HENTES HYM THENNE. . . . . PAT V 189
HENTTE3 (V. HENTES)
HEP (V. HEAP)
HEPE (V. HEAP)
HEPES (V. HEAPS)
HEPE3 (V. HEAPS)
HER (V. HERE - MNE AND APP. 1)
HERAFTER (V. HEREAFTER)
HERANDE (V. HEARING)
HERBER (V. HARBOR)
HERBERED (V. HARBORED)
HERBISYDE (HERE-BESIDE)
HERBS
VCHE BESTE TO THE BENT THAT BYTES ON ERBE3 . . . . CLN 532

AS BEST BYTE ON THE BENT OF BRAKEN AND ERBES. CLN 1675
AND ETE AY AS A HORCE WHEN ERBES WERE FALLEN. CLN 1684
QUEN 3EFERUS SYFLE3 HYMSELF ON SEDE3 AND ERBE3 GGK 517
THIS ORITORE IS VGLY WITH ERBE3 OUERGROWEN GGK 2190
PASSE TO NO PASTURE NE PIKE NON ERBES PAT 393
OF HAY AND OF EUERFERNE AND ERBE3 A FEWE PAT 438
HERD (V. HEARD)
HERDE (V. HEARD)
HERDEN (V. HEARD)
HERE (V. HEAR, HEIR, HERE-M.E., HERE-MNE, HIRE, AND APP. 1)
HERE (ME)
SAUE THE HATHEL VNDER HACH AND HIS HERE STRAUNGE CLN 409
WITH ALLE THI HERE VPON HASTE TYL THOU A HIL FYNDE. CLN 902
SO HARDY A HERE ON HILLE GGK 59
THAT NEUER AR3ED FOR NO HERE BY HYLLE NE BE VALE GGK 2271
HERE (MNE)
RESTTE3 HERE ON THIS ROTE AND I SCHAL RACHCHE AFTER CLN 619
BY BOLE OF THIS BRODE TRE WE BYDE THE HERE CLN 622
3ETE VS OUT THOSE 3ONG MEN THAT 3OREWHYLE HERE ENTRED. CLN 842
WOST THOU NOT WEL THAT THOU WONE3 HERE A WY3E STRANGE. CLN 875
HERE VTTER ON A ROUNDE HIL HIT HOUE3 HIT ONE. CLN 927
LEST 3E BE TAKEN IN THE TECHE OF TYRAUNTE3 HERE. CLN 943
VNFOLDE HEM ALLE THIS FERLY THAT IS BIFALLEN HERE CLN 1563
NABU3ARDAN HYM NOME AND NOW IS HE HERE. CLN 1613
AND HERE IS A FERLY BYFALLEN AND I FAYN WOLDE CLN 1629
THISE ARE THE WORDES HERE WRYTEN WYTHOUTE WERK MORE CLN 1725
THE MEDES SCHAL BE MAYSTERES HERE AND THOU OF MENSKE SCHOWUED CLN 1740
THEN PRECHYD HE HERE THE PURE FAYTHE AND PLANTYD THE TROUTHE ERK 13
LO LORDES QUOTH THAT LEDE SUCHE A LYCHE HERE.IS. ERK 146
HAS LAYN LOKEN HERE ON LOGHE HOW LONGE IS VNKNAWEN. ERK 147
HE HAS NON LAYNE HERE SO LONGE TO LOKE HIT BY KYNDE ERK 157
ANSUARE HERE TO MY SAWE COUNCELE NO TROUTHE ERK 184
HOW LONGE THOU HAS LAYNE HERE AND QUAT LAGHE THOU VSYT ERK 187
I WAS COMMITTID AND MADE A MAYSTERMON HERE ERK 201
THE LENGTHE OF MY LYINGE HERE THAT IS A LAPPID DATE ERK 205
THEN WAS I IUGE HERE ENIOYNYD IN GENTIL LAWE. ERK 216
THE LENGTHE OF MY LYINGE HERE THAT IS A LEWID DATE. ERK V 205
MO FERLYES ON THIS FOLDE HAN FALLEN HERE OFT. GGK 23
BOT OF ALLE THAT HERE BULT OF BRETAYGNE KYNGES GGK 25
AND HERE IS KYDDE CORTAYSYE AS I HAF HERD CARP GGK 263
3E MAY BE SEKER BI THIS BRAUNCH THAT I BERE HERE GGK 265
HERE FAYLE3 THOU NOT TO FY3T GGK 278
HERE IS NO MON ME TO MACH FOR MY3TE3 SO WAYKE GGK 282
FOR HIT IS 3OL AND NWE3ER AND HERE AR 3EP MONY GGK 284
THAT I SCHAL FANGE AT THY FUST THAT I HAF FRAYST HERE. GGK 391
THAT HERE IS AL IS YOWRE AWEN TO HAUE AT YOWRE WYLLE GGK 836
WYL 3E HALDE THIS HES HERE AT THYS ONE3 GGK 1090
I SCHAL HAPPE YOW HERE THAT OTHER HALF ALS GGK 1224
AND NOW 3E AR HERE IWYSSE AND WE BOT OURE ONE GGK 1230
TO RECHE TO SUCH REUERENCE AS 3E REHERCE HERE GGK 1243
HAF THE HENDE IN HOR HOLDE AS I THE HABBE HERE GGK 1252
FOR THE COSTES THAT I HAF KNOWEN VPON THE KYN3T HERE GGK 1272
AND THAT I HAF ER HERKKENED AND HALDE HIT HERE TRWEE GGK 1274
3E IWYSSE QUOTH THAT OTHER WY3E HERE IS WAYTH FAYREST. GGK 1381
AND I HAF SETEN BY YOURSELF HERE SERE TWYES GGK 1522
HERE HE WAT3 HALAWED WHEN HATHELE3 HYM METTEN GGK 1723
NOW IWYSSE QUOTH THAT WY3E I WOLDE I HADE HERE GGK 1801
AND I AM HERE ON AN ERANDE IN ERDE3 VNCOUTHE. GGK 1808
AS 3E HAF THRY3T ME HERE THRO SUCHE THRE COSSES. GGK 1946

OF SUCH A SELLY SOIORNE AS I HAF HADE HERE . . . . GGK 1962
HERE IS A MEYNY IN THIS MOTE THAT ON MENSKE THENKKE3 . . . . . GGK 2052
HE HAT3 WONYD HERE FUL 3ORE . . . . GGK 2114
BOT HELDE THOU HIT NEUER SO HOLDE AND I HERE PASSED . . . . . GGK 2129
HAF HERE THI HELME ON THY HEDE THI SPERE IN THI HONDE. . . . . GGK 2143
HERE MY3T ABOUTE MYDNY3T . . . . GGK 2187
NOW IWYSSE QUOTH WOWAYN WYSTY IS HERE . . . . GGK 2189
DELE HERE HIS DEUOCIOUN ON THE DEUELE3 WYSE . . . . GGK 2192
THAT HAT3 STOKEN ME THIS STEUEN TO STRYE ME HERE . . . . . . GGK 2194
FOR NOW IS GODE GAWAYN GOANDE RY3T HERE . . . . GGK 2214
HERE AR NO RENKES VS TO RYDDE RELE AS VS LIKE3 . . . . GGK 2246
HAF THY HELME OF THY HEDE AND HAF HERE THY PAY . . . . GGK 2247
TIL THYN AX HAUE ME HITTE HAF HERE MY TRAWTHE . . . . GGK 2287
BOT ON STROKE HERE ME FALLE3 . . . . GGK 2327
NO MON HERE VNMANERLY THE MYSBODEN HABBE3. . . . . GGK 2339
FOR BOTHE TWO HERE I THE BEDE BOT TWO BARE MYNTES . . . . . . GGK 2352
BOT HERE YOW LAKKED A LYTTEL SIR AND LEWTE YOW WONTED. . . . . GGK 2366
I BIKNOWE YOW KNY3T HERE STYLLE . . . . GGK 2385
AND I AM HERE AN ERANDE IN ERDE3 VNCOUTHE. . . . . GGK V 1808
I LEUE HERE BE SUM LOSYNGER SUM LAWLES WRECH. . . . . PAT 170
THAT HAT3 GREUED HIS GOD AND GOT3 HERE AMONGE VS . . . . . . PAT 171
OF WHAT LONDE ART THOU LENT WHAT LAYTES THOU HERE . . . . . . PAT 201
THA3 THAT HATHEL WER HIS THAT THAY HERE QUELLED. . . . . . . PAT 228
AND HALDE GOUD THAT THOU ME HETES HAF HERE MY TRAUTHE. . . . . PAT 336
RIS APROCHE THEN TO PRECH LO THE PLACE HERE . . . . PAT 349
BOT AT A WAP HIT HERE WAX AND AWAY AT AN OTHER . . . . PAT 499
WER I AS HASTIF AS THOU HEERE WERE HARME LUMPEN. . . . . . . PAT 520
HER WERE A FORSER FOR THE IN FAYE . . . . PRL 263
THYSELF SCHAL WON WYTH ME RY3T HERE. . . . . PRL 298
BOT NOW I AM HERE IN YOUR PRESENTE . . . . PRL 389
AND WELCUM HERE TO WALK AND BYDE. . . . . PRL 399
I HETE THE ARN HETERLY HATED HERE . . . . PRL 402
SIR FELE HERE PORCHASE3 AND FONGE3 PRAY . . . . PRL 439
WE HAF STANDEN HER SYN ROS THE SUNNE . . . . PRL 519
THAT I MY PENY HAF WRANG TAN HERE . . . . PRL 614
AND BYDE3 HERE BY THYS BLYSFUL BONC. . . . . PRL 907

HEREAFTER
THAT EUER I MADE HEM MYSELF BOT IF I MAY HERAFTER . . . . . . CLN 291
AND THER HE WRO3T AS THE WYSE AS 3E MAY WYT HEREAFTER. . . . . CLN 1319

HEREAWAY
I SCHAL EFTE HEREAWAY ABRAM THAY SAYDEN . . . . CLN 647

HERE-BESIDE
THER IS A CITE HERBISYDE THAT SEGOR HIT HATTE . . . . CLN 926

HEREBIFORNE
MONY AUNTERE3 HEREBIFORNE . . . . GGK 2527

HERED (V. HERYED)

HEREDMEN
ALLE THE HEREDMEN IN HALLE THE HY3 AND THE LO3E. . . . . . . GGK 302

HERE-IN
THAT WAT3 SO PREST TO APROCHE MY PRESENS HEREINNE . . . . . . CLN 147
WHY HAT3 THOU RENDED THY ROBE FOR REDLES HEREINNE . . . . . . CLN 1595
DAR ANY HERINNE O3T SAY. . . . . GGK 300
AND ALLE THAT LYUYES HEREINNE LOSE THE SWETE. . . . . PAT 364
HEREINNE TO LENGE FOR EUER AND PLAY. . . . . PRL 261
MORE HAF I OF IOYE AND BLYSSE HEREINNE. . . . . PRL 577

HEREINNE (V. HERE-IN)

HERELEKE
HER HERELEKE AL HYR VMBEGON . . . . PRL 1 210

HER HERELEKE AL HYR VMBEGON . . . . PRL 3 210
HERES (V. HEARS)
HERGHEDES
QUEN THOU HERGHEDES HELLEHOLE AND HENTES HOM THEROUTE. . . . . ERK 291
HERID (V. HERYED)
HERINNE (V. HERE-IN)
HERITAGE
THAT SCHAL HALDE IN HERITAGE THAT I HAF HEM 3ARKED. . . . . . CLN 652
THAT SCHAL HALDE IN HERITAGE THAT I HAF MEN 3ARKED. . . . . . CLN V 652
AND SESED IN ALLE HYS HERYTAGE . . . . PRL 417
OF ERYTAGE 3ET NON WYL HO CHACE . . . . PRL 443
HERK (V. HARK)
HERKEN (V. HARK)
HERKENED (V. HARKENED)
HERKENE3 (V. HARKENS)
HERKKEN (V. HARK)
HERKKENED (V. HARKENED)
HERKNED (V. HARKENED)
HERKNE3 (V. HARKENS)
HERLE
AY A HERLE OF THE HERE ANOTHER OF GOLDE . . . . GGK 190
TO HED HADE HO NON OTHER HERLE . . . . PRL 1 209
HERMONS
ON HE3E VPON EFFRAYM OTHER ERMONNES HILLE3 . . . . PAT 463
HERNE3 (ALSO V. ERNES)
SUCHE ODOUR TO MY HERNE3 SCHOT . . . . PRL 58
HERRE (V. HIGHER)
HERSUM
TO THE HERSUM EUENSONG OF THE HY3E TYDE . . . . GGK 932
HERT (V. HEART)
HERTE (V. HEART)
HERTTE (V. HEART)
HERTTES (V. HARTS, HEARTS)
HERTTE3 (V. HARTS)
HERUEST (V. HARVEST)
HERYED (ALSO V. HER3ED)
THAT BOTHE THE OX AND THE ASSE HYM HERED AT ONES . . . . CLN 1086
VCHE HOUS HERYED WAT3 WYTHINNE A HONDEWHYLE . . . . CLN 1786
NOW HERID BE THOU HEGHE GOD AND THI HENDE MODER. . . . . ERK 325
HERYTAGE (V. HERITAGE)
HER3ED
HE HER3ED VP ALLE ISRAEL AND HENT OF THE BESTE . . . . CLN 1179
HERYED HEM AS HY3LY AS HEUEN WER THAYRES . . . . CLN 1527
HER3ED OUT OF VCHE HYRNE TO HENT THAT FALLES. . . . . PAT 178
HER3E3
HER3E3 OF ISRAEL THE HYRNE3 ABOUTE . . . . CLN 1294
HER3E3 OF ISRAEL THE HYRNE ABOUTE . . . . CLN V 1294
HES (V. HEST)
HEST
LO LORDE WYTH YOUR LEUE AT YOUR LEGE HESTE . . . . CLN 94
AND I SCHAL HALDE THE THE HEST THAT I THE HY3T HAUE . . . . . CLN 1636
AND I AM WY3E AT YOUR WYLLE TO WORCH YOURE HEST. . . . . GGK 1039
WYL 3E HALDE THIS HES HERE AT THYS ONE3 . . . . GGK 1090
WHYL I BYDE IN YOWRE BOR3E BE BAYN TO 3OWRE HEST . . . . . . GGK 1092
THAY DYDEN HYS HESTE THAY WERN THEREINE . . . . PRL 633
HESTE (V. HEST)
HESTES (V. HESTS)
HESTOR (V. HECTOR)
HESTS

Entry	Text	Work	Line
	FUL GRAYTHELY GOT3 THIS GOD MAN AND DOS GODE3 HESTES	CLN	
HETE (ALSO V. HEAT)			
	AND I SCHAL HY3 ME HOM A3AYN AND HETE YOW FYRRE.	GGK	2121
	I HETE THE ARN HETERLY HATED HERE	PRL	402
HETER			
	HETER HAYRE3 THAY HENT THAT ASPERLY BITED.	PAT	373
HETERLY			
	AND HETERLY TO THE HY3E HYLLE3 THAY HALED ON FASTE.	CLN	380
	AND HOLKKED OUT HIS AUEN Y3EN HETERLY BOTHE	CLN	1222
	HI3ED TO THE HY3E BOT HETERLY THAY WERE	GGK	1152
	HADEN HORNE3 TO MOUTHE HETERLY RECHATED	GGK	1446
	HURTE3 HEM FUL HETERLY THER HE FORTH HY3E3	GGK	1462
	HEF HY3LY THE HERE SO HETTERLY HE FNAST	GGK	1587
	WITHHELDE HETERLY HIS HONDE ER HIT HURT MY3T.	GGK	2291
	THA3 HE HOMERED HETERLY HURT HYM NO MORE	GGK	2311
	HENT HETERLY HIS HELME AND ON HIS HED CAST	GGK	2317
	HE ASKE3 HETERLY A HAYRE AND HASPED HYM VMBE.	PAT	381
	AND THEN HEF VP THE HETE AND HETERLY BRENNED.	PAT	477
	WITH HATEL ANGER AND HOT HETERLY HE CALLE3	PAT	481
	I HETE THE ARN HETERLY HATED HERE	PRL	402
HETES (CP. HATTES)			
	AND THAY REDEN HIM RY3T REWARDE HE HEM HETES.	CLN	1346
	LOKE GAWAN THOU BE GRAYTHE TO GO AS THOU HETTE3.	GGK	448
	AND 3E THAT AR SO CORTAYS AND COYNT OF YOUR HETES	GGK	1525
	AND HALDE GOUD THAT THOU ME HETES HAF HERE MY TRAUTHE.	PAT	336
HETHE (V. HEATH)			
HETHEN (CP. HENCE, HENNE)			
	FOR HIT HETHEN HAD BENE IN HENGYST DAWES	ERK	7
	KYSSE ME NOW COMLY AND I SCHAL CACH HETHEN	GGK	1794
	HOW HIS SAWLE SCHULDE BE SAUED WHEN HE SCHULD SEYE HETHEN	GGK	1879
	NO GLADDER GOME HETHEN INTO GRECE	PRL	231
HETHYNG			
	AS HARLOTTRYE VNHONEST HETHYNG OF SELUEN	CLN	579
	AND HENTTE3 HEM IN HETHYNG AN VSAGE VNCLENE	CLN	710
	WHEN HEUY HERTTES BEN HURT WYTH HETHYNG OTHER ELLES	PAT	2
HETTE (CP. HATTE)			
	AS THOU HAT3 HETTE IN THIS HALLE HERANDE THISE KNY3TES	GGK	450
HETTERLY (V. HETERLY)			
HETTE3 (V. HETES)			
HEUE (V. HEAVE, HEAVY)			
HEUED (V. HEAD)			
HEUEN (V. HEAVE, HEAVEN)			
HEUENED (CP. HEAVED)			
	THER AS HE HEUENED A3T HAPPE3 AND HY3T HEM HER MEDE3	CLN	24
	AND HEUENED VP AN AUTER AND HAL3ED HIT FAYRE.	CLN	506
	BOT HI3LY HEUENED THI HELE FRO HEM THAT ARN COMBRED	CLN	920
	THAT IS HE THAT FUL OFTE HAT3 HEUENED THY FADER.	CLN	1601
	THAT IN HIS HOWS HYM TO HONOUR WERE HEUENED OF FYRST	CLN	1714
	THER SUCH AN ASKYNG IS HEUENED SO HY3E IN YOUR SALE	GGK	349
HEUENES (V. HEAVENS)			
HEUENESSE (V. HEAVENS)			
HEUENE3 (V. HEAVENS)			
HEUENGLEM (V. HEAVEN-GLEAM)			
HEUENKYNG (V. HEAVEN-KING)			
HEUENRYCHE			
	EXELLENTLY OF ALLE THYSE OTHER VNDER HEUENRYCHE.	GGK	2423
	FOR HORES IS THE HEUENRYCHE TO HOLDE FOR EUER	PAT	14
	FOR HORES IS THE HEUENRYCHE AS I ER SAYDE.	PAT	28
	TO SUCHE IS HEUENRYCHE ARAYED.	PRL	719

HEUEN3 (V. HEAVENS)
HEUE3 (V. HEAVES)
HEUY (V. HEAVY)
HEW
    HARDE STONES FOR TO HEWE WITH EGGIT TOLES. . . . . ERK 40
    AND HEUEN HIT VP AL HOLE AND HWEN HIT OF THERE . . . . GGK 1346
    TO HEWE HIT IN TWO THAY HY3ES. . . . . GGK 1351
    BOTHE THE HEDE AND THE HALS THAY HWEN OF THENNE. . . . . . . GGK 1353
HEWE (V. HEW, HUE)
HEWEN (V. HEWN)
HEWES (V. HEWS, HUES)
HEWN
    HIT WAS A THROGHE OF THYKKE STON THRYUANDLY HEWEN . . . . . . ERK 47
    THE GRAYN AL OF GRENE STELE AND OF GOLDE HEWEN . . . . GGK 211
    NOW SIR HENG VP THYN AX THAT HAT3 INNOGH HEWEN . . . . GGK 477
    OF HARDE HEWEN STON VP TO THE TABLE3 . . . . GGK 789
HEWS
    FYRST HE HEWES OF HIS HED AND ON HI3E SETTE3. . . . . GGK 1607
HE3 (V. HIGH)
HE3E (V. HIGH)
HE3ED
    TO HENGE THE HARLOTES HE HE3ED FUL OFTE . . . . CLN 1584
HE3EST (V. HIGHEST)
HE3LY (V. HIGHLY)
HE3T (V. HEIGHT)
HE3THE (V. HEIGHT)
HI
    THISE OTHER HALOWED HYGHE FUL HY3E AND HAY HAY CRYED . . . . . GGK 1445
HID
    VCHE HILLE WAT3 THER HIDDE WYTH YTHE3 FUL GRAYE. . . . . CLN 430
    TO OPEN VCH A HIDE THYNG OF AUNTERES VNCOWTHE . . . . CLN 1600
    AND THOU VNHYLES VCH HIDDE THAT HEUENKYNG MYNTES . . . . CLN 1628
    HID HIT FUL HOLDELY THER HE HIT EFT FONDE. . . . . GGK 1875
    FOR WHEN THE ACCES OF ANGUYCH WAT3 HID IN MY SAWLE. . . . . . PAT 325
HIDDE (V. HID)
HIDE (V. HID)
HIDE
    THAT WAT3 TENDER AND NOT TO3E BED TYRUE OF THE HYDE . . . . . CLN 630
    HOW MY3T I HYDE MYN HERT FRO HABRAHAM THE TRWE . . . . CLN 682
    HOV SCHULDE I HUYDE ME FRO HYM THAT HAT3 HIS HATE KYNNED. . . . CLN 915
    SYTHEN RYTTE THAY THE FOURE LYMMES AND RENT OF THE HYDE . . . . GGK 1332
    BOT SNYRT HYM ON THAT ON SYDE THAT SEUERED THE HYDE . . . . . GGK 2312
    FOR NON MAY HYDEN HIS HARME BOT VNHAP NE MAY HIT . . . . GGK 2511
    THE MAN MARRED ON THE MOLDE THAT MO3T HYM NOT HYDE. . . . . . PAT 479
    ANENDE HYS HERT THUR3 HYDE TORENTE . . . . PRL 1136
HIDER (V. HITHER)
HIDERE (V. HITHER)
HIDOR
    SUCH A HIDOR HEM HENT AND A HATEL DREDE . . . . PAT 367
HIE
    FORTHY HY3 NOT TO HEUEN IN HATERE3 TOTORNE . . . . CLN 33
    NOW HY3E AND LET SE TITE . . . . GGK 299
    TO HEWE HIT IN TWO THAY HY3ES. . . . . GGK 1351
    AND I SCHAL HY3 ME HOM A3AYN AND HETE YOW FYRRE. . . . . GGK 2121
HIED
    BUKKE3 BAUSENE3 AND BULE3 TO THE BONKKE3 HY3ED . . . . CLN 392
    THENNE ORPPEDLY INTO HIS HOUS HE HY3ED TO SARE . . . . CLN 623
    MONY HUNDRID HENDE MEN HIGHIDE THIDER SONE . . . . ERK 58
    QUEN HE HEF VP HIS HELME THER HI3ED INNOGHE . . . . GGK 826

HI3ED TO THE HY3E BOT HETERLY THAY WERE . . . . GGK 1152
HUNTES HY3ED HEM THEDER WITH HORNE3 FUL MONY. . . . . GGK 1910
HATHELES HY3ED IN HASTE WYTH ORES FUL LONGE . . . . PAT 217

HIES

THE HOLEFOTED FOWLE TO THE FLOD HY3E3 . . . . CLN 538
WHEN HE HADE OF HEM SY3T HE HY3E3 BYLYUE . . . . CLN 610
VCHE HATHEL TO HIS HOME HY3ES FUL FAST. . . . . CLN 1762
BOT THEN HY3ES HERUEST AND HARDENES HYM SONE. . . . . GGK 521
HURTE3 HEM FUL HETERLY THER HE FORTH HY3E3 . . . . GGK 1462

HIGH

FOR WHAT VRTHLY HATHEL THAT HY3 HONOUR HALDE3 . . . . CLN 35
3ET HYM IS THE HY3E KYNG HARDER IN HEUEN . . . . CLN 50
THE DERREST AT THE HY3E DESE THAT DUBBED WER FAYREST . . . . . CLN 115
BOT I HAUE HERKNED AND HERDE OF MONY HY3E CLERKE3 . . . . CLN 193
WHYL HE WAT3 HY3E IN THE HEUEN HOUEN VPON LOFTE. . . . . CLN 206
AND BOWED TO THE HY3 BONK THER BRENTEST HIT WERN . . . . CLN 379
AND HETERLY TO THE HY3E HYLLE3 THAY HALED ON FASTE. . . . . . . CLN 380
HARE3 HERTTE3 ALSO TO THE HY3E RUNNEN . . . . CLN 391
THE ARC HOUEN WAT3 ON HY3E WYTH HURLANDE GOTE3 . . . . CLN 413
HALE3 HY3E VPON HY3T TO HERKEN TYTHYNGE3 . . . . CLN 458
HERTTES TO HY3E HETHE HARE3 TO GORSTE3. . . . . CLN 535
HERNE3 AND HAUEKE3 TO THE HY3E ROCHE3 . . . . CLN 537
PARFORMED THE HY3E FADER ON FOLKE THAT HE MADE . . . . CLN 542
OF THE SY3TE OF THE SOUERAYN THAT SYTTE3 SO HY3E . . . . CLN 552
IN THE HY3E HETE THEROF ABRAHAM BIDE3 . . . . CLN 604
AND I SO HY3E OUT OF AGE AND ALSO MY LORDE . . . . CLN 656
TRYNANDE AY A HY3E TROT THAT TORNE NEUER DORSTEN . . . . CLN 976
THAT HADEN HY3T THE HY3E GOD TO HALDE OF HYM EUER . . . . CLN 1162
AND THAT WAKNED HIS WRATH AND WRAST HIT SO HY3E. . . . . CLN 1166
HI3E SKELT WAT3 THE ASKRY THE SKEWES ANVNDER. . . . . CLN 1206
BI A HATHEL NEUER SO HY3E HE HELDES TO GROUNDE . . . . CLN 1330
FOR ALLE HIS EMPIRE SO HI3E IN ERTHE IS HE GRAUEN . . . . CLN 1332
WYTH A WONDER WRO3T WALLE WRUXELED FUL HI3E . . . . CLN 1381
HE3E HOUSES WYTHINNE THE HALLE TO HIT MED. . . . . CLN 1391
THUR3 THE SOMONES OF HIMSELFE THAT SYTTES SO HY3E . . . . CLN 1498
AND CALLE WYTH A HI3E CRY HE THAT THE KYNG WYSSES. . . . . . . CLN 1564
THAT THE POWER OF THE HY3E PRYNCE HE PURELY FOR3ETES . . . . . . CLN 1660
AS HE THAT HY3E IS IN HEUEN HIS AUNGELES THAT WELDES . . . . . . CLN 1664
BOT AY HAT3 HOFEN THY HERT AGAYNES THE HY3E DRY3TYN . . . . . . CLN 1711
BLASTES OUT OF BRY3T BRASSE BRESTES SO HY3E . . . . CLN 1783
AND BOWED TO THE HY3 BONK THER BRENTEST HIT WERE . . . . CLN V 379
HOVE3 HY3E VPON HY3T TO HERKEN TYTHYNGE3 . . . . CLN V 458
HE3E HOUSES WYTHINNE THE HALLE TO HIT MAD. . . . . CLN V 1391
THE BYSCHOP HYM SHOPE SOLEMPLY TO SYNGE THE HEGHE MASSE . . . . ERK 129
THEN HELDYT FRO THE AUTERE ALLE THE HEGHE GYNGE. . . . . ERK 137
QUY HALDES THOU SO HEGHE IN HONDE THE SEPTRE. . . . . ERK 223
NON GETE ME FRO THE HEGHE GATE TO GLENT OUT OF RY3T . . . . . . ERK 241
NOW HERID BE THOU HEGHE GOD AND THI HENDE MODER. . . . . ERK 325
I HEERE THEROF MY HEGHE GOD AND ALSO THE BYSSHOP . . . . ERK 339
HIT WAT3 ENNIAS THE ATHEL AND HIS HIGHE KYNDE . . . . GGK 5
AL WAT3 HAP VPON HE3E IN HALLE3 AND CHAMBRE3. . . . . GGK 48
3E3ED 3ERES 3IFTES ON HI3 3ELDE HEM BI HOND . . . . GGK 67
THAT MONY HERT FUL HI3E HEF AT HER TOWCHES . . . . GGK 120
TALKKANDE BIFORE THE HY3E TABLE OF TRIFLES FUL HENDE . . . . . GGK 108
ON THE MOST ON THE MOLDE ON MESURE HYGHE . . . . GGK 137
DRIUANDE TO THE HE3E DECE DUT HE NO WOTHE. . . . . GGK 222
HAYLSED HE NEUER ONE BOT HE3E HE OUER LOKED . . . . GGK 223
IN HY3E . . . . GGK 245
THENN ARTHOUR BIFORE THE HI3 DECE THAT AUENTURE BYHOLDE3. . . GGK 250

NAY AS HELP ME QUOTH THE HATHEL HE THAT ON HY3E SYTTES	GGK	256
BOT FOR THE LOS OF THE LEDE IS LYFT VP SO HY3E	GGK	258
IF I WERE HASPED IN ARMES ON A HE3E STEDE.	GGK	281
ALLE THE HEREDMEN IN HALLE THE HY3 AND THE LO3E.	GGK	302
WHEN NON WOLDE KEPE HYM WITH CARP HE CO3ED FUL HY3E	GGK	307
THER SUCH AN ASKYNG IS HEUENED SO HY3E IN YOUR SALE	GGK	349
HE LET NO SEMBLAUNT BE SENE BOT SAYDE FUL HY3E	GGK	468
FRO THE FACE OF THE FOLDE TO FLY3E FUL HY3E	GGK	524
OFFRED AND HONOURED AT THE HE3E AUTER	GGK	593
HIT WAT3 HY3E ON HIS HEDE HASPED BIHYNDE	GGK	607
AND ETAYNE3 THAT HYM ANELEDE OF THE HE3E FELLE	GGK	723
AND HENGED HE3E OUER HIS HEDE IN HARD YSSEIKKLES	GGK	732
HI3E HILLE3 ON VCHE A HALUE AND HOLTWODE3 VNDER.	GGK	742
AND INNERMORE HE BEHELDE THAT HALLE FUL HY3E.	GGK	794
TO THE HE3 LORDE OF THIS HOUS HERBER TO CRAUE	GGK	812
ALLE HASPED IN HIS HE3 WEDE TO HALLE THAY HYM WONNEN	GGK	831
A HOGE HATHEL FOR THE NONE3 AND OF HYGHE ELDEE	GGK	844
TO THE HERSUM EUENSONG OF THE HY3E TYDE	GGK	932
AS TO HONOUR HIS HOUS ON THAT HY3E TYDE	GGK	1033
AL THE HONOUR IS YOUR AWEN THE HE3E KYNG YOW 3ELDE.	GGK	1038
AS I AM HALDEN THERTO IN HY3E AND IN LO3E.	GGK	1040
A HE3E ERNDE AND A HASTY ME HADE FRO THO WONE3	GGK	1051
HE WITH HIS HATHELES ON HY3E HORSSES WEREN	GGK	1138
HI3ED TO THE HY3E BOT HETERLY THAY WERE	GGK	1152
THAY LET THE HERTTE3 HAF THE GATE WITH THE HY3E HEDES.	GGK	1154
HUNTERE3 WYTH HY3E HORNE HASTED HEM AFTER.	GGK	1165
BI THAY WERE TENED AT THE HY3E AND TAYSED TO THE WATTRE3. . . .	GGK	1169
HE3 WITH HUNTE AND HORNE3	GGK	1417
THISE OTHER HALOWED HYGHE FUL HY3E AND HAY HAY CRYED	GGK	1445
HE3E HALOWING ON HI3E WITH HATHELE3 THAT MY3T	GGK	1602
FYRST HE HEWES OF HIS HED AND ON HI3E SETTE3.	GGK	1607
NAY HENDE OF HY3E HONOURS	GGK	1813
HALDE3 HE3E OUER HIS HEDE HALOWE3 FASTE	GGK	1908
YOUR HONOUR AT THIS HY3E FEST THE HY3E KYNG YOW 3ELDE.	GGK	1963
THE WERBELANDE WYNDE WAPPED FRO THE HY3E	GGK	2004
THAT HALDE3 THE HEUEN VPON HY3E AND ALSO YOW ALLE	GGK	2057
THAY WERE ON A HILLE FUL HY3E.	GGK	2087
BOT HY3E BONKKE3 AND BRENT VPON BOTHE HALUE	GGK	2165
WITH HE3E HELME ON HIS HEDE HIS LAUNCE IN HIS HONDE	GGK	2197
THENE HERDE HE OF THAT HY3E HIL IN A HARDE ROCHE	GGK	2199
THENNE THE KNY3T CON CALLE FUL HY3E.	GGK	2212
HALDE THE NOW THE HY3E HODE THAT ARTHUR THE RA3T	GGK	2297
THAT VPHALDE3 THE HEUEN AND ON HY3 SITTE3.	GGK	2442
WELDE3 NON SO HY3E HAWTESSE	GGK	2454
WITH HIS HEDE IN HIS HONDE BIFORE THE HY3E TABLE	GGK	2462
I HERDE ON A HALYDAY AT A HY3E MASSE	PAT	9
OURE SYRE SYTTES HE SAYS ON SEGE SO HY3E	PAT	93
BOT HE WAT3 SOKORED BY THAT SYRE THAT SYTTES SO HI3E	PAT	261
FOR NADE THE HY3E HEUENKYNG THUR3 HIS HONDEMY3T.	PAT	257
THAT THE WAWES FUL WODE WALTERED SO HI3E	PAT	142
A PRAYER TO THE HY3E PRYNCE FOR PYNE ON THYS WYSE	PAT	412
AND HALDE3 OUT ON EST HALF OF THE HY3E PLACE.	PAT	434
ON HE3E VPON EFFRAYM OTHER ERMONNES HILLE3	PAT	463
THAT ON HANDE FRO THAT OTHER FOR ALLE THIS HY3E WORLDE	PAT	512
IN AUGOSTE IN A HY3 SEYSOUN	PRL	39
HI3E PYNAKLED OF CLER QUYT PERLE.	PRL	207
OF ALLE MY JOY THE HY3E GATE	PRL	395
MAYSTERFUL MOD AND HY3E PRYDE.	PRL	401
HO HALDE3 THE EMPYRE OUER VS FUL HY3E	PRL	454

THYSELF IN HEUEN OUER HY3 THOU HEUE.	PRL		473
THOU HY3E KYNG AY PRETERMYNABLE .	PRL		596
LORDE QUO SCHAL KLYMBE THY HY3 HYLLE	PRL		678
OUER ALLE OTHER SO HY3 THOU CLAMBE .	PRL		773
AS LONGE AS BRODE AS HY3E FUL FAYRE.	PRL		1024
THE HY3E TRONE THER MO3T 3E HEDE.	PRL		1051
THE HY3E GODE3 SELF HIT SET VPONE	PRL		1054
HIGHE (V. HIGH)			
HIGHER			
HERRE THEN ANI IN THE HOUS BY THE HEDE AND MORE.	GGK		333
HIGHEST			
OUER THE HY3EST HYLLE THAT HURKLED ON ERTHE .	CLN		406
BOT THE HY3EST OF THE EGGE3 VNHULED WERN A LYTTEL .	CLN		451
FOR OF THE HY3EST HE HADE A HOPE IN HIS HERT.	CLN		1653
HE3EST OF ALLE OTHER SAF ONELYCH TWEYNE	CLN		1749
FOR THE HONOUR OF MYN HONESTE OF HEGHEST ENPRISE	ERK		253
KYNG HY3EST MON OF WYLLE	GGK		57
THE OLDE AUNCIAN WYF HE3EST HO SYTTE3 .	GGK		1001
HIGHIDE (V. HIED)			
HIGHLY			
BOT HI3LY HEUENED THI HELE FRO HEM THAT ARN COMBRED	CLN		920
HERYED HEM AS HY3LY AS HEUEN WER THAYRES .	CLN		1527
THEN ABRAHAM OBECHED HYM AND HY3LY HIM THONKKE3.	CLN	V	745
THAT WYTH HIS HI3LICH HERE THAT OF HIS HED RECHES .	GGK		183
OF SUM HERBER THER HE3LY I MY3T HERE MASSE	GGK		755
THENNE HAT3 HE HENDLY OF HIS HELME AND HE3LY HE THONKE3 .	GGK		773
AND HE3LY HONOWRED WITH HATHELE3 ABOUTE	GGK		949
HENT HE3LY OF HIS HODE AND ON A SPERE HENGED.	GGK		983
AS I AM HY3LY BIHALDEN AND EUERMORE WYLLE.	GGK		1547
HEF HY3LY THE HERE SO HETTERLY HE FNAST	GGK		1587
3E WOLDE NOT SO HY3LY HALDEN BE TO ME .	GGK		1828
HIGHT			
THER AS HE HEUENED A3T HAPPE3 AND HY3T HEM HER MEDE3 .	CLN		24
SEM SOTHLY THAT ON THAT OTHER HY3T CAM.	CLN		299
I SCHAL 3EPLY A3AYN AND 3ELDE THAT I HY3T.	CLN		665
FOR HOPE OF THE HARDE HATE THAT HY3T HAT3 OURE LORDE .	CLN		714
THAT HADEN HY3T THE HY3E GOD TO HALDE OF HYM EUER .	CLN		1162
AND I SCHAL HALDE THE THE HEST THAT I THE HY3T HAUE	CLN		1636
AND 3E ME TAKE SUM TOLKE TO TECHE AS 3E HY3T.	GGK		1966
AL THAT EUER I YOW HY3T HALDE SCHAL I REDE	GGK		1970
AND THOU SCHAL HAF AL IN HAST THAT I THE HY3T ONES.	GGK		2218
I HY3T THE A STROK AND THOU HIT HAT3 HALDE THE WEL PAYED.	GGK		2341
A3T HAPPES HE HEM HY3T AND VCHE ON A MEDE.	PAT		11
THAT LELLY HY3TE YOUR LYF TO RAYSE .	PRL		305
AND JERUSALEM HY3T BOTHE NAWTHELES .	PRL		950
JASPER HY3T THE FYRST GEMME	PRL		999
HIL (V. HILL)			
HILE (CP. HILL)			
ON HUYLE THER PERLE HIT TRENDELED DOUN.	PRL		41
MY HEDE VPON THAT HYLLE WAT3 LAYDE .	PRL		1172
OUER THIS HYUL THIS LOTE I LA3TE.	PRL		1205
HILED			
THENNE WAT3 ALLE THE HALLEFLOR HILED WYTH KNY3TES .	CLN		1397
HILL (CP. HILE)			
OUER THE HY3EST HYLLE THAT HURKLED ON ERTHE .	CLN		406
VCHE HILLE WAT3 THER HIDDE WYTH YTHE3 FUL GRAYE.	CLN		430
WITH ALLE THI HERE VPON HASTE TYL THOU A HIL FYNDE.	CLN		902
HERE VTTER ON A ROUNDE HIL HIT HOUE3 HIT ONE.	CLN		927
ERLY ER ANY HEUENGLEM THAY TO A HIL COMEN.	CLN		946

SO HARDY A HERE ON HILLE . . . . GGK 59
VCH HILLE HADE A HATTE A MYSTHAKEL HUGE . . . . GGK 2081
THAY WERE ON A HILLE FUL HY3E. . . . . GGK 2087
THENE HERDE HE OF THAT HY3E HIL IN A HARDE ROCHE . . . . . . GGK 2199
THAT NEUER AR3ED FOR NO HERE BY HYLLE NE BE VALE . . . . . . GGK 2271
LORDE QUO SCHAL KLYMBE THY HY3 HYLLE . . . . PRL 678
ON THE HYL OF SYON THAT SEMLY CLOT . . . . PRL 789
SCHAL SVE TYL THOU TO A HIL BE VEUED . . . . PRL 976
TYL ON A HYL THAT I ASSPYED . . . . PRL 979
HILLE (V. HILL)
HILLES (V. HILLS)
HILLE3 (V. HILLS)
HILLS
AND HETERLY TO THE HY3E HYLLE3 THAY HALED ON FASTE. . . . . . CLN 380
ON THE MOUNTE OF ARARACH OF ARMENE HILLES. . . . . CLN 447
ON THE MOUNTE OF MARARACH OF ARMENE HILLES . . . . CLN V 447
HI3E HILLE3 ON VCHE A HALUE AND HOLTWODE3 VNDER. . . . . . . GGK 742
SCHON SCHYRER THEN SNAWE THAT SCHEDE3 ON HILLE3. . . . . . . GGK 956
ON HE3E VPON EFFRAYM OTHER ERMONNES HILLE3 . . . . PAT 463
HILT
HIT HYM VP TO THE HULT THAT THE HERT SCHYNDERED. . . . . . . GGK 1594
HIM (APP. 1)
HIMSELF (APP. 1)
HIMSELFE (APP. 1)
HIMSELUEN (APP. 1)
HINDS
THE HINDE3 WERE HALDEN IN WITH HAY AND WAR . . . . GGK 1158
TO HUNT IN HOLTE3 AND HETHE AT HYNDE3 BARAYNE . . . . GGK 1320
HINDE3 (V. HINDS)
HIR (APP. 1)
HIRE
THE HAD BOWED TO HIS BODE BONGRE MY HYURE. . . . . PAT 56
THET HAD BOWED TO HIS BODE BONGRE MY HYURE . . . . PAT V 56
TO HYRE WERKMEN TO HYS VYNE . . . . PRL 507
WHAT RESONABELE HYRE BE NA3T BE RUNNE . . . . PRL 523
THAY SAYDEN HER HYRE WAT3 NAWHERE BOUN. . . . . PRL 534
TO TAKE HER HYRE HE MAD SUMOUN . . . . PRL 539
GYF HEM THE HYRE THAT I HEM OWE . . . . PRL 543
FYRST OF MY HYRE MY LORDE CON MYNNE. . . . . PRL 583
THAT 3ET OF HYRE NOTHYNK THAY NOM . . . . PRL 587
AM NOT WORTHY SO GRET HERE. . . . . PRL 1 616
AM NOT WORTHY SO GRET HERE. . . . . PRL 2 616
AM NOT WORTHY SO GRET HERE. . . . . PRL 3 616
HIRED
AND I HYRED THE FOR A PENY AGRETE . . . . PRL 560
HIRSELF (APP. 1)
HIS (APP. 1)
HISE (APP. 1)
HISSELUEN (APP. 1)
HIT (ALSO V. APP. 1)
THE FAYRE HEDE FRO THE HALCE HIT TO THE ERTHE . . . . GGK 427
HALED TO HYM OF HER AREWE3 HITTEN HYM OFT. . . . . GGK 1455
THE HEDE HYPPED A3AYN WERESOEUER HIT HITTE . . . . GGK 1459
HIT HYM VP TO THE HULT THAT THE HERT SCHYNDERED. . . . . . . GGK 1594
HIT THE HORS WITH THE HELE3 AS HARDE AS HE MY3T. . . . . . . GGK 2153
TIL THYN AX HAUE ME HITTE HAF HERE MY TRAWTHE . . . . GGK 2287
SO NOW THOU HAT3 THI HERT HOLLE HITTE ME BIHOUES . . . . . . GGK 2296
FOR NON MAY HYDEN HIS HARME BOT VNHAP NE MAY HIT . . . . . . GGK 2511
WITH THAT HE HITTE TO A HYRNE AND HELDE HYM THERINNE . . . . . PAT 289

Entry	Text	Line
AND OF A HEP OF ASKES HE HITTE IN THE MYDDE3.	PAT	380
HITHER		
WHATKYN FOLK SO THER FARE FECHE3 HEM HIDER	CLN	100
AND HE SCHAL SAUE HIT FOR THY SAKE THAT HAT3 VS SENDE HIDER.	CLN	922
THAT THE SAXONES VNSA3T HADEN SENDE HYDER.	ERK	8
AND THAT HAT3 WAYNED ME HIDER IWYIS AT THIS TYME	GGK	264
3E ARE A SLEPER VNSLY3E THAT MON MAY SLYDE HIDER	GGK	1209
I COM HIDER SENGEL AND SITTE	GGK	1531
THAT SO WORTHY AS 3E WOLDE WYNNE HIDERE	GGK	1537
OF ALLE THE COUENAUNTES THAT WE KNYT SYTHEN I COM HIDER	GGK	1642
CHAUNGE WYTH THE CHEUISAUNCE BI THAT I CHARRE HIDER	GGK	1678
SYN HE COM HIDER ER THIS	GGK	1892
FOR I HAF WONNEN YOW HIDER WY3E AT THIS TYME.	GGK	2091
IF ANY WY3E O3T WYL WYNNE HIDER FAST	GGK	2215
SYTHEN BRUTUS THE BOLDE BURNE BO3ED HIDER FYRST.	GGK	2524
WHAT WYRDE HAT3 HYDER MY IUEL VAYNED	PRL	249
ER DATE OF DAYE HIDER ARN WE WONNE	PRL	517
CUM HYDER TO ME MY LEMMAN SWETE	PRL	763
HITS		
HO HITTE3 ON THE EUENTYDE AND ON THE ARK SITTE3.	CLN	479
HYTTE3 TO HAUE AY MORE AND MORE	PRL	132
HITSELF (APP. 1)		
HITSELUEN (APP. 1)		
HITTE (V. HIT)		
HITTEN (V. HIT)		
HITTE3 (V. HITS)		
HIVE		
HURLED INTO HELLEHOLE AS THE HYUE SWARME3.	CLN	223
HI3 (V. HIGH)		
HI3E (V. HIGH)		
HI3LICH (V. HIGHLY)		
HI3LY (V. HIGHLY)		
HI3TLY		
AND HAT3 OUT THE HASTLETTE3 AS HI3TLY BISEME3	GGK	1612
HO (APP. 1)		
HOAR		
OF HORE OKE3 FUL HOGE A HUNDRETH TOGEDER	GGK	743
HOBESTE3		
AND AY THOU MENG WYTH THE MALE3 THE METE HOBESTE3	CLN	337
HOCKS		
AND HENGED THENNE AYTHER BI HO3ES OF THE FOURCHE3	GGK	1357
HOD (V. HOOD)		
HODE (ALSO V. HOOD)		
HALDE THE NOW THE HY3E HODE THAT ARTHUR THE RA3T	GGK	2297
HODLE3 (V. HOODLESS)		
HOFEN (V. HOVEN)		
HOGE (V. HUGE)		
HOKYLLEN		
AND ALLE THE MAYDENES OF THE MUNSTER MA3TYLY HOKYLLEN.	CLN	1267
HOL (V. WHOLE)		
HOLD		
THRE HUNDRED OF CUPYDE3 THOU HOLDE TO THE LENTHE	CLN	315
OF VCHE HORWED IN ARK HALDE BOT A PAYRE	CLN	335
THAT SCHAL HALDE IN HERITAGE THAT I HAF HEM 3ARKED.	CLN	652
AND AL HALDE3 IN THY HONDE THE HEUEN AND THE ERTHE.	CLN	734
AND FOL3 THE FET OF THAT FERE THAT THOU FRE HALDES.	CLN	1062
THAT HADEN HY3T THE HY3E GOD TO HALDE OF HYM EUER	CLN	1162
AND HAT3 A HATHEL IN THY HOLDE AS I HAF HERDE OFTE.	CLN	1597
AND I SCHAL HALDE THE THE HEST THAT I THE HY3T HAUE	CLN	1636

THAT SCHAL HALDE IN HERITAGE THAT I HAF MEN 3ARKED.	CLN V	652
THAT THE FUNDEMENT ON FYRST SHULD THE FOTE HALDE	ERK	42
THAT ALLE THE HONDES VNDER HEUEN HALDE MY3T NEUER	ERK	166
QUY HALDES THOU SO HEGHE IN HONDE THE SEPTRE.	ERK	223
I HENT HARMES FUL OFTE TO HOLDE HOM TO RI3T	ERK	232
CLADDEN ME FOR THE CURTEST THAT COURTE COUTHE THEN HOLDE. . .	ERK	249
FOR TO SETTE THE SYLUEREN THAT SERE SEWES HALDEN	GGK	124
THEN MAY THOU FRAYST MY FARE AND FORWARDE3 HOLDE	GGK	409
THAT HOLDE ON THAT ON SYDE THE HATHEL AUYSED.	GGK	771
TO HOLDE LENGER THE KNY3T	GGK	1043
WYL 3E HALDE THIS HES HERE AT THYS ONE3	GGK	1090
COWTHE WEL HALDE LAYK ALOFTE	GGK	1125
HAF THE HENDE IN HOR HOLDE AS I THE HABBE HERE	GGK	1252
AND THAT I HAF ER HERKKENED AND HALDE HIT HERE TRWEE	GGK	1274
AND SOBERLY YOUR SERUAUNT MY SOUERAYN I HOLDE YOW	GGK	1278
AND I SCHAL HUNT IN THIS HOLT AND HALDE THE TOWCHE3	GGK	1677
AL THAT EUER I YOW HY3T HALDE SCHAL I REDE	GGK	1970
THAT HALDEN HONOUR IN HER HONDE THE HATHEL HEM 3ELDE	GGK	2056
WHO STI3TLE3 IN THIS STED ME STEUEN TO HOLDE.	GGK	2213
HALDE THE NOW THE HY3E HODE THAT ARTHUR THE RA3T	GGK	2297
I HY3T THE A STROK AND THOU HIT HAT3 HALDE THE WEL PAYED. . .	GGK	2341
AND THOU TRYSTYLY THE TRAWTHE AND TRWLY ME HALDE3	GGK	2348
I HALDE HIT HARDILY HOLE THE HARME THAT I HADE	GGK	2390
I HALDE THE POLYSED OF THAT PLY3T AND PURED AS CLENE	GGK	2393
FOR HORES IS THE HEUENRYCHE TO HOLDE FOR EUER	PAT	14
THAY AR HAPPEN ALSO THAT HALDEN HER PESE	PAT	25
THE BARRE3 OF VCHE A BONK FUL BIGLY ME HALDES	PAT	321
AND HALDE GOUD THAT THOU ME HETES HAF HERE MY TRAUTHE. . . .	PAT	336
I HALDE THAT IUELER LYTTEL TO PRAYSE	PRL	301
WER FAYR IN HEUEN TO HALDE ASSTATE	PRL	490
HOLDE (ALSO V. HOLD)		
BOT HELDE THOU HIT NEUER SO HOLDE AND I HERE PASSED	GGK	2129
HOLDELY		
HID HIT FUL HOLDELY THER HE HIT EFT FONDE.	GGK	1875
AND SYTHEN HIS OTHER HARNAYS THAT HOLDELY WAT3 KEPED	GGK	2016
HOLDEN (V. HELD)		
HOLDE3 (V. HOLDS)		
HOLDING		
THE FOLK 3ET HALDANDE HIS FETE THE FYSCH HYM TYD HENTES . . .	PAT	251
HOLDS		
FOR WHAT VRTHLY HATHEL THAT HY3 HONOUR HALDE3	CLN	35
HE HOLLY HALDES HIT HIS AND HAUE HIT HE WOLDE	CLN	1140
THUS IN PRYDE AND OLIPRAUNCE HIS EMPYRE HE HALDES	CLN	1349
AND HE THE COMLOKEST KYNG THAT THE COURT HALDES.	GGK	53
IF ANY SO HARDY IN THIS HOUS HOLDE3 HYMSELUEN	GGK	285
AND HIS HEDE BY THE HERE IN HIS HONDE HALDE3.	GGK	436
FOR THE HEDE IN HIS HONDE HE HALDE3 VP EUEN	GGK	444
FOR HIT IS A FIGURE THAT HALDE3 FYUE POYNTE3.	GGK	627
ALLE THE ILES OF ANGLESAY ON LYFT HALF HE HALDE3	GGK	698
THAT ATHEL ARTHURE THE HENDE HALDE3 HYM ONE	GGK	904
BOT I LOUUE THAT ILK LORDE THAT THE LYFTE HALDE3	GGK	1256
HALDE3 HE3E OUER HIS HEDE HALOWE3 FASTE	GGK	1908
THAT HALDE3 THE HEUEN VPON HY3E AND ALSO YOW ALLE	GGK	2057
AND HALDE3 OUT ON EST HALF OF THE HY3E PLACE.	PAT	434
HO HALDE3 THE EMPYRE OUER VS FUL HY3E	PRL	454
HOLE (ALSO V. WHOLE)		
HALED HEM BY A LYTTEL HOLE TO HAUE HOLE SYDES	GGK	1338
BOT IN THE HAST THAT HE MY3T HE TO A HOLE WYNNE3	GGK	1569
HIT HADE A HOLE ON THE ENDE AND ON AYTHER SYDE	GGK	2180

AND SYTHEN HE KEUERE3 BI A CRAGGE AND COME3 OF A HOLE. . . . . GGK 2221
OUT OF THE HOLE THOU ME HERDE OF HELLEN WOMBE . . . . PAT 306

HOLEFOTED
THE HOLEFOTED FOWLE TO THE FLOD HY3E3 . . . . CLN 538

HOLIDAY
HIT WAT3 NOT FOR A HALYDAY HONESTLY ARAYED . . . . CLN 134
THE ABYT THAT THOU HAT3 VPON NO HALYDAY HIT MENSKE3 . . . . . CLN 141
AND HONEST FOR THE HALYDAY LEST THOU HARME LACHE . . . . CLN 166
TO HERBER IN THAT HOSTEL WHYL HALYDAY LESTED. . . . . GGK 805
I HERDE ON A HALYDAY AT A HY3E MASSE . . . . PAT 9

HOLIDAYS
ER THE HALIDAYE3 HOLLY WERE HALET OUT OF TOUN . . . . GGK 1049

HOLKKED
AND HOLKKED OUT HIS AUEN Y3EN HETERLY BOTHE . . . . CLN 1222

HOLLE (V. WHOLE)

HOLLY (V. WHOLLY)

HOLSUMLY (V. WHOLESOMLY)

HOLT
AND I SCHAL HUNT IN THIS HOLT AND HALDE THE TOWCHE3 . . . . . GGK 1677
HUNTERES VNHARDELED BI A HOLT SYDE . . . . GGK 1697

HOLTEWODE3 (V. HOLTWODE3)

HOLTE3 (V. HOLTS)

HOLTS
TO HUNT IN HOLTE3 AND HETHE AT HYNDE3 BARAYNE . . . . GGK 1320
BOT BY THYSE HOLTE3 HIT CON NOT HONE . . . . PRL 921

HOLTWODE3
HI3E HILLE3 ON VCHE A HALUE AND HOLTWODE3 VNDER. . . . . GGK 742
HOLTEWODE3 BRY3T ABOUTE HEM BYDE3 . . . . PRL 75

HOLY (ALSO V. WHOLLY)
OF MONY ANGER FUL HOTE WYTH HIS HOLY SPECHE . . . . CLN 1602
ANDE THAT THOU HAT3 IN THY HERT HOLY CONNYNG. . . . . CLN 1625
THE ORNEMENTES OF GODDE3 HOUS THAT HOLY WERE MAKED. . . . . . CLN 1799
SAYNT ERKENWOLDE AS I HOPE THAT HOLY MON HATTE . . . . ERK 4
AN ANSUARE OF THE HOLY GOSTE AND AFTERWARDE HIT DAWID. . . . . ERK 127
AND OF THE GRACIOUS HOLY GOSTE AND NOT ONE GRUE LENGER . . . . ERK 319
OUER AT THE HOLY HEDE TIL HE HADE EFT BONK . . . . GGK 700
I SCHAL WYSSE YOW THERWYTH AS HOLY WRYT TELLES . . . . PAT 60
HIT WERE A WONDER TO WENE 3IF HOLY WRYT NERE. . . . . PAT 244
THAT INTO HIS HOLY HOUS MYN ORISOUN MO3T ENTRE . . . . PAT 328
OTHER HOLY WRYT IS BOT A FABLE . . . . PRL 592
EUER SO HOLY IN HYS PRAYERE . . . . PRL 618
OTHER REST WYTHINNE THY HOLY PLACE . . . . PRL 679

HOLYN
BOT IN HIS ON HONDE HE HADE A HOLYN BOBBE. . . . . GGK 206

HOL3
HOL3E WERE HIS Y3EN AND VNDER CAMPE HORES. . . . . CLN 1695
AND AL WAT3 HOL3 INWITH NOBOT AN OLDE CAUE . . . . GGK 2182

HOL3E (V. HOL3)

HOM (V. HOME AND APP. 1)

HOME
AND THENNE ENHERITE THAT HOME THAT AUNGELE3 FORGART . . . . . CLN 240
VCHE HATHEL TO HIS HOME HY3ES FUL FAST. . . . . CLN 1762
THE PRIMATE WITH HIS PRELACIE WAS PARTYD FRO HOME . . . . . . ERK 107
I HAUE A HAUBERGHE AT HOME AND A HELME BOTHE. . . . . GGK 268
OF MY HOUS AND MY HOME AND MYN OWEN NOME . . . . GGK 408
SYTHEN FONGE THAY HER FLESCHE FOLDEN TO HOME. . . . . GGK 1363
GAWAYN GRAYTHELY AT HOME IN GERE3 FUL RYCHE . . . . GGK 1470
WHIL MY LORDE IS FRO HAME . . . . GGK 1534
NOW WITH THIS ILK SWYN THAY SWENGEN TO HOME . . . . GGK 1615

WHYLE THE HENDE KNY3T AT HOME HOLSUMLY SLEPE3 . . . . GGK 1731
AND THENNE THAY HELDEN TO HOME FOR HIT WAT3 NIE3 NY3T. . . . . GGK 1922
THE LORDE IS LY3T AT THE LASTE AT HYS LEF HOME . . . . GGK 1924
AND I SCHAL HY3 ME HOM A3AYN AND HETE YOW FYRRE. . . . . GGK 2121
AT HAME . . . . GGK 2451
THAT IS HO THAT IS AT HOME THE AUNCIAN LADY . . . . GGK 2463
HOMELY
HE GEF VS TO BE HIS HOMLY HYNE . . . . PRL 1211
HOMERED (V. HAMMERED)
HOMES
LANGABERDE IN LUMBARDIE LYFTES VP HOMES . . . . GGK 12
HOMLY (V. HOMELY)
HOMMES (V. HAMS)
HOND (V. HAND)
HONDE (V. HAND)
HONDEL (V. HANDLE)
HONDELE (V. HANDLE)
HONDELED (V. HANDLED)
HONDELE3 (V. HANDLES)
HONDELYNG (V. HANDLING)
HONDELYNGE3 (V. HANDLINGS)
HONDEMY3T (V. HAND-MIGHT)
HONDEQUILE (V. HONDEWHYLE)
HONDES (V. HANDS)
HONDESELLE (V. HANDSELL)
HONDEWHYLE
VCHE HOUS HERYED WAT3 WYTHINNE A HONDEWHYLE . . . . CLN 1786
THAT AS ALLE THE WORLDE WERE THIDER WALON WITHIN A HONDEQUILE . ERK 64
HONDEWERK (V. HANDWORK)
HONDE3 (V. HANDS)
HONDRED (V. HUNDRED)
HONE
BOUTE HONE . . . . GGK 1285
BOT BY THYSE HOLTE3 HIT CON NOT HONE . . . . PRL 921
HONEST
AS BE HONEST VTWYTH AND INWITH ALLE FYLTHE3 . . . . CLN 14
AND HONESTE IN HIS HOUSHOLDE AND HAGHERLYCH SERUED. . . . . . CLN 18
AND HONEST FOR THE HALYDAY LEST THOU HARME LACHE . . . . . . CLN 166
BOT NOE OF VCHE HONEST KYNDE NEM OUT AN ODDE. . . . . CLN 505
WYTH HERT HONEST AND HOL THAT HATHEL HE HONOURE3 . . . . . . CLN 594
SYTHEN POTAGE AND POLMENT IN PLATER HONEST . . . . CLN 638
FOR THE HONOUR OF MYN HONESTE OF HEGHEST ENPRISE . . . . . . ERK 253
HONESTE (V. HONEST)
HONESTLY
HIT WAT3 NOT FOR A HALYDAY HONESTLY ARAYED . . . . CLN 134
ELLE3 THAY MO3T HONESTLY AYTHER OTHER WELDE . . . . CLN 705
AND ALLE HENDE THAT HONESTLY MO3T AN HERT GLADE. . . . . CLN 1083
HONGYT (V. HANGED)
HONOR
FOR WHAT VRTHLY HATHEL THAT HY3 HONOUR HALDE3 . . . . CLN 35
THAT IN HIS HOWS HYM TO HONOUR WERE HEUENED OF FYRST . . . . . CLN 1714
FOR THE HONOUR OF MYN HONESTE OF HEGHEST ENPRISE . . . . . . ERK 253
AND MONY PROUD MON THER PRESED THAT PRYNCE TO HONOUR . . . . . GGK 830
AS TO HONOUR HIS HOUS ON THAT HY3E TYDE . . . . GGK 1033
AL THE HONOUR IS YOUR AWEN THE HE3E KYNG YOW 3ELDE. . . . . . . GGK 1038
YOUR HONOUR YOUR HENDELAYK IS HENDELY PRAYSED . . . . GGK 1228
HIT IS NOT YOUR HONOUR TO HAF AT THIS TYME . . . . GGK 1806
YOUR HONOUR AT THIS HY3E FEST THE HY3E KYNG YOW 3ELDE. . . . . GGK 1963
THAT HALDEN HONOUR IN HER HONDE THE HATHEL HEM 3ELDE . . . . . GGK 2056

THAT AL THYS WORLDE SCHAL DO HONOUR. . . . . PRL 424
WHAT MORE HONOUR MO3TE HE ACHEUE. . . . . PRL 475
HOW KOYNTISE ONOURE CON AQUYLE . . . . PRL 690
IN HONOUR MORE AND NEUER THE LESSE . . . . PRL 852
AND NEUER ONE3 HONOUR 3ET NEUER THE LES . . . . PRL 864
HONORED
BOT HONOURED HE NOT HYM THAT IN HEUEN WONIES. . . . . CLN 1340
OFFRED AND HONOURED AT THE HE3E AUTER . . . . GGK 593
AND HE3LY HONOWRED WITH HATHELE3 ABOUTE . . . . GGK 949
BOTHE THAT ON AND THAT OTHER MYN HONOURED LADYE3 . . . . GGK 2412
AND HE HONOURED THAT HIT HADE EUERMORE AFTER. . . . . GGK 2520
HONORS
WYTH HERT HONEST AND HOL THAT HATHEL HE HONOURE3 . . . . CLN 594
NAY HENDE OF HY3E HONOURS . . . . GGK 1813
HONOUR (V. HONOR)
HONOURED (V. HONORED)
HONOURE3 (V. HONORS)
HONOURS (V. HONORS)
HONOWRED (V. HONORED)
HONYSE3
AND HARDE HONYSE3 THISE OTHER AND OF HIS ERDE FLEME3 . . . . . CLN 596
HOO
AND THERFORE HENDE NOW HOO. . . . . GGK 2330
HOOD
NE IN THE HARLATE3 HOD AND HANDE3 VNWASCHEN . . . . CLN 34
WITH BLYTHE BLAUNNER FUL BRY3T AND HIS HOD BOTHE . . . . GGK 155
ALLE OF ERMYN IN ERDE HIS HODE OF THE SAME . . . . GGK 881
HENT HE3LY OF HIS HODE AND ON A SPERE HENGED. . . . . GGK 983
AND HIS HODE OF THAT ILKE HENGED ON HIS SCHULDER . . . . GGK 1930
ALLE OF ERMYN INURNDE HIS HODE OF THE SAME . . . . GGK V 881
HOODLESS
ABRAHAM AL HODLE3 WYTH ARME3 VPFOLDEN . . . . CLN 643
HOOVES
THAT THE FYR OF THE FLYNT FLA3E FRO FOLE HOUES . . . . GGK 459
HOPE
HOPE3 THOU I BE A HARLOT THI ERIGAUT TO PRAYSE . . . . CLN 148
FOR HOPE OF THE HARDE HATE THAT HY3T HAT3 OURE LORDE . . . . . CLN 714
FOR OF THE HY3EST HE HADE A HOPE IN HIS HERT. . . . . CLN 1653
SAYNT ERKENWOLDE AS I HOPE THAT HOLY MON HATTE . . . . ERK 4
HALF ETAYN IN ERDE I HOPE THAT HE WERE. . . . . GGK 140
THAT VNDER HEUEN I HOPE NON HA3ERER OF WYLLE. . . . . GGK 352
THAT THOU SCHAL SECHE ME THISELF WHERESO THOU HOPES . . . . . GGK 395
I HOPE THAT MAY HYM HERE . . . . GGK 926
I HOPE THAT THI HERT AR3E WYTH THYN AWEN SELUEN. . . . . GGK 2301
HOPE 3E THAT HE HERES NOT THAT ERES ALLE MADE . . . . PAT 123
ER GETE 3E NO HAPPE I HOPE FORSOTHE. . . . . PAT 212
AND DESEUERED FRO THY SY3T 3ET SURELY I HOPE. . . . . PAT 315
I HOPE NO TONG MO3T ENDURE. . . . . PRL 225
OF ON DETHE FUL OURE HOPE IS DREST . . . . PRL 860
I HOPE THAT MOTE MERKED WORE . . . . PRL 1 142
I HOPE THAT GOSTLY WAT3 THAT PORPOSE . . . . PRL 1 185
HOPED
FOR HARLOTE3 WYTH HIS HENDELAYK HE HOPED TO CHAST . . . . CLN 860
HIS HERT HELDET VNHOLE HE HOPED NON OTHER. . . . . CLN 1681
THAT HOPED OF NO RESCOWE . . . . GGK 2308
I HOPED THE WATER WERE A DEUYSE . . . . PRL 139
I HOPED THAT MOTE MERKED WORE. . . . . PRL 142
I HOPED THAT GOSTLY WAT3 THAT PORPOSE . . . . PRL 185
HOPES (V. HOPE)

HOPES
    HOPE3 HO O3T MAY BE HARDE MY HONDE3 TO WORK . . . . CLN 663
HOPE3 (V. HOPE, HOPES)
HOR (APP. 1)
HORCE (V. HORSE)
HORE (V. HOAR)
HORES (APP. 1)
HORN
    HUNTERE3 WYTH HY3E HORNE HASTED HEM AFTER. . . . . GGK 1165
    HUNTERE3 HEM HARDENED WITH HORNE AND WYTH MUTHE. . . . . . . GGK 1428
    THERE WAT3 BLAWYNG OF PRYS IN MONY BREME HORNE . . . . GGK 1601
HORNE (V. HORN)
HORNES (V. HORNS)
HORNE3 (V. HORNS)
HORNS
    HE3 WITH HUNTE AND HORNE3 . . . . GGK 1417
    HADEN HORNE3 TO MOUTHE HETERLY RECHATED . . . . GGK 1446
    ROCHERES ROUNGEN BI RYS FOR RURDE OF HER HORNES. . . . . . GGK 1698
    HUNTES HY3ED HEM THEDER WITH HORNE3 FUL MONY. . . . . GGK 1910
    AND ALLE THISE OTHER HALOWED THAT HADE NO HORNES . . . . . . GGK 1914
    STRAKANDE FUL STOUTLY IN HOR STORE HORNE3. . . . . GGK 1923
    WYTH HORNE3 SEUEN OF RED GOLDE CLER. . . . . PRL 1111
HORS (V. HORSE)
HORSE
    THE WAYFERANDE FREKE3 ON FOTE AND ON HORS. . . . . CLN 79
    HARD HATTES THAY HENT AND ON HORS LEPES . . . . CLN 1209
    AND ETE AY AS A HORCE WHEN ERBES WERE FALLEN. . . . . CLN 1684
    A GRENE HORS GRET AND THIKKE . . . . GGK 175
    AND THE HERE OF HIS HED OF HIS HORS SWETE. . . . . GGK 180
    THE MANE OF THAT MAYN HORS MUCH TO HIT LYKE . . . . GGK 187
    THAT A HATHEL AND A HORSE MY3T SUCH A HWE LACH . . . . GGK 234
    BOT THE LORDE ON A LY3T HORCE LAUNCES HYM AFTER. . . . . . . GGK 1464
    ALLE THE HATHELES THAT ON HORSE SCHULDE HELDEN HYM AFTER. . . GGK 1692
    AND RY3T BIFORE THE HORS FETE THAY FEL ON HYM ALLE. . . . . . GGK 1904
    HYM LYST PRIK FOR POYNT THAT PROUDE HORS THENNE. . . . . . . GGK 2049
    HIS HATHEL ON HORS WAT3 THENNE . . . . GGK 2065
    HIT THE HORS WITH THE HELE3 AS HARDE AS HE MY3T. . . . . . . GGK 2153
    THENNE HE HOUED AND WYTHHYLDE HIS HORS AT THAT TYDE . . . . . GGK 2168
    NE NON OXE TO NO HAY NE NO HORSE TO WATER. . . . . PAT 394
HORSES
    HE WITH HIS HATHELES ON HY3E HORSSES WEREN . . . . GGK 1138
HORSSES (V. HORSES)
HORTYNG (V. HURTING)
HORWED
    OF VCHE HORWED IN ARK HALDE BOT A PAYRE . . . . CLN 335
HORYED (V. HURRIED)
HOSE
    HEMEWEL HALED HOSE OF THAT SAME GRENE . . . . GGK 157
    HEME WELHALED HOSE OF THAT SAME GRENE . . . . GGK V 157
HOST
    AND HARDE HURLES THUR3 THE OSTE ER ENMIES HIT WYSTE . . . . . CLN 1204
HOSTEL
    THE HEDE OF THIS OSTEL ARTHOUR I HAT . . . . GGK 253
    NOW BONE HOSTEL COTHE THE BURNE I BESECHE YOW 3ETTE . . . . . GGK 776
    TO HERBER IN THAT HOSTEL WHYL HALYDAY LESTED. . . . . GGK 805
HOT
    NE SO HASTYFLY WAT3 HOT FOR HATEL OF HIS WYLLE . . . . CLN 200
    VNDER ASKE3 FUL HOTE HAPPE HEM BYLIUE . . . . CLN 626

LUFLOWE HEM BYTWENE LASCHED SO HOTE. . . . . CLN 707
THE HOTE HUNGER WYTHINNE HERT HEM WEL SARRE . . . . CLN 1195
OF MONY ANGER FUL HOTE WYTH HIS HOLY SPECHE . . . . CLN 1602
AND EUER IN HOT AND COLDE . . . . GGK 1844
WITH HATEL ANGER AND HOT HETERLY HE CALLE3 . . . . PAT 481
HOTE (V. HOT)
HOTTER
AND WEL HATTER TO HATE THEN HADE THOU NOT WASCHEN . . . . . . CLN 1138
HOUED
THE BURNE BODE ON BONK THAT ON BLONK HOUED . . . . GGK 785
THENNE HE HOUED AND WYTHHYLDE HIS HORS AT THAT TYDE . . . . . GGK 2168
HOUEN (V. HOVEN)
HOUES (V. HOOVES)
HOUE3
ON ARK ON AN EUENTYDE HOUE3 THE DOWUE . . . . CLN 485
HERE VTTER ON A ROUNDE HIL HIT HOUE3 HIT ONE. . . . . CLN 927
HOVE3 HY3E VPON HY3T TO HERKEN TYTHYNGE3 . . . . CLN V 458
HOUNDES (V. HOUNDS)
HOUNDE3 (V. HOUNDS)
HOUNDS
FOR WHEN THAT THE HELLE HERDE THE HOUNDE3 OF HEUEN. . . . . . CLN 961
THENNE THISE CACHERES THAT COUTHE COWPLED HOR HOUNDE3. . . . . GGK 1139
VPON A FELLE OF THE FAYRE BEST FEDE THAY THAYR HOUNDES . . . . GGK 1359
THE HUNT REHAYTED THE HOUNDE3 THAT HIT FYRST MYNGED . . . . . GGK 1422
THE HOWNDE3 THAT HIT HERDE HASTID THIDER SWYTHE. . . . . GGK 1424
MONY WAT3 THE MYRY MOUTHE OF MEN AND OF HOUNDE3. . . . . . . GGK 1447
HE HURTE3 OF THE HOUNDE3 AND THAY . . . . GGK 1452
A HUNDRETH HOUNDE3 HYM HENT . . . . GGK 1597
WENT HAF WYLT OF THE WODE WITH WYLE3 FRO THE HOUNDES . . . . . GGK 1711
THENNE WAT3 HIT LIST VPON LIF TO LYTHEN THE HOUNDE3 . . . . . GGK 1719
THER AS HE HERD THE HOWNDES THAT HASTED HYM SWYTHE. . . . . . GGK 1897
AND THER BAYEN HYM MONY BRATH HOUNDE3 . . . . GGK 1909
HOR HOUNDE3 THAY THER REWARDE. . . . . GGK 1918
HOUR
WYTHINNE AN OURE OF THE NY3T AN ENTRE THAY HADE. . . . . CLN 1779
AND BLISSID BE THAT BLISFUL HOURE THAT HO THE BERE.IN. . . . . ERK 326
AND TRAUAYLEDE3 NEUER TO TENT HIT THE TYME OF AN HOWRE . . . . PAT 498
ON OURE BYFORE THE SONNE GO DOUN. . . . . PRL 530
THESE BOT ON OURE HEM CON STRENY. . . . . PRL 551
HOURE (V. HOUR)
HOURES (V. HOURS)
HOURE3 (V. HOURS)
HOURLANDE (V. HURLING)
HOURLE (V. HURL)
HOURS
THAT WELNEGHE AL THE NY3T HADE NAITYD HIS HOURES . . . . ERK 119
THENN THYSE THAT WRO3T NOT HOURE3 TWO . . . . PRL 555
HOUS (V. HOUSE)
HOUSDORE (V. HOUSE-DOOR)
HOUSE
THAT MY HOUS MAY HOLLY BY HALKE3 BY FYLLED . . . . CLN 104
HOW WAT3 THOU HARDY THIS HOUS FOR THYN VNHAP TO NE3E . . . . . CLN 143
HURLED INTO VCH HOUS HENT THAT THER DOWELLED. . . . . CLN 376
THENNE ORPPEDLY INTO HIS HOUS HE HY3ED TO SARE . . . . CLN 623
HIT WAT3 HOUS INNO3E TO HEM THE HEUEN VPON LOFTE . . . . CLN 808
TO VMBELY3E LOTHE3 HOUS THE LEDE3 TO TAKE. . . . . CLN 836
WYTH ALLE THE VRNMENTES OF THAT HOUS HE HAMPPRED TOGEDER. . . . CLN 1284
THE HOUS AND THE ANOURNEMENTES HE HY3TLED TOGEDERE. . . . . . CLN 1290
THAT IN HIS HOWS HYM TO HONOUR WERE HEUENED OF FYRST . . . . . CLN 1714

VCHE HOUS HERYED WAT3 WYTHINNE A HONDEWHYLE . . . . CLN 1786
THE ORNEMENTES OF GODDE3 HOUS THAT HOLY WERE MAKED. . . . . . . CLN 1799
IF ANY SO HARDY IN THIS HOUS HOLDE3 HYMSELUEN . . . . GGK 285
WHAT IS THIS ARTHURES HOUS QUOTH THE HATHEL THENNE. . . . . . . GGK 309
HERRE THEN ANI IN THE HOUS BY THE HEDE AND MORE. . . . . GGK 333
OF MY HOUS AND MY HOME AND MYN OWEN NOME . . . . GGK 408
TO THE HE3 LORDE OF THIS HOUS HERBER TO CRAUE . . . . GGK 812
AS TO HONOUR HIS HOUS ON THAT HY3E TYDE . . . . GGK 1033
AND SYTHEN I HAUE IN THIS HOUS HYM THAT AL LYKE3 . . . . GGK 1234
THAT AR IN ARTHURE3 HOUS HESTOR OTHER OTHER . . . . GGK 2102
NE KEST NO KAUELACION IN KYNGE3 HOUS ARTHOR . . . . GGK 2275
THUR3 MY3T OF MORGNE LA FAYE THAT IN MY HOUS LENGES . . . . . GGK 2446
MAKE MYRY IN MY HOUS MY MENY THE LOUIES . . . . GGK 2468
OFTE HE HERBERED IN HOUSE AND OFTE AL THEROUTE . . . . GGK 2481
THAT INTO HIS HOLY HOUS MYN ORISOUN MO3T ENTRE . . . . PAT 328
HAPPED VPON AYTHER HALF A HOUS AS HIT WERE . . . . PAT 450

HOUSE-DOOR
EUEN BYFORE HIS HOUSDORE VNDER AN OKE GREME . . . . CLN 602

HOUSEHOLD
AND HONESTE IN HIS HOUSHOLDE AND HAGHERLYCH SERUED. . . . . . CLN 18

HOUSES
FOR THAT SCHEWE ME SCHALE IN THO SCHYRE HOWSE3 . . . . CLN 553
AND THAY NAY THAT THAY NOLDE NE3 NO HOWSE3 . . . . CLN 805
HE3E HOUSES WYTHINNE THE HALLE TO HIT MED. . . . . CLN 1391
HE3E HOUSES WYTHINNE THE HALLE TO HIT MAD. . . . . CLN V 1391

HOUSHOLDE (V. HOUSEHOLD)

HOVEN
WHYL HE WAT3 HY3E IN THE HEUEN HOUEN VPON LOFTE. . . . . . . CLN 206
THE ARC HOUEN WAT3 ON HY3E WYTH HURLANDE GOTE3 . . . . CLN 413
HOUEN VPON THIS AUTER WAT3 ATHEL VESSEL . . . . CLN 1451
BOT AY HAT3 HOFEN THY HERT AGAYNES THE HY3E DRY3TYN . . . . . CLN 1711

HOVE3 (V. HOUE3)

HOWNDES (V. HOUNDS)

HOWNDE3 (V. HOUNDS)

HOWRE (V. HOUR)

HOWS (V. HOUSE)

HOWSEEUER (V. HOWSOEVER)

HOWSE3 (V. HOUSES)

HOWSO
BOT HOWSO DANYEL WAT3 DY3T THAT DAY OUER3EDE. . . . . CLN 1753

HOWSOEVER
BOT DALT WITH HIR AL IN DAYNTE HOWSEEUER THE DEDE TURNED. . . . GGK 1662

HO3ES (V. HOCKS)

HUE
FOR WONDER OF HIS HWE MEN HADE . . . . GGK 147
THAT A HATHEL AND A HORSE MY3T SUCH A HWE LACH . . . . GGK 234
OF HEWE . . . . GGK 1471
OF OTHER HUEE BOT QUYT JOLYF . . . . PRL 842
A HUE FROM HEUEN I HERDE THOO. . . . . PRL 873
AS LYK TO HYMSELF OF LOTE AND HWE . . . . PRL 896

HUED
ALSO RED AND SO RIPE AND RYCHELY HWED . . . . CLN 1045

HUEE (V. HUE)

HUES
QUAT MAY THE CAUSE BE CALLED BOT FOR HIR CLENE HWES . . . . . CLN 1119
OF MONY CLER KYNDES OF FELE KYN HUES . . . . CLN 1483
OF MONY CURIOUS KYNDES OF FELE KYN HUES . . . . CLN V 1483
AND ALS BRY3T OF HOR BLEE IN BLYSNANDE HEWES. . . . . ERK 87
WYTH THE PENTANGEL DEPAYNT OF PURE GOLDE HWE3 . . . . GGK 620

Headword / Line	Text	Line no.
THAY SE3E NEUER NO SEGGE THAT WAT3 OF SUCHE HWE3	GGK	707
WELNE3 TO VCHE HATHEL ALLE OUER HWES	GGK	867
SO FAUTLES OF HIR FETURES AND OF SO FYNE HEWES	GGK	1761
NO HWE3 GOUD ON HIR HEDE BOT THE HA3ER STONES	GGK V	1738
OF FLAUMBANDE HWE3 BOTHE SMALE AND GRETE	PRL	90
HUGE		
AND IN THE CONTRARE KARK AND COMBRAUNCE HUGE.	CLN	4
OF SUCH VESSEL AUAYED THAT VAYLED SO HUGE.	CLN	1311
HE HADE SO HUGE AN INSY3T TO HIS AUNE DEDES	CLN	1659
AND AN AX IN HIS OTHER A HOGE AND VNMETE	GGK	208
OF HORE OKE3 FUL HOGE A HUNDRETH TOGEDER	GGK	743
ANDE EFT A FUL HUGE HE3T HIT HALED VPON LOFTE	GGK	788
A HUGE HATHEL FOR THE NONE3 AND OF HYGHE ELDEE	GGK	844
GRET IS THE GODE GLE AND GOMEN TO ME HUGE.	GGK	1536
THENNE HONDELED THAY THE HOGE HED THE HENDE MON HIT PRAYSED.	GGK	1633
WYT 3E WEL HIT WAT3 WORTH WELE FUL HOGE	GGK	1820
THENNE WAT3 GRYNGOLET GRAYTHE THAT GRET WAT3 AND HUGE	GGK	2047
VCH HILLE HADE A HATTE A MYSTHAKEL HUGE	GGK	2081
NOW THESE WERE WRATHED WYTH HER WYLES HIT WERE A WYNNE HUGE.	GGK	2420
LORDE COLDE WAT3 HIS CUMFORT AND HIS CARE HUGE	PAT	264
AND AY THY MERCY IS METE BE MYSSE NEUER SO HUGE.	PAT	420
HULT (V. HILT)		
HUMMED		
THEN HUMMYD HE THAT THER LAY AND HIS HEDDE WAGGYD	ERK	281
HUMMYD (V. HUMMED)		
HUNDRED		
THRE HUNDRED OF CUPYDE3 THOU HOLDE TO THE LENTHE	CLN	315
AFTER HARDE DAYE3 WERN OUT AN HUNDRETH AND FYFTE	CLN	442
MONY HUNDRID HENDE MEN HIGHIDE THIDER SONE	ERK	58
NO3T BOT AGHT HUNDRED 3ERE THER AGHTENE WONTYD	ERK	208
THRE HUNDRED 3ERE AND THRITTY MO AND 3ET THRENEN AGHT.	ERK	210
OF HORE OKE3 FUL HOGE A HUNDRETH TOGEDER	GGK	743
A HUNDRETH OF HUNTERES AS I HAF HERDE TELLE	GGK	1144
OF THAT ART BI THE HALF OR A HUNDRETH OF SECHE	GGK	1543
A HUNDRETH HOUNDE3 HYM HENT	GGK	1597
THAT RATHELED IS IN ROCHE GROUNDE WITH ROTE3 A HUNDRETH	GGK	2294
A HONDRED AND FORTY FOWRE THOWSANDE FLOT	PRL	786
AND WYTH HYM MAYDENNE3 AN HUNDRETHE THOWSANDE	PRL	869
HUNDRETH THOWSANDE3 I WOT THER WERE.	PRL	1107
A HONDRED AND FORTY THOWSANDE FLOT	PRL 1	786
A HONDRED AND FORTY THOWSANDE FLOT	PRL 3	786
HUNDREDTH		
THE SEX HUNDRETH OF HIS AGE AND NONE ODDE 3ERE3.	CLN	426
HUNDRETH (V. HUNDRED, HUNDREDTH)		
HUNDRETHE (V. HUNDRED)		
HUNDRID (V. HUNDRED)		
HUNG		
WYTH MONY BANER FUL BRY3T THAT THERBI HENGED.	GGK	117
AND HENGED HE3E OUER HIS HEDE IN HARD YSSEIKKLES	GGK	732
HENT HE3LY OF HIS HODE AND ON A SPERE HENGED.	GGK	983
EUENDOUN TO THE HAUNCHE THAT HENGED ALLE SAMEN	GGK	1345
AND HENGED THENNE AYTHER BI HO3ES OF THE FOURCHE3	GGK	1357
AND HIS HODE OF THAT ILKE HENGED ON HIS SCHULDER	GGK	1930
EUENDEN TO THE HAUNCHE THAT HENGED ALLE SAMEN	GGK V	1345
HUNGER		
THE HOTE HUNGER WYTHINNE HERT HEM WEL SARRE	CLN	1195
AND THO THAT BYDEN WER SO BITEN WITH THE BALE HUNGER	CLN	1243
THAY AR HAPPEN ALSO THAT HUNGERES AFTER RY3T.	PAT	19
HUNGERED		

THER RICHELY HIT ARNE REFETYD THAT AFTER RIGHT HUNGRIDE . . . ERK 304
HUNGERES (V. HUNGER)
HUNGRIDE (V. HUNGERED)
HUNGRIE (V. HUNGRY)
HUNGRY
HUNGRIE INWITH HELLEHOLE AND HERKEN AFTER MEELES . . . . . . ERK 307
HUNT
TO HUNT IN HOLTE3 AND HETHE AT HYNDE3 BARAYNE . . . . GGK 1320
HE3 WITH HUNTE AND HORNE3 . . . . GGK 1417
THE HUNT REHAYTED THE HOUNDE3 THAT HIT FYRST MYNGED . . . . . GGK 1422
AND I SCHAL HUNT IN THIS HOLT AND HALDE THE TOWCHE3 . . . . . GGK 1677
A KENET KRYES THEROF THE HUNT ON HYM CALLES . . . . GGK 1701
HUNTE (V. HUNT)
HUNTED
FOR I HAF HUNTED AL THIS DAY AND NO3T HAF I GETEN . . . . . . GGK 1943
HUNTERES (V. HUNTERS)
HUNTERE3 (V. HUNTERS)
HUNTERS
A HUNDRETH OF HUNTERES AS I HAF HERDE TELLE . . . . GGK 1144
HUNTERE3 WYTH HY3E HORNE HASTED HEM AFTER. . . . . GGK 1165
HUNTERE3 HEM HARDENED WITH HORNE AND WYTH MUTHE. . . . . . . GGK 1428
HUNTERES VNHARDELED BI A HOLT SYDE . . . . GGK 1697
HUNTES (V. HUNTS)
HUNTING
ON HUNTYNG WYL I WENDE . . . . GGK 1102
HUNTS
COUPLES HUNTES OF KEST . . . . GGK 1147
OF THAT CHARGEAUNT CHACE THAT WERE CHEF HUNTES . . . . GGK 1604
HUNTES HY3ED HEM THEDER WITH HORNE3 FUL MONY. . . . . GGK 1910
HUNTYNG (V. HUNTING)
HURKELE3
AND HURKELE3 DOUN WITH HIS HEDE THE VRTHE HE BIHOLDE3. . . . . CLN 150
HURKLED
OUER THE HY3EST HYLLE THAT HURKLED ON ERTHE . . . . CLN 406
HURL
THE PURE POPLANDE HOURLE PLAYES ON MY HEUED . . . . PAT 319
HURLANDE (V. HURLING)
HURLED
HURLED TO THE HALLE DORE AND HARDE THEROUTE SCHOWUED . . . . . CLN 44
HURLED INTO HELLEHOLE AS THE HYUE SWARME3. . . . . CLN 223
HURLED INTO VCH HOUS HENT THAT THER DOWELLED. . . . . CLN 376
THAT A3LY HURLED IN HIS ERE3 HER HARLOTE3 SPECHE . . . . . . CLN 874
HE HURLYD OWT HOR YDOLS AND HADE HYM IN SAYNTES. . . . . . . ERK 17
THEN HURLED ON A HEPE THE HELME AND THE STERNE . . . . PAT 149
HURLING
THE ARC HOUEN WAT3 ON HY3E WYTH HURLANDE GOTE3 . . . . CLN 413
BY THAT WAT3 ALLE ON A HEPE HURLANDE SWYTHE . . . . CLN 1211
AY HELE OUER HED HOURLANDE ABOUTE . . . . PAT 271
HURLS
AND HARDE HURLES THUR3 THE OSTE ER ENMIES HIT WYSTE . . . . . CLN 1204
HURLYD (V. HURLED)
HURRIED
AND BY THE HONDE3 HYM HENT AND HORYED HYM WYTHINNE. . . . . . CLN 883
HURROK
HURROK OTHER HANDEHELME HASPED ON ROTHER . . . . CLN 419
ONHELDE BY THE HURROK FOR THE HEUEN WRACHE . . . . PAT 185
HURT
HE HADE HURT SO MONY BYFORNE . . . . GGK 1577
WITHHELDE HETERLY HIS HONDE ER HIT HURT MY3T. . . . . GGK 2291

THA3 HE HOMERED HETERLY HURT HYM NO MORE . . . . GGK 2311
THE HURT WAT3 HOLE THAT HE HADE HENT IN HIS NEK. . . . . GGK 2484
WHEN HEUY HERTTES BEN HURT WYTH HETHYNG OTHER ELLES . . . . . PAT 2
THA3 HE WERE HURT AND WOUNDE HADE . . . . PRL 1142
HURTING
AND WYTHHALDE MY HONDE FOR HORTYNG ON LEDE . . . . CLN 740
HURTS
HE HURTE3 OF THE HOUNDE3 AND THAY . . . . GGK 1452
HURTE3 HEM FUL HETERLY THER HE FORTH HY3E3 . . . . GGK 1462
HURTE3 (V. HURTS)
HUYDE (V. HIDE)
HUYDE (V. HIDE)
HUYLE (V. HILE)
HWE (ALSO V. HUE)
HA3ERLY IN HIS AUNE HWE HIS HEUED WAT3 COUERED . . . . CLN 1707
NO HWE GOUD ON HIR HEDE BOT THE HA3ER STONES. . . . . GGK 1738
HWED (V. HUED)
HWEN (V. HEW)
HWES (V. HUES)
HWE3 (V. HUES)
HYDE (V. HIDE)
HYDEN (V. HIDE)
HYDER (V. HITHER)
HYDROPIC
DRYE FOLK AND YDROPIKE AND DEDE AT THE LASTE. . . . . CLN 1096
HYGHE (V. HI, HIGH)
HYL (V. HILL)
HYLCOPPE
ARAYED TO THE WEDDYNG IN THAT HYLCOPPE. . . . . PRL 791
HYLCOT
ARAYED TO THE WEDDYNG IN THAT HYLCOT . . . . PRL 3 791
HYLLE (V. HILL)
HYLLE3 (V. HILLS)
HYM (APP. 1)
HYMSELF (APP. 1)
HYMSELUE (APP. 1)
HYMSELUEN (APP. 1)
HYNDE (V. HENDE)
HYNDE3 (V. HINDS)
HYNE
AND SAYDE SOFTELY TO HIRSELF THIS VNSAUERE HYNE. . . . . CLN 822
THAT DATE OF 3ERE WEL KNAWE THYS HYNE . . . . PRL 505
THE GENTYLE LORDE THENNE PAYE3 HYS HYNE . . . . PRL 632
HE GEF VS TO BE HIS HOMLY HYNE . . . . PRL 1211
HYPPED
THE HEDE HYPPED A3AYN WERESOEUER HIT HITTE . . . . GGK 1459
HE HYPPED OUER ON HYS AX AND ORPEDLY STRYDE3. . . . . GGK 2232
HYR (APP. 1)
HYRE (V. HIRE)
HYRED (V. HIRED)
HYRNE (ALSO V. HYRNE3)
HER3ED OUT OF VCHE HYRNE TO HENT THAT FALLES. . . . . PAT 178
WITH THAT HE HITTE TO A HYRNE AND HELDE HYM THERINNE . . . . . PAT 289
HYRNE3
HER3E3 OF ISRAEL THE HYRNE3 ABOUTE . . . . CLN 1294
HER3E3 OF ISRAEL THE HYRNE ABOUTE . . . . CLN V 1294
HYS (APP. 1)
HYSSE (APP. 1)
HYT (APP. 1)

HYTSELF (APP. 1)
HYTTE3 (V. HITS)
HYUE (V. HIVE)
HYUL (V. HILE)
HYURE (V. HIRE)
HY3 (V. HIE, HIGH)
HY3E (V. HIE, HIGH)
HY3ED (V. HIED)
HY3ES (V. HIE, HIES)
HY3E3
    AND FOR MY HY3E3 HEM BO3T TO BOWE HAF I MESTER . . . . CLN 67
HY3EST (V. HIGHEST)
HY3E3 (ALSO V. HIES)
HY3LY (V. HIGHLY)
HY3T (ALSO V. HEIGHT, HIGHT)
    HEF AND HALED VPON HY3T TO HELPEN HYMSELUEN . . . . PAT 219
HY3TE (V. HIGHT)
HY3TLED
    THE HOUS AND THE ANOURNEMENTES HE HY3TLED TOGEDERE. . . . . CLN 1290
I (APP. 1)
IAPES (V. JAPES)
IAPES (V. JAPES)
IAUELES
    THAT HIS IUELES SO GENT WYTH IAUELES WER FOULED. . . . . . . CLN 1495
IBRAD (CP. BRADDE)
    HIS BERDE IBRAD ALLE HIS BREST TO THE BARE VRTHE . . . . . . CLN 1693
ICHOSE (V. CHOSEN)
ICICLES
    AND HENGED HE3E OUER HIS HEDE IN HARD YSSEIKKLES . . . . . . GGK 732
IDLE
    AND YDEL MEN STANDE HE FYNDE3 THERATE . . . . PRL 514
    WHY STANDE 3E YDEL HE SAYDE TO THOS. . . . . PRL 515
    HE SE3 THER YDEL MEN FUL STRONGE. . . . . PRL 531
    WY STONDE 3E YDEL THISE DAYE3 LONGE. . . . . PRL 533
IDOLATRY
    HE VSED ABOMINACIONES OF IDOLATRYE . . . . CLN 1173
IDOLATRYE (V. IDOLATRY)
IDOLS
    HE HURLYD OWT HOR YDOLS AND HADE HYM IN SAYNTES. . . . . . . ERK 17
    FOR HE WAS DRYGHTYN DERREST OF YDOLS PRAYSID. . . . . ERK 29
IEAUNTE3 (V. GIANTS)
IENTYLE (V. GENTLE)
IERICO (V. JERICHO)
IERUSALEM (V. JERUSALEM)
IESUS (V. JESUS)
ILES (V. ISLES)
ILK
    FOR CERTE3 THYSE ILK RENKE3 THAT ME RENAYED HABBE . . . . . . CLN 105
    THAT THAT ILK PROPER PRYNCE THAT PARADYS WELDE3. . . . . . . CLN 195
    THAT AL SPEDE3 AND SPYLLE3 HE SPEKES WYTH THAT ILKE . . . . . CLN 511
    THAT ILKE SKYL FOR NO SCATHE ASCAPED HYM NEUER . . . . CLN 569
    FUL FELLY FOR THAT ILK FAUTE FORFERDE A KYTH RYCHE. . . . . . CLN 571
    AND AL WAT3 FOR THIS ILK EUEL THAT VNHAPPEN GLETTE. . . . . . CLN 573
    PRESTLY AT THIS ILKE POYNTE SUM POLMENT TO MAKE. . . . . . . CLN 628
    WHERESO WONYED THIS ILKE WY3 THAT WENDE3 WYTH OURE LORDE. . . CLN 675
    IN THAT ILK EUENTYDE BY AUNGELS TWEYNE. . . . . CLN 782
    WYTH THOSE ILK THAT THOW WYLT THAT THRENGE THE AFTER . . . . . CLN 930
    3ET NOLDE NEUER NABUGO THIS ILKE NOTE LEUE . . . . CLN 1233
    WAT3 NOT THIS ILKE WORDE ONE WONNEN OF HIS MOWTHE . . . . . . CLN 1669

FOR DA3ED NEUER ANOTHER DAY THAT ILK DERK AFTER. CLN 1755
ER DALT WERE THAT ILK DOME THAT DANYEL DEUYSED . CLN 1756
AND AL HIS WEDE VNWEMMYD THUS YLKA WEGHE ASKYD . ERK 96
BOT THAT ILKE NOTE WOS NOGHT FOR NOURNE NONE COUTHE ERK 101
BISSHOP QUOTH THIS ILKE BODY THI BODE IS ME DERE ERK 193
THEN IN ANY OTHER THAT I WOT SYN THAT ILK TYME . GGK 24
THE FOLE THAT HE FERKKES ON FYN OF THAT ILKE. GGK 173
TO WELCUM THIS ILK WY3 AS WORTHY HOM THO3T GGK 819
AND OF THAT ILK NW3ERE BOT NEKED NOW WONTE3 . GGK 1062
BOT I LOUUE THAT ILK LORDE THAT THE LYFTE HALDE3 GGK 1256
THIS IS SOTH QUOTH THE SEGGE I SAY YOW THAT ILKE GGK 1385
WHERE 3E WAN THIS ILK WELE BI WYTTE OF 3ORSELUEN GGK 1394
THIS DAY WYTH THIS ILK DEDE THAY DRYUEN ON THIS WYSE . GGK 1468
NOW WITH THIS ILK SWYN THAY SWENGEN TO HOME . GGK 1615
AND HIS HODE OF THAT ILKE HENGED ON HIS SCHULDER GGK 1930
AND THAY 3ELDEN HYM A3AYN 3EPLY THAT ILK . GGK 1981
BOT WERED NOT THIS ILK WY3E FOR WELE THIS GORDEL GGK 2037
AND TALK WYTH THAT ILK TULK THE TALE THAT ME LYSTE. GGK 2133
AND RYDE ME DOUN THIS ILK RAKE BI 3ON ROKKE SYDE GGK 2144
FOR HIT IS MY WEDE THAT THOU WERE3 THAT ILKE WOUEN GIRDEL GGK 2358
THENK VPON THIS ILKE THREPE THER THOU FORTH THRYNGE3 . GGK 2397
WITH GLOPNYNG OF THAT ILKE GOMEN THAT GOSTLYCH SPEKED. GGK 2461
HE CALDE ON THAT ILK CRAFTE HE CARF WYTH HIS HONDES PAT 131
TRULY THIS ILK TOUN SCHAL TYLTE TO GROUNDE PAT 361
WAT3 NOT THIS ILK MY WORDE THAT WORTHEN IS NOUTHE . PAT 414
BY THYS ILKE SPECH I HAUE ASSPYED PRL 704
AS DERELY DEUYSE3 THIS ILK TOUN . PRL 995

ILKE (V. ILK)

ILL

THENNE THE LUDYCH LORDE LYKED FUL ILLE. CLN 73
AND ENGENDERED ON HEM IEAUNTE3 WYTH HER JAPE3 ILLE. CLN 272
THAY HAN LERNED A LYST THAT LYKE3 ME ILLE. CLN 693
BOT FOR I HAF THIS TALKE TAT3 TO NON ILLE. CLN 735
AND 3E AR IOLYF GENTYLMEN YOUR IAPE3 AR ILLE. CLN 864
AL IN SMOLDERANDE SMOKE SMACHANDE FUL ILLE CLN 955
THENNE EFTE LASTES HIT LIKKES HE LOSES HIT ILLE. CLN 1141
AND THAT MY LEGGE LADY LYKED NOT ILLE . GGK 346
ICHE TOLKE MON DO AS HE IS TAN TAS TO NON ILLE . GGK 1811
THEN AY THROW FORTH MY THRO THA3 ME THYNK YLLE . PAT 8
LO THY DOM IS THE DY3T FOR THY DEDES ILLE. PAT 203
HONDELYNGE3 HARME THAT DYT NOT ILLE. PRL 681
ME PAYED FUL ILLE TO BE OUTFLEME. PRL 1177

ILLE (V. ILL)

ILLE3 (V. ILLS)

ILYCH (V. ALIKE)

ILLS

ALLE ILLE3 HE HATES AS HELLE THAT STYNKKE3 CLN 577

ILYCHE (V. ALIKE)

IMAGE

THAT HO NAS STADDE A STIFFE STON A STALWORTH IMAGE. CLN 983
IN THE INNERMORE HALF OF HIS SCHELDE HIR YMAGE DEPAYNTED. GGK 649
IN THE MORE HALF OF HIS SCHELDE HIR YMAGE DEPAYNTED GGK V 649

INCENSE

THER KESTEN ENSENS OF SWETE SMELLE . PRL 1122

INCLINE

TO THE KYNG HE CAN ENCLYNE. GGK 340
THE NIY3T OF DETH DOT3 TO ENCLYNE PRL 630
FOR PYTY OF MY PERLE ENCLYIN . PRL 1206
THE MY3T OF DETH DOT3 TO ENCLYNE. PRL 1 630

THE MY3T OF DETH DOT3 TO ENCLYNE. PRL 2 630
THE MY3T OF DETH DOT3 TO ENCLYNE. PRL 3 630
INCLINED
AL IS THE MYNDE OF THE MAN TO MALYCE ENCLYNED CLN 518
INCLINING
ENCLYNANDE LOWE IN WOMMON LORE PRL 236
INCREASE
THER GLORY AND BLYSSE SCHAL EUER ENCRES PRL 959
INDE
TO COLDE WER ALLE CALDE AND KYTHES OF YNDE CLN 1231
AND AL IN ASURE AND YNDE ENAUMAYLD RYCHE CLN 1411
THE PROWDE PRYNCE OF PERCE AND PORROS OF YNDE CLN 1772
OF BOLLE3 AS BLWE AS BLE OF YNDE. PRL 76
THE AMATYST PURPRE WYTH YNDE BLENTE. PRL 1016
INDENT
ANON THE DAY WYTH DERK ENDENTE PRL 629
THE TOPASYE TWYNNEHEW THE NENTE ENDENT. PRL 1012
INDENTURE
AND ALLE THE ENDENTUR DRYUEN DAUBE WYTHOUTEN. CLN 313
INDITE
AND DOGGE3 TO DETHE ENDITE. GGK 1600
THAT THE VERTUES OF HEUEN OF JOYE ENDYTE PRL 1126
INHELDE
AS VCH ON HADE HYM INHELDE HE HALED OF THE CUPPE CLN V 1520
INHERIT
AND THENNE ENHERITE THAT HOME THAT AUNGELE3 FORGART CLN 240
INLYCHE (V. ALIKE)
INMONG (V. AMONG)
INMONGE3 (CP. AMONG)
AND MULTYPLYED MONYFOLDE INMONGE3 MANKYNDE CLN 278
INMYDE3 (V. INMYDDE3)
INMYDDE
INMYDDE THE POYNT OF HIS PRYDE DEPARTED HE THERE CLN 1677
INMYDDES (V. INMYDDE3)
INMYDDE3
NOW INMYDDE3 THE METE THE MAYSTER HYM BITHO3T CLN 125
WITH GAY GAUDI OF GRENE THE GOLDE AY INMYDDES GGK 167
EUEN INMYDDE3 AS THE MESSE METELY COME. GGK 1004
HE METE3 ME THIS GODMON INMYDDE3 THE FLORE GGK 1932
INMYDDE3 HYR BRESTE WAT3 SETTE SO SURE. PRL 222
LO EUEN INMYDDE3 MY BRESTE HIT STODE PRL 740
INMYDE3 THE TRONE THERE SAYNTE3 SETE PRL 835
INNERMORE
IN THE INNERMORE HALF OF HIS SCHELDE HIR YMAGE DEPAYNTED. GGK 649
AND INNERMORE HE BEHELDE THAT HALLE FUL HY3E. GGK 794
INNOCENCE
BY INNOCENS AND NOT BY RY3TE PRL 708
AT INOSCENCE IS SAF BY RY3TE PRL 2 672
INNOCENT
BOT INNOGHE OF GRACE HAT3 INNOCENT PRL 625
SAUE3 EUERMORE THE INNOSSENT PRL 666
AND INOSCENTE IS SAF AND RY3TE PRL 672
THE INNOSENT IS AY SAF BY RY3T PRL 684
THE INNOSENT IS AY SAUE BY RY3TE. PRL 696
THE INNOCENT IS AY SAF BY RY3T PRL 720
INNOCENS (V. INNOCENCE)
INNOME
ALEGGE THE RY3T THOU MAY BE INNOME PRL 703
INNOGH (V. ENOUGH)

INNOGHE (V. ENOUGH)
INNOSENT (V. INNOCENT)
INNOSSENT (V. INNOCENT)
INNOWE (V. ENOUGH)
INNO3E (V. ENOUGH)
INOBEDIENT
    ADAM INOBEDYENT ORDAYNT TO BLYSSE . . . . CLN 237
INOBEDYENT (V. INOBEDIENT)
INOGH (V. ENOUGH)
INOGHE (V. ENOUGH)
INOSCENCE (V. INNOCENCE)
INOSCENTE (V. INNOCENT)
INOW (V. ENOUGH)
INO3 (V. ENOUGH)
INO3E (V. ENOUGH)
INPRISONMENT
    ON PAYNE OF ENPRYSONMENT AND PUTTYNG IN STOKKE3. . . . . CLN 46
INQUEST
    FORTHY SIR THIS ENQUEST I REQUIRE YOW HERE . . . . GGK 1056
INSAMPLE
    INSAMPLE HE CAN FUL GRAYTHELY GESSE. . . . . PRL 2 499
    INSAMPLE HE CAN FUL GRAYTHELY GESSE. . . . . PRL 3 499
INSEME
    THERE SEUEN SYNGNETTE3 WERN SETTE INSEME . . . . PRL 1 838
    THERE SEUEN SYNGNETTE3 WERN SETTE INSEME . . . . PRL 2 838
    THERE SEVEN SYNGNETTE3 WERN SETTE INSEME . . . . PRL 3 838
INSIGHT
    HE HADE SO HUGE AN INSY3T TO HIS AUNE DEDES . . . . CLN 1659
INSPRANC
    ALLE THAT SPYRAKLE INSPRANC NO SPRAWLYNG AWAYLED . . . . . . CLN 408
INSTRUMENTES (V. INSTRUMENTS)
INSTRUMENTS
    FOR AUNGELLES WYTH INSTRUMENTES OF ORGANES AND PYPES . . . . . CLN 1081
INSY3T (V. INSIGHT)
INTENT
    AND HALDEN ME THER IN TRWE ENTENT . . . . PRL 1191
    I AM INTENT YOW TO TELLE THOF TARY HYT ME SCHULDE . . . . GGK 624
INTERLUDES
    LAYKYNG OF ENTERLUDE3 TO LA3E AND TO SYNG. . . . . GGK 472
INURNDE (V. ENNOURNED)
INWITH
    AS BE HONEST VTWYTH AND INWITH ALLE FYLTHE3 . . . . CLN 14
    HUNGRIE INWITH HELLEHOLE AND HERKEN AFTER MEELES . . . . ERK 307
    FOR ALLE THE LONDE INWYTH LOGRES SO ME OURE LORDE HELP . . . . GGK 1055
    AND AL WAT3 HOL3 INWITH NOBOT AN OLDE CAUE . . . . GGK 2182
    THOU MAY BOT INWYTH NOT A FOTE . . . . PRL 970
INWYTH (V. INWITH)
IOLY (V. JOLLY)
IOLYF (V. JOLLY)
IONAS (V. JONAS)
IOSTYSE (V. JUSTICE)
IOY (V. JOY)
IOYE (V. JOY)
IOYFOL (V. JOYFUL)
IOYFUL (V. JOYFUL)
IOYLES (V. JOYLESS)
IOYLE3 (V. JOYLESS)
IOYNE (V. JOIN)
IOYNED (V. JOINED, JOYNED)

IOYNTES (V. JOINTS)
IOYST
    THAT ALLE GENDRE3 SO IOYST WERN IOYNED WYTHINNE. . . . . CLN 434
IRE
    IN THE ANGER OF HIS IRE THAT AR3ED MONY . . . . CLN 572
    3IF THOU TYNE3 THAT TOUN TEMPRE THYN YRE . . . . CLN 775
    AND ENTERES IN FUL ERNESTLY IN YRE OF HIS HERT . . . . CLN 1240
    BOT ER HARME HEM HE WOLDE IN HASTE OF HIS YRE . . . . CLN 1503
IRKED
    WHETTE3 HIS WHYTE TUSCHE3 WITH HYM THEN IRKED . . . . GGK 1573
IRON
    KAGHTEN BY THE CORNERS WITH CROWES OF YRNE . . . . ERK 71
    THAT WAT3 WOUNDEN WYTH YRN TO THE WANDE3 ENDE . . . . GGK 215
    AND SCHRANKE A LYTEL WITH THE SCHULDERES FOR THE SCHARP YRNE . GGK 2267
IRONS
    NER SLAYN WYTH THE SLETE HE SLEPED IN HIS YRNES. . . . . GGK 729
IS (APP. 1)
ISAIAH
    THE PROFETE YSAYE OF HYM CON MELLE . . . . PRL 797
    HE WORDE3 ACORDED TO YSAYE. . . . . PRL 819
ISLE
    AS QUO SAYS LO 3ON LOUELY YLE. . . . . PRL 693
ISLES
    WELNE3E OF AL THE WELE IN THE WEST ILES . . . . GGK 7
    ALLE THE ILES OF ANGLESAY ON LYFT HALF HE HALDE3 . . . . GGK 698
ISRAEL
    HE HER3ED VP ALLE ISRAEL AND HENT OF THE BESTE . . . . CLN 1179
    HER3E3 OF ISRAEL THE HYRNE3 ABOUTE . . . . CLN 1294
    THAT WAT3 ATHEL OUER ALLE ISRAEL DRY3TYN . . . . CLN 1314
    I AM AN EBRU QUOTH HE OF ISRAYL BORNE . . . . PAT 205
    OF ISRAEL BARNE3 FOLEWANDE HER DATE3 . . . . PRL 1040
ISRAYL (V. ISRAEL)
IUDE (V. JUDEA)
IUEL (V. JEWEL)
IUELE (V. JEWEL)
IUELER (V. JEWELLER)
IUELES (V. JEWELS)
IUELE3 (V. JEWELS)
IUELRYE (V. JEWELRY)
IUES (V. JEWS)
IUGE (V. JUDGE)
IUGEMENT (V. JUDGMENT)
IUGGE (V. JUDGE)
IUGGED (V. JUDGED)
IUGGEMENT (V. JUDGMENT)
IUGGID (V. JUDGED)
IUGGIT (V. JUDGED)
IUISE (V. JUIS)
IUSTIFIET (V. JUSTIFIED)
IUSTISED (V. JUSTICED)
IUSTISES (V. JUSTICES)
IUSTYNG (V. JOUSTING)
IWIS (V. IWYSSE)
IWYIS (V. IWYSSE)
IWYS (V. IWYSSE)
IWYSE (V. IWYSSE)
IUYNE (CP. JEW)
    IN JUDA THAT IUSTISED THE IUYNE KYNGES. . . . . CLN 1170
IVORY

HYR VYSAYGE WHYT AS PLAYN YUORE . . . . . PRL 178

IWAIN

AND YWAN VRYN SON ETTE WIT HYMSELUEN . . . . . GGK 113
AYWAN AND ERRIK AND OTHER FUL MONY . . . . . GGK 551

IWYSSE

THISE OTHER WRECHE3 IWYSSE WORTHY NO3T WERN . . . . . CLN 84
AND SAYDE WY3E WELCUM IWYS TO THIS PLACE . . . . . GGK 252
AND THAT HAT3 WAYNED ME HIDER IWYIS AT THIS TYME . . . . . GGK 264
WITHOUTEN ENDE AT ANY NOKE IWIS NOQUERE FYNDE . . . . . GGK 660
IWYSSE SIR QUYL I LEUE ME WORTHE3 THE BETTER. . . . . . GGK 1035
FORTHI IWYSSE BI 3OWRE WYLLE WENDE ME BIHOUES . . . . . GGK 1065
FOR I WENE WEL IWYSSE SIR WOWEN 3E ARE. . . . . . GGK 1226
AND NOW 3E AR HERE IWYSSE AND WE BOT OURE ONE . . . . . GGK 1230
IWYSSE WORTHY QUOTH THE WY3E 3E HAF WALED WEL BETTER . . . . . GGK 1276
THEN QUOTH WOWEN IWYSSE WORTHE AS YOW LYKE3 . . . . . GGK 1302
3E IWYSSE QUOTH THAT OTHER WY3E HERE IS WAYTH FAYREST. . . . . GGK 1381
IWYSSE WITH AS GOD WYLLE HIT WORTHE3 TO 3OURE3 . . . . . GGK 1387
WHAT IS THAT QUOTH THE WYGHE IWYSSE I WOT NEUER. . . . . . GGK 1487
IF I WERE WERNED I WERE WRANG IWYSSE 3IF I PROFERED . . . . . GGK 1494
AND WENT HIR WAYE IWYSSE . . . . . GGK 1557
NOW IWYSSE QUOTH THAT WY3E I WOLDE I HADE HERE . . . . . GGK 1801
THAT NEUER WY3E SCHULDE HIT WYT IWYSSE BOT THAY TWAYNE . . . . . GGK 1864
OF HYM AND SAYDE IWYSSE. . . . . . GGK 1890
NOW IWYSSE QUOTH WOWAYN WYSTY IS HERE . . . . . GGK 2189
IWYSSE THOU ART WELCOM WY3E TO MY PLACE . . . . . GGK 2240
IWYSSE . . . . . GGK 2526
FOR IWYSSE HIT ARN SO WYKKE THAT IN THAT WON DOWELLE3. . . . . PAT 69
THAT WY3E I WORCHYP IWYSSE THAT WRO3T ALLE THYNGES. . . . . . PAT 206
IWYSSE A WORTHLOKER WON TO WELDE I NEUER KEPED . . . . . PAT 464
BOT WOTHE3 MO IWYSSE THER WARE . . . . . PRL 151
IWYSE QUOTH I MY BLYSFOL BESTE . . . . . PRL 279
IS WORTHEN TO WORSCHYP AND WELE IWYSSE. . . . . . PRL 394
IWYSSE I LA3T A GRET DELYT. . . . . . PRL 1128

JACINTH

THE JACYNGHT THE ENLEUENTHE GENT. . . . . . PRL 1014

JACYNGHT (V. JACINTH)

JAMES

JUBITER AND JONO TO JHESU OTHER TO JAMES . . . . . ERK 22

JANGLANDE (V. JANGLING)

JANGLING

JONAS TOWARD PORT JAPH AY JANGLANDE FOR TENE. . . . . . PAT 90
JONAS AL JOYLES AND JANGLANDE VPRYSES . . . . . PAT 433

JAPE

DID NOT JONAS IN JUDE SUCHE JAPE SUMWHYLE. . . . . . PAT 57

JAPES

AND ENGENDERED ON HEM IEAUNTE3 WYTH HER JAPE3 ILLE. . . . . . CLN 272
AND 3E AR IOLYF GENTYLMEN YOUR IAPE3 AR ILLE. . . . . . CLN 864
WHO JOYNED THE BE IOSTYSE OURE IAPE3 TO BLAME . . . . . CLN 877
IN NO GYNFUL IUGEMENT NO IAPES TO MAKE. . . . . . ERK 238
MONY IOYLE3 FOR THAT IENTYLE IAPE3 THER MADEN . . . . . GGK 542
BOTHE THE MON AND THE MEYNY MADEN MONY IAPE3. . . . . . GGK 1957

JAPE3 (V. JAPES)

JAPH (V. JOPPA)

JAPHETH

AND THE JOLEF JAPHETH WAT3 GENDERED THE THRYD . . . . . CLN 300

JASPER

JASPER HY3T THE FYRST GEMME . . . . . PRL 999
O JASPORYE AS GLAS THAT GLYSNANDE SCHON . . . . . PRL 1018
THE WAL OF JASPER THAT GLENT AS GLAYRE. . . . . . PRL 1026

Headword / Line	Text	Line
JASPORYE (V. JASPER)		
JENTYLE (V. GENTLE)		
JEOPARDY		
TO JOYNE WYTH HYM IN IUSTYNG IN JOPARDE TO LAY	GGK	97
HIT WERE A JUEL FOR THE JOPARDE THAT HYM IUGGED WERE	GGK	1856
THAT GENTYL SAYDE LYS NO JOPARDE.	PRL	602
JERICHO		
AND ALLE HISE GENTYLE FORIUSTED ON IERICO PLAYNES	CLN	1216
JERUSALEM		
HOV THE GENTRYSE OF JUISE AND JHERUSALEM THE RYCHE.	CLN	1159
AND THE GENTYLEST OF JUDEE IN JERUSALEM BISEGED.	CLN	1180
HE IOYNED VNTO JERUSALEM A GENTYLE DUC THENNE	CLN	1235
IN IUDE IN IERUSALEM IN GENTYLE WYSE	CLN	1432
THE IUELES OUT OF IERUSALEM WYTH GEMMES FUL BRY3T	CLN	1441
THE NWE CYTE O JERUSALEM	PRL	792
OF JERUSALEM I IN SPECHE SPELLE	PRL	793
QUEN JUE3 HYM IUGGED IN JERUSALEM	PRL	804
IN JERUSALEM WAT3 MY LEMMAN SLAYN	PRL	805
FOR VS HE SWALT IN JERUSALEM	PRL	816
IN JERUSALEM JORDAN AND GALALYE	PRL	817
THAT DY3ED FOR VS IN JERUSALEM	PRL	828
IN IERUSALEM THUS MY LEMMAN SWETE	PRL	829
IN HELLE IN ERTHE AND JERUSALEM	PRL	840
THYS JERUSALEM LOMBE HADE NEUER PECHCHE	PRL	841
THOU TELLE3 ME OF JERUSALEM THE RYCHE RYALLE.	PRL	919
THE OLDE JERUSALEM TO VNDERSTONDE	PRL	941
AND JERUSALEM HY3T BOTHE NAWTHELES	PRL	950
JERUSALEM SO NWE AND RYALLY DY3T.	PRL	987
JESU (V. JESUS)		
JESUS		
JUBITER AND JONO TO JHESU OTHER TO JAMES	ERK	22
SYTHEN JHESUS HAS IUGGIT TODAY HIS IOY TO BE SCHEWYDE.	ERK	180
JESUS AND SAYN GILYAN THAT GENTYLE AR BOTHE	GGK	774
BOT MY LADY OF QUOM JESU CON SPRYNG.	PRL	453
AL ARN WE MEMBRE3 OF JESU KRYST	PRL	458
HOW JESUS HYM WELKE IN ARETHEDE	PRL	711
JESUS THENNE HEM SWETELY SAYDE	PRL	717
IESUS CON CALLE TO HYM HYS MYLDE.	PRL	721
WHEN JESUS CON TO HYM WARDE GON	PRL	820
JEW (CP. IUYNE, JUISE)		
WAT3 NEUER SO JOYFUL A JUE AS JONAS WAT3 THENNE.	PAT	109
SAF JONAS THE JWE THAT JOWKED IN DERNE.	PAT	182
NOW IS JONAS THE JWE JUGGED TO DROWNE	PAT	245
JEWEL		
HIT WERE A JUEL FOR THE JOPARDE THAT HYM IUGGED WERE	GGK	1856
O MOUL THOU MARRE3 A MYRY IUELE	PRL	23
WHAT WYRDE HAT3 HYDER MY IUEL VAYNED	PRL	249
THAT JUEL THENNE IN GEMME3 GENTE.	PRL	253
A JUEL TO ME THEN WAT3 THYS GESTE	PRL	277
MY LOMBE MY LORDE MY DERE JUELLE.	PRL	795
SO CUMLY A PAKKE OF JOLY JUELE	PRL	929
AL SONGE TO LOUE THAT GAY JUELLE.	PRL	1124
JEWELLER		
I HAF BEN A JOYLE3 JUELERE.	PRL	252
IF THOU WERE A GENTYL JUELER	PRL	264
BOT JUELER GENTE IF THOU SCHAL LOSE.	PRL	265
THOU ART NO KYNDE JUELER	PRL	276
I WERE A IOYFUL JUELER	PRL	288
JUELER SAYDE THAT GEMME CLENE.	PRL	289

THAT MAY NO IOYFOL JUELER	PRL	300
I HALDE THAT IUELER LYTTEL TO PRAYSE	PRL	301
THAT THE JUELER SO3TE THUR3 PERRE PRES.	PRL	730
THE JOUELER GEF FORE ALLE HYS GOD	PRL	734
JEWELRY		
BOT THE IOY OF THE IUELRYE SO GENTYLE AND RYCHE.	CLN	1309
JEWELS		
AND IUELE3 WERN HYR GENTYL SAWE3.	PRL	278
THAT HIS IUELES SO GENT WYTH IAUELES WER FOULED.	CLN	1495
THE IUELES OUT OF IERUSALEM WYTH GEMMES FUL BRY3T	CLN	1441
JEWS		
HIS NAME WAT3 NABU3ARDAN TO NOYE THE IUES.	CLN	1236
THAT CA3T WAT3 IN THE CAPTYUIDE IN CUNTRE OF IUES	CLN	1612
QUEN JUE3 HYM IUGGED IN JERUSALEM	PRL	804
JHESU (V. JESUS)		
JHESUS (V. JESUS)		
JOHN		
THE KNY3T SAYDE BE SAYN JON	GGK	1788
BOT CRYSTES MERSY AND MARY AND JON	PRL	383
SANT JOHN HEM SY3 AL IN A KNOT	PRL	788
THER AS BAPTYSED THE GOUDE SAYNT JON	PRL	818
THE APOSTEL JOHN HYM SA3 AS BARE.	PRL	836
I SEGHE SAYS JOHN THE LOUMBE HYM STANDE	PRL	867
AS DEUYSE3 HIT THE APOSTEL JHON	PRL	984
AS JOHN THE APOSTEL HIT SY3 WYTH SY3T	PRL	985
IN APOCALYPPE3 THE APOSTEL JOHN	PRL	996
AS JOHN THISE STONE3 IN WRIT CON NEMME.	PRL	997
IN THE APOCALYPPCE THE APOSTEL JOHN.	PRL	1008
3ET JOYNED JOHN THE CRYSOLYT	PRL	1009
IN THE APOCALYPPE3 THE APOSTEL JOHN.	PRL	1020
AS JOHN DEUYSED 3ET SA3 I THARE	PRL	1021
FOR METEN HIT SY3 THE APOSTEL JOHN	PRL	1032
AS JOHN HYM WRYTE3 3ET MORE I SY3E	PRL	1033
AS JOHN THE APPOSTEL IN TERME3 TY3TE	PRL	1053
THE APOSTEL JOHN HYM SY3 AS BARE.	PRL 1	836
THE APOSTEL JOHN HYM SY3 AS BARE.	PRL 3	836
JOHNS		
THE IOYE OF SAYN JONE3 DAY WAT3 GENTYLE TO HERE.	GGK	1022
JOIN		
AND IOYNE TO HER IUGGEMENT HER IUISE TO HAUE.	CLN	726
TO JOYNE WYTH HYM IN IUSTYNG IN JOPARDE TO LAY	GGK	97
3ET JOYNED JOHN THE CRYSOLYT	PRL	1009
JOINED		
THAT ALLE GENDRE3 SO IOYST WERN IOYNED WYTHINNE.	CLN	434
JOINT		
THAT ON JOURNAY FUL JOYNT JONAS HYM 3EDE	PAT	355
JOINTS		
THE STRONGE STROK OF THE STONDE STRAYNED HIS IOYNTES	CLN	1540
JOLEF (V. JOLLY)		
JOLILE (V. JOLLILY)		
JOLLILY		
JUSTED FUL JOLILE THISE GENTYLE KNI3TES	GGK	42
JOLLY		
AND THE JOLEF JAPHETH WAT3 GENDERED THE THRYD	CLN	300
AND 3E AR IOLYF GENTYLMEN YOUR IAPE3 AR ILLE.	CLN	864
I IUSTIFIET THIS IOLY TOUN ON GENTIL WISE.	ERK	229
HE WAT3 SO JOLY OF HIS JOYFNES AND SUMQUAT CHILDGERED.	GGK	86
THA3 THAY BE JOLEF FOR JOYE JONAS 3ET DREDES.	PAT	241

OF OTHER HUEE BOT QUYT JOLYF	PRL		842
SO CUMLY A PAKKE OF JOLY JUELE	PRL		929
JOLY (V. JOLLY)			
JOLYF (V. JOLLY)			
JON (V. JOHN)			
JONAS			
DID NOT JONAS IN JUDE SUCHE JAPE SUMWHYLE.	PAT		57
JONAS JOYNED WAT3 THERINNE JENTYLE PROPHETE	PAT		62
JONAS TOWARD PORT JAPH AY JANGLANDE FOR TENE.	PAT		90
WAT3 NEUER SO JOYFUL A JUE AS JONAS WAT3 THENNE.	PAT		109
HIT WAT3 A IOYLES GYN THAT JONAS WAT3 INNE	PAT		146
SAF JONAS THE JWE THAT JOWKED IN DERNE.	PAT		182
AND AY THE LOTE VPON LASTE LYMPED ON JONAS	PAT		194
BOT IONAS INTO HIS JUIS JUGGE BYLYUE	PAT		224
THA3 THAY BE JOLEF FOR JOYE JONAS 3ET DREDES.	PAT		241
NOW IS JONAS THE JWE JUGGED TO DROWNE	PAT		245
THAT ON JOURNAY FUL JOYNT JONAS HYM 3EDE	PAT		355
MUCHE SOR3E THENNE SATTELED VPON SEGGE JONAS.	PAT		409
JONAS AL JOYLES AND JANGLANDE VPRYSES	PAT		433
JONE3 (V. JOHNS)			
JONO (V. JUNO)			
JOPARDE (V. JEOPARDY)			
JOPPA			
JONAS TOWARD PORT JAPH AY JANGLANDE FOR TENE.	PAT		90
JORDAN			
IN JERUSALEM JORDAN AND GALALYE	PRL		817
JOUELER (V. JEWELLER)			
JOURNAY (V. JOURNEY)			
JOURNEY			
THAT ON JOURNAY FUL JOYNT JONAS HYM 3EDE	PAT		355
JOUSTED			
JUSTED FUL JOLILE THISE GENTYLE KNI3TES	GGK		42
JOUSTING			
TO JOYNE WYTH HYM IN IUSTYNG IN JOPARDE TO LAY	GGK		97
JOWKED			
SAF JONAS THE JWE THAT JOWKED IN DERNE.	PAT		182
JOY			
AND CHERISCH HEM ALLE WYTH HIS CHER AND CHAUFEN HER JOYE.	CLN		128
THEN WAT3 THER JOY IN THAT GYN WHERE WAT3 JUMPRED ER DRY3E	CLN		491
AND NABUGODENO3AR MAKES MUCH IOYE	CLN		1304
BOT THE IOY OF THE IUELRYE SO GENTYLE AND RYCHE.	CLN		1309
THEN WAT3 THER JOY IN THAT GYN WHERE JUMPRED ER DRY3ED	CLN	V	491
SYTHEN JHESUS HAS IUGGIT TODAY HIS IOY TO BE SCHEWYDE.	ERK		180
QUETHER ART THOU IOYNED TO IOY OTHER IUGGID TO PYNE	ERK		188
THER WAT3 METE THER WAT3 MYRTHE THER WAT3 MUCH IOYE	GGK		1007
THE IOYE OF SAYN JONE3 DAY WAT3 GENTYLE TO HERE.	GGK		1022
TO THE PLEASAUNCE OF YOUR PRYS HIT WERE A PURE IOYE	GGK		1247
AND ALLE THE MEN IN THAT MOTE MADEN MUCH JOYE	GGK		910
AND DROF THAT DAY WYTH JOY.	GGK		1176
MAKE WE MERY QUYL WE MAY AND MYNNE VPON JOYE.	GGK		1681
WI3T WALLANDE JOYE WARMED HIS HERT	GGK		1762
WITH COMLYCH CAROLES AND ALLE KYNNES IOYE.	GGK		1886
AMONG THE LADIES FOR LUF HE LADDE MUCH IOYE	GGK		1927
THE MON HEM MAYNTEINES IOY MOT HE HAUE.	GGK		2053
THE MON HEM MAYNTEINES IOY MOT THAY HAUE	GGK	V	2053
THA3 THAY BE JOLEF FOR JOYE JONAS 3ET DREDES.	PAT		241
BE PREUE AND BE PACIENT IN PAYNE AND IN JOYE.	PAT		525
THE MORE STRENGHTHE OF IOYE MYN HERTE STRAYNE3	PRL		128
THY IOY FOR A GEMME THAT THE WAT3 LEF	PRL		266

MORE HAF I OF IOYE AND BLYSSE HEREINNE. . . . . PRL 577
MY IOY MY BLYS MY LEMMAN FRE . . . . PRL 796
MY JOY FORTHY WAT3 MUCH THE MORE. . . . . PRL 234
OF ALLE MY JOY THE HY3E GATE . . . . PRL 395
THAT THE VERTUES OF HEUEN OF JOYE ENDYTE . . . . PRL 1126
THERFORE MY IOYE WAT3 SONE TORIUEN . . . . PRL 1197

JOYE (V. JOY)
JOYE3 (V. JOYS)
JOYFNES
HE WAT3 SO JOLY OF HIS JOYFNES AND SUMQUAT CHILDGERED. . . . GGK 86

JOYFUL
WAT3 NEUER SO JOYFUL A JUE AS JONAS WAT3 THENNE. . . . . . . PAT 109
I WERE A IOYFUL JUELER . . . . PRL 288
THAT MAY NO IOYFOL JUELER . . . . PRL 300

JOYLES (V. JOYLESS)
JOYLESS
MONY IOYLE3 FOR THAT IENTYLE IAPE3 THER MADEN . . . . GGK 542
HIT WAT3 A IOYLES GYN THAT JONAS WAT3 INNE . . . . PAT 146
JONAS AL JOYLES AND JANGLANDE VPRYSES . . . . PAT 433
I HAF BEN A JOYLE3 JUELERE. . . . . PRL 252

JOYLE3 (V. JOYLESS)
JOYNE (V. JOIN)
JOYNED (ALSO V. JOINED, CP. ENJOINED)
WHO JOYNED THE BE IOSTYSE OURE IAPE3 TO BLAME . . . . CLN 877
HE IOYNED VNTO JERUSALEM A GENTYLE DUC THENNE . . . . CLN 1235
QUETHER ART THOU IOYNED TO IOY OTHER IUGGID TO PYNE . . . . . ERK 188
JONAS JOYNED WAT3 THERINNE JENTYLE PROPHETE . . . . PAT 62

JOYNT (V. JOINT)
JOYS
THAT ALLE HIS FORSNES HE FONG AT THE FYUE JOYE3. . . . . . . GGK 646
THAT ALLE HIS FERSNES HE FENG AT THE FYUE JOYE3. . . . . . . GGK V 646

JUBITER (V. JUPITER)
JUDA (V. JUDAH)
JUDAH
IN JUDA THAT IUSTISED THE IUYNE KYNGES. . . . . CLN 1170

JUDE (V. JUDEA)
JUDEA
AND THE GENTYLEST OF JUDEE IN JERUSALEM BISEGED. . . . . . . CLN 1180
IN IUDE IN IERUSALEM IN GENTYLE WYSE . . . . CLN 1432
DID NOT JONAS IN JUDE SUCHE JAPE SUMWHYLE. . . . . PAT 57
HIT BITYDDE SUMTYME IN THE TERMES OF JUDE. . . . . PAT 61
BOT IN JUDEE HIT IS THAT NOBLE NOTE. . . . . PRL 922
THAT MOTE THOU MENE3 IN JUDY LONDE . . . . PRL 937

JUDEE (V. JUDEA)
JUDGE
THEN WAS I IUGE HERE ENIOYNYD IN GENTIL LAWE. . . . . ERK 216
BOT IONAS INTO HIS JUIS JUGGE BYLYUE . . . . PAT 224
I BISECHE THE SYRE NOW THOU SELF IUGGE. . . . . PAT 413

JUDGED
SYTHEN JHESUS HAS IUGGIT TODAY HIS IOY TO BE SCHEWYDE. . . . ERK 180
QUETHER ART THOU IOYNED TO IOY OTHER IUGGID TO PYNE . . . . . ERK 188
HIT WERE A JUEL FOR THE JOPARDE THAT HYM IUGGED WERE . . . . GGK 1856
NOW IS JONAS THE JWE JUGGED TO DROWNE . . . . PAT 245
QUERESOEUER I JUGGED GEMME3 GAYE. . . . . PRL 7
QUEN JUE3 HYM IUGGED IN JERUSALEM . . . . PRL 804

JUDGMENT
AND IOYNE TO HER IUGGEMENT HER IUISE TO HAUE. . . . . CLN 726
IN NO GYNFUL IUGEMENT NO IAPES TO MAKE. . . . . ERK 238

JUDY (V. JUDEA)

JUE (V. JEW)
JUEL (V. JUEWL)
JUELE (V. JEWEL)
JUELER (V. JEWELLER)
JUELERE (V. JEWELLER)
JUELLE (V. JEWEL)
JUE3 (V. JEWS)
JUGGE (V. JUDGE)
JUGGED (V. JUDGED)
JUIS
    AND IOYNE TO HER IUGGEMENT HER IUISE TO HAUE. . . . . CLN 726
    BOT IONAS INTO HIS JUIS JUGGE BYLYUE . . . . PAT 224
JUISE (CP. JEW)
    HOV THE GENTRYSE OF JUISE AND JHERUSALEM THE RYCHE. . . . . CLN 1159
JULIAN
    JESUS AND SAYN GILYAN THAT GENTYLE AR BOTHE . . . . GGK 774
JUMPRED
    THEN WAT3 THER JOY IN THAT GYN WHERE WAT3 JUMPRED ER DRY3E . . CLN 491
    THEN WAT3 THER JOY IN THAT GYN WHERE JUMPRED ER DRY3ED . . . CLN V 491
JUNO
    JUBITER AND JONO TO JHESU OTHER TO JAMES . . . . ERK 22
JUPITER
    JUBITER AND JONO TO JHESU OTHER TO JAMES . . . . ERK 22
JUSTED (V. JOUSTED)
JUSTICE
    WHO JOYNED THE BE IOSTYSE OURE IAPE3 TO BLAME . . . . CLN 877
JUSTICED
    IN JUDA THAT IUSTISED THE IUYNE KYNGES. . . . . CLN 1170
JUSTICES
    THAI CORONYD ME THE KIDDE KYNGE OF KENE IUSTISES . . . . . . ERK 254
JUSTIFIED
    I IUSTIFIET THIS IOLY TOUN ON GENTIL WISE. . . . . ERK 229
    FOR NON LYUYANDE TO THE IS JUSTYFYET . . . . PRL 700
JUSTYFYET (V. JUSTIFIED)
JWE (V. JEW)
KABLE (V. CABLE)
KACHANDE (V. CATCHING)
KACHE3 (V. CATCHES)
KAGHTEN (V. CAUGHT)
KAISER
    AS CONQUEROUR OF VCHE A COST HE CAYSER WAT3 HATTE . . . . . . CLN 1322
    KENE KYNG QUOTH THE QUENE KAYSER OF VRTHE. . . . . CLN 1593
    NEUER KYNGE NE CAYSER NE 3ET NO KNY3T NOTHYRE . . . . ERK 199
KAISERS
    KYNGES CAYSERES FUL KENE TO THE COURT WONNEN. . . . . CLN 1374
KAKE3 (V. CAKES)
KALLEN (V. CALLS)
KANEL
    AND KEPE THY KANEL AT THIS KEST 3IF HIT KEUER MAY . . . . . . GGK 2298
KARE (V. CARE)
KARK
    AND IN THE CONTRARE KARK AND COMBRAUNCE HUGE. . . . . CLN 4
    FOR HE KNEW VCHE A CACE AND KARK THAT HYM LYMPED . . . . . . PAT 265
KARLE (V. CARL)
KARP (V. CARP)
KART (V. CART)
KAST (V. CAST)
KASTE (V. CAST)
KASTEL (V. CASTLE)

KAUELACION (V. CAVILLATION)
KAY
THE KAY FOT ON THE FOLDE HE BEFORE SETTE . . . . GGK 422
KAYRE (V. CAYRE)
KAYRED (V. CAYRED)
KAYSER (V. KAISER)
KA3T (V. CAUGHT)
KA3TEN (V. CAUGHT)
KEEN
WYTH KENE CLOBBE3 OF THAT CLOS THAY CLATER3 ON THE WOWE3. . . . CLN 839
AND ALLE THAT SWYPPED VNSWOL3ED OF THE SWORDE KENE. . . . . . CLN 1253
SO KENE A KYNG IN CALDEE COM NEUER ER THENNE. . . . . CLN 1339
KYNGES CAYSERES FUL KENE TO THE COURT WONNEN. . . . . CLN 1374
KENE KYNG QUOTH THE QUENE KAYSER OF VRTHE. . . . . CLN 1593
THAT WERE CROKED AND KENE AS THE KYTE PAUUE . . . . CLN 1697
WYTH KENE CLOBBE3 OF THAT CLOS THAY CLAT3 ON THE WOWE3 . . . . CLN V 839
THAT WERE CROKED AND KENE AS THE KYTE PAUNE . . . . CLN V 1697
THAI CORONYD ME THE KIDDE KYNGE OF KENE IUSTISES . . . . ERK 254
THE KYNG AS KENE BI KYNDE . . . . GGK 321
THE KYNG AND THE GODE KNY3T AND KENE MEN HEM SERUED . . . . . GGK 482
THAT WAT3 YOUR ENMY KENE . . . . GGK 2406
QUEN CORNE IS CORUEN WYTH CROKE3 KENE . . . . PRL 40
KEENEST
CLERKES OUT OF CALDYE THAT KENNEST WER KNAUEN . . . . CLN 1575
KEENLY
AND THAY KAYRE NE CON AND KENELY FLOWEN . . . . CLN 945
THER COMMEN THIDER OF ALLE KYNNES SO KENELY MONY . . . . ERK 63
SO KENLY FRO THE KYNGE3 KOURT TO KAYRE AL HIS ONE . . . . GGK 1048
CLOWDES KESTEN KENLY THE COLDE TO THE ERTHE . . . . GGK 2001
KEEP
AND KEPE TO HIT AND ALLE HIT CORS CLANLY FULFYLLE . . . . . . CLN 264
I SCHAL WAYTE TO BE WAR HER WRENCHE3 TO KEPE. . . . . CLN 292
I QUITCLAYME HIT FOR EUER KEPE HIT AS HIS AUEN . . . . GGK 293
WHEN NON WOLDE KEPE HYM WITH CARP HE CO3ED FUL HY3E . . . . . GGK 307
KEPE THE COSYN QUOTH THE KYNG THAT THOU ON KYRF SETTE. . . . . GGK 372
3E KNOWE THE COST OF THIS CACE KEPE I NO MORE . . . . GGK 546
AND THE LYST LESE THY LYF THE LETTE I NE KEPE . . . . GGK 2142
AND KEPE THY KANEL AT THIS KEST 3IF HIT KEUER MAY . . . . . . GGK 2298
KEEPS
THA3 HE BE KEST INTO KARE HE KEPES NO BETTER. . . . . CLN 234
THAT WAT3 COMLY AND CLENE GOD KEPE3 NON OTHER . . . . CLN 508
AND OF THE KNY3T THAT HIT KEPES OF COLOUR OF GRENE. . . . . . GGK 1059
THE LORDE THAT HIS CRAFTE3 KEPES. . . . . GGK 1688
AND THE BORELYCH BURNE ON BENT THAT HIT KEPE3 . . . . GGK 2148
KEIES (V. KEYS)
KEN
BOT I SCHAL KENNE YOW BY KYNDE A CRAFTE THAT IS BETTER . . . . CLN 865
IN CONFIRMYNGE THI CRISTEN FAITHE FULSEN ME TO KENNE . . . . . ERK 124
THIS KASTEL TO KRYST I KENNE . . . . GGK 2067
THAY ACOLEN AND KYSSEN AND KENNEN AYTHER OTHER . . . . GGK V 2472
AND THENNE HE CRYED SO CLER THAT KENNE MY3T ALLE . . . . . . PAT 357
KENE (V. KEEN)
KENEL (V. KENNEL)
KENELY (V. KENNLY)
KENET
A KENET KRYES THEROF THE HUNT ON HYM CALLES . . . . GGK 1701
KENDE
I COMPAST HEM A KYNDE CRAFTE AND KENDE HIT HEM DERNE . . . . . CLN 697
3ET I KENDE YOW OF KYSSYNG QUOTH THE CLERE THENNE . . . . . . GGK 1489

KENLY (V. KEENLY)
KENNE (V. KEN)
KENNED
THAT HE COM TO KNAWLACH AND KENNED HYMSELUEN. . . . . CLN 1702
THA3 KYNDE OF KRYST ME COMFORT KENNED . . . . PRL 55
KENNEL
VNCLOSED THE KENEL DORE AND CALDE HEM THEROUTE . . . . GGK 1140
KENNEN (V. KEN)
KENNES (V. KENS)
KENNEST (V. KENS)
KENS
AND IF MON KENNES YOW HOM TO KNOWE 3E KEST HOM OF YOUR MYNDE . GGK 1484
KEPE (V. KEEP)
KEPED (V. KEPT)
KEPES (V. KEEPS)
KEPE3 (V. KEEPS)
KEPPTE (V. KEPT)
KEPT
WHEN THAY COM TO THE COURTE KEPPTE WERN THAY FAYRE. . . . . . CLN 89
BOT THE BALLEFUL BURDE THAT NEUER BODE KEPED. . . . . CLN 979
FOR HADE THE FADER BEN HIS FRENDE THAT HYM BIFORE KEPED . . . . CLN 1229
BY ASSENT OF THE SEXTENE THE SAYNTUARE THAI KEPTEN. . . . . . ERK 66
NE NO MONNES COUNSELLE MY CLOTHE HAS KEPYD VNWEMMYD . . . . . ERK 266
AND THENNE HE MEUED TO HIS METE THAT MENSKLY HYM KEPED . . . . GGK 1312
AND SYTHEN HIS OTHER HARNAYS THAT HOLDELY WAT3 KEPED . . . . . GGK 2016
IWYSSE A WORTHLOKER WON TO WELDE I NEUER KEPED . . . . PAT 464
KEPTEN (V. KEPT)
KEPYD (V. KEPT)
KER
SONE THAY CALLE OF A QUEST IN A KER SYDE . . . . GGK 1421
IN A KNOT BI A CLYFFE AT THE KERRE SYDE . . . . GGK 1431
THAY VMBEKESTEN THE KNARRE AND THE KERRE BOTHE . . . . GGK 1434
KERCHIEFS
KERCHOFES OF THAT ON WYTH MONY CLER PERLE3 . . . . GGK 954
KERCHOFES (V. KERCHIEFS)
KERRE (V. KER)
KERUE (V. CARVE)
KERUEN (V. CARVED)
KERUES (V. CARVES)
KEST (V. CAST)
KESTE (V. CAST)
KESTEN (V. CAST)
KESTES (V. CASTS)
KESTE3 (V. CASTS)
KEUE
THY CORSE IN CLOT MOT CALDER KEUE . . . . PRL 320
KEUED
BY3ONDE THE BROK FRO ME WARDE KEUED, ... PRL 981
KEUER
AND COWTHE VCHE KYNDAM TOKERUE AND KEUER WHEN HYM LYKED . . . . CLN 1700
ÇARANDE FOR HIS COSTES LEST HE NE KEUER SCHULDE. . . . . . . GGK 750
IF HE MY3T KEUER TO COM THE CLOYSTER WYTHINNE . . . . GGK 804
I SCHULDE KEUER THE MORE COMFORT TO KARP YOW WYTH . . . . . . GGK 1221
KEUER HEM COMFORT AND COLEN HER CARE3 . . . . GGK 1254
AND KEPE THY KANEL AT THIS KEST 3IF HIT KEUER MAY . . . . . . GGK 2298
THENNE NAS NO COUMFORT TO KEUER NE COUNSEL NON OTHER . . . . . PAT 223
ER MOSTE THOU CEUER TO OTHER COUNSAYLE. . . . . PRL 319
KEUERED
HE KEUERED HYM WYTH HIS COUNSAYL OF ÇAYTYF WYRDES . . . . . . CLN 1605

BOT QUEN THAT COMLY HE KEUERED HIS WYTTES. . . . . GGK 1755
BOT QUEN THAT COMLY COM HE KEUERED HIS WYTTES . . . . GGK V 1755
I KEUERED ME A CUMFORT THAT NOW IS CA3T FRO ME . . . . PAT 485
KEUERE3
WITH ANYSKYNNE3 COUNTENAUNCE HIT KEUERE3 ME ESE. . . . . . . GGK 1539
AND SYTHEN HE KEUERE3 BI A CRAGGE AND COME3 OF A HOLE. . . . . GGK 2221
KEYS
AND HE WYTH KEYES VNCLOSES KYSTES FUL MONY . . . . CLN 1438
MEN VNCLOSID HYM THE CLOYSTER WITH CLUSTREDE KEIES. . . . . . ERK 140
KEYES (V. KEYS)
KIDDE (V. KYDDE)
KILL
AN OUTCOMLYNG A CARLE WE KYLLE OF THYN HEUED. . . . . CLN 876
AND ALLE THE MAYDENES OF THE MUNSTER MA3TYLY HE KYLLEN . . . . CLN V 1267
KILLED
AND AL WAT3 CARFULLY KYLDE THAT THAY CACH MY3T . . . . CLN 1252
COM 3E THERE 3E BE KYLLED MAY THE KNY3T REDE. . . . . GGK 2111
KIN
OF MONY CLER KYNDES OF FELE KYN HUES . . . . CLN 1483
OF MONY CURIOUS KYNDES OF FELE KYN HUES . . . . CLN V 1483
DOUBLEFELDE AS HIT FALLE3 AND FELE KYN FISCHE3 . . . . GGK 890
BREUE ME BRY3T QUAT KYN OFFYS. . . . . PRL 755
QUAT KYN THYNG MAY BE THAT LAMBE. . . . . PRL 771
IF THOU WYL KNAW WHAT KYN HE BE . . . . PRL 794
BREUE ME BRY3T QUAT KYN OF TRIYS. . . . . PRL 2 755
KIND
THER WAT3 NO LAW TO HEM LAYD BOT LOKE TO KYNDE . . . . CLN 263
AND CONTROEUED AGAYN KYNDE CONTRARE WERKE3 . . . . CLN 266
OF VCHE CLENE COMLY KYNDE ENCLOSE SEUEN MAKE3 . . . . CLN 334
BOT NOE OF VCHE HONEST KYNDE NEM OUT AN ODDE. . . . . CLN 505
AND SETTE A SAKERFYSE THERON OF VCH A SER KYNDE. . . . . . . CLN 507
I COMPAST HEM A KYNDE CRAFTE AND KENDE HIT HEM DERNE . . . . . CLN 697
BOT I SCHAL KENNE YOW BY KYNDE A CRAFTE THAT IS BETTER . . . . CLN 865
THAT AY IS DROUY AND DYM AND DED IN HIT KYNDE . . . . CLN 1016
AND ALLE THE COSTE3 OF KYNDE HIT COMBRE3 VCHONE. . . . . . . CLN 1024
AND AS HIT IS CORSED OF KYNDE AND HIT COOSTE3 ALS . . . . . . CLN 1033
AND THER AR TRES BY THAT TERNE OF TRAYTOURES KYNDE. . . . . . CLN 1041
HO BY KYNDE SCHAL BECOM CLERER THEN ARE . . . . CLN 1128
HE HAS NON LAYNE HERE SO LONGE TO LOKE HIT BY KYNDE . . . . . ERK 157
HIT WAT3 ENNIAS THE ATHEL AND HIS HIGHE KYNDE . . . . GGK 5
THE WY3TEST AND THE WORTHYEST OF THE WORLDES KYNDE. . . . . . GGK 261
THE KYNG AS KENE BI KYNDE . . . . GGK 321
AMONG THISE KYNDE CAROLES OF KNY3TE3 AND LADYE3. . . . . . . GGK 473
BI KYNDE. . . . . GGK 1348
TO ACORDE ME WITH COUETYSE MY KNYDE TO FORSAKE . . . . GGK 2380
AND ALS IN MYN VPYNYOUN HIT ARN OF ON KYNDE . . . . PAT 40
WHAT LEDE MO3T LEUE BI LAWE OF ANY KYNDE . . . . PAT 259
WHAT LEDE MO3T LYUE BI LAWE OF ANY KYNDE . . . . PAT V 259
THA3 KYNDE OF KRYST ME COMFORT KENNED . . . . PRL 55
WYTH CRYSTAL KLYFFE3 SO CLER OF KYNDE . . . . PRL 74
THAT FLOWRED AND FAYLED AS KYNDE HYT GEF . . . . PRL 270
NOW THUR3 KYNDE OF THE KYSTE THAT HYT CON CLOSE. . . . . . . PRL 271
THOU ART NO KYNDE JUELER . . . . PRL 276
OF CARPED THE KYNDE THESE PROPERTE3. . . . . PRL 752
OF CARPE THE KYNDE THESE PROPERTY3 . . . . PRL 1 752
KINDLY
CLANNESSE WHOSO KYNDLY COWTHE COMMENDE. . . . . CLN 1
IN THE COMPAS OF A CUBIT KYNDELY SWARE. . . . . CLN 319
AND THE FYRST COURCE IN THE COURT KYNDELY SERUED . . . . . . GGK 135

BOT KYTHE3 ME KYNDELY YOUR COUMFORDE . . . . PRL 369
BOT LYTHE3 ME KYNDELY WYTH YOUR COUMFORDE. . . . . PRL 1 369
HOW KYNTLY OURE KYNG HYM CON AQUYLE. . . . . PRL 1 690
HOW KYNTLY OURE KOYNTYSE HYM CON AQUYLE . . . . PRL 2 690
HOW KYNTLY OURE KYNG HYM CON AQUYLE. . . . . PRL 3 690

KINDS

FOR TO SAUE ME THE SEDE OF ALLE SER KYNDE3 . . . . CLN 336
OF MONY CLER KYNDES OF FELE KYN HUES . . . . CLN 1483
OF MONY CURIOUS KYNDES OF FELE KYN HUES . . . . CLN V 1483
THER COMMEN THIDER OF ALLE KYNNES SO KENELY MONY . . . . . . ERK 63
WITH COMLYCH CAROLES AND ALLE KYNNES IOYE. . . . . GGK 1886
WYTH ALLE KYNNE3 PERRE THAT MO3T REPAYRE . . . . PRL 1028

KINE

BOTHE TO CAYRE AT THE KART AND THE KUY MYLKE. . . . . CLN 1259

KING

HE IS SO CLENE IN HIS COURTE THE KYNG THAT AL WELDE3 . . . . . CLN 17
3ET HYM IS THE HY3E KYNG HARDER IN HEUEN . . . . CLN 50
AND ALLE CRYED FOR CARE TO THE KYNG OF HEUEN. . . . . CLN 393
IN HIS COMLYCH COURTE THAT KYNG IS OF BLYSSE. . . . . CLN 546
THAY KNEWE HYM BY HIS CLANNES FOR KYNG OF NATURE . . . . . . CLN 1087
THENNE THE KYNG OF THE KYTH A COUNSAYL HYM TAKES . . . . . . CLN 1201
AND THER WAT3 THE KYNG KA3T WYTH CALDE PRYNCES . . . . CLN 1215
BIKENNES THE CATEL TO THE KYNG THAT HE CA3T HADE . . . . . . CLN 1296
NOV HE THE KYNG HAT3 CONQUEST AND THE KYTH WUNNEN . . . . . . CLN 1305
SO KENE A KYNG IN CALDEE COM NEUER ER THENNE. . . . . CLN 1339
THAT VCHE A KYTHYN KYNG SCHULD COM THIDER. . . . . CLN 1366
FYRST KNEW HIT THE KYNG AND ALLE THE CORT AFTER. . . . . . . CLN 1530
SONE SO THE KYNGE FOR HIS CARE CARPING MY3T WYNNE . . . . . . CLN 1550
AND CALLE WYTH A HI3E CRY HE THAT THE KYNG WYSSES. . . . . . CLN 1564
THENNE CRYES THE KYNG AND KERUES HIS WEDES . . . . CLN 1582
GLYDES DOUN BY THE GRECE AND GOS TO THE KYNG. . . . . CLN 1590
KENE KYNG QUOTH THE QUENE KAYSER OF VRTHE. . . . . CLN 1593
WHEN HE COM BIFORE THE KYNG AND CLANLY HAD HALSED . . . . . . CLN 1621
RYCHE KYNG OF THIS RENGNE REDE THE OURE LORDE . . . . CLN 1642
THUS HE COUNTES HYM A KOW THAT WAT3 A KYNG RYCHE . . . . . . CLN 1685
THE KYNG COMAUNDED ANON TO CLETHE THAT WYSE . . . . CLN 1741
THE COMYNES AL OF CALDE THAT TO THE KYNG LONGED. . . . . . . CLN 1747
THE KYNG IN HIS CORTYN WAT3 KA3T BI THE HELES . . . . CLN 1789
HE HAS BEN KYNGE OF THIS KITHE AS COUTHELY HIT SEMES . . . . . ERK 98
BOT ONE CRONICLE OF THIS KYNGE CON WE NEUER FYNDE . . . . . . ERK 156
NEUER KYNGE NE CAYSER NE 3ET NO KNY3T NOTHYRE . . . . ERK 199
IN THE REGNE OF THE RICHE KYNGE THAT REWLIT VS THEN . . . . . ERK 212
SITHEN THOU WAS KIDDE FOR NO KYNGE QUY THOU THE CRON WERES . . ERK 222
THAI CORONYD ME THE KIDDE KYNGE OF KENE IUSTISES . . . . . . ERK 254
BOT THE RICHE KYNGE OF RESON THAT RI3T EUER ALOWES. . . . . . ERK 267
THIS KYNG LAY AT CAMYLOT VPON KRYSTMASSE . . . . GGK 37
AND HE THE COMLOKEST KYNG THAT THE COURT HALDES. . . . . . . GGK 53
KYNG HY3EST MON OF WYLLE . . . . GGK 57
FRO THE KYNG WAT3 CUMMEN WITH KNY3TES IN TO THE HALLE. . . . . GGK 62
THUS THER STONDES IN STALE THE STIF KYNG HISSELUEN. . . . . . GGK 107
THE KYNG AS KENE BI KYNDE . . . . GGK 321
TO THE KYNG HE CAN ENCLYNE. . . . . GGK 340
WOLDE 3E WORTHILYCH LORDE QUOTH WAWAN TO THE KYNG . . . . . . GGK 343
TO RYD THE KYNG WYTH CROUN. . . . . GGK 364
THEN COMMAUNDED THE KYNG THE KNY3T FOR TO RYSE . . . . GGK 366
KNELED DOUN BIFORE THE KYNG AND CACHE3 THAT WEPPEN. . . . . . GGK 368
KEPE THE COSYN QUOTH THE KYNG THAT THOU ON KYRF SETTE. . . . . GGK 372
CLANLY AL THE COUENAUNT THAT I THE KYNGE ASKED . . . . GGK 393
THE KYNG AND GAWEN THARE . . . . GGK 463

THA3 ARTHER THE HENDE KYNG AT HERT HADE WONDER GGK 467
THE KYNG AND THE GODE KNY3T AND KENE MEN HEM SERUED GGK 482
ALLE THIS COMPAYNY OF COURT COM THE KYNG NERRE GGK 556
SYTHEN HE COME3 TO THE KYNG AND TO HIS CORTFERE3 GGK 594
WHO KNEW EUER ANY KYNG SUCH COUNSEL TO TAKE GGK 682
THAT IS THE RYCHE RYAL KYNG OF THE ROUNDE TABLE. GGK 905
AL THE HONOUR IS YOUR AWEN THE HE3E KYNG YOW 3ELDE. GGK 1038
YOUR HONOUR AT THIS HY3E FEST THE HY3E KYNG YOW 3ELDE. GGK 1963
THE KYNG KYSSE3 THE KNY3T AND THE WHENE ALCE. GGK 2492
THE KYNG COMFORTE3 THE KNY3T AND ALLE THE COURT ALS GGK 2513
THAT OFTE KYD HIM THE CARPE THAT KYNG SAYDE PAT 118
AND AY HE CRYES IN THAT KYTH TYL THE KYNG HERDE. PAT 377
AND CUM AND CNAWE ME FOR KYNG AND MY CARPE LEUE. PAT 519
OF ALLE THE REME IS QUEN OTHER KYNG. PRL 448
TO KYNG AND QUENE BY CORTAYSYE PRL 468
THEN COROUNDE BE KYNG BY CORTAYSE PRL 480
THOU HY3E KYNG AY PRETERMYNABLE PRL 596
HOW KYNTLY OURE KYNG HYM CON AQUYLE. PRL 1 690
HOW KYNTLY OURE KYNG HYM CON AQUYLE. PRL 3 690

KINGDOM
THUS COMPARISUNE3 KRYST THE KYNDOM OF HEUEN CLN 161
AND COWTHE VCHE KYNDAM TOKERUE AND KEUER WHEN HYM LYKED CLN 1700
HAT3 COUNTED THY KYNDAM BI A CLENE NOUMBRE CLN 1731
THE COURT OF THE KYNDOM OF GOD ALYUE PRL 445

KINGS
IN JUDA THAT IUSTISED THE IUYNE KYNGES. CLN 1170
THE KYNGES SUNNES IN HIS SY3T HE SLOW EUERVCHONE CLN 1221
KYNGES CAYSERES FUL KENE TO THE COURT WONNEN. CLN 1374
KYPPE KOWPES IN HONDE KYNGE3 TO SERUE CLN 1510
BOT OF ALLE THAT HERE BULT OF BRETAYGNE KYNGES GGK 25
THIS WAT3 THE KYNGES COUNTENAUNCE WHERE HE IN COURT WERE. GGK 100
BOTHE THE KYNGES SISTER SUNES AND FUL SIKER KNI3TES GGK 111
OF A KYNGE3 CAPADOS THAT CLOSES HIS SWYRE. GGK 186
SO KENLY FRO THE KYNGE3 KOURT TO KAYRE AL HIS ONE GGK 1048
NE KEST NO KAUELACION IN KYNGE3 HOUS ARTHOR GGK 2275
NE KYD BOT AS COUENAUNDE AT KYNGE3 KORT SCHAPED. GGK 2340
TO THE KYNGE3 BUR3 BUSKE3 BOLDE GGK 2476

KIRK
AND PYLED ALLE THE APPAREMENT THAT PENTED TO THE KYRKE CLN 1270
CONQUERD WITH HIS KNY3TES AND OF KYRK RAFTE CLN 1431
BY THAT HE COME TO THE KYRKE KYDDE OF SAYNT PAULE ERK 113
HIT IS THE CORSEDEST KYRK THAT EUER I COM INNE GGK 2196
KYRK THERINNE WAT3 NON 3ETE PRL 1061

KIRKS
AND CLANSYD HOM IN CRISTES NOME AND KYRKES HOM CALLID. ERK 16

KIRTLE
KNIT VPON HIR KYRTEL VNDER THE CLERE MANTYLE. GGK 1831
HER CORTEL OF SELF SUTE SCHENE PRL 203

KISS
I SCHAL KYSSE AT YOUR COMAUNDEMENT AS A KNY3T FALLE3 GGK 1303
I AM AT YOUR COMAUNDEMENT TO KYSSE QUEN YOW LYKE3 GGK 1501
AT THE LAST SCHO CON HYM KYSSE GGK 1555
KYSSE ME NOW COMLY AND I SCHAL CACH HETHEN GGK 1794
THAY ACOLEN AND KYSSEN BIKENNEN AYTHER OTHER. GGK 2472
THAY ACOLEN AND KYSSEN AND KENNEN AYTHER OTHER GGK V 2472

KISSED
AND THAY HYM KYST AND CONUEYED BIKENDE HYM TO KRYST GGK 596
KYSTEN FUL COMLYLY AND KA3TEN HER LEUE. GGK 1118
FELLE OUER HIS FAYRE FACE AND FETLY HYM KYSSED GGK 1758

SYKANDE HO SWE3E DOUN AND SEMLY HYM KYSSED . . . . GGK 1796
HO HAT3 KYST THE KNY3T SO TO3T . . . . GGK 1869
THOU KYSSEDES MY CLERE WYF THE COSSE3 ME RA3TE3. . . . . . . GGK 2351

KISSES

THENNE HENTES HE THE HELME AND HASTILY HIT KYSSES . . . . . . GGK 605
HE KYSSES HIR COMLYLY AND KNY3TLY HE MELE3 . . . . GGK 974
LOUTE3 LUFLYCH ADOUN AND THE LEUDE KYSSE3. . . . . GGK 1306
AND KYSSES HYM AS COMLYLY AS HE COUTHE AWYSE. . . . . GGK 1389
AND COMLYLY KYSSES HIS FACE . . . . GGK 1505
HE HENT THE HATHEL ABOUTE THE HALSE AND HENDELY HYM KYSSES . . GGK 1639
THEN ACOLES HE THE KNY3T AND KYSSES HYM THRYES . . . . GGK 1936
THE KYNG KYSSE3 THE KNY3T AND THE WHENE ALCE. . . . . GGK 2492

KISSING

3ET I KENDE YOW OF KYSSYNG QUOTH THE CLERE THENNE . . . . . . GGK 1489
WITH CARE AND WYTH KYSSYNG HE CARPPE3 HEM TILLE. . . . . . . GGK 1979

KITE

THAT WERE CROKED AND KENE AS THE KYTE PAUUE . . . . CLN 1697
THAT WERE CROKED AND KENE AS THE KYTE PAUNE . . . . CLN V 1697

KITH

FUL FELLY FOR THAT ILK FAUTE FORFERDE A KYTH RYCHE. . . . . . CLN 571
CAYRE TID OF THIS KYTHE ER COMBRED THOU WORTHE . . . . CLN 901
AND VCHE A KOSTE OF THIS KYTHE CLATER VPON HEPES . . . . . . CLN 912
HOV SCHULDE THOU COM TO HIS KYTH BOT IF THOU CLENE WERE . . . CLN 1110
THENNE THE KYNG OF THE KYTH A COUNSAYL HYM TAKES . . . . . . CLN 1201
NOV HE THE KYNG HAT3 CONQUEST AND THE KYTH WUNNEN . . . . . . CLN 1305
COMEN NEUER OUT OF KYTH TO CALDEE REAMES . . . . CLN 1316
HE HAS BEN KYNGE OF THIS KITHE AS COUTHELY HIT SEMES . . . . ERK 98
TO QUAT KYTH HE BECOM KNWE NON THERE . . . . GGK 460
CAYRE3 BI SUM OTHER KYTH THER KRYST MOT YOW SPEDE . . . . . . GGK 2120
AND AY HE CRYES IN THAT KYTH TYL THE KYNG HERDE. . . . . . . PAT 377
AND WYSCHED HIT WERE IN HIS KYTH THER HE WONY SCHULDE. . . . PAT 462

KITHE (V. KITH)

KITHS

KEST TO KYTHE3 VNCOUTHE THE CLOWDE3 FUL NERE. . . . . CLN 414
TO COLDE WER ALLE CALDE AND KYTHES OF YNDE . . . . CLN 1231
THAT VCHE A KYTHYN KYNG SCHULD COM THIDER. . . . . CLN 1366
FOR THAY SCHAL COMFORT ENCROCHE IN KYTHES FUL MONY. . . . . . PAT 18
AND I KASTE OF KYTHE3 THAT LASTE3 AYE . . . . PRL 1198

KITTEN

SCHAUED WYTH A SCHARP KNYF AND THE SCHYRE KITTEN . . . . . . GGK 1331

KLERK (V. CLERK)

KLUBBE (V. CLUB)

KLYF (V. CLIFF)

KLYFE3 (V. CLIFFS)

KLYFFES (V. CLIFFS)

KLYFFE3 (V. CLIFFS)

KLYMBE (V. CLIMB)

KNAGED

ABOUTE HIS KNE3 KNAGED WYTH KNOTE3 OF GOLDE . . . . GGK 577

KNAPE

THA3E HE BE A STURN KNAPE . . . . GGK 2136

KNARRE

THAY VMBEKESTEN THE KNARRE AND THE KERRE BOTHE . . . . GGK 1434
THAY VMBEKESTEN THE KNARRE AND THE KNOT BOTHE . . . . GGK V 1434

KNARRE3

SUMWHYLE WYTH WODWOS THAT WONED IN THE KNARRE3 . . . . GGK 721
AND RU3E KNOKLED KNARRE3 WITH KNORNED STONE3. . . . . GGK 2166

KNAUEN (V. KNOWN)

KNAUES (V. KNAVES)

KNAUE3 (V. KNAVES)
KNAVES
    COME3 TO YOUR KNAUES KOTE I CRAUE AT THIS ONE3 . . . . CLN 801
    WHAT HE WONDED FOR NO WOTHE OF WEKKED KNAUE3. . . . . CLN 855
KNAW (V. KNOW)
KNAWE (V. KNOW)
KNAWEN (V. KNOWN)
KNAWE3 (V. KNOWS)
KNAWLACH (V. KNOWLEDGE)
KNE (V. KNEE)
KNEE
    WYTH RENT COKRE3 AT THE KNE AND HIS CLUTTE3 TRASCHED . . . . . CLN 40
    WYTH RENT COKRE3 AT THE KNE AND HIS CLUTTE TRASCHE3 . . . . . CLN V 40
KNEELED
    KNELED DOUN BIFORE THE KYNG AND CACHE3 THAT WEPPEN. . . . . . GGK 368
    AND KNELED DOUN ON HER KNES VPON THE COLDE ERTHE . . . . . . GGK 818
    PRAYSES THE PORTER BIFORE THE PRYNCE KNELED . . . . GGK 2072
KNEELING
    KNELANDE TO GROUNDE FOLDE VP HYR FACE . . . . PRL 434
KNEELS
    AND THERE HE KNELES AND CALLE3 AND CLEPES AFTER HELP . . . . . CLN 1345
    HO KNELES ON THE COLDE ERTHE AND CARPES TO HYMSELUEN . . . . . CLN 1591
KNEES
    HIS CNES CACHCHES TO CLOSE AND HE CLUCHCHES HIS HOMMES . . . . CLN 1541
    ABOUTE HIS KNE3 KNAGED WYTH KNOTE3 OF GOLDE . . . . GGK 577
    AND KNELED DOUN ON HER KNES VPON THE COLDE ERTHE . . . . . . GGK 818
KNELANDE (V. KNEELING)
KNELED (V. KNEELED)
KNELES (V. KNEELS)
KNES (V. KNEES)
KNEW
    WHEN THAY KNEWEN HIS CAL THAT THIDER COM SCHULDE . . . . . . CLN 61
    WHEN HE KNEW VCHE CONTRE CORUPPTE IN HITSELUEN . . . . CLN 281
    AND ALS HO SCELT HEM IN SCORNE THAT WEL HER SKYL KNEWEN . . . . CLN 827
    FOR HE KNEW THE COSTOUM THAT KYTHED THOSE WRECHE3 . . . . . . CLN 851
    THAY KNEWE HYM BY HIS CLANNES FOR KYNG OF NATURE . . . . . . CLN 1087
    FYRST KNEW HIT THE KYNG AND ALLE THE CORT AFTER. . . . . . . CLN 1530
    NAS I A PAYNYM VNPRESTE THAT NEUER THI PLITE KNEWE. . . . . . ERK 285
    TO QUAT KYTH HE BECOM KNWE NON THERE . . . . GGK 460
    WHO KNEW EUER ANY KYNG SUCH COUNSEL TO TAKE . . . . GGK 682
    BOT WHOSO KNEW THE COSTES THAT KNIT AR THERINNE. . . . . . . GGK 1849
    BI VCH KOK THAT CRUE HE KNWE WEL THE STEUEN . . . . GGK 2008
    FOR HE KNEW VCHE A CACE AND KARK THAT HYM LYMPED . . . . . . PAT 265
    I CALDE AND THOU KNEW MYN VNCLER STEUEN . . . . PAT 307
    WEL KNEW I THI CORTAYSYE THY QUOYNT SOFFRAUNCE . . . . PAT 417
    BOT I KNEW ME KESTE THER KLYFE3 CLEUEN. . . . . PRL 66
    I KNEW HYR WEL I HADE SEN HYR ERE . . . . PRL 164
    THE LENGER I KNEW HYR MORE AND MORE. . . . . PRL 168
    FOR ALLE THE CRAFTE3 THAT EUER THAY KNEWE. . . . . PRL 890
    I KNEW THE NAME AFTER HIS TALE . . . . PRL 998
    I KNEW HIT BY HIS DEUYSEMENT . . . . PRL 1019
    I KNEW THE NAME3 AFTER HIS TALE . . . . PRL 2 998
KNEWE (V. KNEW)
KNEWEN (V. KNEW)
KNE3 (V. KNEES)
KNIFE
    NAUTHER TO COUT NE TO KERUE WYTH KNYF NE WYTH EGGE. . . . . . CLN 1104
    SCHAUED WYTH A SCHARP KNYF AND THE SCHYRE KITTEN . . . . . . GGK 1331

OTHER KNYFFE . . . . GGK 2042
SCHAUED WYTH A SCHARP KNYF AND THE SCHYRE KNITTEN . . . . . . GGK V 1331

KNIGHT

NEUER KYNGE NE CAYSER NE 3ET NO KNY3T NOTHYRE . . . . ERK 199
OTHER SUM SEGG HYM BISO3T OF SUM SIKER KNY3T. . . . . GGK 96
AND SAYD SIR CORTAYS KNY3T. . . . . GGK 276
THEN COMMAUNDED THE KYNG THE KNY3T FOR TO RYSE . . . . GGK 366
THEN CARPPE3 TO SIR GAWAN THE KNY3T IN THE GRENE . . . . . . GGK 377
IN GOD FAYTH QUOTH THE GOODE KNY3T GAWAN I HATTE . . . . . . GGK 381
BIGOG QUOTH THE GRENE KNY3T SIR GAWAN ME LYKES . . . . GGK 390
NE I KNOW NOT THE KNY3T BY CORT NE THI NAME . . . . GGK 400
THE GRENE KNY3T VPON GROUNDE GRAYTHELY HYM DRESSES. . . . . . GGK 417
THE KNY3T OF THE GRENE CHAPEL MEN KNOWEN ME MONY . . . . . . GGK 454
THE KYNG AND THE GODE KNY3T AND KENE MEN HEM SERUED . . . . . GGK 482
FOR TO COUNSEYL THE KNY3T WITH CARE AT HER HERT. . . . . . . GGK 557
THE KNY3T MAD AY GOD CHERE. . . . . GGK 562
FORTHY HIT ACORDE3 TO THIS KNY3T AND TO HIS CLER ARME3 . . . . GGK 631
AND GENTYLEST KNY3T OF LOTE . . . . GGK 639
AT THIS CAUSE THE KNY3T COMLYCHE HADE . . . . GGK 648
NOW ALLE THESE FYUE SYTHE3 FORSOTHE WERE FETLED ON THIS KNY3T . GGK 656
IF THAY HADE HERDE ANY KARP OF A KNY3T GRENE. . . . . GGK 704
THE KNY3T TOK GATES STRAUNGE . . . . GGK 709
BI CONTRAY CAYRE3 THIS KNY3T TYL KRYSTMASSE EUEN . . . . . . GGK 734
THE KNY3T WEL THAT TYDE. . . . . GGK 736
A CASTEL THE COMLOKEST THAT EUER KNY3T A3TE . . . . GGK 767
AND HAYLSED THE KNY3T ERRAUNT. . . . . GGK 810
AND FOLKE FRELY HYM WYTH TO FONGE THE KNY3T . . . . GGK 816
THAT A COMLOKER KNY3T NEUER KRYST MADE. . . . . GGK 869
THENNE LYST THE LADY TO LOKE ON THE KNY3T. . . . . GGK 941
TO HOLDE LENGER THE KNY3T . . . . GGK 1043
AND OF THE KNY3T THAT HIT KEPES OF COLOUR OF GRENE. . . . . . GGK 1059
THENNE HE CARPED TO THE KNY3T CRIANDE LOUDE . . . . GGK 1088
AND SYTHEN KARP WYTH MY KNY3T THAT I KA3T HAUE . . . . GGK 1225
THE KYN3T WITH SPECHES SKERE . . . . GGK 1261
FOR THE COSTES THAT I HAF KNOWEN VPON THE KYN3T HERE . . . . . GGK 1272
AND YOWRE KNY3T I BECOM AND KRYST YOW FOR3ELDE . . . . GGK 1279
I SCHAL KYSSE AT YOUR COMAUNDEMENT AS A KNY3T FALLE3 . . . . . GGK 1303
INTO THE COMLY CASTEL THER THE KNY3T BIDE3 . . . . GGK 1366
HO COMMES TO THE CORTYN AND AT THE KNY3T TOTES . . . . GGK 1476
THAT BICUMES VCHE A KNY3T THAT CORTAYSY VSES. . . . . GGK 1491
AND 3E AR KNY3T COMLOKEST KYD OF YOUR ELDE . . . . GGK 1520
AND PYNE YOW WITH SO POUER A MON AS PLAY WYTH YOUR KNY3T. . . . GGK 1538
TIL THE KNY3T COM HYMSELF KACHANDE HIS BLONK. . . . . GGK 1581
THAT OTHER KNY3T FUL COMLY COMENDED HIS DEDE3 . . . . GGK 1629
AND EUER OURE LUFLYCH KNY3T THE LADY BISYDE . . . . GGK 1657
BOT THE KNY3T CRAUED LEUE TO KAYRE ON THE MORN . . . . GGK 1670
WHYLE THE HENDE KNY3T AT HOME HOLSUMLY SLEPE3 . . . . GGK 1731
NIF MARYE OF HIR KNY3T CON MYNNE. . . . . GGK 1769
THE KNY3T SAYDE BE SAYN JON . . . . GGK 1788
THEN KEST THE KNY3T AND HIT COME TO HIS HERT. . . . . GGK 1855
HO HAT3 KYST THE KNY3T SO TO3T . . . . GGK 1869
THEN ACOLES HE THE KNY3T AND KYSSES HYM THRYES . . . . GGK 1936
BI KRYST QUOTH THAT OTHER KNY3T 3E CACH MUCH SELE . . . . . . GGK 1938
THE KNY3T HAT3 TAN HIS LEUE . . . . GGK 1978
SWYTHE SWETHLED VMBE HIS SWANGE SWETELY THAT KNY3T. . . . . . GGK 2034
COM 3E THERE 3E BE KYLLED MAY THE KNY3T REDE. . . . . GGK 2111
I WERE A KNY3T KOWARDE I MY3T NOT BE EXCUSED. . . . . GGK 2131
LEPE3 HYM OUER THE LAUNDE AND LEUE3 THE KNY3T THERE . . . . . GGK 2154
THE KNY3T KACHE3 HIS CAPLE AND COM TO THE LAWE . . . . GGK 2175

WE LORDE QUOTH THE GENTYLE KNY3T. GGK 2185
THENNE THE KNY3T CON CALLE FUL HY3E. GGK 2212
SIR GAWAYN THE KNY3T CON METE. GGK 2235
SUCH COWARDISE OF THAT KNY3T COWTHE I NEUER HERE GGK 2273
I BIKNOWE YOW KNY3T HERE STYLLE GGK 2385
THAT THUS HOR KNY3T WYTH HOR KEST HAN KOYNTLY BIGYLED. GGK 2413
AND THE KNY3T IN THE ENKER GRENE. GGK 2477
AND THUS HE COMMES TO THE COURT KNY3T AL IN SOUNDE. GGK 2489
THE KYNG KYSSE3 THE KNY3T AND THE WHENE ALCE. GGK 2492
AND SYTHEN MONY SYKER KNY3T THAT SO3T HYM TO HAYLCE GGK 2493
THE CHAUNCE OF THE CHAPEL THE CHERE OF THE KNY3T GGK 2496
THE KYNG COMFORTE3 THE KNY3T AND ALLE THE COURT ALS GGK 2513

KNIGHTLY
HE KYSSES HIR COMLYLY AND KNY3TLY HE MELE3 GGK 974
SO CORTAYSE SO KNY3TYLY AS 3E AR KNOWEN OUTE. GGK 1511

KNIGHTS
THENNE WAT3 ALLE THE HALLEFLOR HILED WYTH KNY3TES CLN 1397
CONQUERD WITH HIS KNY3TES AND OF KYRK RAFTE CLN 1431
CONCUBINES AND KNY3TES BI CAUSE OF THAT MERTHE CLN 1519
JUSTED FUL JOLILE THISE GENTYLE KNI3TES GGK 42
THE MOST KYD KNY3TE3 VNDER KRYSTES SELUEN. GGK 51
FRO THE KYNG WAT3 CUMMEN WITH KNY3TES IN TO THE HALLE. GGK 62
BOTHE THE KYNGES SISTER SUNES AND FUL SIKER KNI3TES GGK 111
TO KNY3TE3 HE KEST HIS Y3E. GGK 228
AS THOU HAT3 HETTE IN THIS HALLE HERANDE THISE KNY3TES GGK 450
AMONG THISE KYNDE CAROLES OF KNY3TE3 AND LADYE3. GGK 473
KNY3TE3 FUL CORTAYS AND COMLYCH LADIES. GGK 539
AS KNY3TE3 IN CAUELACIOUN3 ON CRYSTMASSE GOMNE3. GGK 683
KNY3TE3 AND SWYERE3 COMEN DOUN THENNE GGK 824
FOR TO TELLE OF THIS TEUELYNG OF THIS TRWE KNY3TE3. GGK 1514
SO IS GAWAYN IN GOD FAYTH BI OTHER GAY KNY3TE3 GGK 2365
THAT IS LARGES AND LEWTE THAT LONGE3 TO KNY3TE3. GGK 2381
OF THE CHAUNCE OF THE GRENE CHAPEL AT CHEUALROUS KNY3TE3. GGK 2399
WITH THAT CONABLE KLERK THAT KNOWES ALLE YOUR KNY3TE3. GGK 2450

KNIT
HE KNYT A COUENAUNDE CORTAYSLY WYTH MONKYNDE THERE. CLN 564
OF ALLE THE COUENAUNTES THAT WE KNYT SYTHEN I COM HIDER GGK 1642
KNIT VPON HIR KYRTEL VNDER THE CLERE MANTYLE. GGK 1831
BOT WHOSO KNEW THE COSTES THAT KNIT AR THERINNE. GGK 1849
SCHAUED WYTH A SCHARP KNYF AND THE SCHYRE KNITTEN GGK V 1331

KNITTEN (V. KNIT)

KNIVES
THEN SCHER THAY OUT THE SCHULDERE3 WITH HER SCHARP KNYUE3 GGK 1337

KNI3TES (V. KNIGHTS)

KNOCK
AND LET SE HOW THOU CNOKE3. GGK 414
FOR CARE OF THY KNOKKE COWARDYSE ME TA3T GGK 2379
QUEN SUCH THER CNOKEN ON THE BYLDE PRL 727

KNOCKS
HE CLECHES TO A GRET KLUBBE AND KNOKKES HEM TO PECES CLN 1348

KNOKKE (V. KNOCK)

KNOKKES (V. KNOCKS)

KNOKLED (V. KNUCKLED)

KNORNED
AND RU3E KNOKLED KNARRE3 WITH KNORNED STONE3. GGK 2166

KNOT
OUERAL AS I HERE THE ENDELES KNOT GGK 630
THERFORE ON HIS SCHENE SCHELDE SCHAPEN WAT3 THE KNOT GGK 662
LYSTILY FOR LAUCYNG THE LERE OF THE KNOT GGK 1334

IN A KNOT BI A CLYFFE AT THE KERRE SYDE . . . . GGK 1431
THENNE HE KA3T TO THE KNOT AND THE KEST LAWSE3 . . . . GGK 2376
LOKEN VNDER HIS LYFTE ARME THE LACE WITH A KNOT. . . . . . . GGK 2487
SYTHEN THRAWEN WYTH A THWONG A THWARLE KNOT ALOFTE. . . . . . GGK V 194
LYSTILY FORLANCYNG AND LERE OF THE KNOT . . . . GGK V 1334
THAY VMBEKESTEN THE KNARRE AND THE KNOT BOTHE . . . . GGK V 1434
SANT JOHN HEM SY3 AL IN A KNOT . . . . PRL 788

KNOTE3 (V. KNOTS)

KNOTS

WEL CRESPED AND CEMMED WYTH KNOTTES FUL MONY. . . . . GGK 188
ABOUTE HIS KNE3 KNAGED WYTH KNOTE3 OF GOLDE . . . . GGK 577

KNOTTES (V. KNOTS)

KNOW

NE NEUER WOLDE FOR WYLNESFUL HIS WORTHY GOD KNAWE . . . . . . CLN 231
TO CREPE FRO MY CREATOUR I KNOW NOT WHEDER . . . . CLN 917
THAT SCHAL I CORTAYSLY KYTHE AND THAY SCHIN KNAWE SONE . . . . CLN 1435
NE NEUER WOLDE FOR WYLFULNES HIS WORTHY GOD KNAWE . . . . . . CLN V 231
BOT THI COLOURE NE THI CLOTHE I KNOW IN NO WISE. . . . . . . ERK 263
THAT MY3T NOT COME TO KNOWE A QUONTYSE STRANGE . . . . ERK V 74
I KNOW NO GOME THAT IS GAST OF THY GRETE WORDES. . . . . . . GGK 325
NO BOUNTE BOT YOUR BLOD I IN MY BODE KNOWE . . . . GGK 357
NE I KNOW NOT THE KNY3T BY CORT NE THI NAME . . . . GGK 400
THE KNY3T OF THE GRENE CHAPEL MEN KNOWEN ME MONY . . . . . . GGK 454
3E KNOWE THE COST OF THIS CACE KEPE I NO MORE . . . . GGK 546
NAUTHER OF SOSTNAUNCE NE OF SLEPE SOTHLY I KNOWE . . . . . . GGK 1095
AND IF MON KENNES YOW HOM TO KNOWE 3E KEST HOM OF YOUR MYNDE . GGK 1484
BI FYN FORWARDE AND FASTE FAYTHELY 3E KNOWE . . . . GGK 1636
3E AR THE BEST THAT I KNAWE . . . . GGK 1645
BOT I SCHAL SAY YOW FORSOTHE SYTHEN I YOW KNOWE. . . . . . . GGK 2094
AND THOU KNOWE3 THE COUENAUNTE3 KEST VS BYTWENE. . . . . . . GGK 2242
NOW KNOW I WEL THY COSSES AND THY COSTES ALS. . . . . GGK 2360
WITH THAT CONABLE KLERK THAT KNOWES ALLE YOUR KNY3TE3. . . . . GGK 2450
AND CUM AND CNAWE ME FOR KYNG AND MY CARPE LEUE. . . . . . . PAT 519
THOU WOLDE3 KNAW THEROF THE STAGE . . . . PRL 410
THAT DATE OF 3ERE WEL KNAWE THYS HYNE . . . . PRL 505
NE KNAWE 3E OF THIS DAY NO DATE . . . . PRL 516
THE DATE OF THE DAYE THE LORDE CON KNAW . . . . PRL 541
RY3T THUS I KNAW WEL IN THIS CAS. . . . . PRL 673
IF THOU WYL KNAW WHAT KYN HE BE . . . . PRL 794
TOR TO KNAW THE GLADDEST CHERE . . . . PRL 1109

KNOWE (V. KNOW)

KNOWEN (V. KNOW, KNOWN)

KNOWES (V. KNOW)

KNOWE3 (V. KNOW, KNOWS)

KNOWING

WE THUR3OUTLY HAUEN CNAWYNG . . . . PRL 859

KNOWLEDGE

THAT HE COM TO KNAWLACH AND KENNED HYMSELUEN. . . . . CLN 1702

KNOWN

HYM WAT3 THE NOME NOE AS IS INNOGHE KNAWEN . . . . CLN 297
THER WAT3 MOON FOR TO MAKE WHEN MESCHEF WAS CNOWEN. . . . . . CLN 373
CLERKES OUT OF CALDYE THAT KENNEST WER KNAUEN . . . . CLN 1575
THYS WAT3 CRYED AND KNAWEN IN CORT ALS FAST . . . . CLN 1751
FOR ME THINK HIT NOT SEMLY AS HIT IS SOTH KNAWEN . . . . . . GGK 348
GAWAN WAT3 FOR GODE KNAWEN AND AS GOLDE PURED . . . . GGK 633
FOR THE COSTES THAT I HAF KNOWEN VPON THE KYN3T HERE . . . . . GGK 1272
SO CORTAYSE SO KNY3TYLY AS 3E AR KNOWEN OUTE. . . . . GGK 1511
INO3E IS KNAWEN THAT MANKYN GRETE . . . . PRL 637

KNOWS

AND COUTHLY HYM KNOWE3 AND CALLE3 HYM HIS NOME . . . . GGK 937
NOW HE KNAWE3 HYM IN CARE THAT COUTHE NOT IN SELE . . . . . . PAT 296
KNUCKLED
AND RU3E KNOKLED KNARRE3 WITH KNORNED STONE3. . . . . GGK 2166
KNWE (V. KNEW)
KNYDE (V. KIND)
KNYF (V. KNIFE)
KNYFFE (V. KNIFE)
KNYT (V. KNIT)
KNYUE3 (V. KNIVES)
KNY3T (V. KNIGHT)
KNY3TES (V. KNIGHTS)
KNY3TE3 (V. KNIGHTS)
KNY3TLY (V. KNIGHTLY)
KNY3TYLY (V. KNIGHTLY)
KOK (V. COCK)
KORT (V. COURT)
KOSTE (V. COAST)
KOTE (V. COAT)
KOURT (V. COURT)
KOW (V. COW)
KOWARDE (V. COWARD)
KOWPES (V. CUPS)
KOYNT (V. QUAINT)
KOYNTISE (V. QUEINTISE)
KOYNTLY (V. QUAINTLY)
KOYNTYSE (V. QUEINTISE)
KRAKKES (V. CRACKS)
KRY (V. CRY)
KRYES (V. CRIES)
KRYST (V. CHRIST)
KRYSTE (V. CHRIST)
KRYSTEN (V. CHRISTIAN)
KRYSTES (V. CHRISTS)
KRYSTE3 (V. CHRISTS)
KRYSTMASSE (V. CHRISTMAS)
KRYSTYIN (V. CHRISTIAN)
KUY (V. KINE)
KYD (V. KYDDE)
KYDDE
KRYST KYDDE HIT HYMSELF IN A CARP ONE3. . . . . CLN 23
AND HE VNKYNDELY AS A KARLE KYDDE A REWARD . . . . CLN 208
AS 3ET IN CRAFTY CRONECLES IS KYDDE THE MEMORIE. . . . . . . ERK 44
BY THAT HE COME TO THE KYRKE KYDDE OF SAYNT PAULE . . . . . . ERK 113
SITHEN THOU WAS KIDDE FOR NO KYNGE QUY THOU THE CRON WERES . . ERK 222
THAI CORONYD ME THE KIDDE KYNGE OF KENE IUSTISES . . . . . . ERK 254
THE MOST KYD KNY3TE3 VNDER KRYSTES SELUEN. . . . . GGK 51
AND HERE IS KYDDE CORTAYSYE AS I HAF HERD CARP . . . . GGK 263
THAT CORTAYSLY HADE HYM KYDDE AND HIS CRY HERKENED. . . . . . GGK 775
AND 3E AR KNY3T COMLOKEST KYD OF YOUR ELDE . . . . GGK 1520
NE KYD BOT AS COUENAUNDE AT KYNGE3 KORT SCHAPED. . . . . . . GGK 2340
THAT OFTE KYD HIM THE CARPE THAT KYNG SAYDE . . . . PAT 118
KYLDE (V. KILLED)
KYLLE (V. KILL)
KYLLED (V. KILLED)
KYLLEN (V. KILL)
KYN (V. KIN)
KYNDAM (V. KINGDOM)
KYNDE (V. KIND)

KYNDELY (V. KINDLY)
KYNDES (V. KINDS)
KYNDE3 (V. KINDS)
KYNDLY (V. KINDLY)
KYNDOM (V. KINGDOM)
KYNG (V. KING)
KYNGE (V. KING)
KYNGES (V. KINGS)
KYNGE3 (V. KINGS)
KYNNED

HOV SCHULDE I HUYDE ME FRO HYM THAT HAT3 HIS HATE KYNNED. . . .	CLN	915
BOT MUCH CLENER WAT3 HIR CORSE GOD KYNNED THERINNE.	CLN	1072
BEFORE THAT KYNNED 3OUR CRISTE BY CRISTEN ACOUNTE	ERK	209

KYNNES (V. KINDS)
KYNNE3 (V. KINDS)
KYNTLY (V. KINDLY)
KYN3T (V. KNIGHT)
KYPPE

KYPPE KOWPES IN HONDE KYNGE3 TO SERUE	CLN	1510

KYRF

KEPE THE COSYN QUOTH THE KYNG THAT THOU ON KYRF SETTE. . . .	GGK	372

KYRK (V. KIRK)
KYRKE (V. KIRK)
KYRKES (V. KIRKS)
KYRTEL (V. KIRTLE)
KYRYOUS (V. CURIOUS)
KYSSE (V. KISS)
KYSSED (V. KISSED)
KYSSEDES (V. KISSED)
KYSSEN (V. KISS)
KYSSES (V. KISSES)
KYSSE3 (V. KISSES)
KYSSYNG (V. KISSING)
KYST (ALSO V. KISSED)

HAT3 THOU CLOSED THY KYST WYTH CLAY ALLE ABOUTE.	CLN	346
BOT THA3 THE KYSTE IN THE CRAGE3 WERE CLOSED TO BYDE	CLN	449
HOW THE CHEUETAYN HYM CHARGED THAT THE KYST 3EMED	CLN	464
HO VMBEKESTE3 THE COSTE AND THE KYST SECHE3	CLN	478
NOW THUR3 KYNDE OF THE KYSTE THAT HYT CON CLOSE.	PRL	271

KYSTE (V. KYST)
KYSTEN (V. KISSED)
KYSTES

AND HE WYTH KEYES VNCLOSES KYSTES FUL MONY	CLN	1438
HER KYSTTES AND HER COFERES HER CARALDES ALLE	PAT	159

KYSTTES (V. KYSTES)
KYTE (V. KITE)
KYTH (V. KITH)
KYTHE (ALSO V. KITH)

SCHULDE COM TO HIS COURT TO KYTHE HYM FOR LEGE	CLN	1368
THAT SCHAL I CORTAYSLY KYTHE AND THAY SCHIN KNAWE SONE . . .	CLN	1435
THAT MERCY SCHAL HYR CRAFTE3 KYTHE	PRL	356

KYTHED

FOR HE KNEW THE COSTOUM THAT KYTHED THOSE WRECHE3	CLN	851

KYTHES (V. KITHS)
KYTHE3 (ALSO V. KITHS)

BOT KYTHE3 ME KYNDELY YOUR COUMFORDE	PRL	369

KYTHYN (V. KITHS)
LABOR

	TO LABOR VYNE WAT3 DERE THE DATE.	PRL	504
	WHY SCHULDE HE NOT HER LABOUR ALOW	PRL	634
LABOUR (V. LABOR)			
LACCHE (V. LATCH)			
LACE			
	A LACE LAPPED ABOUTE THAT LOUKED AT THE HEDE.	GGK	217
	HO LA3T A LACE LY3TLY THAT LEKE VMBE HIR SYDE3	GGK	1830
	FOR QUAT GOME SO IS GORDE WITH THIS GRENE LACE	GGK	1851
	3ET LAFT HE NOT THE LACE THE LADIE3 GIFTE.	GGK	2030
	HIT WAT3 NO LASSE BI THAT LACE THAT LEMED FUL BRY3T	GGK	2226
	LOKEN VNDER HIS LYFTE ARME THE LACE WITH A KNOT.	GGK	2487
	THE LUF OF THE LADI THE LACE AT THE LAST	GGK	2497
	LO LORDE QUOTH THE LEUDE AND THE LACE HONDELED	GGK	2505
LACH (V. LATCH)			
LACHCHE (V. LATCH)			
LACHCHED (V. LATCHED)			
LACHCHE3 (V. LATCHES)			
LACHE (V. LATCH)			
LACHED (V. LATCHED)			
LACHEN (V. LATCH)			
LACHES (V. LATCHES)			
LACHE3 (V. LATCHES)			
LACHET			
	THE LEST LACHET OUER LOUPE LEMED OF GOLDE.	GGK	591
	THE LEST LACHET OTHER LOUPE LEMED OF GOLDE	GGK V	591
LACKED			
	THAT NEUER LAKKED THY LAUE BOT LOUED AY TRAUTHE.	CLN	723
	IF I HIT LAKKED OTHER SET AT LY3T HIT WERE LITTEL DAYNTE.	GGK	1250
	BOT HERE YOW LAKKED A LYTTEL SIR AND LEWTE YOW WONTED.	GGK	2366
LAD			
	WOLDE LYKE IF A LADDE COM LYTHERLY ATTYRED	CLN	36
	MONY LADDE THER FORTHLEP TO LAUE AND TO KEST.	PAT	154
LAD (V. LED)			
LADDE (V. LAD, LED)			
LADDEBORDE			
	THAY LAYDEN IN ON LADDEBORDE AND THE LOFE WYNNES	PAT	106
LADDERS			
	LYFTE LADDRES FUL LONGE AND VPON LOFTE WONEN.	CLN	1777
LADDES (V. LADS)			
LADE (V. LADEN, LADY)			
LADEN			
	HOW THAY WYTH LYF WERN LASTE AND LADE	PRL	1146
LADEN (V. LEDDEN)			
LADI (V. LADY)			
LADIES			
	AND MONY A LEMMAN NEUER THE LATER THAT LADIS WER CALLED	CLN	1352
	TO LOKE ON HIS LEMANES AND LADIS HEM CALLE	CLN	1370
	MONY LUDISCH LORDES THAT LADIES BRO3TEN	CLN	1375
	LET THISE LADYES OF HEM LAPE I LUF HEM IN HERT	CLN	1434
	WITH LORDE3 AND LADIES AS LEUEST HIM THO3T	GGK	49
	AND THE LOUELOKKEST LADIES THAT EUER LIF HADEN	GGK	52
	LADIES LA3ED FUL LOUDE THO3 THAY LOST HADEN	GGK	69
	AMONG THISE KYNDE CAROLES OF KNY3TE3 AND LADYE3.	GGK	473
	KNY3TE3 FUL CORTAYS AND COMLYCH LADIES.	GGK	539
	LACHE3 LUFLY HIS LEUE AT LORDE3 AND LADYE3	GGK	595
	BOT VNLYKE ON TO LOKE THO LADYES WERE	GGK	950
	LET THE LADIE3 BE FETTE TO LYKE HEM THE BETTER	GGK	1084
	THISE LORDE3 AND LADYE3 QUYLE THAT HEM LYKED.	GGK	1115
	WITH LORDE3 WYTH LADYES WITH ALLE THAT LYF BERE.	GGK	1229

BOT HIT AR LADYES INNO3E THAT LEUER WER NOWTHE	GGK	1251
BOTHE THE LADYES ON LOGHE TO LY3T WITH HER BURDES	GGK	1373
THE LEDE WITH THE LADYE3 LAYKED ALLE DAY	GGK	1560
THE GOUDE LADYE3 WERE GETEN AND GEDERED THE MEYNY	GGK	1625
AND SYTHEN HE MACE HYM AS MERY AMONG THE FRE LADYES	GGK	1885
AMONG THE LADIES FOR LUF HE LADDE MUCH IOYE	GGK	1927
WITH LA3YNG OF LADIES WITH LOTE3 OF BORDES	GGK	1954
THEN AT THO LADYE3 WLONK	GGK	1977
3ET LAFT HE NOT THE LACE THE LADIE3 GIFTE.	GGK	2030
BOTHE THAT ON AND THAT OTHER MYN HONOURED LADYE3	GGK	2412
THAT LORDES AND LADIS THAT LONGED TO THE TABLE	GGK	2515
IF WE THYSE LADYES WOLDE LOF IN LYKNYNG OF THEWES	PAT	30
LADIE3 (V. LADIES)		
LADILY		
TO LEDE WYTH HYM SO LADYLY LYF	PRL	774
LADIS (V. LADIES)		
LADS		
LADDES LAFTEN HOR WERKE AND LEPEN THIDERWARDES	ERK	61
LADY		
OF A LADY TO BE LOUED LOKE TO HIR SONE.	CLN	1059
ABOUTTE MY LADY WAT3 LENT QUEN HO DELYUER WERE	CLN	1084
THE LADY TO LAUCE THAT LOS THAT THE LORDE HADE	CLN	1589
THE SYNAGOGE OF THE SONNE WAS SETT TO OURE LADY.	ERK	21
AND THAT MY LEGGE LADY LYKED NOT ILLE	GGK	346
THE LORDE LOUTES THERTO AND THE LADY ALS	GGK	933
THENNE LYST THE LADY TO LOKE ON THE KNY3T.	GGK	941
ANOTHER LADY HIR LAD BI THE LYFT HONDE.	GGK	947
A MENSK LADY ON MOLDE MON MAY HIR CALLE	GGK	964
HIT WAT3 THE LADI LOFLYEST TO BEHOLDE	GGK	1187
GOD MOROUN SIR GAWAYN SAYDE THAT GAY LADY.	GGK	1208
AL LA3ANDE THE LADY LAUCED THO BOURDE3.	GGK	1212
BOT WOLDE 3E LADY LOUELY THEN LEUE ME GRANTE.	GGK	1218
IN GOD FAYTH SIR GAWAYN QUOTH THE GAY LADY	GGK	1248
AND AY THE LADY LET LYK A HYM LOUED MYCH	GGK	1281
THE LADY THENN SPEK OF LEUE	GGK	1288
COUTH NOT LY3TLY HAF LENGED SO LONG WYTH A LADY.	GGK	1299
THE LADY NO3T FOR3ATE	GGK	1472
THE LADY LOUTE3 ADOUN	GGK	1504
AND EUER OURE LUFLYCH KNY3T THE LADY BISYDE	GGK	1657
BOT THE LADY FOR LUF LET NOT TO SLEPE	GGK	1733
THE LADY LUFLYCH COM LA3ANDE SWETE	GGK	1757
THAT MISLYKE3 ME LADE FOR YOUR LUF AT THIS TYME.	GGK	1810
LAYS VP THE LUFLACE THE LADY HYM RA3T	GGK	1874
THE LEUE LADY ON LYUE LUF HIR BITYDE	GGK	2054
THAT IS HO THAT IS AT HOME THE AUNCIAN LADY	GGK	2463
THE LUF OF THE LADI THE LACE AT THE LAST	GGK	2497
AL LA3ANDE THE LADY LANCED THO BOURDE3.	GGK V	1212
BOT MY LADY OF QUOM JESU CON SPRYNG.	PRL	453
OTHER ELLE3 A LADY OF LASSE ARAY.	PRL	491
LADYES (V. LADIES)		
LADYE3 (V. LADIES)		
LADYLY (V. LADILY)		
LADYSCHYP (V. LADYSHIP)		
LADYSHIP		
OF LADYSCHYP GRET AND LYUE3 BLOM.	PRL	578
LAFT (V. LEFT)		
LAFTE (V. LEFT)		
LAFTEN (V. LEFT)		
LAFTES (V. LEFT)		

LAGHE (V. LAW)
LAGHES (V. LAWS)
LAGHT (V. LATCHED)
LAGMON
    AND 3E HE LAD HEM BI LAGMON THE LORDE AND HIS MEYNY . . . . . GGK 1729
LAID
    THER WAT3 NO LAW TO HEM LAYD BOT LOKE TO KYNDE . . . . CLN 263
    AND THE LEDERES OF HER LAWE LAYD TO THE GROUNDE. . . . . . . CLN 1307
    AND WERE THE LYDDE NEUER SO LARGE THAI LAIDE HIT BY SONE. . . ERK 72
    NE HIS LIRE NE THE LOME THAT HE IS LAYDE INNE . . . . ERK 149
    THAT WAT3 LA3T FRO HIS LOKKE3 AND LAYDE ON HIS SCHULDERES . . GGK 156
    HIS LONGE LOUELYCH LOKKE3 HE LAYD OUER HIS CROUN . . . . . . GGK 419
    AND LAYDE HYM DOUN LYSTYLY AND LET AS HE SLEPTE. . . . . . . GGK 1190
    AND WYTH A LUFLYCH LOKE HO LAYDE HYM THYSE WORDE3 . . . . . . GGK 1480
    WITH LUFLA3YNG A LYT HE LAYD HYM BYSYDE . . . . GGK 1777
    FOR IN THE TYXTE THERE THYSE TWO ARN IN TEME LAYDE. . . . . . PAT 37
    THAY LAYDEN IN ON LADDEBORDE AND THE LOFE WYNNES . . . . . . PAT 106
    AND VCHE LEDE AS HE LOUED AND LAYDE HAD HIS HERT . . . . . . PAT 168
    FRO THAT OURE FLESCH BE LAYD TO ROTE . . . . PRL 958
    MY HEDE VPON THAT HYLLE WAT3 LAYDE . . . . PRL 1172
LAIDE (V. LAID)
LAIN
    AL IN LONGING FOR LOTH LEYEN IN A WACHE . . . . CLN 1003
    HOW LONGE HAD HE THER LAYNE HIS LERE SO VNCHAUNGIT. . . . . . ERK 95
    HAS LAYN LOKEN HERE ON LOGHE HOW LONGE IS VNKNAWEN. . . . . . ERK 147
    HE HAS NON LAYNE HERE SO LONGE TO LOKE HIT BY KYNDE . . . . . ERK 157
    HOW LONGE THOU HAS LAYNE HERE AND QUAT LAGHE THOU VSYT . . . . ERK 187
LAITID (V. LAYTED)
LAKE
    THENNE LASNED THE LLAK THAT LARGE WAT3 ARE . . . . CLN 438
    AND NO3T MAY LENGE IN THAT LAKE THAT ANY LYF BERE3. . . . . . CLN 1023
    QUEN WE ARE DAMPNYD DULFULLY INTO THE DEPE LAKE. . . . . . . ERK 302
LAKE-RIFTS
    AND LYOUNE3 AND LEBARDE3 TO THE LAKERYFTES . . . . CLN 536
LAKERYFTES (V. LAKE-RIFTS)
LAKKED (V. LACKED)
LALED
    THEN THE LORDE WONDER LOUDE LALED AND CRYED . . . . CLN 153
    THEN LALED LOTH LORDE WHAT IS BEST . . . . CLN 913
LAMB
    MY LORDE THE LAMB LOUE3 AY SUCH CHERE . . . . PRL 407
    BOT MY LORDE THE LOMBE THUR3 HYS GODHEDE . . . . PRL 413
    MY LORDE THE LOMBE THAT SCHEDE HYS BLODE . . . . PRL 741
    MY MAKELE3 LAMBE THAT AL MAY BETE . . . . PRL 757
    QUAT KYN THYNG MAY BE THAT LAMBE. . . . . PRL 771
    MY LOMBE MY LORDE MY DERE JUELLE. . . . . PRL 795
    AND AS LOMBE THAT CLYPPER IN HANDE NEM. . . . . PRL 802
    LO GODE3 LOMBE AS TRWE AS STON . . . . PRL 822
    AS MEKE AS LOMP THAT NO PLAYNT TOLDE . . . . PRL 815
    TWYE3 FOR LOMBE WAT3 TAKEN THARE. . . . . PRL 830
    THYS JERUSALEM LOMBE HADE NEUER PECHCHE . . . . PRL 841
    IS TO THAT LOMBE A WORTHYLY WYF . . . . PRL 846
    THE LOMBE VS GLAD3 OURE CARE IS KEST . . . . PRL 861
    I SEGHE SAYS JOHN THE LOUMBE HYM STANDE . . . . PRL 867
    BOT THAT MEYNY THE LOMBE THAT SWE . . . . PRL 892
    AND TO THE GENTYL LOMBE HIT ARN ANIOYNT . . . . PRL 895
    THAT IS THE CYTE THAT THE LOMBE CON FONDE. . . . . PRL 939
    THE LOMPE THER WYTHOUTEN SPOTTE3 BLAKE. . . . . PRL 945
    WYTH PAYNE TO SUFFER THE LOMBE HIT CHESE . . . . PRL 954

Entry	Text	Line
BOT OF THE LOMBE I HAUE THE AQUYLDE.	PRL	967
THE LOMBE HER LANTYRNE WYTHOUTEN DREDE.	PRL	1047
THE LOMBE THE SAKERFYSE THER TO REFET .	PRL	1064
THE LOMBE BYFORE CON PROUDLY PASSE .	PRL	1110
TO LOUE THE LOMBE HIS MEYNY IN MELLE	PRL	1127
DELIT THE LOMBE FOR TO DEUISE.	PRL	1129
THE LOMBE DELYT NON LYSTE TO WENE	PRL	1141
AND AS LOMBE THAT CLYPPER IN LANDE NEM.	PRL 1	802
THE LOMBE THE SAKERFYSE THER TO REGET .	PRL 1	1064
AND AS LOMBE THAT CLYPPER IN LANDE NEM.	PRL 2	802
THE LOMBE THE SAKERFYSE THER TO REGET .	PRL 2	1064
AND AS LOMBE THAT CLYPPER IN LANDE NEM.	PRL 3	802
THE LOMBE THE SAKEFYSE THER TO REGET	PRL 3	1064
LAMBE (V. LAMB)		
LAMBE3 (V. LAMBS)		
LAMBS		
THE LAMBE3 VYUE3 IN BLYSSE WE BENE .	PRL	785
THE LOMBE3 NOME HYS FADERE3 ALSO.	PRL	872
LAME (CP. LOMERANDE)		
SUMME LEPRE SUMME LOME AND LOMERANDE BLYNDE .	CLN	1094
LAMP		
THAT BER THE LAMP VPON LOFTE THAT LEMED EUERMORE	CLN	1273
FOR THERE WAT3 LY3T OF A LAUMPE THAT LEMED IN HIS CHAMBRE	GGK	2010
LAMPES (V. LAMPS)		
LAMP-LIGHT		
THE SELF GOD WAT3 HER LOMBELY3T .	PRL	1046
LAMPS		
INMONG THE LEUES OF THE LEFSEL LAMPES WER GRAYTHED.	CLN	1485
INMONG THE LEUES OF THE LAUNCES LAMPES WER GRAYTHED	CLN V	1485
LANCE		
AS LANCE LEUE3 OF THE BOKE THAT LEPES IN TWYNNE.	CLN V	966
AND LA3T HIS LAUNCE RY3T THORE	GGK	667
FUL OFT CON LAUNCE AND LY3T	GGK	1175
THAT BERE HIS SPERE AND LAUNCE	GGK	2066
WITH HE3E HELME ON HIS HEDE HIS LAUNCE IN HIS HONDE	GGK	2197
ALLE THE RYME3 BY THE RYBBE3 RADLY THAY LANCE	GGK V	1343
THE LAPPE3 THAY LANCE BIHYNDE.	GGK V	1350
THAT I SCHAL LELLY YOW LAYNE AND LANCE NEUER TALE .	GGK V	2124
LO MY LORE IS IN THE LOKEN LANCE HIT THERINNE	PAT V	350
LANCED		
THAT FOR LOT THAT THAY LANSED HO LA3ED NEUER.	CLN V	668
BOT THE LORDE OUER THE LONDE3 LAUNCED FUL OFTE .	GGK	1561
AL LA3ANDE THE LADY LANCED THO BOURDE3.	GGK V	1212
THAY LANCED WORDES GODE.	GGK V	1766
3ET OURE LORDE TO THE LEDE LANSED A SPECHE	PAT V	489
LANCELOT		
LAUNCELOT AND LYONEL AND LUCAN THE GODE	GGK	553
LANCES		
INMONG THE LEUES OF THE LAUNCES LAMPES WER GRAYTHED	CLN V	1485
BOT THE LORDE ON A LY3T HORCE LAUNCES HYM AFTER.	GGK	1464
BOT LURKED BY LAUNCE3 SO LUFLY LEUED	PRL	978
LAND		
AND ALLE THE LAYKE3 THAT A LORDE A3T IN LONDE SCHEWE .	CLN	122
BOTHE LEDE3 AND LONDE AND ALLE THAT LYF HABBE3 .	CLN	308
WHYL OF THE LENTHE OF THE LONDE LASTE3 THE TERME	CLN	568
AND ALLE THE LONDE WYTH THISE LEDE3 WE LOSEN AT ONE3 .	CLN	909
FOR ALLE THIS LONDE SCHAL BE LORNE LONGE ER THE SONNE RISE .	CLN	932
AND ALLE LYST ON HIR LIK THAT ARN ON LAUNDE BESTES.	CLN	1000

LOUDE ALAROM VPON LAUNDE LULTED WAT3 THENNE . . . . CLN 1207
AND THUS WAT3 THAT LONDE LOST FOR THE LORDES SYNNE. . . . . . CLN 1797
BOT A LEDE OF THE LAGHE THAT THEN THIS LONDE VSIT . . . . . . ERK 200
AND HADES NO LONDE OF LEGE MEN NE LIFE NE LYM AGHTES . . . . . ERK 224
IN LONDE SO HAT3 BEN LONGE. . . . . GGK 36
FOR THOU MAY LENG IN THY LONDE AND LAYT NO FYRRE . . . . GGK 411
IN LONDE. . . . . GGK 486
A LOWANDE LEDER OF LEDE3 IN LONDE HYM WEL SEME3. . . . . . . GGK 679
ABOF A LAUNDE ON A LAWE LOKEN VNDER BO3E3. . . . . GGK 765
FOR ALLE THE LONDE INWYTH LOGRES SO ME OURE LORDE HELP . . . . GGK 1055
THE LEUE LORDE OF THE LONDE WAT3 NOT THE LAST . . . . GGK 1133
AND AY THE LORDE OF THE LONDE IS LENT ON HIS GAMNE3 . . . . GGK 1319
THE LEUEST THING FOR THY LUF THAT I IN LONDE WELDE. . . . . GGK 1802
3ET IS THE LORDE ON THE LAUNDE LEDANDE HIS GOMNES . . . . . . GGK 1894
AND 3IF I MY3T LYF VPON LONDE LEDE ANY QUYLE. . . . . GGK 2058
THENNE LOKE A LITTEL ON THE LAUNDE ON THI LYFTE HONDE. . . . GGK 2146
LEPE3 HYM OUER THE LAUNDE AND LEUE3 THE KNY3T THERE . . . . GGK 2154
SAUE A LYTTEL ON A LAUNDE A LAWE AS HIT WERE. . . . . GGK 2171
AND LOKED TO THE LEUDE THAT ON THE LAUNDE 3EDE . . . . GGK 2333
SYN 3E BE LORDE OF THE 3ONDER LONDE THER I HAF LENT INNE. . . GGK 2440
BERCILAK DE HAUTDESERT I HAT IN THIS LONDE . . . . GGK 2445
SONE A LYTTEL ON A LAUNDE A LAWE AS HIT WERE. . . . . GGK V 2171
OF WHAT LONDE ART THOU LENT WHAT LAYTES THOU HERE . . . . . . PAT 201
THER WAT3 LOUYNG ON LOFTE WHEN THAY THE LONDE WONNEN . . . . PAT 237
AND PREUE THE LY3TLY A LORDE IN LONDE AND IN WATER. . . . . . PAT 288
THAT I MAY LACHCHE NO LONT AND THOU MY LYF WELDES . . . . . . PAT 322
WEL LOUELOKER WAT3 THE FYRRE LONDE . . . . PRL 148
THAT MOTE THOU MENE3 IN JUDY LONDE . . . . PRL 937
AND AS LOMBE THAT CLYPPER IN LANDE NEM. . . . . PRL 1 802
AND AS LOMBE THAT CLYPPER IN LANDE NEM. . . . . PRL 2 802
AND AS LOMBE THAT CLYPPER IN LANDE NEM. . . . . PRL 3 802

LANDE (V. LAND)

LANDS

THENNE WYTH LEGIOUNES OF LEDES OUER LONDES HE RYDES . . . . . CLN 1293
THAT LONGE HADE LAYTED THAT LEDE HIS LONDES TO STRYE . . . . . CLN 1768
AND THE SOLEMPNEST OF HIS SACRIFICES IN SAXON LONDES . . . . . ERK 30
BOT THE LORDE OUER THE LONDE3 LAUNCED FUL OFTE . . . . GGK 1561

LANE

BOT EUERMORE VPEN AT VCHE A LONE. . . . . PRL 1066

LANGABERDE

LANGABERDE IN LUMBARDIE LYFTES VP HOMES . . . . GGK 12

LANGAGE (V. LANGUAGE)

LANGOR

HYS COMFORTE MAY THY LANGOUR LYTHE . . . . PRL 357

LANGOUR (V. LANGOR)

LANGUAGE

NE WHAT LEDISCH LORE NE LANGAGE NAUTHER . . . . CLN 1556

LANSED (V. LANCED)

LANT (V. LENT)

LANTE (V. LENT)

LANTERN

THE LOMBE HER LANTYRNE WYTHOUTEN DREDE. . . . . PRL 1047

LANTE3 (V. LENT)

LANTYRNE (V. LANTERN)

LAP

LET THISE LADYES OF HEM LAPE I LUF HEM IN HERT . . . . CLN 1434
THE LORDE LACHES HYM BY THE LAPPE AND LEDE3 HYM TO SYTTE. . . GGK 936

LAPE (V. LAP)

LAPPE (V. LAP)

LAPPED

AND SYTHEN ALLE THYN OTHER LYME3 LAPPED FUL CLENE	CLN	175
THE LENGTHE OF MY LYINGE HERE THAT IS A LAPPID DATE	ERK	205
A LACE LAPPED ABOUTE THAT LOUKED AT THE HEDE.	GGK	217
HIS LEGE3 LAPPED IN STEL WITH LUFLYCH GREUE3.	GGK	575

LAPPE3 (V. LAPS)

LAPPID (V. LAPPED)

LAPS

THE LOUELOKER HE LAPPE3 A LYTTEL IN ARME3.	GGK	973
THE LAPPE3 THAY LAUCE BIHYNDE.	GGK	1350
THE LAPPE3 THAY LANCE BIHYNDE.	GGK V	1350
WYTH LAPPE3 LARGE I WOT AND I WENE	PRL	201

LARGE

AND THUS OF LENTHE AND OF LARGE THAT LOME THOU MAKE	CLN	314
THENNE LASNED THE LLAK THAT LARGE WAT3 ARE	CLN	438
WAT3 LONGE AND FUL LARGE AND EUER ILYCH SWARE	CLN	1386
BOT THE LETTRES BILEUED FUL LARGE VPON PLASTER	CLN	1549
FOR HIS LORDESCHYP SO LARGE AND HIS LYF RYCHE	CLN	1658
WYTH MONY A LEGIOUN FUL LARGE WYTH LEDES OF ARMES	CLN	1773
AND WERE THE LYDDE NEUER SO LARGE THAI LAIDE HIT BY SONE. . . .	ERK	72
THE HEDE OF AN ELN3ERDE THE LARGE LENKTHE HADE	GGK	210
FYLED IN A FYLOR FOWRE FOTE LARGE	GGK	2225
WYTH LAPPE3 LARGE I WOT AND I WENE	PRL	201
HYS FRAUNCHYSE IS LARGE THAT EUER DARD.	PRL	609

LARGES (V. LARGESSE)

LARGESSE

OF THE LARGESSE AND THE LENTHE THE LITHERNE3 ALSE	GGK	1627
THAT IS LARGES AND LEWTE THAT LONGE3 TO KNY3TE3.	GGK	2381

LASCHED (V. LASHED)

LASHED

LUFLOWE HEM BYTWENE LASCHED SO HOTE.	CLN	707
LI3TLY LASSHIT THER A LEME LOGHE IN THE ABYME	ERK	334

LASNED (V. LESSENED)

LASSE (V. LESS)

LASSEN (V. LESSEN)

LASSHIT (V. LASHED)

LAST

SO FRO HEUEN TO HELLE THAT HATEL SCHOR LASTE.	CLN	227
ON A RASSE OF A ROK HIT REST AT THE LASTE.	CLN	446
HIT IS ETHE TO LEUE BY THE LAST ENDE	CLN	608
BOT NYTELED THER ALLE THE NY3T FOR NO3T AT THE LAST	CLN	888
WHEN MERK OF THE MYDNY3T MO3T NO MORE LAST	CLN	894
DRYE FOLK AND YDROPIKE AND DEDE AT THE LASTE.	CLN	1096
AT THE LASTE VPON LONGE THO LEDES WYTHINNE	CLN	1193
MONI A WORTHLY WY3E WHIL HER WORLDE LASTE.	CLN	1298
THAT HE FUL CLANLY BICNV HIS CARP BI THE LASTE	CLN	1327
EUER LASTE THY LYF IN LENTHE OF DAYES	CLN	1594
HOW HIT MY3T LYE BY MONNES LORE AND LAST SO LONGE	ERK	264
HE HAS LANT ME TO LAST THAT LOUES RY3T BEST	ERK	272
AND WAT3 THE LAST OF THE LAYK LEUDE3 THER THO3TEN	GGK	1023
AT THE LAST WHEN HIT WAT3 LATE THAY LACHEN HER LEUE	GGK	1027
TO METE THAT MON AT THAT MERE 3IF I MY3T LAST	GGK	1061
VCHE BURNE TO HIS BED WAT3 BRO3T AT THE LASTE	GGK	1120
THE LEUE LORDE OF THE LONDE WAT3 NOT THE LAST	GGK	1133
THENNE FERSLY THAY FLOKKED IN FOLK AT THE LASTE.	GGK	1323
THENNE THAY LOUELYCH LE3TEN LEUE AT THE LAST.	GGK	1410
AT THE LAST SCHO CON HYM KYSSE	GGK	1555
TIL AT THE LAST HE WAT3 SO MAT HE MY3T NO MORE RENNE	GGK	1568
AS LONGE AS HOR WYLLE HOM LAST	GGK	1665

AT THE LAST BI A LITTEL DICH HE LEPE3 OUER A SPENNE . . . . . GGK 1709
THE LORDE IS LY3T AT THE LASTE AT HYS LEF HOME . . . . GGK 1924
BURNE3 TO HOR BEDDE BEHOUED AT THE LASTE . . . . GGK 1959
THE LUF OF THE LADI THE LACE AT THE LAST . . . . GGK 2497
AND I MOT NEDE3 HIT WERE WYLE I MAY LAST . . . . GGK 2510
HIT ARN FETTLED IN ON FORME THE FORME AND THE LASTE . . . . . PAT 38
AND AY THE LOTE VPON LASTE LYMPED ON JONAS . . . . PAT 194
AND THER HE LENGED AT THE LAST AND TO THE LEDE CALLED. . . . . PAT 281
TO LASTE MERE OF VCHE A MOUNT MAN AM I FALLEN . . . . PAT 320
BYGYN AT THE LASTE THAT STANDE3 LOWE . . . . PRL 547
THE LASTE SCHAL BE THE FYRST THAT STRYKE3. . . . . PRL 570
AND THE FYRST THE LASTE BE HE NEUER SO SWYFT. . . . . PRL 571
THAT AY SCHAL LASTE WYTHOUTEN RELES. . . . . PRL 956
AND I KASTE OF KYTHE3 THAT LASTE3 AYE . . . . PRL 1198

LASTE (ALSO V. LAST)
HOW THAY WYTH LYF WERN LASTE AND LADE . . . . PRL 1146

LASTED
FOR HOR WRAKEFUL WERRE QUIL HOR WRATHE LASTYD . . . . ERK 215
DUBBED WYTH FUL DERE STONE3 AS THE DOK LASTED . . . . GGK 193
TO HERBER IN THAT HOSTEL WHYL HALYDAY LESTED. . . . . GGK 805

LASTES (ALSO V. LASTS)
THENNE EFTE LASTES HIT LIKKES HE LOSES HIT ILLE. . . . . . . CLN 1141
WYTH THY LASTES SO LUTHER TO LOSE VS VCHONE . . . . PAT 198

LASTE3 (V. LAST, LASTS)

LASTS
WHYL OF THE LENTHE OF THE LONDE LASTE3 THE TERME . . . . . . CLN 568
3ET THE PERLE PAYRES NOT WHYLE HO IN PYESE LASTTES. . . . . . CLN 1124
I SCHAL WARE MY WHYLE WEL QUYL HIT LASTE3. . . . . GGK 1235
NOW LORDE LACH OUT MY LYF HIT LASTES TO LONGE . . . . PAT 425

LASTTES (V. LASTS)

LASTYD (V. LASTED)

LAT (V. LATE)

LATCH
AND HONEST FOR THE HALYDAY LEST THOU HARME LACHE . . . . . . CLN 166
BY GODDES LEUE AS LONGE AS I MY3T LACCHE WATER . . . . ERK 316
THAT A HATHEL AND A HORSE MY3T SUCH A HWE LACH . . . . GGK 234
LEPE LY3TLY ME TO AND LACH THIS WEPPEN. . . . . GGK 292
AT THE LAST WHEN HIT WAT3 LATE THAY LACHEN HER LEUE . . . . . GGK 1027
LEPEN VP LY3TLY LACHEN HER BRYDELES. . . . . GGK 1131
3E MAY LACH QUEN YOW LYST AND LEUE QUEN YOW THYNKKE3 . . . . . GGK 1502
FORTHY THOW LYE IN THY LOFT AND LACH THYN ESE . . . . GGK 1676
FOR THE LUR MAY MON LACH WHENSO MON LYKE3. . . . . GGK 1682
OTHER LACH THER HIR LUF OTHER LODLY REFUSE . . . . GGK 1772
THAT I MAY LACHCHE NO LONT AND THOU MY LYF WELDES . . . . . . PAT 322
NOW LORDE LACH OUT MY LYF HIT LASTES TO LONGE . . . . PAT 425

LATCHED
SKETE SKARMOCH SKELT MUCH SKATHE LACHED . . . . CLN 1186
THER LAGHT WITHOUTEN LOTHE. . . . . GGK 127
THAT WAT3 LA3T FRO HIS LOKKE3 AND LAYDE ON HIS SCHULDERES . . GGK 156
LY3TLY LEPE3 HE HYM TO AND LA3T AT HIS HONDE. . . . . GGK 328
LA3T TO HIS LUFLY HED AND LYFT HIT VP SONE . . . . GGK 433
AND LA3T HIS LAUNCE RY3T THORE . . . . GGK 667
WYTH LEUE LA3T OF THE LORDE HE LENT HEM A3AYNES. . . . . . . GGK 971
THENNE THAY LOUELYCH LE3TEN LEUE AT THE LAST. . . . . GGK 1410
HO LA3T A LACE LY3TLY THAT LEKE VMBE HIR SYDE3 . . . . GGK 1830
HIS SCHALK SCHEWED HYM HIS SCHELDE ON SCHULDER HE HIT LA3T . . GGK 2061
THAT HE LA3T FOR HIS VNLEUTE AT THE LEUDES HONDES . . . . . . GGK 2499
THIS IS THE LATHE AND THE LOSSE THAT I LA3T HAUE . . . . . . GGK 2507
WYTH LEUE LA3T OF THE LORDE HE WENT HEM A3AYNES. . . . . . . GGK V 971

HOW FRO THE BOT INTO THE BLOBER WAT3 WYTH A BEST LACHCHED PAT 266
IWYSSE I LA3T A GRET DELYT. PRL 1128
OUER THIS HYUL THIS LOTE I LA3TE. PRL 1205

LATCHES
LACHE3 LUFLY HIS LEUE AT LORDE3 AND LADYE3 GGK 595
THE LORDE LACHES HYM BY THE LAPPE AND LEDE3 HYM TO SYTTE. GGK 936
GAWAN GEF HYM GOD DAY THE GODMON HYM LACHCHE3 GGK 1029
THENNE LACHCHE3 HO HIR LEUE AND LEUE3 HYM THERE. GGK 1870
THE LORDE LY3TE3 BILYUE AND LACHE3 HYM SONE GGK 1906

LATE
BOT OF LEAUTE HE WAT3 LAT TO HIS LORDE HENDE. CLN 1172
TO LOKE ON OURE LOFLY LORDE LATE BETYDES CLN 1804
AT THE LAST WHEN HIT WAT3 LATE THAY LACHEN HER LEUE GGK 1027
THY LONGE ABYDYNG WYTH LUR THY LATE VENGAUNCE PAT 419
WHAT LYF 3E LEDE ERLY AND LATE PRL 392
THE SUNNE WAT3 DOUN AND HIT WEX LATE PRL 538
THA3 THAY COM LATE AND LYTTEL WORE PRL 574
THOU SAY3 THAT I THAT COME TO LATE PRL 615

LATER
AND MONY A LEMMAN NEUER THE LATER THAT LADIS WER CALLED CLN 1352
BOT NEUERTHELECE NE THE LATER THAY NEUENED BOT MERTHE. GGK 541

LATHE (ALSO V. LOATH)
FOR WE LATHE THE SIR LOTH THAT THOU THY LYF HAUE CLN 900
LONGE ER HO THAT SOPER SE OTHER SEGGE HYR TO LATHE. ERK 308

LATHED
FOR ALLE ARN LATHED LUFLYLY THE LUTHER AND THE BETTER. CLN 163
LOTH LATHED SO LONGE WYTH LUFLYCH WORDE3 CLN 809
THA3 FAST LATHED HEM LOTH THAY LE3EN FUL STYLLE. CLN 936
THER LATHED HYM FAST THE LORDE GGK 2403

LATHE3
LATHE3 HEM ALLE LUFLYLY TO LENGE AT MY FEST CLN 81

LATTER
TILLE CESSYD WAS THE SERUICE AND SAYDE THE LATER ENDE. ERK 136

LAUANDE (V. LAVING)

LAUCE (CP. LAWSE3)
AS LAUCE LEUE3 OF THE BOKE THAT LEPES IN TWYNNE. CLN 966
AND COMAUNDES HYM COFLY COFERES TO LAUCE CLN 1428
THE LADY TO LAUCE THAT LOS THAT THE LORDE HADE CLN 1589
THE LEUE3 LAUCEN FRO THE LYNDE AND LY3TEN ON THE GROUNDE. GGK 526
ALLE THE RYME3 BY THE RYBBE3 RADLY THAY LAUCE GGK 1343
THE LAPPE3 THAY LAUCE BIHYNDE. GGK 1350
THAT YOW LAUSEN NE LYST AND THAT I LEUE NOUTHE GGK 1784
THAT I SCHAL LELLY YOW LAYNE AND LAUCE NEUER TALE GGK 2124
LO MY LORE IS IN THE LOKE LAUCE HIT THERINNE. PAT 350

LAUCED
THAT FOR LOT THAT THAY LAUSED HO LA3ED NEUER. CLN 668
GORDE TO GOMORRA THAT THE GROUNDE LAUSED CLN 957
AL LA3ANDE THE LADY LAUCED THO BOURDE3. GGK 1212
THAY LAUCED WORDES GODE. GGK 1766
3ET OURE LORDE TO THE LEDE LAUSED A SPECHE PAT 489

LAUCEN (V. LAUCE)

LAUCYNG
LYSTILY FOR LAUCYNG THE LERE OF THE KNOT GGK 1334

LAUE (V. LAVE)

LAUE3 (V. LAVES)

LAUGH
AT THAT GRENE THAY LA3E AND GRENNE GGK 464
LAYKYNG OF ENTERLUDE3 TO LA3E AND TO SYNG. GGK 472
LA3EN LOUDE THERAT AND LUFLYLY ACORDEN. GGK 2514

LAUGHED
LEDE3 LO3EN IN THAT LOME AND LOKED THEROUTE . . . . CLN 495
THENNE THE BURDE BYHYNDE THE DOR FOR BUSMAR LA3ED . . . . CLN 653
THAT FOR LOT THAT THAY LAUSED HO LA3ED NEUER. . . . . CLN 668
FOR THOU LA3ED ALO3 BOT LET WE HIT ONE. . . . . CLN 670
THAT FOR LOT THAT THAY LANSED HO LA3ED NEUER. . . . . CLN V 668
LADIES LA3ED FUL LOUDE THO3 THAY LOST HADEN . . . . GGK 69
LOUDE LA3ED HE THERAT SO LEF HIT HYM THO3T . . . . GGK 909
THENNE WAT3 GAWAN FUL GLAD AND GOMENLY HE LA3ED. . . . . . . GGK 1079
SO SAYDE THE LORDE OF THAT LEDE THAY LA3ED VCHONE . . . . . . GGK 1113
THENNE HO GEF HYM GOD DAY AND WYTH A GLENT LA3ED . . . . . . GGK 1290
THAY LA3ED AND MADE HEM BLYTHE . . . . GGK 1398
THAY LA3ED AND LAYKED LONGE . . . . GGK 1554
THE LORDE FUL LOWDE WITH LOTE LA3ED MYRY . . . . GGK 1623
THENN LO3E THAT OTHER LEUDE AND LUFLYLY SAYDE . . . . GGK 2389
AND EUER HE LA3ED AS HE LOKED THE LOGE ALLE ABOUTE. . . . . . PAT 461
LAUGHING
THUS WYTH LA3ANDE LOTE3 THE LORDE HIT TAYT MAKE3 . . . . . . GGK 988
THENNE LA3ANDE QUOTH THE LORDE NOW LENG THE BYHOUES . . . . . GGK 1068
WYTH LYPPE3 SMAL LA3ANDE . . . . GGK 1207
AL LA3ANDE THE LADY LAUCED THO BOURDE3. . . . . GGK 1212
THE LADY LUFLYCH COM LA3ANDE SWETE . . . . GGK 1757
WITH LA3YNG OF LADIES WITH LOTE3 OF BORDES . . . . GGK 1954
AL LA3ANDE THE LADY LANCED THO BOURDE3. . . . . GGK V 1212
LAUGHS
THENNE SAYDE OURE SYRE THER HE SETE SE SO SARE LA3ES . . . . . CLN 661
WYTH THIS HE LA3ES SO LOUDE THAT THE LORDE GREUED . . . . . . GGK 316
SETTE3 HIR SOFLY BY HIS SYDE AND SWYTHELY HO LA3E3. . . . . . GGK 1479
LAUGHTER
AND THUS HE BOURDED A3AYN WITH MONY A BLYTHE LA3TER . . . . . GGK 1217
LAUMPE (V. LAMP)
LAUNCE (V. LANCE)
LAUNCED (V. LANCE)
LAUNCES (V. LANCES)
LAUNCE3 (V. LANCES)
LAUNDE (V. LAND)
LAUSED (V. LAUCED)
LAUSEN (V. LAUCE)
LAUSNED
THENNE LAUSNED THE LO3 LOWKANDE TOGEDER . . . . CLN 441
LAVE
MONY LADDE THER FORTHLEP TO LAUE AND TO KEST. . . . . PAT 154
LAVES
HE LAUE3 HYS GYFTE3 AS WATER OF DYCHE . . . . PRL 607
LAVING
THE MUKEL LAUANDE LOGHE TO THE LYFTE RERED . . . . CLN 366
TO THE LICHE THER HIT LAY WITH LAUANDE TERES. . . . . ERK 314
LAW
THER WAT3 NO LAW TO HEM LAYD BOT LOKE TO KYNDE . . . . CLN 263
THAT NEUER LAKKED THY LAUE BOT LOUED AY TRAUTHE. . . . . . . CLN 723
THAT HE FYLSENED THE FAYTHFUL IN THE FALCE LAWE. . . . . . . CLN 1167
AND LETTE LY3T BI THE LAWE THAT HE WAT3 LEGE TYLLE. . . . . . CLN 1174
AND THE LEDERES OF HER LAWE LAYD TO THE GROUNDE. . . . . . . CLN 1307
AT LOUE LONDON TON AND THE LAGHE TECHES . . . . ERK 34
HOW LONGE THOU HAS LAYNE HERE AND QUAT LAGHE THOU VSYT . . . . ERK 187
BOT A LEDE OF THE LAGHE THAT THEN THIS LONDE VSIT . . . . . . ERK 200
VNDER A PRINCE OF PARAGE OF PAYNYMES LAGHE . . . . ERK 203
THEN WAS I IUGE HERE ENIOYNYD IN GENTIL LAWE. . . . . ERK 216
AND FOR I WAS RY3TWIS AND REKEN AND REDY OF THE LAGHE. . . . ERK 245

ENBANED VNDER THE ABATAYLMENT IN THE BEST LAWE	GGK	790
BI LAWE	GGK	1643
WHAT LEDE MO3T LEUE BI LAWE OF ANY KYNDE	PAT	259
THENNE AL LEUED ON HIS LAWE AND LAFTEN HER SYNNES	PAT	405
WHAT LEDE MO3T LYUE BI LAWE OF ANY KYNDE	PAT V	259
LAWE (ALSO V. LAW)		
THAT NO3T SAUED WAT3 BOT SEGOR THAT SAT ON A LAWE	CLN	992
ABOF A LAUNDE ON A LAWE LOKEN VNDER BO3E3.	GGK	765
SAUE A LYTTEL ON A LAUNDE A LAWE AS HIT WERE.	GGK	2171
THE KNY3T KACHE3 HIS CAPLE AND COM TO THE LAWE	GGK	2175
SONE A LYTTEL ON A LAUNDE A LAWE AS HIT WERE.	GGK V	2171
LAWES (V. LAWS)		
LAWE3 (V. LAWS)		
LAWLES (V. LAWLESS)		
LAWLESS		
I LEUE HERE BE SUM LOSYNGER SUM LAWLES WRECH.	PAT	170
LAWS		
AND FOR FALS FAMACIONS AND FAYNED LAWE3	CLN	188
AND LOUES AL THE LAWES LELY THAT LONGEN TO TROUTHE.	ERK	268
BOT AY A FREKE FAITHELES THAT FAYLID THI LAGHES.	ERK	287
AND LOUE MY LORDE AND AL HIS LAWE3	PRL	285
LAWSE3 (CP. LAUCE)		
THENNE HE KA3T TO THE KNOT AND THE KEST LAWSE3	GGK	2376
LAY		
AND LYUED WYTH THE LYKYNG THAT LY3E IN THYN HERT	CLN	172
OF THE LENTHE OF NOE LYF TO LAY A LEL DATE	CLN	425
KAST VP ON A CLYFFE THER COSTESE LAY DRYE.	CLN	460
FOR THE LEDE THAT THER LAYE THE LEUE3 ANVNDER	CLN	609
THA3 FAST LATHED HEM LOTH THAY LE3EN FUL STYLLE.	CLN	936
FOR LAY THERON A LUMP OF LED AND HIT ON LOFT FLETE3	CLN	1025
AND QUOSO HYM LYKED TO LAY WAT3 LO3ED BYLYUE.	CLN	1650
BEDE VNLOUKE THE LIDDE AND LAY HIT BYSIDE.	ERK	67
AND A BLISFULLE BODY OPON THE BOTHUM LYGGID	ERK	76
THEN HUMMYD HE THAT THER LAY AND HIS HEDDE WAGGYD	ERK	281
TO THE LICHE THER HIT LAY WITH LAUANDE TERES.	ERK	314
IF 3E WYL LYSTEN THIS LAYE BOT ON LITTEL QUILE	GGK	30
THIS KYNG LAY AT CAMYLOT VPON KRYSTMASSE	GGK	37
TO JOYNE WYTH HYM IN IUSTYNG IN JOPARDE TO LAY	GGK	97
THE LEDE LAY LURKED A FUL LONGE QUYLE	GGK	1195
THE LEUDE LYSTENED FUL WEL THAT LE3 IN HIS BEDDE	GGK	2006
THE QUYTE SNAW LAY BISYDE	GGK	2088
I LOVUE THAT WE LAY LOTES ON LEDES VCHONE.	PAT	173
AND WHOSO LYMPES THE LOSSE LAY HYM THEROUTE	PAT	174
INTO THE BOTHEM OF THE BOT AND ON A BREDE LYGGEDE	PAT	184
ON SCHYLDERE3 THAT LEGHE VNLAPPED LY3TE	PRL	214
LAYD (V. LAID)		
LAYDE (V. LAID)		
LAYDEN (V. LAID)		
LAYE (V. LAY)		
LAYK		
AND IF HE LOUYES CLENE LAYK THAT IS OURE LORDE RYCHE	CLN	1053
HIR SCHAL LYKE THAT LAYK THAT LYKNES HIR TYLLE	CLN	1064
AND WAT3 THE LAST OF THE LAYK LEUDE3 THER THO3TEN	GGK	1023
COWTHE WEL HALDE LAYK ALOFTE	GGK	1125
IS THE LEL LAYK OF LUF THE LETTRURE OF ARMES.	GGK	1513
AND IF WE LEUEN THE LAYK OF OURE LAYTH SYNNES	PAT	401
LAYKE		
AND THAT YOW LYST FORTO LAYKE LEF HIT ME THYNKES	GGK	1111
LAYKED		

THAY LA3ED AND LAYKED LONGE . . . . GGK 1554
THE LEDE WITH THE LADYE3 LAYKED ALLE DAY . . . . GGK 1560
LAYKE3
AND ALLE THE LAYKE3 THAT A LORDE A3T IN LONDE SCHEWE . . . . . CLN 122
THAT FOR HER LODLYCH LAYKE3 ALOSED THAY WERE. . . . . CLN 274
AND LAYKE3 WYTH HEM AS YOW LYST AND LETE3 MY GESTES ONE . . . . CLN 872
PREUE FOR TO PLAY WYTH IN OTHER PURE LAYKE3 . . . . GGK 262
THUS LAYKE3 THIS LORDE BY LYNDEWODE3 EUE3. . . . . GGK 1178
LAYKYNG
LAYKYNG OF ENTERLUDE3 TO LA3E AND TO SYNG. . . . . GGK 472
LAYN (V. LAIN)
LAYNE (ALSO V. LAIN)
NOW LYKHAME THAT THUS LIES LAYNE THOU NO LENGER. . . . . ERK 179
FOR ALLE THE LUFE3 VPON LYUE LAYNE NOT THE SOTHE . . . . . . GGK 1786
BOT TO LELLY LAYNE FRO HIR LORDE THE LEUDE HYM ACORDE3 . . . . GGK 1863
THAT I SCHAL LELLY YOW LAYNE AND LAUCE NEUER TALE . . . . . . GGK 2124
AND THAT LELLY ME LAYNE I LEUE WEL THOU WOLDE3 . . . . GGK 2128
THAT I SCHAL LELLY YOW LAYNE AND LANCE NEUER TALE . . . . . . GGK V 2124
LAYNED
MUCH LONGEYNG HAF I FOR THE LAYNED . . . . PRL 244
LAYS
LAYS VP THE LUFLACE THE LADY HYM RA3T . . . . GGK 1874
LAYT (ALSO V. LAYTE)
HE LOKED AS LAYT SO LY3T . . . . GGK 199
LAYTE
FOR THOU MAY LENG IN THY LONDE AND LAYT NO FYRRE . . . . . . GGK 411
AND LAYTE AS LELLY TIL THOU ME LUDE FYNDE. . . . . GGK 449
FOR TO LAYTE MO LEDES AND HEM TO LOTE BRYNG . . . . PAT 180
LAYTED
THAT LONGE HADE LAYTED THAT LEDE HIS LONDES TO STRYE . . . . . CLN 1768
AND WE HAUE OURE LIBRARIE LAITID THES LONGE SEUEN DAYES . . . . ERK 155
LAYTES
SAYDE THE LORDE TO THO LEDE3 LAYTE3 3ET FERRE . . . . CLN 97
AND LEST LUR OF MY LYF QUO LAYTES THE SOTHE . . . . GGK 355
OF WHAT LONDE ART THOU LENT WHAT LAYTES THOU HERE . . . . . . PAT 201
AND THENNE HE LURKKES AND LAYTES WHERE WAT3 LE BEST . . . . . PAT 277
LAYTE3 (V. LAYTES)
LAYTH (CP. LOATH)
AND IF WE LEUEN THE LAYK OF OURE LAYTH SYNNES . . . . PAT 401
LAZARS
3ET COMEN LODLY TO THAT LEDE AS LA3ARES MONYE . . . . CLN 1093
LA3ARES (V. LAZARS)
LA3E (V. LAUGH)
LA3ED (V. LAUGHED)
LA3EN (V. LAUGH)
LA3ES (V. LAUGHS)
LA3E3 (V. LAUGHS)
LA3T (V. LATCHED)
LA3TE (V. LATCHED)
LA3TER (V. LAUGHTER)
LA3YNG (V. LAUGHING)
LE (V. LEE)
LEAD
FOR LAY THERON A LUMP OF LED AND HIT ON LOFT FLETE3 . . . . . CLN 1025
TO LEDE A LORTSCHYP IN LEE OF LEUDE3 FUL GODE . . . . GGK 849
THAY TAN HYM BYTWENE HEM WYTH TALKYNG HYM LEDEN. . . . . . . GGK 977
AND 3IF I MY3T LYF VPON LONDE LEDE ANY QUYLE. . . . . GGK 2058
THEN LEDE LENGER THI LORE THAT THUS ME LES MAKE3 . . . . . . PAT 428
WHAT LYF 3E LEDE ERLY AND LATE . . . . PRL 392

Line	Text	Line no.
A BLYSFUL LYF THOU SAYS I LEDE	PRL	409
TO LEDE WYTH HYM SO LADYLY LYF	PRL	774
LEADER		
A LOWANDE LEDER OF LEDE3 IN LONDE HYM WEL SEME3.	GGK	679
LEADERS		
AND THE LEDERES OF HER LAWE LAYD TO THE GROUNDE.	CLN	1307
LEADING		
3ET IS THE LORDE ON THE LAUNDE LEDANDE HIS GOMNES	GGK	1894
LEADS		
THE LORDE LACHES HYM BY THE LAPPE AND LEDE3 HYM TO SYTTE.	GGK	936
LEDES HYM TO HIS AWEN CHAMBRE THE CHYMNE BYSYDE.	GGK	1030
LEAF		
LOKED ALOFTE ON THE LEF THAT LYLLED GRENE.	PAT	447
AS BORNYST SYLUER THE LEF ONSLYDE3	PRL	77
LEAL		
OF THE LENTHE OF NOE LYF TO LAY A LEL DATE	CLN	425
FOR LOKE FRO FYRST THAT HE LY3T WYTHINNE THE LEL MAYDEN	CLN	1069
WITH LEL LETTERES LOKEN.	GGK	35
IS THE LEL LAYK OF LUF THE LETTRURE OF ARMES.	GGK	1513
HOW LEDES FOR HER LELE LUF HOR LYUE3 HAN AUNTERED	GGK	1516
LEALLY		
AND LELLY LOUY THY LORDE AND HIS LEEF WORTHE.	CLN	1066
AND LOUES AL THE LAWES LELY THAT LONGEN TO TROUTHE.	ERK	268
AND LAYTE AS LELLY TIL THOU ME LUDE FYNDE.	GGK	449
BOT TO LELLY LAYNE FRO HIR LORDE THE LEUDE HYM ACORDE3	GGK	1863
THAT I SCHAL LELLY YOW LAYNE AND LAUCE NEUER TALE	GGK	2124
AND THAT LELLY ME LAYNE I LEUE WEL THOU WOLDE3	GGK	2128
THAT I SCHAL LELLY YOW LAYNE AND LANCE NEUER TALE	GGK V	2124
THAT LELLY HY3TE YOUR LYF TO RAYSE	PRL	305
LEANED		
AS LOOT IN A LOGEDOR LENED HYM ALONE	CLN	784
HE LENED WITH THE NEK AND LUTTE	GGK	2255
SETTE THE SCHAFT VPON SCHORE AND TO THE SCHARP LENED	GGK	2332
LEAP		
HARD HATTES THAY HENT AND ON HORS LEPES	CLN	1209
LEPE LY3TLY ME TO AND LACH THIS WEPPEN.	GGK	292
LEPEN VP LY3TLY LACHEN HER BRYDELES.	GGK	1131
LEAPS		
AS LAUCE LEUE3 OF THE BOKE THAT LEPES IN TWYNNE.	CLN	966
AS LANCE LEUE3 OF THE BOKE THAT LEPES IN TWYNNE.	CLN V	966
LY3TLY LEPE3 HE HYM TO AND LA3T AT HIS HONDE.	GGK	328
THE LORDE LUFLYCH ALOFT LEPE3 FUL OFTE.	GGK	981
AT THE LAST BI A LITTEL DICH HE LEPE3 OUER A SPENNE	GGK	1709
LEPE3 HYM OUER THE LAUNDE AND LEUE3 THE KNY3T THERE	GGK	2154
LEAPT		
THE LEDE3 OF THAT LYTTEL TOUN WERN LOPEN OUT FOR DREDE	CLN	990
LADDES LAFTEN HOR WERKE AND LEPEN THIDERWARDES	ERK	61
THE LORDE WAT3 LOPEN OF HIS BEDDE THE LEUDE3 VCHONE	GGK	1413
MONY LADDE THER FORTHLEP TO LAUE AND TO KEST.	PAT	154
A LODESMON LY3TLY LEP VNDER HACHCHES	PAT	179
LEARN		
WICH SPEDE IS IN SPECHE VNSPURD MAY WE LERNE.	GGK	918
SCHAL LERNE OF LUFTALKYNG	GGK	927
TO LERNE AT YOW SUM GAME	GGK	1532
THAT HE WOLDE LYFTE HIS LYF AND LERN HYM BETTER.	GGK	1878
LEANRED		
THAY HAN LERNED A LYST THAT LYKE3 ME ILLE.	CLN	693
WHEN THE LORDE HADE LERNED THAT HE THE LEUDE HADE	GGK	908
THE LEDE3 WERE SO LERNED AT THE LO3E TRYSTERES	GGK	1170

AND KOYNTYSE OF CLERGYE BI CRAFTES WEL LERNED . . . . GGK 2447

LEAST

QUEN HYM LUSTE TO VNLOUKE THE LESTE OF HIS MY3TES . . . . . . ERK 162
AND LEST LUR OF MY LYF QUO LAYTES THE SOTHE . . . . GGK 355
THE LEST LACHET OUER LOUPE LEMED OF GOLDE. . . . . GGK 591

LEATHER

AS THAY HAD LOKED IN THE LETHER OF MY LYFT BOTE. . . . . CLN 1581
WYTH THE LYUER AND THE LY3TE3 THE LETHER OF THE PAUNCHE3. . . . GGK 1360

LEAUTE (V. LEWTE)

LEAVE

LO LORDE WYTH YOUR LEUE AT YOUR LEGE HESTE . . . . CLN 94
3E LORDE WYTH THY LEUE SAYDE THE LEDE THENNE. . . . . CLN 347
VUCHE BURDE WYTH HER BARNE THE BYGGYNG THAY LEUE3 . . . . . . CLN 378
LUF LOKE3 TO LUF AND HIS LEUE TAKE3. . . . . CLN 401
AL SYKANDE HE SAYDE SIR WYTH YOR LEUE . . . . CLN 715
WHAT SCHAL I LEUE OF MY LORDE NIF HE HEM LETHE WOLDE . . . . . CLN 752
3ET NOLDE NEUER NABUGO THIS ILKE NOTE LEUE . . . . CLN 1233
BY GODDES LEUE AS LONGE AS I MY3T LACCHE WATER . . . . ERK 316
LEDE LIF FOR LYF LEUE VCHON OTHER . . . . GGK 98
THAT THE LUDE MY3T HAF LEUE LIFLODE TO CACH . . . . GGK 133
NOW LEGE LORDE OF MY LYF LEUE I YOW ASK . . . . GGK 545
LACHE3 LUFLY HIS LEUE AT LORDE3 AND LADYE3 . . . . GGK 595
WYTH LEUE LA3T OF THE LORDE HE LENT HEM A3AYNES. . . . . GGK 971
SIR GAWEN HIS LEUE CON NYME . . . . GGK 993
AT THE LAST WHEN HIT WAT3 LATE THAY LACHEN HER LEUE . . . . . GGK 1027
KYSTEN FUL COMLYLY AND KA3TEN HER LEUE. . . . . GGK 1118
BOT WOLDE 3E LADY LOUELY THEN LEUE ME GRANTE. . . . . GGK 1218
THE LADY THENN SPEK OF LEUE . . . . GGK 1288
THENNE THAY LOUELYCH LE3TEN LEUE AT THE LAST. . . . . GGK 1410
3E MAY LACH QUEN YOW LYST AND LEUE QUEN YOW THYNKKE3 . . . . . GGK 1502
HIR LEUE FAYRE CON SCHO FONGE. . . . . GGK 1556
BOT THE KNY3T CRAUED LEUE TO KAYRE ON THE MORN . . . . GGK 1670
THENNE LACHCHE3 HO HIR LEUE AND LEUE3 HYM THERE. . . . . GGK 1870
THENNE LO3LY HIS LEUE AT THE LORDE FYRST . . . . GGK 1960
THE KNY3T HAT3 TAN HIS LEUE . . . . GGK 1978
WYTH LEUE LA3T OF THE LORDE HE WENT HEM A3AYNES. . . . . GGK V 971
AND IF WE LEUEN THE LAYK OF OURE LAYTH SYNNES . . . . PAT 401
HE WYL WENDE OF HIS WODSCHIP AND HIS WRATH LEUE. . . . . PAT 403
ME THYNK THE BURDE FYRST ASKE LEUE . . . . PRL 316

LEAVED

BOT LURKED BY LAUNCE3 SO LUFLY LEUED . . . . PRL 978

LEAVES

GRACYOUSLY VMBEGROUEN AL WYTH GRENE LEUE3. . . . . CLN 488
HE WAT3 SCHUNT TO THE SCHADOW VNDER SCHYRE LEUE3 . . . . CLN 605
FOR THE LEDE THAT THER LAYE THE LEUE3 ANVNDER . . . . CLN 609
AS LAUCE LEUE3 OF THE BOKE THAT LEPES IN TWYNNE. . . . . CLN 966
AND AL BOLLED ABOF WYTH BRAUNCHES AND LEUES . . . . CLN 1464
INMONG THE LEUES OF THE LEFSEL LAMPES WER GRAYTHED. . . . . . . CLN 1485
FRO THE SOLY OF HIS SOLEMPNETE HIS SOLACE HE LEUES. . . . . . . CLN 1678
AS LANCE LEUE3 OF THE BOKE THAT LEPES IN TWYNNE. . . . . CLN V 966
INMONG THE LEUES OF THE LAUNCES LAMPES WER GRAYTHED . . . . . CLN V 1485
WHEN THE DONKANDE DEWE DROPE3 OF THE LEUE3 . . . . GGK 519
THE LEUE3 LAUCEN FRO THE LYNDE AND LY3TEN ON THE GROUNDE. . . . GGK 526
HE LY3TES LUFLYCH ADOUN LEUE3 HIS CORSOUR. . . . . GGK 1583
THENNE LACHCHE3 HO HIR LEUE AND LEUE3 HYM THERE. . . . . GGK 1870
LEPE3 HYM OUER THE LAUNDE AND LEUE3 THE KNY3T THERE . . . . . GGK 2154
THE GOME GLY3T ON THE GRENE GRACIOUSE LEUES . . . . PAT 453
HE SLYDE3 ON A SLOUMBESLEP SLOGHE VNDER LEUES . . . . PAT 466
AL WELWED AND WATED THO WORTHELYCH LEUES . . . . PAT 475

LESANDE THE BOKE WITH LEUE3 SWARE . . . . PRL 837
LEBARDE3 (V. LEOPARDS)
LECHERY
IN LUST AND IN LECHERYE AND LOTHELYCH WERKKES . . . . CLN 1350
LECHERYE (V. LECHERY)
LED
ANOTHER LADY HIR LAD BI THE LYFT HONDE. . . . . GGK 947
AND 3E HE LAD HEM BI LAGMON THE LORDE AND HIS MEYNY . . . . . GGK 1729
AMONG THE LADIES FOR LUF HE LADDE MUCH IOYE . . . . GGK 1927
THEN WITH LEDES AND LY3T HE WAT3 LADDE TO HIS CHAMBRE. . . . . GGK 1989
AS A SCHEP TO THE SLA3T THER LAD WAT3 HE . . . . PRL 801
LED (V. LEAD, LEDE)
LEDANDE (V. LEADING)
LEDE (ALSO V. LEAD)
LEDEN (V. LEAD)
LEDER (V. LEADER)
LEDERES (V. LEADERS)
LEDES (ALSO V. LEADS)
LEDE3 (V. LEADS, LEDES)
LEDDEN
LYK FLODE3 FELE LADEN RUNNEN ON RESSE . . . . PRL 874
AND LEDDEN LOUDE ALTHA3 HIT WERE. . . . . PRL 878
LEDE
AND THOSE LYKKEST TO THE LEDE THAT LYUED NEXT AFTER . . . . . CLN 261
3E LORDE WYTH THY LEUE SAYDE THE LEDE THENNE. . . . . CLN 347
FOR THE LEDE THAT THER LAYE THE LEUE3 ANVNDER . . . . CLN 609
LENGE A LYTTEL WITH THY LEDE I LO3LY BISECHE. . . . . CLN 614
I SCHAL LY3T INTO THAT LED AND LOKE MYSELUEN. . . . . CLN 691
AND WYTHHALDE MY HONDE FOR HORTYNG ON LEDE . . . . CLN 740
LOTH LENGE3 IN 3ON LEEDE THAT IS MY LEF BROTHER. . . . . CLN 772
3ET COMEN LODLY TO THAT LEDE AS LA3ARES MONYE . . . . CLN 1093
THER THE LEDE AND ALLE HIS LEUE LENGED AT THE TABLE . . . . . CLN 1419
THAT LONGE HADE LAYTED THAT LEDE HIS LONDES TO STRYE . . . . . CLN 1768
THER THE LEDE AND ALLE HIS LOUE LENGED AT THE TABLE . . . . . CLN V 1419
LO LORDES QUOTH THAT LEDE SUCHE A LYCHE HERE.IS. . . . . ERK 146
THER IS NO LEDE OPON LYFE OF SO LONGE AGE. . . . . ERK 150
BOT A LEDE OF THE LAGHE THAT THEN THIS LONDE VSIT . . . . . . ERK 200
OURE LORD LENE QUOTH THAT LEDE THAT THOU LYFE HADES . . . . . ERK 315
LEDE LIF FOR LYF LEUE VCHON OTHER . . . . GGK 98
ICHE LEDE AS HE LOUED HYMSELUE . . . . GGK 126
THAT THE LUDE MY3T HAF LEUE LIFLODE TO CACH . . . . GGK 133
THER WAT3 LOKYNG ON LENTHE THE LUDE TO BEHOLDE . . . . GGK 232
BOT FOR THE LOS OF THE LEDE IS LYFT VP SO HY3E . . . . GGK 258
AND LAYTE AS LELLY TIL THOU ME LUDE FYNDE. . . . . GGK 449
AL FOR LUF OF THAT LEDE IN LONGYNGE THAY WERE . . . . GGK 540
THENNE THE LORDE OF THE LEDE LOUTE3 FRO HIS CHAMBRE . . . . . GGK 833
TO DELYUER HYM A LEUDE HYM LO3LY TO SERUE. . . . . GGK 851
WHEN THE LORDE HADE LERNED THAT HE THE LEUDE HADE . . . . . . GGK 908
AND I WOLDE LOKE ON THAT LEDE IF GOD ME LET WOLDE . . . . . . GGK 1063
QUETHER LEUDE SO LYMP LERE OTHER BETTER . . . . GGK 1109
SO SAYDE THE LORDE OF THAT LEDE THAY LA3ED VCHONE . . . . . . GGK 1113
WITH MONY LEUDE FUL LY3T AND LEMANDE TORCHES. . . . . GGK 1119
THE OLDE LORDE OF THAT LEUDE . . . . GGK 1124
THE LEDE LAY LURKED A FUL LONGE QUYLE . . . . GGK 1195
LOUTE3 LUFLYCH ADOUN AND THE LEUDE KYSSE3. . . . . GGK 1306
WHYLE OURE LUFLYCH LEDE LYS IN HIS BEDDE . . . . GGK 1469
THE LEDE WITH THE LADYE3 LAYKED ALLE DAY . . . . GGK 1560
LEUDE ON NW3ERE3 LY3T LONGE BIFORE PRYME . . . . GGK 1675
BOT TO LELLY LAYNE FRO HIR LORDE THE LEUDE HYM ACORDE3 . . . . GGK 1863

THE LEUDE LYSTENED FUL WEL THAT LE3 IN HIS BEDDE	GGK	2006
AND 3E AR A LEDE VPON LYUE THAT I WEL LOUY	GGK	2095
AND LOKED TO THE LEUDE THAT ON THE LAUNDE 3EDE	GGK	2333
THENN LO3E THAT OTHER LEUDE AND LUFLYLY SAYDE	GGK	2389
TO LUF HOM WEL AND LEUE HEM NOT A LEUDE THAT COUTHE	GGK	2421
LO LORDE QUOTH THE LEUDE AND THE LACE HONDELED	GGK	2505
AND VCHE LEDE AS HE LOUED AND LAYDE HAD HIS HERT	PAT	168
WHAT LEDE MO3T LEUE BI LAWE OF ANY KYNDE	PAT	259
AND THER HE LENGED AT THE LAST AND TO THE LEDE CALLED.	PAT	281
3ISSE LORDE QUOTH THE LEDE LENE ME THY GRACE.	PAT	347
SUCH A LEFSEL OF LOF NEUER LEDE HADE	PAT	448
3ET OURE LORDE TO THE LEDE LAUSED A SPECHE	PAT	489
HIT IS NOT LYTTEL QUOTH THE LEDE BOT LYKKER TO RY3T	PAT	493
WHAT LEDE MO3T LYUE BI LAWE OF ANY KYNDE	PAT V	259
3ET OURE LORDE TO THE LEDE LANSED A SPECHE	PAT V	489
CALLED TO THE REUE LEDE PAY THE MEYNY	PRL	542
LEDES		
SAYDE THE LORDE TO THO LEDE3 LAYTE3 3ET FERRE	CLN	97
AND SYTHEN ON LENTHE BILOOGHE LEDE3 INOGH.	CLN	116
AND LENGEST LYF IN HEM LENT OF LEDE3 ALLE OTHER.	CLN	256
BOTHE LEDE3 AND LONDE AND ALLE THAT LYF HABBE3	CLN	308
THER ALLE LEDE3 IN LOME LENGED DRUYE	CLN	412
LEDE3 LO3EN IN THAT LOME AND LOKED THEROUTE	CLN	495
TO VMBELY3E LOTHE3 HOUS THE LEDE3 TO TAKE.	CLN	836
AND ALLE THE LONDE WYTH THISE LEDE3 WE LOSEN AT ONE3	CLN	909
THE LEDE3 OF THAT LYTTEL TOUN WERN LOPEN OUT FOR DREDE	CLN	990
THE THRE LEDE3 LENT THERIN LOTH AND HIS DE3TER	CLN	993
THAT OURE FADER FORTHERDE FOR FYLTHE OF THOSE LEDES	CLN	1051
AT THE LASTE VPON LONGE THO LEDES WYTHINNE	CLN	1193
THENNE WYTH LEGIOUNES OF LEDES OUER LONDES HE RYDES	CLN	1293
THA3 THOSE LEDES BEN LEWED LETTRES TO REDE	CLN	1596
WYTH MONY A LEGIOUN FUL LARGE WYTH LEDES OF ARMES	CLN	1773
THAT OURE FADER FORFERDE FOR FYLTHE OF THOSE LEDES.	CLN V	1051
WITH MONY LUFLYCH LORDE LEDE3 OF THE BEST.	GGK	38
A LOWANDE LEDER OF LEDE3 IN LONDE HYM WEL SEME3.	GGK	679
TO LEDE A LORTSCHYP IN LEE OF LEUDE3 FUL GODE	GGK	849
AND WAT3 THE LAST OF THE LAYK LEUDE3 THER THO3TEN	GGK	1023
THE LEDE3 WERE SO LERNED AT THE LO3E TRYSTERES	GGK	1170
MY LORDE AND HIS LEDE3 AR ON LENTHE FAREN.	GGK	1231
THE LORDE WAT3 LOPEN OF HIS BEDDE THE LEUDE3 VCHONE	GGK	1413
HOW LEDES FOR HER LELE LUF HOR LYUE3 HAN AUNTERED	GGK	1516
THEN WITH LEDES AND LY3T HE WAT3 LADDE TO HIS CHAMBRE.	GGK	1989
THAT HE LA3T FOR HIS VNLEUTE AT THE LEUDES HONDES	GGK	2499
I LOVUE THAT WE LAY LOTES ON LEDES VCHONE.	PAT	173
FOR TO LAYTE MO LEDES AND HEM TO LOTE BRYNG	PAT	180
BOT NOW I WOT WYTERLY THAT THOSE VNWYSE LEDES	PAT	330
LEDISCH		
THENNE THE LUDYCH LORDE LYKED FUL ILLE.	CLN	73
MONY LUDISCH LORDES THAT LADIES BRO3TEN	CLN	1375
NE WHAT LEDISCH LORE NE LANGAGE NAUTHER	CLN	1556
LEE		
TO LEDE A LORTSCHYP IN LEE OF LEUDE3 FUL GODE	GGK	849
NOW HYM LENGE IN THAT LEE THER LUF LYM BITYDE	GGK	1893
AND THENNE HE LURKKES AND LAYTES WHERE WAT3 LE BEST	PAT	277

LEEDE (V. LEDE)
LEEF (V. LIEF)
LEF (V. LEAF, LIEF)
LEFLY (V. LIEFLY)
LEFSEL

INMONG THE LEUES OF THE LEFSEL LAMPES WER GRAYTHED.	CLN	1485
SUCH A LEFSEL OF LOF NEUER LEDE HADE	PAT	448
LEFT		
HIT WAT3 LUSTY LOTHES WYF THAT OUER HER LYFTE SCHULDER	CLN	981
FOR HE BIGAN IN ALLE THE GLORI THAT HYM THE GOME LAFTE	CLN	1337
THER HE LAFTE HADE OURE LORDE HE IS ON LOFTE WONNEN	CLN	1004
AS THAY HAD LOKED IN THE LETHER OF MY LYFT BOTE.	CLN	1581
LADDES LAFTEN HOR WERKE AND LEPEN THIDERWARDES	ERK	61
THE LOFFYNGE OUTE OF LIMBO THOU LAFTES ME THER	ERK	292
THI LOFFYNGE OUTE OF LIMBO THOU LAFTES ME THER	ERK V	292
AND HE LUFLYLY HIT HYM LAFT AND LYFTE VP HIS HONDE.	GGK	369
ALLE THE ILES OF ANGLESAY ON LYFT HALF HE HALDE3	GGK	698
ANOTHER LADY HIR LAD BI THE LYFT HONDE.	GGK	947
3ET LAFT HE NOT THE LACE THE LADIE3 GIFTE.	GGK	2030
THENNE LOKE A LITTEL ON THE LAUNDE ON THI LYFTE HONDE.	GGK	2146
LOKEN VNDER HIS LYFTE ARME THE LACE WITH A KNOT.	GGK	2487
THENNE AL LEUED ON HIS LAWE AND LAFTEN HER SYNNES	PAT	405
AND HIS LYFTE THA3 HIS LYF SCHULDE LOST BE THERFOR.	PAT	515
THAY LAFTEN RY3T AND WRO3TEN WOGHE	PRL	622
LEG		
AS HEUED AND ARME AND LEGG AND NAULE	PRL	459
LEGE (V. LIEGE)		
LEGE3 (V. LEGS)		
LEGG (V. LEG)		
LEGGE (V. LIEGE)		
LEGG3 (V. LEGS)		
LEGHE (V. LAY)		
LEGION		
WYTH MONY A LEGIOUN FUL LARGE WYTH LEDES OF ARMES	CLN	1773
LEGIONS		
THENNE WYTH LEGIOUNES OF LEDES OUER LONDES HE RYDES	CLN	1293
LEGYOUNES OF AUNGELE3 TOGEDER UOCHED	PRL	1121
LEGIOUN (V. LEGION)		
LEGIOUNES (V. LEGIONS)		
LEGS		
HIS LEGE3 LAPPED IN STEL WITH LUFLYCH GREUE3.	GGK	575
BOTHE THE LYRE AND THE LEGGE3 LOKKE3 AND BERDE	GGK	2228
LEGYOUNES (V. LEGIONS)		
LEKE (CP. LOCKED)		
HO LA3T A LACE LY3TLY THAT LEKE VMBE HIR SYDE3	GGK	1830
HER HERE LEKE AL HYR VMBEGON	PRL	210
LEL (V. LEAL)		
LELE (V. LEAL)		
LELLY (V. LEALLY)		
LELY (V. LEALLY)		
LEMANDE		
WITH MONY LEUDE FUL LY3T AND LEMANDE TORCHES.	GGK	1119
LEMANES		
TO LOKE ON HIS LEMANES AND LADIS HEM CALLE	CLN	1370
LEME		
LI3TLY LASSHIT THER A LEME LOGHE IN THE ABYME	ERK	334
AND THY LURE3 OF LY3TLY LEME	PRL 1	358
THAT ALLE THY LURE3 OF LY3TLY LEME	PRL 2	358
AND THY LURE3 OF LY3TLY LEME	PRL 3	358
LEMED		
THAT BER THE LAMP VPON LOFTE THAT LEMED EUERMORE	CLN	1273
AND OTHER LOUELYCH LY3T THAT LEMED FUL FAYRE.	CLN	1486
THE LEST LACHET OUER LOUPE LEMED OF GOLDE.	GGK	591

BY THAT ANY DAYLY3T LEMED VPON ERTHE . . . . GGK 1137
LURKKE3 QUYL THE DAYLY3T LEMED ON THE WOWES . . . . GGK 1180
FOR THERE WAT3 LY3T OF A LAUMPE THAT LEMED IN HIS CHAMBRE . . GGK 2010
HIT WAT3 NO LASSE BI THAT LACE THAT LEMED FUL BRY3T . . . . GGK 2226
THE LEST LACHET OTHER LOUPE LEMED OF GOLDE . . . . GGK V 591
THAT ALLE THE LO3E LEMED OF LY3T. . . . . PRL 119
SUCH LY3T THER LEMED IN ALLE THE STRATE3 . . . . PRL 1043

LEMMAN

AND MONY A LEMMAN NEUER THE LATER THAT LADIS WER CALLED . . . CLN 1352
BOT IF 3E HAF A LEMMAN A LEUER THAT YOW LYKE3 BETTER . . . . GGK 1782
CUM HYDER TO ME MY LEMMAN SWETE . . . . PRL 763
MY IOY MY BLYS MY LEMMAN FRE . . . . PRL 796
IN JERUSALEM WAT3 MY LEMMAN SLAYN . . . . PRL 805
IN IERUSALEM THUS MY LEMMAN SWETE . . . . PRL 829

LENCTHE (V. LENGTH)

LEND

OURE LORD LENE QUOTH THAT LEDE THAT THOU LYFE HADES . . . . . ERK 315
3ISSE LORDE QUOTH THE LEDE LENE ME THY GRACE. . . . . PAT 347

LENDE

THAT THOU LENDE SCHAL BE LOST THAT ART OF LYF NOBLE . . . . . GGK 675
3E LENDE. . . . . GGK 1100
BOT THRETE IS VNTHRYUANDE IN THEDE THER I LENDE. . . . . . . GGK 1499

LENE (V. LEND)

LENED (V. LEANED)

LENG (V. LINGER)

LENGE (V. LINGER)

LENGED (V. LINGERED)

LENGER

THAT THAY HYM GRAUNTED TO GO AND GRU3T NO LENGER . . . . . . CLN 810
ONES HO BLUSCHET TO THE BUR3E BOT BOD HO NO LENGER. . . . . . CLN 982
NOW LYKHAME THAT THUS LIES LAYNE THOU NO LENGER. . . . . . . ERK 179
AND OF THE GRACIOUS HOLY GOSTE AND NOT ONE GRUE LENGER . . . . ERK 319
TO HOLDE LENGER THE KNY3T . . . . GGK 1043
AND HE STARTE3 ON THE STON STOD HE NO LENGER. . . . . GGK 2063
I WYL NO LENGER ON LYTE LETTE THIN ERNDE . . . . GGK 2303
THEN LEDE LENGER THI LORE THAT THUS ME LES MAKE3 . . . . . . PAT 428
THE LENGER I KNEW HYR MORE AND MORE. . . . . PRL 168
AND EUER THE LENGER THE MORE AND MORE . . . . PRL 180
AND EUER THE LENGER THE LASSE THE MORE. . . . . PRL 600
THEN WOLDE I NO LENGER BYDE . . . . PRL 977

LENGES (V. LINGERS)

LENGEST

AND LENGEST LYF IN HEM LENT OF LEDE3 ALLE OTHER. . . . . . . CLN 256

LENGE3 (V. LINGERS)

LENGHE

ON LENGHE I LOKED TO HYR THERE . . . . PRL 167
IN LENGHE OF DAYE3 THAT EUER SCHAL WAGE . . . . PRL 416

LENGTH

AND SYTHEN ON LENTHE BILOOGHE LEDE3 INOGH. . . . . CLN 116
FYLTER FENDEN FOLK FORTY DAYE3 LENCTHE. . . . . CLN 224
TO LYUE THER IN LYKYNG THE LENTHE OF A TERME. . . . . CLN 239
AND THUS OF LENTHE AND OF LARGE THAT LOME THOU MAKE . . . . . CLN 314
THRE HUNDRED OF CUPYDE3 THOU HOLDE TO THE LENTHE . . . . . . CLN 315
OF THE LENTHE OF NOE LYF TO LAY A LEL DATE . . . . CLN 425
WHYL OF THE LENTHE OF THE LONDE LASTE3 THE TERME . . . . . . CLN 568
TROCHED TOURES BITWENE TWENTY SPERE LENTHE . . . . CLN 1383
EUER LASTE THY LYF IN LENTHE OF DAYES . . . . CLN 1594
THE LENGTHE OF MY LYINGE HERE THAT IS A LAPPID DATE . . . . . ERK 205
THE LENGTHE OF MY LYINGE HERE THAT IS A LEWID DATE. . . . . . ERK V 205

THE HEDE OF AN ELN3ERDE THE LARGE LENKTHE HADE . . . . GGK 210
THER WAT3 LOKYNG ON LENTHE THE LUDE TO BEHOLDE . . . . GGK 232
MY LORDE AND HIS LEDE3 AR ON LENTHE FAREN. . . . . GGK 1231
OF THE LARGESSE AND THE LENTHE THE LITHERNE3 ALSE . . . . GGK 1627
HE SPRIT FORTH SPENNEFOTE MORE THEN A SPERE LENTHE. . . . . . GGK 2316
OF HE3T OF BREDE OF LENTHE TO CAYRE. . . . . PRL 1031
LENGTHE (V. LENGTH)
LENGYD (V. LINGERED)
LENKTHE (V. LENGTH)
LENT
AND LENGEST LYF IN HEM LENT OF LEDE3 ALLE OTHER. . . . . . . CLN 256
AL IS WRO3T AT THI WORDE AS THOU ME WYT LANTE3 . . . . CLN 348
THE THRE LEDE3 LENT THERIN LOTH AND HIS DE3TER . . . . CLN 993
ABOUTTE MY LADY WAT3 LENT QUEN HO DELYUER WERE . . . . CLN 1084
THURGHE SUM LYFLY GOSTE LANT OF HYM THAT AL REDES . . . . . . ERK 192
HE HAS LANT ME TO LAST THAT LOUES RY3T BEST . . . . ERK 272
THURGHE SUM LANT GOSTE LYFE OF HYM THAT AL REDES . . . . . . ERK V 192
WYTH LEUE LA3T OF THE LORDE HE LENT HEM A3AYNES. . . . . . . GGK 971
THE LORDE LUFLY HER BY LENT AS I TROWE. . . . . GGK 1002
AND AY THE LORDE OF THE LONDE IS LENT ON HIS GAMNE3 . . . . . GGK 1319
NAY BI GOD QUOTH GAWAYN THAT ME GOST LANTE . . . . GGK 2250
SYN 3E BE LORDE OF THE 3ONDER LONDE THER I HAF LENT INNE. . . . GGK 2440
OF WHAT LONDE ART THOU LENT WHAT LAYTES THOU HERE . . . . . . PAT 201
THAT ANY LYF MY3T BE LENT SO LONGE HYM WYTHINNE. . . . . . . PAT 260
LENT (N.)
AFTER CRYSTENMASSE COM THE CRABBED LENTOUN . . . . GGK 502
LENTHE (V. LENGTH)
LENTOUN (V. LENT-N.)
LEOPARDS
AND LYOUNE3 AND LEBARDE3 TO THE LAKERYFTES . . . . CLN 536
LEP (V. LEAPT)
LEPE (V. LEAP)
LEPEN (V. LEAP, LEAPT)
LEPER
SUMME LEPRE SUMME LOME AND LOMERANDE BLYNDE . . . . CLN 1094
LEPES (V. LEAP, LEAPS)
LEPE3 (V. LEAPS)
LEPRE (V. LEPER)
LERE (ALSO V. LIRE, LURE, LYRE)
THAT WE MAY LERE HYM OF LOF AS OURE LYST BIDDE3. . . . . . . CLN 843
LYSTILY FOR LAUCYNG THE LERE OF THE KNOT . . . . GGK 1334
LERN (V. LEARN)
LERNE (V. LEARN)
LERNED (V. LEARNED)
LERS
AND WYTH PLATTYNG HIS PAUMES DISPLAYES HIS LERS. . . . . . . CLN 1542
LES (ALSO V. LESS)
THEN LEDE LENGER THI LORE THAT THUS ME LES MAKE3 . . . . . . PAT 428
LESANDE
LESANDE THE BOKE WITH LEUE3 SWARE . . . . PRL 837
LESE
LOUANDE THERON LESE GODDE3 THAT LYF HADEN NEUER. . . . . . . CLN 1719
AND THE LYST LESE THY LYF THE LETTE I NE KEPE . . . . GGK 2142
LESS
IN THE MESURE OF HIS MODE HIS MET3 NEUER THE LASSE. . . . . . CLN 215
THOU SCHAL BE BAROUN VPON BENCHE BEDE I THE NO LASSE . . . . . CLN 1640
THAT EUER MYNNYD SUCHE A MON MORE NE LASSE . . . . ERK 104
ALLE MENYD MY DETHE THE MORE AND THE LASSE . . . . ERK 247
THEN THOF THOU DROPPYD DOUN DEDE HIT DAUNGERDE ME LASSE . . . . ERK 320

HIS LIF LIKED HYM LY3T HE LOUIED THE LASSE . . . . GGK 87
THE LASSE LUF IN HIS LODE FOR LUR THAT HE SO3T . . . . GGK 1284
THAT EUER LONGED TO LUF LASSE NE MORE . . . . GGK 1524
I SCHAL GIF YOW MY GIRDEL THAT GAYNES YOW LASSE. . . . . GGK 1829
LO SO HIT IS LITTEL THE LASSE HIT IS WORTHY . . . . GGK 1848
HIT WAT3 NO LASSE BI THAT LACE THAT LEMED FUL BRY3T . . . . . GGK 2226
BOT FOR 3E LUFED YOUR LYF THE LASSE I YOW BLAME. . . . . GGK 2368
FOR DYNE OF DOEL OF LURE3 LESSE . . . . PRL 339
OTHER ELLE3 A LADY OF LASSE ARAY. . . . . PRL 491
THENNE THE LASSE IN WERKE TO TAKE MORE ABLE . . . . PRL 599
AND EUER THE LENGER THE LASSE THE MORE. . . . . PRL 600
OF MORE AND LASSE IN GODE3 RYCHE. . . . . PRL 601
IN HONOUR MORE AND NEUER THE LESSE . . . . PRL 852
LASSE OF BLYSSE MAY NON VS BRYNG. . . . . PRL 853
AND NEUER ONE3 HONOUR 3ET NEUER THE LES . . . . PRL 864
LEST LES THOU LEUE MY TALE FARANDE . . . . PRL 865
THAT LOTE I LEUE WAT3 NEUER THE LES. . . . . PRL 876

LESSE (V. LESS)

LESSEN
THAT I MAY MYNNE ON THE MON MY MOURNYNG TO LASSEN . . . . . . GGK 1800

LESSENED
THENNE LASNED THE LLAK THAT LARGE WAT3 ARE . . . . CLN 438
THENNE LASNED THE LO3 LOWKANDE TOGEDER. . . . . CLN V 441

LEST (ALSO V. LEAST)
HE WAT3 SO SCOUMFIT OF HIS SCYLLE LEST HE SKATHE HENT. . . . . CLN 151
AND HONEST FOR THE HALYDAY LEST THOU HARME LACHE . . . . . . CLN 166
LEST 3E BE TAKEN IN THE TECHE OF TYRAUNTE3 HERE. . . . . . . CLN 943
CARANDE FOR HIS COSTES LEST HE NE KEUER SCHULDE. . . . . . . GGK 750
FERDE LEST HE HADE FAYLED IN FOURME OF HIS COSTES . . . . . . GGK 1295
THAT FERES LEST HE DISPLESE YOW SO PLEDE HIT NO MORE . . . . . GGK 1304
FOR THAT DURST I NOT DO LEST I DEUAYED WERE . . . . GGK 1493
THAT FELE FERDE FOR THE FREKE LEST FELLE HYM THE WORRE . . . GGK 1588
HE CARED FOR HIS CORTAYSYE LEST CRATHAYN HE WERE . . . . . . GGK 1773
THE LEST LACHET OTHER LOUPE LEMED OF GOLDE . . . . GGK V 591
FERDE LEST HE HADE FAYLED IN FOURME OF HIS CASTES . . . . . . GGK V 1295
AND FIRE LEST HE DISPLESE YOW SO PLEDE HIT NO MORE. . . . . . GGK V 1304
FOR THAT DURST I NOT DO LEST I DENAYED WERE . . . . GGK V 1493
LEST HO ME ESCHAPED THAT I THER CHOS . . . . PRL 187
LEST LES THOU LEUE MY TALE FARANDE . . . . PRL 865

LESTE (ALSO V. LEAST, CP. LOST)
THAY LEST OF LOTE3 LOGGING ANY LYSOUN TO FYNDE . . . . CLN 887
AND LY3TLY WHEN I AM LEST HE LETES ME ALONE . . . . PAT 88
ALLAS I LESTE HYR IN ON ERBERE . . . . PRL 9

LESTED (V. LASTED)

LESTE3
FOR THAT THOU LESTE3 WAT3 BOT A ROSE . . . . PRL 269

LESYNG
FOR NEUER LESYNG NE TALE VNTRWE . . . . PRL 897

LET
FOR THOU LA3ED ALO3 BOT LET WE HIT ONE. . . . . CLN 670
AND LET HEM SMOLT AL UNSMYTEN SMOTHELY AT ONE3 . . . . CLN 732
AND LAYKE3 WYTH HEM AS YOW LYST AND LETE3 MY GESTES ONE . . . CLN 872
AND LETTE LY3T BI THE LAWE THAT HE WAT3 LEGE TYLLE. . . . . . CLN 1174
FOR HADE HE LET OF HEM LY3T HYM MO3T HAF LUMPEN WORSE. . . . . CLN 1320
LET THISE LADYES OF HEM LAPE I LUF HEM IN HERT . . . . CLN 1434
BOT LET HYM THAT AL SCHULDE LOUTE . . . . GGK 248
NOW HY3E AND LET SE TITE . . . . GGK 299
AND IF I CARP NOT COMLYLY LET ALLE THIS CORT RYCH . . . . . . GGK 360
AND LET SE HOW THOU CNOKE3. . . . . GGK 414

LET THE NAKED NEC TO THE NOTE SCHEWE . . . . GGK 420
LET HIM DOUN LY3TLY LY3T ON THE NAKED . . . . GGK 423
HE LET NO SEMBLAUNT BE SENE BOT SAYDE FUL HY3E . . . . GGK 468
THAY LET DOUN THE GRETE DRA3T AND DERELY OUT 3EDEN. . . . . . GGK 817
AND I WOLDE LOKE ON THAT LEDE IF GOD ME LET WOLDE . . . . . . GGK 1063
LET THE LADIE3 BE FETTE TO LYKE HEM THE BETTER . . . . GGK 1084
THE LORDE LET FOR LUF LOTE3 SO MYRY. . . . . GGK 1086
THAY LET THE HERTTE3 HAF THE GATE WITH THE HY3E HEDES. . . . . GGK 1154
AND LAYDE HYM DOUN LYSTYLY AND LET AS HE SLEPTE. . . . . . . GGK 1190
AND VNLOUKED HIS Y3ELYDDE3 AND LET AS HYM WONDERED. . . . . . GGK 1201
FUL LUFLY CON HO LETE . . . . GGK 1206
AND AY THE LADY LET LYK A HYM LOUED MYCH . . . . GGK 1281
AND LET LODLY THERAT THE LORDE FORTH HERE. . . . . GGK 1634
BOT THE LADY FOR LUF LET NOT TO SLEPE . . . . GGK 1733
AND LETTE3 BE YOUR BISINESSE FOR I BAYTHE HIT YOW NEUER . . . GGK 1840
LET HYM LY3E THERE STILLE . . . . GGK 1994
FORTHY GOUDE SIR GAWAYN LET THE GOME ONE . . . . GGK 2118
LET GOD WORCHE WE LOO . . . . GGK 2208
AND LETTE AS HE NO3T DUTTE. . . . . GGK 2257
HE LYFTES LY3TLY HIS LOME AND LET HIT DOWN FAYRE . . . . . . GGK 2309
LETE3 ME OUERTAKE YOUR WYLLE . . . . GGK 2387
THAT THAY RUYT HYM TO ROWWE AND LETTEN THE RYNK ONE . . . . . PAT 216
AS STYLLE STOUNDE LET TO ME STELE . . . . PRL 20
HIS DESSYPELE3 WYTH BLAME LET BE HEM BEDE. . . . . PRL 715
DO WAY LET CHYLDER VNTO ME TY3T . . . . PRL 718
FOR VS HE LETTE HYM FLY3E AND FOLDE. . . . . PRL 813
NEUERTHELES LET BE MY THONC . . . . PRL 901
LET MY BONE VAYL NEUERTHELESE. . . . . PRL 912
AND LET ME SE THY BLYSFUL BOR. . . . . PRL 964

LETE (V. LET)

LETES (V. LETHE3)

LETE3 (V. LET)

LETHE

3ET ER THY LYUE3 LY3T LETHE VPON ERTHE. . . . . CLN 648
WHAT SCHAL I LEUE OF MY LORDE NIF HE HEM LETHE WOLDE . . . . . CLN 752
FOR THE AYLASTANDE LIFE THAT LETHE SHALLE NEUER. . . . . . . ERK 347
THE LOKE TO THIS LUFLACE SCHAL LETHE MY HERT. . . . . GGK 2438
SUFFRAUNCE MAY ASWAGEN HEM AND THE SWELME LETHE. . . . . . . PAT 3
AND AL TO LY3TEN THAT LOME 3IF LETHE WOLDE SCHAPE . . . . . . PAT 160

LETHER (V. LEATHER)

LETHE3

NOW I HIT SE NOW LETHE3 MY LOTHE. . . . . PRL 377

LETS

AND LY3TLY WHEN I AM LEST HE LETES ME ALONE . . . . PAT 88

LETTE (ALSO V. LET)

AND THE LYST LESE THY LYF THE LETTE I NE KEPE . . . . GGK 2142
I WYL NO LENGER ON LYTE LETTE THIN ERNDE . . . . GGK 2303
FOR SOTYLE CLER NO3T LETTE NO LY3T . . . . PRL 1050
FOR SOTYLE CLER NO3T LETTE NO SY3T . . . . PRL 2 1050

LETTED

AND 3ET OF LYKYNGES ON LOFTE LETTED I TROWE . . . . CLN 1803
THE LORDE HYM LETTED OF THAT TO LENGE HYM RESTEYED. . . . . . GGK 1672

LETTEN (V. LET)

LETTER

AND ALLE THAT LOKED ON THAT LETTER AS LEWED THAY WERE. . . . . CLN 1580

LETTERES (V. LETTERS)

LETTERS

PARED ON THE PARGET PURTRAYED LETTRES . . . . CLN 1536
BOT THE LETTRES BILEUED FUL LARGE VPON PLASTER . . . . CLN 1549

THAT CON DELE WYTH DEMERLAYK AND DEUINE LETTRES. . . . . . . CLN 1561
IN EXPOUNYNG OF SPECHE THAT SPREDES IN THISE LETTRES . . . . . CLN 1565
THA3 THOSE LEDES BEN LEWED LETTRES TO REDE . . . . CLN 1596
FYRST TELLE ME THE TYXTE OF THE TEDE LETTRES. . . . . CLN 1634
AND THE BORDURE ENBELICIT WITH BRY3T GOLDE LETTRES. . . . . . ERK 51
THE BISCHOP SENDE HIT TO BLYNNE BY BEDELS AND LETTRES. . . . ERK 111
WITH LEL LETTERES LOKEN. . . . . GGK 35

LETTE3 (V. LET)

LETTRES (V. LETTERS)

LETTES

THEN LETTES HIT HYM FUL LITELLE TO LOUSE WYT A FYNGER. . . . ERK 165

LETTRURE

IS THE LEL LAYK OF LUF THE LETTRURE OF ARMES. . . . . GGK 1513
NE ARYSTOTEL NAWTHER BY HYS LETTRURE . . . . PRL 751

LEUDE (V. LEDE)

LEUDES (V. LEDES)

LEUDE3 (V. LEDES)

LEUDLE3

OFT LEUDLE3 ALONE HE LENGE3 ON NY3TE3 . . . . GGK 693

LEUE (ALSO V. LEAVE, LIEF, LIVE)

HIT IS ETHE TO LEUE BY THE LAST ENDE . . . . CLN 608
LEUE THOU WEL THAT THE LORDE THAT THE LYFTE 3EMES . . . . . . CLN 1493
THAT 3E MAY LEUE VPON LONGE THAT HE IS LORD MY3TY . . . . . . ERK 175
THAT YOW LAUSEN NE LYST AND THAT I LEUE NOUTHE . . . . GGK 1784
AND THAT LELLY ME LAYNE I LEUE WEL THOU WOLDE3 . . . . GGK 2128
TO LUF HOM WEL AND LEUE HEM NOT A LEUDE THAT COUTHE . . . . . GGK 2421
I LEUE HERE BE SUM LOSYNGER SUM LAWLES WRECH. . . . . PAT 170
WHAT LEDE MO3T LEUE BI LAWE OF ANY KYNDE . . . . PAT 259
AND CUM AND CNAWE ME FOR KYNG AND MY CARPE LEUE. . . . . . . PAT 519
TO LEUE NO TALE BE TRUE TO TRY3E. . . . . PRL 311
CORTAYSE QUOTH I I LEUE . . . . PRL 469
LEST LES THOU LEUE MY TALE FARANDE . . . . PRL 865
THAT LOTE I LEUE WAT3 NEUER THE LES. . . . . PRL 876

LEUED (ALSO V. LEAVED)

THENNE HE LOUED THAT LORDE AND LEUED IN TRAWTHE. . . . . . . CLN 1703
THENNE AL LEUED ON HIS LAWE AND LAFTEN HER SYNNES . . . . . . PAT 405

LEUEN (ALSO V. LEAVE)

AS THOU HIT WOST WYTERLY AND WE HIT WELE LEUEN . . . . ERK 183
AND FORGIF VS THIS GULT 3IF WE HYM GOD LEUEN. . . . . PAT 404
THE LY3T OF HEM MY3T NO MON LEUEN . . . . PRL 69
WE LEUEN ON MARYE THAT GRACE OF GREWE . . . . PRL 425

LEUER (V. LIEFER)

LEUES (ALSO V. LEAVES)

AND FAYNE 3OUR TALENT TO FULFILLE IF 3E HYM FRENDE LEUES. . . ERK 176
THAT LEUE3 WEL THAT HE SE3 WYTH Y3E. . . . . PRL 302
THAT LEUE3 OURE LORDE WOLDE MAKE A LY3E . . . . PRL 304
THAT LEUE3 NOTHYNK BOT 3E HIT SY3E . . . . PRL 308

LEUEST (V. LIEFEST)

LEUE3 (V. LEAVE, LEAVES, LEUES)

LEUYD (V. LIVED)

LEUYLY

MOREWETHER LEUYLY IS ME MY GYFTE. . . . . PRL 2 565

LEWED

AND ALLE THAT LOKED ON THAT LETTER AS LEWED THAY WERE. . . . CLN 1580
THA3 THOSE LEDES BEN LEWED LETTRES TO REDE . . . . CLN 1596
THE LENGTHE OF MY LYINGE HERE THAT IS A LEWID DATE. . . . . . ERK V 205
WHY AR 3E LEWED THAT ALLE THE LOS WELDE3 . . . . GGK 1528

LEWID (V. LEWED)

LEWTE

BOT OF LEAUTE HE WAT3 LAT TO HIS LORDE HENDE. . . . . CLN 1172
BOT HERE YOW LAKKED A LYTTEL SIR AND LEWTE YOW WONTED. . . . GGK 2366
THAT IS LARGES AND LEWTE THAT LONGE3 TO KNY3TE3. . . . . . . GGK 2381

LEYEN (V. LAIN)
LE3 (V. LAY)
LE3EN (V. LAY)
LE3TEN (V. LATCHED)
LIBRARIE (V. LIBRARY)
LIBRARY

AND WE HAUE OURE LIBRARIE LAITID THES LONGE SEUEN DAYES . . . ERK 155

LICHE

LO LORDES QUOTH THAT LEDE SUCHE A LYCHE HERE,IS. . . . . . . ERK 146
TO THE LICHE THER HIT LAY WITH LAUANDE TERES. . . . . ERK 314

LICK

AND ALLE LYST ON HIR LIK THAT ARN ON LAUNDE BESTES. . . . . . CLN 1000

LICKED

SO LONG LIKKED THISE LORDES THISE LYKORES SWETE. . . . . . . CLN 1521

LID

BEDE VNLOUKE THE LIDDE AND LAY HIT BYSIDE. . . . . ERK 67
AND WERE THE LYDDE NEUER SO LARGE THAI LAIDE HIT BY SONE. . . ERK 72

LIDDE (V. LID)
LIDDE3 (V. LIDS)
LIDS

THA3 HE LOWKE3 HIS LIDDE3 FUL LYTTEL HE SLEPES . . . . GGK 2007

LIE

WAYTE3 GORSTE3 AND GREUE3 IF ANI GOME3 LYGGE3 . . . . CLN 99
NOW LYKHAME THAT THUS LIES LAYNE THOU NO LENGER. . . . . . . ERK 179
IN WORLDE QUAT WEGHE THOU WAS AND QUY THOW THUS LIGGES . . . ERK 186
HOW HIT MY3T LYE BY MONNES LORE AND LAST SO LONGE . . . . . . ERK 264
AUTHER TO LONGE LYE OR TO LONGE SITTE . . . . GGK 88
3E SCHAL LENGE IN YOUR LOFTE AND LY3E IN YOUR ESE . . . . . . GGK 1096
FORTHY THOW LYE IN THY LOFT AND LACH THYN ESE . . . . GGK 1676
3IF 3E LUF NOT THAT LYF THAT 3E LYE NEXTE. . . . . GGK 1780
LET HYM LY3E THERE STILLE . . . . GGK 1994
THAT LEUE3 OURE LORDE WOLDE MAKE A LY3E . . . . PRL 304
WER EUEL DON SCHULDE LY3 THEROUTE . . . . PRL 930

LIEF

FOR HE SCHAL LOKE ON OURE LORDE WYTH A LEUE CHERE . . . . . . CLN 28
LOTH LENGE3 IN 3ON LEEDE THAT IS MY LEF BROTHER. . . . . . . CLN 772
THO WERN LOTH AND HIS LEF HIS LUFLYCHE DE3TER . . . . CLN 939
AND LELLY LOUY THY LORDE AND HIS LEEF WORTHE. . . . . CLN 1066
THER THE LEDE AND ALLE HIS LEUE LENGED AT THE TABLE . . . . . CLN 1419
BALTA3AR UMBEBRAYDE HYM AND LEUE SIR HE SAYDE . . . . CLN V 1622
LOUDE LA3ED HE THERAT SO LEF HIT HYM THO3T . . . . GGK 909
AND THAT YOW LYST FORTO LAYKE LEF HIT ME THYNKES . . . . GGK 1111
THE LEUE LORDE OF THE LONDE WAT3 NOT THE LAST . . . . GGK 1133
THE LORDE IS LY3T AT THE LASTE AT HYS LEF HOME . . . . GGK 1924
THE LEUE LADY ON LYUE LUF HIR BITYDE . . . . GGK 2054
THY IOY FOR A GEMME THAT THE WAT3 LEF . . . . PRL 266
HYS LEF IS I AM HOLY HYSSE. . . . . PRL 418

LIEFER

BOT HIT AR LADYES INNO3E THAT LEUER WER NOWTHE . . . . GGK 1251
BOT IF 3E HAF A LEMMAN A LEUER THAT YOW LYKE3 BETTER . . . . . GGK 1782

LIEFEST

WITH LORDE3 AND LADIES AS LEUEST HIM THO3T . . . . GGK 49
THE LEUEST THING FOR THY LUF THAT I IN LONDE WELDE. . . . . . GGK 1802

LIEFLY

LOTH AND THO LULYWHIT HIS LEFLY TWO DE3TER . . . . CLN 977

LIEGE

LO LORDE WYTH YOUR LEUE AT YOUR LEGE HESTE . . . . CLN 94
AND LETTE LY3T BI THE LAWE THAT HE WAT3 LEGE TYLLE. . . . . . CLN 1174
SCHULDE COM TO HIS COURT TO KYTHE HYM FOR LEGE . . . . CLN 1368
AND HADES NO LONDE OF LEGE MEN NE LIFE NE LYM AGHTES . . . . . ERK 224
AND THAT MY LEGGE LADY LYKED NOT ILLE . . . . GGK 346
NOW LEGE LORDE OF MY LYF LEUE I YOW ASK . . . . GGK 545
OTHER 3IF MY LEGE LORDE LYST ON LYUE ME TO BIDDE . . . . . . PAT 51

LIES

THAT HO BLYNDES OF BLE IN BOUR THER HO LYGGES . . . . CLN 1126
NOW IS A DOGGE ALSO DERE THAT IN A DYCH LYGGES . . . . CLN 1792
HE LYES DOLUEN THUS DEPE HIT IS A DERFE WONDER . . . . ERK 99
AND GAWAYN THE GOD MON IN GAY BED LYGE3 . . . . GGK 1179
WHYLE OURE LUFLYCH LEDE LYS IN HIS BEDDE . . . . GGK 1469
SIR GAWAYN LIS AND SLEPES . . . . GGK 1686
LYS LOLTRANDE THERINNE LOKANDE TO TOUNE . . . . PAT 458
AL LYS IN HYM TO DY3T AND DEME . . . . PRL 360
THAT GENTYL SAYDE LYS NO JOPARDE. . . . . PRL 602

LIES (V. LIE)

LIF (V. LIFE)

LIFE

THAT THO BE FRELY AND FRESCH FONDE IN THY LYUE . . . . CLN 173
AND LENGEST LYF IN HEM LENT OF LEDE3 ALLE OTHER. . . . . CLN 256
THENNE IN WORLDE WAT3 A WY3E WONYANDE ON LYUE . . . . CLN 293
BOTHE LEDE3 AND LONDE AND ALLE THAT LYF HABBE3 . . . . CLN 308
ALLE THAT GLYDE3 AND GOT3 AND GOST OF LYF HABBE3 . . . . . . CLN 325
OF VCHE BEST THAT BERE3 LYF BUSK THE A CUPPLE . . . . CLN 333
OF THE LENTHE OF NOE LYF TO LAY A LEL DATE . . . . CLN 425
IF THOU LOUYE3 THY LYF LOTH IN THYSE WONES . . . . CLN 841
FOR WE LATHE THE SIR LOTH THAT THOU THY LYF HAUE . . . . . . CLN 900
AND NO3T MAY LENGE IN THAT LAKE THAT ANY LYF BERE3. . . . . . CLN 1023
THAT RYCHE IN GRET RIALTE RENGNED HIS LYUE . . . . CLN 1321
EUER LASTE THY LYF IN LENTHE OF DAYES . . . . CLN 1594
FOR HIS LORDESCHYP SO LARGE AND HIS LYF RYCHE . . . . CLN 1658
LOUANDE THERON LESE GODDE3 THAT LYF HADEN NEUER. . . . . . . CLN 1719
THER IS NO LEDE OPON LYFE OF SO LONGE AGE. . . . . ERK 150
AND HADES NO LONDE OF LEGE MEN NE LIFE NE LYM AGHTES . . . . . ERK 224
FOR TO DRESSE A WRANGE DOME NO DAY OF MY LYUE . . . . ERK 236
OURE LORD LENE QUOTH THAT LEDE THAT THOU LYFE HADES . . . . . ERK 315
FOR THE AYLASTANDE LIFE THAT LETHE SHALLE NEUER. . . . . . . ERK 347
THURGHE SUM LANT GOSTE LYFE OF HYM THAT AL REDES . . . . . . ERK V 192
AND THE LOUELOKKEST LADIES THAT EUER LIF HADEN . . . . GGK 52
HIS LIF LIKED HYM LY3T HE LOUIED THE LASSE . . . . GGK 87
LEDE LIF FOR LYF LEUE VCHON OTHER . . . . GGK 98
LEDE LIF FOR LYF LEUE VCHON OTHER . . . . GGK 98
AND LEST LUR OF MY LYF QUO LAYTES THE SOTHE . . . . GGK 355
ON LYUE . . . . GGK 385
NOW LEGE LORDE OF MY LYF LEUE I YOW ASK . . . . GGK 545
THAT THOU LENDE SCHAL BE LOST THAT ART OF LYF NOBLE . . . . . GGK 675
AND AL NYKKED HYM WYTH NAY THAT NEUER IN HER LYUE . . . . . . GGK 706
WITH LORDE3 WYTH LADYES WITH ALLE THAT LYF BERE. . . . . . . GGK 1229
WITH ALLE THE WO ON LYUE . . . . GGK 1717
THENNE WAT3 HIT LIST VPON LIF TO LYTHEN THE HOUNDE3 . . . . . GGK 1719
3IF 3E LUF NOT THAT LYF THAT 3E LYE NEXTE. . . . . GGK 1780
FOR ALLE THE LUFE3 VPON LYUE LAYNE NOT THE SOTHE . . . . . . GGK 1786
THAT HE WOLDE LYFTE HIS LYF AND LERN HYM BETTER. . . . . . . GGK 1878
THE LEUE LADY ON LYUE LUF HIR BITYDE . . . . GGK 2054
AND 3IF I MY3T LYF VPON LONDE LEDE ANY QUYLE. . . . . GGK 2058
AND 3E AR A LEDE VPON LYUE THAT I WEL LOUY . . . . GGK 2095
AND THE LYST LESE THY LYF THE LETTE I NE KEPE . . . . GGK 2142

Line	Source	No.
MY LIF THA3 I FORGOO.	GGK	2210
BOT FOR 3E LUFED YOUR LYF THE LASSE I YOW BLAME.	GGK	2368
ON GRYNGOLET THAT THE GRACE HADE GETEN OF HIS LYUE.	GGK	2480
OTHER 3IF MY LEGE LORDE LYST ON LYUE ME TO BIDDE	PAT	51
FOR BE MONNES LODE NEUER SO LUTHER THE LYF IS AY SWETE	PAT	156
THAT ANY LYF MY3T BE LENT SO LONGE HYM WYTHINNE.	PAT	260
SO IN A BOUEL OF THAT BEST HE BIDE3 ON LYUE	PAT	293
THAT I MAY LACHCHE NO LONT AND THOU MY LYF WELDES	PAT	322
NOW LORDE LACH OUT MY LYF HIT LASTES TO LONGE	PAT	425
AND 3ET LYKE3 THE SO LUTHER THI LYF WOLDE3 THOU TYNE	PAT	500
AND HIS LYFTE THA3 HIS LYF SCHULDE LOST BE THERFOR.	PAT	515
AND THOU IN A LYF OF LYKYNG LY3TE	PRL	247
THAT LELLY HY3TE YOUR LYF TO RAYSE	PRL	305
WHAT LYF 3E LEDE ERLY AND LATE	PRL	392
A BLYSFUL LYF THOU SAYS I LEDE	PRL	409
THAT TAKE3 NOT HER LYF IN VAYNE	PRL	687
TO LEDE WYTH HYM SO LADYLY LYF	PRL	774
THAT TWELUE FRYTE3 OF LYF CON BERE FUL SONE	PRL	1078
HIS LYF WERE LOSTE ANVNDER MONE	PRL	1092
HOW THAY WYTH LYF WERN LASTE AND LADE	PRL	1146
LIFES		
3ET ER THY LYUE3 LY3T LETHE VPON ERTHE.	CLN	648
AND LYUED IN PENAUNCE HYS LYUE3 LONGE	PRL	477
OF LADYSCHYP GRET AND LYUE3 BLOM.	PRL	578
THER LYUE3 LYSTE MAY NEUER LOSE	PRL	908
LIFLODE		
HYM RWED THAT HE HEM VPRERDE AND RA3T HEM LYFLODE	CLN	561
THAT THE LUDE MY3T HAF LEUE LIFLODE TO CACH	GGK	133
LIFT		
WETHER EUER HIT LYKE MY LORDE TO LYFTE SUCH DOME3	CLN	717
WHOSO HYM LYKED TO LYFT ON LOFTE WAT3 HE SONE	CLN	1649
THAT HE WOLDE LYFTE HIS LYF AND LERN HYM BETTER.	GGK	1878
LIFTED		
LYFTE LOGGES THEROUER AND ON LOFTE CORUEN.	CLN	1407
LYFTE LADDRES FUL LONGE AND VPON LOFTE WONEN.	CLN	1777
BOT FOR THE LOS OF THE LEDE IS LYFT VP SO HY3E	GGK	258
AND HE LUFLYLY HIT HYM LAFT AND LYFTE VP HIS HONDE.	GGK	369
LA3T TO HIS LUFLY HED AND LYFT HIT VP SONE	GGK	433
AND HIT LYFTE VP THE Y3ELYDDE3 AND LOKED FUL BRODE.	GGK	446
OTHER ELLE3 THYN Y3E TO LYTHER IS LYFTE	PRL	567
LIFTING		
AS THAT LYFTANDE LOME LUGED ABOUTE	CLN	443
LYFTANDE VP HIS EGHELYDDES HE LOUSED SUCHE WORDES	ERK	178
LIFTS		
IF HE HAT3 LOSED THE LYSTEN HIT LYFTE3 MERUAYLE.	CLN	586
LANGABERDE IN LUMBARDIE LYFTES VP HOMES	GGK	12
HE LYFTES LY3TLY HIS LOME AND LET HIT DOWN FAYRE	GGK	2309
LIGGES (V. LIE)		
LIGHT		
DRE3LY ALLE ALONGE DAY THAT DORST NEUER LY3T.	CLN	476
3ET ER THY LYUE3 LY3T LETHE VPON ERTHE.	CLN	648
I SCHAL LY3T INTO THAT LED AND LOKE MYSELUEN.	CLN	691
THAT 3E WOLDE LY3T AT MY LOGE AND LENGE THERINNE	CLN	800
WYTH LY3T LOUE3 VPLYFTE THAY LOUED HYM SWYTHE	CLN	987
AND FOLDE THERON A LY3T FYTHER AND HIT TO FOUNS SYNKKE3	CLN	1026
AND LETTE LY3T BI THE LAWE THAT HE WAT3 LEGE TYLLE.	CLN	1174
AND THE CHEF CHAUNDELER CHARGED WITH THE LY3T	CLN	1272
FOR HADE HE LET OF HEM LY3T HYM MO3T HAF LUMPEN WORSE.	CLN	1320
AND OTHER LOUELYCH LY3T THAT LEMED FUL FAYRE.	CLN	1486

HIS LIF LIKED HYM LY3T HE LOUIED THE LASSE	GGK	87
HE LOKED AS LAYT SO LY3T	GGK	199
LI3T LUFLYCH ADOUN AND LENGE I THE PRAYE	GGK	254
LET HIM DOUN LY3TLY LY3T ON THE NAKED	GGK	423
THE LEUE3 LAUCEN FRO THE LYNDE AND LY3TEN ON THE GROUNDE.	GGK	526
THE LORD COMAUNDET LY3T.	GGK	992
WITH MONY LEUDE FUL LY3T AND LEMANDE TORCHES.	GGK	1119
FUL OFT CON LAUNCE AND LY3T	GGK	1175
IF I HIT LAKKED OTHER SET AT LY3T HIT WERE LITTEL DAYNTE.	GGK	1250
BOTHE THE LADYES ON LOGHE TO LY3T WITH HER BURDES	GGK	1373
BOT THE LORDE ON A LY3T HORCE LAUNCES HYM AFTER.	GGK	1464
KESTEN CLOTHE3 VPON CLERE LY3T THENNE	GGK	1649
LEUDE ON NW3ERE3 LY3T LONGE BIFORE PRYME	GGK	1675
WITH LI3T	GGK	1685
THEN WITH LEDES AND LY3T HE WAT3 LADDE TO HIS CHAMBRE.	GGK	1989
FOR THERE WAT3 LY3T OF A LAUMPE THAT LEMED IN HIS CHAMBRE	GGK	2010
AND WYTH QUETTYNG AWHARF ER HE WOLDE LY3T.	GGK	2220
THE LY3T OF HEM MY3T NO MON LEUEN	PRL	69
THAT ALLE THE LO3E LEMED OF LY3T.	PRL	119
ON SCHYLDERE3 THAT LEGHE VNLAPPED LY3TE	PRL	214
AND HAYLSED ME WYTH A LOTE LY3TE.	PRL	238
AND THOU IN A LYF OF LYKYNG LY3TE	PRL	247
AND LYKNE3 HIT TO HEUEN LY3TE.	PRL	500
THAT IS OF HERT BOTHE CLENE AND LY3T	PRL	682
SUCH LY3T THER LEMED IN ALLE THE STRATE3	PRL	1043
FOR SOTYLE CLER NO3T LETTE NO LY3T	PRL	1050
AND TO EUEN WYTH THAT WORTHLY LY3T	PRL	1073
LIGHTED		
WITH THIS WORDE THAT HE WARP THE WRAKE ON HYM LY3T.	CLN	213
BOT THAT OTHER WRAKE THAT WEX ON WY3E3 HIT LY3T.	CLN	235
FOR LOKE FRO FYRST THAT HE LY3T WYTHINNE THE LEL MAYDEN	CLN	1069
THE TERES TRILLYD ADON AND ON THE TOUMBE LIGHTEN	ERK	322
SERE SEGGE3 HYM SESED BY SADEL QUEL HE LY3T	GGK	822
THE LORDE IS LY3T AT THE LASTE AT HYS LEF HOME	GGK	1924
AND AL TO LY3TEN THAT LOME 3IF LETHE WOLDE SCHAPE	PAT	160
BOT THE NWE THAT LY3T OF GODE3 SONDE	PRL	943
AS HIT WAS LY3T FRO THE HEUEN ADOUN.	PRL	988
LIGHTEN (V. LIGHTED)		
LIGHTLY		
LOTH THENNE FUL LY3TLY LOKE3 HYM ABOUTE	CLN	817
ALLAS SAYD HYM THENNE LOTH AND LY3TLY HE RYSE3	CLN	853
LI3TLY LASSHIT THER A LEME LOGHE IN THE ABYME	ERK	334
LEPE LY3TLY ME TO AND LACH THIS WEPPEN.	GGK	292
LY3TLY LEPE3 HE HYM TO AND LA3T AT HIS HONDE.	GGK	328
LET HIM DOUN LY3TLY LY3T ON THE NAKED	GGK	423
WYTH A LY3TLY VRYSOUN OUER THE AUENTAYLE	GGK	608
LEPEN VP LY3TLY LACHEN HER BRYDELES.	GGK	1131
COUTH NOT LY3TLY HAF LENGED SO LONG WYTH A LADY.	GGK	1299
HO LA3T A LACE LY3TLY THAT LEKE VMBE HIR SYDE3	GGK	1830
HE LYFTES LY3TLY HIS LOME AND LET HIT DOWN FAYRE	GGK	2309
AND LY3TLY WHEN I AM LEST HE LETES ME ALONE	PAT	88
A LODESMON LY3TLY LEP VNDER HACHCHES	PAT	179
AND PREUE THE LY3TLY A LORDE IN LONDE AND IN WATER.	PAT	288
AND THY LURE3 OF LY3TLY FLEME.	PRL	358
AND THY LURE3 OF LY3TLY LEME	PRL 1	358
THAT ALLE THY LURE3 OF LY3TLY LEME	PRL 2	358
AND THY LURE3 OF LY3TLY LEME	PRL 3	358
LIGHTS		
THEN FEERSLY THAT OTHER FREKE VPON FOTE LY3TIS	GGK	329

WYTH THE LYUER AND THE LY3TE3 THE LETHER OF THE PAUNCHE3.	GGK	1360
HE LY3TES LUFLYCH ADOUN LEUE3 HIS CORSOUR.	GGK	1583
THE LORDE LY3TE3 BILYUE AND LACHE3 HYM SONE	GGK	1906
LI3TE3 DOUN LUFLYLY AND AT A LYNDE TACHE3.	GGK	2176
LIK (V. LIKE)		
LIKE		
WOLDE LYKE IF A LADDE COM LYTHERLY ATTYRED	CLN	36
AND BY LYKE TO THAT LORDE THAT THE LYFT MADE.	CLN	212
WETHER EUER HIT LYKE MY LORDE TO LYFTE SUCH DOME3	CLN	717
RYOL ROLLANDE FAX TO RAW SYLK LYKE	CLN	790
NOV IS HIT PLUNGED IN A PIT LIKE OF PICH FYLLED.	CLN	1008
HIR SCHAL LYKE THAT LAYK THAT LYKNES HIR TYLLE	CLN	1064
THER IS NO BOUNTE IN BURNE LYK BALTA3AR THEWES	CLN	1436
THE MANE OF THAT MAYN HORS MUCH TO HIT LYKE	GGK	187
A 3ERE 3ERNES FUL 3ERNE AND 3ELDE3 NEUER LYKE	GGK	498
MORE LYKKERWYS ON TO LYK	GGK	968
LET THE LADIE3 BE FETTE TO LYKE HEM THE BETTER	GGK	1084
AND AY THE LADY LET LYK A HYM LOUED MYCH	GGK	1281
BOT LENGE WHERESOEUER HIR LYST LYKE OTHER GREME.	PAT	42
THENNE IS ME LY3TLOKER HIT LYKE AND HER LOTES PRAYSE	PAT	47
LYK TO THE QUEN OF CORTAYSYE	PRL	432
MY REGNE HE SAYT3 IS LYK ON HY3T.	PRL	501
IS LYKE THE REME OF HEUENESSE CLERE.	PRL	735
LYK FLODE3 FELE LADEN RUNNEN ON RESSE	PRL	874
AS LYK TO HYMSELF OF LOTE AND HWE	PRL	896
IS LYKE THE REME OF HEUENES SPERE	PRL 2	735
IS LYKE THE REME OF HEUENES SPERE	PRL 3	735
LIKED		
THENNE THE LUDYCH LORDE LYKED FUL ILLE.	CLN	73
HYM A3TSUM IN THAT ARK AS ATHEL GOD LYKED.	CLN	411
BOT QUEN THE LORDE OF THE LYFTE LYKED HYMSELUEN.	CLN	435
MEKE MAYSTER ON THY MON TO MYNNE IF THE LYKED	CLN	771
AND ALLE THE WORLDE IN HIS WYLLE WELDE AS HYM LYKED	CLN	1646
WHOSO HYM LYKED TO LYFT ON LOFTE WAT3 HE SONE	CLN	1649
AND QUOSO HYM LYKED TO LAY WAT3 LO3ED BYLYUE.	CLN	1650
AND COWTHE VCHE KYNDAM TOKERUE AND KEUER WHEN HYM LYKED	CLN	1700
HIS LIF LIKED HYM LY3T HE LOUIED THE LASSE	GGK	87
AND THAT MY LEGGE LADY LYKED NOT ILLE	GGK	346
THER HE FONDE NO3T HYM BYFORE THE FARE THAT HE LYKED	GGK	694
AND AY SAWSES SO SLE3E THAT THE SEGGE LYKED	GGK	893
TO BE HER SERUANT SOTHLY IF HEMSELF LYKED.	GGK	976
THISE LORDE3 AND LADYE3 QUYLE THAT HEM LYKED.	GGK	1115
VCHE WY3E ON HIS WAY THER HYM WEL LYKED	GGK	1132
AND AY SAWES SO SLE3E THAT THE SEGGE LYKED	GGK V	893
LIKENING		
IF WE THYSE LADYES WOLDE LOF IN LYKNYNG OF THEWES	PAT	30
LIKENINGS		
AND 3ET OF LYKYNGES ON LOFTE LETTED I TROWE	CLN	1803
LIKENS		
HIR SCHAL LYKE THAT LAYK THAT LYKNES HIR TYLLE	CLN	1064
AND LYKNE3 HIT TO HEUEN LY3TE.	PRL	500
LIKER		
HIT IS NOT LYTTEL QUOTH THE LEDE BOT LYKKER TO RY3T	PAT	493
LIKES		
AND VCHE BEST AT A BRAYDE THER HYM BEST LYKE3	CLN	539
THAY HAN LERNED A LYST THAT LYKE3 ME ILLE.	CLN	693
THENNE EFTE LASTES HIT LIKKES HE LOSES HIT ILLE.	CLN	1141
I AM GOD OF THE GROUNDE TO GYE AS ME LYKES	CLN	1663
BY VCH FYGURE AS I FYNDE AS OURE FADER LYKES.	CLN	1726

AND ALLE THE WORLDE IN HIS WYLLE WELDE AS HYM LYKES . . . . . CLN V 1646
THIS AX THAT IS HEUE INNOGH TO HONDELE AS HYM LYKES . . . . . GGK 289
BIGOG QUOTH THE GRENE KNY3T SIR GAWAN ME LYKES . . . . GGK 390
THAT 3E BE WY3E WELCUM TO WON QUYLE YOW LYKE3 . . . . GGK 814
HE SAYDE 3E ARE WELCUM TO WONE AS YOW LYKE3 . . . . GGK 835
AND CUM TO THAT MERK AT MYDMORN TO MAKE QUAT YOW LIKE3 . . . GGK 1073
ME SCHAL WORTHE AT YOUR WILLE AND THAT ME WEL LYKE3 . . . . . GGK 1214
AND SYTHEN I HAUE IN THIS HOUS HYM THAT AL LYKE3 . . . . . . GGK 1234
THEN QUOTH WOWEN IWYSSE WORTHE AS YOW LYKE3 . . . . GGK 1302
3E AR STIF INNOGHE TO CONSTRAYNE WYTH STRENKTHE 3IF YOW LYKE3 . GGK 1496
I AM AT YOUR COMAUNDEMENT TO KYSSE QUEN YOW LYKE3 . . . . . . GGK 1501
FOR THE LUR MAY MON LACH WHENSO MON LYKE3. . . . . GGK 1682
BOT IF 3E HAF A LEMMAN A LEUER THAT YOW LYKE3 BETTER . . . . . GGK 1782
I 3EF YOW ME FOR ON OF YOURE3 IF YOWRESELF LYKE3 . . . . . . GGK 1964
WORTHE HIT WELE OTHER WO AS THE WYRDE LYKE3 . . . . GGK 2134
HERE AR NO RENKES VS TO RYDDE RELE AS VS LIKE3 . . . . GGK 2246
AND WARP THE NO WERNYNG TO WORCH AS THE LYKE3 . . . . GGK 2253
ARMED FUL A3LE3 IN HERT HIT HYM LYKE3 . . . . GGK 2335
HE SAYDE 3E AR WELCUM TO WELDE AS YOW LYKE3 . . . . GGK V 835
WHAT WOTE OTHER WYTE MAY 3IF THE WY3E LYKES . . . . PAT 397
AND 3ET LYKE3 THE SO LUTHER THI LYF WOLDE3 THOU TYNE . . . . . PAT 500
TO DO WYTH MYN QUATSO ME LYKE3 . . . . PRL 566

LIKEST
AND THOSE LYKKEST TO THE LEDE THAT LYUED NEXT AFTER . . . . . CLN 261

LIKE3 (V. LIKES)

LIKING
AND LYUED WYTH THE LYKYNG THAT LY3E IN THYN HERT . . . . . . CLN 172
TO LYUE THER IN LYKYNG THE LENTHE OF A TERME. . . . . CLN 239
AND THOU IN A LYF OF LYKYNG LY3TE . . . . PRL 247

LIKKED (V. LICKED)

LIKKES (V. LIKES)

LILTED
LOUDE ALAROM VPON LAUNDE LULTED WAT3 THENNE . . . . CLN 1207

LILY-WHITE
LOTH AND THO LULYWHIT HIS LEFLY TWO DE3TER . . . . CLN 977

LIMB
AND HADES NO LONDE OF LEGE MEN NE LIFE NE LYM AGHTES . . . . . ERK 224
A LONGANDE LYM TO THE MAYSTER OF MYSTE. . . . . PRL 462

LIMBO
THE LOFFYNGE OUTE OF LIMBO THOU LAFTES ME THER . . . . ERK 292
THI LOFFYNGE OUTE OF LIMBO THOU LAFTES ME THER . . . . ERK V 292

LIMBS
AND SYTHEN ALLE THYN OTHER LYME3 LAPPED FUL CLENE . . . . . . CLN 175
AND HIS LYNDES AND HIS LYMES SO LONGE AND SO GRETE. . . . . . GGK 139
LOWANDE AND LUFLY ALLE HIS LYMME3 VNDER . . . . GGK 868
SYTHEN RYTTE THAY THE FOURE LYMMES AND RENT OF THE HYDE . . . . GGK 1332
IS TACHED OTHER TY3ED THY LYMME3 BYTWYSTE. . . . . PRL 464

LINE
AND VCHE LYNE VMBELAPPE3 AND LOUKE3 IN OTHER. . . . . GGK 628
AS SONE AS THAY ARN BORNE BY LYNE . . . . PRL 626

LINGER
LATHE3 HEM ALLE LUFLYLY TO LENGE AT MY FEST . . . . CLN 81
LENGE A LYTTEL WITH THY LEDE I LO3LY BISECHE. . . . . CLN 614
THAT 3E WOLDE LY3T AT MY LOGE AND LENGE THERINNE . . . . . . CLN 800
I NORNE YOW BOT FOR ON NY3T NE3E ME TO LENGE. . . . . CLN 803
THAY WOLDE LENGE THE LONG NA3T AND LOGGE THEROUTE . . . . . . CLN 807
AND NO3T MAY LENGE IN THAT LAKE THAT ANY LYF BERE3. . . . . . CLN 1023
LI3T LUFLYCH ADOUN AND LENGE I THE PRAYE . . . . GGK 254
FOR THOU MAY LENG IN THY LONDE AND LAYT NO FYRRE . . . . . . GGK 411

THENNE LA3ANDE QUOTH THE LORDE NOW LENG THE BYHOUES	GGK	1068
3E SCHAL LENGE IN YOUR LOFTE AND LY3E IN YOUR ESE	GGK	1096
THE LORDE HYM LETTED OF THAT TO LENGE HYM RESTEYED.	GGK	1672
NOW HYM LENGE IN THAT LEE THER LUF LYM BITYDE	GGK	1893
BOT LENGE WHERESOEUER HIR LYST LYKE OTHER GREME.	PAT	42
HEREINNE TO LENGE FOR EUER AND PLAY.	PRL	261
I TROWE ALONE 3E LENGE AND LOUTE.	PRL	933
LINGERED		
THER ALLE LEDE3 IN LOME LENGED DRUYE	CLN	412
VCHON LOUED OURE LORDE BOT LENGED AY STYLLE	CLN	497
BOT THAY WERN WAKNED AL WRANK THAT THER IN WON LENGED.	CLN	891
AND FERLY FLAYED THAT FOLK THAT IN THOSE FEES LENGED	CLN	960
FOR HIS MAKE WAT3 MYST THAT ON THE MOUNT LENGED.	CLN	994
THER THE LEDE AND ALLE HIS LEUE LENGED AT THE TABLE	CLN	1419
THER THE LEDE AND ALLE HIS LOUE LENGED AT THE TABLE	CLN V	1419
THAI WOLDE LOKE ON THAT LOME QUAT LENGYD WITHINNE	ERK	68
AND LENGED THERE SELLY LONGE TO LOKE QUEN HE WAKENED	GGK	1194
COUTH NOT LY3TLY HAF LENGED SO LONG WYTH A LADY.	GGK	1299
THIS WAT3 GRAYTHELY GRAUNTED AND GAWAYN IS LENGED	GGK	1683
AND THER HE LENGED AT THE LAST AND TO THE LEDE CALLED.	PAT	281
TO BORGES AND TO BACHELERES THAT IN THAT BUR3 LENGED	PAT	366
LINGERS		
LOTH LENGE3 IN 3ON LEEDE THAT IS MY LEF BROTHER.	CLN	772
AND THERE IN LONGYNG AL NY3T HE LENGE3 IN WONES.	CLN	779
3ET QUYL ALHALDAY WITH ARTHER HE LENGES	GGK	536
OFT LEUDLE3 ALONE HE LENGE3 ON NY3TE3	GGK	693
THUR3 MY3T OF MORGNE LA FAYE THAT IN MY HOUS LENGES	GGK	2446
LIONEL		
LAUNCELOT AND LYONEL AND LUCAN THE GODE	GGK	553
LIONS		
AND LYOUNE3 AND LEBARDE3 TO THE LAKERYFTES	CLN	536
LIP		
AND FROUNSES BOTHE LYPPE AND BROWE	GGK	2306
LIPPES (V. LIPS)		
LIPS		
WITH RONKE RODE AS THE ROSE AND TWO REDE LIPPES.	ERK	91
THE TWEYNE Y3EN AND THE NASE THE NAKED LYPPE3	GGK	962
WYTH LYPPE3 SMAL LA3ANDE	GGK	1207
LIQUORS		
SO LONG LIKKED THISE LORDES THISE LYKORES SWETE.	CLN	1521
LIRE		
BY THAT MONY THIK THE3E THRY3T VMBE HIS LYRE.	CLN	1687
BY THAT MONY THIK THY3E THRY3T VMBE HIS LYRE.	CLN V	1687
HOW LONGE HAD HE THER LAYNE HIS LERE SO VNCHAUNGIT.	ERK	95
NE HIS LIRE NE THE LOME THAT HE IS LAYDE INNE	ERK	149
AND LERE.	GGK	318
A LITTEL LUT WITH THE HEDE THE LERE HE DISCOUERE3	GGK	418
THE WY3E WYNNE3 HYM TO AND WYTE3 ON HIS LYRE.	GGK	2050
LYSTILY FORLANCYNG AND LERE OF THE KNOT	GGK V	1334
LIS (V. LIES)		
LIST		
THAY HAN LERNED A LYST THAT LYKE3 ME ILLE.	CLN	693
THAT WE MAY LERE HYM OF LOF AS OURE LYST BIDDE3.	CLN	843
THOR3 THE LYST OF THE LYFTE BI THE LO3 MEDOES	CLN	1761
THENNE WAT3 HIT LIST VPON LIF TO LYTHEN THE HOUNDE3	GGK	1719
LISTE (V. LYST)		
LISTEN		
IF HE HAT3 LOSED THE LYSTEN HIT LYFTE3 MERUAYLE.	CLN	586
IF 3E WYL LYSTEN THIS LAYE BOT ON LITTEL QUILE	GGK	30

TO LYSTEN THAT WAT3 FUL LUFLY DERE PRL 880
LISTNED
BOT AL AS STILLE AS THE STON STODEN AND LISTONDE ERK 219
THE LEUDE LYSTENED FUL WEL THAT LE3 IN HIS BEDDE GGK 2006
LISTONDE (V. LISTENED)
LITELLE (V. LITTLE)
LITHERNE3
OF THE LARGESSE AND THE LENTHE THE LITHERNE3 ALSE GGK 1627
LITTEL (V. LITTLE)
LITTLE
FORTHY THA3 THE RAPE WERE RANK THE RAWTHE WAT3 LYTTEL. CLN 233
BOT THE HY3EST OF THE EGGE3 VNHULED WERN A LYTTEL CLN 451
THE RAUEN RAYKE3 HYM FORTH THAT RECHES FUL LYTTEL CLN 465
LENGE A LYTTEL WITH THY LEDE I LO3LY BISECHE. CLN 614
AND I SCHAL WYNNE YOW WY3T OF WATER A LYTTEL. CLN 617
3IF I MELE A LYTTEL MORE THAT MUL AM AND ASKE3 CLN 736
AND THAY TOKEN HIT AS TYT AND TENTED HIT LYTTEL. CLN 935
AND CLOUEN ALLE IN LYTTEL CLOUTES THE CLYFFE3 AYWHERE. CLN 965
THE LEDE3 OF THAT LYTTEL TOUN WERN LOPEN OUT FOR DREDE CLN 990
3ET TAKE TORKYE HEM WYTH HER TENE HADE BEN LITTLE CLN 1232
SE3 THESE SYNGNES WYTH SY3T AND SET HEM AT LYTTEL CLN 1710
AND THAY TOKEN HIT AS TAYT AND TENTED HIT LYTTEL CLN V 935
HIT IS MERUAILE TO MEN THAT MOUNTES TO LITELLE ERK 160
THEN LETTES HIT HYM FUL LITELLE TO LOUSE WYT A FYNGER. ERK 165
THE BRY3T BODY IN THE BURYNES BRAYTHED A LITELLE ERK 190
DEUOYDES VCHE A VAYNEGLORIE THAT VAYLES SO LITELLE. ERK 348
THE BRY3T BODY IN THE BURYNES BRAYED A LITELLE ERK V 190
IF 3E WYL LYSTEN THIS LAYE BOT ON LITTEL QUILE GGK 30
A LITTEL LUT WITH THE HEDE THE LERE HE DISCOUERE3 GGK 418
THE LOUELOKER HE LAPPE3 A LYTTEL IN ARME3. GGK 973
A LITTEL DYN AT HIS DOR AND DERFLY VPON GGK 1183
A CORNER OF THE CORTYN HE CA3T VP A LYTTEL GGK 1185
IF I HIT LAKKED OTHER SET AT LY3T HIT WERE LITTEL DAYNTE. GGK 1250
HALED HEM BY A LYTTEL HOLE TO HAUE HOLE SYDES GGK 1338
AT THE LAST BI A LITTEL DICH HE LEPE3 OUER A SPENNE GGK 1709
LO SO HIT IS LITTEL THE LASSE HIT IS WORTHY GGK 1848
THA3 HE LOWKE3 HIS LIDDE3 FUL LYTTEL HE SLEPES GGK 2007
THENNE LOKE A LITTEL ON THE LAUNDE ON THI LYFTE HONDE. GGK 2146
SAUE A LYTTEL ON A LAUNDE A LAWE AS HIT WERE. GGK 2171
AND SCHRANKE A LYTEL WITH THE SCHULDERES FOR THE SCHARP YRNE GGK 2267
BOT HERE YOW LAKKED A LYTTEL SIR AND LEWTE YOW WONTED. GGK 2366
SONE A LYTTEL ON A LAUNDE A LAWE AS HIT WERE. GGK V 2171
WYL 3E TARY A LYTTEL TYNE AND TENT ME A WHYLE PAT 59
IN HIS GLOWANDE GLORYE AND GLOUMBES FUL LYTTEL PAT 94
AS LYTTEL WONDER HIT WAT3 3IF HE WO DRE3ED PAT 256
THA3 HIT LYTTEL WERE HYM WYTH TO WAMEL AT HIS HERT. PAT 300
HE BOWED VNDER HIS LYTTEL BOTHE HIS BAK TO THE SUNNE PAT 441
THE MOUNTAUNCE OF A LYTTEL MOTE VPON THAT MAN SCHYNE PAT 456
WHY ARE THOU SO WAYMOT WY3E FOR SO LYTTEL. PAT 492
HIT IS NOT LYTTEL QUOTH THE LEDE BOT LYKKER TO RY3T PAT 493
AS LYTTEL BARNE3 ON BARME THAT NEUER BALE WRO3T. PAT 510
AS LYTTEL BYFORE THERTO WAT3 WONTE PRL 172
I HALDE THAT IUELER LYTTEL TO PRAYSE PRL 301
3E TAKE THERON FUL LYTTEL TENTE PRL 387
THA3 THAY COM LATE AND LYTTEL WORE PRL 574
AND THA3 HER SWENG WYTH LYTTEL ATSLYKE3 PRL 575
WHETHER LYTTEL OTHER MUCH BE HYS REWARDE PRL 604
THEN SA3 I THER MY LYTTEL QUENE PRL 1147
LIURE (V. LIVERY)

LIURE3 (V. LIVERIES)
LIVE
    TO LYUE THER IN LYKYNG THE LENTHE OF A TERME. CLN 239
    THAT EUER HE MAN VPON MOLDE MERKED TO LYUY CLN 558
    BOT SAUYOUR MON IN THYSELF THA3 THOU A SOTTE LYUIE. CLN 581
    HE MOST AY LYUE IN THAT LO3E IN LOSYNG EUERMORE. CLN 1031
    AND AL TOMARRED IN MYRE WHYLE THOU ON MOLDE LYUYES. CLN 1114
    BOT MENDYD WITH A MEDECYN 3E ARE MADE FOR TO LYUYE. ERK 298
    IWYSSE SIR QUYL I LEUE ME WORTHE3 THE BETTER. GGK 1035
    AS I AM OTHER EUER SCHAL IN ERDE THER I LEUE. GGK 1544
    AND ALLE THAT LYUYES HEREINNE LOSE THE SWETE. PAT 364
    WHAT LEDE MO3T LYUE BI LAWE OF ANY KYNDE PAT V 259
LIVED
    AND LYUED WYTH THE LYKYNG THAT LY3E IN THYN HERT CLN 172
    AND THOSE LYKKEST TO THE LEDE THAT LYUED NEXT AFTER CLN 261
    AND THE RELEFE OF THE LODELY LURES THAT MY SOULE HAS LEUYD IN ERK 328
    AND LYUED IN PENAUNCE HYS LYUE3 LONGE PRL 477
    THOU LYFED NOT TWO 3ER IN OURE THEDE PRL 483
    FOR KRYST HAN LYUED IN MUCH STRYF PRL 776
LIVELY
    THURGHE SUM LYFLY GOSTE LANT OF HYM THAT AL REDES ERK 192
LIVER
    WYTH THE LYUER AND THE LY3TE3 THE LETHER OF THE PAUNCHE3. GGK 1360
LIVERIES
    AND ALLE IN SUTE HER LIURE3 WASSE PRL 1108
LIVERY
    AND ALLE IN SUTE HER LIURE WASSE. PRL 2 1108
LIVES
    HOW LEDES FOR HER LELE LUF HOR LYUE3 HAN AUNTERED GGK 1516
    TRAWE 3E ME THAT TRWELY THA3 3E HAD TWENTY LYUES GGK 2112
LIVING
    FOR NON LYUYANDE TO THE IS JUSTYFYET PRL 700
LI3T (V. LIGHT)
LI3TE3 (V. LIGHTS)
LI3TLY (V. LIGHTLY)
LLAK (V. LAKE)
LO
    LO LORDE WYTH YOUR LEUE AT YOUR LEGE HESTE CLN 94
    LO SUCHE A WRAKFUL WO FOR WLATSUM DEDE3 CLN 541
    LO LORDES QUOTH THAT LEDE SUCHE A LYCHE HERE.IS. ERK 146
    LO SO HIT IS LITTEL THE LASSE HIT IS WORTHY GGK 1848
    LET GOD WORCHE WE LOO GGK 2208
    LO THER THE FALSSYNG FOULE MOT HIT FALLE GGK 2378
    LO LORDE QUOTH THE LEUDE AND THE LACE HONDELED GGK 2505
    LO THE WYTLES WRECHCHE FOR HE WOLDE NO3T SUFFER. PAT 113
    LO AL SYNKES IN HIS SYNNE AND FOR HIS SAKE MARRES PAT 172
    LO THY DOM IS THE DY3T FOR THY DEDES ILLE. PAT 203
    RIS APROCHE THEN TO PRECH LO THE PLACE HERE PAT 349
    LO MY LORE IS IN THE LOKE LAUCE HIT THERINNE. PAT 350
    LO MY LORE IS IN THE LOKEN LANCE HIT THERINNE PAT V 350
    AS QUO SAYS LO 3ON LOUELY YLE. PRL 693
    LO EUEN INMYDDE3 MY BRESTE HIT STODE PRL 740
    LO GODE3 LOMBE AS TRWE AS STON PRL 822
LOATH
    THER LAGHT WITHOUTEN LOTHE. GGK 127
    THAT AL THU3T THENNE FUL LOTHE GGK 1578
    THIS IS THE LATHE AND THE LOSSE THAT I LA3T HAUE GGK 2507
    NOW I HIT SE NOW LETHE3 MY LOTHE. PRL 377
LOATHE

LOTHE GOD AND HIS GERE AND HYM TO GREME CACHEN . . . . CLN V 16
LOATHLY
THAT FOR HER LODLYCH LAYKE3 ALOSED THAY WERE. . . . . CLN 274
THAT ALLE THAT LONGED TO LUTHER FUL LODLY HE HATED. . . . . . CLN 1090
3ET COMEN LODLY TO THAT LEDE AS LA3ARES MONYE . . . . CLN 1093
IN LUST AND IN LECHERYE AND LOTHELYCH WERKKES . . . . CLN 1350
AND THE RELEFE OF THE LODELY LURES THAT MY SOULE HAS LEUYD IN . ERK 328
AND LET LODLY THERAT THE LORDE FORTH HERE. . . . . GGK 1634
OTHER LACH THER HIR LUF OTHER LODLY REFUSE . . . . GGK 1772
INTO THAT LODLYCH LO3E THAY LUCHE HYM SONE . . . . PAT 230
LOCH
THE MUKEL LAUANDE LOGHE TO THE LYFTE RERED . . . . CLN 366
THENNE LAUSNED THE LO3 LOWKANDE TOGEDER . . . . CLN 441
HE MOST AY LYUE IN THAT LO3E IN LOSYNG EUERMORE. . . . . . . CLN 1031
THENNE LASNED THE LO3 LOWKANDE TOGEDER. . . . . CLN V 441
INTO THAT LODLYCH LO3E THAY LUCHE HYM SONE . . . . PAT 230
THAT ALLE THE LO3E LEMED OF LY3T. . . . . PRL 119
LOCKED (CP. LEKE)
HAS LAYN LOKEN HERE ON LOGHE HOW LONGE IS VNKNAWEN. . . . . . ERK 147
WITH LEL LETTERES LOKEN. . . . . GGK 35
A LACE LAPPED ABOUTE THAT LOUKED AT THE HEDE. . . . . GGK 217
ABOF A LAUNDE ON A LAWE LOKEN VNDER BO3E3. . . . . GGK 765
WYTH MONY LUFLYCH LOUPE THAT LOUKED FUL CLENE . . . . GGK 792
LOKEN VNDER HIS LYFTE ARME THE LACE WITH A KNOT. . . . . . . GGK 2487
LO MY LORE IS IN THE LOKE LAUCE HIT THERINNE. . . . . PAT 350
LO MY LORE IS IN THE LOKEN LANCE HIT THERINNE . . . . PAT V 350
LOCKS
THAT WAT3 LA3T FRO HIS LOKKE3 AND LAYDE ON HIS SCHULDERES . . GGK 156
HIS LONGE LOUELYCH LOKKE3 HE LAYD OUER HIS CROUN . . . . . . GGK 419
AND VCHE LYNE VMBELAPPE3 AND LOUKE3 IN OTHER. . . . . GGK 628
THA3 HE LOWKE3 HIS LIDDE3 FUL LYTTEL HE SLEPES . . . . GGK 2007
BOTHE THE LYRE AND THE LEGGE3 LOKKE3 AND BERDE . . . . GGK 2228
LODE
WAT3 THAT SCHO HADE ON LODE . . . . GGK 969
THE LASSE LUF IN HIS LODE FOR LUR THAT HE SO3T . . . . GGK 1284
FOR BE MONNES LODE NEUER SO LUTHER THE LYF IS AY SWETE . . . PAT 156
AND SYTHEN I LOKED HEM FUL LONGE AND HEM ON LODE HADE. . . . PAT 504
LODELY (V. LOATHLY)
LODESMON
NYF OURE LORDE HADE BEN HER LODE3MON HEM HAD LUMPEN HARDE . . CLN 424
A LODESMON LY3TLY LEP VNDER HACHCHES . . . . PAT 179
LODE3MON (V. LODESMON)
LODGE
THAT 3E WOLDE LY3T AT MY LOGE AND LENGE THERINNE . . . . . . CLN 800
THAY WOLDE LENGE THE LONG NA3T AND LOGGE THEROUTE . . . . . . CLN 807
THENNE WAT3 THE GOME SO GLAD OF HIS GAY LOGGE . . . . PAT 457
AND EUER HE LA3ED AS HE LOKED THE LOGE ALLE ABOUTE. . . . . . PAT 461
LODGE-DOOR
AS LOOT IN A LOGEDOR LENED HYM ALONE . . . . CLN 784
LODGES
LYFTE LOGGES THEROUER AND ON LOFTE CORUEN. . . . . CLN 1407
LODGING
THAY LEST OF LOTE3 LOGGING ANY LYSOUN TO FYNDE . . . . CLN 887
LODLY (V. LOATHLY)
LODLYCH (V. LOATHLY)
LOF (ALSO V. LOVE)
SUCH A LEFSEL OF LOF NEUER LEDE HADE . . . . PAT 448
LOFDEN (V. LOVED)
LOFE (V. LUFF)

LOFFYNGE (CP. LOUYNG)
    THE LOFFYNGE OUTE OF LIMBO THOU LAFTES ME THER . . . . ERK 292
    THI LOFFYNGE OUTE OF LIMBO THOU LAFTES ME THER . . . . ERK V 292
LOFLY (V. LOVELY)
LOFLYEST (V. LOVELIEST)
LOFT (V. LOFTE)
LOFTE (CP. ALOFT)
    WHYL HE WAT3 HY3E IN THE HEUEN HOUEN VPON LOFTE. . . . . CLN 206
    AND A WYNDOW WYD VPONANDE WRO3T VPON LOFTE . . . . CLN 318
    IF THAY HAF DON AS THE DYNE DRYUE3 ON LOFTE . . . . CLN 692
    HIT WAT3 HOUS INNO3E TO HEM THE HEUEN VPON LOFTE . . . . CLN 808
    THE GRETE GOD IN HIS GREME BYGYNNE3 ON LOFTE. . . . . CLN 947
    THER HE LAFTE HADE OURE LORDE HE IS ON LOFTE WONNEN . . . . . CLN 1004
    FOR LAY THERON A LUMP OF LED AND HIT ON LOFT FLETE3 . . . . . CLN 1025
    CLER CLARYOUN CRAK CRYED ON LOFTE . . . . CLN 1210
    THAT BER THE LAMP VPON LOFTE THAT LEMED EUERMORE . . . . . . CLN 1273
    WYTH TOOL OUT OF HARDE TRE AND TELDED ON LOFTE . . . . CLN 1342
    LYFTE LOGGES THEROUER AND ON LOFTE CORUEN. . . . . CLN 1407
    THE GAY COROUN OF GOLDE GERED ON LOFTE. . . . . CLN 1444
    WHOSO HYM LYKED TO LYFT ON LOFTE WAT3 HE SONE . . . . CLN 1649
    LYFTE LADDRES FUL LONGE AND VPON LOFTE WONEN. . . . . CLN 1777
    AND 3ET OF LYKYNGES ON LOFTE LETTED I TROWE . . . . CLN 1803
    AND A WYNDOW WYD VPON WRO3T VPON LOFTE. . . . . CLN V 318
    A MECHE MANTEL ON LOFTE WITH MENYUER FURRIT . . . . ERK 81
    ANDE EFT A FUL HUGE HE3T HIT HALED VPON LOFTE . . . . GGK 788
    3E SCHAL LENGE IN YOUR LOFTE AND LY3E IN YOUR ESE . . . . . . GGK 1096
    FORTHY THOW LYE IN THY LOFT AND LACH THYN ESE . . . . GGK 1676
    WITH ALLE THE BUR IN HIS BODY HE BER HIT ON LOFTE . . . . . . GGK 2261
    THER WAT3 LOUYNG ON LOFTE WHEN THAY THE LONDE WONNEN . . . . . PAT 237
    FOR HIT WAT3 BROD AT THE BOTHEM BO3TED ON LOFTE. . . . . . . PAT 449
LOGE (V. LODGE)
LOGEDOR (V. LODGE-DOOR)
LOGGE (V. LODGE)
LOGGES (V. LODGES)
LOGGING (V. LODGING)
LOGHE (V. LOCH, LOW)
LOGRES
    NOW RIDE3 THIS RENK THUR3 THE RYALME OF LOGRES . . . . GGK 691
    FOR ALLE THE LONDE INWYTH LOGRES SO ME OURE LORDE HELP . . . . GGK 1055
LOKANDE (V. LOOKING)
LOKE (V. LOCKED, LOOK)
LOKED (V. LOOKED)
LOKEN (V. LOCKED)
LOKES (V. LOOK)
LOKE3 (V. LOOKS)
LOKKE3 (V. LOCKS)
LOKYD (V. LOOKED)
LOKYNG (V. LOOKING)
LOLTRANDE
    LYS LOLTRANDE THERINNE LOKANDE TO TOUNE . . . . PAT 458
LOMBARDY
    LANGABERDE IN LUMBARDIE LYFTES VP HOMES . . . . GGK 12
LOMBE (V. LAMB)
LOMBELY3T (V. LAMP-LIGHT)
LOMBE3 (V. LAMBS)
LOME (ALSO V. LAME)
    AND THUS OF LENTHE AND OF LARGE THAT LOME THOU MAKE . . . . . CLN 314
    THER ALLE LEDE3 IN LOME LENGED DRUYE . . . . CLN 412

Headword	Line	Text	Ref
	AS THAT LYFTANDE LOME LUGED ABOUTE	CLN	443
	LEDE3 LO3EN IN THAT LOME AND LOKED THEROUTE	CLN	495
	THAI WOLDE LOKE ON THAT LOME QUAT LENGYD WITHINNE	ERK	68
	NE HIS LIRE NE THE LOME THAT HE IS LAYDE INNE	ERK	149
	HE LYFTES LY3TLY HIS LOME AND LET HIT DOWN FAYRE	GGK	2309
	AND AL TO LY3TEN THAT LOME 3IF LETHE WOLDE SCHAPE	PAT	160
LOMERANDE (CP. LAME)			
	SUMME LEPRE SUMME LOME AND LOMERANDE BLYNDE	CLN	1094
LOMP (V. LAMB)			
LOMPE (V. LAMB)			
LONDE (V. LAND)			
LONDES (V. LANDS)			
LONDE3 (V. LANDS)			
LONDON			
	AT LONDON IN ENGLONDE NO3T FULLE LONGE TYME	ERK	1
	NOW THAT LONDON IS NEUENYD HATTE THE NEW TROIE	ERK	25
	AT LOUE LONDON TON AND THE LAGHE TECHES	ERK	34
	AT LONDON IN ENGLONDE NO3T FULLE LONGE SYTHEN	ERK V	1
LONE (V. LANE)			
LONG			
	THAY WOLDE LENGE THE LONG NA3T AND LOGGE THEROUTE	CLN	807
	LOTH LATHED SO LONGE WYTH LUFLYCH WORDE3	CLN	809
	FOR ALLE THIS LONDE SCHAL BE LORNE LONGE ER THE SONNE RISE	CLN	932
	AT THE LASTE VPON LONGE THO LEDES WYTHINNE	CLN	1193
	WAT3 LONGE AND FUL LARGE AND EUER ILYCH SWARE	CLN	1386
	WER FETYSELY FORMED OUT IN FYLYOLES LONGE.	CLN	1462
	SO LONG LIKKED THISE LORDES THISE LYKORES SWETE.	CLN	1521
	THAT LONGE HADE LAYTED THAT LEDE HIS LONDES TO STRYE	CLN	1768
	LYFTE LADDRES FUL LONGE AND VPON LOFTE WONEN.	CLN	1777
	AT LONDON IN ENGLONDE NO3T FULLE LONGE TYME	ERK	1
	HOW LONGE HAD HE THER LAYNE HIS LERE SO VNCHAUNGIT.	ERK	95
	HIT MY3T NOT BE BOT SUCHE A MON IN MYNDE STODE LONGE	ERK	97
	AND SO LONGE HE GRETTE AFTER GRACE THAT HE GRAUNTE HADE	ERK	126
	HAS LAYN LOKEN HERE ON LOGHE HOW LONGE IS VNKNAWEN.	ERK	147
	THER IS NO LEDE OPON LYFE OF SO LONGE AGE.	ERK	150
	AND WE HAUE OURE LIBRARIE LAITID THES LONGE SEUEN DAYES	ERK	155
	HE HAS NON LAYNE HERE SO LONGE TO LOKE HIT BY KYNDE	ERK	157
	THAT 3E MAY LEUE VPON LONGE THAT HE IS LORD MY3TY	ERK	175
	HOW LONGE THOU HAS LAYNE HERE AND QUAT LAGHE THOU VSYT	ERK	187
	HOM BURDE HAUE ROTID AND BENE RENT IN RATTES LONGE SYTHEN	ERK	260
	HOW HIT MY3T LYE BY MONNES LORE AND LAST SO LONGE	ERK	264
	LONGE ER HO THAT SOPER SE OTHER SEGGE HYR TO LATHE.	ERK	308
	BY GODDES LEUE AS LONGE AS I MY3T LACCHE WATER	ERK	316
	AT LONDON IN ENGLONDE NO3T FULLE LONGE SYTHEN	ERK V	1
	IN LONDE SO HAT3 BEN LONGE.	GGK	36
	AUTHER TO LONGE LYE OR TO LONGE SITTE	GGK	88
	AUTHER TO LONGE LYE OR TO LONGE SITTE	GGK	88
	AND HIS LYNDES AND HIS LYMES SO LONGE AND SO GRETE.	GGK	139
	HIS LONGE LOUELYCH LOKKE3 HE LAYD OUER HIS CROUN	GGK	419
	FAYRE FYLYOLE3 THAT FY3ED AND FERLYLY LONG	GGK	796
	AND LENGED THERE SELLY LONGE TO LOKE QUEN HE WAKENED	GGK	1194
	THE LEDE LAY LURKED A FUL LONGE QUYLE	GGK	1195
	COUTH NOT LY3TLY HAF LENGED SO LONG WYTH A LADY.	GGK	1299
	LONG SYTHEN FRO THE SOUNDER THAT SYNGLERE FOR OLDE.	GGK	1440
	THAY LA3ED AND LAYKED LONGE	GGK	1554
	IN HALLE HYM THO3T FUL LONGE	GGK	1620
	AS LONGE AS HOR WYLLE HOM LAST	GGK	1665
	LEUDE ON NW3ERE3 LY3T LONGE BIFORE PRYME	GGK	1675
	HE HAT3 FORFAREN THIS FOX THAT HE FOL3ED LONGE	GGK	1895

WY THRESCH ON THOU THRO MON THOU THRETE3 TO LONGE . . . . GGK 2300
LONG SYTHEN FRO THE SOUNDER THAT WI3T FOROLDE . . . . GGK V 1440
HATHELES HY3ED IN HASTE WYTH ORES FUL LONGE . . . . PAT 217
THAT ANY LYF MY3T BE LENT SO LONGE HYM WYTHINNE. . . . . PAT 260
I HAF MELED WYTH THY MAYSTRES MONY LONGE DAY. . . . . PAT 329
THY LONGE ABYDYNG WYTH LUR THY LATE VENGAUNCE . . . . PAT 419
NOW LORDE LACH OUT MY LYF HIT LASTES TO LONGE . . . . PAT 425
WHY NE DY3TTE3 THOU ME TO DI3E I DURE TO LONGE. . . . . PAT 488
AND SYTHEN I LOKED HEM FUL LONGE AND HEM ON LODE HADE. . . . . PAT 504
AND IF I MY TRAUAYL SCHULDE TYNE OF TERMES SO LONGE . . . . . PAT 505
AND LYUED IN PENAUNCE HYS LYUE3 LONGE . . . . PRL 477
WY STONDE 3E YDEL THISE DAYE3 LONGE. . . . . PRL 533
THAT SWANGE AND SWAT FOR LONG 3ORE . . . . PRL 586
NOW HE THAT STOD THE LONG DAY STABLE . . . . PRL 597
AS LONGE AS BRODE AS HY3E FUL FAYRE. . . . . PRL 1024

LONGANDE
A LONGANDE LYM TO THE MAYSTER OF MYSTE. . . . . PRL 462

LONGE (V. LONG)

LONGED
THAT ALLE THAT LONGED TO LUTHER FUL LODLY HE HATED. . . . . . CLN 1090
THE COMYNES AL OF CALDE THAT TO THE KYNG LONGED. . . . . . . CLN 1747
THAT EUER LONGED TO LUF LASSE NE MORE . . . . GGK 1524
THAT LORDES AND LADIS THAT LONGED TO THE TABLE . . . . GGK 2515
AND EUER ME LONGED AY MORE AND MORE. . . . . PRL 144

LONGEN
AND LOUES AL THE LAWES LELY THAT LONGEN TO TROUTHE. . . . . . ERK 268

LONGEYNG (V. LONGING)

LONGE3
THAT IS LARGES AND LEWTE THAT LONGE3 TO KNY3TE3. . . . . . . GGK 2381

LONGING
AND THERE IN LONGYNG AL NY3T HE LENGE3 IN WONES. . . . . . . CLN 779
AL IN LONGING FOR LOTH LEYEN IN A WACHE . . . . CLN 1003
AL FOR LUF OF THAT LEDE IN LONGYNGE THAY WERE . . . . GGK 540
MUCH LONGEYNG HAF I FOR THE LAYNED . . . . PRL 244
A LONGEYNG HEUY ME STROK IN SWONE . . . . PRL 1180

LONGYNG (V. LONGING)

LONGYNGE (V. LONGING)

LONT (V. LAND)

LOO (V. LO)

LOOK
FOR HE SCHAL LOKE ON OURE LORDE WYTH A LEUE CHERE . . . . . . CLN 28
THER WAT3 NO LAW TO HEM LAYD BOT LOKE TO KYNDE . . . . CLN 263
AND LOKE EUEN THAT THYN ARK HAUE OF HE3THE THRETTE. . . . . . CLN 317
I SCHAL LY3T INTO THAT LED AND LOKE MYSELUEN. . . . . CLN 691
FOUNDE3 FASTE ON YOUR FETE BIFORE YOUR FACE LOKES . . . . . . CLN 903
AND LOKE 3E STEMME NO STEPE BOT STRECHE3 ON FASTE . . . . . . CLN 905
LOKE 3E BOWE NOW BI BOT BOSKE3 FAST HENCE. . . . . CLN 944
OF A LADY TO BE LOUED LOKE TO HIR SONE. . . . . CLN 1059
FOR LOKE FRO FYRST THAT HE LY3T WYTHINNE THE LEL MAYDEN . . . CLN 1069
TO LOKE ON HIS LEMANES AND LADIS HEM CALLE . . . . CLN 1370
TO LOKE ON OURE LOFLY LORDE LATE BETYDES . . . . CLN 1804
FOR HE SCHAL LOKE ON OURE LORDE WYTH A BONE CHERE . . . . . . CLN V 28
LOKE 3E BOWE NOW BI BOT BOWE3 FAST HENCE . . . . CLN V 944
THAI WOLDE LOKE ON THAT LOME QUAT LENGYD WITHINNE . . . . . . ERK 68
HE HAS NON LAYNE HERE SO LONGE TO LOKE HIT BY KYNDE . . . . . ERK 157
LOKE GAWAN THOU BE GRAYTHE TO GO AS THOU HETTE3. . . . . GGK 448
THER ALLE MEN FOR MERUAYL MY3T ON HIT LOKE . . . . GGK 479
THENNE LYST THE LADY TO LOKE ON THE KNY3T. . . . . GGK 941
BOT VNLYKE ON TO LOKE THO LADYES WERE . . . . GGK 950

AND I WOLDE LOKE ON THAT LEDE IF GOD ME LET WOLDE . . . . . . GGK 1063
AND HEM TOFYLCHED AS FAST AS FREKE3 MY3T LOKE . . . . GGK 1172
AND LENGED THERE SELLY LONGE TO LOKE QUEN HE WAKENED . . . . GGK 1194
AND WYTH A LUFLYCH LOKE HO LAYDE HYM THYSE WORDE3 . . . . . GGK 1480
THENNE LOKE A LITTEL ON THE LAUNDE ON THI LYFTE HONDE. . . . GGK 2146
GAWAYN QUOTH THAT GRENE GOME GOD THE MOT LOKE . . . . GGK 2239
THE LOKE TO THIS LUFLACE SCHAL LETHE MY HERT. . . . . GGK 2438
THENNE LOKE WHAT HATE OTHER ANY GAWLE . . . . PRL 463
HE LOKE ON BOK AND BE AWAYED . . . . PRL 710
TO LOKE ON THE GLORY OF THYS GRACIOUS GOTE . . . . PRL 934

LOOKED

SO FERLY FOWLED HER FLESCH THAT THE FENDE LOKED. . . . . . . CLN 269
LEDE3 LO3EN IN THAT LOME AND LOKED THEROUTE . . . . CLN 495
AND ALS HE LOKED ALONG THERE AS OURE LORDE PASSED . . . . . . CLN 769
AND ALLE THAT LOKED ON THAT LETTER AS LEWED THAY WERE. . . . CLN 1580
AS THAY HAD LOKED IN THE LETHER OF MY LYFT BOTE. . . . . . . CLN 1581
TIL HE TOKE HYM A TOME AND TO THE TOUMBE LOKYD . . . . ERK 313
HE LOKED AS LAYT SO LY3T . . . . GGK 199
HAYLSED HE NEUER ONE BOT HE3E HE OUER LOKED . . . . GGK 223
AND HIT LYFTE VP THE Y3ELYDDE3 AND LOKED FUL BRODE. . . . . GGK 446
WHEN GAWAYN GLY3T ON THAT GAY THAT GRACIOUSLY LOKED . . . . GGK 970
AND LOKED TO THE LEUDE THAT ON THE LAUNDE 3EDE . . . . GGK 2333
LOKED ALOFTE ON THE LEF THAT LYLLED GRENE. . . . . PAT 447
AND EUER HE LA3ED AS HE LOKED THE LOGE ALLE ABOUTE. . . . . PAT 461
AND SYTHEN I LOKED HEM FUL LONGE AND HEM ON LODE HADE. . . . PAT 504
ON LENGHE I LOKED TO HYR THERE . . . . PRL 167
I LOKED AMONG HIS MEYNY SCHENE . . . . PRL 1145

LOOKING

THER WAT3 LOKYNG ON LENTHE THE LUDE TO BEHOLDE . . . . GGK 232
LYS LOLTRANDE THERINNE LOKANDE TO TOUNE . . . . PAT 458
THUR3 WO3E AND WON MY LOKYNG 3EDE . . . . PRL 1049

LOOKS

LUF LOKE3 TO LUF AND HIS LEUE TAKE3. . . . . CLN 401
LOTH THENNE FUL LY3TLY LOKE3 HYM ABOUTE . . . . CLN 817
HIS LOKE3 SYMPLE HYMSELF SO GENT. . . . . PRL 1134

LOOP

THE LEST LACHET OUER LOUPE LEMED OF GOLDE. . . . . GGK 591
WYTH MONY LUFLYCH LOUPE THAT LOUKED FUL CLENE . . . . GGK 792
THE LEST LACHET OTHER LOUPE LEMED OF GOLDE . . . . GGK V 591

LOOSE

THEN LETTES HIT HYM FUL LITELLE TO LOUSE WYT A FYNGER. . . . ERK 165

LOOSED

LYFTANDE VP HIS EGHELYDDES HE LOUSED SUCHE WORDES . . . . . . ERK 178

LOOT (V. LOT)

LOPEN (V. LEAPT)

LORD

FOR HE SCHAL LOKE ON OURE LORDE WYTH A LEUE CHERE . . . . . . CLN 28
THENNE THE LUDYCH LORDE LYKED FUL ILLE. . . . . CLN 73
LO LORDE WYTH YOUR LEUE AT YOUR LEGE HESTE . . . . CLN 94
SAYDE THE LORDE TO THO LEDE3 LAYTE3 3ET FERRE . . . . CLN 97
AND ALLE THE LAYKE3 THAT A LORDE A3T IN LONDE SCHEWE . . . . CLN 122
AND GREMED THERWYTH THE GRETE LORDE AND GREUE HYM HE THO3T . . CLN 138
THEN THE LORDE WONDER LOUDE LALED AND CRYED . . . . CLN 153
AND BY LYKE TO THAT LORDE THAT THE LYFT MADE. . . . . CLN 212
NOW NOE QUOTH OURE LORDE ART THOU AL REDY. . . . . CLN 345
3E LORDE WYTH THY LEUE SAYDE THE LEDE THENNE. . . . . CLN 347
NOE THAT OFTE NEUENED THE NAME OF OURE LORDE. . . . . CLN 410
NYF OURE LORDE HADE BEN HER LODE3MON HEM HAD LUMPEN HARDE . . CLN 424
BOT QUEN THE LORDE OF THE LYFTE LYKED HYMSELUEN. . . . . . . CLN 435

THAT WAT3 THE SYNGNE OF SAUYTE THAT SENDE HEM OURE LORDE.	CLN		489
VCHON LOUED OURE LORDE BOT LENGED AY STYLLE	CLN		497
AND HAYLSED HEM IN ONHEDE AND SAYDE HENDE LORDE.	CLN		612
AND I SO HY3E OUT OF AGE AND ALSO MY LORDE	CLN		656
WHERESO WONYED THIS ILKE WY3 THAT WENDE3 WYTH OURE LORDE.	CLN		675
FOR HOPE OF THE HARDE HATE THAT HY3T HAT3 OURE LORDE	CLN		714
WETHER EUER HIT LYKE MY LORDE TO LYFTE SUCH DOME3	CLN		717
WHAT SCHAL I LEUE OF MY LORDE NIF HE HEM LETHE WOLDE	CLN		752
NOW ATHEL LORDE QUOTH ABRAHAM ONE3 A SPECHE	CLN		761
AND ALS HE LOKED ALONG THERE AS OURE LORDE PASSED	CLN		769
WHY WAT3 HO WRECH SO WOD HO WRATHED OURE LORDE.	CLN		828
THEN LALED LOTH LORDE WHAT IS BEST	CLN		913
LORDE LOUED HE WORTHE QUOTH LOTH VPON ERTHE	CLN		925
TYL THAY IN SEGOR WERN SETTE AND SAYNED OUR LORDE	CLN		986
THER HE LAFTE HADE OURE LORDE HE IS ON LOFTE WONNEN	CLN		1004
AND IF HE LOUYES CLENE LAYK THAT IS OURE LORDE RYCHE	CLN		1053
AND LELLY LOUY THY LORDE AND HIS LEEF WORTHE.	CLN		1066
BOT OF LEAUTE HE WAT3 LAT TO HIS LORDE HENDE.	CLN		1172
BOT FOR HIS BERYNG SO BADDE AGAYN HIS BLYTHE LORDE.	CLN		1228
TIL THE LORDE OF THE LYFTE LISTE HIT ABATE	CLN		1356
WYTH SOLACE AT THE SERE COURSE BIFORE THE SELF LORDE	CLN		1418
BIFORE THE LORDE OF THE LYFTE IN LOUYNG HYMSELUEN	CLN		1448
WYTH ALLE THE SYENCE THAT HYM SENDE THE SOUERAYN LORDE	CLN		1454
LEUE THOU WEL THAT THE LORDE THAT THE LYFTE 3EMES	CLN		1493
THE LADY TO LAUCE THAT LOS THAT THE LORDE HADE	CLN		1589
RYCHE KYNG OF THIS RENGNE REDE THE OURE LORDE	CLN		1642
THENNE HE LOUED THAT LORDE AND LEUED IN TRAWTHE.	CLN		1703
TO LOKE ON OURE LOFLY LORDE LATE BETYDES	CLN		1804
OF THAT WYNNELYCH LORDE THAT WONYES IN HEUEN.	CLN		1807
FOR HE SCHAL LOKE ON OURE LORDE WYTH A BONE CHERE	CLN	V	28
THURGHE THI DEERE DEBONERTE DIGNE HIT MY LORDE	ERK		123
MONY A GAY GRETE LORDE WAS GEDRID TO HERKEN HIT.	ERK		134
THAT 3E MAY LEUE VPON LONGE THAT HE IS LORD MY3TY	ERK		175
AND OF THE RICHE RESTORMENT THAT RA3T HYR OURE LORDE	ERK		280
THAT EUER THOU LORD WOS LOUYD IN ALLAS THE HARDE STOUNDES	ERK		288
OURE LORD LENE QUOTH THAT LEDE THAT THOU LYFE HADES	ERK		315
THEN WOS LOUYNGE OURE LORDE WITH LOVES VPHALDEN.	ERK		349
WITH MONY LUFLYCH LORDE LEDE3 OF THE BEST.	GGK		38
WYTH THIS HE LA3ES SO LOUDE THAT THE LORDE GREUED	GGK		316
WOLDE 3E WORTHILYCH LORDE QUOTH WAWAN TO THE KYNG	GGK		343
NOW LEGE LORDE OF MY LYF LEUE I YOW ASK	GGK		545
AND THERFORE SYKYNG HE SAYDE I BESECHE THE LORDE	GGK		753
TO THE HE3 LORDE OF THIS HOUS HERBER TO CRAUE	GGK		812
THENNE THE LORDE OF THE LEDE LOUTE3 FRO HIS CHAMBRE	GGK		833
THE LORDE HYM CHARRED TO A CHAMBRE AND CHEFLY CUMAUNDE3	GGK		850
WHEN THE LORDE HADE LERNED THAT HE THE LEUDE HADE	GGK		908
THE LORDE LOUTES THERTO AND THE LADY ALS	GGK		933
THE LORDE LACHES HYM BY THE LAPPE AND LEDE3 HYM TO SYTTE.	GGK		936
WYTH LEUE LA3T OF THE LORDE HE LENT HEM A3AYNES.	GGK		971
THE LORDE LUFLYCH ALOFT LEPE3 FUL OFTE.	GGK		981
THUS WYTH LA3ANDE LOTE3 THE LORDE HIT TAYT MAKE3	GGK		988
THE LORD COMAUNDET LY3T.	GGK		992
THE LORDE LUFLY HER BY LENT AS I TROWE.	GGK		1002
THE LORDE FAST CAN HYM PAYNE	GGK		1042
FOR ALLE THE LONDE INWYTH LOGRES SO ME OURE LORDE HELP	GGK		1055
THENNE LA3ANDE QUOTH THE LORDE NOW LENG THE BYHOUES	GGK		1068
THE LORDE LET FOR LUF LOTE3 SO MYRY.	GGK		1086
SO SAYDE THE LORDE OF THAT LEDE THAY LA3ED VCHONE	GGK		1113
THE OLDE LORDE OF THAT LEUDE	GGK		1124

THE LEUE LORDE OF THE LONDE WAT3 NOT THE LAST	GGK		1133
FOR THE FRE LORDE HADE DEFENDE IN FERMYSOUN TYME	GGK		1156
THE LORDE FOR BLYS ABLOY	GGK		1174
THUS LAYKE3 THIS LORDE BY LYNDEWODE3 EUE3.	GGK		1178
MY LORDE AND HIS LEDE3 AR ON LENTHE FAREN.	GGK		1231
BOT I LOUUE THAT ILK LORDE THAT THE LYFTE HALDE3	GGK		1256
AND I SCHULDE CHEPEN AND CHOSE TO CHEUE ME A LORDE.	GGK		1271
AND AY THE LORDE OF THE LONDE IS LENT ON HIS GAMNE3	GGK		1319
THE LORDE IS COMEN THERTYLLE	GGK		1369
THE LORDE WAT3 LOPEN OF HIS BEDDE THE LEUDE3 VCHONE	GGK		1413
BOT THE LORDE ON A LY3T HORCE LAUNCES HYM AFTER.	GGK		1464
WHIL MY LORDE IS FRO HAME	GGK		1534
BOT THE LORDE OUER THE LONDE3 LAUNCED FUL OFTE	GGK		1561
THE LORDE FUL LOWDE WITH LOTE LA3ED MYRY	GGK		1623
AND LET LODLY THERAT THE LORDE FORTH HERE.	GGK		1634
THE LORDE SAYDE BI SAYNT GILE.	GGK		1644
THE LORDE HYM LETTED OF THAT TO LENGE HYM RESTEYED.	GGK		1672
THE LORDE THAT HIS CRAFTE3 KEPES.	GGK		1688
AND 3E HE LAD HEM BI LAGMON THE LORDE AND HIS MEYNY	GGK		1729
BOT TO LELLY LAYNE FRO HIR LORDE THE LEUDE HYM ACORDE3	GGK		1863
3ET IS THE LORDE ON THE LAUNDE LEDANDE HIS GOMNES	GGK		1894
THE LORDE LY3TE3 BILYUE AND LACHE3 HYM SONE	GGK		1906
THE LORDE IS LY3T AT THE LASTE AT HYS LEF HOME	GGK		1924
THENNE LO3LY HIS LEUE AT THE LORDE FYRST	GGK		1960
THE LORDE GAWAYN CON THONK.	GGK		1975
WE LORDE QUOTH THE GENTYLE KNY3T.	GGK		2185
THER LATHED HYM FAST THE LORDE	GGK		2403
SYN 3E BE LORDE OF THE 3ONDER LONDE THER I HAF LENT INNE.	GGK		2440
LO LORDE QUOTH THE LEUDE AND THE LACE HONDELED	GGK		2505
WYTH LEUE LA3T OF THE LORDE HE WENT HEM A3AYNES.	GGK	V	971
THENNE COMAUNDED THE LORDE IN THAT SALE TO SAMEN ALLE THE MENY.	GGK	V	1372
OTHER 3IF MY LEGE LORDE LYST ON LYUE ME TO BIDDE	PAT		51
LORDE COLDE WAT3 HIS CUMFORT AND HIS CARE HUGE	PAT		264
AND PREUE THE LY3TLY A LORDE IN LONDE AND IN WATER.	PAT		288
LORDE TO THE HAF I CLEPED IN CARE3 FUL STRONGE	PAT		305
THENNE I REMEMBRED ME RY3T OF MY RYCH LORDE	PAT		326
AND THER HE BRAKE3 VP THE BUYRNE AS BEDE HYM OURE LORDE	PAT		340
3ISSE LORDE QUOTH THE LEDE LENE ME THY GRACE.	PAT		347
HE WEX AS WROTH AS THE WYNDE TOWARDE OURE LORDE.	PAT		410
NOW LORDE LACH OUT MY LYF HIT LASTES TO LONGE	PAT		425
3ET OURE LORDE TO THE LEDE LAUSED A SPECHE	PAT		489
3ET OURE LORDE TO THE LEDE LANSED A SPECHE	PAT	V	489
LORDE DERE WAT3 HIT ADUBBEMENT	PRL		108
AND LOUE MY LORDE AND AL HIS LAWE3	PRL		285
THAT LEUE3 OURE LORDE WOLDE MAKE A LY3E	PRL		304
NE WORTHE NO WRATHTHE VNTO MY LORDE.	PRL		362
MY LORDE NE LOUE3 NOT FOR TO CHYDE	PRL		403
MY LORDE THE LAMB LOUE3 AY SUCH CHERE	PRL		407
BOT MY LORDE THE LOMBE THUR3 HYS GODHEDE	PRL		413
TO A LORDE THAT HADE A VYNE I WATE	PRL		502
THE LORDE FUL ERLY VP HE ROS	PRL		506
ABOUTE VNDER THE LORDE TO MARKED TOT3	PRL		513
SO SAYDE THE LORDE AND MADE HIT TO3T	PRL		522
AND AL DAY THE LORDE THUS 3EDE HIS GATE	PRL		526
THE DATE OF THE DAYE THE LORDE CON KNAW	PRL		541
THENNE SAYDE THE LORDE TO ON OF THO.	PRL		557
FYRST OF MY HYRE MY LORDE CON MYNNE.	PRL		583
THE GENTYLE LORDE THENNE PAYE3 HYS HYNE	PRL		632
LORDE QUO SCHAL KLYMBE THY HY3 HYLLE	PRL		678

LORDE THY SERUANT DRA3 NEUER TO DOME . . . . PRL 699
MY LORDE THE LOMBE THAT SCHEDE HYS BLODE . . . . PRL 741
MY LOMBE MY LORDE MY DERE JUELLE. . . . . PRL 795
LORDE MUCH OF MIRTHE WAT3 THAT HO MADE. . . . . PRL 1149
LORDE MAD HIT ARN THAT AGAYN THE STRYUEN . . . . PRL 1199
A GOD A LORDE A FRENDE FUL FYIN . . . . PRL 1204
LORDE (V. LORD)
LORDES (V. LORDS)
LORDESCHYP (V. LORDSHIP)
LORDE3 (V. LORDS)
LORDS
VCHE DUK WYTH HIS DUTHE AND OTHER DERE LORDES . . . . CLN 1367
MONY LUDISCH LORDES THAT LADIES BRO3TEN . . . . CLN 1375
SO LONG LIKKED THISE LORDES THISE LYKORES SWETE. . . . . . . CLN 1521
AND OF MY THREUENEST LORDE3 THE THRYDDE HE SCHAL BE . . . . . CLN 1571
AND THUS WAT3 THAT LONDE LOST FOR THE LORDES SYNNE. . . . . . CLN 1797
THE PRELATE PASSIDE ON THE PLAYN THER PLIED TO HYM LORDES . . ERK 138
LO LORDES QUOTH THAT LEDE SUCHE A LYCHE HERE.IS. . . . . . . ERK 146
WITH LORDE3 AND LADIES AS LEUEST HIM THO3T . . . . GGK 49
LACHE3 LUFLY HIS LEUE AT LORDE3 AND LADYE3 . . . . GGK 595
THISE LORDE3 AND LADYE3 QUYLE THAT HEM LYKED. . . . . GGK 1115
WITH LORDE3 WYTH LADYES WITH ALLE THAT LYF BERE. . . . . . . GGK 1229
THAT LORDES AND LADIS THAT LONGED TO THE TABLE . . . . GGK 2515
LORDSHIP
FOR HIS LORDESCHYP SO LARGE AND HIS LYF RYCHE . . . . CLN 1658
TO LEDE A LORTSCHYP IN LEE OF LEUDE3 FUL GODE . . . . GGK 849
LORE
NE WHAT LEDISCH LORE NE LANGAGE NAUTHER . . . . CLN 1556
HOW HIT MY3T LYE BY MONNES LORE AND LAST SO LONGE . . . . . . ERK 264
WITH LORE . . . . GGK 665
LO MY LORE IS IN THE LOKE LAUCE HIT THERINNE. . . . . PAT 350
THEN LEDE LENGER THI LORE THAT THUS ME LES MAKE3 . . . . . . PAT 428
LO MY LORE IS IN THE LOKEN LANCE HIT THERINNE . . . . PAT V 350
ENCLYNANDE LOWE IN WOMMON LORE . . . . PRL 236
LORNE (CP. LOST)
FOR ALLE THIS LONDE SCHAL BE LORNE LONGE ER THE SONNE RISE . . CLN 932
LORTSCHYP (V. LORDSHIP)
LOS (ALSO V. LOSS)
BOT FOR THE LOS OF THE LEDE IS LYFT VP SO HY3E . . . . GGK 258
WHY AR 3E LEWED THAT ALLE THE LOS WELDE3 . . . . GGK 1528
LOSE
AND ALLE THE LONDE WYTH THISE LEDE3 WE LOSEN AT ONE3 . . . . . CLN 909
WYTH THY LASTES SO LUTHER TO LOSE VS VCHONE . . . . PAT 198
AND ALLE THAT LYUYES HEREINNE LOSE THE SWETE. . . . . PAT 364
BOT JUELER GENTE IF THOU SCHAL LOSE. . . . . PRL 265
THER LYUE3 LYSTE MAY NEUER LOSE . . . . PRL 908
LOSED (V. LOST)
LOSEN (V. LOSE)
LOSES
THENNE EFTE LASTES HIT LIKKES HE LOSES HIT ILLE. . . . . . . CLN 1141
LOSING
HE MOST AY LYUE IN THAT LO3E IN LOSYNG EUERMORE. . . . . . . CLN 1031
LOSS
THE LADY TO LAUCE THAT LOS THAT THE LORDE HADE . . . . CLN 1589
THIS IS THE LATHE AND THE LOSSE THAT I LA3T HAUE . . . . . . GGK 2507
AND WHOSO LYMPES THE LOSSE LAY HYM THEROUTE . . . . PAT 174
LOSSE (V. LOSS)
LOST (CP. LESTE, LORNE)
IF HE HAT3 LOSED THE LYSTEN HIT LYFTE3 MERUAYLE. . . . . . . CLN 586

AND THUS WAT3 THAT LONDE LOST FOR THE LORDES SYNNE. . . . . . CLN 1797
LADIES LA3ED FUL LOUDE THO3 THAY LOST HADEN . . . . GGK 69
THAT THOU LENDE SCHAL BE LOST THAT ART OF LYF NOBLE . . . . . GGK 675
AND HIS LYFTE THA3 HIS LYF SCHULDE LOST BE THERFOR. . . . . . PAT 515
HIS LYF WERE LOSTE ANVNDER MONE . . . . PRL 1092

LOSTE (V. LOST)

LOSYNG (V. LOSING)

LOSYNGER

I LEUE HERE BE SUM LOSYNGER SUM LAWLES WRECH. . . . . PAT 170

LOT

LOTH LENGE3 IN 3ON LEEDE THAT IS MY LEF BROTHER. . . . . CLN 772
AS LOOT IN A LOGEDOR LENED HYM ALONE . . . . CLN 784
AND LO3E HE LOUTE3 HEM TO LOTH TO THE GROUNDE . . . . CLN 798
LOTH LATHED SO LONGE WYTH LUFLYCH WORDE3 . . . . CLN 809
LOTH THENNE FUL LY3TLY LOKE3 HYM ABOUTE . . . . CLN 817
IF THOU LOUYE3 THY LYF LOTH IN THYSE WONES . . . . CLN 841
ALLAS SAYD HYM THENNE LOTH AND LY3TLY HE RYSE3 . . . . CLN 853
FOR WE LATHE THE SIR LOTH THAT THOU THY LYF HAUE . . . . CLN 900
THEN LALED LOTH LORDE WHAT IS BEST . . . . CLN 913
LORDE LOUED HE WORTHE QUOTH LOTH VPON ERTHE . . . . CLN 925
THA3 FAST LATHED HEM LOTH THAY LE3EN FUL STYLLE. . . . . CLN 936
THO WERN LOTH AND HIS LEF HIS LUFLYCHE DE3TER . . . . CLN 939
LOTH AND THO LULYWHIT HIS LEFLY TWO DE3TER . . . . CLN 977
THE THRE LEDE3 LENT THERIN LOTH AND HIS DE3TER . . . . CLN 993
AL IN LONGING FOR LOTH LEYEN IN A WACHE . . . . CLN 1003
FOR TO LAYTE MO LEDES AND HEM TO LOTE BRYNG . . . . PAT 180
OUER THIS HYUL THIS LOTE I LA3TE. . . . . PRL 1205

LOT (V. LOTE)

LOTE (ALSO V. LOT)

THAT FOR LOT THAT THAY LAUSED HO LA3ED NEUER. . . . . CLN 668
THAT FOR LOT THAT THAY LANSED HO LA3ED NEUER. . . . . CLN V 668
WYLDE WERBLES AND WY3T WAKNED LOTE . . . . GGK 119
AND GENTYLEST KNY3T OF LOTE . . . . GGK 639
THE LORDE FUL LOWDE WITH LOTE LA3ED MYRY . . . . GGK 1623
WITH LOTE . . . . GGK 1917
DREDE DOT3 ME NO LOTE . . . . GGK 2211
BOT EUER WAT3 ILYCHE LOUD THE LOT OF THE WYNDES. . . . . PAT 161
AND AY THE LOTE VPON LASTE LYMPED ON JONAS . . . . PAT 194
AND HAYLSED ME WYTH A LOTE LY3TE. . . . . PRL 238
THAT LOTE I LEUE WAT3 NEUER THE LES. . . . . PRL 876
AS LYK TO HYMSELF OF LOTE AND HWE . . . . PRL 896

LOTES (V. LOTE3)

LOTE3 (ALSO V. LOTS)

AS AL WERE SLYPPED VPON SLEPE SO SLAKED HOR LOTE3 . . . . GGK 244
THUS WYTH LA3ANDE LOTE3 THE LORDE HIT TAYT MAKE3 . . . . GGK 988
THE LORDE LET FOR LUF LOTE3 SO MYRY. . . . . GGK 1086
AND SYTHEN WITH FRENKYSCH FARE AND FELE FAYRE LOTE3 . . . . . . GGK 1116
WYTH LOTE3 THAT WERE TO LOWE . . . . GGK 1399
WITH LA3YNG OF LADIES WITH LOTE3 OF BORDES . . . . GGK 1954
THENNE IS ME LY3TLOKER HIT LYKE AND HER LOTES PRAYSE . . . . . PAT 47
I LOVUE THAT WE LAY LOTES ON LEDES VCHONE. . . . . PAT 173

LOTH (V. LOT)

LOTHE (V. LOATH, LOATHE)

LOTHELYCH (V. LOATHLY)

LOTHES (V. LOTS)

LOTHE3 (V. LOTS)

LOTS

TO VMBELY3E LOTHE3 HOUS THE LEDE3 TO TAKE. . . . . CLN 836
THAY LEST OF LOTE3 LOGGING ANY LYSOUN TO FYNDE . . . . CLN 887

HIT WAT3 LUSTY LOTHES WYF THAT OUER HER LYFTE SCHULDER	CLN	981
LOUANDE (CP. LOUYNG)		
LOUANDE THERON LESE GODDE3 THAT LYF HADEN NEUER.	CLN	1719
LOUD		
THEN THE LORDE WONDER LOUDE LALED AND CRYED	CLN	153
RWLY WYTH A LOUD RURD RORED FOR DREDE	CLN	390
FRO FAWRE HALF OF THE FOLDE FLYTANDE LOUDE	CLN	950
LOUDE ALAROM VPON LAUNDE LULTED WAT3 THENNE	CLN	1207
LOUDE CRYE WAT3 THER KEST OF CLERKE3 AND OTHER	GGK	64
LADIES LA3ED FUL LOUDE THO3 THAY LOST HADEN	GGK	69
WYTH THIS HE LA3ES SO LOUDE THAT THE LORDE GREUED	GGK	316
LOUDE LA3ED HE THERAT SO LEF HIT HYM THO3T	GGK	909
THENNE HE CARPED TO THE KNY3T CRIANDE LOUDE	GGK	1088
THE LORDE FUL LOWDE WITH LOTE LA3ED MYRY	GGK	1623
LA3EN LOUDE THERAT AND LUFLYLY ACORDEN.	GGK	2514
LOUDE HE WAT3 3AYNED WITH 3ARANDE SPECHE	GGK V	1724
BOT EUER WAT3 ILYCHE LOUD THE LOT OF THE WYNDES.	PAT	161
THENNE ASCRYED THAY HYM SCKETE AND ASKED FUL LOUDE.	PAT	195
AND LEDDEN LOUDE ALTHA3 HIT WERE.	PRL	878
LOUDE (V. LOUD)		
LOUE (ALSO V. LOVE)		
WYTH SLY3T OF HIS CIENCES HIS SOUERAYN TO LOUE	CLN	1289
BOT I LOUUE THAT ILK LORDE THAT THE LYFTE HALDE3	GGK	1256
WYTH LOTE3 THAT WERE TO LOWE	GGK	1399
I LOVUE THAT WE LAY LOTES ON LEDES VCHONE.	PAT	173
AND LOUE MY LORDE AND AL HIS LAWE3	PRL	285
AND LOUE AY GOD IN WELE AND WO	PRL	342
AL SONGE TO LOUE THAT GAY JUELLE.	PRL	1124
TO LOUE THE LOMBE HIS MEYNY IN MELLE	PRL	1127
LOUED (ALSO V. LOVED)		
VCHON LOUED OURE LORDE BOT LENGED AY STYLLE	CLN	497
LORDE LOUED HE WORTHE QUOTH LOTH VPON ERTHE	CLN	925
WYTH LY3T LOUE3 VPLYFTE THAY LOUED HYM SWYTHE	CLN	987
THENNE HE LOUED THAT LORDE AND LEUED IN TRAWTHE.	CLN	1703
THAT EUER THOU LORD WOS LOUYD IN ALLAS THE HARDE STOUNDES	ERK	288
THEN SAYD HE WITH A SADDE SOUN OURE SAUYOURE BE LOUYD.	ERK	324
LOUELOKER (V. LOVELIER)		
LOUELOKKEST (V. LOVELIEST)		
LOUELY (V. LOVELY)		
LOUELYCH (V. LOVELY)		
LOUES (V. LOVES)		
LOUE3 (ALSO V. LOVE, LOVES)		
WYTH LY3T LOUE3 VPLYFTE THAY LOUED HYM SWYTHE	CLN	987
THAT LOUE3 WEL THAT HE SE3 WYTH Y3E.	PRL 1	302
LOUIED (V. LOVED)		
LOUIES (V. LOVES)		
LOUKED (V. LOCKED)		
LOUKE3 (V. LOCKS)		
LOUMBE (V. LAMB)		
LOUPE (V. LOOP)		
LOURS		
AND THE RELEFE OF THE LODELY LURES THAT MY SOULE HAS LEUYD IN	ERK	328
LOUSE (V. LOOSE)		
LOUSED (V. LOOSED)		
LOUT		
BOT LET HYM THAT AL SCHULDE LOUTE	GGK	248
I TROWE ALONE 3E LENGE AND LOUTE.	PRL	933
LOUTE (V. LOUT)		
LOUTED		

A LITTEL LUT WITH THE HEDE THE LERE HE DISCOUERE3 . . . . . . GGK 418
HE NE LUTTE HYM NOTHYNG LOWE . . . . GGK 2236
HE LENED WITH THE NEK AND LUTTE . . . . GGK 2255
LOUTES (V. LOUTS)
LOUTE3 (V. LOUTS)
LOUTS
AND LO3E HE LOUTE3 HEM TO LOTH TO THE GROUNDE . . . . CLN 798
THENNE THE LORDE OF THE LEDE LOUTE3 FRO HIS CHAMBRE . . . . . GGK 833
THE LORDE LOUTES THERTO AND THE LADY ALS . . . . GGK 933
LOUTE3 LUFLYCH ADOUN AND THE LEUDE KYSSE3. . . . . GGK 1306
THE LADY LOUTE3 ADOUN . . . . GGK 1504
LOUUE (V. LOUE)
LOUY (V. LOVE)
LOUYD (V. LOUED)
LOUYES (V. LOVES)
LOUYE3 (V. LOVE)
LOUYLY
MORE WETHER LOUYLY IS ME MY GYFTE . . . . PRL 565
LOUYNG (CP. LOFFYNGE, LOUANDE)
BIFORE THE LORDE OF THE LYFTE IN LOUYNG HYMSELUEN . . . . . . CLN 1448
THEN WOS LOUYNGE OURE LORDE WITH LOVES VPHALDEN. . . . . ERK 349
THER WAT3 LOUYNG ON LOFTE WHEN THAY THE LONDE WONNEN . . . . . PAT 237
LOUYNGE (V. LOUYNG)
LOVE
LUF LOKE3 TO LUF AND HIS LEUE TAKE3. . . . . CLN 401
LUF LOKE3 TO LUF AND HIS LEUE TAKE3. . . . . CLN 401
LOUE3 NO SALT IN HER SAUCE 3ET HIT NO SKYL WERE. . . . . CLN 823
IF THOU LOUYE3 THY LYF LOTH IN THYSE WONES . . . . CLN 841
THAT WE MAY LERE HYM OF LOF AS OURE LYST BIDDE3. . . . . CLN 843
AND LELLY LOUY THY LORDE AND HIS LEEF WORTHE. . . . . CLN 1066
LET THISE LADYES OF HEM LAPE I LUF HEM IN HERT . . . . CLN 1434
THER THE LEDE AND ALLE HIS LOUE LENGED AT THE TABLE . . . . . . CLN V 1419
AT LOUE LONDON TON AND THE LAGHE TECHES . . . . ERK 34
AL FOR LUF OF THAT LEDE IN LONGYNGE THAY WERE . . . . GGK 540
THE LORDE LET FOR LUF LOTE3 SO MYRY. . . . . GGK 1086
THE LASSE LUF IN HIS LODE FOR LUR THAT HE SO3T . . . . GGK 1284
IS THE LEL LAYK OF LUF THE LETTRURE OF ARMES. . . . . GGK 1513
HOW LEDES FOR HER LELE LUF HOR LYUE3 HAN AUNTERED . . . . GGK 1516
THAT EUER LONGED TO LUF LASSE NE MORE . . . . GGK 1524
BOT THE LADY FOR LUF LET NOT TO SLEPE . . . . GGK 1733
OTHER LACH THER HIR LUF OTHER LODLY REFUSE . . . . GGK 1772
3IF 3E LUF NOT THAT LYF THAT 3E LYE NEXTE. . . . . GGK 1780
THE LEUEST THING FOR THY LUF THAT I IN LONDE WELDE. . . . . . . GGK 1802
THAT MISLYKE3 ME LADE FOR YOUR LUF AT THIS TYME. . . . . GGK 1810
NOW HYM LENGE IN THAT LEE THER LUF LYM BITYDE . . . . GGK 1893
AMONG THE LADIES FOR LUF HE LADDE MUCH IOYE . . . . GGK 1927
THE LEUE LADY ON LYUE LUF HIR BITYDE . . . . GGK 2054
AND 3E AR A LEDE VPON LYUE THAT I WEL LOUY . . . . GGK 2095
TO LUF HOM WEL AND LEUE HEM NOT A LEUDE THAT COUTHE . . . . . . GGK 2421
THE LUF OF THE LADI THE LACE AT THE LAST . . . . GGK 2497
IF WE THYSE LADYES WOLDE LOF IN LYKNYNG OF THEWES . . . . . . PAT 30
SO FARE WE ALLE WYTH LUF AND LYSTE . . . . PRL 467
IN COMPAYNY GRET OUR LUF CON THRYF . . . . PRL 851
LOVED
NIF HE NERE SCOYMUS AND SKYG AND NON SCATHE LOUIED. . . . . . CLN 21
HE WAT3 FAMED FOR FRE THAT FE3T LOUED BEST . . . . CLN 275
THAT NEUER LAKKED THY LAUE BOT LOUED AY TRAUTHE. . . . . CLN 723
OF A LADY TO BE LOUED LOKE TO HIR SONE. . . . . CLN 1059

BOLDE BREDDEN THERINNE BARET THAT LOFDEN	GGK	21
HIS LIF LIKED HYM LY3T HE LOUIED THE LASSE	GGK	87
ICHE LEDE AS HE LOUED HYMSELUE	GGK	126
THAT AUTHER GOD OTHER GOME WYTH GOUD HERT LOUIED	GGK	702
AND AY THE LADY LET LYK A HYM LOUED MYCH	GGK	1281
BOT FOR 3E LUFED YOUR LYF THE LASSE I YOW BLAME.	GGK	2368
AND VCHE LEDE AS HE LOUED AND LAYDE HAD HIS HERT	PAT	168
LOVE-DANGER		
I DEWYNE FORDOLKED OF LUFDAUNGERE	PRL	11
I DEWYNE FORDOKKED OF LUFDAUNGERE	PRL 2	11
LOVE-LACE		
LAYS VP THE LUFLACE THE LADY HYM RA3T	GGK	1874
THE LOKE TO THIS LUFLACE SCHAL LETHE MY HERT.	GGK	2438
LOVE-LAUGHING		
WITH LUFLA3YNG A LYT HE LAYD HYM BYSYDE	GGK	1777
LOVELIER		
THE LOUELOKER HE LAPPE3 A LYTTEL IN ARME3.	GGK	973
WEL LOUELOKER WAT3 THE FYRRE LONDE	PRL	148
LOVELIEST		
AND THE LOUELOKKEST LADIES THAT EUER LIF HADEN	GGK	52
HIT WAT3 THE LADI LOFLYEST TO BEHOLDE	GGK	1187
LOVE-LONGING		
FOR LUFLONGYNG IN GRET DELYT	PRL	1152
LOVELY (CP. LUFLYLY)		
LOTH LATHED SO LONGE WYTH LUFLYCH WORDE3	CLN	809
THO WERN LOTH AND HIS LEF HIS LUFLYCHE DE3TER	CLN	939
AND OTHER LOUELYCH LY3T THAT LEMED FUL FAYRE.	CLN	1486
TO LOKE ON OURE LOFLY LORDE LATE BETYDES	CLN	1804
LA3T TO HIS LUFLY HED AND LYFT HIT VP SONE	GGK	433
WITH MONY LUFLYCH LORDE LEDE3 OF THE BEST.	GGK	38
LI3T LUFLYCH ADOUN AND LENGE I THE PRAYE	GGK	254
HIS LONGE LOUELYCH LOKKE3 HE LAYD OUER HIS CROUN	GGK	419
HIS LEGE3 LAPPED IN STEL WITH LUFLYCH GREUE3.	GGK	575
LACHE3 LUFLY HIS LEUE AT LORDE3 AND LADYE3	GGK	595
WYTH MONY LUFLYCH LOUPE THAT LOUKED FUL CLENE	GGK	792
LOWANDE AND LUFLY ALLE HIS LYMME3 VNDER	GGK	868
THE LORDE LUFLYCH ALOFT LEPE3 FUL OFTE.	GGK	981
THE LORDE LUFLY HER BY LENT AS I TROWE.	GGK	1002
FUL LUFLY CON HO LETE	GGK	1206
BOT WOLDE 3E LADY LOUELY THEN LEUE ME GRANTE.	GGK	1218
LOUTE3 LUFLYCH ADOUN AND THE LEUDE KYSSE3.	GGK	1306
THENNE THAY LOUELYCH LE3TEN LEUE AT THE LAST.	GGK	1410
WHYLE OURE LUFLYCH LEDE LYS IN HIS BEDDE	GGK	1469
AND WYTH A LUFLYCH LOKE HO LAYDE HYM THYSE WORDE3	GGK	1480
HE LY3TES LUFLYCH ADOUN LEUE3 HIS CORSOUR.	GGK	1583
TO VNLACE THIS BOR LUFLY BIGYNNE3	GHK	1606
AND EUER OURE LUFLYCH KNY3T THE LADY BISYDE	GGK	1657
THE LADY LUFLYCH COM LA3ANDE SWETE	GGK	1757
AS QUO SAYS LO 3ON LOUELY YLE.	PRL	693
TO LYSTEN THAT WAT3 FUL LUFLY DERE	PRL	880
THEN SAYDE I TO THAT LUFLY FLOR	PRL	962
BOT LURKED BY LAUNCE3 SO LUFLY LEUED	PRL	978
LOVES		
THENNE VCH WY3E MAY WEL WYT THAT HE THE WLONK LOUIES	CLN	1052
AND IF HE LOUYES CLENE LAYK THAT IS OURE LORDE RYCHE	CLN	1053
OF WICH BERYNG THAT HO BE AND WYCH HO BEST LOUYES	CLN	1060
ANDE CLANNES IS HIS COMFORT AND COYNTYSE HE LOUYES.	CLN	1809
AND LOUES AL THE LAWES LELY THAT LONGEN TO TROUTHE.	ERK	268
HE HAS LANT ME TO LAST THAT LOUES RY3T BEST	ERK	272

FOR ALLE THE LUFE3 VPON LYUE LAYNE NOT THE SOTHE	GGK	1786
I MAY BOT MOURNE VPON MOLDE AS MAY THAT MUCH LOUYES	GGK	1795
FOR HE IS STIFFE AND STURNE AND TO STRIKE LOUIES	GGK	2099
MAKE MYRY IN MY HOUS MY MENY THE LOUIES	GGK	2468
MY LORDE NE LOUE3 NOT FOR TO CHYDE	PRL	403
MY LORDE THE LAMB LOUE3 AY SUCH CHERE	PRL	407
LOVES (V. LOVES - M.E.)		
LOVES (ME)		
THEN WOS LOUYNGE OURE LORDE WITH LOVES VPHALDEN.	ERK	349
LOVESOME		
QUOTH THAT LUFSUM VNDER LYNE	GGK	1814
THEN SAYDE THAT LUFSOUM OF LYTH AND LERE	PRL	398
LOVE-TALKING		
SCHAL LERNE OF LUFTALKYNG	GGK	927
LOVUE (V. LOUE)		
LOW		
AND LO3E HE LOUTE3 HEM TO LOTH TO THE GROUNDE	CLN	798
THOR3 THE LYST OF THE LYFTE BI THE LO3 MEDOES	CLN	1761
HAS LAYN LOKEN HERE ON LOGHE HOW LONGE IS VNKNAWEN.	ERK	147
LI3TLY LASSHIT THER A LEME LOGHE IN THE ABYME	ERK	334
ALLE THE HEREDMEN IN HALLE THE HY3 AND THE LO3E.	GGK	302
THE ALDER HE HAYLSES HELDANDE FUL LOWE.	GGK	972
AS I AM HALDEN THERTO IN HY3E AND IN LO3E.	GGK	1040
THE LEDE3 WERE SO LERNED AT THE LO3E TRYSTERES	GGK	1170
BOTHE THE LADYES ON LOGHE TO LY3T WITH HER BURDES	GGK	1373
HE NE LUTTE HYM NOTHYNG LOWE	GGK	2236
ENCLYNANDE LOWE IN WOMMON LORE	PRL	236
BYGYN AT THE LASTE THAT STANDE3 LOWE	PRL	547
LOWANDE		
A LOWANDE LEDER OF LEDE3 IN LONDE HYM WEL SEME3.	GGK	679
LOWANDE AND LUFLY ALLE HIS LYMME3 VNDER	GGK	868
LOWDE (V. LOUD)		
LOWE (V. LOUE, LOW)		
LOWEST		
HE GLENTE GRENE IN THE LOWEST HEMME.	PRL	1001
LOWKANDE		
THENNE LAUSNED THE LO3 LOWKANDE TOGEDER	CLN	441
THENNE LASNED THE LO3 LOWKANDE TOGEDER.	CLN V	441
LOWKE3 (V. LOCKS)		
LOWLY		
LENGE A LYTTEL WITH THY LEDE I LO3LY BISECHE.	CLN	614
TO DELYUER HYM A LEUDE HYM LO3LY TO SERUE.	GGK	851
THENNE LO3LY HIS LEUE AT THE LORDE FYRST	GGK	1960
LO3 (V. LOCH, LOW)		
LO3E (V. LAUGHED, LOCH, LOW)		
LO3ED		
AND QUOSO HYM LYKED TO LAY WAT3 LO3ED BYLYUE.	CLN	1650
LO3EN (V. LAUGHED)		
LO3LY (V. LOWLY)		
LUCAN		
LAUNCELOT AND LYONEL AND LUCAN THE GODE	GGK	553
LUCHE		
INTO THAT LODLYCH LO3E THAY LUCHE HYM SONE	PAT	230
LUDE (V. LEDE)		
LUDISCH (V. LEDISCH)		
LUDYCH (V. LEDISCH)		
LUF (V. LOVE)		
LUFDAUNGERE (V. LOVE-DANGER)		
LUFED (V. LOVED)		

LUFE3 (V. LOVES)
LUFF
THAY LAYDEN IN ON LADDEBORDE AND THE LOFE WYNNES . . . . . . PAT 106
LUFLACE (V. LOVE-LACE)
LUFLA3YNG (V. LOVE-LAUGHING)
LUFLONGYNG (V. LOVE-LONGING)
LUFLOWE
LUFLOWE HEM BYTWENE LASCHED SO HOTE. . . . . CLN 707
LUFLY (V. LOVELY)
LUFLYCH (V. LOVELY)
LUFLYCHE (V. LOVELY)
LUFLYLY (CP. LOVELY)
LATHE3 HEM ALLE LUFLYLY TO LENGE AT MY FEST . . . . CLN 81
FOR ALLE ARN LATHED LUFLYLY THE LUTHER AND THE BETTER. . . . CLN 163
AND HE LUFLYLY HIT HYM LAFT AND LYFTE VP HIS HONDE. . . . . GGK 369
LI3TE3 DOUN LUFLYLY AND AT A LYNDE TACHE3. . . . . GGK 2176
THENN LO3E THAT OTHER LEUDE AND LUFLYLY SAYDE . . . . GGK 2389
LA3EN LOUDE THERAT AND LUFLYLY ACORDEN. . . . . GGK 2514
LUFSOUM (V. LOVESOME)
LUFSUM (V. LOVESOME)
LUFTALKYNG (V. LOVE-TALKING)
LUGGED
AS THAT LYFTANDE LOME LUGED ABOUTE . . . . CLN 443
LULTED (V. LILTED)
LULYWHIT (V. LILY-WHITE)
LUMBARDIE (V. LOMBARDY)
LUMP
FOR LAY THERON A LUMP OF LED AND HIT ON LOFT FLETE3 . . . . CLN 1025
LUMPEN
NYF OURE LORDE HADE BEN HER LODE3MON HEM HAD LUMPEN HARDE . . CLN 424
FOR HADE HE LET OF HEM LY3T HYM MO3T HAF LUMPEN WORSE. . . . CLN 1320
WER I AS HASTIF AS THOU HEERE WERE HARME LUMPEN. . . . . . . PAT 520
LUR
AND LEST LUR OF MY LYF QUO LAYTES THE SOTHE . . . . GGK 355
QUETHER LEUDE SO LYMP LERE OTHER BETTER . . . . GGK 1109
THE LASSE LUF IN HIS LODE FOR LUR THAT HE SO3T . . . . GGK 1284
FOR THE LUR MAY MON LACH WHENSO MON LYKE3. . . . . GGK 1682
THY LONGE ABYDYNG WYTH LUR THY LATE VENGAUNCE . . . . PAT 419
LURES (V. LOURS)
LURE3
FOR DYNE OF DOEL OF LURE3 LESSE . . . . PRL 339
AND THY LURE3 OF LY3TLY FLEME. . . . . PRL 358
AND THY LURE3 OF LY3TLY LEME . . . . PRL 1 358
THAT ALLE THY LURE3 OF LY3TLY LEME . . . . PRL 2 358
AND THY LURE3 OF LY3TLY LEME . . . . PRL 3 358
LURKED
THE LEDE LAY LURKED A FUL LONGE QUYLE . . . . GGK 1195
BOT LURKED BY LAUNCE3 SO LUFLY LEUED . . . . PRL 978
LURKKES (V. LURKS)
LURKKE3 (V. LURKS)
LURKS
LURKKE3 QUYL THE DAYLY3T LEMED ON THE WOWES . . . . GGK 1180
AND THENNE HE LURKKES AND LAYTES WHERE WAT3 LE BEST . . . . . PAT 277
LUST
IN LUST AND IN LECHERYE AND LOTHELYCH WERKKES . . . . CLN 1350
LUSTE (V. LYST)
LUSTY
HIT WAT3 LUSTY LOTHES WYF THAT OUER HER LYFTE SCHULDER . . . CLN 981
LUT (V. LOUTED)

LUTHER
FOR ALLE ARN LATHED LUFLYLY THE LUTHER AND THE BETTER. . . . . CLN 163
THAT ALLE THAT LONGED TO LUTHER FUL LODLY HE HATED. . . . . . CLN 1090
FOR BE MONNES LODE NEUER SO LUTHER THE LYF IS AY SWETE . . . . PAT 156
WYTH THY LASTES SO LUTHER TO LOSE VS VCHONE . . . . PAT 198
AND 3ET LYKE3 THE SO LUTHER THI LYF WOLDE3 THOU TYNE . . . . . PAT 500
OTHER ELLE3 THYN Y3E TO LYTHER IS LYFTE . . . . PRL 567
LUTTE (V. LOUTED)
LYCHE (V. LICHE)
LYDDE (V. LID)
LYE (V. LIE)
LYES (V. LIES)
LYF (V. LIFE)
LYFE (V. LIFE)
LYFED (V. LIVED)
LYFLODE (V. LIFLODE)
LYFLY (V. LIVELY)
LYFT (ALSO V. LEFT, LIFT, LIFTED)
AND BY LYKE TO THAT LORDE THAT THE LYFT MADE. . . . . CLN 212
THE MUKEL LAUANDE LOGHE TO THE LYFTE RERED . . . . CLN 366
BOT QUEN THE LORDE OF THE LYFTE LYKED HYMSELUEN. . . . . CLN 435
TIL THE LORDE OF THE LYFTE LISTE HIT ABATE . . . . CLN 1356
BIFORE THE LORDE OF THE LYFTE IN LOUYNG HYMSELUEN . . . . . . CLN 1448
LEUE THOU WEL THAT THE LORDE THAT THE LYFTE 3EMES . . . . . . CLN 1493
THOR3 THE LYST OF THE LYFTE BI THE LO3 MEDOES . . . . CLN 1761
BOT I LOUUE THAT ILK LORDE THAT THE LYFTE HALDE3 . . . . . . GGK 1256
LYFTANDE (V. LIFTING)
LYFTE (V. LEFT, LIFT, LIFTED, LYFT)
LYFTES (V. LIFTS)
LYFTE3 (V. LIFTS)
LYGE3 (V. LIES)
LYGGEDE (V. LAY)
LYGGES (V. LIES)
LYGGE3 (V. LIE)
LYGGID (V. LAY)
LYGYNGE3
IF THOU HAT3 OTHER LYGYNGE3 STOUTE . . . . PRL 1 935
IF THOU HAT3 OPER LYGYNGE3 STOUTE . . . . PRL 2 935
IF THOU HAT3 OTHER LYGYNGE3 STOUTE . . . . PRL 3 935
LYING
THE LENGTHE OF MY LYINGE HERE THAT IS A LAPPID DATE . . . . . ERK 205
THE LENGTHE OF MY LYINGE HERE THAT IS A LEWID DATE. . . . . . ERK V 205
LYINGE (V. LYING)
LYK (V. LIKE)
LYKE (V. LIKE)
LYKED (V. LIKED)
LYKES (V. LIKES)
LYKE3 (V. LIKES)
LYKHAME
NOW LYKHAME THAT THUS LIES LAYNE THOU NO LENGER. . . . . ERK 179
LYKKER (V. LIKER)
LYKKERWYS
MORE LYKKERWYS ON TO LYK . . . . GGK 968
LYKKEST (V. LIKEST)
LYKNES (V. LIKENS)
LYKNE3 (V. LIKENS)
LYKNYNG (V. LIKENING)
LYKORES (V. LIQUORS)
LYKYNG (V. LIKING)

LYKYNGES (V. LIKENINGS)
LYLLED
LOKED ALOFTE ON THE LEF THAT LYLLED GRENE. . . . . PAT 447
LYM (V. LIMB)
LYMES (V. LIMBS)
LYME3 (V. LIMBS)
LYMMES (V. LIMBS)
LYMME3 (V. LIMBS)
LYMP
QUETHER LEUDE SO LYMP LERE OTHER BETTER . . . . GGK 1109
LYMPED
COMEN TO THAT KRYSTMASSE AS CASE HYM THEN LYMPED . . . . . . GGK 907
AND AY THE LOTE VPON LASTE LYMPED ON JONAS . . . . PAT 194
FOR HE KNEW VCHE A CACE AND KARK THAT HYM LYMPED . . . . . . PAT 265
LYMPES
AND WHOSO LYMPES THE LOSSE LAY HYM THEROUTE . . . . PAT 174
LYNDE
THE LEUE3 LAUCEN FRO THE LYNDE AND LY3TEN ON THE GROUNDE. . . GGK 526
LI3TE3 DOUN LUFLYLY AND AT A LYNDE TACHE3. . . . . GGK 2176
LYNDES
AND HIS LYNDES AND HIS LYMES SO LONGE AND SO GRETE. . . . . GGK 139
LYNDEWODE3
THUS LAYKE3 THIS LORDE BY LYNDEWODE3 EUE3. . . . . GGK 1178
LYNE (V. LINE, LYNNE)
LYNNE
QUOTH THAT LUFSUM VNDER LYNE . . . . GGK 1814
AND SOLDE ALLE HYS GOUD BOTHE WOLEN AND LYNNE . . . . PRL 731
LYONEL (V. LIONEL)
LYOUNE3 (V. LIONS)
LYPPE (V. LIP)
LYPPE3 (V. LIPS)
LYRE (ALSO V. LIRE)
HO WAT3 THE FAYREST IN FELLE OF FLESCHE AND OF LYRE . . . . . GGK 943
BOTHE THE LYRE AND THE LEGGE3 LOKKE3 AND BERDE . . . . GGK 2228
THEN SAYDE THAT LUFSOUM OF LYTH AND LERE . . . . PRL 398
LYS (V. LIES)
LYSOUN
THAY LEST OF LOTE3 LOGGING ANY LYSOUN TO FYNDE . . . . CLN 887
LYST (ALSO V. LIST)
HIT WALTERED ON THE WYLDE FLOD WENT AS HIT LYSTE . . . . . . CLN 415
AND LAYKE3 WYTH HEM AS YOW LYST AND LETE3 MY GESTES ONE . . . . CLN 872
AND ALLE LYST ON HIR LIK THAT ARN ON LAUNDE BESTES. . . . . . CLN 1000
TIL THE LORDE OF THE LYFTE LISTE HIT ABATE . . . . CLN 1356
RECHE THER REST AS HYM LYST HE ROS NEUER THERAFTER. . . . . . CLN 1766
QUEN HYM LUSTE TO VNLOUKE THE LESTE OF HIS MY3TES . . . . . . ERK 162
THENNE LYST THE LADY TO LOKE ON THE KNY3T. . . . . GGK 941
AND THAT YOW LYST FORTO LAYKE LEF HIT ME THYNKES . . . . GGK 1111
3E MAY LACH QUEN YOW LYST AND LEUE QUEN YOW THYNKKE3 . . . . . GGK 1502
THAT YOW LAUSEN NE LYST AND THAT I LEUE NOUTHE . . . . GGK 1784
HYM LYST PRIK FOR POYNT THAT PROUDE HORS THENNE. . . . . . . GGK 2049
AND TALK WYTH THAT ILK TULK THE TALE THAT ME LYSTE. . . . . . GGK 2133
AND THE LYST LESE THY LYF THE LETTE I NE KEPE . . . . GGK 2142
BOT LENGE WHERESOEUER HIR LYST LYKE OTHER GREME. . . . . . . PAT 42
OTHER 3IF MY LEGE LORDE LYST ON LYUE ME TO BIDDE . . . . PAT 51
ME LYSTE TO SE THE BROKE BY3ONDE. . . . . PRL 146
TO CALLE HYR LYSTE CON ME ENCHACE . . . . PRL 173
MORE THEN ME LYSTE MY DREDE AROS. . . . . PRL 181
SO FARE WE ALLE WYTH LUF AND LYSTE . . . . PRL 467

THER LYUE3 LYSTE MAY NEUER LOSE	PRL	908
THE LOMBE DELYT NON LYSTE TO WENE	PRL	1141

LYSTE (V. LYST)
LYSTEN (V. LISTEN)
LYSTENED (V. LISTENED)
LYSTILY

AND LAYDE HYM DOUN LYSTYLY AND LET AS HE SLEPTE.	GGK	1190
LYSTILY FOR LAUCYNG THE LERE OF THE KNOT	GGK	1334
LYSTILY FORLANCYNG AND LERE OF THE KNOT	GGK V	1334

LYSTYLY (V. LYSTILY)
LYT

CLENE MEN IN COMPAYNYE FORKNOWEN WERN LYTE	CLN	119
IN THE WYLDRENESSE OF WYRALE WONDE THER BOT LYTE	GGK	701
WITH LUFLA3YNG A LYT HE LAYD HYM BYSYDE	GGK	1777

LYTE (ALSO V. LYT)

AND MONY AR3ED THERAT AND ON LYTE DRO3EN	GGK	1463
I WYL NO LENGER ON LYTE LETTE THIN ERNDE	GGK	2303

LYTEL (V. LITTLE)
LYTH

THEN SAYDE THAT LUFSOUM OF LYTH AND LERE	PRL	398

LYTHE

HYS COMFORTE MAY THY LANGOUR LYTHE	PRL	357

LYTHEN

THENNE WAT3 HIT LIST VPON LIF TO LYTHEN THE HOUNDE3	GGK	1719

LYTHER (V. LUTHER)
LYTHERLY

WOLDE LYKE IF A LADDE COM LYTHERLY ATTYRED	CLN	36

LYTHE3

BOT LYTHE3 ME KYNDELY WYTH YOUR COUMFORDE.	PRL 1	369

LYTTEL (V. LITTLE)
LYUE (V. LIFE, LIVE)
LYUED (V. LIVED)
LYUER (V. LIVER)
LYUES (V. LIVES)
LYUE3 (V. LIFES, LIVES)
LYUIE (V. LIVE)
LYUY (V. LIVE)
LYUYANDE (V. LIVING)
LYUYE (V. LIVE)
LYUYES (V. LIVE)
LY3 (V. LIE)
LY3E (V. LAY, LIE)
LY3T (V. LIGHT, LIGHTED)
LY3TE (V. LIGHT)
LY3TEN (V. LIGHTED)
LY3TES (V. LIGHTS)
LY3TE3 (V. LIGHTS)
LY3TIS (V. LIGHTS)
LY3TLOKER

THENNE IS ME LY3TLOKER HIT LYKE AND HER LOTES PRAYSE	PAT	47

LY3TLY (V. LIGHTLY)
MA (ALSO V. MAKE)

MA FAY QUOTH THE MERE WYF 3E MAY NOT BE WERNED	GGK	1495
OF COUNTES DAMYSEL PAR MA FAY.	PRL	489

MACE (V. MAKES)
MACERS

THE MAIRE WITH MONY MA3TI MEN AND MACERS BEFORE HYM	ERK	143

MACH (V. MATCH)
MACHCHES (V. MATCHES)

Entry	Poem		Line
MACHES (V. MATCHES)			
MAD (ALSO V. MADE)			
AND SAYDE SOTYLY TO HIRSELF SARE THE MADDE	CLN		654
AND SAYDE SOTHLY TO HIRSELF SARE THE MADDE	CLN	V	654
BOT HIT IS NO FERLY THA3 A FOLE MADDE	GGK		2414
AND OF THAT SOUMME 3ET ARN SUMME SUCH SOTTE3 FOR MADDE	PAT		509
ME THYNK THE PUT IN A MAD PORPOSE	PRL		267
WY BORDE 3E MEN SO MADDE 3E BE	PRL		290
FOR MARRE OTHER MADDE MORNE AND MYTHE	PRL		359
MADAME			
MADAME QUOTH THE MYRY MON MARY YOW 3ELDE	GGK		1263
MADDE (V. MAD, MADE)			
MADDING			
MY MANE3 MYNDE TO MADDYNG MALTE	PRL		1154
MADDYNG (V. MADDING)			
MADE			
THAT MADE THE MUKEL MANGERYE TO MARIE HIS HERE DERE	CLN		52
FUL MANERLY WYTH MARCHAL MAD FOR TO SITTE.	CLN		91
AND VCH MON WYTH HIS MACH MADE HYM AT ESE.	CLN		124
THAT EUER HE WREK SO WYTHERLY ON WERK THAT HE MADE.	CLN		198
AND BY LYKE TO THAT LORDE THAT THE LYFT MADE.	CLN		212
AL IN MESURE AND METHE WAT3 MAD THE VENGAUNCE	CLN		247
THE MOST AND THE MYRIEST THAT MAKED WERN EUER	CLN		254
ME FORTHYNKE3 FUL MUCH THAT EUER I MON MADE	CLN		285
THAT EUER I MADE HEM MYSELF BOT IF I MAY HERAFTER	CLN		291
PARFORMED THE HY3E FADER ON FOLKE THAT HE MADE	CLN		542
AND GOD AS A GLAD GEST MAD GOD CHERE	CLN		641
AND 3ET I AVOW VERAYLY THE AVAUNT THAT I MADE	CLN		664
AND MADE THERTO A MANER MYRIEST OF OTHER	CLN		701
WHEN VENKKYST WAT3 NO VERGYNYTE NE VYOLENCE MAKED	CLN		1071
AND THE PRYCE OF THE PROFECIE PRESONERS MAKED	CLN		1308
HIS MY3T METE TO GODDES HE MADE WYTH HIS WORDES.	CLN		1662
MADE OF STOKKES AND STONE3 THAT NEUER STYRY MO3T	CLN		1720
THE ORNEMENTES OF GODDE3 HOUS THAT HOLY WERE MAKED.	CLN		1799
HE3E HOUSES WYTHINNE THE HALLE TO HIT MAD.	CLN	V	1391
MONY A MERY MASON WAS MADE THER TO WYRKE	ERK		39
WAS METELY MADE OF THE MARBRE AND MENSKEFULLY PLANEDE.	ERK		50
MYNSTERDORES WERE MAKYD OPON QUEN MATENS WERE SONGEN	ERK		128
I WAS COMMITTID AND MADE A MAYSTERMON HERE	ERK		201
BOT MENDYD WITH A MEDECYN 3E ARE MADE FOR TO LYUYE.	ERK		298
ALLE THIS MIRTHE THAY MADEN TO THE METE TYME.	GGK		71
AND HE MADE A FARE ON THAT FEST FOR THE FREKE3 SAKE	GGK		537
MONY IOYLE3 FOR THAT IENTYLE IAPE3 THER MADEN	GGK		542
THE KNY3T MAD AY GOD CHERE.	GGK		562
HE MADE NON ABODE.	GGK		687
TO MARY MADE HIS MONE	GGK		737
THAT A COMLOKER KNY3T NEUER KRYST MADE.	GGK		869
AND ALLE THE MEN IN THAT MOTE MADEN MUCH JOYE	GGK		910
MYNNED MERTHE TO BE MADE VPON MONY SYTHE3.	GGK		982
WHO BRYNGE3 VS THE BEUERAGE THIS BARGAYN IS MAKED	GGK		1112
BRACHES BAYED THERFORE AND BREME NOYSE MAKED.	GGK		1142
SCHO MADE HYM SO GRET CHERE	GGK		1259
AND MADE MYRY AL DAY TIL THE MONE RYSED	GGK		1313
AND QUYKLY OF THE QUELLED DERE A QUERRE THAY MAKED.	GGK		1324
THAY LA3ED AND MADE HEM BLYTHE	GGK		1398
TO FYLLE THE SAME FORWARDE3 THAT THAY BYFORE MADEN.	GGK		1405
AND MADEE HYM MAWGREF HIS HED FORTO MWE VTTER	GGK		1565
BOT 3ET THE STYFFEST TO START BI STOUNDE3 HE MADE	GGK		1567
SUCH SEMBLAUNT TO THAT SEGGE SEMLY HO MADE	GGK		1658

THAY MADEN AS MERY AS ANY MEN MO3TEN	GGK	1953
BOTHE THE MON AND THE MEYNY MADEN MONY IAPE3.	GGK	1957
VCHE MON THAT HE METTE HE MADE HEM A THONKE	GGK	1984
GODDES GLAM TO HYM GLOD THAT HYM VNGLAD MADE.	PAT	63
HOPE 3E THAT HE HERES NOT THAT ERES ALLE MADE	PAT	123
ALLE THIS MESCHEF FOR ME IS MADE AT THYS TYME	PAT	209
FOR THAT MOTE IN HIS MAWE MAD HYM I TROWE.	PAT	299
THEN A PRAYER FUL PREST THE PROPHETE THER MAKED.	PAT	303
FYRST I MADE HEM MYSELF OF MATERES MYN ONE	PAT	503
MUCH 3IF HE NE ME MADE MAUGREF MY CHEKES	PAT V	54
BYTWENE MYRTHE3 BY MERE3 MADE.	PRL	140
THAT O3T OF NO3T HAT3 MAD THE CLER	PRL	274
OF CARE AND ME 3E MADE ACORDE.	PRL	371
AND QUEN MAD ON THE FYRST DAY.	PRL	486
SO SAYDE THE LORDE AND MADE HIT TO3T	PRL	522
TO TAKE HER HYRE HE MAD SUMOUN	PRL	539
IN THAT ON OURE PES WAT3 MAD AT ENE.	PRL	953
LORDE MUCH OF MIRTHE WAT3 THAT HO MADE.	PRL	1149
OUER MERUELOUS MERE3 SO MAD ARAYDE	PRL	1166
LORDE MAD HIT ARN THAT AGAYN THE STRYUEN	PRL	1199
FOR MARRED OTHER MADDE MORNE AND MYTHE.	PRL 1	359
BYTWENE MERE3 BY MYRTHE MADE	PRL 2	140
FOR MARRED OTHER MADDE MORNE AND MYTHE.	PRL 2	359
FOR MARRED OTHER MADDE MORNE AND MYTHE.	PRL 3	359
MADEE (V. MADE)		
MADEN (V. MADE)		
MADOR		
AND MONY OTHER MENSKFUL WITH MADOR DE LA PORT	GGK	555
MAGDALENE		
MAHON TO SAYNT MARGRETE OTHER TO MAUDELAYNE	ERK	20
MAGHTY (V. MIGHTY)		
MAHON		
MAHON TO SAYNT MARGRETE OTHER TO MAUDELAYNE	ERK	20
TO MAHUUN AND TO MERGOT THE MONE AND THE SUNNE	PAT	167
MAHOUN (V. MAHON)		
MAIDEN		
AND EFTE AMENDED WYTH A MAYDEN THAT MAKE HAD NEUER.	CLN	248
FOR LOKE FRO FYRST THAT HE LY3T WYTHINNE THE LEL MAYDEN	CLN	1069
A MAYDEN OF MENSKE FUL DEBONERE	PRL	162
MAIDENS		
THAT WER MAYDENE3 FUL MEKE MARYED NOT 3ET.	CLN	815
THAT AR MAYDENE3 VNMARD FOR ALLE MEN 3ETTE	CLN	867
AND OTHER TWO MYRI MEN THO MAYDENE3 SCHULDE WEDDE	CLN	934
AND ALLE THE MAYDENES OF THE MUNSTER MA3TYLY HOKYLLEN.	CLN	1267
MONI SEMLY SYRE SOUN AND SWYTHE RYCH MAYDENES	CLN	1299
AND ALLE THE MAYDENES OF THE MUNSTER MA3TYLY HE KYLLEN	CLN V	1267
AND WYTH HYM MAYDENNE3 AN HUNDRETHE THOWSANDE	PRL	869
BOT MYLDE AS MAYDENE3 SEME AT MAS	PRL	1115
MAIMS		
AND MAYME3 THE MUTE INN MELLE.	GGK	1451
MAIN		
OF SUM MAYN MERUAYLE THAT HE MY3T TRAWE	GGK	94
THE MANE OF THAT MAYN HORS MUCH TO HIT LYKE	GGK	187
NO MORE MATE NE DISMAYD FOR HYS MAYN DINTE3	GGK	336
FOR THA3 MEN BEN MERY IN MYNDE QUEN THAY HAN MAYN DRYNK	GGK	497
MAINFUL		
MANE MENES ALS MUCH AS MAYNFUL GODE.	CLN	1730
RY3T AS THE MAYNFUL MONE CON RYS.	PRL	1093
MAINLY		

MAYNLY HIS MARSCHAL THE MAYSTER VPON CALLES . . . . CLN 1427

MAIN-MOLD

ALLE THE MUKEL MAYNYMOLDE FOR NO MANNE3 SYNNE3 . . . . CLN 514

MAINTAIN

FOR MALYSE IS NO3T TO MAYNTYNE BOUTE MERCY WYTHINNE . . . . . PAT 523
AND THAT MAY I WYTH MENSK MENTEENE . . . . PRL 783

MAINTAINS

THE MON HEM MAYNTEINES IOY MOT HE HAUE. . . . . GGK 2053
THE MON HEM MAYNTEINES IOY MOT THAY HAUE . . . . GGK V 2053

MAINTENANCE

FOR MARRYNG OF MARYAGE3 AND MAYNTNAUNCE OF SCHREWE3 . . . . . CLN 186

MAIRE (V. MAYOR)

MAKE (ALSO V. MAKE-M. E.)

BOT MAKE TO THE A MANCIOUN AND THAT IS MY WYLLE. . . . . . . CLN 309
AND THUS OF LENTHE AND OF LARGE THAT LOME THOU MAKE . . . . . CLN 314
THER WAT3 MOON FOR TO MAKE WHEN MESCHEF WAS CNOWEN. . . . . . CLN 373
THRE METTE3 OF MELE MENGE AND MA KAKE3. . . . . CLN 625
PRESTLY AT THIS ILKE POYNTE SUM POLMENT TO MAKE. . . . . . . CLN 628
VCH MALE MAT3 HIS MACH A MAN AS HYMSELUEN. . . . . CLN 695
BOT THENKKE3 ON HIT BE THREFTE WHAT THYNK SO 3E MAKE . . . . . CLN 819
THENNE CONFOURME THE TO KRYST AND THE CLENE MAKE . . . . . . CLN 1067
WYTH THE BEST OF HIS BURNES A BLENCH FOR TO MAKE . . . . . . CLN 1202
THE CHEF OF HIS CHEUALRYE HIS CHEKKES TO MAKE . . . . CLN 1238
THAT SALOMON SO MONY A SADDE 3ER SO3T TO MAKE . . . . CLN 1286
SUCH A MANGERIE TO MAKE THE MAN WAT3 AUISED . . . . CLN 1365
MO3T NEUER MY3T BOT MYN MAKE SUCH ANOTHER. . . . . CLN 1668
AND MAKE THE MATER TO MALT MY MYNDE WYTHINNE. . . . . CLN V 1566
HIT TO MUTHE TO ANY MON TO MAKE OF A NOMBRE . . . . ERK 206
IN NO GYNFUL IUGEMENT NO IAPES TO MAKE. . . . . ERK 238
HIT IS TO MECHE TO ANY MON TO MAKE OF A NOMBRE . . . . ERK V 206
SYTHEN KAYRED TO THE COURT CAROLES TO MAKE . . . . GGK 43
THAT MON MUCH MERTHE CON MAKE. . . . . GGK 899
AND CUM TO THAT MERK AT MYDMORN TO MAKE QUAT YOW LIKE3 . . . GGK 1073
3ET FIRRE QUOTH THE FREKE A FORWARDE WE MAKE. . . . . GGK 1105
THOU SCHAL CHEUE TO THE GRENE CHAPEL THY CHARRES TO MAKE. . . GGK 1674
MAKE WE MERY QUYL WE MAY AND MYNNE VPON JOYE. . . . . GGK 1681
AND MORE FOR HIS MESCHEF 3IF HE SCHULDE MAKE SYNNE. . . . . . GGK 1774
THAT HO NE CON MAKE FUL TAME . . . . GGK 2455
MAKE MYRY IN MY HOUS MY MENY THE LOUIES . . . . GGK 2468
WHAT DOWES ME THE DEDAYN OTHER DISPIT MAKE . . . . PAT 50
SUCH A BURRE MY3T MAKE MYN HERT BLUNT . . . . PRL 176
TO BE EXCUSED I MAKE REQUESTE. . . . . PRL 281
NOW HAF I FONDE HYT I SCHAL MA FESTE . . . . PRL 283
THAT LEUE3 OURE LORDE WOLDE MAKE A LY3E . . . . PRL 304
TO MAKE THE QUEN THAT WAT3 SO 3ONGE. . . . . PRL 474
KERUEN AND CAGGEN AND MAN HIT CLOS . . . . PRL 512

MAKE (ME)

AND EFTE AMENDED WYTH A MAYDEN THAT MAKE HAD NEUER. . . . . . CLN 248
BYTWENE A MALE AND HIS MAKE SUCH MERTHE SCHULDE COME . . . . . CLN 703
FOR HIS MAKE WAT3 MYST THAT ON THE MOUNT LENGED. . . . . . . CLN 994
ME CHES TO HYS MAKE ALTHA3 VNMETE . . . . PRL 759

MAKED (V. MADE)

MAKELE3

MAKELE3 MODER AND MYRYEST MAY. . . . . PRL 435
THIS MAKELLE3 PERLE THAT BO3T IS DERE . . . . PRL 733
MY MAKELE3 LAMBE THAT AL MAY BETE . . . . PRL 757
A MAKELE3 MAY AND MASKELLE3 . . . . PRL 780
BOT MAKELE3 QUENE THENNE SADE I NOT. . . . . PRL 784

MAKELLE3 (V. MAKELE3)

MAKER
    MA3TY MAKER OF MEN THI MYGHTES ARE GRETE . . . . ERK 283
    A THOU MAKER OF MAN WHAT MAYSTERY THE THYNKE3 . . . . PAT 482
MAKES
    AND NABUGODENO3AR MAKES MUCH IOYE . . . . CLN 1304
    AND MAKES THE MATER TO MALT MY MYNDE WYTHINNE . . . . CLN 1566
    THAT CETE SESES FUL SOUNDE AND SA3TLYNG MAKES . . . . CLN 1795
    MUCH MIRTHE HE MAS WITHALLE . . . . GGK 106
    THUS WYTH LA3ANDE LOTE3 THE LORDE HIT TAYT MAKE3 . . . . GGK 988
    AND SYTHEN HE MACE HYM AS MERY AMONG THE FRE LADYES . . . . . GGK 1885
    MACHES HYM WYTH THE MARYNERES MAKES HER PAYE. . . . . PAT 99
    THEN LEDE LENGER THI LORE THAT THUS ME LES MAKE3 . . . . PAT 428
    TO HYM THAT MAT3 IN SYNNE RESCOGHE . . . . PRL 610
MAKES (ME)
    THE MAKE3 OF THY MYRY SUNE3 THIS MEYNY OF A3TE . . . . CLN 331
    OF VCHE CLENE COMLY KYNDE ENCLOSE SEUEN MAKE3 . . . . CLN 334
MAKE3 (V. MAKES, MAKES-M. E.)
MAKYD (V. MADE)
MALE
    VCH MALE MAT3 HIS MACH A MAN AS HYMSELUEN. . . . . CLN 695
    BYTWENE A MALE AND HIS MAKE SUCH MERTHE SCHULDE COME . . . . . CLN 703
    THAT THER SCHULDE NO MON MEUE TO THE MALE DERE . . . . GGK 1157
MALES
    AND AY THOU MENG WYTH THE MALE3 THE METE HOBESTE3 . . . . CLN 337
MALES (V. MALE3)
MALE3 (ALSO V. MALES)
    TYFFEN HER TAKLES TRUSSEN HER MALES. . . . . GGK 1129
    AND HAUE NO MEN WYTH NO MALE3 WITH MENSKFUL THINGE3 . . . . . GGK 1809
MALICE
    THER WAT3 MALYS MERCYLES AND MAWGRE MUCH SCHEUED . . . . CLN 250
    AL IS THE MYNDE OF THE MAN TO MALYCE ENCLYNED . . . . CLN 518
    FOR HO QUELLES VCHE A QUED AND QUENCHES MALYCE . . . . PAT 4
    AND HER MALYS IS SO MUCH I MAY NOT ABIDE . . . . PAT 70
    FOR MALYSE IS NO3T TO MAYNTYNE BOUTE MERCY WYTHINNE . . . . . PAT 523
MALICIOUS
    SO MONY MALICIOUS MON AS MOURNE3 THERINNE. . . . . PAT 508
    I MAY NOT BE SO MALICIOUS AND MYLDE BE HALDEN . . . . PAT 522
MALSCRANDE
    INTO THAT MALSCRANDE MERE MARRED BYLYUE . . . . CLN 991
MALSKRED
    WYTH THE MON IN HIS MAWE MALSKRED IN DREDE . . . . PAT 255
MALT (V. MELT, MELTED)
MALTE (V. MELT, MELTED)
MALYCE (V. MALICE)
MALYS (V. MALICE)
MALYSE (V. MALICE)
MAMBRE
    NO MYLE3 FRO MAMBRE MO THEN TWEYNE . . . . CLN 674
    TOWARDE THE MERE OF MAMBRE MURNANDE FOR SOREWE . . . . CLN 778
MAN (ALSO V. MAKE)
    AS MATHEW MELE3 IN HIS MASSE OF THAT MAN RYCHE . . . . CLN 51
    AND VCH MON WYTH HIS MACH MADE HYM AT ESE. . . . . CLN 124
    THROLY INTO THE DEUELE3 THROTE MAN THRYNGE3 BYLYUE. . . . . . CLN 180
    FOR THEFTE AND FOR THREPYNG VNTHONK MAY MON HAUE . . . . CLN 183
    MAN MAY MYSSE THE MYRTHE THAT MUCH IS TO PRAYSE. . . . . CLN 189
    ME FORTHYNKE3 FUL MUCH THAT EUER I MON MADE . . . . CLN 285
    FUL GRAYTHELY GOT3 THIS GOD MAN AND DOS GODE3 HESTES . . . . . CLN 341
    FOR TO MYNNE ON HIS MON HIS METH THAT ABYDE3. . . . . CLN 436
    AL IS THE MYNDE OF THE MAN TO MALYCE ENCLYNED . . . . CLN 518

THAT EUER HE MAN VPON MOLDE MERKED TO LYUY	CLN		558
BOT SAUYOUR MON IN THYSELF THA3 THOU A SOTTE LYUIE.	CLN		581
AND AS TO GOD THE GOOD MON GOS HEM AGAYNE3	CLN		611
3IF EUER THY MON VPON MOLDE MERIT DISSERUED	CLN		613
THEN GLYDE3 FORTH GOD THE GOD MON HYM FOL3E3.	CLN		677
VCH MALE MAT3 HIS MACH A MAN AS HYMSELUEN.	CLN		695
MEKE MAYSTER ON THY MON TO MYNNE IF THE LYKED	CLN		771
THE GOD MAN GLYFTE WYTH THAT GLAM AND GLOPED FOR NOYSE	CLN		849
HIT ARN RONK HIT ARN RYPE AND REDY TO MANNE	CLN		869
AND THE GROPYNG SO GOUD OF GOD AND MAN BOTHE.	CLN		1102
3IS THAT MAYSTER IS MERCYABLE THA3 THOU BE MAN FENNY	CLN		1113
AL WAT3 THE MYNDE OF THAT MAN ON MISSCHAPEN THINGES	CLN		1355
SUCH A MANGERIE TO MAKE THE MAN WAT3 AUISED	CLN		1365
AND VCHE MON FOR HIS MAYSTER MACHCHES ALONE	CLN		1512
THERE WAT3 NO MON VPON MOLDE OF MY3T AS HYMSELUEN	CLN		1656
SAYNT ERKENWOLDE AS I HOPE THAT HOLY MON HATTE	ERK		4
HIT MY3T NOT BE BOT SUCHE A MON IN MYNDE STODE LONGE	ERK		97
THAT EUER MYNNYD SUCHE A MON MORE NE LASSE	ERK		104
THAT MAY MENE IN HIS MYNDE THAT SUCHE A MON REGNYD.	ERK		151
HIT TO MUTHE TO ANY MON TO MAKE OF A NOMBRE	ERK		206
HIT IS TO MECHE TO ANY MON TO MAKE OF A NOMBRE	ERK	V	206
KYNG HY3EST MON OF WYLLE	GGK		57
SOTH MO3T NO MON SAY.	GGK		84
BOT MON MOST I ALGATE MYNN HYM TO BENE.	GGK		141
HIT SEMED AS NO MON MY3T	GGK		201
FOR VCH MON HAD MERUAYLE QUAT HIT MENE MY3T	GGK		233
HERE IS NO MON ME TO MACH FOR MY3TE3 SO WAYKE	GGK		282
THEN STOD THAT STIF MON NERE	GGK		322
THE STIF MON HYM BIFORE STOD VPON HY3T.	GGK		332
WHAT MAY MON DO BOT FONDE	GGK		565
THE STIF MON STEPPE3 THERON AND THE STEL HONDELE3	GGK		570
AND QUERESOEUER THYS MON IN MELLY WAT3 STAD	GGK		644
HADET WYTH AN ALUISCH MON FOR ANGARDE3 PRYDE.	GGK		681
SO MONY MERUAYL BI MOUNT THER THE MON FYNDE3.	GGK		718
THUR3 MONY MISY AND MYRE MON AL HYM ONE	GGK		749
AND MONY PROUD MON THER PRESED THAT PRYNCE TO HONOUR	GGK		830
FOR TO METE WYTH MENSKE THE MON ON THE FLOR	GGK		834
AND THENNE A MERE MANTYLE WAT3 ON THAT MON CAST.	GGK		878
THAT MON MUCH MERTHE CON MAKE.	GGK		899
A MENSK LADY ON MOLDE MON MAY HIR CALLE	GGK		964
ON THE MORNE AS VCH MON MYNE3 THAT TYME	GGK		995
VCHE MON TENTED HYS	GGK		1018
TO METE THAT MON AT THAT MERE 3IF I MY3T LAST	GGK		1061
MON SCHAL YOW SETTE IN WAYE	GGK		1077
THAT THER SCHULDE NO MON MEUE TO THE MALE DERE	GGK		1157
THER MY3T MON SE AS THAY SLYPTE SLENTYNG OF ARWES	GGK		1160
AND GAWAYN THE GOD MON IN GAY BED LYGE3	GGK		1179
3E ARE A SLEPER VNSLY3E THAT MON MAY SLYDE HIDER	GGK		1209
MADAME QUOTH THE MYRY MON MARY YOW 3ELDE	GGK		1263
AND IF MON KENNES YOW HOM TO KNOWE 3E KEST HOM OF YOUR MYNDE	GGK		1484
DO WAY QUOTH THAT DERF MON MY DERE THAT SPECHE	GGK		1492
AND PYNE YOW WITH SO POUER A MON AS PLAY WYTH YOUR KNY3T.	GGK		1538
FOR THE MON MERKKE3 HYM WEL AS THAY METTE FYRST.	GGK		1592
THENNE HONDELED THAY THE HOGE HED THE HENDE MON HIT PRAYSED.	GGK		1633
WITH ALLE THE MANERLY MERTHE THAT MON MAY OF TELLE.	GGK		1656
FOR THE LUR MAY MON LACH WHENSO MON LYKE3.	GGK		1682
FOR THE LUR MAY MON LACH WHENSO MON LYKE3.	GGK		1682
A MON HOW MAY THOU SLEPE	GGK		1746
AS MON THAT WAT3 IN MORNYNG OF MONY THRO THO3TES	GGK		1751

THAT I MAY MYNNE ON THE MON MY MOURNYNG TO LASSEN	GGK	1800
ICHE TOLKE MON DO AS HE IS TAN TAS TO NON ILLE	GGK	1811
FOR MORE MYRTHE OF THAT MON MO3T HO NOT GETE.	GGK	1871
VCHE MON HADE DAYNTE THARE.	GGK	1889
MARY QUOTH THAT OTHER MON MYN IS BIHYNDE	GGK	1942
BOTHE THE MON AND THE MEYNY MADEN MONY IAPE3.	GGK	1957
FOCHCHE3 THIS FRE MON AND FAYRE HE HYM THONKKE3.	GGK	1961
VCHE MON THAT HE METTE HE MADE HEM A THONKE	GGK	1984
BI THAT THE BOLDE MON BOUN.	GGK	2043
THE MON HEM MAYNTEINES IOY MOT HE HAUE.	GGK	2053
AND MORE HE IS THEN ANY MON VPON MYDDELERDE	GGK	2100
FOR HE IS A MON METHLES AND MERCY NON VSES	GGK	2106
MONK OTHER MASSEPREST OTHER ANY MON ELLES.	GGK	2108
MARY QUOTH THAT OTHER MON NOW THOU SO MUCH SPELLE3.	GGK	2140
OF STEUEN MON MAY THE TROWE	GGK	2238
AND THOU HAT3 TYMED THI TRAUAYL AS TRUEE MON SCHULDE	GGK	2241
HE MYNTE3 AT HYM MA3TYLY BOT NOT THE MON RYNE3	GGK	2290
THEN MURYLY EFTE CON HE MELE THE MON IN THE GRENE	GGK	2295
WY THRESCH ON THOU THRO MON THOU THRETE3 TO LONGE	GGK	2300
NO MON HERE VNMANERLY THE MYSBODEN HABBE3.	GGK	2339
AL THE GAYNE THOW ME GEF AS GOD MON SCHULDE	GGK	2349
THAT OTHER MUNT FOR THE MORNE MON I THE PROFERED	GGK	2350
TRWE MON TRWE RESTORE	GGK	2354
THENNE THAR MON DREDE NO WATHE	GGK	2355
THAT OTHER STIF MON IN STUDY STOD A GRET WHYLE	GGK	2369
THE MON HEM MAYNTEINES IOY MOT THAY HAUE	GGK V	2053
HE MYNTE3 AT HYM MA3TYLY BOT NOT THE MON RYUE3	GGK V	2290
AND THERE AS POUERT ENPRESSES THA3 MON PYNE THYNK	PAT	43
THIS IS A MERUAYL MESSAGE A MAN FOR TO PRECHE	PAT	81
HAD NO MA3T IN THAT MERE NO MAN FOR TO GREUE.	PAT	112
WYTH THE MON IN HIS MAWE MALSKRED IN DREDE	PAT	255
WARDED THIS WRECH MAN IN WARLOWES GUTTE3	PAT	258
HAF NOW MERCY OF THY MAN AND HIS MYSDEDES.	PAT	287
TO LASTE MERE OF VCHE A MOUNT MAN AM I FALLEN	PAT	320
THE MOUNTAUNCE OF A LYTTEL MOTE VPON THAT MAN SCHYNE	PAT	456
THE MAN MARRED ON THE MOLDE THAT MO3T HYM NOT HYDE.	PAT	479
A THOU MAKER OF MAN WHAT MAYSTERY THE THYNKE3	PAT	482
THENNE BYTHENK THE MON IF THE FORTHYNK SORE	PAT	495
SO MONY MALICIOUS MON AS MOURNE3 THERINNE.	PAT	508
THE LY3T OF HEM MY3T NO MON LEUEN	PRL	69
SO GRACIOS GLE COUTHE NO MON GETE	PRL	95
AS GLYSNANDE GOLDE THAT MAN CON SCHERE.	PRL	165
THERE MO3T MON BY GRACE HAF SENE.	PRL	194
THAT VCHE GOD MON MAY EUEL BYSEME	PRL	310
AS MAN TO GOD WORDE3 SCHULDE HEUE	PRL	314
THUR3 DRWRY DETH BO3 VCH MAN DREUE	PRL	323
NE HOW FER OF FOLDE THAT MAN ME FLEME	PRL	334
OFTE MONY MON FORGOS THE MO	PRL	340
AND I A MAN AL MORNYF MATE.	PRL	386
AND NO MON BYDDE3 VS DO RY3T NO3T	PRL	520
FOR THER IS VCH MON PAYED INLYCHE	PRL	603
GRACE INNOGH THE MON MAY HAUE.	PRL	661
THE RY3TWYS MAN SCHAL SE HYS FACE	PRL	675
THE RY3TWYS MAN ALSO SERTAYN	PRL	685
THAT GLORYOUS GYLTLE3 THAT MON CON QUELLE.	PRL	799
BOT AY WOLDE MAN OF HAPPE MORE HENTE	PRL	1195

MANACE (V. MENACE)
MANAS (V. MENACE)
MANAYRE (V. MANOR)

MANCIOUN (V. MANSION		
MANDE		
AND MUTH 3IF HE ME MANDE MAUGREF MY CHEKES	PAT	54
MANE (ALSO V. MENE)		
THE MANE OF THAT MAYN HORS MUCH TO HIT LYKE	GGK	187
MANER (V. MANNER, MANOR)		
MANERES (V. MANNERS)		
MANGERIE		
THAT MADE THE MUKEL MANGERYE TO MARIE HIS HERE DERE	CLN	52
SUCH A MANGERIE TO MAKE THE MAN WAT3 AUISED	CLN	1365
MANIFOLD		
AND MULTYPLYED MONYFOLDE INMONGE3 MANKYNDE	CLN	278
MANKIND		
AND MULTYPLYED MONYFOLDE INMONGE3 MANKYNDE	CLN	278
HE KNYT A COUENAUNDE CORTAYSLY WYTH MONKYNDE THERE.	CLN	564
INO3E IS KNAWEN THAT MANKYN GRETE	PRL	637
MANLIEST		
IN MANTEL FOR THE MEKEST AND MONLOKEST ON BENCHE	ERK	250
MANERLY (V. MANNERLY)		
MANERS (V. MANNERS)		
MANE3 (V. MANS)		
MANGERYE (V. MANGERIE)		
MANKYN (V. MANKIND)		
MANKYNDE (V. MANKIND)		
MANNE (V. MAN)		
MANNER		
AND MADE THERTO A MANER MYRIEST OF OTHER	CLN	701
AND ALSO ANOTHER MANER MEUED HIM EKE	GGK	90
WYTH ALLE MANER OF METE AND MYNSTRALCIE BOTHE	GGK	484
ON THIS MANER BI THE MOUNTES QUYLE MYD-OUER-VNDER	GGK	1730
MANNERLY		
FUL MANERLY WYTH MARCHAL MAD FOR TO SITTE.	CLN	91
MANERLY WITH HIS MINISTRES THE MASSE HE BEGYNNES	ERK	131
WITH ALLE THE MANERLY MERTHE THAT MON MAY OF TELLE.	GGK	1656
MANNERS		
AND MONY A MESTERSMON OF MANERS DYUERSE	ERK	60
IN MENYNG OF MANERE3 MERE	GGK	924
FOR MERCY IN ALLE MANERES HER MEDE SCHAL WORTHE.	PAT	22
I AM BOT MOL AND MANERE3 MYSSE	PRL	382
MANNER3 (V. MANNERS)		
MANNE3 (V. MANS)		
MANOR		
NE MANER THER 3E MAY METE AND WON	PRL	918
THENNE HELDE VCH SWARE OF THIS MANAYRE.	PRL	1029
MANS		
I SCHAL SAUE OF MONNE3 SAULE3 AND SWELT THOSE OTHER	CLN	332
ALLE THE MUKEL MAYNYMOLDE FOR NO MANNE3 SYNNE3	CLN	514
THAT BYSULPE3 MANNE3 SAULE IN VNSOUNDE HERT	CLN	575
AND THOU REMUED FRO MONNES SUNES ON MOR MOST ABIDE.	CLN	1673
ALLE THE MUKEL MAYNY ON MOLDE FOR NO MANNE3 SYNNE3.	CLN V	514
FOR I SE WEL THAT HIT IS SOTHE THAT ALLE MANNE3 WYTTE3	CLN V	515
AS DYSSTRYE AL FOR MANE3 DEDES DAYE3 OF THIS ERTHE.	CLN V	520
BOT QUEN MATYD IS MONNES MY3T AND HIS MYNDE PASSYDE	ERK	163
NE FOR MAYSTRIE NE FOR MEDE NE FOR NO MOUNES AGHE	ERK	234
NE FOR NO MONNES MANAS NE MESCHEFE NE ROUTHE.	ERK	240
HOW HIT MY3T LYE BY MONNES LORE AND LAST SO LONGE	ERK	264
NE NO MONNES COUNSELLE MY CLOTHE HAS KEPYD VNWEMMYD	ERK	266
FOR BE MONNES LODE NEUER SO LUTHER THE LYF IS AY SWETE	PAT	156

A MANNE3 DOM MO3T DRY3LY DEMME	PRL	223
TO SOFFER INNE SOR FOR MANE3 SAKE	PRL	940
MY MANE3 MYNDE TO MADDYNG MALTE	PRL	1154
MANSED (ALSO V. MENACED)		
AMONG THO MANSED MEN THAT HAN THE MUCH GREUED	CLN	774
AMONGE ENMYES SO MONY AND MANSED FENDES	PAT	82
MANSION		
BOT MAKE TO THE A MANCIOUN AND THAT IS MY WYLLE.	CLN	309
MAN-SWORN		
FOR MONSWORNE AND MENSCLA3T AND TO MUCH DRYNK	CLN	182
MANTEL (V. MANTLE)		
MANTILE (V. MANTLE)		
MANTLE		
A MECHE MANTEL ON LOFTE WITH MENYUER FURRIT	ERK	81
IN MANTEL FOR THE MEKEST AND MONLOKEST ON BENCHE	ERK	250
A MERE MANTILE ABOF MENSKED WITHINNE	GGK	153
AND THENNE A MERE MANTYLE WAT3 ON THAT MON CAST.	GGK	878
IN A MERY MANTYLE METE TO THE ERTHE.	GGK	1736
KNIT VPON HIR KYRTEL VNDER THE CLERE MANTYLE.	GGK	1831
HIT MAY WEL BE THAT MESTER WERE HIS MANTYLE TO WASCHE.	PAT	342
MANTYLE (V. MANTLE)		
MANY		
WITH MONY BLAME FUL BYGGE A BOFFET PERAUNTER.	CLN	43
MONY RENISCHCHE RENKE3 AND 3ET IS ROUM MORE	CLN	96
BOT I HAUE HERKNED AND HERDE OF MONY HY3E CLERKE3	CLN	193
HAF HALLE3 THERINNE AND HALKE3 FUL MONY	CLN	321
MONY CLUSTERED CLOWDE CLEF ALLE IN CLOWTE3	CLN	367
BOT WAXE3 NOW AND WENDE3 FORTH AND WORTHE3 TO MONYE	CLN	521
IN THE ANGER OF HIS IRE THAT AR3ED MONY	CLN	572
FRO MONY A BROD DAY BYFORE HO BARAYN AY BYDENE	CLN	659
SOUFRE SOUR AND SAUNDYUER AND OTHER SUCH MONY	CLN	1036
3ET COMEN LODLY TO THAT LEDE AS LA3ARES MONYE	CLN	1093
IN MUKEL MESCHEFES MONY THAT IS MERUAYL TO HERE.	CLN	1164
HE PURSUED INTO PALASTYN WYTH PROUDE MEN MONY	CLN	1177
FASTE FAYLED HEM THE FODE ENFAMINED MONIE.	CLN	1194
THAT SALOMON SO MONY A SADDE 3ER SO3T TO MAKE	CLN	1286
MONI A WORTHLY WY3E WHIL HER WORLDE LASTE.	CLN	1298
MONI SEMLY SYRE SOUN AND SWYTHE RYCH MAYDENES	CLN	1299
WITH MONI A MODEY MODERCHYLDE MO THEN INNOGHE	CLN	1303
AND MONY A LEMMAN NEUER THE LATER THAT LADIS WER CALLED	CLN	1352
AND MONY A BAROUN FUL BOLDE TO BABYLOYN THE NOBLE	CLN	1372
THER BOWED TOWARD BABILOYN BURNES SO MONY.	CLN	1373
MONY LUDISCH LORDES THAT LADIES BRO3TEN	CLN	1375
AND HE WYTH KEYES VNCLOSES KYSTES FUL MONY	CLN	1438
MONY BURTHEN FUL BRY3T WAT3 BRO3T INTO HALLE.	CLN	1439
AND COUERED MONY A CUPBORDE WITH CLOTHES FUL QUITE.	CLN	1440
VPON THE PYLERES APYKED THAT PRAYSED HIT MONY	CLN	1479
OF MONY CLER KYNDES OF FELE KYN HUES	CLN	1483
AS MONY MORTERES OF WAX MERKKED WYTHOUTE	CLN	1487
WYTH MONY A BORLYCH BEST AL OF BRENDE GOLDE	CLN	1488
THIS CRY WAT3 VPCASTE AND THER COMEN MONY.	CLN	1574
OF MONY ANGER FUL HOTE WYTH HIS HOLY SPECHE	CLN	1602
BY THAT MONY THIK THE3E THRY3T VMBE HIS LYRE.	CLN	1687
THER MONY CLYUY AS CLYDE HIT CLY3T TOGEDER	CLN	1692
NY3T NE3ED RY3T NOW WYTH NYES FOL MONY.	CLN	1754
WYTH MONY A LEGIOUN FUL LARGE WYTH LEDES OF ARMES	CLN	1773
ASCRY SCARRED ON THE SCUE THAT SCOMFYTED MONY	CLN	1784
FRO MONY A BROD DAY BYFORE HO BARAYN AY BENE.	CLN V	659
OF MONY CURIOUS KYNDES OF FELE KYN HUES	CLN V	1483

BY THAT MONY THIK THY3E THRY3T VMBE HIS LYRE.	CLN V	1687
THEN WOS THIS REAME RENAIDE MONY RONKE 3ERES.	ERK	11
MONY A MERY MASON WAS MADE THER TO WYRKE	ERK	39
MONY GRUBBER IN GRETE THE GROUNDE FOR TO SECHE	ERK	41
FULLE VERRAY WERE THE VIGURES THER AUISYDE HOM MONY	ERK	53
MONY CLERKE IN THAT CLOS WITH CROWNES FUL BRODE.	ERK	55
MONY HUNDRID HENDE MEN HIGHIDE THIDER SONE	ERK	58
AND MONY A MESTERSMON OF MANERS DYUERSE	ERK	60
THER COMMEN THIDER OF ALLE KYNNES SO KENELY MONY	ERK	63
WITH MONY A PRECIOUS PERLE PICCHIT THERON.	ERK	79
MONY HYM METTEN ON THAT MEERE THE MERUAYLE TO TELLE	ERK	114
MONY A GAY GRETE LORDE WAS GEDRID TO HERKEN HIT.	ERK	134
THE MAIRE WITH MONY MA3TI MEN AND MACERS BEFORE HYM	ERK	143
QUETHER MONY PORER IN THIS PLACE IS PUTTE INTO GRAUE	ERK	153
MONY ONE WAS THE BUSMARE BODEN HOM BITWENE	ERK	214
WITH MECHE WONDER FORWRAST AND WEPID FUL MONY	ERK	220
THAT MONY A PLY3TLES PEPUL HAS POYSNED FOR EUER.	ERK	296
MONY CLERKES IN THAT CLOS WITH CROWNES FUL BRODE	ERK V	55
ON MONY BONKKES FUL BRODE BRETAYN HE SETTE3	GGK	14
IN MONY TURNED TYME TENE THAT WRO3TEN	GGK	22
WITH MONY LUFLYCH LORDE LEDE3 OF THE BEST.	GGK	38
THER TOURNAYED TULKES BY TYME3 FUL MONY	GGK	41
AND SITHEN MONY SIKER SEGGE AT THE SIDBORDE3.	GGK	115
WYTH MONY BANER FUL BRY3T THAT THERBI HENGED.	GGK	117
THAT MONY HERT FUL HI3E HEF AT HER TOWCHES	GGK	120
WEL CRESPED AND CEMMED WYTH KNOTTES FUL MONY.	GGK	188
THER MONY BELLE3 FUL BRY3T OF BRENDE GOLDE RUNGEN	GGK	195
THERFORE TO ANSWARE WAT3 AR3E MONY ATHEL FREKE	GGK	241
FOR HIT IS 3OL AND NWE3ER AND HERE AR 3EP MONY	GGK	284
THAT AL THE ROUS RENNES OF THUR3 RYALMES SO MONY	GGK	310
WHIL MONY SO BOLDE YOW ABOUTE VPON BENCH SYTTEN.	GGK	351
MONI ON OF HYM HAD DOUTE	GGK	442
THE KNY3T OF THE GRENE CHAPEL MEN KNOWEN ME MONY	GGK	454
AND THUS 3IRNE3 THE 3ERE IN 3ISTERDAYE3 MONY.	GGK	529
MONY IOYLE3 FOR THAT IENTYLE IAPE3 THER MADEN	GGK	542
AYWAN AND ERRIK AND OTHER FUL MONY	GGK	551
AND MONY OTHER MENSKFUL WITH MADOR DE LA PORT	GGK	555
THAT GLEMED FUL GAYLY WITH MONY GOLDE FRENGES	GGK	598
AS MONY BURDE THERABOUTE HAD BEN SEUEN WYNTER	GGK	613
MONY WYLSUM WAY HE RODE.	GGK	689
IN MONY A BONK VNBENE	GGK	710
MONY KLYF HE OUERCLAMBE IN CONTRAYE3 STRAUNGE	GGK	713
SO MONY MERUAYL BI MOUNT THER THE MON FYNDE3.	GGK	718
WITH MONY BRYDDE3 VNBLYTHE VPON BARE TWYGES	GGK	746
THUR3 MONY MISY AND MYRE MON AL HYM ONE	GGK	749
OF MONY BORELYCH BOLE ABOUTE BI THE DICHES	GGK	766
THAT VMBETE3E MONY TRE MO THEN TWO MYLE	GGK	770
WYTH MONY LUFLYCH LOUPE THAT LOUKED FUL CLENE	GGK	792
SO MONY PYNAKLE PAYNTET WAT3 POUDRED AYQUERE.	GGK	800
AND MONY PROUD MON THER PRESED THAT PRYNCE TO HONOUR	GGK	830
THENNE COM HO OF HIR CLOSET WITH MONY CLER BURDE3	GGK	942
KERCHOFES OF THAT ON WYTH MONY CLER PERLE3	GGK	954
MYNNED MERTHE TO BE MADE VPON MONY SYTHE3.	GGK	982
SO DID HIT THERE ON THAT DAY THUR3 DAYNTES MONY.	GGK	998
WITH MONY LEUDE FUL LY3T AND LEMANDE TORCHES.	GGK	1119
ARAYED FOR THE RYDYNG WITH RENKKE3 FUL MONY	GGK	1134
AND THUS HE BOURDED A3AYN WITH MONY A BLYTHE LA3TER	GGK	1217
STRAKANDE FUL STOUTLY MONY STIF MOTE3	GGK	1364
FUL GRYMME QUEN HE GRONYED THENNE GREUED MONY	GGK	1442

MONY WAT3 THE MYRY MOUTHE OF MEN AND OF HOUNDE3. . . . . . . GGK 1447
AND MONY AR3ED THERAT AND ON LYTE DRO3EN . . . . GGK 1463
HE HADE HURT SO MONY BYFORNE . . . . GGK 1577
THERE WAT3 BLAWYNG OF PRYS IN MONY BREME HORNE . . . . . . GGK 1601
AT THE SOPER AND AFTER MONY ATHEL SONGE3 . . . . GGK 1654
AND HE TRANTES AND TORNAYEE3 THUR3 MONY TENE GREUE. . . . . GGK 1707
AS MON THAT WAT3 IN MORNYNG OF MONY THRO THO3TES . . . . . . GGK 1751
AND THER BAYEN HYM MONY BRATH HOUNDE3 . . . . GGK 1909
HUNTES HY3ED HEM THEDER WITH HORNE3 FUL MONY. . . . . GGK 1910
BOTHE THE MON AND THE MEYNY MADEN MONY IAPE3. . . . . GGK 1957
AND THENNE REPREUED HE THE PRYNCE WITH MONY PROWDE WORDE3 . . GGK 2269
THE MAYSTRES OF MERLYN MONY HO HAT3 TAKEN. . . . . GGK 2448
AND MONY AVENTURE IN VALE HE VENQUYST OFTE . . . . GGK 2482
AND SYTHEN MONY SYKER KNY3T THAT SO3T HYM TO HAYLCE . . . . GGK 2493
MONY AUNTERE3 HEREBIFORNE . . . . GGK 2527
FOR THAY SCHAL COMFORT ENCROCHE IN KYTHES FUL MONY. . . . . PAT 18
AMONGE ENMYES SO MONY AND MANSED FENDES . . . . PAT 82
ON RODE RWLY TORENT WYTH RYBAUDES MONY. . . . . PAT 96
FURST TOMURTE MONY ROP AND THE MAST AFTER. . . . . PAT 150
MONY LADDE THER FORTHLEP TO LAUE AND TO KEST. . . . . PAT 154
BI MONY ROKKE3 FUL RO3E AND RYDELANDE STRONDES . . . . PAT 254
THUR3 MONY A REGIOUN FUL RO3E THUR3 RONK OF HIS WYLLE. . . . PAT 298
ON THIS WYSE AS I WENE HIS WORDE3 WERE MONY . . . . PAT 304
AND THY STRYUANDE STREME3 OF STRYNDE3 SO MONY . . . . PAT 311
I HAF MELED WYTH THY MAYSTRES MONY LONGE DAY. . . . . PAT 329
SO MONY MALICIOUS MON AS MOURNE3 THERINNE. . . . . PAT 508
AND ALS THER BEN DOUMBE BESTE3 IN THE BUR3 MONY. . . . . . . PAT 516
MONY RYAL RAY CON FRO HIT RERE . . . . PRL 160
OFTE MONY MON FORGOS THE MO . . . . PRL 340
FOR MONY BEN CALLED THA3 FEWE BE MYKE3. . . . . PRL 572
SO MONY A COMLY ONVUNDER CAMBE . . . . PRL 775

MAR
FOR THAT THE MA3TY ON MOLDE SO MARRE THISE OTHER . . . . . . CLN V 279
MUNT AS MA3TYLY AS MARRE HYM HE WOLDE . . . . GGK 2262
LO AL SYNKES IN HIS SYNNE AND FOR HIS SAKE MARRES . . . . . . PAT 172
O MOUL THOU MARRE3 A MYRY IUELE . . . . PRL 23
O MOUL THOU MARRE3 A MYRY MELE . . . . PRL 2 23
FOR MARRE OTHER MADDE MORNE AND MYTHE . . . . PRL 359

MARARACH (V. ARARAT)

MARBLE
WITH GARGELES GARNYSHT ABOUTE ALLE OF GRAY MARBRE . . . . . . ERK 48
WAS METELY MADE OF THE MARBRE AND MENSKEFULLY PLANEDE. . . . ERK 50

MARBRE (V. MARBLE)

MARCHAL (V. MARSHAL)

MARCIALLE (V. MARSHAL)

MARE
MONY HYM METTEN ON THAT MEERE THE MERUAYLE TO TELLE . . . . . ERK 114

MARE (V. MORE)

MARERE3 (V. MARRERS)

MARGARET
MAHON TO SAYNT MARGRETE OTHER TO MAUDELAYNE . . . . ERK 20

MARGARYS (V. MARGUERITES)

MARGERYEPERLE (V. MARGUERITE-PEARL)

MARGRETE (V. MARGARET)

MARGUERITE
AND VCH 3ATE OF A MARGYRYE. . . . . PRL 1037

MARGUERITE-PEARL
WYTHOUTEN MASKLE OTHER MOTE AS MARGERYEPERLE. . . . . CLN 556

MARGUERITES

Headword	Citation	Text	Line
	WYTH THE MYRYESTE MARGARYS AT MY DEUYSE	PRL	199
	OF MARIORYS AND NON OTHER STON	PRL	206
MARGYRYE (V. MARGUERITE)			
MARIE (V. MARRY)			
MARINERS			
	MACHES HYM WYTH THE MARYNERES MAKES HER PAYE.	PAT	99
MARIORYS (V. MARGUERITES)			
MARK			
	AND CUM TO THAT MERK AT MYDMORN TO MAKE QUAT YOW LIKE3	GGK	1073
MARKED			
	THAT EUER HE MAN VPON MOLDE MERKED TO LYUY	CLN	558
	AS MONY MORTERES OF WAX MERKKED WYTHOUTE	CLN	1487
	AND THA3 THE MATER BE MERK THAT MERKED IS 3ENDER	CLN	1617
	MANE TECHAL PHARES MERKED IN THRYNNE	CLN	1727
	THAT MERKID IS IN OURE MARTILAGE HIS MYNDE FOR EUER	ERK	154
	I HOPED THAT MOTE MERKED WORE.	PRL	142
	I HOPE THAT MOTE MERKED WORE	PRL 1	142
MARKED (V. MARKET)			
MARKET			
	ABOUTE VNDER THE LORDE TO MARKED TOT3	PRL	513
MARKS			
	METE MESSE3 OF MYLKE HE MERKKE3 BYTWENE	CLN	637
	FOR THE MON MERKKE3 HYM WEL AS THAY METTE FYRST.	GGK	1592
MARRE (V. MAR)			
MARRED			
	FOR THAT THE MA3TY ON MOLDE SO MARRED THISE OTHER	CLN	279
	INTO THAT MALSCRANDE MERE MARRED BYLYUE	CLN	991
	AND BLUSCHED TO HIS WODBYNDE THAT BROTHELY WAT3 MARRED	PAT	474
	THE MAN MARRED ON THE MOLDE THAT MO3T HYM NOT HYDE.	PAT	479
	FOR MARRED OTHER MADDE MORNE AND MYTHE.	PRL 1	359
	FOR MARRED OTHER MADDE MORNE AND MYTHE.	PRL 2	359
	FOR MARRED OTHER MADDE MORNE AND MYTHE.	PRL 3	359
MARRERS			
	I AM BOT MOL AND MARERE3 MYSSE	PRL 1	382
MARRES (V. MAR)			
MARRE3 (V. MAR)			
MARRIAGE			
	HE TOKE MYSELF TO HYS MARYAGE.	PRL	414
	AND FRO THAT MARYAG AL OTHER DEPRES.	PRL	778
MARRIAGES			
	FOR MARRYNG OF MARYAGE3 AND MAYNTNAUNCE OF SCHREWE3	CLN	186
MARRIED			
	THAT WER MAYDENE3 FUL MEKE MARYED NOT 3ET.	CLN	815
MARRING			
	FOR MARRYNG OF MARYAGE3 AND MAYNTNAUNCE OF SCHREWE3	CLN	186
MARRY			
	THAT MADE THE MUKEL MANGERYE TO MARIE HIS HERE DERE	CLN	52
MARRYNG (V. MARRING)			
MARSCHAL (V. MARSHAL)			
MARSHAL			
	FUL MANERLY WYTH MARCHAL MAD FOR TO SITTE.	CLN	91
	SO WITH MARSCHAL AT HER METE MENSKED THAY WERE	CLN	118
	MAYNLY HIS MARSCHAL THE MAYSTER VPON CALLES	CLN	1427
	AND THER A MARCIALLE HYR METTE WITH MENSKE ALDERGRATTEST.	ERK	337
MARTILAGE			
	THAT MERKID IS IN OURE MARTILAGE HIS MYNDE FOR EUER	ERK	154
MARVEL			
	HIT WERE A MERUAYL TO MUCH HIT MO3T NOT FALLE	CLN	22
	IF HE HAT3 LOSED THE LYSTEN HIT LYFTE3 MERUAYLE.	CLN	586

IN MUKEL MESCHEFES MONY THAT IS MERUAYL TO HERE. . . . . . . CLN 1164
AND AS THAI MUKKYDE AND MYNDE A MERUAYLE THAI FOUNDEN. . . . . ERK 43
QUEN THE MAIRE WITH HIS MEYNYE THAT MERUAILE ASPIED . . . . . ERK 65
MONY HYM METTEN ON THAT MEERE THE MERUAYLE TO TELLE . . . . . ERK 114
THE MYSTERIE OF THIS MERUAILE THAT MEN OPON WONDRES . . . . . ERK 125
TO MALTE SO OUT OF MEMORIE BOT MERUAYLE HIT WERE . . . . . . ERK 158
HIT IS MERUAILE TO MEN THAT MOUNTES TO LITELLE . . . . ERK 160
OF SUM MAYN MERUAYLE THAT HE MY3T TRAWE . . . . GGK 94
FOR VCH MON HAD MERUAYLE QUAT HIT MENE MY3T . . . . GGK 233
A MERUAYL AMONG THO MENNE . . . . GGK 466
THER ALLE MEN FOR MERUAYL MY3T ON HIT LOKE . . . . GGK 479
SO MONY MERUAYL BI MOUNT THER THE MON FYNDE3. . . . . GGK 718
MEUE OTHER AMOUNT TO MERUAYLE HYM THO3T . . . . GGK 1197
NO MERUAYLE THA3 HYM MYSLYKE . . . . GGK 2307
THIS IS A MERUAYL MESSAGE A MAN FOR TO PRECHE . . . . PAT 81
MORE MERUAYLE CON MY DOM ADAUNT . . . . PRL 157
ANVNDER MONE SO GREAT MERWAYLE . . . . PRL 1081
WYTH MUCH MERUAYLE IN MYNDE WENT. . . . . PRL 1130

MARVELOUS

OUER MERUELOUS MERE3 SO MAD ARAYDE . . . . PRL 1166

MARVELS

IN AUENTURE THER MERUAYLE3 MEUEN. . . . . PRL 64

MARY

TO MARY MADE HIS MONE . . . . GGK 737
AND MARY THAT IS MYLDEST MODER SO DERE. . . . . GGK 754
MADAME QUOTH THE MYRY MON MARY YOW 3ELDE . . . . GGK 1263
BI MARY QUOTH THE MENSKFUL ME THYNK HIT ANOTHER. . . . . . . GGK 1268
NIF MARYE OF HIR KNY3T CON MYNNE. . . . . GGK 1769
MARY QUOTH THAT OTHER MON MYN IS BIHYNDE . . . . GGK 1942
MARY QUOTH THAT OTHER MON NOW THOU SO MUCH SPELLE3. . . . . . GGK 2140
BOT CRYSTES MERSY AND MARY AND JON . . . . PRL 383
WE LEUEN ON MARYE THAT GRACE OF GREWE . . . . PRL 425

MARYAG (V. MARRIAGE)
MARYAGE (V. MARRIAGE)
MARYAGE3 (V. MARRIAGES)
MARYE (V. MARY)
MARYED (V. MARRIED)
MARYNERES (V. MARINERS)
MAS (V. MAKES, MASS)
MASCELLE3 (V. MASKELLE3)
MASCLE (V. MASKLE)
MASE (V. MAZE)
MASKELE3 (V. MASKELLE3)
MASKELLES (V. MASKELLE3)

MASKELLE3

TO BYE HYM A PERLE WAT3 MASCELLE3 . . . . PRL 732
AND PORCHACE THY PERLE MASKELLES. . . . . PRL 744
O MASKELE3 PERLE IN PERLE3 PURE . . . . PRL 745
BERE3 THE PERLE SO MASKELLE3 . . . . PRL 756
AND PY3T ME IN PERLE3 MASKELLE3 . . . . PRL 768
WHY MASKELLE3 BRYD THAT BRY3T CON FLAMBE . . . . PRL 769
A MAKELE3 MAY AND MASKELLE3 . . . . PRL 780
MASKELLES QUOTH THAT MYRY QUENE . . . . PRL 781
FRO THAT MASKELE3 MAYSTER NEUERTHELES . . . . PRL 900
AS 3E AR MASKELE3 VNDER MONE . . . . PRL 923
THIS MASKELLE3 PERLE THAT BO3T IS DERE. . . . . PRL 1 733
BERE3 THE PERLE SO MASKELLE3 . . . . PRL 1 756
THIS MASKELLE3 PERLE THAT BO3T IS DERE. . . . . PRL 2 733
BERE3 THE PERLE SO MASKELLE3 . . . . PRL 2 756

Headword / Line	Text	Line
MASKLE		
WYTHOUTEN MASKLE OTHER MOTE AS MARGERYEPERLE.	CLN	556
WYTHOUTEN MOTE OTHER MASCLE OF SULPANDE SYNNE	PRL	726
THAT MOT NE MASKLLE MO3T ON STRECHE.	PRL	843
MASKLLE (V. MASKLE)		
MASON		
MONY A MERY MASON WAS MADE THER TO WYRKE	ERK	39
MASS		
AS MATHEW MELE3 IN HIS MASSE OF THAT MAN RYCHE	CLN	51
THE BYSCHOP HYM SHOPE SOLEMPLY TO SYNGE THE HEGHE MASSE	ERK	129
MANERLY WITH HIS MINISTRES THE MASSE HE BEGYNNES	ERK	131
SO HARNAYST AS HE WAT3 HE HERKNE3 HIS MASSE	GGK	592
OF SUM HERBER THER HE3LY I MY3T HERE MASSE	GGK	755
ETE A SOP HASTYLY WHEN HE HADE HERDE MASSE	GGK	1135
BO3E3 FORTH QUEN HE WAT3 BOUN BLYTHELY TO MASSE.	GGK	1311
SO THAT THE METE AND THE MASSE WAT3 METELY DELYUERED	GGK	1414
THEN RUTHES HYM THE RENK AND RYSES TO THE MASSE.	GGK	1558
AFTER MESSE A MORSEL HE AND HIS MEN TOKEN.	GGK	1690
I HERDE ON A HALYDAY AT A HY3E MASSE	PAT	9
AS MATHEW MELE3 IN YOUR MESSE.	PRL	497
BOT MYLDE AS MAYDENE3 SEME AT MAS	PRL	1115
MASSE (V. MASS)		
MASSEPREST (V. MASS-PRIEST)		
MASS-PRIEST		
MONK OTHER MASSEPREST OTHER ANY MON ELLES.	GGK	2108
MAST		
WITHOUTEN MAST OTHER MYKE OTHER MYRY BAWELYNE	CLN	417
FURST TOMURTE MONY ROP AND THE MAST AFTER.	PAT	150
MASTER		
NOW INMYDDE3 THE METE THE MAYSTER HYM BITHO3T	CLN	125
FOR TO MELE WYTH SUCH A MAYSTER AS MY3TE3 HAT3 ALLE	CLN	748
MEKE MAYSTER ON THY MON TO MYNNE IF THE LYKED	CLN	771
3IS THAT MAYSTER IS MERCYABLE THA3 THOU BE MAN FENNY	CLN	1113
HE WAT3 MAYSTER OF HIS MEN AND MY3TY HIMSELUEN	CLN	1237
MAYNLY HIS MARSCHAL THE MAYSTER VPON CALLES	CLN	1427
AND VCHE MON FOR HIS MAYSTER MACHCHES ALONE	CLN	1512
FOR THE MAYSTER OF THYSE MEDES ON THE MORNE RYSES	CLN	1793
THER HALES IN AT THE HALLE DOR AN AGHLICH MAYSTER	GGK	136
BEDE HIS MAYSTER ABIDE	GGK	2090
HOW MATHEW MELEDE THAT HIS MAYSTER HIS MEYNY CON TECHE	PAT	10
A LONGANDE LYM TO THE MAYSTER OF MYSTE.	PRL	462
FRO THAT MASKELE3 MAYSTER NEUERTHELES	PRL	900
MASTERFUL		
AND OFTE HIT MEKNED HIS MYNDE HIS MAYSTERFUL WERKKES	CLN	1328
MAYSTERFUL MOD AND HY3E PRYDE.	PRL	401
MASTERIES		
THE MAYSTRES OF MERLYN MONY HO HAT3 TAKEN.	GGK	2448
I HAF MELED WYTH THY MAYSTRES MONY LONGE DAY.	PAT	329
MASTER-MAN		
I WAS COMMITTID AND MADE A MAYSTERMON HERE	ERK	201
AND MONY A MESTERSMON OF MANERS DYUERSE	ERK	60
MASTERS		
THAT THEN WONYED IN THE WORLDE WYTHOUTEN ANY MAYSTER3.	CLN	252
THE MEDES SCHAL BE MAYSTERES HERE AND THOU OF MENSKE SCHOWUED	CLN	1740
BRACHETES BAYED THAT BEST AS BIDDEN THE MAYSTERE3	GGK	1603
MASTER-TOWN		
THE METROPOL AND THE MAYSTERTON HIT EUERMORE HAS BENE.	ERK	26
MASTERY		
WHAT THE MAYSTERRY WAT3 MENE THE MEN WERN AWAY	CLN	1241

NE FOR MAYSTRIE NE FOR MEDE NE FOR NO MOUNES AGHE . ERK 234
A THOU MAKER OF MAN WHAT MAYSTERY THE THYNKE3 . PAT 482
MAT (V. MATE)
MATCH
AND VCH MON WYTH HIS MACH MADE HYM AT ESE. . CLN 124
VCH MALE MAT3 HIS MACH A MAN AS HYMSELUEN. . CLN 695
HERE IS NO MON ME TO MACH FOR MY3TE3 SO WAYKE . GGK 282
MATCHES
AND VCHE MON FOR HIS MAYSTER MACHCHES ALONE . CLN 1512
MACHES HYM WYTH THE MARYNERES MAKES HER PAYE. . PAT 99
MATE
NO MORE MATE NE DISMAYD FOR HYS MAYN DINTE3 . GGK 336
TIL AT THE LAST HE WAT3 SO MAT HE MY3T NO MORE RENNE . GGK 1568
AND I A MAN AL MORNYF MATE. . PRL 386
BOT NOW THOU MOTE3 ME FOR TO MATE . PRL 613
BOT INOW THOU MOTE3 ME FOR TO MATE . PRL 3 613
MATED
BOT QUEN MATYD IS MONNES MY3T AND HIS MYNDE PASSYDE . ERK 163
MATENS (V. MATINS)
MATER (V. MATTER)
MATERES
FYRST I MADE HEM MYSELF OF MATERES MYN ONE . PAT 503
MATERES (V. MATTERS)
MATHEW (V. MATTHEW)
MATINS
MYNSTERDORES WERE MAKYD OPON QUEN MATENS WERE SONGEN . ERK 128
ANDE THY MATYNE3 TOMORNE MEKELY I ASK . GGK 756
THE DELE HIS MATYNNES TELLE . GGK 2188
MATTER
AND MAKES THE MATER TO MALT MY MYNDE WYTHINNE . CLN 1566
AND THA3 THE MATER BE MERK THAT MERKED IS 3ENDER . CLN 1617
AND SYTHEN THE MATER OF THE MODE MENE ME THERAFTER. . CLN 1635
AND MAKE THE MATER TO MALT MY MYNDE WYTHINNE. . CLN V 1566
MATTHEW
ME MYNE3 ON ONE AMONGE OTHER AS MATHEW RECORDE3. . CLN 25
AS MATHEW MELE3 IN HIS MASSE OF THAT MAN RYCHE . CLN 51
HOW MATHEW MELEDE THAT HIS MAYSTER HIS MEYNY CON TECHE . PAT 10
AS MATHEW MELE3 IN YOUR MESSE. . PRL 497
MATYD (V. MATED)
MATYNE3 (V. MATINS)
MATYNNES (V. MATINS)
MAT3 (V. MAKE, MAKES)
MAUDELAYNE (V. MAGDALENE)
MAUGRE
THER WAT3 MALYS MERCYLES AND MAWGRE MUCH SCHEUED . CLN 250
MUCH MAUGRE HIS MUN HE MOT NEDE SUFFER. . PAT 44
MAUGREF
AND MADEE HYM MAWGREF HIS HED FORTO MWE VTTER . GGK 1565
AND MUTH 3IF HE ME MANDE MAUGREF MY CHEKES . PAT 54
MUCH 3IF HE NE ME MADE MAUGREF MY CHEKES . PAT V 54
MAW
WYTH THE MON IN HIS MAWE MALSKRED IN DREDE . PAT 255
FOR THAT MOTE IN HIS MAWE MAD HYM I TROWE. . PAT 299
MAWE (V. MAW)
MAWGRE (V. MAUGRE)
MAWGREF (V. MAUGREF)
MAY (CP. MOUN, MOWE)
MAY NOT BYDE THAT BURRE THAT HIT HIS BODY NE3E . CLN 32
EXCUSE ME AT THE COURT I MAY NOT COM THERE . CLN 70

THAT MY HOUS MAY HOLLY BY HALKE3 BY FYLLED	CLN	104
THENNE MAY THOU SE THY SAUIOR AND HIS SETE RYCHE	CLN	176
FOR FELER FAUTE3 MAY A FREKE FORFETE HIS BLYSSE.	CLN	177
FOR THEFTE AND FOR THREPYNG VNTHONK MAY MON HAUE	CLN	183
MAN MAY MYSSE THE MYRTHE THAT MUCH IS TO PRAYSE.	CLN	189
THAT EUER I MADE HEM MYSELF BOT IF I MAY HERAFTER	CLN	291
WYTH ALLE THE FODE THAT MAY BE FOUNDE FRETTE THY COFER	CLN	339
ON SPEC OF A SPOTE MAY SPEDE TO MYSSE	CLN	551
HE MAY NOT DRY3E TO DRAW ALLYT BOT DREPE3 IN HAST	CLN	599
MAY THOU TRAW FOR TYKLE THAT THOU TONNE MO3TE3	CLN	655
HOPE3 HO O3T MAY BE HARDE MY HONDE3 TO WORK	CLN	663
3IF I FORLOYNE AS A FOL THY FRAUNCHYSE MAY SERUE	CLN	750
AS THY MERSY MAY MALTE THY MEKE TO SPARE	CLN	776
AND IN THE MYRY MORNYNG 3E MAY YOUR WAYE TAKE	CLN	804
THAT WE MAY LERE HYM OF LOF AS OURE LYST BIDDE3.	CLN	843
AND NO3T MAY LENGE IN THAT LAKE THAT ANY LYF BERE3.	CLN	1023
AND THER WATER MAY WALTER TO WETE ANY ERTHE	CLN	1027
AND THE FAYREST FRYT THAT MAY ON FOLDE GROWE.	CLN	1043
THENNE VCH WY3E MAY WEL WYT THAT HE THE WLONK LOUIES	CLN	1052
HOW SCHULDE WE SE THEN MAY WE SAY THAT SYRE VPON THRONE	CLN	1112
THOU MAY SCHYNE THUR3 SCHRYFTE THA3 THOU HAF SCHOME SERUED	CLN	1115
QUAT MAY THE CAUSE BE CALLED BOT FOR HIR CLENE HWES	CLN	1119
AND HE MAY POLYCE HYM AT THE PREST BY PENAUNCE TAKEN	CLN	1131
AND THER HE WRO3T AS THE WYSE AS 3E MAY WYT HEREAFTER.	CLN	1319
THAT I MAY WYTERLY WYT WHAT THAT WRYT MENES	CLN	1567
THAT WE MAY SERUE IN HIS SY3T THER SOLACE NEUER BLYNNE3	CLN	1812
MAY NOT BYDE THAT BURNE THAT HIT HIS BODY NE3EN.	CLN V	32
FOR FELE FAUTE3 MAY A FREKE FORFETE HIS BLYSSE	CLN V	177
MAY THOU TRAW FOR TYKLE THAT THOU TEME MO3TE3	CLN V	655
THAT MAY MENE IN HIS MYNDE THAT SUCHE A MON REGNYD.	ERK	151
THAT 3E MAY LEUE VPON LONGE THAT HE IS LORD MY3TY	ERK	175
I MAY NOT BOT BOGHE TO THI BONE FOR BOTHE MYN EGHEN	ERK	194
THI BODY MAY BE ENBAWMYD HIT BASHIS ME NOGHT.	ERK	261
AND THER SITTES MY SOULE THAT SE MAY NO FYRRE	ERK	293
MY SOULE MAY SITTE THER IN SOROW AND SIKE FUL COLDE	ERK	305
AND HE THAT WAN WAT3 NOT WROTHE THAT MAY 3E WEL TRAWE.	GGK	70
FOR VCH WY3E MAY WEL WIT NO WONT THAT THER WERE.	GGK	131
3E MAY BE SEKER BI THIS BRAUNCH THAT I BERE HERE	GGK	265
THAT THOU ME TELLE TRULY AS I TRYST MAY	GGK	380
I MAY BE FUNDE VPON FOLDE AND FOCH THE SUCH WAGES	GGK	396
THEN MAY THOU FRAYST MY FARE AND FORWARDE3 HOLDE	GGK	409
FOR THOU MAY LENG IN THY LONDE AND LAYT NO FYRRE	GGK	411
AND MELED THUS MUCH WITH HIS MUTHE AS 3E MAY NOW HERE.	GGK	447
NEUERTHELECE TO MY METE I MAY ME WEL DRES.	GGK	474
FOR I HAF SEN A SELLY I MAY NOT FORSAKE	GGK	475
WHAT MAY MON DO BOT FONDE	GGK	565
WICH SPEDE IS IN SPECHE VNSPURD MAY WE LERNE.	GGK	918
I HOPE THAT MAY HYM HERE	GGK	926
A MENSK LADY ON MOLDE MON MAY HIR CALLE	GGK	964
3E ARE A SLEPER VNSLY3E THAT MON MAY SLYDE HIDER	GGK	1209
NOW AR 3E TAN ASTYT BOT TRUE VS MAY SCHAPE	GGK	1210
HIT MAY BE SUCH HIT IS THE BETTER AND 3E ME BREUE WOLDE	GGK	1393
MA FAY QUOTH THE MERE WYF 3E MAY NOT BE WERNED	GGK	1495
3E MAY LACH QUEN YOW LYST AND LEUE QUEN YOW THYNKKE3	GGK	1502
WITH ALLE THE MANERLY MERTHE THAT MON MAY OF TELLE.	GGK	1656
MAKE WE MERY QUYL WE MAY AND MYNNE VPON JOYE.	GGK	1681
FOR THE LUR MAY MON LACH WHENSO MON LYKE3.	GGK	1682
A MON HOW MAY THOU SLEPE	GGK	1746
I MAY BOT MOURNE VPON MOLDE AS MAY THAT MUCH LOUYES	GGK	1795

I MAY BOT MOURNE VPON MOLDE AS MAY THAT MUCH LOUYES	GGK	1795
THAT I MAY MYNNE ON THE MON MY MOURNYNG TO LASSEN	GGK	1800
COM 3E THERE 3E BE KYLLED MAY THE KNY3T REDE.	GGK	2111
3E MAY NOT YOW DEFENDE	GGK	2117
BOT I WYL TO THE CHAPEL FOR CHAUNCE THAT MAY FALLE.	GGK	2132
OF STEUEN MON MAY THE TROWE	GGK	2238
AND KEPE THY KANEL AT THIS KEST 3IF HIT KEUER MAY	GGK	2298
FOR HIT IS GRENE AS MY GOUNE SIR GAWAYN 3E MAYE.	GGK	2396
AND I MOT NEDE3 HIT WERE WYLE I MAY LAST	GGK	2510
FOR NON MAY HYDEN HIS HARME BOT VNHAP NE MAY HIT	GGK	2511
FOR NON MAY HYDEN HIS HARME BOT VNHAP NE MAY HIT	GGK	2511
SUFFRAUNCE MAY ASWAGEN HEM AND THE SWELME LETHE.	PAT	3
AND QUO FOR THRO MAY NO3T THOLE THE THIKKER HE SUFFERES	PAT	6
AND HER MALYS IS SO MUCH I MAY NOT ABIDE	PAT	70
HIT MAY NOT BE THAT HE IS BLYNDE THAT BIGGED VCHE Y3E.	PAT	124
AND QUEN THE GULTY IS GON WHAT MAY GOME TRAWE	PAT	175
BOT HE THAT RULES THE RAK MAY RWE ON THOSE OTHER	PAT	176
THAT I MAY LACHCHE NO LONT AND THOU MY LYF WELDES	PAT	322
HIT MAY WEL BE THAT MESTER WERE HIS MANTYLE TO WASCHE.	PAT	342
WHAT WOTE OTHER WYTE MAY 3IF THE WY3E LYKES	PAT	397
THAT IN HIS MYLDE AMESYNG HE MERCY MAY FYNDE.	PAT	400
WYTH ALLE MESCHEF THAT THOU MAY NEUER THOU ME SPARE3	PAT	484
THAT MAY NOT SYNNE IN NO SYT HEMSELUEN TO GREUE.	PAT	517
I MAY NOT BE SO MALICIOUS AND MYLDE BE HALDEN	PAT	522
FLOR AND FRYTE MAY NOT BE FEDE	PRL	29
BYCAWSE THOU MAY WYTH Y3EN.ME.SE.	PRL	296
THAT MAY NO IOYFOL JUELER	PRL	300
THAT VCHE GOD MON MAY EUEL BYSEME	PRL	310
BOT THAT HYS ONE SKYL MAY DEM.	PRL	312
BOT DURANDE DOEL WHAT MAY MEN DEME	PRL	336
WHEN THOU NO FYRRE MAY TO NE FRO.	PRL	347
THY PRAYER MAY HYS PYTE BYTE	PRL	355
HYS COMFORTE MAY THY LANGOUR LYTHE	PRL	357
BLYSFUL QUOTH I MAY THYS BE TRWE.	PRL	421
MAKELE3 MODER AND MYRYEST MAY.	PRL	435
ALLE THAT MAY THERINNE ARYUE	PRL	447
I MAY NOT TRAW SO GOD ME SPEDE	PRL	487
AND HE MAY DO NOTHYNK BOT RY3T	PRL	496
AND FYRRE THAT NON ME MAY REPRENE	PRL	544
GRACE INNOGH THE MON MAY HAUE.	PRL	661
THE GYLTYF MAY COUNTRYSSYOUN HENTE	PRL	669
THOU MAY HIT WYNNE IF THOU BE WY3TE.	PRL	694
ALEGGE THE RY3T THOU MAY BE INNOME	PRL	703
MY MAKELE3 LAMBE THAT AL MAY BETE	PRL	757
QUAT KYN THYNG MAY BE THAT LAMBE.	PRL	771
A MAKELE3 MAY AND MASKELLE3	PRL	780
AND THAT MAY I WYTH MENSK MENTEENE	PRL	783
LASSE OF BLYSSE MAY NON VS BRYNG.	PRL	853
THAT MOTELES MEYNY MAY NEUER REMWE	PRL	899
THER LYUE3 LYSTE MAY NEUER LOSE	PRL	908
NE MANER THER 3E MAY METE AND WON	PRL	918
MOTELE3 MAY SO MEKE AND MYLDE.	PRL	961
THOU MAY NOT ENTER WYTHINNE HYS TOR.	PRL	966
THOU MAY BOT INWYTH NOT A FOTE	PRL	970
THE MONE MAY THEROF ACROCHE NO MY3TE	PRL	1069

MAYDEN (V. MAIDEN)
MAYDENES (V. MAIDENS)
MAYDENE3 (V. MAIDENS)
MAYDENNE3 (V. MAIDENS)

MAYE (V. MAY)
MAYME3 (V. MAIMS)
MAYN (ALSO V. MAIN)
AND AGRAUAYN A LA DURE MAYN ON THAT OTHER SYDE SITTES. . . . . GGK 110
MAYNFUL (V. MAINFUL)
MAYNLY (V. MAINLY)
MAYNTEINES (V. MAINTAINS)
MAYNTNAUNCE (V. MAINTENANCE)
MAYNTYNE (V. MAINTAIN)
MAYNY (V. MEINIE)
MAYNYMOLDE (V. MAIN-MOLD)
MAYOR
QUEN THE MAIRE WITH HIS MEYNYE THAT MERUAILE ASPIED . . . . . ERK 65
THE MAIRE WITH MONY MA3TI MEN AND MACERS BEFORE HYM . . . . . ERK 143
MAYSTER (V. MASTER)
MAYSTERES (V. MASTERS)
MAYSTERE3 (V. MASTERS)
MAYSTERFUL (V. MASTERFUL)
MAYSTERMON (V. MASTER-MAN)
MAYSTERRY (V. MASTERY)
MAYSTERTON (V. MASTER-TOWN)
MAYSTERY (V. MASTERY)
MAYSTER3 (V. MASTERS)
MAYSTRES (V. MASTERIES)
MAYSTRIE (V. MASTERY)
MAZE
THAT AMOUNTED THE MASE HIS MERCY WAT3 PASSED. . . . . CLN 395
MA3T (V. MIGHT)
MA3TI (V. MIGHTY)
MA3TY (V. MIGHTY)
MA3TYLY (V. MIGHTILY)
ME (APP. 1)
MEADOWS
THOR3 THE LYST OF THE LYFTE BI THE LO3 MEDOES . . . . CLN 1761
MEAGER
FRO THAT METE WAT3 MYST MEGRE THAY WEXEN . . . . CLN 1198
MEAL
BOT AS SMYLT MELE VNDER SMAL SIUE SMOKE3 FOR THIKKE . . . . . CLN 226
THRE METTE3 OF MELE MENGE AND MA KAKE3. . . . . CLN 625
BOT AS SMYLT MELE VNDER SMAL SIUE SMOKE3 FORTHIKKE. . . . . . CLN V 226
BOTHE AT MES AND AT MELE MESSES FUL QUAYNT . . . . GGK 999
MEALS
HUNGRIE INWITH HELLEHOLE AND HERKEN AFTER MEELES . . . . ERK 307
MEAN
WHAT THE MAYSTERRY WAT3 MENE THE MEN WERN AWAY . . . . CLN 1241
AND SYTHEN THE MATER OF THE MODE MENE ME THERAFTER. . . . . . CLN 1635
BOT ALLE MUSET HIT TO MOUTHE AND QUAT HIT MENE SHULDE. . . . . ERK 54
THAT MAY MENE IN HIS MYNDE THAT SUCHE A MON REGNYD. . . . . . ERK 151
FOR VCH MON HAD MERUAYLE QUAT HIT MENE MY3T . . . . GGK 233
THOU NE WOSTE IN WORLDE QUAT ON DOT3 MENE. . . . . PRL 293
THAT MOTE THOU MENE3 IN JUDY LONDE . . . . PRL 937
THAT NYS TO YOW NO MORE TO MENE . . . . PRL 951
MEANING
IN MENYNG OF MANERE3 MERE . . . . GGK 924
MEANS
THAT I MAY WYTERLY WYT WHAT THAT WRYT MENES . . . . CLN 1567
MANE MENES ALS MUCH AS MAYNFUL GODE. . . . . CLN 1730
TO TECHE THE OF TECHAL THAT TERME THUS MENES. . . . . CLN 1733
MEASURABLE

THENNE HE MELED TO THO MEN MESURABLE WORDE3 . . . . CLN 859
MEASURE
IN THE MESURE OF HIS MODE HIS MET3 NEUER THE LASSE. . . . . . CLN 215
AL IN MESURE AND METHE WAT3 MAD THE VENGAUNCE . . . . CLN 247
IN THE MESURE OF HIS MODE AND METHE OF HIS WYLLE . . . . . . CLN 565
NE THE MESURE OF THI MERCY NE THI MECUL VERTUE . . . . ERK 286
ON THE MOST ON THE MOLDE ON MESURE HYGHE . . . . GGK 137
HIS MY3T AND HIS MERCI HIS MESURE THENNE . . . . PAT 295
ER MYNDE MO3T MALTE IN HIT MESURE . . . . PRL 224
MEAT
SO WITH MARSCHAL AT HER METE MENSKED THAY WERE . . . . CLN 118
BOTHE WITH MENSKE AND WYTH METE AND MYNSTRASY NOBLE . . . . . CLN 121
NOW INMYDDE3 THE METE THE MAYSTER HYM BITHO3T . . . . CLN 125
HOW ALLE FODE3 THER FARE ELLE3 HE FYNDE METE. . . . . CLN 466
MYNYSTRED METE BYFORE THO MEN THAT MY3TES AL WELDE3 . . . . . CLN 644
WHEN THE METE WAT3 REMUED AND THAY OF MENSK SPEKEN. . . . . . CLN 646
AND HIS MEN AMONESTES METE FOR TO DY3T. . . . . CLN 818
FRO THAT METE WAT3 MYST MEGRE THAY WEXEN . . . . CLN 1198
HE FARES FORTH ON ALLE FAURE FOGGE WAT3 HIS METE . . . . . . CLN 1683
WITH ALLE THE METE AND THE MIRTHE THAT MEN COUTHE AVYSE . . . . GGK 45
ALLE THIS MIRTHE THAY MADEN TO THE METE TYME. . . . . GGK 71
NEUERTHELECE TO MY METE I MAY ME WEL DRES. . . . . GGK 474
WYTH ALLE MANER OF METE AND MYNSTRALCIE BOTHE . . . . GGK 484
FOR AFTTER METE WITH MOURNYNG HE MELE3 TO HIS EME . . . . . . GGK 543
THE WY3E WESCHE AT HIS WYLLE AND WENT TO HIS METE . . . . . . GGK 887
THER WAT3 METE THER WAT3 MYRTHE THER WAT3 MUCH IOYE . . . . . GGK 1007
TOMORN QUYLE THE MESSEQUYLE AND TO METE WENDE . . . . GGK 1097
AND THENNE HE MEUED TO HIS METE THAT MENSKLY HYM KEPED . . . . GGK 1312
SO THAT THE METE AND THE MASSE WAT3 METELY DELYUERED . . . . . GGK 1414
AL WER WE DAMPNED FOR THAT METE . . . . PRL 641
MEATS
IN NOTYNG OF NWE METES AND OF NICE GETTES. . . . . CLN 1354
DAYNTES DRYUEN THERWYTH OF FUL DERE METES. . . . . GGK 121
WITH MERTHE AND MYNSTRALSYE WYTH METE3 AT HOR WYLLE . . . . . GGK 1952
MECHE (V. MUCH)
MECUL (V. MUKEL)
MED (CP. METTE3)
HE3E HOUSES WYTHINNE THE HALLE TO HIT MED. . . . . CLN 1391
MEDE (V. MEED)
MEDECYN (V. MEDICINE)
MEDES (ALSO V. MEEDS)
THE MEDES SCHAL BE MAYSTERES HERE AND THOU OF MENSKE SCHOWUED . CLN 1740
HIT WAT3 THE DERE DARYUS THE DUK OF THISE MEDES. . . . . . . CLN 1771
FOR THE MAYSTER OF THYSE MEDES ON THE MORNE RYSES . . . . . . CLN 1793
MEDE3 (V. MEEDS)
MEDICINE
BOT MENDYD WITH A MEDECYN 3E ARE MADE FOR TO LYUYE. . . . . . ERK 298
MEDOES (V. MEADOWS)
MEED
IF THAY IN CLANNES BE CLOS THAY CLECHE GRET MEDE . . . . . . CLN 12
IF THOU WYTH QUAYNTYSE CONQUERE HIT I QUYTE THE THY MEDE. . . . CLN 1632
NE FOR MAYSTRIE NE FOR MEDE NE FOR NO MOUNES AGHE . . . . . . ERK 234
A3T HAPPES HE HEM HY3T AND VCHE ON A MEDE. . . . . PAT 11
FOR MERCY IN ALLE MANERES HER MEDE SCHAL WORTHE. . . . . . . PAT 22
AND BY QUEST OF HER QUOYNTYSE ENQUYLEN ON MEDE . . . . PAT 39
THENNE THRAT MOSTE I THOLE AND VNTHONK TO MEDE . . . . PAT 55
THE MEDE SUMTYME OF HEUENE3 CLERE . . . . PRL 620
MEEDS
THER AS HE HEUENED A3T HAPPE3 AND HY3T HEM HER MEDE3 . . . . . CLN 24

THEN FOR AL THE MERITORIE MEDES THAT MEN ON MOLDE VSEN . . . . ERK 270
MEEK
MEKE MAYSTER ON THY MON TO MYNNE IF THE LYKED . . . . CLN 771
AS THY MERSY MAY MALTE THY MEKE TO SPARE . . . . CLN 776
THAT WER MAYDENE3 FUL MEKE MARYED NOT 3ET. . . . . CLN 815
FOR MEKE ARN ALLE THAT WONE3 HYM NERE . . . . PRL 404
AS MEKE AS LOMP THAT NO PLAYNT TOLDE . . . . PRL 815
FOR MODE SO MEKE AND AL HYS FARE. . . . . PRL 832
MOTELE3 MAY SO MEKE AND MYLDE. . . . . PRL 961
MEEKENED
AND OFTE HIT MEKNED HIS MYNDE HIS MAYSTERFUL WERKKES . . . . . CLN 1328
MEEKEST
IN MANTEL FOR THE MEKEST AND MONLOKEST ON BENCHE . . . . . . ERK 250
MEEKLY
MEUANDE MEKELY TOGEDER AS MYRY MEN 3ONGE . . . . CLN 783
ANDE THY MATYNE3 TOMORNE MEKELY I ASK . . . . GGK 756
MEEKNESS
THAY AR HAPPEN ALSO THAT HAUNTE MEKENESSE. . . . . PAT 15
DAME MEKENESSE DAME MERCY AND MIRY CLANNESSE. . . . . PAT 32
BE DEP DEUOTE IN HOL MEKENESSE . . . . PRL 406
MEELES (V. MEALS)
MEERE (V. MARE)
MEET
AND AY THOU MENG WYTH THE MALE3 THE METE HOBESTE3 . . . . . . CLN 337
METE MESSE3 OF MYLKE HE MERKKE3 BYTWENE . . . . CLN 637
HE ROS VP FUL RADLY AND RAN HEM TO METE . . . . CLN 797
HIS MY3T METE TO GODDES HE MADE WYTH HIS WORDES. . . . . . . CLN 1662
FOR TO METE WYTH MENSKE THE MON ON THE FLOR . . . . GGK 834
TO METE THAT MON AT THAT MERE 3IF I MY3T LAST . . . . GGK 1061
IS RYCHED AT THE REUERENCE ME RENK TO METE . . . . GGK 2206
SIR GAWAYN THE KNY3T CON METE. . . . . GGK 2235
AND AY THY MERCY IS METE BE MYSSE NEUER SO HUGE. . . . . . . PAT 420
WHY SCHAL I HIT BOTHE MYSSE AND METE . . . . PRL 329
WE METEN SO SELDEN BY STOK OTHER STON . . . . PRL 380
THE THRYDE TYME IS THERETO FUL METE. . . . . PRL 833
NE MANER THER 3E MAY METE AND WON . . . . PRL 918
THE ALMY3TY WAT3 HER MYNSTER METE . . . . PRL 1063
MEETLY
WAS METELY MADE OF THE MARBRE AND MENSKEFULLY PLANEDE. . . . . ERK 50
EUEN INMYDDE3 AS THE MESSE METELY COME. . . . . GGK 1004
SO THAT THE METE AND THE MASSE WAT3 METELY DELYUERED . . . . . GGK 1414
MEETS
AT THE GRENE CHAPEL WHEN HE THE GOME METES . . . . GGK 1753
HE METE3 ME THIS GODMON INMYDDE3 THE FLORE . . . . GGK 1932
MEGRE (V. MEAGER)
MEINIE
THE MAKE3 OF THY MYRY SUNE3 THIS MEYNY OF A3TE . . . . CLN 331
A MESSAGE FRO THAT MEYNY HEM MOLDE3 TO SECHE. . . . . CLN 454
ALLE THE MUKEL MAYNY ON MOLDE FOR NO MANNE3 SYNNE3. . . . . . CLN V 514
QUEN THE MAIRE WITH HIS MEYNYE THAT MERUAILE ASPIED . . . . . ERK 65
AT VCH FARAND FEST AMONG HIS FRE MENY . . . . GGK 101
THENNE COMAUNDED THE SYRE IN THAT SALE TO SAMEN ALLE THE MENY . GGK 1372
THE GOUDE LADYE3 WERE GETEN AND GEDERED THE MEYNY . . . . . . GGK 1625
AND 3E HE LAD HEM BI LAGMON THE LORDE AND HIS MEYNY . . . . . GGK 1729
BOTHE THE MON AND THE MEYNY MADEN MONY IAPE3. . . . . GGK 1957
SYTHEN FRO THE MEYNY HE MENSKLY DEPARTES . . . . GGK 1983
ALLE THE MEYNY OF RENOUN . . . . GGK 2045
HERE IS A MEYNY IN THIS MOTE THAT ON MENSKE THENKKE3 . . . . . GGK 2052
MAKE MYRY IN MY HOUS MY MENY THE LOUIES . . . . GGK 2468

Headword	Quotation	Source	Line
	THENNE COMAUNDED THE LORDE IN THAT SALE TO SAMEN ALLE THE MENY.	GGK V	1372
	HOW MATHEW MELEDE THAT HIS MAYSTER HIS MEYNY CON TECHE	PAT	10
	CALLED TO THE REUE LEDE PAY THE MEYNY	PRL	542
	BOT THAT MEYNY THE LOMBE THAT SWE	PRL	892
	THAT MOTELES MEYNY MAY NEUER REMWE	PRL	899
	THYS MOTELE3 MEYNY THOU CONE3 OF MELE	PRL	925
	TO THE MEYNY THAT IS WYTHOUTEN MOTE.	PRL	960
	TO LOUE THE LOMBE HIS MEYNY IN MELLE	PRL	1127
	I LOKED AMONG HIS MEYNY SCHENE	PRL	1145
MEKELY (V. MEEKLY)			
MEKENESSE (V. MEEKNESS)			
MEKEST (V. MEEKEST)			
MEKNED (V. MEEKENED)			
MELE (ALSO V. MEAL)			
	3IF I MELE A LYTTEL MORE THAT MUL AM AND ASKE3	CLN	736
	FOR TO MELE WYTH SUCH A MAYSTER AS MY3TE3 HAT3 ALLE	CLN	748
	THEN MURYLY EFTE CON HE MELE THE MON IN THE GRENE	GGK	2295
	THE PROFETE YSAYE OF HYM CON MELLE	PRL	797
	THYS MOTELE3 MEYNY THOU CONE3 OF MELE	PRL	925
	TO MUCH HIT WERE OF FOR TO MELLE.	PRL	1118
	O MOUL THOU MARRE3 A MYRY MELE	PRL 2	23
MELED			
	THENNE HE MELED TO THO MEN MESURABLE WORDE3	CLN	859
	AND MELED THUS MUCH WITH HIS MUTHE AS 3E MAY NOW HERE.	GGK	447
	THUS THAY MELED OF MUCHQUAT TIL MYDMORN PASTE	GGK	1280
	THE FORME WORDE VPON FOLDE THAT THE FREKE MELED.	GGK	2373
	HOW MATHEW MELEDE THAT HIS MAYSTER HIS MEYNY CON TECHE	PAT	10
	I HAF MELED WYTH THY MAYSTRES MONY LONGE DAY.	PAT	329
	THEN MORE I MELED AND SAYDE APERT	PRL	589
MELEDE (V. MELED)			
MELEE			
	THIS MELLY MOT BE MYNE	GGK	342
	AND QUERESOEUER THYS MON IN MELLY WAT3 STAD	GGK	644
MELE3			
	AS MATHEW MELE3 IN HIS MASSE OF THAT MAN RYCHE	CLN	51
	FOR AFTTER METE WITH MOURNYNG HE MELE3 TO HIS EME	GGK	543
	HE KYSSES HIR COMLYLY AND KNY3TLY HE MELE3	GGK	974
	THENN HE MELE3 MURYLY WYTH A MUCH STEUEN	GGK	2336
	AS MATHEW MELE3 IN YOUR MESSE.	PRL	497
MELL			
	THE BLOD IN HIS FACE CON MELLE	GGK	2503
MELLE (ALSO V. MELE, MELL)			
	AND MAYME3 THE MUTE INN MELLE.	GGK	1451
	TO LOUE THE LOMBE HIS MEYNY IN MELLE	PRL	1127
MELLED			
	MECHE MOURNYNGE AND MYRTHE WAS MELLYD TOGEDER	ERK	350
MELLY (V. MELEE)			
MELLYD (V. MELLED)			
MELT			
	AS THY MERSY MAY MALTE THY MEKE TO SPARE	CLN	776
	AND MAKES THE MATER TO MALT MY MYNDE WYTHINNE	CLN	1566
	AND MAKE THE MATER TO MALT MY MYNDE WYTHINNE.	CLN V	1566
	TO MALTE SO OUT OF MEMORIE BOT MERUAYLE HIT WERE	ERK	158
	ER MYNDE MO3T MALTE IN HIT MESURE	PRL	224
MELTED			
	MIST MUGED ON THE MOR MALT ON THE MOUNTE3.	GGK	2080
	MY MANE3 MYNDE TO MADDYNG MALTE	PRL	1154
MEMBER			
	GAWAYN GRAYTHELY HIT BYDE3 AND GLENT WITH NO MEMBRE	GGK	2292

Entry	Text	Line
MEMBERS		
AL ARN WE MEMBRE3 OF JESU KRYST	PRL	458
MEMBRE (V. MEMBER)		
MEMBRE3 (V. MEMBERS)		
MEMORIE (V. MEMORY)		
MEMORY		
AS 3ET IN CRAFTY CRONECLES IS KYDDE THE MEMORIE.	ERK	44
TO MALTE SO OUT OF MEMORIE BOT MERUAYLE HIT WERE	ERK	158
MEN		
CLENE MEN IN COMPAYNYE FORKNOWEN WERN LYTE	CLN	119
THE GOME WAT3 VNGARNYST WYTH GOD MEN TO DELE.	CLN	137
THOSE WERN MEN METHELE3 OF MA3TY ON VRTHE.	CLN	273
WHEDER WONDERLY HE WRAK ON WYKKED MEN AFTER	CLN	570
MYNYSTRED METE BYFORE THO MEN THAT MY3TES AL WELDE3	CLN	644
AMONG THO MANSED MEN THAT HAN THE MUCH GREUED	CLN	774
MEUANDE MEKELY TOGEDER AS MYRY MEN 3ONGE	CLN	783
AS HE STARED INTO THE STRETE THER STOUT MEN PLAYED.	CLN	787
HE SY3E THER SWEY IN ASENT SWETE MEN TWEYNE	CLN	788
AND HIS MEN AMONESTES METE FOR TO DY3T.	CLN	818
3ETE VS OUT THOSE 3ONG MEN THAT 3OREWHYLE HERE ENTRED.	CLN	842
THENNE HE MELED TO THO MEN MESURABLE WORDE3	CLN	859
THAT AR MAYDENE3 VNMARD FOR ALLE MEN 3ETTE	CLN	867
BOT THAT THE 3ONGE MEN SO 3EPE 3ORNEN THEROUTE	CLN	881
AND OTHER TWO MYRI MEN THO MAYDENE3 SCHULDE WEDDE	CLN	934
HE PURSUED INTO PALASTYN WYTH PROUDE MEN MONY	CLN	1177
AND STOFFED WYTHINNE WYTH STOUT MEN TO STALLE HEM THEROUTE	CLN	1184
HE WAT3 MAYSTER OF HIS MEN AND MY3TY HIMSELUEN	CLN	1237
WHAT THE MAYSTERRY WAT3 MENE THE MEN WERN AWAY	CLN	1241
TO ROSE HYM IN HIS RIALTY RYCH MEN SO3TTEN	CLN	1371
THAT SCHAL HALDE IN HERITAGE THAT I HAF MEN 3ARKED.	CLN V	652
MONY HUNDRID HENDE MEN HIGHIDE THIDER SONE	ERK	58
THE MYSTERIE OF THIS MERUAILE THAT MEN OPON WONDRES	ERK	125
MEN VNCLOSID HYM THE CLOYSTER WITH CLUSTREDE KEIES.	ERK	140
THE MAIRE WITH MONY MA3TI MEN AND MACERS BEFORE HYM	ERK	143
HIT IS MERUAILE TO MEN THAT MOUNTES TO LITELLE	ERK	160
AND HADES NO LONDE OF LEGE MEN NE LIFE NE LYM AGHTES	ERK	224
THAGHE MEN MENSKID HIM SO HOW HIT MY3T WORTHE	ERK	258
AND MOSTE HE MENSKES MEN FOR MYNNYNGE OF RI3TES.	ERK	269
THEN FOR AL THE MERITORIE MEDES THAT MEN ON MOLDE VSEN	ERK	270
MA3TY MAKER OF MEN THI MYGHTES ARE GRETE	ERK	283
THAT A SELLY IN SI3T SUMME MEN HIT HOLDEN.	GGK	28
WITH ALLE THE METE AND THE MIRTHE THAT MEN COUTHE AVYSE	GGK	45
FOR WONDER OF HIS HWE MEN HADE	GGK	147
THE KNY3T OF THE GRENE CHAPEL MEN KNOWEN ME MONY	GGK	454
A MERUAYL AMONG THO MENNE	GGK	466
THER ALLE MEN FOR MERUAYL MY3T ON HIT LOKE	GGK	479
THE KYNG AND THE GODE KNY3T AND KENE MEN HEM SERUED	GGK	482
FOR THA3 MEN BEN MERY IN MYNDE QUEN THAY HAN MAYN DRYNK	GGK	497
SIR BOOS AND SIR BYDUER BIG MEN BOTHE	GGK	554
AND SYTHEN STABELED HIS STEDE STIF MEN INNO3E	GGK	823
IN FELDE THER FELLE MEN FO3T	GGK	874
AND ALLE THE MEN IN THAT MOTE MADEN MUCH JOYE	GGK	910
BYFORE ALLE MEN VPON MOLDE HIS MENSK IS THE MOST	GGK	914
SPYCE3 THAT VNSPARELY MEN SPEDED HOM TO BRYNG	GGK	979
DERF MEN VPON DECE DREST OF THE BEST	GGK	1000
MONY WAT3 THE MYRY MOUTHE OF MEN AND OF HOUNDE3.	GGK	1447
AFTER MESSE A MORSEL HE AND HIS MEN TOKEN.	GGK	1690
AND HAUE NO MEN WYTH NO MALE3 WITH MENSKFUL THINGE3	GGK	1809
HIT WAT3 THE MYRIEST MUTE THAT EUER MEN HERDE	GGK	1915

THAY MADEN AS MERY AS ANY MEN MO3TEN . . . GGK 1953
OF THAT SCHENDED SCHYP MEN SCHOWUED HYM SONE. . . PAT 246
TO MANACE ALLE THISE MODY MEN THAT IN THIS MOTE DOWELLE3. . . PAT 422
WY BORDE 3E MEN SO MADDE 3E BE . . . PRL 290
WHAT SERUE3 TRESOR BOT GARE3 MEN GRETE. . . PRL 331
BOT DURANDE DOEL WHAT MAY MEN DEME . . . PRL 336
AND YDEL MEN STANDE HE FYNDE3 THERATE . . . PRL 514
AND NW MEN TO HYS VYNE HE BRO3TE. . . PRL 527
HE SE3 THER YDEL MEN FUL STRONGE. . . PRL 531
THUS PORE MEN HER PART AY PYKE3 . . . PRL 573
TWO MEN TO SAUE IS GOD BY SKYLLE. . . PRL 674
ANENDE RY3TWYS MEN 3ET SAYT3 A GOME. . . PRL 697
TYT SCHAL HEM MEN THE 3ATE VNPYNNE . . . PRL 728
AS STREMANDE STERNE3 QUEN STROTHE MEN SLEPE . . . PRL 1 115
WHAT SERUE3 TRESOR BOT GARE MEN GRETE . . . PRL 2 331
AS STREMANDE STERNE3 QUEN STROTHE MEN SLEPE . . . PRL 3 115

MENACE
NE FOR NO MONNES MANAS NE MESCHEFE NE ROUTHE. . . ERK 240
TO MANACE ALLE THISE MODY MEN THAT IN THIS MOTE DOWELLE3. . . PAT 422

MENACED
FYRST I MANSED THE MURYLY WITH A MYNT ONE. . . GGK 2345

MENDDYNG (V. MENDING)

MENDED
BOT MENDYD WITH A MEDECYN 3E ARE MADE FOR TO LYUYE. . . ERK 298
AND ACHAUFED HYM CHEFLY AND THENNE HIS CHER MENDED. . . GGK 883

MENDE3 (V. MENDS)

MENDING
WYLT THOU MESE THY MODE AND MENDDYNG ABYDE . . . CLN 764
IF POSSYBLE WERE HER MENDYNG . . . PRL 452

MENDS
THY MENDE3 MOUNTE3 NOT A MYTE. . . PRL 351

MENDYD (V. MENDED)

MENDYNG (V. MENDING)

MENE
MANE TECHAL PHARES MERKED IN THRYNNE . . . CLN 1727
MANE MENES ALS MUCH AS MAYNFUL GODE. . . CLN 1730

MENE (V. MEAN)

MENES (V. MEANS)

MENE3 (V. MEAN)

MENG
AND AY THOU MENG WYTH THE MALE3 THE METE HOBESTE3 . . . CLN 337
THRE METTE3 OF MELE MENGE AND MA KAKE3. . . CLN 625

MENGE (V. MENGE)

MENGED
WHEN ALLE THE MUTE HADE HYM MET MENGED TOGEDER . . . GGK 1720

MENNE (V. MEN)

MENSCLA3T
FOR MONSWORNE AND MENSCLA3T AND TO MUCH DRYNK . . . CLN 182

MENSK
BOTHE WITH MENSKE AND WYTH METE AND MYNSTRASY NOBLE . . . CLN 121
MULTYPLYE3 ON THIS MOLDE AND MENSKE YOW BYTYDE . . . CLN 522
WHEN THE METE WAT3 REMUED AND THAY OF MENSK SPEKEN. . . CLN 646
THE MEDES SCHAL BE MAYSTERES HERE AND THOU OF MENSKE SCHOWUED . CLN 1740
AND THER A MARCIALLE HYR METTE WITH MENSKE ALDERGRATTEST. . . ERK 337
FOR TO METE WYTH MENSKE THE MON ON THE FLOR . . . GGK 834
BYFORE ALLE MEN VPON MOLDE HIS MENSK IS THE MOST . . . GGK 914
A MENSK LADY ON MOLDE MON MAY HIR CALLE . . . GGK 964
HERE IS A MEYNY IN THIS MOTE THAT ON MENSKE THENKKE3 . . . GGK 2052

A MAYDEN OF MENSKE FUL DEBONERE	PRL	162
AND THAT MAY I WYTH MENSK MENTEENE	PRL	783
MENSKE (V. MENSK)		
MENSKED		
SO WITH MARSCHAL AT HER METE MENSKED THAY WERE	CLN	118
THAGHE MEN MENSKID HIM SO HOW HIT MY3T WORTHE	ERK	258
A MERE MANTILE ABOF MENSKED WITHINNE	GGK	153
MENSKEFULLY		
WAS METELY MADE OF THE MARBRE AND MENSKEFULLY PLANEDE.	ERK	50
MENSKES		
THE ABYT THAT THOU HAT3 VPON NO HALYDAY HIT MENSKE3	CLN	141
AND MOSTE HE MENSKES MEN FOR MYNNYNGE OF RI3TES.	ERK	269
AND HE 3ELDE HIT YOW 3ARE THAT 3ARKKE3 AL MENSKES	GGK	2410
MENSKE3 (V. MENSKES)		
MENSKFUL		
AND MONY OTHER MENSKFUL WITH MADOR DE LA PORT	GGK	555
BI MARY QUOTH THE MENSKFUL ME THYNK HIT ANOTHER.	GGK	1268
AND HAUE NO MEN WYTH NO MALE3 WITH MENSKFUL THINGE3	GGK	1809
MENSKID (V. MENSKED)		
MENSKLY		
AND THENNE HE MEUED TO HIS METE THAT MENSKLY HYM KEPED	GGK	1312
SYTHEN FRO THE MEYNY HE MENSKLY DEPARTES	GGK	1983
MENTEENE (V. MAINTAIN)		
MENY (V. MEINIE)		
MENYD (V. MOANED)		
MENYNG (V. MEANING)		
MENYUER (V. MINIVER)		
MERCI (V. MERCY)		
MERCILES (V. MERCILESS)		
MERCILESS		
THER WAT3 MALYS MERCYLES AND MAWGRE MUCH SCHEUED	CLN	250
AND THAT HAN WE MYSTE ALLE MERCILES MYSELFE AND MY SOULE. . . .	ERK	300
MERCY		
THAT AMOUNTED THE MASE HIS MERCY WAT3 PASSED.	CLN	395
I GRAUNT QUOTH THE GRETE GOD GRAUNT MERCY THAT OTHER	CLN	765
AS THY MERSY MAY MALTE THY MEKE TO SPARE	CLN	776
HOW MY3T THI MERCY TO ME AMOUNTE ANY TYME.	ERK	284
NE THE MESURE OF THI MERCY NE THI MECUL VERTUE	ERK	286
GRAUNT MERCY QUOTH GAWAYN	GGK	838
GRANT MERCI SIR QUOTH GAWAYN IN GOD FAYTH HIT IS YOWRE3	GGK	1037
HIT IS GOD QUOTH THE GODMON GRANT MERCY THERFORE	GGK	1392
OF THE MORE AND THE MYNNE AND MERCI BESECHE3.	GGK	1881
FOR HE IS A MON METHLES AND MERCY NON VSES	GGK	2106
GRANT MERCI QUOTH GAWAYN AND GRUCHYNG HE SAYDE	GGK	2126
FOR MERCY IN ALLE MANERES HER MEDE SCHAL WORTHE.	PAT	22
DAME MEKENESSE DAME MERCY AND MIRY CLANNESSE.	PAT	32
HAF NOW MERCY OF THY MAN AND HIS MYSDEDES.	PAT	287
HIS MY3T AND HIS MERCI HIS MESURE THENNE	PAT	295
THUR3 MY3T OF THY MERCY THAT MUKEL IS TO TRYSTE.	PAT	324
FOR THINK THAT MOUNTES TO NO3T HER MERCY FORSAKEN	PAT	332
THAT IN HIS MYLDE AMESYNG HE MERCY MAY FYNDE.	PAT	400
AND AY THY MERCY IS METE BE MYSSE NEUER SO HUGE.	PAT	420
FOR MALYSE IS NO3T TO MAYNTYNE BOUTE MERCY WYTHINNE	PAT	523
THAT MERCY SCHAL HYR CRAFTE3 KYTHE	PRL	356
BOT CRYSTES MERSY AND MARY AND JON	PRL	383
THE MERCI OF GOD IS MUCH THE MORE	PRL	576
MERCY AND GRACE MOSTE HEM THEN STERE	PRL	623
AND BE THUR3 MERCY TO GRACE THRY3T	PRL	670
MERCYABLE		

3IS THAT MAYSTER IS MERCYABLE THA3 THOU BE MAN FENNY . . . . . CLN 1113
TO OURE MERCYABLE GOD ON MOYSES WYSE . . . . PAT 238

MERCYLES (V. MERCILESS)

MERE

TOWARDE THE MERE OF MAMBRE MURNANDE FOR SOREWE . . . . CLN 778
INTO THAT MALSCRANDE MERE MARRED BYLYUE . . . . CLN 991
A MERE MANTILE ABOF MENSKED WITHINNE . . . . GGK 153
AND THENNE A MERE MANTYLE WAT3 ON THAT MON CAST. . . . . GGK 878
IN MENYNG OF MANERE3 MERE . . . . GGK 924
TO METE THAT MON AT THAT MERE 3IF I MY3T LAST . . . . GGK 1061
MA FAY QUOTH THE MERE WYF 3E MAY NOT BE WERNED . . . . GGK 1495
HAD NO MA3T IN THAT MERE NO MAN FOR TO GREUE. . . . . PAT 112
TO LASTE MERE OF VCHE A MOUNT MAN AM I FALLEN . . . . PAT 320
I SE3 BY3ONDE THAT MYRY MERE . . . . PRL 158

MERE3

BYTWENE MYRTHE3 BY MERE3 MADE. . . . . PRL 140
OUER MERUELOUS MERE3 SO MAD ARAYDE . . . . PRL 1166
BYTWENE MERE3 BY MYRTHE MADE . . . . PRL 2 140

MERGOT

TO MAHOUN AND TO MERGOT THE MONE AND THE SUNNE . . . . PAT 167

MERIT

3IF EUER THY MON VPON MOLDE MERIT DISSERUED . . . . CLN 613

MERITORIE

THEN FOR AL THE MERITORIE MEDES THAT MEN ON MOLDE VSEN . . . . ERK 270

MERK (V. MARK, MURK)
MERKED (V. MARKED)
MERKID (V. MARKED)
MERKKED (V. MARKED)
MERKKE3 (V. MARKS)

MERLIN

THE MAYSTRES OF MERLYN MONY HO HAT3 TAKEN. . . . . GGK 2448

MERRIER

THE MO THE MYRYER SO GOD ME BLESSE . . . . PRL 850

MERRIEST

THE MOST AND THE MYRIEST THAT MAKED WERN EUER . . . . CLN 254
AND MADE THERTO A MANER MYRIEST OF OTHER . . . . CLN 701
AND THAT THE MYRIEST IN HIS MUCKEL THAT MY3T RIDE . . . . . . GGK 142
HIT WAT3 THE MYRIEST MUTE THAT EUER MEN HERDE . . . . GGK 1915
WYTH THE MYRYESTE MARGARYS AT MY DEUYSE . . . . PRL 199
MAKELE3 MODER AND MYRYEST MAY. . . . . PRL 435

MERRILY

MYRYLY ON A FAYR MORN MONYTH THE FYRST. . . . . CLN 493
BI A MOUNTE ON THE MORNE MERYLY HE RYDES . . . . GGK 740
THEN MURYLY EFTE CON HE MELE THE MON IN THE GRENE . . . . . . GGK 2295
THENN HE MELE3 MURYLY WYTH A MUCH STEUEN . . . . GGK 2336
FYRST I MANSED THE MURYLY WITH A MYNT ONE. . . . . GGK 2345

MERRY

AND TO THE BEST ON THE BENCH AND BEDE HYM BE MYRY . . . . . . CLN 130
THE MAKE3 OF THY MYRY SUNE3 THIS MEYNY OF A3TE . . . . CLN 331
WITHOUTEN MAST OTHER MYKE OTHER MYRY BAWELYNE . . . . CLN 417
MEUANDE MEKELY TOGEDER AS MYRY MEN 3ONGE . . . . CLN 783
AND IN THE MYRY MORNYNG 3E MAY YOUR WAYE TAKE . . . . CLN 804
AND OTHER TWO MYRI MEN THO MAYDENE3 SCHULDE WEDDE . . . . . . CLN 934
AS SONET OUT OF SAUTERAY SONGE ALS MYRY . . . . CLN 1516
MOURKENES THE MERY WEDER AND THE MYST DRYUES. . . . . CLN 1760
MONY A MERY MASON WAS MADE THER TO WYRKE . . . . ERK 39
FOR THA3 MEN BEN MERY IN MYNDE QUEN THAY HAN MAYN DRYNK . . . GGK 497
THE LORDE LET FOR LUF LOTE3 SO MYRY. . . . . GGK 1086
MADAME QUOTH THE MYRY MON MARY YOW 3ELDE . . . . GGK 1263

AND MADE MYRY AL DAY TIL THE MONE RYSED GGK 1313
MONY WAT3 THE MYRY MOUTHE OF MEN AND OF HOUNDE3. GGK 1447
THE LORDE FUL LOWDE WITH LOTE LA3ED MYRY GGK 1623
MAKE WE MERY QUYL WE MAY AND MYNNE VPON JOYE. GGK 1681
MIRY WAT3 THE MORNYNG HIS MOUNTURE HE ASKES GGK 1691
IN A MERY MANTYLE METE TO THE ERTHE. GGK 1736
AND SYTHEN HE MACE HYM AS MERY AMONG THE FRE LADYES GGK 1885
THUS MYRY HE WAT3 NEUER ARE GGK 1891
THAY MADEN AS MERY AS ANY MEN MO3TEN GGK 1953
MAKE MYRY IN MY HOUS MY MENY THE LOUIES GGK 2468
DAME MEKENESSE DAME MERCY AND MIRY CLANNESSE. PAT 32
O MOUL THOU MARRE3 A MYRY IUELE PRL 23
I SE3 BY3ONDE THAT MYRY MERE PRL 158
MASKELLES QUOTH THAT MYRY QUENE PRL 781
NOW TECH ME TO THAT MYRY MOTE. PRL 936
O MOUL THOU MARRE3 A MYRY MELE PRL 2 23

MERSY (V. MERCY)
MERTHE (V. MIRTH)
MERTHES (V. MIRTHS)
MERUAILE (V. MARVEL)
MERUAYL (V. MARVEL)
MERUAYLE (V. MARVEL)
MERUAYLE3 (V. MARVELS)
MERUELOUS (V. MARVELOUS)
MERWAYLE (V. MARVEL)
MERY (V. MERRY)
MERYLY (V. MERRILY)
MES (V. MESS)
MESCHAUNCE (V. MISCHANCE)
MESCHEF (V. MISCHIEF)
MESCHEFE (V. MISCHIEF)
MESCHEFES (V. MISCHIEFS)
MESCHEFE3 (V. MISCHIEFS)

MESE

WYLT THOU MESE THY MODE AND MENDDYNG ABYDE CLN 764

MESS

BOTHE AT MES AND AT MELE MESSES FUL QUAYNT GGK 999
EUEN INMYDDE3 AS THE MESSE METELY COME. GGK 1004
HE MYRTHE3 VS ALLE AT VCH A MES PRL 862

MESSAGE

A MESSAGE FRO THAT MEYNY HEM MOLDE3 TO SECHE. CLN 454
THIS IS A MERUAYL MESSAGE A MAN FOR TO PRECHE PAT 81

MESSEQUYLE

TOMORN QUYLE THE MESSEQUYLE AND TO METE WENDE GGK 1097

MESSE (V. MASS, MESS)

MESSES

METE MESSE3 OF MYLKE HE MERKKE3 BYTWENE CLN 637
BOTHE AT MES AND AT MELE MESSES FUL QUAYNT GGK 999

MESSE3 (V. MESSES)

MESTER

AND FOR MY HY3E3 HEM BO3T TO BOWE HAF I MESTER CLN 67
HIT MAY WEL BE THAT MESTER WERE HIS MANTYLE TO WASCHE. PAT 342

MESTERSMON (V. MASTER-MAN)
MESURABLE (V. MEASURABLE)
MESURE (V. MEASURE)

MET

BRO3TEN BACHLERE3 HEM WYTH THAT THAY BY BONKE3 METTEN. CLN 86
FOR WHEN THE WATER OF THE WELKYN WYTH THE WORLDE METTE CLN 371
DERE DRO3EN THERTO AND VPON DES METTEN. CLN 1394

MONY HYM METTEN ON THAT MEERE THE MERUAYLE TO TELLE ERK 114
AND THER A MARCIALLE HYR METTE WITH MENSKE ALDERGRATTEST. ERK 337
AND AY HE FRAYNED AS HE FERDE AT FREKE3 THAT HE MET GGK 703
WHEN GAWAYN WYTH HYM METTE. GGK 1370
WHAT NWE3 SO THAY NOME AT NA3T QUEN THAY METTEN. GGK 1407
FOR THE MON MERKKE3 HYM WEL AS THAY METTE FYRST. GGK 1592
WHEN ALLE THE MUTE HADE HYM MET MENGED TOGEDER GGK 1720
HERE HE WAT3 HALAWED WHEN HATHELE3 HYM METTEN GGK 1723
VCHE MON THAT HE METTE HE MADE HEM A THONKE GGK 1984
WHEN THE BRETH AND THE BROK AND THE BOTE METTEN. PAT 145
ER EUER HE WARPPED ANY WORDE TO WY3E THAT HE METTE. PAT 356

METAIL (V. METAL)

METAL
HIS MOLAYNES AND ALLE THE METAIL ANAMAYLD WAS THENNE GGK 169

METALLES (V. METALS)

METALS
THER WAT3 RYNGING ON RY3T OF RYCHE METALLES CLN 1513

METE (V. MEAT, MEET, METEN)

METELY (V. MEETLY)

METEN (ALSO V. MEET)
IN A MERY MANTYLE METE TO THE ERTHE. GGK 1736
FOR METEN HIT SY3 THE APOSTEL JOHN PRL 1032

METES (V. MEATS, MEETS)

METE3 (V. MEATS, MEETS)

METH (V. METHE)

METHE
AL IN MESURE AND METHE WAT3 MAD THE VENGAUNCE CLN 247
FOR TO MYNNE ON HIS MON HIS METH THAT ABYDE3. CLN 436
IN THE MESURE OF HIS MODE AND METHE OF HIS WYLLE CLN 565

METHELE3
THOSE WERN MEN METHELE3 OF MA3TY ON VRTHE. CLN 273
FOR HE IS A MON METHLES AND MERCY NON VSES GGK 2106

METHLES (V. METHELE3)

METROPOL
THE METROPOL AND THE MAYSTERTON HIT EUERMORE HAS BENE. ERK 26

METTE (V. MET)

METTEN (V. MET)

METTE3 (CP. MED)
THRE METTE3 OF MELE MENGE AND MA KAKE3. CLN 625

MET3
IN THE MESURE OF HIS MODE HIS MET3 NEUER THE LASSE. CLN 215

MEUANDE (V. MOVING)

MEUE (V. MOVE)

MEUED (V. MOVED)

MEUEN (V. MOVE)

MEUE3 (V. MOVES)

MEYNY (V. MEINIE)

MEYNYE (V. MEINIE)

ME3ELMAS (V. MICHAELMAS)

MICHAELMAS
TIL ME3ELMAS MONE. GGK 532

MICHE (V. MUCH)

MIDDLE
AND A GURDILLE OF GOLDE BIGRIPIDE HIS MYDELLE ERK 80

MIDMORN
AND CUM TO THAT MERK AT MYDMORN TO MAKE QUAT YOW LIKE3 GGK 1073
THUS THAY MELED OF MUCHQUAT TIL MYDMORN PASTE GGK 1280

MIDNIGHT
WHEN MERK OF THE MYDNY3T MO3T NO MORE LAST CLN 894

Line	Poem	Line no.
HERE MY3T ABOUTE MYDNY3T	GGK	2187
MID-OVER-UNDER		
ON THIS MANER BI THE MOUNTES QUYLE MYD-OUER-VNDER	GGK	1730
MIDST		
AND THE SAUNDANS SETE SETTE IN THE MYDDES.	CLN	1388
WHENE GUENORE FUL GAY GRAYTHED IN THE MYDDES.	GGK	74
AND OF A HEP OF ASKES HE HITTE IN THE MYDDE3.	PAT	380
MIGHT		
FAYRE FORME3 MY3T HE FYNDE IN FORTHERING HIS SPECHE	CLN	3
ER THAT STYNGANDE STORME STYNT NE MY3T.	CLN	225
ALLE THE BLYSSE BOUTE BLAME THAT BODI MY3T HAUE.	CLN	260
FYRST FENG TO THE FLY3T ALLE THAT FLE MY3T	CLN	377
VCHE FOWLE TO THE FLY3T THAT FYTHERE3 MY3T SERUE	CLN	530
AS TO QUELLE ALLE QUYKE3 FOR QUED THAT MY3T FALLE	CLN	567
HOW MY3T I HYDE MYN HERT FRO HABRAHAM THE TRWE	CLN	682
ALLE THAT WEPPEN MY3T WELDE THE WAKKER AND THE STRONGER	CLN	835
NOV WALE THE A WONNYNG THAT THE WARISCH MY3T.	CLN	921
THEROF CLATERED THE CLOUDES THAT KRYST MY3T HAF RAWTHE	CLN	972
AS ANY DOM MY3T DEUICE OF DAYNTYE3 OUTE	CLN	1046
AND THAY STOKEN SO STRAYT THAT THAY NE STRAY MY3T	CLN	1199
AND AL WAT3 CARFULLY KYLDE THAT THAY CACH MY3T	CLN	1252
SO BROD BILDE IN A BAY THAT BLONKKES MY3T RENNE.	CLN	1392
THEN THE DOTEL ON DECE DRANK THAT HE MY3T.	CLN	1517
SONE SO THE KYNGE FOR HIS CARE CARPING MY3T WYNNE	CLN	1550
THERE WAT3 NO MON VPON MOLDE OF MY3T AS HYMSELUEN	CLN	1656
HIS MY3T METE TO GODDES HE MADE WYTH HIS WORDES.	CLN	1662
MO3T NEUER MY3T BOT MYN MAKE SUCH ANOTHER.	CLN	1668
SEGGES SLEPANDE WERE SLAYNE ER THAY SLYPPE MY3T.	CLN	1785
THAT MY3T NOT COME TO TOKNOWE A QUONTYSE STRANGE	ERK	74
QUAT BODY HIT MY3T BE THAT BURIED WOS THER	ERK	94
HIT MY3T NOT BE BOT SUCHE A MON IN MYNDE STODE LONGE	ERK	97
BOT QUEN MATYD IS MONNES MY3T AND HIS MYNDE PASSYDE	ERK	163
THAT ALLE THE HONDES VNDER HEUEN HALDE MY3T NEUER	ERK	166
THAGHE MEN MENSKID HIM SO HOW HIT MY3T WORTHE	ERK	258
HOW HIT MY3T LYE BY MONNES LORE AND LAST SO LONGE	ERK	264
MY3T EUEL FORGO THE TO GYFE OF HIS GRACE SUMME BRAWNCHE	ERK	276
HOW MY3T THI MERCY TO ME AMOUNTE ANY TYME.	ERK	284
BY GODDES LEUE AS LONGE AS I MY3T LACCHE WATER	ERK	316
THAT MY3T NOT COME TO KNOWE A QUONTYSE STRANGE	ERK V	74
THAT MY3T BE PREUED OF PRYS WYTH PENYES TO BYE	GGK	79
OF SUM MAYN MERUAYLE THAT HE MY3T TRAWE	GGK	94
THAT THE LUDE MY3T HAF LEUE LIFLODE TO CACH	GGK	133
AND THAT THE MYRIEST IN HIS MUCKEL THAT MY3T RIDE	GGK	142
HIT SEMED AS NO MON MY3T	GGK	201
A SPETOS SPARTHE TO EXPOUN IN SPELLE QUOSO MY3T.	GGK	209
FOR VCH MON HAD MERUAYLE QUAT HIT MENE MY3T	GGK	233
THAT A HATHEL AND A HORSE MY3T SUCH A HWE LACH	GGK	234
THAT I WYTHOUTE VYLANYE MY3T VOYDE THIS TABLE	GGK	345
THER ALLE MEN FOR MERUAYL MY3T ON HIT LOKE	GGK	479
OF ALLE DAYNTYE3 DOUBLE AS DERREST MY3T FALLE	GGK	483
THAT CHAPEL ER HE MY3T SENE	GGK	712
AND FRES ER HIT FALLE MY3T TO THE FALE ERTHE.	GGK	728
OF SUM HERBER THER HE3LY I MY3T HERE MASSE	GGK	755
IF HE MY3T KEUER TO COM THE CLOYSTER WYTHINNE	GGK	804
THAT MOST MYRTHE MY3T MEUE THAT CRYSTENMAS WHYLE	GGK	985
BI NON WAY THAT HE MY3T.	GGK	1045
I NOLDE BOT IF I HIT NEGH MY3T ON NW3ERES MORNE.	GGK	1054
TO METE THAT MON AT THAT MERE 3IF I MY3T LAST	GGK	1061
AS WY3 THAT WOLDE OF HIS WYTE NE WYST QUAT HE MY3T.	GGK	1087

THER MY3T MON SE AS THAY SLYPTE SLENTYNG OF ARWES	GGK	1160
AND HEM TOFYLCHED AS FAST AS FREKE3 MY3T LOKE	GGK	1172
AND WAYTE3 WARLY THIDERWARDE QUAT HIT BE MY3T	GGK	1186
COMPAST IN HIS CONCIENCE TO QUAT THAT CACE MY3T.	GGK	1196
AT SA3E OTHER AT SERUYCE THAT I SETTE MY3T	GGK	1246
I WOLDE YOWRE WYLNYNG WORCHE AT MY MY3T	GGK	1546
TIL AT THE LAST HE WAT3 SO MAT HE MY3T NO MORE RENNE	GGK	1568
BOT IN THE HAST THAT HE MY3T HE TO A HOLE WYNNE3	GGK	1569
HE3E HALOWING ON HI3E WITH HATHELE3 THAT MY3T	GGK	1602
AND AY THE TITLERES AT HIS TAYL THAT TARY HE NE MY3T	GGK	1726
MORE REWARDE BI RESOUN THEN I RECHE MY3T	GGK	1804
THER IS NO HATHEL VNDER HEUEN TOHEWE HYM THAT MY3T.	GGK	1853
FOR HE MY3T NOT BE SLAYN FOR SLY3T VPON ERTHE	GGK	1854
MY3T HE HAF SLYPPED TO BE VNSLAYN THE SLE3T WERE NOBLE	GGK	1858
A RACH RAPES HYM TO RY3T ER HE MY3T.	GGK	1903
AND 3IF I MY3T LYF VPON LONDE LEDE ANY QUYLE.	GGK	2058
I SCHULD RECH YOW SUM REWARDE REDYLY IF I MY3T	GGK	2059
I WERE A KNY3T KOWARDE I MY3T NOT BE EXCUSED.	GGK	2131
HIT THE HORS WITH THE HELE3 AS HARDE AS HE MY3T.	GGK	2153
DEBATANDE WITH HYMSELF QUAT HIT BE MY3T	GGK	2179
HERE MY3T ABOUTE MYDNY3T	GGK	2187
WITHHELDE HETERLY HIS HONDE ER HIT HURT MY3T.	GGK	2291
THUR3 MY3T OF MORGNE LA FAYE THAT IN MY HOUS LENGES	GGK	2446
FOR TO TOWE HYM INTO TARCE AS TYD AS THAY MY3T	PAT	100
HAD NO MA3T IN THAT MERE NO MAN FOR TO GREUE.	PAT	112
BOT HYM FAYLED NO FREKE THAT HE FYNDE MY3T	PAT	181
THENNE HADE THAY NO3T IN HER HONDE THAT HEM HELP MY3T.	PAT	222
THAT ANY LYF MY3T BE LENT SO LONGE HYM WYTHINNE.	PAT	260
HIS MY3T AND HIS MERCI HIS MESURE THENNE	PAT	295
THUR3 MY3T OF THY MERCY THAT MUKEL IS TO TRYSTE.	PAT	324
THENNE THE RENK RADLY ROS AS HE MY3T	PAT	351
AND THENNE HE CRYED SO CLER THAT KENNE MY3T ALLE	PAT	357
I WOT HIS MY3T IS SO MUCH THA3 HE BE MYSSEPAYED.	PAT	399
WYTH A PRAYER AND A PYNE THAY MY3T HER PESE GETE	PAT	423
THER HE BUSKED HYM A BOUR THE BEST THAT HE MY3T.	PAT	437
THE SCHYRE SUNNE HIT VMBESCHON THA3 NO SCHAFTE MY3T	PAT	455
THE LY3T OF HEM MY3T NO MON LEUEN	PRL	69
FOR VRTHELY HERTE MY3T NOT SUFFYSE	PRL	135
SUCH A BURRE MY3T MAKE MYN HERT BLUNT	PRL	176
AND 3ET OF GRAUNT THOU MY3TE3 FAYLE.	PRL	317
THEN ALLE THE WY3E3 IN THE WORLDE MY3T WYNNE.	PRL	579
AND SAYDE HYS RYCHE NO WY3 MY3T WYNNE	PRL	722
HE GEF ME MY3T AND ALS BEWTE	PRL	765
THAT OF THAT SONGE MY3T SYNGE A POYNT	PRL	891
THE MONE MAY THEROF ACROCHE NO MY3TE	PRL	1069
NO FLESCHLY HERT NE MY3T ENDEURE.	PRL	1082
I THO3T THAT NOTHYNG MY3T ME DERE	PRL	1157
THE MY3T OF DETH DOT3 TO ENCLYNE.	PRL 1	630
THE MY3T OF DETH DOT3 TO ENCLYNE.	PRL 2	630
THE MY3T OF DETH DOT3 TO ENCLYNE.	PRL 3	630
MIGHTILY		
AND ALLE THE MAYDENES OF THE MUNSTER MA3TYLY HOKYLLEN.	CLN	1267
AND ALLE THE MAYDENES OF THE MUNSTER MA3TYLY HE KYLLEN	CLN V	1267
MUNT AS MA3TYLY AS MARRE HYM HE WOLDE	GGK	2262
HE MYNTE3 AT HYM MA3TYLY BOT NOT THE MON RYNE3	GGK	2290
HE MYNTE3 AT HYM MA3TYLY BOT NOT THE MON RYUE3	GGK V	2290
MIGHTS		
MYNYSTRED METE BYFORE THO MEN THAT MY3TES AL WELDE3	CLN	644
FOR TO MELE WYTH SUCH A MAYSTER AS MY3TE3 HAT3 ALLE	CLN	748

TIL HE WYST FUL WEL WHO WRO3T ALLE MY3TES. . . . . CLN 1699
QUEN HYM LUSTE TO VNLOUKE THE LESTE OF HIS MY3TES . . . . . . ERK 162
MA3TY MAKER OF MEN THI MYGHTES ARE GRETE . . . . ERK 283
HERE IS NO MON ME TO MACH FOR MY3TE3 SO WAYKE . . . . GGK 282

MIGHTY

THOSE WERN MEN METHELE3 OF MA3TY ON VRTHE. . . . . CLN 273
FOR THAT THE MA3TY ON MOLDE SO MARRED THISE OTHER . . . . . . CLN 279
HE WAT3 MAYSTER OF HIS MEN AND MY3TY HIMSELUEN . . . . CLN 1237
FOR THAT THE MA3TY ON MOLDE SO MARRE THISE OTHER . . . . . . CLN V 279
THE MECUL MYNSTER THERINNE A MAGHTY DEUEL AGHT . . . . ERK 27
THE MAIRE WITH MONY MA3TI MEN AND MACERS BEFORE HYM . . . . . ERK 143
THAT 3E MAY LEUE VPON LONGE THAT HE IS LORD MY3TY . . . . . . ERK 175
MA3TY MAKER OF MEN THI MYGHTES ARE GRETE . . . . ERK 283

MILD

THAT ART SO GAYNLY A GOD AND OF GOSTE MYLDE . . . . CLN 728
THAT IN HIS MYLDE AMESYNG HE MERCY MAY FYNDE. . . . . PAT 400
I MAY NOT BE SO MALICIOUS AND MYLDE BE HALDEN . . . . PAT 522
IESUS CON CALLE TO HYM HYS MYLDE. . . . . PRL 721
MOTELE3 MAY SO MEKE AND MYLDE. . . . . PRL 961
BOT MYLDE AS MAYDENE3 SEME AT MAS . . . . PRL 1115

MILDEST

AND MARY THAT IS MYLDEST MODER SO DERE. . . . . GGK 754

MILE

AND VCH A SYDE VPON SOYLE HELDE SEUEN MYLE . . . . CLN 1387
THAT VMBETE3E MONY TRE MO THEN TWO MYLE . . . . GGK 770
HIT IS NOT TWO MYLE HENNE . . . . GGK 1078

MILES

NO MYLE3 FRO MAMBRE MO THEN TWEYNE . . . . CLN 674

MILK

METE MESSE3 OF MYLKE HE MERKKE3 BYTWENE . . . . CLN 637
BOTHE TO CAYRE AT THE KART AND THE KUY MYLKE. . . . . CLN 1259

MILL

WHAT HIT WARRED AND WHETTE AS WATER AT A MULLE . . . . GGK 2203
WHAT HIT WHARRED AND WHETTE AS WATER AT A MULNE. . . . . . . GGK V 2203

MIND

AL IS THE MYNDE OF THE MAN TO MALYCE ENCLYNED . . . . CLN 518
HE DOTED NEUER FOR NO DOEL SO DEPE IN HIS MYNDE. . . . . . . CLN 852
AND OFTE HIT MEKNED HIS MYNDE HIS MAYSTERFUL WERKKES . . . . . CLN 1328
AL WAT3 THE MYNDE OF THAT MAN ON MISSCHAPEN THINGES . . . . . CLN 1355
AND BREYTHED VPPE IN TO HIS BRAYN AND BLEMYST HIS MYNDE . . . CLN 1421
THAT IN THE POYNT OF HER PLAY HE PORUAYES A MYNDE . . . . . . CLN 1502
AND MAKES THE MATER TO MALT MY MYNDE WYTHINNE . . . . CLN 1566
AND MAKE THE MATER TO MALT MY MYNDE WYTHINNE. . . . . CLN V 1566
AND AS THAI MUKKYDE AND MYNDE A MERUAYLE THAI FOUNDEN. . . . . ERK 43
HIT MY3T NOT BE BOT SUCHE A MON IN MYNDE STODE LONGE . . . . . ERK 97
THAT MAY MENE IN HIS MYNDE THAT SUCHE A MON REGNYD. . . . . . ERK 151
THAT MERKID IS IN OURE MARTILAGE HIS MYNDE FOR EUER . . . . . ERK 154
BOT QUEN MATYD IS MONNES MY3T AND HIS MYNDE PASSYDE . . . . . ERK 163
FOR THA3 MEN BEN MERY IN MYNDE QUEN THAY HAN MAYN DRYNK . . . GGK 497
THA3 HO WERE BURDE BRY3TEST THE BURNE IN MYNDE HADE . . . . . GGK 1283
BOT THAT 3E BE GAWAN HIT GOT3 NOT IN MYNDE . . . . GGK 1293
AND IF MON KENNES YOW HOM TO KNOWE 3E KEST HOM OF YOUR MYNDE . GGK 1484
THA3 I WERE BURDE BRY3TEST THE BURDE IN MYNDE HADE. . . . . . GGK V 1283
WHEN THAT STEUEN WAT3 STYNT THAT STOWNED HIS MYNDE. . . . . . PAT 73
HIT WAT3 A WENYNG VNWAR THAT WELT IN HIS MYNDE . . . . PAT 115
THAT MEUED MY MYNDE AY MORE AND MORE . . . . PRL 156
ER MYNDE MO3T MALTE IN HIT MESURE . . . . PRL 224
WYTH MUCH MERUAYLE IN MYNDE WENT. . . . . PRL 1130

MY MANE3 MYNDE TO MADDYNG MALTE . . . . PRL 1154
MINISTER
AND ALLE THE MAYDENES OF THE MUNSTER MA3TYLY HOKYLLEN. . . . . CLN 1267
AND ALLE THE MAYDENES OF THE MUNSTER MA3TYLY HE KYLLEN . . . . CLN V 1267
THE MECUL MYNSTER THERINNE A MAGHTY DEUEL AGHT . . . . ERK 27
SYTTES SEMELY IN THE SEGE OF SAYNT PAULE MYNSTER . . . . ERK 35
AS MOTE IN AT A MUNSTER DOR SO MUKEL WERN HIS CHAWLE3. . . . . PAT 268
THE ALMY3TY WAT3 HER MYNSTER METE . . . . PRL 1063
MINISTERED
MYNYSTRED METE BYFORE THO MEN THAT MY3TES AL WELDE3 . . . . . CLN 644
MINISTERS
MANERLY WITH HIS MINISTRES THE MASSE HE BEGYNNES . . . . . . ERK 131
MINISTRES (V. MINISTERS)
MINIVER
A MECHE MANTEL ON LOFTE WITH MENYUER FURRIT . . . . ERK 81
MINSTER-DOORS
MYNSTERDORES WERE MAKYD OPON QUEN MATENS WERE SONGEN . . . . . ERK 128
MINSTRELSY
BOTHE WITH MENSKE AND WYTH METE AND MYNSTRASY NOBLE . . . . . CLN 121
WYTH ALLE MANER OF METE AND MYNSTRALCIE BOTHE . . . . GGK 484
WITH MERTHE AND MYNSTRALSYE WYTH METE3 AT HOR WYLLE . . . . . GGK 1952
MIRE
AND AL TOMARRED IN MYRE WHYLE THOU ON MOLDE LYUYES. . . . . . CLN 1114
THUR3 MONY MISY AND MYRE MON AL HYM ONE . . . . GGK 749
NO REST NE RECOUERER BOT RAMEL ANDE MYRE . . . . PAT 279
MIRTH
TRON FRO TABLE TO TABLE AND TALKEDE AY MYRTHE . . . . CLN 132
MAN MAY MYSSE THE MYRTHE THAT MUCH IS TO PRAYSE. . . . . CLN 189
BYTWENE A MALE AND HIS MAKE SUCH MERTHE SCHULDE COME . . . . . CLN 703
CONCUBINES AND KNY3TES BI CAUSE OF THAT MERTHE . . . . CLN 1519
THAT SPAKLY SPRENT MY SPYRIT WITH VNSPARID MURTHE . . . . . . ERK 335
MECHE MOURNYNGE AND MYRTHE WAS MELLYD TOGEDER . . . . ERK 350
WITH ALLE THE METE AND THE MIRTHE THAT MEN COUTHE AVYSE . . . . GGK 45
ALLE THIS MIRTHE THAY MADEN TO THE METE TYME. . . . . GGK 71
MUCH MIRTHE HE MAS WITHALLE . . . . GGK 106
BOT NEUERTHELECE NE THE LATER THAY NEUENED BOT MERTHE. . . . . GGK 541
THER HE WAT3 DISPOYLED WYTH SPECHE3 OF MYERTHE . . . . GGK 860
THAT MON MUCH MERTHE CON MAKE. . . . . GGK 899
MYNNED MERTHE TO BE MADE VPON MONY SYTHE3. . . . . GGK 982
THAT MOST MYRTHE MY3T MEUE THAT CRYSTENMAS WHYLE . . . . . . GGK 985
THER WAT3 METE THER WAT3 MYRTHE THER WAT3 MUCH IOYE . . . . . GGK 1007
WITH ALLE THE MANERLY MERTHE THAT MON MAY OF TELLE. . . . . . GGK 1656
WITH SMOTHE SMYLYNG AND SMOLT THAY SMETEN INTO MERTHE. . . . . GGK 1763
FOR MORE MYRTHE OF THAT MON MO3T HO NOT GETE. . . . . GGK 1871
WITH MERTHE AND MYNSTRALSYE WYTH METE3 AT HOR WYLLE . . . . . GGK 1952
HER REKEN MYRTHE MO3T NOT RETRETE . . . . PRL 92
LORDE MUCH OF MIRTHE WAT3 THAT HO MADE. . . . . PRL 1149
BYTWENE MERE3 BY MYRTHE MADE . . . . PRL 2 140
MIRTHE (V. MIRTH)
MIRTHS
WITH RYCH REUEL ORY3T AND RECHLES MERTHES. . . . . GGK 40
BYTWENE MYRTHE3 BY MERE3 MADE. . . . . PRL 140
HE MYRTHE3 VS ALLE AT VCH A MES . . . . PRL 862
MIRY (V. MERRY)
MISBODEN
NO MON HERE VNMANERLY THE MYSBODEN HABBE3. . . . . GGK 2339
MISCHANCE
THIS IS A CHAPEL OF MESCHAUNCE THAT CHEKKE HIT BYTYDE. . . . . GGK 2195
MISCHIEF

THER WAT3 MOON FOR TO MAKE WHEN MESCHEF WAS CNOWEN. CLN 373
NE FOR NO MONNES MANAS NE MESCHEFE NE ROUTHE. ERK 240
AND MORE FOR HIS MESCHEF 3IF HE SCHULDE MAKE SYNNE. GGK 1774
ALLE THIS MESCHEF FOR ME IS MADE AT THYS TYME PAT 209
WYTH ALLE MESCHEF THAT THOU MAY NEUER THOU ME SPARE3 PAT 484
THOU BLAME3 THE BOTE OF THY MESCHEF. PRL 275

MISCHIEFS
IN MUKEL MESCHEFES MONY THAT IS MERUAYL TO HERE. CLN 1164
THAT ALLE THE MESCHEFE3 ON MOLD MO3T HIT NOT SLEKE. CLN 708

MISDEED
AND CRYED FOR HIS MYSDEDE GGK 760

MISDEEDS
THERE HE SCHROF HYM SCHYRLY AND SCHEWED HIS MYSDEDE3 GGK 1880
HAF NOW MERCY OF THY MAN AND HIS MYSDEDES. PAT 287

MISERECORDE
I DO ME AY IN HYS MYSERECORDE. PRL 366

MISHAEL
AS ANANIE AND A3ARIE AND ALS MI3AEL. CLN 1301

MISLIKE
NO MERUAYLE THA3 HYM MYSLYKE GGK 2307

MISLIKES
THAT MISLYKE3 ME LADE FOR YOUR LUF AT THIS TYME. GGK 1810

MISLYKE3 (V. MISLIKES)

MISS
MAN MAY MYSSE THE MYRTHE THAT MUCH IS TO PRAYSE. CLN 189
ON SPEC OF A SPOTE MAY SPEDE TO MYSSE CLN 551
AND AY THY MERCY IS METE BE MYSSE NEUER SO HUGE. PAT 420
THER MYS NEE MORNYNG COM NEUER NERE. PRL 262
WHY SCHAL I HIT BOTHE MYSSE AND METE PRL 329
MY HERTE WAT3 AL WYTH MYSSE REMORDE. PRL 364
I AM BOT MOL AND MANERE3 MYSSE PRL 382
I AM BOT MOL AND MARERE3 MYSSE PRL 1 382
AL BLYSNANDE WHYT WAT3 HIR BEAU MYS. PRL 2 197
AL BLYSNANDE WHYT WAT3 HIR BEAU MYS. PRL 3 197

MISSCHAPEN (V. MISSHAPEN)

MISSED
FOR HIS MAKE WAT3 MYST THAT ON THE MOUNT LENGED. CLN 994
FRO THAT METE WAT3 MYST MEGRE THAY WEXEN CLN 1198
AND THAT HAN WE MYSTE ALLE MERCILES MYSELFE AND MY SOULE. ERK 300

MISSES
THOU ART CONFESSED SO CLENE BEKNOWEN OF THY MYSSES. GGK 2391

MISSHAPEN
AL WAT3 THE MYNDE OF THAT MAN ON MISSCHAPEN THINGES CLN 1355

MIST
MOURKENES THE MERY WEDER AND THE MYST DRYUES. CLN 1760
MIST MUGED ON THE MOR MALT ON THE MOUNTE3. GGK 2080

MISTRAUTHE (V. MISTRUTH)

MISTRUTH
FOR TWO FAUTES THAT THE FOL WAT3 FOUNDE IN MISTRAUTHE. CLN 996

MISY
THUR3 MONY MISY AND MYRE MON AL HYM ONE GGK 749

MITE
THY MENDE3 MOUNTE3 NOT A MYTE. PRL 351

MI3AEL (V. MISHAEL)

MO (V. MORE)

MOAN
THER WAT3 MOON FOR TO MAKE WHEN MESCHEF WAS CNOWEN. CLN 373
TO MARY MADE HIS MONE GGK 737
BOT MUCH THE BYGGER 3ET WAT3 MY MON. PRL 374

MOANED
ALLE MENYD MY DETHE THE MORE AND THE LASSE . . . . ERK 247
MOAT
IN MOTE . . . . GGK 635
ER HE WAT3 WAR IN THE WOD OF A WON IN A MOTE. . . . . GGK 764
AND ALLE THE MEN IN THAT MOTE MADEN MUCH JOYE . . . . GGK 910
HERE IS A MEYNY IN THIS MOTE THAT ON MENSKE THENKKE3 . . . . . GGK 2052
TO MANACE ALLE THISE MODY MEN THAT IN THIS MOTE DOWELLE3. . . PAT 422
I HOPED THAT MOTE MERKED WORE. . . . . PRL 142
NOW TECH ME TO THAT MYRY MOTE. . . . . PRL 936
THAT MOTE THOU MENE3 IN JUDY LONDE . . . . PRL 937
SO IS HYS MOTE WYTHOUTEN MOOTE . . . . PRL 948
IF I THIS MOTE THE SCHAL VNHYDE . . . . PRL 973
I HOPE THAT MOTE MERKED WORE . . . . PRL 1 142
MOATS
OF MOTES TWO TO CARPE CLENE . . . . PRL 949
MOD (V. MOOD)
MODE (V. MOOD)
MODER (V. MOTHER)
MODERCHYLDE (V. MOTHER-CHILD)
MODES
FUL FAYRE THE MODE3 THAY FONGE IN FERE. . . . . PRL 884
MODEY
WITH MONI A MODEY MODERCHYLDE MO THEN INNOGHE . . . . CLN 1303
TO MANACE ALLE THISE MODY MEN THAT IN THIS MOTE DOWELLE3. . . PAT 422
MODE3 (V. MODES)
MODY (V. MODEY)
MOGHTFRETEN
OTHER OF MOULYNGE OTHER OF MOTES OTHIR MOGHTFRETEN. . . . . . ERK 86
MOKKE (V. MUCK)
MOL (CP. MOUL)
3IF I MELE A LYTTEL MORE THAT MUL AM AND ASKE3 . . . . CLN 736
I AM BOT MOL AND MANERE3 MYSSE . . . . PRL 382
I AM BOT MOKKE AND MUL AMONG . . . . PRL 905
I AM BOT MUL AND MARERE3 MYSSE . . . . PRL 1 382
MOLAYNES
HIS MOLAYNES AND ALLE THE METAIL ANAMAYLD WAS THENNE . . . . . GGK 169
MOLD
FOR THAT THE MA3TY ON MOLDE SO MARRED THISE OTHER . . . . CLN 279
BOT I SCHAL DELYUER AND DO AWAY THAT DOTEN ON THIS MOLDE. . . . CLN 286
MULTYPLYE3 ON THIS MOLDE AND MENSKE YOW BYTYDE . . . . CLN 522
THAT EUER HE MAN VPON MOLDE MERKED TO LYUY . . . . CLN 558
3IF EUER THY MON VPON MOLDE MERIT DISSERUED . . . . CLN 613
THAT ALLE THE MESCHEFE3 ON MOLD MO3T HIT NOT SLEKE. . . . . . CLN 708
AND AL TOMARRED IN MYRE WHYLE THOU ON MOLDE LYUYES. . . . . . CLN 1114
THERE WAT3 NO MON VPON MOLDE OF MY3T AS HYMSELUEN . . . . . . CLN 1656
FOR THAT THE MA3TY ON MOLDE SO MARRE THISE OTHER . . . . . . CLN V 279
ALLE THE MUKEL MAYNY ON MOLDE FOR NO MANNE3 SYNNE3. . . . . . CLN V 514
THEN FOR AL THE MERITORIE MEDES THAT MEN ON MOLDE VSEN . . . . ERK 270
ON THE MOST ON THE MOLDE ON MESURE HYGHE . . . . GGK 137
BYFORE ALLE MEN VPON MOLDE HIS MENSK IS THE MOST . . . . . . GGK 914
A MENSK LADY ON MOLDE MON MAY HIR CALLE . . . . GGK 964
I MAY BOT MOURNE VPON MOLDE AS MAY THAT MUCH LOUYES . . . . . GGK 1795
THE MAN MARRED ON THE MOLDE THAT MO3T HYM NOT HYDE. . . . . . PAT 479
MOLDE (V. MOLD)
MOLDES (V. MOLDS)
MOLDE3 (V. MOLDS)
MOLDS
A MESSAGE FRO THAT MEYNY HEM MOLDE3 TO SECHE. . . . . CLN 454

AND ALLE THE BLEE OF HIS BODY WOS BLAKKE AS THE MOLDES . . . . ERK 343
I WOLDE I WERE OF THIS WORLDE WRAPPED IN MOLDE3. . . . . PAT 494
THER HIT DOUN DROF IN MOLDE3 DUNNE . . . . PRL 30
MON (V. MAN, MOAN)
MONE (V. MOAN, MOON)
MONI (V. MANY)
MONIE (V. MANY)
MONK
MONK OTHER MASSEPREST OTHER ANY MON ELLES. . . . . GGK 2108
MONKYNDE (V. MANKIND)
MONLOKEST (V. MANLIEST)
MONNES (V. MANS)
MONNE3 (V. MANS)
MONSWORNE (V. MAN-SWORN)
MONTH
OF SECOUNDE MONYTH THE SEUENTETHE DAY RY3TE3. . . . . CLN 427
MYRYLY ON A FAYR MORN MONYTH THE FYRST. . . . . CLN 493
THA3 HE BODE IN THAT BOTHEM BROTHELY A MONYTH . . . . CLN 1030
OF SECOUNDE MONYTH THE SEUENTHE DAY RY3TE3 . . . . CLN V 427
MONY (V. MANY)
MONYE (V. MANY)
MONYFOLDE (V. MANIFOLD)
MONYTH (V. MONTH)
MOOD
IN THE MESURE OF HIS MODE HIS MET3 NEUER THE LASSE. . . . . . CLN 215
IN THE MESURE OF HIS MODE AND METHE OF HIS WYLLE . . . . CLN 565
THENNE AR3ED ABRAHAM AND ALLE HIS MOD CHAUNGED . . . . CLN 713
WYLT THOU MESE THY MODE AND MENDDYNG ABYDE . . . . CLN 764
AND SYTHEN THE MATER OF THE MODE MENE ME THERAFTER. . . . . . CLN 1635
HIS MODE FORTO REMWE. . . . . GGK 1475
MAYSTERFUL MOD AND HY3E PRYDE. . . . . PRL 401
AND ENDELE3 ROUNDE AND BLYTHE OF MODE . . . . PRL 738
FOR MODE SO MEKE AND AL HYS FARE. . . . . PRL 832
MOON
TIL ME3ELMAS MONE. . . . . GGK 532
AND MADE MYRY AL DAY TIL THE MONE RYSED . . . . GGK 1313
TO MAHOUN AND TO MERGOT THE MONE AND THE SUNNE . . . . PAT 167
AS 3E AR MASKELE3 VNDER MONE . . . . PRL 923
HEM NEDDE NAWTHER SUNNE NE MONE . . . . PRL 1044
OF SUNNE NE MONE HAD THAY NO NEDE . . . . PRL 1045
WAT3 BRY3TER THEN BOTHE THE SUNNE AND MONE . . . . PRL 1056
SUNNE NE MONE SCHON NEUER SO SWETE . . . . PRL 1057
THAT BERE3 ANY SPOT ANVNDER MONE. . . . . PRL 1068
THE MONE MAY THEROF ACROCHE NO MY3TE . . . . PRL 1069
WHAT SCHULDE THE MONE THER COMPAS CLYM. . . . . PRL 1072
AND RENOWLE3 NWE IN VCHE A MONE . . . . PRL 1080
ANVNDER MONE SO GREAT MERWAYLE . . . . PRL 1081
HIS LYF WERE LOSTE ANVNDER MONE . . . . PRL 1092
RY3T AS THE MAYNFUL MONE CON RYS. . . . . PRL 1093
MOON (V. MOAN)
MOOR
THE MOSTE MOUNTAYNE3 ON MOR THENNE ON MORE DRY3E . . . . CLN 385
AND THOU REMUED FRO MONNES SUNES ON MOR MOST ABIDE. . . . . . CLN 1673
MIST MUGED ON THE MOR MALT ON THE MOUNTE3. . . . . GGK 2080
MOOT
BOT NOW THOU MOTE3 ME FOR TO MATE . . . . PRL 613
FOR THAY OF MOTE COUTHE NEUER MYNGE. . . . . PRL 855
BOT INOW THOU MOTE3 ME FOR TO MATE . . . . PRL 3 613
MOOTE (V. MOTE)

MOR (V. MOOR)

MORE

Text	Source		Line
THA3 NEUER IN TALLE NE IN TUCH HE TRESPAS MORE .	CLN		48
MORE TO WYTE IS HER WRANGE THEN ANY WYLLE GENTYL	CLN		76
MONY RENISCHCHE RENKE3 AND 3ET IS ROUM MORE .	CLN		96
FERKE3 OUT IN THE FELDE AND FECHE3 MO GESTE3.	CLN		98
HE HATES HELLE NO MORE THEN HEM THAT AR SOWLE	CLN		168
AND IN THE CREATORES CORT COM NEUER MORE .	CLN		191
AND AY GLYDANDE WYTH HIS GOD HIS GRACE WAT3 THE MORE .	CLN		296
THE MOSTE MOUNTAYNE3 ON MOR THENNE ON MORE DRY3E	CLN		385
NOW NOE NO MORE NEL I NEUER WARY.	CLN		513
NO MYLE3 FRO MAMBRE MO THEN TWEYNE .	CLN		674
3IF I MELE A LYTTEL MORE THAT MUL AM AND ASKE3 .	CLN		736
IF THAT TWENTY BE TRWE I TENE HEM NO MORE.	CLN		759
AND I SCHAL SCHAPE NO MORE THO SCHALKKE3 TO HELPE .	CLN		762
WHEN MERK OF THE MYDNY3T MO3T NO MORE LAST	CLN		894
THER SO3T NO MO TO SAUEMENT OF CITIES ATHEL FYUE	CLN		940
DISPLAYED MORE PRYSTYLY WHEN HE HIT PART SCHULDE	CLN		1107
SULP NO MORE THENNE IN SYNNE THY SAULE THERAFTER	CLN		1135
AND ENTYSES HYM TO TENE MORE TRAYTHLY THEN EUER.	CLN		1137
HOV CHARGED MORE WAT3 HIS CHAUNCE THAT HEM CHERYCH NOLDE.	CLN		1154
WITH MONI A MODEY MODERCHYLDE MO THEN INNOGHE	CLN		1303
SALAMON SETE HIM SEUEN 3ERE AND A SYTHE MORE.	CLN		1453
THISE ARE THE WORDES HERE WRYTEN WYTHOUTE WERK MORE	CLN		1725
FERRE OUT IN THE FELDE AND FECHE3 MO GESTE3 .	CLN	V	98
DISPLAYED MORE PRYUYLY WHEN HE HIT PART SCHULDE.	CLN	V	1107
THAT EUER MYNNYD SUCHE A MON MORE NE LASSE	ERK		104
THRE HUNDRED 3ERE AND THRITTY MO AND 3ET THRENEN AGHT.	ERK		210
AND EUER IN FOURME OF GODE FAITHE MORE THEN FOURTY WYNTER	ERK		230
ALLE MENYD MY DETHE THE MORE AND THE LASSE	ERK		247
WYT THIS CESSYD HIS SOWNE SAYD HE NO MORE.	ERK		341
MO FERLYES ON THIS FOLDE HAN FALLEN HERE OFT.	GGK		23
NOW WYL I OF HOR SERUISE SAY YOW NO MORE .	GGK		130
HERRE THEN ANI IN THE HOUS BY THE HEDE AND MORE.	GGK		333
NO MORE MATE NE DISMAYD FOR HYS MAYN DINTE3 .	GGK		336
THAT IS INNOGH IN NWE3ER HIT NEDES NO MORE	GGK		404
THAT FRAYSTE3 FLESCH WYTH THE FYSCHE AND FODE MORE SYMPLE	GGK		503
3E KNOWE THE COST OF THIS CACE KEPE I NO MORE	GGK		546
TO DRY3E A DELFUL DYNT AND DELE NO MORE	GGK		560
THE CERCLE WAT3 MORE O PRYS	GGK		615
HE WENDE FOR EUER MORE .	GGK		669
WARLOKER TO HAF WRO3T HAD MORE WYT BENE	GGK		677
MO NY3TE3 THEN INNOGHE IN NAKED ROKKE3.	GGK		730
THAT VMBETE3E MONY TRE MO THEN TWO MYLE	GGK		770
MORE LYKKERWYS ON TO LYK	GGK		968
THE GRENE CHAPAYLE VPON GROUNDE GREUE YOW NO MORE .	GGK		1070
BOT 3ET HE SAYDE IN HYMSELF MORE SEMLY HIT WERE.	GGK		1198
I SCHULDE KEUER THE MORE COMFORT TO KARP YOW WYTH .	GGK		1221
THAT FERES LEST HE DISPLESE YOW SO PLEDE HIT NO MORE .	GGK		1304
HO DOS HIR FORTH AT THE DORE WITHOUTEN DYN MORE.	GGK		1308
TAS YOW THERE MY CHEUICAUNCE I CHEUED NO MORE	GGK		1390
THAT WAT3 NOT FORWARD QUOTH HE FRAYST ME NO MORE	GGK		1395
AND SPEDE HYM FORTH GOOD SPED BOUTE SPYT MORE	GGK		1444
THAT EUER LONGED TO LUF LASSE NE MORE .	GGK		1524
TO YOW THAT I WOT WEL WELDE3 MORE SLY3T	GGK		1542
TIL AT THE LAST HE WAT3 SO MAT HE MY3T NO MORE RENNE .	GGK		1568
BE MORE WYTH HIS TUSCHE3 TORNE	GGK		1579
AND BIHOUES HIS BUFFET ABIDE WITHOUTE DEBATE MORE .	GGK		1754
AND MORE FOR HIS MESCHEF 3IF HE SCHULDE MAKE SYNNE.	GGK		1774

MORE REWARDE BI RESOUN THEN I RECHE MY3T	GGK	1804
HE WOLDE HIT PRAYSE AT MORE PRYS PARAUENTURE.	GGK	1850
FOR MORE MYRTHE OF THAT MON MO3T HO NOT GETE.	GGK	1871
OF THE MORE AND THE MYNNE AND MERCI BESECHE3.	GGK	1881
AND MORE HE IS THEN ANY MON VPON MYDDELERDE	GGK	2100
BUSK NO MORE DEBATE THEN I THE BEDE THENNE	GGK	2248
AND SO WYL I NO MORE.	GGK	2281
FOR I SCHAL STONDE THE A STROK AND START NO MORE	GGK	2286
THA3 HE HOMERED HETERLY HURT HYM NO MORE	GGK	2311
HE SPRIT FORTH SPENNEFOTE MORE THEN A SPERE LENTHE.	GGK	2316
BLYNNE BURNE OF THY BUR BEDE ME NO MO	GGK	2322
AND IF THOW RECHE3 ME ANY MO I REDYLY SCHAL QUYTE	GGK	2324
AS PERLE BI THE QUITE PESE IS OF PRYS MORE	GGK	2364
HOW NORNE 3E YOWRE RY3T NOME AND THENNE NO MORE.	GGK	2443
IN THE MORE HALF OF HIS SCHELDE HIR YMAGE DEPAYNTED	GGK V	649
AND FIRE LEST HE DISPLESE YOW SO PLEDE HIT NO MORE.	GGK V	1304
AND SPARRED FORTH GOOD SPED BOUTE SPYT MORE	GGK V	1444
WHAT GRAYTHED ME THE GRYCHCHYNG BOT GRAME MORE SECHE	PAT	53
NOW HAT3 HE PUT HYM IN PLYT OF PERIL WEL MORE	PAT	114
FOR TO LAYTE MO LEDES AND HEM TO LOTE BRYNG	PAT	180
AND THRWE IN AT HIT THROTE WYTHOUTEN THRET MORE.	PAT	267
MOT EFTE SITTE WYTH MORE VNSOUNDE TO SEWE HEM TOGEDER.	PAT	527
THE MORE STRENGHTHE OF IOYE MYN HERTE STRAYNE3	PRL	128
HYTTE3 TO HAUE AY MORE AND MORE	PRL	132
MORE OF WELE WAT3 IN THAT WYSE	PRL	133
AND EUER ME LONGED AY MORE AND MORE.	PRL	144
MORE AND MORE AND 3ET WEL MARE	PRL	145
BOT WOTHE3 MO IWYSSE THER WARE	PRL	151
THAT MEUED MY MYNDE AY MORE AND MORE	PRL	156
MORE MERUAYLE CON MY DOM ADAUNT	PRL	157
THE LENGER I KNEW HYR MORE AND MORE.	PRL	168
THE MORE I FRAYSTE HYR FAYRE FACE	PRL	169
AND EUER THE LENGER THE MORE AND MORE	PRL	180
MORE THEN ME LYSTE MY DREDE AROS.	PRL	181
HER BLE MORE BLA3T THEN WHALLE3 BON.	PRL	212
MY JOY FORTHY WAT3 MUCH THE MORE.	PRL	234
OFTE MONY MON FORGOS THE MO	PRL	340
WHAT MORE HONOUR MO3TE HE ACHEUE.	PRL	475
WHAT MORE WORSCHYP MO3T HE FONGE.	PRL	479
VS THYNK VS O3E TO TAKE MORE	PRL	552
MORE HAF WE SERUED VS THYNK SO	PRL	553
WY SCHALTE THOU THENNE ASK MORE	PRL	564
MORE WETHER LOUYLY IS ME MY GYFTE	PRL	565
THE MERCI OF GOD IS MUCH THE MORE	PRL	576
MORE HAF I OF IOYE AND BLYSSE HEREINNE.	PRL	577
3ET OTHER THER WERNE THAT TOKE MORE TOM	PRL	585
PARAUNTER NO3T SCHAL TO3ERE MORE.	PRL	588
THEN MORE I MELED AND SAYDE APERT	PRL	589
THENNE THE LASSE IN WERKE TO TAKE MORE ABLE	PRL	599
AND EUER THE LENGER THE LASSE THE MORE.	PRL	600
OF MORE AND LASSE IN GODE3 RYCHE.	PRL	601
OTHER ELLE3 NEUER MORE COM THERINNE.	PRL	724
THE MO THE MYRYER SO GOD ME BLESSE	PRL	850
IN HONOUR MORE AND NEUER THE LESSE	PRL	852
AND FOWRE AND FORTY THOWSANDE.MO.	PRL	870
THAT NYS TO YOW NO MORE TO MENE	PRL	951
AS JOHN HYM WRYTE3 3ET MORE I SY3E	PRL	1033
AND 3ERNED NO MORE THEN WAT3 ME GYUEN	PRL	1190
TO MO OF HIS MYSTERYS I HADE BEN DRYUEN	PRL	1194

BOT AY WOLDE MAN OF HAPPE MORE HENTE PRL 1195

MOREWHETHER

MOREWETHER LEUYLY IS ME MY GYFTE. PRL 2 565

MORGAN

THUR3 MY3T OF MORGNE LA FAYE THAT IN MY HOUS LENGES GGK 2446
MORGNE THE GODDES. GGK 2452

MORGNE (V. MORGAN)

MORN

MYRYLY ON A FAYR MORN MONYTH THE FYRST. CLN 493
ABRAHAM FUL ERLY WAT3 VP ON THE MORNE CLN 1001
FOR THE MAYSTER OF THYSE MEDES ON THE MORNE RYSES CLN 1793
DYMLY IN THAT DERKE DETHE THER DAWES NEUER MOROWEN. ERK 306
TO BE 3EDERLY 3OLDEN ON NW3ERES MORN GGK 453
HE DOWELLE3 THER AL THAT DAY AND DRESSE3 ON THE MORN GGK 566
BI A MOUNTE ON THE MORNE MERYLY HE RYDES GGK 740
ON THE MORNE AS VCH MON MYNE3 THAT TYME GGK 995
THER WER GESTES TO GO VPON THE GRAY MORNE. GGK 1024
I NOLDE BOT IF I HIT NEGH MY3T ON NW3ERES MORNE. GGK 1054
GOD MOROUN SIR GAWAYN SAYDE THAT GAY LADY. GGK 1208
GOUD MOROUN GAY QUOP GAWAYN THE BLYTHE. GGK 1213
AND EFTE IN HER BOURDYNG THAY BAYTHEN IN THE MORN GGK 1404
BOT THE KNY3T CRAUED LEUE TO KAYRE ON THE MORN GGK 1670
NOW THRID TYME THROWE BEST THENK ON THE MORNE GGK 1680
WITHINNE THE COMLY CORTYNES ON THE COLDE MORNE GGK 1732
AS DOME3DAY SCHULDE HAF BEN DI3T ON THE MORN. GGK 1884
FOR HE HADE MUCHE ON THE MORN TO MYNNE 3IF HE WOLDE GGK 1992
THAT OTHER MUNT FOR THE MORNE MON I THE PROFERED GGK 2350

MORNE (V. MORN, MOURN)

MORNING

AND IN THE MYRY MORNYNG 3E MAY YOUR WAYE TAKE CLN 804
MIRY WAT3 THE MORNYNG HIS MOUNTURE HE ASKES GGK 1691
THIS MORNING IS SO CLERE GGK 1747

MORNYF

AND I A MAN AL MORNYF MATE. PRL 386

MORNYNG (V. MORNING)

MOROUN (V. MOURN)

MOROWEN (V. MORN)

MORSEL

AND BRYNGE A MORSEL OF BRED TO BAUME YOUR HERTTE CLN 620
AND BRYNGE A MORSEL OF BRED TO BANNE YOUR HERTTE CLN V 620
AFTER MESSE A MORSEL HE AND HIS MEN TOKEN. GGK 1690

MORTARS

AS MONY MORTERES OF WAX MERKKED WYTHOUTE CLN 1487

MORTERES (V. MORTARS)

MOSES

TO OURE MERCYABLE GOD ON MOYSES WYSE PAT 238

MOSS

WITH RO3E RAGED MOSSE RAYLED AYWHERE GGK 745

MOSSE (V. MOSS)

MOST (ALSO V. MUST)

THE MOST AND THE MYRIEST THAT MAKED WERN EUER CLN 254
THE MOSTE MOUNTAYNE3 ON MOR THENNE ON MORE DRY3E CLN 385
AND MOSTE HE MENSKES MEN FOR MYNNYNGE OF RI3TES. ERK 269
THE MOST KYD KNY3TE3 VNDER KRYSTES SELUEN. GGK 51
ON THE MOST ON THE MOLDE ON MESURE HYGHE GGK 137
QUO WALT THER MOST RENOUN GGK 231
AS TULK OF TALE MOST TRWE GGK 638
BYFORE ALLE MEN VPON MOLDE HIS MENSK IS THE MOST GGK 914
THAT MOST MYRTHE MY3T MEUE THAT CRYSTENMAS WHYLE GGK 985

BEST WAT3 HE BLYTHEST AND MOSTE TO PRYSE	PRL	1131
MOSTE (V. MOST, MUST)		
MOT (ALSO V. MOTE, CP. MUST)		
THAT SCHAME3 FOR NO SCHREWEDSCHYP SCHENT MOT HE WORTHE	CLN	580
THIS MELLY MOT BE MYNE	GGK	342
SIR GAWAN SO MOT I THRYUE	GGK	387
FOR I MOT NEDES AS 3E WOT MEUE TOMORNE.	GGK	1965
THE MON HEM MAYNTEINES IOY MOT HE HAUE.	GGK	2053
CAYRE3 BI SUM OTHER KYTH THER KRYST MOT YOW SPEDE	GGK	2120
GAWAYN QUOTH THAT GRENE GOME GOD THE MOT LOKE	GGK	2239
LO THER THE FALSSYNG FOULE MOT HIT FALLE	GGK	2378
AND I MOT NEDE3 HIT WERE WYLE I MAY LAST	GGK	2510
THE MON HEM MAYNTEINES IOY MOT THAY HAUE	GGK V	2053
MUCH MAUGRE HIS MUN HE MOT NEDE SUFFER.	PAT	44
MOT EFTE SITTE WYTH MORE VNSOUNDE TO SEWE HEM TOGEDER.	PAT	527
THAT SPOT OF SPYSE3 MOT NEDE3 SPREDE	PRL	25
FOR VCH GRESSE MOT GROW OF GRAYNE3 DEDE	PRL	31
THY CORSE IN CLOT MOT CALDER KEUE	PRL	320
NOW BLYSSE BURNE MOT THE BYTYDE	PRL	397
BOT WYTH SOR3 AND SYT HE MOT HIT CRAUE.	PRL	663
MOTE (ALSO V. MOAT, MOOT)		
WYTHOUTEN MASKLE OTHER MOTE AS MARGERYEPERLE.	CLN	556
HIT HELPPE3 ME NOT A MOTE	GGK	2209
BLWE BYGLY IN BUGLE3 THRE BARE MOTE.	GGK V	1141
AS MOTE IN AT A MUNSTER DOR SO MUKEL WERN HIS CHAWLE3.	PAT	268
FOR THAT MOTE IN HIS MAWE MAD HYM I TROWE.	PAT	299
THE MOUNTAUNCE OF A LYTTEL MOTE VPON THAT MAN SCHYNE	PAT	456
WYTHOUTEN MOTE OTHER MASCLE OF SULPANDE SYNNE	PRL	726
FOR MOTE NE SPOT IS NON IN THE	PRL	764
THAT MOT NE MASKLLE MO3T ON STRECHE.	PRL	843
YOUR WONE3 SCHULDE BE WYTHOUTEN MOTE	PRL	924
SO IS HYS MOTE WYTHOUTEN MOOTE	PRL	948
TO THE MEYNY THAT IS WYTHOUTEN MOTE.	PRL	960
BOT THOU WER CLENE WYTHOUTEN MOTE	PRL	972
MOTELES (V. MOTELESS)		
MOTELESS		
THAT MOTELES MEYNY MAY NEUER REMWE	PRL	899
THYS MOTELE3 MEYNY THOU CONE3 OF MELE	PRL	925
MOTELE3 MAY SO MEKE AND MYLDE.	PRL	961
MOTELE3 (V. MOTELESS)		
MOTES (ALSO V. MOATS)		
OTHER OF MOULYNGE OTHER OF MOTES OTHIR MOGHTFRETEN.	ERK	86
MOTE3 (ALSO V. MOOT)		
BLWE BYGLY IN BUGLE3 THRE BARE MOTE3	GGK	1141
STRAKANDE FUL STOUTLY MONY STIF MOTE3	GGK	1364
MOTHER		
NOW HERID BE THOU HEGHE GOD AND THI HENDE MODER.	ERK	325
AND MARY THAT IS MYLDEST MODER SO DERE.	GGK	754
NEUER SYN THAT HE WAT3 BURNE BORNE OF HIS MODER.	GGK	2320
MAKELE3 MODER AND MYRYEST MAY.	PRL	435
MOTHER-CHILD		
WITH MONI A MODEY MODERCHYLDE MO THEN INNOGHE	CLN	1303
MOUL (CP. MOL)		
O MOUL THOU MARRE3 A MYRY IUELE	PRL	23
O MOUL THOU MARRE3 A MYRY MELE	PRL 2	23
MOULYNGE		
OTHER OF MOULYNGE OTHER OF MOTES OTHIR MOGHTFRETEN.	ERK	86
MOUN (CP. MAY)		
AND WYRKE3 AND DOT3 THAT AT 3E MOUN.	PRL	536

MOUNES
NE FOR MAYSTRIE NE FOR MEDE NE FOR NO MOUNES AGHE . . . . . . ERK 234
MOUNT
ON THE MOUNTE OF ARARACH OF ARMENE HILLES. . . . . CLN 447
FOR HIS MAKE WAT3 MYST THAT ON THE MOUNT LENGED. . . . . . . CLN 994
ON THE MOUNTE OF MARARACH OF ARMENE HILLES . . . . CLN V 447
SO MONY MERUAYL BI MOUNT THER THE MON FYNDE3. . . . . GGK 718
BI A MOUNTE ON THE MORNE MERYLY HE RYDES . . . . GGK 740
TO LASTE MERE OF VCHE A MOUNT MAN AM I FALLEN . . . . PAT 320
ON THE MOUNT OF SYON FUL THRYUEN AND THRO. . . . . PRL 868
MOUNTAINS
THE MOSTE MOUNTAYNE3 ON MOR THENNE ON MORE DRY3E . . . . . . CLN 385
MOUNTAYNE3 (V. MOUNTAINS)
MOUNTAUNCE
THE MOUNTAUNCE OF A LYTTEL MOTE VPON THAT MAN SCHYNE . . . . . PAT 456
MOUNTE (V. MOUNT)
MOUNTES (V. MOUNTS)
MOUNTE3 (V. MOUNTS)
MOUNTS
HIT IS MERUAILE TO MEN THAT MOUNTES TO LITELLE . . . . ERK 160
ON THIS MANER BI THE MOUNTES QUYLE MYD-OUER-VNDER . . . . GGK 1730
MIST MUGED ON THE MOR MALT ON THE MOUNTE3. . . . . GGK 2080
FOR THINK THAT MOUNTES TO NO3T HER MERCY FORSAKEN . . . . . . PAT 332
THY MENDE3 MOUNTE3 NOT A MYTE. . . . . PRL 351
MOUNTURE
MIRY WAT3 THE MORNYNG HIS MOUNTURE HE ASKES . . . . GGK 1691
MOURKENES (CP. MURK)
MOURKENES THE MERY WEDER AND THE MYST DRYUES. . . . . CLN 1760
MOURKNE
THENNE MOURKNE IN THE MUDDE MOST FUL NEDE. . . . . CLN 407
MOURN
I MAY BOT MOURNE VPON MOLDE AS MAY THAT MUCH LOUYES . . . . . GGK 1795
FOR MARRE OTHER MADDE MORNE AND MYTHE . . . . PRL 359
FOR MARRED OTHER MADDE MORNE AND MYTHE. . . . . PRL 1 359
FOR MARRED OTHER MADDE MORNE AND MYTHE. . . . . PRL 2 359
FOR MARRED OTHER MADDE MORNE AND MYTHE. . . . . PRL 3 359
MOURNE (V. MOURN)
MOURNE3 (V. MOURNS)
MOURNING
TOWARDE THE MERE OF MAMBRE MURNANDE FOR SOREWE . . . . CLN 778
MECHE MOURNYNGE AND MYRTHE WAS MELLYD TOGEDER . . . . ERK 350
FOR AFTTER METE WITH MOURNYNG HE MELE3 TO HIS EME . . . . . . GGK 543
AS MON THAT WAT3 IN MORNYNG OF MONY THRO THO3TES . . . . . . GGK 1751
THAT I MAY MYNNE ON THE MON MY MOURNYNG TO LASSEN . . . . . . GGK 1800
THER MYS NEE MORNYNG COM NEUER NERE. . . . . PRL 262
MOURNS
SO MONY MALICIOUS MON AS MOURNE3 THERINNE. . . . . PAT 508
MOURNYNG (V. MOURNING)
MOURNYNGE (V. MOURNING)
MOUTH
WAT3 NOT THIS ILKE WORDE ONE WONNEN OF HIS MOWTHE . . . . . . CLN 1669
BOT ALLE MUSET HIT TO MOUTHE AND QUAT HIT MENE SHULDE. . . . . ERK 54
HIT TO MUTHE TO ANY MON TO MAKE OF A NOMBRE . . . . ERK 206
AND MELED THUS MUCH WITH HIS MUTHE AS 3E MAY NOW HERE. . . . . GGK 447
HUNTERE3 HEM HARDENED WITH HORNE AND WYTH MUTHE. . . . . GGK 1428
HADEN HORNE3 TO MOUTHE HETERLY RECHATED . . . . GGK 1446
MONY WAT3 THE MYRY MOUTHE OF MEN AND OF HOUNDE3. . . . . . . GGK 1447
THE FROTHE FEMED AT HIS MOUTH VNFAYRE BI THE WYKE3. . . . . . GGK 1572
ALLE THE SPECHE3 OF SPECIALTE THAT SPRANGE OF HER MOUTHE. . . GGK 1778

AND MUTH 3IF HE ME MANDE MAUGREF MY CHEKES . . . . PAT 54
WYTH Y3EN OPEN AND MOUTH FUL CLOS . . . . PRL 183
SO CLOSED HE HYS MOUTH FRO VCH QUERY . . . . PRL 803

MOUTHE (V. MOUTH)

MOUTHES (V. MOUTHS)

MOUTHS

RASED HYM FUL RADLY OUT OF THE RACH MOUTHES . . . . GGK 1907

MOVE

THAT MOST MYRTHE MY3T MEUE THAT CRYSTENMAS WHYLE . . . . . . GGK 985
THAT THER SCHULDE NO MON MEUE TO THE MALE DERE . . . . GGK 1157
MEUE OTHER AMOUNT TO MERUAYLE HYM THO3T . . . . GGK 1197
AND MADEE HYM MAWGREF HIS HED FORTO MWE VTTER . . . . GGK 1565
FOR I MOT NEDES AS 3E WOT MEUE TOMORNE. . . . . GGK 1965
IN AUENTURE THER MERUAYLE3 MEUEN. . . . . PRL 64

MOVED

AND ALSO ANOTHER MANER MEUED HIM EKE . . . . GGK 90
AND THENNE HE MEUED TO HIS METE THAT MENSKLY HYM KEPED . . . . GGK 1312
THAT MEUED MY MYNDE AY MORE AND MORE . . . . PRL 156

MOVES

THE ENDE OF ALLEKYNE3 FLESCH THAT ON VRTHE MEUE3 . . . . . . CLN 303

MOVING

MEUANDE MEKELY TOGEDER AS MYRY MEN 3ONGE . . . . CLN 783

MOWE (CP. MAY)

3E MOWE . . . . GGK 1397

MOWTHE (V. MOUTH)

MOYSES (V. MOSES)

MO3T

HIT WERE A MERUAYL TO MUCH HIT MO3T NOT FALLE . . . . CLN 22
ALLE EXCUSED HEM BY THE SKYLY HE SCAPE BY MO3T . . . . CLN 62
ALLE THAT DETH MO3T DRY3E DROWNED THERINNE . . . . CLN 372
WEL NY3E PURE PARADYS MO3T PREUE NO BETTER . . . . CLN 704
ELLE3 THAY MO3T HONESTLY AYTHER OTHER WELDE . . . . CLN 705
THAT ALLE THE MESCHEFE3 ON MOLD MO3T HIT NOT SLEKE. . . . . . CLN 708
AND VCHON ROTHELED TO THE REST THAT HE RECHE MO3T . . . . . . CLN 890
WHEN MERK OF THE MYDNY3T MO3T NO MORE LAST . . . . CLN 894
IF I ME FELE VPON FOTE THAT I FLE MO3T. . . . . CLN 914
AND ALLE HENDE THAT HONESTLY MO3T AN HERT GLADE. . . . . . . CLN 1083
THENNE ALLE THE TOLES OF TOLOWSE MO3T TY3T HIT TO KERUE . . . . CLN 1108
BOT ER THAY ATWAPPE NE MO3T THE WACH WYTHOUTE . . . . CLN 1205
FOR HADE HE LET OF HEM LY3T HYM MO3T HAF LUMPEN WORSE. . . . . CLN 1320
MO3T NEUER MY3T BOT MYN MAKE SUCH ANOTHER. . . . . CLN 1668
MADE OF STOKKES AND STONE3 THAT NEUER STYRY MO3T . . . . . . CLN 1720
SOTH MO3T NO MON SAY. . . . . GGK 84
HIT SEMED AS HE MO3T. . . . . GGK 872
FOR MORE MYRTHE OF THAT MON MO3T HO NOT GETE. . . . . GGK 1871
THAY MADEN AS MERY AS ANY MEN MO3TEN . . . . GGK 1953
THE SE SA3TLED THERWYTH AS SONE AS HO MO3T . . . . PAT 232
WHAT LEDE MO3T LEUE BI LAWE OF ANY KYNDE . . . . PAT 259
THAT INTO HIS HOLY HOUS MYN ORISOUN MO3T ENTRE . . . . PAT 328
THE MAN MARRED ON THE MOLDE THAT MO3T HYM NOT HYDE. . . . . . PAT 479
WHAT LEDE MO3T LYUE BI LAWE OF ANY KYNDE . . . . PAT V 259
SO SEMLY A SEDE MO3T FAYLY NOT . . . . PRL 34
HER REKEN MYRTHE MO3T NOT RETRETE . . . . PRL 92
ER I AT STEUEN HIR MO3T STALLE . . . . PRL 188
THERE MO3T MON BY GRACE HAF SENE. . . . . PRL 194
A MANNE3 DOM MO3T DRY3LY DEMME . . . . PRL 223
ER MYNDE MO3T MALTE IN HIT MESURE . . . . PRL 224
I HOPE NO TONG MO3T ENDURE. . . . . PRL 225
THE CROUNE FRO HYR QUO MO3T REMWE . . . . PRL 427

WHAT MORE HONOUR MO3TE HE ACHEUE. . . . . PRL 475
WHAT MORE WORSCHYP MO3T HE FONGE. . . . . PRL 479
THAT MOT NE MASKLLE MO3T ON STRECHE. . . . . PRL 843
WYTH ALLE KYNNE3 PERRE THAT MO3T REPAYRE . . . . PRL 1028
THE HY3E TRONE THER MO3T 3E HEDE. . . . . PRL 1051
THE STEUEN MO3T STRYKE THUR3 THE VRTHE TO HELLE. . . . . PRL 1125
THEN MO3TE BY RY3T VPON HEM CLYUEN . . . . PRL 1196
THEN MO3TEN BY RY3T VPON HEM CLYUEN. . . . . PRL 1 1196
THEN MO3TEN BY RY3T VPON HEM CLYUEN. . . . . PRL 3 1196

MO3TE (V. MO3T)

MO3TEN (V. MO3T)

MO3TE3

MAY THOU TRAW FOR TYKLE THAT THOU TONNE MO3TE3 . . . . CLN 655
MAY THOU TRAW FOR TYKLE THAT THOU TEME MO3TE3 . . . . CLN V 655

MUCH

HIT WERE A MERUAYL TO MUCH HIT MO3T NOT FALLE . . . . CLN 22
FOR MONSWORNE AND MENSCLA3T AND TO MUCH DRYNK . . . . CLN 182
MAN MAY MYSSE THE MYRTHE THAT MUCH IS TO PRAYSE. . . . . CLN 189
FOR SUCH VNTHEWE3 AS THISE AND THOLE MUCH PAYNE. . . . . CLN 190
THER WAT3 MALYS MERCYLES AND MAWGRE MUCH SCHEUED . . . . CLN 250
ME FORTHYNKE3 FUL MUCH THAT EUER I MON MADE . . . . CLN 285
AND MUCH COMFORT IN THAT COFER THAT WAT3 CLAYDAUBED . . . . . CLN 492
AMONG THO MANSED MEN THAT HAN THE MUCH GREUED . . . . CLN 774
THAT ALLE NA3T MUCH NIYE HADE NOMEN IN HIS HERT. . . . . CLN 1002
BOT MUCH CLENER WAT3 HIR CORSE GOD KYNNED THERINNE. . . . . . CLN 1072
SKETE SKARMOCH SKELT MUCH SKATHE LACHED . . . . CLN 1186
AND NABUGODENO3AR MAKES MUCH IOYE . . . . CLN 1304
THAT TO NEUEN THE NOUMBRE TO MUCH NYE WERE . . . . CLN 1376
DISPLESED MUCH AT THAT PLAY IN THAT PLYT STRANGE . . . . CLN 1494
MANE MENES ALS MUCH AS MAYNFUL GODE. . . . . CLN 1730
DISPLESED MUCH AT THAT PLAY IN THAT PLYT STRONGE . . . . CLN V 1494
A MECHE MANTEL ON LOFTE WITH MENYUER FURRIT . . . . ERK 81
WITH MECHE WONDER FORWRAST AND WEPID FUL MONY . . . . ERK 220
MECHE MOURNYNGE AND MYRTHE WAS MELLYD TOGEDER . . . . ERK 350
HIT IS TO MECHE TO ANY MON TO MAKE OF A NOMBRE . . . . ERK V 206
MUCH MIRTHE HE MAS WITHALLE . . . . GGK 106
A MUCH BERD AS A BUSK OUER HIS BREST HENGES . . . . GGK 182
THE MANE OF THAT MAYN HORS MUCH TO HIT LYKE . . . . GGK 187
BOT FOR AS MUCH AS 3E AR MYN EM I AM ONLY TO PRAYSE . . . . . GGK 356
AND MELED THUS MUCH WITH HIS MUTHE AS 3E MAY NOW HERE. . . . . GGK 447
WITH MUCH REUEL AND RYCHE OF THE ROUNDE TABLE . . . . GGK 538
THERE WAT3 MUCH DERNE DOEL DRIUEN IN THE SALE . . . . GGK 558
AND MICHE WAT3 THE GYLD GERE THAT GLENT THER ALOFTE . . . . . GGK 569
WEL MUCH WAT3 THE WARME WATER THAT WALTERED OF Y3EN . . . . . GGK 684
FOR WERRE WRATHED HYM NOT SO MUCH THAT WYNTER WAS WORS . . . . GGK 726
THAT MON MUCH MERTHE CON MAKE. . . . . GGK 899
AND ALLE THE MEN IN THAT MOTE MADEN MUCH JOYE . . . . GGK 910
THER WAT3 METE THER WAT3 MYRTHE THER WAT3 MUCH IOYE . . . . . GGK 1007
MUCH PYPYNG THER REPAYRES . . . . GGK 1017
MUCH DUT WAT3 THER DRYUEN THAT DAY AND THAT OTHER . . . . . . GGK 1020
THEN MUCH OF THE GARYSOUN OTHER GOLDE THAT THAY HAUEN. . . . . GGK 1255
AND OTHER FUL MUCH OF OTHER FOLK FONGEN HOR DEDE3 . . . . . . GGK 1265
AND AY THE LADY LET LYK A HYM LOUED MYCH . . . . GGK 1281
MUCH SOLACE SET THAY SAME . . . . GGK 1318
MUCH SPECHE THAY THER EXPOUN . . . . GGK 1506
MUCH GLAM AND GLE GLENT VP THERINNE. . . . . GGK 1652
MUCH WELE THEN WAT3 THERINNE . . . . GGK 1767
I MAY BOT MOURNE VPON MOLDE AS MAY THAT MUCH LOUYES . . . . . GGK 1795
AMONG THE LADIES FOR LUF HE LADDE MUCH IOYE . . . . GGK 1927

BI KRYST QUOTH THAT OTHER KNY3T 3E CACH MUCH SELE	GGK	1938
FOR HE HADE MUCHE ON THE MORN TO MYNNE 3IF HE WOLDE	GGK	1992
ON BENT MUCH BARET BENDE	GGK	2115
MARY QUOTH THAT OTHER MON NOW THOU SO MUCH SPELLE3.	GGK	2140
THENN HE MELE3 MURYLY WYTH A MUCH STEUEN	GGK	2336
WAT3 BLENDED WITH BARSABE THAT MUCH BALE THOLED.	GGK	2419
THERE WAT3 MUCH DERUE DOEL DRIUEN IN THE SALE	GGK V	558
MUCH MAUGRE HIS MUN HE MOT NEDE SUFFER.	PAT	44
AND HER MALYS IS SO MUCH I MAY NOT ABIDE	PAT	70
I WOT HIS MY3T IS SO MUCH THA3 HE BE MYSSEPAYED.	PAT	399
MUCHE SOR3E THENNE SATTELED VPON SEGGE JONAS.	PAT	409
MUCH 3IF HE NE ME MADE MAUGREF MY CHEKES	PAT V	54
MY JOY FORTHY WAT3 MUCH THE MORE.	PRL	234
MUCH LONGEYNG HAF I FOR THE LAYNED	PRL	244
AND MUCH TO BLAME AND VNCORTAYSE.	PRL	303
BOT MUCH THE BYGGER 3ET WAT3 MY MON.	PRL	374
THE MERCI OF GOD IS MUCH THE MORE	PRL	576
WHETHER LYTTEL OTHER MUCH BE HYS REWARDE	PRL	604
FOR KRYST HAN LYUED IN MUCH STRYF	PRL	776
TO MUCH HIT WERE OF FOR TO MELLE.	PRL	1118
WYTH MUCH MERUAYLE IN MYNDE WENT.	PRL	1130
LORDE MUCH OF MIRTHE WAT3 THAT HO MADE.	PRL	1149
MUCHE (V. MUCH)		
MUCHQUAT		
THUS THAY MELED OF MUCHQUAT TIL MYDMORN PASTE	GGK	1280
MUCK		
I AM BOT MOKKE AND MUL AMONG	PRL	905
MUCKEL (V. MUKEL)		
MUD		
THENNE MOURKNE IN THE MUDDE MOST FUL NEDE.	CLN	407
MUDDE (V. MUD)		
MUGED		
MIST MUGED ON THE MOR MALT ON THE MOUNTE3.	GGK	2080
MUKEL		
THAT MADE THE MUKEL MANGERYE TO MARIE HIS HERE DERE	CLN	52
THE MUKEL LAUANDE LOGHE TO THE LYFTE RERED	CLN	366
ALLE THE MUKEL MAYNYMOLDE FOR NO MANNE3 SYNNE3	CLN	514
IN MUKEL MESCHEFES MONY THAT IS MERUAYL TO HERE.	CLN	1164
ALLE THE MUKEL MAYNY ON MOLDE FOR NO MANNE3 SYNNE3.	CLN V	514
THE MECUL MYNSTER THERINNE A MAGHTY DEUEL AGHT	ERK	27
NE THE MESURE OF THI MERCY NE THI MECUL VERTUE	ERK	286
AND THAT THE MYRIEST IN HIS MUCKEL THAT MY3T RIDE	GGK	142
AS MOTE IN AT A MUNSTER DOR SO MUKEL WERN HIS CHAWLE3.	PAT	268
THUR3 MY3T OF THY MERCY THAT MUKEL IS TO TRYSTE.	PAT	324
MUKKYDE		
AND AS THAI MUKKYDE AND MYNDE A MERUAYLE THAI FOUNDEN.	ERK	43
MUL (V. MOL)		
MULLE (V. MILL)		
MULNE (V. MILL)		
MULTIPLIED		
AND MULTYPLYED MONYFOLDE INMONGE3 MANKYNDE	CLN	278
MULTIPLY		
MULTYPLYE3 ON THIS MOLDE AND MENSKE YOW BYTYDE	CLN	522
MULTYPLYED (V. MULTIPLIED)		
MULTYPLYE3 (V. MULTIPLY)		
MUN		
MUCH MAUGRE HIS MUN HE MOT NEDE SUFFER.	PAT	44
MUNSTER (V. MINISTER)		
MUNT (CP. MYNT)		

MUNT AS MA3TYLY AS MARRE HYM HE WOLDE . . . . GGK 2262
THAT OTHER MUNT FOR THE MORNE MON I THE PROFERED . . . . . . GGK 2350
BOT OF THAT MUNT I WAT3 BITALT . . . . PRL 1161
MURK (CP. MOURKENES)
WHEN MERK OF THE MYDNY3T MO3T NO MORE LAST . . . . CLN 894
AND THA3 THE MATER BE MERK THAT MERKED IS 3ENDER . . . . . . CLN 1617
THER HE SETE ALSO SOUNDE SAF FOR MERK ONE. . . . . PAT 291
MURNANCE (V. MOURNING)
MURTHE (V. MIRTH)
MURYLY (V. MERRILY)
MUSED
BOT ALLE MUSET HIT TO MOUTHE AND QUAT HIT MENE SHULDE. . . . . ERK 54
THAT MUSED . . . . GGK 2424
MUSET (V. MUSED)
MUST (CP. MOT)
THENNE MOURKNE IN THE MUDDE MOST FUL NEDE. . . . . CLN 407
HE MOST AY LYUE IN THAT LO3E IN LOSYNG EUERMORE. . . . . . . CLN 1031
AND SO NABUGODENO3AR AS HE NEDES MOSTE. . . . . CLN 1331
AND THOU REMUED FRO MONNES SUNES ON MOR MOST ABIDE. . . . . . CLN 1673
BOT MON MOST I ALGATE MYNN HYM TO BENE. . . . . GGK 141
AND NEDE3 HIT MOST BE DONE. . . . . GGK 1287
TIL THE SESOUN WAT3 SE3EN THAT THAY SEUER MOSTE. . . . . . . GGK 1958
THENNE THRAT MOSTE I THOLE AND VNTHONK TO MEDE . . . . PAT 55
ER MOSTE THOU CEUER TO OTHER COUNSAYLE. . . . . PRL 319
THOU MOSTE ABYDE THAT HE SCHAL DEME. . . . . PRL 348
MERCY AND GRACE MOSTE HEM THEN STERE . . . . PRL 623
MUTE
AND MAYME3 THE MUTE INN MELLE. . . . . GGK 1451
WHEN ALLE THE MUTE HADE HYM MET MENGED TOGEDER . . . . GGK 1720
HIT WAT3 THE MYRIEST MUTE THAT EUER MEN HERDE . . . . GGK 1915
MUTH (V. MOUTH)
MUTHE (V. MOUTH)
MWE (V. MOVE)
MY (APP. 1)
MYCH (V. MUCH)
MYDDELERDE
AND MORE HE IS THEN ANY MON VPON MYDDELERDE . . . . GGK 2100
MYDDES (V. MIDST)
MYDDE3 (V. MIDST)
MYDELLE (V. MIDDLE)
MYDMORN (V. MIDMORN)
MYDNY3T (V. MIDNIGHT)
MYD-OUER-VNDER (V. MID-OVER-UNDER)
MYERTHE (V. MIRTH)
MYGHTES (V. MIGHTS)
MYKE
WITHOUTEN MAST OTHER MYKE OTHER MYRY BAWELYNE . . . . CLN 417
MYKE3
FOR MONY BEN CALLED THA3 FEWE BE MYKE3. . . . . PRL 572
MYLDE (V. MILD)
MYLDEST (V. MILDEST)
MYLE (V. MILE)
MYLE3 (V. MILES)
MYLKE (V. MILK)
MYN (APP. 1)
MYNDE (V. MIND)
MYNE (APP. 1)
MYNE3
ME MYNE3 ON ONE AMONGE OTHER AS MATHEW RECORDE3. . . . . . . CLN 25

ON THE MORNE AS VCH MON MYNE3 THAT TYME	GGK	995
MYNGE		
FOR THAY OF MOTE COUTHE NEUER MYNGE.	PRL	855
MYNGED		
THE HUNT REHAYTED THE HOUNDE3 THAT HIT FYRST MYNGED	GGK	1422
MYNN (V. MYNNE)		
MYNNE		
FOR TO MYNNE ON HIS MON HIS METH THAT ABYDE3.	CLN	436
MEKE MAYSTER ON THY MON TO MYNNE IF THE LYKED	CLN	771
BOT MON MOST I ALGATE MYNN HYM TO BENE.	GGK	141
MAKE WE MERY QUYL WE MAY AND MYNNE VPON JOYE.	GGK	1681
NIF MARYE OF HIR KNY3T CON MYNNE.	GGK	1769
THAT I MAY MYNNE ON THE MON MY MOURNYNG TO LASSEN	GGK	1800
OF THE MORE AND THE MYNNE AND MERCI BESECHE3.	GGK	1881
FOR HE HADE MUCHE ON THE MORN TO MYNNE 3IF HE WOLDE	GGK	1992
FYRST OF MY HYRE MY LORDE CON MYNNE.	PRL	583
MYNNED		
THAT EUER MYNNYD SUCHE A MON MORE NE LASSE	ERK	104
MYNNED MERTHE TO BE MADE VPON MONY SYTHE3.	GGK	982
MYNNYD (V. MYNNED)		
MYNNYNGE		
AND MOSTE HE MENSKES MEN FOR MYNNYNGE OF RI3TES.	ERK	269
MYNSTER (V. MINISTER)		
MYNSTERDORES (V. MINSTER-DOORS)		
MYNSTRALCIE (V. MINSTRELSY)		
MYNSTRALSYE (V. MINSTRELSY)		
MYNSTRASY (V. MINSTRELSY)		
MYNT (CP. MUNT)		
FYRST I MANSED THE MURYLY WITH A MYNT ONE.	GGK	2345
MYNTE		
THE FYNDYNGE OF THAT FERLY WITH FYNGER HE MYNTE.	ERK	145
MYNTES		
AND THOU VNHYLES VCH HIDDE THAT HEUENKYNG MYNTES	CLN	1628
FOR BOTHE TWO HERE I THE BEDE BOT TWO BARE MYNTES	GGK	2352
MYNTEST		
NAWTHER FYKED I NE FLA3E FREKE QUEN THOU MYNTEST	GGK	2274
MYNTE3		
HE MYNTE3 AT HYM MA3TYLY BOT NOT THE MON RYNE3	GGK	2290
HE MYNTE3 AT HYM MA3TYLY BOT NOT THE MON RYUE3	GGK V	2290
MYNYSTRED (V. MINISTERED)		
MYRE (V. MIRE)		
MYRI (V. MERRY)		
MYRIEST (V. MERRIEST)		
MYRTHE (V. MIRTH)		
MYRTHE3 (V. MIRTHS)		
MYRY (V. MERRY)		
MYRYER (V. MERRIER)		
MYRYEST (V. MERRIEST)		
MYRYESTE (V. MERRIEST)		
MYRYLY (V. MERRILY)		
MYS (V. MISS)		
MYSBODEN (V. MISBODEN)		
MYSDEDE (V. MISDEED)		
MYSDEDES (V. MISDEEDS)		
MYSDEDE3 (V. MISDEEDS)		
MYSELF (APP. 1)		
MYSELFE (APP. 1)		
MYSELUEN (APP. 1)		
MYSERECORDE (V. MISERECORDE)		

MYSETENTE
SIR 3E HAF YOUR TALE MYSETENTE . . . . PRL 257
MYSLYKE (V. MISLIKE)
MYSSE (V. MISS)
MYSSELEUE
NE NEUER TRESPAST TO HIM IN TECHE OF MYSSELEUE . . . . CLN 1230
MYSSEPAYED
I WOT HIS MY3T IS SO MUCH THA3 HE BE MYSSEPAYED. . . . . . . PAT 399
MYSSES (V. MISSES)
MYSSE3EME
OURE 3OREFADER HIT CON MYSSE3EME. . . . . PRL 322
MYST (V. MISSED, MIST)
MYSTE (ALSO V. MISSED)
A LONGANDE LYM TO THE MAYSTER OF MYSTE. . . . . PRL 462
MYSTERIE (V. MYSTERY)
MYSTERIES
TO MO OF HIS MYSTERYS I HADE BEN DRYUEN . . . . PRL 1194
MYSTERY
THE MYSTERIE OF THIS MERUAILE THAT MEN OPON WONDRES . . . . ERK 125
MYSTERYS (V. MYSTERIES)
MYSTHAKEL
VCH HILLE HADE A HATTE A MYSTHAKEL HUGE . . . . GGK 2081
MYTE (V. MITE)
MYTHE
FOR MARRE OTHER MADDE MORNE AND MYTHE . . . . PRL 359
FOR MARRED OTHER MADDE MORNE AND MYTHE. . . . . PRL 1 359
FOR MARRED OTHER MADDE MORNE AND MYTHE. . . . . PRL 2 359
FOR MARRED OTHER MADDE MORNE AND MYTHE. . . . . PRL 3 359
MYYN (APP. 1)
MY3T (V. MIGHT)
MY3TE (V. MIGHT)
MY3TES (V. MIGHTS)
MY3TE3 (V. MIGHTS)
MY3TY (V. MIGHTY)
NABIGODENO3AR (V. NEBUCHADNEZZAR)
NABI3ARDAN (V. NEBUZARADAN)
NABUGO (CP. NEBUCHADNEZZAR)
NAS HIT NOT FOR NABUGO NE HIS NOBEL NAUTHER . . . . CLN 1226
3ET NOLDE NEUER NABUGO THIS ILKE NOTE LEUE . . . . CLN 1233
NABUGODENO3AR (V. NEBUCHADNEZZAR)
NABU3ARDAN (V. NEBUZARADAN)
NADE (APP. 1)
NAF (APP. 1)
NAILED
AYQUERE NAYLET FUL NWE FOR THAT NOTE RYCHED . . . . GGK 599
NAILS
AND AL WAT3 RAYLED ON RED RYCHE GOLDE NAYLE3. . . . . GGK 603
NAITYD (V. NAYTED)
NAKED
AND ALS FRESHE HYM THE FACE AND THE FLESHE NAKYDE . . . . . . ERK 89
LET THE NAKED NEC TO THE NOTE SCHEWE . . . . GGK 420
LET HIM DOUN LY3TLY LY3T ON THE NAKED . . . . GGK 423
MO NY3TE3 THEN INNOGHE IN NAKED ROKKE3. . . . . GGK 730
THE TWEYNE Y3EN AND THE NASE THE NAKED LYPPE3 . . . . GGK 962
HIR THRYUEN FACE AND HIR THROTE THROWEN AL NAKED . . . . . . GGK 1740
WYTH NY3E INNOGHE OF THE NORTHE THE NAKED TO TENE . . . . . . GGK 2002
THE NIRT IN THE NEK HE NAKED HEM SCHEWED . . . . GGK 2498
THA3 I BE NUMMEN IN NUNNIUE AND NAKED DISPOYLED. . . . . . . PAT 95
HIS RYCHE ROBE HE TOROF OF HIS RIGGE NAKED . . . . PAT 379

NAKERYN
AND AY THE NAKERYN NOYSE NOTES OF PIPES . . . . CLN 1413
NWE NAKRYN NOYSE WITH THE NOBLE PIPES . . . . GGK 118
NAKERYS
TRUMPE3 AND NAKERYS . . . . GGK 1016
NAKRYN (V. NAKERYN)
NAKYDE (V. NAKED)
NAME
HYM WAT3 THE NOME NOE AS IS INNOGHE KNAWEN . . . . CLN 297
NOE THAT OFTE NEUENED THE NAME OF OURE LORDE. . . . . CLN 410
HIS NAME WAT3 NABU3ARDAN TO NOYE THE IUES. . . . . CLN 1236
AND ALS THE GOD OF THE GROUNDE WAT3 GRAUEN HIS NAME . . . . CLN 1324
THY BOLDE FADER BALTA3AR BEDE BY HIS NAME. . . . . CLN 1610
AND CLANSYD HOM IN CRISTES NOME AND KYRKES HOM CALLID. . . . ERK 16
AND THE TITLE OF THE TEMPLE BITAN WAS HIS NAME . . . . . . ERK 28
NE NOTHER HIS NOME NE HIS NOTE NOURNE OF ONE SPECHE . . . . . ERK 152
THE NAME THAT THOU NEUENYD HAS AND NOURNET ME AFTER . . . . ERK 195
I FOLWE THE IN THE FADER NOME AND HIS FRE CHILDES . . . . . ERK 318
AND NEUENES HIT HIS AUNE NOME AS HIT NOW HAT. . . . . GGK 10
NE I KNOW NOT THE KNY3T BY CORT NE THI NAME . . . . GGK 400
OF MY HOUS AND MY HOME AND MYN OWEN NOME . . . . GGK 408
AND COUTHLY HYM KNOWE3 AND CALLE3 HYM HIS NOME . . . . GGK 937
AND THAT THAY NEME FOR THE NOUMBLES BI NOME AS I TROWE . . . GGK 1347
HOW NORNE 3E YOWRE RY3T NOME AND THENNE NO MORE. . . . . . . GGK 2443
THERFORE HIT IS HIR NAME . . . . GGK 2453
THE LOMBE3 NOME HYS FADERE3 ALSO. . . . . PRL 872
AS JOHN THISE STONE3 IN WRIT CON NEMME. . . . . PRL 997
I KNEW THE NAME AFTER HIS TALE . . . . PRL 998
VCHON IN SCRYPTURE A NAME CON PLYE . . . . PRL 1039
NAMES
AND CHAUNGIT CHEUELY HOR NOMES AND CHARGIT HOM BETTER. . . . ERK 18
I KNEW THE NAME3 AFTER HIS TALE . . . . PRL 2 998
NAME3 (V. NAMES)
NAP
AND QUEN HIT NE3ED TO NA3T NAPPE HYM BIHOUED. . . . . PAT 465
NAPPE (V. NAP)
NAR (APP. 1)
NAS (APP. 1)
NASE (V. NOSE)
NATURE
NOW HAF THAY SKYFTED MY SKYL AND SCORNED NATWRE. . . . . . . CLN 709
THAY KNEWE HYM BY HIS CLANNES FOR KYNG OF NATURE . . . . . . CLN 1087
THY BEAUTE COM NEUER OF NATURE . . . . PRL 749
NATWRE (V. NATURE)
NAUEL (V. NAVEL)
NAUGHTY
HIT IS NOT INNOGHE TO THE NICE AL NO3TY THINK VSE . . . . . . CLN 1359
NAULE (V. NAVEL)
NAUNT (V. AUNT)
NAUTHELES
NAUTHELES THA3 HIT SCHOWTED SCHARPE. . . . . PRL 877
NOWTHELESE NON WAT3 NEUER SO QUOYNT. . . . . PRL 889
AND JERUSALEM HY3T BOTHE NAWTHELES . . . . PRL 950
NAUTHER
SCHAL NEUER GRENE THERON GROWE GRESSE NE WOD NAWTHER . . . . . CLN 1028
NAUTHER TO COUT NE TO KERUE WYTH KNYF NE WYTH EGGE. . . . . . CLN 1104
NAS HIT NOT FOR NABUGO NE HIS NOBEL NAUTHER . . . . CLN 1226
THAT NAUTHER IN HEUEN NE ON ERTHE HADE HE NO PERE . . . . . . CLN 1336
NE WHAT LEDISCH LORE NE LANGAGE NAUTHER . . . . CLN 1556

NOTHER BY TITLE NE TOKEN NE BY TALE NOTHER	ERK	102
NOTHER BY TITLE NE TOKEN NE BY TALE NOTHER	ERK	102
NE NOTHER HIS NOME NE HIS NOTE NOURNE OF ONE SPECHE	ERK	152
NEUER KYNGE NE CAYSER NE 3ET NO KNY3T NOTHYRE	ERK	199
WHETHER HADE HE NO HELME NE HAWBERGH NAUTHER.	GGK	203
AND NAWTHER FALTERED NE FEL THE FREKE NEUER THE HELDER	GGK	430
NE SAMNED NEUER IN NO SYDE NE SUNDRED NOUTHER	GGK	659
NAUTHER OF SOSTNAUNCE NE OF SLEPE SOTHLY I KNOWE	GGK	1095
NE NON EUEL ON NAWTHER HALUE NAWTHER THAY WYSTEN	GGK	1552
NE NON EUEL ON NAWTHER HALUE NAWTHER THAY WYSTEN	GGK	1552
NAUTHER GOLDE NE GARYSOUN ER GOD HYM GRACE SENDE	GGK	1837
I WYL NAUTHER GRETE NE GRONE	GGK	2157
NAWTHER FYKED I NE FLA3E FREKE QUEN THOU MYNTEST	GGK	2274
BOT THAT WAT3 FOR NO WYLYDE WERKE NE WOWYNG NAUTHER	GGK	2367
NE BEST BITE ON NO BROM NE NO BENT NAUTHER	PAT	392
THY HEUED HAT3 NAUTHER GREME NE GRYSTE.	PRL	465
THOU COWTHE3 NEUER GOD NAUTHER PLESE NE PRAY.	PRL	484
NE NEUER NAWTHER PATER NE CREDE	PRL	485
NE ARYSTOTEL NAWTHER BY HYS LETTRURE	PRL	751
AMONG VS COMME3 NOUTHER STROT NE STRYF.	PRL	848
HEM NEDDE NAWTHER SUNNE NE MONE	PRL	1044
THAT FELDE I NAWTHER RESTE NE TRAUAYLE.	PRL	1087
NAVEL		
IN VCHE A NOK OF HIS NAUEL BOT NOWHERE HE FYNDE3	PAT	278
AS HEUED AND ARME AND LEGG AND NAULE	PRL	459
NAWHERE (V. NOWHERE)		
NAWTHELES (V. NAUTHELES)		
NAWTHER (V. NAUTHER)		
NAY (ALSO V. NAY-M.E.)		
NAY FOR FYFTY QUOTH THE FADER AND THY FAYRE SPECHE.	CLN	729
NAY THA3 FAURTY FORFETE 3ET FRYST I A WHYLE	CLN	743
NAY 3IF THOU 3ERNE3 HIT 3ET 3ARK I HEM GRACE.	CLN	758
NAY BISSHOP QUOTH THAT BODY ENBAWMYD WOS I NEUER	ERK	265
NAY AS HELP ME QUOTH THE HATHEL HE THAT ON HY3E SYTTES	GGK	256
NAY FRAYST I NO FY3T IN FAYTH I THE TELLE.	GGK	279
AND AL NYKKED HYM WYTH NAY THAT NEUER IN HER LYUE	GGK	706
NAY FORSOTHE BEAU SIR SAYD THAT SWETE	GGK	1222
NAY HENDE OF HY3E HONOURS	GGK	1813
AND HE NAY THAT HE NOLDE NEGHE IN NO WYSE.	GGK	1836
NAY BI GOD QUOTH GAWAYN THAT ME GOST LANTE	GGK	2250
NAY FORSOTHE QUOTH THE SEGGE AND SESED HYS HELME	GGK	2407
AND HE NIKKED HYM NAYE HE NOLDE BI NO WAYES	GGK	2471
NAY (ME)		
AND THAY NAY THAT THAY NOLDE NE3 NO HOWSE3	CLN	805
NAYE (V. NAY)		
NAYED		
ANOTHER NAYED ALSO AND NURNED THIS CAWSE	CLN	65
NAYLET (V. NAILED)		
NAYLE3 (V. NAILS)		
NAYTE		
VCHE FYSCH TO THE FLOD THAT FYNNE COUTHE NAYTE	CLN	531
NAYTED		
THAT WELNEGHE AL THE NY3T HADE NAITYD HIS HOURES	ERK	119
NOWEL NAYTED ONEWE NEUENED FUL OFTE.	GGK	65
NAYTLY		
NOE NYMMES HIR ANON AND NAYTLY HIR STAUE3.	CLN	480
NA3T (V. NIGHT)		
NA3TE (V. NIGHT)		
NA3TES (V. NIGHTS)		

NEAR
KEST TO KYTHE3 VNCOUTHE THE CLOWDE3 FUL NERE. . . . . CLN 414
THENNE THE BOLDE BALTA3AR BRED NER WODE . . . . CLN 1558
SO WAT3 THE WY3E WYTLES HE WED WEL NER. . . . . CLN 1585
THEN STOD THAT STIF MON NERE . . . . GGK 322
NER SLAYN WYTH THE SLETE HE SLEPED IN HIS YRNES. . . . . GGK 729
HE HAT3 NERE THAT HE SO3T . . . . GGK 1995
THENNE BISPEKE THE SPAKEST DISPAYRED WEL NERE . . . . PAT 169
THER MYS NEE MORNYNG COM NEUER NERE. . . . . PRL 262
THAT HAT3 ME BRO3T THYS BLYS NER. . . . . PRL 286
FOR MEKE ARN ALLE THAT WONE3 HYM NERE . . . . PRL 404
NEARER
AL STUDIED THAT THER STOD AND STALKED HYM NERRE. . . . . . . GGK 237
ALLE THIS COMPAYNY OF COURT COM THE KYNG NERRE . . . . GGK 556
HO COMES NERRE WITH THAT AND CACHE3 HYM IN ARME3 . . . . . GGK 1305
AT ALLE PERYLES QUOTH THE PROPHETE I APROCHE HIT NO NERRE . . PAT 85
HO WAT3 ME NERRE THEN AUNTE OR NECE. . . . . PRL 233
NEBUCHADNEZZAR (CP. NABUGO)
NABIGODENO3AR NUYED HYM SWYTHE . . . . CLN 1176
NABIGODENO3AR NOBEL IN HIS CHAYER . . . . CLN 1218
AND NABUGODENO3AR MAKES MUCH IOYE . . . . CLN 1304
NEUER 3ET NAS NABUGODENO3AR ER THENNE . . . . CLN 1312
AND SO NABUGODENO3AR AS HE NEDES MOSTE. . . . . CLN 1331
NABUGODENO3AR THAT WAT3 HIS NOBLE FADER . . . . CLN 1338
NABUGODENO3AR NOBLE IN HIS STRENTHE. . . . . CLN 1430
WHEN NABUGODENO3AR WAT3 NYED IN STOUNDES . . . . CLN 1603
SO WAT3 NOTED THE NOTE OF NABUGODENO3AR . . . . CLN 1651
NOW NABUGODENO3AR INNO3E HAT3 SPOKEN . . . . CLN 1671
NEBUZARADAN
HIS NAME WAT3 NABU3ARDAN TO NOYE THE IUES. . . . . CLN 1236
NABI3ARDAN NO3T FORTHY NOLDE NOT SPARE. . . . . CLN 1245
AND 3ET NABU3ARDAN NYL NEUER STYNT . . . . CLN 1261
NOW HAT3 NABU3ARDAN NOMEN ALLE THYSE NOBLE THYNGES. . . . . . CLN 1281
NOW HAT3 NABU3ARDAN NUMMEN HIT AL SAMEN . . . . CLN 1291
NABU3ARDAN HYM NOME AND NOW IS HE HERE. . . . . CLN 1613
NEC (V. NECK)
NECE (V. NIECE)
NECK
AND THE BY3E OF BRY3T GOLDE ABOWTE THYN NEKKE . . . . CLN 1638
LET THE NAKED NEC TO THE NOTE SCHEWE . . . . GGK 420
HE LENED WITH THE NEK AND LUTTE . . . . GGK 2255
WITH THE BARBE OF THE BITTE BI THE BARE NEK . . . . GGK 2310
THE HURT WAT3 HOLE THAT HE HADE HENT IN HIS NEK. . . . . . . GGK 2484
THE NIRT IN THE NEK HE NAKED HEM SCHEWED . . . . GGK 2498
THIS IS THE BENDE OF THIS BLAME I BERE ON MY NEK . . . . . . GGK 2506
NEDDE (V. NEEDED)
NEDE (V. NEED)
NEDES (V. NEEDS)
NEDE3 (V. NEEDS)
NEDLES (V. NEEDLESS)
NEDLE3 (V. NEEDLESS)
NEED
THENNE MOURKNE IN THE MUDDE MOST FUL NEDE. . . . . CLN 407
AND HE HEM HAL3ED FOR HIS AND HELP AT HER NEDE . . . . CLN 1163
AND THAT IS THE BEST BE MY DOME FOR ME BYHOUE3 NEDE . . . . . GGK 1216
NURNED HYM SO NE3E THE THRED THAT NEDE HYM BIHOUED. . . . . . GGK 1771
MUCH MAUGRE HIS MUN HE MOT NEDE SUFFER. . . . . PAT 44
OF SUNNE NE MONE HAD THAY NO NEDE . . . . PRL 1045
NEEDED

HEM NEDDE NAWTHER SUNNE NE MONE . . . . PRL 1044
NEEDLESS
BOT AL WAT3 NEDLE3 HER NOTE FOR NEUER COWTHE STYNT. . . . . . CLN 381
BOT AL WAT3 NEDLES NOTE THAT NOLDE NOT BITYDE . . . . PAT 220
NEEDS
AND SO NABUGODENO3AR AS HE NEDES MOSTE. . . . . CLN 1331
THAT IS INNOGH IN NWE3ER HIT NEDES NO MORE . . . . GGK 404
AND NEDE3 HIT MOST BE DONE. . . . . GGK 1287
FOR I MOT NEDES AS 3E WOT MEUE TOMORNE. . . . . GGK 1965
OTHER NOW OTHER NEUER HIS NEDE3 TO SPEDE . . . . GGK 2216
AND I MOT NEDE3 HIT WERE WYLE I MAY LAST . . . . GGK 2510
THUS PUUERTE AND PACYENCE ARN NEDES PLAYFERES . . . . PAT 45
THAT SPOT OF SPYSE3 MOT NEDE3 SPREDE . . . . PRL 25
WHO NEDE3 SCHAL THOLE BE NOT SO THRO . . . . PRL 344
NEGH (V. NE3E)
NEGHE (V. NE3E, NIGH)
NEIGHBOR
NE GLAUERE3 HER NIE3BOR WYTH NO GYLE . . . . PRL 688
NEK (V. NECK)
NEKED
AND OF THAT ILK NW3ERE BOT NEKED NOW WONTE3 . . . . GGK 1062
BOT TO DELE YOW FOR DRURYE THAT DAWED BOT NEKED. . . . . . . GGK 1805
NEKKE (V. NECK)
NEL (APP. 1)
NEM
BOT NOE OF VCHE HONEST KYNDE NEM OUT AN ODDE. . . . . CLN 505
AND AS LOMBE THAT CLYPPER IN HANDE NEM. . . . . PRL 802
AND AS LOMBE THAT CLYPPER IN LANDE NEM. . . . . PRL 1 802
AND AS LOMBE THAT CLYPPER IN LANDE NEM. . . . . PRL 2 802
AND AS LOMBE THAT CLYPPER IN LANDE NEM. . . . . PRL 3 802
NEME
AND THAT THAY NEME FOR THE NOUMBLES BI NOME AS I TROWE . . . GGK 1347
NEMME (V. NAME)
NENTE
THE TOPASYE TWYNNEHEW THE NENTE ENDENT. . . . . PRL 1012
NEPTUNE
SUMME TO DIANA DEUOUT AND DERF NEPTURNE . . . . PAT 166
NEPTURNE (V. NEPTUNE)
NER (V. NEAR)
NERE (V. NEAR AND APP. 1)
NERRE (V. NEARER)
NESCH
QUETHERSOEUER HE DELE NESCH OTHER HARDE . . . . PRL 606
NEUE
WHEN THAT BOLDE BALTA3AR BLUSCHED TO THAT NEUE . . . . CLN 1537
NEUEN
THAT TO NEUEN THE NOUMBRE TO MUCH NYE WERE . . . . CLN 1376
HIT WERE NOW GRET NYE TO NEUEN . . . . GGK 58
NEUENED
NOE THAT OFTE NEUENED THE NAME OF OURE LORDE. . . . . CLN 410
NOW THAT LONDON IS NEUENYD HATTE THE NEW TROIE . . . . ERK 25
THE NAME THAT THOU NEUENYD HAS AND NOURNET ME AFTER . . . . ERK 195
NOWEL NAYTED ONEWE NEUENED FUL OFTE. . . . . GGK 65
BOT NEUERTHELECE NE THE LATER THAY NEUENED BOT MERTHE. . . . GGK 541
NEUENEN
ALLE THE GOUDE GOLDEN GODDES THE GAULE3 3ET NEUENEN . . . . CLN 1525
NEUENES
AND NEUENES HIT HIS AUNE NOME AS HIT NOW HAT. . . . . GGK 10
NEUENYD (V. NEUENED)

NEUERTHELECE (V. NEVERTHELESS)
NEUERTHELES (V. NEVERTHELESS)
NEUERTHELESE (V. NEVERTHELESS)
NEVER

AS SO SAYT3 TO THAT SY3T SECHE SCHAL HE NEUER	CLN	29
AND BE FORBODEN THAT BOR3E TO BOWE THIDER NEUER.	CLN	45
THA3 NEUER IN TALLE NE IN TUCH HE TRESPAS MORE	CLN	48
SCHUL NEUER SITTE IN MY SALE MY SOPER TO FELE	CLN	107
AND IN THE CREATORES CORT COM NEUER MORE	CLN	191
NE NEUER SEE HYM WITH SY3T FOR SUCH SOUR TOURNE3	CLN	192
BOT NEUER 3ET IN NO BOKE BREUED I HERDE	CLN	197
NE NEUER SO SODENLY SO3T VNSOUNDELY TO WENG	CLN	201
IN THE MESURE OF HIS MODE HIS MET3 NEUER THE LASSE.	CLN	215
NE NEUER WOLDE FOR WYLNESFUL HIS WORTHY GOD KNAWE	CLN	231
AND EFTE AMENDED WYTH A MAYDEN THAT MAKE HAD NEUER.	CLN	248
NOW NOE NEUER STYNTE3 THAT NY3T HE BYGYNNE3	CLN	359
FON NEUER IN FORTY DAYE3 AND THEN THE FLOD RYSES	CLN	369
BOT AL WAT3 NEDLE3 HER NOTE FOR NEUER COWTHE STYNT.	CLN	381
DRE3LY ALLE ALONGE DAY THAT DORST NEUER LY3T.	CLN	476
NOW NOE NO MORE NEL I NEUER WARY.	CLN	513
FORTHY SCHAL I NEUER SCHENDE SO SCHORTLY AT ONES	CLN	519
SESOUNE3 SCHAL YOW NEUER SESE OF SEDE NE OF HERUEST	CLN	523
IN THE FYLTHE OF THE FLESCH THAT THOU BE FOUNDEN NEUER	CLN	547
THAT HE SCHULDE NEUER FOR NO SYT SMYTE AL AT ONE3	CLN	566
THAT ILKE SKYL FOR NO SCATHE ASCAPED HYM NEUER	CLN	569
BOT NON NUYE3 HYM ON NA3T NE NEUER VPON DAYE3	CLN	578
TRAVE THOU NEUER THAT TALE VNTRWE THOU HIT FYNDE3	CLN	587
PASSE NEUER FRO THI POUERE 3IF I HIT PRAY DURST.	CLN	615
THAT FOR LOT THAT THAY LAUSED HO LA3ED NEUER.	CLN	668
AND WEYE VPON THE WORRE HALF THAT WRATHED THE NEUER	CLN	719
THAT WAT3 NEUER THY WON THAT WRO3TE3 VS ALLE.	CLN	720
THAT NEUER LAKKED THY LAUE BOT LOUED AY TRAUTHE.	CLN	723
THAT NAS NEUER THYN NOTE VNNEUENED HIT WORTHE	CLN	727
FOR WYTH NO SOUR NE NO SALT SERUE3 HYM NEUER.	CLN	820
HE DOTED NEUER FOR NO DOEL SO DEPE IN HIS MYNDE.	CLN	852
DOT3 AWAY YOUR DERF DYN AND DERE3 NEUER MY GESTES	CLN	862
BOT BES NEUER SO BOLDE TO BLUSCH YOW BIHYNDE.	CLN	904
TIL 3E RECHE TO A RESET REST 3E NEUER	CLN	906
THENN FARE FORTH QUOTH THAT FRE AND FYNE THOU NEUER	CLN	929
TRYNANDE AY A HY3E TROT THAT TORNE NEUER DORSTEN	CLN	976
BOT THE BALLEFUL BURDE THAT NEUER BODE KEPED.	CLN	979
SCHAL NEUER GRENE THERON GROWE GRESSE NE WOD NAWTHER	CLN	1028
AND NEUER DRY3E NO DETHE TO DAYES OF ENDE.	CLN	1032
WAT3 NEUER SO BLYSFUL A BOUR AS WAT3 A BOS THENNE	CLN	1075
FOR NON SO CLENE OF SUCH A CLOS COM NEUER ER THENNE	CLN	1088
BY NOBLEYE OF HIS NORTURE HE NOLDE NEUER TOWCHE.	CLN	1091
THAT FOR FETYS OF HIS FYNGERES FONDED HE NEUER	CLN	1103
TIL TWO 3ER OUERTORNED 3ET TOK THAY HIT NEUER	CLN	1192
NE NEUER TRESPAST TO HIM IN TECHE OF MYSSELEUE	CLN	1230
3ET NOLDE NEUER NABUGO THIS ILKE NOTE LEUE	CLN	1233
AND 3ET NABU3ARDAN NYL NEUER STYNT	CLN	1261
NEUER 3ET NAS NABUGODENO3AR ER THENNE	CLN	1312
COMEN NEUER OUT OF KYTH TO CALDEE REAMES	CLN	1316
BI A HATHEL NEUER SO HY3E HE HELDES TO GROUNDE	CLN	1330
SO KENE A KYNG IN CALDEE COM NEUER ER THENNE.	CLN	1339
AND MONY A LEMMAN NEUER THE LATER THAT LADIS WER CALLED	CLN	1352
NEUER STEUEN HEM ASTEL SO STOKEN IS HOR TONGE	CLN	1524
BOT THER WAT3 NEUER ON SO WYSE COUTHE ON WORDE REDE	CLN	1555

MO3T NEUER MY3T BOT MYN MAKE SUCH ANOTHER.	CLN	1668
FER INTO A FYR FRYTH THERE FREKES NEUER COMEN	CLN	1680
LOUANDE THERON LESE GODDE3 THAT LYF HADEN NEUER.	CLN	1719
MADE OF STOKKES AND STONE3 THAT NEUER STYRY MO3T	CLN	1720
FOR DA3ED NEUER ANOTHER DAY THAT ILK DERK AFTER.	CLN	1755
RECHE THER REST AS HYM LYST HE ROS NEUER THERAFTER.	CLN	1766
THAT WE MAY SERUE IN HIS SY3T THER SOLACE NEUER BLYNNE3	CLN	1812
NE NEUER WOLDE FOR WYLFULNES HIS WORTHY GOD KNAWE	CLN V	231
THAT FOR LOT THAT THAY LANSED HO LA3ED NEUER.	CLN V	668
AND WERE THE LYDDE NEUER SO LARGE THAI LAIDE HIT BY SONE.	ERK	72
BOT ONE CRONICLE OF THIS KYNGE CON WE NEUER FYNDE	ERK	156
THAT ALLE THE HONDES VNDER HEUEN HALDE MY3T NEUER	ERK	166
NEUER KYNGE NE CAYSER NE 3ET NO KNY3T NOTHYRE	ERK	199
AL WAS HIT NEUER MY WILLE THAT WROGHT THUS HIT WERE	ERK	226
I REMEWIT NEUER FRO THE RI3T BY RESON MYN AWEN	ERK	235
DECLYNET NEUER MY CONSCIENS FOR COUETISE ON ERTHE	ERK	237
WERE A RENKE NEUER SO RICHE FOR REUERENS SAKE	ERK	239
NAY BISSHOP QUOTH THAT BODY ENBAWMYD WOS I NEUER	ERK	265
NAS I A PAYNYM VNPRESTE THAT NEUER THI PLITE KNEWE.	ERK	285
DYMLY IN THAT DERKE DETHE THER DAWES NEUER MOROWEN.	ERK	306
FOR THE AYLASTANDE LIFE THAT LETHE SHALLE NEUER.	ERK	347
THAT HE THUR3 NOBELAY HAD NOMEN HE WOLDE NEUER ETE.	GGK	91
WAT3 NEUER SENE IN THAT SALE WYTH SY3T ER THAT TYME	GGK	197
HAYLSED HE NEUER ONE BOT HE3E HE OUER LOKED	GGK	223
FOR FELE SELLYE3 HAD THAY SEN BOT SUCH NEUER ARE	GGK	239
AND REKENLY HYM REUERENCED FOR RAD WAS HE NEUER.	GGK	251
AND HE BALDLY HYM BYDE3 HE BAYST NEUER THE HELDER	GGK	376
I WOT NEUER WHERE THOU WONYES BI HYM THAT ME WRO3T.	GGK	399
AND NAWTHER FALTERED NE FEL THE FREKE NEUER THE HELDER	GGK	430
FORTHI ME FOR TO FYNDE IF THOU FRAYSTE3 FAYLE3 THOU NEUER	GGK	455
DERE DAME TODAY DEMAY YOW NEUER	GGK	470
A 3ERE 3ERNES FUL 3ERNE AND 3ELDE3 NEUER LYKE	GGK	498
TO TELLE YOW TENE3 THEROF NEUER BOT TRIFEL	GGK	547
AND EFTE FAYLED NEUER THE FREKE IN HIS FYUE FYNGRES	GGK	641
THAT QUEN HE BLUSCHED THERTO HIS BELDE NEUER PAYRED	GGK	650
HIS CLANNES AND HIS CORTAYSYE CROKED WERE NEUER.	GGK	653
AND FYCHED VPON FYUE POYNTE3 THAT FAYLD NEUER	GGK	658
NE SAMNED NEUER IN NO SYDE NE SUNDRED NOUTHER	GGK	659
AND AL NYKKED HYM WYTH NAY THAT NEUER IN HER LYUE	GGK	706
THAY SE3E NEUER NO SEGGE THAT WAT3 OF SUCHE HWE3	GGK	707
A BETTER BARBICAN THAT BURNE BLUSCHED VPON NEUER	GGK	793
THAT A COMLOKER KNY3T NEUER KRYST MADE.	GGK	869
WAT3 NEUER FREKE FAYRER FONGE.	GGK	1315
WHAT IS THAT QUOTH THE WYGHE IWYSSE I WOT NEUER.	GGK	1487
3ET HERDE I NEUER OF YOUR HED HELDE NO WORDE3	GGK	1523
NE SUCH SYDES OF A SWYN SEGH HE NEUER ARE.	GGK	1632
AND LETTE3 BE YOUR BISINESSE FOR I BAYTHE HIT YOW NEUER	GGK	1840
AND BISO3T HYM FOR HIR SAKE DISCEUER HIT NEUER	GGK	1862
THAT NEUER WY3E SCHULDE HIT WYT IWYSSE BOT THAY TWAYNE	GGK	1864
AS NEUER HE DID BOT THAT DAYE TO THE DERK NY3T	GGK	1887
THUS MYRY HE WAT3 NEUER ARE	GGK	1891
THAT I SCHAL LELLY YOW LAYNE AND LAUCE NEUER TALE	GGK	2124
BOT HELDE THOU HIT NEUER SO HOLDE AND I HERE PASSED	GGK	2129
OTHER NOW OTHER NEUER HIS NEDE3 TO SPEDE	GGK	2216
THAT NEUER AR3ED FOR NO HERE BY HYLLE NE BE VALE	GGK	2271
SUCH COWARDISE OF THAT KNY3T COWTHE I NEUER HERE	GGK	2273
MY HEDE FLA3 TO MY FOTE AND 3ET FLA3 I NEUER.	GGK	2276
NEUER SYN THAT HE WAT3 BURNE BORNE OF HIS MODER.	GGK	2320
WAT3 HE NEUER IN THIS WORLDE WY3E HALF SO BLYTHE	GGK	2321

Line	Text	Line no.
AS THOU HADE3 NEUER FORFETED SYTHEN THOU WAT3 FYRST BORNE	GGK	2394
BOT ON I WOLDE YOW PRAY DISPLESES YOW NEUER	GGK	2439
FOR THER HIT ONE3 IS TACHCHED TWYNNE WIL HIT NEUER.	GGK	2512
THAT I SCHAL LELLY YOW LAYNE AND LANCE NEUER TALE	GGK V	2124
WAT3 NEUER SO JOYFUL A JUE AS JONAS WAT3 THENNE.	PAT	109
FOR BE MONNES LODE NEUER SO LUTHER THE LYF IS AY SWETE	PAT	156
THAT HE GEF HEM THE GRACE TO GREUEN HYM NEUER	PAT	226
NYLT THOU NEUER TO NUNIUE BI NOKYNNE3 WAYE3	PAT	346
SESE3 CHILDER OF HER SOK SOGHE HEM SO NEUER	PAT	391
AND AY THY MERCY IS METE BE MYSSE NEUER SO HUGE.	PAT	420
SUCH A LEFSEL OF LOF NEUER LEDE HADE	PAT	448
IWYSSE A WORTHLOKER WON TO WELDE I NEUER KEPED	PAT	464
WYTH ALLE MESCHEF THAT THOU MAY NEUER THOU ME SPARE3	PAT	484
AND TRAUAYLEDE3 NEUER TO TENT HIT THE TYME OF AN HOWRE	PAT	498
AS LYTTEL BARNE3 ON BARME THAT NEUER BALE WRO3T.	PAT	510
NE PROUED I NEUER HER PRECIOS PERE	PRL	4
3ET THO3T ME NEUER SO SWETE A SANGE.	PRL	19
FOR WERN NEUER WEBBE3 THAT WY3E3 WEUEN.	PRL	71
THER MYS NEE MORNYNG COM NEUER NERE.	PRL	262
NOW RECH I NEUER FOR TO DECLYNE	PRL	333
THA3 THOU FOR SOR3E BE NEUER BLYTHE.	PRL	352
REBUKE ME NEUER WYTH WORDE3 FELLE	PRL	367
I WYSTE NEUER QUERE MY PERLE WAT3 GON	PRL	376
AND NEUER OTHER 3ET SCHAL DEPRYUE	PRL	449
THOU COWTHE3 NEUER GOD NAUTHER PLESE NE PRAY.	PRL	484
NE NEUER NAWTHER PATER NE CREDE	PRL	485
AND THE FYRST THE LASTE BE HE NEUER SO SWYFT.	PRL	571
OTHER GOTE3 OF GOLF THAT NEUER CHARDE	PRL	608
THAT WRO3T NEUER WRANG ER THENNE THAY WENTE	PRL	631
HIT IS A DOM THAT NEUER GOD GAUE.	PRL	667
BOT HE TO GYLE THAT NEUER GLENTE.	PRL	671
LORDE THY SERUANT DRA3 NEUER TO DOME	PRL	699
OTHER ELLE3 NEUER MORE COM THERINNE.	PRL	724
THY BEAUTE COM NEUER OF NATURE	PRL	749
PYMALYON PAYNTED NEUER THY VYS	PRL	750
THAT NEUER HADE NON HYMSELF TO WOLDE	PRL	812
HYMSELF NE WRO3T NEUER 3ET NON	PRL	825
THYS JERUSALEM LOMBE HADE NEUER PECHCHE	PRL	841
FORTHY VCHE SAULE THAT HADE NEUER TECHE	PRL	845
IN HONOUR MORE AND NEUER THE LESSE	PRL	852
FOR THAY OF MOTE COUTHE NEUER MYNGE.	PRL	855
AND NEUER ONE3 HONOUR 3ET NEUER THE LES	PRL	864
AND NEUER ONE3 HONOUR 3ET NEUER THE LES	PRL	864
THAT LOTE I LEUE WAT3 NEUER THE LES.	PRL	876
NOWTHELESE NON WAT3 NEUER SO QUOYNT.	PRL	889
FOR NEUER LESYNG NE TALE VNTRWE	PRL	897
THAT MOTELES MEYNY MAY NEUER REMWE	PRL	899
THER LYUE3 LYSTE MAY NEUER LOSE	PRL	908
WYTHNAY THOU NEUER MY RUFUL BONE.	PRL	916
A PARFYT PERLE THAT NEUER FATE3	PRL	1038
SUNNE NE MONE SCHON NEUER SO SWETE	PRL	1057
THE 3ATE3 STOKEN WAT3 NEUER 3ET	PRL	1065
AND ALSO THER NE IS NEUER NY3T	PRL	1071
IN HIS SEMBELAUNT WAT3 NEUER SENE	PRL	1143
NEVERMORE		
NEUERMORE THEN THAY WYSTE FRAM QUETHEN HE WAT3 WONNEN.	GGK	461
NEVERTHELESS		
NEUERTHELECE TO MY METE I MAY ME WEL DRES.	GGK	474
BOT NEUERTHELECE NE THE LATER THAY NEUENED BOT MERTHE.	GGK	541

Line	Work	Line no.
HER SONGE THAY SONGEN NEUERTHELES	PRL	888
FRO THAT MASKELE3 MAYSTER NEUERTHELES	PRL	900
NEUERTHELES LET BE MY THONC	PRL	901
LET MY BONE VAYL NEUERTHELESE.	PRL	912
NEUERTHELESE CLER I YOW BYCALLE	PRL	913
NEW		
IN NOTYNG OF NWE METES AND OF NICE GETTES.	CLN	1354
WAS DRAWEN DON THAT ONE DOLE TO DEDIFIE NEW	ERK	6
AND CONUERTYD ALLE THE COMMUNNATES TO CRISTENDAME NEWE	ERK	14
NOW THAT LONDON IS NEUENYD HATTE THE NEW TROIE	ERK	25
THEN WAS HIT ABATYD AND BETEN DON AND BUGGYD EFTE NEW.	ERK	37
A NOBLE NOTE FOR THE NONES AND NEW WERKE HIT HATTE.	ERK	38
I WAS ON EIRE OF AN OYER IN THE NEW TROIE.	ERK	211
NWE NAKRYN NOYSE WITH THE NOBLE PIPES	GGK	118
AN OTHER NOYSE FUL NEWE NE3ED BILIUE	GGK	132
AYQUERE NAYLET FUL NWE FOR THAT NOTE RYCHED	GGK	599
FORTHY THE PENTANGEL NWE	GGK	636
WYTH DAYNTES NWE INNOWE.	GGK	1401
AS COUNDUTES OF KRYSTMASSE AND CAROLE3 NEWE	GGK	1655
ANDE THER THAY DRONKEN AND DALTEN AND DEMED EFT NWE	GGK	1668
A DENE3 AX NWE DY3T THE DYNT WITH TO 3ELDE	GGK	2223
WYLE NW3ER WAT3 SO 3EP THAT HIT WAT3 NWE CUMMEN.	GGK V	60
THENNE NWE NOTE ME COM ON HONDE	PRL	155
AND NW MEN TO HYS VYNE HE BRO3TE.	PRL	527
THAT SYNNE3 THENNE NEW 3IF HIM REPENTE.	PRL	662
THE NWE CYTE O JERUSALEM	PRL	792
A NOTE FUL NWE I HERDE HEM WARPE.	PRL	879
THAT NWE SONGE THAY SONGEN FUL CLER.	PRL	882
AS NEWE FRYT TO GOD FUL DUE	PRL	894
BOT THE NWE THAT LY3T OF GODE3 SONDE	PRL	943
JERUSALEM SO NWE AND RYALLY DY3T.	PRL	987
AND RENOWLE3 NWE IN VCHE A MONE	PRL	1080
THEN GLORY AND GLE WAT3 NWE ABROCHED	PRL	1123
NEWE (V. NEW)		
NEWE3ERE3 (V. NEW YEARS)		
NEW3ERES (V. NEW YEARS)		
NEWS		
WHAT NWE3 SO THAY NOME AT NA3T QUEN THAY METTEN.	GGK	1407
NEW YEAR		
WYLE NW3ER WAT3 SO 3EP THAT HIT WAT3 3ISTERNEUE CUMMEN	GGK	60
FUL 3EP IN THAT NW3ERE	GGK	105
FOR HIT IS 3OL AND NWE3ER AND HERE AR 3EP MONY	GGK	284
THAT IS INNOGH IN NWE3ER HIT NEDES NO MORE	GGK	404
AND OF THAT ILK NW3ERE BOT NEKED NOW WONTE3	GGK	1062
NOW NE3E3 THE NW3ERE AND THE NY3T PASSE3	GGK	1998
AND I SCHULDE AT THIS NWE3ERE 3EPLY THE QUYTE	GGK	2244
AND 3E SCHAL IN THIS NWE3ER A3AYN TO MY WONE3	GGK	2400
WYLE NW3ER WAT3 SO 3EP THAT HIT WAT3 NWE CUMMEN.	GGK V	60
NEW YEARS		
NE THE NY3T NE THE DAY NE THE NEWE3ERE3	CLN	526
TO BE 3EDERLY 3OLDEN ON NW3ERES MORN	GGK	453
I NOLDE BOT IF I HIT NEGH MY3T ON NW3ERES MORNE.	GGK	1054
DOWELLE3 WHYLE NEW3ERES DAYE	GGK	1075
TO NORNE ON THE SAME NOTE ON NWE3ERE3 EUEN	GGK	1669
LEUDE ON NW3ERE3 LY3T LONGE BIFORE PRYME	GGK	1675
TO DELE ON NW3ERE3 DAY THE DOME OF MY WYRDES.	GGK	1968
NEXT		
AND THOSE LYKKEST TO THE LEDE THAT LYUED NEXT AFTER	CLN	261
3IF 3E LUF NOT THAT LYF THAT 3E LYE NEXTE.	GGK	1780

NEXTE (V. NEXT)
NE3 (V. NE3E, NIGH)
NE3E (ALSO V. NIGH)
MAY NOT BYDE THAT BURRE THAT HIT HIS BODY NE3E . . . . CLN 32
HOW WAT3 THOU HARDY THIS HOUS FOR THYN VNHAP TO NE3E . . . . . CLN 143
AND THAY NAY THAT THAY NOLDE NE3 NO HOWSE3 . . . . CLN 805
BLO BLUBRANDE AND BLAK VNBLYTHE TO NE3E . . . . CLN 1017
MAY NOT BYDE THAT BURNE THAT HIT HIS BODY NE3EN. . . . . CLN V 32
I NOLDE BOT IF I HIT NEGH MY3T ON NW3ERES MORNE. . . . . GGK 1054
TO NYE HYM ONFERUM BOT NE3E HYM NON DURST. . . . . GGK 1575
AND HE NAY THAT HE NOLDE NEGHE IN NO WYSE. . . . . GGK 1836
NE3ED
NY3T NE3ED RY3T NOW WYTH NYES FOL MONY. . . . . CLN 1754
AN OTHER NOYSE FUL NEWE NE3ED BILIUE . . . . GGK 132
TIL THAT HE NE3ED FUL NEGHE INTO THE NORTHE WALE3 . . . . . . GGK 697
HIT WAT3 NE3 AT THE NY3T NE3ED THE TYME . . . . GGK 929
AND TO NINIUE THAT NA3T HE NE3ED FUL EUEN. . . . . PAT 352
AND QUEN HIT NE3ED TO NA3T NAPPE HYM BIHOUED. . . . . PAT 465
NE3EN (V. NE3E)
NE3E3
NOW NE3E3 THE NW3ERE AND THE NY3T PASSE3 . . . . GGK 1998
NICE
THAT OTHER BURNE BE BOUTE THA3 BOTHE BE NYSE. . . . . CLN 824
IN NOTYNG OF NWE METES AND OF NICE GETTES. . . . . CLN 1354
HIT IS NOT INNOGHE TO THE NICE AL NO3TY THINK VSE . . . . . . CLN 1359
ANDE SAYDE HATHEL BY HEUEN THYN ASKYNG IS NYS . . . . GGK 323
AND SYTHEN THIS NOTE IS SO NYS THAT NO3T HIT YOW FALLES . . . . GGK 358
NIECE
HO WAT3 ME NERRE THEN AUNTE OR NECE. . . . . PRL 233
NIE3 (V. NIGH)
NIE3BOR (V. NEIGHBOR)
NIGH (CP. NE3E)
TYL HIT WAT3 NY3E AT THE NA3T AND NOE THEN SECHE3 . . . . . . CLN 484
WEL NY3E PURE PARADYS MO3T PREUE NO BETTER . . . . CLN 704
I NORNE YOW BOT FOR ON NY3T NE3E ME TO LENGE. . . . . CLN 803
AND AL WAYKNED HIS WYT AND WEL NE3E HE FOLES. . . . . CLN 1422
TIL THAT HE NE3ED FUL NEGHE INTO THE NORTHE WALE3 . . . . . . GGK 697
HIT WAT3 NE3 AT THE NY3T NE3ED THE TYME . . . . GGK 929
FOR HIT WAT3 NE3 AT THE TERME THAT HE TO SCHULDE . . . . . . GGK 1671
NURNED HYM SO NE3E THE THRED THAT NEDE HYM BIHOUED. . . . . . GGK 1771
AND THENNE THAY HELDEN TO HOME FOR HIT WAT3 NIE3 NY3T. . . . . GGK 1922
NIGHT
NOW NOE NEUER STYNTE3 THAT NY3T HE BYGYNNE3 . . . . CLN 359
TYL HIT WAT3 NY3E AT THE NA3T AND NOE THEN SECHE3 . . . . . . CLN 484
NE THE NY3T NE THE DAY NE THE NEWE3ERE3 . . . . CLN 526
BOT NON NUYE3 HYM ON NA3T NE NEUER VPON DAYE3 . . . . CLN 578
AND THERE IN LONGYNG AL NY3T HE LENGE3 IN WONES. . . . . . . CLN 779
I NORNE YOW BOT FOR ON NY3T NE3E ME TO LENGE. . . . . CLN 803
THAY WOLDE LENGE THE LONG NA3T AND LOGGE THEROUTE . . . . . . CLN 807
BOT NYTELED THER ALLE THE NY3T FOR NO3T AT THE LAST . . . . . CLN 888
THAT ALLE NA3T MUCH NIYE HADE NOMEN IN HIS HERT. . . . . . . CLN 1002
THAY STEL OUT ON A STYLLE NY3T ER ANY STEUEN RYSED. . . . . . CLN 1203
NY3T NE3ED RY3T NOW WYTH NYES FOL MONY. . . . . CLN 1754
WYTHINNE AN OURE OF THE NY3T AN ENTRE THAY HADE. . . . . . . CLN 1779
THE DERKE NY3T OUERDROFE AND DAYBELLE RONGE . . . . ERK 117
THAT WELNEGHE AL THE NY3T HADE NAITYD HIS HOURES . . . . . . ERK 119
TO SE THE SERUYSE OF THAT SYRE THAT ON THAT SELF NY3T. . . . . GGK 751
HIT WAT3 NE3 AT THE NY3T NE3ED THE TYME . . . . GGK 929

THAT NY3T	GGK	990
THUS TO THE DERK NY3T	GGK	1177
FUL STILLE AND SOFTE AL NI3T	GGK	1687
WHAT NWE3 SO THAY NOME AT NA3T QUEN THAY METTEN.	GGK	1407
AS NEUER HE DID BOT THAT DAYE TO THE DERK NY3T	GGK	1887
AND THENNE THAY HELDEN TO HOME FOR HIT WAT3 NIE3 NY3T.	GGK	1922
NOW NE3E3 THE NW3ERE AND THE NY3T PASSE3	GGK	1998
FOR THE FORWARDE THAT WE FEST IN THE FYRST NY3T.	GGK	2347
THRE DAYES AND THRE NY3T AY THENKANDE ON DRY3TYN	PAT	294
AND TO NINIUE THAT NA3T HE NE3ED FUL EUEN.	PAT	352
AND THER HE SWOWED AND SLEPT SADLY AL NY3T	PAT	442
AND QUEN HIT NE3ED TO NA3T NAPPE HYM BIHOUED.	PAT	465
STAREN IN WELKYN IN WYNTER NY3T	PRL	116
REGRETTED BY MYN ONE ON NY3TE.	PRL	243
WHAT RESONABELE HYRE BE NA3T BE RUNNE	PRL	523
THE NIY3T OF DETH DOT3 TO ENCLYNE	PRL	630
AND ALSO THER NE IS NEUER NY3T	PRL	1071
FOR I HAF FOUNDEN HYM BOTHE DAY AND NA3TE.	PRL	1203
NIGHTS		
THEN FOUNDE3 VCH A FELA3SCHYP FYRRE AT FORTH NA3TES	CLN	1764
DERE DYN VPON DAY DAUNSYNG ON NY3TES	GGK	47
OFT LEUDLE3 ALONE HE LENGE3 ON NY3TE3	GGK	693
MO NY3TE3 THEN INNOGHE IN NAKED ROKKE3.	GGK	730
NIKKED		
AND AL NYKKED HYM WYTH NAY THAT NEUER IN HER LYUE	GGK	706
AND HE NIKKED HYM NAYE HE NOLDE BI NO WAYES	GGK	2471
NINEVAH		
NYM THE WAY TO NYNYUE WYTHOUTEN OTHER SPECHE.	PAT	66
AND I BE NUMMEN IN NUNIUE MY NYES BEGYNES.	PAT	76
THA3 I BE NUMMEN IN NUNNIUE AND NAKED DISPOYLED.	PAT	95
NYLT THOU NEUER TO NUNIUE BI NOKYNNE3 WAYE3	PAT	346
AND TO NINIUE THAT NA3T HE NE3ED FUL EUEN.	PAT	352
AND THENNE SCHAL NINIUE BE NOMEN AND TO NO3T WORTHE	PAT	360
NINIUE (V. NINEVAH)		
NIRT		
THE NIRT IN THE NEK HE NAKED HEM SCHEWED	GGK	2498
NIS (APP. 1)		
NIYE (V. NYE)		
NIY3T (V. NIGHT)		
NI3T (V. NIGHT)		
NOAH		
HYM WAT3 THE NOME NOE AS IS INNOGHE KNAWEN	CLN	297
NOW GOD IN NWY TO NOE CON SPEKE	CLN	301
NOW NOE QUOTH OURE LORDE ART THOU AL REDY.	CLN	345
NOW NOE NEUER STYNTE3 THAT NY3T HE BYGYNNE3	CLN	359
NOE THAT OFTE NEUENED THE NAME OF OURE LORDE.	CLN	410
OF THE LENTHE OF NOE LYF TO LAY A LEL DATE	CLN	425
NOE NYMMES HIR ANON AND NAYTLY HIR STAUE3.	CLN	480
NOE ON ANOTHER DAY NYMME3 EFTE THE DOWUE	CLN	481
TYL HIT WAT3 NY3E AT THE NA3T AND NOE THEN SECHE3	CLN	484
BOT NOE OF VCHE HONEST KYNDE NEM OUT AN ODDE.	CLN	505
NOW NOE NO MORE NEL I NEUER WARY.	CLN	513
NOBEL (V. NOBLE)		
NOBELE (V. NOBLE)		
NOBLE		
BOTHE WITH MENSKE AND WYTH METE AND MYNSTRASY NOBLE	CLN	121
FOR APROCH THOU TO THAT PRYNCE OF PARAGE NOBLE	CLN	167
NABIGODENO3AR NOBEL IN HIS CHAYER	CLN	1218

NAS HIT NOT FOR NABUGO NE HIS NOBEL NAUTHER . . . . CLN 1226
NOW HAT3 NABU3ARDAN NOMEN ALLE THYSE NOBLE THYNGES. . . . . . CLN 1281
AND DERE DANIEL ALSO THAT WAT3 DEUINE NOBLE . . . . CLN 1302
NABUGODENO3AR THAT WAT3 HIS NOBLE FADER . . . . CLN 1338
AND MONY A BAROUN FUL BOLDE TO BABYLOYN THE NOBLE . . . . . . CLN 1372
NABUGODENO3AR NOBLE IN HIS STRENTHE. . . . . CLN 1430
A NOBLE NOTE FOR THE NONES AND NEW WERKE HIT HATTE. . . . . . ERK 38
I WOS DEPUTATE AND DOMESMON VNDER A DUKE NOBLE . . . . ERK 227
NWE NAKRYN NOYSE WITH THE NOBLE PIPES . . . . GGK 118
THEN NOTE3 NOBLE INNO3E. . . . . GGK 514
AND QUY THE PENTANGEL APENDE3 TO THAT PRYNCE NOBLE. . . . . GGK 623
THAT THOU LENDE SCHAL BE LOST THAT ART OF LYF NOBLE . . . . . GGK 675
THAT BRO3T HYM TO A BRY3T BOURE THER BEDDYNG WAT3 NOBLE . . . GGK 853
AND THE TECCHELES TERMES OF TALKYNG NOBLE. . . . . GGK 917
FOR I HAF FOUNDEN IN GOD FAYTHE YOWRE FRAUNCHIS NOBELE . . . GGK 1264
IN DRE3 DROUPYNG OF DREME DRAUELED THAT NOBLE . . . . . . GGK 1750
MY3T HE HAF SLYPPED TO BE VNSLAYN THE SLE3T WERE NOBLE . . . GGK 1858
RISES AND RICHES HYM IN ARAYE NOBLE. . . . . GGK 1873
BI THAT WAT3 COMEN HIS COMPEYNY NOBLE . . . . GGK 1912
NOW FARE3 WEL ON GODE3 HALF GAWAYN THE NOBLE. . . . . . . GGK 2149
THAT PACIENCE IS A NOBEL POYNT THA3 HIT DISPLESE OFTE. . . . PAT 531
PATIENCE IS A NOBEL POYNT THA3 HIT DISPLESE OFTE . . . . . . PAT V 1
BOT IN JUDEE HIT IS THAT NOBLE NOTE. . . . . PRL 922
THIS NOBLE CITE OF RYCHE ENPRYSE. . . . . PRL 1097

NOBLEYE

BY NOBLEYE OF HIS NORTURE HE NOLDE NEUER TOWCHE. . . . . . . CLN 1091
THAT HE THUR3 NOBELAY HAD NOMEN HE WOLDE NEUER ETE. . . . . . GGK 91

NOBOT

NOBOT WASCH HIR WYTH WOURCHYP IN WYN AS HO ASKES . . . . . . CLN 1127
AND AL WAT3 HOL3 INWITH NOBOT AN OLDE CAUE . . . . GGK 2182

NOE (V. NOAH)

NOEL

NOWEL NAYTED ONEWE NEUENED FUL OFTE. . . . . GGK 65

NOICE (V. NOISE)

NOISE

THE GOD MAN GLYFTE WYTH THAT GLAM AND GLOPED FOR NOYSE . . . CLN 849
THENNE THE REBAUDE3 SO RONK RERD SUCH A NOYSE . . . . CLN 873
AND AY THE NAKERYN NOYSE NOTES OF PIPES . . . . CLN 1413
SYMBALES AND SONETE3 SWARE THE NOYSE . . . . CLN 1415
RONNEN RADLY IN ROUTE WITH RYNGANDE NOYCE. . . . . ERK 62
IN AL THIS WORLDE NO WORDE NE WAKENYD NO NOICE . . . . ERK 218
NWE NAKRYN NOYSE WITH THE NOBLE PIPES . . . . GGK 118
AN OTHER NOYSE FUL NEWE NE3ED BILIUE . . . . GGK 132
FOR VNETHE WAT3 THE NOYCE NOT A WHYLE SESED . . . . GGK 134
BRACHES BAYED THERFORE AND BREME NOYSE MAKED. . . . . GGK 1142
WYLDE WORDE3 HYM WARP WYTH A WRAST NOYCE . . . . GGK 1423
THAT BUSKKE3 AFTER THIS BOR WITH BOST AND WYTH NOYSE . . . . GGK 1448
WRE3ANDE HYM FUL WETERLY WITH A WROTH NOYSE . . . . GGK 1706
AND WORIED ME THIS WYLY WYTH A WROTH NOYSE . . . . GGK 1905
BI3ONDE THE BROKE IN A BONK A WONDER BREME NOYSE . . . . . . GGK 2200
ANON OUT OF THE NORTHEST THE NOYS BIGYNES. . . . . PAT 137
IS THIS RY3TWYS THOU RENK ALLE THY RONK NOYSE . . . . PAT 490

NOK (V. NOOK)

NOKE (V. NOOK)

NOKYNNE3

NYLT THOU NEUER TO NUNIUE BI NOKYNNE3 WAYE3 . . . . PAT 346

NOLDE (APP. 1)

NOM (V. NOME)

NOMBRE (V. NUMBER)

NOME (ALSO V. NAME)
NABU3ARDAN HYM NOME AND NOW IS HE HERE. . . . . CLN 1613
ON THE WAL HIS ERND HE NOME . . . . GGK 809
WHAT NWE3 SO THAY NOME AT NA3T QUEN THAY METTEN. . . . . . . GGK 1407
THAT 3ET OF HYRE NOTHYNK THAY NOM . . . . PRL 587
NOMEN
THAT ALLE NA3T MUCH NIYE HADE NOMEN IN HIS HERT. . . . . . . CLN 1002
NOW HAT3 NABU3ARDAN NOMEN ALLE THYSE NOBLE THYNGES. . . . . . CLN 1281
NOW HAT3 NABU3ARDAN NUMMEN HIT AL SAMEN . . . . CLN 1291
THAT HE THUR3 NOBELAY HAD NOMEN HE WOLDE NEUER ETE. . . . . . GGK 91
AND I BE NUMMEN IN NUNIUE MY NYES BEGYNES. . . . . PAT 76
THA3 I BE NUMMEN IN NUNNIUE AND NAKED DISPOYLED. . . . . . . PAT 95
AND THENNE SCHAL NINIUE BE NOMEN AND TO NO3T WORTHE . . . . . PAT 360
NOMES (V. NAMES)
NONCE
A NOBLE NOTE FOR THE NONES AND NEW WERKE HIT HATTE. . . . . . ERK 38
A HOGE HATHEL FOR THE NONE3 AND OF HYGHE ELDEE . . . . GGK 844
NONES (V. NONCE)
NONE3 (V. NONCE)
NOOK
WITHOUTEN ENDE AT ANY NOKE IWIS NOQUERE FYNDE . . . . GGK 660
WITHOUTEN ENDE AT ANY NOKE AIQUERE I FYNDE . . . . GGK V 660
IN VCHE A NOK OF HIS NAUEL BOT NOWHERE HE FYNDE3 . . . . . . PAT 278
NOQUERE (V. NOWHERE)
NORNE
I NORNE YOW BOT FOR ON NY3T NE3E ME TO LENGE. . . . . CLN 803
BOT THAT ILKE NOTE WOS NOGHT FOR NOURNE NONE COUTHE . . . . . ERK 101
NE NOTHER HIS NOME NE HIS NOTE NOURNE OF ONE SPECHE . . . . . ERK 152
BOT HE NOLDE NOT FOR HIS NURTURE NURNE HIR A3AYNE3. . . . . . GGK 1661
TO NORNE ON THE SAME NOTE ON NWE3ERE3 EUEN . . . . GGK 1669
I HAF NONE YOW TO NORNE NE NO3T WYL I TAKE . . . . GGK 1823
HOW NORNE 3E YOWRE RY3T NOME AND THENNE NO MORE. . . . . . . GGK 2443
NORTH
TIL THAT HE NE3ED FUL NEGHE INTO THE NORTHE WALE3 . . . . . . GGK 697
WYTH NY3E INNOGHE OF THE NORTHE THE NAKED TO TENE . . . . . . GGK 2002
A NOS ON THE NORTH SYDE AND NOWHERE NON ELLE3 . . . . PAT 451
NORTHE (V. NORTH)
NORTHEAST
ANON OUT OF THE NORTHEST THE NOYS BIGYNES. . . . . PAT 137
NORTHEST (V. NORTHEAST)
NORTURE (V. NURTURE)
NOS
A NOS ON THE NORTH SYDE AND NOWHERE NON ELLE3 . . . . PAT 451
NOSE
THE TWEYNE Y3EN AND THE NASE THE NAKED LYPPE3 . . . . GGK 962
NOTE (ALSO V. NOTED)
BOT AL WAT3 NEDLE3 HER NOTE FOR NEUER COWTHE STYNT. . . . . . CLN 381
THAT NAS NEUER THYN NOTE VNNEUENED HIT WORTHE . . . . CLN 727
3ET NOLDE NEUER NABUGO THIS ILKE NOTE LEUE . . . . CLN 1233
SO WAT3 NOTED THE NOTE OF NABUGODENO3AR . . . . CLN 1651
A NOBLE NOTE FOR THE NONES AND NEW WERKE HIT HATTE. . . . . . ERK 38
BOT THAT ILKE NOTE WOS NOGHT FOR NOURNE NONE COUTHE . . . . . ERK 101
NE NOTHER HIS NOME NE HIS NOTE NOURNE OF ONE SPECHE . . . . . ERK 152
AND SYTHEN THIS NOTE IS SO NYS THAT NO3T HIT YOW FALLES . . . . GGK 358
LET THE NAKED NEC TO THE NOTE SCHEWE . . . . GGK 420
AYQUERE NAYLET FUL NWE FOR THAT NOTE RYCHED . . . . GGK 599
TO NORNE ON THE SAME NOTE ON NWE3ERE3 EUEN . . . . GGK 1669
BOT AL WAT3 NEDLES NOTE THAT NOLDE NOT BITYDE . . . . PAT 220
THENNE NWE NOTE ME COM ON HONDE . . . . PRL 155

A NOTE FUL NWE I HERDE HEM WARPE. PRL 879
BOT IN JUDEE HIT IS THAT NOBLE NOTE. PRL 922

NOTED
SO WAT3 NOTED THE NOTE OF NABUGODENO3AR CLN 1651
THAT WOS BREUYT IN BRUT NE IN BOKE NOTYDE. ERK 103
THAT EUER WOS BREUYT IN BURGHE NE IN BOKE NOTYDE ERK V 103
AND NOW NAR 3E NOT FER FRO THAT NOTE PLACE GGK 2092

NOTES
AND AY THE NAKERYN NOYSE NOTES OF PIPES CLN 1413
WITH QUEME QUESTIS OF THE QUERE WITH FUL QUAYNT NOTES. ERK 133
THEN NOTE3 NOBLE INNO3E. GGK 514
IN SOUNANDE NOTE3 A GENTYL CARPE. PRL 883

NOTE3 (V. NOTES)
NOTHER (V. NAUTHER)

NOTHING
HE NE LUTTE HYM NOTHYNG LOWE GGK 2236
THAT HE NOLDE THOLE FOR NOTHYNG NON OF THOSE PYNES. PAT 91
THAT LEUE3 NOTHYNK BOT 3E HIT SY3E PRL 308
AND HE MAY DO NOTHYNK BOT RY3T PRL 496
THAT 3ET OF HYRE NOTHYNK THAY NOM PRL 587
I THO3T THAT NOTHYNG MY3T ME DERE PRL 1157

NOTHYNG (V. NOTHING)
NOTHYNK (V. NOTHING)
NOTHYRE (V. NAUTHER)

NOTING
IN NOTYNG OF NWE METES AND OF NICE GETTES. CLN 1354

NOTYDE (V. NOTED)
NOTYNG (V. NOTING)
NOUMBLES (V. NUMBLES)
NOUMBRE (V. NUMBER)
NOURNE (V. NORNE)
NOURNET (V. NURNED)
NOUTHE (V. NOWTHE)
NOUTHER (V. NAUTHER)
NOWEL (V. NOEL)
NOWHARE (V. NOWHERE)

NOWHERE
WITHOUTEN ENDE AT ANY NOKE IWIS NOQUERE FYNDE GGK 660
AND SE3E NO SYNGNE OF RESETTE BISYDE3 NOWHERE GGK 2164
NOWHARE GGK 2254
DURST NOWHERE FOR RO3 AREST AT THE BOTHEM. PAT 144
IN VCHE A NOK OF HIS NAUEL BOT NOWHERE HE FYNDE3 PAT 278
A NOS ON THE NORTH SYDE AND NOWHERE NON ELLE3 PAT 451
THAY SAYDEN HER HYRE WAT3 NAWHERE BOUN. PRL 534
I SE NO BYGYNG NAWHERE ABOUTE. PRL 932

NOWTHE
BOT HIT AR LADYES INNO3E THAT LEUER WER NOWTHE GGK 1251
THAT YOW LAUSEN NE LYST AND THAT I LEUE NOUTHE GGK 1784
I SCHAL FYLLE VPON FYRST OURE FORWARDE3 NOUTHE GGK 1934
HADE ARTHUR VPON THAT ATHEL IS NOWTHE GGK 2466
WAT3 NOT THIS ILK MY WORDE THAT WORTHEN IS NOUTHE PAT 414

NOWTHELESE (V. NAUTHELES)
NOY (V. NYE)
NOYCE (V. NOICE)
NOYE (V. NYE)
NOYS (V. NOISE)
NOYSE (V. NOISE)
NO3TY (V. NAUGHTY)
NUMBER

WHAT IF FYUE FAYLEN OF FYFTY THE NOUMBRE . . . . CLN 737
THE GOLDE OF THE GA3AFYLACE TO SWYTHE GRET NOUMBRE. . . . . . . CLN 1283
THAT TO NEUEN THE NOUMBRE TO MUCH NYE WERE . . . . CLN 1376
HAT3 COUNTED THY KYNDAM BI A CLENE NOUMBRE . . . . CLN 1731
HIT TO MUTHE TO ANY MON TO MAKE OF A NOMBRE . . . . ERK 206
I WAS NON OF THE NOMBRE THAT THOU WITH NOY BOGHTES. . . . . . ERK 289
HIT IS TO MECHE TO ANY MON TO MAKE OF A NOMBRE . . . . ERK V 206
NUMBLES
AND THAT THAY NEME FOR THE NOUMBLES BI NOME AS I TROWE . . . GGK 1347
NUMMEN (V. NOMEN)
NUNIUE (V. NINEVAH)
NUNNIUE (V. NINEVAH)
NURNE (V. NORNE)
NURNED
ANOTHER NAYED ALSO AND NURNED THIS CAWSE . . . . CLN 65
NOW INNOGHE HIT IS NOT SO THENNE NURNED THE DRY3TYN . . . . . CLN 669
THE NAME THAT THOU NEUENYD HAS AND NOURNET ME AFTER . . . . . ERK 195
NURNED HYM SO NE3E THE THRED THAT NEDE HYM BIHOUED. . . . . . GGK 1771
NURTURE
BY NOBLEYE OF HIS NORTURE HE NOLDE NEUER TOWCHE. . . . . . . CLN 1091
SYN WE HAF FONGED THAT FYNE FADER OF NURTURE. . . . . GGK 919
BOT HE NOLDE NOT FOR HIS NURTURE NURNE HIR A3AYNE3. . . . . . GGK 1661
NUYED (V. NYED)
NUYE3
BOT NON NUYE3 HYM ON NA3T NE NEUER VPON DAYE3 . . . . CLN 578
NW (V. NEW)
NWE (V. NEW)
NWE3 (V. NEWS)
NWE3ER (V. NEW YEAR)
NWE3ERE (V. NEW YEAR)
NWE3ERE3 (V. NEW YEARS)
NWY (V. NYE)
NWYED (V. NYED)
NW3ER (V. NEW YEAR)
NW3ERE (V. NEW YEAR)
NW3ERES (V. NEW YEARS)
NW3ERE3 (V. NEW YEARS)
NYE
NOW GOD IN NWY TO NOE CON SPEKE . . . . CLN 301
THAT ALLE NA3T MUCH NIYE HADE NOMEN IN HIS HERT. . . . . . . CLN 1002
HIS NAME WAT3 NABU3ARDAN TO NOYE THE IUES. . . . . CLN 1236
THAT TO NEUEN THE NOUMBRE TO MUCH NYE WERE . . . . CLN 1376
I WAS NON OF THE NOMBRE THAT THOU WITH NOY BOGHTES. . . . . . ERK 289
HIT WERE NOW GRET NYE TO NEUEN . . . . GGK 58
TO NYE HYM ONFERUM BOT NE3E HYM NON DURST. . . . . GGK 1575
WYTH NY3E INNOGHE OF THE NORTHE THE NAKED TO TENE . . . . . . GGK 2002
THAT THOU WYLT THYN AWEN NYE NYME TO THYSELUEN . . . . GGK 2141
NYED
THE GORE THEROF ME HAT3 GREUED AND THE GLETTE NWYED . . . . . CLN 306
NABIGODENO3AR NUYED HYM SWYTHE . . . . CLN 1176
WHEN NABUGODENO3AR WAT3 NYED IN STOUNDES . . . . CLN 1603
NYES
NY3T NE3ED RY3T NOW WYTH NYES FOL MONY. . . . . CLN 1754
AND I BE NUMMEN IN NUNIUE MY NYES BEGYNES. . . . . PAT 76
NYKKED (V. NIKKED)
NYL (APP. 1)
NYLT (APP. 1)
NYM (V. NYME)
NYME

SIR GAWEN HIS LEUE CON NYME . . . GGK 993
THAT THOU WYLT THYN AWEN NYE NYME TO THYSELUEN . . . GGK 2141
NYM THE WAY TO NYNYUE WYTHOUTEN OTHER SPECHE. . . . PAT 66

NYMMES
NOE NYMMES HIR ANON AND NAYTLY HIR STAUE3. . . . CLN 480
NOE ON ANOTHER DAY NYMME3 EFTE THE DOWUE . . . CLN 481

NYMME3 (V. NYMMES)

NYNYUE (V. NINEVAH)

NYS (V. NICE AND APP. 1)

NYSE (V. NICE)

NYSEN
BOT THE DAYNTE THAT THAY DELEN FOR MY DISERT NYSEN. . . . GGK 1266

NYTELED
BOT NYTELED THER ALLE THE NY3T FOR NO3T AT THE LAST . . . CLN 888

NY3E (V. NIGH, NYE)

NY3T (V. NIGHT)

NY3TE (V. NIGHT)

NY3TES (V. NIGHTS)

NY3TE3 (V. NIGHTS)

OAK
EUEN BYFORE HIS HOUSDORE VNDER AN OKE GREME . . . CLN 602

OAKS
OF HORE OKE3 FUL HOGE A HUNDRETH TOGEDER . . . GGK 743
AS HIT SCHEMERED AND SCHON THUR3 THE SCHYRE OKE3 . . . GGK 772

OARS
HATHELES HY3ED IN HASTE WYTH ORES FUL LONGE . . . PAT 217
IN BLUBER OF THE BLO FLOD BURSTEN HER ORES . . . PAT 221

OATHS
AS HELP ME GOD AND THE HALYDAM AND OTHE3 INNOGHE . . . GGK 2123

OBECHED
THEN THE BURNE OBECHED HYM AND BO3SOMLY HIM THONKKE3 . . . CLN 745
THEN ABRAHAM OBECHED HYM AND HY3LY HIM THONKKE3. . . . CLN V 745

OBES (V. OBEY)

OBEY
AND THE FOWRE BESTE3 THAT HYM OBES . . . PRL 886

ODD
THE SEX HUNDRETH OF HIS AGE AND NONE ODDE 3ERE3. . . . CLN 426
BOT NOE OF VCHE HONEST KYNDE NEM OUT AN ODDE. . . . CLN 505

ODDE (V. ODD)

ODDELY (V. ODDLY)

ODDLY
AND AMED HIT IN MYN ORDENAUNCE ODDELY DERE . . . CLN 698
FOR THOU ART ODDELY THYN ONE OUT OF THIS FYLTHE. . . . CLN 923

ODOR
SUCHE ODOUR TO MY HERNE3 SCHOT . . . PRL 58

ODOUR (V. ODOR)

OFFER
AND OFFER THE FOR MY HELE A FUL HOL GYFTE. . . . PAT 335

OFFERED
OFFRED AND HONOURED AT THE HE3E AUTER . . . GGK 593

OFFICE
BREUE ME BRY3T QUAT KYN OFFYS. . . . PRL 755

OFFRED (V. OFFERED)

OFFYS (V. OFFICE)

OFT
NOE THAT OFTE NEUENED THE NAME OF OURE LORDE. . . . CLN 410
OFTE HIT ROLED ON ROUNDE AND RERED ON ENDE . . . CLN 423
THAT THE THIK THUNDERTHRAST THIRLED HEM OFTE. . . . CLN 952
BIFORE THE SANCTA SANCTORUM THER SELCOUTH WAT3 OFTE . . . CLN 1274

AND OFTE HIT MEKNED HIS MYNDE HIS MAYSTERFUL WERKKES	CLN	1328
TO HENGE THE HARLOTES HE HE3ED FUL OFTE	CLN	1584
AND HAT3 A HATHEL IN THY HOLDE AS I HAF HERDE OFTE.	CLN	1597
THAT IS HE THAT FUL OFTE HAT3 HEUENED THY FADER.	CLN	1601
AS THE REKENEST OF THE REAME REPAIREN THIDER OFTE	ERK	135
I HENT HARMES FUL OFTE TO HOLDE HOM TO RI3T	ERK	232
AND OFT BOTHE BLYSSE AND BLUNDER.	GGK	18
MO FERLYES ON THIS FOLDE HAN FALLEN HERE OFT.	GGK	23
NOWEL NAYTED ONEWE NEUENED FUL OFTE.	GGK	65
AND SO AFTER THE HALME HALCHED FUL OFTE	GGK	218
OFT LEUDLE3 ALONE HE LENGE3 ON NY3TE3	GGK	693
HIS CHER FUL OFT CON CHAUNGE	GGK	711
DOUTELES HE HADE BEN DED AND DREPED FUL OFTE.	GGK	725
THE FREKE CALDE HIT A FEST FUL FRELY AND OFTE	GGK	894
THE LORDE LUFLYCH ALOFT LEPE3 FUL OFTE.	GGK	981
RECORDED COUENAUNTE3 OFTE	GGK	1123
FUL OFT CON LAUNCE AND LY3T	GGK	1175
WY3E3 THE WALLE WYN WE3ED TO HEM OFT	GGK	1403
FUL OFT HE BYDE3 THE BAYE	GGK	1450
HALED TO HYM OF HER AREWE3 HITTEN HYM OFT.	GGK	1455
THUS HYM FRAYNED THAT FRE AND FONDET HYM OFTE	GGK	1549
BOT THE LORDE OUER THE LONDE3 LAUNCED FUL OFTE	GGK	1561
TRAYLE3 OFTE A TRAUERES BI TRAUNT OF HER WYLES	GGK	1700
HAUILOUNE3 AND HERKENE3 BI HEGGE3 FUL OFTE	GGK	1708
THER HE WAT3 THRETED AND OFTE THEF CALLED.	GGK	1725
OFTE HE WAT3 RUNNEN AT WHEN HE OUT RAYKED.	GGK	1727
AND OFTE RELED IN A3AYN SO RENIARDE WAT3 WYLE	GGK	1728
FOR 3E HAF DESERUED FORSOTHE SELLYLY OFTE.	GGK	1803
HE THONKKED HIR OFT FUL SWYTHE	GGK	1866
HE THONKKE3 OFTE FUL RYUE	GGK	2046
AND OFTE CHAUNGED HIS CHER THE CHAPEL TO SECHE	GGK	2169
BOT IN SYNGNE OF MY SURFET I SCHAL SE HIT OFTE	GGK	2433
OFTE HE HERBERED IN HOUSE AND OFTE AL THEROUTE	GGK	2481
OFTE HE HERBERED IN HOUSE AND OFTE AL THEROUTE	GGK	2481
AND MONY AVENTURE IN VALE HE VENQUYST OFTE	GGK	2482
PACIENCE IS A POYNT THA3 HIT DISPLESE OFTE	PAT	1
THAT OFTE KYD HIM THE CARPE THAT KYNG SAYDE	PAT	118
THAT PACIENCE IS A NOBEL POYNT THA3 HIT DISPLESE OFTE.	PAT	531
PATIENCE IS A NOBEL POYNT THA3 HIT DISPLESE OFTE	PAT V	1
OFTE HAF I WAYTED WYSCHANDE THAT WELE	PRL	14
OFTE MONY MON FORGOS THE MO	PRL	340
THA3 I HENTE OFTE HARME3 HATE.	PRL	388

OFTE (V. OFT)

OFTER

AND AY THE OFTER THE ALDER THAY WERE	PRL	621

OGHE (V. OUGHT)

OKE (V. OAK)

OKE3 (V. OAKS)

OLD

OLDE ABRAHAM IN ERDE ONE3 HE SYTTE3.	CLN	601
AND WAX HO EUER IN THE WORLDE IN WERYNG SO OLDE.	CLN	1123
THE OLDE AUNCIAN WYF HE3EST HO SYTTE3	GGK	1001
THE OLDE LORDE OF THAT LEUDE	GGK	1124
LONG SYTHEN FRO THE SOUNDER THAT SYNGLERE FOR OLDE.	GGK	1440
AND AL WAT3 HOL3 INWITH NOBOT AN OLDE CAUE	GGK	2182
OR A CREUISSE OF AN OLDE CRAGGE HE COUTHE HIT NO3T DEME	GGK	2183
THE OLDE JERUSALEM TO VNDERSTONDE	PRL	941
FOR THERE THE OLDE GULTE WAT3 DON TO SLAKE	PRL	942

OLDE (V. OLD)

Headword / Line	Poem	Line
OLDER		
THAT WAT3 ALDER THEN HO AN AUNCIAN HIT SEMED.	GGK	948
THE ALDER HE HAYLSES HELDANDE FUL LOWE.	GGK	972
THE ALDER AND THE 3ONGE.	GGK	1317
AND AY THE OFTER THE ALDER THAY WERE	PRL	621
OLDEST		
BOT THENN THE BOLDE BALTA3AR THAT WAT3 HIS BARN ALDEST	CLN	1333
THE ALDEST AY FYRST THERON WAT3 DONE	PRL	1042
OLIPRAUNCE		
THUS IN PRYDE AND OLIPRAUNCE HIS EMPYRE HE HALDES	CLN	1349
OLIVE		
WHAT HO BRO3T IN HIR BEKE A BRONCH OF OLYUE	CLN	487
OLOFTE (V. ALOFT)		
OLYUE (V. OLIVE)		
ON (V. ONE AND APP. 1)		
ONCE (CP. ENE)		
KRYST KYDDE HIT HYMSELF IN A CARP ONE3.	CLN	23
FOR TO ENDE ALLE AT ONE3 AND FOR EUER TWYNNE.	CLN	402
FORTHY SCHAL I NEUER SCHENDE SO SCHORTLY AT ONES	CLN	519
THAT HE SCHULDE NEUER FOR NO SYT SMYTE AL AT ONE3	CLN	566
AND THAT WAT3 SCHEWED SCHORTLY BY A SCATHE ONE3.	CLN	600
OLDE ABRAHAM IN ERDE ONE3 HE SYTTE3.	CLN	601
COMAUNDED HIR TO BE COF AND QUYK AT THIS ONE3	CLN	624
AND SETTEN TOWARD SODAMAS HER SY3T ALLE AT ONE3.	CLN	672
AND LET HEM SMOLT AL UNSMYTEN SMOTHELY AT ONE3	CLN	732
NOW ATHEL LORDE QUOTH ABRAHAM ONE3 A SPECHE	CLN	761
COME3 TO YOUR KNAUES KOTE I CRAUE AT THIS ONE3	CLN	801
AND ALLE THE LONDE WYTH THISE LEDE3 WE LOSEN AT ONE3	CLN	909
THE GRETE BARRE3 OF THE ABYME HE BARST VP AT ONE3	CLN	963
ONES HO BLUSCHET TO THE BUR3E BOT BOD HO NO LENGER.	CLN	982
THAT BOTHE THE OX AND THE ASSE HYM HERED AT ONES	CLN	1086
FOR THAT THAT ONES WAT3 HIS SCHULDE EFTE BE VNCLENE	CLN	1144
A DYSCHE OTHER A DOBLER THAT DRY3TYN ONE3 SERUED	CLN	1146
THENNE THIS BOLDE BALTA3AR BITHENKKES HYM ONES	CLN	1357
NOW IS ALLE THY PRYNCIPALTE PAST AT ONES	CLN	1672
AND ALLE THE BELLES IN THE BURGHE BERYD AT ONES.	ERK	352
FUL HENDELY QUEN ALLE THE HATHELES REHAYTED HYM AT ONE3	GGK	895
WYL 3E HALDE THIS HES HERE AT THYS ONE3	GGK	1090
AND FELLEN AS FAST TO THE FUYT FOURTY AT ONES	GGK	1425
THER THRE THRO AT A THRICH THRAT HYM AT ONES.	GGK	1713
ALLE THAT EUER BER BUGLE BLOWED AT ONES	GGK	1913
AND THOU SCHAL HAF AL IN HAST THAT I THE HY3T ONES.	GGK	2218
QUOTH GAWAYN I SCHUNT ONE3.	GGK	2280
FOR THER HIT ONE3 IS TACHCHED TWYNNE WIL HIT NEUER.	GGK	2512
AND NEUER ONE3 HONOUR 3ET NEUER THE LES	PRL	864
ONE (ALSO V. APP. 1)		
HIT WEREN NOT ALLE ON WYUE3 SUNE3 WONEN WYTH ON FADER.	CLN	112
THAT HE NE WYST ON WORDE WHAT HE WARP SCHULDE	CLN	152
AFTER HARDE DAYE3 WERN OUT ON HUNDRETH AND FYFTE	CLN	442
ON SPEC OF A SPOTE MAY SPEDE TO MYSSE	CLN	551
FOR THOU LA3ED ALO3 BOT LET WE HIT ONE.	CLN	670
SCHAL SYNFUL AND SAKLE3 SUFFER AL ON PAYNE	CLN	716
THAT THE WYKKED AND THE WORTHY SCHAL ON WRAKE SUFFER	CLN	718
I SCHAL FORGYUE ALLE THE GYLT THUR3 MY GRACE ONE	CLN	731
AND WYTHHALDE MY HONDE FOR HORTYNG ON LEDE	CLN	740
AND LAYKE3 WYTH HEM AS YOW LYST AND LETE3 MY GESTES ONE	CLN	872
FOR THOU ART ODDELY THYN ONE OUT OF THIS FYLTHE.	CLN	923
HERE VTTER ON A ROUNDE HIL HIT HOUE3 HIT ONE.	CLN	927
WAT3 NOT THIS ILKE WORDE ONE WONNEN OF HIS MOWTHE	CLN	1669

WAS DRAWEN DON THAT ONE DOLE TO DEDIFIE NEW	ERK	6
NE NOTHER HIS NOME NE HIS NOTE NOURNE OF ONE SPECHE	ERK	152
BOT ONE CRONICLE OF THIS KYNGE CON WE NEUER FYNDE	ERK	156
AND OF THE GRACIOUS HOLY GOSTE AND NOT ONE GRUE LENGER	ERK	319
AND ONE FELLE ON HIS FACE AND THE FREKE SYKED	ERK	323
BOT IN HIS ON HONDE HE HADE A HOLYN BOBBE.	GGK	206
HAYLSED HE NEUER ONE BOT HE3E HE OUER LOKED	GGK	223
OUERWALT WYTH A WORDE OF ON WY3ES SPECHE	GGK	314
KEPE THE COSYN QUOTH THE KYNG THAT THOU ON KYRF SETTE.	GGK	372
AL ONE	GGK	735
THUR3 MONY MISY AND MYRE MON AL HYM ONE	GGK	749
THAT HOLDE ON THAT ON SYDE THE HATHEL AUYSED.	GGK	771
THAT ATHEL ARTHURE THE HENDE HALDE3 HYM ONE	GGK	904
SO KENLY FRO THE KYNGE3 KOURT TO KAYRE AL HIS ONE	GGK	1048
AND NOW 3E AR HERE IWYSSE AND WE BOT OURE ONE	GGK	1230
AND WENT ON HIS WAY WITH HIS WY3E ONE	GGK	2074
FORTHY GOUDE SIR GAWAYN LET THE GOME ONE	GGK	2118
AL ONE	GGK	2155
AS ONE VPON A GRYNDELSTON HADE GROUNDEN SYTHE	GGK	2202
AND WE AR IN THIS VALAY VERAYLY OURE ONE	GGK	2245
WHEN THOU WYPPED OF MY HEDE AT A WAP ONE	GGK	2249
BOT STY3TEL THE VPON ON STROK AND I SCHAL STONDE STYLLE	GGK	2252
BOT SNYRT HYM ON THAT ON SYDE THAT SEUERED THE HYDE	GGK	2312
BOT ON STROKE HERE ME FALLE3	GGK	2327
FYRST I MANSED THE MURYLY WITH A MYNT ONE.	GGK	2345
FOR SO WAT3 ADAM IN ERDE WITH ONE BYGYLED.	GGK	2416
AND BY QUEST OF HER QUOYNTYSE ENQUYLEN ON MEDE	PAT	39
AND ALLE THAT WONE3 THER WYTHINNE AT A WORDE ONE	PAT	208
THAT THAY RUYT HYM TO ROWWE AND LETTEN THE RYNK ONE	PAT	216
THER HE SETE ALSO SOUNDE SAF FOR MERK ONE.	PAT	291
IN ON DASCHANDE DAM DRYUE3 ME OUER	PAT	312
THAT ON JOURNAY FUL JOYNT JONAS HYM 3EDE	PAT	355
FYRST I MADE HEM MYSELF OF MATERES MYN ONE	PAT	503
THAT ON HANDE FRO THAT OTHER FOR ALLE THIS HY3E WORLDE	PAT	512
REGRETTED BY MYN ONE ON NY3TE.	PRL	243
BYCAWSE THOU MAY WYTH Y3EN.ME.SE.	PRL	296
BOT THAT HYS ONE SKYL MAY DEM.	PRL	312
OF ON DETHE FUL OURE HOPE IS DREST	PRL	860
ONE-EYED		
BE THAY HOL BE THAY HALT BE THAY ONY3ED	CLN	102
ONELYCH (V. ONLY)		
ONENDE (V. ANENDE)		
ONES (V. ONCE)		
ONEVNDER (V. ANVNDER)		
ONEWE (V. ANEW)		
ONE3 (V. ONCE)		
ONFERUM		
TO NYE HYM ONFERUM BOT NE3E HYM NON DURST.	GGK	1575
ONHEDE		
AND HAYLSED HEM IN ONHEDE AND SAYDE HENDE LORDE.	CLN	612
ONHELDE		
ONHELDE BY THE HURROK FOR THE HEUEN WRACHE	PAT	185
ONHIT		
SO HAT3 ANGER ONHIT HIS HERT HE CALLE3.	PAT	411
ONLY		
HE3EST OF ALLE OTHER SAF ONELYCH TWEYNE	CLN	1749
BOT FOR AS MUCH AS 3E AR MYN EM I AM ONLY TO PRAYSE	GGK	356
AL ONLY THYSELF SO STOUT AND STYF	PRL	779
ONLYUE (V. ALIVE)		

ONOURE (V. HONOR)
ONSLYDE3
AS BORNYST SYLUER THE LEF ONSLYDE3 . . . . PRL 77
ONSTRAY
AND STIFLY START ONSTRAY . . . . GGK 1716
ONSWARE (V. ANSWER)
ONSWARE3 (V. ANSWERS)
ONVNDER (V. ANVNDER)
ONY3ED (V. ONE-EYED)
OPEN
THENNE WAFTE HE VPON HIS WYNDOWE AND WYSED THEROUTE . . . . . CLN 453
THEN WENT THAY TO THE WYKKET HIT WALT VPON SONE. . . . . . . CLN 501
WAPPED VPON THE WYKET AND WONNEN HEM TYLLE . . . . CLN 882
TO OPEN VCH A HIDE THYNG OF AUNTERES VNCOWTHE . . . . CLN 1600
AND A WYNDOW WYD VPON WRO3T VPON LOFTE. . . . . CLN V 318
MYNSTERDORES WERE MAKYD OPON QUEN MATENS WERE SONGEN . . . . . ERK 128
A LITTEL DYN AT HIS DOR AND DERFLY VPON . . . . GGK 1183
VNBARRED AND BORN OPEN VPON BOTHE HALUE . . . . GGK 2070
WYTH Y3EN OPEN AND MOUTH FUL CLOS . . . . PRL 183
VPON AT SYDE3 AND BOUNDEN BENE . . . . PRL 198
WYTH FLURTED FLOWRE3 PERFET VPON. . . . . PRL 208
BOT EUERMORE VPEN AT VCHE A LONE. . . . . PRL 1066
OPENED
AND SWYFTELY SWENGED HYM TO SWEPE AND HIS SWOL3 OPENED . . . . PAT 250
OPENING
AND A WYNDOW WYD VPONANDE WRO3T VPON LOFTE . . . . CLN 318
OPENLY
BI HIS ERES AND BI HIS HONDES THAT OPENLY SHEWID . . . . . . ERK 90
OPINION
AND ALS IN MYN VPYNYOUN HIT ARN OF ON KYNDE . . . . PAT 40
OPON (V. OPEN)
ORANGE
AS ORENGE AND OTHER FRYT AND APPLEGARNADE. . . . . CLN 1044
ORATORY
THIS ORITORE IS VGLY WITH ERBE3 OUERGROWEN . . . . GGK 2190
ORDAINED
ADAM INOBEDYENT ORDAYNT TO BLYSSE . . . . CLN 237
ORDAYNT (V. ORDAINED)
ORDENAUNCE (V. ORDINANCE)
ORDINANCE
AND AMED HIT IN MYN ORDENAUNCE ODDELY DERE . . . . CLN 698
ORDURE
O3T THAT WAT3 VNGODERLY OTHER ORDURE WAT3 INNE . . . . CLN 1092
SO HENDE WAT3 HIS HONDELYNG VCHE ORDURE HIT SCHONIED . . . . . CLN 1101
SO CLENE WAT3 HIS HONDELYNG VCHE ORDURE HIT SCHONIED . . . . . CLN V 1101
ORENGE (V. ORANGE)
ORES (V. OARS)
ORGANES (V. ORGANS)
ORGANS
FOR AUNGELLES WYTH INSTRUMENTES OF ORGANES AND PYPES . . . . . CLN 1081
ORIENT
OUTE OF ORYENT I HARDYLY SAYE. . . . . PRL 3
WERN PRECIOUS PERLE3 OF ORYENTE . . . . PRL 82
SET ON HYR COROUN OF PERLE ORIENT . . . . PRL 255
ORISON
THAT INTO HIS HOLY HOUS MYN ORISOUN MO3T ENTRE . . . . PAT 328
ORISOUN (V. ORISON)
ORITORE (V. ORATORY)
ORNAMENTS

WYTH ALLE THE VRNMENTES OF THAT HOUS HE HAMPPRED TOGEDER. . . . CLN 1284
THE ORNEMENTES OF GODDE3 HOUS THAT HOLY WERE MAKED. . . . . . CLN 1799
ORNEMENTES (V. ORNAMENTS)
ORPEDLY
THENNE ORPPEDLY INTO HIS HOUS HE HY3ED TO SARE . . . . CLN 623
HE HYPPED OUER ON HYS AX AND ORPEDLY STRYDE3. . . . . GGK 2232
ORPPEDLY (V. ORPEDLY)
ORYENT (V. ORIENT)
ORYENTE (V. ORIENT)
ORY3T (V. ARIGHT)
OSSED
HE OSSED HYM BY VNNYNGES THAT THAY VNDERNOMEN . . . . PAT 213
OSTE (V. HOST)
OSTEL (V. HOSTEL)
OTHERQUYLE (V. OTHER-WHILE)
OTHERWAYE3 (V. OTHERWISE)
OTHER-WHILE
BOTHE WYTH BULLE3 AND BERE3 AND BORE3 OTHERQUYLE . . . . . . GGK 722
OTHERWISE
THAT OTHERWAYE3 ON EBRV HIT HAT THE THANES . . . . CLN 448
OTHE3 (V. OATHS)
OUER (V. OVER)
OUERAL (V. OVERALL)
OUERBORDE (V. OVERBOARD)
OUERBRAWDEN (V. OVERBRAWDEN)
OUERCLAMBE (V. OVERCLIMBED)
OUERDROFE (V. OVERDROVE)
OUERGROWEN (V. OVERGROWN)
OUERSEYED (V. OVERSEYED)
OUERTAKE (V. OVERTAKE)
OUERTAN (V. OVERTAKEN)
OUERTE (V. OVERT)
OUERTHWERT (V. OVERTHWERT)
OUERTOK (V. OVERTOOK)
OUERTORNED (V. OVERTURNED)
OUERTURE (V. OVERTURE)
OUERWALT (V. OVERWALT)
OUERWALTE3 (V. OVERWALTE3)
OUER3EDE (V. OVER3EDE)
OUGHT
THER AS HE HEUENED A3T HAPPE3 AND HY3T HEM HER MEDE3 . . . . . CLN 24
AND ALLE THE LAYKE3 THAT A LORDE A3T IN LONDE SCHEWE . . . . . CLN 122
OUTTAKEN YOW A3T IN THIS ARK STAUED. . . . . CLN 357
THE MAKE3 OF THY MYRY SUNE3 THIS MEYNY OF A3TE . . . . CLN 331
THE MECUL MYNSTER THERINNE A MAGHTY DEUEL AGHT . . . . ERK 27
AND HADES NO LONDE OF LEGE MEN NE LIFE NE LYM AGHTES . . . . . ERK 224
A CASTEL THE COMLOKEST THAT EUER KNY3T A3TE . . . . GGK 767
AND THU3T HIT A BOLDE BURNE THAT THE BUR3 A3TE . . . . GGK 843
OGHE TO A 3ONKE THYNK 3ERN TO SCHEWE . . . . GGK 1526
AND BE TRAYTOR TO THAT TOLKE THAT THAT TELDE A3T . . . . . . GGK 1775
AS IS PERTLY PAYED THE PRAY THAT I A3TE . . . . GGK 1941
AS IS PERTLY PAYED THE CHEPE3 THAT I A3TE. . . . . GGK V 1941
A3T HAPPES HE HEM HY3T AND VCHE ON A MEDE. . . . . PAT 11
THESE ARN THE HAPPES ALLE A3T THAT VS BIHY3T WEREN. . . . . . PAT 29
THE O3TE BETTER THYSELUEN BLESSE. . . . . PRL 341
VS THYNK VS O3E TO TAKE MORE . . . . PRL 552
ANI BRESTE FOR BALE A3T HAF FORBRENT . . . . PRL 1139
OUR (APP. 1)
OURE (APP. 1)

OURESELFE (APP. 1)
OUT

AND HIS TABARDE TOTORNE AND HIS TOTE3 OUTE	CLN	41
FERKE3 OUT IN THE FELDE AND FECHE3 MO GESTE3.	CLN	98
AND FLEME OUT OF THE FOLDE AL THAT FLESCH WERE3.	CLN	287
AL SCHAL DOUN AND BE DED AND DRYUEN OUT OF ERTHE	CLN	289
FRO SEUEN DAYE3 BEN SEYED I SENDE OUT BYLYUE.	CLN	353
WALTES OUT VCH WALLEHEUED IN FUL WODE STREME3	CLN	364
AFTER HARDE DAYE3 WERN OUT AN HUNDRETH AND FYFTE	CLN	442
HO WYRLED OUT ON THE WEDER ON WYNGE3 FUL SCHARPE	CLN	475
BOT NOE OF VCHE HONEST KYNDE NEM OUT AN ODDE.	CLN	505
AND I SO HY3E OUT OF AGE AND ALSO MY LORDE	CLN	656
3ETE VS OUT THOSE 3ONG MEN THAT 3OREWHYLE HERE ENTRED.	CLN	842
FOR THOU ART ODDELY THYN ONE OUT OF THIS FYLTHE.	CLN	923
THISE AUNGELE3 HADE HEM BY HANDE OUT AT THE 3ATE3	CLN	941
THE LEDE3 OF THAT LYTTEL TOUN WERN LOPEN OUT FOR DREDE . . .	CLN	990
AS ANY DOM MY3T DEUICE OF DAYNTYE3 OUTE	CLN	1046
THAY STEL OUT ON A STYLLE NY3T ER ANY STEUEN RYSED.	CLN	1203
AND HOLKKED OUT HIS AUEN Y3EN HETERLY BOTHE	CLN	1222
COMEN NEUER OUT OF KYTH TO CALDEE REAMES	CLN	1316
WYTH TOOL OUT OF HARDE TRE AND TELDED ON LOFTE	CLN	1342
PARED OUT OF PAPER AND POYNTED OF GOLDE	CLN	1408
THE IUELES OUT OF IERUSALEM WYTH GEMMES FUL BRY3T	CLN	1441
AND FYLED OUT OF FYGURES OF FERLYLE SCHAPPES.	CLN	1460
WER FETYSELY FORMED OUT IN FYLYOLES LONGE.	CLN	1462
AS SONET OUT OF SAUTERAY SONGE ALS MYRY	CLN	1516
CLERKES OUT OF CALDYE THAT KENNEST WER KNAUEN	CLN	1575
THAT VCHE POUER PAST OUT OF THAT PRYNCE EUEN.	CLN	1654
BLASTES OUT OF BRY3T BRASSE BRESTES SO HY3E	CLN	1783
FERYED OUT BI THE FETE AND FOWLE DISPYSED.	CLN	1790
AND OF THYSE WORLDES WORCHYP WRAST OUT FOR EUER.	CLN	1802
FERRE OUT IN THE FELDE AND FECHE3 MO GESTE3	CLN V	98
HO WYRLE OUT ON THE WEDER ON WYNGE3 FUL SCHARPE.	CLN V	475
AND FYLED OUT OF FYGURES OF FERLYCHE SCHAPPES	CLN V	1460
THAI BETE OUTE THE BRETONS AND BRO3T HOM INTO WALES	ERK	9
HE HURLYD OWT HOR YDOLS AND HADE HYM IN SAYNTES.	ERK	17
TO MALTE SO OUT OF MEMORIE BOT MERUAYLE HIT WERE	ERK	158
THERE AS CREATURES CRAFTE OF COUNSELLE OUTE SWARUES	ERK	167
AND WITH A DRERY DREME HE DRYUES OWTE WORDES.	ERK	191
NON GETE ME FRO THE HEGHE GATE TO GLENT OUT OF RY3T	ERK	241
THE LOFFYNGE OUTE OF LIMBO THOU LAFTES ME THER	ERK	292
THI LOFFYNGE OUTE OF LIMBO THOU LAFTES ME THER	ERK V	292
AND RUNYSCHLY HE RA3T OUT THERE AS RENKKE3 STODEN	GGK	432
HALLED OUT AT THE HAL DOR HIS HED IN HIS HANDE	GGK	458
SO STIF THAT THE STONFYR STROKE OUT THERAFTER	GGK	671
THAT PARED OUT OF PAPURE PURELY HIT SEMED.	GGK	802
THAY LET DOUN THE GRETE DRA3T AND DERELY OUT 3EDEN.	GGK	817
ER THE HALIDAYE3 HOLLY WERE HALET OUT OF TOUN	GGK	1049
AND HE HEUE3 VP HIS HED OUT OF THE CLOTHES	GGK	1184
THEN BREK THAY THE BALE THE BOUELE3 OUT TOKEN	GGK	1333
THE WESAUNT FRO THE WYNTHOLE AND WALT OUT THE GUTTE3	GGK	1336
THEN SCHER THAY OUT THE SCHULDERE3 WITH HER SCHARP KNYUE3 . .	GGK	1337
VOYDE3 OUT THE AVANTERS AND VERAYLY THERAFTER	GGK	1342
AND HE VNSOUNDYLY OUT SO3T SEGGE3 OUERTHWERT.	GGK	1438
ON THE SELLOKEST SWYN SWENGED OUT THERE	GGK	1439
SO CORTAYSE SO KNY3TYLY AS 3E AR KNOWEN OUTE.	GGK	1511
BRAYDE3 OUT A BRY3T BRONT AND BIGLY FORTH STRYDE3	GGK	1584
THE SWYN SETTE3 HYM OUT ON THE SEGGE EUEN.	GGK	1589

BRAYDE3 OUT THE BOWELES BRENNE3 HOM ON GLEDE. . . . . GGK 1609
SYTHEN HE BRITNE3 OUT THE BRAWEN IN BRY3T BRODE SCHELDE3. . . . GGK 1611
AND HAT3 OUT THE HASTLETTE3 AS HI3TLY BISEME3 . . . . GGK 1612
STELE3 OUT FUL STILLY BI A STROTHE RANDE . . . . GGK 1710
OFTE HE WAT3 RUNNEN AT WHEN HE OUT RAYKED. . . . . GGK 1727
SWENGES OUT OF THE SWEUENES AND SWARE3 WITH HAST . . . . GGK 1756
AND BRAYDE3 OUT THE BRY3T BRONDE AND AT THE BEST CASTE3 . . . . GGK 1901
RASED HYM FUL RADLY OUT OF THE RACH MOUTHES . . . . GGK 1907
WHYRLANDE OUT OF A WRO WYTH A FELLE WEPPEN . . . . GGK 2222
DELE TO ME MY DESTINE AND DO HIT OUT OF HONDE . . . . GGK 2285
BRAYDE3 OUT A BRY3T SWORDE AND BREMELY HE SPEKE3 . . . . GGK 2319
THEN BREK THAY THE BALE THE BAULE3 OUT TOKEN. . . . . GGK V 1333
SYTHEN HE BRITNE3 OUT THE BRAWEN IN BRY3T BRODE CHELDE3 . . . . GGK V 1611
WRYTHE ME IN A WARLOK WRAST OUT MYN Y3EN . . . . PAT 80
ANON OUT OF THE NORTHEST THE NOYS BIGYNES. . . . . PAT 137
SCOPEN OUT THE SCATHEL WATER THAT FAYN SCAPE WOLDE. . . . . . PAT 155
HER3ED OUT OF VCHE HYRNE TO HENT THAT FALLES. . . . . PAT 178
OUT OF THE HOLE THOU ME HERDE OF HELLEN WOMBE . . . . PAT 306
CAREFUL AM I KEST OUT FRO THY CLER Y3EN . . . . PAT 314
DO DRYUE OUT A DECRE DEMED OF MYSELUEN. . . . . PAT 386
NOW LORDE LACH OUT MY LYF HIT LASTES TO LONGE . . . . PAT 425
AND HALDE3 OUT ON EST HALF OF THE HY3E PLACE. . . . . PAT 434
OUTE OF ORYENT I HARDYLY SAYE. . . . . PRL 3
I TRAWED MY PERLE DON OUT OF DAWE3 . . . . PRL 282
AS WALLANDE WATER GOT3 OUT OF WELLE. . . . . PRL 365
TO DY3E IN DOEL OUT OF DELYT . . . . PRL 642
INNOGHE THER WAX OUT OF THAT WELLE . . . . PRL 649
AS THAT FOYSOUN FLODE OUT OF THAT FLET. . . . . PRL 1058
OUT OF THAT CASTE I WAT3 BYCALT . . . . PRL 1163
THAT BRATHTHE OUT OF MY DREM ME BRAYDE. . . . . PRL 1170

OUTBORST (V. OUTBURST)

OUTBURST

THAT HER BOWELES OUTBORST ABOUTE THE DICHES . . . . CLN 1251

OUTCAST

AND CARFULLY IS OUTKAST TO CONTRE VNKNAWEN . . . . CLN 1679

OUTCOMLYNG

AN OUTCOMLYNG A CARLE WE KYLLE OF THYN HEUED. . . . . CLN 876

OUTDRIVE

AND THOU CON ALLE THO DERE OUTDRYF . . . . PRL 777

OUTDRYF (V. OUTDRIVE)

OUTE (V. OUT)

OUTFLEME

ME PAYED FUL ILLE TO BE OUTFLEME. . . . . PRL 1177

OUTHER (V. EITHER)

OUTKAST (V. OUTCAST)

OUTRAGE

AND AN OUTTRAGE AWENTURE OF ARTHURE3 WONDERE3 . . . . GGK 29

OUTRIGHT

A REUER OF THE TRONE THER RAN OUTRY3TE. . . . . PRL 1055

OUTRY3TE (V. OUTRIGHT)

OUTSPRENT

OF HIS QUYTE SYDE HIS BLOD OUTSPRENT . . . . PRL 1137

OUTTAKEN

OUTTAKEN YOW A3T IN THIS ARK STAUED. . . . . CLN 357
OUTTAKEN BARE TWO AND THENNE HE THE THRYDDE . . . . CLN 1573

OUTTRAGE (V. OUTRAGE)

OUTTULDE

HE WAT3 NO TYTTER OUTTULDE THAT TEMPEST NE SESSED . . . . . . PAT 231

OUT-WITH

AS BE HONEST VTWYTH AND INWITH ALLE FYLTHE3	CLN	14
VTWYTH TO SE THAT CLENE CLOYSTOR.	PRL	969
OVER		
BOT AS HE FERKED OUER THE FLOR HE FANDE WYTH HIS Y3E	CLN	133
OUER THE HY3EST HYLLE THAT HURKLED ON ERTHE	CLN	406
DRYF OUER THIS DYMME WATER IF THOU DRUYE FYNDE3.	CLN	472
AND BYDDE3 HIR BOWE OUER THE BORNE EFTE BONKE3 TO SECHE	CLN	482
HIT WAT3 LUSTY LOTHES WYF THAT OUER HER LYFTE SCHULDER	CLN	981
THENNE WYTH LEGIOUNES OF LEDES OUER LONDES HE RYDES	CLN	1293
THAT WAT3 ATHEL OUER ALLE ISRAEL DRY3TYN	CLN	1314
ASSCAPED OUER THE SKYRE WATTERES AND SCAYLED THE WALLES	CLN	1776
AND FER OUER THE FRENCH FLOD FELIX BRUTUS.	GGK	13
SMAL SENDAL BISIDES A SELURE HIR OUER	GGK	76
A MUCH BERD AS A BUSK OUER HIS BREST HENGES	GGK	182
HAYLSED HE NEUER ONE BOT HE3E HE OUER LOKED	GGK	223
HIS LONGE LOUELYCH LOKKE3 HE LAYD OUER HIS CROUN	GGK	419
FYRST A TULE TAPIT TY3T OUER THE FLET	GGK	568
THE LEST LACHET OUER LOUPE LEMED OF GOLDE.	GGK	591
WYTH A LY3TLY VRYSOUN OUER THE AUENTAYLE	GGK	608
AND FARE3 OUER THE FORDE3 BY THE FORLONDE3	GGK	699
OUER AT THE HOLY HEDE TIL HE HADE EFT BONK	GGK	700
AND HENGED HE3E OUER HIS HEDE IN HARD YSSEIKKLES	GGK	732
AND HE HEM RAYSED REKENLY AND ROD OUER THE BRYGGE	GGK	821
WELNE3 TO VCHE HATHEL ALLE OUER HWES	GGK	867
THAT OTHER WYTH A GORGER WAT3 GERED OUER THE SWYRE.	GGK	957
CHYMBLED OUER HIR BLAKE CHYN WITH CHALKQUYTE VAYLES	GGK	958
BOT THE LORDE OUER THE LONDE3 LAUNCED FUL OFTE	GGK	1561
AT THE LAST BI A LITTEL DICH HE LEPE3 OUER A SPENNE	GGK	1709
FELLE OUER HIS FAYRE FACE AND FETLY HYM KYSSED	GGK	1758
AS HE SPRENT OUER A SPENNE TO SPYE THE SCHREWE	GGK	1896
HALDE3 HE3E OUER HIS HEDE HALOWE3 FASTE	GGK	1908
LEPE3 HYM OUER THE LAUNDE AND LEUE3 THE KNY3T THERE	GGK	2154
ABYDE QUOTH ON ON THE BONKE ABOUEN OUER HIS HEDE	GGK	2217
HE HYPPED OUER ON HYS AX AND ORPEDLY STRYDE3.	GGK	2232
THAT THE SCHENE BLOD OUER HIS SCHULDERES SCHOT TO THE ERTHE.	GGK	2314
AND HE 3ARRANDE HYM 3ELDE AND 3ED OUER THE WATER	GGK V	1595
AY HELE OUER HED HOURLANDE ABOUTE	PAT	271
IN ON DASCHANDE DAM DRYUE3 ME OUER	PAT	312
WHAT3 THER OUER GAYN THO BONKE3 BRADE	PRL	138
THOU WYLNE3 OUER THYS WATER TO WEUE.	PRL	318
ER OUER THYS DAM HYM DRY3TYN DEME	PRL	324
HO HALDE3 THE EMPYRE OUER VS FUL HY3E	PRL	454
THYSELF IN HEUEN OUER HY3 THOU HEUE.	PRL	473
OUER ALLE OTHER SO HY3 THOU CLAMBE	PRL	773
OUER MERUELOUS MERE3 SO MAD ARAYDE	PRL	1166
OUER THIS HYUL THIS LOTE I LA3TE.	PRL	1205
OVERALL		
AND OUERAL ENKER GRENE	GGK	150
OUERAL AS I HERE THE ENDELES KNOT	GGK	630
OVERBOARD		
THER WAT3 BUSY OUERBORDE BALE TO KEST	PAT	157
OVERBRAWDEN		
ERNEHWED HE WAT3 AND AL OUERBRAWDEN.	CLN	1698
OVERCLIMBED		
MONY KLYF HE OUERCLAMBE IN CONTRAYE3 STRAUNGE	GGK	713
OVERDROVE		
THE DERKE NY3T OUERDROFE AND DAYBELLE RONGE	ERK	117
OVERGROWN		
AND OUERGROWEN WITH GRESSE IN GLODES AYWHERE.	GGK	2181

Text	Poem	Line
THIS ORITORE IS VGLY WITH ERBE3 OUERGROWEN	GGK	2190
OVERSEYED		
QUYLE SEUEN SYTHE3 WERE OUERSEYED SOMERES I TRAWE	CLN	1686
OVERT		
IN SAUTER IS SAYD A VERCE OUERTE.	PRL	593
OVERTAKE		
LETE3 ME OUERTAKE YOUR WYLLE	GGK	2387
OVERTAKEN		
BOT I TROW FUL TYD OUERTAN THAT HE WERE	PAT	127
OVERTHWERT		
OF FYFTY FAYRE OUERTHWERT FORME THE BREDE.	CLN	316
AND THIKER THROWEN VMBETHOUR WYTH OUERTHWERT PALLE.	CLN	1384
AND HE VNSOUNDYLY OUT SO3T SEGGE3 OUERTHWERT.	GGK	1438
OVERTOOK		
OUERTOK HEM AS TYD TULT HEM OF SADELES.	CLN	1213
OVERTURE		
AT HONDE AT SYDE3 AT OUERTURE.	PRL	218
OVERTURNED		
TIL TWO 3ER OUERTORNED 3ET TOK THAY HIT NEUER	CLN	1192
OVERWALT		
OUERWALT WYTH A WORDE OF ON WY3ES SPECHE	GGK	314
OVERWALTE3		
OUERWALTE3 VCHE A WOD AND THE WYDE FELDE3.	CLN	370
OVER3EDE		
BOT HOWSO DANYEL WAT3 DY3T THAT DAY OUER3EDE.	CLN	1753
FORTHI THIS 3OL OUER3EDE AND THE 3ERE AFTER	GGK	500
OWE		
GYF HEM THE HYRE THAT I HEM OWE	PRL	543
OWEN (V. OWN)		
OWN		
THAY HONDEL THER HIS AUNE BODY AND VSEN HIT BOTHE	CLN	11
HE SAYT3 NOW FOR HER OWNE SOR3E THAY FORSAKEN HABBE3	CLN	75
SENDE3 HYM A SAD SY3T TO SE HIS AUEN FACE.	CLN	595
AND HOLKKED OUT HIS AUEN Y3EN HETERLY BOTHE	CLN	1222
HE HADE SO HUGE AN INSY3T TO HIS AUNE DEDES	CLN	1659
HA3ERLY IN HIS AUNE HWE HIS HEUED WAT3 COUERED	CLN	1707
I REMEWIT NEUER FRO THE RI3T BY RESON MYN AWEN	ERK	235
AND NEUENES HIT HIS AUNE NOME AS HIT NOW HAT.	GGK	10
I QUITCLAYME HIT FOR EUER KEPE HIT AS HIS AUEN	GGK	293
OF MY HOUS AND MY HOME AND MYN OWEN NOME	GGK	408
THAT HERE IS AL IS YOWRE AWEN TO HAUE AT YOWRE WYLLE	GGK	836
LEDES HYM TO HIS AWEN CHAMBRE THE CHYMNE BYSYDE.	GGK	1030
THAT GAWAYN HAT3 BEN MY GEST AT GODDE3 AWEN FEST	GGK	1036
AL THE HONOUR IS YOUR AWEN THE HE3E KYNG YOW 3ELDE.	GGK	1038
YOWRE AWEN WON TO WALE	GGK	1238
FOR BY ACORDE OF COUENAUNT 3E CRAUE HIT AS YOUR AWEN	GGK	1384
IF HIT BE SOTHE THAT 3E BREUE THE BLAME IS MYN AWEN	GGK	1488
AND BRO3T BLYSSE INTO BOURE WITH BOUNTEES HOR AWEN.	GGK	1519
NOW GAWAYN QUOTH THE GODMON THIS GOMEN IS YOUR AWEN	GGK	1635
THAT THOU WYLT THYN AWEN NYE NYME TO THYSELUEN	GGK	2141
I HOPE THAT THI HERT AR3E WYTH THYN AWEN SELUEN.	GGK	2301
MYN OWEN WYF HIT THE WEUED I WOT WEL FORSOTHE	GGK	2359
THOU ART GOD AND ALLE GOWDE3 AR GRAYTHELY THYN OWEN	PAT	286
TAKE THAT IS THYN OWNE AND.GO.	PRL	559
OWNE (V. OWN)		
OWT (V. OUT)		
OWTE (V. OUT)		
OX		
THAT BOTHE THE OX AND THE ASSE HYM HERED AT ONES	CLN	1086

BOT A BEST THAT HE BE A BOL OTHER AN OXE . . . . CLN 1682
NE NON OXE TO NO HAY NE NO HORSE TO WATER. . . . . PAT 394
OXE (V. OX)
OXEN
I HAF 3ERNED AND 3AT 3OKKE3 OF OXEN. . . . . CLN 66
OYER
I WAS ON EIRE OF AN OYER IN THE NEW TROIE. . . . . ERK 211
O3E (V. OUGHT)
O3T (V. AUGHT, OUGHT)
O3TE (V. OUGHT)
PACE
THE SAUTER HYT SAT3 THUS IN A PACE . . . . PRL 677
PACIENCE (V. PATIENCE)
PACIENT (V. PATIENT)
PACK
SO CUMLY A PAKKE OF JOLY JUELE . . . . PRL 929
PACKED
AND PYLED THAT PRECIOUS PLACE AND PAKKED THOSE GODES . . . . . CLN 1282
PACYENCE (V. PATIENCE)
PAID
AS IS PERTLY PAYED THE PRAY THAT I A3TE . . . . GGK 1941
I HY3T THE A STROK AND THOU HIT HAT3 HALDE THE WEL PAYED. . . . GGK 2341
AS IS PERTLY PAYED THE CHEPE3 THAT I A3TE. . . . . GGK V 1941
I WAT3 PAYED ANON OF AL AND SUM . . . . PRL 584
FOR THER IS VCH MON PAYED INLYCHE . . . . PRL 603
HIT PAYED HYM NOT THAT I SO FLONC . . . . PRL 1165
ME PAYED FUL ILLE TO BE OUTFLEME. . . . . PRL 1177
PAIN
ON PAYNE OF ENPRYSONMENT AND PUTTYNG IN STOKKE3. . . . . CLN 46
FOR SUCH VNTHEWE3 AS THISE AND THOLE MUCH PAYNE. . . . . CLN 190
AND A PAYNE THERON PUT AND PERTLY HALDEN . . . . CLN 244
SCHAL SYNFUL AND SAKLE3 SUFFER AL ON PAYNE . . . . CLN 716
FOR WITH THE WORDES AND THE WATER THAT WESHE VS OF PAYNE. . . . ERK 333
THUS IN PERYL AND PAYNE AND PLYTES FUL HARDE. . . . . GGK 733
THE LORDE FAST CAN HYM PAYNE . . . . GGK 1042
BE PREUE AND BE PACIENT IN PAYNE AND IN JOYE. . . . . PAT 525
FOR THE PENAUNCE AND PAYNE TO PREUE HIT IN SY3T. . . . . PAT 530
AND BYDE THE PAYNE THERTO IS BENT . . . . PRL 664
WYTH PAYNE TO SUFFER THE LOMBE HIT CHESE . . . . PRL 954
PAINS
THAT OTHER DEPRYUED WAT3 OF PRYDE WITH PAYNES STRONGE. . . . . CLN 1227
FORTHY WHEN POUERTE ME ENPRECE3 AND PAYNE3 INNO3E . . . . PAT 528
FORDIDDEN MY STRESSE DYSTRYED MY PAYNE3 . . . . PRL 124
PAINTED
SO WAS THE GLODE WITHIN GAY AL WITH GOLDE PAYNTYDE. . . . . . ERK 75
AS PAPIAYE3 PAYNTED PERNYNG BITWENE. . . . . GGK 611
SO MONY PYNAKLE PAYNTET WAT3 POUDRED AYQUERE. . . . . GGK 800
PYMALYON PAYNTED NEUER THY VYS . . . . PRL 750
PAIR
OF VCHE HORWED IN ARK HALDE BOT A PAYRE . . . . CLN 335
VCHE PAYRE BY PAYRE TO PLESE AYTHER OTHER. . . . . CLN 338
VCHE PAYRE BY PAYRE TO PLESE AYTHER OTHER. . . . . CLN 338
PAIRED
THAT QUEN HE BLUSCHED THERTO HIS BELDE NEUER PAYRED . . . . . GGK 650
BOT THE POYNTE3 PAYRED AT THE PYTH THAT PY3T IN HIS SCHELDE3 . GGK 1456
PENSYF PAYRED I AM FORPAYNED . . . . PRL 246
PAKKE (V. PACK)
PAKKED (V. PACKED)
PALACE

SO THAT MY PALAYS PLATFUL BE PY3T AL ABOUTE . . . . CLN 83
AND WYTH PEPLE OF ALLE PLYTE3 THE PALAYS THAY FYLLEN . . . . CLN 111
THAT WAT3 A PALAYCE OF PRYDE PASSANDE ALLE OTHER . . . . . . CLN 1389
IN THE PALAYS PRYNCIPALE VPON THE PLAYN WOWE. . . . . CLN 1531
AND TO THE PALAYS PRYNCIPAL THAY APROCHED FUL STYLLE . . . . CLN 1781
HE PASSYD INTO HIS PALAIS AND PES HE COMAUNDIT . . . . ERK 115
WITH A PYKED PALAYS PYNNED FUL THIK. . . . . GGK 769
WITH A PYKED PALAYS PYNED FUL THIK . . . . GGK V 769

PALAIS (V. PALACE)
PALASTYN (V. PALESTINE)
PALAYCE (V. PALACE)
PALAYS (V. PALACE)
PALE
AND THIKER THROWEN VMBETHOUR WYTH OUERTHWERT PALLE. . . . . . CLN 1384
IN THE THRYD TABLE CON PURLY PALE . . . . PRL 1004
PALESTINE
HE PURSUED INTO PALASTYN WYTH PROUDE MEN MONY . . . . CLN 1177
PALL
APYKE THE IN PORPRE CLOTHE PALLE ALTHERFYNEST . . . . CLN 1637
PALLE (V. PALE)
PALM
THER APERED A PAUME WYTH POYNTEL IN FYNGRES . . . . CLN 1533
PALMS
AND WYTH PLATTYNG HIS PAUMES DISPLAYES HIS LERS. . . . . . . CLN 1542
THE BREME BUKKE3 ALSO WITH HOR BRODE PAUME3 . . . . GGK 1155
PANE
WITH PELURE PURED APERT THE PANE FUL CLENE . . . . GGK 154
VCH PANE OF THAT PLACE HAD THRE 3ATE3 . . . . PRL 1034
PANES
AND COUERTORE3 FUL CURIOUS WITH COMLYCH PANE3 . . . . GGK 855
PANE3 (V. PANES)
PAPEIAYES
PYES AND PAPEIAYES PURTRAYED WITHINNE . . . . CLN 1465
AS PAPIAYE3 PAYNTED PERNYNG BITWENE. . . . . GGK 611
PAPER
PARED OUT OF PAPER AND POYNTED OF GOLDE . . . . CLN 1408
THAT PARED OUT OF PAPURE PURELY HIT SEMED. . . . . GGK 802
PAPIAYE3 (V. PAPEIAYES)
PAPURE (V. PAPER)
PAR
OF COUNTES DAMYSEL PAR MA FAY. . . . . PRL 489
PARADIS (V. PARADISE)
PARADISE
THAT THAT ILK PROPER PRYNCE THAT PARADYS WELDE3. . . . . . . CLN 195
THER PRYUELY IN PARADYS HIS PLACE WAT3 DEVISED . . . . CLN 238
WEL NY3E PURE PARADYS MO3T PREUE NO BETTER . . . . CLN 704
AS APARAUNT TO PARADIS THAT PLANTTED THE DRY3TYN . . . . . . CLN 1007
TOWARDE THE PROUIDENS OF THE PRINCE THAT PARADIS WELDES . . . . ERK 161
TO THE PRYNCE OF PARADISE AND PARTEN RY3T THERE. . . . . . . GGK 2473
FORTHY I THO3T THAT PARADYSE . . . . PRL 137
IN PARADYS ERDE OF STRYF VNSTRAYNED. . . . . PRL 248
FOR HIT WAT3 FORGARTE AT PARADYS GREUE. . . . . PRL 321
PARADYS (V. PARADISE)
PARADYSE (V. PARADISE)
PARAGE
FOR APROCH THOU TO THAT PRYNCE OF PARAGE NOBLE . . . . CLN 167
VNDER A PRINCE OF PARAGE OF PAYNYMES LAGHE . . . . ERK 203
HYS PRESE HYS PRYS AND HYS PARAGE . . . . PRL 419
PARALYTIC

Word / Line	Poem	Line no.
POYSENED AND PARLATYK AND PYNED IN FYRES	CLN	1095
PARAMORE3 (V. PARAMOURS)		
PARAMOURS		
AND THE PLAY OF PARAMORE3 I PORTRAYED MYSELUEN	CLN	700
PARAUENTURE (V. PERADVENTURE)		
PARAUNTER (V. PERADVENTURE)		
PARCHMEN (V. PARCHMENT)		
PARCHMENT		
AND POLYSED ALS PLAYN AS PARCHMEN SCHAUEN.	CLN	1134
PARED		
PARED OUT OF PAPER AND POYNTED OF GOLDE	CLN	1408
PARED ON THE PARGET PURTRAYED LETTRES	CLN	1536
THAT PARED OUT OF PAPURE PURELY HIT SEMED.	GGK	802
PARFORMED (V. PERFORMED)		
PARFYT (V. PERFECT)		
PARGET		
PARED ON THE PARGET PURTRAYED LETTRES	CLN	1536
PARK		
PYCHED ON A PRAYERE A PARK AL ABOUTE	GGK	768
PARLATYK (V. PARALYTIC)		
PART		
DISPLAYED MORE PRYSTYLY WHEN HE HIT PART SCHULDE	CLN	1107
DISPLAYED MORE PRYUYLY WHEN HE HIT PART SCHULDE.	CLN V	1107
TO THE PRYNCE OF PARADISE AND PARTEN RY3T THERE.	GGK	2473
THUS PORE MEN HER PART AY PYKE3	PRL	573
PARTED		
THAT ENPOYSENED ALLE PEPLE3 THAT PARTED FRO HEM BOTHE.	CLN	242
THE PRIMATE WITH HIS PRELACIE WAS PARTYD FRO HOME	ERK	107
PARTEN (V. PART)		
PARTLESS		
WHEN I AM PARTLE3 OF PERLE MYNE	PRL	335
PARTLE3 (V. PARTLESS)		
PARTRIDGES		
MY POLYLE THAT IS PENNEFED AND PARTRYKE3 BOTHE	CLN	57
PARTRYKE3 (V. PARTRIDGES)		
PARTYD (V. PARTED)		
PASS		
PASSE NEUER FRO THI POUERE 3IF I HIT PRAY DURST.	CLN	615
AS IS THE ASYSE OF SODOMAS TO SEGGE3 THAT PASSEN	CLN	844
PRECHANDE HEM THE PERILE AND BEDEN HEM PASSE FAST	CLN	942
3ET AFRAYED THAY NO FREKE FYRRE THAY PASSEN	CLN	1780
THAT I PASSE AS IN PES AND NO PLY3T SECHE.	GGK	266
REFOURME WE OURE FORWARDES ER WE FYRRE PASSE.	GGK	378
THUR3 PLAYNE3 THAY PASSE IN SPACE	GGK	1418
PASSE TO NO PASTURE NE PIKE NON ERBES	PAT	393
THE THRYDDE TO PASSE THYS WATER FRE.	PRL	299
GYUE THE TO PASSE WHEN THOU ARTE TRYED.	PRL	707
THE LOMBE BYFORE CON PROUDLY PASSE	PRL	1110
PASSAGE		
AND SPEKE3 OF HIS PASSAGE AND PERTLY HE SAYDE	GGK	544
THUS HE PASSES TO THAT PORT HIS PASSAGE TO SECHE	PAT	97
PASSANDE (V. PASSING)		
PASSE (V. PASS)		
PASSED		
THAT NON PASSED TO THE PLACE THA3 HE PRAYED WERE	CLN	72
THAT AMOUNTED THE MASE HIS MERCY WAT3 PASSED.	CLN	395
AND ALS HE LOKED ALONG THERE AS OURE LORDE PASSED	CLN	769
THAT HE NE PASSED THE PORT THE PERIL TO ABIDE	CLN	856
THAT VCHE POUER PAST OUT OF THAT PRYNCE EUEN.	CLN	1654

NOW IS ALLE THY PRYNCIPALTE PAST AT ONES . . . . CLN 1672
HE PASSYD INTO HIS PALAIS AND PES HE COMAUNDIT . . . . ERK 115
THE PRELATE PASSIDE ON THE PLAYN THER PLIED TO HYM LORDES . . ERK 138
BOT PYNE WOS WITH THE GRETE PRECE THAT PASSYD HYM AFTER . . . ERK 141
BOT QUEN MATYD IS MONNES MY3T AND HIS MYNDE PASSYDE . . . . ERK 163
THAI PASSYD FORTHE IN PROCESSION AND ALLE THE PEPULLE FOLOWID . ERK 351
AT VCHE WARTHE OTHER WATER THER THE WY3E PASSED. . . . . . . GGK 715
THUS THAY MELED OF MUCHQUAT TIL MYDMORN PASTE . . . . GGK 1280
AND TO THE CHEMNE THAY PAST . . . . GGK 1667
THE BURNE BLESSED HYM BILYUE AND THE BREDE3 PASSED. . . . . . GGK 2071
BOT HELDE THOU HIT NEUER SO HOLDE AND I HERE PASSED . . . . . GGK 2129
BOT HO HIR PASSED IN SUM FAUOUR . . . . PRL 428
WELNE3 WYL DAY WAT3 PASSED DATE . . . . PRL 528
WELNE3 WYLDAY WAT3 PASSED DATE . . . . PRL 1 528
WELNE3 WYLDAY WAT3 PASSED DATE . . . . PRL 3 528
PASSEN (V. PASS)
PASSES
AND PITE THAT PASSE3 ALLE POYNTE3 THYSE PURE FYUE . . . . . . GGK 654
NOW NE3E3 THE NW3ERE AND THE NY3T PASSE3 . . . . GGK 1998
THER PASSES NON BI THAT PLACE SO PROUDE IN HIS ARMES . . . . . GGK 2104
THUS HE PASSES TO THAT PORT HIS PASSAGE TO SECHE . . . . . . PAT 97
THY COLOUR PASSE3 THE FLOUR-DE-LYS . . . . PRL 753
PASSE3 (V. PASSES)
PASSIDE (V. PASSED)
PASSING
THAT WAT3 A PALAYCE OF PRYDE PASSANDE ALLE OTHER . . . . . . CLN 1389
THAT HOR PLAY WAT3 PASSANDE VCHE PRYNCE GOMEN . . . . GGK 1014
PASSYD (V. PASSED)
PASSYDE (V. PASSED)
PAST (V. PASSED)
PASTE (V. PASSED)
PATROUNES (V. PATRONS)
PASTURE
PASSE TO NO PASTURE NE PIKE NON ERBES . . . . PAT 393
PATCH
THYS JERUSALEM LOMBE HADE NEUER PECHCHE . . . . PRL 841
PATER
AND THERTO PRESTLY I PRAY MY PATER AND AUE . . . . GGK 757
NE NEUER NAWTHER PATER NE CREDE . . . . PRL 485
PATIENCE
PACIENCE IS A POYNT THA3 HIT DISPLESE OFTE . . . . PAT 1
AND THENNE DAME PES AND PACYENCE PUT IN THERAFTER . . . . . . PAT 33
I SCHAL ME PORUAY PACYENCE AND PLAY ME WYTH BOTHE . . . . . . PAT 36
THUS POUERTE AND PACYENCE ARN NEDES PLAYFERES . . . . PAT 45
THAT PACIENCE IS A NOBEL POYNT THA3 HIT DISPLESE OFTE. . . . PAT 531
PATIENCE IS A NOBEL POYNT THA3 HIT DISPLESE OFTE . . . . . . PAT V 1
PATIENT
BE PREUE AND BE PACIENT IN PAYNE AND IN JOYE. . . . . PAT 525
PATRONS
THAT SITHEN DEPRECED PROUINCES AND PATROUNES BICOME . . . . . GGK 6
PAUL
SYTTES SEMELY IN THE SEGE OF SAYNT PAULE MYNSTER . . . . . . ERK 35
BY THAT HE COME TO THE KYRKE KYDDE OF SAYNT PAULE . . . . . . ERK 113
OF COURTAYSYE AS SAYT3 SAYNT POULE . . . . PRL 457
PAULE (V. PAUL)
PAUME (V. PALM)
PAUMES (V. PALMS)
PAUME3 (V. PALMS)
PAUNCE

BOTHE HIS PAUNCE AND HIS PLATE3 PIKED FUL CLENE. . . . . . . GGK 2017
PAUNCHES
WYTH THE LYUER AND THE LY3TE3 THE LETHER OF THE PAUNCHE3. . . GGK 1360
PAUNCHE3 (V. PAUNCHES)
PAUNE
THAT WERE CROKED AND KENE AS THE KYTE PAUNE . . . . CLN V 1697
PAUUE
THAT WERE CROKED AND KENE AS THE KYTE PAUUE . . . . CLN 1697
PAY
AND THAT IS FUL PORE FOR TO PAY FOR SUCHE PRYS THINGES . . . . GGK 1945
HAF THY HELME OF THY HEDE AND HAF HERE THY PAY . . . . GGK 2247
MACHES HYM WYTH THE MARYNERES MAKES HER PAYE. . . . . PAT 99
PERLE PLESAUNTE TO PRYNCES PAYE . . . . PRL 1
I YOW PAY IN DEDE AND THO3TE . . . . PRL 524
CALLED TO THE REUE LEDE PAY THE MEYNY . . . . PRL 542
3YS AND PAY HEM AT THE FYRST FYNE . . . . PRL 635
HIT WAT3 NOT AT MY PRYNCE3 PAYE . . . . PRL 1164
NOW AL BE TO THAT PRYNCE3 PAYE . . . . PRL 1176
THAT THOU ART TO THAT PRYNSE3 PAYE . . . . PRL 1188
TO THAT PRYNCE3 PAYE HADE I AY BENTE . . . . PRL 1189
OTHER PROFEREN THE O3T AGAYN THY PAYE . . . . PRL 1200
TO PAY THE PRINCE OTHER SETE SA3TE . . . . PRL 1201
ANDE PRECIOUS PERLE3 VNTO HIS PAY . . . . PRL 1212
PAYE (V. PAY)
PAYED (V. PAID)
PAYE3 (V. PAYS)
PAYMENT
AND THOU TO PAYMENT COM HYM BYFORE . . . . PRL 598
PAYNE (V. PAIN)
PAYNES (V. PAINS)
PAYNE3 (V. PAINS)
PAYNIM
NAS I A PAYNYM VNPRESTE THAT NEUER THI PLITE KNEWE. . . . . . ERK 285
PAYNIMS
VNDER A PRINCE OF PARAGE OF PAYNYMES LAGHE . . . . ERK 203
PAYNTED (V. PAINTED)
PAYNTET (V. PAINTED)
PAYNTYDE (V. PAINTED)
PAYNYM (V. PAYNIM)
PAYNYMES (V. PAYNIMS)
PAYRE (ALSO V. PAIR)
NE THE PURPOSE TO PAYRE THAT PY3T IN HIR HERT . . . . GGK 1734
PAYRED (V. PAIRED)
PAYRES
3ET THE PERLE PAYRES NOT WHYLE HO IN PYESE LASTTES. . . . . . CLN 1124
PAYS
HOW PAYE3 YOW THIS PLAY HAF I PRYS WONNEN. . . . . GGK 1379
THE GENTYLE LORDE THENNE PAYE3 HYS HYNE . . . . PRL 632
PAYTTRURE
THE PENDAUNTES OF HIS PAYTTRURE THE PROUDE CROPURE. . . . . . GGK 168
THE APPARAYL OF THE PAYTTRURE AND OF THE PROUDE SKYRTE3 . . . . GGK 601
PEA
AS PERLE BI THE QUITE PESE IS OF PRYS MORE . . . . GGK 2364
PEACE
HE PASSYD INTO HIS PALAIS AND PES HE COMAUNDIT . . . . ERK 115
THAT I PASSE AS IN PES AND NO PLY3T SECHE. . . . . GGK 266
THAY AR HAPPEN ALSO THAT HALDEN HER PESE . . . . PAT 25
AND THENNE DAME PES AND PACYENCE PUT IN THERAFTER . . . . PAT 33
WYTH A PRAYER AND A PYNE THAY MY3T HER PESE GETE . . . . PAT 423

HE PY3T HIT THERE IN TOKEN OF PES	PRL	742
BOT CETE OF GOD OTHER SY3T OF PES	PRL	952
IN THAT ON OURE PES WAT3 MAD AT ENE.	PRL	953
IN THAT OTHER IS NO3T BOT PES TO GLENE.	PRL	955
PEARL		
THAT EUER IS POLYCED ALS PLAYN AS THE PERLE SELUEN.	CLN	1068
AND PURE THE WITH PENAUNCE TYL THOU A PERLE WORTHE.	CLN	1116
PERLE PRAYSED IS PRYS THER PERRE IS SCHEWED	CLN	1117
3ET THE PERLE PAYRES NOT WHYLE HO IN PYESE LASTTES.	CLN	1124
WITH MONY A PRECIOUS PERLE PICCHIT THERON.	ERK	79
AS PERLE BI THE QUITE PESE IS OF PRYS MORE	GGK	2364
PERLE PLESAUNTE TO PRYNCES PAYE	PRL	1
OF THAT PRYUY PERLE WYTHOUTEN SPOT	PRL	12
MY PRIUY PERLE WYTHOUTEN SPOTTE	PRL	24
OF THAT PRECIOS PERLE WYTHOUTEN SPOTTE.	PRL	36
ON HUYLE THER PERLE HIT TRENDELED DOUN.	PRL	41
MY PRECIOUS PERLE WYTHOUTEN SPOT.	PRL	48
I PLAYNED MY PERLE THAT THER WAT3 SPENNED.	PRL	53
ON THAT PRECIOS PERLE WYTHOUTEN SPOT	PRL	60
DUBBED WITH DOUBLE PERLE AND DY3TE	PRL	202
HI3E PYNAKLED OF CLER QUYT PERLE.	PRL	207
OF PRECIOS PERLE IN PORFYL PY3TE.	PRL	216
WYTH WHYTE PERLE AND NON OTHER GEMME	PRL	219
BOT A WONDER PERLE WYTHOUTEN WEMME	PRL	221
THAT PRECIOS PERLE THER HIT WAT3 PY3T	PRL	228
PY3T IN PERLE THAT PRECIOS PYECE.	PRL	229
O PERLE QUOTH I IN PERLE3 PY3T	PRL	241
ART THOU MY PERLE THAT I HAF PLAYNED	PRL	242
SET ON HYR COROUN OF PERLE ORIENT	PRL	255
TO SAY YOUR PERLE IS AL AWAYE.	PRL	258
TO A PERLE OF PRYS HIT IS PUT IN PREF	PRL	272
I TRAWED MY PERLE DON OUT OF DAWE3	PRL	282
MY PRECIOS PERLE DOT3 ME GRET PYNE	PRL	330
WHEN I AM PARTLE3 OF PERLE MYNE	PRL	335
I WYSTE NEUER QUERE MY PERLE WAT3 GON	PRL	376
THOW WOST WEL WHEN THY PERLE CON SCHEDE	PRL	411
TO BYE HYM A PERLE WAT3 MASCELLE3	PRL	732
THIS MAKELLE3 PERLE THAT BO3T IS DERE	PRL	733
AND PORCHACE THY PERLE MASKELLES.	PRL	744
O MASKELE3 PERLE IN PERLE3 PURE	PRL	745
THAT BERE3 QUOTH I THE PERLE OF PRYS	PRL	746
BERE3 THE PERLE SO MASKELLE3	PRL	756
THAT BEREN THYS PERLE VPON OURE BERESTE	PRL	854
QUOTH I MY PERLE THA3 I APPOSE	PRL	902
A PARFYT PERLE THAT NEUER FATE3	PRL	1038
THE BLYSFUL PERLE WYTH GRET DELYT	PRL	1104
THERAS MY PERLE TO GROUNDE STRAYD	PRL	1173
O PERLE QUOTH I OF RYCH RENOUN	PRL	1182
AS THE PERLE ME PRAYED THAT WAT3 SO THRYUEN	PRL	1192
FOR PYTY OF MY PERLE ENCLYIN	PRL	1206
THIS MASKELLE3 PERLE THAT BO3T IS DERE.	PRL 1	733
BERE3 THE PERLE SO MASKELLE3	PRL 1	756
I PLAYNED MY PERLE THAT THER WAT3 PENNED	PRL 2	53
THIS MASKELLE3 PERLE THAT BO3T IS DERE.	PRL 2	733
BERE3 THE PERLE SO MASKELLE3	PRL 2	756
I PLAYNED MY PERLE THAT THER WAT3 PENNED	PRL 3	53
PEARLS		
WEL BRY3TER THEN THE BERYL OTHER BROWDEN PERLES.	CLN	1132
FOR ALLE THE BLOMES OF THE BO3ES WER BLYKNANDE PERLES.	CLN	1467

PENITOTES AND PYNKARDINES AY PERLES BITWENE . . . . CLN 1472
KERCHOFES OF THAT ON WYTH MONY CLER PERLE3 . . . . GGK 954
WERN PRECIOUS PERLE3 OF ORYENTE . . . . PRL 82
A PRECIOS PYECE IN PERLE3 PY3T . . . . PRL 192
PERLE3 PY3TE OR RYAL PRYS . . . . PRL 193
WYTH PRECIOS PERLE3 AL VMBEPY3TE. . . . . PRL 204
TO SWARE THAT SWETE IN PERLE3 PY3TE. . . . . PRL 240
O PERLE QUOTH I IN PERLE3 PY3T . . . . PRL 241
O MASKELE3 PERLE IN PERLE3 PURE . . . . PRL 745
AND PY3T ME IN PERLE3 MASKELLE3 . . . . PRL 768
OF SPOTLE3 PERLE3 THAT BEREN THE CRESTE . . . . PRL 856
DEPAYNT IN PERLE3 AND WEDE3 QWYTE . . . . PRL 1102
AS PRAYSED PERLE3 HIS WEDE3 WASSE . . . . PRL 1112
ANDE PRECIOUS PERLE3 VNTO HIS PAY . . . . PRL 1212
AS PRAYSED PERLE3 HIS WEDE WASSE. . . . . PRL 2 1112

PEARS
THE PLAYN THE PLONTTE3 THE SPYSE THE PERE3 . . . . PRL 104

PEBBLE
FOR VCHE A POBBEL IN POLE THER PY3T. . . . . PRL 117

PECE (V. PIECE)
PECES (V. PIECES)
PECE3 (V. PIECES)
PECHCHE (V. PATCH)

PEER
TYL VCHE PRYNCE HADE HIS PER PUT TO THE GROUNDE. . . . . . . CLN 1214
THAT NAUTHER IN HEUEN NE ON ERTHE HADE HE NO PERE . . . . . . CLN 1336
BE PRYNCE WITHOUTEN PERE . . . . GGK 873
NE PROUED I NEUER HER PRECIOS PERE . . . . PRL 4

PELURE
WITH PELURE PURED APERT THE PANE FUL CLENE . . . . GGK 154

PELURES
AND FERLY FURRED WITHINNE WYTH FAYRE PELURES. . . . . GGK 2029
AND FAYRE FURRED WITHINNE WYTH FAYRE PELURES. . . . . GGK V 2029

PEN
WHEN HIT THE SCRYPTURE HADE SCRAPED WYTH A SCROF PENNE . . . . CLN 1546
THAT RASPED RENYSCHLY THE WO3E WYTH THE RO3 PENNE . . . . . . CLN 1724

PENAUNCE
AND PURE THE WITH PENAUNCE TYL THOU A PERLE WORTHE. . . . . . CLN 1116
AND HE MAY POLYCE HYM AT THE PREST BY PENAUNCE TAKEN . . . . . CLN 1131
THIS PENAUNCE NOW 3E TAKE . . . . GGK 897
AND HAT3 THE PENAUNCE APERT OF THE POYNT OF MYN EGGE . . . . . GGK 2392
DAME POUERT DAME PITEE DAME PENAUNCE THE THRYDDE . . . . PAT 31
THAT THAT PENAUNCE PLESED HIM THAT PLAYNE3 ON HER WRONGE. . . . PAT 376
PARFORMED ALLE THE PENAUNCE THAT THE PRYNCE RADDE . . . . . . PAT 406
FOR THE PENAUNCE AND PAYNE TO PREUE HIT IN SY3T. . . . . . . PAT 530
AND LYUED IN PENAUNCE HYS LYUE3 LONGE . . . . PRL 477

PENDANTS
THE PENDAUNTES OF HIS PAYTTRURE THE PROUDE CROPURE. . . . . . GGK 168
FOR PRYDE OF THE PENDAUNTE3 THA3 POLYST THAY WERE . . . . . . GGK 2038
NE THE SAYNT NE THE SYLK NE THE SYDE PENDAUNDES. . . . . . . GGK 2431

PENDAUNDES (V. PENDANTS)
PENDAUNTES (V. PENDANTS)
PENDAUNTE3 (V. PENDANTS)
PENE (V. PENNY)
PENE3 (V. PENS)

PEN-FED
MY POLYLE THAT IS PENNEFED AND PARTRYKE3 BOTHE . . . . CLN 57

PENIES (V. PENNIES)
PENITOTES (V. PERIDOTS)

PENNE (V. PEN)
PENNED
    I PLAYNED MY PERLE THAT THER WAT3 PENNED . . . . PRL 2 53
    I PLAYNED MY PERLE THAT THER WAT3 PENNED . . . . PRL 3 53
PENNEFED (V. PEN-FED)
PENNIES
    THA3 HIT NOT DERREST BE DEMED TO DELE FOR PENIES . . . . . . CLN 1118
    THAT MY3T BE PREUED OF PRYS WYTH PENYES TO BYE . . . . GGK 79
PENNY
    FOR A PENE ON A DAY AND FORTH THAY GOT3 . . . . PRL 510
    AND GYF VCHON INLYCHE A PENY . . . . PRL 546
    AND I HYRED THE FOR A PENY AGRETE . . . . PRL 560
    WAT3 NOT A PENE THY COUENAUNT THORE. . . . . PRL 562
    THAT I MY PENY HAF WRANG TAN HERE . . . . PRL 614
PENS
    BOTHE BOSKEN3 AND BOURE3 AND WEL BOUNDEN PENE3 . . . . CLN 322
    BOTHE BOSKE3 AND BOURE3 AND WEL BOUNDEN PENE3 . . . . CLN V 322
PENSIVE
    PENSYF PAYRED I AM FORPAYNED . . . . PRL 246
PENSYF (V. PENSIVE)
PENTANGEL (V. PENTANGLE)
PENTANGLE
    WYTH THE PENTANGEL DEPAYNT OF PURE GOLDE HWE3 . . . . GGK 620
    AND QUY THE PENTANGEL APENDE3 TO THAT PRYNCE NOBLE. . . . . . GGK 623
    FORTHY THE PENTANGEL NWE . . . . GGK 636
    THAT IS THE PURE PENTAUNGEL WYTH THE PEPLE CALLED . . . . . . GGK 664
PENTAUNGEL (V. PENTANGLE)
PENTED
    AND PYLED ALLE THE APPAREMENT THAT PENTED TO THE KYRKE . . . . CLN 1270
    NE NO PYSAN NE NO PLATE THAT PENTED TO ARMES. . . . . GGK 204
PENY (V. PENNY)
PENYES (V. PENNIES)
PEONIES
    AND PYONYS POWDERED AY BYTWENE . . . . PRL 44
PEOPLE
    AND WYTH PEPLE OF ALLE PLYTE3 THE PALAYS THAY FYLLEN . . . . . CLN 111
    AND ALLE HIS PYTE DEPARTED FRO PEPLE THAT HE HATED. . . . . . CLN 396
    WYTH WELE AND WYTH WORSCHYP THE WORTHELY PEPLE . . . . CLN 651
    THAY BLWE A BOFFET IN BLANDE THAT BANNED PEPLE . . . . CLN 885
    AND PERUERTYD ALLE THE PEPUL THAT IN THAT PLACE DWELLIDE. . . ERK 10
    TULKES TOLDEN HYM THE TALE AND THE TROUBULLE IN THE PEPUL . . ERK 109
    QUIL HE IN SPELUNKE THUS SPAKE THER SPRANGE IN THE PEPULLE . . ERK 217
    THAT MONY A PLY3TLES PEPUL HAS POYSNED FOR EUER. . . . . . . ERK 296
    THAI PASSYD FORTHE IN PROCESSION AND ALLE THE PEPULLE FOLOWID . ERK 351
    THAT PINE TO FYNDE THE PLACE THE PEPLE BIFORNE . . . . GGK 123
    THAT IS THE PURE PENTAUNGEL WYTH THE PEPLE CALLED . . . . . . GGK 664
    THENNE THE PEPLE PITOSLY PLEYNED FUL STYLLE . . . . PAT 371
PEOPLES
    THAT ENPOYSENED ALLE PEPLE3 THAT PARTED FRO HEM BOTHE. . . . CLN 242
PEPLE (V. PEOPLE)
PEPLE3 (V. PEOPLES)
PEPUL (V. PEOPLE)
PEPULLE (V. PEOPLE)
PER (V. PEER)
PERADVENTURE
    WITH MONY BLAME FUL BYGGE A BOFFET PERAUNTER. . . . . CLN 43
    AND TO POYNTE HIT 3ET I PYNED ME PARAUENTURE. . . . . GGK 1009
    HE WOLDE HIT PRAYSE AT MORE PRYS PARAUENTURE. . . . . GGK 1850

Entry	Text	Line
3IF I DELIUER HAD BENE A BOFFET PARAUNTER.	GGK	2343
PARAUNTER NO3T SCHAL TO3ERE MORE.	PRL	588
PERAUNTER (V. PERADVENTURE)		
PERCE (V. PERSIA)		
PERE (V. PEER)		
PERELOUS (V. PERILOUS)		
PERE3 (V. PEARS)		
PERFECT		
WYTH FLURTED FLOWRE3 PERFET VPON.	PRL	208
FYRSTE WAT3 WRO3T TO BLYSSE PARFYT	PRL	638
A PARFYT PERLE THAT NEUER FATE3	PRL	1038
PERFET (V. PERFECT)		
PERFORMED		
PARFORMED THE HY3E FADER ON FOLKE THAT HE MADE	CLN	542
PARFORMED ALLE THE PENAUNCE THAT THE PRYNCE RADDE	PAT	406
PERIDOTS		
PENITOTES AND PYNKARDINES AY PERLES BITWENE	CLN	1472
PERIL		
THAT HE NE PASSED THE PORT THE PERIL TO ABIDE	CLN	856
PRECHANDE HEM THE PERILE AND BEDEN HEM PASSE FAST	CLN	942
THUS IN PERYL AND PAYNE AND PLYTES FUL HARDE.	GGK	733
GRET PERILE BITWENE HEM STOD	GGK	1768
NOW HAT3 HE PUT HYM IN PLYT OF PERIL WEL MORE	PAT	114
BOT HARDYLY WYTHOUTE PERYLE	PRL	695
PERILE (V. PERIL)		
PERILOUS		
THE PLACE THAT 3E PRECE TO FUL PERELOUS IS HALDEN	GGK	2097
PERILS		
AT ALLE PERYLES QUOTH THE PROPHETE I APROCHE HIT NO NERRE . .	PAT	85
PERLE (V. PEARL)		
PERLES (V. PEARLS)		
PERLE3 (V. PEARLS)		
PERNYNG (V. PREENING)		
PERRE		
PERLE PRAYSED IS PRYS THER PERRE IS SCHEWED	CLN	1117
THAT THE JUELER SO3TE THUR3 PERRE PRES.	PRL	730
WYTH ALLE KYNNE3 PERRE THAT MO3T REPAYRE	PRL	1028
PERSES		
THY RENGNE RAFTE IS THE FRO AND RA3T IS THE PERSES.	CLN	1739
PERSIA		
THE PROWDE PRYNCE OF PERCE AND PORROS OF YNDE	CLN	1772
PERSON		
APENDES TO HYS PERSOUN AND PRAYSED IS EUER	GGK	913
PERSOUN (V. PERSON)		
PERTLY		
AND A PAYNE THERON PUT AND PERTLY HALDEN	CLN	244
AND SPEKE3 OF HIS PASSAGE AND PERTLY HE SAYDE	GGK	544
AS IS PERTLY PAYED THE PRAY THAT I A3TE	GGK	1941
AS IS PERTLY PAYED THE CHEPE3 THAT I A3TE.	GGK V	1941
PERUERTYD (V. PERVERTED)		
PERVERTED		
AND PERUERTYD ALLE THE PEPUL THAT IN THAT PLACE DWELLIDE. . .	ERK	10
PERYL (V. PERIL)		
PERYLE (V. PERIL)		
PERYLES (V. PERILS)		
PES (V. PEACE)		
PESE (V. PEA, PEACE)		
PETE (V. PITY)		
PETER		

THAT ERE WAS OF APPOLYN IS NOW OF SAYNT PETRE . . . . ERK 19
3E PETER QUOTH THE PORTER AND PURELY I TROWEE . . . . GGK 813
PETRE (V. PETER)
PHANTOM
FORTHI FOR FANTOUM AND FAYRY3E THE FOLK THERE HIT DEMED . . . . GGK 240
PHANTOMS
BOT FALS FANTUMMES OF FENDES FORMED WITH HANDES. . . . . CLN 1341
PHARES (V. UPHARSIN)
PHOENIX
WE CALLE HYR FENYX OF ARRABY . . . . PRL 430
PICCHIT (V. PITCHED)
PICH (V. PITCH)
PICHED (V. PITCHED)
PICK
PASSE TO NO PASTURE NE PIKE NON ERBES . . . . PAT 393
THUS PORE MEN HER PART AY PYKE3 . . . . PRL 573
PICKED
AS THAY PRUDLY HADE PIKED OF POMGARNADES . . . . CLN 1466
BOTHE HIS PAUNCE AND HIS PLATE3 PIKED FUL CLENE. . . . . GGK 2017
THE PORTALE3 PYKED OF RYCH PLATE3 . . . . PRL 1036
PIECE
HE HADE VPON VCHE PECE . . . . GGK 2021
A PRECIOS PYECE IN PERLE3 PY3T . . . . PRL 192
PY3T IN PERLE THAT PRECIOS PYECE. . . . . PRL 229
PIECES
HE CLECHES TO A GRET KLUBBE AND KNOKKES HEM TO PECES . . . . . CLN 1348
THA3 THE SCHAUEN SCHAFT SCHYNDERED IN PECE3 . . . . GGK 1458
PIES
PYES AND PAPEIAYES PURTRAYED WITHINNE . . . . CLN 1465
PIETY
AND PITE THAT PASSE3 ALLE POYNTE3 THYSE PURE FYUE . . . . GGK 654
PIKE (V. PICK)
PIKED
WITH A PYKED PALAYS PYNNED FUL THIK. . . . . GGK 769
WITH A PYKED PALAYS PYNED FUL THIK . . . . GGK V 769
PIKED (V. PICKED)
PILLARS
THE PURE PYLERES OF BRAS POURTRAYD IN GOLDE . . . . CLN 1271
VPON THE PYLERES APYKED THAT PRAYSED HIT MONY . . . . CLN 1479
PIN
PYNE3 ME IN A PRYSOUN PUT ME IN STOKKES . . . . PAT 79
PINACLES (V. PINNACLES)
PINCHED
PUTTEN PRISES THERTO PINCHID ONEVNDER . . . . ERK 70
PINCHID (V. PINCHED)
PINE
BOT PYNE WOS WITH THE GRETE PRECE THAT PASSYD HYM AFTER . . . . ERK 141
QUETHER ART THOU IOYNED TO IOY OTHER IUGGID TO PYNE . . . . . ERK 188
THAT PINE TO FYNDE THE PLACE THE PEPLE BIFORNE . . . . GGK 123
THAT PITOSLY THER PIPED FOR PYNE OF THE COLDE . . . . GGK 747
AND PYNE YOW WITH SO POUER A MON AS PLAY WYTH YOUR KNY3T. . . . GGK 1538
NE PINE . . . . GGK 1812
FOR HIS SERUYSE AND HIS SOLACE AND HIS SERE PYNE . . . . . . GGK 1985
AND THERE AS POUERT ENPRESSES THA3 MON PYNE THYNK . . . . . . PAT 43
A PRAYER TO THE HY3E PRYNCE FOR PYNE ON THYS WYSE . . . . . . PAT 412
WYTH A PRAYER AND A PYNE THAY MY3T HER PESE GETE . . . . PAT 423
MY PRECIOS PERLE DOT3 ME GRET PYNE . . . . PRL 330
WRYTHEN AND WORCHEN AND DON GRET PYNE . . . . PRL 511
PINED

POYSENED AND PARLATYK AND PYNED IN FYRES . . . . CLN 1095
AND TO POYNTE HIT 3ET I PYNED ME PARAUENTURE. . . . . GGK 1009
WITH A PYKED PALAYS PYNED FUL THIK . . . . GGK V 769

PINES
THAT HE NOLDE THOLE FOR NOTHYNG NON OF THOSE PYNES. . . . . . PAT 91

PINNACLE
SO MONY PYNAKLE PAYNTET WAT3 POUDRED AYQUERE. . . . . GGK 800

PINNACLED
HI3E PYNAKLED OF CLER QUYT PERLE. . . . . PRL 207

PINNACLES
PINACLES PY3T THER APERT THAT PROFERT BITWENE . . . . CLN 1463

PINNED
WITH A PYKED PALAYS PYNNED FUL THIK. . . . . GGK 769

PIPED
THAT PITOSLY THER PIPED FOR PYNE OF THE COLDE . . . . GGK 747

PIPES
FOR AUNGELLES WYTH INSTRUMENTES OF ORGANES AND PYPES . . . . . CLN 1081
AND AY THE NAKERYN NOYSE NOTES OF PIPES . . . . CLN 1413
NWE NAKRYN NOYSE WITH THE NOBLE PIPES . . . . GGK 118

PIPING
MUCH PYPYNG THER REPAYRES . . . . GGK 1017

PIT
NOV IS HIT PLUNGED IN A PIT LIKE OF PICH FYLLED. . . . . . . CLN 1008

PITCH
AND WHEN HO FYNDE3 NO FOLDE HER FOTE ON TO PYCHE . . . . . . CLN 477
NOV IS HIT PLUNGED IN A PIT LIKE OF PICH FYLLED. . . . . . . CLN 1008

PITCHED
SO THAT MY PALAYS PLATFUL BE PY3T AL ABOUTE . . . . CLN 83
IN A PORCHE OF THAT PLACE PY3T TO THE 3ATES . . . . CLN 785
PINACLES PY3T THER APERT THAT PROFERT BITWENE . . . . CLN 1463
WITH MONY A PRECIOUS PERLE PICCHIT THERON. . . . . ERK 79
WITH POLAYNE3 PICHED THERTO POLICED FUL CLENE . . . . GGK 576
PYCHED ON A PRAYERE A PARK AL ABOUTE . . . . GGK 768
BOT THE POYNTE3 PAYRED AT THE PYTH THAT PY3T IN HIS SCHELDE3 . GGK 1456
NE THE PURPOSE TO PAYRE THAT PY3T IN HIR HERT . . . . GGK 1734
FOR VCHE A POBBEL IN POLE THER PY3T. . . . . PRL 117
A PRECIOS PYECE IN PERLE3 PY3T . . . . PRL 192
PERLE3 PY3TE OR RYAL PRYS . . . . PRL 193
A PY3T COROUNE 3ET WER THAT GYRLE . . . . PRL 205
OF PRECIOS PERLE IN PORFYL PY3TE. . . . . PRL 216
PY3T WAT3 POYNED AND VCHE A HEMME . . . . PRL 217
THAT PRECIOS PERLE THER HIT WAT3 PY3T . . . . PRL 228
PY3T IN PERLE THAT PRECIOS PYECE. . . . . PRL 229
TO SWARE THAT SWETE IN PERLE3 PY3TE. . . . . PRL 240
O PERLE QUOTH I IN PERLE3 PY3T . . . . PRL 241
HE PY3T HIT THERE IN TOKEN OF PES . . . . PRL 742
AND PY3T ME IN PERLE3 MASKELLE3 . . . . PRL 768
WYTH GENTYL GEMME3 ANVNDER PY3T . . . . PRL 991

PITE (V. PITY)

PITEE (V. PITY)

PITEOUSLY
THAT PITOSLY THER PIPED FOR PYNE OF THE COLDE . . . . GGK 747
THENNE THE PEPLE PITOSLY PLEYNED FUL STYLLE . . . . PAT 371
PYTOSLY THENKANDE VPON THYSSE. . . . . PRL 370
PITOUSLY OF HYS DEBONERTE . . . . PRL 798

PITH
BOT THE POYNTE3 PAYRED AT THE PYTH THAT PY3T IN HIS SCHELDE3 . GGK 1456

PITOSLY (V. PITEOUSLY)

PITOUSLY (V. PITEOUSLY)

PITY

NE PRAY HYM FOR NO PITE SO PROUD WAT3 HIS WYLLE.	CLN	232
AND ALLE HIS PYTE DEPARTED FRO PEPLE THAT HE HATED.	CLN	396
DAME POUERT DAME PITEE DAME PENAUNCE THE THRYDDE	PAT	31
NOW PRYNCE OF THY PROPHETE PITE THOU HAUE.	PAT	282
PRAYANDE HIM FOR PETE HIS PROPHETE TO HERE	PAT	327
THY PRAYER MAY HYS PYTE BYTE	PRL	355
FOR PYTY OF MY PERLE ENCLYIN	PRL	1206

PLACE

THAT NON PASSED TO THE PLACE THA3 HE PRAYED WERE	CLN	72
THOU PRAYSED ME AND MY PLACE FUL POUER AND FUL GNEDE	CLN	146
THER PRYUELY IN PARADYS HIS PLACE WAT3 DEVISED	CLN	238
IN A PORCHE OF THAT PLACE PY3T TO THE 3ATES	CLN	785
AND PYLED THAT PRECIOUS PLACE AND PAKKED THOSE GODES	CLN	1282
HE TRUSSED HEM IN HIS TRESORYE IN A TRYED PLACE.	CLN	1317
THE PLACE THAY PLYED THE PURSAUNT WYTHINNE	CLN	1385
THE ATHEL AUTER OF BRASSE WAT3 HADE INTO PLACE	CLN	1443
AND PERUERTYD ALLE THE PEPUL THAT IN THAT PLACE DWELLIDE.	ERK	10
THE DENE OF THE DERE PLACE DEUYSIT AL ON FYRST	ERK	144
QUETHER MONY PORER IN THIS PLACE IS PUTTE INTO GRAUE	ERK	153
AND IN MY POWER THIS PLACE WAS PUTTE ALTOGEDER	ERK	228
THAT PINE TO FYNDE THE PLACE THE PEPLE BIFORNE	GGK	123
AND SAYDE WY3E WELCUM IWYS TO THIS PLACE	GGK	252
WHERE SCHULDE I WALE THE QUOTH GAUAN WHERE IS THY PLACE	GGK	398
OF THE DEPE DOUBLE DICH THAT DROF TO THE PLACE	GGK	786
FOR I AM SUMNED MYSELFE TO SECH TO A PLACE	GGK	1052
THAT SCHULDE TECHE HYM TO TOURNE TO THAT TENE PLACE	GGK	2075
AND NOW NAR 3E NOT FER FRO THAT NOTE PLACE	GGK	2092
THE PLACE THAT 3E PRECE TO FUL PERELOUS IS HALDEN	GGK	2097
THER PASSES NON BI THAT PLACE SO PROUDE IN HIS ARMES	GGK	2104
IWYSSE THOU ART WELCOM WY3E TO MY PLACE	GGK	2240
THAT IN THAT PLACE AT THE POYNT I PUT IN THI HERT	PAT	68
RIS APROCHE THEN TO PRECH LO THE PLACE HERE	PAT	349
THE VERRAY VENGAUNCE OF GOD SCHAL VOYDE THIS PLACE.	PAT	370
AND HALDE3 OUT ON EST HALF OF THE HY3E PLACE.	PAT	434
FOR HIT WAT3 PLAYN IN THAT PLACE FOR PLYANDE GREUE3	PAT	439
THE SOR OF SUCH A SWETE PLACE BURDE SYNK TO MY HERT	PAT	507
I SE3 HYR IN SO STRANGE A PLACE	PRL	175
AND WHEN IN HYS PLACE THOU SCHAL APERE.	PRL	405
BOT SUPPLANTORE3 NONE WYTHINNE THYS PLACE.	PRL	440
OTHER REST WYTHINNE THY HOLY PLACE	PRL	679
VCH PANE OF THAT PLACE HAD THRE 3ATE3	PRL	1034

PLACES

THIS WAT3 A UENGAUNCE VIOLENT THAT VOYDED THISE PLACES	CLN	1013

PLAIN

THAT EUER IS POLYCED ALS PLAYN AS THE PERLE SELUEN.	CLN	1068
AND POLYSED ALS PLAYN AS PARCHMEN SCHAUEN.	CLN	1134
PRUDLY ON A PLAT PLAYN PLEK ALTHERFAYREST.	CLN	1379
IN THE PALAYS PRYNCIPALE VPON THE PLAYN WOWE.	CLN	1531
THE PRELATE PASSIDE ON THE PLAYN THER PLIED TO HYM LORDES	ERK	138
FOR HIT WAT3 PLAYN IN THAT PLACE FOR PLYANDE GREUE3	PAT	439
THE PLAYN THE PLONTTE3 THE SPYSE THE PERE3	PRL	104
HYR VYSAYGE WHYT AS PLAYN YUORE	PRL	178
OF THYS RY3TWYS SA3 SALAMON PLAYN	PRL	689

PLAINED (CP. PLENY)

THENNE THE PEPLE PITOSLY PLEYNED FUL STYLLE	PAT	371
I PLAYNED MY PERLE THAT THER WAT3 SPENNED.	PRL	53
ART THOU MY PERLE THAT I HAF PLAYNED	PRL	242
I PLAYNED MY PERLE THAT THER WAT3 PENNED	PRL 2	53

Line	Text	Line no.
I PLAYNED MY PERLE THAT THER WAT3 PENNED	PRL 3	53
PLAINS		
AND ALLE HISE GENTYLE FORIUSTED ON IERICO PLAYNES	CLN	1216
THUR3 PLAYNE3 THAY PASSE IN SPACE	GGK	1418
THAT THAT PENAUNCE PLESED HIM THAT PLAYNE3 ON HER WRONGE.	PAT	376
OF WOD AND WATER AND WLONK PLAYNE3	PRL	122
PLAINT		
AS MEKE AS LOMP THAT NO PLAYNT TOLDE	PRL	815
PLANED		
A COFER CLOSED OF TRES CLANLYCH PLANED.	CLN	310
WAS METELY MADE OF THE MARBRE AND MENSKEFULLY PLANEDE.	ERK	50
PLANEDE (V. PLANED)		
PLANETS		
THE PLANETE3 ARN IN TO POUER A PLY3T	PRL	1075
PLANETE3 (V. PLANETS)		
PLANTED		
AS APARAUNT TO PARADIS THAT PLANTTED THE DRY3TYN	CLN	1007
THEN PRECHYD HE HERE THE PURE FAYTHE AND PLANTYD THE TROUTHE	ERK	13
HE WENDE WEL THAT THAT WY3 THAT AL THE WORLD PLANTED	PAT	111
PLANTS		
THE PLAYN THE PLONTTE3 THE SPYSE THE PERE3	PRL	104
PLANTTED (V. PLANTED)		
PLANTYD (V. PLANTED)		
PLASTER		
BOT THE LETTRES BILEUED FUL LARGE VPON PLASTER	CLN	1549
PLAT		
PULDEN PRESTES BI THE POLLE AND PLAT OF HER HEDES	CLN	1265
PRUDLY ON A PLAT PLAYN PLEK ALTHERFAYREST.	CLN	1379
PLATE		
NE NO PYSAN NE NO PLATE THAT PENTED TO ARMES.	GGK	204
WITH GODE COWTERS AND GAY AND GLOUE3 OF PLATE	GGK	583
PLATER (V. PLATTER)		
PLATES		
BOTHE HIS PAUNCE AND HIS PLATE3 PIKED FUL CLENE.	GGK	2017
THE PORTALE3 PYKED OF RYCH PLATE3	PRL	1036
PLATE3 (V. PLATES)		
PLATFUL		
SO THAT MY PALAYS PLATFUL BE PY3T AL ABOUTE	CLN	83
PLATTER		
SYTHEN POTAGE AND POLMENT IN PLATER HONEST	CLN	638
PLATTYNG		
AND WYTH PLATTYNG HIS PAUMES DISPLAYES HIS LERS.	CLN	1542
PLAY		
AND THE PLAY OF PARAMORE3 I PORTRAYED MYSELUEN	CLN	700
DISPLESED MUCH AT THAT PLAY IN THAT PLYT STRANGE	CLN	1494
THAT IN THE POYNT OF HER PLAY HE PORUAYES A MYNDE	CLN	1502
DISPLESED MUCH AT THAT PLAY IN THAT PLYT STRONGE	CLN V	1494
PREUE FOR TO PLAY WYTH IN OTHER PURE LAYKE3	GGK	262
THAT HOR PLAY WAT3 PASSANDE VCHE PRYNCE GOMEN	GGK	1014
HOW PAYE3 YOW THIS PLAY HAF I PRYS WONNEN.	GGK	1379
AND PYNE YOW WITH SO POUER A MON AS PLAY WYTH YOUR KNY3T.	GGK	1538
I SCHAL ME PORUAY PACYENCE AND PLAY ME WYTH BOTHE	PAT	36
HEREINNE TO LENGE FOR EUER AND PLAY.	PRL	261
PLAYED		
AS HE STARED INTO THE STRETE THER STOUT MEN PLAYED.	CLN	787
QUEN THAY HADE PLAYED IN HALLE	GGK	1664
PLAYFERES		
THUS POUERTE AND PACYENCE ARN NEDES PLAYFERES	PAT	45
PLAYS		

Entry	Source	Line
THE PURE POPLANDE HOURLE PLAYES ON MY HEUED	PAT	319
PLAYES (V. PLAYS)		
PLAYN (V. PLAIN)		
PLAYNED (V. PLAINED)		
PLAYNES (V. PLAINS)		
PLAYNE3 (V. PLAINS)		
PLAYNT (V. PLAINT)		
PLEAD		
THAT FERES LEST HE DISPLESE YOW SO PLEDE HIT NO MORE	GGK	1304
AND FIRE LEST HE DISPLESE YOW SO PLEDE HIT NO MORE.	GGK V	1304
FYRRE THEN COUENAUNDE IS NO3T TO PLETE.	PRL	563
PLEASANCE		
TO THE PLEASAUNCE OF YOUR PRYS HIT WERE A PURE IOYE	GGK	1247
PLEASANT		
A PORTER PURE PLESAUNT	GGK	808
PERLE PLESAUNTE TO PRYNCES PAYE	PRL	1
PLEASAUNCE (V. PLEASANCE)		
PLEASE		
VCHE PAYRE BY PAYRE TO PLESE AYTHER OTHER.	CLN	338
WYTH STILLE STOLLEN COUNTENAUNCE THAT STALWORTH TO PLESE.	GGK	1659
THOU COWTHE3 NEUER GOD NAUTHER PLESE NE PRAY.	PRL	484
PLEASED		
THAT THAT PENAUNCE PLESED HIM THAT PLAYNE3 ON HER WRONGE.	PAT	376
PLEASES		
THE PRYS AND THE PROWES THAT PLESE3 AL OTHER.	GGK	1249
PLEDE (V. PLEAD)		
PLEK		
PRUDLY ON A PLAT PLAYN PLEK ALTHERFAYREST.	CLN	1379
PLENY (CP. PLAINED)		
AND THENNE THE FYRST BYGONNE TO PLENY	PRL	549
PLESAUNT (V. PLEASANT)		
PLESAUNTE (V. PLEASANT)		
PLESE (V. PLEASE)		
PLESED (V. PLEASED)		
PLESE3 (V. PLEASES)		
PLETE (V. PLEAD)		
PLEYNED (V. PLAINED)		
PLIED		
THE PLACE THAY PLYED THE PURSAUNT WYTHINNE	CLN	1385
THE PRELATE PASSIDE ON THE PLAYN THER PLIED TO HYM LORDES	ERK	138
PLIES		
IS DISPLESED AT VCH A POYNT THAT PLYES TO SCATHE	CLN	196
PLIGHT		
DISPLESED MUCH AT THAT PLAY IN THAT PLYT STRANGE	CLN	1494
DISPLESED MUCH AT THAT PLAY IN THAT PLYT STRONGE	CLN V	1494
NAS I A PAYNYM VNPRESTE THAT NEUER THI PLITE KNEWE.	ERK	285
THAT I PASSE AS IN PES AND NO PLY3T SECHE.	GGK	266
I HALDE THE POLYSED OF THAT PLY3T AND PURED AS CLENE	GGK	2393
NOW HAT3 HE PUT HYM IN PLYT OF PERIL WEL MORE	PAT	114
AND WYNNE WATER THEN AT THAT PLYT	PRL	647
THE TWELFTHE THE GENTYLESTE IN VCH A PLYT.	PRL	1015
THE PLANETE3 ARN IN TO POUER A PLY3T	PRL	1075
THA3 THAY WERN FELE NO PRES IN PLYT.	PRL	1114
THE TWELFTHE THE TRYESTE IN VCH A PLYT.	PRL 2	1015
PLIGHTLESS		
THAT MONY A PLY3TLES PEPUL HAS POYSNED FOR EUER.	ERK	296
PLIGHTS		
AND WYTH PEPLE OF ALLE PLYTE3 THE PALAYS THAY FYLLEN	CLN	111
THUS IN PERYL AND PAYNE AND PLYTES FUL HARDE.	GGK	733

PLITE (V. PLIGHT)
PLONTTE3 (V. PLANTS)
PLOW

TO SEE HEM PULLE IN THE PLOW APROCHE ME BYHOUE3.	CLN	68

PLUNGED

NOV IS HIT PLUNGED IN A PIT LIKE OF PICH FYLLED.	CLN	1008

PLY

VCHON IN SCRYPTURE A NAME CON PLYE	PRL	1039

PLYANDE (V. PLYING)
PLYE (V. PLY)
PLYED (V. PLIED)
PLYES (V. PLIES)
PLYING

FOR HIT WAT3 PLAYN IN THAT PLACE FOR PLYANDE GREUE3	PAT	439

PLYT (V. PLIGHT)
PLYTES (V. PLIGHTS)
PLYTE3 (V. PLIGHTS)
PLY3T (V. PLIGHT)
PLY3TLES (V. PLIGHTLESS)
POBBEL (V. PEBBLE)
POINT

IS DISPLESED AT VCH A POYNT THAT PLYES TO SCATHE	CLN	196
PRESTLY AT THIS ILKE POYNTE SUM POLMENT TO MAKE.	CLN	628
THAT IN THE POYNT OF HER PLAY HE PORUAYES A MYNDE	CLN	1502
INMYDDE THE POYNT OF HIS PRYDE DEPARTED HE THERE	CLN	1677
AND TO POYNTE HIT 3ET I PYNED ME PARAUENTURE.	GGK	1009
HYM LYST PRIK FOR POYNT THAT PROUDE HORS THENNE.	GGK	2049
BOT BUSK BURNE BI THI FAYTH AND BRYNG ME TO THE POYNT.	GGK	2284
AND HAT3 THE PENAUNCE APERT OF THE POYNT OF MYN EGGE	GGK	2392
PACIENCE IS A POYNT THA3 HIT DISPLESE OFTE	PAT	1
BOT SYN I AM PUT TO A POYNT THAT POUERTE HATTE	PAT	35
THAT IN THAT PLACE AT THE POYNT I PUT IN THI HERT	PAT	68
THAT PACIENCE IS A NOBEL POYNT THA3 HIT DISPLESE OFTE.	PAT	531
PATIENCE IS A NOBEL POYNT THA3 HIT DISPLESE OFTE	PAT V	1
AND THAT IS A POYNT O SORQUYDRY3E	PRL	309
THAT SPEKE3 A POYNT DETERMYNABLE.	PRL	594
THAT OF THAT SONGE MY3T SYNGE A POYNT	PRL	891

POINTED

PARED OUT OF PAPER AND POYNTED OF GOLDE	CLN	1408

POINTEL

THER APERED A PAUME WYTH POYNTEL IN FYNGRES	CLN	1533

POINTS

FOR HIT IS A FIGURE THAT HALDE3 FYUE POYNTE3.	GGK	627
AND PITE THAT PASSE3 ALLE POYNTE3 THYSE PURE FYUE	GGK	654
AND FYCHED VPON FYUE POYNTE3 THAT FAYLD NEUER	GGK	658
BI PREUE POYNTE3 OF THAT PRYNCE PUT TO HYMSELUEN	GGK	902
BOT THE POYNTE3 PAYRED AT THE PYTH THAT PY3T IN HIS SCHELDE3	GGK	1456

POISONED

POYSENED AND PARLATYK AND PYNED IN FYRES	CLN	1095
THAT MONY A PLY3TLES PEPUL HAS POYSNED FOR EUER.	ERK	296

POLAYNE3

WITH POLAYNE3 PICHED THERTO POLICED FUL CLENE	GGK	576

POLE

FOR VCHE A POBBEL IN POLE THER PY3T.	PRL	117

POLICED (V. POLISHED)
POLISH

AND HE MAY POLYCE HYM AT THE PREST BY PENAUNCE TAKEN	CLN	1131

POLISHED

THAT EUER IS POLYCED ALS PLAYN AS THE PERLE SELUEN.	CLN	1068

AND POLYSED ALS PLAYN AS PARCHMEN SCHAUEN. . . . . CLN 1134
WITH POLAYNE3 PICHED THERTO POLICED FUL CLENE . . . . GGK 576
FOR PRYDE OF THE PENDAUNTE3 THA3 POLYST THAY WERE . . . . . . GGK 2038
I HALDE THE POLYSED OF THAT PLY3T AND PURED AS CLENE . . . . . GGK 2393
POLLE (V. POLL)
POLL
PULDEN PRESTES BI THE POLLE AND PLAT OF HER HEDES . . . . . . CLN 1265
POLMENT
PRESTLY AT THIS ILKE POYNTE SUM POLMENT TO MAKE. . . . . CLN 628
SYTHEN POTAGE AND POLMENT IN PLATER HONEST . . . . CLN 638
POLYCE (V. POLISH)
POLYCED (V. POLISHED)
POLYLE
MY POLYLE THAT IS PENNEFED AND PARTRYKE3 BOTHE . . . . CLN 57
POLYSED (V. POLISHED)
POLYST (V. POLISHED)
POMEGRANATES
AS THAY PRUDLY HADE PIKED OF POMGARNADES . . . . CLN 1466
POMGARNADES (V. POMEGRANATES)
PONTIFICALS
THE PRELATE IN PONTIFICALS WAS PRESTLY ATYRIDE . . . . ERK 130
POOR
AND REHAYTE REKENLY THE RICHE AND THE POUEREN . . . . CLN 127
THOU PRAYSED ME AND MY PLACE FUL POUER AND FUL GNEDE . . . . . CLN 146
PASSE NEUER FRO THI POUERE 3IF I HIT PRAY DURST. . . . . CLN 615
HE SYTTE3 THER IN SODOMIS THY SERUAUNT SO POUERE . . . . CLN 773
IN WYCH PURYTE THAY DEPARTED THA3 THAY POUER WERE . . . . CLN 1074
AND PYNE YOW WITH SO POUER A MON AS PLAY WYTH YOUR KNY3T. . . . GGK 1538
AND THAT IS FUL PORE FOR TO PAY FOR SUCHE PRYS THINGES . . . . GGK 1945
THUS PORE MEN HER PART AY PYKE3 . . . . PRL 573
THE PLANETE3 ARN IN TO POUER A PLY3T . . . . PRL 1075
POORER
QUETHER MONY PORER IN THIS PLACE IS PUTTE INTO GRAUE . . . . . ERK 153
POPE
TIL SAYNT AUSTYN INTO SANDEWICHE WAS SENDE FRO THE POPE . . . . ERK 12
POPLANDE
THE PURE POPLANDE HOURLE PLAYES ON MY HEUED . . . . PAT 319
PORCH
IN A PORCHE OF THAT PLACE PY3T TO THE 3ATES . . . . CLN 785
PORCHACE (V. PURCHASE)
PORCHASE3 (V. PURCHASES)
PORCHE (V. PORCH)
PORE (V. POOR)
PORER (V. POORER)
PORFYL
OF PRECIOS PERLE IN PORFYL PY3TE. . . . . PRL 216
PORPOR (V. PURPLE)
PORPOS (V. PURPOSE)
PORPOSE (V. PURPOSE)
PORPRE (V. PURPLE)
PORROS (V. PORUS)
PORT
THAT HE NE PASSED THE PORT THE PERIL TO ABIDE . . . . CLN 856
AND MONY OTHER MENSKFUL WITH MADOR DE LA PORT . . . . GGK 555
JONAS TOWARD PORT JAPH AY JANGLANDE FOR TENE. . . . . PAT 90
THUS HE PASSES TO THAT PORT HIS PASSAGE TO SECHE . . . . PAT 97
PORTALE3 (V. PORTALS)
PORTALS
THE PORTALE3 PYKED OF RYCH PLATE3 . . . . PRL 1036

Word / Line	Text	Line no.
PORTER		
A PORTER PURE PLESAUNT	GGK	808
3E PETER QUOTH THE PORTER AND PURELY I TROWEE	GGK	813
PRAYSES THE PORTER BIFORE THE PRYNCE KNELED	GGK	2072
PORTRAYED		
AND THE PLAY OF PARAMORE3 I PORTRAYED MYSELUEN	CLN	700
THE PURE PYLERES OF BRAS POURTRAYD IN GOLDE	CLN	1271
PYES AND PAPEIAYES PURTRAYED WITHINNE	CLN	1465
PARED ON THE PARGET PURTRAYED LETTRES	CLN	1536
PORUAY (V. PURVEY)		
PORUAYES (V. PURVEYS)		
PORUS		
THE PROWDE PRYNCE OF PERCE AND PORROS OF YNDE	CLN	1772
POSSIBLE		
IF POSSYBLE WERE HER MENDYNG	PRL	452
POSSYBLE (V. POSSIBLE)		
POSTES (V. POSTS)		
POSTS		
THE BASES OF THE BRY3T POSTES AND BASSYNES SO SCHYRE	CLN	1278
POTAGE (V. POTTAGE)		
POTTAGE		
SYTHEN POTAGE AND POLMENT IN PLATER HONEST	CLN	638
POUDRED (V. POWDERED)		
POUER (V. POOR, POWER)		
POUERE (V. POOR)		
POUEREN (V. POOR)		
POUERT (V. POVERTY)		
POUERTE (V. POVERTY)		
POULE (V. PAUL)		
POURSENT (V. PURSAUNT)		
POURSEUT (V. PURSUIT)		
POURTRAYD (V. PORTRAYED)		
POVERTY		
THAY ARN HAPPEN THAT HAN IN HERT POUERTE	PAT	13
DAME POUERT DAME PITEE DAME PENAUNCE THE THRYDDE	PAT	31
BOT SYN I AM PUT TO A POYNT THAT POUERTE HATTE	PAT	35
FOR THER AS POUERT HIR PROFERES HO NYL BE PUT VTTER	PAT	41
AND THERE AS POUERT ENPRESSES THA3 MON PYNE THYNK	PAT	43
THUS POUERTE AND PACYENCE ARN NEDES PLAYFERES	PAT	45
FORTHY WHEN POUERTE ME ENPRECE3 AND PAYNE3 INNO3E	PAT	528
POWDER		
AS ROTEN AS THE ROTTOK THAT RISES IN POWDERE.	ERK	344
POWDERE (V. POWDER)		
POWDERED		
AND PYONYS POWDERED AY BYTWENE	PRL	44
SO MONY PYNAKLE PAYNTET WAT3 POUDRED AYQUERE.	GGK	800
POWER		
THAT VCHE POUER PAST OUT OF THAT PRYNCE EUEN.	CLN	1654
THAT THE POWER OF THE HY3E PRYNCE HE PURELY FOR3ETES	CLN	1660
AND IN MY POWER THIS PLACE WAS PUTTE ALTOGEDER	ERK	228
POWLE3		
ALLE THE GOTE3 OF THY GUFERES AND GROUNDELE3 POWLE3	PAT	310
POYNED		
PY3T WAT3 POYNED AND VCHE A HEMME	PRL	217
POYNT (V. POINT)		
POYNTE (V. POINT)		
POYNTED (V. POINTED)		
POYNTEL (V. POINTEL)		
POYNTE3 (V. POINTS)		

Entry	Text	Line
POYSENED (V. POISONED)		
POYSNED (V. POISONED)		
PRAIRIE		
PYCHED ON A PRAYERE A PARK AL ABOUTE	GGK	768
PRAISE		
HOPE3 THOU I BE A HARLOT THI ERIGAUT TO PRAYSE	CLN	148
MAN MAY MYSSE THE MYRTHE THAT MUCH IS TO PRAYSE.	CLN	189
BOT FOR AS MUCH AS 3E AR MYN EM I AM ONLY TO PRAYSE	GGK	356
HE WOLDE HIT PRAYSE AT MORE PRYS PARAUENTURE.	GGK	1850
THENNE IS ME LY3TLOKER HIT LYKE AND HER LOTES PRAYSE	PAT	47
I HALDE THAT IUELER LYTTEL TO PRAYSE	PRL	301
PRAISED		
THOU PRAYSED ME AND MY PLACE FUL POUER AND FUL GNEDE	CLN	146
THAT WAT3 FAYN OF HIS FRENDE AND HIS FEST PRAYSED	CLN	642
PERLE PRAYSED IS PRYS THER PERRE IS SCHEWED	CLN	1117
HE SESED HEM WYTH SOLEMNETE THE SOUERAYN HE PRAYSED	CLN	1313
VPON THE PYLERES APYKED THAT PRAYSED HIT MONY	CLN	1479
FOR HE WAS DRYGHTYN DERREST OF YDOLS PRAYSID.	ERK	29
APENDES TO HYS PERSOUN AND PRAYSED IS EUER	GGK	913
YOUR HONOUR YOUR HENDELAYK IS HENDELY PRAYSED	GGK	1228
AND PRAYSED HIT AS GRET PRYS THAT HE PROUED HADE	GGK	1630
THENNE HONDELED THAY THE HOGE HED THE HENDE MON HIT PRAYSED.	GGK	1633
AS PRAYSED PERLE3 HIS WEDE3 WASSE	PRL	1112
AS PRAYSED PERLE3 HIS WEDE WASSE.	PRL 2	1112
PRAISES		
PRAYSES THE PORTER BIFORE THE PRYNCE KNELED	GGK	2072
PRANCE		
TO PRAUNCE	GGK	2064
PRAUNCE (V. PRANCE)		
PRAY		
NE PRAY HYM FOR NO PITE SO PROUD WAT3 HIS WYLLE.	CLN	232
PASSE NEUER FRO THI POUERE 3IF I HIT PRAY DURST.	CLN	615
LI3T LUFLYCH ADOUN AND LENGE I THE PRAYE	GGK	254
AND THERTO PRESTLY I PRAY MY PATER AND AUE	GGK	757
AND DEPRECE YOUR PRYSOUN AND PRAY HYM TO RYSE	GGK	1219
AND THAT 3E TELLE ME THAT NOW TRWLY I PRAY YOW	GGK	1785
AND THERFORE I PRAY YOW DISPLESE YOW NO3T.	GGK	1839
BOT ON I WOLDE YOW PRAY DISPLESES YOW NEUER	GGK	2439
FYRST THAY PRAYEN TO THE PRYNCE THAT PROPHETES SERUEN.	PAT	225
THOU COWTHE3 NEUER GOD NAUTHER PLESE NE PRAY.	PRL	484
PRAYANDE (V. PRAYING)		
PRAYE (V. PRAY)		
PRAYED		
THAT NON PASSED TO THE PLACE THA3 HE PRAYED WERE	CLN	72
PREUELY APROCHED TO A PREST AND PRAYED HYM THERE	GGK	1877
TO TOUCH HER CHYLDER THAY FAYR HYM PRAYED.	PRL	714
AS THE PERLE ME PRAYED THAT WAT3 SO THRYUEN	PRL	1192
PRAYEN (V. PRAY)		
PRAYER		
HE RODE IN HIS PRAYERE	GGK	759
THEN A PRAYER FUL PREST THE PROPHETE THER MAKED.	PAT	303
A PRAYER TO THE HY3E PRYNCE FOR PYNE ON THYS WYSE	PAT	412
WYTH A PRAYER AND A PYNE THAY MY3T HER PESE GETE	PAT	423
THY PRAYER MAY HYS PYTE BYTE	PRL	355
EUER SO HOLY IN HYS PRAYERE	PRL	618
PRAYERE (V. PRAIRIE, PRAYER)		
PRAYING		
PRAYANDE HIM FOR PETE HIS PROPHETE TO HERE	PAT	327
PRAYSE (V. PRAISE)		

Word / Line	Text	Line
PRAYSED (V. PRAISED)		
PRAYSES (V. PRAISES)		
PRAYSID (V. PRAISED)		
PREACH		
THIS IS A MERUAYL MESSAGE A MAN FOR TO PRECHE	PAT	81
RIS APROCHE THEN TO PRECH LO THE PLACE HERE	PAT	349
THAT I SCHULDE TEE TO THYS TOUN THI TALENT TO PRECHE	PAT	416
PREACHED		
THEN PRECHYD HE HERE THE PURE FAYTHE AND PLANTYD THE TROUTHE	ERK	13
PREACHING		
PRECHANDE HEM THE PERILE AND BEDEN HEM PASSE FAST	CLN	942
PRECE (V. PRESS)		
PRECH (V. PREACH)		
PRECHANDE (V. PREACHING)		
PRECHE (V. PREACH)		
PRECHYD (V. PREACHED)		
PRECIOS (V. PRECIOUS)		
PRECIOUS		
AND PYLED THAT PRECIOUS PLACE AND PAKKED THOSE GODES	CLN	1282
THAT PRESYOUS IN HIS PRESENS WER PROUED SUMWHYLE	CLN	1496
WITH MONY A PRECIOUS PERLE PICCHIT THERON.	ERK	79
NE PROUED I NEUER HER PRECIOS PERE	PRL	4
OF THAT PRECIOS PERLE WYTHOUTEN SPOTTE.	PRL	36
MY PRECIOUS PERLE WYTHOUTEN SPOT.	PRL	48
ON THAT PRECIOS PERLE WYTHOUTEN SPOT	PRL	60
WERN PRECIOUS PERLE3 OF ORYENTE	PRL	82
A PRECIOS PYECE IN PERLE3 PY3T	PRL	192
WYTH PRECIOS PERLE3 AL VMBEPY3TE.	PRL	204
OF PRECIOS PERLE IN PORFYL PY3TE.	PRL	216
THAT PRECIOS PERLE THER HIT WAT3 PY3T	PRL	228
PY3T IN PERLE THAT PRECIOS PYECE.	PRL	229
MY PRECIOS PERLE DOT3 ME GRET PYNE	PRL	330
ANDE PRECIOUS PERLE3 VNTO HIS PAY	PRL	1212
PREF (V. PROOF)		
PREENING		
AS PAPIAYE3 PAYNTED PERNYNG BITWENE.	GGK	611
PRELACIE (V. PRELACY)		
PRELACY		
THE PRIMATE WITH HIS PRELACIE WAS PARTYD FRO HOME	ERK	107
PRELATE		
THE PRELATE IN PONTIFICALS WAS PRESTLY ATYRIDE	ERK	130
THE PRELATE PASSIDE ON THE PLAYN THER PLIED TO HYM LORDES	ERK	138
PRELATES		
PRESTES AND PRELATES THAY PRESED TO DETHE.	CLN	1249
VCH PRYNCE VCHE PREST AND PRELATES ALLE	PAT	389
PRES (V. PRESS)		
PRESE (CP. PRICE)		
HYS PRESE HYS PRYS AND HYS PARAGE	PRL	419
PRESED (V. PRESSED)		
PRESENCE		
AND APROCHEN TO HYS PRESENS AND PRESTE3 ARN CALLED.	CLN	8
THAT WAT3 SO PREST TO APROCHE MY PRESENS HEREINNE	CLN	147
THAT PRESYOUS IN HIS PRESENS WER PROUED SUMWHYLE	CLN	1496
TO APERE IN HIS PRESENSE PRESTLY THAT TYME	GGK	911
PRESENS (V. PRESENCE)		
PRESENSE (V. PRESENCE)		
PRESENT		
BOT NOW I AM HERE IN YOUR PRESENTE	PRL	389
AS HELDE DRAWEN TO GODDE3 PRESENT	PRL	1193

AS HELDER DRAWEN TO GODDE3 PRESENT	PRL 1	1193
PRESENTE (V. PRESENT)		
PRESENTED		
AND PRESENTED WERN AS PRESONERES TO THE PRYNCE RYCHEST	CLN	1217
PRESENTED HIM THE PRESONERES IN PRAY THAT THAY TOKEN	CLN	1297
PRESONERES (V. PRISONERS)		
PRESONERS (V. PRISONERS)		
PRESS		
AND DISTRESED HYM WONDER STRAYT WYTH STRENKTHE IN THE PRECE.	CLN	880
BOT PYNE WOS WITH THE GRETE PRECE THAT PASSYD HYM AFTER	ERK	141
THE PLACE THAT 3E PRECE TO FUL PERELOUS IS HALDEN	GGK	2097
THAT THE JUELER SO3TE THUR3 PERRE PRES.	PRL	730
THAT IS THE BOR3 THAT WE TO PRES.	PRL	957
THA3 THAY WERN FELE NO PRES IN PLYT.	PRL	1114
PRESSED		
PRESTES AND PRELATES THAY PRESED TO DETHE.	CLN	1249
AND MONY PROUD MON THER PRESED THAT PRYNCE TO HONOUR	GGK	830
PREST (ALSO V. PRIEST)		
THAT WAT3 SO PREST TO APROCHE MY PRESENS HEREINNE	CLN	147
THEN A PRAYER FUL PREST THE PROPHETE THER MAKED.	PAT	303
PRESTE (V. PRIEST)		
PRESTES (V. PRIESTS)		
PRESTE3 (V. PRIESTS)		
PRESTLY		
PRESTLY AT THIS ILKE POYNTE SUM POLMENT TO MAKE.	CLN	628
THE PRELATE IN PONTIFICALS WAS PRESTLY ATYRIDE	ERK	130
AND THERTO PRESTLY I PRAY MY PATER AND AUE	GGK	757
TO APERE IN HIS PRESENSE PRESTLY THAT TYME	GGK	911
PRESYOUS (V. PRECIOUS)		
PRETERMINABLE		
THOU HY3E KYNG AY PRETERMYNABLE	PRL	596
PRETERMYNABLE (V. PRETERMINABLE)		
PREUE (ALSO V. PROVE)		
PREUE FOR TO PLAY WYTH IN OTHER PURE LAYKE3	GGK	262
BE PREUE AND BE PACIENT IN PAYNE AND IN JOYE.	PAT	525
PREUED (V. PROVED)		
PREUELY (V. PRIVILY)		
PREY		
PRESENTED HIM THE PRESONERES IN PRAY THAT THAY TOKEN	CLN	1297
AS IS PERTLY PAYED THE PRAY THAT I A3TE	GGK	1941
SIR FELE HERE PORCHASE3 AND FONGE3 PRAY	PRL	439
PREYED		
PROFETE OF THAT PROUYNCE THAT PRAYED MY FADER	CLN	1624
PRICE (CP. PRESE)		
PERLE PRAYSED IS PRYS THER PERRE IS SCHEWED	CLN	1117
AND THE PRYCE OF THE PROFECIE PRESONERS MAKED	CLN	1308
A PROPHETE OF THAT PROUINCE AND PRYCE OF THE WORLDE	CLN	1614
THAT MY3T BE PREUED OF PRYS WYTH PENYES TO BYE	GGK	79
THE CERCLE WAT3 MORE O PRYS	GGK	615
THAT ALLE PRYS AND PROWES AND PURED THEWES	GGK	912
TO THE PLEASAUNCE OF YOUR PRYS HIT WERE A PURE IOYE	GGK	1247
THE PRYS AND THE PROWES THAT PLESE3 AL OTHER.	GGK	1249
BOT I AM PROUDE OF THE PRYS THAT 3E PUT ON ME	GGK	1277
HOW PAYE3 YOW THIS PLAY HAF I PRYS WONNEN.	GGK	1379
AND PRAYSED HIT AS GRET PRYS THAT HE PROUED HADE	GGK	1630
FOR THAT PRYNCES OF PRIS DEPRESED HYM SO THIKKE.	GGK	1770
HE WOLDE HIT PRAYSE AT MORE PRYS PARAUENTURE.	GGK	1850
AND THAT IS FUL PORE FOR TO PAY FOR SUCHE PRYS THINGES	GGK	1945

AS PERLE BI THE QUITE PESE IS OF PRYS MORE . . . . GGK 2364
AMONG PRYNCES OF PRYS AND THIS A PURE TOKEN . . . . GGK 2398
PERLE3 PY3TE OR RYAL PRYS . . . . PRL 193
TO A PERLE OF PRYS HIT IS PUT IN PREF . . . . PRL 272
HYS PRESE HYS PRYS AND HYS PARAGE . . . . PRL 419
THAT BERE3 QUOTH I THE PERLE OF PRYS . . . . PRL 746

PRICK

HYM LYST PRIK FOR POYNT THAT PROUDE HORS THENNE. . . . . GGK 2049
AND THUS QUEN PRYDE SCHAL ME PRYK FOR PROWES OF ARMES. . . . . GGK 2437

PRIDE

AS FOR BOBAUNCE AND BOST AND BOLNANDE PRIYDE. . . . . CLN 179
THAT OTHER DEPRYUED WAT3 OF PRYDE WITH PAYNES STRONGE. . . . . CLN 1227
THUS IN PRYDE AND OLIPRAUNCE HIS EMPYRE HE HALDES . . . . . . CLN 1349
THAT WAT3 A PALAYCE OF PRYDE PASSANDE ALLE OTHER . . . . . . CLN 1389
BIFORE THE BOLDE BALTA3AR WYTH BOST AND WYTH PRYDE. . . . . . CLN 1450
TIL HIT BITIDE ON A TYME TOWCHED HYM PRYDE . . . . CLN 1657
INMYDDE THE POYNT OF HIS PRYDE DEPARTED HE THERE . . . . . . CLN 1677
HIS GOLD SPORE3 SPEND WITH PRYDE. . . . . GGK 587
HADET WYTH AN ALUISCH MON FOR ANGARDE3 PRYDE. . . . . GGK 681
FOR PRYDE OF THE PENDAUNTE3 THA3 POLYST THAY WERE . . . . . . GGK 2038
AND THUS QUEN PRYDE SCHAL ME PRYK FOR PROWES OF ARMES. . . . . GGK 2437
MAYSTERFUL MOD AND HY3E PRYDE. . . . . PRL 401

PRIEST

AND HE MAY POLYCE HYM AT THE PREST BY PENAUNCE TÅKEN . . . . . CLN 1131
PREUELY APROCHED TO A PREST AND PRAYED HYM THERE . . . . . . GGK 1877
VCH PRYNCE VCHE PREST AND PRELATES ALLE . . . . PAT 389
THE PRESTE VS SCHEWE3 VCH A DAYE. . . . . PRL 1210

PRIESTS

AND APROCHEN TO HYS PRESENS AND PRESTE3 ARN CALLED. . . . . . CLN 8
PRESTES AND PRELATES THAY PRESED TO DETHE. . . . . CLN 1249
PULDEN PRESTES BI THE POLLE AND PLAT OF HER HEDES . . . . . . CLN 1265

PRIK (V. PRICK)

PRIMATE

HE SCHAL BE PRYMATE AND PRYNCE OF PURE CLERGYE . . . . CLN 1570
THE PRIMATE WITH HIS PRELACIE WAS PARTYD FRO HOME . . . . . . ERK 107

PRIME

LEUDE ON NW3ERE3 LY3T LONGE BIFORE PRYME . . . . GGK 1675

PRINCE

AND IF VNWELCUM HE WERE TO A WERDLYCH PRYNCE. . . . . CLN 49
FOR APROCH THOU TO THAT PRYNCE OF PARAGE NOBLE . . . . CLN 167
THAT THAT ILK PROPER PRYNCE THAT PARADYS WELDE3. . . . . . . CLN 195
TYL VCHE PRYNCE HADE HIS PER PUT TO THE GROUNDE. . . . . . . CLN 1214
AND PRESENTED WERN AS PRESONERES TO THE PRYNCE RYCHEST . . . . CLN 1217
HE SCHAL BE PRYMATE AND PRYNCE OF PURE CLERGYE . . . . CLN 1570
THAT VCHE POUER PAST OUT OF THAT PRYNCE EUEN. . . . . CLN 1654
THAT THE POWER OF THE HY3E PRYNCE HE PURELY FOR3ETES . . . . . CLN 1660
AS TO THE PRYNCE PRYUYEST PREUED THE THRYDDE. . . . . CLN 1748
THE PROWDE PRYNCE OF PERCE AND PORROS OF YNDE . . . . CLN 1772
TOWARDE THE PROUIDENS OF THE PRINCE THAT PARADIS WELDES . . . . ERK 161
VNDER A PRINCE OF PARAGE OF PAYNYMES LAGHE . . . . ERK 203
AND QUY THE PENTANGEL APENDE3 TO THAT PRYNCE NOBLE. . . . . . GGK 623
AND MONY PROUD MON THER PRESED THAT PRYNCE TO HONOUR . . . . . GGK 830
BE PRYNCE WITHOUTEN PERE . . . . GGK 873
BI PREUE POYNTE3 OF THAT PRYNCE PUT TO HYMSELUEN . . . . . . GGK 902
THAT HOR PLAY WAT3 PASSANDE VCHE PRYNCE GOMEN . . . . GGK 1014
PRAYSES THE PORTER BIFORE THE PRYNCE KNELED . . . . GGK 2072
AND THENNE REPREUED HE THE PRYNCE WITH MONY PROWDE WORDE3 . . . GGK 2269
TO THE PRYNCE OF PARADISE AND PARTEN RY3T THERE. . . . . . . GGK 2473
FYRST THAY PRAYEN TO THE PRYNCE THAT PROPHETES SERUEN. . . . . PAT 225

Word / Line	Text		Line
NOW PRYNCE OF THY PROPHETE PITE THOU HAUE.	PAT		282
VCH PRYNCE VCHE PREST AND PRELATES ALLE	PAT		389
PARFORMED ALLE THE PENAUNCE THAT THE PRYNCE RADDE	PAT		406
A PRAYER TO THE HY3E PRYNCE FOR PYNE ON THYS WYSE	PAT		412
TO PAY THE PRINCE OTHER SETE SA3TE	PRL		1201
PRINCES			
AND THER WAT3 THE KYNG KA3T WYTH CALDE PRYNCES	CLN		1215
AND THENNE THAT DERREST ARN DRESSED DUKE3 AND PRYNCES.	CLN		1518
AND THENNE DRINKE3 ARN DRESSED TO DUKE3 AND PRYNCES	CLN	V	1518
FOR THAT PRYNCES OF PRIS DEPRESED HYM SO THIKKE.	GGK		1770
AMONG PRYNCES OF PRYS AND THIS A PURE TOKEN	GGK		2398
PERLE PLESAUNTE TO PRYNCES PAYE	PRL		1
HIT WAT3 NOT AT MY PRYNCE3 PAYE	PRL		1164
NOW AL BE TO THAT PRYNCE3 PAYE	PRL		1176
THAT THOU ART TO THAT PRYNSE3 PAYE	PRL		1188
TO THAT PRYNCE3 PAYE HADE I AY BENTE	PRL		1189
PRINCIPAL			
IN THE PALAYS PRYNCIPALE VPON THE PLAYN WOWE.	CLN		1531
AND TO THE PALAYS PRYNCIPAL THAY APROCHED FUL STYLLE	CLN		1781
PRINCIPALITY			
NOW IS ALLE THY PRYNCIPALTE PAST AT ONES	CLN		1672
DEPARTED IS THY PRYNCIPALTE DEPRYUED THOU WORTHES	CLN		1738
PRIS (V. PRICE)			
PRISES			
PUTTEN PRISES THERTO PINCHID ONEVNDER	ERK		70
PRISON			
AND DEPRECE YOUR PRYSOUN AND PRAY HYM TO RYSE	GGK		1219
PYNE3 ME IN A PRYSOUN PUT ME IN STOKKES	PAT		79
PRISONERS			
AND PRESENTED WERN AS PRESONERES TO THE PRYNCE RYCHEST	CLN		1217
PRESENTED HIM THE PRESONERES IN PRAY THAT THAY TOKEN	CLN		1297
AND THE PRYCE OF THE PROFECIE PRESONERS MAKED	CLN		1308
PRIUY (V. PRIVY)			
PRIVIEST			
AS TO THE PRYNCE PRYUYEST PREUED THE THRYDDE.	CLN		1748
PRIVILY			
THER PRYUELY IN PARADYS HIS PLACE WAT3 DEVISED	CLN		238
DISPLAYED MORE PRYUYLY WHEN HE HIT PART SCHULDE.	CLN	V	1107
PREUELY APROCHED TO A PREST AND PRAYED HYM THERE	GGK		1877
PRIVY			
BI PREUE POYNTE3 OF THAT PRYNCE PUT TO HYMSELUEN	GGK		902
OF THAT PRYUY PERLE WYTHOUTEN SPOT	PRL		12
MY PRIUY PERLE WYTHOUTEN SPOTTE	PRL		24
PRIYDE (V. PRIDE)			
PRIZE			
BALDELY THAY BLW PRYS BAYED THAYR RACHCHE3	GGK		1362
THERE WAT3 BLAWYNG OF PRYS IN MONY BREME HORNE	GGK		1601
BEST WAT3 HE BLYTHEST AND MOSTE TO PRYSE	PRL		1131
PROCESSION			
THAI PASSYD FORTHE IN PROCESSION AND ALLE THE PEPULLE FOLOWID	ERK		351
I WAT3 WAR OF A PROSESSYOUN	PRL		1096
PROFECIE (V. PROPHECY)			
PROFECIES (V. PROPHECIES)			
PROFERED (V. PROFFERED)			
PROFEREN (V. PROFFER)			
PROFERES (V. PROFFERS)			
PROFERT (V. PROFFERED)			
PROFESSYE (V. PROPHECY)			
PROFETE (V. PROPHET)			

PROFFER
OTHER PROFEREN THE O3T AGAYN THY PAYE . PRL 1200
PROFFERED
PINACLES PY3T THER APERT THAT PROFERT BITWENE . CLN 1463
IF I WERE WERNED I WERE WRANG IWYSSE 3IF I PROFERED . GGK 1494
AND ROUE THE WYTH NO ROFSORE WITH RY3T I THE PROFERED. GGK 2346
THAT OTHER MUNT FOR THE MORNE MON I THE PROFERED . GGK 2350
AND ROUE THE WYTH NO ROF SORE WITH RY3T I THE PROFERED . GGK V 2346
HO PROFERED ME SPECHE THAT SPECIAL SPECE . PRL 235
PROFFERS
FOR THER AS POUERT HIR PROFERES HO NYL BE PUT VTTER . PAT 41
PROOF
TO A PERLE OF PRYS HIT IS PUT IN PREF . PRL 272
PROPER
THAT THAT ILK PROPER PRYNCE THAT PARADYS WELDE3. CLN 195
APROCHE HE SCHAL THAT PROPER PYLE . PRL 686
PROPERTE3 (V. PROPERTIES)
PROPERTIES
OF CARPED THE KYNDE THESE PROPERTE3. PRL 752
OF CARPE THE KYNDE THESE PROPERTY3 . PRL 1 752
PROPERTY
HAT3 A PROPERTY IN HYTSELF BEYNG. PRL 446
PROPERTY3 (V. PROPERTIES)
PROPHECIES
AS 3ET IS PROUED EXPRESSE IN HIS PROFECIES . CLN 1158
PROPHECY
AND THE PRYCE OF THE PROFECIE PRESONERS MAKED . CLN 1308
HE SAYDE OF HYM THYS PROFESSYE . PRL 821
PROPHET
A PROPHETE OF THAT PROUINCE AND PRYCE OF THE WORLDE . CLN 1614
PROFETE OF THAT PROUYNCE THAT PRAYED MY FADER . CLN 1624
JONAS JOYNED WAT3 THERINNE JENTYLE PROPHETE . PAT 62
AT ALLE PERYLES QUOTH THE PROPHETE I APROCHE HIT NO NERRE . PAT 85
NOW PRYNCE OF THY PROPHETE PITE THOU HAUE. PAT 282
THEN A PRAYER FUL PREST THE PROPHETE THER MAKED. PAT 303
PRAYANDE HIM FOR PETE HIS PROPHETE TO HERE . PAT 327
THE PROFETE YSAYE OF HYM CON MELLE . PRL 797
BY TRW RECORDE OF AYTHER PROPHETE . PRL 831
PROPHETE (V. PROPHET)
PROPHETS
THE PRUDDEST OF THE PROUINCE AND PROPHETES CHILDER. CLN 1300
EXPOUNED HIS SPECHE SPIRITUALLY TO SPECIAL PROPHETES . CLN 1492
FYRST THAY PRAYEN TO THE PRYNCE THAT PROPHETES SERUEN. PAT 225
THA3 I BE GULTY OF GYLE AS GAULE OF PROPHETES . PAT 285
PROPHETES (V. PROPHETS)
PROSESSYOUN (V. PROCESSION)
PROUD
NE PRAY HYM FOR NO PITE SO PROUD WAT3 HIS WYLLE. CLN 232
HE PURSUED INTO PALASTYN WYTH PROUDE MEN MONY . CLN 1177
THE PROWDE PRYNCE OF PERCE AND PORROS OF YNDE . CLN 1772
THE PENDAUNTES OF HIS PAYTTRURE THE PROUDE CROPURE. GGK 168
THE APPARAYL OF THE PAYTTRURE AND OF THE PROUDE SKYRTE3 . GGK 601
AND MONY PROUD MON THER PRESED THAT PRYNCE TO HONOUR . GGK 830
BOT I AM PROUDE OF THE PRYS THAT 3E PUT ON ME . GGK 1277
HYM LYST PRIK FOR POYNT THAT PROUDE HORS THENNE. GGK 2049
THER PASSES NON BI THAT PLACE SO PROUDE IN HIS ARMES . GGK 2104
AND THENNE REPREUED HE THE PRYNCE WITH MONY PROWDE WORDE3 . GGK 2269
PROUDE (V. PROUD)
PROUDEST

THE PRUDDEST OF THE PROUINCE AND PROPHETES CHILDER. . . . . . CLN 1300
PROUDLY
PRUDLY ON A PLAT PLAYN PLEK ALTHERFAYREST. . . . . CLN 1379
AS THAY PRUDLY HADE PIKED OF POMGARNADES . . . . CLN 1466
THE LOMBE BYFORE CON PROUDLY PASSE . . . . PRL 1110
PROUED (V. PROVED)
PROUIDENS (V. PROVIDENCE)
PROUINCE (V. PROVINCE)
PROUINCES (V. PROVINCES)
PROUYNCE (V. PROVINCE)
PROVE
WEL NY3E PURE PARADYS MO3T PREUE NO BETTER . . . . CLN 704
AND PREUE THE LY3TLY A LORDE IN LONDE AND IN WATER. . . . . . PAT 288
FOR THE PENAUNCE AND PAYNE TO PREUE HIT IN SY3T. . . . . PAT 530
PROVED
AS 3ET IS PROUED EXPRESSE IN HIS PROFECIES . . . . CLN 1158
THAT PRESYOUS IN HIS PRESENS WER PROUED SUMWHYLE . . . . CLN 1496
AS TO THE PRYNCE PRYUYEST PREUED THE THRYDDE. . . . . CLN 1748
THAT MY3T BE PREUED OF PRYS WYTH PENYES TO BYE . . . . GGK 79
AND PRAYSED HIT AS GRET PRYS THAT HE PROUED HADE . . . . GGK 1630
NE PROUED I NEUER HER PRECIOS PERE . . . . PRL 4
IN THE APOKALYPCE IS THE FASOUN PREUED. . . . . PRL 983
PROVIDENCE
TOWARDE THE PROUIDENS OF THE PRINCE THAT PARADIS WELDES . . . . ERK 161
PROVINCE
THE PRUDDEST OF THE PROUINCE AND PROPHETES CHILDER. . . . . . CLN 1300
A PROPHETE OF THAT PROUINCE AND PRYCE OF THE WORLDE . . . . . CLN 1614
PROFETE OF THAT PROUYNCE THAT PRAYED MY FADER . . . . CLN 1624
PROVINCES
THAT SITHEN DEPRECED PROUINCES AND PATROUNES BICOME . . . . . GGK 6
PROWDE (V. PROUD)
PROWES (V. PROWESS)
PROWESS
THAT ALLE PRYS AND PROWES AND PURED THEWES . . . . GGK 912
THE PRYS AND THE PROWES THAT PLESE3 AL OTHER. . . . . GGK 1249
AND THUS QUEN PRYDE SCHAL ME PRYK FOR PROWES OF ARMES. . . . . GGK 2437
PRUDDEST (V. PROUDEST)
PRUDLY (V. PROUDLY)
PRYCE (V. PRICE)
PRYDE (V. PRIDE)
PRYK (V. PRICK)
PRYMATE (V. PRIMATE)
PRYME (V. PRIME)
PRYNCE (V. PRINCE)
PRYNCES (V. PRINCES)
PRYNCE3 (V. PRINCES)
PRYNCIPAL (V. PRINCIPAL)
PRYNCIPALE (V. PRINCIPAL)
PRYNCIPALTE (V. PRINCIPALITY)
PRYNSE3 (V. PRINCES)
PRYS (V. PRICE, PRIZE)
PRYSE (V. PRIZE)
PRYSOUN (V. PRISON)
PRYSTYLY
DISPLAYED MORE PRYSTYLY WHEN HE HIT PART SCHULDE . . . . . . CLN 1107
PRYUELY (V. PRIVILY)
PRYUY (V. PRIVY)
PRYUYEST (V. PRIVIEST)
PRYUYLY (V. PRIVILY)

Entry	Poem	Line
PSALM		
IN A PSALME THAT HE SET THE SAUTER WYTHINNE	PAT	120
PSALME (V. PSALM)		
PSALMED		
FOR AS HE SAYS IN HIS SOTHE PSALMYDE WRITTES.	ERK	277
PSALMYDE (V. PSALMED)		
PSALTER		
IN A PSALME THAT HE SET THE SAUTER WYTHINNE	PAT	120
IN SAUTER IS SAYD A VERCE OUERTE.	PRL	593
THE SAUTER HYT SAT3 THUS IN A PACE	PRL	677
DAUID IN SAUTER IF EUER 3E SY3 HIT	PRL	698
DAUID IN SAUTER IF EUER 3E SE3 HIT	PRL 1	698
PSALTERY		
AS SONET OUT OF SAUTERAY SONGE ALS,MYRY	CLN	1516
PULDEN (V. PULLED)		
PULL		
TO SEE HEM PULLE IN THE PLOW APROCHE ME BYHOUE3.	CLN	68
PULLE (V. PULL)		
PULLED		
PULDEN PRESTES BI THE POLLE AND PLAT OF HER HEDES	CLN	1265
PURCHASE		
AND PORCHACE THY PERLE MASKELLES.	PRL	744
PURCHASES		
SIR FELE HERE PORCHASE3 AND FONGE3 PRAY	PRL	439
PURE		
WEL NY3E PURE PARADYS MO3T PREUE NO BETTER	CLN	704
AND PURE THE WITH PENAUNCE TYL THOU A PERLE WORTHE.	CLN	1116
THE PURE PYLERES OF BRAS POURTRAYD IN GOLDE	CLN	1271
HE SCHAL BE PRYMATE AND PRYNCE OF PURE CLERGYE	CLN	1570
THEN PRECHYD HE HERE THE PURE FAYTHE AND PLANTYD THE TROUTHE	ERK	13
PREUE FOR TO PLAY WYTH IN OTHER PURE LAYKE3	GGK	262
WYTH THE PENTANGEL DEPAYNT OF PURE GOLDE HWE3	GGK	620
AND PITE THAT PASSE3 ALLE POYNTE3 THYSE PURE FYUE	GGK	654
THAT IS THE PURE PENTAUNGEL WYTH THE PEPLE CALLED	GGK	664
A PORTER PURE PLESAUNT	GGK	808
TO THE PLEASAUNCE OF YOUR PRYS HIT WERE A PURE IOYE	GGK	1247
AMONG PRYNCES OF PRYS AND THIS A PURE TOKEN	GGK	2398
THE PURE POPLANDE HOURLE PLAYES ON MY HEUED	PAT	319
SO WAT3 HIT CLENE AND CLER AND PURE.	PRL	227
O MASKELE3 PERLE IN PERLE3 PURE	PRL	745
SO WAT3 I RAUYSTE WYTH GLYMME PURE	PRL	1088
PURED		
WITH PELURE PURED APERT THE PANE FUL CLENE	GGK	154
GAWAN WAT3 FOR GODE KNAWEN AND AS GOLDE PURED	GGK	633
THAT ALLE PRYS AND PROWES AND PURED THEWES	GGK	912
THAT WAT3 FURRED FUL FYNE WITH FELLE3 WEL PURED.	GGK	1737
I HALDE THE POLYSED OF THAT PLY3T AND PURED AS CLENE	GGK	2393
PURELY		
THAT THE POWER OF THE HY3E PRYNCE HE PURELY FOR3ETES	CLN	1660
THAT PARED OUT OF PAPURE PURELY HIT SEMED.	GGK	802
3E PETER QUOTH THE PORTER AND PURELY I TROWEE	GGK	813
IN THE THRYD TABLE CON PURLY PALE	PRL	1004
PURITY		
IN WYCH PURYTE THAY DEPARTED THA3 THAY POUER WERE	CLN	1074
PURLY (V. PURELY)		
PURPLE		
HE SCHAL BE GERED FUL GAYE IN GOUNES OF PORPRE	CLN	1568
APYKE THE IN PORPRE CLOTHE PALLE ALTHERFYNEST	CLN	1637
THENNE SONE WAT3 DANYEL DUBBED IN FUL DERE PORPOR	CLN	1743

Entry	Text	Line
THE AMATYST PURPRE WYTH YNDE BLENTE.	PRL	1016
PURPOSE		
NE THE PURPOSE TO PAYRE THAT PY3T IN HIR HERT	GGK	1734
I HOPED THAT GOSTLY WAT3 THAT PORPOSE	PRL	185
ME THYNK THE PUT IN A MAD PORPOSE	PRL	267
AND FYNDE3 THER SUMME TO HYS PORPOS.	PRL	508
I HOPE THAT GOSTLY WAT3 THAT PORPOSE	PRL 1	185
PURPRE (V. PURPLE)		
PURSAUNT		
THE PLACE THAY PLYED THE PURSAUNT WYTHINNE	CLN	1385
SO TWELUE IN POURSENT I CON ASSPYE	PRL	1035
PURSUED		
HE PURSUED INTO PALASTYN WYTH PROUDE MEN MONY	CLN	1177
PURSUIT		
SO TWELUE IN POURSEUT I CON ASSPYE	PRL 1	1035
SO TWELUE IN POURSEUT I CON ASSPYE	PRL 3	1035
PURTRAYED (V. PORTRAYED)		
PURYTE (V. PURITY)		
PURVEY		
I SCHAL ME PORUAY PACYENCE AND PLAY ME WYTH BOTHE	PAT	36
PURVEYS		
THAT IN THE POYNT OF HER PLAY HE PORUAYES A MYNDE	CLN	1502
PUT		
AND A PAYNE THERON PUT AND PERTLY HALDEN	CLN	244
TYL VCHE PRYNCE HADE HIS PER PUT TO THE GROUNDE.	CLN	1214
PUTTEN PRISES THERTO PINCHID ONEVNDER	ERK	70
QUETHER MONY PORER IN THIS PLACE IS PUTTE INTO GRAUE	ERK	153
AND IN MY POWER THIS PLACE WAS PUTTE ALTOGEDER	ERK	228
BI PREUE POYNTE3 OF THAT PRYNCE PUT TO HYMSELUEN	GGK	902
BUT I AM PROUDE OF THE PRYS THAT 3E PUT ON ME	GGK	1277
AND THENNE DAME PES AND PACYENCE PUT IN THERAFTER	PAT	33
BOT SYN I AM PUT TO A POYNT THAT POUERTE HATTE	PAT	35
FOR THER AS POUERT HIR PROFERES HO NYL BE PUT VTTER	PAT	41
THAT IN THAT PLACE AT THE POYNT I PUT IN THI HERT	PAT	68
PYNE3 ME IN A PRYSOUN PUT ME IN STOKKES	PAT	79
NOW HAT3 HE PUT HYM IN PLYT OF PERIL WEL MORE	PAT	114
ME THYNK THE PUT IN A MAD PORPOSE	PRL	267
TO A PERLE OF PRYS HIT IS PUT IN PREF	PRL	272
PUTTE (V. PUT)		
PUTTEN (V. PUT)		
PUTTING		
ON PAYNE OF ENPRYSONMENT AND PUTTYNG IN STOKKE3.	CLN	46
PUTTYNG (V. PUTTING)		
PYCHE (V. PITCH)		
PYCHED (V. PITCHED)		
PYECE (V. PIECE)		
PYES (V. PIES)		
PYESE		
3ET THE PERLE PAYRES NOT WHYLE HO IN PYESE LASTTES.	CLN	1124
PYGMALION		
PYMALYON PAYNTED NEUER THY VYS	PRL	750
PYKED (V. PICKED, PIKED)		
PYKE3 (V. PICK)		
PYLE		
APROCHE HE SCHAL THAT PROPER PYLE	PRL	686
PYLED		
AND PYLED ALLE THE APPAREMENT THAT PENTED TO THE KYRKE	CLN	1270
AND PYLED THAT PRECIOUS PLACE AND PAKKED THOSE GODES	CLN	1282
PYLERES (V. PILLARS)		

PYMALYON (V. PYGMALION)
PYNAKLE (V. PINNACLE)
PYNAKLED (V. PINNACLED)
PYNE (V. PINE)
PYNED (V. PINED)
PYNES (V. PINES)
PYNE3 (V. PIN)
PYNKARDINES
    PENITOTES AND PYNKARDINES AY PERLES BITWENE CLN 1472
PYNNED (V. PINNED)
PYONYS (V. PEONIES)
PYPES (V. PIPES)
PYPYNG (V. PIPING)
PYSAN
    NE NO PYSAN NE NO PLATE THAT PENTED TO ARMES. GGK 204
PYTE (V. PITY)
PYTH (V. PITH)
PYTOSLY (V. PITEOUSLY)
PYTY (V. PITY)
PY3T (V. PITCHED)
PY3TE (V. PITCHED)
QUAIL
    I STOD AS STYLLE AS DASED QUAYLE. PRL 1085
QUAINT
    OF TETHE TENFULLY TOGEDER TO TECHE HYM BE QUOYNT CLN 160
    I SCHAL BITECHE YOW THO TWO THAT TAYT ARN AND QUOYNT CLN 871
    WYTH KOYNT CARNELES ABOUE CORUEN FUL CLENE CLN 1382
    ENBANED VNDER BATELMENT WYTH BANTELLES QUOYNT CLN 1459
    WITH QUEME QUESTIS OF THE QUERE WITH FUL QUAYNT NOTES. ERK 133
    QUYSSYNES VPON QUELDEPOYNTES THAT KOYNT WER BOTHE GGK 877
    BOTHE AT MES AND AT MELE MESSES FUL QUAYNT GGK 999
    AND 3E THAT AR SO CORTAYS AND COYNT OF YOUR HETES GGK 1525
    WEL KNEW I THI CORTAYSYE THY QUOYNT SOFFRAUNCE PAT 417
    NOWTHELESE NON WAT3 NEUER SO QUOYNT. PRL 889
QUAINTLY
    QUEME QUYSSEWES THEN THAT COYNTLYCH CLOSED GGK 578
    INTO A COMLY CLOSET COYNTLY HO ENTRE3 GGK 934
    THAT THUS HOR KNY3T WYTH HOR KEST HAN KOYNTLY BIGYLED. GGK 2413
QUAKED
    AT THE FYRST QUETHE OF THE QUEST QUAKED THE WYLDE GGK 1150
QUARRY
    AND QUYKLY OF THE QUELLED DERE A QUERRE THAY MAKED. GGK 1324
QUATSO (V. WHATSO)
QUATSOEUER (V. WHATSOEVER)
QUAUENDE
    AND QUELLE ALLE THAT IS QUIK WYTH QUAUENDE FLODE3 CLN 324
QUAYLE (V. QUAIL)
QUAYNT (V. QUAINT)
QUAYNTYSE (V. QUEINTISE)
QUED
    AS TO QUELLE ALLE QUYKE3 FOR QUED THAT MY3T FALLE CLN 567
    FOR HO QUELLES VCHE A QUED AND QUENCHES MALYCE PAT 4
QUEEN
    AND HADE A WYF FOR TO WELDE A WORTHELYCH QUENE CLN 1351
    HO HERDE HYM CHYDE TO THE CHAMBRE THAT WAT3 THE CHEF QUENE CLN 1586
    KENE KYNG QUOTH THE QUENE KAYSER OF VRTHE. CLN 1593
    THAT GODE COUNSEYL AT THE QUENE WAT3 CACHED AS SWYTHE. CLN 1619
    WHENE GUENORE FUL GAY GRAYTHED IN THE MYDDES. GGK 74

GAWAN THAT SATE BI THE QUENE . . . . GGK 339
TO THE COMLYCH QUENE WYTH CORTAYS SPECHE . . . . GGK 469
THAT THE HENDE HEUEN QUENE HAD OF HIR CHYLDE. . . . . GGK 647
THE KYNG KYSSE3 THE KNY3T AND THE WHENE ALCE. . . . . GGK 2492
COROUNDE ME QUENE IN BLYSSE TO BREDE . . . . PRL 415
ART THOU THE QUENE OF HEUENE3 BLWE . . . . PRL 423
FOR HO IS QUENE OF CORTAYSYE . . . . PRL 456
TO KYNG AND QUENE BY CORTAYSYE . . . . PRL 468
BOT A QUENE HIT IS TO DERE A DATE . . . . PRL 492
MASKELLES QUOTH THAT MYRY QUENE . . . . PRL 781
BOT MAKELE3 QUENE THENNE SADE I NOT. . . . . PRL 784
THEN SA3 I THER MY LYTTEL QUENE . . . . PRL 1147

QUEINTISE

AND IN COMLY QUOYNTIS TO COM TO HIS FESTE. . . . . CLN 54
WYTH ALLE THE COYNTYSE THAT HE COWTHE CLENE TO WYRKE . . . . . CLN 1287
IF THOU WYTH QUAYNTYSE CONQUERE HIT I QUYTE THE THY MEDE. . . . CLN 1632
AND WHYLE THAT COYNTISE WAT3 CLE3T CLOS IN HIS HERT . . . . . CLN 1655
ANDE CLANNES IS HIS COMFORT AND COYNTYSE HE LOUYES. . . . . . CLN 1809
THAT MY3T NOT COME TO TOKNOWE A QUONTYSE STRANGE . . . . ERK 74
THAT MY3T NOT COME TO KNOWE A QUONTYSE STRANGE . . . . ERK V 74
AND KOYNTYSE OF CLERGYE BI CRAFTES WEL LERNED . . . . GGK 2447
AND BY QUEST OF HER QUOYNTYSE ENQUYLEN ON MEDE . . . . PAT 39
HOW KOYNTISE ONOURE CON AQUYLE . . . . PRL 690
HOW KYNTLY OURE KOYNTYSE HYM CON AQUYLE . . . . PRL 2 690

QUEL (V. WHILE)

QUELDEPOYNTES

QUYSSYNES VPON QUELDEPOYNTES THAT KOYNT WER BOTHE . . . . . . GGK 877

QUELL

AND QUELLE ALLE THAT IS QUIK WYTH QUAUENDE FLODE3 . . . . . . CLN 324
AS TO QUELLE ALLE QUYKE3 FOR QUED THAT MY3T FALLE . . . . . . CLN 567
OF A BURDE WAT3 BORNE OURE BARET TO QUELLE . . . . GGK 752
TO QUELLE . . . . GGK 1449
HYM THYNK AS QUEME HYM TO QUELLE AS QUYK GO HYMSELUEN. . . . . GGK 2109
THAT GLORYOUS GYLTLE3 THAT MON CON QUELLE. . . . . PRL 799

QUELLE (V. QUELL)

QUELLED

AND QUYKLY OF THE QUELLED DERE A QUERRE THAY MAKED. . . . . . GGK 1324
THA3 THAT HATHEL WER HIS THAT THAY HERE QUELLED. . . . . PAT 228

QUELLES (V. QUELLS)

QUELLS

FOR HO QUELLES VCHE A QUED AND QUENCHES MALYCE . . . . PAT 4

QUEME

WITH QUEME QUESTIS OF THE QUERE WITH FUL QUAYNT NOTES. . . . . ERK 133
QUEME QUYSSEWES THEN THAT COYNTLYCH CLOSED . . . . GGK 578
HYM THYNK AS QUEME HYM TO QUELLE AS QUYK GO HYMSELUEN. . . . . GGK 2109
FRO ALLE THO SY3TE3 SO QUYKE AND QUEME. . . . . PRL 1179

QUENCHES

FOR HO QUELLES VCHE A QUED AND QUENCHES MALYCE . . . . PAT 4

QUENE (V. QUEEN)

QUERE (V. WHERE)

QUERESO (V. WHERESO)

QUERESOEUER (V. WHERESOEVER)

QUERFORE (V. WHEREFORE)

QUERRE (V. QUARRY)

QUERY

SO CLOSED HE HYS MOUTH FRO VCH QUERY . . . . PRL 803

QUEST

AT THE FYRST QUETHE OF THE QUEST QUAKED THE WYLDE . . . . . . GGK 1150
SONE THAY CALLE OF A QUEST IN A KER SYDE . . . . GGK 1421

AND BY QUEST OF HER QUOYNTYSE ENQUYLEN ON MEDE . . . . PAT 39
QUESTIS
WITH QUEME QUESTIS OF THE QUERE WITH FUL QUAYNT NOTES. . . . . ERK 133
QUETHE
AT THE FYRST QUETHE OF THE QUEST QUAKED THE WYLDE . . . . . . GGK 1150
QUETHEN (V. WHETHEN)
QUETHER (V. WHETHER)
QUETHERSOEUER (V. WHETHERSOEVER)
QUETTYNG (V. WHETTING)
QUICK
AND QUELLE ALLE THAT IS QUIK WYTH QUAUENDE FLODE3 . . . . . . CLN 324
COMAUNDED HIR TO BE COF AND QUYK AT THIS ONE3 . . . . CLN 624
IN BRAWDEN BRYDEL QUIK . . . . GGK 177
THAY KALLEN HYM OF AQUOYNTAUNCE AND HE HIT QUYK ASKE3. . . . . GGK 975
HYM THYNK AS QUEME HYM TO QUELLE AS QUYK GO HYMSELUEN. . . . . GGK 2109
THAT ALLE THE BODYES THAT BEN WYTHINNE THIS BOR3 QUYK. . . . . PAT 387
FRO ALLE THO SY3TE3 SO QUYKE AND QUEME. . . . . PRL 1179
QUICKEN
THAT THER QUIKKEN NO CLOUDE BIFORE THE CLER SUNNE . . . . . . PAT 471
QUICKLY
AND QUYKLY OF THE QUELLED DERE A QUERRE THAY MAKED. . . . . . GGK 1324
QUERESO COUNTENAUNCE IS COUTHE QUIKLY TO CLAYME. . . . . . . GGK 1490
QUICKS
AS TO QUELLE ALLE QUYKE3 FOR QUED THAT MY3T FALLE . . . . . . CLN 567
QUIK (V. QUICK)
QUIKKEN (V. QUICKEN)
QUIKLY (V. QUICKLY)
QUIL (V. WHILE)
QUILE (V. WHILE)
QUIT
IF THOU WYTH QUAYNTYSE CONQUERE HIT I QUYTE THE THY MEDE. . . . CLN 1632
AND I SCHULDE AT THIS NWE3ERE 3EPLY THE QUYTE . . . . GGK 2244
AND IF THOW RECHE3 ME ANY MO I REDYLY SCHAL QUYTE . . . . . . GGK 2324
THOU QUYTE3 VCHON AS HYS DESSERTE . . . . PRL 595
QUIT (V. WHITE)
QUITCLAIM
I QUITCLAYME HIT FOR EUER KEPE HIT AS HIS AUEN . . . . GGK 293
QUITCLAYME (V. QUITCLAIM)
QUITE (V. WHITE)
QHO (V. WHO)
QUOM (V. WHOM)
QUONTYSE (V. QUEINTISE)
QUOS (V. WHOSE)
QUOSO (V. WHOSO)
QUOTH
SAY ME FRENDE QUOTH THE FREKE WYTH A FELLE CHERE . . . . CLN 139
NOW NOE QUOTH OURE LORDE ART THOU AL REDY. . . . . CLN 345
ENTER IN THENN QUOTH HE AND HAF THI WYF WITH THE . . . . . . CLN 349
FARE FORTHE QUOTH THE FREKE3 AND FECH AS THOU SEGGE3 . . . . . CLN 621
NAY FOR FYFTY QUOTH THE FADER AND THY FAYRE SPECHE. . . . . . CLN 729
AA BLESSED BE THOW QUOTH THE BURNE SO BONER AND THEWED . . . . CLN 733
AND FYUE WONT OF FYFTY QUOTH GOD I SCHAL FOR3ETE ALLE. . . . . CLN 739
WHAT FOR TWENTY QUOTH THE TOLKE VNTWYNE3 THOU HEM THENNE. . . . CLN 757
NOW ATHEL LORDE QUOTH ABRAHAM ONE3 A SPECHE . . . . CLN 761
I GRAUNT QUOTH THE GRETE GOD GRAUNT MERCY THAT OTHER . . . . . CLN 765
LORDE LOUED HE WORTHE QUOTH LOTH VPON ERTHE . . . . CLN 925
THENN FARE FORTH QUOTH THAT FRE AND FYNE THOU NEUER . . . . . CLN 929
KENE KYNG QUOTH THE QUENE KAYSER OF VRTHE. . . . . CLN 1593
LO LORDES QUOTH THAT LEDE SUCHE A LYCHE HERE.IS. . . . . ERK 146

THOU SAYS SOTHE QUOTH THE SEGGE THAT SACRID WAS BYSCHOP	ERK	159
BISSHOP QUOTH THIS ILKE BODY THI BODE IS ME DERE	ERK	193
DERE SER QUOTH THE DEDE BODY DEUYSE THE I THENKE	ERK	225
NAY BISSHOP QUOTH THAT BODY ENBAWMYD WOS I NEUER	ERK	265
OURE LORD LENE QUOTH THAT LEDE THAT THOU LYFE HADES	ERK	315
NAY AS HELP ME QUOTH THE HATHEL HE THAT ON HY3E SYTTES	GGK	256
WHAT IS THIS ARTHURES HOUS QUOTH THE HATHEL THENNE.	GGK	309
WOLDE 3E WORTHILYCH LORDE QUOTH WAWAN TO THE KYNG	GGK	343
KEPE THE COSYN QUOTH THE KYNG THAT THOU ON KYRF SETTE.	GGK	372
IN GOD FAYTH QUOTH THE GOODE KNY3T GAWAN I HATTE	GGK	381
BIGOG QUOTH THE GRENE KNY3T SIR GAWAN ME LYKES	GGK	390
WHERE SCHULDE I WALE THE QUOTH GAUAN WHERE IS THY PLACE	GGK	398
QUOTH THE GOME IN THE GRENE TO GAWAN THE HENDE	GGK	405
QUOTH GAWAN HIS AX HE STROKES.	GGK	416
NOW BONE HOSTEL COTHE THE BURNE I BESECHE YOW 3ETTE	GGK	776
GODE SIR QUOTH GAWAN WOLDE3 THOU GO MYN ERNDE	GGK	811
3E PETER QUOTH THE PORTER AND PURELY I TROWEE	GGK	813
GRAUNT MERCY QUOTH GAWAYN	GGK	838
GRANT MERCI SIR QUOTH GAWAYN IN GOD FAYTH HIT IS YOWRE3	GGK	1037
FORSOTHE SIR QUOTH THE SEGGE 3E SAYN BOT THE TRAWTHE	GGK	1050
THENNE LA3ANDE QUOTH THE LORDE NOW LENG THE BYHOUES	GGK	1068
FOR 3E HAF TRAUAYLED QUOTH THE TULK TOWEN FRO FERRE	GGK	1093
3ET FIRRE QUOTH THE FREKE A FORWARDE WE MAKE.	GGK	1105
BI GOD QUOTH GAWAYN THE GODE I GRANT THERTYLLE	GGK	1110
GOUD MOROUN GAY QUOP GAWAYN THE BLYTHE.	GGK	1213
IN GOD FAYTHE QUOTH GAWAYN GAYN HIT ME THYNKKE3.	GGK	1241
IN GOD FAYTH SIR GAWAYN QUOTH THE GAY LADY	GGK	1248
MADAME QUOTH THE MYRY MON MARY YOW 3ELDE	GGK	1263
BI MARY QUOTH THE MENSKFUL ME THYNK HIT ANOTHER.	GGK	1268
IWYSSE WORTHY QUOTH THE WY3E 3E HAF WALED WEL BETTER	GGK	1276
QUERFORE QUOTH THE FREKE AND FRESCHLY HE ASKE3	GGK	1294
THEN QUOTH WOWEN IWYSSE WORTHE AS YOW LYKE3	GGK	1302
3E IWYSSE QUOTH THAT OTHER WY3E HERE IS WAYTH FAYREST.	GGK	1381
AND AL I GIF YOW GAWAYN QUOTH THE GOME THENNE	GGK	1383
THIS IS SOTH QUOTH THE SEGGE I SAY YOW THAT ILKE	GGK	1385
HIT IS GOD QUOTH THE GODMON GRANT MERCY THERFORE	GGK	1392
THAT WAT3 NOT FORWARD QUOTH HE FRAYST ME NO MORE	GGK	1395
WHAT IS THAT QUOTH THE WYGHE IWYSSE I WOT NEUER.	GGK	1487
3ET I KENDE YOW OF KYSSYNG QUOTH THE CLERE THENNE	GGK	1489
DO WAY QUOTH THAT DERF MON MY DERE THAT SPECHE	GGK	1492
MA FAY QUOTH THE MERE WYF 3E MAY NOT BE WERNED	GGK	1495
3E BE GOD QUOTH GAWAYN GOOD IS YOUR SPECHE	GGK	1498
IN GOUD FAYTHE QUOTH GAWAYN GOD YOW FOR3ELDE.	GGK	1535
NOW GAWAYN QUOTH THE GODMON THIS GOMEN IS YOUR AWEN	GGK	1635
HIT IS SOTHE QUOTH THE SEGGE AND AS SIKER TRWE	GGK	1637
NOW AR WE EUEN QUOTH THE HATHEL IN THIS EUENTIDE	GGK	1641
GOD SCHYLDE QUOTH THE SCHALK THAT SCHAL NOT BEFALLE	GGK	1776
QUOTH THAT BURDE TO THE BURNE BLAME 3E DISSERUE.	GGK	1779
THAT IS A WORDE QUOTH THAT WY3T THAT WORST IS OF ALLE.	GGK	1792
NOW IWYSSE QUOTH THAT WY3E I WOLDE I HADE HERE	GGK	1801
QUOTH THAT LUFSUM VNDER LYNE	GGK	1814
BI KRYST QUOTH THAT OTHER KNY3T 3E CACH MUCH SELE	GGK	1938
3E OF THE CHEPE NO CHARG QUOTH CHEFLY THAT OTHER	GGK	1940
MARY QUOTH THAT OTHER MON MYN IS BIHYNDE	GGK	1942
INO3 QUOTH SIR GAWAYN	GGK	1948
IN GOD FAYTHE QUOTH THE GODMON WYTH A GOUD WYLLE	GGK	1969
GRANT MERCI QUOTH GAWAYN AND GRUCHYNG HE SAYDE	GGK	2126
MARY QUOTH THAT OTHER MON NOW THOU SO MUCH SPELLE3.	GGK	2140
BI GODDE3 SELF QUOTH GAWAYN	GGK	2156

WE LORDE QUOTH THE GENTYLE KNY3T. . . . . GGK 2185
NOW IWYSSE QUOTH WOWAYN WYSTY IS HERE . . . . GGK 2189
THENNE BI GODDE QUOTH GAWAYN THAT GERE AS I TROWE . . . . . . GGK 2205
ABYDE QUOTH ON ON THE BONKE ABOUEN OUER HIS HEDE . . . . . . GGK 2217
GAWAYN QUOTH THAT GRENE GOME GOD THE MOT LOKE . . . . GGK 2239
NAY BI GOD QUOTH GAWAYN THAT ME GOST LANTE . . . . GGK 2250
THOU ART NOT GAWAYN QUOTH THE GOME THAT IS SO GOUD HALDEN . . GGK 2270
QUOTH GAWAYN I SCHUNT ONE3. . . . . GGK 2280
HAF AT THE THENNE QUOTH THAT OTHER AND HEUE3 HIT ALOFTE . . . GGK 2288
FORSOTHE QUOTH THAT OTHER FREKE SO FELLY THOU SPEKE3 . . . . . GGK 2302
NAY FORSOTHE QUOTH THE SEGGE AND SESED HYS HELME . . . . . . GGK 2407
BOT YOUR GORDEL QUOTH GAWAYN GOD YOW FOR3ELDE . . . . GGK 2429
THAT SCHAL I TELLE THE TRWLY QUOTH THAT OTHER THENNE . . . . GGK 2444
LO LORDE QUOTH THE LEUDE AND THE LACE HONDELED . . . . GGK 2505
AT ALLE PERYLES QUOTH THE PROPHETE I APROCHE HIT NO NERRE . . PAT 85
I AM AN EBRU QUOTH HE OF ISRAYL BORNE . . . . PAT 205
3ISSE LORDE QUOTH THE LEDE LENE ME THY GRACE. . . . . PAT 347
HIT IS NOT LYTTEL QUOTH THE LEDE BOT LYKKER TO RY3T . . . . PAT 493
O PERLE QUOTH I IN PERLE3 PY3T . . . . PRL 241
IWYSE QUOTH I MY BLYSFOL BESTE . . . . PRL 279
DEME3 THOU ME QUOTH I MY SWETE . . . . PRL 325
BLYSFUL QUOTH I MAY THYS BE TRWE. . . . . PRL 421
CORTAYSE QUOTH I I LEUE . . . . PRL 469
THUS SCHAL I QUOTH KRYSTE HIT SKYFTE . . . . PRL 569
THAT BERE3 QUOTH I THE PERLE OF PRYS . . . . PRL 746
QUOTH SCHO MY DERE DESTYNE. . . . . PRL 758
MASKELLES QUOTH THAT MYRY QUENE . . . . PRL 781
QUOTH I MY PERLE THA3 I APPOSE . . . . PRL 902
O PERLE QUOTH I OF RYCH RENOUN . . . . PRL 1182

QUOYNT (V. QUAINT)
QUOYNTIS (V. QUEINTISE)
QUOYNTYSE (V. QUEINTISE)
QUYK (V. QUICK)
QUYKE (V. QUICK)
QUYKE3 (V. QUICKS)
QUYKLY (V. QUICKLY)
QUYL (V. WHILE)
QUYLE (V. WHILE)
QUYSSEWES (V. CUISSES)
QUYSSYNES (V. CUSHIONS)
QUYT (V. WHITE)
QUYTE (V. QUIT, WHITE)
QUYTE3 (V. QUIT)
QWO (V. WHO)
QWYTE (V. WHITE)
RAAS (V. RACE)

RABBLE

RUNNEN FORTH IN A RABEL IN HIS RY3T FARE . . . . GGK 1703
AND ALLE THE RABEL IN A RES RY3T AT HIS HELE3 . . . . GGK 1899

RABEL (V. RABBLE)
RAC (V. RAK)

RACE (CP. RES)

RACHE3 THAT RAN ON RACE. . . . . GGK 1420
THER THE RUFUL RACE HE SCHULDE RESAYUE. . . . . GGK 2076
OF RAAS THA3 I WERE RASCH AND RONK . . . . PRL 1167

RACH

A RACH RAPES HYM TO RY3T ER HE MY3T. . . . . GGK 1903
RASED HYM FUL RADLY OUT OF THE RACH MOUTHES . . . . GGK 1907

RACHCHE (V. REACH)

RACHCHES (V. RACHCHE3)
RACHCHE3
AND AY RACHCHES IN A RES RADLY HEM FOL3ES. . . . . GGK 1164
BALDELY THAY BLW PRYS BAYED THAYR RACHCHE3 . . . . GGK 1362
RACHE3 THAT RAN ON RACE. . . . . GGK 1420
THENNE SUCH A GLAUER ANDE GLAM OF GEDERED RACHCHE3. . . . . . GGK 1426
RACHE3 (V. RACHCHE3)
RAD
AND ROMYES AS A RAD RYTH THAT RORE3 FOR DREDE . . . . CLN 1543
AND REKENLY HYM REUERENCED FOR RAD WAS HE NEUER. . . . . . . GGK 251
RYCHE ROBES FUL RAD RENKKE3 HYM BRO3TEN . . . . GGK 862
RADDE (V. READ)
RADLY
WITH THAT THAY ROS VP RADLY AS THAY RAYKE SCHULDE . . . . CLN 671
HE ROS VP FUL RADLY AND RAN HEM TO METE . . . . CLN 797
RONNEN RADLY IN ROUTE WITH RYNGANDE NOYCE. . . . . ERK 62
AND HE FUL RADLY VPROS AND RUCHCHED HYM FAYRE . . . . GGK 367
AND AY RACHCHES IN A RES RADLY HEM FOL3ES. . . . . GGK 1164
RYUE3 HIT VP RADLY RY3T TO THE BY3T. . . . . GGK 1341
ALLE THE RYME3 BY THE RYBBE3 RADLY THAY LAUCE . . . . GGK 1343
BOT ROS HIR VP RADLY RAYKED HIR THEDER. . . . . GGK 1735
AND RADLY THUS REHAYTED HYM WITH HIR RICHE WORDE3 . . . . . . GGK 1744
RASED HYM FUL RADLY OUT OF THE RACH MOUTHES . . . . GGK 1907
AND HE FUL RADLY VPROS AND RUCHCHED HYM FAYRE . . . . GGK V 368
ALLE THE RYME3 BY THE RYBBE3 RADLY THAY LANCE . . . . GGK V 1343
RYS RADLY HE SAYS AND RAYKE FORTH EUEN. . . . . PAT 65
THENNE HE RYSES RADLY AND RAYKES BILYUE . . . . PAT 89
THENNE THE RENK RADLY ROS AS HE MY3T . . . . PAT 351
AND HE RADLY VPROS AND RAN FRO HIS CHAYER. . . . . PAT 378
RAFTE
AS HIT WERE RAFTE WYTH VNRY3T AND ROBBED WYTH THEWES . . . . . CLN 1142
CONQUERD WITH HIS KNY3TES AND OF KYRK RAFTE . . . . CLN 1431
THY RENGNE RAFTE IS THE FRO AND RA3T IS THE PERSES. . . . . . CLN 1739
RAGED
WITH RO3E RAGED MOSSE RAYLED AYWHERE . . . . GGK 745
RAGHT (V. REACHED)
RAGNEL
THER RAGNEL IN HIS RAKENTES HYM RERE OF HIS DREMES. . . . . . PAT 188
THER RAGUEL IN HIS RAKENTES HYM RERE OF HIS DREMES. . . . . . PAT V 188
RAGUEL (V. RAGNEL)
RAIN
SUCH A ROWTANDE RYGE THAT RAYNE SCHAL SWYTHE. . . . . CLN 354
BED BLYNNE OF THE RAYN HIT BATEDE AS FAST. . . . . CLN 440
THE RAYN RUELED ADOUN RIDLANDE THIKKE . . . . CLN 953
AL BIROLLED WYTH THE RAYN ROSTTED AND BRENNED . . . . CLN 959
SCHYRE SCHEDE3 THE RAYN IN SCHOWRE3 FUL WARME . . . . GGK 506
RAINING
THE RO3E RAYNANDE RYG NE THE RAYKANDE WAWE3 . . . . CLN 382
RAIN-RIFT
TORENT VCH A RAYNRYFTE AND RUSCHED TO THE VRTHE. . . . . . . CLN 368
RAISE
THAT LELLY HY3TE YOUR LYF TO RAYSE . . . . PRL 305
RAISED
AND HE HEM RAYSED REKENLY AND ROD OUER THE BRYGGE . . . . . . GGK 821
THE RICH RURD THAT THER WAT3 RAYSED FOR RENAUDE SAULE. . . . . GGK 1916
RAK
THAT RO3LY WAT3 THE REMNAUNT THAT THE RAC DRYUE3 . . . . CLN 433
IN REDE RUDEDE VPON RAK RISES THE SUNNE . . . . GGK 1695
BOT HE THAT RULES THE RAK MAY RWE ON THOSE OTHER . . . . PAT 176

RAKE
AND RYDE ME DOUN THIS ILK RAKE BI 3ON ROKKE SYDE GGK 2144
THENNE GYRDE3 HE TO GRYNGOLET AND GEDERE3 THE RAKE. GGK 2160
RAKEL
FOR HE THAT IS TO RAKEL TO RENDEN HIS CLOTHE3 PAT 526
RAKENTES
THER RAGNEL IN HIS RAKENTES HYM RERE OF HIS DREMES. PAT 188
THER RAGUEL IN HIS RAKENTES HYM RERE OF HIS DREMES. PAT V 188
RAKKES
RO3 RAKKES THER ROS WYTH RUDNYNG ANVNDER PAT 139
RAMEL
NO REST NE RECOUERER BOT RAMEL ANDE MYRE PAT 279
RAN
HARE3 HERTTE3 ALSO TO THE HY3E RUNNEN CLN 391
HE ROS VP FUL RADLY AND RAN HEM TO METE CLN 797
RYCHE RUTHED OF HER REST RAN TO HERE WEDES CLN 1208
THENNE RAN THAY TO THE RELYKES AS ROBBORS WYLDE. CLN 1269
THENNE RAN THAY IN ON A RES ON ROWTES FUL GRETE. CLN 1782
RONNEN RADLY IN ROUTE WITH RYNGANDE NOYCE. ERK 62
AND SYTHEN RICHE FORTH RUNNEN TO RECHE HONDESELLE GGK 66
RACHE3 THAT RAN ON RACE. GGK 1420
RUNNEN FORTH IN A RABEL IN HIS RY3T FARE GGK 1703
OFTE HE WAT3 RUNNEN AT WHEN HE OUT RAYKED. GGK 1727
AND HE RADLY VPROS AND RAN FRO HIS CHAYER. PAT 378
THER SUCH RYCHE3 TO ROT IS RUNNE. PRL 26
WHAT RESONABELE HYRE BE NA3T BE RUNNE PRL 523
RYCHE BLOD RAN ON RODE SO ROGHE PRL 646
LYK FLODE3 FELE LADEN RUNNEN ON RESSE PRL 874
A REUER OF THE TRONE THER RAN OUTRY3TE. PRL 1055
RANCOUR
AND MY RANKOR REFRAYNE FOR THY REKEN WORDE3 CLN 756
RANDE
STELE3 OUT FUL STILLY BI A STROTHE RANDE GGK 1710
RANDE3
AND RAWE3 AND RANDE3 AND RYCH REUER3 PRL 105
RANG
THE DERKE NY3T OUERDROFE AND DAYBELLE RONGE ERK 117
THER MONY BELLE3 FUL BRY3T OF BRENDE GOLDE RUNGEN GGK 195
RUNGEN FUL RYCHELY RY3T AS THAY SCHULDEN GGK 931
ROS THAT THE ROCHERE3 RUNGEN ABOUTE. GGK 1427
ROCHERES ROUNGEN BI RYS FOR RURDE OF HER HORNES. GGK 1698
WHAT HIT RUSCHED AND RONGE RAWTHE TO HERE. GGK 2204
RANK
FORTHY THA3 THE RAPE WERE RANK THE RAWTHE WAT3 LYTTEL. CLN 233
THAT WAT3 THE RAUEN SO RONK THAT REBEL WAT3 EUER CLN 455
BOT RELECE ALLE THAT REGIOUN OF HER RONK WERKKE3 CLN 760
HIT ARN RONK HIT ARN RYPE AND REDY TO MANNE CLN 869
THENNE THE REBAUDE3 SO RONK RERD SUCH A NOYSE CLN 873
THEN WOS THIS REAME RENAIDE MONY RONKE 3ERES. ERK 11
WITH RONKE RODE AS THE ROSE AND TWO REDE LIPPES. ERK 91
THAT HIT THAR RYNE NE ROTE NE NO RONKE WORMES ERK 262
THAT HIT THAR RYUE NE ROTE NE NO RONKE WORMES ERK V 262
BI RAWE3 RYCH AND RONK GGK 513
THUR3 MONY A REGIOUN FUL RO3E THUR3 RONK OF HIS WYLLE. PAT 298
IS THIS RY3TWYS THOU RENK ALLE THY RONK NOYSE PAT 490
FOR WOLLE QUYTE SO RONK AND RYF PRL 844
OF RAAS THA3 I WERE RASCH AND RONK PRL 1167
RANKLY
HERK RENK IS THIS RY3T SO RONKLY TO WRATH. PAT 431

RANKOR V. RANCOUR)
RAPE
    FORTHY THA3 THE RAPE WERE RANK THE RAWTHE WAT3 LYTTEL. . . . . CLN 233
RAPELY
    3ET HE RUSCHED ON THAT RURDE RAPELY A THROWE. . . . . GGK 2219
    IF RAPELY I RAUE SPORNANDE IN SPELLE . . . . PRL 363
    3ET RAPELY THERINNE I WAT3 RESTAYED. . . . . PRL 1168
RAPES
    AND HE RYCHES HYM TO RYSE AND RAPES HYM SONE. . . . . GGK 1309
    A RACH RAPES HYM TO RY3T ER HE MY3T. . . . . GGK 1903
RASCH (V. RASH)
RASED
    RASED HYM FUL RADLY OUT OF THE RACH MOUTHES . . . . GGK 1907
RASE3
    THEN BRAYNWOD FOR BATE ON BURNE3 HE RASE3. . . . . GGK 1461
RASH
    OF RAAS THA3 I WERE RASCH AND RONK . . . . PRL 1167
RASORES (V. RAZORS)
RASPED
    AND RASPED ON THE RO3 WO3E RUNISCH SAUE3 . . . . CLN 1545
    THAT RASPED RENYSCHLY THE WO3E WYTH THE RO3 PENNE . . . . . . CLN 1724
RASSE
    ON A RASSE OF A ROK HIT REST AT THE LASTE. . . . . CLN 446
    OF A RASSE BI A ROKK THER RENNE3 THE BOERNE . . . . GGK 1570
RATHELED
    THAT RATHELED IS IN ROCHE GROUNDE WITH ROTE3 A HUNDRETH . . . . GGK 2294
RATTED
    IN ON SO RATTED A ROBE AND RENT AT THE SYDE3. . . . . CLN 144
RATTES
    HOM BURDE HAUE ROTID AND BENE RENT IN RATTES LONGE SYTHEN . . ERK 260
RAUE (ALSO V. RAVE)
    BOT RESOUN OF RY3T THAT CON NO3T RAUE . . . . PRL 665
RAUEN (V. RAVEN)
RAUTHE (V. RAWTHE)
RAUYSTE (V. RAVISHED)
RAVE
    IF RAPELY I RAUE SPORNANDE IN SPELLE . . . . PRL 363
RAVEN
    THAT WAT3 THE RAUEN SO RONK THAT REBEL WAT3 EUER . . . . . . CLN 455
    THE RAUEN RAYKE3 HYM FORTH THAT RECHES FUL LYTTEL . . . . . . CLN 465
RAVISHED
    SO WAT3 I RAUYSTE WYTH GLYMME PURE . . . . PRL 1088
RAW
    RYOL ROLLANDE FAX TO RAW SYLK LYKE . . . . CLN 790
RAWE (V. ROW)
RAWE3 (V. ROWS)
RAWTHE
    FORTHY THA3 THE RAPE WERE RANK THE RAWTHE WAT3 LYTTEL. . . . . CLN 233
    THEROF CLATERED THE CLOUDES THAT KRYST MY3T HAF RAWTHE . . . . CLN 972
    NE FOR NO MONNES MANAS NE MESCHEFE NE ROUTHE. . . . . ERK 240
    WHAT HIT RUSCHED AND RONGE RAWTHE TO HERE. . . . . GGK 2204
    THAY AR HAPPEN ALSO THAT HAN IN HERT RAUTHE . . . . PAT 21
    DEWOYDE NOW THY VENGAUNCE THUR3 VERTU OF RAUTHE. . . . . . . PAT 284
    THE RURD SCHAL RYSE TO HYM THAT RAWTHE SCHAL HAUE . . . . . . PAT 396
    AND 3E REMEN FOR RAUTHE WYTHOUTEN RESTE . . . . PRL 858
RAXLED
    I RAXLED AND FEL IN GRET AFFRAY . . . . PRL 1174
RAY
    MONY RYAL RAY CON FRO HIT RERE . . . . PRL 160

RAYKANDE
THE RO3E RAYNANDE RYG NE THE RAYKANDE WAWE3 . . . CLN 382
WYTH A ROWNANDE ROURDE RAYKANDE ARY3T . . . PRL 112
RAYKE
WITH THAT THAY ROS VP RADLY AS THAY RAYKE SCHULDE . . . CLN 671
AND RYS AND RAYKE3 THENNE . . . GGK 1076
RYS RADLY HE SAYS AND RAYKE FORTH EUEN. . . . PAT 65
RAYKED
AS RICHE REUESTID AS HE WAS HE RAYKED TO THE TOUMBE . . . ERK 139
OFTE HE WAT3 RUNNEN AT WHEN HE OUT RAYKED. . . . GGK 1727
BOT ROS HIR VP RADLY RAYKED HIR THEDER. . . . GGK 1735
RAYKES
THE RAUEN RAYKE3 HYM FORTH THAT RECHES FUL LYTTEL . . . CLN 465
THENNE HE RYSES RADLY AND RAYKES BILYUE . . . PAT 89
RAYKE3 (V. RAYKE, RAYKES)
RAYLED
THAT WERE RICHELY RAYLED IN HIS ARAY CLENE . . . GGK 163
AND AL WAT3 RAYLED ON RED RYCHE GOLDE NAYLE3. . . . GGK 603
WITH RO3E RAGED MOSSE RAYLED AYWHERE . . . GGK 745
RICHE RED ON THAT ON RAYLED AYQUERE. . . . GGK 952
RAYN (V. RAIN)
RAYNANDE (V. RAINING)
RAYNE (V. RAIN, REIN)
RAYNE3 (V. REINS)
RAYNRYFTE (V. RAIN-RIFT)
RAYSE (V. RAISE)
RAYSED (V. RAISED)
RAYSOUN (V. REASON)
RAZORS
AS WEL SCHAPEN TO SCHERE AS SCHARP RASORES . . . GGK 213
RA3T (V. REACHED)
RA3TE3
THOU KYSSEDES MY CLERE WYF THE COSSE3 ME RA3TE3. . . . GGK 2351
REACH
REKENLY WYTH REUERENCE THAT RECHEN HIS AUTER. . . . CLN 10
RESTTE3 HERE ON THIS ROTE AND I SCHAL RACHCHE AFTER . . . CLN 619
AND VCHON ROTHELED TO THE REST THAT HE RECHE MO3T . . . CLN 890
TIL 3E RECHE TO A RESET REST 3E NEUER . . . CLN 906
AND TO RECHE HYM REUERENS AND HIS REUEL HERKKEN. . . . CLN 1369
RECHE THER REST AS HYM LYST HE ROS NEUER THERAFTER. . . . CLN 1766
REKEN WYTH REUERENCE THAY RECHEN HIS AUTER . . . CLN V 10
AND SYTHEN RICHE FORTH RUNNEN TO RECHE HONDESELLE . . . GGK 66
TO RECHE TO SUCH REUERENCE AS 3E REHERCE HERE . . . GGK 1243
MORE REWARDE BI RESOUN THEN I RECHE MY3T . . . GGK 1804
I SCHULD RECH YOW SUM REWARDE REDYLY IF I MY3T . . . GGK 2059
AND IF THOW RECHE3 ME ANY MO I REDYLY SCHAL QUYTE . . . GGK 2324
REACHED
HYM RWED THAT HE HEM VPRERDE AND RA3T HEM LYFLODE . . . CLN 561
AND THENNE AREST THE RENK AND RA3T NO FYRRE . . . CLN 766
AND TWENTYFOLDE TWYNANDE HIT TO HIS TOS RA3T. . . . CLN 1691
THY RENGNE RAFTE IS THE FRO AND RA3T IS THE PERSES. . . . CLN 1739
AND FOR I REWARDID EUER RI3T THAI RAGHT ME THE SEPTRE. . . . ERK 256
AND OF THE RICHE RESTORMENT THAT RA3T HYR OURE LORDE . . . ERK 280
AND WITH REUERENCE A ROWME HE RA3T HYR FOR EUER. . . . ERK 338
AND RUNYSCHLY HE RA3T OUT THERE AS RENKKE3 STODEN . . . GGK 432
HO RA3T HYM A RICHE RYNK OF RED GOLDE WERKE3. . . . GGK 1817
LAYS VP THE LUFLACE THE LADY HYM RA3T . . . GGK 1874
HALDE THE NOW THE HY3E HODE THAT ARTHUR THE RA3T . . . GGK 2297
REACHES

Line	Text	Ref
THAT WYTH HIS HI3LICH HERE THAT OF HIS HED RECHES	GGK	183
READ		
AS RENKE3 OF RELYGIOUN THAT REDEN AND SYNGEN.	CLN	7
AND ALS IN RESOUNE3 OF RY3T RED HIT MYSELUEN.	CLN	194
AND THAY REDEN HIM RY3T REWARDE HE HEM HETES.	CLN	1346
BOT THER WAT3 NEUER ON SO WYSE COUTHE ON WORDE REDE	CLN	1555
DEUINORES OF DEMORLAYKES THAT DREMES COWTHE REDE	CLN	1578
THA3 THOSE LEDES BEN LEWED LETTRES TO REDE	CLN	1596
FOR IF THOU REDES HIT BY RY3T AND HIT TO RESOUN BRYNGES	CLN	1633
RYCHE KYNG OF THIS RENGNE REDE THE OURE LORDE	CLN	1642
THURGHE SUM LYFLY GOSTE LANT OF HYM THAT AL REDES	ERK	192
THURGHE SUM LANT GOSTE LYFE OF HYM THAT AL REDES	ERK V	192
AND SYTHEN THAY REDDEN ALLE SAME.	GGK	363
BI THAT HIS RESOUN3 WERE REDDE	GGK	443
THAT HO HYM RED TO RYDE.	GGK	738
COM 3E THERE 3E BE KYLLED MAY THE KNY3T REDE.	GGK	2111
PARFORMED ALLE THE PENAUNCE THAT THE PRYNCE RADDE	PAT	406
RY3TWYSLY QUO CON REDE	PRL	709
I REDE THE FORSAKE THE WORLDE WODE	PRL	743
RY3TWYSLY QUOSO CON REDE	PRL 2	709
READILY		
AND IF THOU REDE3 HYM RY3T REDLY I TROWE	GGK	373
AND THOU HAT3 REDILY REHERSED BI RESOUN FUL TRWE	GGK	392
BOT THE RENK HIT RENAYED AND REDYLY HE SAYDE.	GGK	1821
I SCHULD RECH YOW SUM REWARDE REDYLY IF I MY3T	GGK	2059
AND IF THOW RECHE3 ME ANY MO I REDYLY SCHAL QUYTE	GGK	2324
READY		
FUL REDY AND FUL RY3TWYS AND REWLED HYM FAYRE	CLN	294
NOW NOE QUOTH OURE LORDE ART THOU AL REDY.	CLN	345
AND RE3TFUL WERN AND RESOUNABLE AND REDY THE TO SERUE.	CLN	724
HIT ARN RONK HIT ARN RYPE AND REDY TO MANNE	CLN	869
AND FOR I WAS RY3TWIS AND REKEN AND REDY OF THE LAGHE.	ERK	245
FYNDES HE A FAYR SCHYP TO THE FARE REDY	PAT	98
GODDE3 RY3T IS REDY AND EUERMORE RERT	PRL	591
REALM		
AND OF MY REME THE RYCHEST TO RYDE WYTH MYSELUEN	CLN	1572
THEN WOS THIS REAME RENAIDE MONY RONKE 3ERES.	ERK	11
AS THE REKENEST OF THE REAME REPAIREN THIDER OFTE	ERK	135
NOW RIDE3 THIS RENK THUR3 THE RYALME OF LOGRES	GGK	691
OF ALLE THE REME IS QUEN OTHER KYNG.	PRL	448
IS LYKE THE REME OF HEUENESSE CLERE.	PRL	735
IS LYKE THE REME OF HEUENES SPERE	PRL 2	735
IS LYKE THE REME OF HEUENES SPERE	PRL 3	735
REALMS		
COMEN NEUER OUT OF KYTH TO CALDEE REAMES	CLN	1316
THAT AL THE ROUS RENNES OF THUR3 RYALMES SO MONY	GGK	310
REAME (V. REALM)		
REAMES (V. REALMS)		
REAR		
THE COPEROUNES OF THE COUACLES THAT ON THE CUPPES RERE	CLN	1461
THER RAGNEL IN HIS RAKENTES HYM RERE OF HIS DREMES.	PAT	188
THER RAGUEL IN HIS RAKENTES HYM RERE OF HIS DREMES.	PAT V	188
MONY RYAL RAY CON FRO HIT RERE	PRL	160
REARED		
THE MUKEL LAUANDE LOGHE TO THE LYFTE RERED	CLN	366
OFTE HIT ROLED ON ROUNDE AND RERED ON ENDE	CLN	423
THENNE THE REBAUDE3 SO RONK RERD SUCH A NOYSE	CLN	873
NE BETTER BODYES ON BENT THER BARET IS RERED.	GGK	353
GODDE3 RY3T IS REDY AND EUERMORE RERT	PRL	591

REARS
    THE COPEROUNES OF THE COUACLES THAT ON THE CUPPE RERES . . . . CLN V 1461
REASON
    FOR THOU IN REYSOUN HAT3 RENGNED AND RY3TWYS BEN EUER. . . . . CLN 328
    FOR IF THOU REDES HIT BY RY3T AND HIT TO RESOUN BRYNGES . . . CLN 1633
    I REMEWIT NEUER FRO THE RI3T BY RESON MYN AWEN . . . . ERK 235
    BOT THE RICHE KYNGE OF RESON THAT RI3T EUER ALOWES. . . . . . ERK 267
    RAYSOUN . . . . GGK 227
    AND THOU HAT3 REDILY REHERSED BI RESOUN FUL TRWE . . . . . . GGK 392
    SO RYDE THAY OF BY RESOUN BI THE RYGGE BONE3. . . . . GGK 1344
    MORE REWARDE BI RESOUN THEN I RECHE MY3T . . . . GGK 1804
    ARAYNED HYM FUL RUNYSCHLY WHAT RAYSOUN HE HADE . . . . PAT 191
    THA3 RESOUN SETTE MYSELUEN SA3T . . . . PRL 52
    AND BUSYE3 THE ABOUTE A RAYSOUN BREF . . . . PRL 268
    BOT RESOUN OF RY3T THAT CON NO3T RAUE . . . . PRL 665
REASONABLE
    AND RE3TFUL WERN AND RESOUNABLE AND REDY THE TO SERUE. . . . . CLN 724
    WHAT RESONABELE HYRE BE NA3T BE RUNNE . . . . PRL 523
REASONS
    AND REKKEN VP ALLE THE RESOUN3 THAT HO BY RI3T ASKE3 . . . . . CLN 2
    FOR ROBORRYE AND RIBOUDRYE AND RESOUNE3 VNTRWE . . . . CLN 184
    AND ALS IN RESOUNE3 OF RY3T RED HIT MYSELUEN. . . . . CLN 194
    BOT ROYNYSHE WERE THE RESONES THAT THER ON ROW STODEN. . . . . ERK 52
    AND AL HIS RESONS ARE TORENT AND REDELES HE STONDES . . . . . ERK 164
    BI THAT HIS RESOUN3 WERE REDDE . . . . GGK 443
    AND WYTH HER RESOUNE3 FUL FELE RESTAYED . . . . PRL 716
REBAUDE3
    THENNE THE REBAUDE3 SO RONK RERD SUCH A NOYSE . . . . CLN 873
REBEL
    THAT WAT3 THE RAUEN SO RONK THAT REBEL WAT3 EUER . . . . CLN 455
REBOUNDE (V. REBOUNDED)
REBOUNDED
    WHEDERWARDE SO THE WATER WAFTE HIT REBOUNDE . . . . CLN 422
REBUKE
    REBUKE ME NEUER WYTH WORDE3 FELLE . . . . PRL 367
RECEIVE
    THER THE RUFUL RACE HE SCHULDE RESAYUE. . . . . GGK 2076
RECEN (V. RECKON)
RECH (V. REACH, RECK)
RECHATANDE
    AY RECHATANDE ARY3T TIL THAY THE RENK SE3EN . . . . GGK 1911
RECHATED
    HADEN HORNE3 TO MOUTHE HETERLY RECHATED . . . . GGK 1446
    HE RECHATED AND RODE THUR3 RONE3 FUL THYK. . . . . GGK 1466
RECHE (ALSO V. REACH)
    SUCHE A ROTHUN OF A RECHE ROS FRO THE BLAKE . . . . CLN 1009
RECHEN (V. REACH)
RECHES (V. REACHES, RECKS)
RECHE3 (V. REACH)
RECHLES (V. RECKLESS)
RECK
    NOW RECH I NEUER FOR TO DECLYNE . . . . PRL 333
RECKED
    THAT OF NO DIETE THAT DAY THE DEUEL HAF HE RO3T. . . . . . . PAT 460
    FRO THOU WAT3 WROKEN FRO VCH A WOTHE . . . . PRL 375
RECKLESS
    WITH RYCH REUEL ORY3T AND RECHLES MERTHES. . . . . GGK 40
RECKON
    AND REKKEN VP ALLE THE RESOUN3 THAT HO BY RI3T ASKE3 . . . . . CLN 2

HYS GENERACYOUN QUO RECEN CON.	PRL	827
RECKS		
THE RAUEN RAYKE3 HYM FORTH THAT RECHES FUL LYTTEL	CLN	465
RECORD		
BY TRW RECORDE OF AYTHER PROPHETE	PRL	831
RECORDE (V. RECORD)		
RECORDED		
RECORDED COUENAUNTE3 OFTE	GGK	1123
RECORDE3 (V. RECORDS)		
RECORDS		
ME MYNE3 ON ONE AMONGE OTHER AS MATHEW RECORDE3.	CLN	25
RECOUERER		
RECOUERER OF THE CREATOR THAY CRYED VCHONE	CLN	394
NO REST NE RECOUERER BOT RAMEL ANDE MYRE	PAT	279
RECREANT		
THERFORE COM OTHER RECREAUNT BE CALDE THE BEHOUES	GGK	456
RECREAUNT (V. RECREANT)		
RED (ALSO V. READ)		
ALSO RED AND SO RIPE AND RYCHELY HWED	CLN	1045
WITH RONKE RODE AS THE ROSE AND TWO REDE LIPPES.	ERK	91
AND RUNISCHLY HIS REDE Y3EN HE RELED ABOUTE	GGK	304
AND AL WAT3 RAYLED ON RED RYCHE GOLDE NAYLE3.	GGK	603
RYALLY WYTH RED GOLDE VPON REDE GOWLE3.	GGK	663
RYALLY WYTH RED GOLDE VPON REDE GOWLE3.	GGK	663
RUDELE3 RENNANDE ON ROPE3 RED GOLDE RYNGE3	GGK	857
RICHE RED ON THAT ON RAYLED AYQUERE.	GGK	952
BOTHE QUIT AND RED IN BLANDE	GGK	1205
IN REDE RUDEDE VPON RAK RISES THE SUNNE	GGK	1695
HO RA3T HYM A RICHE RYNK OF RED GOLDE WERKE3.	GGK	1817
VPON THAT RYOL RED CLOTHE THAT RYCHE WAT3 TO SCHEWE	GGK	2036
BLOME3 BLAYKE AND BLWE AND REDE	PRL	27
WYTH HORNE3 SEUEN OF RED GOLDE CLER.	PRL	1111
REDDE (V. READ)		
REDDEN (V. READ)		
REDE (ME)		
AL THAT EUER I YOW HY3T HALDE SCHAL I REDE	GGK	1970
REDE (V. READ, RED, REDE-M.E.)		
REDELES		
RYDELLES WERN THO GRETE ROWTES OF RENKKES WYTHINNE.	CLN	969
THENNE WERN THO ROWTES REDLES IN THO RYCHE WONES	CLN	1197
WHY HAT3 THOU RENDED THY ROBE FOR REDLES HEREINNE	CLN	1595
AND AL HIS RESONS ARE TORENT AND REDELES HE STONDES	ERK	164
AND RWE ON THO REDLES THAT REMEN FOR SYNNE	PAT	502
REDEN (V. READ)		
REDES (V. READ)		
REDE3		
AND IF THOU REDE3 HYM RY3T REDLY I TROWE	GGK	373
REDILY (V. READILY)		
REDLES (V. REDELES)		
REDLY (V. READILY)		
REDY (V. READY)		
REDYLY (V. READILY)		
REEL		
HERE AR NO RENKES VS TO RYDDE RELE AS VS LIKE3	GGK	2246
REELED		
AND RELED HYM VP AND DOUN	GGK	229
AND RUNISCHLY HIS REDE Y3EN HE RELED ABOUTE	GGK	304
AND OFTE RELED IN A3AYN SO RENIARDE WAT3 WYLE	GGK	1728
FOR HIT RELED ON ROUN VPON THE RO3E YTHES.	PAT	147

Entry	Text	Source	Line
REELING			
	RELANDE IN BY A ROP A RODE THAT HYM THO3T.	PAT	270
REEVE			
	CALLED TO THE REUE LEDE PAY THE MEYNY	PRL	542
REFET (V. REFETE)			
REFETE			
	FOR THAY SCHAL FRELY BE REFETE FUL OF ALLE GODE.	PAT	20
	AS FOCE HIT CON ME FAYRE REFETE	PRL	88
	THE LOMBE THE SAKERFYSE THER TO REFET	PRL	1064
REFETYD			
	THER RICHELY HIT ARNE REFETYD THAT AFTER RIGHT HUNGRIDE	ERK	304
REFLAYR			
	AND THER WAT3 ROSE REFLAYR WHERE ROTE HAT3 BEN EUER	CLN	1079
	A FAYR REFLAYR 3ET FRO HIT FLOT	PRL	46
REFORM			
	REFOURME WE OURE FORWARDES ER WE FYRRE PASSE.	GGK	378
REFOURME (V. REFORM)			
REFRAIN			
	AND MY RANKOR REFRAYNE FOR THY REKEN WORDE3	CLN	756
REFRAYNE (V. REFRAIN)			
REFUSE			
	OTHER LACH THER HIR LUF OTHER LODLY REFUSE	GGK	1772
REGET			
	THE LOMBE THE SAKERFYSE THER TO REGET	PRL 1	1064
	THE LOMBE THE SAKERFYSE THER TO REGET	PRL 2	1064
	THE LOMBE THE SAKEFYSE THER TO REGET	PRL 3	1064
REGION			
	BOT RELECE ALLE THAT REGIOUN OF HER RONK WERKKE3	CLN	760
	THAT ALLE THE REGIOUN TOROF IN RIFTES FUL GRETE.	CLN	964
	THUR3 MONY A REGIOUN FUL RO3E THUR3 RONK OF HIS WYLLE.	PAT	298
	SO SODENLY OF THAT FAYRE REGIOUN.	PRL	1178
REGIONS			
	WERN OF THE REGIOUNES RY3T THAT HE RENAYED HADE.	PAT	344
REGIOUN (V. REGION)			
REGIOUNES (V. REGIONS)			
REGNE (V. REIGN)			
REGNYD (V. REIGNED)			
REGRETTED			
	REGRETTED BY MYN ONE ON NY3TE.	PRL	243
REHAYTE			
	AND REHAYTE REKENLY THE RICHE AND THE POUEREN	CLN	127
REHAYTED			
	FUL HENDELY QUEN ALLE THE HATHELES REHAYTED HYM AT ONE3	GGK	895
	THE HUNT REHAYTED THE HOUNDE3 THAT HIT FYRST MYNGED	GGK	1422
	AND RADLY THUS REHAYTED HYM WITH HIR RICHE WORDE3	GGK	1744
REHEARSE			
	TO RECHE TO SUCH REUERENCE AS 3E REHERCE HERE	GGK	1243
REHEARSED			
	AND THOU HAT3 REDILY REHERSED BI RESOUN FUL TRWE	GGK	392
REHERCE (V. REHEARSE)			
REHERSED (V. REHEARSED)			
REIATE3			
	THAT REIATE3 HAT3 SO RYCHE AND RYF	PRL	770
REIGN			
	BOT EUER RENNE RESTLE3 RENGNE3 3E THERINNE	CLN	527
	HE WAT3 STALLED IN HIS STUD AND STABLED THE RENGNE.	CLN	1334
	RYCHE KYNG OF THIS RENGNE REDE THE OURE LORDE	CLN	1642
	STYFLY STABLED THE RENGNE BI THE STRONGE DRY3TYN	CLN	1652
	THY WALE RENGNE IS WALT IN WE3TES TO HENG.	CLN	1734

THY RENGNE RAFTE IS THE FRO AND RA3T IS THE PERSES. CLN 1739
IN THE REGNE OF THE RICHE KYNGE THAT REWLIT VS THEN ERK 212
MY REGNE HE SAYT3 IS LYK ON HY3T. PRL 501
AND SCHEUED HYM THE RENGNE OF GOD AWHYLE PRL 692

REIGNED
FOR THOU IN REYSOUN HAT3 RENGNED AND RY3TWYS BEN EUER. CLN 328
HIT WAT3 SEN IN THAT SYTHE THAT 3EDECHYAS RENGNED CLN 1169
THAT RYCHE IN GRET RIALTE RENGNED HIS LYUE CLN 1321
THAT MAY MENE IN HIS MYNDE THAT SUCHE A MON REGNYD. ERK 151

REIN
THE RAYNE AND HIT RICHED WITH A RO3E BRAUNCHE GGK 2177
THE RAYNE AND HIS RICHE WITH A RO3E BRAUNCHE. GGK V 2177

REINS
RYPANDE OF VCHE A RING THE REYNYE3 AND HERT CLN 592
WITH A RUNISCH ROUT THE RAYNE3 HE TORNE3 GGK 457

REKEN
AND THE REMNAUNT BE REKEN HOW RESTES THE WYLLE CLN 738
AND MY RANKOR REFRAYNE FOR THY REKEN WORDE3 CLN 756
AND RIAL RYNGANDE ROTES AND THE REKEN FYTHEL. CLN 1082
REKEN WYTH REUERENCE THAY RECHEN HIS AUTER CLN V 10
AND FOR I WAS RY3TWIS AND REKEN AND REDY OF THE LAGHE. ERK 245
SO ROUNDE SO REKEN IN VCHE ARAYE. PRL 5
HER REKEN MYRTHE MO3T NOT RETRETE PRL 92
AND THOU SO RYCHE A REKEN ROSE PRL 906

REKENEST
AS THE REKENEST OF THE REAME REPAIREN THIDER OFTE ERK 135

REKENLY
REKENLY WYTH REUERENCE THAT RECHEN HIS AUTER. CLN 10
AND REHAYTE REKENLY THE RICHE AND THE POUEREN CLN 127
REKENLY WYTH REUERENS AS HE RY3T HADE CLN 1318
REKENLY OF THE ROUNDE TABLE ALLE THO RICH BRETHER GGK 39
AND REKENLY HYM REUERENCED FOR RAD WAS HE NEUER. GGK 251
AND HE HEM RAYSED REKENLY AND ROD OUER THE BRYGGE GGK 821

REKKEN (V. RECKON)
RELANDE (V. REELING)
RELE (V. REEL)

RELEASE
BOT RELECE ALLE THAT REGIOUN OF HER RONK WERKKE3 CLN 760
I RELECE THE OF THE REMNAUNT OF RY3TES ALLE OTHER GGK 2342
THAT AY SCHAL LASTE WYTHOUTEN RELES. PRL 956

RELECE (V. RELEASE)
RELED (V. REELED)
RELEFE (V. RELIEF)
RELES (V. RELEASE)
RELEUE (V. RELIEVE)

RELICS
AND ROBBED THE RELYGIOUN OF RELYKES ALLE CLN 1156
THENNE RAN THAY TO THE RELYKES AS ROBBORS WYLDE. CLN 1269

RELIEF
AND THE RELEFE OF THE LODELY LURES THAT MY SOULE HAS LEUYD IN ERK 328

RELIEVE
THOU SCHAL RELEUE ME RENK WHIL THY RY3T SLEPE3 PAT 323

RELIGION
AS RENKE3 OF RELYGIOUN THAT REDEN AND SYNGEN. CLN 7
AND ROBBED THE RELYGIOUN OF RELYKES ALLE CLN 1156

RELUCENT
A CRYSTAL CLYFFE FUL RELUSAUNT PRL 159

RELUSAUNT (V. RELUCENT)
RELYGIOUN (V. RELIGION)

RELYKES (V. RELICS)
REME (ALSO V. REALM)

AND RWE ON THO REDLES THAT REMEN FOR SYNNE	PAT	502
AND 3E REMEN FOR RAUTHE WYTHOUTEN RESTE	PRL	858
AND REWFULLY THENNE I CON TO REME	PRL	1181

REMEMBERED

THENNE I REMEMBRED ME RY3T OF MY RYCH LORDE	PAT	326

REMEMBRED (V. REMEMBERED)
REMEN (V. REME)
REMENE

THAT I NE TY3T AT THIS TYME IN TALE TO REMENE	GGK	2483

REMEWIT (V. REMUED)
REMNANT

THAT RO3LY WAT3 THE REMNAUNT THAT THE RAC DRYUE3	CLN	433
AND THE REMNAUNT BE REKEN HOW RESTES THE WYLLE	CLN	738
I RELECE THE OF THE REMNAUNT OF RY3TES ALLE OTHER	GGK	2342
AND WE SCHYN REUEL THE REMNAUNT OF THIS RYCHE FEST	GGK	2401
TO SWYMME THE REMNAUNT THA3 I THER SWALTE	PRL	1160

REMORDE

WHEN I RIDE IN RENOUN REMORDE TO MYSELUEN	GGK	2434
MY HERTE WAT3 AL WYTH MYSSE REMORDE	PRL	364

REMUED

WHEN THE METE WAT3 REMUED AND THAY OF MENSK SPEKEN	CLN	646
AND THOU REMUED FRO MONNES SUNES ON MOR MOST ABIDE	CLN	1673
I REMEWIT NEUER FRO THE RI3T BY RESON MYN AWEN	ERK	235

REMWE

HIS MODE FORTO REMWE	GGK	1475
THE CROUNE FRO HYR QUO MO3T REMWE	PRL	427
THAT MOTELES MEYNY MAY NEUER REMWE	PRL	899

RENAIDE (V. RENAYED)
RENAUD (V. REYNARDE)
RENAUDE (V. REYNARDE)
RENAY

IF 3E RENAY MY RYNK TO RYCHE FOR HIT SEME3	GGK	1827

RENAYED

FOR CERTE3 THYSE ILK RENKE3 THAT ME RENAYED HABBE	CLN	105
THEN WOS THIS REAME RENAIDE MONY RONKE 3ERES	ERK	11
BOT THE RENK HIT RENAYED AND REDYLY HE SAYDE	GGK	1821
WERN OF THE REGIOUNES RY3T THAT HE RENAYED HADE	PAT	344

REND

FOR HE THAT IS TO RAKEL TO RENDEN HIS CLOTHE3	PAT	526

RENDED (V. RENT)
RENDEN (V. REND)
RENDE3 (V. RENDS)
RENDS

AND SYTHEN RENDE3 HIM AL ROGHE BI THE RYGGE AFTER	GGK	1608

RENES (V. RUNS)
RENGNE (V. REIGN)
RENGNED (V. REIGNED)
RENGNE3 (V. REIGN)
RENIARDE (V. REYNARDE)
RENISCHCHE (V. RUNISCH)
RENK

RYPANDE OF VCHE A RING THE REYNYE3 AND HERT	CLN	592
AND THENNE AREST THE RENK AND RA3T NO FYRRE	CLN	766
WERE A RENKE NEUER SO RICHE FOR REUERENS SAKE	ERK	239
HE THAT REWARDES VCHE A RENKE AS HE HAS RI3T SERUYD	ERK	275
THE RENK ON HIS ROUNCE HYM RUCHED IN HIS SADEL	GGK	303
NOW RIDE3 THIS RENK THUR3 THE RYALME OF LOGRES	GGK	691

THEN RUTHES HYM THE RENK AND RYSES TO THE MASSE.	GGK	1558
BOT THE RENK HIT RENAYED AND REDYLY HE SAYDE.	GGK	1821
AY RECHATANDE ARY3T TIL THAY THE RENK SE3EN .	GGK	1911
IS RYCHED AT THE REUERENCE ME RENK TO METE	GGK	2206
AND WYTH A RYNKANDE RURDE HE TO THE RENK SAYDE .	GGK	2337
THOU SCHAL RELEUE ME RENK WHIL THY RY3T SLEPE3 .	PAT	323
THENNE THE RENK RADLY ROS AS HE MY3T	PAT	351
HERK RENK IS THIS RY3T SO RONKLY TO WRATH.	PAT	431
IS THIS RY3TWYS THOU RENK ALLE THY RONK NOYSE	PAT	490
RENKE (V. RENK)		
RENKES		
AS RENKE3 OF RELYGIOUN THAT REDEN AND SYNGEN.	CLN	7
MONY RENISCHCHE RENKE3 AND 3ET IS ROUM MORE .	CLN	96
FOR CERTE3 THYSE ILK RENKE3 THAT ME RENAYED HABBE .	CLN	105
THAT WAT3 RYAL AND RYCHE SO WAT3 THE RENKES SELUEN.	CLN	786
RYDELLES WERN THO GRETE ROWTES OF RENKKES WYTHINNE.	CLN	969
QUEN RENKKES IN THAT RYCHE ROK RENNEN HIT TO CACHE.	CLN	1514
AND IF RENKES FOR RI3T THUS ME ARAYED HAS.	ERK	271
AND RUNYSCHLY HE RA3T OUT THERE AS RENKKE3 STODEN .	GGK	432
RYCHE ROBES FUL RAD RENKKE3 HYM BRO3TEN	GGK	862
ARAYED FOR THE RYDYNG WITH RENKKE3 FUL MONY .	GGK	1134
HERE AR NO RENKES VS TO RYDDE RELE AS VS LIKE3 .	GGK	2246
RENKE3 (V. RENKES)		
RENKKES (V. RENKES)		
RENKKE3 (V. RENKES)		
RENNANDE (V. RUNNING)		
RENNE (V. RUN)		
RENNEN (V. RUN)		
RENNES (V. RUNS)		
RENNE3 (V. RUNS)		
RENOUN (V. RENOWN)		
RENOWLE3		
AND RENOWLE3 NWE IN VCHE A MONE .	PRL	1080
RENOWN		
QUO WALT THER MOST RENOUN .	GGK	231
NOW IS THE REUEL AND THE RENOUN OF THE ROUNDE TABLE	GGK	313
ALLE THE MEYNY OF RENOUN	GGK	2045
WHEN I RIDE IN RENOUN REMORDE TO MYSELUEN.	GGK	2434
THAT RENNES OF THE GRETE RENOUN OF THE ROUNDE TABLE	GGK	2458
FOR THAT WAT3 ACORDED THE RENOUN OF THE ROUNDE TABLE .	GGK	2519
I SY3E THAT CYTY OF GRET RENOUN .	PRL	986
O PERLE QUOTH I OF RYCH RENOUN	PRL	1182
RENT		
WYTH RENT COKRE3 AT THE KNE AND HIS CLUTTE3 TRASCHED .	CLN	40
IN ON SO RATTED A ROBE AND RENT AT THE SYDE3.	CLN	144
WHY HAT3 THOU RENDED THY ROBE FOR REDLES HEREINNE .	CLN	1595
WYTH RENT COKRE3 AT THE KNE AND HIS CLUTTE TRASCHE3	CLN V	40
HOM BURDE HAUE ROTID AND BENE RENT IN RATTES LONGE SYTHEN	ERK	260
WAT3 AL TORACED AND RENT AT THE RESAYT.	GGK	1168
SYTHEN RYTTE THAY THE FOURE LYMMES AND RENT OF THE HYDE .	GGK	1332
AND RENT ON RODE WYTH BOYE3 BOLDE	PRL	806
RENYSCHLY (V. RUNISCHLY)		
REPAIR		
AS THE REKENEST OF THE REAME REPAIREN THIDER OFTE .	ERK	135
WYTH ALLE KYNNE3 PERRE THAT MO3T REPAYRE .	PRL	1028
REPAIREN (V. REPAIR)		
REPAIRS		
MUCH PYPYNG THER REPAYRES .	GGK	1017
REPARDE		

Entry	Context	Text	Line
	NO BLYSSE BET3 FRO HEM REPARDE	PRL	611
REPAYRE (V. REPAIR)			
REPAYRES (V. REPAIRS)			
REPENT			
	THAT SYNNE3 THENNE NEW 3IF HIM REPENTE.	PRL	662
REPENTE (V. REPENT)			
REPRENE			
	AND FYRRE THAT NON ME MAY REPRENE	PRL	544
REPREUED (V. REPROVED)			
REPROVED			
	AND THENNE REPREUED HE THE PRYNCE WITH MONY PROWDE WORDE3	GGK	2269
REQUEST			
	TO BE EXCUSED I MAKE REQUESTE.	PRL	281
REQUESTE (V. REQUEST)			
REQUIRE			
	FORTHY SIR THIS ENQUEST I REQUIRE YOW HERE	GGK	1056
RERD (V. REARED)			
RERE (V. REAR)			
RERED (V. REARED)			
RERES (V. REARS)			
RERT (V. REARED)			
RES (CP. RACE)			
	THENNE RAN THAY IN ON A RES ON ROWTES FUL GRETE.	CLN	1782
	AND AY RACHCHES IN A RES RADLY HEM FOL3ES.	GGK	1164
	AND ALLE THE RABEL IN A RES RY3T AT HIS HELE3	GGK	1899
	LYK FLODE3 FELE LADEN RUNNEN ON RESSE	PRL	874
RESAYT (V. RESET)			
RESAYUE (V. RECEIVE)			
RESCOGHE (V. RESCUE)			
RESCOWE (V. RESCUE)			
RESCUE			
	THAT HOPED OF NO RESCOWE	GGK	2308
	TO HYM THAT MAT3 IN SYNNE RESCOGHE	PRL	610
RESET			
	TIL 3E RECHE TO A RESET REST 3E NEUER	CLN	906
	WAT3 AL TORACED AND RENT AT THE RESAYT.	GGK	1168
	AND SE3E NO SYNGNE OF RESETTE BISYDE3 NOWHERE	GGK	2164
	THER ENTRE3 NON TO TAKE RESET.	PRL	1067
RESETTE (V. RESET)			
RESON (V. REASON)			
RESONABELE (V. REASONABLE)			
RESONES (V. REASONS)			
RESONS (V. REASONS)			
RESOUN (V. REASON)			
RESOUNABLE (V. REASONABLE)			
RESOUNE3 (V. REASONS)			
RESOUN3 (V. REASONS)			
RESPECT			
	IN RESPECTE OF THAT ADUBBEMENT	PRL	84
RESPECTE (V. RESPECT)			
RESPITE			
	AND 3ET GIF HYM RESPITE.	GGK	297
	THERINNE TO WON WYTHOUTE RESPYT	PRL	644
RESSE (V. RES)			
REST (ALSO V. RESTED)			
	RESTTE3 HERE ON THIS ROTE AND I SCHAL RACHCHE AFTER	CLN	619
	AND VCHON ROTHELED TO THE REST THAT HE RECHE MO3T	CLN	890
	TIL 3E RECHE TO A RESET REST 3E NEUER	CLN	906

RYCHE RUTHED OF HER REST RAN TO HERE WEDES . . . . CLN 1208
RECHE THER REST AS HYM LYST HE ROS NEUER THERAFTER. . . . . . CLN 1766
AND BLYTHELY BRO3T TO HIS BEDDE TO BE AT HIS REST . . . . . . GGK 1990
DURST NOWHERE FOR RO3 AREST AT THE BOTHEM. . . . . PAT 144
NO REST NE RECOUERER BOT RAMEL ANDE MYRE . . . . PAT 279
OTHER REST WYTHINNE THY HOLY PLACE . . . . PRL 679
AND 3E REMEN FOR RAUTHE WYTHOUTEN RESTE . . . . PRL 858
THAT FELDE I NAWTHER RESTE NE TRAUAYLE. . . . . PRL 1087
RESTAY
THENNE ROS HO VP AND CON RESTAY . . . . PRL 437
RESTAYED
RESTAYED WITH THE STABLYE THAT STOUTLY ASCRYED . . . . GGK 1153
THE LORDE HYM LETTED OF THAT TO LENGE HYM RESTEYED. . . . . GGK 1672
AND WYTH HER RESOUNE3 FUL FELE RESTAYED . . . . PRL 716
3ET RAPELY THERINNE I WAT3 RESTAYED. . . . . PRL 1168
RESTE (V. REST)
RESTED
ON A RASSE OF A ROK HIT REST AT THE LASTE. . . . . CLN 446
ER THOU HAF BIDEN WITH THI BURNE AND VNDER BO3E RESTTED . . . CLN 616
THE HATHEL HELDET HYM FRO AND ON HIS AX RESTED . . . . GGK 2331
RESTES (V. RESTS)
RESTEYED (V. RESTAYED)
RESTLESS
BOT EUER RENNE RESTLE3 RENGNE3 3E THERINNE . . . . CLN 527
RESTLE3 (V. RESTLESS)
RESTORE
I CON NOT HIT RESTORE . . . . GGK 2283
TRWE MON TRWE RESTORE . . . . GGK 2354
RESTORED
THENNE SONE WAT3 HE SENDE AGAYN HIS SETE RESTORED . . . . . . CLN 1705
AND THAT IS RESTORED IN SELY STOUNDE . . . . PRL 659
RESTOREMENT
AND OF THE RICHE RESTORMENT THAT RA3T HYR OURE LORDE . . . . . ERK 280
RESTORMENT (V. RESTOREMENT)
RESTS
AND THE REMNAUNT BE REKEN HOW RESTES THE WYLLE . . . . CLN 738
RESTTED (V. RESTED)
RESTTE3 (V. REST)
RETREAT
HER REKEN MYRTHE MO3T NOT RETRETE . . . . PRL 92
RETRETE (V. RETREAT)
REUE (ALSO V. REEVE)
HO WAYUED ME THIS WONDER YOUR WYTTE3 TO REUE. . . . . GGK 2459
HO WAYNED ME THIS WONDER YOUR WYTTE3 TO REUE. . . . . GGK V 2459
BOT NOW I SE THOU ART SETTE MY SOLACE TO REUE . . . . PAT 487
REUEL (V. REVEL)
REUELE (V. REVEAL)
REUER (V. RIVER)
REUERENCE (V. REVERENCE)
REUERENCED (V. REVERENCED)
REUERENS (V. REVERENCE)
REUER3 (V. RIVERS)
REUESTID (V. REVESTED)
REULE (V. RULE)
REVEAL
TO VOUCHESAFE TO REUELE HYM HIT BY AVISION OR ELLES . . . . . ERK 121
REVEL
AND TO RECHE HYM REUERENS AND HIS REUEL HERKKEN. . . . . . . CLN 1369
WITH RYCH REUEL ORY3T AND RECHLES MERTHES. . . . . GGK 40

NOW IS THE REUEL AND THE RENOUN OF THE ROUNDE TABLE . . . . . GGK 313
WITH MUCH REUEL AND RYCHE OF THE ROUNDE TABLE . . . . GGK 538
AND WE SCHYN REUEL THE REMNAUNT OF THIS RYCHE FEST. . . . . . GGK 2401

REVERENCE
REKENLY WYTH REUERENCE THAT RECHEN HIS AUTER. . . . . CLN 10
REKENLY WYTH REUERENS AS HE RY3T HADE . . . . CLN 1318
AND TO RECHE HYM REUERENS AND HIS REUEL HERKKEN. . . . . CLN 1369
REKEN WYTH REUERENCE THAY RECHEN HIS AUTER . . . . CLN V 10
WERE A RENKE NEUER SO RICHE FOR REUERENS SAKE . . . . ERK 239
AND WITH REUERENCE A ROWME HE RA3T HYR FOR EUER. . . . . ERK 338
TO RECHE TO SUCH REUERENCE AS 3E REHERCE HERE . . . . GGK 1243
IS RYCHED AT THE REUERENCE ME RENK TO METE . . . . GGK 2206

REVERENCED
AND REKENLY HYM REUERENCED FOR RAD WAS HE NEUER. . . . . GGK 251

REVESTED
AS RICHE REUESTID AS HE WAS HE RAYKED TO THE TOUMBE . . . . . ERK 139

REWARD
AND HE VNKYNDELY AS A KARLE KYDDE A REWARD . . . . CLN 208
AND THAY REDEN HIM RY3T REWARDE HE HEM HETES. . . . . CLN 1346
MORE REWARDE BI RESOUN THEN I RECHE MY3T . . . . GGK 1804
HOR HOUNDE3 THAY THER REWARDE. . . . . GGK 1918
I SCHULD RECH YOW SUM REWARDE REDYLY IF I MY3T . . . . GGK 2059
WHETHER LYTTEL OTHER MUCH BE HYS REWARDE . . . . PRL 604

REWARDE (V. REWARD)

REWARDED
AND FOR I REWARDID EUER RI3T THAI RAGHT ME THE SEPTRE. . . . . ERK 256

REWARDES (V. REWARDS)
REWARDE3 (V. REWARDS)
REWARDID (V. REWARDED)

REWARDS
HE THAT REWARDES VCHE A RENKE AS HE HAS RI3T SERUYD . . . . . ERK 275
WITH BRED BLENT THERWITH HIS BRACHES REWARDE3 . . . . GGK 1610

REWFULLY (V. RUEFULLY)
REWLED (V. RULED)
REWLIT (V. RULED)

REYNARDE
AND OFTE RELED IN A3AYN SO RENIARDE WAT3 WYLE . . . . GGK 1728
RENAUD COM RICHCHANDE THUR3 A RO3E GREUE . . . . GGK 1898
THE RICH RURD THAT THER WAT3 RAYSED FOR RENAUDE SAULE. . . . . GGK 1916
AND SYTHEN THAY TAN REYNARDE . . . . GGK 1920

REYNYE3 (V. REINS)
REYSOUN (V. REASON)
RE3TFUL (V. RIGHTFUL)
RIAL (V. ROYAL)
RIALLE (V. ROYAL)
RIALTE (V. ROYALTY)
RIALTY (V. ROYALTY)

RIB
THENN THURLED THAY AYTHER THIK SIDE THUR3 BI THE RYBBE . . . . GGK 1356

RIBALDRY
FOR ROBORRYE AND RIBOUDRYE AND RESOUNE3 VNTRWE . . . . CLN 184

RIBALDS
ON RODE RWLY TORENT WYTH RYBAUDES MONY. . . . . PAT 96

RIBOUDRYE (V. RIBALDRY)

RIBS
ALLE THE RYME3 BY THE RYBBE3 RADLY THAY LAUCE . . . . GGK 1343
SCHEWE3 HYM THE SCHYREE GRECE SCHORNE VPON RYBBES . . . . . . GGK 1378
ALLE THE RYME3 BY THE RYBBE3 RADLY THAY LANCE . . . . GGK V 1343

RICCHIS (V. RYCHES)

RICH

WHEN HE WERE SETTE SOLEMPNELY IN A SETE RYCHE	CLN	37
AS MATHEW MELE3 IN HIS MASSE OF THAT MAN RYCHE	CLN	51
AND REHAYTE REKENLY THE RICHE AND THE POUEREN	CLN	127
THENNE MAY THOU SE THY SAUIOR AND HIS SETE RYCHE	CLN	176
BOT THER HE TYNT THE TYTHE DOOL OF HIS TOUR RYCHE	CLN	216
FUL FELLY FOR THAT ILK FAUTE FORFERDE A KYTH RYCHE.	CLN	571
THAT WAT3 RYAL AND RYCHE SO WAT3 THE RENKES SELUEN.	CLN	786
THAT WAT3 RYALLY ARAYED FOR HE WAT3 RYCHE EUER	CLN	812
THAT COM A BOY TO THIS BOR3 THA3 THOU BE BURNE RYCHE	CLN	878
AND IF HE LOUYES CLENE LAYK THAT IS OURE LORDE RYCHE	CLN	1053
AND EFTE WHEN HE BORNE WAT3 IN BETHELEN THE RYCHE	CLN	1073
HOV THE GENTRYSE OF JUISE AND JHERUSALEM THE RYCHE.	CLN	1159
THENNE WERN THO ROWTES REDLES IN THO RYCHE WONES	CLN	1197
RYCHE RUTHED OF HER REST RAN TO HERE WEDES	CLN	1208
AND BEDE THE BURNE TO BE BRO3T TO BABYLOYN THE RYCHE	CLN	1223
THAT THE AUTER HADE VPON OF ATHEL GOLDE RYCHE	CLN	1276
MONI SEMLY SYRE SOUN AND SWYTHE RYCH MAYDENES	CLN	1299
BOT THE IOY OF THE IUELRYE SO GENTYLE AND RYCHE.	CLN	1309
THAT RYCHE IN GRET RIALTE RENGNED HIS LYUE	CLN	1321
TO ROSE HYM IN HIS RIALTY RYCH MEN SO3TTEN	CLN	1371
AND AL IN ASURE AND YNDE ENAUMAYLD RYCHE	CLN	1411
STAD IN A RYCHE STAL AND STARED FUL BRY3TE	CLN	1506
THER WAT3 RYNGING ON RY3T OF RYCHE METALLES	CLN	1513
QUEN RENKKES IN THAT RYCHE ROK RENNEN HIT TO CACHE.	CLN	1514
RYCHE KYNG OF THIS RENGNE REDE THE OURE LORDE	CLN	1642
FOR HIS LORDESCHYP SO LARGE AND HIS LYF RYCHE	CLN	1658
THUS HE COUNTES HYM A KOW THAT WAT3 A KYNG RYCHE	CLN	1685
ARAIDE ON A RICHE WISE IN RIALLE WEDES.	ERK	77
AND ON HIS COYFE WOS KEST A CORON FUL RICHE	ERK	83
AS RICHE REUESTID AS HE WAS HE RAYKED TO THE TOUMBE	ERK	139
IN THE REGNE OF THE RICHE KYNGE THAT REWLIT VS THEN	ERK	212
WERE A RENKE NEUER SO RICHE FOR REUERENS SAKE	ERK	239
BOT THE RICHE KYNGE OF RESON THAT RI3T EUER ALOWES.	ERK	267
AND OF THE RICHE RESTORMENT THAT RA3T HYR OURE LORDE	ERK	280
FRO RICHE ROMULUS TO ROME RICCHIS HYM SWYTHE.	GGK	8
ANDE QUEN THIS BRETAYN WAT3 BIGGED BI THIS BURN RYCH	GGK	20
REKENLY OF THE ROUNDE TABLE ALLE THO RICH BRETHER	GGK	39
WITH RYCH REUEL ORY3T AND RECHLES MERTHES.	GGK	40
AND SYTHEN RICHE FORTH RUNNEN TO RECHE HONDESELLE	GGK	66
OF BRY3T GOLDE VPON SILK BORDES BARRED FUL RYCHE	GGK	159
ON BOTOUN3 OF THE BRY3T GRENE BRAYDEN FUL RYCHE.	GGK	220
IN A SWOGHESYLENCE THUR3 THE SALE RICHE	GGK	243
I SCHAL GIF HYM OF MY GYFT THYS GISERNE RYCHE	GGK	288
I WOLDE COM TO YOUR COUNSEYL BIFORE YOUR CORT RYCHE	GGK	347
RUCHE TOGEDER CON ROUN	GGK	362
AS THOU DELES ME TODAY BIFORE THIS DOUTHE RYCHE.	GGK	397
BI RAWE3 RYCH AND RONK	GGK	513
WITH MUCH REUEL AND RYCHE OF THE ROUNDE TABLE	GGK	538
WYTH RYCHE COTEARMURE	GGK	586
WHEN HE WAT3 HASPED IN ARMES HIS HARNAYS WAT3 RYCHE	GGK	590
AND AL WAT3 RAYLED ON RED RYCHE GOLDE NAYLE3.	GGK	603
RYCHE ROBES FUL RAD RENKKE3 HYM BRO3TEN	GGK	862
OF A BROUN BLEEAUNT ENBRAUDED FUL RYCHE	GGK	879
AND HE SETE IN THAT SETTEL SEMLYCH RYCHE	GGK	882
THAT IS THE RYCHE RYAL KYNG OF THE ROUNDE TABLE.	GGK	905
RICHE RED ON THAT ON RAYLED AYQUERE.	GGK	952
GAWAYN GRAYTHELY AT HOME IN GERE3 FUL RYCHE	GGK	1470

3E BEN RYCHE IN A WHYLE.	GGK	1646
AND RADLY THUS REHAYTED HYM WITH HIR RICHE WORDE3	GGK	1744
HO RA3T HYM A RICHE RYNK OF RED GOLDE WERKE3.	GGK	1817
IF 3E RENAY MY RYNK TO RYCHE FOR HIT SEME3	GGK	1827
THE RICH RURD THAT THER WAT3 RAYSED FOR RENAUDE SAULE.	GGK	1916
THE RYNGE3 ROKKED OF THE ROUST OF HIS RICHE BRUNY	GGK	2018
VPON THAT RYOL RED CLOTHE THAT RYCHE WAT3 TO SCHEWE	GGK	2036
AND WE SCHYN REUEL THE REMNAUNT OF THIS RYCHE FEST.	GGK	2401
IN A SWOGHE SYLENCE THUR3 THE SALE RICHE	GGK V	243
THE RAYNE AND HIS RICHE WITH A RO3E BRAUNCHE.	GGK V	2177
THENNE I REMEMBRED ME RY3T OF MY RYCH LORDE	PAT	326
HIS RYCHE ROBE HE TOROF OF HIS RIGGE NAKED	PAT	379
WHERE RYCH ROKKE3 WER TO DYSCREUEN	PRL	68
AND RAWE3 AND RANDE3 AND RYCH REUER3	PRL	105
RYCHE BLOD RAN ON RODE SO ROGHE	PRL	646
THAT REIATE3 HAT3 SO RYCHE AND RYF	PRL	770
AND THOU SO RYCHE A REKEN ROSE	PRL	906
THE FOUNDEMENTE3 TWELUE OF RICHE TENOUN	PRL	993
THE PORTALE3 PYKED OF RYCH PLATE3	PRL	1036
THIS NOBLE CITE OF RYCHE ENPRYSE.	PRL	1097
O PERLE QUOTH I OF RYCH RENOUN	PRL	1182
RICHCHANDE		
RENAUD COM RICHCHANDE THUR3 A RO3E GREUE	GGK	1898
RICHE (V. RICH)		
RICHED (V. RYCHED)		
RICHELY (V. RICHLY)		
RICHEN		
RICHEN HEM THE RYCHEST TO RYDE ALLE ARAYDE	GGK	1130
RICHES		
THER SUCH RYCHE3 TO ROT IS RUNNE.	PRL	26
RICHES (V. RYCHES)		
RICHEST		
AND PRESENTED WERN AS PRESONERES TO THE PRYNCE RYCHEST	CLN	1217
AND OF MY REME THE RYCHEST TO RYDE WYTH MYSELUEN	CLN	1572
RICHEN HEM THE RYCHEST TO RYDE ALLE ARAYDE	GGK	1130
RICHLY		
ALSO RED AND SO RIPE AND RYCHELY HWED	CLN	1045
THER RICHELY HIT ARNE REFETYD THAT AFTER RIGHT HUNGRIDE	ERK	304
THAT WERE RICHELY RAYLED IN HIS ARAY CLENE	GGK	163
ANDE RIMED HYM FUL RICHLY AND RY3T HYM TO SPEKE.	GGK	308
RUNGEN FUL RYCHELY RY3T AS THAY SCHULDEN	GGK	931
RID		
TO RYD THE KYNG WYTH CROUN.	GGK	364
SO RYDE THAY OF BY RESOUN BI THE RYGGE BONE3.	GGK	1344
HERE AR NO RENKES VS TO RYDDE RELE AS VS LIKE3	GGK	2246
RIDDLING		
THE RAYN RUELED ADOUN RIDLANDE THIKKE	CLN	953
BI MONY ROKKE3 FUL RO3E AND RYDELANDE STRONDES	PAT	254
RIDE		
AND OF MY REME THE RYCHEST TO RYDE WYTH MYSELUEN	CLN	1572
AND THAT THE MYRIEST IN HIS MUCKEL THAT MY3T RIDE	GGK	142
STIFEST VNDER STELGERE ON STEDES TO RYDE	GGK	260
THAT HO HYM RED TO RYDE.	GGK	738
RICHEN HEM THE RYCHEST TO RYDE ALLE ARAYDE	GGK	1130
THAT ALLE THE WORLDE WORCHIPE3 QUERESO 3E RIDE	GGK	1227
AND RYDE ME DOUN THIS ILK RAKE BI 3ON ROKKE SYDE	GGK	2144
WHEN I RIDE IN RENOUN REMORDE TO MYSELUEN.	GGK	2434
OTHER TO RYDE OTHER TO RENNE TO ROME IN HIS ERNDE	PAT	52
RIDES		

Entry	Source	Line
THENNE WYTH LEGIOUNES OF LEDES OUER LONDES HE RYDES	CLN	1293
AND SCHOLES VNDER SCHANKES THERE THE SCHALK RIDES	GGK	160
SUCH A FOLE VPON FOLDE NE FREKE THAT HYM RYDES	GGK	196
NOW RIDE3 THIS RENK THUR3 THE RYALME OF LOGRES	GGK	691
FER FLOTEN FRO HIS FRENDE3 FREMEDLY HE RYDE3.	GGK	714
BI A MOUNTE ON THE MORNE MERYLY HE RYDES	GGK	740
FOR BE HIT CHORLE OTHER CHAPLAYN THAT BI THE CHAPEL RYDES	GGK	2107
RIDE3 THUR3 THE RO3E BONK RY3T TO THE DALE	GGK	2162
WYLDE WAYE3 IN THE WORLDE WOWEN NOW RYDE3.	GGK	2479
RIDE3 (V. RIDES)		
RIDGE		
SO RYDE THAY OF BY RESOUN BI THE RYGGE BONE3.	GGK	1344
AND SYTHEN RENDE3 HIM AL ROGHE BI THE RYGGE AFTER	GGK	1608
HIS RYCHE ROBE HE TOROF OF HIS RIGGE NAKED	PAT	379
RIDING		
ARAYED FOR THE RYDYNG WITH RENKKE3 FUL MONY	GGK	1134
RIDLANDE (V. RIDDLING)		
RIFE		
HE THONKKE3 OFTE FUL RYUE	GGK	2046
THAT REIATE3 HAT3 SO RYCHE AND RYF	PRL	770
FOR WOLLE QUYTE SO RONK AND RYF	PRL	844
RIFTES (V. RIFTS)		
RIFTS		
THAT ALLE THE REGIOUN TOROF IN RIFTES FUL GRETE.	CLN	964
RIGGE (V. RIDGE)		
RIGHT		
AND REKKEN VP ALLE THE RESOUN3 THAT HO BY RI3T ASKE3	CLN	2
AL IS ROTHELED AND ROSTED RY3T TO THE SETE	CLN	59
AND ALS IN RESOUNE3 OF RY3T RED HIT MYSELUEN.	CLN	194
AND VCH FREKE FORLOYNED FRO THE RY3T WAYE3	CLN	282
AND BE RY3T SUCH IN VCH A BOR3E OF BODY AND OF DEDES	CLN	1061
REKENLY WYTH REUERENS AS HE RY3T HADE	CLN	1318
AND THAY REDEN HIM RY3T REWARDE HE HEM HETES.	CLN	1346
THER WAT3 RYNGING ON RY3T OF RYCHE METALLES	CLN	1513
FOR IF THOU REDES HIT BY RY3T AND HIT TO RESOUN BRYNGES	CLN	1633
NY3T NE3ED RY3T NOW WYTH NYES FOL MONY.	CLN	1754
I HENT HARMES FUL OFTE TO HOLDE HOM TO RI3T	ERK	232
I REMEWIT NEUER FRO THE RI3T BY RESON MYN AWEN	ERK	235
NON GETE ME FRO THE HEGHE GATE TO GLENT OUT OF RY3T	ERK	241
AND FOR I REWARDID EUER RI3T THAI RAGHT ME THE SEPTRE.	ERK	256
BOT THE RICHE KYNGE OF RESON THAT RI3T EUER ALOWES.	ERK	267
AND IF RENKES FOR RI3T THUS ME ARAYED HAS.	ERK	271
HE HAS LANT ME TO LAST THAT LOUES RY3T BEST	ERK	272
HE THAT REWARDES VCHE A RENKE AS HE HAS RI3T SERUYD	ERK	275
QUAT WAN WE WITH OURE WELEDEDE THAT WROGHTYN AY RI3T	ERK	301
THER RICHELY HIT ARNE REFETYD THAT AFTER RIGHT HUNGRIDE	ERK	304
RY3T NOW TO SOPER MY SOULE IS SETTE AT THE TABLE	ERK	332
BI RY3T	GGK	274
AND IF THOU REDE3 HYM RY3T REDLY I TROWE	GGK	373
AND LA3T HIS LAUNCE RY3T THORE	GGK	667
RUNGEN FUL RYCHELY RY3T AS THAY SCHULDEN	GGK	931
BI RI3T	GGK	1041
THER RY3T	GGK	1173
RYUE3 HIT VP RADLY RY3T TO THE BY3T.	GGK	1341
RUNNEN FORTH IN A RABEL IN HIS RY3T FARE	GGK	1703
IN FAYTH I WELDE RI3T NON	GGK	1790
AND ALLE THE RABEL IN A RES RY3T AT HIS HELE3	GGK	1899
A RACH RAPES HYM TO RY3T ER HE MY3T.	GGK	1903
AND RY3T BIFORE THE HORS FETE THAY FEL ON HYM ALLE.	GGK	1904

Line	Text	No.
RIDE3 THUR3 THE RO3E BONK RY3T TO THE DALE	GGK	2162
FOR NOW IS GODE GAWAYN GOANDE RY3T HERE	GGK	2214
RI3T NOWE	GGK	2304
THE COUENAUNT SCHOP RY3T SO	GGK	2328
AND ROUE THE WYTH NO ROFSORE WITH RY3T I THE PROFERED.	GGK	2346
HOW NORNE 3E YOWRE RY3T NOME AND THENNE NO MORE.	GGK	2443
TO THE PRYNCE OF PARADISE AND PARTEN RY3T THERE.	GGK	2473
AND ROUE THE WYTH NO ROF SORE WITH RY3T I THE PROFERED	GGK V	2346
THAY AR HAPPEN ALSO THAT HUNGERES AFTER RY3T.	PAT	19
THOU SCHAL RELEUE ME RENK WHIL THY RY3T SLEPE3	PAT	323
THENNE I REMEMBRED ME RY3T OF MY RYCH LORDE	PAT	326
WERN OF THE REGIOUNES RY3T THAT HE RENAYED HADE.	PAT	344
HERK RENK IS THIS RY3T SO RONKLY TO WRATH.	PAT	431
HIT IS NOT LYTTEL QUOTH THE LEDE BOT LYKKER TO RY3T	PAT	493
WHAT RULE RENES IN ROUN BITWENE THE RY3T HANDE	PAT	514
THYSELF SCHAL WON WYTH ME RY3T HERE.	PRL	298
RY3T SO IS VCH A KRYSTEN SAWLE	PRL	461
AND HE MAY DO NOTHYNK BOT RY3T	PRL	496
AND NO MON BYDDE3 VS DO RY3T NO3T	PRL	520
BY THE WAY OF RY3T TO ASKE DOME	PRL	580
GODDE3 RY3T IS REDY AND EUERMORE RERT	PRL	591
THAY LAFTEN RY3T AND WRO3TEN WOGHE	PRL	622
BOT RESOUN OF RY3T THAT CON NO3T RAUE	PRL	665
AND INOSCENTE IS SAF AND RY3TE	PRL	672
RY3T THUS I KNAW WEL IN THIS CAS.	PRL	673
THE INNOSENT IS AY SAF BY RY3T	PRL	684
THE INNOSENT IS AY SAUE BY RY3TE.	PRL	696
ALEGGE THE RY3T THOU MAY BE INNOME	PRL	703
BY INNOCENS AND NOT BY RY3TE	PRL	708
THE INNOCENT IS AY SAF BY RY3T	PRL	720
BOT HE COM THYDER RY3T AS A CHYLDE	PRL	723
RY3T BYFORE GODE3 CHAYERE	PRL	885
RY3T AS THE MAYNFUL MONE CON RYS.	PRL	1093
FOR RY3T AS I SPARRED VNTO THE BONC.	PRL	1169
THEN MO3TE BY RY3T VPON HEM CLYUEN	PRL	1196
THEN MO3TEN BY RY3T VPON HEM CLYUEN.	PRL 1	1196
AT INOSCENCE IS SAF BY RY3TE	PRL 2	672
THEN MO3TEN BY RY3T VPON HEM CLYUEN.	PRL 3	1196
RIGHTEOUS		
FUL REDY AND FUL RY3TWYS AND REWLED HYM FAYRE	CLN	294
FOR THOU IN REYSOUN HAT3 RENGNED AND RY3TWYS BEN EUER.	CLN	328
AND FOR I WAS RY3TWIS AND REKEN AND REDY OF THE LAGHE.	ERK	245
IS THIS RY3TWYS THOU RENK ALLE THY RONK NOYSE	PAT	490
THE RY3TWYS MAN SCHAL SE HYS FACE	PRL	675
THE RY3TWYS MAN ALSO SERTAYN	PRL	685
OF THYS RY3TWYS SA3 SALAMON PLAYN	PRL	689
ANENDE RY3TWYS MEN 3ET SAYT3 A GOME.	PRL	697
AND COMMUNE TO ALLE THAT RY3TWYS WERE	PRL	739
RIGHTEOUSLY		
RY3TWYSLY QUO CON REDE	PRL	709
RY3TWYSLY QUOSO CON REDE	PRL 2	709
RIGHTFUL		
AND RE3TFUL WERN AND RESOUNABLE AND REDY THE TO SERUE.	CLN	724
RIGHTS		
OF SECOUNDE MONYTH THE SEUENTETHE DAY RY3TE3.	CLN	427
OF SECOUNDE MONYTH THE SEUENTHE DAY RY3TE3	CLN V	427
AND MOSTE HE MENSKES MEN FOR MYNNYNGE OF RI3TES.	ERK	269
I RELECE THE OF THE REMNAUNT OF RY3TES ALLE OTHER	GGK	2342
RIMED		

ANDE RIMED HYM FUL RICHLY AND RY3T HYM TO SPEKE. . . . . . . GGK 308
RING
HO RA3T HYM A RICHE RYNK OF RED GOLDE WERKE3. . . . . GGK 1817
IF 3E RENAY MY RYNK TO RYCHE FOR HIT SEME3 . . . . GGK 1827
RING (V. RENK)
RINGING
AND RIAL RYNGANDE ROTES AND THE REKEN FYTHEL. . . . . CLN 1082
THER WAT3 RYNGING ON RY3T OF RYCHE METALLES . . . . CLN 1513
RONNEN RADLY IN ROUTE WITH RYNGANDE NOYCE. . . . . ERK 62
AND WYTH A RYNKANDE RURDE HE TO THE RENK SAYDE . . . . GGK 2337
RINGS
AND SYTHEN THE BRAWDEN BRYNE OF BRY3T STEL RYNGE3 . . . . . . GGK 580
RUDELE3 RENNANDE ON ROPE3 RED GOLDE RYNGE3 . . . . GGK 857
THE RYNGE3 ROKKED OF THE ROUST OF HIS RICHE BRUNY . . . . . . GGK 2018
RIPE
HIT ARN RONK HIT ARN RYPE AND REDY TO MANNE . . . . CLN 869
ALSO RED AND SO RIPE AND RYCHELY HWED . . . . CLN 1045
WARNE3 HYM FOR THE WYNTER TO WAX FUL RYPE. . . . . GGK 522
RIPES
THENNE AL RYPE3 AND ROTE3 THAT ROS VPON FYRST . . . . GGK 528
RIS (V. RISE)
RISE
THEN BOLNED THE ABYME AND BONKE3 CON RYSE. . . . . CLN 363
FOR ALLE THIS LONDE SCHAL BE LORNE LONGE ER THE SONNE RISE . . CLN 932
WAYUED HIS BERDE FOR TO WAYTE QUOSO WOLDE RYSE . . . . GGK 306
THEN COMMAUNDED THE KYNG THE KNY3T FOR TO RYSE . . . . GGK 366
HE DRYUES WYTH DRO3T THE DUST FOR TO RYSE. . . . . GGK 523
AND RYS AND RAYKE3 THENNE . . . . GGK 1076
AND I SCHAL ERLY RYSE . . . . GGK 1101
AND DEPRECE YOUR PRYSOUN AND PRAY HYM TO RYSE . . . . GGK 1219
3E SCHAL NOT RISE OF YOUR BEDDE I RYCH YOW BETTER . . . . . . GGK 1223
AND HE RYCHES HYM TO RYSE AND RAPES HYM SONE. . . . . GGK 1309
RYS RADLY HE SAYS AND RAYKE FORTH EUEN. . . . . PAT 65
RIS APROCHE THEN TO PRECH LO THE PLACE HERE . . . . PAT 349
THE RURD SCHAL RYSE TO HYM THAT RAWTHE SCHAL HAUE . . . . . . PAT 396
THE FYRRE IN THE FRYTH THE FEIER CON RYSE. . . . . PRL 103
RY3T AS THE MAYNFUL MONE CON RYS. . . . . PRL 1093
THE FYRRE IN THE FRYTH THE FEIRER CON RYSE . . . . PRL 1 103
THE FYRRE IN THE FRYTH THE FEIRER CON RYSE . . . . PRL 2 103
THE FYRRE IN THE FRYTH THE FEIRER CON RYSE . . . . PRL 3 103
RISES
FON NEUER IN FORTY DAYE3 AND THEN THE FLOD RYSES . . . . . . CLN 369
ALLAS SAYD HYM THENNE LOTH AND LY3TLY HE RYSE3 . . . . CLN 853
FOR THE MAYSTER OF THYSE MEDES ON THE MORNE RYSES . . . . . . CLN 1793
AS ROTEN AS THE ROTTOK THAT RISES IN POWDERE. . . . . ERK 344
THEN RUTHES HYM THE RENK AND RYSES TO THE MASSE. . . . . . . GGK 1558
IN REDE RUDEDE VPON RAK RISES THE SUNNE . . . . GGK 1695
RISES AND RICHES HYM IN ARAYE NOBLE. . . . . GGK 1873
TIL HIT WAT3 SONE SESOUN THAT THE SUNNE RYSES . . . . GGK 2085
THENNE HE RYSES RADLY AND RAYKES BILYUE . . . . PAT 89
THE COGE OF THE COLDE WATER AND THENNE THE CRY RYSES . . . . . PAT 152
RYSE3 VP IN HIR ARAYE RYALLE . . . . PRL 191
RIVE
THAT HIT THAR RYUE NE ROTE NE NO RONKE WORMES . . . . ERK V 262
RIVED
AND ROUE THE WYTH NO ROFSORE WITH RY3T I THE PROFERED. . . . . GGK 2346
AND ROUE THE WYTH NO ROF SORE WITH RY3T I THE PROFERED . . . . GGK V 2346
RIVER
A REUER OF THE TRONE THER RAN OUTRY3TE. . . . . PRL 1055

RIVERS
AND RAWE3 AND RANDE3 AND RYCH REUER3 . . . . PRL 105
RIVES
RYUE3 HIT VP RADLY RY3T TO THE BY3T. . . . . GGK 1341
HE MYNTE3 AT HYM MA3TYLY BOT NOT THE MON RYUE3 . . . . GGK V 2290
RI3T (V. RIGHT)
RI3TES (V. RIGHTS)
ROAMS
HE ROME3 VP TO THE ROFFE OF THO RO3 WONE3. . . . . GGK 2198
HE ROME3 VP TO THE ROKKE OF THO RO3 WONE3. . . . . GGK V 2198
ROARED
RWLY WYTH A LOUD RURD RORED FOR DREDE . . . . CLN 390
ROARS
AND ROMYES AS A RAD RYTH THAT RORE3 FOR DREDE . . . . CLN 1543
ROASTED
AL IS ROTHELED AND ROSTED RY3T TO THE SETE . . . . CLN 59
AL BIROLLED WYTH THE RAYN ROSTTED AND BRENNED . . . . CLN 959
ROBBED
AS HIT WERE RAFTE WYTH VNRY3T AND ROBBED WYTH THEWES . . . . . CLN 1142
AND ROBBED THE RELYGIOUN OF RELYKES ALLE . . . . CLN 1156
ROBBERS
THENNE RAN THAY TO THE RELYKES AS ROBBORS WYLDE. . . . . CLN 1269
ROBBERY
FOR ROBORRYE AND RIBOUDRYE AND RESOUNE3 VNTRWE . . . . CLN 184
ROBBORS (V. ROBBERS)
ROBE
IN ON SO RATTED A ROBE AND RENT AT THE SYDE3. . . . . CLN 144
WHY HAT3 THOU RENDED THY ROBE FOR REDLES HEREINNE . . . . CLN 1595
HIS RYCHE ROBE HE TOROF OF HIS RIGGE NAKED . . . . PAT 379
ROBES
RYCHE ROBES FUL RAD RENKKE3 HYM BRO3TEN . . . . GGK 862
ROBORRYE (V. ROBBERY)
ROCHE (V. ROCK)
ROCHER
THER AS THE ROGH ROCHER VNRYDELY WAT3 FALLEN. . . . . GGK 1432
ROCHERES
ROS THAT THE ROCHERE3 RUNGEN ABOUTE. . . . . GGK 1427
ROCHERES ROUNGEN BI RYS FOR RURDE OF HER HORNES. . . . . GGK 1698
ROCHERE3 (V. ROCHERES)
ROCHE3 (V. ROCKS)
ROCK
ON A RASSE OF A ROK HIT REST AT THE LASTE. . . . . CLN 446
QUEN RENKKES IN THAT RYCHE ROK RENNEN HIT TO CACHE. . . . . . . CLN 1514
OF A RASSE BI A ROKK THER RENNE3 THE BOERNE . . . . GGK 1570
AND RYDE ME DOUN THIS ILK RAKE BI 3ON ROKKE SYDE . . . . GGK 2144
THENE HERDE HE OF THAT HY3E HIL IN A HARDE ROCHE . . . . GGK 2199
THAT RATHELED IS IN ROCHE GROUNDE WITH ROTE3 A HUNDRETH . . . . GGK 2294
HE ROME3 VP TO THE ROKKE OF THO RO3 WONE3. . . . . GGK V 2198
ROCKED
THE RYNGE3 ROKKED OF THE ROUST OF HIS RICHE BRUNY . . . . GGK 2018
ROCKS
HERNE3 AND HAUEKE3 TO THE HY3E ROCHE3 . . . . CLN 537
MO NY3TE3 THEN INNOGHE IN NAKED ROKKE3. . . . . GGK 730
BI MONY ROKKE3 FUL RO3E AND RYDELANDE STRONDES . . . . PAT 254
WHERE RYCH ROKKE3 WER TO DYSCREUEN . . . . PRL 68
ROD (V. RODE)
RODE (ALSO V. ROOD, RUDDY)
MONY WYLSUM WAY HE RODE. . . . . GGK 689

HE RODE IN HIS PRAYERE . . . . GGK 759
AND HE HEM RAYSED REKENLY AND ROD OUER THE BRYGGE . . . . . . GGK 821
HE RECHATED AND RODE THUR3 RONE3 FUL THYK. . . . . GGK 1466
THE BURNE THAT ROD HYM BY . . . . GGK 2089
ROF
AND ROUE THE WYTH NO ROF SORE WITH RY3T I THE PROFERED . . . . GGK V 2346
ROFFE (V. ROOF)
ROFSORE
AND ROUE THE WYTH NO ROFSORE WITH RY3T I THE PROFERED. . . . GGK 2346
ROGH (V. ROUGH)
ROGHE (V. ROUGH)
ROGHLYCH (V. ROUGHLY)
ROK (V. ROCK)
ROKK (V. ROCK)
ROKKE (V. ROCK)
ROKKED (V. ROCKED)
ROKKE3 (V. ROCKS)
ROLED (V. ROLLED)
ROLLANDE (V. ROLLING)
ROLLED
OFTE HIT ROLED ON ROUNDE AND RERED ON ENDE . . . . CLN 423
THAT FELE HIT FOYNED WYTH HER FETE THERE HIT FORTH ROLED. . . GGK 428
RUGH RONKLED CHEKE3 THAT OTHER ON ROLLED . . . . GGK 953
ROLLING
RYOL ROLLANDE FAX TO RAW SYLK LYKE . . . . CLN 790
ROMANCE
AS HIT IS BREUED IN THE BEST BOKE OF ROMAUNCE . . . . GGK 2521
ROMAUNCE (V. ROMANCE)
ROME
FRO RICHE ROMULUS TO ROME RICCHIS HYM SWYTHE. . . . . GGK 8
OTHER TO RYDE OTHER TO RENNE TO ROME IN HIS ERNDE . . . . . . PAT 52
ROME3 (V. ROAMS)
ROMULUS
FRO RICHE ROMULUS TO ROME RICCHIS HYM SWYTHE. . . . . GGK 8
ROMYES
AND ROMYES AS A RAD RYTH THAT RORE3 FOR DREDE . . . . CLN 1543
RONE3
HE RECHATED AND RODE THUR3 RONE3 FUL THYK. . . . . GGK 1466
RONGE (V. RANG)
RONK (V. RANK)
RONKE (V. RANK)
RONKLED (V. WRINKLED)
RONKLY (V. RANKLY)
RONNEN (V. RAN)
ROOD
WITH THE BLODE OF THI BODY VPON THE BLO RODE. . . . . ERK 290
I THONK YOW BI THE RODE. . . . . GGK 1949
ON RODE RWLY TORENT WYTH RYBAUDES MONY. . . . . PAT 96
RELANDE IN BY A ROP A RODE THAT HYM THO3T. . . . . PAT 270
RYCHE BLOD RAN ON RODE SO ROGHE . . . . PRL 646
BOT HE ON RODE THAT BLODY DYED . . . . PRL 705
AND RENT ON RODE WYTH BOYE3 BOLDE . . . . PRL 806
ROOF
HE ROME3 VP TO THE ROFFE OF THO RO3 WONE3. . . . . GGK 2198
ROOFS
VPON BASTEL ROUE3 THAT BLENKED FUL QUYTE . . . . GGK 799
ROOM
MONY RENISCHCHE RENKE3 AND 3ET IS ROUM MORE . . . . CLN 96
AND WITH REUERENCE A ROWME HE RA3T HYR FOR EUER. . . . . . . ERK 338

ROOT		
RESTTE3 HERE ON THIS ROTE AND I SCHAL RACHCHE AFTER	CLN	619
WHIL GOD WAYNED A WORME THAT WROT VPE THE ROTE	PAT	467
IS ROTE AND GROUNDE OF ALLE MY BLYSSE	PRL	420
ROOTED		
WHIL GOD WAYNED A WORME THAT WROT VPE THE ROTE	PAT	467
ROOTS		
THAT RATHELED IS IN ROCHE GROUNDE WITH ROTE3 A HUNDRETH	GGK	2294
ROP (ALSO V. ROPE)		
RELANDE IN BY A ROP A RODE THAT HYM THO3T.	PAT	270
ROPE		
FURST TOMURTE MONY ROP AND THE MAST AFTER.	PAT	150
ROPES		
RUDELE3 RENNANDE ON ROPE3 RED GOLDE RYNGE3	GGK	857
ROPE3 (V. ROPES)		
RORED (V. ROARED)		
RORE3 (V. ROARS)		
ROS (V. ROSE)		
ROSE		
WHEN BREMLY BRENED THOSE BESTE3 AND THE BRETHE RYSED	CLN	509
WITH THAT THAY ROS VP RADLY AS THAY RAYKE SCHULDE	CLN	671
HE ROS VP FUL RADLY AND RAN HEM TO METE	CLN	797
AS A SCOWTEWACH SCARRED SO THE ASSCRY RYSED	CLN	838
RUDDON OF THE DAYRAWE ROS VPON V3TEN	CLN	893
SUCH A 3OMERLY 3ARM OF 3ELLYNG THER RYSED.	CLN	971
SUCHE A ROTHUN OF A RECHE ROS FRO THE BLAKE	CLN	1009
FOR SO CLOPYNGNEL IN THE COMPAS OF HIS CLENE ROSE	CLN	1057
AND THER WAT3 ROSE REFLAYR WHERE ROTE HAT3 BEN EUER	CLN	1079
THAY STEL OUT ON A STYLLE NY3T ER ANY STEUEN RYSED.	CLN	1203
TO ROSE HYM IN HIS RIALTY RYCH MEN SO3TTEN	CLN	1371
RECHE THER REST AS HYM LYST HE ROS NEUER THERAFTER.	CLN	1766
STALEN STYLLY THE TOUN ER ANY STEUEN RYSED	CLN	1778
WITH RONKE RODE AS THE ROSE AND TWO REDE LIPPES.	ERK	91
THENNE AL RYPE3 AND ROTE3 THAT ROS VPON FYRST	GGK	528
THER ROS FOR BLASTE3 GODE	GGK	1148
AND MADE MYRY AL DAY TIL THE MONE RYSED	GGK	1313
ROS THAT THE ROCHERE3 RUNGEN ABOUTE.	GGK	1427
BOT ROS HIR VP RADLY RAYKED HIR THEDER.	GGK	1735
RO3 RAKKES THER ROS WYTH RUDNYNG ANVNDER	PAT	139
THENNE THE RENK RADLY ROS AS HE MY3T	PAT	351
FOR THAT THOU LESTE3 WAT3 BOT A ROSE	PRL	269
THENNE ROS HO VP AND CON RESTAY	PRL	437
THE LORDE FUL ERLY VP HE ROS	PRL	506
WE HAF STANDEN HER SYN ROS THE SUNNE	PRL	519
AND THOU SO RYCHE A REKEN ROSE	PRL	906
ROSTED (V. ROASTED)		
ROSTTED (V. ROASTED)		
ROT		
AND THER WAT3 ROSE REFLAYR WHERE ROTE HAT3 BEN EUER	CLN	1079
THAT HIT THAR RYNE NE ROTE NE NO RONKE WORMES	ERK	262
THAT HIT THAR RYUE NE ROTE NE NO RONKE WORMES	ERK V	262
THER SUCH RYCHE3 TO ROT IS RUNNE.	PRL	26
FRO THAT OURE FLESCH BE LAYD TO ROTE	PRL	958
ROTE (ALSO V. ROOT, ROT)		
BI ROTE	GGK	2207
ROTEN (V. ROTTEN)		
ROTES		
AND RIAL RYNGANDE ROTES AND THE REKEN FYTHEL.	CLN	1082
ROTE3 (V. ROOTS, ROTS)		

ROTHELED
AL IS ROTHELED AND ROSTED RY3T TO THE SETE . . . . CLN 59
AND VCHON ROTHELED TO THE REST THAT HE RECHE MO3T . . . . . . CLN 890
ROTHER (V. RUDDER)
ROTHUN
SUCHE A ROTHUN OF A RECHE ROS FRO THE BLAKE . . . . CLN 1009
ROTID (V. ROTTED)
ROTS
THENNE AL RYPE3 AND ROTE3 THAT ROS VPON FYRST . . . . GGK 528
ROTTED
HOM BURDE HAUE ROTID AND BENE RENT IN RATTES LONGE SYTHEN . . ERK 260
ROTTEN
AS ROTEN AS THE ROTTOK THAT RISES IN POWDERE. . . . . ERK 344
ROTTOK
AS ROTEN AS THE ROTTOK THAT RISES IN POWDERE. . . . . ERK 344
ROUE (V. RIVED)
ROUE3 (V. ROOFS)
ROUGH
THE RO3E RAYNANDE RYG NE THE RAYKANDE WAWE3 . . . . CLN 382
AND RASPED ON THE RO3 WO3E RUNISCH SAUE3 . . . . CLN 1545
THAT RASPED RENYSCHLY THE WO3E WYTH THE RO3 PENNE . . . . . . CLN 1724
RUGH RONKLED CHEKE3 THAT OTHER ON ROLLED . . . . GGK 953
THER AS THE ROGH ROCHER VNRYDELY WAT3 FALLEN. . . . . GGK 1432
AND SYTHEN RENDE3 HIM AL ROGHE BI THE RYGGE AFTER . . . . . . GGK 1608
WITH RO3E RAGED MOSSE RAYLED AYWHERE . . . . GGK 745
RENAUD COM RICHCHANDE THUR3 A RO3E GREUE . . . . GGK 1898
HE ROME3 VP TO THE ROFFE OF THO RO3 WONE3. . . . . GGK 2198
RIDE3 THUR3 THE RO3E BONK RY3T TO THE DALE . . . . GGK 2162
AND RU3E KNOKLED KNARRE3 WITH KNORNED STONE3. . . . . GGK 2166
THE RAYNE AND HIT RICHED WITH A RO3E BRAUNCHE . . . . GGK 2177
THE RAYNE AND HIS RICHE WITH A RO3E BRAUNCHE. . . . . GGK V 2177
HE ROME3 VP TO THE ROKKE OF THO RO3 WONE3. . . . . GGK V 2198
RO3 RAKKES THER ROS WYTH RUDNYNG ANVNDER . . . . PAT 139
DURST NOWHERE FOR RO3 AREST AT THE BOTHEM. . . . . PAT 144
FOR HIT RELED ON ROUN VPON THE RO3E YTHES. . . . . PAT 147
BI MONY ROKKE3 FUL RO3E AND RYDELANDE STRONDES . . . . PAT 254
THUR3 MONY A REGIOUN FUL RO3E THUR3 RONK OF HIS WYLLE. . . . . PAT 298
RYCHE BLOD RAN ON RODE SO ROGHE . . . . PRL 646
ROUGHLY
THAT RO3LY WAT3 THE REMNAUNT THAT THE RAC DRYUE3 . . . . CLN 433
WYTH A ROGHLYCH RURD ROWNED IN HIS ERE. . . . . PAT 64
ROUM (V. ROOM)
ROUN (ALSO V. ROUND, CP. ROWNANDE)
RUCHE TOGEDER CON ROUN . . . . GGK 362
WHAT RULE RENES IN ROUN BITWENE THE RY3T HANDE . . . . PAT 514
ROUNCE
THE RENK ON HIS ROUNCE HYM RUCHED IN HIS SADEL . . . . GGK 303
ROUND
OFTE HIT ROLED ON ROUNDE AND RERED ON ENDE . . . . CLN 423
HERE VTTER ON A ROUNDE HIL HIT HOUE3 HIT ONE. . . . . CLN 927
FOR HO SCHYNES SO SCHYR THAT IS OF SCHAP ROUNDE. . . . . CLN 1121
REKENLY OF THE ROUNDE TABLE ALLE THO RICH BRETHER . . . . . . GGK 39
NOW IS THE REUEL AND THE RENOUN OF THE ROUNDE TABLE . . . . . GGK 313
WITH MUCH REUEL AND RYCHE OF THE ROUNDE TABLE . . . . GGK 538
THAT IS THE RYCHE RYAL KYNG OF THE ROUNDE TABLE. . . . . . . GGK 905
THAT RENNES OF THE GRETE RENOUN OF THE ROUNDE TABLE . . . . . GGK 2458
FOR THAT WAT3 ACORDED THE RENOUN OF THE ROUNDE TABLE . . . . . GGK 2519
FOR HIT RELED ON ROUN VPON THE RO3E YTHES. . . . . PAT 147
SO ROUNDE SO REKEN IN VCHE ARAYE. . . . . PRL 5

NOW IS THER NO3T IN THE WORLDE ROUNDE . . . . PRL 657
AND ENDELE3 ROUNDE AND BLYTHE OF MODE . . . . PRL 738
ROUNDE (V. ROUND)
ROUNGEN (V. RANG)
ROURDE (V. RURD)
ROUS
THAT AL THE ROUS RENNES OF THUR3 RYALMES SO MONY . . . . . . GGK 310
ROUST (V. RUST)
ROUT
RONNEN RADLY IN ROUTE WITH RYNGANDE NOYCE. . . . . ERK 62
OF THOUSANDE3 THRY3T SO GRET A ROUTE . . . . PRL 926
ROUT (V. ROUT-M.E.)
ROUT (ME)
WITH A RUNISCH ROUT THE RAYNE3 HE TORNE3 . . . . GGK 457
ROUTE (V. ROUT)
ROUTES
SLYPPED VPON A SLOUMBESLEPE AND SLOBERANDE HE ROUTES . . . . . PAT 186
ROUTHE (V. RAWTHE)
ROUTS
RYDELLES WERN THO GRETE ROWTES OF RENKKES WYTHINNE. . . . . . CLN 969
THENNE WERN THO ROWTES REDLES IN THO RYCHE WONES . . . . . . CLN 1197
THENNE RAN THAY IN ON A RES ON ROWTES FUL GRETE. . . . . . . CLN 1782
ROW
BOT ROYNYSHE WERE THE RESONES THAT THER ON ROW STODEN. . . . . ERK 52
SYN HER SAYL WAT3 HEM ASLYPPED ON SYDE3 TO ROWE. . . . . . . PAT 218
SET HEM ALLE VPON A RAWE . . . . PRL 545
ROWE (V. ROW)
ROWME (V. ROOM)
ROWNANDE (CP. ROUN)
WYTH A ROWNANDE ROURDE RAYKANDE ARY3T . . . . PRL 112
ROWNED
WYTH A ROGHLYCH RURD ROWNED IN HIS ERE. . . . . PAT 64
ROWS
BI RAWE3 RYCH AND RONK . . . . GGK 513
AND RAWE3 AND RANDE3 AND RYCH REUER3 . . . . PRL 105
ROWTANDE
SUCH A ROWTANDE RYGE THAT RAYNE SCHAL SWYTHE. . . . . CLN 354
ROWTES (V. ROUTS)
ROWWE
THAT THAY RUYT HYM TO ROWWE AND LETTEN THE RYNK ONE . . . . . PAT 216
ROYAL
THAT WAT3 RYAL AND RYCHE SO WAT3 THE RENKES SELUEN. . . . . . CLN 786
RYOL ROLLANDE FAX TO RAW SYLK LYKE . . . . CLN 790
AND RIAL RYNGANDE ROTES AND THE REKEN FYTHEL. . . . . CLN 1082
ARAIDE ON A RICHE WISE IN RIALLE WEDES. . . . . ERK 77
THAT IS THE RYCHE RYAL KYNG OF THE ROUNDE TABLE. . . . . . . GGK 905
VPON THAT RYOL RED CLOTHE THAT RYCHE WAT3 TO SCHEWE . . . . . GGK 2036
MONY RYAL RAY CON FRO HIT RERE . . . . PRL 160
RYSE3 VP IN HIR ARAYE RYALLE . . . . PRL 191
PERLE3 PY3TE OR RYAL PRYS . . . . PRL 193
THOU TELLE3 ME OF JERUSALEM THE RYCHE RYALLE. . . . . PRL 919
ROYALLY
THAT WAT3 RYALLY ARAYED FOR HE WAT3 RYCHE EUER . . . . CLN 812
RYALLY WYTH RED GOLDE VPON REDE GOWLE3. . . . . GGK 663
JERUSALEM SO NWE AND RYALLY DY3T. . . . . PRL 987
ROYALTY
THAT RYCHE IN GRET RIALTE RENGNED HIS LYUE . . . . CLN 1321
TO ROSE HYM IN HIS RIALTY RYCH MEN SO3TTEN . . . . CLN 1371
ROYNYSHE (V. RUNISCH)

RO3 (V. ROUGH)
RO3E (V. ROUGH)
RO3LY (V. ROUGHLY)
RO3T (V. RECKED)
RUBIES
CASYDOYNES AND CRYSOLYTES AND CLERE RUBIES . . . . CLN 1471
RUBY
THE SEXTE THE RYBE HE CON HIT WALE . . . . PRL 1007
RUCHCHED (V. RYCHED)
RUCHE (V. RICH)
RUCHED (V. RUCHED)
RUCHEN (V. RYCH)
RUDDER
HURROK OTHER HANDEHELME HASPED ON ROTHER . . . . CLN 419
RUDDON (CP. RUDDY)
RUDDON OF THE DAYRAWE ROS VPON V3TEN . . . . CLN 893
RUDDY (CP. RUDDON)
WITH RONKE RODE AS THE ROSE AND TWO REDE LIPPES. . . . . ERK 91
RUDEDE
IN REDE RUDEDE VPON RAK RISES THE SUNNE . . . . GGK 1695
RUDELE3
RUDELE3 RENNANDE ON ROPE3 RED GOLDE RYNGE3 . . . . GGK 857
RUDNYNG
RO3 RAKKES THER ROS WYTH RUDNYNG ANVNDER . . . . PAT 139
RUE
BOT HE THAT RULES THE RAK MAY RWE ON THOSE OTHER . . . . PAT 176
AND RWE ON THO REDLES THAT REMEN FOR SYNNE . . . . PAT 502
RUED
HYM RWED THAT HE HEM VPRERDE AND RA3T HEM LYFLODE . . . . CLN 561
THAT THAY RUYT HYM TO ROWWE AND LETTEN THE RYNK ONE . . . . . . PAT 216
RUEFUL
THER THE RUFUL RACE HE SCHULDE RESAYUE. . . . . GGK 2076
WYTHNAY THOU NEUER MY RUFUL BONE. . . . . PRL 916
RUEFULLY
AND REWFULLY THENNE I CON TO REME . . . . PRL 1181
RUELED
THE RAYN RUELED ADOUN RIDLANDE THIKKE . . . . CLN 953
RUELY
RWLY WYTH A LOUD RURD RORED FOR DREDE . . . . CLN 390
ON RODE RWLY TORENT WYTH RYBAUDES MONY. . . . . PAT 96
RUES
THAT EUER I SETTE SAULE INNE AND SORE HIT ME RWE3 . . . . CLN 290
RUFUL (V. RUEFUL)
RUGH (V. ROUGH)
RULE
THE FOLKE WAS FELONSE AND FALS AND FROWARDE TO REULE . . . . . ERK 231
WHAT RULE RENES IN ROUN BITWENE THE RY3T HANDE . . . . PAT 514
RULED
FUL REDY AND FUL RY3TWYS AND REWLED HYM FAYRE . . . . CLN 294
IN THE REGNE OF THE RICHE KYNGE THAT REWLIT VS THEN . . . . . ERK 212
RULES
BOT HE THAT RULES THE RAK MAY RWE ON THOSE OTHER . . . . PAT 176
RUN
BOT EUER RENNE RESTLE3 RENGNE3 3E THERINNE . . . . CLN 527
SO BROD BILDE IN A BAY THAT BLONKKES MY3T RENNE. . . . . CLN 1392
QUEN RENKKES IN THAT RYCHE ROK RENNEN HIT TO CACHE. . . . . . . CLN 1514
TIL AT THE LAST HE WAT3 SO MAT HE MY3T NO MORE RENNE . . . . . GGK 1568
OTHER TO RYDE OTHER TO RENNE TO ROME IN HIS ERNDE . . . . PAT 52
RUNGEN (V. RANG)

RUNISCH
MONY RENISCHCHE RENKE3 AND 3ET IS ROUM MORE . . . . CLN 96
AND RASPED ON THE RO3 WO3E RUNISCH SAUE3 . . . . CLN 1545
BOT ROYNYSHE WERE THE RESONES THAT THER ON ROW STODEN. . . . . ERK 52
WITH A RUNISCH ROUT THE RAYNE3 HE TORNE3 . . . . GGK 457
RUNISCHLY
THAT RASPED RENYSCHLY THE WO3E WYTH THE RO3 PENNE . . . . . . CLN 1724
AND RUNISCHLY HIS REDE Y3EN HE RELED ABOUTE . . . . GGK 304
AND RUNYSCHLY HE RA3T OUT THERE AS RENKKE3 STODEN . . . . . . GGK 432
ARAYNED HYM FUL RUNYSCHLY WHAT RAYSOUN HE HADE . . . . PAT 191
RUNNE (V. RAN)
RUNNEN (V. RAN)
RUNNING
RUDELE3 RENNANDE ON ROPE3 RED GOLDE RYNGE3 . . . . GGK 857
RUNS
THAT AL THE ROUS RENNES OF THUR3 RYALMES SO MONY . . . . . . GGK 310
THER AS CLATERANDE FRO THE CREST THE COLDE BORNE RENNE3 . . . . GGK 731
OF A RASSE BI A ROKK THER RENNE3 THE BOERNE . . . . GGK 1570
THAT RENNES OF THE GRETE RENOUN OF THE ROUNDE TABLE . . . . . GGK 2458
WHAT RULE RENES IN ROUN BITWENE THE RY3T HANDE . . . . PAT 514
RUNYSCHLY (V. RUNISCHLY)
RURD
RWLY WYTH A LOUD RURD RORED FOR DREDE . . . . CLN 390
GRET RURD IN THAT FOREST . . . . GGK 1149
ROCHERES ROUNGEN BI RYS FOR RURDE OF HER HORNES. . . . . . . GGK 1698
THE RICH RURD THAT THER WAT3 RAYSED FOR RENAUDE SAULE. . . . . GGK 1916
3ET HE RUSCHED ON THAT RURDE RAPELY A THROWE. . . . . GGK 2219
AND WYTH A RYNKANDE RURDE HE TO THE RENK SAYDE . . . . GGK 2337
WYTH A ROGHLYCH RURD ROWNED IN HIS ERE. . . . . PAT 64
THE RURD SCHAL RYSE TO HYM THAT RAWTHE SCHAL HAUE . . . . . . PAT 396
WYTH A ROWNANDE ROURDE RAYKANDE ARY3T . . . . PRL 112
RURDE (V. RURD)
RUSCHED (V. RUSHED)
RUSHED
TORENT VCH A RAYNRYFTE AND RUSCHED TO THE VRTHE. . . . . CLN 368
WHAT HIT RUSCHED AND RONGE RAWTHE TO HERE. . . . . GGK 2204
3ET HE RUSCHED ON THAT RURDE RAPELY A THROWE. . . . . GGK 2219
RUST
THE RYNGE3 ROKKED OF THE ROUST OF HIS RICHE BRUNY . . . . . . GGK 2018
RUTHED
RYCHE RUTHED OF HER REST RAN TO HERE WEDES . . . . CLN 1208
RUTHEN
FUL ERLY THOSE AUNGELE3 THIS HATHEL THAY RUTHEN. . . . . CLN 895
RUTHES
THEN RUTHES HYM THE RENK AND RYSES TO THE MASSE. . . . . GGK 1558
RUYT (V. RUED)
RU3E (V. ROUGH)
RWE (V. RUE)
RWED (V. RUED)
RWE3 (V. RUES)
RWLY (V. RUELY)
RYAL (V. ROYAL)
RYALLE (V. ROYAL)
RYALLY (V. ROYALLY)
RYALME (V. REALM)
RYALMES (V. REALMS)
RYBAUDES (V. RIBALDS)
RYBBE (V. RIB)
RYBBES (V. RIBS)

RYBBE3 (V. RIBS)
RYBE (V. RUBY)
RYCH (ALSO V. RICH)
AND IF I CARP NOT COMLYLY LET ALLE THIS CORT RYCH . . . . . . GGK 360
3E SCHAL NOT RISE OF YOUR BEDDE I RYCH YOW BETTER . . . . . . GGK 1223
RYCHE (ALSO V. RICH)
OF MORE AND LASSE IN GODE3 RYCHE. . . . . PRL 601
AND SAYDE HYS RYCHE NO WY3 MY3T WYNNE . . . . PRL 722
THOU TELLE3 ME OF JERUSALEM THE RYCHE RYALLE. . . . . PRL 919
THEN HE TRON ON THO TRES AND THAY HER TRAMME RUCHEN . . . . . PAT 101
RYCHED
THE RENK ON HIS ROUNCE HYM RUCHED IN HIS SADEL . . . . GGK 303
ANDE RIMED HYM FUL RICHLY AND RY3T HYM TO SPEKE. . . . . . . GGK 308
AND HE FUL RADLY VPROS AND RUCHCHED HYM FAYRE . . . . GGK 367
AYQUERE NAYLET FUL NWE FOR THAT NOTE RYCHED . . . . GGK 599
THE RAYNE AND HIT RICHED WITH A RO3E BRAUNCHE . . . . GGK 2177
IS RYCHED AT THE REUERENCE ME RENK TO METE . . . . GGK 2206
RYCHELY (V. RICHLY)
RYCHES
FRO RICHE ROMULUS TO ROME RICCHIS HYM SWYTHE. . . . . GGK 8
AND HE RYCHES HYM TO RYSE AND RAPES HYM SONE. . . . . GGK 1309
RISES AND RICHES HYM IN ARAYE NOBLE. . . . . GGK 1873
RYCHEST (V. RICHEST)
RYCHE3 (V. RICHES)
RYD (V. RID)
RYDDE (V. RID)
RYDE (V. RID, RIDE)
RYDELANDE (V. RIDDLING)
RYDELLES (V. REDELES)
RYDES (V. RIDES)
RYDE3 (V. RIDES)
RYDYNG (V. RIDING)
RYF (V. RIFE)
RYG
SUCH A ROWTANDE RYGE THAT RAYNE SCHAL SWYTHE. . . . . CLN 354
THE RO3E RAYNANDE RYG NE THE RAYKANDE WAWE3 . . . . CLN 382
RYGE (V. RYG)
RYGGE (V. RIDGE)
RYNGANDE (V. RINGING)
RYME3
ALLE THE RYME3 BY THE RYBBE3 RADLY THAY LAUCE . . . . GGK 1343
ALLE THE RYME3 BY THE RYBBE3 RADLY THAY LANCE . . . . GGK V 1343
RYNE
THAT HIT THAR RYNE NE ROTE NE NO RONKE WORMES . . . . ERK 262
RYNE3
HE MYNTE3 AT HYM MA3TYLY BOT NOT THE MON RYNE3 . . . . GGK 2290
RYNGE3 (V. RINGS)
RYNGING (V. RINGING)
RYNK (V. RENK, RING)
RYNKANDE (V. RINGING)
RYOL (V. ROYAL)
RYPANDE
RYPANDE OF VCHE A RING THE REYNYE3 AND HERT . . . . CLN 592
RYPE (V. RIPE)
RYPE3 (V. RIPE)
RYS (ALSO V. RISE)
ROCHERES ROUNGEN BI RYS FOR RURDE OF HER HORNES. . . . . . . GGK 1698
RYSE (V. RISE)
RYSED (V. ROSE)

RYSES (V. RISES)		
RYSE3 (V. RISES)		
RYTH		
AND ROMYES AS A RAD RYTH THAT RORE3 FOR DREDE	CLN	1543
RYTTE		
SYTHEN RYTTE THAY THE FOURE LYMMES AND RENT OF THE HYDE	GGK	1332
RYUE (V. RIVE)		
RYUE3 (V. RIVES)		
RY3T (V. RIGHT, RYCHED)		
RY3TE (V. RIGHT)		
RY3TES (V. RIGHTS)		
RY3TE3 (V. RIGHTS)		
RY3TWIS (V. RIGHTEOUS)		
RY3TWYS (V. RIGHTEOUS)		
RY3TWYSLY (V. RIGHTEOUSLY)		
SABATOUN3		
THENNE SET THAY THE SABATOUN3 VPON THE SEGGE FOTE3.	GGK	574
SACRAFYCE (V. SACRIFICE)		
SACRAFYSE (V. SACRIFICE)		
SACRED		
FOR WHEN A SAWELE IS SA3TLED AND SAKRED TO DRY3TYN.	CLN	1139
THER WAS A BYSCHOP IN THAT BURGHE BLESSYD AND SACRYD	ERK	3
THOU SAYS SOTHE QUOTH THE SEGGE THAT SACRID WAS BYSCHOP	ERK	159
SACREFYCE (V. SACRIFICE)		
SACRID (V. SACRED)		
SACRIFICE		
AND SETTE A SAKERFYSE THERON OF VCH A SER KYNDE.	CLN	507
THE SAUOUR OF HIS SACRAFYSE SO3T TO HYM EUEN.	CLN	510
IN THE SOLEMPNE SACREFYCE THAT GOUD SAUOR HADE	CLN	1447
SOBERLY IN HIS SACRAFYCE SUMME WER ANOYNTED	CLN	1497
WYTH SACRAFYSE VPSET AND SOLEMPNE VOWES	PAT	239
SOBERLY TO DO THE SACRAFYSE WHEN I SCHAL SAUE WORTHE	PAT	334
THE LOMBE THE SAKERFYSE THER TO REFET	PRL	1064
THE LOMBE THE SAKERFYSE THER TO REGET	PRL 1	1064
THE LOMBE THE SAKERFYSE THER TO REGET	PRL 2	1064
THE LOMBE THE SAKEFYSE THER TO REGET	PRL 3	1064
SACRIFICES		
AND THE SOLEMPNEST OF HIS SACRIFICES IN SAXON LONDES	ERK	30
SACRYD (V. SACRED)		
SAD		
NE THE SWETNESSE OF SOMER NE THE SADDE WYNTER	CLN	525
SENDE3 HYM A SAD SY3T TO SE HIS AUEN FACE.	CLN	595
WYTH SADDE SEMBLAUNT AND SWETE OF SUCH AS HE HADE	CLN	640
FOR SOTHELY AS SAYS THE WRYT HE WERN OF SADDE ELDE.	CLN	657
THAT SALOMON SO MONY A SADDE 3ER SO3T TO MAKE	CLN	1286
THEN SAYD HE WITH A SADDE SOUN OURE SAUYOURE BE LOUYD.	ERK	324
HER SEMBLAUNT SADE FOR DOC OTHER ERLE	PRL	211
AND THE ALDERMEN SO SADDE OF CHERE	PRL	887
SADDE (V. SAD)		
SADDLE		
ABOUTTE HYMSELF AND HIS SADEL VPON SILK WERKE3	GGK	164
THE RENK ON HIS ROUNCE HYM RUCHED IN HIS SADEL	GGK	303
AND AS SADLY THE SEGGE HYM IN HIS SADEL SETTE	GGK	437
BI THAT WAT3 GRYNGOLET GRAYTH AND GURDE WITH A SADEL	GGK	597
SERE SEGGE3 HYM SESED BY SADEL QUEL HE LY3T	GGK	822
AND THAY BUSKEN VP BILYUE BLONKKE3 TO SADEL	GGK	1128
AND BEDE HYM BRYNG HYM HIS BRUNY AND HIS BLONK SADEL	GGK	2012
FORTHY I SAY YOW AS SOTHE AS 3E IN SADEL SITTE	GGK	2110
FORTHY I SAY THE AS SOTHE AS 3E IN SADEL SITTE	GGK V	2110

SADDLES		
OUERTOK HEM AS TYD TULT HEM OF SADELES.	CLN	1213
SADE (V. SAD, SAID)		
SADEL (V. SADDLE)		
SADELES (V. SADDLES)		
SADLY		
AND AS SADLY THE SEGGE HYM IN HIS SADEL SETTE	GGK	437
SET SADLY THE SCHARP IN THE SLOT EUEN	GGK	1593
AS SAUERLY AND SADLY AS HE HEM SETTE COUTHE	GGK	1937
I HAF SOIORNED SADLY SELE YOW BYTYDE	GGK	2409
AND THER HE SWOWED AND SLEPT SADLY AL NY3T	PAT	442
SAF (ALSO V. SAFE, SAVE)		
THE INNOSENT IS AY SAF BY RY3T	PRL	684
THE INNOCENT IS AY SAF BY RY3T	PRL	720
AT INOSCENCE IS SAF BY RY3TE	PRL 2	672
SAFE		
I WOWCHE HIT SAF FYNLY THA3 FELER HIT WERE	GGK	1391
SOBERLY TO DO THE SACRAFYSE WHEN I SCHAL SAUE WORTHE	PAT	334
SAFER		
AND SAYNED HYM AS BI HIS SA3E THE SAUER TO WORTHE	GGK	1202
SAFETY		
THAT WAT3 THE SYNGNE OF SAUYTE THAT SENDE HEM OURE LORDE. . . .	CLN	489
SAFFER (V. SAPHIRE)		
SAFYRES (V. SAPHIRES)		
SAGE		
AS THE SAGE SATHRAPAS THAT SORSORY COUTHE.	CLN	1576
SAGHE (V. SAW)		
SAID		
ON HADE BO3T HYM A BOR3 HE SAYDE BY HYS TRAWTHE.	CLN	63
THENNE SEGGE3 TO THE SOUERAYN SAYDEN THERAFTER	CLN	93
SAYDE THE LORDE TO THO LEDE3 LAYTE3 3ET FERRE	CLN	97
BOT HIS SOUERAYN HE FORSOKE AND SADE THYSE WORDE3	CLN	210
3E LORDE WYTH THY LEUE SAYDE THE LEDE THENNE.	CLN	347
BRYNGE3 THAT BRY3T VPON BORDE BLESSED AND SAYDE.	CLN	470
AND HAYLSED HEM IN ONHEDE AND SAYDE HENDE LORDE.	CLN	612
AND SAYDE TO HIS SERUAUNT THAT HE HIT SETHE FASTE	CLN	631
THENNE THAY SAYDEN AS THAY SETE SAMEN ALLE THRYNNE.	CLN	645
I SCHAL EFTE HEREAWAY ABRAM THAY SAYDEN	CLN	647
AND SAYDE SOTYLY TO HIRSELF SARE THE MADDE	CLN	654
THENNE SAYDE OURE SYRE THER HE SETE SE SO SARE LA3ES	CLN	661
AND SAYDE THUS TO THE SEGG THAT SUED HYM AFTER	CLN	681
AL SYKANDE HE SAYDE SIR WYTH YOR LEUE	CLN	715
AND SAYDE SOFTELY TO HIRSELF THIS VNSAUERE HYNE.	CLN	822
ALLAS SAYD HYM THENNE LOTH AND LY3TLY HE RYSE3	CLN	853
THE FREKE SAYDE NO FOSCHIP OURE FADER HAT3 THE SCHEWED	CLN	919
BALTA3AR VMBEBRAYDE HYM AND BEUE SIR HE SAYDE	CLN	1622
AND SAYDE SOTHLY TO HIRSELF SARE THE MADDE	CLN V	654
BALTA3AR UMBEBRAYDE HYM AND LEUE SIR HE SAYDE	CLN V	1622
THAGHE I BE VNWORTHI AL WEPANDE HE SAYDE	ERK	122
TILLE CESSYD WAS THE SERUICE AND SAYDE THE LATER ENDE.	ERK	136
QUEN THE SEGGE HADE THUS SAYDE AND SYKED THERAFTER.	ERK	189
TO SYTTE VPON SAYD CAUSES THIS CITE I 3EMYD	ERK	202
3EA BOT SAY THOU OF THI SAULE THEN SAYD THE BISSHOP	ERK	273
AND GEFE A GRONYNGE FUL GRETE AND TO GODDE SAYDE	ERK	282
THEN SAYD HE WITH A SADDE SOUN OURE SAUYOURE BE LOUYD.	ERK	324
WYT THIS CESSYD HIS SOWNE SAYD HE NO MORE.	ERK	341
SO SAYD AL THAT HYM SY3E	GGK	200
THE FYRST WORD THAT HE WARP WHER IS HE SAYD	GGK	224
AND SAYDE WY3E WELCUM IWYS TO THIS PLACE	GGK	252

AND SAYD SIR CORTAYS KNY3T.	GGK	276
ANDE SAYDE HATHEL BY HEUEN THYN ASKYNG IS NYS	GGK	323
HE LET NO SEMBLAUNT BE SENE BOT SAYDE FUL HY3E	GGK	468
HE GLENT VPON SIR GAWEN AND GAYNLY HE SAYDE	GGK	476
AND SPEKE3 OF HIS PASSAGE AND PERTLY HE SAYDE	GGK	544
AND SAYDE QUAT SCHULD I WONDE.	GGK	563
AND SAYDE SOTHLY AL SAME SEGGES TIL OTHER.	GGK	673
AND THERFORE SYKYNG HE SAYDE I BESECHE THE LORDE	GGK	753
AND SAYDE CROSKRYST ME SPEDE	GGK	762
HE SAYDE 3E ARE WELCUM TO WONE AS YOW LYKE3	GGK	835
VCH SEGGE FUL SOFTLY SAYDE TO HIS FERE.	GGK	915
AND SAYDE HE WAT3 THE WELCOMEST WY3E OF THE WORLDE.	GGK	938
3E SIR FORSOTHE SAYD THE SEGGE TRWE.	GGK	1091
SO SAYDE THE LORDE OF THAT LEDE THAY LA3ED VCHONE	GGK	1113
BOT 3ET HE SAYDE IN HYMSELF MORE SEMLY HIT WERE.	GGK	1198
GOD MOROUN SIR GAWAYN SAYDE THAT GAY LADY.	GGK	1208
NAY FORSOTHE BEAU SIR SAYD THAT SWETE	GGK	1222
BOT THE BURDE HYM BLESSED AND BI THIS SKYL SAYDE	GGK	1296
I WOLED WYT AT YOW WY3E THAT WORTHY THER SAYDE	GGK	1508
FOR SUCHE A BRAWNE OF A BEST THE BOLDE BURNE SAYDE.	GGK	1631
THE LORDE SAYDE BI SAYNT GILE.	GGK	1644
AND SAYDE AS I AM TRWE SEGGE I SIKER MY TRAWTHE.	GGK	1673
THE KNY3T SAYDE BE SAYN JON	GGK	1788
BOT THE RENK HIT RENAYED AND REDYLY HE SAYDE.	GGK	1821
AND HO SORE THAT HE FORSOKE AND SAYDE THERAFTER.	GGK	1826
NOW FORSAKE 3E THIS SILKE SAYDE THE BURDE THENNE	GGK	1846
OF HYM AND SAYDE IWYSSE.	GGK	1890
AND AL WITH GOMEN HE HYM GRET AND GOUDLY HE SAYDE	GGK	1933
AND SAYDE SOBERLY HYMSELF AND BY HIS SOTH SWERE3	GGK	2051
GRANT MERCI QUOTH GAWAYN AND GRUCHYNG HE SAYDE	GGK	2126
THAT OTHER SAYDE NOW SIR SWETE	GGK	2237
GAWAYN FUL GRYNDELLY WITH GREME THENNE SAYDE.	GGK	2299
AND WYTH A RYNKANDE RURDE HE TO THE RENK SAYDE	GGK	2337
THENN LO3E THAT OTHER LEUDE AND LUFLYLY SAYDE	GGK	2389
AND SAYDE WITH MY WYF I WENE	GGK	2404
HE SAYDE 3E AR WELCUM TO WELDE AS YOW LYKE3	GGK V	835
FOR HORES IS THE HEUENRYCHE AS I ER SAYDE.	PAT	28
THAT OFTE KYD HIM THE CARPE THAT KYNG SAYDE	PAT	118
AND 3ET I SAYDE AS I SEET IN THE SEBOTHEM.	PAT	313
THE SEGGE SESED NOT 3ET BOT SAYDE EUER ILYCHE	PAT	369
THENNE SAYDE HE TO HIS SERIAUNTES SAMNES YOW BILYUE	PAT	385
AND GOD THUR3 HIS GODNESSE FORGEF AS HE SAYDE	PAT	407
JUELER SAYDE THAT GEMME CLENE.	PRL	289
THENNE SAYDE THAT WY3T WHY DOT3 THOU SO	PRL	338
THEN SAYDE THAT LUFSOUM OF LYTH AND LERE	PRL	398
CORTAYSE QUEN THENNE SAYDE THAT GAYE	PRL	433
THEN SAYDE TO ME THAT WORTHY WY3TE	PRL	494
WHY STANDE 3E YDEL HE SAYDE TO THOS.	PRL	515
SO SAYDE THE LORDE AND MADE HIT TO3T	PRL	522
AND SADE TO HEM WYTH SOBRE SOUN	PRL	532
THAY SAYDEN HER HYRE WAT3 NAWHERE BOUN.	PRL	534
AND SAYDEN THAT THAY HADE TRAUAYLED SORE	PRL	550
THENNE SAYDE THE LORDE TO ON OF THO.	PRL	557
THEN MORE I MELED AND SAYDE APERT	PRL	589
IN SAUTER IS SAYD A VERCE OUERTE.	PRL	593
THAT GENTYL SAYDE LYS NO JOPARDE.	PRL	602
JESUS THENNE HEM SWETELY SAYDE	PRL	717
AND SAYDE HYS RYCHE NO WY3 MY3T WYNNE	PRL	722
SO SAYDE THE FADER OF FOLDE AND FLODE	PRL	736

BOT MAKELE3 QUENE THENNE SADE I NOT.	PRL	784
HE SAYDE OF HYM THYS PROFESSYE	PRL	821
THEN SAYDE I TO THAT LUFLY FLOR	PRL	962
THAT SCHENE SAYDE THAT GOD WYL SCHYLDE.	PRL	965
AND SYKYNG TO MYSELF I SAYD	PRL	1175
SAIL		
OTHER ANY SWEANDE SAYL TO SECHE AFTER HAUEN	CLN	420
THE SAYL SWEYED ON THE SEE THENNE SUPPE BIHOUED.	PAT	151
SYN HER SAYL WAT3 HEM ASLYPPED ON SYDE3 TO ROWE.	PAT	218
SAILED		
ANDE AS SAYLED THE SEGGE AY SYKERLY HE HERDE.	PAT	301
SAILING		
THAT SETE ON HYM SEMLY WYTH SAYLANDE SKYRTE3.	GGK	865
SAINT		
SAYNT ERKENWOLDE AS I HOPE THAT HOLY MON HATTE	ERK	4
TIL SAYNT AUSTYN INTO SANDEWICHE WAS SENDE FRO THE POPE	ERK	12
THAT ERE WAS OF APPOLYN IS NOW OF SAYNT PETRE	ERK	19
MAHON TO SAYNT MARGRETE OTHER TO MAUDELAYNE	ERK	20
SYTTES SEMELY IN THE SEGE OF SAYNT PAULE MYNSTER	ERK	35
BY THAT HE COME TO THE KYRKE KYDDE OF SAYNT PAULE	ERK	113
JESUS AND SAYN GILYAN THAT GENTYLE AR BOTHE	GGK	774
THE IOYE OF SAYN JONE3 DAY WAT3 GENTYLE TO HERE.	GGK	1022
THE LORDE SAYDE BI SAYNT GILE.	GGK	1644
THE KNY3T SAYDE BE SAYN JON	GGK	1788
OF COURTAYSYE AS SAYT3 SAYNT POULE	PRL	457
SANT JOHN HEM SY3 AL IN A KNOT	PRL	788
THER AS BAPTYSED THE GOUDE SAYNT JON	PRL	818
SAINTS		
HE HURLYD OWT HOR YDOLS AND HADE HYM IN SAYNTES.	ERK	17
INMYDE3 THE TRONE THERE SAYNTE3 SETE	PRL	835
SAKE		
AND HE SCHAL SAUE HIT FOR THY SAKE THAT HAT3 VS SENDE HIDER.	CLN	922
WERE A RENKE NEUER SO RICHE FOR REUERENS SAKE	ERK	239
AND HE MADE A FARE ON THAT FEST FOR THE FREKE3 SAKE	GGK	537
WELE WAXE3 IN VCHE A WON IN WORLDE FOR HIS SAKE.	GGK	997
AND BISO3T HYM FOR HIR SAKE DISCEUER HIT NEUER	GGK	1862
AND THAT FOR SAKE OF THAT SEGGE IN SWETE TO WERE	GGK	2518
FOR DESERT OF SUM SAKE THAT I SLAYN WERE	PAT	84
LO AL SYNKES IN HIS SYNNE AND FOR HIS SAKE MARRES	PAT	172
WYTHOUTEN ANY SAKE OF FELONYE.	PRL	800
TO SOFFER INNE SOR FOR MANE3 SAKE	PRL	940
SAKEFYSE (V. SACRIFICE)		
SAKERFYSE (V. SACRIFICE)		
SAKLE3		
SCHAL SYNFUL AND SAKLE3 SUFFER AL ON PAYNE	CLN	716
SAKRED (V. SACRED)		
SALAMON (V. SOLOMON)		
SALAMONES (V. SOLOMONS)		
SALE		
SCHUL NEUER SITTE IN MY SALE MY SOPER TO FELE	CLN	107
AND 3ET THE SYMPLEST IN THAT SALE WAT3 SERUED TO THE FULLE	CLN	120
THAT SUMTYME SETE IN HER SALE SYRES AND BURDES	CLN	1260
SO WAT3 SERUED FELE SYTHE THE SALE ALLE ABOUTE	CLN	1417
BI THE SYDE OF THE SALE WERE SEMELY ARAYED	CLN	1442
WYCHE3 AND WALKYRIES WONNEN TO THAT SALE	CLN	1577
HAT3 SENDE INTO THIS SALE THISE SY3TES VNCOWTHE.	CLN	1722
THE SOLACE OF THE SOLEMPNETE IN THAT SALE DURED.	CLN	1757
WAT3 NEUER SENE IN THAT SALE WYTH SY3T ER THAT TYME	GGK	197

IN A SWOGHESYLENCE THUR3 THE SALE RICHE	GGK		243
THER SUCH AN ASKYNG IS HEUENED SO HY3E IN YOUR SALE	GGK		349
THERE WAT3 MUCH DERNE DOEL DRIUEN IN THE SALE	GGK		558
AND SYTHEN THUR3 AL THE SALE AS HEM BEST SEMED	GGK		1005
THENNE COMAUNDED THE SYRE IN THAT SALE TO SAMEN ALLE THE MENY	GGK		1372
SEGGE3 SETTE AND SERUED IN SALE AL ABOUTE.	GGK		1651
IN A SWOGHE SYLENCE THUR3 THE SALE RICHE	GGK	V	243
THERE WAT3 MUCH DERUE DOEL DRIUEN IN THE SALE	GGK	V	558
THENNE COMAUNDED THE LORDE IN THAT SALE TO SAMEN ALLE THE MENY.	GGK	V	1372
SALOMON (V. SOLOMON)			
SALT			
FOR WYTH NO SOUR NE NO SALT SERUE3 HYM NEUER.	CLN		820
LOUE3 NO SALT IN HER SAUCE 3ET HIT NO SKYL WERE.	CLN		823
THENNE HO SAUERE3 WYTH SALT HER SEUE3 VCHONE.	CLN		825
ALSO SALT AS ANI SE AND SO HO 3ET STANDE3.	CLN		984
IN A STONEN STATUE THAT SALT SAUOR HABBES.	CLN		995
ON HO SERUED AT THE SOPER SALT BIFORE DRY3TYN	CLN		997
FOR ON HO STANDES A STON AND SALT FOR THAT OTHER	CLN		999
SALUE			
COM TO HYM TO SALUE	GGK		1473
SALURE			
SANAP AND SALURE AND SYLUERIN SPONE3	GGK		886
SAMARIA			
THA3 HE WERE SO3T FRO SAMARYE THAT GOD SE3 NO FYRRE	PAT		116
SAMARYE (V. SAMARIA)			
SAME (ALSO V. SAMEN)			
THAT SELUE SARE WYTHOUTEN SEDE INTO THAT SAME TYME.	CLN		660
AND VCHE SEGGE THAT HIM SEWIDE THE SAME FAYTHE TROWID.	ERK		204
HEMEWEL HALED HOSE OF THAT SAME GRENE	GGK		157
THE STEROPES THAT HE STOD ON STAYNED OF THE SAME	GGK		170
ALLE OF ERMYN IN ERDE HIS HODE OF THE SAME	GGK		881
TO FYLLE THE SAME FORWARDE3 THAT THAY BYFORE MADEN.	GGK		1405
AND EFTERSONES OF THE SAME HE SERUED HYM THERE	GGK		1640
TO NORNE ON THE SAME NOTE ON NWE3ERE3 EUEN	GGK		1669
HEME WELHALED HOSE OF THAT SAME GRENE	GGK	V	157
ALLE OF ERMYN INURNDE HIS HODE OF THE SAME	GGK	V	881
OF SUCH VERGYNE3 IN THE SAME GYSE	PRL		1099
AND CORONDE WERN ALLE OF THE SAME FASOUN	PRL		1101
SAMEN			
AND SENDE HIS SONDE THEN TO SAY THAT THAY SAMNE SCHULDE	CLN		53
TO DRY3 HER DELFUL DESTYNE AND DY3EN ALLE SAMEN.	CLN		400
BANNED HYM FUL BYTTERLY WYTH BESTES ALLE SAMEN	CLN		468
THENNE THAY SAYDEN AS THAY SETE SAMEN ALLE THRYNNE.	CLN		645
TO SAMEN WYTH THO SEMLY THE SOLACE IS BETTER.	CLN		870
NOW HAT3 NABU3ARDAN NUMMEN HIT AL SAMEN	CLN		1291
THAT ALLE THE GRETE VPON GROUNDE SCHULDE GEDER HEM SAMEN.	CLN		1363
WITH ALL THE WELE OF THE WORLDE THAY WONED THER SAMEN.	GGK		50
AND SYTHEN THAY REDDEN ALLE SAME.	GGK		363
AND SAYDE SOTHLY AL SAME SEGGES TIL OTHER.	GGK		673
THE HASEL AND THE HA3THORNE WERE HARLED AL SAMEN	GGK		744
AND SETEN SOBERLY SAMEN THE SERUISEQUYLE	GGK		940
MUCH SOLACE SET THAY SAME	GGK		1318
EUENDOUN TO THE HAUNCHE THAT HENGED ALLE SAMEN	GGK		1345
THENNE COMAUNDED THE SYRE IN THAT SALE TO SAMEN ALLE THE MENY	GGK		1372
AND SETEN SOBERLY SAMEN THE SERUISE QUYLE.	GGK	V	940
EUENDEN TO THE HAUNCHE THAT HENGED ALLE SAMEN	GGK	V	1345
THENNE COMAUNDED THE LORDE IN THAT SALE TO SAMEN ALLE THE MENY.	GGK	V	1372
SYTHEN I AM SETTE WYTH HEM SAMEN SUFFER ME BYHOUES.	PAT		46
SO WAT3 AL SAMEN HER ANSWAR SO3T.	PRL		518

SAMENFERES
THAY SLYPPED BI AND SY3E HIR NOT THAT WERN HIR SAMENFERES . . CLN 985
SAMNE (V. SAMEN)
SAMNED
THAT HE WOLDE SE THE SEMBLE THAT SAMNED WAS THERE . . . . . . CLN 126
THENNE SONE COM THE SEUENTHE DAY WHEN SAMNED WERN ALLE . . . . CLN 361
NE SAMNED NEUER IN NO SYDE NE SUNDRED NOUTHER . . . . GGK 659
SAMNES
THENNE SAYDE HE TO HIS SERIAUNTES SAMNES YOW BILYUE . . . . . PAT 385
SAMPLE
IN SAMPLE HE CAN FUL GRAYTHELY GESSE . . . . PRL 499
SAMPLES
THAT ALLE GOUDES COM OF GOD AND GEF HIT HYM BI SAMPLES . . . . CLN 1326
SAMSON
AND SALAMON WITH FELE SERE AND SAMSON EFTSONE3 . . . . GGK 2417
SANAP
SANAP AND SALURE AND SYLUERIN SPONE3 . . . . GGK 886
SANCTA
BIFORE THE SANCTA SANCTORUM THER SELCOUTH WAT3 OFTE . . . . . CLN 1274
BIFORE THE SANCTA SANCTORUM THER SOTHEFAST DRY3TYN. . . . . . CLN 1491
SANCTORUM
BIFORE THE SANCTA SANCTORUM THER SELCOUTH WAT3 OFTE . . . . . CLN 1274
BIFORE THE SANCTA SANCTORUM THER SOTHEFAST DRY3TYN. . . . . . CLN 1491
SANCTUARY
BY ASSENT OF THE SEXTENE THE SAYNTUARE THAI KEPTEN. . . . . . ERK 66
SAND
THENNE HE SWEPE TO THE SONDE IN SLUCHCHED CLOTHES . . . . . . PAT 341
SANDEWICHE (V. SANDWICH)
SANDIVER
SOUFRE SOUR AND SAUNDYUER AND OTHER SUCH MONY . . . . CLN 1036
SANDWICH
TIL SAYNT AUSTYN INTO SANDEWICHE WAS SENDE FRO THE POPE . . . . ERK 12
SANG
AS SONET OUT OF SAUTERAY SONGE ALS MYRY . . . . CLN 1516
SETEN AT HER SOPER AND SONGEN THERAFTER . . . . CLN 1763
THAY SONGEN WYTH A SWETE ASENT . . . . PRL 94
THAT NWE SONGE THAY SONGEN FUL CLER. . . . . PRL 882
HER SONGE THAY SONGEN NEUERTHELES . . . . PRL 888
AL SONGE TO LOUE THAT GAY JUELLE. . . . . PRL 1124
SANGE (V. SONG)
SANK
AL THO CITEES AND HER SYDES SUNKKEN TO HELLE. . . . . CLN 968
SANT (V. SAINT)
SAPPHIRE
WAT3 EMERAD SAFFER OTHER GEMME GENTE . . . . PRL 118
SAFFER HELDE THE SECOUNDE STALE . . . . PRL 1002
SAPPHIRES
ANDE SAFYRES AND SARDINERS AND SEMELY TOPACE. . . . . CLN 1469
SAPYENCE
OF SAPYENCE THI SAWLE FUL SOTHES TO SCHAWE . . . . CLN 1626
SARAH
THENNE ORPPEDLY INTO HIS HOUS HE HY3ED TO SARE . . . . CLN 623
AND THENNE SCHAL SARE CONSAYUE AND A SUN BERE . . . . CLN 649
AND SAYDE SOTYLY TO HIRSELF SARE THE MADDE . . . . CLN 654
THAT SELUE SARE WYTHOUTEN SEDE INTO THAT SAME TYME. . . . . . CLN 660
THENNE SAYDE OURE SYRE THER HE SETE SE SO SARE LA3ES . . . . . CLN 661
AND SOTHELY SENDE TO SARE A SOUN AND AN HAYRE . . . . CLN 666
THENNE SWENGED FORTH SARE AND SWER BY HIR TRAWTHE . . . . . . CLN 667
AND SAYDE SOTHLY TO HIRSELF SARE THE MADDE . . . . CLN V 654

SARDE			
THE SEXTE THE SARDE HE CON HIT WALE.	PRL 2		1007
SARDINERS			
ANDE SAFYRES AND SARDINERS AND SEMELY TOPACE.	CLN		1469
SARDONYSE (V. SARDONYX)			
SARDONYX			
THE SARDONYSE THE FYFTHE STON.	PRL		1006
SARE (V. SARAH)			
SARRE (V. SORER)			
SARREST (V. SOREST)			
SAT			
THENNE THAY SAYDEN AS THAY SETE SAMEN ALLE THRYNNE.	CLN		645
THENNE SAYDE OURE SYRE THER HE SETE SE SO SARE LA3ES	CLN		661
THENNE SETEN THAY AT THE SOPER WERN SERUED BYLYUE	CLN		829
FRO THE SEGGE3 HADEN SOUPED AND SETEN BOT A WHYLE	CLN		833
THAT NO3T SAUED WAT3 BOT SEGOR THAT SAT ON A LAWE	CLN		992
HE SETE ON SALAMONES SOLIE ON SOMEMNE WYSE	CLN		1171
THAT SUMTYME SETE IN HER SALE SYRES AND BURDES	CLN		1260
BRAUNCHES BREDANDE THERON AND BRYDDES THER SETEN	CLN		1482
SETEN AT HER SOPER AND SONGEN THERAFTER	CLN		1763
AND AL STOUNED AT HIS STEUEN AND STONSTIL SETEN.	GGK		242
GAWAN THAT SATE BI THE QUENE	GGK		339
THAT SETE ON HYM SEMLY WYTH SAYLANDE SKYRTE3.	GGK		865
AND HE SETE IN THAT SETTEL SEMLYCH RYCHE	GGK		882
AND SETEN SOBERLY SAMEN THE SERUISEQUYLE	GGK		940
GAWAN AND THE GAY BURDE TOGEDER THAY SETEN	GGK		1003
AND SYTHEN BY THE CHYMNE IN CHAMBER THAY SETEN	GGK		1402
AND I HAF SETEN BY YOURSELF HERE SERE TWYES	GGK		1522
AND SETEN SOBERLY SAMEN THE SERUISE QUYLE.	GGK	V	940
THER HE SETE ALSO SOUNDE SAF FOR MERK ONE.	PAT		291
AND 3ET I SAYDE AS I SEET IN THE SEBOTHEM.	PAT		313
AT THE FOTE THEROF THER SETE A FAUNT	PRL		161
INMYDE3 THE TRONE THERE SAYNTE3 SETE	PRL		835
THE HY3E GODE3 SELF HIT SET VPONE	PRL		1054
SATAN			
NOW IS SETTE FOR TO SERUE SATANAS THE BLAKE	CLN		1449
THAT ERE WOS SETT OF SATHANAS IN SAXONES TYME	ERK		24
SATANAS (V. SATAN)			
SATE (V. SAT)			
SATHANAS (V. SATAN)			
SATHRAPAS (V. SATRAPS)			
SATRAPS			
AS THE SAGE SATHRAPAS THAT SORSORY COUTHE.	CLN		1576
SATTELED (V. SETTLED)			
SAT3 (V. SAYS)			
SAUAGE			
SIR DODDINAUAL DE SAUAGE THE DUK OF CLARENCE.	GGK		552
SAUCE			
LOUE3 NO SALT IN HER SAUCE 3ET HIT NO SKYL WERE.	CLN		823
SAUCES			
AND AY SAWSES SO SLE3E THAT THE SEGGE LYKED	GGK		893
AND AY SAWES SO SLE3E THAT THE SEGGE LYKED	GGK	V	893
SAUDAN			
EMPEROUR OF ALLE THE ERTHE AND ALSO THE SAUDAN	CLN		1323
AND THE SAUNDANS SETE SETTE IN THE MYDDES.	CLN		1388
SAUDANS			
AND ASSEMBLE AT A SET DAY AT THE SAUDANS FEST	CLN		1364
SAUE (V. SAFE, SAVE)			
SAUED (V. SAVED)			

SAUEMENT (V. SAVEMENT)
SAUEN (V. SAVE)
SAUEOUR (V. SAVIOR)
SAUER (V. SAFER)
SAUERED (V. SAVORED)
SAUERE3 (V. SAVORS)
SAUERLY (V. SAVORLY)
SAUE3 (V. SAVES, SAWS)
SAUIOR (V. SAVIOR)
SAUIOUR (V. SAVIOR)
SAULE (V. SOUL)
SAULE3 (V. SOULS)
SAUNDYUER (V. SANDIVER)
SAUOR (V. SAVOR)
SAUOUR (V. SAVOR)
SAUOURED (V. SAVORED)
SAUTER (V. PSALTER)
SAUTERAY (V. PSALTERY)
SAUYOUR (ALSO V. SAVIOR)

BOT SAUYOUR MON IN THYSELF THA3 THOU A SOTTE LYUIE.	CLN	581

SAUYOURE (V. SAVIOR)
SAUYTE (V. SAFETY)
SAVE

I SCHAL SAUE OF MONNE3 SAULE3 AND SWELT THOSE OTHER	CLN	332
FOR TO SAUE ME THE SEDE OF ALLE SER KYNDE3	CLN	336
AND SED THAT I WYL SAUE OF THYSE SER BESTE3	CLN	358
SUMME SWYMMED THERON THAT SAUE HEMSELF TRAWED	CLN	388
SAUE THE HATHEL VNDER HACH AND HIS HERE STRAUNGE	CLN	409
AND HE SCHAL SAUE HIT FOR THY SAKE THAT HAT3 VS SENDE HIDER. .	CLN	922
THAT SO HIS SERUAUNTES WOLDE SEE AND SAUE OF SUCH WOTHE	CLN	988
HE3EST OF ALLE OTHER SAF ONELYCH TWEYNE	CLN	1749
SAF THAT THOU SCHAL SIKER ME SEGGE BI THI TRAWTHE	GGK	394
BE SERUAUNT TO YOURSELUEN SO SAUE ME DRY3TYN.	GGK	1548
BOT FORTO SAUEN HYMSELF WHEN SUFFER HYM BYHOUED.	GGK	2040
GEF HYM GOD AND GOUD DAY THAT GAWAYN HE SAUE.	GGK	2073
HIS SERUAUNTE3 FORTO SAUE	GGK	2139
SAUE A LYTTEL ON A LAUNDE A LAWE AS HIT WERE.	GGK	2171
SAUE THAT FAYRE ON HIS FOTE HE FOUNDE3 ON THE ERTHE	GGK	2229
SAF JONAS THE JWE THAT JOWKED IN DERNE.	PAT	182
THER HE SETE ALSO SOUNDE SAF FOR MERK ONE.	PAT	291
AND INOSCENTE IS SAF AND RY3TE	PRL	672
TWO MEN TO SAUE IS GOD BY SKYLLE.	PRL	674
THE INNOSENT IS AY SAUE BY RY3TE.	PRL	696

SAVED

THAT NO3T SAUED WAT3 BOT SEGOR THAT SAT ON A LAWE	CLN	992
HOW HIS SAWLE SCHULDE BE SAUED WHEN HE SCHULD SEYE HETHEN . .	GGK	1879

SAVEMENT

THER SO3T NO MO TO SAUEMENT OF CITIES ATHEL FYUE	CLN	940

SAVES

SAUE3 EUERMORE THE INNOSSENT	PRL	666

SAVIOR

THENNE MAY THOU SE THY SAUIOR AND HIS SETE RYCHE	CLN	176
THAT HE HIS SAUEOUR NE SEE WYTH SY3T OF HIS Y3EN	CLN	576
NOW SAYNED BE THOU SAUIOUR SO SYMPLE IN THY WRATH	CLN	746
THEN SAYD HE WITH A SADDE SOUN OURE SAUYOURE BE LOUYD.	ERK	324
FOR THAY HER SAUYOUR IN SETE SCHAL SE WYTH HER Y3EN	PAT	24

SAVOR

THE SAUOUR OF HIS SACRAFYSE SO3T TO HYM EUEN.	CLN	510
IN A STONEN STATUE THAT SALT SAUOR HABBES.	CLN	995

IN THE SOLEMPNE SACREFYCE THAT GOUD SAUOR HADE . . . . CLN 1447

SAVORED

SUMME SOTHEN SUMME IN SEWE SAUERED WITH SPYCES . . . . GGK 892
THER IN SAYM AND IN SOR3E THAT SAUOURED AS HELLE . . . . PAT 275

SAVORLY

AS SAUERLY AND SADLY AS HE HEM SETTE COUTHE . . . . GGK 1937
AND HADE BEN SOIOURNED SAUERLY AND IN A SIKER WYSE. . . . . . GGK 2048
NO SAUERLY SAGHE SAY OF THAT SY3T . . . . PRL 226

SAVORS

THENNE HO SAUERE3 WYTH SALT HER SEUE3 VCHONE. . . . . CLN 825

SAW

THENNE THE SERGAUNTE3 AT THAT SAWE SWENGEN THEROUTE . . . . . CLN 109
HE SE3 NO3T BOT HYMSELF HOW SEMLY HE WERE. . . . . CLN 209
THEN VCHE A SEGGE SE3 WEL THAT SYNK HYM BYHOUED. . . . . CLN 398
HE SY3E THER SWEY IN ASENT SWETE MEN TWEYNE . . . . CLN 788
THAY SLYPPED BI AND SY3E HIR NOT THAT WERN HIR SAMENFERES . . . CLN 985
FORTHY A FERLY BIFEL THAT FELE FOLK SE3EN. . . . . CLN 1529
ER THENNE THE SOUERAYN SA3E SOUNED IN HIS ERES . . . . CLN 1670
SE3 THESE SYNGNES WYTH SY3T AND SET HEM AT LYTTEL . . . . CLN 1710
ANSUARE HERE TO MY SAWE COUNCELE NO TROUTHE . . . . ERK 184
A SEMLOKER THAT EUER HE SY3E . . . . GGK 83
SO SAYD AL THAT HYM SY3E . . . . GGK 200
AL THAT SE3 THAT SEMLY SYKED IN HERT . . . . GGK 672
THAY SE3E NEUER NO SEGGE THAT WAT3 OF SUCHE HWE3 . . . . GGK 707
AND SAYNED HYM AS BI HIS SA3E THE SAUER TO WORTHE . . . . GGK 1202
AT SA3E OTHER AT SERUYCE THAT I SETTE MY3T . . . . GGK 1246
THAT I SE3 THIS SEUEN 3ERE IN SESOUN OF WYNTER . . . . GGK 1382
SY3 HYM BYDE AT THE BAY HIS BURNE3 BYSYDE. . . . . GGK 1582
TIL HE SE3 SIR GAWAYNE . . . . GGK 1619
WHEN HE SE3E SIR GAWAYN WITH SOLACE HE SPEKE3 . . . . GGK 1624
NE SUCH SYDES OF A SWYN SEGH HE NEUER ARE. . . . . GGK 1632
AND QUEN THAY SEGHE HYM WITH SY3T THAY SUED HYM FAST . . . . . GGK 1705
HE SE3 HIR SO GLORIOUS AND GAYLY ATYRED . . . . GGK 1760
AY RECHATANDE ARY3T TIL THAY THE RENK SE3EN . . . . GGK 1911
TIL THE SESOUN WAT3 SE3EN THAT THAY SEUER MOSTE. . . . . GGK 1958
AND SE3E NO SYNGNE OF RESETTE BISYDE3 NOWHERE . . . . GGK 2164
HE SE3 NON SUCHE IN NO SYDE AND SELLY HYM THO3T. . . . . GGK 2170
AND QUEN THE BURNE SE3 THE BLODE BLENK ON THE SNAWE . . . . . GGK 2315
THA3 HE WERE SO3T FRO SAMARYE THAT GOD SE3 NO FYRRE . . . . . PAT 116
I SE3 BY3ONDE THAT MYRY MERE . . . . PRL 158
I SE3 HYR IN SO STRANGE A PLACE . . . . PRL 175
THAT EUER I SE3 3ET WITH MYN ENE. . . . . PRL 200
NO SAUERLY SAGHE SAY OF THAT SY3T . . . . PRL 226
THAT LEUE3 WEL THAT HE SE3 WYTH Y3E. . . . . PRL 302
HE SE3 THER YDEL MEN FUL STRONGE. . . . . PRL 531
DAUID IN SAUTER IF EUER 3E SY3 HIT . . . . PRL 698
SANT JOHN HEM SY3 AL IN A KNOT . . . . PRL 788
THE APOSTEL HEM SEGH IN GOSTLY DREM. . . . . PRL 790
THE APOSTEL JOHN HYM SA3 AS BARE. . . . . PRL 836
I SEGHE SAYS JOHN THE LOUMBE HYM STANDE . . . . PRL 867
AS JOHN THE APOSTEL HIT SY3 WYTH SY3T . . . . PRL 985
I SY3E THAT CYTY OF GRET RENOUN . . . . PRL 986
AS JOHN DEUYSED 3ET SA3 I THARE . . . . PRL 1021
FOR METEN HIT SY3 THE APOSTEL JOHN . . . . PRL 1032
AS JOHN HYM WRYTE3 3ET MORE I SY3E . . . . PRL 1033
THEN SA3 I THER MY LYTTEL QUENE . . . . PRL 1147
QUEN I SE3 MY FRELY I WOLDE BE THERE . . . . PRL 1155
THAT EUER I SE3 3ET WITH MYN Y3EN . . . . PRL 1 200
THAT LOUE3 WEL THAT HE SE3 WYTH Y3E. . . . . PRL 1 302

DAUID IN SAUTER IF EUER 3E SE3 HIT	PRL 1	698
THE APOSTEL JOHN HYM SY3 AS BARE.	PRL 1	836
THE APOSTEL JOHN HYM SY3 AS BARE.	PRL 3	836
SAWE (V. SAW)		
SAWELE (V. SOUL)		
SAWES (V. SAUCES, SAWS)		
SAWE3 (V. SAWS)		
SAWLE (V. SOUL)		
SAWS		
AND RASPED ON THE RO3 WO3E RUNISCH SAUE3	CLN	1545
HIS SAWLE IS FUL OF SYENCE SA3ES TO SCHAWE	CLN	1599
FOR HIS DEPE DIUINITE AND HIS DERE SAWES	CLN	1609
IN PHARES FYNDE I FORSOTHE THISE FELLE SA3ES.	CLN	1737
I BESECHE NOW WITH SA3E3 SENE.	GGK	341
AND IN THAT CETE MY SA3ES SOGHE ALLE ABOUTE	PAT	67
AND IUELE3 WERN HYR GENTYL SAWE3.	PRL	278
SAWSES (V. SAUCES)		
SAXON		
AND THE SOLEMPNEST OF HIS SACRIFICES IN SAXON LONDES	ERK	30
SAXONES (V. SAXONS)		
SAXONS		
THAT THE SAXONES VNSA3T HADEN SENDE HYDER.	ERK	8
THAT ERE WOS SETT OF SATHANAS IN SAXONES TYME	ERK	24
SAY		
AND SENDE HIS SONDE THEN TO SAY THAT THAY SAMNE SCHULDE	CLN	53
SAY ME FRENDE QUOTH THE FREKE WYTH A FELLE CHERE	CLN	139
FARE FORTHE QUOTH THE FREKE3 AND FECH AS THOU SEGGE3	CLN	621
IN SODAMAS THA3 I HIT SAY NON SEMLOKER BURDES	CLN	868
HOW SCHULDE WE SE THEN MAY WE SAY THAT SYRE VPON THRONE	CLN	1112
TO WAYTE THE WRYT THAT HIT WOLDE AND WYTER HYM TO SAY.	CLN	1552
BOT SUMME SEGGE COUTHE SAY THAT HE HYM SENE HADE	ERK	100
THOU SAYS SOTHE QUOTH THE SEGGE THAT SACRID WAS BYSCHOP	ERK	159
FYRST TO SAY THE THE SOTHE QUO MYSELFE WERE	ERK	197
3EA BOT SAY THOU OF THI SAULE THEN SAYD THE BISSHOP	ERK	273
FORTHI SAY ME OF THI SOULE IN SELE QUERE HO WONNES.	ERK	279
SOTH MO3T NO MON SAY.	GGK	84
NOW WYL I OF HOR SERUISE SAY YOW NO MORE	GGK	130
DAR ANY HERINNE O3T SAY.	GGK	300
THE BOK AS I HERDE SAY	GGK	690
FORSOTHE SIR QUOTH THE SEGGE 3E SAYN BOT THE TRAWTHE	GGK	1050
THIS IS SOTH QUOTH THE SEGGE I SAY YOW THAT ILKE	GGK	1385
3IF HE NE SLEPE SOUNDYLY SAY NE DAR.I	GGK	1991
BOT I SCHAL SAY YOW FORSOTHE SYTHEN I YOW KNOWE.	GGK	2094
FORTHY I SAY YOW AS SOTHE AS 3E IN SADEL SITTE	GGK	2110
FORTHY I SAY THE AS SOTHE AS 3E IN SADEL SITTE	GGK V	2110
NOW SWE3E ME THIDER SWYFTLY AND SAY ME THIS ARENDE.	PAT	72
OUTE OF ORYENT I HARDYLY SAYE.	PRL	3
NO SAUERLY SAGHE SAY OF THAT SY3T	PRL	226
AND SOBERLY AFTER THENNE CON HO SAY.	PRL	256
TO SAY YOUR PERLE IS AL AWAYE.	PRL	258
THOU SAYS THOU TRAWE3 ME IN THIS DENE	PRL	295
ANOTHER THOU SAYS IN THYS COUNTRE	PRL	297
THOU SAYT3 THOU SCHAL WON IN THIS BAYLY	PRL	315
3E WOLDE ME SAY IN SOBRE ASENTE	PRL	391
A BLYSFUL LYF THOU SAYS I LEDE	PRL	409
3YF HYT BE SOTH THAT THOU CONE3 SAYE	PRL	482
THOU SAY3 THAT I THAT COME TO LATE	PRL	615
THAT IS TO SAY AS HER BYRTHWHATE3	PRL	1041

```
    FOR I DAR SAY WYTH CONCIENS SURE. . . . . . . . . . . . . . PRL       1089
    THAT IS TO SAY AS HER BYRTH WHATE3 . . . . . . . . . . . . PRL 1     1041
    THOU SAYT3 THOU SCHAL WON IN THIS BAYLE . . . . . . . . . . PRL 3      315
    THAT IS TO SAY AS HER BYRTH WHATE3 . . . . . . . . . . . . PRL 3     1041
SAYD (V. SAID)
SAYDE (V. SAID)
SAYDEN (V. SAID)
SAYE (V. SAY)
SAYE3 (V. SAYS)
SAYL (V. SAIL)
SAYLANDE (V. SAILING)
SAYLED (V. SAILED)
SAYM
    THER IN SAYM AND IN SOR3E THAT SAUOURED AS HELLE . . . . . . PAT        275
SAYN (V. SAINT, SAY, SAYNT)
SAYNED
    NOW SAYNED BE THOU SAUIOUR SO SYMPLE IN THY WRATH . . . . . . CLN        746
    TYL THAY IN SEGOR WERN SETTE AND SAYNED OUR LORDE . . . . . . CLN        986
    HE SAYNED HYM IN SYTHES SERE . . . . . . . . . . . . . . . GGK        761
    NADE HE SAYNED HYMSELF SEGGE BOT THRYE. . . . . . . . . . . GGK        763
    AND SAYNED HYM AS BI HIS SA3E THE SAUER TO WORTHE . . . . . . GGK       1202
SAYNT (ALSO V. SAINT)
    WITH SILK SAYN VMBE HIS SYDE . . . . . . . . . . . . . . . GGK        589
    NE THE SAYNT NE THE SYLK NE THE SYDE PENDAUNDES. . . . . . . GGK       2431
SAYNTES (V. SAINTS)
SAYNTE3 (V. SAINTS)
SAYNTUARE (V. SANCTUARY)
SAYS (ALSO V. SAY)
    AS SO SAYT3 TO THAT SY3T SECHE SCHAL HE NEUER . . . . . . . CLN         29
    HE SAYT3 NOW FOR HER OWNE SOR3E THAY FORSAKEN HABBE3 . . . . CLN         75
    FOR SOTHELY AS SAYS THE WRYT HE WERN OF SADDE ELDE. . . . . . CLN        657
    FOR AS HE SAYS IN HIS SOTHE PSALMYDE WRITTES. . . . . . . . ERK        277
    AND SITHEN HO SEUERES HYM FRO AND SAYS AS HO STONDES . . . . GGK       1797
    RYS RADLY HE SAYS AND RAYKE FORTH EUEN. . . . . . . . . . . PAT         65
    OURE SYRE SYTTES HE SAYS ON SEGE SO HY3E . . . . . . . . . . PAT         93
    AND SAYE3 VNTE 3EFERUS THAT HE SYFLE WARME . . . . . . . . . PAT        470
    OF COURTAYSYE AS SAYT3 SAYNT POULE . . . . . . . . . . . . . PRL        457
    MY REGNE HE SAYT3 IS LYK ON HY3T. . . . . . . . . . . . . . PRL        501
    THE SAUTER HYT SAT3 THUS IN A PACE . . . . . . . . . . . . . PRL        677
    OF THYS RY3TWYS SA3 SALAMON PLAYN . . . . . . . . . . . . . PRL        689
    AS QUO SAYS LO 3ON LOUELY YLE. . . . . . . . . . . . . . . PRL        693
    ANENDE RY3TWYS MEN 3ET SAYT3 A GOME. . . . . . . . . . . . . PRL        697
    I SEGHE SAYS JOHN THE LOUMBE HYM STANDE . . . . . . . . . . PRL        867
SAYT3 (V. SAY, SAYS)
SAY3 (V. SAY)
SA3 (V. SAW, SAYS)
SA3E (V. SAW)
SA3ES (V. SAWS)
SA3E3 (V. SAWS)
SA3T
    THA3 RESOUN SETTE MYSELUEN SA3T . . . . . . . . . . . . . . PRL         52
    TO PAY THE PRINCE OTHER SETE SA3TE . . . . . . . . . . . . . PRL       1201
SA3TE (V. SA3T)
SA3TLED
    AND 3ET WRATHED NOT THE WY3 NE THE WRECH SA3TLED . . . . . . CLN        230
    HIT SA3TLED ON A SOFTE DAY SYNKANDE TO GROUNDE . . . . . . . CLN        445
    FOR WHEN A SAWELE IS SA3TLED AND SAKRED TO DRY3TYN. . . . . . CLN       1139
    THE SE SA3TLED THERWYTH AS SONE AS HO MO3T . . . . . . . . . PAT        232
SA3TLYNG
```

AND THE SA3TLYNG OF HYMSELF WYTH THO SELY BESTE3 . . . . CLN 490
THAT CETE SESES FUL SOUNDE AND SA3TLYNG MAKES . . . . CLN 1795

SA3TTEL
FUL SOFTLY WYTH SUFFRAUNCE SA3TTEL ME BIHOUE3 . . . . PAT 529

SCALE
THE EMERADE THE FURTHE SO GRENE OF SCALE . . . . PRL 1005

SCALED
ASSCAPED OUER THE SKYRE WATTERES AND SCAYLED THE WALLES . . . . CLN 1776

SCAPE
ALLE EXCUSED HEM BY THE SKYLY HE SCAPE BY MO3T . . . . CLN 62
I WOLDE IF HIS WYLLE WORE TO THAT WON SCAPE . . . . CLN 928
SCOPEN OUT THE SCATHEL WATER THAT FAYN SCAPE WOLDE. . . . . . PAT 155

SCAPED
THEN WAT3 A SKYLLY SKYLNADE QUEN SCAPED ALLE THE WYLDE . . . . CLN 529
THEN WAT3 A SKYLLY SKYVALDE QUEN SCAPED ALLE THE WYLDE . . . . CLN V 529

SCARED
AS A SCOWTEWACH SCARRED SO THE ASSCRY RYSED . . . . CLN 838
ASCRY SCARRED ON THE SCUE THAT SCOMFYTED MONY . . . . CLN 1784

SCARES
HE IS SO SKOYMOS OF THAT SKATHE HE SCARRE3 BYLYUE . . . . CLN 598

SCARRED (V. SCARED)
SCARRE3 (V. SCARES)

SCATHE
NIF HE NERE SCOYMUS AND SKYG AND NON SCATHE LOUIED. . . . . . CLN 21
HE WAT3 SO SCOUMFIT OF HIS SCYLLE LEST HE SKATHE HENT. . . . . CLN 151
IS DISPLESED AT VCH A POYNT THAT PLYES TO SCATHE . . . . CLN 196
THAT ILKE SKYL FOR NO SCATHE ASCAPED HYM NEUER . . . . CLN 569
HE IS SO SKOYMOS OF THAT SKATHE HE SCARRE3 BYLYUE . . . . CLN 598
AND THAT WAT3 SCHEWED SCHORTLY BY A SCATHE ONE3. . . . . CLN 600
SO IS HE SCOYMUS OF SCATHE THAT SCYLFUL IS EUER. . . . . CLN 1148
SKETE SKARMOCH SKELT MUCH SKATHE LACHED . . . . CLN 1186
CARANDE FOR THAT COMLY BI KRYST HIT IS SCATHE . . . . GGK 674
BOUTE SCATHE . . . . GGK 2353

SCATHEL
SCOPEN OUT THE SCATHEL WATER THAT FAYN SCAPE WOLDE. . . . . . PAT 155

SCAYLED (V. SCALED)
SCELT (V. SKELT)

SCEPTRE
AND A SEMELY SEPTURE SETT IN HIS HONDE. . . . . ERK 84
QUY HALDES THOU SO HEGHE IN HONDE THE SEPTRE. . . . . ERK 223
AND FOR I REWARDID EUER RI3T THAI RAGHT ME THE SEPTRE. . . . . ERK 256

SCHAD (V. SHED)
SCHADDE (V. SHED)
SCHADE (V. SHADE, SHED)
SCHADED (V. SHADED)
SCHADOW (V. SHADOW)
SCHADOWED (V. SHADOWED)
SCHAFT (V. SHAFT)
SCHAFTE (V. SHAFT)

SCHAFTED
SUANDE THIS WYLDE SWYN TIL THE SUNNE SCHAFTED . . . . GGK 1467

SCHAFTE3 (V. SHAFTS)
SCHAL (APP. 1)
SCHALE (APP. 1)

SCHALK
IF ANY SCHALKE TO BE SCHENT WER SCHOWUED THERINNE . . . . CLN 1029
AND SCHOLES VNDER SCHANKES THERE THE SCHALK RIDES . . . . GGK 160
THAT THE SCHARP OF THE SCHALK SCHYNDERED THE BONES. . . . . . GGK 424
GOD SCHYLDE QUOTH THE SCHALK THAT SCHAL NOT BEFALLE . . . . . GGK 1776

```
    HIS SCHALK SCHEWED HYM HIS SCHELDE ON SCHULDER HE HIT LA3T . .  GGK       2061
    THAT OTHER SCHALK WYTH A SCHUNT THE SCHENE WYTHHALDE3. . . .    GGK       2268
    THAT AL HE SCHRANK FOR SCHOME THAT THE SCHALK TALKED . . . .    GGK       2372
    THE SCHYRE SUNNE HADE HEM SCHENT ER EUER THE SCHALK WYST. . .   PAT        476
SCHALKE (V. SCHALK)
SCHALKE3
    AND I SCHAL SCHAPE NO MORE THO SCHALKKE3 TO HELPE . . . . . .   CLN        762
    SCHALKE3 TO SCHOTE AT HYM SCHOWEN TO THENNE . . . . . . . .     GGK       1454
SCHALKKE3 (V. SCHALKE3)
SCHALT (APP. 1)
SCHALTE (APP. 1)
SCHAM (V. SHAME)
SCHAME (V. SHAME)
SCHAMED (V. SHAMED)
SCHAME3 (V. SHAMES)
SCHANKES (V. SHANKS)
SCHAP (V. SHAPE)
SCHAPE (V. SHAPE)
SCHAPED (V. SHAPED)
SCHAPEN (V. SHAPED)
SCHAPES (V. SHAPES)
SCHAPPES (V. SHAPES)
SCHARP (V. SHARP)
SCHARPE (V. SHARP)
SCHATERANDE (V. SHATTERING)
SCHAUED (V. SHAVED)
SCHAUEN (V. SHAVEN)
SCHAWE (V. SHOW)
SCHA3E
    SCHOWUE3 IN BI A SCHORE AT A SCHA3E SYDE . . . . . . . . . .    GGK       2161
    BOT AL SCHET IN A SCHA3E THAT SCHADED FUL COLE . . . . . . .    PAT        452
SCHEDDE (V. SHED)
SCHEDE (V. SHED)
SCHEDE3 (V. SHEDS)
SCHELDE (V. SHIELD)
SCHELDE3 (V. SHIELDS)
SCHEMERED (V. SHIMMERED)
SCHENDE
    FORTHY SCHAL I NEUER SCHENDE SO SCHORTLY AT ONES . . . . . .    CLN        519
    SCHALT THOW SCHORTLY AL SCHENDE AND SCHAPE NON OTHER . . . . .  CLN        742
    AS HIT COM GLYDANDE ADOUN ON GLODE HYM TO SCHENDE . . . . . .   GGK       2266
SCHENDED
    OF THAT SCHENDED SCHYP MEN SCHOWUED HYM SONE. . . . . . . . .   PAT        246
SCHENE (V. SHEEN)
SCHENT
    AND THUS SCHAL HE BE SCHENT FOR HIS SCHROWDE FEBLE. . . . . .   CLN         47
    THAT SCHAME3 FOR NO SCHREWEDSCHYP SCHENT MOT HE WORTHE . . .    CLN        580
    IF ANY SCHALKE TO BE SCHENT WER SCHOWUED THERINNE . . . . . .   CLN       1029
    THE SCHYRE SUNNE HADE HEM SCHENT ER EUER THE SCHALK WYST. . .   PAT        476
    THAT EUER THE GYLTE3 SCHULDE BE SCHENTE . . . . . . . . . .     PRL        668
SCHENTE (V. SHCENT)
SCHEP (V. SHEEP)
SCHEPON
    NE NO SCHROUDEHOUS SO SCHENE AS A SCHEPON THARE. . . . . . .    CLN       1076
SCHER (V. SHEARED)
SCHERE (V. CHEER, SHEAR)
SCHEREWYKES
    THAT SCHAD FRO HIS SCHULDERES TO HIS SCHEREWYKES . . . . . .    CLN       1690
SCHERE3 (V. SHEERS)
```

SCHET (V. SHUT)
SCHEUED (V. SHOWED)
SCHEWE (V. SHOW)
SCHEWED (V. SHOWED)
SCHEWEED (V. SHOWED)
SCHEWEN (V. SHOW)
SCHEWE3 (V. SHOWS)
SCHEWYDE (V. SHOWED)
SCHIN (APP. 1)
SCHINANDE (V. SHINING)
SCHIP (V. SHIP)
SCHO (APP. 1)
SCHOLARS
    SCOLERES SKELTEN THERATTE THE SKYL FOR TO FYNDE. . . . . . . CLN 1554
SCHOLES
    AND SCHOLES VNDER SCHANKES THERE THE SCHALK RIDES . . . . . . GGK 160
SCHOME (V. SHAME)
SCHOMELY (V. SHAMELY)
SCHON (V. SHONE)
SCHONIED (V. SHUNNED)
SCHONKES (V. SHANKS)
SCHONKE3 (V. SHANKS)
SCHOP (V. SHAPED)
SCHOR (V. SHORE)
SCHORE (V. SHORE)
SCHORE3 (V. SHORES)
SCHORNE (V. SHORN)
SCHORT (V. SHORT)
SCHORTLY (V. SHORTLY)
SCHOT (V. SHOT)
SCHOTE (V. SHOOT, SHOT)
SCHOTTEN (V. SHOT)
SCHOUT (V. SHOUT)
SCHOWEN (V. SHOVED)
SCHOWRE3 (V. SHOWERS)
SCHOWTED (V. SHOUTED)
SCHOWUED (V. SHOVED)
SCHOWUE3 (V. SHOVES)
SCHRANK (V. SHRANK)
SCHRANKE (V. SHRANK)
SCHREWE (V. SHREW)
SCHREWEDSCHYP (V. SHREWEDSHIP)
SCHREWES (V. SHREWS)
SCHREWE3 (V. SHREWS)
SCHROF (V. SHROVE)
SCHROUDEHOUS (V. SHROUD-HOUSE)
SCHROWDE (V. SHROUD)
SCHRYFTE (V. SHRIFT)
SCHRYLLE (V. SHRILL)
SCHUL (APP. 1)
SCHULD (APP. 1)
SCHULDE (APP. 1)
SCHULDEN (APP. 1)
SCHULDER (V. SHOULDER)
SCHULDERES (V. SHOULDERS)
SCHULDERE3 (V. SHOULDERS)
SCHUNT (CP. SHUNNED)
    HE WAT3 SCHUNT TO THE SCHADOW VNDER SCHYRE LEUE3 . . . . . . CLN 605
    AND HE SCHUNT FOR THE SCHARP AND SCHULDE HAF ARERED . . . . . GGK 1902

THAT OTHER SCHALK WYTH A SCHUNT THE SCHENE WYTHHALDE3. . . . . GGK 2268
QUOTH GAWAYN I SCHUNT ONE3. . . . . GGK 2280
SCHWUE (V. SHOVE)
SCHYIRE (V. SCHYRE)
SCHYLDE (V. SHIELD)
SCHYLDERE3 (V. SHOULDERS)
SCHYM
ABOUTE THAT WATER ARN TRES FUL SCHYM . . . . PRL 1077
SCHYMERYNG (V. SHIMMERING)
SCHYN (APP. 1)
SCHYNDE (V. SHINED)
SCHYNDERED
THAT THE SCHARP OF THE SCHALK SCHYNDERED THE BONES. . . . . . GGK 424
THA3 THE SCHAUEN SCHAFT SCHYNDERED IN PECE3 . . . . GGK 1458
HIT HYM VP TO THE HULT THAT THE HERT SCHYNDERED. . . . . . . GGK 1594
SCHYNE (V. SHINE)
SCHYNED (V. SHINED)
SCHYNES (V. SHINES)
SCHYNE3 (V. SHINE, SHINES)
SCHYP (V. SHIP)
SCHYR (V. SCHYRE)
SCHYRE
FOR THAT SCHEWE ME SCHALE IN THO SCHYRE HOWSE3 . . . . CLN 553
HE WAT3 SCHUNT TO THE SCHADOW VNDER SCHYRE LEUE3 . . . . . . CLN 605
FOR HO SCHYNES SO SCHYR THAT IS OF SCHAP ROUNDE. . . . . . . CLN 1121
THE BASES OF THE BRY3T POSTES AND BASSYNES SO SCHYRE . . . . CLN 1278
THE BLOD SCHOT FOR SCHAM INTO HIS SCHYRE FACE . . . . GGK 317
AND SCHRANK THUR3 THE SCHYIRE GRECE AND SCHADE HIT IN TWYNNE . GGK 425
SCHYRE SCHEDE3 THE RAYN IN SCHOWRE3 FUL WARME . . . . GGK 506
THEN THAY SCHEWED HYM THE SCHELDE THAT WAS OF SCHYR GOULE3 . . GGK 619
AS HIT SCHEMERED AND SCHON THUR3 THE SCHYRE OKE3 . . . . . . GGK 772
SCHAUED WYTH A SCHARP KNYF AND THE SCHYRE KITTEN . . . . . . GGK 1331
SCHEWE3 HYM THE SCHYREE GRECE SCHORNE VPON RYBBES . . . . . GGK 1378
SCHYRE SCHATERANDE ON SCHORE3 THER THAY DOUN SCHOWUED. . . . GGK 2083
AND SCHEWED THAT SCHYRE AL BARE . . . . GGK 2256
THE SCHARP SCHRANK TO THE FLESCHE THUR3 THE SCHYRE GRECE. . . GGK 2313
SCHAUED WYTH A SCHARP KNYF AND THE SCHYRE KNITTEN . . . . . . GGK V 1331
THE SCHYRE SUNNE HIT VMBESCHON THA3 NO SCHAFTE MY3T . . . . . PAT 455
THE SCHYRE SUNNE HADE HEM SCHENT ER EUER THE SCHALK WYST. . . PAT 476
THER SCHYNE3 FUL SCHYR AGAYN THE SUNNE. . . . . PRL 28
SCHADOWED THIS WORTE3 FUL SCHYRE AND SCHENE . . . . PRL 42
AS SCHORNE GOLDE SCHYR HER FAX THENNE SCHON . . . . PRL 213
AND WONY WYTH HYT IN SCHYR WODSCHAWE3 . . . . PRL 284
SCHYREE (V. SCHYRE)
SCHYRER
SCHON SCHYRER THEN SNAWE THAT SCHEDE3 ON HILLE3. . . . . . . GGK 956
THAT SCHYRRER THEN SUNNE WYTH SCHAFTE3 SCHON. . . . . PRL 982
SCHYRLY
THERE HE SCHROF HYM SCHYRLY AND SCHEWED HIS MYSDEDE3 . . . . . GGK 1880
SCHYRRER (V. SCHYRER)
SCIENCE
WYTH ALLE THE SYENCE THAT HYM SENDE THE SOUERAYN LORDE . . . . CLN 1454
HIS SAWLE IS FUL OF SYENCE SA3ES TO SCHAWE . . . . CLN 1599
SCIENCES
WYTH SLY3T OF HIS CIENCES HIS SOUERAYN TO LOUE . . . . CLN 1289
SCKETE (V. SKETE)
SCLADE (V. SLADE)
SCLA3T
AND MY FEDDE FOULE3 FATTED WYTH SCLA3T. . . . . CLN 56

SCOLE
THA3 HIT BE BOT A BASSYN A BOLLE OTHER A SCOLE . . . . CLN 1145
SCOLERES (V. SCHOLARS)
SCOMFYTED
ASCRY SCARRED ON THE SCUE THAT SCOMFYTED MONY . . . . CLN 1784
SCOOP
SCOPEN OUT THE SCATHEL WATER THAT FAYN SCAPE WOLDE. . . . . . . PAT 155
SCOPEN (V. SCOOP)
SCORN
AND ALS HO SCELT HEM IN SCORNE THAT WEL HER SKYL KNEWEN . . . . CLN 827
SCORNE (V. SCORN)
SCORNED
NOW HAF THAY SKYFTED MY SKYL AND SCORNED NATWRE. . . . . CLN 709
SCOUMFIT
HE WAT3 SO SCOUMFIT OF HIS SCYLLE LEST HE SKATHE HENT. . . . . CLN 151
SCOUTS
AND HO SKYRME3 VNDER SKWE AND SKOWTE3 ABOUTE. . . . . CLN 483
SCOUT-WATCH
AS A SCOWTEWACH SCARRED SO THE ASSCRY RYSED . . . . CLN 838
SCOWTES
THE SKWE3 OF THE SCOWTES SKAYNED HYM THO3T . . . . GGK 2167
SCOWTEWACH (V. SCOUT-WATCH)
SCOYMUS (V. SQUEAMISH)
SCRAPE
HE GETE THE BONK AT HIS BAK BIGYNE3 TO SCRAPE . . . . GGK 1571
SCRAPED
WHEN HIT THE SCRYPTURE HADE SCRAPED WYTH A SCROF PENNE . . . . CLN 1546
SCRIPTURE
WHEN HIT THE SCRYPTURE HADE SCRAPED WYTH A SCROF PENNE . . . . CLN 1546
VCHON IN SCRYPTURE A NAME CON PLYE . . . . PRL 1039
SCROF
WHEN HIT THE SCRYPTURE HADE SCRAPED WYTH A SCROF PENNE . . . . CLN 1546
SCRYPTURE (V. SCRIPTURE)
SCUE (V. SKWE)
SCYLFUL (V. SKILLFUL)
SCYLLE (V. SKILL)
SCYTHE
AS ONE VPON A GRYNDELSTON HADE GROUNDEN SYTHE . . . . GGK 2202
SE (V. SEA, SEE)
SEA
ALSO SALT AS ANI SE AND SO HO 3ET STANDE3. . . . . CLN 984
THER THE FYUE CITEES WERN SET NOV IS A SEE CALLED . . . . CLN 1015
FORTHY THE DERK DEDE SEE HIT IS DEMED EUERMORE . . . . CLN 1020
AND SUCHE IS ALLE THE SOYLE BY THAT SE HALUES . . . . CLN 1039
THER FAURE CITEES WERN SET NOV IS A SEE CALLED . . . . CLN V 1015
THE SEE SOU3ED FUL SORE GRET SELLY TO HERE . . . . PAT 140
THE SAYL SWEYED ON THE SEE THENNE SUPPE BIHOUED. . . . . PAT 151
WHAT SECHES THOU ON SEE SYNFUL SCHREWE. . . . . PAT 197
THE SE SA3TLED THERWYTH AS SONE AS HO MO3T . . . . PAT 232
THOU DIPTE3 ME OF THE DEPE SE INTO THE DYMME HERT . . . . PAT 308
SEA-BOTTOM
THENNE HE SWENGE3 AND SWAYUES TO THE SEBOTHEM . . . . PAT 253
AND 3ET I SAYDE AS I SEET IN THE SEBOTHEM. . . . . PAT 313
SEAM
THAT IS SOUNDE ON VCHE A SYDE AND NO SEM HABES . . . . CLN 555
THERE SEUEN SYNGNETTE3 WERN SETTE IN SEME. . . . . PRL 838
SEAMS
ON BRODE SYLKYN BORDE AND BRYDDE3 ON SEME3 . . . . GGK 610
ABOUTE BETEN AND BOUNDEN ENBRAUDED SEME3 . . . . GGK 2028

SEARCHED
SERCHED HEM AT THE ASAY SUMME THAT THER WERE. GGK 1328
SEASON
AND VCHE SESOUN SERLEPES SUED AFTER OTHER. GGK 501
AFTER THE SESOUN OF SOMER WYTH THE SOFT WYNDE3 . GGK 516
THAT I SE3 THIS SEUEN 3ERE IN SESOUN OF WYNTER . GGK 1382
TIL THE SESOUN WAT3 SE3EN THAT THAY SEUER MOSTE. GGK 1958
TIL HIT WAT3 SONE SESOUN THAT THE SUNNE RYSES GGK 2085
IN AUGOSTE IN A HY3 SEYSOUN PRL 39
SEASONED
WYTH SERE SEWES AND SETE SESOUNDE OF THE BEST GGK 889
SEASONS
SESOUNE3 SCHAL YOW NEUER SESE OF SEDE NE OF HERUEST CLN 523
SEAT
WHEN HE WERE SETTE SOLEMPNELY IN A SETE RYCHE CLN 37
AS HE WAT3 DERE OF DEGRE DRESSED HIS SEETE CLN 92
THENNE MAY THOU SE THY SAUIOR AND HIS SETE RYCHE CLN 176
SYTHEN THE SOUERAYN IN SETE SO SORE FORTHO3T. CLN 557
TO SE THAT SEMLY IN SETE AND HIS SWETE FACE . CLN 1055
AND THE SAUNDANS SETE SETTE IN THE MYDDES. CLN 1388
AND BALTA3AR VPON BENCH WAS BUSKED TO SETE CLN 1395
THENNE SONE WAT3 HE SENDE AGAYN HIS SETE RESTORED . CLN 1705
WHEN THAY HAD WASCHEN WORTHYLY THAY WENTEN TO SETE. GGK 72
THA3 HYM WORDE3 WERE WANE WHEN THAY TO SETE WENTEN. GGK 493
FOR THAY HER SAUYOUR IN SETE SCHAL SE WYTH HER Y3EN PAT 24
SEBOTHEM (V. SEA-BOTTOM)
SECH (V. SEEK)
SECHE (V. SEEK)
SECHES (V. SEEK)
SECHE3 (V. SEEKS)
SECOND
OF SECOUNDE MONYTH THE SEUENTETHE DAY RY3TE3. CLN 427
OF SECOUNDE MONYTH THE SEUENTHE DAY RY3TE3 CLN V 427
AND DELYUERED VS OF THE DETH SECOUNDE . PRL 652
SAFFER HELDE THE SECOUNDE STALE . PRL 1002
SECOUNDE (V. SECOND)
SED (V. SEED)
SEDE (V. SEED)
SEDE3 (V. SEEDS)
SEE (ALSO V. SEA)
TO SEE HEM PULLE IN THE PLOW APROCHE ME BYHOUE3. CLN 68
THAT HE WOLDE SE THE SEMBLE THAT SAMNED WAS THERE . CLN 126
THENNE MAY THOU SE THY SAUIOR AND HIS SETE RYCHE CLN 176
THAT HE THE SOUERAYN NE SE THEN FOR SLAUTHE ONE. CLN 178
NE NEUER SEE HYM WITH SY3T FOR SUCH SOUR TOURNE3 CLN 192
FORTHY SO SEMLY TO SEE SYTHEN WERN NONE CLN 262
FOR I SE WEL THAT HIT IS SOTHE THAT ALLE SEGGE3 WYTTE3 CLN 515
THAT HE HIS SAUEOUR NE SEE WYTH SY3T OF HIS Y3EN CLN 576
SENDE3 HYM A SAD SY3T TO SE HIS AUEN FACE. CLN 595
THENNE SAYDE OURE SYRE THER HE SETE SE SO SARE LA3ES . CLN 661
THAT SO HIS SERUAUNTES WOLDE SEE AND SAUE OF SUCH WOTHE . CLN 988
TO SE THAT SEMLY IN SETE AND HIS SWETE FACE . CLN 1055
HOW SCHULDE WE SE THEN MAY WE SAY THAT SYRE VPON THRONE . CLN 1112
NOW SE SO THE SOUERAYN SET HAT3 HIS WRAKE. CLN 1225
AND THOSE THAT SENE ARN AND SWETE SCHYN SE HIS FACE CLN 1810
FOR I SE WEL THAT HIT IS SOTHE THAT ALLE MANNE3 WYTTE3 CLN V 515
TO SECHE THE SOTHE AT OURESELFE 3E SE THER NO BOTE. ERK 170
AND THER SITTES MY SOULE THAT SE MAY NO FYRRE ERK 293
LONGE ER HO THAT SOPER SE OTHER SEGGE HYR TO LATHE. ERK 308

SE THAT SEGG IN SY3T AND WITH HYMSELF SPEKE	GGK		226
NOW HY3E AND LET SE TITE	GGK		299
AND LET SE HOW THOU CNOKE3.	GGK		414
THAT CHAPEL ER HE MY3T SENE	GGK		712
TO SE THE SERUYSE OF THAT SYRE THAT ON THAT SELF NY3T.	GGK		751
NOW SCHAL WE SEMLYCH SE SLE3TE3 OF THEWE3.	GGK		916
AND THOSE WERE SOURE TO SE AND SELLYLY BLERED	GGK		963
THER MY3T MON SE AS THAY SLYPTE SLENTYNG OF ARWES	GGK		1160
AND THOU SCHAL SE IN THAT SLADE THE SELF CHAPEL.	GGK		2147
BOT IN SYNGNE OF MY SURFET I SCHAL SE HIT OFTE	GGK		2433
FOR THAY HER SAUYOUR IN SETE SCHAL SE WYTH HER Y3EN	PAT		24
BOT NOW I SE THOU ART SETTE MY SOLACE TO REUE	PAT		487
3IF HIT WAT3 SEMLY ON TO SENE.	PRL		45
AS HERE AND SE HER ADUBBEMENT.	PRL		96
ME LYSTE TO SE THE BROKE BY3ONDE.	PRL		146
BYCAWSE THOU MAY WYTH Y3EN.ME.SE.	PRL		296
THAT LEUE3 NOTHYNK BOT 3E HIT SY3E	PRL		308
NOW I HIT SE NOW LETHE3 MY LOTHE.	PRL		377
IN BLYSSE I SE THE BLYTHELY BLENT	PRL		385
THE RY3TWYS MAN SCHAL SE HYS FACE	PRL		675
IF 3E CON SE HYT BE TO DONE	PRL		914
I SE NO BYGYNG NAWHERE ABOUTE.	PRL		932
AND LET ME SE THY BLYSFUL BOR.	PRL		964
VTWYTH TO SE THAT CLENE CLOYSTOR.	PRL		969
SEED			
FOR TO SAUE ME THE SEDE OF ALLE SER KYNDE3	CLN		336
AND SED THAT I WYL SAUE OF THYSE SER BESTE3	CLN		358
SESOUNE3 SCHAL YOW NEUER SESE OF SEDE NE OF HERUEST	CLN		523
THAT SELUE SARE WYTHOUTEN SEDE INTO THAT SAME TYME.	CLN		660
SO SEMLY A SEDE MO3T FAYLY NOT	PRL		34
SEEDS			
QUEN 3EFERUS SYFLE3 HYMSELF ON SEDE3 AND ERBE3	GGK		517
SEEK			
AS SO SAYT3 TO THAT SY3T SECHE SCHAL HE NEUER	CLN		29
OTHER ANY SWEANDE SAYL TO SECHE AFTER HAUEN	CLN		420
A MESSAGE FRO THAT MEYNY HEM MOLDE3 TO SECHE.	CLN		454
WENDE WORTHELYCH WY3T VS WONE3 TO SECHE	CLN		471
AND BYDDE3 HIR BOWE OUER THE BORNE EFTE BONKE3 TO SECHE	CLN		482
THAT HE BE SULPED IN SAWLE SECHE TO SCHRYFTE.	CLN		1130
AND ETHEDE THE CETE TO SECHE SEGGES THUR3OUT.	CLN		1559
SENDE INTO THE CETE TO SECHE HYM BYLYUE	CLN		1615
AND BEDE THE CETE TO SECHE SEGGES THUR3OUT	CLN	V	1559
MONY GRUBBER IN GRETE THE GROUNDE FOR TO SECHE	ERK		41
TO SECHE THE SOTHE AT OURESELFE 3E SE THER NO BOTE.	ERK		170
THAT I PASSE AS IN PES AND NO PLY3T SECHE.	GGK		266
THAT THOU SCHAL SECHE ME THISELF WHERESO THOU HOPES	GGK		395
TO SECH THE GOME OF THE GRENE AS GOD WYL ME WYSSE	GGK		549
FOR I AM SUMNED MYSELFE TO SECH TO A PLACE	GGK		1052
AND OFTE CHAUNGED HIS CHER THE CHAPEL TO SECHE	GGK		2169
WHAT GRAYTHED ME THE GRYCHCHYNG BOT GRAME MORE SECHE	PAT		53
THUS HE PASSES TO THAT PORT HIS PASSAGE TO SECHE	PAT		97
WHAT SECHES THOU ON SEE SYNFUL SCHREWE.	PAT		197
AND SECH HYS BLYTHE FUL SWEFTE AND SWYTHE.	PRL		354
SEEKS			
HE SECHE3 ANOTHER SONDE3MON AND SETTE3 ON THE DOUUE	CLN		469
HO VMBEKESTE3 THE COSTE AND THE KYST SECHE3	CLN		478
TYL HIT WAT3 NY3E AT THE NA3T AND NOE THEN SECHE3	CLN		484
SEELE (V. SELE)			
SEEMED			

AND AY AS SEGGES SEERLY SEMED BY HER WEDE3	CLN	117
DROF VPON THE DEPE DAM IN DAUNGER HIT SEMED	CLN	416
WLONK WHIT WAT3 HER WEDE AND WEL HIT HEM SEMED	CLN	793
AND AY A SEGGE SOERLY SEMED BY HER WEDE3	CLN V	117
THE BEST BURNE AY ABOF AS HIT BEST SEMED	GGK	73
HIT SEMED AS NO MON MY3T	GGK	201
AS GROWE GRENE AS THE GRES AND GRENER HIT SEMED.	GGK	235
THAT PARED OUT OF PAPURE PURELY HIT SEMED.	GGK	802
AS FREKE3 THAT SEMED FAYN	GGK	840
AND WEL HYM SEMED FORSOTHE AS THE SEGGE THU3T	GGK	848
THE VER BY HIS UISAGE VERAYLY HIT SEMED	GGK	866
HIT SEMED AS HE MO3T.	GGK	872
THAT WAT3 ALDER THEN HO AN AUNCIAN HIT SEMED.	GGK	948
AND SYTHEN THUR3 AL THE SALE AS HEM BEST SEMED	GGK	1005
BOT HE DEFENDED HYM SO FAYR THAT NO FAUT SEMED	GGK	1551
HIS SURKOT SEMED HYM WEL THAT SOFTE WAT3 FORRED.	GGK	1929
SUMTYME SEMED THAT ASSEMBLE	PRL	760
SEEMLIER		
IN SODAMAS THA3 I HIT SAY NON SEMLOKER BURDES	CLN	868
A SEMLOKER THAT EUER HE SY3E	GGK	83
SEEMLILY		
THAT BISEMED THE SEGGE SEMLYLY FAYRE	GGK	622
SEEMLY (CP. SEME)		
HE SE3 NO3T BOT HYMSELF HOW SEMLY HE WERE.	CLN	209
FORTHY SO SEMLY TO SEE SYTHEN WERN NONE	CLN	262
AND THAY WER SEMLY AND SWETE AND SWYTHE WEL ARAYED.	CLN	816
TO SAMEN WYTH THO SEMLY THE SOLACE IS BETTER.	CLN	870
TO SE THAT SEMLY IN SETE AND HIS SWETE FACE	CLN	1055
THAY SLOWEN OF SWETTEST SEMLYCH BURDES.	CLN	1247
MONI SEMLY SYRE SOUN AND SWYTHE RYCH MAYDENES	CLN	1299
BI THE SYDE OF THE SALE WERE SEMELY ARAYED	CLN	1442
ANDE SAFYRES AND SARDINERS AND SEMELY TOPACE.	CLN	1469
SYTTES SEMELY IN THE SEGE OF SAYNT PAULE MYNSTER	ERK	35
AND A SEMELY SEPTURE SETT IN HIS HONDE.	ERK	84
FOR ME THINK HIT NOT SEMLY AS HIT IS SOTH KNAWEN	GGK	348
AL THAT SE3 THAT SEMLY SYKED IN HERT	GGK	672
WHEN THAT SEMLY SYRE SO3T FRO THO WONE3	GGK	685
THAT SETE ON HYM SEMLY WYTH SAYLANDE SKYRTE3.	GGK	865
AND HE SETE IN THAT SETTEL SEMLYCH RYCHE	GGK	882
SEGGE3 HYM SERUED SEMLY INNO3E	GGK	888
NOW SCHAL WE SEMLYCH SE SLE3TE3 OF THEWE3.	GGK	916
BOT 3ET HE SAYDE IN HYMSELF MORE SEMLY HIT WERE.	GGK	1198
SUCH SEMBLAUNT TO THAT SEGGE SEMLY HO MADE	GGK	1658
SYKANDE HO SWE3E DOUN AND SEMLY HYM KYSSED	GGK	1796
SO SEMLY A SEDE MO3T FAYLY NOT	PRL	34
3IF HIT WAT3 SEMLY ON TO SENE.	PRL	45
ON THE HYL OF SYON THAT SEMLY CLOT	PRL	789
SEEMS		
HE HAS BEN KYNGE OF THIS KITHE AS COUTHELY HIT SEMES	ERK	98
A LOWANDE LEDER OF LEDE3 IN LONDE HYM WEL SEME3.	GGK	679
IF 3E RENAY MY RYNK TO RYCHE FOR HIT SEME3	GGK	1827
FOR HIT IS SYMPLE IN HITSELF AND SO HIT WEL SEME3	GGK	1847
SEEN		
HIT WAT3 SEN IN THAT SYTHE THAT 3EDECHYAS RENGNED	CLN	1169
BOT SUMME SEGGE COUTHE SAY THAT HE HYM SENE HADE	ERK	100
SET IN HIS SEMBLAUNT SENE	GGK	148
WAT3 NEUER SENE IN THAT SALE WYTH SY3T ER THAT TYME	GGK	197
FOR FELE SELLYE3 HAD THAY SEN BOT SUCH NEUER ARE	GGK	239
I BESECHE NOW WITH SA3E3 SENE.	GGK	341

Text	Source	Line
HE LET NO SEMBLAUNT BE SENE BOT SAYDE FUL HY3E	GGK	468
FOR I HAF SEN A SELLY I MAY NOT FORSAKE	GGK	475
I KNEW HYR WEL I HADE SEN HYR ERE	PRL	164
THERE MO3T MON BY GRACE HAF SENE.	PRL	194
AS IN THE APOCALYPPE3 HIT IS SENE	PRL	787
IN HIS SEMBELAUNT WAT3 NEUER SENE	PRL	1143
SEERLY		
AND AY AS SEGGES SEERLY SEMED BY HER WEDE3	CLN	117
SEET (V. SAT)		
SEETE (V. SEAT)		
SEETHE		
AND SAYDE TO HIS SERUAUNT THAT HE HIT SETHE FASTE	CLN	631
SEETHED		
SUMME SOTHEN SUMME IN SEWE SAUERED WITH SPYCES	GGK	892
SEGE (V. SIEGE)		
SEGG (V. SEGGE)		
SEGGE (ALSO V. SIEGE)		
THEN VCHE A SEGGE SE3 WEL THAT SYNK HYM BYHOUED.	CLN	398
FOR IS NO SEGGE VNDER SUNNE SO SEME OF HIS CRAFTE3.	CLN	549
AND SAYDE THUS TO THE SEGG THAT SUED HYM AFTER	CLN	681
THE SEGGE HERDE THAT SOUN TO SEGOR THAT 3EDE.	CLN	973
AND AY A SEGGE SOERLY SEMED BY HER WEDE3	CLN V	117
BOT SUMME SEGGE COUTHE SAY THAT HE HYM SENE HADE	ERK	100
THOU SAYS SOTHE QUOTH THE SEGGE THAT SACRID WAS BYSCHOP	ERK	159
QUEN THE SEGGE HADE THUS SAYDE AND SYKED THERAFTER.	ERK	189
AND VCHE SEGGE THAT HIM SEWIDE THE SAME FAYTHE TROWID.	ERK	204
LONGE ER HO THAT SOPER SE OTHER SEGGE HYR TO LATHE.	ERK	308
OTHER SUM SEGG HYM BISO3T OF SUM SIKER KNY3T.	GGK	96
AND SITHEN MONY SIKER SEGGE AT THE SIDBURDE3.	GGK	115
SE THAT SEGG IN SY3T AND WITH HYMSELF SPEKE	GGK	226
SAF THAT THOU SCHAL SIKER ME SEGGE BI THI TRAWTHE	GGK	394
AND AS SADLY THE SEGGE HYM IN HIS SADEL SETTE	GGK	437
THENNE SET THAY THE SABATOUN3 VPON THE SEGGE FOTE3.	GGK	574
THAT BISEMED THE SEGGE SEMLYLY FAYRE	GGK	622
THAY SE3E NEUER NO SEGGE THAT WAT3 OF SUCHE HWE3	GGK	707
NADE HE SAYNED HYMSELF SEGGE BOT THRYE.	GGK	763
AND WEL HYM SEMED FORSOTHE AS THE SEGGE THU3T	GGK	848
AND AY SAWSES SO SLE3E THAT THE SEGGE LYKED	GGK	893
VCH SEGGE FUL SOFTLY SAYDE TO HIS FERE.	GGK	915
FORSOTHE SIR QUOTH THE SEGGE 3E SAYN BOT THE TRAWTHE	GGK	1050
3E SIR FORSOTHE SAYD THE SEGGE TRWE.	GGK	1091
THIS IS SOTH QUOTH THE SEGGE I SAY YOW THAT ILKE	GGK	1385
THE SWYN SETTE3 HYM OUT ON THE SEGGE EUEN.	GGK	1589
HIT IS SOTHE QUOTH THE SEGGE AND AS SIKER TRWE	GGK	1637
SUCH SEMBLAUNT TO THAT SEGGE SEMLY HO MADE	GGK	1658
AND SAYDE AS I AM TRWE SEGGE I SIKER MY TRAWTHE.	GGK	1673
AND OF ABSOLUCIOUN HE ON THE SEGGE CALLES.	GGK	1882
AND VCHE SEGGE AS SORE TO SEUER WITH HYM THERE	GGK	1987
NAY FORSOTHE QUOTH THE SEGGE AND SESED HYS HELME	GGK	2407
AND THAT FOR SAKE OF THAT SEGGE IN SWETE TO WERE	GGK	2518
AND AY SAWES SO SLE3E THAT THE SEGGE LYKED	GGK V	893
ANDE AS SAYLED THE SEGGE AY SYKERLY HE HERDE.	PAT	301
THE SEGGE SESED NOT 3ET BOT SAYDE EUER ILYCHE	PAT	369
MUCHE SOR3E THENNE SATTELED VPON SEGGE JONAS.	PAT	409
SEGGES		
THENNE SEGGE3 TO THE SOUERAYN SAYDEN THERAFTER	CLN	93
AND AY AS SEGGES SEERLY SEMED BY HER WEDE3	CLN	117
FOR I SE WEL THAT HIT IS SOTHE THAT ALLE SEGGE3 WYTTE3	CLN	515
FRO THE SEGGE3 HADEN SOUPED AND SETEN BOT A WHYLE	CLN	833

AS IS THE ASYSE OF SODOMAS TO SEGGE3 THAT PASSEN	CLN	844
WHEN ALLE SEGGES WERE THER SET THEN SERUYSE BYGYNNES	CLN	1401
AND ETHEDE THE CETE TO SECHE SEGGES THUR3OUT.	CLN	1559
SEGGES SLEPANDE WERE SLAYNE ER THAY SLYPPE MY3T.	CLN	1785
AND BEDE THE CETE TO SECHE SEGGES THUR3OUT	CLN V	1559
AND SAYDE SOTHLY AL SAME SEGGES TIL OTHER.	GGK	673
SERE SEGGE3 HYM SESED BY SADEL QUEL HE LY3T	GGK	822
SEGGE3 HYM SERUED SEMLY INNO3E	GGK	888
AND HE VNSOUNDYLY OUT SO3T SEGGE3 OUERTHWERT.	GGK	1438
SEGGE3 SETTE AND SERUED IN SALE AL ABOUTE.	GGK	1651
SEGGE3 (V. SAY, SEGGES)		
SEGH (V. SAW)		
SEGHE (V. SAW)		
SEGOR		
THER IS A CITE HERBISYDE THAT SEGOR HIT HATTE	CLN	926
THE SEGGE HERDE THAT SOUN TO SEGOR THAT 3EDE.	CLN	973
TYL THAY IN SEGOR WERN SETTE AND SAYNED OUR LORDE	CLN	986
THAT NO3T SAUED WAT3 BOT SEGOR THAT SAT ON A LAWE	CLN	992
SEIZE		
AND SWERE SWYFTE BY HIS SOTHE THAT HE HIT SESE NOLDE	GGK	1825
SESE3 CHILDER OF HER SOK SOGHE HEM SO NEUER	PAT	391
SEIZED		
HE SESED HEM WYTH SOLEMNETE THE SOUERAYN HE PRAYSED	CLN	1313
FOR AS SONE AS THE SOULE WAS SESYD IN BLISSE.	ERK	345
SERE SEGGE3 HYM SESED BY SADEL QUEL HE LY3T	GGK	822
THENNE SESED HYM THE SYRE AND SET HYM BYSYDE.	GGK	1083
SYTHEN THAY SLYT THE SLOT SESED THE ERBER.	GGK	1330
NAY FORSOTHE QUOTH THE SEGGE AND SESED HYS HELME	GGK	2407
AND SESED IN ALLE HYS HERYTAGE	PRL	417
SEIZES		
THAT CETE SESES FUL SOUNDE AND SA3TLYNG MAKES	CLN	1795
SEKER (V. SIKER)		
SEKKE		
SEWED A SEKKE THER ABOF AND SYKED FUL COLDE	PAT	382
SEKNESSE (V. SICKNESS)		
SELCOUTH		
BIFORE THE SANCTA SANCTORUM THER SELCOUTH WAT3 OFTE	CLN	1274
SELDEN (V. SELDOM)		
SELDOM		
THE FORME TO THE FYNISMENT FOLDE3 FUL SELDEN.	GGK	499
WE METEN SO SELDEN BY STOK OTHER STON	PRL	380
SELE		
FORTHI SAY ME OF THI SOULE IN SELE QUERE HO WONNES.	ERK	279
BI KRYST QUOTH THAT OTHER KNY3T 3E CACH MUCH SELE	GGK	1938
I HAF SOIORNED SADLY SELE YOW BYTYDE	GGK	2409
FOR THES WER FORNE THE FREEST THAT FOL3ED ALLE THE SELE	GGK	2422
FOR QUOSO SUFFER COWTHE SYT SELE WOLDE FOL3E.	PAT	5
THA3 HE NOLDE SUFFER NO SORE HIS SEELE IS ON ANTER.	PAT	242
NOW HE KNAWE3 HYM IN CARE THAT COUTHE NOT IN SELE	PAT	296
SELF		
FOR A DEFENCE THAT WAT3 DY3T OF DRY3TYN SELUEN	CLN	243
AS HARLOTTRYE VNHONEST HETHYNG OF SELUEN	CLN	579
THAT SELUE SARE WYTHOUTEN SEDE INTO THAT SAME TYME.	CLN	660
THAT WAT3 RYAL AND RYCHE SO WAT3 THE RENKES SELUEN.	CLN	786
THAT EUER IS POLYCED ALS PLAYN AS THE PERLE SELUEN.	CLN	1068
FOR NON WAT3 DRESSED VPON DECE BOT THE DERE SELUEN.	CLN	1399
WYTH SOLACE AT THE SERE COURSE BIFORE THE SELF LORDE	CLN	1418
THEN WAT3 DEMED A DECRE BI THE DUK SELUEN.	CLN	1745
NOW AR THAY SODENLY ASSEMBLED AT THE SELF TYME	CLN	1769

THE MOST KYD KNY3TE3 VNDER KRYSTES SELUEN. GGK 51
TO SE THE SERUYSE OF THAT SYRE THAT ON THAT SELF NY3T. GGK 751
THE BORES HED WAT3 BORNE BIFORE THE BURNES SELUEN GGK 1616
AND THOU SCHAL SE IN THAT SLADE THE SELF CHAPEL. GGK 2147
BI GODDE3 SELF QUOTH GAWAYN GGK 2156
I HOPE THAT THI HERT AR3E WYTH THYN AWEN SELUEN. GGK 2301
BRAYDE BROTHELY THE BELT TO THE BURNE SELUEN. GGK 2377
I BISECHE THE SYRE NOW THOU SELF IUGGE. PAT 413
HER CORTEL OF SELF SUTE SCHENE PRL 203
THE SELF GOD WAT3 HER LOMBELY3T PRL 1046
THE HY3E GODE3 SELF HIT SET VPONE PRL 1054
AND THE SELF SUNNE FUL FER TO DYM PRL 1076

SELL
THE SPUMANDE ASPALTOUN THAT SPYSERE3 SELLEN CLN 1038

SELLEN (V. SELL)

SELLOKEST
ON THE SELLOKEST SWYN SWENGED OUT THERE GGK 1439

SELLY
THAT A SELLY IN SI3T SUMME MEN HIT HOLDEN. GGK 28
FOR I HAF SEN A SELLY I MAY NOT FORSAKE GGK 475
AND LENGED THERE SELLY LONGE TO LOKE QUEN HE WAKENED GGK 1194
OF SUCH A SELLY SOIORNE AS I HAF HADE HERE GGK 1962
HE SE3 NON SUCHE IN NO SYDE AND SELLY HYM THO3T. GGK 2170
THE SEE SOU3ED FUL SORE GRET SELLY TO HERE PAT 140
HIT WAT3 A CETE FUL SYDE AND SELLY OF BREDE PAT 353

SELLYE3
FOR FELE SELLYE3 HAD THAY SEN BOT SUCH NEUER ARE GGK 239

SELLYLY
AND THOSE WERE SOURE TO SE AND SELLYLY BLERED GGK 963
FOR 3E HAF DESERUED FORSOTHE SELLYLY OFTE. GGK 1803

SELUE (V. SELF)

SELUEN (V. SELF)

SELURE
SMAL SENDAL BISIDES A SELURE HIR OUER GGK 76

SELY
AND THE SA3TLYNG OF HYMSELF WYTH THO SELY BESTE3 CLN 490
AND THAT IS RESTORED IN SELY STOUNDE PRL 659

SEM (V. SEAM, SHEM)

SEMBELAUNT (V. SEMBLANCE)

SEMBLANCE
SOLASED HEM WYTH SEMBLAUNT AND SYLED FYRRE CLN 131
WYTH SADDE SEMBLAUNT AND SWETE OF SUCH AS HE HADE CLN 640
SET IN HIS SEMBLAUNT SENE GGK 148
HE LET NO SEMBLAUNT BE SENE BOT SAYDE FUL HY3E GGK 468
OF BEWTE AND DEBONERTE AND BLYTHE SEMBLAUNT GGK 1273
SUCH SEMBLAUNT TO THAT SEGGE SEMLY HO MADE GGK 1658
BICAUSE OF YOUR SEMBELAUNT. GGK 1843
HER SEMBLAUNT SADE FOR DOC OTHER ERLE PRL 211
IN HIS SEMBELAUNT WAT3 NEUER SENE PRL 1143

SEMBLAUNT (V. SEMBLANCE)

SEMBLE
THAT HE WOLDE SE THE SEMBLE THAT SAMNED WAS THERE CLN 126
THEN AL IN A SEMBLE SWEYED TOGEDER GGK 1429

SEMBLED (CP. ASSEMBLED)
THIS WAT3 SETTE IN ASENT AND SEMBLED THAY WERE PAT 177

SEME (ALSO V. SEAM, CP. SEEMLY)
FOR IS NO SEGGE VNDER SUNNE SO SEME OF HIS CRAFTE3. CLN 549
AND THOSE THAT SENE ARN AND SWETE SCHYN SE HIS FACE CLN 1810
THER WAT3 SEME SOLACE BY HEMSELF STILLE GGK 1085

SO SMOTHE SO SMAL SO SEME SLY3T . . . . PRL 190
BOT MYLDE AS MAYDENE3 SEME AT MAS . . . . PRL 1115
SEMED (V. SEEMED)
SEMELY (V. SEEMLY)
SEMES (V. SEEMS)
SEME3 (V. SEAMS, SEEMS)
SEMLOKER (V. SEEMLIER)
SEMLY (V. SEEMLY)
SEMLYCH (V. SEEMLY)
SEMLYLY (V. SEEMLILY)
SEN (V. SEEN)
SEND
FRO SEUEN DAYE3 BEN SEYED I SENDE OUT BYLYUE. . . . . CLN 353
AND SOTHELY SENDE TO SARE A SOUN AND AN HAYRE . . . . CLN 666
SENDE INTO THE CETE TO SECHE HYM BYLYUE . . . . CLN 1615
THAT WE GON GAY IN OURE GERE HIS GRACE HE VS SENDE. . . . . . CLN 1811
THAT CARELES IS OF COUNSELLE VS COMFORTHE TO SENDE. . . . . . ERK 172
NAUTHER GOLDE NE GARYSOUN ER GOD HYM GRACE SENDE . . . . . . GGK 1837
WHEN THE DAWANDE DAY DRY3TYN CON SENDE. . . . . PAT 445
WHETHER SOLACE HO SENDE OTHER ELLE3 SORE . . . . PRL 130
SENDAL
SMAL SENDAL BISIDES A SELURE HIR OUER . . . . GGK 76
SENDE (V. SEND, SENT)
SENDS
SENDE3 HYM A SAD SY3T TO SE HIS AUEN FACE. . . . . CLN 595
SENDE3 (V. SENDS, SENT)
SENE (V. SEE, SEEN)
SENGEL (V. SINGLE)
SENGELEY (V. SINGLY)
SENT
AND SENDE HIS SONDE THEN TO SAY THAT THAY SAMNE SCHULDE . . . CLN 53
THAT WAT3 THE SYNGNE OF SAUYTE THAT SENDE HEM OURE LORDE. . . CLN 489
WHYL THE SOUERAYN TO SODAMAS SENDE TO SPYE . . . . CLN 780
HIS SONDE INTO SODAMAS WAT3 SENDE IN THAT TYME . . . . CLN 781
AND HE SCHAL SAUE HIT FOR THY SAKE THAT HAT3 VS SENDE HIDER. . CLN 922
HE SENDE TOWARD SODOMAS THE SY3T OF HIS Y3EN. . . . . CLN 1005
WYTH ALLE THE SYENCE THAT HYM SENDE THE SOUERAYN LORDE . . . CLN 1454
THENNE SONE WAT3 HE SENDE AGAYN HIS SETE RESTORED . . . . . . CLN 1705
HAT3 SENDE INTO THIS SALE THISE SY3TES VNCOWTHE. . . . . . . CLN 1722
THAT THE SAXONES VNSA3T HADEN SENDE HYDER. . . . . ERK 8
TIL SAYNT AUSTYN INTO SANDEWICHE WAS SENDE FRO THE POPE . . . ERK 12
THE BISCHOP SENDE HIT TO BLYNNE BY BEDELS AND LETTRES. . . . ERK 111
I SENDE HIR TO ASAY THE AND SOTHLY ME THYNKKE3 . . . . GGK 2362
THAT I KEST IN MY CUNTRE WHEN THOU THY CARP SENDE3. . . . . . PAT 415
SEPTRE (V. SCEPTRE)
SEPTURE (V. SCEPTRE)
SER (V. SERE, SIR)
SERCHED (V. SEARCHED)
SERE
FOR TO SAUE ME THE SEDE OF ALLE SER KYNDE3 . . . . CLN 336
AND SED THAT I WYL SAUE OF THYSE SER BESTE3 . . . . CLN 358
AND SETTE A SAKERFYSE THERON OF VCH A SER KYNDE. . . . . . . CLN 507
WYTH SOLACE AT THE SERE COURSE BIFORE THE SELF LORDE . . . . CLN 1418
FOR TO SETTE THE SYLUEREN THAT SERE SEWES HALDEN . . . . . . GGK 124
FOR AY FAYTHFUL IN FYUE AND SERE FYUE SYTHE3. . . . . GGK 632
HE SAYNED HYM IN SYTHES SERE . . . . GGK 761
SERE SEGGE3 HYM SESED BY SADEL QUEL HE LY3T . . . . GGK 822
WYTH SERE SEWES AND SETE SESOUNDE OF THE BEST . . . . GGK 889
AND I HAF SETEN BY YOURSELF HERE SERE TWYES . . . . GGK 1522

FOR HIS SERUYSE AND HIS SOLACE AND HIS SERE PYNE . . . . GGK 1985
AND SALAMON WITH FELE SERE AND SAMSON EFTSONE3 . . . . GGK 2417
SUNDERLUPES FOR HIT DISSERT VPON A SER WYSE . . . . PAT 12

SERELYCH
SONE HAF THAY HER SORTES SETTE AND SERELYCH DELED . . . . . . PAT 193

SERGAUNTE3 (V. SERGEANTS)

SERGEANTS
THENNE THE SERGAUNTE3 AT THAT SAWE SWENGEN THEROUTE . . . . . CLN 109
THENNE SAYDE HE TO HIS SERIAUNTES SAMNES YOW BILYUE . . . . . PAT 385

SERGES
HIT WAT3 NOT WONTE IN THAT WONE TO WAST NO SERGES . . . . . . CLN 1489

SERIAUNTES (V. SERGEANTS)

SERLEPES
AND VCHE SESOUN SERLEPES SUED AFTER OTHER. . . . . GGK 501
VCH TABELMENT WAT3 A SERLYPE3 STON . . . . PRL 994

SERLYPE3 (V. SERLEPES)

SERMON
IF HIT BE UERAY AND SOTH SERMOUN. . . . . PRL 1185

SERMOUN (V. SERMON)
SERTAYN (V. CERTAIN)

SERUAGE
TO SYTTE IN SERUAGE AND SYTE THAT SUMTYME WER GENTYLE. . . . . CLN 1257

SERUANT (V. SERVANT)
SERUAUNT (V. SERVANT)
SERUAUNTES (V. SERVANTS)
SERUAUNTE3 (V. SERVANTS)
SERUE (V. SERVE)
SERUED (V. SERVED)
SERUEN (V. SERVE)
SERUE3 (V. SERVE, SERVES)
SERUICE (V. SERVICE)
SERUISE (V. SERVICE)
SERUISEQUYLE (V. SERVICE-WHILE)
SERUYCE (V. SERVICE)
SERUYD (V. SERVED)
SERUYSE (V. SERVICE)

SERVANT
AND SAYDE TO HIS SERUAUNT THAT HE HIT SETHE FASTE . . . . . . CLN 631
HE SYTTE3 THER IN SODOMIS THY SERUAUNT SO POUERE . . . . CLN 773
TO BE HER SERUANT SOTHLY IF HEMSELF LYKED. . . . . GGK 976
YOUR SERUAUNT BE AND SCHALE . . . . GGK 1240
AND SOBERLY YOUR SERUAUNT MY SOUERAYN I HOLDE YOW . . . . . . GGK 1278
BE SERUAUNT TO YOURSELUEN SO SAUE ME DRY3TYN. . . . . GGK 1548
TO BE YOUR TRWE SERUAUNT . . . . GGK 1845
THER ASYNGNES HE A SERUAUNT TO SETT HYM IN THE WAYE . . . . . GGK 1971
LORDE THY SERUANT DRA3 NEUER TO DOME . . . . PRL 699

SERVANTS
THAT SO HIS SERUAUNTES WOLDE SEE AND SAUE OF SUCH WOTHE . . . . CLN 988
HIS SERUAUNTE3 FORTO SAUE . . . . GGK 2139

SERVE
VCHE FOWLE TO THE FLY3T THAT FYTHERE3 MY3T SERUE . . . . CLN 530
AND RE3TFUL WERN AND RESOUNABLE AND REDY THE TO SERUE. . . . . CLN 724
3IF I FORLOYNE AS A FOL THY FRAUNCHYSE MAY SERUE . . . . CLN 750
FOR WYTH NO SOUR NE NO SALT SERUE3 HYM NEUER. . . . . CLN 820
NOW IS SETTE FOR TO SERUE SATANAS THE BLAKE . . . . CLN 1449
NOV IS ALLE THIS GUERE GETEN GLOTOUNES TO SERUE. . . . . CLN 1505
KYPPE KOWPES IN HONDE KYNGE3 TO SERUE . . . . CLN 1510
THAT WE MAY SERUE IN HIS SY3T THER SOLACE NEUER BLYNNE3 . . . . CLN 1812
FOR TO HENT HIT AT HIS HONDE THE HENDE TO SERUEN . . . . GGK 827

TO DELYUER HYM A LEUDE HYM LO3LY TO SERUE. . . . . GGK 851
THAT THAY WYTH BUSYNES HAD BEN ABOUTE HYM TO SERUE. . . . . . GGK 1986
FYRST THAY PRAYEN TO THE PRYNCE THAT PROPHETES SERUEN. . . . . PAT 225
THAT DROF HEM DRY3LYCH ADOUN THE DEPE TO SERUE . . . . PAT 235

SERVED
AND HONESTE IN HIS HOUSHOLDE AND HAGHERLYCH SERUED. . . . . . CLN 18
ABOF DUKE3 ON DECE WYTH DAYNTYS SERUED. . . . . CLN 38
AND 3ET THE SYMPLEST IN THAT SALE WAT3 SERUED TO THE FULLE . . CLN 120
AS SEWER IN A GOD ASSYSE HE SERUED HEM FAYRE. . . . . CLN 639
THENNE SETEN THAY AT THE SOPER WERN SERUED BYLYUE . . . . . . CLN 829
ON HO SERUED AT THE SOPER SALT BIFORE DRY3TYN . . . . CLN 997
THOU MAY SCHYNE THUR3 SCHRYFTE THA3 THOU HAF SCHOME SERUED . . CLN 1115
A DYSCHE OTHER A DOBLER THAT DRY3TYN ONE3 SERUED . . . . . . CLN 1146
SLOUEN ALLE AT A SLYP THAT SERUED THERINNE . . . . CLN 1264
SO WAT3 SERUED FELE SYTHE THE SALE ALLE ABOUTE . . . . CLN 1417
THAT WERE OF SYLUEREN SY3T AND SERUED THERWYTH . . . . CLN V 1406
HE THAT REWARDES VCHE A RENKE AS HE HAS RI3T SERUYD . . . . . ERK 275
THAT DAY DOUBBLE ON THE DECE WAT3 THE DOUTH SERUED. . . . . . GGK 61
BOT ARTHURE WOLDE NOT ETE TIL AL WERE SERUED. . . . . GGK 85
THISE WERE DI3T ON THE DES AND DERWORTHLY SERUED . . . . . . GGK 114
AND THE FYRST COURCE IN THE COURT KYNDELY SERUED . . . . . . GGK 135
THE KYNG AND THE GODE KNY3T AND KENE MEN HEM SERUED . . . . . GGK 482
NADE HE BEN DU3TY AND DRY3E AND DRY3TYN HAD SERUED. . . . . . GGK 724
SEGGE3 HYM SERUED SEMLY INNO3E . . . . GGK 888
BI VCHE GROME AT HIS DEGRE GRAYTHELY WAT3 SERUED . . . . . . GGK 1006
HAUE I THRYUANDELY THONK THUR3 MY CRAFT SERUED . . . . GGK 1380
AND SITHEN HOR DINER WAT3 DY3T AND DERELY SERUED . . . . . . GGK 1559
AND EFTERSONES OF THE SAME HE SERUED HYM THERE . . . . GGK 1640
SEGGE3 SETTE AND SERUED IN SALE AL ABOUTE. . . . . GGK 1651
MORE HAF WE SERUED VS THYNK SO . . . . PRL 553

SERVES
WHAT SERUE3 TRESOR BOT GARE3 MEN GRETE. . . . . PRL 331
WHAT SERUE3 TRESOR BOT GARE MEN GRETE . . . . PRL 2 331

SERVICE
IN SERUYSE OF THE SOUERAYN SUMTYME BYFORE. . . . . CLN 1152
WHEN ALLE SEGGES WERE THER SET THEN SERUYSE BYGYNNES . . . . . CLN 1401
TILLE CESSYD WAS THE SERUICE AND SAYDE THE LATER ENDE. . . . . ERK 136
NOW WYL I OF HOR SERUISE SAY YOW NO MORE . . . . GGK 130
TO SE THE SERUYSE OF THAT SYRE THAT ON THAT SELF NY3T. . . . . GGK 751
AT SA3E OTHER AT SERUYCE THAT I SETTE MY3T . . . . GGK 1246
FOR HIS SERUYSE AND HIS SOLACE AND HIS SERE PYNE . . . . . . GGK 1985
AND SETEN SOBERLY SAMEN THE SERUISE QUYLE. . . . . GGK V 940

SERVICE-WHILE
AND SETEN SOBERLY SAMEN THE SERUISEQUYLE . . . . GGK 940

SESE (V. CEASE, SEIZE)
SESED (V. CEASED, SEIZED)
SESES (V. SEIZES)
SESE3 (V. SEIZE)
SESOUN (V. SEASON)
SESOUNDE (V. SEASONED)
SESOUNE3 (V. SEASONS)
SESSED (V. CEASED)
SESYD (V. SEIZED)

SET (ALSO V. SAT)
WHEN HE WERE SETTE SOLEMPNELY IN A SETE RYCHE . . . . CLN 37
THAT EUER I SETTE SAULE INNE AND SORE HIT ME RWE3 . . . . . . CLN 290
AND SETTE A SAKERFYSE THERON OF VCH A SER KYNDE. . . . . . . CLN 507
AND SETTEN TOWARD SODAMAS HER SY3T ALLE AT ONE3. . . . . . . CLN 672
FOR THAT CITE THERBYSYDE WAT3 SETTE IN A VALE . . . . CLN 673

TYL THAY IN SEGOR WERN SETTE AND SAYNED OUR LORDE . . . . CLN 986
THER THE FYUE CITEES WERN SET NOV IS A SEE CALLED . . . . CLN 1015
THENNE WAT3 THE SEGE SETTE THE CETE ABOUTE . . . . CLN 1185
NOW SE SO THE SOUERAYN SET HAT3 HIS WRAKE. . . . . CLN 1225
AND ASSEMBLE AT A SET DAY AT THE SAUDANS FEST . . . . CLN 1364
AND THE SAUNDANS SETE SETTE IN THE MYDDES. . . . . CLN 1388
WHEN ALLE SEGGES WERE THER SET THEN SERUYSE BYGYNNES . . . . . CLN 1401
NOW IS SETTE FOR TO SERUE SATANAS THE BLAKE . . . . CLN 1449
SALAMON SETE HIM SEUEN 3ERE AND A SYTHE MORE. . . . . CLN 1453
SE3 THESE SYNGNES WYTH SY3T AND SET HEM AT LYTTEL . . . . CLN 1710
THER FAURE CITEES WERN SET NOV IS A SEE CALLED . . . . CLN V 1015
RY3T NOW TO SOPER MY SOULE IS SETTE AT THE TABLE . . . . . . ERK 332
FOR TO SETTE THE SYLUEREN THAT SERE SEWES HALDEN . . . . . . GGK 124
SET IN HIS SEMBLAUNT SENE . . . . GGK 148
KEPE THE COSYN QUOTH THE KYNG THAT THOU ON KYRF SETTE. . . . . GGK 372
THE KAY FOT ON THE FOLDE HE BEFORE SETTE . . . . GGK 422
AND AS SADLY THE SEGGE HYM IN HIS SADEL SETTE . . . . GGK 437
THENNE SET THAY THE SABATOUN3 VPON THE SEGGE FOTE3. . . . . . GGK 574
HIT IS A SYNGNE THAT SALAMON SET SUMQUYLE. . . . . GGK 625
MON SCHAL YOW SETTE IN WAYE . . . . GGK 1077
THENNE SESED HYM THE SYRE AND SET HYM BYSYDE. . . . . GGK 1083
AND SET HIR FUL SOFTLY ON THE BEDSYDE . . . . GGK 1193
AT SA3E OTHER AT SERUYCE THAT I SETTE MY3T . . . . GGK 1246
IF I HIT LAKKED OTHER SET AT LY3T HIT WERE LITTEL DAYNTE. . . . GGK 1250
MUCH SOLACE SET THAY SAME . . . . GGK 1318
SET SADLY THE SCHARP IN THE SLOT EUEN . . . . GGK 1593
SUCHE A SOR3E AT THAT SY3T THAY SETTE ON HIS HEDE . . . . . . GGK 1721
AND HE ASOYLED HYM SURELY AND SETTE HYM SO CLENE . . . . . . GGK 1883
AS SAUERLY AND SADLY AS HE HEM SETTE COUTHE . . . . GGK 1937
THER ASYNGNES HE A SERUAUNT TO SETT HYM IN THE WAYE . . . . . GGK 1971
SETTE THE STELE TO THE STONE AND STALKED BYSYDE. . . . . . . GGK 2230
SETTE THE SCHAFT VPON SCHORE AND TO THE SCHARP LENED . . . . . GGK 2332
SYTHEN I AM SETTE WYTH HEM SAMEN SUFFER ME BYHOUES. . . . . . PAT 46
TO SETTE HYM TO SEWRTE VNSOUNDE HE HYM FECHES . . . . PAT 58
IN A PSALME THAT HE SET THE SAUTER WYTHINNE . . . . PAT 120
THIS WAT3 SETTE IN ASENT AND SEMBLED THAY WERE . . . . PAT 177
AND BRO3T HYM VP BY THE BREST AND VPON BORDE SETTE. . . . . . PAT 190
SONE HAF THAY HER SORTES SETTE AND SERELYCH DELED . . . . . . PAT 193
BOT NOW I SE THOU ART SETTE MY SOLACE TO REUE . . . . PAT 487
I SETTE HYR SENGELEY IN SYNGLERE. . . . . PRL 8
THA3 RESOUN SETTE MYSELUEN SA3T . . . . PRL 52
INMYDDE3 HYR BRESTE WAT3 SETTE SO SURE. . . . . PRL 222
SET ON HYR COROUN OF PERLE ORIENT . . . . PRL 255
3E SETTEN HYS WORDE3 FUL WESTERNAYS. . . . . PRL 307
SET HEM ALLE VPON A RAWE . . . . PRL 545
FOR SYNNE HE SET HYMSELF IN VAYN. . . . . PRL 811
THERE SEUEN SYNGNETTE3 WERN SETTE IN SEME. . . . . PRL 838
CHAPEL NE TEMPLE THAT EUER WAT3 SET. . . . . PRL 1062
TO PAY THE PRINCE OTHER SETE SA3TE . . . . PRL 1201
3E SETTEN HYS WORDE3 FUL BESTERNAYS. . . . . PRL 1 307
THERE SEUEN SYNGNETTE3 WERN SETTE INSEME . . . . PRL 1 838
THERE SEUEN SYNGNETTE3 WERN SETTE INSEME . . . . PRL 2 838
3E SETTEN HYS WORDE3 FUL BESTORNAYS. . . . . PRL 3 307
THERE SEVEN SYNGNETTE3 WERN SETTE INSEME . . . . PRL 3 838

SETE (ALSO V. SAT, SEAT)
AL IS ROTHELED AND ROSTED RY3T TO THE SETE . . . . CLN 59
WYTH SERE SEWES AND SETE SESOUNDE OF THE BEST . . . . GGK 889

SETEN (V. SAT)

SETS

HE SECHE3 ANOTHER SONDE3MON AND SETTE3 ON THE DOUUE	CLN	469
AND BRYNGE3 BUTTER WYTHAL AND BY THE BRED SETTE3	CLN	636
ON MONY BONKKES FUL BRODE BRETAYN HE SETTE3	GGK	14
SETTE3 HIR SOFLY BY HIS SYDE AND SWYTHELY HO LA3E3.	GGK	1479
THE SWYN SETTE3 HYM OUT ON THE SEGGE EUEN.	GGK	1589
FYRST HE HEWES OF HIS HED AND ON HI3E SETTE3.	GGK	1607
SETHE (V. SEETHE)		
SETT (V. SET, SETTE)		
SETTE (ALSO V. SET)		
AND THE SAUNDANS SETE SETTE IN THE MYDDES.	CLN	1388
THE SYNAGOGE OF THE SONNE WAS SETT TO OURE LADY.	ERK	21
THAT ERE WOS SETT OF SATHANAS IN SAXONES TYME	ERK	24
AND A SEMELY SEPTURE SETT IN HIS HONDE.	ERK	84
SEGGE3 SETTE AND SERUED IN SALE AL ABOUTE.	GGK	1651
SETTEL (V. SETTLE)		
SETTEN (V. SET)		
SETTE3 (V. SETS)		
SETTLE		
AND HE SETE IN THAT SETTEL SEMLYCH RYCHE	GGK	882
SETTLED		
MUCHE SOR3E THENNE SATTELED VPON SEGGE JONAS.	PAT	409
SEUEN (V. SEVEN)		
SEUENTETHE (V. SEVENTIETH)		
SEUENTHE (V. SEVENTH)		
SEUER (V. SEVER)		
SEUERED (V. SEVERED)		
SEUERES (V. SEVERS)		
SEUE3 (V. SEWES)		
SEVE (V. SEWE)		
SEVEN		
OF VCHE CLENE COMLY KYNDE ENCLOSE SEUEN MAKE3	CLN	334
FRO SEUEN DAYE3 BEN SEYED I SENDE OUT BYLYUE.	CLN	353
THAT SEUEN SYTHE VCH A DAY ASAYLED THE 3ATES.	CLN	1188
VMBESWEYED ON VCH A SYDE WYTH SEUEN GRETE WATERES	CLN	1380
AND VCH A SYDE VPON SOYLE HELDE SEUEN MYLE	CLN	1387
SALAMON SETE HIM SEUEN 3ERE AND A SYTHE MORE.	CLN	1453
QUYLE SEUEN SYTHE3 WERE OUERSEYED SOMERES I TRAWE	CLN	1686
AND WE HAUE OURE LIBRARIE LAITID THES LONGE SEUEN DAYES . . .	ERK	155
AS MONY BURDE THERABOUTE HAD BEN SEUEN WYNTER	GGK	613
THAT I SE3 THIS SEUEN 3ERE IN SESOUN OF WYNTER	GGK	1382
THERE SEUEN SYNGNETTE3 WERN SETTE IN SEME.	PRL	838
WYTH HORNE3 SEUEN OF RED GOLDE CLER.	PRL	1111
THERE SEUEN SYNGNETTE3 WERN SETTE INSEME	PRL 1	838
THERE SEUEN SYNGNETTE3 WERN SETTE INSEME	PRL 2	838
THERE SEVEN SYNGNETTE3 WERN SETTE INSEME	PRL 3	838
SEVENTH		
THENNE SONE COM THE SEUENTHE DAY WHEN SAMNED WERN ALLE	CLN	361
OF SECOUNDE MONYTH THE SEUENTHE DAY RY3TE3	CLN V	427
THE SEUENTHE GEMME IN FUNDAMENT	PRL	1010
SEVENTIETH		
OF SECOUNDE MONYTH THE SEUENTETHE DAY RY3TE3.	CLN	427
SEVER		
TIL THE SESOUN WAT3 SE3EN THAT THAY SEUER MOSTE.	GGK	1958
AND VCHE SEGGE AS SORE TO SEUER WITH HYM THERE	GGK	1987
SEVERED		
BOT SNYRT HYM ON THAT ON SYDE THAT SEUERED THE HYDE	GGK	2312
SEVERS		
AND SITHEN HO SEUERES HYM FRO AND SAYS AS HO STONDES	GGK	1797
SEVES (V. SEWES)		

SEW
MOT EFTE SITTE WYTH MORE VNSOUNDE TO SEWE HEM TOGEDER. . . . . PAT 527
SEWE
NE SUPPE ON SOPE OF MY SEVE THA3 THAY SWELT SCHULDE . . . . . CLN 108
SUMME SOTHEN SUMME IN SEWE SAUERED WITH SPYCES . . . . GGK 892
SEWED
SEWED A SEKKE THER ABOF AND SYKED FUL COLDE . . . . PAT 382
SEWER
AS SEWER IN A GOD ASSYSE HE SERUED HEM FAYRE. . . . . CLN 639
SEWES
THENNE HO SAUERE3 WYTH SALT HER SEUE3 VCHONE. . . . . CLN 825
THAT WERE OF SYLUER IN SUYT AND SEVES THERWYTH . . . . CLN 1406
FOR TO SETTE THE SYLUEREN THAT SERE SEWES HALDEN . . . . GGK 124
WYTH SERE SEWES AND SETE SESOUNDE OF THE BEST . . . . GGK 889
SEWIDE (V. SUED)
SEWRTE (V. SURETY)
SEX (V. SIX)
SEXTE (V. SIXTH)
SEXTENE (V. SEXTON)
SEXTON
BY ASSENT OF THE SEXTENE THE SAYNTUARE THAI KEPTEN. . . . . . ERK 66
SEYE
HOW HIS SAWLE SCHULDE BE SAUED WHEN HE SCHULD SEYE HETHEN . . GGK 1879
SEYED
FRO SEUEN DAYE3 BEN SEYED I SENDE OUT BYLYUE. . . . . CLN 353
SEYSOUN (V. SEASON)
SE3 (V. SAW)
SE3E (V. SAW)
SE3EN (V. SAW)
SHADE
FOR TO SCHYLDE FRO THE SCHENE OTHER ANY SCHADE KESTE . . . . . PAT 440
SHADED
BOT AL SCHET IN A SCHA3E THAT SCHADED FUL COLE . . . . PAT 452
SHADOW
HE WAT3 SCHUNT TO THE SCHADOW VNDER SCHYRE LEUE3 . . . . CLN 605
SHADOWED
SCHADOWED THIS WORTE3 FUL SCHYRE AND SCHENE . . . . PRL 42
SHAFT
NE NO SCHAFTE NE NO SCHELDE TO SCHWUE NE TO SMYTE . . . . GGK 205
THA3 THE SCHAUEN SCHAFT SCHYNDERED IN PECE3 . . . . GGK 1458
SETTE THE SCHAFT VPON SCHORE AND TO THE SCHARP LENED . . . . . GGK 2332
THE SCHYRE SUNNE HIT VMBESCHON THA3 NO SCHAFTE MY3T . . . . . PAT 455
SHAFTS
THAT SCHYRRER THEN SUNNE WYTH SCHAFTE3 SCHON. . . . . PRL 982
SHAL (APP. 1)
SHALLE (APP. 1)
SHAME
BOT OF THE DOME OF THE DOUTHE FOR DEDE3 OF SCHAME . . . . CLN 597
SO SCHARPE SCHAME TO HYM SCHOT HE SCHRANK AT THE HERT. . . . . CLN 850
THOU MAY SCHYNE THUR3 SCHRYFTE THA3 THOU HAF SCHOME SERUED . . CLN 1115
THE BLOD SCHOT FOR SCHAM INTO HIS SCHYRE FACE . . . . GGK 317
FOR SCHAME . . . . GGK 1530
THAT AL HE SCHRANK FOR SCHOME THAT THE SCHALK TALKED . . . . . GGK 2372
WHEN HE HIT SCHULDE SCHEWE FOR SCHAME . . . . GGK 2504
SHAMED
AND BO3ED TOWARDE THE BED AND THE BURNE SCHAMED. . . . . GGK 1189
SHAMELY
SO THAT SCHOMELY TO SCHORT HE SCHOTE OF HIS AME. . . . . PAT 128
SHAMES

THAT SCHAME3 FOR NO SCHREWEDSCHYP SCHENT MOT HE WORTHE	CLN	580
SHANKS		
AND SCHOLES VNDER SCHANKES THERE THE SCHALK RIDES	GGK	160
BOT STYTHLY HE START FORTH VPON STYF SCHONKES	GGK	431
STURNE STIF ON THE STRYTHTHE ON STALWORTH SCHONKE3.	GGK	846
SHAPE		
SCHALT THOW SCHORTLY AL SCHENDE AND SCHAPE NON OTHER	CLN	742
AND I SCHAL SCHAPE NO MORE THO SCHALKKE3 TO HELPE	CLN	762
FOR HO SCHYNES SO SCHYR THAT IS OF SCHAP ROUNDE.	CLN	1121
NOW AR 3E TAN ASTYT BOT TRUE VS MAY SCHAPE	GGK	1210
FUL WEL CON DRY3TYN SCHAPE.	GGK	2138
AND AL TO LY3TEN THAT LOME 3IF LETHE WOLDE SCHAPE	PAT	160
SHAPED		
AS THAI HADE 3EPELY IN THAT 3ORDE BENE 3ISTURDAY SHAPEN	ERK	88
THE BYSCHOP HYM SHOPE SOLEMPLY TO SYNGE THE HEGHE MASSE	ERK	129
AS WEL SCHAPEN TO SCHERE AS SCHARP RASORES	GGK	213
THERFORE ON HIS SCHENE SCHELDE SCHAPEN WAT3 THE KNOT	GGK	662
GERED HIT WAT3 WITH GRENE SYLKE AND WITH GOLDE SCHAPED	GGK	1832
THE COUENAUNT SCHOP RY3T SO	GGK	2328
NE KYD BOT AS COUENAUNDE AT KYNGE3 KORT SCHAPED.	GGK	2340
A WYLDE WALTERANDE WHAL AS WYRDE THEN SCHAPED	PAT	247
SHAPEN (V. SHAPED)		
SHAPES		
AND FYLED OUT OF FYGURES OF FERLYLE SCHAPPES.	CLN	1460
AND FYLED OUT OF FYGURES OF FERLYCHE SCHAPPES	CLN V	1460
HE SCHEWE3 HEM THE SCHELDE3 AND SCHAPES HEM THE TALE	GGK	1626
SHARP		
HO WYRLED OUT ON THE WEDER ON WYNGE3 FUL SCHARPE	CLN	475
AND WYTH A SCHRYLLE SCHARP SCHOUT THAY SCHEWE THYSE WORDE3 . .	CLN	840
SO SCHARPE SCHAME TO HYM SCHOT HE SCHRANK AT THE HERT.	CLN	850
WHEN HIT WAT3 SCHEWED HYM SO SCHENE SCHARP WAT3 HIS WONDER . .	CLN	1310
HO WYRLE OUT ON THE WEDER ON WYNGE3 FUL SCHARPE.	CLN V	475
AS WEL SCHAPEN TO SCHERE AS SCHARP RASORES	GGK	213
A SCHELDE AND A SCHARP SPERE SCHINANDE BRY3T.	GGK	269
THAT THE SCHARP OF THE SCHALK SCHYNDERED THE BONES.	GGK	424
SCHAUED WYTH A SCHARP KNYF AND THE SCHYRE KITTEN	GGK	1331
THEN SCHER THAY OUT THE SCHULDERE3 WITH HER SCHARP KNYUE3 . .	GGK	1337
SET SADLY THE SCHARP IN THE SLOT EUEN	GGK	1593
AND HE SCHUNT FOR THE SCHARP AND SCHULDE HAF ARERED	GGK	1902
AND SCHRANKE A LYTEL WITH THE SCHULDERES FOR THE SCHARP YRNE .	GGK	2267
THE SCHARP SCHRANK TO THE FLESCHE THUR3 THE SCHYRE GRECE. . .	GGK	2313
SETTE THE SCHAFT VPON SCHORE AND TO THE SCHARP LENED	GGK	2332
SCHAUED WYTH A SCHARP KNYF AND THE SCHYRE KNITTEN	GGK V	1331
NAUTHELES THA3 HIT SCHOWTED SCHARPE.	PRL	877
SHATTERING		
SCHYRE SCHATERANDE ON SCHORE3 THER THAY DOUN SCHOWUED.	GGK	2083
SHAVED		
SCHAUED WYTH A SCHARP KNYF AND THE SCHYRE KITTEN	GGK	1331
SCHAUED WYTH A SCHARP KNYF AND THE SCHYRE KNITTEN	GGK V	1331
SHAVEN		
AND POLYSED ALS PLAYN AS PARCHMEN SCHAUEN.	CLN	1134
THA3 THE SCHAUEN SCHAFT SCHYNDERED IN PECE3	GGK	1458
SHEAR		
AS WEL SCHAPEN TO SCHERE AS SCHARP RASORES	GGK	213
AS GLYSNANDE GOLDE THAT MAN CON SCHERE.	PRL	165
SHEARED		
THEN SCHER THAY OUT THE SCHULDERE3 WITH HER SCHARP KNYUE3 . .	GGK	1337
SHED		
THAT SCHAD FRO HIS SCHULDERES TO HIS SCHEREWYKES	CLN	1690

AS HE WAS BENDE ON A BEME QUEN HE HIS BLODE SCHEDDE . . . . . ERK 182
FOR THE WORDES THAT THOU WERPE AND THE WATER THAT THOU SHEDDES. ERK 329
AND SCHRANK THUR3 THE SCHYIRE GRECE AND SCHADE HIT IN TWYNNE . GGK 425
WHEN THE COLDE CLER WATER FRO THE CLOUDE3 SCHADDE . . . . . . GGK 727
THOW WOST WEL WHEN THY PERLE CON SCHEDE . . . . PRL 411
MY LORDE THE LOMBE THAT SCHEDE HYS BLODE . . . . PRL 741

SHEDDES (V. SHED)

SHEDS
SCHYRE SCHEDE3 THE RAYN IN SCHOWRE3 FUL WARME . . . . GGK 506
SCHON SCHYRER THEN SNAWE THAT SCHEDE3 ON HILLE3. . . . . . . GGK 956

SHEEN
THAT SCHAL SCHEWE HEM SO SCHENE SCHROWDE OF THE BEST . . . . . CLN 170
NE NO SCHROUDEHOUS SO SCHENE AS A SCHEPON THARE. . . . . . . CLN 1076
WHEN HIT WAT3 SCHEWED HYM SO SCHENE SCHARP WAT3 HIS WONDER . . CLN 1310
THERFORE ON HIS SCHENE SCHELDE SCHAPEN WAT3 THE KNOT . . . . . GGK 662
THAT OTHER SCHALK WYTH A SCHUNT THE SCHENE WYTHHALDE3. . . . GGK 2268
THAT THE SCHENE BLOD OUER HIS SCHULDERES SCHOT TO THE ERTHE. . GGK 2314
FOR TO SCHYLDE FRO THE SCHENE OTHER ANY SCHADE KESTE . . . . . PAT 440
SCHADOWED THIS WORTE3 FUL SCHYRE AND SCHENE . . . . PRL 42
WYTH SCHYMERYNG SCHENE FUL SCHRYLLE THAY SCHYNDE . . . . . . PRL 80
SO SCHON THAT SCHENE ANVNDER SCHORE. . . . . PRL 166
HER CORTEL OF SELF SUTE SCHENE . . . . PRL 203
THAT SCHENE SAYDE THAT GOD WYL SCHYLDE. . . . . PRL 965
I LOKED AMONG HIS MEYNY SCHENE . . . . PRL 1145

SHEEP
AS A SCHEP TO THE SLA3T THER LAD WAT3 HE . . . . PRL 801

SHEERS
I WAN TO A WATER BY SCHORE THAT SCHERE3 . . . . PRL 107

SHEM
SEM SOTHLY THAT ON THAT OTHER HY3T CAM. . . . . CLN 299

SHEWID (V. SHOWED)

SHIELD
NE NO SCHAFTE NE NO SCHELDE TO SCHWUE NE TO SMYTE . . . . . . GGK 205
A SCHELDE AND A SCHARP SPERE SCHINANDE BRY3T. . . . . GGK 269
THEN THAY SCHEWED HYM THE SCHELDE THAT WAS OF SCHYR GOULE3 . . GGK 619
HE BER IN SCHELDE AND COTE. . . . . GGK 637
IN THE INNERMORE HALF OF HIS SCHELDE HIR YMAGE DEPAYNTED. . . GGK 649
THERFORE ON HIS SCHENE SCHELDE SCHAPEN WAT3 THE KNOT . . . . . GGK 662
GOD SCHYLDE QUOTH THE SCHALK THAT SCHAL NOT BEFALLE . . . . . GGK 1776
HIS SCHALK SCHEWED HYM HIS SCHELDE ON SCHULDER HE HIT LA3T . . GGK 2061
SCHOT WITH HIS SCHULDERE3 HIS FAYRE SCHELDE VNDER . . . . . . GGK 2318
IN THE MORE HALF OF HIS SCHELDE HIR YMAGE DEPAYNTED . . . . . GGK V 649
FOR TO SCHYLDE FRO THE SCHENE OTHER ANY SCHADE KESTE . . . . . PAT 440
THAT SCHENE SAYDE THAT GOD WYL SCHYLDE. . . . . PRL 965

SHIELDS
WYTH SCHELDE3 OF WYLDE SWYN SWANE3 AND CRONE3 . . . . CLN 58
BOT THE POYNTE3 PAYRED AT THE PYTH THAT PY3T IN HIS SCHELDE3 . GGK 1456
SYTHEN HE BRITNE3 OUT THE BRAWEN IN BRY3T BRODE SCHELDE3. . . . GGK 1611
HE SCHEWE3 HEM THE SCHELDE3 AND SCHAPES HEM THE TALE . . . . . GGK 1626
SYTHEN HE BRITNE3 OUT THE BRAWEN IN BRY3T BRODE CHELDE3 . . . . GGK V 1611

SHIFT
THUS SCHAL I QUOTH KRYSTE HIT SKYFTE . . . . PRL 569

SHIFTED
NOW HAF THAY SKYFTED MY SKYL AND SCORNED NATWRE. . . . . . . CLN 709
FUL SKETE HAT3 SKYFTED SYNNE . . . . GGK 19

SHIMMERED
AS HIT SCHEMERED AND SCHON THUR3 THE SCHYRE OKE3 . . . . . . GGK 772

SHIMMERING
WYTH SCHYMERYNG SCHENE FUL SCHRYLLE THAY SCHYNDE . . . . . . PRL 80

Word / Line	Poem	Line no.
SHINE		
THOU MAY SCHYNE THUR3 SCHRYFTE THA3 THOU HAF SCHOME SERUED . .	CLN	1115
THE MOUNTAUNCE OF A LYTTEL MOTE VPON THAT MAN SCHYNE	PAT	456
THER SCHYNE3 FUL SCHYR AGAYN THE SUNNE.	PRL	28
SHINED		
IN CONTRARY OF THE CANDELSTIK THER CLEREST HIT SCHYNED . . .	CLN	1532
WYTH SCHYMERYNG SCHENE FUL SCHRYLLE THAY SCHYNDE	PRL	80
SHINING		
A SCHELDE AND A SCHARP SPERE SCHINANDE BRY3T.	GGK	269
SHINES		
FOR HO SCHYNES SO SCHYR THAT IS OF SCHAP ROUNDE.	CLN	1121
THAT SCHYNE3 VPON THE BROKE3 BRYM	PRL	1074
SHIP		
FYNDES HE A FAYR SCHYP TO THE FARE REDY	PAT	98
HE SWENGES ME THYS SWETE SCHIP SWEFTE FRO THE HAUEN	PAT	108
OF THAT SCHENDED SCHYP MEN SCHOWUED HYM SONE.	PAT	246
SHONE		
AS HIT SCHEMERED AND SCHON THUR3 THE SCHYRE OKE3	GGK	772
SCHON SCHYRER THEN SNAWE THAT SCHEDE3 ON HILLE3.	GGK	956
SO SCHON THAT SCHENE ANVNDER SCHORE.	PRL	166
AS SCHORNE GOLDE SCHYR HER FAX THENNE SCHON	PRL	213
THAT SCHYRRER THEN SUNNE WYTH SCHAFTE3 SCHON.	PRL	982
O JASPORYE AS GLAS THAT GLYSNANDE SCHON	PRL	1018
SUNNE NE MONE SCHON NEUER SO SWETE	PRL	1057
SHOOT		
SCHALKE3 TO SCHOTE AT HYM SCHOWEN TO THENNE	GGK	1454
SHOPE (V. SHAPED)		
SHORE		
SO FRO HEUEN TO HELLE THAT HATEL SCHOR LASTE.	CLN	227
SCHOWUE3 IN BI A SCHORE AT A SCHA3E SYDE	GGK	2161
SETTE THE SCHAFT VPON SCHORE AND TO THE SCHARP LENED	GGK	2332
I WAN TO A WATER BY SCHORE THAT SCHERE3	PRL	107
SO SCHON THAT SCHENE ANVNDER SCHORE.	PRL	166
ON WYTHER HALF WATER COM DOUN THE SCHORE	PRL	230
SHORES		
SCHYRE SCHATERANDE ON SCHORE3 THER THAY DOUN SCHOWUED. . . .	GGK	2083
SHORN		
SCHEWE3 HYM THE SCHYREE GRECE SCHORNE VPON RYBBES	GGK	1378
AS SCHORNE GOLDE SCHYR HER FAX THENNE SCHON	PRL	213
SHORT		
HIR BODY WAT3 SCHORT AND THIK.	GGK	966
SO THAT SCHOMELY TO SCHORT HE SCHOTE OF HIS AME.	PAT	128
SHORTLY		
FORTHY SCHAL I NEUER SCHENDE SO SCHORTLY AT ONES	CLN	519
AND THAT WAT3 SCHEWED SCHORTLY BY A SCATHE ONE3.	CLN	600
SCHALT THOW SCHORTLY AL SCHENDE AND SCHAPE NON OTHER	CLN	742
SHOT		
SO SCHARPE SCHAME TO HYM SCHOT HE SCHRANK AT THE HERT. . . .	CLN	850
THE BLOD SCHOT FOR SCHAM INTO HIS SCHYRE FACE	GGK	317
WHAT WYLDE SO ATWAPED WY3ES THAT SCHOTTEN.	GGK	1167
THAT THE SCHENE BLOD OUER HIS SCHULDERES SCHOT TO THE ERTHE. .	GGK	2314
SCHOT WITH HIS SCHULDERE3 HIS FAYRE SCHELDE VNDER	GGK	2318
SO THAT SCHOMELY TO SCHORT HE SCHOTE OF HIS AME.	PAT	128
SUCHE ODOUR TO MY HERNE3 SCHOT	PRL	58
SHOULDER		
HIT WAT3 LUSTY LOTHES WYF THAT OUER HER LYFTE SCHULDER . . .	CLN	981
AND HIS HUDE OF THAT ILKE HENGED ON HIS SCHULDER	GGK	1930
HIS SCHALK SCHEWED HYM HIS SCHELDE ON SCHULDER HE HIT LA3T . .	GGK	2061
SHOULDERS		

THAT SCHAD FRO HIS SCHULDERES TO HIS SCHEREWYKES . . . . . . CLN 1690
THAT WAT3 LA3T FRO HIS LOKKE3 AND LAYDE ON HIS SCHULDERES . . GGK 156
FAYRE FANNAND FAX VMBEFOLDES HIS SCHULDERES . . . . GGK 181
THEN SCHER THAY OUT THE SCHULDERE3 WITH HER SCHARP KNYUE3 . . GGK 1337
AND SCHRANKE A LYTEL WITH THE SCHULDERES FOR THE SCHARP YRNE . GGK 2267
THAT THE SCHENE BLOD OUER HIS SCHULDERES SCHOT TO THE ERTHE. . GGK 2314
SCHOT WITH HIS SCHULDERE3 HIS FAYRE SCHELDE VNDER . . . . . . GGK 2318
ON SCHYLDERE3 THAT LEGHE VNLAPPED LY3TE . . . . PRL 214

SHOUT
AND WYTH A SCHRYLLE SCHARP SCHOUT THAY SCHEWE THYSE WORDE3 . . CLN 840

SHOUTED
NAUTHELES THA3 HIT SCHOWTED SCHARPE. . . . . PRL 877

SHOVE
NE NO SCHAFTE NE NO SCHELDE TO SCHWUE NE TO SMYTE . . . . . . GGK 205

SHOVED
HURLED TO THE HALLE DORE AND HARDE THEROUTE SCHOWUED . . . . . CLN 44
IF ANY SCHALKE TO BE SCHENT WER SCHOWUED THERINNE . . . . . . CLN 1029
THE MEDES SCHAL BE MAYSTERES HERE AND THOU OF MENSKE SCHOWUED . CLN 1740
SCHALKE3 TO SCHOTE AT HYM SCHOWEN TO THENNE . . . . GGK 1454
SCHYRE SCHATERANDE ON SCHORE3 THER THAY DOUN SCHOWUED. . . . . GGK 2083
OF THAT SCHENDED SCHYP MEN SCHOWUED HYM SONE. . . . . PAT 246

SHOVES
SCHOWUE3 IN BI A SCHORE AT A SCHA3E SYDE . . . . GGK 2161

SHOW
AND ALLE THE LAYKE3 THAT A LORDE A3T IN LONDE SCHEWE . . . . . CLN 122
THAT SCHAL SCHEWE HEM SO SCHENE SCHROWDE OF THE BEST . . . . . CLN 170
FOR THAT SCHEWE ME SCHALE IN THO SCHYRE HOWSE3 . . . . CLN 553
AND WYTH A SCHRYLLE SCHARP SCHOUT THAY SCHEWE THYSE WORDE3 . . CLN 840
HIS SAWLE IS FUL OF SYENCE SA3ES TO SCHAWE . . . . CLN 1599
OF SAPYENCE THI SAWLE FUL SOTHES TO SCHAWE . . . . CLN 1626
FORTHI AN AUNTER IN ERDE I ATTLE TO SCHAWE . . . . GGK 27
LET THE NAKED NEC TO THE NOTE SCHEWE . . . . GGK 420
FALLE3 VPON FAYRE FLAT FLOWRE3 THERE SCHEWEN. . . . . GGK 507
OGHE TO A 3ONKE THYNK 3ERN TO SCHEWE . . . . GGK 1526
VPON THAT RYOL RED CLOTHE THAT RYCHE WAT3 TO SCHEWE . . . . . GGK 2036
WHEN HE HIT SCHULDE SCHEWE FOR SCHAME . . . . GGK 2504

SHOWED
THER WAT3 MALYS MERCYLES AND MAWGRE MUCH SCHEUED . . . . . . CLN 250
AND THAT WAT3 SCHEWED SCHORTLY BY A SCATHE ONE3. . . . . . . CLN 600
NOT TRAWANDE THE TALE THAT I THE TO SCHEWED . . . . CLN 662
OF BLE AS THE BREREFLOUR WHERESO THE BARE SCHEWEED. . . . . . CLN 791
THE FREKE SAYDE NO FOSCHIP OURE FADER HAT3 THE SCHEWED . . . . CLN 919
PERLE PRAYSED IS PRYS THER PERRE IS SCHEWED . . . . CLN 1117
WHEN HIT WAT3 SCHEWED HYM SO SCHENE SCHARP WAT3 HIS WONDER . . CLN 1310
THUS VPON THRYNNE WYSES I HAF YOW THRO SCHEWED . . . . CLN 1805
BI HIS ERES AND BI HIS HONDES THAT OPENLY SHEWID . . . . . . ERK 90
SYTHEN JHESUS HAS IUGGIT TODAY HIS IOY TO BE SCHEWYDE. . . . ERK 180
FOR AL DARES FOR DREDE WITHOUTE DYNT SCHEWED. . . . . GGK 315
THEN THAY SCHEWED HYM THE SCHELDE THAT WAS OF SCHYR GOULE3 . . GGK 619
CLAD WYTH A CLENE CLOTHE THAT CLER QUYT SCHEWED. . . . . . . GGK 885
THERE HE SCHROF HYM SCHYRLY AND SCHEWED HIS MYSDEDE3 . . . . . GGK 1880
HIS SCHALK SCHEWED HYM HIS SCHELDE ON SCHULDER HE HIT LA3T . . GGK 2061
AND SCHEWED THAT SCHYRE AL BARE . . . . GGK 2256
THE NIRT IN THE NEK HE NAKED HEM SCHEWED . . . . GGK 2498
AND SCHEUED HYM THE RENGNE OF GOD AWHYLE . . . . PRL 692

SHOWERS
SCHYRE SCHEDE3 THE RAYN IN SCHOWRE3 FUL WARME . . . . GGK 506

SHOWS
SCHEWE3 HYM THE SCHYREE GRECE SCHORNE VPON RYBBES . . . . . . GGK 1378

HE SCHEWE3 HEM THE SCHELDE3 AND SCHAPES HEM THE TALE . . . . GGK 1626
THE PRESTE VS SCHEWE3 VCH A DAYE. . . . . PRL 1210

SHRANK
SO SCHARPE SCHAME TO HYM SCHOT HE SCHRANK AT THE HERT. . . . CLN 850
AND SCHRANK THUR3 THE SCHYIRE GRECE AND SCHADE HIT IN TWYNNE . GGK 425
AND SCHRANKE A LYTEL WITH THE SCHULDERES FOR THE SCHARP YRNE . GGK 2267
THE SCHARP SCHRANK TO THE FLESCHE THUR3 THE SCHYRE GRECE. . . GGK 2313
THAT AL HE SCHRANK FOR SCHOME THAT THE SCHALK TALKED . . . . GGK 2372

SHREW
AS HE SPRENT OUER A SPENNE TO SPYE THE SCHREWE . . . . GGK 1896
WHAT SECHES THOU ON SEE SYNFUL SCHREWE. . . . . PAT 197

SHREWEDSHIP
THAT SCHAME3 FOR NO SCHREWEDSCHYP SCHENT MOT HE WORTHE . . . CLN 580

SHREWS
FOR MARRYNG OF MARYAGE3 AND MAYNTNAUNCE OF SCHREWE3 . . . . CLN 186
HE TELLES ME THOSE TRAYTOURES ARN TYPPED SCHREWES . . . . . . PAT 77

SHRIFT
THOU MAY SCHYNE THUR3 SCHRYFTE THA3 THOU HAF SCHOME SERUED . . CLN 1115
THAT HE BE SULPED IN SAWLE SECHE TO SCHRYFTE. . . . . . . CLN 1130
BOT WAR THE WEL IF THOU BE WASCHEN WYTH WATER OF SCHRYFTE . . CLN 1133

SHRILL
AND WYTH A SCHRYLLE SCHARP SCHOUT THAY SCHEWE THYSE WORDE3 . . CLN 840
WYTH SCHYMERYNG SCHENE FUL SCHRYLLE THAY SCHYNDE . . . . . . PRL 80

SHROUD
AND THUS SCHAL HE BE SCHENT FOR HIS SCHROWDE FEBLE. . . . . . CLN 47
THAT SCHAL SCHEWE HEM SO SCHENE SCHROWDE OF THE BEST . . . . CLN 170

SHROUD-HOUSE
NE NO SCHROUDEHOUS SO SCHENE AS A SCHEPON THARE. . . . . . . CLN 1076

SHROVE
THERE HE SCHROF HYM SCHYRLY AND SCHEWED HIS MYSDEDE3 . . . . GGK 1880

SHULD (APP. 1)

SHULDE (APP. 1)

SHUNNED (CP. SHUNT)
SO HENDE WAT3 HIS HONDELYNG VCHE ORDURE HIT SCHONIED . . . . CLN 1101
SO CLENE WAT3 HIS HONDELYNG VCHE ORDURE HIT SCHONIED . . . . CLN V 1101

SHUT
BOT AL SCHET IN A SCHA3E THAT SCHADED FUL COLE . . . . PAT 452

SICKNESS
FOR THER WAT3 SEKNESSE AL SOUNDE THAT SARREST IS HALDEN . . . CLN 1078

SIDE
AND FORSETTE3 ON VCHE A SYDE THE CETE ABOUTE. . . . . CLN 78
ON VCHE SYDE OF THE WORLDE AYWHERE ILYCHE. . . . . CLN 228
A WEL DUTANDE DOR DON ON THE SYDE . . . . CLN 320
THAT IS SOUNDE ON VCHE A SYDE AND NO SEM HABES . . . . CLN 555
VMBESWEYED ON VCH A SYDE WYTH SEUEN GRETE WATERES . . . . . . CLN 1380
AND VCH A SYDE VPON SOYLE HELDE SEUEN MYLE . . . . CLN 1387
BI THE SYDE OF THE SALE WERE SEMELY ARAYED . . . . CLN 1442
AND AGRAUAYN A LA DURE MAYN ON THAT OTHER SYDE SITTES. . . . GGK 110
WITH SILK SAYN VMBE HIS SYDE . . . . GGK 589
NE SAMNED NEUER IN NO SYDE NE SUNDRED NOUTHER . . . . GGK 659
THAT HOLDE ON THAT ON SYDE THE HATHEL AUYSED. . . . . GGK 771
THENN THURLED THAY AYTHER THIK SIDE THUR3 BI THE RYBBE . . . GGK 1356
SONE THAY CALLE OF A QUEST IN A KER SYDE . . . . GGK 1421
IN A KNOT BI A CLYFFE AT THE KERRE SYDE . . . . GGK 1431
SETTE3 HIR SOFLY BY HIS SYDE AND SWYTHELY HO LA3E3. . . . . . GGK 1479
HUNTERES VNHARDELED BI A HOLT SYDE . . . . GGK 1697
AND RYDE ME DOUN THIS ILK RAKE BI 3ON ROKKE SYDE . . . . . . GGK 2144
SCHOWUE3 IN BI A SCHORE AT A SCHA3E SYDE . . . . GGK 2161
HE SE3 NON SUCHE IN NO SYDE AND SELLY HYM THO3T. . . . . . . GGK 2170

HIT HADE A HOLE ON THE ENDE AND ON AYTHER SYDE	GGK	2180
BOT SNYRT HYM ON THAT ON SYDE THAT SEUERED THE HYDE	GGK	2312
ABELEF AS A BAUDERYK BOUNDEN BI HIS SYDE	GGK	2486
A NOS ON THE NORTH SYDE AND NOWHERE NON ELLE3	PAT	451
AND I ANENDE3 THE ON THIS SYDE	PRL	975
OF HIS QUYTE SYDE HIS BLOD OUTSPRENT	PRL	1137
SIDEBOARDS		
AND BAROUNES AT THE SIDEBORDES BOUNET AYWHERE	CLN	1398
AND SITHEN MONY SIKER SEGGE AT THE SIDBORDE3.	GGK	115
SIDBORDE3 (V. SIDEBOARDS)		
SIDEBORDES (V. SIDEBOARDS)		
SIDES		
IN ON SO RATTED A ROBE AND RENT AT THE SYDE3.	CLN	144
SWE ABOUTE SODAMAS AND HIT SYDE3 ALLE	CLN	956
AL THO CITEES AND HER SYDES SUNKKEN TO HELLE.	CLN	968
A STRAYT COTE FUL STRE3T THAT STEK ON HIS SIDES.	GGK	152
HALED HEM BY A LYTTEL HOLE TO HAUE HOLE SYDES	GGK	1338
AND SYTHEN SUNDER THAY THE SYDE3 SWYFT FRO THE CHYNE	GGK	1354
NE SUCH SYDES OF A SWYN SEGH HE NEUER ARE.	GGK	1632
HO LA3T A LACE LY3TLY THAT LEKE VMBE HIR SYDE3	GGK	1830
SYN HER SAYL WAT3 HEM ASLYPPED ON SYDE3 TO ROWE.	PAT	218
THE BYGGE BORNE ON HIS BAK THAT BETE ON HIS SYDES	PAT	302
AND THOSE THAY BOUNDEN TO HER BAK AND TO HER BARE SYDE3	PAT	374
SO SMAL SO SMOTHE HER SYDE3 WERE.	PRL	6
DUBBED WERN ALLE THO DOWNE3 SYDE3	PRL	73
VPON AT SYDE3 AND BOUNDEN BENE	PRL	198
AT HONDE AT SYDE3 AT OUERTURE.	PRL	218
SIEGE		
THENNE WAT3 THE SEGE SETTE THE CETE ABOUTE	CLN	1185
SYTTES SEMELY IN THE SEGE OF SAYNT PAULE MYNSTER	ERK	35
SITHEN THE SEGE AND THE ASSAUT WAT3 SESED AT TROYE.	GGK	1
AFTER THE SEGGE AND THE ASAUTE WAT3 SESED AT TROYE.	GGK	2525
OURE SYRE SYTTES HE SAYS ON SEGE SO HY3E	PAT	93
SIEVE		
BOT AS SMYLT MELE VNDER SMAL SIUE SMOKE3 FOR THIKKE	CLN	226
BOT AS SMYLT MELE VNDER SMAL SIUE SMOKE3 FORTHIKKE.	CLN V	226
SIGH		
MY SOULE MAY SITTE THER IN SOROW AND SIKE FUL COLDE	ERK	305
SIGHED		
QUEN THE SEGGE HADE THUS SAYDE AND SYKED THERAFTER.	ERK	189
AND ONE FELLE ON HIS FACE AND THE FREKE SYKED	ERK	323
AL THAT SE3 THAT SEMLY SYKED IN HERT	GGK	672
SEWED A SEKKE THER ABOF AND SYKED FUL COLDE	PAT	382
SIGHING		
AL SYKANDE HE SAYDE SIR WYTH YOR LEUE	CLN	715
AND THERFORE SYKYNG HE SAYDE I BESECHE THE LORDE	GGK	753
SYKANDE HO SWE3E DOUN AND SEMLY HYM KYSSED	GGK	1796
AND SYKYNG TO MYSELF I SAYD	PRL	1175
SIGHINGS		
THAY BIKENDE HYM TO KRYST WITH FUL COLDE SYKYNGE3	GGK	1982
SIGHT		
AS SO SAYT3 TO THAT SY3T SECHE SCHAL HE NEUER	CLN	29
NE NEUER SEE HYM WITH SY3T FOR SUCH SOUR TOURNE3	CLN	192
OF THE SY3TE OF THE SOUERAYN THAT SYTTE3 SO HY3E	CLN	552
THAT HE HIS SAUEOUR NE SEE WYTH SY3T OF HIS Y3EN	CLN	576
SENDE3 HYM A SAD SY3T TO SE HIS AUEN FACE.	CLN	595
WHEN HE HADE OF HEM SY3T HE HY3E3 BYLYUE	CLN	610
AND SETTEN TOWARD SODAMAS HER SY3T ALLE AT ONE3.	CLN	672
AT A STYLLE STOLLEN STEUEN VNSTERED WYTH SY3T	CLN	706

Text	Source	Line
HE SENDE TOWARD SODOMAS THE SY3T OF HIS Y3EN.	CLN	1005
THE KYNGES SUNNES IN HIS SY3T HE SLOW EUERVCHONE	CLN	1221
THENNE HIT VANIST VERAYLY AND VOYDED OF SY3T.	CLN	1548
SE3 THESE SYNGNES WYTH SY3T AND SET HEM AT LYTTEL	CLN	1710
THAT WE MAY SERUE IN HIS SY3T THER SOLACE NEUER BLYNNE3	CLN	1812
THAT WERE OF SYLUEREN SY3T AND SERUED THERWYTH	CLN V	1406
THAT A SELLY IN SI3T SUMME MEN HIT HOLDEN.	GGK	28
WAT3 NEUER SENE IN THAT SALE WYTH SY3T ER THAT TYME	GGK	197
SE THAT SEGG IN SY3T AND WITH HYMSELF SPEKE	GGK	226
AND QUEN THAY SEGHE HYM WITH SY3T THAY SUED HYM FAST	GGK	1705
SUCHE A SOR3E AT THAT SY3T THAY SETTE ON HIS HEDE	GGK	1721
AND DESEUERED FRO THY SY3T 3ET SURELY I HOPE.	PAT	315
FOR THE PENAUNCE AND PAYNE TO PREUE HIT IN SY3T.	PAT	530
NO SAUERLY SAGHE SAY OF THAT SY3T	PRL	226
AND AT THAT SY3T VCHE DOUTH CON DARE	PRL	839
BOT CETE OF GOD OTHER SY3T OF PES	PRL	952
FOR A SY3T THEROF THUR3 GRET FAUOR	PRL	968
AS JOHN THE APOSTEL HIT SY3 WYTH SY3T	PRL	985
THAT SY3T ME GART TO THENK TO WADE	PRL	1151
FOR SOTYLE CLER NO3T LETTE NO SY3T	PRL 2	1050
SIGHTS		
HAT3 SENDE INTO THIS SALE THISE SY3TES VNCOWTHE.	CLN	1722
FRO ALLE THO SY3TE3 SO QUYKE AND QUEME.	PRL	1179
SIGN		
THAT WAT3 THE SYNGNE OF SAUYTE THAT SENDE HEM OURE LORDE.	CLN	489
HIT IS A SYNGNE THAT SALAMON SET SUMQUYLE.	GGK	625
AND SE3E NO SYNGNE OF RESETTE BISYDE3 NOWHERE	GGK	2164
BOT IN SYNGNE OF MY SURFET I SCHAL SE HIT OFTE	GGK	2433
SIGNETS		
THERE SEUEN SYNGNETTE3 WERN SETTE IN SEME.	PRL	838
THERE SEUEN SYNGNETTE3 WERN SETTE INSEME	PRL 1	838
THERE SEUEN SYNGNETTE3 WERN SETTE INSEME	PRL 2	838
THERE SEVEN SYNGNETTE3 WERN SETTE INSEME	PRL 3	838
SIGNS		
SE3 THESE SYNGNES WYTH SY3T AND SET HEM AT LYTTEL	CLN	1710
SIKE (V. SIGH)		
SIKER		
OTHER SUM SEGG HYM BISO3T OF SUM SIKER KNY3T.	GGK	96
BOTHE THE KYNGES SISTER SUNES AND FUL SIKER KNI3TES	GGK	111
AND SITHEN MONY SIKER SEGGE AT THE SIDBORDE3.	GGK	115
3E MAY BE SEKER BI THIS BRAUNCH THAT I BERE HERE	GGK	265
SAF THAT THOU SCHAL SIKER ME SEGGE BI THI TRAWTHE	GGK	394
AND THAT I SWERE THE FORSOTHE AND BY MY SEKER TRAWETH.	GGK	403
HIT IS SOTHE QUOTH THE SEGGE AND AS SIKER TRWE	GGK	1637
AND SAYDE AS I AM TRWE SEGGE I SIKER MY TRAWTHE.	GGK	1673
AND HADE BEN SOIOURNED SAUERLY AND IN A SIKER WYSE.	GGK	2048
AND SYTHEN MONY SYKER KNY3T THAT SO3T HYM TO HAYLCE	GGK	2493
SIKERLY		
ANDE AS SAYLED THE SEGGE AY SYKERLY HE HERDE.	PAT	301
SILENCE		
IN A SWOGHE SYLENCE THUR3 THE SALE RICHE	GGK V	243
SILK		
RYOL ROLLANDE FAX TO RAW SYLK LYKE	CLN	790
OF BRY3T GOLDE VPON SILK BORDES BARRED FUL RYCHE	GGK	159
ABOUTTE HYMSELF AND HIS SADEL VPON SILK WERKE3	GGK	164
WITH SILK SAYN VMBE HIS SYDE	GGK	589
OF CORTYNES OF CLENE SYLK WYTH CLER GOLDE HEMME3	GGK	854
HIR FROUNT FOLDEN IN SYLK ENFOUBLED AYQUERE	GGK	959
GERED HIT WAT3 WITH GRENE SYLKE AND WITH GOLDE SCHAPED	GGK	1832

NOW FORSAKE 3E THIS SILKE SAYDE THE BURDE THENNE	GGK	1846
THE GORDEL OF THE GRENE SILKE THAT GAY WEL BISEMED.	GGK	2035
NE THE SAYNT NE THE SYLK NE THE SYDE PENDAUNDES.	GGK	2431
SILKE (V. SILK)		
SILKEN		
ON BRODE SYLKYN BORDE AND BRYDDE3 ON SEME3	GGK	610
SILL		
ON SILLE.	GGK	55
SILLE (V. SILL)		
SILVER		
THE GREDIRNE AND THE GOBLOTES GARNYST OF SYLUER.	CLN	1277
WHEN THAY AR GILDE AL WITH GOLDE AND GERED WYTH SLYUER	CLN	1344
THAT WERE OF SYLUER IN SUYT AND SEVES THERWYTH	CLN	1406
AS BORNYST SYLUER THE LEF ONSLYDE3	PRL	77
SILVERN		
THAT WERE OF SYLUEREN SY3T AND SERUED THERWYTH	CLN V	1406
FOR TO SETTE THE SYLUEREN THAT SERE SEWES HALDEN	GGK	124
SANAP AND SALURE AND SYLUERIN SPONE3	GGK	886
SIMPLE		
NOW SAYNED BE THOU SAUIOUR SO SYMPLE IN THY WRATH	CLN	746
THAT FRAYSTE3 FLESCH WYTH THE FYSCHE AND FODE MORE SYMPLE	GGK	503
FOR HIT IS SYMPLE IN HITSELF AND SO HIT WEL SEME3	GGK	1847
HIS LOKE3 SYMPLE HYMSELF SO GENT.	PRL	1134
SIMPLENESS		
NOW HYNDE THAT SYMPELNESSE CONE3 ENCLOSE	PRL	909
SIMPLEST		
AND 3ET THE SYMPLEST IN THAT SALE WAT3 SERUED TO THE FULLE	CLN	120
SIN		
NE VENGED FOR NO VILTE OF VICE NE SYNNE	CLN	199
IF HE BE SULPED IN SYNNE THAT SYTTE3 VNCLENE.	CLN	550
AS A STYNKANDE STANC THAT STRYED SYNNE.	CLN	1018
SULP NO MORE THENNE IN SYNNE THY SAULE THERAFTER	CLN	1135
AND THUS WAT3 THAT LONDE LOST FOR THE LORDES SYNNE.	CLN	1797
AND MORE FOR HIS MESCHEF 3IF HE SCHULDE MAKE SYNNE.	GGK	1774
LO AL SYNKES IN HIS SYNNE AND FOR HIS SAKE MARRES	PAT	172
AND RWE ON THO REDLES THAT REMEN FOR SYNNE	PAT	502
THAT MAY NOT SYNNE IN NO SYT HEMSELUEN TO GREUE.	PAT	517
TO HYM THAT MAT3 IN SYNNE RESCOGHE	PRL	610
WYTHOUTEN MOTE OTHER MASCLE OF SULPANDE SYNNE	PRL	726
FOR SYNNE HE SET HYMSELF IN VAYN.	PRL	811
SINFUL		
THEN AR THAY SYNFUL HEMSELF AND SULPEN ALTOGEDER	CLN	15
SCHAL SYNFUL AND SAKLE3 SUFFER AL ON PAYNE	CLN	716
NOV AR WE SORE AND SYNFUL AND SOVLY VCHONE	CLN	1111
THEN AR THAY SYNFUL HEMSELF AND SULPED ALTOGEDER	CLN V	15
WHAT SECHES THOU ON SEE SYNFUL SCHREWE.	PAT	197
SING		
AS RENKE3 OF RELYGIOUN THAT REDEN AND SYNGEN.	CLN	7
THE BYSCHOP HYM SHOPE SOLEMPLY TO SYNGE THE HEGHE MASSE	ERK	129
LAYKYNG OF ENTERLUDE3 TO LA3E AND TO SYNG.	GGK	472
BRYDDE3 BUSKEN TO BYLDE AND BREMLYCH SYNGEN	GGK	519
AND SYNGE	GGK	923
THAT OF THAT SONGE MY3T SYNGE A POYNT	PRL	891
SINGLE		
I COM HIDER SENGEL AND SITTE	GGK	1531
SINGLY		
I SETTE HYR SENGELEY IN SYNGLERE.	PRL	8
SINGULARITY		
NOW FOR SYNGLERTY O HYR DOUSOUR	PRL	429

SINK
THEN VCHE A SEGGE SE3 WEL THAT SYNK HYM BYHOUED. . . . . CLN 398
SODOMAS SCHAL FUL SODENLY SYNK INTO GROUNDE . . . . CLN 910
THE SOR OF SUCH A SWETE PLACE BURDE SYNK TO MY HERT . . . . . PAT 507
SINKING
HIT SA3TLED ON A SOFTE DAY SYNKANDE TO GROUNDE . . . . CLN 445
SINKS
THE GRETE SOUN OF SODAMAS SYNKKE3 IN MYN ERE3 . . . . CLN 689
AND FOLDE THERON A LY3T FYTHER AND HIT TO FOUNS SYNKKE3 . . . . CLN 1026
LO AL SYNKES IN HIS SYNNE AND FOR HIS SAKE MARRES . . . . PAT 172
SINNED
IN TOWARDE THE CETY OF SODAMAS THAT SYNNED HAD THENNE. . . . . CLN 679
SINS
ALLE THE MUKEL MAYNYMOLDE FOR NO MANNE3 SYNNE3 . . . . CLN 514
ALLE THE MUKEL MAYNY ON MOLDE FOR NO MANNE3 SYNNE3. . . . . CLN V 514
AND IF WE LEUEN THE LAYK OF OURE LAYTH SYNNES . . . . PAT 401
THENNE AL LEUED ON HIS LAWE AND LAFTEN HER SYNNES . . . . PAT 405
THAT SYNNE3 THENNE NEW 3IF HIM REPENTE. . . . . PRL 662
THAT DOT3 AWAY THE SYNNE3 DRY3E . . . . PRL 823
SIR
THENNE SAYDE OURE SYRE THER HE SETE SE SO SARE LA3ES . . . . . CLN 661
AL SYKANDE HE SAYDE SIR WYTH YOR LEUE . . . . CLN 715
FOR WE LATHE THE SIR LOTH THAT THOU THY LYF HAUE . . . . . . CLN 900
HOW SCHULDE WE SE THEN MAY WE SAY THAT SYRE VPON THRONE . . . . CLN 1112
MONI SEMLY SYRE SOUN AND SWYTHE RYCH MAYDENES . . . . CLN 1299
BALTA3AR VMBEBRAYDE HYM AND BEUE SIR HE SAYDE . . . . CLN 1622
BALTA3AR UMBEBRAYDE HYM AND LEUE SIR HE SAYDE . . . . CLN V 1622
IN ESEX WAS SER ERKENWOLDE AN ABBAY TO VISITE . . . . ERK 108
AND SER ERKENWOLDE WAS VP IN THE VGHTEN ERE THEN . . . . . . ERK 118
THE BOLDE BRETON SER BELYN SER BERYNGE WAS HIS BROTHIRE . . . . ERK 213
THE BOLDE BRETON SER BELYN SER BERYNGE WAS HIS BROTHIRE . . . . ERK 213
DERE SER QUOTH THE DEDE BODY DEUYSE THE I THENKE . . . . . . ERK 225
AND SAYD SIR CORTAYS KNY3T. . . . . GGK 276
THEN CARPPE3 TO SIR GAWAN THE KNY3T IN THE GRENE . . . . . . GGK 377
SIR GAWAN SO MOT I THRYUE . . . . GGK 387
BIGOG QUOTH THE GRENE KNY3T SIR GAWAN ME LYKES . . . . GGK 390
GLADLY SIR FORSOTHE . . . . GGK 415
HE GLENT VPON SIR GAWEN AND GAYNLY HE SAYDE . . . . GGK 476
NOW SIR HENG VP THYN AX THAT HAT3 INNOGH HEWEN . . . . GGK 477
NOW THENK WEL SIR GAWAN. . . . . GGK 487
SIR DODDINAUAL DE SAUAGE THE DUK OF CLARENCE. . . . . GGK 552
SIR BOOS AND SIR BYDUER BIG MEN BOTHE . . . . GGK 554
SIR BOOS AND SIR BYDUER BIG MEN BOTHE . . . . GGK 554
WHEN THAT SEMLY SYRE SO3T FRO THO WONE3 . . . . GGK 685
SIR GAUAN ON GODE3 HALUE THA3 HYM NO GOMEN THO3T . . . . . . GGK 692
TO SE THE SERUYSE OF THAT SYRE THAT ON THAT SELF NY3T. . . . . GGK 751
GODE SIR QUOTH GAWAN WOLDE3 THOU GO MYN ERNDE . . . . GGK 811
WAT3 GRAYTHED FOR SIR GAWAN GRAYTHELY WITH CLOTHE3. . . . . . . GGK 876
FOR TO GLADE SIR GAWAYN WITH GOMNE3 IN HALLE. . . . . GGK 989
SIR GAWEN HIS LEUE CON NYME . . . . GGK 993
IWYSSE SIR QUYL I LEUE ME WORTHE3 THE BETTER. . . . . GGK 1035
GRANT MERCI SIR QUOTH GAWAYN IN GOD FAYTH HIT IS YOWRE3 . . . . GGK 1037
FORSOTHE SIR QUOTH THE SEGGE 3E SAYN BOT THE TRAWTHE . . . . . GGK 1050
FORTHY SIR THIS ENQUEST I REQUIRE YOW HERE . . . . GGK 1056
THENNE SESED HYM THE SYRE AND SET HYM BYSYDE. . . . . GGK 1083
3E SIR FORSOTHE SAYD THE SEGGE TRWE. . . . . GGK 1091
GOD MOROUN SIR GAWAYN SAYDE THAT GAY LADY. . . . . GGK 1208
NAY FORSOTHE BEAU SIR SAYD THAT SWETE . . . . GGK 1222
FOR I WENE WEL IWYSSE SIR WOWEN 3E ARE. . . . . GGK 1226

IN GOD FAYTH SIR GAWAYN QUOTH THE GAY LADY . . . . GGK 1248
THENNE COMAUNDED THE SYRE IN THAT SALE TO SAMEN ALLE THE MENY . GGK 1372
SIR WAWEN HER WELCUMED WORTHY ON FYRST. . . . . GGK 1477
SIR 3IF 3E BE WAWEN WONDER ME THYNKKE3. . . . . GGK 1481
TIL HE SE3 SIR GAWAYNE . . . . GGK 1619
WHEN HE SE3E SIR GAWAYN WITH SOLACE HE SPEKE3 . . . . . . GGK 1624
SIR GAWAYN LIS AND SLEPES . . . . GGK 1686
WHEN HO WAT3 GON SIR GAWAYN GERE3 HYM SONE . . . . GGK 1872
SIR GAWAYN THE GODE THAT GLAD WAT3 WITHALLE . . . . GGK 1926
INO3 QUOTH SIR GAWAYN . . . . GGK 1948
AND GRAYTHE3 ME SIR GAWAYN VPON A GRETT WYSE. . . . . . . GGK 2014
FORTHY GOUDE SIR GAWAYN LET THE GOME ONE . . . . GGK 2118
SIR GAWAYN THE KNY3T CON METE. . . . . GGK 2235
THAT OTHER SAYDE NOW SIR SWETE . . . . GGK 2237
BOT HERE YOW LAKKED A LYTTEL SIR AND LEWTE YOW WONTED. . . . GGK 2366
AND I GIF THE SIR THE GURDEL THAT IS GOLDEHEMMED . . . . . GGK 2395
FOR HIT IS GRENE AS MY GOUNE SIR GAWAYN 3E MAYE. . . . . . GGK 2396
OURE SYRE SYTTES HE SAYS ON SEGE SO HY3E . . . . PAT 93
BOT HE WAT3 SOKORED BY THAT SYRE THAT SYTTES SO HI3E . . . . PAT 261
I BISECHE THE SYRE NOW THOU SELF IUGGE. . . . . PAT 413
SIR 3E HAF YOUR TALE MYSETENTE . . . . PRL 257
SIR FELE HERE PORCHASE3 AND FONGE3 PRAY . . . . PRL 439

SIRES

AND SYTHEN SOBERLY SYRE3 I YOW BYSECHE. . . . . CLN 799
THAT SUMTYME SETE IN HER SALE SYRES AND BURDES . . . . CLN 1260

SISTER

BOTHE THE KYNGES SISTER SUNES AND FUL SIKER KNI3TES . . . . . GGK 111

SIT

FUL MANERLY WYTH MARCHAL MAD FOR TO SITTE. . . . . CLN 91
SCHUL NEUER SITTE IN MY SALE MY SOPER TO FELE . . . . CLN 107
TO SYTTE IN SERUAGE AND SYTE THAT SUMTYME WER GENTYLE. . . . CLN 1257
TO SYTTE VPON SAYD CAUSES THIS CITE I 3EMYD . . . . ERK 202
MY SOULE MAY SITTE THER IN SOROW AND SIKE FUL COLDE . . . . ERK 305
AUTHER TO LONGE LYE OR TO LONGE SITTE . . . . GGK 88
AND I SCHAL BIDE THE FYRST BUR AS BARE AS I SITTE . . . . . . GGK 290
WHIL MONY SO BOLDE YOW ABOUTE VPON BENCH SYTTEN. . . . . . GGK 351
WHEN BURNE3 BLYTHE OF HIS BURTHE SCHAL SITTE. . . . . GGK 922
THE LORDE LACHES HYM BY THE LAPPE AND LEDE3 HYM TO SYTTE. . . GGK 936
WHEN 3E WYL WYTH MY WYF THAT WYTH YOW SCHAL SITTE . . . . . GGK 1098
I COM HIDER SENGEL AND SITTE . . . . GGK 1531
FORTHY I SAY YOW AS SOTHE AS 3E IN SADEL SITTE . . . . GGK 2110
FORTHY I SAY THE AS SOTHE AS 3E IN SADEL SITTE . . . . GGK V 2110
EWRUS AND AQUILOUN THAT ON EST SITTES . . . . PAT 133
MOT EFTE SITTE WYTH MORE VNSOUNDE TO SEWE HEM TOGEDER. . . . PAT 527

SITHEN (V. SYTHEN)

SITS

HO HITTE3 ON THE EUENTYDE AND ON THE ARK SITTE3. . . . . . . CLN 479
IF HE BE SULPED IN SYNNE THAT SYTTE3 VNCLENE. . . . . CLN 550
OF THE SY3TE OF THE SOUERAYN THAT SYTTE3 SO HY3E . . . . . . CLN 552
OLDE ABRAHAM IN ERDE ONE3 HE SYTTE3. . . . . CLN 601
HE SYTTE3 THER IN SODOMIS THY SERUAUNT SO POUERE . . . . . . CLN 773
AND THAT THE 3EP VNDER3EDE THAT IN THE 3ATE SYTTE3. . . . . CLN 796
THUR3 THE SOMONES OF HIMSELFE THAT SYTTES SO HY3E . . . . . . CLN 1498
TYL HE BE DRONKKEN AS THE DEUEL AND DOTES THER HE SYTTES. . . CLN 1500
SYTTES SEMELY IN THE SEGE OF SAYNT PAULE MYNSTER . . . . . . ERK 35
AND THER SITTES MY SOULE THAT SE MAY NO FYRRE . . . . ERK 293
AND AGRAUAYN A LA DURE MAYN ON THAT OTHER SYDE SITTES. . . . GGK 110
NAY AS HELP ME QUOTH THE HATHEL HE THAT ON HY3E SYTTES . . . . GGK 256
AND HIT WAT3 WAWEN HYMSELF THAT IN THAT WON SYTTE3. . . . . GGK 906

THE OLDE AUNCIAN WYF HE3EST HO SYTTE3 . . . . GGK 1001
THAT VPHALDE3 THE HEUEN AND ON HY3 SITTE3. . . . . GGK 2442
OURE SYRE SYTTES HE SAYS ON SEGE SO HY3E . . . . PAT 93
BOT HE WAT3 SOKORED BY THAT SYRE THAT SYTTES SO HI3E . . . . PAT 261

SITTE (V. SIT)

SITTES (V. SIT, SITS)

SITTE3 (V. SITS)

SIUE (V. SIEVE)

SIX
THE SEX HUNDRETH OF HIS AGE AND NONE ODDE 3ERE3. . . . . . . CLN 426

SIXTH
THE SEXTE THE RYBE HE CON HIT WALE . . . . PRL 1007
THE SEXTE THE SARDE HE CON HIT WALE. . . . . PRL 2 1007

SI3T (V. SIGHT)

SKARMOCH (V. SKIRMISH)

SKATHE (V. SCATHE)

SKAYNED
THE SKWE3 OF THE SCOWTES SKAYNED HYM THO3T . . . . GGK 2167

SKELES
BURNES BERANDE THE BREDES VPON BRODE SKELES . . . . CLN 1405

SKELT
AND ALS HO SCELT HEM IN SCORNE THAT WEL HER SKYL KNEWEN . . . CLN 827
SKETE SKARMOCH SKELT MUCH SKATHE LACHED . . . . CLN 1186
HI3E SKELT WAT3 THE ASKRY THE SKEWES ANVNDER. . . . . CLN 1206

SKELTEN
SCOLERES SKELTEN THERATTE THE SKYL FOR TO FYNDE. . . . . . . CLN 1554

SKELTON
THE SKILFULLE AND THE VNSKATHELY SKELTON AY TO ME . . . . . . ERK 278

SKERE
THE KYN3T WITH SPECHES SKERE . . . . GGK 1261

SKETE
SKETE SKARMOCH SKELT MUCH SKATHE LACHED . . . . CLN 1186
FUL SKETE HAT3 SKYFTED SYNNE . . . . GGK 19
THENNE ASCRYED THAY HYM SCKETE AND ASKED FUL LOUDE. . . . . . PAT 195

SKEWES (V. SKWES)

SKILL (CP. SKYLY)
HE WAT3 SO SCOUMFIT OF HIS SCYLLE LEST HE SKATHE HENT. . . . CLN 151
THAT ILKE SKYL FOR NO SCATHE ASCAPED HYM NEUER . . . . CLN 569
NOW HAF THAY SKYFTED MY SKYL AND SCORNED NATWRE. . . . . . . CLN 709
LOUE3 NO SALT IN HER SAUCE 3ET HIT NO SKYL WERE. . . . . . . CLN 823
AND ALS HO SCELT HEM IN SCORNE THAT WEL HER SKYL KNEWEN . . . CLN 827
SCOLERES SKELTEN THERATTE THE SKYL FOR TO FYNDE. . . . . . . CLN 1554
BOT THE BURDE HYM BLESSED AND BI THIS SKYL SAYDE . . . . . . GGK 1296
AND YOW WRATHED NOT THERWYTH WHAT WERE THE SKYLLE . . . . . . GGK 1509
BOT THAT HYS ONE SKYL MAY DEM. . . . . PRL 312
TWO MEN TO SAUE IS GOD BY SKYLLE. . . . . PRL 674

SKILFULLE (V. SKILLFUL)

SKILLFUL
SO IS HE SCOYMUS OF SCATHE THAT SCYLFUL IS EUER. . . . . . . CLN 1148
THE SKILFULLE AND THE VNSKATHELY SKELTON AY TO ME . . . . . . ERK 278

SKILLS
WYTH FYRCE SKYLLE3 THAT FASTE FA3T . . . . PRL 54
WYTH FYRTE SKYLLE3 THAT FASTE FA3T . . . . PRL 1 54
WYTH FYRTE SKYLLE3 THAT FASTE FA3T . . . . PRL 3 54

SKIRMISH
SKETE SKARMOCH SKELT MUCH SKATHE LACHED . . . . CLN 1186

SKOWTE3 (V. SCOUTS)

SKOYMOS (V. SQUEAMISH)

SKURTES (V. SKYRTE3)

SKWE
AND HO SKYRME3 VNDER SKWE AND SKOWTE3 ABOUTE. CLN 483
ASCRY SCARRED ON THE SCUE THAT SCOMFYTED MONY CLN 1784
SKWES
HI3E SKELT WAT3 THE ASKRY THE SKEWES ANVNDER. CLN 1206
THENNE BLYKNED THE BLE OF THE BRY3T SKWES. CLN 1759
THE SKWE3 OF THE SCOWTES SKAYNED HYM THO3T GGK 2167
SKWE3 (V. SKWES)
SKYFTE (V. SHIFT)
SKYFTED (V. SHIFTED)
SKYG
NIF HE NERE SCOYMUS AND SKYG AND NON SCATHE LOUIED. CLN 21
SKYL (V. SKILL)
SKYLLE (V. SKILL)
SKYLLE3 (V. SKILLS)
SKYLLY
THEN WAT3 A SKYLLY SKYLNADE QUEN SCAPED ALLE THE WYLDE CLN 529
THEN WAT3 A SKYLLY SKYVALDE QUEN SCAPED ALLE THE WYLDE CLN V 529
SKYLNADE
THEN WAT3 A SKYLLY SKYLNADE QUEN SCAPED ALLE THE WYLDE CLN 529
SKYLY (CP. SKILL)
ALLE EXCUSED HEM BY THE SKYLY HE SCAPE BY MO3T CLN 62
SKYRE
ASSCAPED OUER THE SKYRE WATTERES AND SCAYLED THE WALLES CLN 1776
SKYRME3
AND HO SKYRME3 VNDER SKWE AND SKOWTE3 ABOUTE. CLN 483
SKYRTE3
AND HIS ARSOUN3 AL AFTER AND HIS ATHEL SKURTES GGK 171
THE APPARAYL OF THE PAYTTRURE AND OF THE PROUDE SKYRTE3 GGK 601
THAT SETE ON HYM SEMLY WYTH SAYLANDE SKYRTE3. GGK 865
SKYVALDE
THEN WAT3 A SKYLLY SKYVALDE QUEN SCAPED ALLE THE WYLDE CLN V 529
SLADE
AND THOU SCHAL SE IN THAT SLADE THE SELF CHAPEL. GGK 2147
BY3UNDE THE BROKE BY SLENTE OTHER SLADE PRL 141
THAT I WENDE HAD STANDEN BY ME IN SCLADE PRL 1148
SLADE3
THE DOES DRYUEN WITH GRET DYN TO THE DEPE SLADE3 GGK 1159
SLAIN
FOR MY BOLES AND MY BORE3 ARN BAYTED AND SLAYNE. CLN 55
SEGGES SLEPANDE WERE SLAYNE ER THAY SLYPPE MY3T. CLN 1785
NER SLAYN WYTH THE SLETE HE SLEPED IN HIS YRNES. GGK 729
FOR HE MY3T NOT BE SLAYN FOR SLY3T VPON ERTHE GGK 1854
AND HOW THE FOX WAT3 SLAYN. GGK 1950
FOR DESERT OF SUM SAKE THAT I SLAYN WERE PAT 84
THAT THOU THUS SLYDES ON SLEPE WHEN THOU SLAYN WORTHES PAT 200
IN JERUSALEM WAT3 MY LEMMAN SLAYN PRL 805
SLAKE (CP. SLEKE)
FOR THERE THE OLDE GULTE WAT3 DON TO SLAKE PRL 942
SLAKED (CP. SLEKKYD)
AS AL WERE SLYPPED VPON SLEPE SO SLAKED HOR LOTE3 GGK 244
SLAUTHE (V. SLOTH)
SLAYN (V. SLAIN)
SLAYNE (V. SLAIN)
SLA3T
AS A SCHEP TO THE SLA3T THER LAD WAT3 HE PRL 801
SLA3TES
IN SUCH SLA3TES OF SOR3E TO SLEPE SO FASTE PAT 192
SLEEP

AS HE IN SOUNDE SODANLY WERE SLIPPIDE OPON SLEPE . . . . . . ERK 92
AS AL WERE SLYPPED VPON SLEPE SO SLAKED HOR LOTE3 . . . . . . GGK 244
NAUTHER OF SOSTNAUNCE NE OF SLEPE SOTHLY I KNOWE . . . . . . GGK 1095
BOT THE LADY FOR LUF LET NOT TO SLEPE . . . . GGK 1733
A MON HOW MAY THOU SLEPE . . . . GGK 1746
3IF HE NE SLEPE SOUNDYLY SAY NE DAR.I . . . . GGK 1991
IN SUCH SLA3TES OF SOR3E TO SLEPE SO FASTE . . . . PAT 192
THAT THOU THUS SLYDES ON SLEPE WHEN THOU SLAYN WORTHES . . . PAT 200
AS STREMANDE STERNE3 QUEN STROTHEMEN SLEPE . . . . PRL 115
AS STREMANDE STERNE3 QUEN STROTHE MEN SLEPE . . . . PRL 1 115
AS STREMANDE STERNE3 QUEN STROTHE MEN SLEPE . . . . PRL 3 115

SLEEPER
3E ARE A SLEPER VNSLY3E THAT MON MAY SLYDE HIDER . . . . . . GGK 1209

SLEEPING
SEGGES SLEPANDE WERE SLAYNE ER THAY SLYPPE MY3T. . . . . . . CLN 1785

SLEEPS
SIR GAWAYN LIS AND SLEPES . . . . GGK 1686
WHYLE THE HENDE KNY3T AT HOME HOLSUMLY SLEPE3 . . . . GGK 1731
THA3 HE LOWKE3 HIS LIDDE3 FUL LYTTEL HE SLEPES . . . . GGK 2007
THOU SCHAL RELEUE ME RENK WHIL THY RY3T SLEPE3 . . . . PAT 323

SLEET
NER SLAYN WYTH THE SLETE HE SLEPED IN HIS YRNES. . . . . . . GGK 729

SLEIGHT
WYTH SLY3T OF HIS CIENCES HIS SOUERAYN TO LOUE . . . . CLN 1289
TO YOW THAT I WOT WEL WELDE3 MORE SLY3T . . . . GGK 1542
FOR HE MY3T NOT BE SLAYN FOR SLY3T VPON ERTHE . . . . GGK 1854
MY3T HE HAF SLYPPED TO BE VNSLAYN THE SLE3T WERE NOBLE . . . . GGK 1858

SLEIGHTS
NOW SCHAL WE SEMLYCH SE SLE3TE3 OF THEWE3. . . . . GGK 916
THAT AY WAKES AND WAYTES AT WYLLE HAT3 HE SLY3TES . . . . . . PAT 130

SLEKE (CP. SLAKE)
THAT ALLE THE MESCHEFE3 ON MOLD MO3T HIT NOT SLEKE. . . . . . CLN 708

SLEKKYD (CP. SLAKED)
THE FYRST SLENT THAT ON ME SLODE SLEKKYD AL MY TENE . . . . . ERK 331

SLENT
THE FYRST SLENT THAT ON ME SLODE SLEKKYD AL MY TENE . . . . . ERK 331

SLENTE
BY3ONDE THE BROKE BY SLENTE OTHER SLADE . . . . PRL 141

SLENTYNG
THER MY3T MON SE AS THAY SLYPTE SLENTYNG OF ARWES . . . . . . GGK 1160

SLEPANDE (V. SLEEPING)
SLEPE (V. SLEEP)
SLEPED (V. SLEPT)
SLEPER (V. SLEEPER)
SLEPES (V. SLEEPS)
SLEPE3 (V. SLEEPS)

SLEPT
NER SLAYN WYTH THE SLETE HE SLEPED IN HIS YRNES. . . . . . . GGK 729
AND LAYDE HYM DOUN LYSTYLY AND LET AS HE SLEPTE. . . . . . . GGK 1190
AS IN THE BULK OF THE BOTE THER HE BYFORE SLEPED . . . . . . PAT 292
AND THER HE SWOWED AND SLEPT SADLY AL NY3T . . . . PAT 442

SLEPTE (V. SLEPT)

SLEPYNGSLA3TE
I SLODE VPON A SLEPYNGSLA3TE . . . . PRL 59

SLETE (V. SLEET)

SLEW
THE KYNGES SUNNES IN HIS SY3T HE SLOW EUERVCHONE . . . . CLN 1221
THAY SLOWEN OF SWETTEST SEMLYCH BURDES. . . . . CLN 1247
SLOUEN ALLE AT A SLYP THAT SERUED THERINNE . . . . CLN 1264

SUCH A SOWME HE THER SLOWE BI THAT THE SUNNE HELDET . . . . . GGK 1321
SLE3E
WITH COROUN COPROUNES CRAFTYLY SLE3E . . . . GGK 797
AND AY SAWSES SO SLE3E THAT THE SEGGE LYKED . . . . GGK 893
AND AY SAWES SO SLE3E THAT THE SEGGE LYKED . . . . GGK V 893
SLE3LY
AND AS IN SLOMERYNG HE SLODE SLE3LY HE HERDE. . . . . GGK 1182
SLE3T (V. SLEIGHT)
SLE3TE3 (V. SLEIGHTS)
SLID
THE FYRST SLENT THAT ON ME SLODE SLEKKYD AL MY TENE . . . . . ERK 331
AND AS IN SLOMERYNG HE SLODE SLE3LY HE HERDE. . . . . GGK 1182
I SLODE VPON A SLEPYNGSLA3TE . . . . PRL 59
SLIDE
3E ARE A SLEPER VNSLY3E THAT MON MAY SLYDE HIDER . . . . GGK 1209
THAT THOU THUS SLYDES ON SLEPE WHEN THOU SLAYN WORTHES . . . . PAT 200
SLIDES
HE SLYDE3 ON A SLOUMBESLEP SLOGHE VNDER LEUES . . . . PAT 466
SLIGHT
SO SMOTHE SO SMAL SO SEME SLY3T . . . . PRL 190
SLIP
SEGGES SLEPANDE WERE SLAYNE ER THAY SLYPPE MY3T. . . . . CLN 1785
SLIPPED
THAY SLYPPED BI AND SY3E HIR NOT THAT WERN HIR SAMENFERES . . . CLN 985
AS HE IN SOUNDE SODANLY WERE SLIPPIDE OPON SLEPE . . . . ERK 92
AS AL WERE SLYPPED VPON SLEPE SO SLAKED HOR LOTE3 . . . . . . GGK 244
THER MY3T MON SE AS THAY SLYPTE SLENTYNG OF ARWES . . . . . . GGK 1160
MY3T HE HAF SLYPPED TO BE VNSLAYN THE SLE3T WERE NOBLE . . . . GGK 1858
SLYPPED VPON A SLOUMBESLEPE AND SLOBERANDE HE ROUTES . . . . . PAT 186
SLIPPIDE (V. SLIPPED)
SLIT
SYTHEN THAY SLYT THE SLOT SESED THE ERBER. . . . . GGK 1330
SLOBERANDE (V. SLUBBERING)
SLODE (V. SLID)
SLOGHE (V. SLOW)
SLOKES
BOT SLOKES . . . . GGK 412
SLOMERYNG (V. SLUMBERING)
SLOT
SYTHEN THAY SLYT THE SLOT SESED THE ERBER. . . . . GGK 1330
SET SADLY THE SCHARP IN THE SLOT EUEN . . . . GGK 1593
SLOTH
THAT HE THE SOUERAYN NE SE THEN FOR SLAUTHE ONE. . . . . CLN 178
SLOUEN (V. SLEW)
SLOUMBESLEP (V. SLUMBER-SLEEP)
SLOUMBESLEPE (V. SLUMBER-SLEEP)
SLOW
HE SLYDE3 ON A SLOUMBESLEP SLOGHE VNDER LEUES . . . . PAT 466
SLOW (V. SLEW)
SLOWE (V. SLEW)
SLOWEN (V. SLEW)
SLUBBERING
SLYPPED VPON A SLOUMBESLEPE AND SLOBERANDE HE ROUTES . . . . . PAT 186
SLUCHCHED
THENNE HE SWEPE TO THE SONDE IN SLUCHCHED CLOTHES . . . . . . PAT 341
SLUMBERING
AND AS IN SLOMERYNG HE SLODE SLE3LY HE HERDE. . . . . GGK 1182
SLUMBER-SLEEP
SLYPPED VPON A SLOUMBESLEPE AND SLOBERANDE HE ROUTES . . . . . PAT 186

HE SLYDE3 ON A SLOUMBESLEP SLOGHE VNDER LEUES . . . . PAT 466
SLYDE (V. SLIDE)
SLYDES (V. SLIDE)
SLYDE3 (V. SLIDES)
SLYP
SLOUEN ALLE AT A SLYP THAT SERUED THERINNE . . . . CLN 1264
SLYPPE (V. SLIP)
SLYPPED (V. SLIPPED)
SLYPTE (V. SLIPPED)
SLYT (V. SLIT)
SLY3T (V. SLEIGHT, SLIGHT)
SLY3TES (V. SLEIGHTS)
SMACH (V. SMACK)
SMACHANDE (V. SMACKING)
SMACK
HE HADE THE SMELLE OF THE SMACH AND SMOLTES THEDER SONE . . . . CLN 461
THAT EUER OF SMELLE AND OF SMACH SMART IS TO FELE . . . . CLN 1019
SMACKING
AL IN SMOLDERANDE SMOKE SMACHANDE FUL ILLE . . . . CLN 955
SMAL (V. SMALL)
SMALE (V. SMALL)
SMALL
BOT AS SMYLT MELE VNDER SMAL SIUE SMOKE3 FOR THIKKE . . . . . CLN 226
BOT AS SMYLT MELE VNDER SMAL SIUE SMOKE3 FORTHIKKE. . . . . . CLN V 226
SMAL SENDAL BISIDES A SELURE HIR OUER . . . . GGK 76
BOTH HIS WOMBE AND HIS WAST WERE WORTHILY SMALE. . . . . GGK 144
WYTH LYPPE3 SMAL LA3ANDE . . . . GGK 1207
SO SMAL SO SMOTHE HER SYDE3 WERE. . . . . PRL 6
OF FLAUMBANDE HWE3 BOTHE SMALE AND GRETE . . . . PRL 90
SO SMOTHE SO SMAL SO SEME SLY3T . . . . PRL 190
SMART
THAT EUER OF SMELLE AND OF SMACH SMART IS TO FELE . . . . CLN 1019
SMARTLY
HEM TO SMYTE FOR THAT SMOD SMARTLY I THENK . . . . CLN 711
AND THOU ME SMOTHELY HAT3 SMYTEN SMARTLY I THE TECHE . . . . . GGK 407
SMELL
HE HADE THE SMELLE OF THE SMACH AND SMOLTES THEDER SONE . . . . CLN 461
THAT EUER OF SMELLE AND OF SMACH SMART IS TO FELE . . . . CLN 1019
THER KESTEN ENSENS OF SWETE SMELLE . . . . PRL 1122
SMELLE (V. SMELL)
SMETEN (V. SMOTE)
SMETHELY (CP. SMOOTHLY)
AND SMETHELY CON HE SMYLE . . . . GGK 1789
SMILE
AND SMETHELY CON HE SMYLE . . . . GGK 1789
SMILING
WITH SMOTHE SMYLYNG AND SMOLT THAY SMETEN INTO MERTHE. . . . . GGK 1763
SMITE
THAT HE SCHULDE NEUER FOR NO SYT SMYTE AL AT ONE3 . . . . . . CLN 566
HEM TO SMYTE FOR THAT SMOD SMARTLY I THENK . . . . CLN 711
NE NO SCHAFTE NE NO SCHELDE TO SCHWUE NE TO SMYTE . . . . . . GGK 205
GEDERE3 VP HYS GRYMME TOLE GAWAYN TO SMYTE . . . . GGK 2260
SMITTEN
AND THOU ME SMOTHELY HAT3 SMYTEN SMARTLY I THE TECHE . . . . . GGK 407
SMOD
HEM TO SMYTE FOR THAT SMOD SMARTLY I THENK . . . . CLN 711
SMOKE
AL IN SMOLDERANDE SMOKE SMACHANDE FUL ILLE . . . . CLN 955
SMOKES

BOT AS SMYLT MELE VNDER SMAL SIUE SMOKE3 FOR THIKKE CLN 226
BOT AS SMYLT MELE VNDER SMAL SIUE SMOKE3 FORTHIKKE. CLN V 226
SMOKE3 (V. SMOKES)
SMOLDERANDE (V. SMOLDERING)
SMOLDERING
AL IN SMOLDERANDE SMOKE SMACHANDE FUL ILLE CLN 955
SMOLT
AND LET HEM SMOLT AL UNSMYTEN SMOTHELY AT ONE3 CLN 732
WITH SMOTHE SMYLYNG AND SMOLT THAY SMETEN INTO MERTHE. GGK 1763
SMOLTES
HE HADE THE SMELLE OF THE SMACH AND SMOLTES THEDER SONE CLN 461
SMOOTH
WITH SMOTHE SMYLYNG AND SMOLT THAY SMETEN INTO MERTHE. GGK 1763
SO SMAL SO SMOTHE HER SYDE3 WERE. PRL 6
SO SMOTHE SO SMAL SO SEME SLY3T PRL 190
SMOOTHLY (CP. SMETHELY)
AND LET HEM SMOLT AL UNSMYTEN SMOTHELY AT ONE3 CLN 732
AND THOU ME SMOTHELY HAT3 SMYTEN SMARTLY I THE TECHE GGK 407
SMOTE
WITH SMOTHE SMYLYNG AND SMOLT THAY SMETEN INTO MERTHE. GGK 1763
SMOTHE (V. SMOOTH)
SMOTHELY (V. SMOOTHLY)
SMYLE (V. SMILE)
SMYLT
BOT AS SMYLT MELE VNDER SMAL SIUE SMOKE3 FOR THIKKE CLN 226
BOT AS SMYLT MELE VNDER SMAL SIUE SMOKE3 FORTHIKKE. CLN V 226
SMYLYNG (V. SMILING)
SMYTE (V. SMITE)
SMYTEN (V. SMITTEN)
SNART
THE SNAWE SNITERED FUL SNART THAT SNAYTHED THE WYLDE GGK 2003
SNAW (V. SNOW)
SNAWE (V. SNOW)
SNAYPED
THE SNAWE SNITERED FUL SNART THAT SNAYTHED THE WYLDE GGK 2003
SNAYTHED (V. SNAYPED)
SNITERED
THE SNAWE SNITERED FUL SNART THAT SNAYTHED THE WYLDE GGK 2003
SNOW
SWEUED AT THE FYRST SWAP AS THE SNAW THIKKE CLN 222
SCHON SCHYRER THEN SNAWE THAT SCHEDE3 ON HILLE3. GGK 956
THE SNAWE SNITERED FUL SNART THAT SNAYTHED THE WYLDE GGK 2003
THE QUYTE SNAW LAY BISYDE GGK 2088
ON SNAWE. GGK 2234
AND QUEN THE BURNE SE3 THE BLODE BLENK ON THE SNAWE GGK 2315
SNYRT
BOT SNYRT HYM ON THAT ON SYDE THAT SEUERED THE HYDE GGK 2312
SOBER
3E WOLDE ME SAY IN SOBRE ASENTE PRL 391
AND SADE TO HEM WYTH SOBRE SOUN PRL 532
SOBERLY
AND SYTHEN SOBERLY SYRE3 I YOW BYSECHE. CLN 799
SOBERLY IN HIS SACRAFYCE SUMME WER ANOYNTED CLN 1497
AND SETEN SOBERLY SAMEN THE SERUISEQUYLE GGK 940
AND SOBERLY YOUR SERUAUNT MY SOUERAYN I HOLDE YOW GGK 1278
AND SAYDE SOBERLY HYMSELF AND BY HIS SOTH SWERE3 GGK 2051
AND SETEN SOBERLY SAMEN THE SERUISE QUYLE. GGK V 940
SOBERLY TO DO THE SACRAFYSE WHEN I SCHAL SAUE WORTHE PAT 334
AND SOBERLY AFTER THENNE CON HO SAY. PRL 256

SOBRE (V. SOBER)
SODAMAS (V. SODOM)
SODANLY (V. SUDDENLY)
SODENLY (V. SUDDENLY)
SODOM

AND SETTEN TOWARD SODAMAS HER SY3T ALLE AT ONE3.	CLN	672
IN TOWARDE THE CETY OF SODAMAS THAT SYNNED HAD THENNE.	CLN	679
THE GRETE SOUN OF SODAMAS SYNKKE3 IN MYN ERE3	CLN	689
IN THE CETY OF SODAMAS AND ALSO GOMORRE	CLN	722
HE SYTTE3 THER IN SODOMIS THY SERUAUNT SO POUERE	CLN	773
WHYL THE SOUERAYN TO SODAMAS SENDE TO SPYE	CLN	780
HIS SONDE INTO SODAMAS WAT3 SENDE IN THAT TYME	CLN	781
AS IS THE ASYSE OF SODOMAS TO SEGGE3 THAT PASSEN	CLN	844
IN SODAMAS THA3 I HIT SAY NON SEMLOKER BURDES	CLN	868
SODOMAS SCHAL FUL SODENLY SYNK INTO GROUNDE	CLN	910
SWE ABOUTE SODAMAS AND HIT SYDE3 ALLE	CLN	956
HE SENDE TOWARD SODOMAS THE SY3T OF HIS Y3EN.	CLN	1005

SODOMAS (V. SODOM)
SODOMIS (V. SODOM)
SOERLY

AND AY A SEGGE SOERLY SEMED BY HER WEDE3	CLN V	117

SOFFER (V. SUFFER)
SOFFERED (V. SUFFERED)
SOFFRAUNCE (V. SUFFRANCE)
SOFLY (V. SOFTLY)
SOFT

HIT SA3TLED ON A SOFTE DAY SYNKANDE TO GROUNDE	CLN	445
FOR SOLACE OF THE SOFTE SOMER THAT SUES THERAFTER	GGK	510
AFTER THE SESOUN OF SOMER WYTH THE SOFT WYNDE3	GGK	516
FUL SOFTE	GGK	1121
FUL STILLE AND SOFTE AL NI3T	GGK	1687
HIS SURKOT SEMED HYM WEL THAT SOFTE WAT3 FORRED.	GGK	1929
AND SYTHEN HE WARNE3 THE WEST TO WAKEN FUL SOFTE	PAT	469

SOFTE (V. SOFT)
SOFTELY (V. SOFTLY)
SOFTER

BOT FOR I WOLDE NO WERE MY WEDE3 AR SOFTER	GGK	271

SOFTLY

AND SAYDE SOFTELY TO HIRSELF THIS VNSAUERE HYNE.	CLN	822
VCH SEGGE FUL SOFTLY SAYDE TO HIS FERE.	GGK	915
AND SET HIR FUL SOFTLY ON THE BEDSYDE	GGK	1193
SETTE3 HIR SOFLY BY HIS SYDE AND SWYTHELY HO LA3E3.	GGK	1479
FUL SOFTLY WYTH SUFFRAUNCE SA3TTEL ME BIHOUE3	PAT	529

SOGHE (ALSO V. SOW)

SESE3 CHILDER OF HER SOK SOGHE HEM SO NEUER	PAT	391

SOIL

AND SUCHE IS ALLE THE SOYLE BY THAT SE HALUES	CLN	1039
AND VCH A SYDE VPON SOYLE HELDE SEUEN MYLE	CLN	1387
THE WHYLE GOD OF HIS GRACE DED GROWE OF THAT SOYLE.	PAT	443

SOIORNE (V. SOJOURN)
SOIORNED (V. SOJOURNED)
SOIOURNED (V. SOJOURNED)
SOJOURN

OF SUCH A SELLY SOIORNE AS I HAF HADE HERE	GGK	1962

SOJOURNED

AND HADE BEN SOIOURNED SAUERLY AND IN A SIKER WYSE.	GGK	2048
I HAF SOIORNED SADLY SELE YOW BYTYDE	GGK	2409

SOK (V. SUCK)
SOKORED (V. SUCCORED)

SOLACE
TO SAMEN WYTH THO SEMLY THE SOLACE IS BETTER. CLN 870
AND THER WAT3 SOLACE AND SONGE WHER SOR3 HAT3 AY CRYED CLN 1080
WYTH SOLACE AT THE SERE COURSE BIFORE THE SELF LORDE CLN 1418
FRO THE SOLY OF HIS SOLEMPNETE HIS SOLACE HE LEUES. CLN 1678
THE SOLACE OF THE SOLEMPNETE IN THAT SALE DURED. CLN 1757
THAT WE MAY SERUE IN HIS SY3T THER SOLACE NEUER BLYNNE3 CLN 1812
FOR SOLACE OF THE SOFTE SOMER THAT SUES THERAFTER GGK 510
THER WAT3 SEME SOLACE BY HEMSELF STILLE GGK 1085
MUCH SOLACE SET THAY SAME GGK 1318
WHEN HE SE3E SIR GAWAYN WITH SOLACE HE SPEKE3 GGK 1624
FOR HIS SERUYSE AND HIS SOLACE AND HIS SERE PYNE GGK 1985
BOT NOW I SE THOU ART SETTE MY SOLACE TO REUE PAT 487
WHETHER SOLACE HO SENDE OTHER ELLE3 SORE PRL 130
SOLACED
SOLASED HEM WYTH SEMBLAUNT AND SYLED FYRRE CLN 131
SOLASED (V. SOLACED)
SOLD
AND SOLDE ALLE HYS GOUD BOTHE WOLEN AND LYNNE PRL 731
SOLDE (V. SOLD)
SOLEMN
HE SETE ON SALAMONES SOLIE ON SOMEMNE WYSE CLN 1171
IN THE SOLEMPNE SACREFYCE THAT GOUD SAUOR HADE CLN 1447
AND EXILED FRO THAT SOPER SO THAT SOLEMPNE FEST. ERK 303
SUMME TO VERNAGU THER VOUCHED AVOWES SOLEMNE. PAT 165
WYTH SACRAFYSE VPSET AND SOLEMPNE VOWES PAT 239
SOLEMNE (V. SOLEMN)
SOLEMNEST
AND THE SOLEMPNEST OF HIS SACRIFICES IN SAXON LONDES ERK 30
SOLEMNETE (V. SOLEMNITY)
SOLEMNLY
WHEN HE WERE SETTE SOLEMPNELY IN A SETE RYCHE CLN 37
THE BYSCHOP HYM SHOPE SOLEMPLY TO SYNGE THE HEGHE MASSE ERK 129
INTO THE CENACLE SOLEMPLY THER SOUPEN ALLE TREW. ERK 336
SOLEMNITY
HE SESED HEM WYTH SOLEMNETE THE SOUERAYN HE PRAYSED CLN 1313
FRO THE SOLY OF HIS SOLEMPNETE HIS SOLACE HE LEUES. CLN 1678
THE SOLACE OF THE SOLEMPNETE IN THAT SALE DURED. CLN 1757
SOLEMPLY (V. SOLEMNLY)
SOLEMPNE (V. SOLEMN)
SOLEMPNELY (V. SOLEMNLY)
SOLEMPNEST (V. SOLEMNEST)
SOLEMPNETE (V. SOLEMNITY)
SOLIE
HE SETE ON SALAMONES SOLIE ON SOMEMNE WYSE CLN 1171
FRO THE SOLY OF HIS SOLEMPNETE HIS SOLACE HE LEUES. CLN 1678
SOLOMON
THAT SALOMON SO MONY A SADDE 3ER SO3T TO MAKE CLN 1286
SALAMON SETE HIM SEUEN 3ERE AND A SYTHE MORE. CLN 1453
HIT IS A SYNGNE THAT SALAMON SET SUMQUYLE. GGK 625
AND SALAMON WITH FELE SERE AND SAMSON EFTSONE3 GGK 2417
OF THYS RY3TWYS SA3 SALAMON PLAYN PRL 689
SOLOMONS
HE SETE ON SALAMONES SOLIE ON SOMEMNE WYSE CLN 1171
SOLY (V. SOLIE)
SOME
SUMME SWYMMED THERON THAT SAUE HEMSELF TRAWED CLN 388
SUMME STY3E TO A STUD AND STARED TO THE HEUEN CLN 389
PRESTLY AT THIS ILKE POYNTE SUM POLMENT TO MAKE. CLN 628

SUMME LEPRE SUMME LOME AND LOMERANDE BLYNDE	CLN	1094
SUMME LEPRE SUMME LOME AND LOMERANDE BLYNDE	CLN	1094
SOBERLY IN HIS SACRAFYCE SUMME WER ANOYNTED	CLN	1497
BOT SUMME SEGGE COUTHE SAY THAT HE HYM SENE HADE	ERK	100
THURGHE SUM LYFLY GOSTE LANT OF HYM THAT AL REDES	ERK	192
MY3T EUEL FORGO THE TO GYFE OF HIS GRACE SUMME BRAWNCHE	ERK	276
THURGHE SUM LANT GOSTE LYFE OF HYM THAT AL REDES	ERK V	192
THAT A SELLY IN SI3T SUMME MEN HIT HOLDEN.	GGK	28
OF SUM AUENTURUS THYNG AN VNCOUTHE TALE	GGK	93
OF SUM MAYN MERUAYLE THAT HE MY3T TRAWE	GGK	94
OTHER SUM SEGG HYM BISO3T OF SUM SIKER KNY3T.	GGK	96
OTHER SUM SEGG HYM BISO3T OF SUM SIKER KNY3T.	GGK	96
BOT SUM FOR CORTAYSYE	GGK	247
AND WYSSE HYM TO SUM WONE	GGK	739
OF SUM HERBER THER HE3LY I MY3T HERE MASSE	GGK	755
SUMME BAKEN IN BRED SUMME BRAD ON THE GLEDE3.	GGK	891
SUMME BAKEN IN BRED SUMME BRAD ON THE GLEDE3.	GGK	891
SUMME SOTHEN SUMME IN SEWE SAUERED WITH SPYCES	GGK	892
SUMME SOTHEN SUMME IN SEWE SAUERED WITH SPYCES	GGK	892
BI SUM TOWCH OF SUMME TRYFLE AT SUM TALE3 ENDE	GGK	1301
BI SUM TOWCH OF SUMME TRYFLE AT SUM TALE3 ENDE	GGK	1301
BI SUM TOWCH OF SUMME TRYFLE AT SUM TALE3 ENDE	GGK	1301
SERCHED HEM AT THE ASAY SUMME THAT THER WERE.	GGK	1328
AND TECHE SUM TOKENE3 OF TRWELUF CRAFTES	GGK	1527
TO LERNE AT YOW SUM GAME	GGK	1532
SUMME FEL IN THE FUTE THER THE FOX BADE	GGK	1699
AND 3E ME TAKE SUM TOLKE TO TECHE AS 3E HY3T.	GGK	1966
I SCHULD RECH YOW SUM REWARDE REDYLY IF I MY3T	GGK	2059
AND GOT3 AWAY SUM OTHER GATE VPON GODDE3 HALUE	GGK	2119
CAYRE3 BI SUM OTHER KYTH THER KRYST MOT YOW SPEDE	GGK	2120
FOR DESERT OF SUM SAKE THAT I SLAYN WERE	PAT	84
I WYL ME SUM OTHER WAYE THAT HE NE WAYTE AFTER	PAT	86
SUMME TO VERNAGU THER VOUCHED AVOWES SOLEMNE.	PAT	165
SUMME TO DIANA DEUOUT AND DERF NEPTURNE	PAT	166
I LEUE HERE BE SUM LOSYNGER SUM LAWLES WRECH.	PAT	170
I LEUE HERE BE SUM LOSYNGER SUM LAWLES WRECH.	PAT	170
AND OF THAT SOUMME 3ET ARN SUMME SUCH SOTTE3 FOR MADDE	PAT	509
BOT HO HIR PASSED IN SUM FAUOUR	PRL	428
AND FYNDE3 THER SUMME TO HYS PORPOS.	PRL	508
I WAT3 PAYED ANON OF AL AND SUM	PRL	584
SOME-KIND		
THAT HE NE FORFETED BY SUMKYN GATE	PRL	619
SOMEMNE (V. SOLEMN)		
SOMER (V. SUMMER)		
SOMERES (V. SUMMERS)		
SOME-TIME		
THA3 THOU BERE THYSELF BABEL BYTHENK THE SUMTYME	CLN	582
IN SERUYSE OF THE SOUERAYN SUMTYME BYFORE.	CLN	1152
DANYEL IN HIS DIALOKE3 DEVYSED SUMTYME.	CLN	1157
TO SYTTE IN SERUAGE AND SYTE THAT SUMTYME WER GENTYLE.	CLN	1257
THAT SUMTYME SETE IN HER SALE SYRES AND BURDES	CLN	1260
FOR HO HAT3 DALT DRWRY FUL DERE SUMTYME	GGK	2449
HIT BITYDDE SUMTYME IN THE TERMES OF JUDE.	PAT	61
THE MEDE SUMTYME OF HEUENE3 CLERE	PRL	620
SUMTYME SEMED THAT ASSEMBLE	PRL	760
SOME-WHAT		
QUYL I FETE SUMQUAT FAT THOU THE FYR BETE.	CLN	627
HE WAT3 SO JOLY OF HIS JOYFNES AND SUMQUAT CHILDGERED.	GGK	86
GIF ME SUMQUAT OF THY GIFTE THI GLOUE IF HIT WERE	GGK	1799

SOME-WHILE
THAT PRESYOUS IN HIS PRESENS WER PROUED SUMWHYLE CLN 1496
HIT IS A SYNGNE THAT SALAMON SET SUMQUYLE. GGK 625
SUMWHYLE WYTH WORME3 HE WERRE3 AND WITH WOLUES ALS. GGK 720
SUMWHYLE WYTH WODWOS THAT WONED IN THE KNARRE3 GGK 721
DID NOT JONAS IN JUDE SUCHE JAPE SUMWHYLE. PAT 57
SOMMOUN (V. SUMMON)
SOMONES (V. SUMMONS)
SON
AND THENNE SCHAL SARE CONSAYUE AND A SUN BERE CLN 649
AND SOTHELY SENDE TO SARE A SOUN AND AN HAYRE CLN 666
MONI SEMLY SYRE SOUN AND SWYTHE RYCH MAYDENES CLN 1299
AND YWAN VRYN SON ETTE WIT HYMSELUEN GGK 113
GLADLOKER BI GODDE3 SUN THEN ANY GOD WELDE GGK 1064
SONDE (ALSO V. SAND)
AND SENDE HIS SONDE THEN TO SAY THAT THAY SAMNE SCHULDE CLN 53
HIS SONDE INTO SODAMAS WAT3 SENDE IN THAT TYME CLN 781
BOT THE NWE THAT LY3T OF GODE3 SONDE PRL 943
SONDE3MON
HE SECHE3 ANOTHER SONDE3MON AND SETTE3 ON THE DOUUE CLN 469
SONE (V. SOON)
SONET
AS SONET OUT OF SAUTERAY SONGE ALS MYRY CLN 1516
SONETE3
SYMBALES AND SONETE3 SWARE THE NOYSE CLN 1415
SONG
AND THER WAT3 SOLACE AND SONGE WHER SOR3 HAT3 AY CRYED CLN 1080
3ET THO3T ME NEUER SO SWETE A SANGE. PRL 19
THAT NWE SONGE THAY SONGEN FUL CLER. PRL 882
HER SONGE THAY SONGEN NEUERTHELES PRL 888
THAT OF THAT SONGE MY3T SYNGE A POYNT PRL 891
SONGE (V. SANG, SONG)
SONGEN (V. SANG, SUNG)
SONGE3 (V. SONGS)
SONGS
AT THE SOPER AND AFTER MONY ATHEL SONGE3 GGK 1654
SONKKEN (V. SUNKEN)
SONNE (V. SUN)
SONS
HIT WEREN NOT ALLE ON WYUE3 SUNE3 WONEN WYTH ON FADER. CLN 112
THE ATHEL AUNCETERE3 SUNE3 THAT ADAM WAT3 CALLED CLN 258
HE HAD THRE THRYUEN SUNE3 AND THAY THRE WYUE3 CLN 298
THE MAKE3 OF THY MYRY SUNE3 THIS MEYNY OF A3TE CLN 331
THY THRE SUNE3 WYTHOUTEN THREP AND HER THRE WYUE3 CLN 350
THE KYNGES SUNNES IN HIS SY3T HE SLOW EUERVCHONE CLN 1221
AND THOU REMUED FRO MONNES SUNES ON MOR MOST ABIDE. CLN 1673
BOTHE THE KYNGES SISTER SUNES AND FUL SIKER KNI3TES GGK 111
FOR THAY THE GRACIOUS GODES SUNES SCHAL GODLY BE CALLED PAT 26
SOON
AS SONE AS DRY3TYNE3 DOME DROF TO HYMSELUEN CLN 219
THENNE SONE COM THE SEUENTHE DAY WHEN SAMNED WERN ALLE CLN 361
HE HADE THE SMELLE OF THE SMACH AND SMOLTES THEDER SONE CLN 461
AND SONE 3EDERLY FOR3ETE 3ISTERDAY STEUEN. CLN 463
THEN WENT THAY TO THE WYKKET HIT WALT VPON SONE. CLN 501
OF A LADY TO BE LOUED LOKE TO HIR SONE. CLN 1059
HOV HARDE VNHAP THER HYM HENT AND HASTYLY SONE CLN 1150
THAT SCHAL I CORTAYSLY KYTHE AND THAY SCHIN KNAWE SONE CLN 1435
THENNE TOWCHED TO THE TRESOUR THIS TALE WAT3 SONE CLN 1437
THE CANDELSTIK BI A COST WAT3 CAYRED THIDER SONE CLN 1478

SONE SO THE KYNGE FOR HIS CARE CARPING MY3T WYNNE . . . . . . CLN 1550
WHOSO HYM LYKED TO LYFT ON LOFTE WAT3 HE SONE . . . . CLN 1649
THENNE SONE WAT3 HE SENDE AGAYN HIS SETE RESTORED . . . . . . CLN 1705
THENNE SONE WAT3 DANYEL DUBBED IN FUL DERE PORPOR . . . . . . CLN 1743
MONY HUNDRID HENDE MEN HIGHIDE THIDER SONE . . . . ERK 58
AND WERE THE LYDDE NEUER SO LARGE THAI LAIDE HIT BY SONE. . . . ERK 72
FOR AS SONE AS THE SOULE WAS SESYD IN BLISSE. . . . . ERK 345
LA3T TO HIS LUFLY HED AND LYFT HIT VP SONE . . . . GGK 433
BOT THEN HY3ES HERUEST AND HARDENES HYM SONE. . . . . GGK 521
THEN THENKKE3 GAWAN FUL SONE . . . . GGK 534
HE CALDE AND SONE THER COM. . . . . GGK 807
SONE AS HE ON HENT AND WAT3 HAPPED THERINNE . . . . GGK 864
SONE WAT3 TELDED VP A TABIL ON TRESTE3 FUL FAYRE . . . . . . GGK 884
GAWAN GLYDE3 FUL GAY AND GOS THEDER SONE . . . . GGK 935
HE GRANTED HIR FUL SONE. . . . . GGK 1289
AND HE RYCHES HYM TO RYSE AND RAPES HYM SONE. . . . . GGK 1309
SONE THAY CALLE OF A QUEST IN A KER SYDE . . . . GGK 1421
AND HE FYSKE3 HEM BYFORE THAY FOUNDEN HYM SONE . . . . GGK 1704
WHEN HO WAT3 GON SIR GAWAYN GERE3 HYM SONE . . . . GGK 1872
THE LORDE LY3TE3 BILYUE AND LACHE3 HYM SONE . . . . GGK 1906
TIL HIT WAT3 SONE SESOUN THAT THE SUNNE RYSES . . . . GGK 2085
SONE A LYTTEL ON A LAUNDE A LAWE AS HIT WERE. . . . . GGK V 2171
SONE HAF THAY HER SORTES SETTE AND SERELYCH DELED . . . . . . PAT 193
INTO THAT LODLYCH LO3E THAY LUCHE HYM SONE . . . . PAT 230
THE SE SA3TLED THERWYTH AS SONE AS HO MO3T . . . . PAT 232
OF THAT SCHENDED SCHYP MEN SCHOWUED HYM SONE. . . . . PAT 246
SO WROTH FOR A WODBYNDE TO WAX SO SONE. . . . . PAT 491
SONE THE WORLDE BYCOM WEL BROUN . . . . PRL 537
AS SONE AS THAY ARN BORNE BY LYNE . . . . PRL 626
THAT TWELUE FRYTE3 OF LYF CON BERE FUL SONE . . . . PRL 1078
THERFORE MY IOYE WAT3 SONE TORIUEN . . . . PRL 1197

SOOTH

FOR I SE WEL THAT HIT IS SOTHE THAT ALLE SEGGE3 WYTTE3 . . . . CLN 515
HIT IS SURELY SOTH THE SOUERAYN OF HEUEN . . . . CLN 1643
FOR I SE WEL THAT HIT IS SOTHE THAT ALLE MANNE3 WYTTE3 . . . . CLN V 515
THOU SAYS SOTHE QUOTH THE SEGGE THAT SACRID WAS BYSCHOP . . . . ERK 159
TO SECHE THE SOTHE AT OURESELFE 3E SE THER NO BOTE. . . . . . ERK 170
FYRST TO SAY THE THE SOTHE QUO MYSELFE WERE . . . . ERK 197
FOR AS HE SAYS IN HIS SOTHE PSALMYDE WRITTES. . . . . ERK 277
SOTH MO3T NO MON SAY. GGK 84
FOR ME THINK HIT NOT SEMLY AS HIT IS SOTH KNAWEN . . . . GGK 348
AND LEST LUR OF MY LYF QUO LAYTES THE SOTHE . . . . GGK 355
THIS IS SOTH QUOTH THE SEGGE I SAY YOW THAT ILKE . . . . GGK 1385
IF HIT BE SOTHE THAT 3E BREUE THE BLAME IS MYN AWEN . . . . . GGK 1488
HIT IS SOTHE QUOTH THE SEGGE AND AS SIKER TRWE . . . . GGK 1637
FOR ALLE THE LUFE3 VPON LYUE LAYNE NOT THE SOTHE . . . . GGK 1786
AND SWERE SWYFTE BY HIS SOTHE THAT HE HIT SESE NOLDE . . . . . GGK 1825
AND SAYDE SOBERLY HYMSELF AND BY HIS SOTH SWERE3 . . . . GGK 2051
FORTHY I SAY YOW AS SOTHE AS 3E IN SADEL SITTE . . . . GGK 2110
FOR TO ASSAY THE SURQUIDRE 3IF HIT SOTH WERE. . . . . GGK 2457
FORTHY I SAY THE AS SOTHE AS 3E IN SADEL SITTE . . . . GGK V 2110
3YF HYT BE SOTH THAT THOU CONE3 SAYE . . . . PRL 482
THE WATER IS BAPTEM THE SOTHE TO TELLE. . . . . PRL 653
IF HIT BE UERAY AND SOTH SERMOUN. . . . . PRL 1185

SOOTHFAST

BIFORE THE SANCTA SANCTORUM THER SOTHEFAST DRY3TYN. . . . . . . CLN 1491

SOOTHFULL

IN SOTHFOL GOSPEL OF GOD ALMY3T . . . . PRL 498

SOOTHLY

SEM SOTHLY THAT ON THAT OTHER HY3T CAM. CLN 299
FOR SOTHELY AS SAYS THE WRYT HE WERN OF SADDE ELDE. CLN 657
AND SOTHELY SENDE TO SARE A SOUN AND AN HAYRE CLN 666
AND SAYDE SOTHLY TO HIRSELF SARE THE MADDE CLN V 654
AND SAYDE SOTHLY AL SAME SEGGES TIL OTHER. GGK 673
TO BE HER SERUANT SOTHLY IF HEMSELF LYKED. GGK 976
NAUTHER OF SOSTNAUNCE NE OF SLEPE SOTHLY I KNOWE GGK 1095
I SENDE HIR TO ASAY THE AND SOTHLY ME THYNKKE3 GGK 2362

SOOTHS
THAT HAT3 THE GOST OF GOD THAT GYES ALLE SOTHES. CLN 1598
OF SAPYENCE THI SAWLE FUL SOTHES TO SCHAWE CLN 1626
THAT HAT3 THE GOSTES OF GOD THAT GYES ALLE SOTHES. CLN V 1598

SOP
NE SUPPE ON SOPE OF MY SEVE THA3 THAY SWELT SCHULDE CLN 108
ETE A SOP HASTYLY WHEN HE HADE HERDE MASSE GGK 1135

SOPE (V. SOP)
SOPER (V. SUPPER)
SOR (V. SORE)

SORCERERS
SORSERS OF EXORSISMUS AND FELE SUCH CLERKES CLN 1579

SORCERY
AS THE SAGE SATHRAPAS THAT SORSORY COUTHE. CLN 1576

SORE
THAT EUER I SETTE SAULE INNE AND SORE HIT ME RWE3 CLN 290
SYTHEN THE SOUERAYN IN SETE SO SORE FORTHO3T. CLN 557
NOV AR WE SORE AND SYNFUL AND SOVLY VCHONE CLN 1111
FOR THENNE THOU DRY3TYN DYSPLESES WYTH DEDES FUL SORE. CLN 1136
BOT I AM SWARED FORSOTHE THAT SORE ME THINKKE3 GGK 1793
AND HO SORE THAT HE FORSOKE AND SAYDE THERAFTER. GGK 1826
AND VCHE SEGGE AS SORE TO SEUER WITH HYM THERE GGK 1987
A3AYN HIS DYNTE3 SORE GGK 2116
AND ROUE THE WYTH NO ROF SORE WITH RY3T I THE PROFERED GGK V 2346
THE SEE SOU3ED FUL SORE GRET SELLY TO HERE PAT 140
THA3 HE NOLDE SUFFER NO SORE HIS SEELE IS ON ANTER. PAT 242
THENNE BYTHENK THE MON IF THE FORTHYNK SORE PAT 495
THE SOR OF SUCH A SWETE PLACE BURDE SYNK TO MY HERT PAT 507
WHETHER SOLACE HO SENDE OTHER ELLE3 SORE PRL 130
AND SAYDEN THAT THAY HADE TRAUAYLED SORE PRL 550
TO SOFFER INNE SOR FOR MANE3 SAKE PRL 940

SORER
THE HOTE HUNGER WYTHINNE HERT HEM WEL SARRE CLN 1195

SOREST
FOR THER WAT3 SEKNESSE AL SOUNDE THAT SARREST IS HALDEN CLN 1078

SOREWE (V. SORROW)
SOROW (V. SORROW)
SOROWE (V. SORROW)

SORROW
HE SAYT3 NOW FOR HER OWNE SOR3E THAY FORSAKEN HABBE3 CLN 75
FOR QUEN THE SWEMANDE SOR3E SO3T TO HIS HERT. CLN 563
TOWARDE THE MERE OF MAMBRE MURNANDE FOR SOREWE CLN 778
AND THER WAT3 SOLACE AND SONGE WHER SOR3 HAT3 AY CRYED CLN 1080
MY SOULE MAY SITTE THER IN SOROW AND SIKE FUL COLDE ERK 305
THUS DULFULLY THIS DEDE BODY DEUISYT HIT SOROWE. ERK 309
AND ALSO BE THOU BYSSHOP THE BOTE OF MY SOROWE ERK 327
SUCHE A SOR3E AT THAT SY3T THAY SETTE ON HIS HEDE GGK 1721
OF TRECHERYE AND VNTRAWTHE BOTHE BITYDE SOR3E GGK 2383
AND THUR3 WYLES OF WYMMEN BE WONEN TO SOR3E GGK 2415
IN SUCH SLA3TES OF SOR3E TO SLEPE SO FASTE PAT 192
THER IN SAYM AND IN SOR3E THAT SAUOURED AS HELLE PAT 275

MUCHE SOR3E THENNE SATTELED VPON SEGGE JONAS. . . . . PAT 409
HIS WODBYNDE WAT3 AWAY HE WEPED FOR SOR3E. . . . . PAT 480
THA3 THOU FOR SOR3E BE NEUER BLYTHE. . . . . PRL 352
BOT WYTH SOR3 AND SYT HE MOT HIT CRAUE. . . . . PRL 663
SORQUYDRY3E (V. SURQUIDRY)
SORSERS (V. SORCERERS)
SORSORY (V. SORCERY)
SORTES (V. SORTS)
SORTS
SONE HAF THAY HER SORTES SETTE AND SERELYCH DELED . . . . . . PAT 193
SOR3 (V. SORROW)
SOR3E (ALSO V. SORROW)
WHAT THAY 3E3ED AND 3OLPED OF 3ESTANDE SOR3E. . . . . CLN 846
SOSTNAUNCE (V. SUSTENANCE)
SOT
BOT SAUYOUR MON IN THYSELF THA3 THOU A SOTTE LYUIE. . . . . . CLN 581
SOTH (V. SOOTH)
SOTHE (V. SOOTH)
SOTHEFAST (V. SOOTHFAST)
SOTHELY (V. SOOTHLY)
SOTHEN (V. SEETHED)
SOTHES (V. SOOTHS)
SOTHFOL (V. SOOTHFUL)
SOTHLY (V. SOOTHLY)
SOTS
AND OF THAT SOUMME 3ET ARN SUMME SUCH SOTTE3 FOR MADDE . . . . PAT 509
SOTTE (V. SOT)
SOTTE3 (V. SOTS)
SOTYLE (V. SUBTLE)
SOTYLY (V. SUBTLY)
SOUERAYN (V. SOVEREIGN)
SOUFRE (V. SULPHER)
SOUGHED (CP. SWEY)
THE SEE SOU3ED FUL SORE GRET SELLY TO HERE . . . . PAT 140
SOUGHT
NE NEUER SO SODENLY SO3T VNSOUNDELY TO WENG . . . . CLN 201
THE SAUOUR OF HIS SACRAFYSE SO3T TO HYM EUEN. . . . . CLN 510
FOR QUEN THE SWEMANDE SOR3E SO3T TO HIS HERT. . . . . CLN 563
THER SO3T NO MO TO SAUEMENT OF CITIES ATHEL FYUE . . . . . . CLN 940
THAT SALOMON SO MONY A SADDE 3ER SO3T TO MAKE . . . . CLN 1286
TO ROSE HYM IN HIS RIALTY RYCH MEN SO3TTEN . . . . CLN 1371
WHEN THAT SEMLY SYRE SO3T FRO THO WONE3 . . . . GGK 685
THE LASSE LUF IN HIS LODE FOR LUR THAT HE SO3T . . . . GGK 1284
AND HE VNSOUNDYLY OUT SO3T SEGGE3 OUERTHWERT. . . . . GGK 1438
HE HAT3 NERE THAT HE SO3T . . . . GGK 1995
AND SYTHEN MONY SYKER KNY3T THAT SO3T HYM TO HAYLCE . . . . . GGK 2493
THA3 HE WERE SO3T FRO SAMARYE THAT GOD SE3 NO FYRRE . . . . . PAT 116
AND WAT3 WAR OF THAT WY3E THAT THE WATER SO3TE . . . . PAT 249
SO WAT3 AL SAMEN HER ANSWAR SO3T. . . . . PRL 518
THAT THE JUELER SO3TE THUR3 PERRE PRES. . . . . PRL 730
SOUL
THAT EUER I SETTE SAULE INNE AND SORE HIT ME RWE3 . . . . . . CLN 290
THAT BYSULPE3 MANNE3 SAULE IN VNSOUNDE HERT . . . . CLN 575
THAT HE BE SULPED IN SAWLE SECHE TO SCHRYFTE. . . . . CLN 1130
SULP NO MORE THENNE IN SYNNE THY SAULE THERAFTER . . . . . . CLN 1135
FOR WHEN A SAWELE IS SA3TLED AND SAKRED TO DRY3TYN. . . . . . CLN 1139
HIS SAWLE IS FUL OF SYENCE SA3ES TO SCHAWE . . . . CLN 1599
OF SAPYENCE THI SAWLE FUL SOTHES TO SCHAWE . . . . CLN 1626
3EA BOT SAY THOU OF THI SAULE THEN SAYD THE BISSHOP . . . . . ERK 273

FORTHI SAY ME OF THI SOULE IN SELE QUERE HO WONNES.	ERK	279
AND THER SITTES MY SOULE THAT SE MAY NO FYRRE	ERK	293
AND THAT HAN WE MYSTE ALLE MERCILES MYSELFE AND MY SOULE.	ERK	300
MY SOULE MAY SITTE THER IN SOROW AND SIKE FUL COLDE	ERK	305
AND THE RELEFE OF THE LODELY LURES THAT MY SOULE HAS LEUYD IN	ERK	328
RY3T NOW TO SOPER MY SOULE IS SETTE AT THE TABLE	ERK	332
FOR AS SONE AS THE SOULE WAS SESYD IN BLISSE.	ERK	345
HOW HIS SAWLE SCHULDE BE SAUED WHEN HE SCHULD SEYE HETHEN	GGK	1879
THE RICH RURD THAT THER WAT3 RAYSED FOR RENAUDE SAULE.	GGK	1916
FOR WHEN THE ACCES OF ANGUYCH WAT3 HID IN MY SAWLE.	PAT	325
RY3T SO IS VCH A KRYSTEN SAWLE	PRL	461
FORTHY VCHE SAULE THAT HADE NEUER TECHE	PRL	845
SOULE (V. SOUL)		
SOULS		
I SCHAL SAUE OF MONNE3 SAULE3 AND SWELT THOSE OTHER	CLN	332
SOUMME (V. SUM)		
SOUN (V. SON, SOUND)		
SOUNANCE (V. SOUNDING)		
SOUND		
THAT IS SOUNDE ON VCHE A SYDE AND NO SEM HABES	CLN	555
THE GRETE SOUN OF SODAMAS SYNKKE3 IN MYN ERE3	CLN	689
THE SEGGE HERDE THAT SOUN TO SEGOR THAT 3EDE.	CLN	973
FOR THER WAT3 SEKNESSE AL SOUNDE THAT SARREST IS HALDEN	CLN	1078
THAT CETE SESES FUL SOUNDE AND SA3TLYNG MAKES	CLN	1795
AS HE IN SOUNDE SODANLY WERE SLIPPIDE OPON SLEPE	ERK	92
THEN SAYD HE WITH A SADDE SOUN OURE SAUYOURE BE LOUYD.	ERK	324
WYT THIS CESSYD HIS SOWNE SAYD HE NO MORE.	ERK	341
AND THUS HE COMMES TO THE COURT KNY3T AL IN SOUNDE.	GGK	2489
THER HE SETE ALSO SOUNDE SAF FOR MERK ONE.	PAT	291
THE SOUN OF OURE SOUERAYN THEN SWEY IN HIS ERE	PAT	429
AND SADE TO HEM WYTH SOBRE SOUN	PRL	532
SOUNDE (V. SOUND)		
SOUNDED		
ER THENNE THE SOUERAYN SA3E SOUNED IN HIS ERES	CLN	1670
SOUNDER		
LONG SYTHEN FRO THE SOUNDER THAT SYNGLERE FOR OLDE.	GGK	1440
LONG SYTHEN FRO THE SOUNDER THAT WI3T FOROLDE	GGK V	1440
SOUNDING		
IN SOUNANDE NOTE3 A GENTYL CARPE.	PRL	883
SOUNDLY		
3IF HE NE SLEPE SOUNDYLY SAY NE DAR.I	GGK	1991
SOUNED (V. SOUNDED)		
SOUPED (V. SUPPED)		
SOUPEN (V. SUP)		
SOUR		
NE NEUER SEE HYM WITH SY3T FOR SUCH SOUR TOURNE3	CLN	192
FOR WYTH NO SOUR NE NO SALT SERUE3 HYM NEUER.	CLN	820
SOUFRE SOUR AND SAUNDYUER AND OTHER SUCH MONY	CLN	1036
AND THOSE WERE SOURE TO SE AND SELLYLY BLERED	GGK	963
SOURE (V. SOUR)		
SOURQUYDRYE (V. SURQUIDRY)		
SOU3ED (V. SOUGHED)		
SOVEREIGN		
THENNE SEGGE3 TO THE SOUERAYN SAYDEN THERAFTER	CLN	93
THAT HE THE SOUERAYN NE SE THEN FOR SLAUTHE ONE.	CLN	178
BOT HIS SOUERAYN HE FORSOKE AND SADE THYSE WORDE3	CLN	210
OF THE SY3TE OF THE SOUERAYN THAT SYTTE3 SO HY3E	CLN	552
SYTHEN THE SOUERAYN IN SETE SO SORE FORTHO3T.	CLN	557
WHYL THE SOUERAYN TO SODAMAS SENDE TO SPYE	CLN	780

IN SERUYSE OF THE SOUERAYN SUMTYME BYFORE. — CLN — 1152
NOW SE SO THE SOUERAYN SET HAT3 HIS WRAKE. — CLN — 1225
WYTH SLY3T OF HIS CIENCES HIS SOUERAYN TO LOUE — CLN — 1289
HE SESED HEM WYTH SOLEMNETE THE SOUERAYN HE PRAYSED — CLN — 1313
WYTH ALLE THE SYENCE THAT HYM SENDE THE SOUERAYN LORDE — CLN — 1454
HIT IS SURELY SOTH THE SOUERAYN OF HEUEN — CLN — 1643
ER THENNE THE SOUERAYN SA3E SOUNED IN HIS ERES — CLN — 1670
TO BISECHE HIS SOUERAYN OF HIS SWETE GRACE — ERK — 120
AND SOBERLY YOUR SERUAUNT MY SOUERAYN I HOLDE YOW — GGK — 1278
THE SOUN OF OURE SOUERAYN THEN SWEY IN HIS ERE — PAT — 429

SOVLY (V. SOWLE)

SOW
AND IN THAT CETE MY SA3ES SOGHE ALLE ABOUTE — PAT — 67

SOWLE
HE HATES HELLE NO MORE THEN HEM THAT AR SOWLE — CLN — 168
NOV AR WE SORE AND SYNFUL AND SOVLY VCHONE — CLN — 1111

SOWME (V. SUM)
SOWNE (V. SOUND)
SOYLE (V. SOIL)
SO3T (V. SOUGHT)
SO3TE (V. SOUGHT)
SO3TTEN (V. SOUGHT)

SPACE
AND SPARE SPAKLY OF SPYT IN SPACE OF MY THEWE3 — CLN — 755
ALLE THAT HE SPURED HYM IN SPACE HE EXPOWNED CLENE. — CLN — 1606
THAT NOW HAT3 SPYED A SPACE TO SPOYLE CALDEE3 — CLN — 1774
THER WAS SPEDELES SPACE TO SPYR VSCHON OTHER. — ERK — 93
THAT HADE NO SPACE TO SPEKE SO SPAKLY HE 3OSKYD. — ERK — 312
TO ASPYE WYTH MY SPELLE IN SPACE QUAT HO WOLDE — GGK — 1199
THUR3 PLAYNE3 THAY PASSE IN SPACE — GGK — 1418
IN SPACE. — GGK — 1503
THIS SPECHE SPRANG IN THAT SPACE AND SPRADDE ALLE ABOUTE. — PAT — 365
FRO SPOT MY SPYRYT THER SPRANG IN SPACE — PRL — 61
AND SPEKE ME TOWARDE IN THAT SPACE — PRL — 438
TWELUE FORLONGE SPACE ER EUER HIT FON — PRL — 1030

SPAK
SPRUDE SPAK TO THE SPRETE THE SPARE BAWELYNE. — PAT — 104

SPAKE (V. SPOKE)

SPAKEST
THENNE BISPEKE THE SPAKEST DISPAYRED WEL NERE — PAT — 169

SPAKK (V. SPOKE)

SPAKLY
AND SPARE SPAKLY OF SPYT IN SPACE OF MY THEWE3 — CLN — 755
THAT HADE NO SPACE TO SPEKE SO SPAKLY HE 3OSKYD. — ERK — 312
THAT SPAKLY SPRENT MY SPYRIT WITH VNSPARID MURTHE — ERK — 335
THAT HE HYM SPUT SPAKLY VPON SPARE DRYE — PAT — 338

SPAR
THAT HE HYM SPUT SPAKLY VPON SPARE DRYE — PAT — 338

SPARDE
THRE SPERLES OF THE SPELUNKE THAT SPARDE HIT OLOFTE — ERK V — 49

SPARE (ALSO V. SPAR)
AND SPARE SPAKLY OF SPYT IN SPACE OF MY THEWE3 — CLN — 755
AS THY MERSY MAY MALTE THY MEKE TO SPARE — CLN — 776
NABI3ARDAN NO3T FORTHY NOLDE NOT SPARE. — CLN — 1245
THENNE WAT3 SPYED AND SPURED VPON SPARE WYSE. — GGK — 901
SPRUDE SPAK TO THE SPRETE THE SPARE BAWELYNE. — PAT — 104
WYTH ALLE MESCHEF THAT THOU MAY NEUER THOU ME SPARE3 — PAT — 484

SPARED
THAT WE SPEDLY HAN SPOKEN THER SPARED WAT3 NO DRYNK — GGK — 1935

SPARE3 (V. SPARE)
SPARLYR
    THAT SPENET ON HIS SPARLYR AND CLENE SPURES VNDER GGK 158
SPARRED
    AND SPARRED FORTH GOOD SPED BOUTE SPYT MORE GGK V 1444
    FOR RY3T AS I SPARRED VNTO THE BONC. PRL 1169
SPARTHE
    A SPETOS SPARTHE TO EXPOUN IN SPELLE QUOSO MY3T. GGK 209
SPEAK
    NOW GOD IN NWY TO NOE CON SPEKE CLN 301
    THAT HADE NO SPACE TO SPEKE SO SPAKLY HE 3OSKYD. ERK 312
    SE THAT SEGG IN SY3T AND WITH HYMSELF SPEKE GGK 226
    ANDE RIMED HYM FUL RICHLY AND RY3T HYM TO SPEKE. GGK 308
    THA3 I BE NOT NOW HE THAT 3E OF SPEKEN. GGK 1242
    THENNE HE THULGED WITH HIR THREPE AND THOLED HIR TO SPEKE GGK 1859
    FORSOTHE QUOTH THAT OTHER FREKE SO FELLY THOU SPEKE3 GGK 2302
    DYSPLESE3 NOT IF I SPEKE ERROUR PRL 422
SPEAKS
    THAT AL SPEDE3 AND SPYLLE3 HE SPEKES WYTH THAT ILKE CLN 511
    AND SPEKE3 OF HIS PASSAGE AND PERTLY HE SAYDE GGK 544
    WHEN HE SE3E SIR GAWAYN WITH SOLACE HE SPEKE3 GGK 1624
    BRAYDE3 OUT A BRY3T SWORDE AND BREMELY HE SPEKE3 GGK 2319
    THAT SPEKE3 A POYNT DETERMYNABLE. PRL 594
SPEAR
    TROCHED TOURES BITWENE TWENTY SPERE LENTHE CLN 1383
    A SCHELDE AND A SCHARP SPERE SCHINANDE BRY3T. GGK 269
    HENT HE3LY OF HIS HODE AND ON A SPERE HENGED. GGK 983
    THAT BERE HIS SPERE AND LAUNCE GGK 2066
    HAF HERE THI HELME ON THY HEDE THI SPERE IN THI HONDE. GGK 2143
    HE SPRIT FORTH SPENNEFOTE MORE THEN A SPERE LENTHE. GGK 2316
SPEARED
    HE SPERRED THE STED WITH THE SPURE3 AND SPRONG ON HIS WAY GGK 670
SPEC (V. SPECK)
SPECE (V. SPICE)
SPECH (V. SPEECH)
SPECHE (V. SPEECH)
SPECHES (V. SPEECHES)
SPECHE3 (V. SPEECHES)
SPECIAL
    EXPOUNED HIS SPECHE SPIRITUALLY TO SPECIAL PROPHETES CLN 1492
    HO PROFERED ME SPECHE THAT SPECIAL SPECE PRL 235
    THAT SPECYAL SPYCE THEN TO ME SPAKK. PRL 938
SPECIALLY
    THAT 3E HAN SPIED AND SPURYED SO SPECIALLY AFTER GGK 2093
SPECIALTE (V. SPECIALTY)
SPECIALTY
    ALLE THE SPECHE3 OF SPECIALTE THAT SPRANGE OF HER MOUTHE. GGK 1778
SPECK
    ON SPEC OF A SPOTE MAY SPEDE TO MYSSE CLN 551
SPECYAL (V. SPECIAL)
SPED
    SPYCE3 THAT VNSPARELY MEN SPEDED HOM TO BRYNG GGK 979
    AND SPEDE HYM FORTH GOOD SPED BOUTE SPYT MORE GGK 1444
SPED (V. SPEED)
SPEDE (V. SPED, SPEED)
SPEDED (V. SPED)
SPEDELES (V. SPEEDLESS)
SPEDE3 (V. SPEED, SPEEDS)
SPEDLY (V. SPEEDLY)

SPEECH		
FAYRE FORME3 MY3T HE FYNDE IN FORTHERING HIS SPECHE	CLN	3
THAT THUS OF CLANNESSE VNCLOSE3 A FUL CLER SPECHE	CLN	26
NAY FOR FYFTY QUOTH THE FADER AND THY FAYRE SPECHE	CLN	729
NOW ATHEL LORDE QUOTH ABRAHAM ONE3 A SPECHE	CLN	761
THAT A3LY HURLED IN HIS ERE3 HER HARLOTE3 SPECHE	CLN	874
THER HE EXPOUNDE3 A SPECHE TO HYM THAT SPEDE WOLDE	CLN	1058
HE HELED HEM WYTH HYNDE SPECHE OF THAT THAY ASK AFTER	CLN	1098
EXPOUNED HIS SPECHE SPIRITUALLY TO SPECIAL PROPHETES	CLN	1492
IN EXPOUNYNG OF SPECHE THAT SPREDES IN THISE LETTRES	CLN	1565
WORDES OF WORCHYP WYTH A WYS SPECHE	CLN	1592
OF MONY ANGER FUL HOTE WYTH HIS HOLY SPECHE	CLN	1602
NOW EXPOWNE THE THIS SPECHE SPEDLY I THENK	CLN	1729
NE NOTHER HIS NOME NE HIS NOTE NOURNE OF ONE SPECHE	ERK	152
OUERWALT WYTH A WORDE OF ON WY3ES SPECHE	GGK	314
AND IF I SPENDE NO SPECHE THENNE SPEDE3 THOU THE BETTER	GGK	410
TO THE COMLYCH QUENE WYTH CORTAYS SPECHE	GGK	469
FELLE FACE AS THE FYRE AND FRE OF HYS SPECHE	GGK	847
WICH SPEDE IS IN SPECHE VNSPURD MAY WE LERNE	GGK	918
NOW HE THAT SPEDE3 VCHE SPECH THIS DISPORT 3ELDE YOW	GGK	1292
DO WAY QUOTH THAT DERF MON MY DERE THAT SPECHE	GGK	1492
3E BE GOD QUOTH GAWAYN GOOD IS YOUR SPECHE	GGK	1498
MUCH SPECHE THAY THER EXPOUN	GGK	1506
3ONDE HE WAT3 3AYNED WITH 3ARANDE SPECHE	GGK	1724
LOUDE HE WAT3 3AYNED WITH 3ARANDE SPECHE	GGK V	1724
NYM THE WAY TO NYNYUE WYTHOUTEN OTHER SPECHE	PAT	66
DYNGNE DAUID ON DES THAT DEMED THIS SPECHE	PAT	119
THIS SPECHE SPRANG IN THAT SPACE AND SPRADDE ALLE ABOUTE	PAT	365
3ET OURE LORDE TO THE LEDE LAUSED A SPECHE	PAT	489
3ET OURE LORDE TO THE LEDE LANSED A SPECHE	PAT V	489
TO THAT SPOT THAT I IN SPECHE EXPOUN	PRL	37
HO PROFERED ME SPECHE THAT SPECIAL SPECE	PRL	235
FOR NOW THY SPECHE IS TO ME DERE	PRL	400
BOT MY SPECHE THAT YOW NE GREUE	PRL	471
BY THYS ILKE SPECH I HAUE ASSPYED	PRL	704
OF JERUSALEM I IN SPECHE SPELLE	PRL	793
THAT EUER I HERDE OF SPECHE SPENT	PRL	1132
SPEECHES		
THER HE WAT3 DISPOYLED WYTH SPECHE3 OF MYERTHE	GGK	860
THE KYN3T WITH SPECHES SKERE	GGK	1261
ALLE THE SPECHE3 OF SPECIALTE THAT SPRANGE OF HER MOUTHE	GGK	1778
SPEED		
ON SPEC OF A SPOTE MAY SPEDE TO MYSSE	CLN	551
THER HE EXPOUNDE3 A SPECHE TO HYM THAT SPEDE WOLDE	CLN	1058
ALLE HE SPOYLED SPITOUSLY IN A SPED WHYLE	CLN	1285
THUR3 THE SPED OF THE SPYRYT THAT SPRAD HYM WYTHINNE	CLN	1607
OF SPIRITUS DOMINI FOR HIS SPEDE ON SUTILE WISE	ERK	132
AND IF I SPENDE NO SPECHE THENNE SPEDE3 THOU THE BETTER	GGK	410
AND SAYDE CROSKRYST ME SPEDE	GGK	762
WICH SPEDE IS IN SPECHE VNSPURD MAY WE LERNE	GGK	918
AND SPEDE HYM FORTH GOOD SPED BOUTE SPYT MORE	GGK	1444
CAYRE3 BI SUM OTHER KYTH THER KRYST MOT YOW SPEDE	GGK	2120
OTHER NOW OTHER NEUER HIS NEDE3 TO SPEDE	GGK	2216
AND SPARRED FORTH GOOD SPED BOUTE SPYT MORE	GGK V	1444
I MAY NOT TRAW SO GOD ME SPEDE	PRL	487
SPEEDLESS		
THER WAS SPEDELES SPACE TO SPYR VSCHON OTHER	ERK	93
SPEEDLY		
NOW EXPOWNE THE THIS SPECHE SPEDLY I THENK	CLN	1729

THAT WE SPEDLY HAN SPOKEN THER SPARED WAT3 NO DRYNK	GGK	1935
SPEEDS		
THAT AL SPEDE3 AND SPYLLE3 HE SPEKES WYTH THAT ILKE	CLN	511
NOW HE THAT SPEDE3 VCHE SPECH THIS DISPORT 3ELDE YOW	GGK	1292
SPEK (V. SPOKE)		
SPEKE (ALSO V. SPEAK, SPOKE)		
THE SPEKE OF THE SPELUNKE THAT SPADDE HIT OLOFTE	ERK	49
SPEKED (V. SPOKE)		
SPEKEN (V. SPEAK, SPOKE)		
SPEKES (V. SPEAKS)		
SPEKE3 (V. SPEAK, SPEAKS)		
SPELL		
A SPETOS SPARTHE TO EXPOUN IN SPELLE QUOSO MY3T.	GGK	209
TO ASPYE WYTH MY SPELLE IN SPACE QUAT HO WOLDE	GGK	1199
MARY QUOTH THAT OTHER MON NOW THOU SO MUCH SPELLE3.	GGK	2140
WITH SPELLE.	GGK	2184
IF RAPELY I RAUE SPORNANDE IN SPELLE	PRL	363
OF JERUSALEM I IN SPECHE SPELLE	PRL	793
SPELLE (V. SPELL)		
SPELLE3 (V. SPELL)		
SPELUNKE		
THE SPEKE OF THE SPELUNKE THAT SPADDE HIT OLOFTE	ERK	49
QUIL HE IN SPELUNKE THUS SPAKE THER SPRANGE IN THE PEPULLE . .	ERK	217
THRE SPERLES OF THE SPELUNKE THAT SPARDE HIT OLOFTE	ERK V	49
SPEND		
AND IF I SPENDE NO SPECHE THENNE SPEDE3 THOU THE BETTER . . .	GGK	410
TO SPENDE	GGK	2113
SPEND (V. SPENNED)		
SPENDE (V. SPEND)		
SPENET (V. SPENNED)		
SPENNE		
IN SPENNE	GGK	1074
AT THE LAST BI A LITTEL DICH HE LEPE3 OUER A SPENNE	GGK	1709
AS HE SPRENT OUER A SPENNE TO SPYE THE SCHREWE	GGK	1896
SPENNED		
THAT SPENET ON HIS SPARLYR AND CLENE SPURES VNDER	GGK	158
HIS GOLD SPORE3 SPEND WITH PRYDE.	GGK	587
BIFORE THAT SPOT MY HONDE I SPENNED.	PRL	49
I PLAYNED MY PERLE THAT THER WAT3 SPENNED.	PRL	53
SPENNEFOTE		
HE SPRIT FORTH SPENNEFOTE MORE THEN A SPERE LENTHE.	GGK	2316
SPENT		
THAT EUER I HERDE OF SPECHE SPENT	PRL	1132
SPERE (V. SPEAR, SPHERE)		
SPERLES		
THRE SPERLES OF THE SPELUNKE THAT SPARDE HIT OLOFTE	ERK V	49
SPERRED (V. SPEARED)		
SPETOS (V. SPITOUS)		
SPHERE		
IS LYKE THE REME OF HEUENES SPERE	PRL 2	735
IS LYKE THE REME OF HEUENES SPERE	PRL 3	735
SPICE		
THE PLAYN THE PLONTTE3 THE SPYSE THE PERE3	PRL	104
HO PROFERED ME SPECHE THAT SPECIAL SPECE	PRL	235
THAT SPECYAL SPYCE THEN TO ME SPAKK.	PRL	938
SPICERS		
THE SPUMANDE ASPALTOUN THAT SPYSERE3 SELLEN	CLN	1038
SPICES		
SUMME SOTHEN SUMME IN SEWE SAUERED WITH SPYCES	GGK	892

SPYCE3 THAT VNSPARELY MEN SPEDED HOM TO BRYNG . . . . GGK 979
THAT SPOT OF SPYSE3 MOT NEDE3 SPREDE . . . . PRL 25
THAT SPRYNGANDE SPYCE3 VP NE SPONNE. . . . . PRL 35

SPIED
THAT NOW HAT3 SPYED A SPACE TO SPOYLE CALDEE3 . . . . CLN 1774
THENNE WAT3 SPYED AND SPURED VPON SPARE WYSE. . . . . GGK 901
THAT 3E HAN SPIED AND SPURYED SO SPECIALLY AFTER . . . . . . GGK 2093

SPILLED
AND SPEKE SPITOUSLY HEM TO AND SPYLT HEM THERAFTER. . . . . . CLN 1220
BATHED BARNES IN BLOD AND HER BRAYN SPYLLED . . . . CLN 1248

SPILLS
THAT AL SPEDE3 AND SPYLLE3 HE SPEKES WYTH THAT ILKE . . . . . CLN 511

SPIRIT
THUR3 THE SPED OF THE SPYRYT THAT SPRAD HYM WYTHINNE . . . . . CLN 1607
THAT SPAKLY SPRENT MY SPYRIT WITH VNSPARID MURTHE . . . . . . ERK 335
FRO SPOT MY SPYRYT THER SPRANG IN SPACE . . . . PRL 61

SPIRITUALLY
EXPOUNED HIS SPECHE SPIRITUALLY TO SPECIAL PROPHETES . . . . . CLN 1492

SPIRITUS
OF SPIRITUS DOMINI FOR HIS SPEDE ON SUTILE WISE. . . . . . . ERK 132

SPITE
AND SPARE SPAKLY OF SPYT IN SPACE OF MY THEWE3 . . . . CLN 755
AND SPEDE HYM FORTH GOOD SPED BOUTE SPYT MORE . . . . GGK 1444
AND SPARRED FORTH GOOD SPED BOUTE SPYT MORE . . . . GGK V 1444
ALAS THO3T I WHO DID THAT SPYT . . . . PRL 1138

SPITOUS
WHATT THAY SPUTEN AND SPEKEN OF SO SPITOUS FYLTHE . . . . . . CLN 845
A SPETOS SPARTHE TO EXPOUN IN SPELLE QUOSO MY3T. . . . . . . GGK 209

SPITOUSLY
AND SPEKE SPITOUSLY HEM TO AND SPYLT HEM THERAFTER. . . . . . CLN 1220
ALLE HE SPOYLED SPITOUSLY IN A SPED WHYLE. . . . . CLN 1285

SPOIL
THAT NOW HAT3 SPYED A SPACE TO SPOYLE CALDEE3 . . . . CLN 1774

SPOILED
ALLE HE SPOYLED SPITOUSLY IN A SPED WHYLE. . . . . CLN 1285

SPOKE
WHEN THE METE WAT3 REMUED AND THAY OF MENSK SPEKEN. . . . . . CLN 646
WHATT THAY SPUTEN AND SPEKEN OF SO SPITOUS FYLTHE . . . . . . CLN 845
AND SPEKE SPITOUSLY HEM TO AND SPYLT HEM THERAFTER. . . . . . CLN 1220
QUIL HE IN SPELUNKE THUS SPAKE THER SPRANGE IN THE PEPULLE . . ERK 217
THAY STODEN AND STEMED AND STYLLY SPEKEN . . . . GGK 1117
THE LADY THENN SPEK OF LEUE . . . . GGK 1288
WITH GLOPNYNG OF THAT ILKE GOMEN THAT GOSTLYCH SPEKED. . . . . GGK 2461
AND SPEKE ME TOWARDE IN THAT SPACE . . . . PRL 438
THAT SPECYAL SPYCE THEN TO ME SPAKK. . . . . PRL 938

SPOKEN
NOW NABUGODENO3AR INNO3E HAT3 SPOKEN . . . . CLN 1671
THAT WE SPEDLY HAN SPOKEN THER SPARED WAT3 NO DRYNK . . . . . GGK 1935
THRE WORDE3 HAT3 THOU SPOKEN AT ENE. . . . . PRL 291

SPONE3 (V. SPOONS)

SPONNE (V. SPUN)

SPOONS
SANAP AND SALURE AND SYLUERIN SPONE3 . . . . GGK 886

SPORE3 (V. SPURS)

SPORNANDE
IF RAPELY I RAUE SPORNANDE IN SPELLE . . . . PRL 363

SPOT
ON SPEC OF A SPOTE MAY SPEDE TO MYSSE . . . . CLN 551
OF THAT PRYUY PERLE WYTHOUTEN SPOT . . . . PRL 12

SYTHEN IN THAT SPOTE HIT FRO ME SPRANGE . . . . PRL 13
MY PRIUY PERLE WYTHOUTEN SPOTTE . . . . PRL 24
THAT SPOT OF SPYSE3 MOT NEDE3 SPREDE . . . . PRL 25
OF THAT PRECIOS PERLE WYTHOUTEN SPOTTE. . . . . PRL 36
TO THAT SPOT THAT I IN SPECHE EXPOUN . . . . PRL 37
MY PRECIOUS PERLE WYTHOUTEN SPOT. . . . . PRL 48
BIFORE THAT SPOT MY HONDE I SPENNED. . . . . PRL 49
ON THAT PRECIOS PERLE WYTHOUTEN SPOT . . . . PRL 60
FRO SPOT MY SPYRYT THER SPRANG IN SPACE . . . . PRL 61
FOR MOTE NE SPOT IS NON IN THE . . . . PRL 764
THAT BERE3 ANY SPOT ANVNDER MONE. . . . . PRL 1068

SPOTE (V. SPOT)

SPOTLESS
OF SPOTLE3 PERLE3 THAT BEREN THE CRESTE . . . . PRL 856

SPOTLE3 (V. SPOTLESS)

SPOTS
THE LOMPE THER WYTHOUTEN SPOTTE3 BLAKE. . . . . PRL 945

SPOTTE (V. SPOT)

SPOTTE3 (V. SPOTS)

SPOTTY
TO SPOTTY HO IS OF BODY TO GRYM . . . . PRL 1070

SPOYLE (V. SPOIL)

SPOYLED (V. SPOILED)

SPRAD (V. SPREAD)

SPRADDE (V. SPREAD)

SPRANG
QUIL HE IN SPELUNKE THUS SPAKE THER SPRANGE IN THE PEPULLE . . ERK 217
HE SPERRED THE STED WITH THE SPURE3 AND SPRONG ON HIS WAY . . GGK 670
THE DOUTHE DRESSED TO THE WOD ER ANY DAY SPRENGED . . . . . . GGK 1415
ALLE THE SPECHE3 OF SPECIALTE THAT SPRANGE OF HER MOUTHE. . . GGK 1778
DELIUERLY HE DRESSED VP ER THE DAY SPRENGED . . . . GGK 2009
THIS SPECHE SPRANG IN THAT SPACE AND SPRADDE ALLE ABOUTE. . . PAT 365
SYTHEN IN THAT SPOTE HIT FRO ME SPRANGE . . . . PRL 13
FRO SPOT MY SPYRYT THER SPRANG IN SPACE . . . . PRL 61

SPRANGE (V. SPRANG)

SPRAWLING
ALLE THAT SPYRAKLE INSPRANC NO SPRAWLYNG AWAYLED . . . . . . CLN 408

SPRAWLYNG (V. SPRAWLING)

SPREAD
THUR3 THE SPED OF THE SPYRYT THAT SPRAD HYM WYTHINNE . . . . . CLN 1607
THE SPEKE OF THE SPELUNKE THAT SPADDE HIT OLOFTE . . . . . . ERK 49
THIS SPECHE SPRANG IN THAT SPACE AND SPRADDE ALLE ABOUTE. . . PAT 365
THAT SPOT OF SPYSE3 MOT NEDE3 SPREDE . . . . PRL 25

SPREADS
IN EXPOUNYNG OF SPECHE THAT SPREDES IN THISE LETTRES . . . . . CLN 1565

SPREDE (V. SPREAD)

SPREDES (V. SPREADS)

SPRENGED (V. SPRANG)

SPRENT
THAT SPAKLY SPRENT MY SPYRIT WITH VNSPARID MURTHE . . . . . . ERK 335
AS HE SPRENT OUER A SPENNE TO SPYE THE SCHREWE . . . . GGK 1896

SPRETE (V. SPRIT)

SPRING
AND THUR3 THE CUNTRE OF CALDEE HIS CALLYNG CON SPRYNG. . . . CLN 1362
BOT MY LADY OF QUOM JESU CON SPRYNG. . . . . PRL 453

SPRINGING
THAT SPRYNGANDE SPYCE3 VP NE SPONNE. . . . . PRL 35

SPRIT
SPRUDE SPAK TO THE SPRETE THE SPARE BAWELYNE. . . . . PAT 104

SPRIT (V. SPRIT-M.E.)
SPRIT (ME)

HE SPRIT FORTH SPENNEFOTE MORE THEN A SPERE LENTHE.	GGK	2316

SPRONG (V. SPRANG)
SPRUDE

SPRUDE SPAK TO THE SPRETE THE SPARE BAWELYNE.	PAT	104

SPRYNG (V. SPRING)
SPRYNGANDE (V. SPRINGING)
SPUMANDE (V. SPUMING)
SPUMING

THE SPUMANDE ASPALTOUN THAT SPYSERE3 SELLEN	CLN	1038

SPUN

THAT SPRYNGANDE SPYCE3 VP NE SPONNE.	PRL	35

SPURED

ALLE THAT HE SPURED HYM IN SPACE HE EXPOWNED CLENE.	CLN	1606
THENNE WAT3 SPYED AND SPURED VPON SPARE WYSE.	GGK	901
THAT 3E HAN SPIED AND SPURYED SO SPECIALLY AFTER	GGK	2093

SPURES (V. SPURS)
SPURE3 (V. SPURS)
SPURS

THAT SPENET ON HIS SPARLYR AND CLENE SPURES VNDER	GGK	158
HIS GOLD SPORE3 SPEND WITH PRYDE.	GGK	587
HE SPERRED THE STED WITH THE SPURE3 AND SPRONG ON HIS WAY . .	GGK	670

SPURYED (V. SPURED)
SPUT

THAT HE HYM SPUT SPAKLY VPON SPARE DRYE	PAT	338

SPUTEN

WHATT THAY SPUTEN AND SPEKEN OF SO SPITOUS FYLTHE	CLN	845

SPY

WHYL THE SOUERAYN TO SODAMAS SENDE TO SPYE	CLN	780
AS HE SPRENT OUER A SPENNE TO SPYE THE SCHREWE	GGK	1896

SPYCE (V. SPICE)
SPYCES (V. SPICES)
SPYCE3 (V. SPICES)
SPYE (V. SPY)
SPYED (V. SPIED)
SPYLLED (V. SPILLED)
SPYLLE3 (V. SPILLS)
SPYLT (V. SPILLED)
SPYR

THER WAS SPEDELES SPACE TO SPYR VSCHON OTHER.	ERK	93

SPYRAKLE

ALLE THAT SPYRAKLE INSPRANC NO SPRAWLYNG AWAYLED	CLN	408

SPYRIT (V. SPIRIT)
SPYRYT (V. SPIRIT)
SPYSE (V. SPICE)
SPYSERE3 (V. SPICERS)
SPYSE3 (V. SPICES)
SPYT (V. SPITE)
SQUARE

IN THE COMPAS OF A CUBIT KYNDELY SWARE.	CLN	319
WAT3 LONGE AND FUL LARGE AND EUER ILYCH SWARE	CLN	1386
FRO THE SWYRE TO THE SWANGE SO SWARE AND SO THIK	GGK	138
LESANDE THE BOKE WITH LEUE3 SWARE	PRL	837
THE CYTE STOD ABOF FUL SWARE	PRL	1023
THENNE HELDE VCH SWARE OF THIS MANAYRE.	PRL	1029

SQUEAMISH

NIF HE NERE SCOYMUS AND SKYG AND NON SCATHE LOUIED.	CLN	21
HE IS SO SKOYMOS OF THAT SKATHE HE SCARRE3 BYLYUE	CLN	598

SO IS HE SCOYMUS OF SCATHE THAT SCYLFUL IS EUER. . . . . . . CLN 1148
SQUIRES
SWYERE3 THAT SWYFTLY SWYED ON BLONKE3 . . . . CLN 87
KNY3TE3 AND SWYERE3 COMEN DOUN THENNE . . . . GGK 824
STABELED (V. STABLED)
STABLE
NOW HE THAT STOD THE LONG DAY STABLE . . . . PRL 597
THER SCHAL HYS STEP STABLE STYLLE . . . . PRL 683
STABLED
HE WAT3 STALLED IN HIS STUD AND STABLED THE RENGNE. . . . . . CLN 1334
STYFLY STABLED THE RENGNE BI THE STRONGE DRY3TYN . . . . . . CLN 1652
STABLED THERINNE VCHE A STON IN STRENKTHE OF MYN ARMES . . . CLN 1667
SYTHEN CRIST SUFFRIDE ON CROSSE AND CRISTENDOME STABLYDE. . . ERK 2
QUERE IS HO STABLID AND STADDE IF THOU SO STRE3T WROGHTES . . ERK 274
AND SYTHEN STABELED HIS STEDE STIF MEN INNO3E . . . . GGK 823
THER WAT3 STABLED BI STATUT A STEUEN VS BYTWENE. . . . . . . GGK 1060
STABLID (V. STABLED)
STABLYDE (V. STABLED)
STABLYE
RESTAYED WITH THE STABLYE THAT STUUTLY ASCRYED . . . . GGK 1153
STAC (V. STUCK)
STAD
STY3TLED WYTH THE STEWARDE STAD IN THE HALLE. . . . . CLN 90
BOT STYLLY THER IN THE STRETE AS THAY STADDE WERN . . . . . . CLN 806
THAT HO NAS STADDE A STIFFE STON A STALWORTH IMAGE. . . . . . CLN 983
STAD IN A RYCHE STAL AND STARED FUL BRY3TE . . . . CLN 1506
QUERE IS HO STABLID AND STADDE IF THOU SO STRE3T WROGHTES . . ERK 274
AS HIT IS STAD AND STOKEN . . . . GGK 33
AND QUERESOEUER THYS MON IN MELLY WAT3 STAD . . . . GGK 644
TO STI3TEL AND STAD WITH STAUE . . . . GGK 2137
STADDE (V. STAD)
STAF (V. STAFF)
STAFF
THE STELE OF A STIF STAF THE STURNE HIT BIGRYPTE . . . . . . GGK 214
TO STI3TEL AND STAD WITH STAUE . . . . GGK 2137
THE STELE OF A STIF STAF THE STURNE HIT BI GRYPTE . . . . . . GGK V 214
STAFFUL
NOW AR THAY STOKEN OF STURNE WERK STAFFUL HER HOND. . . . . . GGK 494
STAGE
THOU WOLDE3 KNAW THEROF THE STAGE . . . . PRL 410
STAINED
THE STEROPES THAT HE STOD ON STAYNED OF THE SAME . . . . . . GGK 170
STAIR
BITWENE THE STELE AND THE STAYRE DISSERNE NO3T CUNEN . . . . . PAT 513
THISE TWELUE DEGRES WERN BRODE AND STAYRE. . . . . PRL 1022
STAL (V. STALL)
STALE (V. STALL)
STALKED
AL STUDIED THAT THER STOD AND STALKED HYM NERRE. . . . . . . GGK 237
SETTE THE STELE TO THE STONE AND STALKED BYSYDE. . . . . . . GGK 2230
THE FYRRE I STALKED BY THE STRONDE . . . . PRL 152
STALL
AND STOFFED WYTHINNE WYTH STOUT MEN TO STALLE HEM THEROUTE . . CLN 1184
STAD IN A RYCHE STAL AND STARED FUL BRY3TE . . . . CLN 1506
HE STI3TLE3 STIF IN STALLE. . . . . GGK 104
THUS THER STONDES IN STALE THE STIF KYNG HISSELUEN. . . . . . GGK 107
ER I AT STEUEN HIR MO3T STALLE . . . . PRL 188
SAFFER HELDE THE SECOUNDE STALE . . . . PRL 1002
STALLE (V. STALL)

STALLED		
HE WAT3 STALLED IN HIS STUD AND STABLED THE RENGNE.	CLN	1334
STALLED IN THE FAYREST STUD THE STERRE3 ANVNDER.	CLN	1378
STALWORTH		
AND STEKEN THE 3ATES STONHARDE WYTH STALWORTH BARRE3	CLN	884
THAT HO NAS STADDE A STIFFE STON A STALWORTH IMAGE.	CLN	983
STURNE STIF ON THE STRYTHTHE ON STALWORTH SCHONKE3.	GGK	846
WYTH STILLE STOLLEN COUNTENAUNCE THAT STALWORTH TO PLESE.	GGK	1659
STALWORTHEST		
THE STYFEST THE STALWORTHEST THAT STOD EUER ON FETE	CLN	255
STAMYN		
ON STAMYN HO STOD AND STYLLE HYM ABYDE3	CLN	486
STANC		
AS A STYNKANDE STANC THAT STRYED SYNNE.	CLN	1018
STAND		
BOT IN TEMPLE OF THE TRAUTHE TRWLY TO STONDE.	CLN	1490
HE SCHAL DECLAR HIT ALSO AS HIT ON CLAY STANDE	CLN V	1618
AND I SCHAL STONDE HYM A STROK STIF ON THIS FLET	GGK	294
BID ME BO3E FRO THIS BENCHE AND STONDE BY YOW THERE	GGK	344
BOT STY3TEL THE VPON ON STROK AND I SCHAL STONDE STYLLE	GGK	2252
FOR I SCHAL STONDE THE A STROK AND START NO MORE	GGK	2286
IN THE FOUNCE THER STONDEN STONE3 STEPE	PRL	113
AND YDEL MEN STANDE HE FYNDE3 THERATE	PRL	514
WHY STANDE 3E YDEL HE SAYDE TO THOS.	PRL	515
WY STONDE 3E YDEL THISE DAYE3 LONGE.	PRL	533
I SEGHE SAYS JOHN THE LOUMBE HYM STANDE	PRL	867
STANDE (V. STAND)		
STANDEN (V. STOOD)		
STANDES (V. STANDS)		
STANDE3 (V. STANDS)		
STANDING		
WYTH A STARANDE STON STONDANDE ALOFTE	GGK	1818
STANDS		
ALSO SALT AS ANI SE AND SO HO 3ET STANDE3.	CLN	984
FOR ON HO STANDES A STON AND SALT FOR THAT OTHER	CLN	999
HE SCHAL DECLAR HIT ALSO CLER AS HIT ON CLAY STANDE3	CLN	1618
AND AL HIS RESONS ARE TORENT AND REDELES HE STONDES	ERK	164
THUS THER STONDES IN STALE THE STIF KYNG HISSELUEN.	GGK	107
OF THE GRENE CHAPEL QUERE HIT ON GROUNDE STONDE3	GGK	1058
AND SITHEN HO SEUERES HYM FRO AND SAYS AS HO STONDES	GGK	1797
HOW THAT DO3TY DREDLES DERUELY THER STONDE3	GGK	2334
BYGYN AT THE LASTE THAT STANDE3 LOWE	PRL	547
STANGE		
AND SYTHEN ON A STIF STANGE STOUTLY HEM HENGES	GGK	1614
STANGE3		
THEN HE STAC VP THE STANGE3 STOPED THE WELLE3	CLN	439
STANK		
AND STOD VP IN HIS STOMAK THAT STANK AS THE DEUEL	PAT	274
STAPE		
AND VNDERSTONDES VMBESTOUNDE THA3 3E STAPE IN FOLE.	PAT	122
STAPLED		
THAT WAT3 STAPLED STIFLY AND STOFFED WYTHINNE	GGK	606
STARANDE (V. STARING)		
STARE		
WHETHER HE THAT STYKKED VCHE A STARE IN VCHE STEPPE Y3E	CLN	583
STAREN IN WELKYN IN WYNTER NY3T	PRL	116
ABOWTE ME CON I STOTE AND STARE	PRL	149
STARED		
SUMME STY3E TO A STUD AND STARED TO THE HEUEN	CLN	389

AS HE STARED INTO THE STRETE THER STOUT MEN PLAYED.	CLN	787
STEPE STAYRED STONES OF HIS STOUTE THRONE.	CLN	1396
STAD IN A RYCHE STAL AND STARED FUL BRY3TE	CLN	1506
STAREN (V. STARE)		
STARING		
WYTH A STARANDE STON STONDANDE ALOFTE	GGK	1818
STARS		
STALLED IN THE FAYREST STUD THE STERRE3 ANVNDER.	CLN	1378
START (ALSO V. STARTED)		
BOT 3ET THE STYFFEST TO START BI STOUNDE3 HE MADE	GGK	1567
FOR I SCHAL STONDE THE A STROK AND START NO MORE	GGK	2286
STARTED		
BOT STYTHLY HE START FORTH VPON STYF SCHONKES	GGK	431
AND STIFLY START ONSTRAY	GGK	1716
AND TO START IN THE STREM SCHULDE NON ME STERE	PRL	1159
WHEN I SCHULDE START IN THE STREM ASTRAYE.	PRL	1162
STARTE3 (V. STARTS)		
STARTS		
AND HE STARTE3 ON THE STON STOD HE NO LENGER.	GGK	2063
STATE		
AND SO 3EPLY WAT3 3ARKED AND 3OLDEN HIS STATE	CLN	1708
STATUE		
IN A STONEN STATUE THAT SALT SAUOR HABBES.	CLN	995
STATUTE		
THER WAT3 STABLED BI STATUT A STEUEN VS BYTWENE.	GGK	1060
STAUE (V. STAFF)		
STAUED (V. STOWED)		
STAUE3 (V. STOWS)		
STAWED (V. STOWED)		
STAYNED (V. STAINED)		
STAYRE (V. STAIR)		
STAYRED (V. STARED)		
STEAD		
HE WAT3 STALLED IN HIS STUD AND STABLED THE RENGNE.	CLN	1334
STALLED IN THE FAYREST STUD THE STERRE3 ANVNDER.	CLN	1378
IN STEDDE	GGK	439
WHO STI3TLE3 IN THIS STED ME STEUEN TO HOLDE.	GGK	2213
I HAF A STROKE IN THIS STED WITHOUTE STRYF HENT.	GGK	2323
STEAL		
AS STYLLE STOUNDE LET TO ME STELE	PRL	20
STEALS		
STELE3 OUT FUL STILLY BI A STROTHE RANDE	GGK	1710
STED (V. STEAD, STEED)		
STEDDE (V. STEAD)		
STEDE (V. STEED)		
STEDES (V. STEEDS)		
STEED		
A STEDE FUL STIF TO STRAYNE	GGK	176
IF I WERE HASPED IN ARMES ON A HE3E STEDE.	GGK	281
HE SPERRED THE STED WITH THE SPURE3 AND SPRONG ON HIS WAY . .	GGK	670
AND SYTHEN STABELED HIS STEDE STIF MEN INNO3E	GGK	823
STEEDS		
STIFEST VNDER STELGERE ON STEDES TO RYDE	GGK	260
STEEL		
THE GRAYN AL OF GRENE STELE AND OF GOLDE HEWEN	GGK	211
THAT THE BIT OF THE BROUN STEL BOT ON THE GROUNDE	GGK	426
THE STIF MON STEPPE3 THERON AND THE STEL HONDELE3	GGK	570
HIS LEGE3 LAPPED IN STEL WITH LUFLYCH GREUE3.	GGK	575
AND SYTHEN THE BRAWDEN BRYNE OF BRY3T STEL RYNGE3	GGK	580

STEEL-BOW
STEPPE3 INTO STELBAWE AND STRYDE3 ALOFTE . . . . GGK 435
STEEL-GEAR
STIFEST VNDER STELGERE ON STEDES TO RYDE . . . . GGK 260
STEEP
WHETHER HE THAT STYKKED VCHE A STARE IN VCHE STEPPE Y3E . . . CLN 583
STEPE STAYRED STONES OF HIS STOUTE THRONE. . . . . CLN 1396
IN THE FOUNCE THER STONDEN STONE3 STEPE . . . . PRL 113
STEER
THAY AR HAPPEN ALSO THAT CON HER HERT STERE . . . . PAT 27
MERCY AND GRACE MOSTE HEM THEN STERE . . . . PRL 623
AND TO START IN THE STREM SCHULDE NON ME STERE . . . . PRL 1159
STEK
A STRAYT COTE FUL STRE3T THAT STEK ON HIS SIDES. . . . . . . GGK 152
STEKE
3ET FOR THRETTY IN THRONG I SCHAL MY THRO STEKE. . . . . . . CLN 754
STEKEN (V. STUCK)
STEKE3
STIK HYM STIFLY IN STOKE3 AND STEKE3 HYM THERAFTER. . . . . . CLN 157
AND WHEN 3E ARN STAUED STYFLY STEKE3 YOW THERINNE . . . . . . CLN 352
STEL (V. STEEL, STOLE)
STELBAWE (V. STEEL-BOW)
STELE (ALSO V. STEAL, STEEL)
THE STELE OF A STIF STAF THE STURNE HIT BIGRYPTE . . . . . . GGK 214
SETTE THE STELE TO THE STONE AND STALKED BYSYDE. . . . . . . GGK 2230
THE STELE OF A STIF STAF THE STURNE HIT BI GRYPTE . . . . . . GGK V 214
BITWENE THE STELE AND THE STAYRE DISSERNE NO3T CUNEN . . . . . PAT 513
STELE3 (V. STEALS)
STELGERE (V. STEEL-GEAR)
STEM
AND LOKE 3E STEMME NO STEPE BOT STRECHE3 ON FASTE . . . . . . CLN 905
STEMED (V. STEMMED)
STEMME (V. STEM)
STEMMED
HE STEMMED AND CON STUDIE . . . . GGK 230
THAY STODEN AND STEMED AND STYLLY SPEKEN . . . . GGK 1117
STEP
AND LOKE 3E STEMME NO STEPE BOT STRECHE3 ON FASTE . . . . . . CLN 905
AND STYLLE STEPPEN IN THE STY3E HE STY3TLE3 HYMSELUEN. . . . . PAT 402
THER SCHAL HYS STEP STABLE STYLLE . . . . PRL 683
STEPE (V. STEEP, STEP)
STEPPE (V. STEEP)
STEPPED
AND HO STEPPED STILLY AND STEL TO HIS BEDDE . . . . GGK 1191
STEPPEN (V. STEP)
STEPPE3 (V. STEPS)
STEPS
STEPPE3 INTO STELBAWE AND STRYDE3 ALOFTE . . . . GGK 435
THE STIF MON STEPPE3 THERON AND THE STEL HONDELE3 . . . . . . GGK 570
THENN STEPPE3 HE INTO STIROP AND STRYDE3 ALOFTE. . . . . . . GGK 2060
STERE (V. STEER)
STERN
STURNE TRUMPEN STRAKE STEUEN IN HALLE . . . . CLN 1402
FOR OF BAK AND OF BREST AL WERE HIS BODI STURNE. . . . . . . GGK 143
THE STELE OF A STIF STAF THE STURNE HIT BIGRYPTE . . . . . . GGK 214
WYTH STURNE SCHERE THER HE STOD HE STROKED HIS BERDE . . . . GGK 334
NOW AR THAY STOKEN OF STURNE WERK STAFFUL HER HOND. . . . . . GGK 494
STURNE STIF ON THE STRYTHTHE ON STALWORTH SCHONKE3. . . . . . GGK 846
FOR HE IS STIFFE AND STURNE AND TO STRIKE LOUIES . . . . . . GGK 2099

THA3E HE BE A STURN KNAPE . . . . GGK 2136
THE STELE OF A STIF STAF THE STURNE HIT BI GRYPTE . . . . . . GGK V 214
THEN HURLED ON A HEPE THE HELME AND THE STERNE . . . . PAT 149
STERNE (V. STERN)
STERNES (V. STERNE3)
STERNE3
ALLE THE WORLDE WYTH THE WELKYN THE WYNDE AND THE STERNES . . PAT 207
AS STREMANDE STERNE3 QUEN STROTHEMEN SLEPE . . . . PRL 115
AS STREMANDE STERNE3 QUEN STROTHE MEN SLEPE . . . . PRL 1 115
AS STREMANDE STERNE3 QUEN STROTHE MEN SLEPE . . . . PRL 3 115
STERNLY
AND STURNELY STURE3 HIT ABOUTE THAT STRYKE WYTH HIT THO3T . . GGK 331
STEROPES (V. STIRRUPS)
STERRE3 (V. STARS)
STEUEN
ER AL WER STAWED AND STOKEN AS THE STEUEN WOLDE. . . . . . . CLN 360
AND SONE 3EDERLY FOR3ETE 3ISTERDAY STEUEN. . . . . CLN 463
AT A STYLLE STOLLEN STEUEN VNSTERED WYTH SY3T . . . . CLN 706
3ET HE CRYED HYM AFTER WYTH CAREFUL STEUEN . . . . CLN 770
THAY STEL OUT ON A STYLLE NY3T ER ANY STEUEN RYSED. . . . . . CLN 1203
STURNE TRUMPEN STRAKE STEUEN IN HALLE . . . . CLN 1402
NEUER STEUEN HEM ASTEL SO STOKEN IS HOR TONGE . . . . CLN 1524
I CALDE AND THOU KNEW MYN VNCLER STEUEN . . . . PAT 307
ER I AT STEUEN HIR MO3T STALLE . . . . PRL 188
THE STEUEN MO3T STRYKE THUR3 THE VRTHE TO HELLE. . . . . . . PRL 1125
STALEN STYLLY THE TOUN ER ANY STEUEN RYSED . . . . CLN 1778
AND AL STOUNED AT HIS STEUEN AND STONSTIL SETEN. . . . . . . GGK 242
THER WAT3 STABLED BI STATUT A STEUEN VS BYTWENE. . . . . . . GGK 1060
BI VCH KOK THAT CRUE HE KNWE WEL THE STEUEN . . . . GGK 2008
THAT HAT3 STOKEN ME THIS STEUEN TO STRYE ME HERE . . . . . . GGK 2194
WHO STI3TLE3 IN THIS STED ME STEUEN TO HOLDE. . . . . GGK 2213
OF STEUEN MON MAY THE TROWE . . . . GGK 2238
THENN HE MELE3 MURYLY WYTH A MUCH STEUEN . . . . GGK 2336
WHEN THAT STEUEN WAT3 STYNT THAT STOWNED HIS MYNDE. . . . . . PAT 73
STEWARD
STY3TLED WYTH THE STEWARDE STAD IN THE HALLE. . . . . CLN 90
STEWARDE (V. STEWARD)
STICK
STIK HYM STIFLY IN STOKE3 AND STEKE3 HYM THERAFTER. . . . . . CLN 157
THAT THOU SO STYKE3 IN GARLANDE GAY. . . . . PRL 1186
STIF (V. STIFF)
STIFEST (V. STIFFEST)
STIFF
THAT HO NAS STADDE A STIFFE STON A STALWORTH IMAGE. . . . . . CLN 983
IN STORI STIF AND STRONGE . . . . GGK 34
HE STI3TLE3 STIF IN STALLE. . . . . GGK 104
THUS THER STONDES IN STALE THE STIF KYNG HISSELUEN. . . . . . GGK 107
A STEDE FUL STIF TO STRAYNE . . . . GGK 176
THE STELE OF A STIF STAF THE STURNE HIT BIGRYPTE . . . . . . GGK 214
AND I SCHAL STONDE HYM A STROK STIF ON THIS FLET . . . . . . GGK 294
THEN STOD THAT STIF MON NERE . . . . GGK 322
THE STIF MON HYM BIFORE STOD VPON HY3T. . . . . GGK 332
BOT STYTHLY HE START FORTH VPON STYF SCHONKES . . . . GGK 431
THE STIF MON STEPPE3 THERON AND THE STEL HONDELE3 . . . . . . GGK 570
SO STIF THAT THE STONFYR STROKE OUT THERAFTER . . . . GGK 671
AND SYTHEN STABELED HIS STEDE STIF MEN INNO3E . . . . GGK 823
STURNE STIF ON THE STRYTHTHE ON STALWORTH SCHONKE3. . . . . . GGK 846
STRAKANDE FUL STOUTLY MONY STIF MOTE3 . . . . GGK 1364
3E AR STIF INNOGHE TO CONSTRAYNE WYTH STRENKTHE 3IF YOW LYKE3 . GGK 1496

Entry	Text	Source	Line
	AND SYTHEN ON A STIF STANGE STOUTLY HEM HENGES	GGK	1614
	FOR HE IS STIFFE AND STURNE AND TO STRIKE LOUIES	GGK	2099
	THAT OTHER STIF MON IN STUDY STOD A GRET WHYLE	GGK	2369
	THE STELE OF A STIF STAF THE STURNE HIT BI GRYPTE	GGK V	214
	STYFFE STREMES AND STRE3T HEM STRAYNED A WHYLE	PAT	234
	AL ONLY THYSELF SO STOUT AND STYF	PRL	779
STIFFE (V. STIFF)			
STIFFEST			
	THE STYFEST THE STALWORTHEST THAT STOD EUER ON FETE	CLN	255
	STIFEST VNDER STELGERE ON STEDES TO RYDE	GGK	260
	BOT 3ET THE STYFFEST TO START BI STOUNDE3 HE MADE	GGK	1567
STIFFLY			
	STIK HYM STIFLY IN STOKE3 AND STEKE3 HYM THERAFTER.	CLN	157
	AND WHEN 3E ARN STAUED STYFLY STEKE3 YOW THERINNE	CLN	352
	STYFLY STABLED THE RENGNE BI THE STRONGE DRY3TYN	CLN	1652
	THAT DAR STIFLY STRIKE A STROK FOR ANOTHER	GGK	287
	THAT WAT3 STAPLED STIFLY AND STOFFED WYTHINNE	GGK	606
	AND STIFLY START ONSTRAY	GGK	1716
STIFLY (V. STIFFLY)			
STIK (V. STICK)			
STILL			
	ON STAMYN HO STOD AND STYLLE HYM ABYDE3	CLN	486
	VCHON LOUED OURE LORDE BOT LENGED AY STYLLE	CLN	497
	THER IS NO WY3E IN HIS WERK SO WAR NE SO STYLLE.	CLN	589
	AT A STYLLE STOLLEN STEUEN VNSTERED WYTH SY3T	CLN	706
	THA3 FAST LATHED HEM LOTH THAY LE3EN FUL STYLLE.	CLN	936
	THAY STEL OUT ON A STYLLE NY3T ER ANY STEUEN RYSED.	CLN	1203
	THAT WERE OF STOKKES AND STONES STILLE EUERMORE.	CLN	1523
	AND TO THE PALAYS PRYNCIPAL THAY APROCHED FUL STYLLE	CLN	1781
	BOT AL AS STILLE AS THE STON STODEN AND LISTONDE	ERK	219
	THER WAT3 SEME SOLACE BY HEMSELF STILLE	GGK	1085
	THAT DRO3 THE DOR AFTER HIR FUL DERNLY AND STYLLE	GGK	1188
	FUL STILLE	GGK	1367
	WYTH STILLE STOLLEN COUNTENAUNCE THAT STALWORTH TO PLESE.	GGK	1659
	FUL STILLE AND SOFTE AL NI3T	GGK	1687
	LET HYM LY3E THERE STILLE	GGK	1994
	AND 3E WYL A WHYLE BE STYLLE	GGK	1996
	BOT STY3TEL THE VPON ON STROK AND I SCHAL STONDE STYLLE	GGK	2252
	BOT STODE STYLLE AS THE STON OTHER A STUBBE AUTHER.	GGK	2293
	I BIKNOWE YOW KNY3T HERE STYLLE	GGK	2385
	THENNE THE PEPLE PITOSLY PLEYNED FUL STYLLE	PAT	371
	AND STYLLE STEPPEN IN THE STY3E HE STY3TLE3 HYMSELUEN.	PAT	402
	AS STYLLE STOUNDE LET TO ME STELE	PRL	20
	I STOD FUL STYLLE AND DORSTE NOT CALLE.	PRL	182
	THER SCHAL HYS STEP STABLE STYLLE	PRL	683
	I STOD AS STYLLE AS DASED QUAYLE.	PRL	1085
STILLE (V. STILL)			
STILLER			
	IF HE HEM STOWNED VPON FYRST STILLER WERE THANNE	GGK	301
STILLY			
	BOT STYLLY THER IN THE STRETE AS THAY STADDE WERN	CLN	806
	STALEN STYLLY THE TOUN ER ANY STEUEN RYSED	CLN	1778
	THAY STODEN AND STEMED AND STYLLY SPEKEN	GGK	1117
	AND HO STEPPED STILLY AND STEL TO HIS BEDDE	GGK	1191
	STELE3 OUT FUL STILLY BI A STROTHE RANDE	GGK	1710
STINGING			
	ER THAT STYNGANDE STORME STYNT NE MY3T.	CLN	225
STINK			
	THAT 3ET THE WYND AND THE WEDER AND THE WORLDE STYNKES	CLN	847

STINKING
    AS A STYNKANDE STANC THAT STRYED SYNNE. CLN 1018
STINKS
    ALLE ILLE3 HE HATES AS HELLE THAT STYNKKE3 CLN 577
STINT
    ER THAT STYNGANDE STORME STYNT NE MY3T. CLN 225
    BOT AL WAT3 NEDLE3 HER NOTE FOR NEUER COWTHE STYNT. CLN 381
    AND 3ET NABU3ARDAN NYL NEUER STYNT CLN 1261
    STYNT OF THY STROT AND FYNE TO FLYTE PRL 353
STINTED
    WHEN THAT STEUEN WAT3 STYNT THAT STOWNED HIS MYNDE. PAT 73
STINTS
    NOW NOE NEUER STYNTE3 THAT NY3T HE BYGYNNE3 CLN 359
STIR
    MADE OF STOKKES AND STONE3 THAT NEUER STYRY MO3T CLN 1720
STIROP (V. STIRRUP)
STIRRED
    BY FORTY DAYE3 WERN FAREN ON FOLDE NO FLESCH STYRYED CLN 403
STIRRUP
    THENN STEPPE3 HE INTO STIROP AND STRYDE3 ALOFTE. GGK 2060
STIRRUPS
    THE STEROPES THAT HE STOD ON STAYNED OF THE SAME GGK 170
STIRS
    AND STURNELY STURE3 HIT ABOUTE THAT STRYKE WYTH HIT THO3T GGK 331
STI3TEL (V. STY3TEL)
STI3TLE3 (V. STY3TLE3)
STOCK
    WE METEN SO SELDEN BY STOK OTHER STON PRL 380
STOCKS
    ON PAYNE OF ENPRYSONMENT AND PUTTYNG IN STOKKE3. CLN 46
    STIK HYM STIFLY IN STOKE3 AND STEKE3 HYM THERAFTER. CLN 157
    AND OF STOKKES AND STONES HE STOUTE GODDES CALL3 CLN 1343
    THAT WERE OF STOKKES AND STONES STILLE EUERMORE. CLN 1523
    MADE OF STOKKES AND STONE3 THAT NEUER STYRY MO3T CLN 1720
    PYNE3 ME IN A PRYSOUN PUT ME IN STOKKES PAT 79
STOD (V. STOOD)
STODE (V. STOOD)
STODEN (V. STOOD)
STOFFED (V. STUFFED)
STOK (V. STOCK)
STOKEN (V. STUCK)
STOKE3 (V. STOCKS)
STOKKES (V. STOCKS)
STOKKE3 (V. STOCKS)
STOLE
    THAY STEL OUT ON A STYLLE NY3T ER ANY STEUEN RYSED. CLN 1203
    STALEN STYLLY THE TOUN ER ANY STEUEN RYSED CLN 1778
    AND HO STEPPED STILLY AND STEL TO HIS BEDDE GGK 1191
STOLEN
    AT A STYLLE STOLLEN STEUEN VNSTERED WYTH SY3T CLN 706
    WYTH STILLE STOLLEN COUNTENAUNCE THAT STALWORTH TO PLESE. GGK 1659
STOLLEN (V. STOLEN)
STOMACH
    AND STOD VP IN HIS STOMAK THAT STANK AS THE DEUEL PAT 274
STOMAK (V. STOMACH)
STON (V. STONE)
STONANDE (V. STANDING)
STONDE (ALSO V. STAND)
    THE STRONGE STROK OF THE STONDE STRAYNED HIS IOYNTES CLN 1540

STONDEN (V. STAND)
STONDES (V. STANDS)
STONDE3 (V. STANDS)
STONE
THAT HO NAS STADDE A STIFFE STON A STALWORTH IMAGE. CLN 983
IN A STONEN STATUE THAT SALT SAUOR HABBES. CLN 995
FOR ON HO STANDES A STON AND SALT FOR THAT OTHER CLN 999
STABLED THERINNE VCHE A STON IN STRENKTHE OF MYN ARMES CLN 1667
HIT WAS A THROGHE OF THYKKE STON THRYUANDLY HEWEN ERK 47
BOT AL AS STILLE AS THE STON STODEN AND LISTONDE ERK 219
OF HARDE HEWEN STON VP TO THE TABLE3 GGK 789
WYTH A STARANDE STON STONDANDE ALOFTE GGK 1818
AND HE STARTE3 ON THE STON STOD HE NO LENGER. GGK 2063
SETTE THE STELE TO THE STONE AND STALKED BYSYDE. GGK 2230
BOT STODE STYLLE AS THE STON OTHER A STUBBE AUTHER. GGK 2293
OF MARIORYS AND NON OTHER STON PRL 206
WE METEN SO SELDEN BY STOK OTHER STON PRL 380
LO GODE3 LOMBE AS TRWE AS STON PRL 822
VCH TABELMENT WAT3 A SERLYPE3 STON PRL 994
THE SARDONYSE THE FYFTHE STON. PRL 1006
STONE-FIRE
SO STIF THAT THE STONFYR STROKE OUT THERAFTER GGK 671
STONE-HARD
AND STEKEN THE 3ATES STONHARDE WYTH STALWORTH BARRE3 CLN 884
STONEN (V. STONE)
STONES
THAT WYNNES WORSCHYP ABOF ALLE WHYTE STONES CLN 1120
THE VYOLES AND THE VESSELMENT OF VERTUOUS STONES CLN 1280
AND OF STOKKES AND STONES HE STOUTE GODDES CALL3 CLN 1343
STEPE STAYRED STONES OF HIS STOUTE THRONE. CLN 1396
ALABAUNDARYNES AND AMARAUN3 AND AMAFFISED STONES CLN 1470
THAT WERE OF STOKKES AND STONES STILLE EUERMORE. CLN 1523
MADE OF STOKKES AND STONE3 THAT NEUER STYRY MO3T CLN 1720
HARDE STONES FOR TO HEWE WITH EGGIT TOLES. ERK 40
BOTHE THE BARRES OF HIS BELT AND OTHER BLYTHE STONES GGK 162
THAT EUER GLEMERED AND GLENT AL OF GRENE STONES. GGK 172
DUBBED WYTH FUL DERE STONE3 AS THE DOK LASTED GGK 193
NO HWE GOUD ON HIR HEDE BOT THE HA3ER STONES. GGK 1738
ENUIRENED VPON VELUET VERTUUS STONE3 GGK 2027
AND RU3E KNOKLED KNARRE3 WITH KNORNED STONE3. GGK 2166
BOT THA3 MY HEDE FALLE ON THE STONE3 GGK 2282
NO HWE3 GOUD ON HIR HEDE BOT THE HA3ER STONES GGK V 1738
ENNURNED VPON VELUET VERTUUS STONE3. GGK V 2027
IN THE FOUNCE THER STONDEN STONE3 STEPE PRL 113
AS JOHN THISE STONE3 IN WRIT CON NEMME. PRL 997
STONE-STILL
AND AL STOUNED AT HIS STEUEN AND STONSTIL SETEN. GGK 242
STONE3 (V. STONES)
STONFYR (V. STONE-FIRE)
STONGE (V. STUNG)
STONHARDE (V. STONE-HARD)
STONSTIL (V. STONE-STILL)
STONYED (CP. STOUNED)
AND AS HO STOD HO STONYED HYM WYTH FUL STOR WORDE3. GGK 1291
STOOD
THE STYFEST THE STALWORTHEST THAT STOD EUER ON FETE CLN 255
ON STAMYN HO STOD AND STYLLE HYM ABYDE3 CLN 486
BOT ROYNYSHE WERE THE RESONES THAT THER ON ROW STODEN. ERK 52
BOT THEN WOS WONDER TO WALE ON WEHES THAT STODEN ERK 73

HIT MY3T NOT BE BOT SUCHE A MON IN MYNDE STODE LONGE . . . . . ERK 97
BOT AL AS STILLE AS THE STON STODEN AND LISTONDE . . . . . . ERK 219
THE STEROPES THAT HE STOD ON STAYNED OF THE SAME . . . . . . GGK 170
AL STUDIED THAT THER STOD AND STALKED HYM NERRE. . . . . . . GGK 237
THEN STOD THAT STIF MON NERE . . . . GGK 322
THE STIF MON HYM BIFORE STOD VPON HY3T. . . . . GGK 332
WYTH STURNE SCHERE THER HE STOD HE STROKED HIS BERDE . . . . . GGK 334
AND RUNYSCHLY HE RA3T OUT THERE AS RENKKE3 STODEN . . . . . . GGK 432
THAY STODEN AND STEMED AND STYLLY SPEKEN . . . . GGK 1117
ALLE THE BURNE3 SO BOLDE THAT HYM BY STODEN . . . . GGK 1574
AND AS HO STOD HO STONYED HYM WYTH FUL STOR WORDE3. . . . . . GGK 1291
HE TOLDE HYM AS THAY STODE. . . . . GGK 1951
GRET PERILE BITWENE HEM STOD . . . . GGK 1768
AND HE STARTE3 ON THE STON STOD HE NO LENGER. . . . . GGK 2063
BOT STODE STYLLE AS THE STON OTHER A STUBBE AUTHER. . . . . . GGK 2293
THAT OTHER STIF MON IN STUDY STOD A GRET WHYLE . . . . GGK 2369
AND STOD VP IN HIS STOMAK THAT STANK AS THE DEUEL . . . . . . PAT 274
I STOD FUL STYLLE AND DORSTE NOT CALLE. . . . . PRL 182
I STOD AS HENDE AS HAWK IN HALLE. . . . . PRL 184
WE HAF STANDEN HER SYN ROS THE SUNNE . . . . PRL 519
NOW HE THAT STOD THE LONG DAY STABLE . . . . PRL 597
LO EUEN INMYDDE3 MY BRESTE HIT STODE . . . . PRL 740
THE CYTE STOD ABOF FUL SWARE . . . . PRL 1023
I STOD AS STYLLE AS DASED QUAYLE. . . . . PRL 1085
THAT I WENDE HAD STANDEN BY ME IN SCLADE . . . . PRL 1148

STOPED (V. STOPPED)

STOPPED
THEN HE STAC VP THE STANGE3 STOPED THE WELLE3 . . . . CLN 439

STOR
AND AS HO STOD HO STONYED HYM WYTH FUL STOR WORDE3. . . . . . GGK 1291
STRAKANDE FUL STOUTLY IN HOR STORE HORNE3. . . . . GGK 1923

STORE (ALSO V. STOR)
AND THA3 VCH DAY A STORE HE FECHE . . . . PRL 847

STORI (V. STORY)

STORM
ER THAT STYNGANDE STORME STYNT NE MY3T. . . . . CLN 225

STORME (V. STORM)

STORY
IN STORI STIF AND STRONGE . . . . GGK 34

STOTE
ABOWTE ME CON I STOTE AND STARE . . . . PRL 149

STOUNDE
AS STYLLE STOUNDE LET TO ME STELE . . . . PRL 20
AND THAT IS RESTORED IN SELY STOUNDE . . . . PRL 659

STOUNDES
WHEN NABUGODENO3AR WAT3 NYED IN STOUNDES . . . . CLN 1603
WALE WYNE TO THY WENCHES IN WARYED STOUNDES . . . . CLN 1716
THAT EUER THOU LORD WOS LOUYD IN ALLAS THE HARDE STOUNDES . . ERK 288
ENDURED FOR HER DRURY DULFUL STOUNDE3 . . . . GGK 1517
BOT 3ET THE STYFFEST TO START BI STOUNDE3 HE MADE . . . . . . GGK 1567

STOUNDE3 (V. STOUNDES)

STOUNED (CP. STONYED)
AND AL STOUNED AT HIS STEUEN AND STONSTIL SETEN. . . . . . . GGK 242
IF HE HEM STOWNED VPON FYRST STILLER WERE THANNE . . . . . . GGK 301
WHEN THAT STEUEN WAT3 STYNT THAT STOWNED HIS MYNDE. . . . . . PAT 73

STOUT
AS HE STARED INTO THE STRETE THER STOUT MEN PLAYED. . . . . . CLN 787
AND STOFFED WYTHINNE WYTH STOUT MEN TO STALLE HEM THEROUTE . . CLN 1184
AND OF STOKKES AND STONES HE STOUTE GODDES CALL3 . . . . . . CLN 1343

Text	Poem	Line
STEPE STAYRED STONES OF HIS STOUTE THRONE.	CLN	1396
AL ONLY THYSELF SO STOUT AND STYF	PRL	779
IF THOU HAT3 OTHER BYGYNGE3 STOUTE	PRL	935
IF THOU HAT3 OTHER LYGYNGE3 STOUTE	PRL 1	935
IF THOU HAT3 OPER LYGYNGE3 STOUTE	PRL 2	935
IF THOU HAT3 OTHER LYGYNGE3 STOUTE	PRL 3	935
STOUTE (V. STOUT)		
STOUTLY		
RESTAYED WITH THE STABLYE THAT STOUTLY ASCRYED	GGK	1153
STRAKANDE FUL STOUTLY MONY STIF MOTE3	GGK	1364
AND SYTHEN ON A STIF STANGE STOUTLY HEM HENGES	GGK	1614
STRAKANDE FUL STOUTLY IN HOR STORE HORNE3.	GGK	1923
STOWED		
WHETHER THAY WERN WORTHY OTHER WERS WEL WERN THAY STOWED.	CLN	113
AND WHEN 3E ARN STAUED STYFLY STEKE3 YOW THERINNE	CLN	352
OUTTAKEN YOW A3T IN THIS ARK STAUED.	CLN	357
ER AL WER STAWED AND STOKEN AS THE STEUEN WOLDE.	CLN	360
STOWNED (V. STOUNED)		
STOWS		
NOE NYMMES HIR ANON AND NAYTLY HIR STAUE3.	CLN	480
STRAIGHT		
QUERE IS HO STABLID AND STADDE IF THOU SO STRE3T WROGHTES	ERK	274
A STRAYT COTE FUL STRE3T THAT STEK ON HIS SIDES.	GGK	152
STYFFE STREMES AND STRE3T HEM STRAYNED A WHYLE	PAT	234
BY WAYE3 FUL STRE3T HO CON HYM STRAYN	PRL	691
STRAIN		
A STEDE FUL STIF TO STRAYNE	GGK	176
THESE BOT ON OURE HEM CON STRENY.	PRL	551
BY WAYE3 FUL STRE3T HO CON HYM STRAYN	PRL	691
STRAINED		
THE STRONGE STROK OF THE STONDE STRAYNED HIS IOYNTES	CLN	1540
STYFFE STREMES AND STRE3T HEM STRAYNED A WHYLE	PAT	234
STRAINS		
THE MORE STRENGHTHE OF IOYE MYN HERTE STRAYNE3	PRL	128
STRAIT		
AND DISTRESED HYM WONDER STRAYT WYTH STRENKTHE IN THE PRECE.	CLN	880
AND THAY STOKEN SO STRAYT THAT THAY NE STRAY MY3T	CLN	1199
A STRAYT COTE FUL STRE3T THAT STEK ON HIS SIDES.	GGK	152
STRAKANDE		
STRAKANDE FUL STOUTLY MONY STIF MOTE3	GGK	1364
STRAKANDE FUL STOUTLY IN HOR STORE HORNE3.	GGK	1923
STRAKE (V. STRUCK)		
STRAND		
THE FYRRE I STALKED BY THE STRONDE	PRL	152
STRANDS		
BI MONY ROKKE3 FUL RO3E AND RYDELANDE STRONDES	PAT	254
STRANGE		
SAUE THE HATHEL VNDER HACH AND HIS HERE STRAUNGE	CLN	409
OO MY FRENDE3 SO FRE YOUR FARE IS TO STRANGE.	CLN	861
WOST THOU NOT WEL THAT THOU WONE3 HERE A WY3E STRANGE.	CLN	875
DISPLESED MUCH AT THAT PLAY IN THAT PLYT STRANGE	CLN	1494
THAT MY3T NOT COME TO TOKNOWE A QUONTYSE STRANGE	ERK	74
THAT MY3T NOT COME TO KNOWE A QUONTYSE STRANGE	ERK V	74
THE KNY3T TOK GATES STRAUNGE	GGK	709
MONY KLYF HE OUERCLAMBE IN CONTRAYE3 STRAUNGE	GGK	713
VCHON TO WENDE ON HIS WAY THAT WAT3 WY3E STRANGE	GGK	1028
I SE3 HYR IN SO STRANGE A PLACE	PRL	175
STRATE3 (V. STREETS)		
STRAUNGE (V. STRANGE)		

STRAY
    AND THAY STOKEN SO STRAYT THAT THAY NE STRAY MY3T . . . . . . CLN 1199
    THAT STRONGE MYN HERT FUL STRAY ATOUNT. . . . . PRL 179
    THAT STONGE MYN HERT FUL STRAY ASTOUNT. . . . . PRL 2 179
    THAT STONGE MYN HERT FUL STRAY ASTOUNT. . . . . PRL 3 179
STRAYD (V. STRAYED)
STRAYED
    THERAS MY PERLE TO GROUNDE STRAYD . . . . PRL 1173
STRAYN (V. STRAIN)
STRAYNE (V. STRAIN)
STRAYNED (V. STRAINED)
STRAYNE3 (V. STRAINS)
STRAYT (V. STRAIT)
STREAM
    DOUN AFTER A STREM THAT DRY3LY HALE3 . . . . PRL 125
    AND TO START IN THE STREM SCHULDE NON ME STERE . . . . PRL 1159
    WHEN I SCHULDE START IN THE STREM ASTRAYE. . . . . PRL 1162
STREAMING
    AS STREMANDE STERNE3 QUEN STROTHEMEN SLEPE . . . . PRL 115
    AS STREMANDE STERNE3 QUEN STROTHE MEN SLEPE . . . . PRL 1 115
    AS STREMANDE STERNE3 QUEN STROTHE MEN SLEPE . . . . PRL 3 115
STREAMS
    WALTES OUT VCH WALLEHEUED IN FUL WODE STREME3 . . . . CLN 364
    THAT NO3T DOWED BOT THE DETH IN THE DEPE STREME3 . . . . CLN 374
    AND EUER WROTHER THE WATER AND WODDER THE STREMES . . . . PAT 162
    STYFFE STREMES AND STRE3T HEM STRAYNED A WHYLE . . . . PAT 234
    AND THY STRYUANDE STREME3 OF STRYNDE3 SO MONY . . . . PAT 311
STRECH (V. STRETCH)
STRECHE (V. STRETCH)
STRECHE3 (V. STRETCH)
STREET
    AS HE STARED INTO THE STRETE THER STOUT MEN PLAYED. . . . . . CLN 787
    BOT STYLLY THER IN THE STRETE AS THAY STADDE WERN . . . . . . CLN 806
    TO STRECH IN THE STRETE THOU HAT3 NO VYGOUR . . . . PRL 971
    SWYTHE HIT SWANGE THUR3 VCH A STRETE . . . . PRL 1059
STREETE3 (V. STREETS)
STREETS
    THENNE GOT3 FORTH MY GOME3 TO THE GRETE STREETE3 . . . . CLN 77
    THE STRETE3 OF GOLDE AS GLASSE AL BARE. . . . . PRL 1025
    SUCH LY3T THER LEMED IN ALLE THE STRATE3 . . . . PRL 1043
STREM (V. STREAM)
STREMANDE (V. STREAMING)
STREMES (V. STREAMS)
STREME3 (V. STREAMS)
STRENGTH
    AND DISTRESED HYM WONDER STRAYT WYTH STRENKTHE IN THE PRECE. . CLN 880
    THEN HIS FADER FORLOYNE THAT FECHED HEM WYTH STRENTHE. . . . . CLN 1155
    NABUGODENO3AR NOBLE IN HIS STRENTHE. . . . . CLN 1430
    STABLED THERINNE VCHE A STON IN STRENKTHE OF MYN ARMES . . . . CLN 1667
    3E AR STIF INNOGHE TO CONSTRAYNE WYTH STRENKTHE 3IF YOW LYKE3 . GGK 1496
    AL SCHAL CRYE FORCLEMMED WYTH ALLE OURE CLERE STRENTHE . . . . PAT 395
    THE MORE STRENGHTHE OF IOYE MYN HERTE STRAYNE3 . . . . PRL 128
STRENGHTHE (V. STRENGTH)
STRENKLE
    I SCHAL STRENKLE MY DISTRESSE AND STRYE AL TOGEDER. . . . . . CLN 307
STRENKTHE (V. STRENGTH)
STRENTHE (V. STRENGTH)
STRENY (V. STRAIN)
STRESS

FORDIDDEN MY STRESSE DYSTRYED MY PAYNE3 PRL 124
STRESSE (V. STRESS)
STRETCH
AND LOKE 3E STEMME NO STEPE BOT STRECHE3 ON FASTE CLN 905
THAT MOT NE MASKLLE MO3T ON STRECHE. PRL 843
TO STRECH IN THE STRETE THOU HAT3 NO VYGOUR PRL 971
STRETE (V. STREET)
STRETE3 (V. STREET)
STRE3T (V. STRAIGHT)
STRIDES
STEPPE3 INTO STELBAWE AND STRYDE3 ALOFTE GGK 435
BRAYDE3 OUT A BRY3T BRONT AND BIGLY FORTH STRYDE3 GGK 1584
THENN STEPPE3 HE INTO STIROP AND STRYDE3 ALOFTE. GGK 2060
HE HYPPED OUER ON HYS AX AND ORPEDLY STRYDE3. GGK 2232
STRIFE
I HAF A STROKE IN THIS STED WITHOUTE STRYF HENT. GGK 2323
IN PARADYS ERDE OF STRYF VNSTRAYNED. PRL 248
FOR KRYST HAN LYUED IN MUCH STRYF PRL 776
AMONG VS COMME3 NOUTHER STROT NE STRYF. PRL 848
AMONG VS COMME3 NON OTHER STROT NE STRYF PRL 1 848
AMONG VS COMME3 NON OTHER STROT NE STRYF PRL 3 848
STRIKE
THAT DAR STIFLY STRIKE A STROK FOR ANOTHER GGK 287
AND STURNELY STURE3 HIT ABOUTE THAT STRYKE WYTH HIT THO3T GGK 331
FOR HE IS STIFFE AND STURNE AND TO STRIKE LOUIES GGK 2099
THENNE TAS HE HYM STRYTHE TO STRYKE. GGK 2305
THE STEUEN MO3T STRYKE THUR3 THE VRTHE TO HELLE. PRL 1125
THAT THOU SO STRYKE3 IN GARLANDE GAY PRL 1 1186
THAT THOU SO STRYKE3 IN GARLANDE GAY PRL 2 1186
THAT THOU SO STRYKE3 IN GARLANDE GAY PRL 3 1186
STRIKES
THE LASTE SCHAL BE THE FYRST THAT STRYKE3. PRL 570
STRIVE
LORDE MAD HIT ARN THAT AGAYN THE STRYUEN PRL 1199
STRIVING
AND THY STRYUANDE STREME3 OF STRYNDE3 SO MONY PAT 311
STROK (V. STROKE, STRUCK)
STROKE (ALSO V. STRUCK)
THE STRONGE STROK OF THE STONDE STRAYNED HIS IOYNTES CLN 1540
THAT DAR STIFLY STRIKE A STROK FOR ANOTHER GGK 287
AND I SCHAL STONDE HYM A STROK STIF ON THIS FLET GGK 294
BOT STY3TEL THE VPON ON STROK AND I SCHAL STONDE STYLLE GGK 2252
FOR I SCHAL STONDE THE A STROK AND START NO MORE GGK 2286
I HAF A STROKE IN THIS STED WITHOUTE STRYF HENT. GGK 2323
BOT ON STROKE HERE ME FALLE3 GGK 2327
I HY3T THE A STROK AND THOU HIT HAT3 HALDE THE WEL PAYED. GGK 2341
STROKED
WYTH STURNE SCHERE THER HE STOD HE STROKED HIS BERDE GGK 334
STROKES
QUOTH GAWAN HIS AX HE STROKES. GGK 416
BOT QUEN THE DYNTE3 HYM DERED OF HER DRY3E STROKE3. GGK 1460
STROKE3 (V. STROKES)
STRONDE (V. STRAND)
STRONDES (V. STRANDS)
STRONG
THE CLAY THAT CLENGES THEREBY ARN CORSYES STRONG CLN 1034
UMBEWALT ALLE THE WALLES WYTH WY3ES FUL STRONGE. CLN 1181
THAT OTHER DEPRYUED WAT3 OF PRYDE WITH PAYNES STRONGE. CLN 1227
THE STRONGE STROK OF THE STONDE STRAYNED HIS IOYNTES CLN 1540

STYFLY STABLED THE RENGNE BI THE STRONGE DRY3TYN . . . . . . CLN 1652
DISPLESED MUCH AT THAT PLAY IN THAT PLYT STRONGE . . . . . . CLN V 1494
IN STORI STIF AND STRONGE . . . . GGK 34
SO STRONGE . . . . GGK 1618
VCHON TO WENDE ON HIS WAY THAT WAT3 WY3E STRONGE . . . . . . GGK V 1028
LORDE TO THE HAF I CLEPED IN CARE3 FUL STRONGE . . . . PAT 305
THAT STRONGE MYN HERT FUL STRAY ATOUNT. . . . . PRL 179
THAT HADE ENDURED IN WORLDE STRONGE. . . . . PRL 476
HE SE3 THER YDEL MEN FUL STRONGE. . . . . PRL 531

STRONGE (V. STRONG)

STRONGER
ALLE THAT WEPPEN MY3T WELDE THE WAKKER AND THE STRONGER . . . . CLN 835

STROT
STYNT OF THY STROT AND FYNE TO FLYTE . . . . PRL 353
AMONG VS COMME3 NOUTHER STROT NE STRYF. . . . . PRL 848
AMONG VS COMME3 NON OTHER STROT NE STRYF . . . . PRL 1 848
AMONG VS COMME3 NON OTHER STROT NE STRYF . . . . PRL 3 848

STROTHE
STELE3 OUT FUL STILLY BI A STROTHE RANDE . . . . GGK 1710
AS STREMANDE STERNE3 QUEN STROTHE MEN SLEPE . . . . PRL 1 115
AS STREMANDE STERNE3 QUEN STROTHE MEN SLEPE . . . . PRL 3 115

STROTHEMEN
AS STREMANDE STERNE3 QUEN STROTHEMEN SLEPE . . . . PRL 115

STRUCK
STURNE TRUMPEN STRAKE STEUEN IN HALLE . . . . CLN 1402
SO STIF THAT THE STONFYR STROKE OUT THERAFTER . . . . GGK 671
A LONGEYNG HEUY ME STROK IN SWONE . . . . PRL 1180

STRYDE3 (V. STRIDES)

STRYE
I SCHAL STRENKLE MY DISTRESSE AND STRYE AL TOGEDER. . . . . . CLN 307
THAT LONGE HADE LAYTED THAT LEDE HIS LONDES TO STRYE . . . . . CLN 1768
THAT HAT3 STOKEN ME THIS STEUEN TO STRYE ME HERE . . . . . . GGK 2194

STRYED
WATER WYLGER AY WAX WONE3 THAT STRYEDE. . . . . CLN 375
AS A STYNKANDE STANC THAT STRYED SYNNE. . . . . CLN 1018

STRYEDE (V. STRYED)

STRYF (V. STRIFE)

STRYKE (V. STRIKE)

STRYKE3 (V. STRIKE, STRIKES)

STRYNDE3
AND THY STRYUANDE STREME3 OF STRYNDE3 SO MONY . . . . PAT 311

STRYTHE
STURNE STIF ON THE STRYTHTHE ON STALWORTH SCHONKE3. . . . . . GGK 846
THENNE TAS HE HYM STRYTHE TO STRYKE. . . . . GGK 2305

STRYTHTHE (V. STRYTHE)

STRYUANDE (V. STRIVING)

STRYUEN (V. STRIVE)

STUB
BOT STODE STYLLE AS THE STON OTHER A STUBBE AUTHER. . . . . . GGK 2293

STUBBE (V. STUB)

STUCK
ER AL WER STAWED AND STOKEN AS THE STEUEN WOLDE. . . . . . . CLN 360
THEN HE STAC VP THE STANGE3 STOPED THE WELLE3 . . . . CLN 439
WHETHER HE THAT STYKKED VCHE A STARE IN VCHE STEPPE Y3E . . . . CLN 583
AND STEKEN THE 3ATES STONHARDE WYTH STALWORTH BARRE3 . . . . . CLN 884
AND THAY STOKEN SO STRAYT THAT THAY NE STRAY MY3T . . . . . . CLN 1199
NEUER STEUEN HEM ASTEL SO STOKEN IS HOR TONGE . . . . CLN 1524
AS HIT IS STAD AND STOKEN . . . . GGK 33
NOW AR THAY STOKEN OF STURNE WERK STAFFFUL HER HOND. . . . . . GGK 494

THE 3ATE3 WER STOKEN FASTE. GGK 782
THAT HAT3 STOKEN ME THIS STEUEN TO STRYE ME HERE GGK 2194
THE 3ATE3 STOKEN WAT3 NEUER 3ET PRL 1065
STUD (ALSO V. STEAD)
SUMME STY3E TO A STUD AND STARED TO THE HEUEN CLN 389
STUDIE (V. STUDY)
STUDIED
AL STUDIED THAT THER STOD AND STALKED HYM NERRE. GGK 237
STUDY
HE STEMMED AND CON STUDIE GGK 230
THAT OTHER STIF MON IN STUDY STOD A GRET WHYLE GGK 2369
STUFF
VMBEWEUED THAT WY3 VPON WLONK STUFFE GGK 581
STUFFE (V. STUFF)
STUFFED
AND STOFFED WYTHINNE WYTH STOUT MEN TO STALLE HEM THEROUTE CLN 1184
THAT WAT3 STAPLED STIFLY AND STOFFED WYTHINNE GGK 606
STUNG
THAT STONGE MYN HERT FUL STRAY ASTOUNT. PRL 2 179
THAT STONGE MYN HERT FUL STRAY ASTOUNT. PRL 3 179
STURE3 (V. STIRS)
STURN (V. STERN)
STURNE (V. STERN)
STURNELY (V. STERNLY)
STURTES
AND HIS ARSOUN3 AL AFTER AND HIS ATHEL STURTES GGK V 171
STYF (V. STIFF)
STYFEST (V. STIFFEST)
STYFFE (V. STIFF)
STYFFEST (V. STIFFEST)
STYFLY (V. STIFFLY)
STYKE3 (V. STICK)
STYKKED (V. STUCK)
STYLLE (V. STILL)
STYLLY (V. STILLY)
STYNGANDE (V. STINGING)
STYNKANDE (V. STINKING)
STYNKES (V. STINK)
STYNKKE3 (V. STINKS)
STYNT (V. STINT, STINTED)
STYNTE3 (V. STINTS)
STYRY (V. STIR)
STYRYED (V. STIRRED)
STYTHLY
BOT STYTHLY HE START FORTH VPON STYF SCHONKES GGK 431
STY3E
SUMME STY3E TO A STUD AND STARED TO THE HEUEN CLN 389
AND STYLLE STEPPEN IN THE STY3E HE STY3TLE3 HYMSELUEN. PAT 402
STY3TEL
TO STI3TEL AND STAD WITH STAUE GGK 2137
BOT STY3TEL THE VPON ON STROK AND I SCHAL STONDE STYLLE GGK 2252
STY3TLED
STY3TLED WYTH THE STEWARDE STAD IN THE HALLE. CLN 90
STY3TLE3
HE STI3TLE3 STIF IN STALLE. GGK 104
WHO STI3TLE3 IN THIS STED ME STEUEN TO HOLDE. GGK 2213
AND STYLLE STEPPEN IN THE STY3E HE STY3TLE3 HYMSELUEN. PAT 402
SUANDE
SUANDE THIS WYLDE SWYN TIL THE SUNNE SCHAFTED GGK 1467

SUBTLE
OF SPIRITUS DOMINI FOR HIS SPEDE ON SUTILE WISE. . . . . ERK 132
FOR SOTYLE CLER NO3T LETTE NO LY3T . . . . PRL 1050
FOR SOTYLE CLER NO3T LETTE NO SY3T . . . . PRL 2 1050
SUBTLY
AND SAYDE SOTYLY TO HIRSELF SARE THE MADDE . . . . CLN 654
SUCCORED
BOT HE WAT3 SOKORED BY THAT SYRE THAT SYTTES SO HI3E . . . . . PAT 261
SUCK
SESE3 CHILDER OF HER SOK SOGHE HEM SO NEUER . . . . PAT 391
SUDDENLY
NE NEUER SO SODENLY SO3T VNSOUNDELY TO WENG . . . . CLN 201
SODOMAS SCHAL FUL SODENLY SYNK INTO GROUNDE . . . . CLN 910
NOW AR THAY SODENLY ASSEMBLED AT THE SELF TYME . . . . CLN 1769
AS HE IN SOUNDE SODANLY WERE SLIPPIDE OPON SLEPE . . . . ERK 92
BOT SODENLY HIS SWETE CHERE SWYNDID AND FAYLIDE. . . . . ERK 342
SO SODANLY ON A WONDER WYSE . . . . PRL 1095
WAT3 SODANLY FUL WYTHOUTEN SOMMOUN . . . . PRL 1098
SO SODENLY OF THAT FAYRE REGIOUN. . . . . PRL 1178
SUE
BOT THAT MEYNY THE LOMBE THAT SWE . . . . PRL 892
SCHAL SVE TYL THOU TO A HIL BE VEUED . . . . PRL 976
SUED
SWYERE3 THAT SWYFTLY SWYED ON BLONKE3 . . . . CLN 87
AND SAYDE THUS TO THE SEGG THAT SUED HYM AFTER . . . . CLN 681
AND VCHE SEGGE THAT HIM SEWIDE THE SAME FAYTHE TROWID. . . . . ERK 204
AND VCHE SESOUN SERLEPES SUED AFTER OTHER. . . . . GGK 501
AND QUEN THAY SEGHE HYM WITH SY3T THAY SUED HYM FAST . . . . . GGK 1705
SUES
FOR SOLACE OF THE SOFTE SOMER THAT SUES THERAFTER . . . . GGK 510
SWE3 HIS VNCELY SWYN THAT SWYNGE3 BI THE BONKKE3 . . . . GGK 1562
SUFFER
SCHAL SYNFUL AND SAKLE3 SUFFER AL ON PAYNE . . . . CLN 716
THAT THE WYKKED AND THE WORTHY SCHAL ON WRAKE SUFFER . . . . . CLN 718
AND BROTHELY BRO3T TO BABYLOYN THER BALE TO SUFFER. . . . . . . CLN 1256
THE GATE TO THE GRENE CHAPEL AS GOD WYL ME SUFFER . . . . GGK 1967
BOT FORTO SAUEN HYMSELF WHEN SUFFER HYM BYHOUED. . . . . GGK 2040
FOR QUOSO SUFFER COWTHE SYT SELE WOLDE FOL3E. . . . . PAT 5
MUCH MAUGRE HIS MUN HE MOT NEDE SUFFER. . . . . PAT 44
SYTHEN I AM SETTE WYTH HEM SAMEN SUFFER ME BYHOUES. . . . . . . PAT 46
LO THE WYTLES WRECHCHE FOR HE WOLDE NO3T SUFFER. . . . . PAT 113
THA3 HE NOLDE SUFFER NO SORE HIS SEELE IS ON ANTER. . . . . . . PAT 242
THER WAT3 BYLDED HIS BOUR THAT WYL NO BALE SUFFER . . . . PAT 276
TO SOFFER INNE SOR FOR MANE3 SAKE . . . . PRL 940
WYTH PAYNE TO SUFFER THE LOMBE HIT CHESE . . . . PRL 954
SUFFERED
OF ON THE VGLOKEST VNHAP EUER ON ERD SUFFRED. . . . . CLN 892
THENNE HE WAYNED HYM HIS WYT THAT HADE WO SOFFERED. . . . . . . CLN 1701
SYTHEN CRIST SUFFRIDE ON CROSSE AND CRISTENDOME STABLYDE. . . . ERK 2
THAT SUFFRED HAN THE DAYE3 HETE . . . . PRL 554
SUFFERES (V. SUFFERS)
SUFFERS
AND QUO FOR THRO MAY NO3T THOLE THE THIKKER HE SUFFERES . . . . PAT 6
SUFFICE
FOR VRTHELY HERTE MY3T NOT SUFFYSE . . . . PRL 135
SUFFRANCE
SUFFRAUNCE MAY ASWAGEN HEM AND THE SWELME LETHE. . . . . PAT 3
WEL KNEW I THI CORTAYSYE THY QUOYNT SOFFRAUNCE . . . . PAT 417
FUL SOFTLY WYTH SUFFRAUNCE SA3TTEL ME BIHOUE3 . . . . PAT 529

SUFFRAUNCE (V. SUFFRANCE)
SUFFRED (V. SUFFERED)
SUFFRIDE (V. SUFFERED)
SUFFYSE (V. SUFFICE)
SUIT
THAT WERE OF SYLUER IN SUYT AND SEVES THERWYTH . . . . CLN 1406
ENAUMAYLDE WYTH A3ER AND EWERES OF SUTE . . . . CLN 1457
AND THE HERE OF HIS HED OF HIS HORS SWETE. . . . . GGK 180
THE TAYL AND HIS TOPPYNG TWYNNEN OF A SUTE . . . . GGK 191
AND VNDER FETE ON THE FLET OF FOL3ANDE SUTE . . . . GGK 859
AND THAT FOR SAKE OF THAT SEGGE IN SWETE TO WERE . . . . . . GGK 2518
HER CORTEL OF SELF SUTE SCHENE . . . . PRL 203
AND ALLE IN SUTE HER LIURE3 WASSE . . . . PRL 1108
AND ALLE IN SUTE HER LIURE WASSE. . . . . PRL 2 1108
SULP
SULP NO MORE THENNE IN SYNNE THY SAULE THERAFTER . . . . . . CLN 1135
SULPANDE
WYTHOUTEN MOTE OTHER MASCLE OF SULPANDE SYNNE . . . . PRL 726
SULPED
IF HE BE SULPED IN SYNNE THAT SYTTE3 VNCLENE. . . . . CLN 550
THAT HE BE SULPED IN SAWLE SECHE TO SCHRYFTE. . . . . CLN 1130
THEN AR THAY SYNFUL HEMSELF AND SULPED ALTOGEDER . . . . . . CLN V 15
SULPEN
THEN AR THAY SYNFUL HEMSELF AND SULPEN ALTOGEDER . . . . . . CLN 15
SULPHUR
OF FELLE FLAUNKES OF FYR AND FLAKES OF SOUFRE . . . . CLN 954
SOUFRE SOUR AND SAUNDYUER AND OTHER SUCH MONY . . . . CLN 1036
SUM
SUCH A SOWME HE THER SLOWE BI THAT THE SUNNE HELDET . . . . . GGK 1321
AND OF THAT SOUMME 3ET ARN SUMME SUCH SOTTE3 FOR MADDE . . . . PAT 509
SUM (V. SOME)
SUMKYN (V. SOME-KIND)
SUMME (V. SOME)
SUMMER
NE THE SWETNESSE OF SOMER NE THE SADDE WYNTER . . . . CLN 525
FOR SOLACE OF THE SOFTE SOMER THAT SUES THERAFTER . . . . . . GGK 510
AFTER THE SESOUN OF SOMER WYTH THE SOFT WYNDE3 . . . . GGK 516
SUMMERS
QUYLE SEUEN SYTHE3 WERE OUERSEYED SOMERES I TRAWE . . . . . . CLN 1686
SUMMON
TO TAKE HER HYRE HE MAD SUMOUN . . . . PRL 539
WAT3 SODANLY FUL WYTHOUTEN SOMMOUN . . . . PRL 1098
SUMMONED
FOR I AM SUMNED MYSELFE TO SECH TO A PLACE . . . . GGK 1052
SUMMONS
THUR3 THE SOMONES OF HIMSELFE THAT SYTTES SO HY3E . . . . . . CLN 1498
SUMNED (V. SUMMONED)
SUMOUN (V. SUMMON)
SUMQUAT (V. SOME-WHAT)
SUMQUYLE (V. SOME-WHILE)
SUMTYME (V. SOME-TIME)
SUMWHYLE (V. SOME-WHILE)
SUN
FOR IS NO SEGGE VNDER SUNNE SO SEME OF HIS CRAFTE3. . . . . . CLN 549
FOR ALLE THIS LONDE SCHAL BE LORNE LONGE ER THE SONNE RISE . . CLN 932
OF THAT FARAND FEST TYL FAYLED THE SUNNE . . . . CLN 1758
THE SYNAGOGE OF THE SONNE WAS SETT TO OURE LADY. . . . . . . ERK 21
TO BIDE A BLYSFUL BLUSCH OF THE BRY3T SUNNE . . . . GGK 520
WROTHE WYNDE OF THE WELKYN WRASTELE3 WITH THE SUNNE . . . . . GGK 525

THAT AL GLYTERED AND GLENT AS GLEM OF THE SUNNE. . . . . . . GGK 604
SUCH A SOWME HE THER SLOWE BI THAT THE SUNNE HELDET . . . . . GGK 1321
SUANDE THIS WYLDE SWYN TIL THE SUNNE SCHAFTED . . . . GGK 1467
IN REDE RUDEDE VPON RAK RISES THE SUNNE . . . . GGK 1695
THAT BERE BLUSSCHANDE BEME3 AS THE BRY3T SUNNE . . . . GGK 1819
TIL HIT WAT3 SONE SESOUN THAT THE SUNNE RYSES . . . . GGK 2085
TO MAHOUN AND TO MERGOT THE MONE AND THE SUNNE . . . . PAT 167
HE BOWED VNDER HIS LYTTEL BOTHE HIS BAK TO THE SUNNE . . . . . PAT 441
THE SCHYRE SUNNE HIT VMBESCHON THA3 NO SCHAFTE MY3T . . . . . PAT 455
THAT THER QUIKKEN NO CLOUDE BIFORE THE CLER SUNNE . . . . . . PAT 471
THE SCHYRE SUNNE HADE HEM SCHENT ER EUER THE SCHALK WYST. . . PAT 476
THER SCHYNE3 FUL SCHYR AGAYN THE SUNNE. . . . . PRL 28
WE HAF STANDEN HER SYN ROS THE SUNNE . . . . PRL 519
ON OURE BYFORE THE SONNE GO DOUN. . . . . PRL 530
THE SUNNE WAT3 DOUN AND HIT WEX LATE . . . . PRL 538
THAT SCHYRRER THEN SUNNE WYTH SCHAFTE3 SCHON. . . . . PRL 982
HEM NEDDE NAWTHER SUNNE NE MONE . . . . PRL 1044
OF SUNNE NE MONE HAD THAY NO NEDE . . . . PRL 1045
WAT3 BRY3TER THEN BOTHE THE SUNNE AND MONE . . . . PRL 1056
SUNNE NE MONE SCHON NEUER SO SWETE . . . . PRL 1057
AND THE SELF SUNNE FUL FER TO DYM . . . . PRL 1076

SUN (V. SON)

SUNBEAMS

THE SUNNEBEME3 BOT BLO AND BLYNDE . . . . PRL 83

SUNDER

AND SYTHEN SUNDER THAY THE SYDE3 SWYFT FRO THE CHYNE . . . . . GGK 1354
AND BOTE THE BEST OF HIS BRACHE3 THE BAKKE3 IN SUNDER. . . . . GGK 1563

SUNDERED

NE SAMNED NEUER IN NO SYDE NE SUNDRED NOUTHER . . . . GGK 659

SUNDERLUPES

SUNDERLUPES FOR HIT DISSERT VPON A SER WYSE . . . . PAT 12

SUNDRED (V. SUNDERED)

SUNES (V. SONS)

SUNE3 (V. SONS)

SUNG

MYNSTERDORES WERE MAKYD OPON QUEN MATENS WERE SONGEN . . . . . ERK 128

SUNKEN

THAT FOUNDERED HAT3 SO FAYR A FOLK AND THE FOLDE SONKKEN. . . CLN 1014

SUNKKEN (V. SANK)

SUNNE (V. SUN)

SUNNEBEME3 (V. SUNBEAMS)

SUNNES (V. SUNS)

SUP

NE SUPPE ON SOPE OF MY SEVE THA3 THAY SWELT SCHULDE . . . . . CLN 108
INTO THE CENACLE SOLEMPLY THER SOUPEN ALLE TREW. . . . . . . ERK 336
THE SAYL SWEYED ON THE SEE THENNE SUPPE BIHOUED. . . . . . . PAT 151

SUPPE (V. SUP)

SUPPED

FRO THE SEGGE3 HADEN SOUPED AND SETEN BOT A WHYLE . . . . . . CLN 833

SUPPER

SCHUL NEUER SITTE IN MY SALE MY SOPER TO FELE . . . . CLN 107
THENNE SETEN THAY AT THE SOPER WERN SERUED BYLYUE . . . . . . CLN 829
ON HO SERUED AT THE SOPER SALT BIFORE DRY3TYN . . . . CLN 997
SETEN AT HER SOPER AND SONGEN THERAFTER . . . . CLN 1763
AND EXILED FRO THAT SOPER SO THAT SOLEMPNE FEST. . . . . . . ERK 303
LONGE ER HO THAT SOPER SE OTHER SEGGE HYR TO LATHE. . . . . . ERK 308
RY3T NOW TO SOPER MY SOULE IS SETTE AT THE TABLE . . . . . . ERK 332
TO SOPER THAY 3EDE ASSWYTHE . . . . GGK 1400
AT THE SOPER AND AFTER MONY ATHEL SONGE3 . . . . GGK 1654

SUPPLANTERS
BOT SUPPLANTORE3 NONE WYTHINNE THYS PLACE. . . . . PRL 440
SUPPLANTORE3 (V. SUPPLANTERS)
SURE
GURDE WYTH A BRONT FUL SURE . . . . GGK 588
3ISE HE BLUSCHED FUL BRODE THAT BURDE HYM BY SURE . . . . PAT 117
INMYDDE3 HYR BRESTE WAT3 SETTE SO SURE. . . . . PRL 222
FOR I DAR SAY WYTH CONCIENS SURE. . . . . PRL 1089
SURELY
HIT IS SURELY SOTH THE SOUERAYN OF HEUEN . . . . CLN 1643
AND HE ASOYLED HYM SURELY AND SETTE HYM SO CLENE . . . . GGK 1883
AND DESEUERED FRO THY SY3T 3ET SURELY I HOPE. . . . . PAT 315
SURETY
TO SETTE HYM TO SEWRTE VNSOUNDE HE HYM FECHES . . . . PAT 58
SURFEIT
BOT IN SYNGNE OF MY SURFET I SCHAL SE HIT OFTE . . . . GGK 2433
SURFET (V. SURFEIT)
SURKOT
HIS SURKOT SEMED HYM WEL THAT SOFTE WAT3 FORRED. . . . . . . GGK 1929
SURQUIDRE (V. SURQUIDRY)
SURQUIDRY
WHERE IS NOW YOUR SOURQUYDRYE AND YOUR CONQUESTES . . . . . . GGK 311
FOR TO ASSAY THE SURQUIDRE 3IF HIT SOTH WERE. . . . . GGK 2457
AND THAT IS A POYNT O SORQUYDRY3E . . . . PRL 309
SUSTENANCE
NAUTHER OF SOSTNAUNCE NE OF SLEPE SOTHLY I KNOWE . . . . . . GGK 1095
FOR SUSTNAUNCE TO YOWSELF AND ALSO THOSE OTHER . . . . CLN 340
SUSTNAUNCE (V. SUSTENANCE)
SUTE (V. SUIT)
SUTILE (V. SUBTLE)
SUYT (V. SUIT)
SVE (V. SUE)
SWAINS
SWYFTE SWAYNES FUL SWYTHE SWEPEN THERTYLLE . . . . CLN 1509
SWALT
FOR VS HE SWALT IN JERUSALEM . . . . PRL 816
SWALTE
TO SWYMME THE REMNAUNT THA3 I THER SWALTE. . . . . PRL 1160
SWAM
SUMME SWYMMED THERON THAT SAUE HEMSELF TRAWED . . . . CLN 388
SWANE3 (V. SWANS)
SWANGE (ALSO V. SWUNG)
FRO THE SWYRE TO THE SWANGE SO SWARE AND SO THIK . . . . . . GGK 138
SWYTHE SWETHLED VMBE HIS SWANGE SWETELY THAT KNY3T. . . . . . GGK 2034
SWANGEANDE
SWANGEANDE SWETE THE WATER CON SWEPE . . . . PRL 111
SWANS
WYTH SCHELDE3 OF WYLDE SWYN SWANE3 AND CRONE3 . . . . CLN 58
SWAP
SWEUED AT THE FYRST SWAP AS THE SNAW THIKKE . . . . CLN 222
SWETE SWAP WE SO SWARE WITH TRAWTHE. . . . . GGK 1108
SWARE (ALSO V. SQUARE)
SYMBALES AND SONETE3 SWARE THE NOYSE . . . . CLN 1415
SWETE SWAP WE SO SWARE WITH TRAWTHE. . . . . GGK 1108
TO SWARE THAT SWETE IN PERLE3 PY3TE. . . . . PRL 240
SWARED
BOT I AM SWARED FORSOTHE THAT SORE ME THINKKE3 . . . . GGK 1793
HE CALLED TO HIS CHAMBERLAYN THAT COFLY HYM SWARED. . . . . GGK 2011
SWARE3

SWENGES OUT OF THE SWEUENES AND SWARE3 WITH HAST . . . . GGK 1756
SWARME3 (V. SWARMS)
SWARMS
HURLED INTO HELLEHOLE AS THE HYUE SWARME3. . . . . CLN 223
SWART
TO BE SWOL3ED SWYFTLY WYTH THE SWART ERTHE . . . . PAT 363
SWARUES (V. SWERVES)
SWAT (V. SWEATED)
SWAY
HE SY3E THER SWEY IN ASENT SWETE MEN TWEYNE . . . . CLN 788
NOW SWE3E ME THIDER SWYFTLY AND SAY ME THIS ARENDE. . . . . . . PAT 72
SWAYED
THEN AL IN A SEMBLE SWEYED TOGEDER . . . . GGK 1429
SYKANDE HO SWE3E DOUN AND SEMLY HYM KYSSED . . . . GGK 1796
THE SAYL SWEYED ON THE SEE THENNE SUPPE BIHOUED. . . . . PAT 151
TYL A SWETTER FUL SWYTHE HEM SWE3ED TO BONK . . . . PAT 236
SWAYF
WYTH THE SWAYF OF THE SWORDE THAT SWOL3ED HEM ALLE. . . . . . CLN 1268
SWAYING
OTHER ANY SWEANDE SAYL TO SECHE AFTER HAUEN . . . . CLN 420
SWAYNES (V. SWAINS)
SWAYUES
THENNE HE SWENGE3 AND SWAYUES TO THE SEBOTHEM . . . . PAT 253
SWE (V. SUE, SWEY)
SWEANDE (V. SWAYING)
SWEAR
AND THAT I SWERE THE FORSOTHE AND BY MY SEKER TRAWETH. . . . . GGK 403
THAT I SCHAL SWERE BI GOD AND ALLE HIS GODE HAL3E3. . . . . . GGK 2122
SWEARS
AND SAYDE SOBERLY HYMSELF AND BY HIS SOTH SWERE3 . . . . GGK 2051
SWEATED
THAT SWANGE AND SWAT FOR LONG 3ORE . . . . PRL 586
SWEEP
SWYFTE SWAYNES FUL SWYTHE SWEPEN THERTYLLE . . . . CLN 1509
AND SWYFTELY SWENGED HYM TO SWEPE AND HIS SWOL3 OPENED . . . . PAT 250
THENNE HE SWEPE TO THE SONDE IN SLUCHCHED CLOTHES . . . . . . PAT 341
SWANGEANDE SWETE THE WATER CON SWEPE . . . . PRL 111
SWEET
WYTH SADDE SEMBLAUNT AND SWETE OF SUCH AS HE HADE . . . . CLN 640
HE SY3E THER SWEY IN ASENT SWETE MEN TWEYNE . . . . CLN 788
AND THAY WER SEMLY AND SWETE AND SWYTHE WEL ARAYED. . . . . . CLN 816
TO SE THAT SEMLY IN SETE AND HIS SWETE FACE . . . . CLN 1055
SO LONG LIKKED THISE LORDES THISE LYKORES SWETE. . . . . CLN 1521
AND THOSE THAT SENE ARN AND SWETE SCHYN SE HIS FACE . . . . . CLN 1810
TO BISECHE HIS SOUERAYN OF HIS SWETE GRACE . . . . ERK 120
BOT SODENLY HIS SWETE CHERE SWYNDID AND FAYLIDE. . . . . ERK 342
SWETE SWAP WE SO SWARE WITH TRAWTHE. . . . . GGK 1108
WYTH CHYNNE AND CHEKE FUL SWETE . . . . GGK 1204
NAY FORSOTHE BEAU SIR SAYD THAT SWETE . . . . GGK 1222
THE LADY LUFLYCH COM LA3ANDE SWETE . . . . GGK 1757
THAT OTHER SAYDE NOW SIR SWETE . . . . GGK 2237
HE SWENGES ME THYS SWETE SCHIP SWEFTE FRO THE HAUEN . . . . . PAT 108
FOR BE MONNES LODE NEUER SO LUTHER THE LYF IS AY SWETE . . . . PAT 156
IN WYCH GUT SO EUER HE GOT3 BOT EUER IS GOD SWETE . . . . . . PAT 280
AND ALLE THAT LYUYES HEREINNE LOSE THE SWETE. . . . . PAT 364
THE SOR OF SUCH A SWETE PLACE BURDE SYNK TO MY HERT . . . . . PAT 507
3ET THO3T ME NEUER SO SWETE A SANGE. . . . . PRL 19
THAY SONGEN WYTH A SWETE ASENT . . . . PRL 94
SWANGEANDE SWETE THE WATER CON SWEPE . . . . PRL 111

TO SWARE THAT SWETE IN PERLE3 PY3TE. . . . . PRL 240
DEME3 THOU ME QUOTH I MY SWETE . . . . PRL 325
CUM HYDER TO ME MY LEMMAN SWETE . . . . PRL 763
IN IERUSALEM THUS MY LEMMAN SWETE . . . . PRL 829
SUNNE NE MONE SCHON NEUER SO SWETE . . . . PRL 1057
THER KESTEN ENSENS OF SWETE SMELLE . . . . PRL 1122
SWEETER
TYL A SWETTER FUL SWYTHE HEM SWE3ED TO BONK . . . . PAT 236
FOR ME WERE SWETTER TO SWELT AS SWYTHE AS ME THYNK. . . . . . PAT 427
SWEETLY
SWYTHE SWETHLED VMBE HIS SWANGE SWETELY THAT KNY3T. . . . . . GGK 2034
JESUS THENNE HEM SWETELY SAYDE . . . . PRL 717
SWEETEST
THAT EUER HADE BEN AN ERDE OF ERTHE THE SWETTEST . . . . . . CLN 1006
THAY SLOWEN OF SWETTEST SEMLYCH BURDES. . . . . CLN 1247
SWEETNESS
NE THE SWETNESSE OF SOMER NE THE SADDE WYNTER . . . . CLN 525
SWEFTE (V. SWIFT)
SWELME
SUFFRAUNCE MAY ASWAGEN HEM AND THE SWELME LETHE. . . . . PAT 3
SWELT
NE SUPPE ON SOPE OF MY SEVE THA3 THAY SWELT SCHULDE . . . . . CLN 108
I SCHAL SAUE OF MONNE3 SAULE3 AND SWELT THOSE OTHER . . . . . CLN 332
FOR ME WERE SWETTER TO SWELT AS SWYTHE AS ME THYNK. . . . . . PAT 427
SWEMANDE
FOR QUEN THE SWEMANDE SOR3E SO3T TO HIS HERT. . . . . CLN 563
SWENG
AND THA3 HER SWENG WYTH LYTTEL ATSLYKE3 . . . . PRL 575
SWENGED
THENNE SWENGED FORTH SARE AND SWER BY HIR TRAWTHE . . . . CLN 667
ON THE SELLOKEST SWYN SWENGED OUT THERE . . . . GGK 1439
AND SWYFTELY SWENGED HYM TO SWEPE AND HIS SWOL3 OPENED . . . . PAT 250
SWENGEN
THENNE THE SERGAUNTE3 AT THAT SAWE SWENGEN THEROUTE . . . . . . CLN 109
NOW WITH THIS ILK SWYN THAY SWENGEN TO HOME . . . . GGK 1615
SWENGES
SWENGES OUT OF THE SWEUENES AND SWARE3 WITH HAST . . . . GGK 1756
HE SWENGES ME THYS SWETE SCHIP SWEFTE FRO THE HAUEN . . . . . PAT 108
THENNE HE SWENGE3 AND SWAYUES TO THE SEBOTHEM . . . . PAT 253
SWENGE3 (V. SWENGES)
SWEPE (V. SWEEP)
SWEPEN (V. SWEEP)
SWER (V. SWORE)
SWERE (V. SWEAR, SWORE)
SWERE3 (V. SWEARS)
SWERVES
THERE AS CREATURES CRAFTE OF COUNSELLE OUTE SWARUES . . . . . ERK 167
SWETE (V. SUIT, SWEET)
SWETELY (V. SWEETLY)
SWETHLED
SWYTHE SWETHLED VMBE HIS SWANGE SWETELY THAT KNY3T. . . . . . GGK 2034
SWETNESSE (V. SWEETNESS)
SWETTER (V. SWEETER)
SWETTEST (V. SWEETEST)
SWEUED
SWEUED AT THE FYRST SWAP AS THE SNAW THIKKE . . . . CLN 222
SWEUEN
MY BODY ON BALKE THER BOD IN SWEUEN. . . . . PRL 62
SWEUENES

SWENGES OUT OF THE SWEUENES AND SWARE3 WITH HAST . . . . . . GGK 1756
SWEY (CP. SOUGHED)
SWE ABOUTE SODAMAS AND HIT SYDE3 ALLE . . . . CLN 956
THE SOUN OF OURE SOUERAYN THEN SWEY IN HIS ERE . . . . PAT 429
SWEYED (V. SWAYED)
SWE3 (V. SUES)
SWE3E (V. SWAY, SWAYED)
SWE3ED (V. SWAYED)
SWIFT
SWYFTE SWAYNES FUL SWYTHE SWEPEN THERTYLLE . . . . CLN 1509
AND SYTHEN SUNDER THAY THE SYDE3 SWYFT FRO THE CHYNE . . . . . GGK 1354
AND SWERE SWYFTE BY HIS SOTHE THAT HE HIT SESE NOLDE . . . . . GGK 1825
HE SWENGES ME THYS SWETE SCHIP SWEFTE FRO THE HAUEN . . . . . PAT 108
AND SECH HYS BLYTHE FUL SWEFTE AND SWYTHE. . . . . PRL 354
AND THE FYRST THE LASTE BE HE NEUER SO SWYFT. . . . . PRL 571
SWIFTLY
SWYERE3 THAT SWYFTLY SWYED ON BLONKE3 . . . . CLN 87
NOW SWE3E ME THIDER SWYFTLY AND SAY ME THIS ARENDE. . . . . . PAT 72
AND SWYFTELY SWENGED HYM TO SWEPE AND HIS SWOL3 OPENED . . . . PAT 250
TO BE SWOL3ED SWYFTLY WYTH THE SWART ERTHE . . . . PAT 363
SWIM
TO SWYMME THE REMNAUNT THA3 I THER SWALTE. . . . . PRL 1160
SWINE
WYTH SCHELDE3 OF WYLDE SWYN SWANE3 AND CRONE3 . . . . CLN 58
ON THE SELLOKEST SWYN SWENGED OUT THERE . . . . GGK 1439
SUANDE THIS WYLDE SWYN TIL THE SUNNE SCHAFTED . . . . GGK 1467
SWE3 HIS VNCELY SWYN THAT SWYNGE3 BI THE BONKKE3 . . . . GGK 1562
THE SWYN SETTE3 HYM OUT ON THE SEGGE EUEN. . . . . GGK 1589
NOW WITH THIS ILK SWYN THAY SWENGEN TO HOME . . . . GGK 1615
OF THE WERE OF THE WYLDE SWYN IN WOD THER HE FLED . . . . . . GGK 1628
NE SUCH SYDES OF A SWYN SEGH HE NEUER ARE. . . . . GGK 1632
SWINGS
SWE3 HIS VNCELY SWYN THAT SWYNGE3 BI THE BONKKE3 . . . . GGK 1562
SWOGHE
IN A SWOGHE SYLENCE THUR3 THE SALE RICHE . . . . GGK V 243
SWOGHESYLENCE
IN A SWOGHESYLENCE THUR3 THE SALE RICHE . . . . GGK 243
SWOL3
AND SWYFTELY SWENGED HYM TO SWEPE AND HIS SWOL3 OPENED . . . . PAT 250
SWOL3ED
WYTH THE SWAYF OF THE SWORDE THAT SWOL3ED HEM ALLE. . . . . . CLN 1268
TO BE SWOL3ED SWYFTLY WYTH THE SWART ERTHE . . . . PAT 363
SWONE (V. SWOON)
SWOON
A LONGEYNG HEUY ME STROK IN SWONE . . . . PRL 1180
SWORD
AND ALLE THAT SWYPPED VNSWOL3ED OF THE SWORDE KENE. . . . . . CLN 1253
WYTH THE SWAYF OF THE SWORDE THAT SWOL3ED HEM ALLE. . . . . . CLN 1268
BRAYDE3 OUT A BRY3T SWORDE AND BREMELY HE SPEKE3 . . . . . . GGK 2319
SWORDE (V. SWORD)
SWORE
THENNE SWENGED FORTH SARE AND SWER BY HIR TRAWTHE . . . . . . CLN 667
AND SWERE SWYFTE BY HIS SOTHE THAT HE HIT SESE NOLDE . . . . . GGK 1825
SWOWED
AND THER HE SWOWED AND SLEPT SADLY AL NY3T . . . . PAT 442
SWUNG
THAT SWANGE AND SWAT FOR LONG 3ORE . . . . PRL 586
SWYTHE HIT SWANGE THUR3 VCH A STRETE . . . . PRL 1059
SWYED (V. SUED)

SWYERE3 (V. SQUIRES)
SWYFT (V. SWIFT)
SWYFTE (V. SWIFT)
SWYFTELY (V. SWIFTLY)
SWYFTLY (V. SWIFTLY)
SWYMME (V. SWIM)
SWYMMED (V. SWAM)
SWYN (V. SWINE)
SWYNDID
BOT SODENLY HIS SWETE CHERE SWYNDID AND FAYLIDE. . . . . . . ERK 342
SWYNGE3 (V. SWINGS)
SWYPPED
AND ALLE THAT SWYPPED VNSWOL3ED OF THE SWORDE KENE. . . . . . CLN 1253
SWYRE
AND A COLER OF CLER GOLDE KEST VMBE HIS SWYRE . . . . CLN 1744
FRO THE SWYRE TO THE SWANGE SO SWARE AND SO THIK . . . . . . GGK 138
OF A KYNGE3 CAPADOS THAT CLOSES HIS SWYRE. . . . . GGK 186
THAT OTHER WYTH A GORGER WAT3 GERED OUER THE SWYRE. . . . . . GGK 957
SWYTHE (CP. ASSWYTHE)
SUCH A ROWTANDE RYGE THAT RAYNE SCHAL SWYTHE. . . . . CLN 354
AND THAY WER SEMLY AND SWETE AND SWYTHE WEL ARAYED. . . . . . CLN 816
WYTH LY3T LOUE3 VPLYFTE THAY LOUED HYM SWYTHE . . . . CLN 987
NABIGODENO3AR NUYED HYM SWYTHE . . . . CLN 1176
BY THAT WAT3 ALLE ON A HEPE HURLANDE SWYTHE . . . . CLN 1211
THE GOLDE OF THE GA3AFYLACE TO SWYTHE GRET NOUMBRE. . . . . . CLN 1283
MONI SEMLY SYRE SOUN AND SWYTHE RYCH MAYDENES . . . . CLN 1299
SWYFTE SWAYNES FUL SWYTHE SWEPEN THERTYLLE . . . . CLN 1509
THAT GODE COUNSEYL AT THE QUENE WAT3 CACHED AS SWYTHE. . . . . CLN 1619
FRO RICHE ROMULUS TO ROME RICCHIS HYM SWYTHE. . . . . GGK 8
THEN 3EDE THE WY3E 3ARE AND COM A3AYN SWYTHE. . . . . GGK 815
THE HOWNDE3 THAT HIT HERDE HASTID THIDER SWYTHE. . . . . . . GGK 1424
AND HO BERE ON HYM THE BELT AND BEDE HIT HYM SWYTHE . . . . . GGK 1860
HE THONKKED HIR OFT FUL SWYTHE . . . . GGK 1866
THER AS HE HERD THE HOWNDES THAT HASTED HYM SWYTHE. . . . . . GGK 1897
SWYTHE SWETHLED VMBE HIS SWANGE SWETELY THAT KNY3T. . . . . . GGK 2034
THEN THE GOME IN THE GRENE GRAYTHED HYM SWYTHE . . . . GGK 2259
TYL A SWETTER FUL SWYTHE HEM SWE3ED TO BONK . . . . PAT 236
FOR ME WERE SWETTER TO SWELT AS SWYTHE AS ME THYNK. . . . . . PAT 427
AND SECH HYS BLYTHE FUL SWEFTE AND SWYTHE. . . . . PRL 354
SWYTHE HIT SWANGE THUR3 VCH A STRETE . . . . PRL 1059
SWYTHELY
SETTE3 HIR SOFLY BY HIS SYDE AND SWYTHELY HO LA3E3. . . . . . GGK 1479
SWYTHE3
THE WARM WYNDE OF THE WESTE WERTES HE SWYTHE3 . . . . PAT 478
SYBOYM (V. ZEBOIM)
SYDE (ALSO V. SIDE)
NE THE SAYNT NE THE SYLK NE THE SYDE PENDAUNDES. . . . . . . GGK 2431
HIT WAT3 A CETE FUL SYDE AND SELLY OF BREDE . . . . PAT 353
SYDES (V. SIDES)
SYDE3 (V. SIDES)
SYENCE (V. SCIENCE)
SYFLE
AND SAYE3 VNTE 3EFERUS THAT HE SYFLE WARME . . . . PAT 470
SYFLE3
QUEN 3EFERUS SYFLE3 HYMSELF ON SEDE3 AND ERBE3 . . . . GGK 517
SYKANDE (V. SIGHING)
SYKED (V. SIGHED)
SYKER (V. SIKER)
SYKERLY (V. SIKERLY)

SYKYNG (V. SIGHING)
SYKYNGE3 (V. SIGHINGS)
SYLED
SOLASED HEM WYTH SEMBLAUNT AND SYLED FYRRE . . . . CLN 131
SYLENCE (V. SILENCE)
SYLK (V. SILK)
SYLKE (V. SILK)
SYLKYN (V. SILKEN)
SYLUER (V. SILVER)
SYLUEREN (V. SILVERN)
SYLUERIN (V. SILVERN)
SYMBALES (V. CYMBALS)
SYMPELNESSE (V. SIMPLENESS)
SYMPLE (V. SIMPLE)
SYMPLEST (V. SIMPLEST)
SYN (CP. SYTHEN)
FUL SKETE HAT3 SKYFTED SYNNE . . . . GGK 19
THEN IN ANY OTHER THAT I WOT SYN THAT ILK TYME . . . . GGK 24
SYN WE HAF FONGED THAT FYNE FADER OF NURTURE. . . . . GGK 919
SYN HE COM HIDER ER THIS . . . . GGK 1892
NEUER SYN THAT HE WAT3 BURNE BORNE OF HIS MODER. . . . . . . GGK 2320
SYN 3E BE LORDE OF THE 3ONDER LONDE THER I HAF LENT INNE. . . GGK 2440
BOT SYN I AM PUT TO A POYNT THAT POUERTE HATTE . . . . PAT 35
SYN HER SAYL WAT3 HEM ASLYPPED ON SYDE3 TO ROWE. . . . . . . PAT 218
TYD BY TOP AND BI TO THAY TOKEN HYM SYNNE. . . . . PAT 229
WE HAF STANDEN HER SYN ROS THE SUNNE . . . . PRL 519
SYNAGOGE (V. SYNAGOGUE)
SYNAGOGUE
THE SYNAGOGE OF THE SONNE WAS SETT TO OURE LADY. . . . . . . ERK 21
SYNFUL (V. SINFUL)
SYNG (V. SING)
SYNGE (V. SING)
SYNGEN (V. SING)
SYNGLERE
LONG SYTHEN FRO THE SOUNDER THAT SYNGLERE FOR OLDE. . . . . . GGK 1440
I SETTE HYR SENGELEY IN SYNGLERE. . . . . PRL 8
SYNGLERTY (V. SINGULARITY)
SYNGNES (V. SIGNS)
SYNGNETTE3 (V. SIGNETS)
SYNK (V. SINK)
SYNKANDE (V. SINKING)
SYNKES (V. SINKS)
SYNKKE3 (V. SINKS)
SYNNE (V. SIN, SYN)
SYNNED (V. SINNED)
SYNNES (V. SINS)
SYNNE3 (V. SINS)
SYON (V. ZION)
SYRE (V. SIR)
SYRES (V. SIRES)
SYRE3 (V. SIRES)
SYT
THAT HE SCHULDE NEUER FOR NO SYT SMYTE AL AT ONE3 . . . . . . CLN 566
TO SYTTE IN SERUAGE AND SYTE THAT SUMTYME WER GENTYLE. . . . . CLN 1257
FOR QUOSO SUFFER COWTHE SYT SELE WOLDE FOL3E. . . . . PAT 5
THAT MAY NOT SYNNE IN NO SYT HEMSELUEN TO GREUE. . . . . . . PAT 517
BOT WYTH SOR3 AND SYT HE MOT HIT CRAUE. . . . . PRL 663
SYTE (V. SYT)
SYTHE ALSO V. SCYTHE)

Text	Poem	Line
HIT WAT3 SEN IN THAT SYTHE THAT 3EDECHYAS RENGNED	CLN	1169
THAT SEUEN SYTHE VCH A DAY ASAYLED THE 3ATES.	CLN	1188
SO WAT3 SERUED FELE SYTHE THE SALE ALLE ABOUTE	CLN	1417
SALAMON SETE HIM SEUEN 3ERE AND A SYTHE MORE.	CLN	1453
BI THAT ON THRYNNE SYTHE	GGK	1868
SYTHEN (CP. SYN)		
AND SYTHEN ON LENTHE BILOOGHE LEDE3 INOGH.	CLN	116
AND SYTHEN ALLE THYN OTHER LYME3 LAPPED FUL CLENE	CLN	175
FORTHY SO SEMLY TO SEE SYTHEN WERN NONE	CLN	262
SYTHEN THE WYLDE OF THE WODE ON THE WATER FLETTE	CLN	387
SYTHEN THE SOUERAYN IN SETE SO SORE FORTHO3T.	CLN	557
SYTHEN POTAGE AND POLMENT IN PLATER HONEST	CLN	638
SYTHEN HE IS CHOSEN TO BE CHEF CHYLDRYN FADER	CLN	684
AND SYTHEN SOBERLY SYRE3 I YOW BYSECHE.	CLN	799
AND SYTHEN HO BLUSCHED HIR BIHYNDE THA3 HIR FORBODEN WERE	CLN	998
AND SYTHEN BET DOUN THE BUR3 AND BREND HIT IN ASKES	CLN	1292
AND SYTHEN THE MATER OF THE MODE MENE ME THERAFTER.	CLN	1635
SYTHEN CRIST SUFFRIDE ON CROSSE AND CRISTENDOME STABLYDE.	ERK	2
SYTHEN JHESUS HAS IUGGIT TODAY HIS IOY TO BE SCHEWYDE.	ERK	180
SITHEN WE WOT NOT QWO THOU ART WITERE VS THISELWEN.	ERK	185
SITHEN THOU WAS KIDDE FOR NO KYNGE QUY THOU THE CRON WERES	ERK	222
HOM BURDE HAUE ROTID AND BENE RENT IN RATTES LONGE SYTHEN	ERK	260
AT LONDON IN ENGLONDE NO3T FULLE LONGE SYTHEN	ERK V	1
SITHEN THE SEGE AND THE ASSAUT WAT3 SESED AT TROYE.	GGK	1
THAT SITHEN DEPRECED PROUINCES AND PATROUNES BICOME	GGK	6
SYTHEN KAYRED TO THE COURT CAROLES TO MAKE	GGK	43
AND SYTHEN RICHE FORTH RUNNEN TO RECHE HONDESELLE	GGK	66
AND SITHEN MONY SIKER SEGGE AT THE SIDBORDE3.	GGK	115
SYTHEN THRAWEN WYTH A THWONG A THWARLEKNOT ALOFTE	GGK	194
AND SYTHEN THIS NOTE IS SO NYS THAT NO3T HIT YOW FALLES	GGK	358
AND SYTHEN THAY REDDEN ALLE SAME.	GGK	363
AND SYTHEN BO3E3 TO HIS BLONK THE BRYDEL HE CACHCHE3	GGK	434
AND SYTHEN A CRAFTY CAPADOS CLOSED ALOFT	GGK	572
AND SYTHEN THE BRAWDEN BRYNE OF BRY3T STEL RYNGE3	GGK	580
SYTHEN HE COME3 TO THE KYNG AND TO HIS CORTFERE3	GGK	594
AND SYTHEN GARYTE3 FUL GAYE GERED BITWENE.	GGK	791
AND SYTHEN STABELED HIS STEDE STIF MEN INNO3E	GGK	823
AND SYTHEN THUR3 AL THE SALE AS HEM BEST SEMED	GGK	1005
AND SYTHEN WAKED ME WYTH 3E ARN NOT WEL WARYST	GGK	1094
AND SYTHEN WITH FRENKYSCH FARE AND FELE FAYRE LOTE3	GGK	1116
AND SYTHEN KARP WYTH MY KNY3T THAT I KA3T HAUE	GGK	1225
AND SYTHEN I HAUE IN THIS HOUS HYM THAT AL LYKE3	GGK	1234
SYTHEN THAY SLYT THE SLOT SESED THE ERBER.	GGK	1330
SYTHEN RYTTE THAY THE FOURE LYMMES AND RENT OF THE HYDE	GGK	1332
SITHEN BRITNED THAY THE BREST AND BRAYDEN HIT IN TWYNNE	GGK	1339
AND SYTHEN SUNDER THAY THE SYDE3 SWYFT FRO THE CHYNE	GGK	1354
SYTHEN FONGE THAY HER FLESCHE FOLDEN TO HOME.	GGK	1363
AND SYTHEN BY THE CHYMNE IN CHAMBER THAY SETEN	GGK	1402
LONG SYTHEN FRO THE SOUNDER THAT SYNGLERE FOR OLDE.	GGK	1440
AND SITHEN HOR DINER WAT3 DY3T AND DERELY SERUED	GGK	1559
AND SYTHEN SUNDER THAY THE SYDE3 SWYFT FRO THE CHYNE	GGK	1354
SYTHEN FONGE THAY HER FLESCHE FOLDEN TO HOME.	GGK	1363
AND SYTHEN BY THE CHYMNE IN CHAMBER THAY SETEN	GGK	1402
LONG SYTHEN FRO THE SOUNDER THAT SYNGLERE FOR OLDE.	GGK	1440
AND SYTHEN RENDE3 HIM AL ROGHE BI THE RYGGE AFTER	GGK	1608
SYTHEN HE BRITNE3 OUT THE BRAWEN IN BRY3T BRODE SCHELDE3.	GGK	1611
AND SYTHEN ON A STIF STANGE STOUTLY HEM HENGES	GGK	1614
OF ALLE THE COUENAUNTES THAT WE KNYT SYTHEN I COM HIDER	GGK	1642
AND SITHEN HO SEUERES HYM FRO AND SAYS AS HO STONDES	GGK	1797

Entry	Text	Var.	Line
SYTHEN CHEUELY TO THE CHAPEL CHOSES HE THE WAYE.	GGK		1876
AND SYTHEN HE MACE HYM AS MERY AMONG THE FRE LADYES	GGK		1885
AND SYTHEN THAY TAN REYNARDE	GGK		1920
SYTHEN FRO THE MEYNY HE MENSKLY DEPARTES	GGK		1983
AND SYTHEN HIS OTHER HARNAYS THAT HOLDELY WAT3 KEPED	GGK		2016
BOT I SCHAL SAY YOW FORSOTHE SYTHEN I YOW KNOWE.	GGK		2094
AND SYTHEN HE KEUERE3 BI A CRAGGE AND COME3 OF A HOLE.	GGK		2221
AS THOU HADE3 NEUER FORFETED SYTHEN THOU WAT3 FYRST BORNE	GGK		2394
AND SYTHEN MONY SYKER KNY3T THAT SO3T HYM TO HAYLCE	GGK		2493
SYTHEN BRUTUS THE BOLDE BURNE BO3ED HIDER FYRST.	GGK		2524
SYTHEN THRAWEN WYTH A THWONG A THWARLE KNOT ALOFTE.	GGK	V	194
LONG SYTHEN FRO THE SOUNDER THAT WI3T FOROLDE	GGK	V	1440
SYTHEN HE BRITNE3 OUT THE BRAWEN IN BRY3T BRODE CHELDE3	GGK	V	1611
SYTHEN I AM SETTE WYTH HEM SAMEN SUFFER ME BYHOUES.	PAT		46
AND SYTHEN HE WARNE3 THE WEST TO WAKEN FUL SOFTE	PAT		469
AND SYTHEN I LOKED HEM FUL LONGE AND HEM ON LODE HADE.	PAT		504
WHY SCHULDE I WRATH WYTH HEM SYTHEN WY3E3 WYL TORNE	PAT		518
SYTHEN IN THAT SPOTE HIT FRO ME SPRANGE	PRL		13
SYTHEN INTO GRESSE THOU ME AGLY3TE	PRL		245
AND SYTHEN WENDE TO HELLE HETE	PRL		643
AND SYTHEN TO GOD I HIT BYTA3TE	PRL		1207
SYTHES (V. SYTHE3)			
SYTHE3			
QUYLE SEUEN SYTHE3 WERE OUERSEYED SOMERES I TRAWE	CLN		1686
BI SYTHE3 HAT3 WONT THERINNE	GGK		17
FOR AY FAYTHFUL IN FYUE AND SERE FYUE SYTHE3.	GGK		632
NOW ALLE THESE FYUE SYTHE3 FORSOTHE WERE FETLED ON THIS KNY3T	GGK		656
HE SAYNED HYM IN SYTHES SERE	GGK		761
MYNNED MERTHE TO BE MADE VPON MONY SYTHE3.	GGK		982
TWELUE SYTHE3 ON 3ER THAY BEREN FUL FRYM	PRL		1079
SYTOLESTRYNG (V. CITOLE-STRING)			
SYTTE (V. SIT)			
SYTTEN (V. SIT)			
SYTTES (V. SITS)			
SYTTE3 (V. SITS)			
SY3 (V. SAW)			
SY3E (V. SAW, SEE)			
SY3T (V. SIGHT)			
SY3TE (V. SIGHT)			
SY3TES (V. SIGHTS)			
SY3TE3 (V. SIGHTS)			
TA (V. TAKE)			
TABARD			
AND HIS TABARDE TOTORNE AND HIS TOTE3 OUTE	CLN		41
TABARDE (V. TABARD)			
TABIL (V. TABLE)			
TABLE			
THEN THE HARLOT WYTH HASTE HELDED TO THE TABLE	CLN		39
TRON FRO TABLE TO TABLE AND TALKEDE AY MYRTHE	CLN		132
TRON FRO TABLE TO TABLE AND TALKEDE AY MYRTHE	CLN		132
THE TRESTES TYLT TO THE WO3E AND THE TABLE BOTHE	CLN		832
THER THE LEDE AND ALLE HIS LEUE LENGED AT THE TABLE	CLN		1419
THER THE LEDE AND ALLE HIS LOUE LENGED AT THE TABLE	CLN	V	1419
RY3T NOW TO SOPER MY SOULE IS SETTE AT THE TABLE	ERK		332
REKENLY OF THE ROUNDE TABLE ALLE THO RICH BRETHER	GGK		39
TALKKANDE BIFORE THE HY3E TABLE OF TRIFLES FUL HENDE	GGK		108
BISCHOP BAWDEWYN ABOF BIGINE3 THE TABLE	GGK		112
NOW IS THE REUEL AND THE RENOUN OF THE ROUNDE TABLE	GGK		313
THAT I WYTHOUTE VYLANYE MY3T VOYDE THIS TABLE	GGK		345

Entry	Text	Line
WITH MUCH REUEL AND RYCHE OF THE ROUNDE TABLE	GGK	538
SONE WAT3 TELDED VP A TABIL ON TRESTE3 FUL FAYRE	GGK	884
THAT IS THE RYCHE RYAL KYNG OF THE ROUNDE TABLE.	GGK	905
THAT RENNES OF THE GRETE RENOUN OF THE ROUNDE TABLE	GGK	2458
WITH HIS HEDE IN HIS HONDE BIFORE THE HY3E TABLE	GGK	2462
THAT LORDES AND LADIS THAT LONGED TO THE TABLE	GGK	2515
FOR THAT WAT3 ACORDED THE RENOUN OF THE ROUNDE TABLE	GGK	2519
IN THE THRYD TABLE CON PURLY PALE	PRL	1004
TABLEMENT		
VCH TABELMENT WAT3 A SERLYPE3 STON	PRL	994
TABLES		
OF HARDE HEWEN STON VP TO THE TABLE3	GGK	789
THENNE THAY TELDET TABLE3 TRESTES ALOFTE	GGK	1648
TABORNES (V. TABORS)		
TABORS		
TYMBRES AND TABORNES TUKKET AMONG	CLN	1414
TYMBRES AND TABORNES TULKET AMONG	CLN V	1414
TACCHED (V. TACHED)		
TACHCHED (V. TACHED)		
TACHED		
WYTH TRYED TASSELE3 THERTO TACCHED INNOGHE	GGK	219
HIS THIK THRAWEN THY3E3 WITH THWONGES TO TACHCHED	GGK	579
FOR THER HIT ONE3 IS TACHCHED TWYNNE WIL HIT NEUER.	GGK	2512
IS TACHED OTHER TY3ED THY LYMME3 BYTWYSTE.	PRL	464
TACHE3		
LI3TE3 DOUN LUFLYLY AND AT A LYNDE TACHE3.	GGK	2176
TACKLE		
THENNE THA3 HER TAKEL WERE TORNE THAT TOTERED ON YTHE3	PAT	233
TACKLES		
TYFFEN HER TAKLES TRUSSEN HER MALES.	GGK	1129
TAIL		
THE TAYL AND HIS TOPPYNG TWYNNEN OF A SUTE	GGK	191
AND AY THE TITLERES AT HIS TAYL THAT TARY HE NE MY3T	GGK	1726
TAILS		
TECHE3 HYM TO THE TAYLES OF FUL TAYT BESTES	GGK	1377
TAKE		
AND TALKE3 TO HIS TORMENTTOURE3 TAKE3 HYM HE BIDDE3	CLN	154
AND THY WEDDED WYF WITH THE THOU TAKE	CLN	330
BOT FOR I HAF THIS TALKE TAT3 TO NON ILLE.	CLN	735
AND IN THE MYRY MORNYNG 3E MAY YOUR WAYE TAKE	CLN	804
TO VMBELY3E LOTHE3 HOUS THE LEDE3 TO TAKE.	CLN	836
3ET TAKE TORKYE HEM WYTH HER TENE HADE BEN LITTLE	CLN	1232
THE COMFORTHE OF THE CREATORE BYHOUES THE CREATURE TAKE	ERK	168
THE COMFORTHE OF THE CREATORE BYHOUES THE CURE TAKE	ERK V	168
3E WERE ENTOUCHID WITH HIS TETHE AND TAKE IN THE GLOTTE	ERK V	297
THA3 3E 3OURSELF BE TALENTTYF TO TAKE HIT TO YOURSELUEN	GGK	350
AND AT THIS TYME TWELMONYTH TAKE AT THE ANOTHER.	GGK	383
TA NOW THY GRYMME TOLE TO THE.	GGK	413
WHO KNEW EUER ANY KYNG SUCH COUNSEL TO TAKE	GGK	682
THIS PENAUNCE NOW 3E TAKE	GGK	897
THAY TAN HYM BYTWENE HEM WYTH TALKYNG HYM LEDEN.	GGK	977
TAS YOW THERE MY CHEUICAUNCE I CHEUED NO MORE	GGK	1390
BOT TO TAKE THE TORUAYLE TO MYSELF TO TRWLUF EXPOUN	GGK	1540
FOR HIT WAT3 NE3 AT THE TERME THAT HE TO SCHULDE	GGK	1671
ICHE TOLKE MON DO AS HE IS TAN TAS TO NON ILLE	GGK	1811
I HAF NONE YOW TO NORNE NE NO3T WYL I TAKE	GGK	1823
THA3 HIT VNWORTHI WERE THAT HE HIT TAKE WOLDE	GGK	1835
AND SYTHEN THAY TAN REYNARDE	GGK	1920
AND 3E ME TAKE SUM TOLKE TO TECHE AS 3E HY3T.	GGK	1966

AND THERFOR THAT TAPPE TA THE. . . . . GGK 2357
I COM WYTH THOSE TYTHYNGES THAY TA ME BYLYUE. . . . . PAT 78
3E TAKE THERON FUL LYTTEL TENTE . . . . PRL 387
TO TAKE HER HYRE HE MAD SUMOUN . . . . PRL 539
VS THYNK VS O3E TO TAKE MORE . . . . PRL 552
TAKE THAT IS THYN OWNE AND.GO. . . . . PRL 559
THENNE THE LASSE IN WERKE TO TAKE MORE ABLE . . . . PRL 599
THE APOSTEL IN APOCALYPPCE IN THEME CON TAKE. . . . . PRL 944
THER ENTRE3 NON TO TAKE RESET. . . . . PRL 1067
TO FECH ME BUR AND TAKE ME HALTE. . . . . PRL 1158

TAKEL (V. TACKLE)

TAKEN

IF TEN TRYSTY IN TOUNE BE TAN IN THI WERKKE3. . . . . CLN 763
LEST 3E BE TAKEN IN THE TECHE OF TYRAUNTE3 HERE. . . . . . . CLN 943
AND HE MAY POLYCE HYM AT THE PREST BY PENAUNCE TAKEN . . . . . CLN 1131
THAT THOU HAT3 TAN ON HONDE . . . . GGK 490
NOW AR 3E TAN ASTYT BOT TRUE VS MAY SCHAPE . . . . GGK 1210
FOR 3E HAF TAN THAT YOW TYDE3 TRAWE 3E NON OTHER . . . . . . GGK 1396
ICHE TOLKE MON DO AS HE IS TAN TAS TO NON ILLE . . . . GGK 1811
THE KNY3T HAT3 TAN HIS LEUE . . . . GGK 1978
AND TO HYM I HAF ME TONE . . . . GGK 2159
THE MAYSTRES OF MERLYN MONY HO HAT3 TAKEN. . . . . GGK 2448
IN TOKENYNG HE WAT3 TANE IN TECH OF A FAUTE . . . . GGK 2488
THIS IS THE TOKEN OF VNTRAWTHE THAT I AM TAN INNE . . . . . . GGK 2509
THAT I MY PENY HAF WRANG TAN HERE . . . . PRL 614
TWYE3 FOR LOMBE WAT3 TAKEN THARE. . . . . PRL 830

TAKES

LUF LOKE3 TO LUF AND HIS LEUE TAKE3. . . . . CLN 401
THENNE THE KYNG OF THE KYTH A COUNSAYL HYM TAKES . . . . . . CLN 1201
THENNE TAS HE HYM STRYTHE TO STRYKE. . . . . GGK 2305
ABOUTE VNDER THE LORDE TO MARKED TOT3 . . . . PRL 513
THAT TAKE3 NOT HER LYF IN VAYNE . . . . PRL 687

TAKE3 (V. TAKE, TAKES)

TAKLES (V. TACKLES)

TALE

THA3 NEUER IN TALLE NE IN TUCH HE TRESPAS MORE . . . . CLN 48
TRAVE THOU NEUER THAT TALE VNTRWE THOU HIT FYNDE3 . . . . . . CLN 587
NOT TRAWANDE THE TALE THAT I THE TO SCHEWED . . . . CLN 662
FOR TO TENT HYM WYTH TALE AND TECHE HYM THE GATE . . . . . . CLN 676
THENNE TOWCHED TO THE TRESOUR THIS TALE WAT3 SONE . . . . . . CLN 1437
WHAT TYTHYNG NE TALE TOKENED THO DRA3TES . . . . CLN 1557
NOTHER BY TITLE NE TOKEN NE BY TALE NOTHER . . . . ERK 102
TULKES TOLDEN HYM THE TALE AND THE TROUBULLE IN THE PEPUL . . ERK 109
OF SUM AUENTURUS THYNG AN VNCOUTHE TALE . . . . GGK 93
AS TULK OF TALE MOST TRWE . . . . GGK 638
THAT 3E ME TELLE WITH TRAWTHE IF EUER 3E TALE HERDE . . . . . GGK 1057
WITH TALE . . . . GGK 1236
HE SCHEWE3 HEM THE SCHELDE3 AND SCHAPES HEM THE TALE . . . . GGK 1626
THAT I SCHAL LELLY YOW LAYNE AND LAUCE NEUER TALE . . . . . . GGK 2124
AND TALK WYTH THAT ILK TULK THE TALE THAT ME LYSTE. . . . . . GGK 2133
THAT I NE TY3T AT THIS TYME IN TALE TO REMENE . . . . GGK 2483
THAT I SCHAL LELLY YOW LAYNE AND LANCE NEUER TALE . . . . . . GGK V 2124
IF I BOWE TO HIS BODE AND BRYNG HEM THIS TALE . . . . PAT 75
THENNE WAT3 NO TOM THER BYTWENE HIS TALE AND HER DEDE. . . . PAT 135
SIR 3E HAF YOUR TALE MYSETENTE . . . . PRL 257
TO LEUE NO TALE BE TRUE TO TRY3E. . . . . PRL 311
ME THYNK THY TALE VNRESOUNABLE . . . . PRL 590
LEST LES THOU LEUE MY TALE FARANDE . . . . PRL 865
FOR NEUER LESYNG NE TALE VNTRWE . . . . PRL 897

I KNEW THE NAME AFTER HIS TALE . . . . PRL 998
I KNEW THE NAME3 AFTER HIS TALE . . . . PRL 2 998
TALENT
AND FAYNE 3OUR TALENT TO FULFILLE IF 3E HYM FRENDE LEUES. . . . ERK 176
THAT I SCHULDE TEE TO THYS TOUN THI TALENT TO PRECHE . . . . . PAT 416
TALENTTYF
THA3 3E 3OURSELF BE TALENTTYF TO TAKE HIT TO YOURSELUEN . . . . GGK 350
TALES
BI SUM TOWCH OF SUMME TRYFLE AT SUM TALE3 ENDE . . . . GGK 1301
AND TOWCHE THE TEME3 OF TYXT AND TALE3 OF ARME3. . . . . . . GGK 1541
TALE3 (V. TALES)
TALK
BOT FOR I HAF THIS TALKE TAT3 TO NON ILLE. . . . . CLN 735
BI ALDERTRUEST TOKEN OF TALK THAT I COWTHE . . . . GGK 1486
AND TALK WYTH THAT ILK TULK THE TALE THAT ME LYSTE. . . . . . GGK 2133
TALKE (V. TALK)
TALKED
TRON FRO TABLE TO TABLE AND TALKEDE AY MYRTHE . . . . CLN 132
THAT AL HE SCHRANK FOR SCHOME THAT THE SCHALK TALKED . . . . . GGK 2372
TALKEDE (V. TALK)
TALKES (V. TALKS)
TALKE3 (V. TALKS)
TALKKANDE (V. TALKING)
TALKING
TALKKANDE BIFORE THE HY3E TABLE OF TRIFLES FUL HENDE . . . . . GGK 108
AND THE TECCHELES TERMES OF TALKYNG NOBLE. . . . . GGK 917
THAY TAN HYM BYTWENE HEM WYTH TALKYNG HYM LEDEN. . . . . . . GGK 977
TALKS
AND TALKE3 TO HIS TORMENTTOURE3 TAKE3 HYM HE BIDDE3 . . . . . CLN 154
THEN HE TURNES TO THE TOUMBE AND TALKES TO THE CORCE . . . . . ERK 177
TALKYNG (V. TALKING)
TALLE (V. TALE)
TAME
WYRK WONE3 THERINNE FOR WYLDE AND FOR TAME . . . . CLN 311
AND ALLE WONED IN THE WHICHCHE THE WYLDE AND THE TAME. . . . . CLN 362
THAT HO NE CON MAKE FUL TAME . . . . GGK 2455
TAN (V. TAKE, TAKEN)
TANE (V. TAKEN)
TAP
3IF I THE TELLE TRWLY QUEN I THE TAPE HAUE . . . . GGK 406
AND THERFOR THAT TAPPE TA THE. . . . . GGK 2357
TAPE (V. TAP)
TAPIT
FYRST A TULE TAPIT TY3T OUER THE FLET . . . . GGK 568
TAPITES
OF TRYED TOLOUSE AND TARS TAPITES INNOGHE. . . . . GGK 77
TAPYTE3 TY3T TO THE WO3E OF TULY AND TARS. . . . . GGK 858
TAPPE (V. TAP)
TAPYTE3 (V. TAPITES)
TARCE (V. TARSHISH)
TARN
AND THER AR TRES BY THAT TERNE OF TRAYTOURES KYNDE. . . . . . CLN 1041
TARRY
I AM INTENT YOW TO TELLE THOF TARY HYT ME SCHULDE . . . . . . GGK 624
AND AY THE TITLERES AT HIS TAYL THAT TARY HE NE MY3T . . . . . GGK 1726
WYL 3E TARY A LYTTEL TYNE AND TENT ME A WHYLE . . . . PAT 59
I SCHAL TEE INTO TARCE AND TARY THERE A WHYLE . . . . PAT 87
TARS
OF TRYED TOLOUSE AND TARS TAPITES INNOGHE. . . . . GGK 77

Entry	Text	Line
DUBBED IN A DUBLET OF A DERE TARS	GGK	571
TAPYTE3 TY3T TO THE WO3E OF TULY AND TARS.	GGK	858
TARSHISH		
I SCHAL TEE INTO TARCE AND TARY THERE A WHYLE	PAT	87
FOR TO TOWE HYM INTO TARCE AS TYD AS THAY MY3T	PAT	100
FOR HE WAT3 FER IN THE FLOD FOUNDANDE TO TARCE	PAT	126
AND THERFORE I WOLDE HAF FLOWEN FER INTO TARCE	PAT	424
TARY (V. TARRY)		
TAS (V. TAKE, TAKES)		
TASSELE3 (V. TASSELS)		
TASSELS		
WYTH TRYED TASSELE3 THERTO TACCHED INNOGHE	GGK	219
TAUGHT		
THOU HAT3 FOR3ETEN 3EDERLY THAT 3ISTERDAY I TA3TTE.	GGK	1485
FOR CARE OF THY KNOKKE COWARDYSE ME TA3T	GGK	2379
TAT3 (V. TAKE)		
TAYL (V. TAIL)		
TAYLES (V. TAILS)		
TAYSED		
BI THAY WERE TENED AT THE HY3E AND TAYSED TO THE WATTRE3. . . .	GGK	1169
TAYT		
I SCHAL BITECHE YOW THO TWO THAT TAYT ARN AND QUOYNT	CLN	871
THENNE VCH TOLKE TY3T HEM THAT HADE OF TAYT FAYLED.	CLN	889
AND THAY TOKEN HIT AS TAYT AND TENTED HIT LYTTEL	CLN V	935
THUS WYTH LA3ANDE LOTE3 THE LORDE HIT TAYT MAKE3	GGK	988
TECHE3 HYM TO THE TAYLES OF FUL TAYT BESTES	GGK	1377
TA3T (V. TAUGHT)		
TA3TTE (V. TAUGHT)		
TEACH		
OF TETHE TENFULLY TOGEDER TO TECHE HYM BE QUOYNT	CLN	160
FOR TO TENT HYM WYTH TALE AND TECHE HYM THE GATE	CLN	676
TO TECHE THE OF TECHAL THAT TERME THUS MENES.	CLN	1733
BOT TECHE ME TRULY THERTO AND TELLE ME HOWE THOU HATTES	GGK	401
AND THOU ME SMOTHELY HAT3 SMYTEN SMARTLY I THE TECHE	GGK	407
FOR I SCHAL TECHE YOW TO THAT TERME BI THE TYME3 ENDE.	GGK	1069
AND TECHE SUM TOKENE3 OF TRWELUF CRAFTES	GGK	1527
DOS TECHE3 ME OF YOUR WYTTE	GGK	1533
AND 3E ME TAKE SUM TOLKE TO TECHE AS 3E HY3T.	GGK	1966
THAT SCHULDE TECHE HYM TO TOURNE TO THAT TENE PLACE	GGK	2075
HOW MATHEW MELEDE THAT HIS MAYSTER HIS MEYNY CON TECHE	PAT	10
NOW TECH ME TO THAT MYRY MOTE.	PRL	936
TEACHES		
AT LOUE LONDON TON AND THE LAGHE TECHES	ERK	34
TECHE3 HYM TO THE TAYLES OF FUL TAYT BESTES	GGK	1377
TEAM		
FOR IN THE TYXTE THERE THYSE TWO ARN IN TEME LAYDE.	PAT	37
TEARS		
TO THE LICHE THER HIT LAY WITH LAUANDE TERES.	ERK	314
THE TERES TRILLYD ADON AND ON THE TOUMBE LIGHTEN	ERK	322
THER HE DASED IN THAT DUSTE WYTH DROPPANDE TERES	PAT	383
TECCHE (V. TECHE)		
TECCHELES		
AND THE TECCHELES TERMES OF TALKYNG NOBLE.	GGK	917
TECH (V. TEACH, TECHE)		
TECHAL (V. TEKEL)		
TECHE (ALSO V. TEACH, TEETH)		
LEST 3E BE TAKEN IN THE TECHE OF TYRAUNTE3 HERE.	CLN	943
NE NEUER TRESPAST TO HIM IN TECHE OF MYSSELEUE	CLN	1230
ALS WEMLES WERE HIS WEDES WITHOUTEN ANY TECCHE	ERK	85

IN TOKENYNG HE WAT3 TANE IN TECH OF A FAUTE . . . . GGK 2488
FORTHY VCHE SAULE THAT HADE NEUER TECHE . . . . PRL 845

TECHES (ALSO V. TEACHES)
ALLE THYSE AR TECHES AND TOKENES TO TROW VPON 3ET . . . . . . CLN 1049
HOW TENDER HIT IS TO ENTYSE TECHES OF FYLTHE. . . . . GGK 2436

TECHE3 (V. TEACH, TEACHES)

TEDE (V. TIED)

TEE
ER HE TO THE TEMPPLE TEE WYTH HIS TULKKES ALLE . . . . CLN 1262
I SCHAL TEE INTO TARCE AND TARY THERE A WHYLE . . . . PAT 87
THAT I SCHULDE TEE TO THYS TOUN THI TALENT TO PRECHE . . . . PAT 416

TEEN
THAY TEEN VNTO HIS TEMMPLE AND TEMEN TO HYMSELUEN . . . . . CLN 9

TEETH
OF TETHE TENFULLY TOGEDER TO TECHE HYM BE QUOYNT . . . . . . CLN 160
3E WERE ENTOUCHID WITH HIS TECHE AND TOKE IN THE GLETTE . . . ERK 297
3E WERE ENTOUCHID WITH HIS TETHE AND TAKE IN THE GLOTTE . . . ERK V 297

TEKEL
MANE TECHAL PHARES MERKED IN THRYNNE . . . . CLN 1727
TO TECHE THE OF TECHAL THAT TERME THUS MENES. . . . . CLN 1733

TELDE
I SCHAL TELDE VP MY TRONE IN THE TRAMOUNTAYNE . . . . CLN 211
I HAF A TRESOR IN MY TELDE OF TWO MY FAYRE DE3TER . . . . . . CLN 866
AND BE TRAYTOR TO THAT TOLKE THAT THAT TELDE A3T . . . . . . GGK 1775

TELDED
WYTH TOOL OUT OF HARDE TRE AND TELDED ON LOFTE . . . . CLN 1342
ENTYSES HYM TO BE TENE TELLED VP HIS WRAKE . . . . CLN 1808
TOWRES TELDED BYTWENE TROCHET FUL THIK. . . . . . GGK 795
SONE WAT3 TELDED VP A TABIL ON TRESTE3 FUL FAYRE . . . . . . GGK 884

TELDES
ENTYSES HYM TO BE TENE TELDES VP HIS WRAKE . . . . CLN V 1808
TICIUS TO TUSKAN AND TELDES BIGYNNES . . . . GGK 11

TELDET
THENNE THAY TELDET TABLE3 TRESTES ALOFTE . . . . GGK 1648

TELL
ME BOS TELLE TO THAT TOLK THE TENE OF MY WYLLE . . . . CLN 687
3IF 3E WOLDE TY3T ME A TOM TELLE HIT I WOLDE. . . . . CLN 1153
FYRST TELLE ME THE TYXTE OF THE TEDE LETTRES. . . . . CLN 1634
MONY HYM METTEN ON THAT MEERE THE MERUAYLE TO TELLE . . . . . ERK 114
AY WAT3 ARTHUR THE HENDEST AS I HAF HERDE TELLE. . . . . . . GGK 26
I SCHAL TELLE HIT ASTIT AS I IN TOUN HERDE . . . . GGK 31
THAT WERE TO TOR FOR TO TELLE OF TRYFLES THE HALUE. . . . . . GGK 165
BOT IF THOU BE SO BOLD AS ALLE BURNE3 TELLEN. . . . . GGK 272
NAY FRAYST I NO FY3T IN FAYTH I THE TELLE. . . . . GGK 279
IF ANY FREKE BE SO FELLE TO FONDE THAT I TELLE . . . . GGK 291
THAT THOU ME TELLE TRULY AS I TRYST MAY . . . . GGK 380
BOT TECHE ME TRULY THERTO AND TELLE ME HOWE THOU HATTES . . . GGK 401
3IF I THE TELLE TRWLY QUEN I THE TAPE HAUE . . . . GGK 406
AND BI TRWE TYTEL THEROF TO TELLE THE WONDER. . . . . GGK 480
TO TELLE YOW TENE3 THEROF NEUER BOT TRIFEL . . . . GGK 547
I AM INTENT YOW TO TELLE THOF TARY HYT ME SCHULDE . . . . . . GGK 624
HIT WERE TO TORE FOR TO TELLE OF THE TENTH DOLE. . . . . . . GGK 719
THAT FOR TO TELLE THEROF HIT ME TENE WERE. . . . . . GGK 1008
THAT 3E ME TELLE WITH TRAWTHE IF EUER 3E TALE HERDE . . . . . GGK 1057
A HUNDRETH OF HUNTERES AS I HAF HERDE TELLE . . . . GGK 1144
FOR TO TELLE OF THIS TEUELYNG OF THIS TRWE KNY3TE3. . . . . . GGK 1514
WITH ALLE THE MANERLY MERTHE THAT MON MAY OF TELLE. . . . . . GGK 1656
AND THAT 3E TELLE ME THAT NOW TRWLY I PRAY YOW . . . . GGK 1785

I SCHAL TELLE YOW HOW THAY WRO3T. . . . . GGK 1997
FOUNDED FOR FERDE FOR TO FLE IN FOURME THAT THOU TELLE3 . . . . GGK 2130
THE DELE HIS MATYNNES TELLE . . . . GGK 2188
THAT SCHAL I TELLE THE TRWLY QUOTH THAT OTHER THENNE . . . . GGK 2444
HE TENED QUEN HE SCHULDE TELLE . . . . GGK 2501
THEN I COWTHE TELLE THA3 I TOM HADE. . . . . PRL 134
THE WATER IS BAPTEM THE SOTHE TO TELLE. . . . . PRL 653
THOU TELLE3 ME OF JERUSALEM THE RYCHE RYALLE. . . . . PRL 919

TELLE (V. TELL)

TELLED (V. TELDED)

TELLEN (V. TELL)

TELLES (V. TELLS)

TELLE3 (V. TELL, TELLS)

TELLS

THAT CRYST KA3T ON THE CROYS AS THE CREDE TELLE3 . . . . . . GGK 643
OF HIS FARE THAT HYM FRAYNED AND FERLYLY HE TELLES. . . . . . GGK 2494
I SCHAL WYSSE YOW THERWYTH AS HOLY WRYT TELLES . . . . PAT 60
HE TELLES ME THOSE TRAYTOURES ARN TYPPED SCHREWES . . . . . . PAT 77

TEME (ALSO V. TEAM, THEME)

MAY THOU TRAW FOR TYKLE THAT THOU TEME MO3TE3 . . . . CLN V 655
EFTE TO TREDE ON THY TEMPLE AND TEME TO THYSELUEN . . . . . . PAT 316

TEMEN

THAY TEEN VNTO HIS TEMMPLE AND TEMEN TO HYMSELUEN . . . . . . CLN 9
TEMEN TO HYS BODY FUL TRWE AND TRYSTE . . . . PRL 460
TEMEN TO HYS BODY FUL TRWE AND TYSTE . . . . PRL 1 460

TEME3 (V. THEMES)

TEMMPLE (V. TEMPLE)

TEMPER

3IF THOU TYNE3 THAT TOUN TEMPRE THYN YRE . . . . CLN 775

TEMPEST

HE WAT3 NO TYTTER OUTTULDE THAT TEMPEST NE SESSED . . . . . . PAT 231

TEMPLE

THAY TEEN VNTO HIS TEMMPLE AND TEMEN TO HYMSELUEN . . . . . . CLN 9
FOR HE THE VESSELLES AVYLED THAT VAYLED IN THE TEMPLE. . . . . CLN 1151
ER HE TO THE TEMPPLE TEE WYTH HIS TULKKES ALLE . . . . CLN 1262
BOT IN TEMPLE OF THE TRAUTHE TRWLY TO STONDE. . . . . CLN 1490
IN HIS TYME IN THAT TON THE TEMPLE ALDERGRATTYST . . . . ERK 5
AND THE TITLE OF THE TEMPLE BITAN WAS HIS NAME . . . . ERK 28
THE THRID TEMPLE HIT WOS TOLDE OF TRIAPOLITANES. . . . . . . ERK 31
THAT WAS THE TEMPLE TRIAPOLITAN AS I TOLDE ARE . . . . ERK 36
EFTE TO TREDE ON THY TEMPLE AND TEME TO THYSELUEN . . . . . . PAT 316
CHAPEL NE TEMPLE THAT EUER WAT3 SET. . . . . PRL 1062

TEMPLES

HE TURNYD TEMPLES THAT TYME THAT TEMYD TO THE DEUELLE. . . . . ERK 15

TEMPPLE (V. TEMPLE)

TEMPRE (V. TEMPER)

TEMPT

I SCHULDE NOT TEMPTE THY WYT SO WLONC . . . . PRL 903

TEMPTANDE (V. TEMPTING)

TEMPTE (V. TEMPT)

TEMPTING

FELLE TEMPTANDE TENE TOWCHED HIS HERT . . . . CLN 283

TEMYD

HE TURNYD TEMPLES THAT TYME THAT TEMYD TO THE DEUELLE. . . . . ERK 15

TEN

IF TEN TRYSTY IN TOUNE BE TAN IN THI WERKKE3. . . . . CLN 763

TENDER

THAT WAT3 TENDER AND NOT TO3E BED TYRUE OF THE HYDE . . . . . CLN 630
HOW TENDER HIT IS TO ENTYSE TECHES OF FYLTHE. . . . . GGK 2436

I WAT3 FUL 3ONG AND TENDER OF AGE . . . . PRL 412
TENE
FELLE TEMPTANDE TENE TOWCHED HIS HERT . . . . CLN 283
ME BOS TELLE TO THAT TOLK THE TENE OF MY WYLLE . . . . CLN 687
IF THAT TWENTY BE TRWE I TENE HEM NO MORE. . . . . CLN 759
AND ENTYSES HYM TO TENE MORE TRAYTHLY THEN EUER. . . . . . . CLN 1137
3ET TAKE TORKYE HEM WYTH HER TENE HADE BEN LITTLE . . . . . . CLN 1232
ENTYSES HYM TO BE TENE TELLED VP HIS WRAKE . . . . CLN 1808
ENTYSES HYM TO BE TENE TELDES VP HIS WRAKE . . . . CLN V 1808
THE FYRST SLENT THAT ON ME SLODE SLEKKYD AL MY TENE . . . . . ERK 331
IN MONY TURNED TYME TENE THAT WRO3TEN . . . . GGK 22
THAT FOR TO TELLE THEROF HIT ME TENE WERE. . . . . GGK 1008
AND HE TRANTES AND TORNAYEE3 THUR3 MONY TENE GREUE. . . . . . GGK 1707
WYTH NY3E INNOGHE OF THE NORTHE THE NAKED TO TENE . . . . . . GGK 2002
THAT SCHULDE TECHE HYM TO TOURNE TO THAT TENE PLACE . . . . . GGK 2075
JONAS TOWARD PORT JAPH AY JANGLANDE FOR TENE. . . . . PAT 90
TENED
BI THAY WERE TENED AT THE HY3E AND TAYSED TO THE WATTRE3. . . GGK 1169
HE TENED QUEN HE SCHULDE TELLE . . . . GGK 2501
TENE3
TO TELLE YOW TENE3 THEROF NEUER BOT TRIFEL . . . . GGK 547
WHEN HE HIT SCHAL EFTE WYTH TENE3 TYNE. . . . . PRL 332
TENFULLY
OF TETHE TENFULLY TOGEDER TO TECHE HYM BE QUOYNT . . . . . . CLN 160
TENON
THE FOUNDEMENTE3 TWELUE OF RICHE TENOUN . . . . PRL 993
TENOR
THE TRWE TENOR OF HIS TEME HE TOLDE ON THIS WYSE . . . . . . PAT 358
TENT
FOR TO TENT HYM WYTH TALE AND TECHE HYM THE GATE . . . . . . CLN 676
WYL 3E TARY A LYTTEL TYNE AND TENT ME A WHYLE . . . . PAT 59
AND TRAUAYLEDE3 NEUER TO TENT HIT THE TYME OF AN HOWRE . . . PAT 498
TENTE
3E TAKE THERON FUL LYTTEL TENTE . . . . PRL 387
TENTED
AND THAY TOKEN HIT AS TYT AND TENTED HIT LYTTEL. . . . . . . CLN 935
AND THAY TOKEN HIT AS TAYT AND TENTED HIT LYTTEL . . . . . . CLN V 935
VCHE MON TENTED HYS . . . . GGK 1018
AND THAY TWO TENTED THAYRES . . . . GGK 1019
TENTH
HIT WERE TO TORE FOR TO TELLE OF THE TENTH DOLE. . . . . . . GGK 719
TO THE TENTHE DOLE OF THO GLADNE3 GLADE . . . . PRL 136
THE CRYSOPASE THE TENTHE IS TY3T. . . . . PRL 1013
TENTHE (V. TENTH)
TERES (V. TEARS)
TERM
TO LYUE THER IN LYKYNG THE LENTHE OF A TERME. . . . . CLN 239
WHYL OF THE LENTHE OF THE LONDE LASTE3 THE TERME . . . . . . CLN 568
WHEN THE TERME OF THE TYDE WAT3 TOWCHED OF THE FESTE . . . . CLN 1393
TO TECHE THE OF TECHAL THAT TERME THUS MENES. . . . . CLN 1733
FOR I SCHAL TECHE YOW TO THAT TERME BI THE TYME3 ENDE. . . . GGK 1069
FOR HIT WAT3 NE3 AT THE TERME THAT HE TO SCHULDE . . . . . . GGK 1671
OF TYME OF 3ERE THE TERME WAT3 TY3T. . . . . PRL 503
TERME (V. TERM)
TERMES (V. TERMS)
TERME3 (V. TERMS)
TERMS
AND THE TECCHELES TERMES OF TALKYNG NOBLE. . . . . GGK 917
HIT BITYDDE SUMTYME IN THE TERMES OF JUDE. . . . . PAT 61

AND IF I MY TRAUAYL SCHULDE TYNE OF TERMES SO LONGE . . . . . PAT 505
AS JOHN THE APPOSTEL IN TERME3 TY3TE . . . . PRL 1053
TERNE (V. TARN)
TETHE (V. TEETH)
TEUELED
TRWE TULKKES IN TOURES TEUELED WYTHINNE . . . . CLN 1189
TEUELYNG
FOR TO TELLE OF THIS TEUELYNG OF THIS TRWE KNY3TE3. . . . . . GGK 1514
TEXT
FYRST TELLE ME THE TYXTE OF THE TEDE LETTRES. . . . . CLN 1634
HIT IS THE TYTELET TOKEN OF TYXT OF HER WERKKE3. . . . . . . GGK 1515
AND TOWCHE THE TEME3 OF TYXT AND TALE3 OF ARME3. . . . . . . GGK 1541
FOR IN THE TYXTE THERE THYSE TWO ARN IN TEME LAYDE. . . . . . PAT 37
THAI (APP. 1)
THANK
NOW I THONK YOW THRYUANDELY THUR3 ALLE OTHER THYNGE . . . . . GGK 1080
HAUE I THRYUANDELY THONK THUR3 MY CRAFT SERUED . . . . GGK 1380
I THONK YOW BI THE RODE. . . . . GGK 1949
THE LORDE GAWAYN CON THONK. . . . . GGK 1975
VCHE MON THAT HE METTE HE MADE HEM A THONKE . . . . GGK 1984
TO THONK. . . . . GGK 2020
NEUERTHELES LET BE MY THONC . . . . PRL 901
THANKED
AND HE HYM THONKKED THROLY AND AYTHER HALCHED OTHER . . . . . GGK 939
HE THONKKED HIR OFT FUL SWYTHE . . . . GGK 1866
THANKS
THEN THE BURNE OBECHED HYM AND BO3SOMLY HIM THONKKE3 . . . . . CLN 745
THEN ABRAHAM OBECHED HYM AND HY3LY HIM THONKKE3. . . . . CLN V 745
THENNE HAT3 HE HENDLY OF HIS HELME AND HE3LY HE THONKE3 . . . . GGK 773
AND THERE HE DRA3E3 HYM ON DRY3E AND DERELY HYM THONKKE3. . . . GGK 1031
FOCHCHE3 THIS FRE MON AND FAYRE HE HYM THONKKE3. . . . . GGK 1961
AND FELE THRYUANDE THONKKE3 HE THRAT HOM TO HAUE . . . . GGK 1980
HE THONKKE3 OFTE FUL RYUE . . . . GGK 2046
AND HAT3 HIT OF HENDELY AND THE HATHEL THONKKE3. . . . . GGK 2408
THANES
THAT OTHERWAYE3 ON EBRV HIT HAT THE THANES . . . . CLN 448
THAR
THAT HIT THAR RYNE NE ROTE NE NO RONKE WORMES . . . . ERK 262
THAT HIT THAR RYUE NE ROTE NE NO RONKE WORMES . . . . ERK V 262
THENNE THAR MON DREDE NO WATHE . . . . GGK 2355
THAY (APP. 1)
THAYR (APP. 1)
THAYRES (APP. 1)
THE (APP. 1)
THEDE
BIFORE THY BORDE HAT3 THOU BRO3T BEUERAGE IN THEDE. . . . . . . CLN V 1717
BOT THRETE IS VNTHRYUANDE IN THEDE THER I LENDE. . . . . GGK 1499
THOU LYFED NOT TWO 3ER IN OURE THEDE . . . . PRL 483
THEDER (V. THITHER)
THEF (V. THIEF)
THEFT
FOR THEFTE AND FOR THREPYNG VNTHONK MAY MON HAUE . . . . CLN 183
THEFTE (V. THEFT)
THEME
THE TRWE TENOR OF HIS TEME HE TOLDE ON THIS WYSE . . . . PAT 358
THE APOSTEL IN APOCALYPPCE IN THEME CON TAKE. . . . . PRL 944
THEMES
AND TOWCHE THE TEME3 OF TYXT AND TALE3 OF ARME3. . . . . . . GGK 1541
THENK (V. THINK)

THENKANDE (V. THINKING)
THENKE (V. THINK)
THENKKE3 (V. THINK)
THEREABOUT
WYTH ALLE THE BAROUN3 THERABOUTE THAT BOWED HYM AFTER. . . . . CLN 1796
AS MONY BURDE THERABOUTE HAD BEN SEUEN WYNTER . . . . GGK 613
IN ANY GROUNDE THERABOUTE OF THE GRENE CHAPEL . . . . GGK 705
AND THE BLYKKANDE BELT HE BERE THERABOUTE. . . . . GGK 2485
THERABOUTE (V. THEREABOUT)
THERAFTER (V. THEREAFTER)
THERAMONGE3 (V. THEREAMONGST)
THERAS (V. THEREAS)
THERAT (V. THEREAT)
THERATE (V. THEREAT)
THERATTE (V. THEREAT)
THERBI (V. THEREBY)
THERBYSIDE (V. THEREBESIDE)
THERBYSYDE (V. THEREBESIDE)
THEREAFTER
THENNE SEGGE3 TO THE SOUERAYN SAYDEN THERAFTER . . . . CLN 93
STIK HYM STIFLY IN STOKE3 AND STEKE3 HYM THERAFTER. . . . . . CLN 157
AND 3IF CLANLY HE THENNE COM FUL CORTAYS THERAFTER. . . . . . CLN 1089
SULP NO MORE THENNE IN SYNNE THY SAULE THERAFTER . . . . . . CLN 1135
AND SPEKE SPITOUSLY HEM TO AND SPYLT HEM THERAFTER. . . . . . CLN 1220
AND SYTHEN THE MATER OF THE MODE MENE ME THERAFTER. . . . . . CLN 1635
SETEN AT HER SOPER AND SONGEN THERAFTER . . . . CLN 1763
RECHE THER REST AS HYM LYST HE ROS NEUER THERAFTER. . . . . . CLN 1766
QUEN THE SEGGE HADE THUS SAYDE AND SYKED THERAFTER. . . . . . ERK 189
FOR SOLACE OF THE SOFTE SOMER THAT SUES THERAFTER . . . . . . GGK 510
SO STIF THAT THE STONFYR STROKE OUT THERAFTER . . . . GGK 671
AND THE THRYD AS THRO THRONGE IN THEREAFTER . . . . GGK 1021
VOYDE3 OUT THE AVANTERS AND VERAYLY THERAFTER . . . . GGK 1342
AND HO SORE THAT HE FORSOKE AND SAYDE THERAFTER. . . . . . . GGK 1826
DALYDA DALT HYM HYS WYRDE AND DAUYTH THERAFTER . . . . GGK 2418
AND THENNE DAME PES AND PACYENCE PUT IN THERAFTER . . . . . . PAT 33
THEREAMONGST
AND BRED BATHED IN BLOD BLENDE THERAMONGE3 . . . . GGK 1361
THEREAS
AS FORTUNE FARES THERAS HO FRAYNE3 . . . . PRL 129
THERAS MY PERLE TO GROUNDE STRAYD . . . . PRL 1173
THEREAT
SCOLERES SKELTEN THERATTE THE SKYL FOR TO FYNDE. . . . . . . CLN 1554
LOUDE LA3ED HE THERAT SO LEF HIT HYM THO3T . . . . GGK 909
AND MONY AR3ED THERAT AND ON LYTE DRO3EN . . . . GGK 1463
AND LET LODLY THERAT THE LORDE FORTH HERE. . . . . GGK 1634
LA3EN LOUDE THERAT AND LUFLYLY ACORDEN. . . . . GGK 2514
AND YDEL MEN STANDE HE FYNDE3 THERATE . . . . PRL 514
THEREBESIDE
FOR THAT CITE THERBYSYDE WAT3 SETTE IN A VALE . . . . CLN 673
FYNDE3 FIRE VPON FLET THE FREKE THERBYSIDE . . . . GGK 1925
THEREBY
THE CLAY THAT CLENGES THEREBY ARN CORSYES STRONG . . . . . . CLN 1034
AND BRODE BANERES THERBI BLUSNANDE OF GOLD . . . . CLN 1404
WYTH MONY BANER FUL BRY3T THAT THERBI HENGED. . . . . GGK 117
THEREFORE
THERFORE OF FACE SO FERE . . . . GGK 103
THERFORE TO ANSWARE WAT3 AR3E MONY ATHEL FREKE . . . . GGK 241
THERFORE COM OTHER RECREAUNT BE CALDE THE BEHOUES . . . . . . GGK 456
THERFORE ON HIS SCHENE SCHELDE SCHAPEN WAT3 THE KNOT . . . . . GGK 662

AND THERFORE SYKYNG HE SAYDE I BESECHE THE LORDE GGK 753
AND QUAT CHEK SO 3E ACHEUE CHAUNGE ME THERFORNE. GGK 1107
BRACHES BAYED THERFORE AND BREME NOYSE MAKED. GGK 1142
HIT IS GOD QUOTH THE GODMON GRANT MERCY THERFORE GGK 1392
AND THERFORE I PRAY YOW DISPLESE YOW NO3T. GGK 1839
THERFORE. GGK 2279
AND THERFORE HENDE NOW HOO. GGK 2330
AND THERFOR THAT TAPPE TA THE. GGK 2357
THERFORE HIT IS HIR NAME GGK 2453
THERFORE I ETHE THE HATHEL TO COM TO THY NAUNT GGK 2467
AND THERFORE I WOLDE HAF FLOWEN FER INTO TARCE PAT 424
AND HIS LYFTE THA3 HIS LYF SCHULDE LOST BE THERFOR. PAT 515
THERFORE MY IOYE WAT3 SONE TORIUEN PRL 1197

THEREIN
WYRK WONE3 THERINNE FOR WYLDE AND FOR TAME CLN 311
HAF HALLE3 THERINNE AND HALKE3 FUL MONY CLN 321
BESTE3 AS I BEDENE HAUE BOSK THERINNE ALS. CLN 351
AND WHEN 3E ARN STAUED STYFLY STEKE3 YOW THERINNE CLN 352
ALLE THAT DETH MO3T DRY3E DROWNED THERINNE CLN 372
TYL THAY HAD TYTHYNG FRO THE TOLKE THAT TYNED HEM THERINNE CLN 498
BOT EUER RENNE RESTLE3 RENGNE3 3E THERINNE CLN 527
AND DY3T DRWRY THERINNE DOOLE ALTHERSWETTEST. CLN 699
THAT 3E WOLDE LY3T AT MY LOGE AND LENGE THERINNE CLN 800
THE THRE LEDE3 LENT THERIN LOTH AND HIS DE3TER CLN 993
IF ANY SCHALKE TO BE SCHENT WER SCHOWUED THERINNE CLN 1029
BOT MUCH CLENER WAT3 HIR CORSE GOD KYNNED THERINNE. CLN 1072
SLOUEN ALLE AT A SLYP THAT SERUED THERINNE CLN 1264
STABLED THERINNE VCHE A STON IN STRENKTHE OF MYN ARMES CLN 1667
BIFORE THE BAROUN3 HAT3 HEM BRO3T AND BYRLED THERINNE. CLN 1715
HE WAT3 CORSED FOR HIS VNCLANNES AND CACHED THERINNE CLN 1800
THE MECUL MYNSTER THERINNE A MAGHTY DEUEL AGHT ERK 27
BI SYTHE3 HAT3 WONT THERINNE GGK 17
BULDE BREDDEN THERINNE BARET THAT LOFDEN GGK 21
SONE AS HE ON HENT AND WAT3 HAPPED THERINNE GGK 864
MUCH GLAM AND GLE GLENT VP THERINNE. GGK 1652
MUCH WELE THEN WAT3 THERINNE GGK 1767
BOT WHOSO KNEW THE COSTES THAT KNIT AR THERINNE. GGK 1849
THE BORNE BLUBRED THERINNE AS HIT BOYLED HADE GGK 2174
JONAS JOYNED WAT3 THERINNE JENTYLE PROPHETE PAT 62
WITH THAT HE HITTE TO A HYRNE AND HELDE HYM THERINNE PAT 289
LO MY LORE IS IN THE LOKE LAUCE HIT THERINNE. PAT 350
LYS LOLTRANDE THERINNE LOKANDE TO TOUNE PAT 458
SO MONY MALICIOUS MON AS MOURNE3 THERINNE. PAT 508
LO MY LURE IS IN THE LOKEN LANCE HIT THERINNE PAT V 350
ALLE THAT MAY THERINNE ARYUE PRL 447
THAY DYDEN HYS HESTE THAY WERN THEREINE PRL 633
THERINNE TO WON WYTHOUTE RESPYT PRL 644
OTHER ELLE3 NEUER MORE COM THERINNE. PRL 724
KYRK THERINNE WAT3 NON 3ETE PRL 1061
3ET RAPELY THERINNE I WAT3 RESTAYED. PRL 1168

THEREINE (V. THEREIN)

THEREOF
THE GORE THEROF ME HAT3 GREUED AND THE GLETTE NWYED CLN 306
IN THE HY3E HETE THEROF ABRAHAM BIDE3 CLN 604
THEROF CLATERED THE CLOUDES THAT KRYST MY3T HAF RAWTHE CLN 972
NOW A BOSTER ON BENCHE BIBBES THEROF CLN 1499
BALTA3AR IN A BRAYD BEDE VS THEROF CLN 1507
AND ALLE THE FOLK THEROF FAYN THAT FOL3ED HYM TYLLE CLN 1752
BALTA3AR IN A BRAYD BEDE BUS THEROF. CLN V 1507

Line	Text	No.
I HEERE THEROF MY HEGHE GOD AND ALSO THE BYSSHOP	ERK	339
AND BI TRWE TYTEL THEROF TO TELLE THE WONDER.	GGK	480
TO TELLE YOW TENE3 THEROF NEUER BOT TRIFEL	GGK	547
AND WAYNED HOM TO WYNNE THE WORCHIP THEROF	GGK	984
THAT FOR TO TELLE THEROF HIT ME TENE WERE.	GGK	1008
A KENET KRYES THEROF THE HUNT ON HYM CALLES	GGK	1701
THE BRUTUS BOKE3 THEROF BERES WYTTENESSE	GGK	2523
AND WAYUED HOM TO WYNNE THE WORCHIP THEROF	GGK V	984
THE DERTHE THEROF FOR TO DEUYSE	PRL	99
AT THE FOTE THEROF THER SETE A FAUNT	PRL	161
THOU WOLDE3 KNAW THEROF THE STAGE	PRL	410
FOR A SY3T THEROF THUR3 GRET FAUOR	PRL	968
THE MONE MAY THEROF ACROCHE NO MY3TE	PRL	1069
SO FERLY THEROF WAT3 THE FASURE	PRL	1084
THEREON		
AND A PAYNE THERON PUT AND PERTLY HALDEN	CLN	244
AND THERON FLOKKED THE FOLKE FOR FERDE OF THE WRAKE	CLN	386
SUMME SWYMMED THERON THAT SAUE HEMSELF TRAWED	CLN	388
AND SETTE A SAKERFYSE THERON OF VCH A SER KYNDE.	CLN	507
THRWE THRYFTYLY THERON THO THRE THERUE KAKE3.	CLN	635
FOR LAY THERON A LUMP OF LED AND HIT ON LOFT FLETE3	CLN	1025
AND FOLDE THERON A LY3T FYTHER AND HIT TO FOUNS SYNKKE3	CLN	1026
SCHAL NEUER GRENE THERON GROWE GRESSE NE WOD NAWTHER	CLN	1028
BRAUNCHES BREDANDE THERON AND BRYDDES THER SETEN	CLN	1482
LOUANDE THERON LESE GODDE3 THAT LYF HADEN NEUER.	CLN	1719
WITH MONY A PRECIOUS PERLE PICCHIT THERON.	ERK	79
THE STIF MON STEPPE3 THERON AND THE STEL HONDELE3	GGK	570
3E TAKE THERON FUL LYTTEL TENTE	PRL	387
BOT THERON COM A BOTE ASTYT	PRL	645
THE ALDEST AY FYRST THERON WAT3 DONE	PRL	1042
THEREOUT		
HURLED TO THE HALLE DORE AND HARDE THEROUTE SCHOWUED	CLN	44
THENNE THE SERGAUNTE3 AT THAT SAWE SWENGEN THEROUTE	CLN	109
THIKKE THOWSANDE3 THRO THRWEN THEROUTE.	CLN	220
THENNE WAFTE HE VPON HIS WYNDOWE AND WYSED THEROUTE	CLN	453
LEDE3 LO3EN IN THAT LOME AND LOKED THEROUTE	CLN	495
BOTHE THE BURNE AND HIS BARNE3 BOWED THEROUTE	CLN	502
THAY WOLDE LENGE THE LONG NA3T AND LOGGE THEROUTE	CLN	807
BOT THAT THE 3ONGE MEN SO 3EPE 3ORNEN THEROUTE	CLN	881
AND STOFFED WYTHINNE WYTH STOUT MEN TO STALLE HEM THEROUTE	CLN	1184
THEN ANY DUNT OF THAT DOUTHE THAT DOWELLED THEROUTE	CLN	1196
QUEN THOU HERGHEDES HELLEHOLE AND HENTES HOM THEROUTE.	ERK	291
WELAWYNNE IS THE WORT THAT WAXES THEROUTE.	GGK	518
VNCLOSED THE KENEL DORE AND CALDE HEM THEROUTE	GGK	1140
BOT WYLDE WEDERE3 OF THE WORLDE WAKNED THEROUTE.	GGK	2000
WYNNE3 THEROUTE BILYUE	GGK	2044
OFTE HE HERBERED IN HOUSE AND OFTE AL THEROUTE	GGK	2481
3ET CORUEN THAY THE CORDES AND KEST AL THEROUTE.	PAT	153
AND WHOSO LYMPES THE LOSSE LAY HYM THEROUTE	PAT	174
FORTHY BERE3 ME TO THE BORDE AND BATHES ME THEROUTE	PAT	211
WER EUEL DON SCHULDE LY3 THEROUTE	PRL	930
THEREOVER		
LYFTE LOGGES THEROUER AND ON LOFTE CORUEN.	CLN	1407
THERETHROUGH		
ON TO THRENGE THERTHUR3E WAT3 THRE DAYES DEDE	PAT	354
THERETIL		
SWYFTE SWAYNES FUL SWYTHE SWEPEN THERTYLLE	CLN	1509
WY3T WERKEMEN WITH THAT WENTEN THERTILLE	ERK	69
BI GOD QUOTH GAWAYN THE GODE I GRANT THERTYLLE	GGK	1110

Text	Poem	Line
THE LORDE IS COMEN THERTYLLE	GGK	1369
THERETO		
AND MADE THERTO A MANER MYRIEST OF OTHER	CLN	701
DERE DRO3EN THERTO AND VPON DES METTEN.	CLN	1394
BURGEYS BOGHIT THERTO BEDELS ANDE OTHIRE	ERK	59
PUTTEN PRISES THERTO PINCHID ONEVNDER	ERK	70
WYTH TRYED TASSELE3 THERTO TACCHED INNOGHE	GGK	219
BOT TECHE ME TRULY THERTO AND TELLE ME HOWE THOU HATTES	GGK	401
WITH POLAYNE3 PICHED THERTO POLICED FUL CLENE	GGK	576
THAT QUEN HE BLUSCHED THERTO HIS BELDE NEUER PAYRED	GGK	650
AND THERTO PRESTLY I PRAY MY PATER AND AUE	GGK	757
THE LORDE LOUTES THERTO AND THE LADY ALS	GGK	933
AS I AM HALDEN THERTO IN HY3E AND IN LO3E.	GGK	1040
THE BEST BO3ED THERTO WITH BURNE3 INNOGHE.	GGK	1325
AND 3ELDE 3EDERLY A3AYN AND THERTO 3E TRYST	GGK	2325
AS LYTTEL BYFORE THERTO WAT3 WONTE	PRL	172
AND BYDE THE PAYNE THERTO IS BENT	PRL	664
THE THRYDE TYME IS THERETO FUL METE.	PRL	833
ER HE THERTO HADE HAD DELYT	PRL	1140
THERUE		
THRWE THRYFTYLY THERON THO THRE THERUE KAKE3.	CLN	635
THEREUNDER		
THAT HALF HIS ARMES THERVNDER WERE HALCHED IN THE WYSE	GGK	185
THE HEUEN WAT3 VPHALT BOT VGLY THERVNDER	GGK	2079
SO BLYTHE OF HIS WODBYNDE HE BALTERES THERVNDER.	PAT	459
THEREUPON		
IF HE HAT3 FORMED THE FOLDE AND FOLK THERVPONE	CLN	1665
THEREWITH		
AND GREMED THERWYTH THE GRETE LORDE AND GREUE HYM HE THO3T	CLN	138
THERWYTH HE BLESSE3 VCH A BEST AND BYTA3T HEM THIS ERTHE.	CLN	528
THAT WERE OF SYLUER IN SUYT AND SEVES THERWYTH	CLN	1406
SO THE WORCHER OF THIS WORLDE WLATES THERWYTH	CLN	1501
THAT WERE OF SYLUEREN SY3T AND SERUED THERWYTH	CLN V	1406
DAYNTES DRYUEN THERWYTH OF FUL DERE METES.	GGK	121
AND THE WYNNELYCH WYNE THERWITH VCHE TYME.	GGK	980
AND YOW WRATHED NOT THERWYTH WHAT WERE THE SKYLLE	GGK	1509
WITH BRED BLENT THERWITH HIS BRACHES REWARDE3	GGK	1610
I SCHAL WYSSE YOW THERWYTH AS HOLY WRYT TELLES	PAT	60
THE SE SA3TLED THERWYTH AS SONE AS HO MO3T	PAT	232
THERFOR (V. THEREFORE)		
THERFORE (V. THEREFORE)		
THERFORNE (V. THEREFORE)		
THERIN (V. THEREIN)		
THERINNE (V. THEREIN)		
THEROF (V. THEREOF)		
THERON (V. THEREON)		
THEROUER (V. THEREOVER)		
THEROUTE (V. THEREOUT)		
THERTHUR3E (V. THERETHROUGH)		
THERTILLE (V. THERETIL)		
THERTO (V. THERETO)		
THERTYLLE (V. THERETIL)		
THERVNDER (V. THEREUNDER)		
THERVPONE (V. THEREUPON)		
THERWITH (V. THEREWITH)		
THERWYTH (V. THEREWITH)		
THESTER		
THAY THRONGEN THEDER IN THE THESTER ON THRAWEN HEPES	CLN	1775
THEW		

Entry	Text	Poem	Variant	Line
	BY THAT MONY THIK THE3E THRY3T VMBE HIS LYRE.	CLN		1687
THEWED				
	AA BLESSED BE THOW QUOTH THE BURNE SO BONER AND THEWED	CLN		733
THEWES (V. THEWS, THIEVES)				
THEWE3 (V. THEWS)				
THI (APP. 1)				
THEWS				
	FOR AS I FYNDE THER HE FOR3ET ALLE HIS FRE THEWE3	CLN		203
	IN DEVOYDYNGE THE VYLANYE THAT VENKQUYST HIS THEWE3	CLN		544
	AND SPARE SPAKLY OF SPYT IN SPACE OF MY THEWE3	CLN		755
	THER IS NO BOUNTE IN BURNE LYK BALTA3AR THEWES	CLN		1436
	THAT ALLE PRYS AND PROWES AND PURED THEWES	GGK		912
	NOW SCHAL WE SEMLYCH SE SLE3TE3 OF THEWE3.	GGK		916
	IF WE THYSE LADYES WOLDE LOF IN LYKNYNG OF THEWES	PAT		30
THE3E (V. THEW)				
THICK				
	THIKKE THOWSANDE3 THRO THRWEN THEROUTE.	CLN		220
	SWEUED AT THE FYRST SWAP AS THE SNAW THIKKE	CLN		222
	BOT AS SMYLT MELE VNDER SMAL SIUE SMOKE3 FOR THIKKE	CLN		226
	THROLY THRUBLANDE IN THRONGE THROWEN FUL THYKKE.	CLN		504
	THAT THE THIK THUNDERTHRAST THIRLED HEM OFTE.	CLN		952
	THE RAYN RUELED ADOUN RIDLANDE THIKKE	CLN		953
	AND BOUGOUN3 BUSCH BATERED SO THIKKE	CLN		1416
	BY THAT MONY THIK THE3E THRY3T VMBE HIS LYRE.	CLN		1687
	BY THAT MONY THIK THY3E THRY3T VMBE HIS LYRE.	CLN	V	1687
	HIT WAS A THROGHE OF THYKKE STON THRYUANDLY HEWEN	ERK		47
	FRO THE SWYRE TO THE SWANGE SO SWARE AND SO THIK	GGK		138
	A GRENE HORS GRET AND THIKKE	GGK		175
	HIS THIK THRAWEN THY3E3 WITH THWONGES TO TACHCHED	GGK		579
	TORTORS AND TRULOFE3 ENTAYLED SO THYK	GGK		612
	WITH A PYKED PALAYS PYNNED FUL THIK.	GGK		769
	TOWRES TELDED BYTWENE TROCHET FUL THIK.	GGK		795
	AMONG THE CASTEL CARNELE3 CLAMBRED SO THIK	GGK		801
	HIR BODY WAT3 SCHORT AND THIK.	GGK		966
	THENN THURLED THAY AYTHER THIK SIDE THUR3 BI THE RYBBE	GGK		1356
	HE RECHATED AND RODE THUR3 RONE3 FUL THYK.	GGK		1466
	HIS FELA3ES FALLEN HYM TO THAT FNASTED FUL THIKE	GGK		1702
	FOR THAT PRYNCES OF PRIS DEPRESED HYM SO THIKKE.	GGK		1770
	WITH A PYKED PALAYS PYNED FUL THIK	GGK	V	769
	THAT THIKE CON TRYLLE ON VCH A TYNDE	PRL		78
THICKER				
	AND THIKER THROWEN VMBETHOUR WYTH OUERTHWERT PALLE.	CLN		1384
	AND QUO FOR THRO MAY NO3T THOLE THE THIKKER HE SUFFERES	PAT		6
THIDER (V. THITHER)				
THIDERWARDE (V. THITHERWARD)				
THIDERWARDES (V. THITHERWARDS)				
THIEF				
	THER HE WAT3 THRETED AND OFTE THEF CALLED.	GGK		1725
	AND THOU HAT3 CALLED THY WYRDE A THEF	PRL		273
THIEVES				
	AS HIT WERE RAFTE WYTH VNRY3T AND ROBBED WYTH THEWES	CLN		1142
THIGHS				
	HIS THIK THRAWEN THY3E3 WITH THWONGES TO TACHCHED	GGK		579
	BI THE BY3T AL OF THE THY3ES	GGK		1349
THIK (V. THICK)				
THIKE (V. THICK)				
THIKER (V. THICKER)				
THIKKE (V. THICK)				
THIKKER (V. THICKER)				

THIN (APP. 1)
THING
BOT THENKKE3 ON HIT BE THREFTE WHAT THYNK SO 3E MAKE . . . . . CLN 819
HIT IS NOT INNOGHE TO THE NICE AL NO3TY THINK VSE . . . . . . CLN 1359
TO OPEN VCH A HIDE THYNG OF AUNTERES VNCOWTHE . . . . CLN 1600
OF SUM AUENTURUS THYNG AN VNCOUTHE TALE . . . . GGK 93
WAT3 FRAUNCHYSE AND FELA3SCHYP FORBE AL THYNG . . . . GGK 652
NOW I THONK YOW THRYUANDELY THUR3 ALLE OTHER THYNGE . . . . GGK 1080
AND OF ALLE CHEUALRY TO CHOSE THE CHEF THYNG ALOSED . . . . GGK 1512
OGHE TO A 3ONKE THYNK 3ERN TO SCHEWE . . . . GGK 1526
THE LEUEST THING FOR THY LUF THAT I IN LONDE WELDE. . . . . GGK 1802
FOR THINK THAT MOUNTES TO NO3T HER MERCY FORSAKEN . . . . . PAT 332
QUAT KYN THYNG MAY BE THAT LAMBE. . . . . PRL 771
I WOLDE THE ASKE A THYNGE EXPRESSE . . . . PRL 910
THINGES (V. THINGS)
THINGE3 (V. THINGS)
THINGS
FOR WONDER WROTH IS THE WY3 THAT WRO3T ALLE THINGES . . . . . CLN 5
IN THE BRATH OF HIS BRETH THAT BRENNE3 ALLE THINKE3 . . . . . CLN 916
NOW HAT3 NABU3ARDAN NOMEN ALLE THYSE NOBLE THYNGES. . . . . . CLN 1281
AL WAT3 THE MYNDE OF THAT MAN ON MISSCHAPEN THINGES . . . . . CLN 1355
GODDES GOST IS THE GEUEN THAT GYES ALLE THYNGES. . . . . . . CLN 1627
HIS THRO THO3T WAT3 IN THAT THUR3 ALLE OTHER THYNGE3 . . . . . GGK 645
AND HAUE NO MEN WYTH NO MALE3 WITH MENSKFUL THINGE3 . . . . . GGK 1809
AND THAT IS FUL PORE FOR TO PAY FOR SUCHE PRYS THINGES . . . . GGK 1945
FOR THE WELDER OF WYT THAT WOT ALLE THYNGES . . . . PAT 129
THAT WY3E I WORCHYP IWYSSE THAT WRO3T ALLE THYNGES. . . . . . PAT 206
THAT AFFYEN HYM IN VANYTE AND IN VAYNE THYNGES . . . . . . PAT 331
THINK (ALSO V. THING, THINKS)
IS FALLEN FORTHWYTH MY FACE AND FORTHER HIT I THENK . . . . . CLN 304
HEM TO SMYTE FOR THAT SMOD SMARTLY I THENK . . . . CLN 711
AND VOYDE AWAY MY VENGAUNCE THA3 ME VYL THYNK . . . . CLN 744
BOT THENKKE3 ON HIT BE THREFTE WHAT THYNK SO 3E MAKE . . . . . CLN 819
NOW EXPOWNE THE THIS SPECHE SPEDLY I THENK . . . . CLN 1729
DERE SER QUOTH THE DEDE BODY DEUYSE THE I THENKE . . . . . . ERK 225
NOW THENK WEL SIR GAWAN. . . . . GGK 487
THEN THENKKE3 GAWAN FUL SONE . . . . GGK 534
BI MARY QUOTH THE MENSKFUL ME THYNK HIT ANOTHER. . . . . . . GGK 1268
NOW THRID TYME THROWE BEST THENK ON THE MORNE . . . . GGK 1680
HERE IS A MEYNY IN THIS MOTE THAT ON MENSKE THENKKE3 . . . . . GGK 2052
HYM THYNK AS QUEME HYM TO QUELLE AS QUYK GO HYMSELUEN. . . . . GGK 2109
THENK VPON THIS ILKE THREPE THER THOU FORTH THRYNGE3 . . . . . GGK 2397
ME THINK ME BURDE BE EXCUSED . . . . GGK 2428
THEN AY THROW FORTH MY THRO THA3 ME THYNK YLLE . . . . PAT 8
AND THERE AS POUERT ENPRESSES THA3 MON PYNE THYNK . . . . . . PAT 43
FOR ME WERE SWETTER TO SWELT AS SWYTHE AS ME THYNK. . . . . . PAT 427
TO THENKE HIR COLOR SO CLAD IN CLOT. . . . . PRL 22
ME THYNK THE PUT IN A MAD PORPOSE . . . . PRL 267
ME THYNK THE BURDE FYRST ASKE LEUE . . . . PRL 316
VS THYNK VS O3E TO TAKE MORE . . . . PRL 552
MORE HAF WE SERUED VS THYNK SO . . . . PRL 553
ME THYNK THY TALE VNRESOUNABLE . . . . PRL 590
THAT SY3T ME GART TO THENK TO WADE . . . . PRL 1151
THINKE3 (V. THINGS)
THINKING
THRE DAYES AND THRE NY3T AY THENKANDE ON DRY3TYN . . . . . . PAT 294
PYTOSLY THENKANDE VPON THYSSE. . . . . PRL 370
THINKS
BOT I HAUE BYGONNEN WYTH MY GOD AND HE HIT GAYN THYNKE3 . . . CLN 749

THAT HIS CLOTHES WERE SO CLENE IN CLOUTES ME THYNKES . . . . . ERK 259
FOR ME THINK HIT NOT SEMLY AS HIT IS SOTH KNAWEN . . . . . . GGK 348
AND THAT YOW LYST FORTO LAYKE LEF HIT ME THYNKES . . . . . . GGK 1111
IN GOD FAYTHE QUOTH GAWAYN GAYN HIT ME THYNKKE3. . . . . . . GGK 1241
SIR 3IF 3E BE WAWEN WONDER ME THYNKKE3. . . . . GGK 1481
3E MAY LACH QUEN YOW LYST AND LEUE QUEN YOW THYNKKE3 . . . . . GGK 1502
BOT I AM SWARED FORSOTHE THAT SORE ME THINKKE3 . . . . GGK 1793
I SENDE HIR TO ASAY THE AND SOTHLY ME THYNKKE3 . . . . GGK 2362
A THOU MAKER OF MAN WHAT MAYSTERY THE THYNKE3 . . . . PAT 482

THINKKE3 (V. THINKS)

THIRD

AND I HAF WEDDED A WYF SO WER HYM THE THRYD . . . . CLN 69
BOT IN THE THRYD WAT3 FORTHRAST AL THAT THRYUE SCHULD. . . . . CLN 249
AND THE JOLEF JAPHETH WAT3 GENDERED THE THRYD . . . . CLN 300
AND OF MY THREUENEST LORDE3 THE THRYDDE HE SCHAL BE . . . . . CLN 1571
OUTTAKEN BARE TWO AND THENNE HE THE THRYDDE . . . . CLN 1573
AND THE THRYD THRYUENEST THAT THRYNGES ME AFTER. . . . . CLN 1639
AS TO THE PRYNCE PRYUYEST PREUED THE THRYDDE. . . . . CLN 1748
THE THRID TEMPLE HIT WOS TOLDE OF TRIAPOLITANES. . . . . ERK 31
AND THE THRYD AS THRO THRONGE IN THEREAFTER . . . . GGK 1021
NOW THRID TYME THROWE BEST THENK ON THE MORNE . . . . GGK 1680
AT THE THRID THOU FAYLED THORE . . . . GGK 2356
DAME POUERT DAME PITEE DAME PENAUNCE THE THRYDDE . . . . . . PAT 31
THE THRYDDE TO PASSE THYS WATER FRE. . . . . PRL 299
THE THRYDE TYME IS THERETO FUL METE. . . . . PRL 833
IN THE THRYD TABLE CON PURLY PALE . . . . PRL 1004

THIRLED

THAT THE THIK THUNDERTHRAST THIRLED HEM OFTE. . . . . CLN 952
THENN THURLED THAY AYTHER THIK SIDE THUR3 BI THE RYBBE . . . . GGK 1356

THIRTY

AND LOKE EUEN THAT THYN ARK HAUE OF HE3THE THRETTE. . . . . . CLN 317
WHAT IF THRETTY THRYUANDE BE THRAD IN 3ON TOUNE3 . . . . . . CLN 751
3ET FOR THRETTY IN THRONG I SCHAL MY THRO STEKE. . . . . . . CLN 754
THRE HUNDRED 3ERE AND THRITTY MO AND 3ET THRENEN AGHT. . . . . ERK 210

THISELF (APP. 1)

THISELWEN (APP. 1)

THITHER

AND BE FORBODEN THAT BOR3E TO BOWE THIDER NEUER. . . . . . . CLN 45
WHEN THAY KNEWEN HIS CAL THAT THIDER COM SCHULDE . . . . . . CLN 61
NOW TURNE I THEDER ALS TYD THE TOUN TO BYHOLDE . . . . CLN 64
HE HADE THE SMELLE OF THE SMACH AND SMOLTES THEDER SONE . . . . CLN 461
THAT VCHE A KYTHYN KYNG SCHULD COM THIDER. . . . . CLN 1366
THE CANDELSTIK BI A COST WAT3 CAYRED THIDER SONE . . . . . . CLN 1478
THAY THRONGEN THEDER IN THE THESTER ON THRAWEN HEPES . . . . . CLN 1775
MONY HUNDRID HENDE MEN HIGHIDE THIDER SONE . . . . ERK 58
THER COMMEN THIDER OF ALLE KYNNES SO KENELY MONY . . . . ERK 63
THAT AS ALLE THE WORLDE WERE THIDER WALON WITHIN A HONDEQUILE . ERK 64
AS THE REKENEST OF THE REAME REPAIREN THIDER OFTE . . . . . . ERK 135
AND I SCHAL WARE ALLE MY WYT TO WYNNE ME THEDER. . . . . GGK 402
GAWAN GLYDE3 FUL GAY AND GOS THEDER SONE . . . . GGK 935
THE HOWNDE3 THAT HIT HERDE HASTID THIDER SWYTHE. . . . . GGK 1424
BOT ROS HIR VP RADLY RAYKED HIR THEDER. . . . . GGK 1735
HUNTES HY3ED HEM THEDER WITH HORNE3 FUL MONY. . . . . GGK 1910
NOW SWE3E ME THIDER SWYFTLY AND SAY ME THIS ARENDE. . . . . . PAT 72
BOT HE COM THYDER RY3T AS A CHYLDE . . . . PRL 723
HAT3 FERYED THYDER HYS FAYRE FLOTE . . . . PRL 946

THITHERWARD

ANDE BUSKYD THIDERWARDE BYTYME ON HIS BLONKE AFTER. . . . . . ERK 112
AND WAYTE3 WARLY THIDERWARDE QUAT HIT BE MY3T . . . . GGK 1186

THITHERWARDS
LADDES LAFTEN HOR WERKE AND LEPEN THIDERWARDES . . . . ERK 61
THO (APP. 1)
THOLE
FOR SUCH VNTHEWE3 AS THISE AND THOLE MUCH PAYNE. . . . . CLN 190
AND QUO FOR THRO MAY NO3T THOLE THE THIKKER HE SUFFERES . . . PAT 6
THENNE THRAT MOSTE I THOLE AND VNTHONK TO MEDE . . . . PAT 55
THAT HE NOLDE THOLE FOR NOTHYNG NON OF THOSE PYNES. . . . . . PAT 91
COUTHE I NOT THOLE BOT AS THOU THER THRYUED FUL FEWE . . . . . PAT 521
WHO NEDE3 SCHAL THOLE BE NOT SO THRO . . . . PRL 344
THOLED
THENNE HE THULGED WITH HIR THREPE AND THOLED HIR TO SPEKE . . GGK 1859
WAT3 BLENDED WITH BARSABE THAT MUCH BALE THOLED. . . . . . . GGK 2419
THONC (V. THANK)
THONG
SYTHEN THRAWEN WYTH A THWONG A THWARLEKNOT ALOFTE . . . . GGK 194
SYTHEN THRAWEN WYTH A THWONG A THWARLE KNOT ALOFTE. . . . . . GGK V 194
THONGS
HIS THIK THRAWEN THY3E3 WITH THWONGES TO TACHCHED . . . . GGK 579
THONK (V. THANK)
THONKE (V. THANK)
THONKE3 (V. THANKS)
THONKKED (V. THANKED)
THONKKE3 (V. THANKS)
THOO
A HUE FROM HEUEN I HERDE THOO. . . . . PRL 873
THORN
NOW THAT BERE THE CROUN OF THORNE . . . . GGK 2529
THORNS
VNCOUPLED AMONG THO THORNE3 . . . . GGK 1419
THORNE (V. THORN)
THORNE3 (V. THORNS)
THORPES
AND THER HE WAST WYTH WERRE THE WONES OF THORPES . . . . . . CLN 1178
THOU (APP. 1)
THOUGHT
AND GREMED THERWYTH THE GRETE LORDE AND GREUE HYM HE THO3T . . CLN 138
TO VNTHRYFTE ARN ALLE THRAWEN WYTH THO3T OF HER HERTTE3 . . . . CLN 516
AND EFTE THAT HE HEM VNDYD HARD HIT HYM THO3T . . . . CLN 562
THAT HIT NE THRAWE3 TO HYM THRO ER HE HIT THO3T HAUE . . . . . CLN 590
HE WAYNED HEM A WARNYNG THAT WONDER HEM THO3T . . . . CLN 1504
WITH LORDE3 AND LADIES AS LEUEST HIM THO3T . . . . GGK 49
AND STURNELY STURE3 HIT ABOUTE THAT STRYKE WYTH HIT THO3T . . GGK 331
HIS THRO THO3T WAT3 IN THAT THUR3 ALLE OTHER THYNGE3 . . . . . GGK 645
SIR GAUAN ON GODE3 HALUE THA3 HYM NO GOMEN THO3T . . . . . . GGK 692
THE FRE FREKE ON THE FOLE HIT FAYR INNOGHE THO3T . . . . . . GGK 803
TO WELCUM THIS ILK WY3 AS WORTHY HOM THO3T . . . . GGK 819
AND THU3T HIT A BOLDE BURNE THAT THE BUR3 A3TE . . . . GGK 843
AND WEL HYM SEMED FORSOTHE AS THE SEGGE THU3T . . . . GGK 848
HEM THO3T . . . . GGK 870
LOUDE LA3ED HE THERAT SO LEF HIT HYM THO3T . . . . GGK 909
AND WENER THEN WENORE AS THE WY3E THO3T . . . . GGK 945
AND WAT3 THE LAST OF THE LAYK LEUDE3 THER THO3TEN . . . . . . GGK 1023
MEUE OTHER AMOUNT TO MERUAYLE HYM THO3T . . . . GGK 1197
BI GOD I WERE GLAD AND YOW GOD THO3T . . . . GGK 1245
FORTO HAF WONNEN HYM TO WO3E WHATSO SCHO THO3T ELLE3 . . . . . GGK 1550
THAT AL THU3T THENNE FUL LOTHE . . . . GGK 1578
IN HALLE HYM THO3T FUL LONGE . . . . GGK 1620

FUL THRO WITH HERT AND THO3T . . . . GGK 1867
IN THO3T. GGK 1993
AND THENNE HE WAYTED HYM ABOUTE AND WYLDE HIT HYM THO3T . . . . GGK 2163
THE SKWE3 OF THE SCOWTES SKAYNED HYM THO3T . . . . GGK 2167
HE SE3 NON SUCHE IN NO SYDE AND SELLY HYM THO3T. . . . . . . GGK 2170
THAT GODE GAWAYN WAT3 COMMEN GAYN HIT HYM THO3T. . . . . . . GGK 2491
AL HE WRATHED IN HIS WYT AND WYTHERLY HE THO3T . . . . PAT 74
RELANDE IN BY A ROP A RODE THAT HYM THO3T. . . . . PAT 270
3ET THO3T ME NEUER SO SWETE A SANGE. . . . . PRL 19
FORTHY I THO3T THAT PARADYSE . . . . PRL 137
AND EUER ME THO3T I SCHULDE NOT WONDE . . . . PRL 153
I YOW PAY IN DEDE AND THO3TE . . . . PRL 524
ALAS THO3T I WHO DID THAT SPYT . . . . PRL 1138
I THO3T THAT NOTHYNG MY3T ME DERE . . . . PRL 1157

THOUGHTS

AS MON THAT WAT3 IN MORNYNG OF MONY THRO THO3TES . . . . . . GGK 1751

THOUSAND

A HONDRED AND FORTY FOWRE THOWSANDE FLOT . . . . PRL 786
AND WYTH HYM MAYDENNE3 AN HUNDRETHE THOWSANDE . . . . PRL 869
AND FOWRE AND FORTY THOWSANDE.MO. . . . . PRL 870
A HONDRED AND FORTY THOWSANDE FLOT . . . . PRL 1 786
TWELUE THOWSANDE FORLONGE ER EUER HIT FON. . . . . PRL 2 1030
A HONDRED AND FORTY THOWSANDE FLOT . . . . PRL 3 786

THOUSANDE3 (V. THOUSANDS)

THOUSANDS

THIKKE THOWSANDE3 THRO THRWEN THEROUTE. . . . . CLN 220
OF THOUSANDE3 THRY3T SO GRET A ROUTE . . . . PRL 926
HUNDRETH THOWSANDE3 I WOT THER WERE. . . . . PRL 1107

THOW (APP. 1)

THOWSANDE (V. THOUSAND)

THOWSANDE3 (V. THOUSANDS)

THO3T (V. THOUGHT)

THO3TE (V. THOUGHT)

THO3TEN (V. THOUGHT)

THO3TES (V. THOUGHTS)

THRAD

WHAT IF THRETTY THRYUANDE BE THRAD IN 3ON TOUNE3 . . . . . . CLN 751

THRAL (V. THRALL)

THRALL

A THRAL THRY3T IN THE THRONG VNTHRYUANDELY CLOTHED. . . . . CLN 135

THRANGE

THAT DOT3 BOT THRYCH MY HERT THRANGE . . . . PRL 17

THRAST

FOR THRE AT THE FYRST THRAST HE THRY3T TO THE ERTHE . . . . . GGK 1443

THRAT (ALSO V. THREAT)

THER THRE THRO AT A THRICH THRAT HYM AT ONES. . . . . GGK 1713
AND FELE THRYUANDE THONKKE3 HE THRAT HOM TO HAUE . . . . . . GGK 1980

THRATTEN

THE AUNGELE3 HASTED THISE OTHER AND A3LY HEM THRATTEN. . . . CLN 937

THRAWEN (V. THROWN)

THRAWE3 (V. THROWS)

THRE (V. THREE)

THREAD

NURNED HYM SO NE3E THE THRED THAT NEDE HYM BIHOUED. . . . . GGK 1771

THREAT

BOT THRETE IS VNTHRYUANDE IN THEDE THER I LENDE. . . . . . . GGK 1499
THENNE THRAT MOSTE I THOLE AND VNTHONK TO MEDE . . . . PAT 55
AND THRWE IN AT HIT THROTE WYTHOUTEN THRET MORE. . . . . . . PAT 267

THRED (V. THREAD)

THREE
HE HAD THRE THRYUEN SUNE3 AND THAY THRE WYUE3 . . . . CLN 298
HE HAD THRE THRYUEN SUNE3 AND THAY THRE WYUE3 . . . . CLN 298
THRE HUNDRED OF CUPYDE3 THOU HOLDE TO THE LENTHE . . . . CLN 315
THY THRE SUNE3 WYTHOUTEN THREP AND HER THRE WYUE3 . . . . CLN 350
THY THRE SUNE3 WYTHOUTEN THREP AND HER THRE WYUE3 . . . . CLN 350
THRE METTE3 OF MELE MENGE AND MA KAKE3. . . . . CLN 625
THRWE THRYFTYLY THERON THO THRE THERUE KAKE3. . . . . CLN 635
THE THRE LEDE3 LENT THERIN LOTH AND HIS DE3TER . . . . CLN 993
THAT THRETES THE OF THYN VNTHRYFTE VPON THRE WYSE . . . . CLN 1728
THRE HUNDRED 3ERE AND THRITTY MO AND 3ET THRENEN AGHT. . . . . ERK 210
THRE SPERLES OF THE SPELUNKE THAT SPARDE HIT OLOFTE . . . . . ERK V 49
NAF I NOW TO BUSY BOT BARE THRE DAYE3 . . . . GGK 1066
BLWE BYGLY IN BUGLE3 THRE BARE MOTE3 . . . . GGK 1141
FOR THRE AT THE FYRST THRAST HE THRY3T TO THE ERTHE . . . . . . GGK 1443
THER THRE THRO AT A THRICH THRAT HYM AT ONES. . . . . GGK 1713
AS 3E HAF THRY3T ME HERE THRO SUCHE THRE COSSES. . . . . . . GGK 1946
BLWE BYGLY IN BUGLE3 THRE BARE MOTE. . . . . GGK V 1141
THRE DAYES AND THRE NY3T AY THENKANDE ON DRY3TYN . . . . PAT 294
THRE DAYES AND THRE NY3T AY THENKANDE ON DRY3TYN . . . . PAT 294
ON TO THRENGE THERTHUR3E WAT3 THRE DAYES DEDE . . . . PAT 354
THRE WORDE3 HAT3 THOU SPOKEN AT ENE. . . . . PRL 291
VNAVYSED FORSOTHE WERN ALLE THRE. . . . . PRL 292
VCH PANE OF THAT PLACE HAD THRE 3ATE3 . . . . PRL 1034

THREFTE
BOT THENKKE3 ON HIT BE THREFTE WHAT THYNK SO 3E MAKE . . . . . CLN 819

THRENEN
THRE HUNDRED 3ERE AND THRITTY MO AND 3ET THRENEN AGHT. . . . . ERK 210

THRENGE (CP. THRYNGES)
WYTH THOSE ILK THAT THOW WYLT THAT THRENGE THE AFTER . . . . . CLN 930
ON TO THRENGE THERTHUR3E WAT3 THRE DAYES DEDE . . . . PAT 354

THREP (V. THREPE)

THREPE
THY THRE SUNE3 WYTHOUTEN THREP AND HER THRE WYUE3 . . . . CLN 350
THENNE HE THULGED WITH HIR THREPE AND THOLED HIR TO SPEKE . . GGK 1859
THENK VPON THIS ILKE THREPE THER THOU FORTH THRYNGE3 . . . . . GGK 2397

THREPE3
BOT THENNE THE WEDER OF THE WORLDE WYTH WYNTER HIT THREPE3 . . GGK 504

THREPYNG
FOR THEFTE AND FOR THREPYNG VNTHONK MAY MON HAUE . . . . CLN 183

THRESCH
WY THRESCH ON THOU THRO MON THOU THRETE3 TO LONGE . . . . GGK 2300

THRET (V. THREAT)

THRETE (ALSO V. THREAT)
QUY BYGYNNE3 THOU NOW TO THRETE . . . . PRL 561

THRETED
THER HE WAT3 THRETED AND OFTE THEF CALLED. . . . . GGK 1725

THRETES
IN THE FAUTE OF THIS FYLTHE THE FADER HEM THRETES . . . . . . CLN 680
THAT THRETES THE OF THYN VNTHRYFTE VPON THRE WYSE . . . . . . CLN 1728

THRETE3
WY THRESCH ON THOU THRO MON THOU THRETE3 TO LONGE . . . . GGK 2300

THRETTE (V. THIRTY)

THRETTY (V. THIRTY)

THREUENEST (V. THRIVENEST)

THREW
THIKKE THOWSANDE3 THRO THRWEN THEROUTE. . . . . CLN 220
THRWE THRYFTYLY THERON THO THRE THERUE KAKE3. . . . . CLN 635
THUS THAY THROBLED AND THRONG AND THRWE VMBE HIS ERE3. . . . . CLN 879

AND THRWE IN AT HIT THROTE WYTHOUTEN THRET MORE. PAT 267

THRICE

AND THRYE3 FYFTY THE FLOD OF FOLWANDE DAYE3 . CLN 429
NADE HE SAYNED HYMSELF SEGGE BOT THRYE. GGK 763
BI THAT THE COKE HADE CROWEN AND CAKLED BOT THRYSE. GGK 1412
THEN ACOLES HE THE KNY3T AND KYSSES HYM THRYES . GGK 1936

THRICH (CP. THRY3T)

THER THRE THRO AT A THRICH THRAT HYM AT ONES. GGK 1713
THAT DOT3 BOT THRYCH MY HERT THRANGE PRL 17

THRID (V. THIRD)

THRIFTILY

THRWE THRYFTYLY THERON THO THRE THERUE KAKE3. CLN 635

THRITTY (V. THIRTY)

THRIVE

BOT IN THE THRYD WAT3 FORTHRAST AL THAT THRYUE SCHULD. CLN 249
SIR GAWAN SO MOT I THRYUE . GGK 387
IN COMPAYNY GRET OUR LUF CON THRYF . PRL 851

THRIVED

COUTHE I NOT THOLE BOT AS THOU THER THRYUED FUL FEWE . PAT 521

THRIVEN

HE HAD THRE THRYUEN SUNE3 AND THAY THRE WYUE3 CLN 298
HIR THRYUEN FACE AND HIR THROTE THROWEN AL NAKED GGK 1740
ON THE MOUNT OF SYON FUL THRYUEN AND THRO. PRL 868
AS THE PERLE ME PRAYED THAT WAT3 SO THRYUEN . PRL 1192

THRIVENEST

AND OF MY THREUENEST LORDE3 THE THRYDDE HE SCHAL BE CLN 1571
AND THE THRYD THRYUENEST THAT THRYNGES ME AFTER. CLN 1639

THRIVING

WHAT IF THRETTY THRYUANDE BE THRAD IN 3ON TOUNE3 CLN 751
AND FELE THRYUANDE THONKKE3 HE THRAT HOM TO HAUE GGK 1980

THRIVINGLY

HIT WAS A THROGHE OF THYKKE STON THRYUANDLY HEWEN . ERK 47
NOW I THONK YOW THRYUANDELY THUR3 ALLE OTHER THYNGE GGK 1080
HAUE I THRYUANDELY THONK THUR3 MY CRAFT SERUED . GGK 1380

THRO

THIKKE THOWSANDE3 THRO THRWEN THEROUTE. CLN 220
THAT HIT NE THRAWE3 TO HYM THRO ER HE HIT THO3T HAUE . CLN 590
3ET FOR THRETTY IN THRONG I SCHAL MY THRO STEKE. CLN 754
THUS VPON THRYNNE WYSES I HAF YOW THRO SCHEWED . CLN 1805
HIS THRO THO3T WAT3 IN THAT THUR3 ALLE OTHER THYNGE3 . GGK 645
AND THE THRYD AS THRO THRONGE IN THEREAFTER . GGK 1021
THER THRE THRO AT A THRICH THRAT HYM AT ONES. GGK 1713
AS MON THAT WAT3 IN MORNYNG OF MONY THRO THO3TES GGK 1751
FUL THRO WITH HERT AND THO3T . GGK 1867
AS 3E HAF THRY3T ME HERE THRO SUCHE THRE COSSES. GGK 1946
WY THRESCH ON THOU THRO MON THOU THRETE3 TO LONGE . GGK 2300
AND QUO FOR THRO MAY NO3T THOLE THE THIKKER HE SUFFERES . PAT 6
THEN AY THROW FORTH MY THRO THA3 ME THYNK YLLE . PAT 8
WHO NEDE3 SCHAL THOLE BE NOT SO THRO PRL 344
ON THE MOUNT OF SYON FUL THRYUEN AND THRO. PRL 868

THROAT

THROLY INTO THE DEUELE3 THROTE MAN THRYNGE3 BYLYUE. CLN 180
AND A COLER OF CLER GOLDE CLOS VMBE HIS THROTE . CLN 1569
HIR BREST AND HIR BRY3T THROTE BARE DISPLAYED GGK 955
HIR THRYUEN FACE AND HIR THROTE THROWEN AL NAKED GGK 1740
WYTHOUTEN TOWCHE OF ANY TOTHE HE TULT IN HIS THROTE PAT 252
AND THRWE IN AT HIT THROTE WYTHOUTEN THRET MORE. PAT 267

THROBLED

THUS THAY THROBLED AND THRONG AND THRWE VMBE HIS ERE3. CLN 879

THROGHE
HIT WAS A THROGHE OF THYKKE STON THRYUANDLY HEWEN . ERK 47
THROLY
THROLY INTO THE DEUELE3 THROTE MAN THRYNGE3 BYLYUE. CLN 180
THROLY THRUBLANDE IN THRONGE THROWEN FUL THYKKE. CLN 504
AND HE HYM THONKKED THROLY AND AYTHER HALCHED OTHER GGK 939
THRONE
I SCHAL TELDE VP MY TRONE IN THE TRAMOUNTAYNE CLN 211
HOW SCHULDE WE SE THEN MAY WE SAY THAT SYRE VPON THRONE CLN 1112
DERE DARYOUS THAT DAY DY3T VPON TRONE CLN 1794
STEPE STAYRED STONES OF HIS STOUTE THRONE. CLN 1396
INMYDE3 THE TRONE THERE SAYNTE3 SETE PRL 835
THER DAUID DERE WAT3 DY3T ON TRONE PRL 920
THE HY3E TRONE THER MO3T 3E HEDE. PRL 1051
A REUER OF THE TRONE THER RAN OUTRY3TE. PRL 1055
TOWARDE THE THRONE THAY TRONE A TRAS PRL 1113
THRONED
THAT EUER WAS TRONYD IN TROYE OTHER TROWID EUER SHULDE ERK 255
THRONG (ALSO V. THRONGED)
A THRAL THRY3T IN THE THRONG VNTHRYUANDELY CLOTHED. CLN 135
THROLY THRUBLANDE IN THRONGE THROWEN FUL THYKKE. CLN 504
3ET FOR THRETTY IN THRONG I SCHAL MY THRO STEKE. CLN 754
THRONGE (V. THRONG, THRONGED)
THRONGED
THUS THAY THROBLED AND THRONG AND THRWE VMBE HIS ERE3. CLN 879
THAY THRONGEN THEDER IN THE THESTER ON THRAWEN HEPES CLN 1775
AND THE THRYD AS THRO THRONGE IN THEREAFTER GGK 1021
THRONGEN (V. THRONGED)
THROTE (V. THROAT)
THROUGHOUT
AND ETHEDE THE CETE TO SECHE SEGGES THUR3OUT. CLN 1559
AND BEDE THE CETE TO SECHE SEGGES THUR3OUT CLN V 1559
THROUGHOUTLY
WE THUR3OUTLY HAUEN CNAWYNG PRL 859
THROW
NOW THRID TYME THROWE BEST THENK ON THE MORNE GGK 1680
3ET HE RUSCHED ON THAT RURDE RAPELY A THROWE. GGK 2219
THEN AY THROW FORTH MY THRO THA3 ME THYNK YLLE PAT 8
THROWE (V. THROW)
THROWEN (V. THROWN)
THROWE3 (V. THROWS)
THROWN
THROLY THRUBLANDE IN THRONGE THROWEN FUL THYKKE. CLN 504
TO VNTHRYFTE ARN ALLE THRAWEN WYTH THO3T OF HER HERTTE3 CLN 516
AND THIKER THROWEN VMBETHOUR WYTH OUERTHWERT PALLE. CLN 1384
THAY THRONGEN THEDER IN THE THESTER ON THRAWEN HEPES CLN 1775
SYTHEN THRAWEN WYTH A THWONG A THWARLEKNOT ALOFTE GGK 194
HIS THIK THRAWEN THY3E3 WITH THWONGES TO TACHCHED GGK 579
HIR THRYUEN FACE AND HIR THROTE THROWEN AL NAKED GGK 1740
SYTHEN THRAWEN WYTH A THWONG A THWARLE KNOT ALOFTE. GGK V 194
THROWS
THAT HIT NE THRAWE3 TO HYM THRO ER HE HIT THO3T HAUE CLN 590
AND AS THUNDER THROWE3 IN TORRE3 BLO PRL 875
THRUBLANDE
THROLY THRUBLANDE IN THRONGE THROWEN FUL THYKKE. CLN 504
THRWE (V. THREW)
THRWEN (V. THREW)
THRYCH (V. THRICH)
THRYD (V. THIRD)

THRYDDE (V. THIRD)
THRYDE (V. THIRD)
THRYE (V. THRICE)
THRYES (V. THRICE)
THRYE3 (V. THRICE)
THRYF (V. THRIVE)
THRYFTYLY (V. THRIFTILY)
THRYNGES (CP. THRENGE)
    THROLY INTO THE DEUELE3 THROTE MAN THRYNGE3 BYLYUE. . . . . . CLN 180
    AND THE THRYD THRYUENEST THAT THRYNGES ME AFTER. . . . . . . CLN 1639
THRYNGE3 (ALSO V. THRYNGES)
    THENK VPON THIS ILKE THREPE THER THOU FORTH THRYNGE3 . . . . GGK 2397
THRYNNE
    THENNE WAT3 HE WAR ON THE WAYE OF WLONK WY3E3 THRYNNE. . . . CLN 606
    THENNE THAY SAYDEN AS THAY SETE SAMEN ALLE THRYNNE. . . . . CLN 645
    MANE TECHAL PHARES MERKED IN THRYNNE . . . . CLN 1727
    THUS VPON THRYNNE WYSES I HAF YOW THRO SCHEWED . . . . . . CLN 1805
    BI THAT ON THRYNNE SYTHE . . . . GGK 1868
THRYSE (V. THRICE)
THRYUANDE (V. THRIVING)
THRYUANDELY (V. THRIVINGLY)
THRYUANDLY (V. THRIVINGLY)
THRYUE (V. THRIVE)
THRYUED (V. THRIVED)
THRYUEN (V. THRIVEN)
THRYUENEST (V. THRIVENEST)
THRY3T (CP. THRICH)
    A THRAL THRY3T IN THE THRONG VNTHRYUANDELY CLOTHED. . . . . . CLN 135
    BY THAT MONY THIK THE3E THRY3T VMBE HIS LYRE. . . . . CLN 1687
    BY THAT MONY THIK THY3E THRY3T VMBE HIS LYRE. . . . . CLN V 1687
    FOR THRE AT THE FYRST THRAST HE THRY3T TO THE ERTHE . . . . . GGK 1443
    AS 3E HAF THRY3T ME HERE THRO SUCHE THRE COSSES. . . . . . . GGK 1946
    AND BE THUR3 MERCY TO GRACE THRY3T . . . . PRL 670
    DELFULLY THUR3 HONDE3 THRY3T . . . . PRL 706
    OF THOUSANDE3 THRY3T SO GRET A ROUTE . . . . PRL 926
THULGED
    THENNE HE THULGED WITH HIR THREPE AND THOLED HIR TO SPEKE . . GGK 1859
THUNDER
    AND AS THUNDER THROWE3 IN TORRE3 BLO . . . . PRL 875
THUNDERTHRAST
    THAT THE THIK THUNDERTHRAST THIRLED HEM OFTE. . . . . CLN 952
THURLED (V. THIRLED)
THUR3OUT (V. THROUGHOUT)
THUR3OUTLY (V. THROUGHTLY)
THUS
    THAT THUS OF CLANNESSE VNCLOSE3 A FUL CLER SPECHE . . . . . . CLN 26
    AND THUS SCHAL HE BE SCHENT FOR HIS SCHROWDE FEBLE. . . . . . CLN 47
    THUS THAY DRO3 HEM ADRE3 WYTH DAUNGER VCHONE. . . . . CLN 71
    THUS COMPARISUNE3 KRYST THE KYNDOM OF HEUEN . . . . CLN 161
    AND THUS OF LENTHE AND OF LARGE THAT LOME THOU MAKE . . . . . CLN 314
    AND SAYDE THUS TO THE SEGG THAT SUED HYM AFTER . . . . CLN 681
    THUS THAY THROBLED AND THRONG AND THRWE VMBE HIS ERE3. . . . CLN 879
    THUS IS HE KYRYOUS AND CLENE THAT THOU HIS CORT ASKES. . . . CLN 1109
    THUS IN PRYDE AND OLIPRAUNCE HIS EMPYRE HE HALDES . . . . . . CLN 1349
    THUS HE COUNTES HYM A KOW THAT WAT3 A KYNG RYCHE . . . . . . CLN 1685
    TO TECHE THE OF TECHAL THAT TERME THUS MENES. . . . . CLN 1733
    AND THUS WAT3 THAT LONDE LOST FOR THE LORDES SYNNE. . . . . . CLN 1797
    THUS VPON THRYNNE WYSES I HAF YOW THRO SCHEWED . . . . CLN 1805
    AND AL HIS WEDE VNWEMMYD THUS YLKA WEGHE ASKYD . . . . ERK 96

HE LYES DOLUEN THUS DEPE HIT IS A DERFE WONDER . . . . ERK 99
NOW LYKHAME THAT THUS LIES LAYNE THOU NO LENGER. . . . . . . ERK 179
IN WORLDE QUAT WEGHE THOU WAS AND QUY THOW THUS LIGGES . . . . ERK 186
QUEN THE SEGGE HADE THUS SAYDE AND SYKED THERAFTER. . . . . . ERK 189
QUIL HE IN SPELUNKE THUS SPAKE THER SPRANGE IN THE PEPULLE . . ERK 217
AL WAS HIT NEUER MY WILLE THAT WROGHT THUS HIT WERE . . . . . ERK 226
AND THUS TO BOUNTY MY BODY THAI BURIET IN GOLDE. . . . . . ERK 248
AND IF RENKES FOR RI3T THUS ME ARAYED HAS. . . . . ERK 271
THUS DULFULLY THIS DEDE BODY DEUISYT HIT SOROWE. . . . . . . ERK 309
THUS THER STONDES IN STALE THE STIF KYNG HISSELUEN. . . . . . GGK 107
AND MELED THUS MUCH WITH HIS MUTHE AS 3E MAY NOW HERE. . . . . GGK 447
AND THUS 3IRNE3 THE 3ERE IN 3ISTERDAYE3 MONY. . . . . GGK 529
THUS IN PERYL AND PAYNE AND PLYTES FUL HARDE. . . . . GGK 733
THUS WYTH LA3ANDE LOTE3 THE LORDE HIT TAYT MAKE3 . . . . . . GGK 988
THUS TO THE DERK NY3T . . . . GGK 1177
THUS LAYKE3 THIS LORDE BY LYNDEWODE3 EUE3. . . . . GGK 1178
AND THUS HE BOURDED A3AYN WITH MONY A BLYTHE LA3TER . . . . GGK 1217
THUS THAY MELED OF MUCHQUAT TIL MYDMORN PASTE . . . . GGK 1280
THUS HYM FRAYNED THAT FRE AND FONDET HYM OFTE . . . . GGK 1549
AND RADLY THUS REHAYTED HYM WITH HIR RICHE WORDE3 . . . . . . GGK 1744
THUS MYRY HE WAT3 NEUER ARE . . . . GGK 1891
THUS THAY FOR CHARYTE CHERYSEN A GEST . . . . GGK 2055
THAT THUS HOR KNY3T WYTH HOR KEST HAN KOYNTLY BIGYLED. . . . . GGK 2413
AND THUS QUEN PRYDE SCHAL ME PRYK FOR PROWES OF ARMES. . . . . GGK 2437
AND THUS HE COMMES TO THE COURT KNY3T AL IN SOUNDE. . . . . . GGK 2489
THUS IN ARTHURUS DAY THIS AUNTER BITIDDE . . . . GGK 2522
THUS POUERTE AND PACYENCE ARN NEDES PLAYFERES . . . . PAT 45
THUS HE PASSES TO THAT PORT HIS PASSAGE TO SECHE . . . . . . PAT 97
THAT THOU THUS SLYDES ON SLEPE WHEN THOU SLAYN WORTHES . . . . PAT 200
THEN LEDE LENGER THI LORE THAT THUS ME LES MAKE3 . . . . . . PAT 428
THUS THY FREKE TO FORFARE FORBI ALLE OTHER . . . . PAT 483
AND AL DAY THE LORDE THUS 3EDE HIS GATE . . . . PRL 526
THUS SCHAL I QUOTH KRYSTE HIT SKYFTE . . . . PRL 569
THUS PORF MEN HER PART AY PYKE3 . . . . PRL 573
RY3T THUS I KNAW WEL IN THIS CAS. . . . . PRL 673
THE SAUTER HYT SAT3 THUS IN A PACE . . . . PRL 677
IN IERUSALEM THUS MY LEMMAN SWETE . . . . PRL 829

THU3T (V. THOUGHT)

THWARLE

SYTHEN THRAWEN WYTH A THWONG A THWARLE KNOT ALOFTE. . . . . . GGK V 194

THWARLEKNOT

SYTHEN THRAWEN WYTH A THWONG A THWARLEKNOT ALOFTE . . . . . . GGK 194

THWONG (V. THONG)
THWONGES (V. THONGS)
THY (APP. 1)
THYDER (V. THITHER)
THYK (V. THICK)
THYKKE (V. THICK)
THYN (APP. 1)
THYNG (V. THING)
THYNGE (V. THING)
THYNGES (V. THINGS)
THYNGE3 (V. THINGS)
THYNK (V. THING, THINK)
THYNKES (V. THINKS)
THYNKE3 (V. THINKS)
THYNKKE3 (V. THINKS)
THYSELF (APP. 1)
THYSELUEN (APP. 1)

Entry	Text	Source	Line
THY3E			
	BY THAT MONY THIK THY3E THRY3T VMBE HIS LYRE.	CLN V	1687
THY3ES (V. THIGHS)			
THY3E3 (V. THIGHS)			
TICIUS			
	TICIUS TO TUSKAN AND TELDES BIGYNNES	GGK	11
TID (V. TYD)			
TIDE			
	WHEN THE TERME OF THE TYDE WAT3 TOWCHED OF THE FESTE	CLN	1393
	THAT TYDE	GGK	585
	THE KNY3T WEL THAT TYDE.	GGK	736
	TO THE HERSUM EUENSONG OF THE HY3E TYDE	GGK	932
	AS TO HONOUR HIS HOUS ON THAT HY3E TYDE	GGK	1033
	THAT TYDE	GGK	2086
	THENNE HE HOUED AND WYTHHYLDE HIS HORS AT THAT TYDE	GGK	2168
TIDES			
	FOR 3E HAF TAN THAT YOW TYDE3 TRAWE 3E NON OTHER	GGK	1396
TIDING			
	TYL THAY HAD TYTHYNG FRO THE TOLKE THAT TYNED HEM THERINNE	CLN	498
	WHAT TYTHYNG NE TALE TOKENED THO DRA3TES	CLN	1557
TIDINGS			
	HALE3 HY3E VPON HY3T TO HERKEN TYTHYNGE3	CLN	458
	HOVE3 HY3E VPON HY3T TO HERKEN TYTHYNGE3	CLN V	458
	QUEN TITHYNGES TOKEN TO THE TON OF THE TOUMBEWONDER	ERK	57
	I COM WYTH THOSE TYTHYNGES THAY TA ME BYLYUE.	PAT	78
TIED			
	WHEN TWO TRUE TOGEDER HAD TY3ED HEMSELUEN.	CLN	702
	FYRST TELLE ME THE TYXTE OF THE TEDE LETTRES.	CLN	1634
	IS TACHED OTHER TY3ED THY LYMME3 BYTWYSTE.	PRL	464
	THE CRYSOPASE THE TENTHE IS TY3T.	PRL	1013
TILT			
	TRULY THIS ILK TOUN SCHAL TYLTE TO GROUNDE	PAT	361
TILTED			
	THE TRESTES TYLT TO THE WO3E AND THE TABLE BOTHE	CLN	832
	OUERTOK HEM AS TYD TULT HEM OF SADELES.	CLN	1213
	WYTHOUTEN TOWCHE OF ANY TOTHE HE TULT IN HIS THROTE	PAT	252
TIMBRES			
	TYMBRES AND TABORNES TUKKET AMONG	CLN	1414
	TYMBRES AND TABORNES TULKET AMONG	CLN V	1414
TIME			
	AND DENOUNCED ME NO3T NOW AT THIS TYME.	CLN	106
	THAT SELUE SARE WYTHOUTEN SEDE INTO THAT SAME TYME.	CLN	660
	HIS SONDE INTO SODAMAS WAT3 SENDE IN THAT TYME	CLN	781
	AND THAT WAT3 BARED IN BABYLOYN IN BALTA3AR TYME	CLN	1149
	TIL HIT BITIDE ON A TYME TOWCHED HYM PRYDE	CLN	1657
	NOW AR THAY SODENLY ASSEMBLED AT THE SELF TYME	CLN	1769
	AT LONDON IN ENGLONDE NO3T FULLE LONGE TYME	ERK	1
	IN HIS TYME IN THAT TON THE TEMPLE ALDERGRATTYST	ERK	5
	HE TURNYD TEMPLES THAT TYME THAT TEMYD TO THE DEUELLE.	ERK	15
	THAT ERE WOS SETT OF SATHANAS IN SAXONES TYME	ERK	24
	HOW MY3T THI MERCY TO ME AMOUNTE ANY TYME.	ERK	284
	IN MONY TURNED TYME TENE THAT WRO3TEN	GGK	22
	THEN IN ANY OTHER THAT I WOT SYN THAT ILK TYME	GGK	24
	ALLE THIS MIRTHE THAY MADEN TO THE METE TYME.	GGK	71
	WAT3 NEUER SENE IN THAT SALE WYTH SY3T ER THAT TYME	GGK	197
	AND THAT HAT3 WAYNED ME HIDER IWYIS AT THIS TYME	GGK	264
	AND AT THIS TYME TWELMONYTH TAKE AT THE ANOTHER.	GGK	383
	TO APERE IN HIS PRESENSE PRESTLY THAT TYME	GGK	911
	HIT WAT3 NE3 AT THE NY3T NE3ED THE TYME	GGK	929

AND THE WYNNELYCH WYNE THERWITH VCHE TYME. . . . . GGK 980
TIL THAT HIT WAT3 TYME . . . . GGK 991
ON THE MORNE AS VCH MON MYNE3 THAT TYME . . . . GGK 995
QUAT DERUE DEDE HAD HYM DRYUEN AT THAT DERE TYME . . . . . . GGK 1047
FOR THE FRE LORDE HADE DEFENDE IN FERMYSOUN TYME . . . . . . GGK 1156
THE BEUERAGE WAT3 BRO3T FORTH IN BOURDE AT THAT TYME . . . . . GGK 1409
THAT SO 3ONG AND SO 3EPE AS 3E AT THIS TYME . . . . GGK 1510
NOW THRID TYME THROWE BEST THENK ON THE MORNE . . . . GGK 1680
HIT IS NOT YOUR HONOUR TO HAF AT THIS TYME . . . . GGK 1806
THAT MISLYKE3 ME LADE FOR YOUR LUF AT THIS TYME. . . . . . . GGK 1810
I WIL NO GIFTE3 FOR GODE MY GAY AT THIS TYME. . . . . GGK 1822
FOR I HAF WONNEN YOW HIDER WY3E AT THIS TYME. . . . . GGK 2091
AT THIS TYME TWELMONYTH THOU TOKE THAT THE FALLED . . . . . . GGK 2243
THAT I NE TY3T AT THIS TYME IN TALE TO REMENE . . . . GGK 2483
ALLE THIS MESCHEF FOR ME IS MADE AT THYS TYME . . . . PAT 209
AND TRAUAYLEDE3 NEUER TO TENT HIT THE TYME OF AN HOWRE . . . . PAT 498
OF TYME OF 3ERE THE TERME WAT3 TY3T. . . . . PRL 503
THE THRYDE TYME IS THERETO FUL METE. . . . . PRL 833
TIMED
AND THOU HAT3 TYMED THI TRAUAYL AS TRUEE MON SCHULDE . . . . . GGK 2241
TIMES
THER TOURNAYED TULKES BY TYME3 FUL MONY . . . . GGK 41
FOR I SCHAL TECHE YOW TO THAT TERME BI THE TYME3 ENDE. . . . . GGK 1069
TINTAGEL
THE DUCHES DO3TER OF TYNTAGELLE THAT DERE VTER AFTER . . . . . GGK 2465
TITE (V. TYD)
TITHE
BOT THER HE TYNT THE TYTHE DOOL OF HIS TOUR RYCHE . . . . . . CLN 216
TITHYNGES (V. TIDINGS)
TITLE
AND THE TITLE OF THE TEMPLE BITAN WAS HIS NAME . . . . ERK 28
NOTHER BY TITLE NE TOKEN NE BY TALE NOTHER . . . . ERK 102
AND BI TRWE TYTEL THEROF TO TELLE THE WONDER. . . . . GGK 480
IN BYTOKNYNG OF TRAWTHE BI TYTLE THAT HIT HABBE3 . . . . . . GGK 626
TITLED
HIT IS THE TYTELET TOKEN OF TYXT OF HER WERKKE3. . . . . . . GGK 1515
TITLERES
AND AY THE TITLERES AT HIS TAYL THAT TARY HE NE MY3T . . . . . GGK 1726
TO (V. TAKE)
TOCLEUES
THAT VNCLANNES TOCLEUES IN CORAGE DERE. . . . . CLN 1806
TOCORUEN
WYUES AND WENCHES HER WOMBES TOCORUEN . . . . CLN 1250
TOES
AND TWENTYFOLDE TWYNANDE HIT TO HIS TOS RA3T. . . . . CLN 1691
TODAY
SYTHEN JHESUS HAS IUGGIT TODAY HIS IOY TO BE SCHEWYDE. . . . . ERK 180
AS THOU DELES ME TODAY BIFORE THIS DOUTHE RYCHE. . . . . . . GGK 397
DERE DAME TODAY DEMAY YOW NEUER . . . . GGK 470
TODRAWE3
MY GRETE DYSTRESSE THOU AL TODRAWE3. . . . . PRL 280
TOFYLCHED
AND HEM TOFYLCHED AS FAST AS FREKE3 MY3T LOKE . . . . GGK 1172
TOGEDER (V. TOGETHER)
TOGEDERE (V. TOGETHER)
TOGETHER
OF TETHE TENFULLY TOGEDER TO TECHE HYM BE QUOYNT . . . . . . CLN 160
I SCHAL STRENKLE MY DISTRESSE AND STRYE AL TOGEDER. . . . . . CLN 307
FRENDE3 FELLEN IN FERE AND FATHMED TOGEDER . . . . CLN 399

THENNE LAUSNED THE LO3 LOWKANDE TOGEDER	CLN	441
WHEN TWO TRUE TOGEDER HAD TY3ED HEMSELUEN.	CLN	702
MEUANDE MEKELY TOGEDER AS MYRY MEN 3ONGE	CLN	783
AND THAY WROTHELY VPWAFTE AND WRASTLED TOGEDER	CLN	949
THAY FE3T AND THAY FENDE OF AND FYLTER TOGEDER	CLN	1191
WYTH ALLE THE VRNMENTES OF THAT HOUS HE HAMPPRED TOGEDER.	CLN	1284
THE HOUS AND THE ANOURNEMENTES HE HY3TLED TOGEDERE.	CLN	1290
THER MONY CLYUY AS CLYDE HIT CLY3T TOGEDER	CLN	1692
THENNE LASNED THE LO3 LOWKANDE TOGEDER.	CLN V	441
MECHE MOURNYNGE AND MYRTHE WAS MELLYD TOGEDER	ERK	350
RUCHE TOGEDER CON ROUN	GGK	362
THENNE THAY BO3ED TO A BORDE THISE BURNES TOGEDER	GGK	481
THENNE THE BEST OF THE BUR3 BO3ED TOGEDER.	GGK	550
OF HORE OKE3 FUL HOGE A HUNDRETH TOGEDER	GGK	743
GAWAN AND THE GAY BURDE TOGEDER THAY SETEN	GGK	1003
SUCH COMFORT OF HER COMPAYNYE CA3TEN TOGEDER.	GGK	1011
THEN AL IN A SEMBLE SWEYED TOGEDER	GGK	1429
AND 3ET HEM HALCHE3 AL HOLE THE HALUE3 TOGEDER	GGK	1613
WHEN ALLE THE MUTE HADE HYM MET MENGED TOGEDER	GGK	1720
THE WYNDES ON THE WONNE WATER SO WRASTEL TOGEDER	PAT	141
MOT EFTE SITTE WYTH MORE VNSOUNDE TO SEWE HEM TOGEDER.	PAT	527
LEGYOUNES OF AUNGELE3 TOGEDER UOCHED	PRL	1121
TOHEWE		
THER IS NO HATHEL VNDER HEUEN TOHEWE HYM THAT MY3T.	GGK	1853
TO-HIR-WARDE		
THEN HE WAKENEDE AND WROTH AND TO-HIR-WARDE TORNED.	GGK	1200
TOK (V. TOOK)		
TOKE (V. TOOK)		
TOKEN (ALSO V. TOOK)		
NOTHER BY TITLE NE TOKEN NE BY TALE NOTHER	ERK	102
BI ALDERTRUEST TOKEN OF TALK THAT I COWTHE	GGK	1486
HIT IS THE TYTELET TOKEN OF TYXT OF HER WERKKE3.	GGK	1515
THIS IS THE TOKEN OF VNTRAWTHE THAT I AM TAN INNE	GGK	2509
HE PY3T HIT THERE IN TOKEN OF PES	PRL	742
TOKENED		
WHAT TYTHYNG NE TALE TOKENED THO DRA3TES	CLN	1557
TOKENES (V. TOKENS)		
TOKENE3 (V. TOKENS)		
TOKENING		
IN TOKENYNG HE WAT3 TANE IN TECH OF A FAUTE	GGK	2488
TOKENS		
ALLE THYSE AR TECHES AND TOKENES TO TROW VPON 3ET	CLN	1049
AND TECHE SUM TOKENE3 OF TRWELUF CRAFTES	GGK	1527
TOKENYNG (V. TOKENING)		
TOKERUE		
AND COWTHE VCHE KYNDAM TOKERUE AND KEUER WHEN HYM LYKED	CLN	1700
TOKNOWE		
THAT MY3T NOT COME TO TOKNOWE A QUONTYSE STRANGE	ERK	74
TOLD		
HIT IS TOLDE ME BI TULKES THAT THOU TRWE WERE	CLN	1623
THE THRID TEMPLE HIT WOS TOLDE OF TRIAPOLITANES.	ERK	31
THAT WAS THE TEMPLE TRIAPOLITAN AS I TOLDE ARE	ERK	36
TULKES TOLDEN HYM THE TALE AND THE TROUBULLE IN THE PEPUL	ERK	109
HE TOLDE HYM AS THAY STODE.	GGK	1951
THE TRWE TENOR OF HIS TEME HE TOLDE ON THIS WYSE	PAT	358
AS MEKE AS LOMP THAT NO PLAYNT TOLDE	PRL	815
TOLDE (V. TOLD)		
TOLDEN (V. TOLD)		
TOLE (V. TOOL)		

TOLES (V. TOOLS)
TOLK (V. TULK)
TOLKE (V. TULK)
TOLOUSE
    THENNE ALLE THE TOLES OF TOLOWSE MO3T TY3T HIT TO KERUE . . . . CLN 1108
    OF TRYED TOLOUSE AND TARS TAPITES INNOGHE. . . . . GGK 77
TOLOWSE (V. TOLOUSE)
TOM
    3IF 3E WOLDE TY3T ME A TOM TELLE HIT I WOLDE. . . . . CLN 1153
    TIL HE TOKE HYM A TOME AND TO THE TOUMBE LOKYD . . . . ERK 313
    THENNE WAT3 NO TOM THER BYTWENE HIS TALE AND HER DEDE. . . . . PAT 135
    THEN I COWTHE TELLE THA3 I TOM HADE. . . . . PRL 134
    3ET OTHER THER WERNE THAT TOKE MORE TOM . . . . PRL 585
TOMARRED
    AND AL TOMARRED IN MYRE WHYLE THOU ON MOLDE LYUYES. . . . . . CLN 1114
TOMB
    THAI FOUNDEN FOURMYT ON A FLORE A FERLY FAIRE TOUMBE . . . . . ERK 46
    AS RICHE REUESTID AS HE WAS HE RAYKED TO THE TOUMBE . . . . . ERK 139
    THEN HE TURNES TO THE TOUMBE AND TALKES TO THE CORCE . . . . . ERK 177
    TIL HE TOKE HYM A TOME AND TO THE TOUMBE LOKYD . . . . ERK 313
    THE TERES TRILLYD ADON AND ON THE TOUMBE LIGHTEN . . . . . . ERK 322
TOMB-WONDER
    QUEN TITHYNGES TOKEN TO THE TON OF THE TOUMBEWONDER . . . . . ERK 57
TOME (V. TOM)
TOMORN (V. TOMORNE)
TOMORNE
    BOT I AM BOUN TO THE BUR BARELY TOMORNE . . . . GGK 548
    ANDE THY MATYNE3 TOMORNE MEKELY I ASK . . . . GGK 756
    TOMORN QUYLE THE MESSEQUYLE AND TO METE WENDE . . . . GGK 1097
    FOR I MOT NEDES AS 3E WOT MEUE TOMORNE. . . . . GGK 1965
TOMURTE
    FURST TOMURTE MONY ROP AND THE MAST AFTER. . . . . PAT 150
TON (V. TOWN)
TONE (V. TAKEN)
TONG (V. TONGUE)
TONGE (V. TONGUE)
TONGUE
    NEUER STEUEN HEM ASTEL SO STOKEN IS HOR TONGE . . . . CLN 1524
    WITH TONGE . . . . GGK 32
    NIS NO WY3 WORTHE THAT TONGE BERE3 . . . . PRL 100
    I HOPE NO TONG MO3T ENDURE. . . . . PRL 225
    NE TOWCHED HER TONGE FOR NO DYSSTRESSE. . . . . PRL 898
TONNE
    MAY THOU TRAW FOR TYKLE THAT THOU TONNE MO3TE3 . . . . CLN 655
TOOK
    AND THAY TOKEN HIT AS TYT AND TENTED HIT LYTTEL. . . . . CLN 935
    TIL TWO 3ER OUERTORNED 3ET TOK THAY HIT NEUER . . . . CLN 1192
    PRESENTED HIM THE PRESONERES IN PRAY THAT THAY TOKEN . . . . . CLN 1297
    AND THAY TOKEN HIT AS TAYT AND TENTED HIT LYTTEL . . . . CLN V 935
    QUEN TITHYNGES TOKEN TO THE TON OF THE TOUMBEWONDER . . . . . ERK 57
    3E WERE ENTOUCHID WITH HIS TECHE AND TOKE IN THE GLETTE . . . . ERK 297
    TIL HE TOKE HYM A TOME AND TO THE TOUMBE LOKYD . . . . ERK 313
    THE KNY3T TOK GATES STRAUNGE . . . . GGK 709
    HIS BRONDE AND HIS BLASOUN BOTHE THAY TOKEN . . . . GGK 828
    THEN BREK THAY THE BALE THE BOUELE3 OUT TOKEN . . . . GGK 1333
    AFTER MESSE A MORSEL HE AND HIS MEN TOKEN. . . . . GGK 1690
    AT THIS TYME TWELMONYTH THOU TOKE THAT THE FALLED . . . . GGK 2243
    AMONG PRYNCES OF PRYS AND THIS A PURE TOKEN . . . . GGK 2398
    THEN BREK THAY THE BALE THE BAULE3 OUT TOKEN. . . . . GGK V 1333

TYD BY TOP AND BI TO THAY TOKEN HYM SYNNE. . . . . PAT 229
HE TOKE MYSELF TO HYS MARYAGE. . . . . PRL 414
3ET OTHER THER WERNE THAT TOKE MORE TOM . . . . PRL 585
HE TOKE ON HYMSELF OURE CARE3 COLDE. . . . . PRL 808

TOOL
WYTH TOOL OUT OF HARDE TRE AND TELDED ON LOFTE . . . . CLN 1342
TA NOW THY GRYMME TOLE TO THE. . . . . GGK 413
GEDERE3 VP HYS GRYMME TOLE GAWAYN TO SMYTE . . . . GGK 2260

TOOLS
THENNE ALLE THE TOLES OF TOLOWSE MO3T TY3T HIT TO KERUE . . . . CLN 1108
HARDE STONES FOR TO HEWE WITH EGGIT TOLES. . . . . ERK 40

TOOTH
WYTHOUTEN TOWCHE OF ANY TOTHE HE TULT IN HIS THROTE . . . . . PAT 252

TOP
TYD BY TOP AND BI TO THAY TOKEN HYM SYNNE. . . . . PAT 229

TOPACE (V. TOPAZ)

TOPASYE (V. TOPAZ)

TOPAZ
ANDE SAFYRES AND SARDINERS AND SEMELY TOPACE. . . . . CLN 1469
THE TOPASYE TWYNNEHEW THE NENTE ENDENT. . . . . PRL 1012

TOPPYNG
THE TAYL AND HIS TOPPYNG TWYNNEN OF A SUTE . . . . GGK 191

TOR
THAT WERE TO TOR FOR TO TELLE OF TRYFLES THE HALUE. . . . . . GGK 165
HIT WERE TO TORE FOR TO TELLE OF THE TENTH DOLE. . . . . GGK 719
TOR TO KNAW THE GLADDEST CHERE . . . . PRL 1109

TORACED
WAT3 AL TORACED AND RENT AT THE RESAYT. . . . . GGK 1168

TORCHES
WITH MONY LEUDE FUL LY3T AND LEMANDE TORCHES. . . . . GGK 1119
WAKNED BI WO3E3 WAXEN TORCHES. . . . . GGK 1650

TORE (V. TOR)

TORENTE (V. TORENT)

TORENT
TORENT VCH A RAYNRYFTE AND RUSCHED TO THE VRTHE. . . . . CLN 368
AND AL HIS RESONS ARE TORENT AND REDELES HE STONDES . . . . . ERK 164
ON RODE RWLY TORENT WYTH RYBAUDES MONY. . . . . PAT 96
ANENDE HYS HERT THUR3 HYDE TORENTE . . . . PRL 1136

TORET
TORET AND TRELETED WITH TRYFLE3 ABOUTE. . . . . GGK 960
TORET AND TREIETED WITH TRYFLE3 ABOUTE. . . . . GGK V 960

TORIUEN
THERFORE MY IOYE WAT3 SONE TORIUEN . . . . PRL 1197

TORKYE (V. TURKEY)

TORMENTERS
AND TALKE3 TO HIS TORMENTTOURE3 TAKE3 HYM HE BIDDE3 . . . . . CLN 154

TORMENTTOURE3 (V. TORMENTERS)

TORN
ER HE HADE TYRUED THIS TOUN AND TORNE HIT TO GROUNDE . . . . . CLN 1234
BE MORE WYTH HIS TUSCHE3 TORNE . . . . GGK 1579
THENNE THA3 HER TAKEL WERE TORNE THAT TOTERED ON YTHE3 . . . . PAT 233

TORNAYEE3 (V. TURNIES)

TORNE (V. TORN, TURN)

TORNED (V. TURNED)

TORNE3 (V. TURNS)

TOROF
THAT ALLE THE REGIOUN TOROF IN RIFTES FUL GRETE. . . . . CLN 964
HIS RYCHE ROBE HE TOROF OF HIS RIGGE NAKED . . . . PAT 379

TORRES (V. TOWERS)

TORRE3 (V. TOWERS)		
TORTORS		
TORTORS AND TRULOFE3 ENTAYLED SO THYK	GGK	612
TORUAYLE		
BOT TO TAKE THE TORUAYLE TO MYSELF TO TRWLUF EXPOUN	GGK	1540
TOS (V. TOES)		
TOTERED (V. TOTTERED)		
TOTES		
HO COMMES TO THE CORTYN AND AT THE KNY3T TOTES	GGK	1476
TOTE3		
AND HIS TABARDE TOTORNE AND HIS TOTE3 OUTE	CLN	41
TOTHE (V. TOOTH)		
TOTORNE		
FORTHY HY3 NOT TO HEUEN IN HATERE3 TOTORNE	CLN	33
AND HIS TABARDE TOTORNE AND HIS TOTE3 OUTE	CLN	41
TOTTERED		
THENNE THA3 HER TAKEL WERE TORNE THAT TOTERED ON YTHE3	PAT	233
TOT3 (V. TAKES)		
TOUCH		
THA3 NEUER IN TALLE NE IN TUCH HE TRESPAS MORE	CLN	48
BY NOBLEYE OF HIS NORTURE HE NOLDE NEUER TOWCHE.	CLN	1091
BI SUM TOWCH OF SUMME TRYFLE AT SUM TALE3 ENDE	GGK	1301
AND TOWCHE THE TEME3 OF TYXT AND TALE3 OF ARME3.	GGK	1541
WYTHOUTEN TOWCHE OF ANY TOTHE HE TULT IN HIS THROTE	PAT	252
TO TOUCH HER CHYLDER THAY FAYR HYM PRAYED.	PRL	714
TOUCHED		
THE DEFENCE WAT3 THE FRYT THAT THE FREKE TOWCHED	CLN	245
FELLE TEMPTANDE TENE TOWCHED HIS HERT	CLN	283
FOR WHATSO HE TOWCHED ALSO TYD TOURNED TO HELE	CLN	1099
WHEN THE TERME OF THE TYDE WAT3 TOWCHED OF THE FESTE	CLN	1393
THENNE TOWCHED TO THE TRESOUR THIS TALE WAT3 SONE	CLN	1437
TIL HIT BITIDE ON A TYME TOWCHED HYM PRYDE	CLN	1657
NE TOWCHED HER TONGE FOR NO DYSSTRESSE.	PRL	898
TOUCHES		
THAT MONY HERT FUL HI3E HEF AT HER TOWCHES	GGK	120
AND I SCHAL HUNT IN THIS HOLT AND HALDE THE TOWCHE3	GGK	1677
TOUGH		
THAT WAT3 TENDER AND NOT TO3E BED TYRUE OF THE HYDE	CLN	630
TOUMBE (V. TOMB)		
TOUMBEWONDER (V. TOMB-WONDER)		
TOUN (V. TOWN)		
TOUNE (V. TOWN)		
TOUNE3 (V. TOWNS)		
TOUR (V. TOWER)		
TOURES (V. TOWERS)		
TOURNAYED (V. TOURNEYED)		
TOURNE (V. TURN)		
TOURNED (V. TURNED)		
TOURNEYED		
THER TOURNAYED TULKES BY TYME3 FUL MONY	GGK	41
TOURNE3 (V. TURNS)		
TOW		
FOR TO TOWE HYM INTO TARCE AS TYD AS THAY MY3T	PAT	100
TOWALTEN		
TOWALTEN ALLE THYSE WELLEHEDE3 AND THE WATER FLOWED	CLN	428
TOWARD		
AND SETTEN TOWARD SODAMAS HER SY3T ALLE AT ONE3.	CLN	672
IN TOWARDE THE CETY OF SODAMAS THAT SYNNED HAD THENNE.	CLN	679
TOWARDE THE MERE OF MAMBRE MURNANDE FOR SOREWE	CLN	778

```
    HE SENDE TOWARD SODOMAS THE SY3T OF HIS Y3EN. . . . . . . . . CLN      1005
    THER BOWED TOWARD BABILOYN BURNES SO MONY. . . . . . . . . .  CLN      1373
    TOWARDE THE PROUIDENS OF THE PRINCE THAT PARADIS WELDES . . . ERK       161
    TOWARD THE DERREST ON THE DECE HE DRESSE3 THE FACE. . . . . . GGK       445
    AND BO3ED TOWARDE THE BED AND THE BURNE SCHAMED. . . . . . .  GGK      1189
    JONAS TOWARD PORT JAPH AY JANGLANDE FOR TENE. . . . . . . . . PAT        90
    HE WEX AS WROTH AS THE WYNDE TOWARDE OURE LORDE. . . . . . .  PAT       410
    TOWARDE A FORESTE I BERE THE FACE . . . . . . . . . . . . . . PRL        67
    AND SPEKE ME TOWARDE IN THAT SPACE . . . . . . . . . . . . .  PRL       438
    BOW VP TOWARDE THYS BORNE3 HEUED. . . . . . . . . . . . . . . PRL       974
    TOWARDE THE THRONE THAY TRONE A TRAS . . . . . . . . . . . .  PRL      1113
TOWARDE (V. TOWARD)
TOWCH (V. TOUCH)
TOWCHE (V. TOUCH)
TOWCHED (V. TOUCHED)
TOWCHES (V. TOUCHES)
TOWCHE3 (V. TOUCHES)
TOWE (V. TOW)
TOWED
    FOR 3E HAF TRAUAYLED QUOTH THE TULK TOWEN FRO FERRE . . . . . GGK      1093
    FRO WE IN TWYNNNE WERN TOWEN AND TWAYNED . . . . . . . . . .  PRL       251
TOWEN (V. TOWED)
TOWER
    BOT THER HE TYNT THE TYTHE DOOL OF HIS TOUR RYCHE . . . . . . CLN       216
    THOU MAY NOT ENTER WYTHINNE HYS TOR. . . . . . . . . . . . .  PRL       966
TOWERS
    CLOWDE3 CLUSTERED BYTWENE KESTEN VP TORRES . . . . . . . . .  CLN       951
    TRWE TULKKES IN TOURES TEUELED WYTHINNE . . . . . . . . . . . CLN      1189
    TROCHED TOURES BITWENE TWENTY SPERE LENTHE . . . . . . . . .  CLN      1383
    TOWRES TELDED BYTWENE TROCHET FUL THIK. . . . . . . . . . . . GGK       795
    AND AS THUNDER THROWE3 IN TORRE3 BLO . . . . . . . . . . . .  PRL       875
TOWN
    NOW TURNE I THEDER ALS TYD THE TOUN TO BYHOLDE . . . . . . .  CLN        64
    NOW FYFTY FYN FRENDE3 WER FOUNDE IN 3ONDE TOUNE. . . . . . .  CLN       721
    IF TEN TRYSTY IN TOUNE BE TAN IN THI WERKKE3. . . . . . . . . CLN       763
    3IF THOU TYNE3 THAT TOUN TEMPRE THYN YRE . . . . . . . . . .  CLN       775
    FOR WE SCHAL TYNE THIS TOUN AND TRAYTHELY DISSTRYE. . . . . . CLN       907
    THE LEDE3 OF THAT LYTTEL TOUN WERN LOPEN OUT FOR DREDE . . .  CLN       990
    ER HE HADE TYRUED THIS TOUN AND TORNE HIT TO GROUNDE . . . .  CLN      1234
    STALEN STYLLY THE TOUN ER ANY STEUEN RYSED . . . . . . . . .  CLN      1778
    IN HIS TYME IN THAT TON THE TEMPLE ALDERGRATTYST . . . . . .  ERK         5
    AT LOUE LONDON TON AND THE LAGHE TECHES . . . . . . . . . . . ERK        34
    QUEN TITHYNGES TOKEN TO THE TON OF THE TOUMBEWONDER . . . . . ERK        57
    I IUSTIFIET THIS IOLY TOUN ON GENTIL WISE. . . . . . . . . .  ERK       229
    I SCHAL TELLE HIT ASTIT AS I IN TOUN HERDE . . . . . . . . .  GGK        31
    IN TOUNE. . . . . . . . . . . . . . . . . . . . . . . . . . . GGK       614
    ER THE HALIDAYE3 HOLLY WERE HALET OUT OF TOUN . . . . . . . . GGK      1049
    TRULY THIS ILK TOUN SCHAL TYLTE TO GROUNDE . . . . . . . . .  PAT       361
    THAT I SCHULDE TEE TO THYS TOUN THI TALENT TO PRECHE . . . .  PAT       416
    LYS LOLTRANDE THERINNE LOKANDE TO TOUNE . . . . . . . . . . . PAT       458
    AND TYPE DOUN 3ONDER TOUN WHEN HIT TURNED WERE . . . . . . .  PAT       506
    AS DERELY DEUYSE3 THIS ILK TOUN . . . . . . . . . . . . . . . PRL       995
TOWNS
    WHAT IF THRETTY THRYUANDE BE THRAD IN 3ON TOUNE3 . . . . . .  CLN       751
TOWRAST
    TOWRAST . . . . . . . . . . . . . . . . . . . . . . . . . . . GGK V    1663
TOWRES (V. TOWERS)
TO3E (V. TOUGH)
TO3ERE (CP. YEAR)
```

Entry	Source	Line
PARAUNTER NO3T SCHAL TO3ERE MORE.	PRL	588
TO3T		
HO HAT3 KYST THE KNY3T SO TO3T	GGK	1869
SO SAYDE THE LORDE AND MADE HIT TO3T	PRL	522
TRACE		
TOWARDE THE THRONE THAY TRONE A TRAS	PRL	1113
TRAILED		
SO TRAYLED. AND TRYFLED A TRAUERCE WER ALLE	CLN	1473
TRAILS		
TRAYLE3 OFTE A TRAUERES BI TRAUNT OF HER WYLES	GGK	1700
TRAITOR		
AND BE TRAYTOR TO THAT TOLKE THAT THAT TELDE A3T	GGK	1775
TRAITORS		
AND THER AR TRES BY THAT TERNE OF TRAYTOURES KYNDE.	CLN	1041
HE TELLES ME THOSE TRAYTOURES ARN TYPPED SCHREWES	PAT	77
TRAMME		
THEN HE TRON ON THO TRES AND THAY HER TRAMME RUCHEN	PAT	101
TRAMMES		
THE TULK THAT THE TRAMMES OF TRESOUN THER WRO3T.	GGK	3
TRAMOUNTAYNE		
I SCHAL TELDE VP MY TRONE IN THE TRAMOUNTAYNE	CLN	211
TRANTES		
AND HE TRANTES AND TORNAYEE3 THUR3 MONY TENE GREUE.	GGK	1707
TRAS (V. TRACE)		
TRASCHED		
WYTH RENT COKRE3 AT THE KNE AND HIS CLUTTE3 TRASCHED	CLN	40
TRASCHE3 (V. TRASHES)		
TRASED		
TRASED ABOUTE HIR TRESSOUR BE TWENTY IN CLUSTERES	GGK	1739
TRASHES		
WYTH RENT COKRE3 AT THE KNE AND HIS CLUTTE TRASCHE3	CLN V	40
TRAUAYL (V. TRAVAIL)		
TRAUAYLE (V. TRAVAIL)		
TRAUAYLED (V. TRAVAILED, TRAVELLED)		
TRAUAYLEDE3 (V. TRAVAILED)		
TRAUERCE (V. TRAVERSE)		
TRAUERES (V. TRAVERSE)		
TRAUNT		
TRAYLE3 OFTE A TRAUERES BI TRAUNT OF HER WYLES	GGK	1700
TRAUTHE (V. TRUTH)		
TRAVAIL		
AND THOU HAT3 TYMED THI TRAUAYL AS TRUEE MON SCHULDE	GGK	2241
AND IF I MY TRAUAYL SCHULDE TYNE OF TERMES SO LONGE	PAT	505
THAT FELDE I NAWTHER RESTE NE TRAUAYLE.	PRL	1087
TRAVAILED		
AND TRAUAYLEDE3 NEUER TO TENT HIT THE TYME OF AN HOWRE	PAT	498
AND SAYDEN THAT THAY HADE TRAUAYLED SORE	PRL	550
TRAVE (V. TROW)		
TRAVELLED		
FOR 3E HAF TRAUAYLED QUOTH THE TULK TOWEN FRO FERRE	GGK	1093
TRAVERSE		
SO TRAYLED AND TRYFLED A TRAUERCE WER ALLE	CLN	1473
TRAYLE3 OFTE A TRAUERES BI TRAUNT OF HER WYLES	GGK	1700
TRAW (V. TROW)		
TRAWANDE (V. TROWING)		
TRAWE (V. TROW)		
TRAWED (V. TROWED)		
TRAWETH (V. TRUTH)		
TRAWE3 (V. TROW)		

TRAWTHE (V. TRUTH)
TRAYLED (V. TRAILED)
TRAYLE3 (V. TRAILS)
TRAYSOUN (V. TREASON)
TRAYST (CP. TRUST)
    I SCHAL BYNDE YOW IN YOUR BEDDE THAT BE 3E TRAYST . . . . . . GGK 1211
TRAYTHELY
    FOR WE SCHAL TYNE THIS TOUN AND TRAYTHELY DISSTRYE. . . . . . CLN 907
    AND ENTYSES HYM TO TENE MORE TRAYTHLY THEN EUER. . . . . . . CLN 1137
TRAYTHLY (V. TRAYTHELY)
TRAYTOR (V. TRAITOR)
TRAYTOURES (V. TRAITORS)
TRE (V. TREE)
TREACHERY
    FOR TRAYSOUN AND TRICHCHERYE AND TYRAUNTYRE BOTHE . . . . . . CLN 187
    WAT3 TRIED FOR HIS TRICHERIE THE TREWEST ON ERTHE . . . . . . GGK 4
    OF TRECHERYE AND VNTRAWTHE BOTHE BITYDE SOR3E . . . . GGK 2383
TREAD
    EFTE TO TREDE ON THY TEMPLE AND TEME TO THYSELUEN . . . . . . PAT 316
TREASON
    FOR TRAYSOUN AND TRICHCHERYE AND TYRAUNTYRE BOTHE . . . . . . CLN 187
    THE TULK THAT THE TRAMMES OF TRESOUN THER WRO3T. . . . . . . GGK 3
TREASURE
    I HAF A TRESOR IN MY TELDE OF TWO MY FAYRE DE3TER . . . . . . CLN 866
    WHAT SERUE3 TRESOR BOT GARE3 MEN GRETE. . . . . PRL 331
    CA3TE OF HER COROUN OF GRETE TRESORE . . . . PRL 237
    WHAT SERUE3 TRESOR BOT GARE MEN GRETE . . . . PRL 2 331
TREASURER
    THENNE TOWCHED TO THE TRESOUR THIS TALE WAT3 SONE . . . . . . CLN 1437
TREASURY
    HE TRUSSED HEM IN HIS TRESORYE IN A TRYED PLACE. . . . . . . CLN 1317
TRECHERYE (V. TREACHERY)
TREDE (V. TREAD)
TREE
    BY BOLE OF THIS BRODE TRE WE BYDE THE HERE . . . . CLN 622
    WYTH TOOL OUT OF HARDE TRE AND TELDED ON LOFTE . . . . CLN 1342
    THAT VMBETE3E MONY TRE MO THEN TWO MYLE . . . . GGK 770
TREES
    A COFER CLOSED OF TRES CLANLYCH PLANED. . . . . CLN 310
    AND THER AR TRES BY THAT TERNE OF TRAYTOURES KYNDE. . . . . . CLN 1041
    THEN HE TRON ON THO TRES AND THAY HER TRAMME RUCHEN . . . . . PAT 101
    ABOUTE THAT WATER ARN TRES FUL SCHYM . . . . PRL 1077
TREFOILED
    SO TRAYLED AND TRYFLED A TRAUERCE WER ALLE . . . . CLN 1473
TREFOILS
    TORET AND TRELETED WITH TRYFLE3 ABOUTE. . . . . GGK 960
    TORET AND TREIETED WITH TRYFLE3 ABOUTE. . . . . GGK V 960
TREIETED
    TORET AND TREIETED WITH TRYFLE3 ABOUTE. . . . . GGK V 960
TRELETED
    TORET AND TRELETED WITH TRYFLE3 ABOUTE. . . . . GGK 960
TRENDELED
    ON HUYLE THER PERLE HIT TRENDELED DOUN. . . . . PRL 41
TRES (V. TREES)
TRESOR (V. TREASURE)
TRESORE (V. TREASURE)
TRESORYE (V. TREASURY)
TRESOUN (V. TREASON)
TRESOUR (V. TREASURER)

TRESPAS (V. TRESPASS)
TRESPASS
    THA3 NEUER IN TALLE NE IN TUCH HE TRESPAS MORE . . . . CLN 48
TRESPASSED
    NE NEUER TRESPAST TO HIM IN TECHE OF MYSSELEUE . . . . CLN 1230
TRESPAST (V. TRESPASSED)
TRESSOUR
    TRASED ABOUTE HIR TRESSOUR BE TWENTY IN CLUSTERES . . . . . . GGK 1739
TRESTES
    THE TRESTES TYLT TO THE WO3E AND THE TABLE BOTHE . . . . . . CLN 832
    SONE WAT3 TELDED VP A TABIL ON TRESTE3 FUL FAYRE . . . . . . GGK 884
    THENNE THAY TELDET TABLE3 TRESTES ALOFTE . . . . GGK 1648
TRESTE3 (V. TRESTES)
TREW (V. TRUE)
TREWEST (V. TRUEST)
TRIAPOLITAN
    THAT WAS THE TEMPLE TRIAPOLITAN AS I TOLDE ARE . . . . ERK 36
TRIAPOLITANES
    THE THRID TEMPLE HIT WOS TOLDE OF TRIAPOLITANES. . . . . ERK 31
TRICHERIE (V. TREACHERY)
TRIED
    HE TRUSSED HEM IN HIS TRESORYE IN A TRYED PLACE. . . . . CLN 1317
    WAT3 TRIED FOR HIS TRICHERIE THE TREWEST ON ERTHE . . . . . . GGK 4
    OF TRYED TOLOUSE AND TARS TAPITES INNOGHE. . . . . GGK 77
    WYTH TRYED TASSELE3 THERTO TACCHED INNOGHE . . . . GGK 219
    THER ALLE OURE CAUSE3 SCHAL BE TRYED . . . . PRL 702
    GYUE THE TO PASSE WHEN THOU ARTE TRYED. . . . . PRL 707
TRIFEL (V. TRIFLE)
TRIFLE
    TO TELLE YOW TENE3 THEROF NEUER BOT TRIFEL . . . . GGK 547
    BI SUM TOWCH OF SUMME TRYFLE AT SUM TALE3 ENDE . . . . GGK 1301
TRIFLES
    TALKKANDE BIFORE THE HY3E TABLE OF TRIFLES FUL HENDE . . . . . GGK 108
    THAT WERE TO TOR FOR TO TELLE OF TRYFLES THE HALUE. . . . . . GGK 165
TRILLE
    THAT THIKE CON TRYLLE ON VCH A TYNDE . . . . PRL 78
    THE TERES TRILLYD ADON AND ON THE TOUMBE LIGHTEN . . . . ERK 322
TRILLYD (V. TRILLE)
TRIYS (V. TRUCE)
TROCHED
    TROCHED TOURES BITWENE TWENTY SPERE LENTHE . . . . CLN 1383
    TOWRES TELDED BYTWENE TROCHET FUL THIK. . . . . GGK 795
TROCHET (V. TROCHED)
TROIE (V. TROY)
TRON
    TRON FRO TABLE TO TABLE AND TALKEDE AY MYRTHE . . . . CLN 132
    THEN HE TRON ON THO TRES AND THAY HER TRAMME RUCHEN . . . . . PAT 101
    TOWARDE THE THRONE THAY TRONE A TRAS . . . . PRL 1113
TRONE (V. THRONE, TRON)
TRONYD (V. THRONED)
TROT
    TRYNANDE AY A HY3E TROT THAT TORNE NEUER DORSTEN . . . . . . CLN 976
TROUBLE
    TULKES TOLDEN HYM THE TALE AND THE TROUBULLE IN THE PEPUL . . ERK 109
TROUBULLE (V. TROUBLE)
TROUTHE (V. TRUTH)
TROW
    TRAVE THOU NEUER THAT TALE VNTRWE THOU HIT FYNDE3 . . . . . . CLN 587
    MAY THOU TRAW FOR TYKLE THAT THOU TONNE MO3TE3 . . . . CLN 655

ALLE THYSE AR TECHES AND TOKENES TO TROW VPON 3ET	CLN	1049
QUYLE SEUEN SYTHE3 WERE OUERSEYED SOMERES I TRAWE	CLN	1686
AND 3ET OF LYKYNGES ON LOFTE LETTED I TROWE	CLN	1803
MAY THOU TRAW FOR TYKLE THAT THOU TEME MO3TE3	CLN V	655
AND HE THAT WAN WAT3 NOT WROTHE THAT MAY 3E WEL TRAWE.	GGK	70
OF SUM MAYN MERUAYLE THAT HE MY3T TRAWE	GGK	94
AND IF THOU REDE3 HYM RY3T REDLY I TROWE	GGK	373
3E PETER QUOTH THE PORTER AND PURELY I TROWEE	GGK	813
THE LORDE LUFLY HER BY LENT AS I TROWE.	GGK	1002
AND THAT THAY NEME FOR THE NOUMBLES BI NOME AS I TROWE	GGK	1347
FOR 3E HAF TAN THAT YOW TYDE3 TRAWE 3E NON OTHER	GGK	1396
TRAWE 3E ME THAT TRWELY THA3 3E HAD TWENTY LYUES	GGK	2112
THENNE BI GODDE QUOTH GAWAYN THAT GERE AS I TROWE	GGK	2205
OF STEUEN MON MAY THE TROWE	GGK	2238
BOT I TROW FUL TYD OUERTAN THAT HE WERE	PAT	127
AND QUEN THE GULTY IS GON WHAT MAY GOME TRAWE	PAT	175
FOR THAT MOTE IN HIS MAWE MAD HYM I TROWE.	PAT	299
THOU SAYS THOU TRAWE3 ME IN THIS DENE	PRL	295
I MAY NOT TRAW SO GOD ME SPEDE	PRL	487
I TROWE ALONE 3E LENGE AND LOUTE.	PRL	933
TROWE (V. TROW)		
TROWED		
SUMME SWYMMED THERON THAT SAUE HEMSELF TRAWED	CLN	388
IN THE BUR3 OF BABILOYNE THE BIGGEST HE TRAWED	CLN	1335
AND VCHE SEGGE THAT HIM SEWIDE THE SAME FAYTHE TROWID.	ERK	204
THAT EUER WAS TRONYD IN TROYE OTHER TROWID EUER SHULDE	ERK	255
I TRAWED MY PERLE DON OUT OF DAWE3	PRL	282
TROWEE (V. TROW)		
TROWID (V. TROWED)		
TROWING		
NOT TRAWANDE THE TALE THAT I THE TO SCHEWED	CLN	662
TROY		
NOW THAT LONDON IS NEUENYD HATTE THE NEW TROIE	ERK	25
I WAS ON EIRE OF AN OYER IN THE NEW TROIE.	ERK	211
QUEN I DEGHED FOR DUL DENYED ALLE TROYE	ERK	246
GURDEN ME FOR GOUERNANCE THE GRAYTHIST OF TROIE.	ERK	251
THAT EUER WAS TRONYD IN TROYE OTHER TROWID EUER SHULDE	ERK	255
GURDEN ME FOR THE GOUERNOUR AND GRAYTHIST OF TROIE.	ERK V	251
SITHEN THE SEGE AND THE ASSAUT WAT3 SESED AT TROYE.	GGK	1
AFTER THE SEGGE AND THE ASAUTE WAT3 SESED AT TROYE.	GGK	2525
TROYE (V. TROY)		
TRUCE		
BREUE ME BRY3T QUAT KYN OF TRIYS.	PRL 2	755
TRUE		
HOW MY3T I HYDE MYN HERT FRO HABRAHAM THE TRWE	CLN	682
WHEN TWO TRUE TOGEDER HAD TY3ED HEMSELUEN.	CLN	702
IF THAT TWENTY BE TRWE I TENE HEM NO MORE.	CLN	759
TO FORFARE THE FALCE IN THE FAYTHE TRWE	CLN	1168
TRWE TULKKES IN TOURES TEUELED WYTHINNE	CLN	1189
HIT IS TOLDE ME BI TULKES THAT THOU TRWE WERE	CLN	1623
INTO THE CENACLE SOLEMPLY THER SOUPEN ALLE TREW.	ERK	336
AND THOU HAT3 REDILY REHERSED BI RESOUN FUL TRWE	GGK	392
AND BI TRWE TYTEL THEROF TO TELLE THE WONDER.	GGK	480
AS TULK OF TALE MOST TRWE	GGK	638
3E SIR FORSOTHE SAYD THE SEGGE TRWE.	GGK	1091
NOW AR 3E TAN ASTYT BOT TRUE VS MAY SCHAPE	GGK	1210
AND THAT I HAF ER HERKKENED AND HALDE HIT HERE TRWEE	GGK	1274
FOR TO TELLE OF THIS TEUELYNG OF THIS TRWE KNY3TE3.	GGK	1514
HIT IS SOTHE QUOTH THE SEGGE AND AS SIKER TRWE	GGK	1637

Entry	Text	Line
	AND SAYDE AS I AM TRWE SEGGE I SIKER MY TRAWTHE.	GGK	1673
	TO BE YOUR TRWE SERUAUNT	GGK	1845
	AND THOU HAT3 TYMED THI TRAUAYL AS TRUEE MON SCHULDE	GGK	2241
	TRWE MON TRWE RESTORE	GGK	2354
	TRWE MON TRWE RESTORE	GGK	2354
	THE TRWE TENOR OF HIS TEME HE TOLDE ON THIS WYSE	PAT	358
	TO LEUE NO TALE BE TRUE TO TRY3E.	PRL	311
	BLYSFUL QUOTH I MAY THYS BE TRWE.	PRL	421
	TEMEN TO HYS BODY FUL TRWE AND TRYSTE	PRL	460
	HARMLE3 TRWE AND VNDEFYLDE.	PRL	725
	LO GODE3 LOMBE AS TRWE AS STON	PRL	822
	BY TRW RECORDE OF AYTHER PROPHETE	PRL	831
	AND HALDEN ME THER IN TRWE ENTENT	PRL	1191
	TEMEN TO HYS BODY FUL TRWE AND TYSTE	PRL 1	460
TRUEE (V. TRUE)			
TRULOFE3 (V. TRUELOVES)			
TRUELOVE			
	AND TECHE SUM TOKENE3 OF TRWELUF CRAFTES	GGK	1527
	BOT TO TAKE THE TORUAYLE TO MYSELF TO TRWLUF EXPOUN	GGK	1540
TRUELOVES			
	TORTORS AND TRULOFE3 ENTAYLED SO THYK	GGK	612
TRUEST			
	WAT3 TRIED FOR HIS TRICHERIE THE TREWEST ON ERTHE	GGK	4
TRULY			
	BOT IN TEMPLE OF THE TRAUTHE TRWLY TO STONDE.	CLN	1490
	THAT THOU ME TELLE TRULY AS I TRYST MAY	GGK	380
	BOT TECHE ME TRULY THERTO AND TELLE ME HOWE THOU HATTES	GGK	401
	3IF I THE TELLE TRWLY QUEN I THE TAPE HAUE	GGK	406
	AND THAT 3E TELLE ME THAT NOW TRWLY I PRAY YOW	GGK	1785
	TRAWE 3E ME THAT TRWELY THA3 3E HAD TWENTY LYUES	GGK	2112
	AND THOU TRYSTYLY THE TRAWTHE AND TRWLY ME HALDE3	GGK	2348
	THAT SCHAL I TELLE THE TRWLY QUOTH THAT OTHER THENNE	GGK	2444
	TRULY THIS ILK TOUN SCHAL TYLTE TO GROUNDE	PAT	361
TRUMPEN			
	STURNE TRUMPEN STRAKE STEUEN IN HALLE	CLN	1402
TRUMPES			
	THEN THE FIRST CORS COME WITH CRAKKYNG OF TRUMPES	GGK	116
	TRUMPE3 AND NAKERYS	GGK	1016
TRUMPE3 (V. TRUMPES)			
TRUSS			
	TYFFEN HER TAKLES TRUSSEN HER MALES.	GGK	1129
TRUSSED			
	HE TRUSSED HEM IN HIS TRESORYE IN A TRYED PLACE.	CLN	1317
TRUSSEN (V. TRUSS)			
TRUST (CP. TRAYST)			
	THAT THOU ME TELLE TRULY AS I TRYST MAY	GGK	380
	AND 3ELDE 3EDERLY A3AYN AND THERTO 3E TRYST	GGK	2325
	THUR3 MY3T OF THY MERCY THAT MUKEL IS TO TRYSTE.	PAT	324
	TEMEN TO HYS BODY FUL TRWE AND TRYSTE	PRL	460
TRUSTILY			
	AND THOU TRYSTYLY THE TRAWTHE AND TRWLY ME HALDE3	GGK	2348
TRUSTY			
	IF TEN TRYSTY IN TOUNE BE TAN IN THI WERKKE3.	CLN	763
TRUTH			
	ON HADE BO3T HYM A BOR3 HE SAYDE BY HYS TRAWTHE.	CLN	63
	THUR3 THE FAUT OF A FREKE THAT FAYLED IN TRAWTHE	CLN	236
	THENNE SWENGED FORTH SARE AND SWER BY HIR TRAWTHE	CLN	667
	THAT NEUER LAKKED THY LAUE BOT LOUED AY TRAUTHE.	CLN	723
	BOT IN TEMPLE OF THE TRAUTHE TRWLY TO STONDE.	CLN	1490

HE DEVYSED HIS DREMES TO THE DERE TRAWTHE. . . . . CLN 1604
THENNE HE LOUED THAT LORDE AND LEUED IN TRAWTHE. . . . . . . CLN 1703
AND PHARES FOL3ES FOR THOSE FAWTES TO FRAYST THE TRAWTHE. . . CLN 1736
THEN PRECHYD HE HERE THE PURE FAYTHE AND PLANTYD THE TROUTHE . ERK 13
ANSUARE HERE TO MY SAWE COUNCELE NO TROUTHE . . . . ERK 184
AND LOUES AL THE LAWES LELY THAT LONGEN TO TROUTHE. . . . . ERK 268
SAF THAT THOU SCHAL SIKER ME SEGGE BI THI TRAWTHE . . . . . GGK 394
AND THAT I SWERE THE FORSOTHE AND BY MY SEKER TRAWETH. . . . GGK 403
IN BYTOKNYNG OF TRAWTHE BI TYTLE THAT HIT HABBE3 . . . . . GGK 626
FORSOTHE SIR QUOTH THE SEGGE 3E SAYN BOT THE TRAWTHE . . . . GGK 1050
THAT 3E ME TELLE WITH TRAWTHE IF EUER 3E TALE HERDE . . . . GGK 1057
SWETE SWAP WE SO SWARE WITH TRAWTHE. . . . . GGK 1108
HIT WERE A FOLE FELEFOLDE MY FRE BY MY TRAWTHE . . . . GGK 1545
ALLE MY GET I SCHAL YOW GIF AGAYN BI MY TRAWTHE. . . . . . . GGK 1638
AND SAYDE AS I AM TRWE SEGGE I SIKER MY TRAWTHE. . . . . . . GGK 1673
TIL THYN AX HAUE ME HITTE HAF HERE MY TRAWTHE . . . . GGK 2287
AND THOU TRYSTYLY THE TRAWTHE AND TRWLY ME HALDE3 . . . . . GGK 2348
AS ANY GOME VNDER GOD FOR THY GRETE TRAUTHE . . . . GGK 2470
AND HALDE GOUD THAT THOU ME HETES HAF HERE MY TRAUTHE. . . . PAT 336
FOR AL IS TRAWTHE THAT HE CON DRESSE . . . . PRL 495

TRW (V. TRUE)
TRWE (V. TRUE)
TRWEE (V. TRUE)
TRWELUF (V. TRUELOVE)
TRWELY (V. TRULY)
TRWLUF (V. TRUELOVE)
TRWLY (V. TRULY)
TRYED (V. TRIED)
TRYEST

THE TWELFTHE THE TRYESTE IN VCH A PLYT. . . . . PRL 2 1015

TRYESTE (V. TRYEST)
TRYFLE (V. TRIFLE)
TRYFLED (V. TREFOILED)
TRYFLES (V. TRIFLES)
TRYFLE3 (V. TREFOILS)
TRYLLE (V. TRILLE)
TRYNANDE

TRYNANDE AY A HY3E TROT THAT TORNE NEUER DORSTEN . . . . . . CLN 976

TRYST (V. TRUST)
TRYSTE (V. TRUST)
TRYSTER

THENNE WAT3 HE WENT ER HE WYST TO A WALE TRYSTER . . . . . . GGK 1712

TRYSTERES

TO TRYSTORS VEWTERS 3OD. . . . . GGK 1146
THE LEDE3 WERE SO LERNED AT THE LO3E TRYSTERES . . . . GGK 1170

TRYSTORS (V. TRYSTERES)
TRYSTY (V. TRUSTY)
TRYSTYLY (V. TRUSTILY)
TRY3E

TO LEUE NO TALE BE TRUE TO TRY3E. . . . . PRL 311

TUCH (V. TOUCH)
TUKKET

TYMBRES AND TABORNES TUKKET AMONG . . . . CLN 1414

TULE (V. TULY)
TULK

TYL THAY HAD TYTHYNG FRO THE TOLKE THAT TYNED HEM THERINNE . . CLN 498
ME BOS TELLE TO THAT TOLK THE TENE OF MY WYLLE . . . . CLN 687
WHAT FOR TWENTY QUOTH THE TOLKE VNTWYNE3 THOU HEM THENNE. . . CLN 757
THENNE VCH TOLKE TY3T HEM THAT HADE OF TAYT FAYLED. . . . . . CLN 889

THE TULK THAT THE TRAMMES OF TRESOUN THER WRO3T. . . . . . . GGK 3
AS TULK OF TALE MOST TRWE . . . . GGK 638
FOR 3E HAF TRAUAYLED QUOTH THE TULK TOWEN FRO FERRE . . . . . GGK 1093
AND BE TRAYTOR TO THAT TOLKE THAT THAT TELDE A3T . . . . . . GGK 1775
ICHE TOLKE MON DO AS HE IS TAN TAS TO NON ILLE . . . . GGK 1811
AND 3E ME TAKE SUM TOLKE TO TECHE AS 3E HY3T. . . . . GGK 1966
AND TALK WYTH THAT ILK TULK THE TALE THAT ME LYSTE. . . . . . GGK 2133

TULKES
TRWE TULKKES IN TOURES TEUELED WYTHINNE . . . . CLN 1189
ER HE TO THE TEMPPLE TEE WYTH HIS TULKKES ALLE . . . . CLN 1262
HIT IS TOLDE ME BI TULKES THAT THOU TRWE WERE . . . . CLN 1623
TULKES TOLDEN HYM THE TALE AND THE TROUBULLE IN THE PEPUL . . ERK 109
THER TOURNAYED TULKES BY TYME3 FUL MONY . . . . GGK 41

TULKET
TYMBRES AND TABORNES TULKET AMONG . . . . CLN V 1414

TULKKES (V. TULKES)

TULT (V. TILTED)

TULY
FYRST A TULE TAPIT TY3T OUER THE FLET . . . . GGK 568
TAPYTE3 TY3T TO THE WO3E OF TULY AND TARS. . . . . GGK 858

TURKEY
3ET TAKE TORKYE HEM WYTH HER TENE HADE BEN LITTLE . . . . . . CLN 1232

TURN
NOW TURNE I THEDER ALS TYD THE TOUN TO BYHOLDE . . . . CLN 64
TRYNANDE AY A HY3E TROT THAT TORNE NEUER DORSTEN . . . . . . CLN 976
AND COMFORT YOW WITH COMPAYNY TIL I TO CORT TORNE . . . . . . GGK 1099
THAT SCHULDE TECHE HYM TO TOURNE TO THAT TENE PLACE . . . . . GGK 2075
WHY SCHULDE I WRATH WYTH HEM SYTHEN WY3E3 WYL TORNE . . . . . PAT 518

TURNE (V. TURN)

TURNED
IN MONY TURNED TYME TENE THAT WRO3TEN . . . . GGK 22
FOR WHATSO HE TOWCHED ALSO TYD TOURNED TO HELE . . . . CLN 1099
HE TURNYD TEMPLES THAT TYME THAT TEMYD TO THE DEUELLE. . . . . ERK 15
THEN HE WAKENEDE AND WROTH AND TO-HIR-WARDE TORNED. . . . . . GGK 1200
BOT DALT WITH HIR AL IN DAYNTE HOWSEEUER THE DEDE TURNED. . . GGK 1662
AND TYPE DOUN 3ONDER TOUN WHEN HIT TURNED WERE . . . . PAT 506

TURNES (V. TURNS)

TURNIES
AND HE TRANTES AND TORNAYEE3 THUR3 MONY TENE GREUE. . . . . . GGK 1707

TURNS
NE NEUER SEE HYM WITH SY3T FOR SUCH SOUR TOURNE3 . . . . . . CLN 192
THEN HE TURNES TO THE TOUMBE AND TALKES TO THE CORCE . . . . . ERK 177
WITH A RUNISCH ROUT THE RAYNE3 HE TORNE3 . . . . GGK 457

TURNYD (V. TURNED)

TUSCANY
TICIUS TO TUSKAN AND TELDES BIGYNNES . . . . GGK 11

TUSCHE3 (V. TUSKS)

TUSKAN (V. TUSCANY)

TUSKS
WHETTE3 HIS WHYTE TUSCHE3 WITH HYM THEN IRKED . . . . GGK 1573
BE MORE WYTH HIS TUSCHE3 TORNE . . . . GGK 1579

TWAIN
NO MYLE3 FRO MAMBRE MO THEN TWEYNE . . . . CLN 674
IN THAT ILK EUENTYDE BY AUNGELS TWEYNE. . . . . CLN 782
HE SY3E THER SWEY IN ASENT SWETE MEN TWEYNE . . . . CLN 788
HE3EST OF ALLE OTHER SAF ONELYCH TWEYNE . . . . CLN 1749
BY ALLE BRETAYNES BONKES WERE BOT OTHIRE TWAYNE. . . . . ERK 32
THE TWEYNE Y3EN AND THE NASE THE NAKED LYPPE3 . . . . GGK 962
THAT NEUER WY3E SCHULDE HIT WYT IWYSSE BOT THAY TWAYNE . . . GGK 1864

Word / Line	Text	Line
TWAINED		
FRO WE IN TWYNNNE WERN TOWEN AND TWAYNED	PRL	251
TWAYNE (V. TWAIN)		
TWAYNED (V. TWAINED)		
TWELFTH		
THE TWELFTHE THE GENTYLESTE IN VCH A PLYT.	PRL	1015
THE TWELFTHE THE TRYESTE IN VCH A PLYT.	PRL 2	1015
TWELFTHE (V. TWELFTH)		
TWELUE (V. TWELVE)		
TWELVE		
AY TWO HAD DISCHES TWELUE	GGK	128
WYTH BANTELE3 TWELUE ON BASYNG BOUN.	PRL	992
THE FOUNDEMENTE3 TWELUE OF RICHE TENOUN	PRL	993
THISE TWELUE DEGRES WERN BRODE AND STAYRE.	PRL	1022
TWELUE FORLONGE SPACE ER EUER HIT FON	PRL	1030
SO TWELUE IN POURSENT I CON ASSPYE	PRL	1035
THAT TWELUE FRYTE3 OF LYF CON BERE FUL SONE	PRL	1078
TWELUE SYTHE3 ON 3ER THAY BEREN FUL FRYM	PRL	1079
SO TWELUE IN POURSEUT I CON ASSPYE	PRL 1	1035
TWELUE THOWSANDE FORLONGE ER EUER HIT FON.	PRL 2	1030
SO TWELUE IN POURSEUT I CON ASSPYE	PRL 3	1035
TWELMONYTH		
A TWELMONYTH AND A DAY	GGK	298
AND AT THIS TYME TWELMONYTH TAKE AT THE ANOTHER.	GGK	383
AT THIS TYME TWELMONYTH THOU TOKE THAT THE FALLED	GGK	2243
TWENTY		
WHAT FOR TWENTY QUOTH THE TOLKE VNTWYNE3 THOU HEM THENNE.	CLN	757
IF THAT TWENTY BE TRWE I TENE HEM NO MORE.	CLN	759
TROCHED TOURES BITWENE TWENTY SPERE LENTHE	CLN	1383
TRASED ABOUTE HIR TRESSOUR BE TWENTY IN CLUSTERES	GGK	1739
TRAWE 3E ME THAT TRWELY THA3 3E HAD TWENTY LYUES	GGK	2112
TWENTY-FOLD		
AND TWENTYFOLDE TWYNANDE HIT TO HIS TOS RA3T.	CLN	1691
TWENTYFOLDE (V. TWENTY-FOLD)		
TWEYNE (V. TWAIN)		
TWICE		
AND I HAF SETEN BY YOURSELF HERE SERE TWYES	GGK	1522
FOR I HAF FRAYSTED THE TWYS AND FAYTHFUL I FYNDE THE	GGK	1679
TWYE3 FOR LOMBE WAT3 TAKEN THARE.	PRL	830
TWIGS		
WITH MONY BRYDDE3 VNBLYTHE VPON BARE TWYGES	GGK	746
TWIN-HUE		
THE TOPASYE TWYNNEHEW THE NENTE ENDENT.	PRL	1012
TWINING		
AND TWENTYFOLDE TWYNANDE HIT TO HIS TOS RA3T.	CLN	1691
TWO		
BYNDE3 BYHYNDE AT HIS BAK BOTHE TWO HIS HANDE3	CLN	155
WHEN TWO TRUE TOGEDER HAD TY3ED HEMSELUEN.	CLN	702
HIS TWO DERE DO3TERE3 DEUOUTLY HEM HAYLSED	CLN	814
I HAF A TRESOR IN MY TELDE OF TWO MY FAYRE DE3TER	CLN	866
I SCHAL BITECHE YOW THO TWO THAT TAYT ARN AND QUOYNT	CLN	871
AND OTHER TWO MYRI MEN THO MAYDENE3 SCHULDE WEDDE	CLN	934
LOTH AND THO LULYWHIT HIS LEFLY TWO DE3TER	CLN	977
FOR TWO FAUTES THAT THE FOL WAT3 FOUNDE IN MISTRAUTHE.	CLN	996
TIL TWO 3ER OUERTORNED 3ET TOK THAY HIT NEUER	CLN	1192
OUTTAKEN BARE TWO AND THENNE HE THE THRYDDE	CLN	1573
WITH RONKE RODE AS THE ROSE AND TWO REDE LIPPES.	ERK	91
AY TWO HAD DISCHES TWELUE	GGK	128
THAT VMBETE3E MONY TRE MO THEN TWO MYLE	GGK	770

AND THAY TWO TENTED THAYRES	GGK	1019
HIT IS NOT TWO MYLE HENNE	GGK	1078
BITWENE TWO SO DYNGNE DAME.	GGK	1316
TWO FYNGERES THAY FONDE OF THE FOWLEST OF ALLE	GGK	1329
TO HEWE HIT IN TWO THAY HY3ES.	GGK	1351
FOR BOTHE TWO HERE I THE BEDE BOT TWO BARE MYNTES	GGK	2352
FOR BOTHE TWO HERE I THE BEDE BOT TWO BARE MYNTES	GGK	2352
FOR IN THE TYXTE THERE THYSE TWO ARN IN TEME LAYDE.	PAT	37
SO BAYN WER THAY BOTHE TWO HIS BONE FOR TO WYRK.	PAT	136
THOU LYFED NOT TWO 3ER IN OURE THEDE	PRL	483
THENN THYSE THAT WRO3T NOT HOURE3 TWO	PRL	555
TWO MEN TO SAUE IS GOD BY SKYLLE.	PRL	674
OF MOTES TWO TO CARPE CLENE	PRL	949
TWYES (V. TWICE)		
TWYE3 (V. TWICE)		
TWYGES (V. TWIGS)		
TWYNANDE (V. TWINING)		
TWYNNE		
FOR TO ENDE ALLE AT ONE3 AND FOR EUER TWYNNE.	CLN	402
AS LAUCE LEUE3 OF THE BOKE THAT LEPES IN TWYNNE.	CLN	966
BOT QUEN HIT IS BRUSED OTHER BROKEN OTHER BYTEN IN TWYNNE	CLN	1047
AS LANCE LEUE3 OF THE BOKE THAT LEPES IN TWYNNE.	CLN V	966
THE TAYL AND HIS TOPPYNG TWYNNEN OF A SUTE	GGK	191
AND SCHRANK THUR3 THE SCHYIRE GRECE AND SCHADE HIT IN TWYNNE	GGK	425
SITHEN BRITNED THAY THE BREST AND BRAYDEN HIT IN TWYNNE	GGK	1339
FOR THER HIT ONE3 IS TACHCHED TWYNNE WIL HIT NEUER.	GGK	2512
FRO WE IN TWYNNE WERN TOWEN AND TWAYNED	PRL	251
TWYNNEHEW (V. TWIN-HUE)		
TWYNNEN (V. TWYNNE)		
TWYS (V. TWICE)		
TYD (CP. TYTTER)		
NOW TURNE I THEDER ALS TYD THE TOUN TO BYHOLDE	CLN	64
CAYRE TID OF THIS KYTHE ER COMBRED THOU WORTHE	CLN	901
AND THAY TOKEN HIT AS TYT AND TENTED HIT LYTTEL.	CLN	935
FOR WHATSO HE TOWCHED ALSO TYD TOURNED TO HELE	CLN	1099
OUERTOK HEM AS TYD TULT HEM OF SADELES.	CLN	1213
NOW HY3E AND LET SE TITE	GGK	299
FUL TYT	GGK	1596
FOR TO TOWE HYM INTO TARCE AS TYD AS THAY MY3T	PAT	100
BOT I TROW FUL TYD OUERTAN THAT HE WERE	PAT	127
TYD BY TOP AND BI TO THAY TOKEN HYM SYNNE.	PAT	229
THE FOLK 3ET HALDANDE HIS FETE THE FYSCH HYM TYD HENTES	PAT	251
TYT SCHAL HEM MEN THE 3ATE VNPYNNE	PRL	728
TYDE (V. TIDE)		
TYDE3 (V. TIDES)		
TYFFEN		
TYFFEN HER TAKLES TRUSSEN HER MALES.	GGK	1129
TYKLE		
MAY THOU TRAW FOR TYKLE THAT THOU TONNE MO3TE3	CLN	655
MAY THOU TRAW FOR TYKLE THAT THOU TEME MO3TE3	CLN V	655
TYLT (V. TITLED)		
TYLTE (V. TILT)		
TYMBRES (V. TIMBERS)		
TYME (V. TIME)		
TYMED (V. TIMED)		
TYME3 (V. TIMES)		
TYNDE		
THAT THIKE CON TRYLLE ON VCH A TYNDE	PRL	78
TYNE		

FOR WE SCHAL TYNE THIS TOUN AND TRAYTHELY DISSTRYE. . . . . . CLN 907

WYL 3E TARY A LYTTEL TYNE AND TENT ME A WHYLE . . . . PAT 59

AND 3ET LYKE3 THE SO LUTHER THI LYF WOLDE3 THOU TYNE . . . . . PAT 500

AND IF I MY TRAUAYL SCHULDE TYNE OF TERMES SO LONGE . . . . . PAT 505

WHEN HE HIT SCHAL EFTE WYTH TENE3 TYNE. . . . . PRL 332

TYNED

TYL THAY HAD TYTHYNG FRO THE TOLKE THAT TYNED HEM THERINNE . . CLN 498

TYNE3

3IF THOU TYNE3 THAT TOUN TEMPRE THYN YRE . . . . CLN 775

TYNT

BOT THER HE TYNT THE TYTHE DOOL OF HIS TOUR RYCHE . . . . . . CLN 216

TYNTAGELLE (V. TINTAGEL)

TYPE

AND TYPE DOUN 3ONDER TOUN WHEN HIT TURNED WERE . . . . PAT 506

TYPPED

HE TELLES ME THOSE TRAYTOURES ARN TYPPED SCHREWES . . . . . . PAT 77

TYRAUNTE3 (V. TYRANTS)

TYRANTS

LEST 3E BE TAKEN IN THE TECHE OF TYRAUNTE3 HERE. . . . . . . CLN 943

TYRAUNTYRE

FOR TRAYSOUN AND TRICHCHERYE AND TYRAUNTYRE BOTHE . . . . . . CLN 187

TYRUE

THAT WAT3 TENDER AND NOT TO3E BED TYRUE OF THE HYDE . . . . . CLN 630

TYRUED

ER HE HADE TYRUED THIS TOUN AND TORNE HIT TO GROUNDE . . . . . CLN 1234

TYRUEN

AND TYRUEN OF HIS COTE . . . . GGK 1921

TYSTE (CP. TY3T)

TEMEN TO HYS BODY FUL TRWE AND TYSTE . . . . PRL 1 460

TYT (V. TYD)

TYTEL (V. TITLE)

TYTELET (V. TITLED)

TYTHE (V. TITHE)

TYTHYNG (V. TIDING)

TYTHYNGES (V. TIDINGS)

TYTHYNGE3 (V. TIDINGS)

TYTLE (V. TITLE)

TYTTER (CP. TYD)

HE WAT3 NO TYTTER OUTTULDE THAT TEMPEST NE SESSED . . . . . . PAT 231

TYXT (V. TEXT)

TYXTE (V. TEXT)

TY3ED (V. TIED)

TY3T (CP. TYSTE)

THENNE VCH TOLKE TY3T HEM THAT HADE OF TAYT FAYLED. . . . . . CLN 889

THENNE ALLE THE TOLES OF TOLOWSE MO3T TY3T HIT TO KERUE . . . CLN 1108

3IF 3E WOLDE TY3T ME A TOM TELLE HIT I WOLDE. . . . . CLN 1153

FYRST A TULE TAPIT TY3T OUER THE FLET . . . . GGK 568

TAPYTE3 TY3T TO THE WO3E OF TULY AND TARS. . . . . GGK 858

THAT I NE TY3T AT THIS TYME IN TALE TO REMENE . . . . GGK 2483

OF TYME OF 3ERE THE TERME WAT3 TY3T. . . . . PRL 503

DO WAY LET CHYLDER VNTO ME TY3T . . . . PRL 718

AS JOHN THE APPOSTEL IN TERME3 TY3TE . . . . PRL 1053

TY3TE (V. TY3T)

UENGAUNCE (V. VENGEANCE)

UENGED (V. VENGED)

UERAY (V. VERY)

UERAYLY (V. VERILY)

UESTURE (V. VESTURE)

UGLIEST

OF ON THE VGLOKEST VNHAP EUER ON ERD SUFFRED.	CLN	892
UGLY		
THAT VGLY BODI THAT BLEDDE.	GGK	441
THE HEUEN WAT3 VPHALT BOT VGLY THERVNDER	GGK	2079
THIS ORITORE IS VGLY WITH ERBE3 OUERGROWEN	GGK	2190
UISAGE (V. VISAGE)		
UMBEBRAYDE (V. VMBEBRAYDE)		
UMBER		
NE HETE NE NO HARDE FORST VMBRE NE DRO3THE	CLN	524
UMBEWALT		
UMBEWALT ALLE THE WALLES WYTH WY3ES FUL STRONGE.	CLN	1181
UNADVISED		
VNAVYSED FORSOTHE WERN ALLE THRE.	PRL	292
UNBARRED		
VNBARRED AND BORN OPEN VPON BOTHE HALUE	GGK	2070
UNBENE		
IN MONY A BONK VNBENE	GGK	710
UNBIND		
BI THE BAKBON TO VNBYNDE	GGK	1352
UNBLEMISHED		
VNBLEMYST I AM WYTHOUTEN BLOT.	PRL	782
UNBLITHE		
BLO BLUBRANDE AND BLAK VNBLYTHE TO NE3E	CLN	1017
WITH MONY BRYDDE3 VNBLYTHE VPON BARE TWYGES	GGK	746
UNBROSTEN		
WAT3 NO BRYMME THAT ABOD VNBROSTEN BYLYUE.	CLN	365
UNCHANGED		
HOW LONGE HAD HE THER LAYNE HIS LERE SO VNCHAUNGIT.	ERK	95
UNCHERISHED		
AND IF HIT CHEUE THE CHAUNCE VNCHERYST HO WORTHE	CLN	1125
UNCLEAN		
IF HE BE SULPED IN SYNNE THAT SYTTE3 VNCLENE.	CLN	550
AND HENTTE3 HEM IN HETHYNG AN VSAGE VNCLENE	CLN	710
FOR THAT THAT ONES WAT3 HIS SCHULDE EFTE BE VNCLENE	CLN	1144
AND NOW HIS VESSAYLES AVYLED IN VANYTE VNCLENE	CLN	1713
UNCLEANNESS		
THAT ANY VNCLANNESSE HAT3 ON AUWHERE ABOWTE	CLN	30
HE WAT3 CORSED FOR HIS VNCLANNES AND CACHED THERINNE	CLN	1800
THAT VNCLANNES TOCLEUES IN CORAGE DERE.	CLN	1806
UNCLEAR		
I CALDE AND THOU KNEW MYN VNCLER STEUEN	PAT	307
UNCLOSED		
MEN VNCLOSID HYM THE CLOYSTER WITH CLUSTREDE KEIES.	ERK	140
VNCLOSED THE KENEL DORE AND CALDE HEM THEROUTE	GGK	1140
UNCLOSES		
THAT THUS OF CLANNESSE VNCLOSE3 A FUL CLER SPECHE	CLN	26
AND HE WYTH KEYES VNCLOSES KYSTES FUL MONY	CLN	1438
UNCOUPLED		
VNCOUPLED AMONG THO THORNE3	GGK	1419
UNCOURTEOUS		
AND MUCH TO BLAME AND VNCORTAYSE.	PRL	303
UNCOUTH		
KEST TO KYTHE3 VNCOUTHE THE CLOWDE3 FUL NERE.	CLN	414
TO OPEN VCH A HIDE THYNG OF AUNTERES VNCOWTHE	CLN	1600
HAT3 SENDE INTO THIS SALE THISE SY3TES VNCOWTHE.	CLN	1722
OF SUM AUENTURUS THYNG AN VNCOUTHE TALE	GGK	93
AND I AM HERE ON AN ERANDE IN ERDE3 VNCOUTHE.	GGK	1808
AND I AM HERE AN ERANDE IN ERDE3 VNCOUTHE.	GGK V	1808
UNDEFILED		

HARMLE3 TRWE AND VNDEFYLDE. . . . . PRL 725

UNDER

BOT AS SMYLT MELE VNDER SMAL SIUE SMOKE3 FOR THIKKE . . . . . CLN 226
SAUE THE HATHEL VNDER HACH AND HIS HERE STRAUNGE . . . . . . CLN 409
AND HO SKYRME3 VNDER SKWE AND SKOWTE3 ABOUTE. . . . . CLN 483
FOR IS NO SEGGE VNDER SUNNE SO SEME OF HIS CRAFTE3. . . . . . CLN 549
EUEN BYFORE HIS HOUSDORE VNDER AN OKE GREME . . . . CLN 602
HE WAT3 SCHUNT TO THE SCHADOW VNDER SCHYRE LEUE3 . . . . . . CLN 605
ER THOU HAF BIDEN WITH THI BURNE AND VNDER BO3E RESTTED . . . CLN 616
VNDER ASKE3 FUL HOTE HAPPE HEM BYLIUE . . . . CLN 626
NE NON SO GLAD VNDER GOD AS HO THAT GRONE SCHULDE . . . . . . CLN 1077
BOT BEDE AL TO THE BRONDE VNDER BARE EGGE. . . . . CLN 1246
FESTNED FETTRES TO HER FETE VNDER FOLE WOMBES . . . . CLN 1255
ENBANED VNDER BATELMENT WYTH BANTELLES QUOYNT . . . . CLN 1459
HOL3E WERE HIS Y3EN AND VNDER CAMPE HORES. . . . . CLN 1695
BOT AS SMYLT MELE VNDER SMAL SIUE SMOKE3 FORTHIKKE. . . . . . CLN V 226
THAT ALLE THE HONDES VNDER HEUEN HALDE MY3T NEUER . . . . . . ERK 166
VNDER A PRINCE OF PARAGE OF PAYNYMES LAGHE . . . . ERK 203
I WOS DEPUTATE AND DOMESMON VNDER A DUKE NOBLE . . . . ERK 227
THE MOST KYD KNY3TE3 VNDER KRYSTES SELUEN. . . . . GGK 51
THE HAPNEST VNDER HEUEN. . . . . GGK 56
THAT SPENET ON HIS SPARLYR AND CLENE SPURES VNDER . . . . . . GGK 158
AND SCHOLES VNDER SCHANKES THERE THE SCHALK RIDES . . . . . . GGK 160
VNDER HIS DYNTTE3 DRY3E. . . . . GGK 202
STIFEST VNDER STELGERE ON STEDES TO RYDE . . . . GGK 260
THAT VNDER HEUEN I HOPE NON HA3ERER OF WYLLE. . . . . GGK 352
HI3E HILLE3 ON VCHE A HALUE AND HOLTWODE3 VNDER. . . . . . . GGK 742
THE GOME VPON GRYNGOLET GLYDE3 HEM VNDER . . . . GGK 748
ABOF A LAUNDE ON A LAWE LOKEN VNDER BO3E3. . . . . GGK 765
ENBANED VNDER THE ABATAYLMENT IN THE BEST LAWE . . . . GGK 790
AND VNDER FETE ON THE FLET OF FOL3ANDE SUTE . . . . GGK 859
LOWANDE AND LUFLY ALLE HIS LYMME3 VNDER . . . . GGK 868
AT VCHE WENDE VNDER WANDE WAPPED A FLONE . . . . GGK 1161
VNDER COUERTOUR FUL CLERE CORTYNED ABOUTE. . . . . GGK 1181
QUOTH THAT LUFSUM VNDER LYNE . . . . GGK 1814
KNIT VPON HIR KYRTEL VNDER THE CLERE MANTYLE. . . . . GGK 1831
THER IS NO HATHEL VNDER HEUEN TOHEWE HYM THAT MY3T. . . . . . GGK 1853
SCHOT WITH HIS SCHULDERE3 HIS FAYRE SCHELDE VNDER . . . . . . GGK 2318
EXELLENTLY OF ALLE THYSE OTHER VNDER HEUENRYCHE. . . . . . . GGK 2423
AS ANY GOME VNDER GOD FOR THY GRETE TRAUTHE . . . . GGK 2470
LOKEN VNDER HIS LYFTE ARME THE LACE WITH A KNOT. . . . . . . GGK 2487
A LODESMON LY3TLY LEP VNDER HACHCHES . . . . PAT 179
HE BOWED VNDER HIS LYTTEL BOTHE HIS BAK TO THE SUNNE . . . . . PAT 441
THENNE WAKENED THE WY3 VNDER WODBYNDE . . . . PAT 446
HE SLYDE3 ON A SLOUMBESLEP SLOGHE VNDER LEUES . . . . PAT 466
ABOUTE VNDER THE LORDE TO MARKED TOT3 . . . . PRL 513
AS 3E AR MASKELE3 VNDER MONE . . . . PRL 923

UNDERNOMEN

HE OSSED HYM BY VNNYNGES THAT THAY VNDERNOMEN . . . . PAT 213

UNDERSTAND

THE OLDE JERUSALEM TO VNDERSTONDE . . . . PRL 941

UNDERSTANDS

AND VNDERSTONDES VMBESTOUNDE THA3 3E STAPE IN FOLE. . . . . . PAT 122

UNDERTAKE

AND CONNE3 NOT OF COMPAYNYE THE COSTE3 VNDERTAKE . . . . . . GGK 1483

UNDER3EDE

AND THAT THE 3EP VNDER3EDE THAT IN THE 3ATE SYTTE3. . . . . . CLN 796

UNDID

AND EFTE THAT HE HEM VNDYD HARD HIT HYM THO3T . . . . CLN 562

UNDO
    AND DIDDEN HEM DERELY VNDO AS THE DEDE ASKE3. GGK 1327
UNETHE
    FOR VNETHE WAT3 THE NOYCE NOT A WHYLE SESED . GGK 134
UNFAIR
    DONE DOUN OF HIS DYNGNETE FOR DEDE3 VNFAYRE . CLN 1801
    THE FROTHE FEMED AT HIS MOUTH VNFAYRE BI THE WYKE3. GGK 1572
UNFOLD
    VNFOLDE HEM ALLE THIS FERLY THAT IS BIFALLEN HERE . CLN 1563
UNFOLDED
    HE WAT3 FERLYLY FAYN VNFOLDED BYLYUE CLN 962
UNFREE
    SO IF FOLK BE DEFOWLED BY VNFRE CHAUNCE CLN 1129
UNGARNISHED
    THE GOME WAT3 VNGARNYST WYTH GOD MEN TO DELE. CLN 137
UNGLAD
    GODDES GLAM TO HYM GLOD THAT HYM VNGLAD MADE. PAT 63
UNGODERLY
    THOW ART A GOME VNGODERLY IN THAT GOUN FEBELE CLN 145
    O3T THAT WAT3 VNGODERLY OTHER ORDURE WAT3 INNE . CLN 1092
UNHAP
    HOW WAT3 THOU HARDY THIS HOUS FOR THYN VNHAP TO NE3E . CLN 143
    OF ON THE VGLOKEST VNHAP EUER ON ERD SUFFRED. CLN 892
    HOV HARDE VNHAP THER HYM HENT AND HASTYLY SONE . CLN 1150
    AS NON VNHAP HAD HYM AYLED THA3 HEDLE3 HE WERE . GGK 438
    FOR NON MAY HYDEN HIS HARME BOT VNHAP NE MAY HIT GGK 2511
UNHAPNEST
    ONE THE VNHAPNEST HATHEL THAT EUER ON ERTHE 3ODE ERK 198
UNHAPPEN
    AND AL WAT3 FOR THIS ILK EUEL THAT VNHAPPEN GLETTE. CLN 573
UNHARDELED
    HUNTERES VNHARDELED BI A HOLT SYDE . GGK 1697
UNHASPE
    AND ALLE MYN ATLYNG TO ABRAHAM VNHASPE BILYUE CLN 688
UNHIDE
    IF I THIS MOTE THE SCHAL VNHYDE . PRL 973
UNHONEST
    AS HARLOTTRYE VNHONEST HETHYNG OF SELUEN . CLN 579
UNHULED
    BOT THE HY3EST OF THE EGGE3 VNHULED WERN A LYTTEL . CLN 451
UNHYLES
    AND THOU VNHYLES VCH HIDDE THAT HEUENKYNG MYNTES CLN 1628
UNKINDLY
    AND HE VNKYNDELY AS A KARLE KYDDE A REWARD CLN 208
UNKNOWN
    AND CARFULLY IS OUTKAST TO CONTRE VNKNAWEN CLN 1679
    HAS LAYN LOKEN HERE ON LOGHE HOW LONGE IS VNKNAWEN. ERK 147
UNLACE
    TO VNLACE THIS BOR LUFLY BIGYNNE3 GGK 1606
UNLAPPED
    ON SCHYLDERE3 THAT LEGHE VNLAPPED LY3TE PRL 214
UNLEUTE
    THAT HE LA3T FOR HIS VNLEUTE AT THE LEUDES HONDES . GGK 2499
UNLIKE
    BOT VNLYKE ON TO LOKE THO LADYES WERE . GGK 950
UNLOCK
    BEDE VNLOUKE THE LIDDE AND LAY HIT BYSIDE. ERK 67
    QUEN HYM LUSTE TO VNLOUKE THE LESTE OF HIS MY3TES . ERK 162
UNLOCKED

AND VNLOUKED HIS Y3ELYDDE3 AND LET AS HYM WONDERED.	GGK	1201
UNMANNERLY		
NO MON HERE VNMANERLY THE MYSBODEN HABBE3.	GGK	2339
UNMARRED		
THAT AR MAYDENE3 VNMARD FOR ALLE MEN 3ETTE	CLN	867
UNMEET		
AND AN AX IN HIS OTHER A HOGE AND VNMETE	GGK	208
ME CHES TO HYS MAKE ALTHA3 VNMETE	PRL	759
UNNEUENED		
THAT NAS NEUER THYN NOTE VNNEUENED HIT WORTHE	CLN	727
UNNYNGES		
HE OSSED HYM BY VNNYNGES THAT THAY VNDERNOMEN	PAT	213
UNPIN		
TYT SCHAL HEM MEN THE 3ATE VNPYNNE	PRL	728
UNPRESTE		
NAS I A PAYNYM VNPRESTE THAT NEUER THI PLITE KNEWE.	ERK	285
UNREASONABLE		
ME THYNK THY TALE VNRESOUNABLE	PRL	590
UNRIGHT		
AS HIT WERE RAFTE WYTH VNRY3T AND ROBBED WYTH THEWES	CLN	1142
UNRYDELY		
THER AS THE ROGH ROCHER VNRYDELY WAT3 FALLEN.	GGK	1432
UNSAVORY		
AND SAYDE SOFTELY TO HIRSELF THIS VNSAUERE HYNE.	CLN	822
UNSA3T		
THAT THE SAXONES VNSA3T HADEN SENDE HYDER.	ERK	8
UNSCATHELY		
THE SKILFULLE AND THE VNSKATHELY SKELTON AY TO ME	ERK	278
UNSELY		
SWE3 HIS VNCELY SWYN THAT SWYNGE3 BI THE BONKKE3	GGK	1562
UNSLAIN		
MY3T HE HAF SLYPPED TO BE VNSLAYN THE SLE3T WERE NOBLE	GGK	1858
UNSLY3E		
3E ARE A SLEPER VNSLY3E THAT MON MAY SLYDE HIDER	GGK	1209
UNSMITTEN		
AND LET HEM SMOLT AL UNSMYTEN SMOTHELY AT ONE3	CLN	732
UNSMYTEN (V. UNSMITTEN)		
UNSOUND		
THAT BYSULPE3 MANNE3 SAULE IN VNSOUNDE HERT	CLN	575
TO SETTE HYM TO SEWRTE VNSOUNDE HE HYM FECHES	PAT	58
MOT EFTE SITTE WYTH MORE VNSOUNDE TO SEWE HEM TOGEDER.	PAT	527
UNSOUNDLY		
NE NEUER SO SODENLY SO3T VNSOUNDELY TO WENG	CLN	201
AND HE VNSOUNDYLY OUT SO3T SEGGE3 OUERTHWERT.	GGK	1438
UNSPARED		
THAT SPAKLY SPRENT MY SPYRIT WITH VNSPARID MURTHE	ERK	335
UNSPARELY		
SPYCE3 THAT VNSPARELY MEN SPEDED HOM TO BRYNG	GGK	979
UNSPURD		
WICH SPEDE IS IN SPECHE VNSPURD MAY WE LERNE.	GGK	918
UNSTEERED		
AT A STYLLE STOLLEN STEUEN VNSTERED WYTH SY3T	CLN	706
UNSTRAINED		
IN PARADYS ERDE OF STRYF VNSTRAYNED.	PRL	248
UNSWOL3ED		
AND ALLE THAT SWYPPED VNSWOL3ED OF THE SWORDE KENE.	CLN	1253
UNTHANK		
FOR THEFTE AND FOR THREPYNG VNTHONK MAY MON HAUE	CLN	183
THENNE THRAT MOSTE I THOLE AND VNTHONK TO MEDE	PAT	55

UNTHEWS
FOR SUCH VNTHEWE3 AS THISE AND THOLE MUCH PAYNE. . . . . . . CLN 190
UNTHRIFT
TO VNTHRYFTE ARN ALLE THRAWEN WYTH THO3T OF HER HERTTE3 . . . CLN 516
THAT THRETES THE OF THYN VNTHRYFTE VPON THRE WYSE . . . . . . CLN 1728
UNTHRIFTILY
AND VSED HEM VNTHRYFTYLY VCHON ON OTHER . . . . CLN 267
UNTHRIVING
BOT THRETE IS VNTHRYUANDE IN THEDE THER I LENDE. . . . . . . GGK 1499
UNTHRIVINGLY
A THRAL THRY3T IN THE THRONG VNTHRYUANDELY CLOTHED. . . . . . CLN 135
UNTRUE
FOR ROBORRYE AND RIBOUDRYE AND RESOUNE3 VNTRWE . . . . CLN 184
HE WAT3 COLORED AS THE COLE CORBY AL VNTRWE . . . . CLN 456
TRAVE THOU NEUER THAT TALE VNTRWE THOU HIT FYNDE3 . . . . . . CLN 587
FOR THAT FOLKE IN HER FAYTH WAT3 FOUNDEN VNTRWE. . . . . . . CLN 1161
HE WAT3 COLORED AS THE COLE CORBYAL UNTRWE . . . . CLN V 456
FOR NEUER LESYNG NE TALE VNTRWE . . . . PRL 897
UNTRUTH
OF TRECHERYE AND VNTRAWTHE BOTHE BITYDE SOR3E . . . . GGK 2383
THIS IS THE TOKEN OF VNTRAWTHE THAT I AM TAN INNE . . . . . . GGK 2509
UNTRWE (V. UNTRUE)
UNTWYNE3
WHAT FOR TWENTY QUOTH THE TOLKE VNTWYNE3 THOU HEM THENNE. . . CLN 757
UNTY3TEL
THAY DRONKEN AND DAYLYEDEN AND DALTEN VNTY3TEL . . . . GGK 1114
UNWARE
HIT WAT3 A WENYNG VNWAR THAT WELT IN HIS MYNDE . . . . PAT 115
UNWASHED
NE IN THE HARLATE3 HOD AND HANDE3 VNWASCHEN . . . . CLN 34
UNWELCOME
AND IF VNWELCUM HE WERE TO A WERDLYCH PRYNCE. . . . . CLN 49
UNWEMMYD
AND AL HIS WEDE VNWEMMYD THUS YLKA WEGHE ASKYD . . . . ERK 96
NE NO MONNES COUNSELLE MY CLOTHE HAS KEPYD VNWEMMYD . . . . . ERK 266
UNWHOLE
HIS HERT HELDET VNHOLE HE HOPED NON OTHER. . . . . CLN 1681
UNWISE
BOT NOW I WOT WYTERLY THAT THOSE VNWYSE LEDES . . . . PAT 330
UNWORTHILY
WYTH HER VNWORTHELYCH WERK ME WLATE3 WYTHINNE . . . . CLN 305
UNWORTHY
THAGHE I BE VNWORTHI AL WEPANDE HE SAYDE . . . . ERK 122
I AM WY3E VNWORTHY I WOT WEL MYSELUEN . . . . GGK 1244
THA3 HIT VNWORTHI WERE THAT HE HIT TAKE WOLDE . . . . GGK 1835
UNWYTTE
AND WYMMEN VNWYTTE THAT WALE NE COUTHE. . . . . PAT 511
UOCHED
LEGYOUNES OF AUNGELE3 TOGEDER UOCHED . . . . PRL 1121
UPBRAID
OF THE BRYCH THAT VPBRAYDE3 THOSE BROTHELYCH WORDE3 . . . . . CLN 848
THE BRYGE WAT3 BREME VPBRAYDE. . . . . GGK 781
UPBRAIDS
THAT VPBRAYDES THIS BURNE VPON A BREME WYSE . . . . PAT 430
UPCAST
THIS CRY WAT3 VPCASTE AND THER COMEN MONY. . . . . CLN 1574
UPFOLDED
ABRAHAM AL HODLE3 WYTH ARME3 VPFOLDEN . . . . CLN 643
UPHARSIN

MANE TECHAL PHARES MERKED IN THRYNNE . . . . CLN 1727
AND PHARES FOL3ES FOR THOSE FAWTES TO FRAYST THE TRAWTHE. . . CLN 1736
IN PHARES FYNDE I FORSOTHE THISE FELLE SA3ES. . . . . CLN 1737
UPHELD
THEN WOS LOUYNGE OURE LORDE WITH LOVES VPHALDEN. . . . . . . ERK 349
THE HEUEN WAT3 VPHALT BOT VGLY THERVNDER . . . . GGK 2079
UPHOLDS
THAT VPHALDE3 THE HEUEN AND ON HY3 SITTE3. . . . . GGK 2442
UPLIFT
COLDE CLENGE3 ADOUN CLOUDE3 VPLYFTEN . . . . GGK 505
UPLIFTED
WYTH LY3T LOUE3 VPLYFTE THAY LOUED HYM SWYTHE . . . . CLN 987
UPREARED
HYM RWED THAT HE HEM VPRERDE AND RA3T HEM LYFLODE . . . . . . CLN 561
UPRISE
AND GLOPNEDLY ON GODE3 HALUE GART HYM VPRYSE. . . . . CLN 896
FUL ERLY BIFORE THE DAY THE FOLK VPRYSEN . . . . GGK 1126
THENNE THAY BETEN ON THE BUSKE3 AND BEDE HYM VPRYSE . . . . . GGK 1437
UPRISES
JONAS AL JOYLES AND JANGLANDE VPRYSES . . . . PAT 433
UPROSE
AND HE FUL RADLY VPROS AND RUCHCHED HYM FAYRE . . . . GGK 367
AND HE RADLY VPROS AND RAN FRO HIS CHAYER. . . . . PAT 378
UPSET
WYTH SACRAFYSE VPSET AND SOLEMPNE VOWES . . . . PAT 239
UP-SO-DOWN
VPSODOUN SCHAL 3E DUMPE DEPE TO THE ABYME. . . . . PAT 362
UPWAFTED
AND THAY WROTHELY VPWAFTE AND WRASTLED TOGEDER . . . . CLN 949
URIEN
AND YWAN VRYN SON ETTE WIT HYMSELUEN . . . . GGK 113
USAGE
AND HENTTE3 HEM IN HETHYNG AN VSAGE VNCLENE . . . . CLN 710
USE
THAY HONDEL THER HIS AUNE BODY AND VSEN HIT BOTHE . . . . . . CLN 11
HIT IS NOT INNOGHE TO THE NICE AL NO3TY THINK VSE . . . . . . CLN 1359
THEN FOR AL THE MERITORIE MEDES THAT MEN ON MOLDE VSEN . . . . ERK 270
USED
AS FOR FYLTHE OF THE FLESCH THAT FOLES HAN VSED. . . . . . . CLN 202
THAT WAT3 FOR FYLTHE VPON FOLDE THAT THE FOLK VSED. . . . . CLN 251
AND VSED HEM VNTHRYFTYLY VCHON ON OTHER . . . . CLN 267
HE VSED ABOMINACIONES OF IDOLATRYE . . . . CLN 1173
HOW LONGE THOU HAS LAYNE HERE AND QUAT LAGHE THOU VSYT . . . . ERK 187
BOT A LEDE OF THE LAGHE THAT THEN THIS LONDE VSIT . . . . . . ERK 200
THE FYFT FYUE THAT I FINDE THAT THE FREK VSED . . . . GGK 651
WITH WYMMEN THAT THAY VSED. . . . . GGK 2426
USES
IN THE DREDE OF DRY3TYN HIS DAYE3 HE VSE3. . . . . CLN 295
THAT BICUMES VCHE A KNY3T THAT CORTAYSY VSES. . . . . GGK 1491
FOR HE IS A MON METHLES AND MERCY NON VSES . . . . GGK 2106
UTHER
THE DUCHES DO3TER OF TYNTAGELLE THAT DERE VTER AFTER . . . . . GGK 2465
UTTER
OTHER ANI ON OF ALLE THYSE HE SCHULDE BE HALDEN VTTER. . . . . CLN 42
HERE VTTER ON A ROUNDE HIL HIT HOUE3 HIT ONE. . . . . CLN 927
AND MADEE HYM MAWGREF HIS HED FORTO MWE VTTER . . . . GGK 1565
FOR THER AS POUERT HIR PROFERES HO NYL BE PUT VTTER . . . . . PAT 41
UYAGE (V. VOYAGE)
VAIN

THAT AFFYEN HYM IN VANYTE AND IN VAYNE THYNGES	PAT	331
THAT TAKE3 NOT HER LYF IN VAYNE	PRL	687
FOR SYNNE HE SET HYMSELF IN VAYN.	PRL	811
VAIN-GLORY		
TO VOUCHE ON AVAYMENT OF HIS VAYNEGLORIE	CLN	1358
DEUOYDES VCHE A VAYNEGLORIE THAT VAYLES SO LITELLE.	ERK	348
VALAY (V. VALLEY)		
VALE		
FOR THAT CITE THERBYSYDE WAT3 SETTE IN A VALE	CLN	673
THAT NEUER AR3ED FOR NO HERE BY HYLLE NE BE VALE	GGK	2271
AND MONY AVENTURE IN VALE HE VENQUYST OFTE	GGK	2482
VALES		
THE FYRRE I FOL3ED THOSE FLOTY VALE3	PRL	127
VALE3 (V. VALES)		
VALLEY		
TIL THOU BE BRO3T TO THE BOTHEM OF THE BREM VALAY	GGK	2145
AND WE AR IN THIS VALAY VERAYLY OURE ONE	GGK	2245
VALOR		
AND AFTER WENGED WITH HER WALOUR AND VOYDED HER CARE	GGK	1518
VANISHED		
THENNE HIT VANIST VERAYLY AND VOYDED OF SY3T.	CLN	1548
VANIST (V. VANISHED)		
VANITY		
AND NOW HIS VESSAYLES AVYLED IN VANYTE VNCLENE	CLN	1713
THAT AFFYEN HYM IN VANYTE AND IN VAYNE THYNGES	PAT	331
VANQUISHED		
IN DEVOYDYNGE THE VYLANYE THAT VENKQUYST HIS THEWE3	CLN	544
WHEN VENKKYST WAT3 NO VERGYNYTE NE VYOLENCE MAKED	CLN	1071
AND MONY AVENTURE IN VALE HE VENQUYST OFTE	GGK	2482
VANYTE (V. VANITY)		
VAYL		
LET MY BONE VAYL NEUERTHELESE.	PRL	912
VAYLED		
FOR HE THE VESSELLES AVYLED THAT VAYLED IN THE TEMPLE.	CLN	1151
OF SUCH VESSEL AUAYED THAT VAYLED SO HUGE.	CLN	1311
VAYLES		
DEUOYDES VCHE A VAYNEGLORIE THAT VAYLES SO LITELLE.	ERK	348
CHYMBLED OUER HIR BLAKE CHYN WITH CHALKQUYTE VAYLES	GGK	958
VAYN (V. VAIN)		
VAYNE (V. VAIN)		
VAYNED (V. WAYNED)		
VAYNEGLORIE (V. VAIN-GLORY)		
VAYRES		
IN VAYRES	GGK	1015
VCHON (APP. 1)		
VCHONE (APP. 1)		
VCHONE3 (APP. 1)		
VELUET (V. VELVET)		
VELVET		
ENUIRENED VPON VELUET VERTUUS STONE3	GGK	2027
ENNURNED VPON VELUET VERTUUS STONE3.	GGK V	2027
VENGAUNCE (V. VENGEANCE)		
VENGE		
NE NEUER SO SODENLY SO3T VNSOUNDELY TO WENG	CLN	201
BOT VENGE ME ON HER VILANYE AND VENYM BILYUE.	PAT	71
VENGEANCE		
AL IN MESURE AND METHE WAT3 MAD THE VENGAUNCE	CLN	247
AND VOYDE AWAY MY VENGAUNCE THA3 ME VYL THYNK	CLN	744
THIS WAT3 A UENGAUNCE VIOLENT THAT VOYDED THISE PLACES	CLN	1013

DEWOYDE NOW THY VENGAUNCE THUR3 VERTU OF RAUTHE. . . . . PAT 284
THE VERRAY VENGAUNCE OF GOD SCHAL VOYDE THIS PLACE. . . . . . PAT 370
THA3 HE OTHER BIHY3T WHTHHELDE HIS VENGAUNCE. . . . . PAT 408
THY LONGE ABYDYNG WYTH LUR THY LATE VENGAUNCE . . . . PAT 419
VENGED
NE VENGED FOR NO VILTE OF VICE NE SYNNE . . . . CLN 199
FOR HE IN FYLTHE WAT3 FALLEN FELLY HE UENGED. . . . . CLN 559
AND AFTER WENGED WITH HER WALOUR AND VOYDED HER CARE . . . . . GGK 1518
VENISON
VERAYLY HIS VENYSOUN TO FECH HYM BYFORNE . . . . GGK 1375
VENKKYST (V. VANQUISHED)
VENKQUYST (V. VANQUISHED)
VENOM
THE VENYM AND THE VYLANYE AND THE VYCIOS FYLTHE. . . . . . . CLN 574
BOT VENGE ME ON HER VILANYE AND VENYM BILYUE. . . . . PAT 71
VENYM (V. VENOM)
VENYSOUN (V. VENISON)
VER
THE VER BY HIS UISAGE VERAYLY HIT SEMED . . . . GGK 866
VERAY (V. VERY)
VERAYLY (V. VERILY)
VERCE (V. VERSE)
VERDURE
AND ALLE HIS VESTURE UERAYLY WAT3 CLENE VERDURE. . . . . GGK 161
VERED
VERED VP HER VYSE WYTH Y3EN GRAYE . . . . PRL 254
VERE3
THENNE VERE3 HO VP HER FAYRE FROUNT. . . . . PRL 177
VERGYNE3 (V. VIRGINS)
VERGYNTE (V. VIRGINITY)
VERGYNYTE (V. VIRGINITY)
VERILY
AND 3ET I AVOW VERAYLY THE AVAUNT THAT I MADE . . . . CLN 664
THENNE HIT VANIST VERAYLY AND VOYDED OF SY3T. . . . . CLN 1548
I SHAL AUAY 3OW SO VERRAYLY OF VERTUES HIS . . . . ERK 174
AND ALLE HIS VESTURE UERAYLY WAT3 CLENE VERDURE. . . . . GGK 161
THE VER BY HIS UISAGE VERAYLY HIT SEMED . . . . GGK 866
VOYDE3 OUT THE AVANTERS AND VERAYLY THERAFTER . . . . GGK 1342
VERAYLY HIS VENYSOUN TO FECH HYM BYFORNE . . . . GGK 1375
AND WE AR IN THIS VALAY VERAYLY OURE ONE . . . . GGK 2245
VERNAGU
SUMME TO VERNAGU THER VOUCHED AVOWES SOLEMNE. . . . . PAT 165
VERRAY (V. VERY)
VERRAYLY (V. VERILY)
VERSE
IN SAUTER IS SAYD A VERCE OUERTE. . . . . PRL 593
VERTU (V. VIRTUE)
VERTUE (V. VIRTUE)
VERTUES (V. VIRTUES)
VERTUE3 (V. VIRTUES)
VERTUOUS (V. VIRTUOUS)
VERTUUS (V. VIRTUOUS)
VERY
FULLE VERRAY WERE THE VIGURES THER AUISYDE HOM MONY . . . . . ERK 53
BOT I DEWOUTLY AWOWE THAT VERRAY BET3 HALDEN. . . . . PAT 333
THE VERRAY VENGAUNCE OF GOD SCHAL VOYDE THIS PLACE. . . . . . PAT 370
IN THIS VERAY AVYSYOUN . . . . PRL 1184
IF HIT BE UERAY AND SOTH SERMOUN. . . . . PRL 1185
VESSAYL (V. VESSEL)

VESSAYLES (V. VESSELS)
VESSEL
    OF SUCH VESSEL AUAYED THAT VAYLED SO HUGE. . . . . CLN 1311
    AND FECH FORTH THE VESSEL THAT HIS FADER BRO3T . . . . CLN 1429
    HOUEN VPON THIS AUTER WAT3 ATHEL VESSEL . . . . CLN 1451
    THAT WAT3 SO DO3TY THAT DAY AND DRANK OF THE VESSAYL . . . . . CLN 1791
VESSELLES (V. VESSELS)
VESSELMENT
    THE VYOLES AND THE VESSELMENT OF VERTUOUS STONES . . . . . . CLN 1280
    DEUISED HE THE VESSELMENT THE VESTURES CLENE. . . . . CLN 1288
VESSELS
    FOR HE THE VESSELLES AVYLED THAT VAYLED IN THE TEMPLE. . . . . CLN 1151
    SUCH GODES SUCH GOUNES SUCH GAY VESSELLES. . . . . CLN 1315
    AND NOW HIS VESSAYLES AVYLED IN VANYTE VNCLENE . . . . CLN 1713
    SUCH GOD SUCH GOMES SUCH GAY VESSELLES. . . . . CLN V 1315
VESTURE
    AND ALLE HIS VESTURE UERAYLY WAT3 CLENE VERDURE. . . . . GGK 161
    AND BORNYSTE QUYTE WAT3 HYR UESTURE. . . . . PRL 220
VESTURES
    DEUISED HE THE VESSELMENT THE VESTURES CLENE. . . . . CLN 1288
VEUED (CP. WEUE)
    SCHAL SVE TYL THOU TO A HIL BE VEUED . . . . PRL 976
VEWTERS (V. FEWTERERS)
VGHTEN
    AND SER ERKENWOLDE WAS VP IN THE VGHTEN ERE THEN . . . . ERK 118
VGLOKEST (V. UGLIEST)
VGLY (V. UGLY)
VIALS
    THE VYOLES AND THE VESSELMENT OF VERTUOUS STONES . . . . . . CLN 1280
VICE
    NE VENGED FOR NO VILTE OF VICE NE SYNNE . . . . CLN 199
    IN YOW IS VYLANY AND VYSE THAT VERTUE DISSTRYE3. . . . . . . GGK 2375
VICIOUS
    THE VENYM AND THE VYLANYE AND THE VYCIOS FYLTHE. . . . . . . CLN 574
VIGOR
    TO STRECH IN THE STRETE THOU HAT3 NO VYGOUR . . . . PRL 971
VIGURES (V. FIGURES)
VILANOUS (V. VILLAINOUS)
VILANYE (V. VILLAINY)
VILE
    AND VOYDE AWAY MY VENGAUNCE THA3 ME VYL THYNK . . . . CLN 744
VILLAINOUS
    3IF ANY WERE SO VILANOUS THAT YOW DEVAYE WOLDE . . . . GGK 1497
VILLAINY
    IN DEVOYDYNGE THE VYLANYE THAT VENKQUYST HIS THEWE3 . . . . . CLN 544
    THE VENYM AND THE VYLANYE AND THE VYCIOS FYLTHE. . . . . . . CLN 574
    AVOY HIT IS YOUR VYLAYNYE 3E VYLEN YOURSELUEN . . . . CLN 863
    THAT I WYTHOUTE VYLANYE MY3T VOYDE THIS TABLE . . . . GGK 345
    VOYDED OF VCHE VYLANY WYTH VERTUE3 ENNOURNED. . . . . GGK 634
    IN YOW IS VYLANY AND VYSE THAT VERTUE DISSTRYE3. . . . . . . GGK 2375
    BOT VENGE ME ON HER VILANYE AND VENYM BILYUE. . . . . PAT 71
VILTE
    NE VENGED FOR NO VILTE OF VICE NE SYNNE . . . . CLN 199
VINE
    TO A LORDE THAT HADE A VYNE I WATE . . . . PRL 502
    TO LABOR VYNE WAT3 DERE THE DATE. . . . . PRL 504
    TO HYRE WERKMEN TO HYS VYNE . . . . PRL 507
    GOS INTO MY VYNE DOT3 THAT 3E CONNE. . . . . PRL 521
    THAY WENTE INTO THE VYNE AND WRO3TE. . . . . PRL 525

AND NW MEN TO HYS VYNE HE BRO3TE.	PRL	527
GOT3 TO MY VYNE 3EMEN 3ONGE	PRL	535
IN EUENTYDE INTO THE VYNE I COME.	PRL	582
THEN ARNE THAY BORO3T INTO THE VYNE.	PRL	628
VIOLENCE		
WHEN VENKKYST WAT3 NO VERGYNYTE NE VYOLENCE MAKED	CLN	1071
VIOLENT		
THIS WAT3 A UENGAUNCE VIOLENT THAT VOYDED THISE PLACES	CLN	1013
VIRGIN		
THAT BER A BARNE OF VYRGYN FLOUR.	PRL	426
VIRGINITY		
WHEN VENKKYST WAT3 NO VERGYNYTE NE VYOLENCE MAKED	CLN	1071
AND CORONDE CLENE IN VERGYNTE.	PRL	767
VIRGINS		
OF SUCH VERGYNE3 IN THE SAME GYSE	PRL	1099
VIRTUE		
NE THE MESURE OF THI MERCY NE THI MECUL VERTUE	ERK	286
IN YOW IS VYLANY AND VYSE THAT VERTUE DISSTRYE3.	GGK	2375
DEWOYDE NOW THY VENGAUNCE THUR3 VERTU OF RAUTHE.	PAT	284
VIRTUES		
I SHAL AUAY 3OW SO VERRAYLY OF VERTUES HIS	ERK	174
VOYDED OF VCHE VYLANY WYTH VERTUE3 ENNOURNED.	GGK	634
THAT THE VERTUES OF HEUEN OF JOYE ENDYTE	PRL	1126
VIRTUOUS		
THE VYOLES AND THE VESSELMENT OF VERTUOUS STONES	CLN	1280
ENUIRENED VPON VELUET VERTUUS STONE3	GGK	2027
ENNURNED VPON VELUET VERTUUS STONE3.	GGK V	2027
VISAGE		
THE VER BY HIS UISAGE VERAYLY HIT SEMED	GGK	866
HYR VYSAYGE WHYT AS PLAYN YUORE	PRL	178
VISITE		
IN ESEX WAS SER ERKENWOLDE AN ABBAY TO VISITE	ERK	108
VMBE		
THUS THAY THROBLED AND THRONG AND THRWE VMBE HIS ERE3.	CLN	879
BI VCHE BEKYR ANDE BOLLE THE BRURDES AL VMBE.	CLN	1474
AND A COLER OF CLER GOLDE CLOS VMBE HIS THROTE	CLN	1569
BY THAT MONY THIK THE3E THRY3T VMBE HIS LYRE.	CLN	1687
FAXE FYLTERED AND FELT FLOSED HYM VMBE.	CLN	1689
AND A COLER OF CLER GOLDE KEST VMBE HIS SWYRE	CLN	1744
BY THAT MONY THIK THY3E THRY3T VMBE HIS LYRE.	CLN V	1687
WITH SILK SAYN VMBE HIS SYDE	GGK	589
HO LA3T A LACE LY3TLY THAT LEKE VMBE HIR SYDE3	GGK	1830
SWYTHE SWETHLED VMBE HIS SWANGE SWETELY THAT KNY3T.	GGK	2034
THE GRETE FLEM OF THY FLOD FOLDED ME VMBE.	PAT	309
HE ASKE3 HETERLY A HAYRE AND HASPED HYM VMBE.	PAT	381
VMBEBRAYDE		
BALTA3AR VMBEBRAYDE HYM AND BEUE SIR HE SAYDE	CLN	1622
BALTA3AR UMBEBRAYDE HYM AND LEUE SIR HE SAYDE	CLN V	1622
VMBECLYPPED		
THAT VMBECLYPPED HYS CROUN.	GGK	616
VMBEFOLDES		
FAYRE FANNAND FAX VMBEFOLDES HIS SCHULDERES	GGK	181
VMBEGON		
HER HERE LEKE AL HYR VMBEGON	PRL	210
HER HERELEKE AL HYR VMBEGON	PRL 1	210
HER HERE HEKE AL HYR VMBEGON	PRL 2	210
HER HERELEKE AL HYR VMBEGON	PRL 3	210
VMBEGROUEN		
GRACYOUSLY VMBEGROUEN AL WYTH GRENE LEUE3.	CLN	488

VMBEKESTEN
THAY VMBEKESTEN THE KNARRE AND THE KERRE BOTHE . . . . GGK 1434
THAY VMBEKESTEN THE KNARRE AND THE KNOT BOTHE . . . . GGK V 1434
VMBEKESTE3
HO VMBEKESTE3 THE COSTE AND THE KYST SECHE3 . . . . CLN 478
VMBELAPPE3
AND VCHE LYNE VMBELAPPE3 AND LOUKE3 IN OTHER. . . . . GGK 628
VMBELY3E
TO VMBELY3E LOTHE3 HOUS THE LEDE3 TO TAKE. . . . . CLN 836
VMBEPY3TE
WYTH PRECIOS PERLE3 AL VMBEPY3TE. . . . . PRL 204
WYTH ALLE THE APPARAYLMENTE VMBEPY3TE . . . . PRL 1052
VMBESCHON
THE SCHYRE SUNNE HIT VMBESCHON THA3 NO SCHAFTE MY3T . . . . . PAT 455
VMBESTOUNDE
AND VNDERSTONDES VMBESTOUNDE THA3 3E STAPE IN FOLE. . . . . . PAT 122
VMBESTOUNDES
THEN IS BETTER TO ABYDE THE BUR VMBESTOUNDES. . . . . PAT 7
VMBESWEYED
VMBESWEYED ON VCH A SYDE WYTH SEUEN GRETE WATERES . . . . . . CLN 1300
VMBETE3E
THAT VMBETE3E MONY TRE MO THEN TWO MYLE . . . . GGK 770
VMBETHOUR
AND THIKER THROWEN VMBETHOUR WYTH OUERTHWERT PALLE. . . . . . CLN 1384
VMBETORNE
WAT3 EUESED AL VMBETORNE ABOF HIS ELBOWES. . . . . GGK 184
VMBEWEUED
VMBEWEUED THAT WY3 VPON WLONK STUFFE . . . . GGK 581
VMBRE (V. UMBER)
VNAVYSED (V. UNADVISED)
VNBARRED (V. UNBARRED)
VNBENE (V. UNBENE)
VNBLEMYST (V. UNBLEMISHED)
VNBLYTHE (V. UNBLITHE)
VNBROSTEN (V. UNBROSTEN)
VNBYNDE (V. UNBIND)
VNCELY (V. UNSELY)
VNCHAUNGIT (V. UNCHANGED)
VNCHERYST (V. UNCHERISHED)
VNCLANNES (V. UNCLEANNESS)
VNCLANNESSE (V. UNCLEANNESS)
VNCLENE (V. UNCLEAN)
VNCLER (V. UNCLEAR)
VNCLOSED (V. UNCLOSED)
VNCLOSES (V. UNCLOSES)
VNCLOSE3 (V. UNCLOSES)
VNCLOSID (V. UNCLOSED)
VNCORTAYSE (V. UNCOURTEOUS)
VNCOUPLED (V. UNCOUPLED)
VNCOUTHE (V. UNCOUTH)
VNCOWTHE (V. UNCOUTH)
VNDEFYLDE (V. UNDEFILED)
VNDER (V. UNDER)
VNDERNOMEN (V. UNDERNOMEN)
VNDERSTONDE (V. UNDERSTAND)
VNDERSTONDES (V. UNDERSTANDS)
VNDERTAKE (V. UNDERTAKE)
VNDER3EDE (V. UNDER3EDE)
VNDO (V. UNDO)

VNDYD (V. UNDID)
VNETHE (V. UNETHE)
VNFAYRE (V. UNFAIR)
VNFOLDE (V. UNFOLD)
VNFOLDED (V. UNFOLDED)
VNFRE (V. UNFREE)
VNGARNYST (V. UNGARNISHED)
VNGLAD (V. UNGLAD)
VNGODERLY (V. UNGODERLY)
VNHAP (V. UNHAP)
VNHAPNEST (V. UNHAPNEST)
VNHAPPEN (V. UNHAPPEN)
VNHARDELED (V. UNHARDELED)
VNHASPE (V. UNHASPE)
VNHOLE (V. UNWHOLE)
VNHONEST (V. UNHONEST)
VNHULED (V. UNHULED)
VNHYDE (V. UNHIDE)
VNHYLES (V. UNHYLES)
VNKNAWEN (V. UNKNOWN)
VNKYNDELY (V. UNKINDLY)
VNLACE (V. UNLACE)
VNLAPPED (V. UNLAPPED)
VNLEUTE (V. UNLEUTE)
VNLOUKE (V. UNLOCK)
VNLOUKED (V. UNLOCKED)
VNLYKE (V. UNLIKE)
VNMANERLY (V. UNMANNERLY)
VNMARD (V. UNMARRED)
VNMETE (V. UNMEET)
VNNEUENED (V. UNNEUENED)
VNNYNGES (V. UNNYNGES)
VNPRESTE (V. UNPRESTE)
VNPYNNE (V. UNPIN)
VNRESOUNABLE (V. UNREASONABLE)
VNRYDELY (V. UNRYDELY)
VNRY3T (V. UNRIGHT)
VNSAUERE (V. UNSAVORY)
VNSA3T (V. UNSA3T)
VNSKATHELY (V. UNSCATHELY)
VNSLAYN (V. UNSLAIN)
VNSLY3E (V. UNSLY3E)
VNSOUNDE (V. UNSOUND)
VNSOUNDELY (V. UNSOUNDLY)
VNSOUNDYLY (V. UNSOUNDLY)
VNSPARELY (V. UNSPARELY)
VNSPARID (V. UNSPARED)
VNSPURD (V. UNSPURD)
VNSTERED (V. UNSTEERED)
VNSTRAYNED (V. UNSTRAINED)
VNSWOL3ED (V. UNSWOL3ED)
VNTHEWE3 (V. UNTHEWS)
VNTHONK (V. UNTHANK)
VNTHRYFTE (V. UNTHRIFT)
VNTHRYFTYLY (V. UNTHRIFTILY)
VNTHRYUANDE (V. UNTHRIVING)
VNTHRYUANDELY (V. UNTHRIVINGLY)
VNTRAWTHE (V. UNTRUTH)
VNTRWE (V. UNTRUE)

VNTWYNE3 (V. UNTWYNE3)
VNTY3TEL (V. UNTY3TEL)
VNWAR (V. UNWARE)
VNWASCHEN (V. UNWASHED)
VNWELCUM (V. UNWELCOME)
VNWEMMYD (V. UNWEMMYD)
VNWORTHELYCH (V. UNWORTHILY)
VNWORTHI (V. UNWORTHY)
VNWORTHY (V. UNWORTHY)
VNWYSE (V. UNWISE)
VNWYTTE (V. UNWYTTE)
VOID
AND VOYDE AWAY MY VENGAUNCE THA3 ME VYL THYNK . . . . CLN 744
THAT I WYTHOUTE VYLANYE MY3T VOYDE THIS TABLE . . . . GGK 345
THE VERRAY VENGAUNCE OF GOD SCHAL VOYDE THIS PLACE. . . . . . PAT 370
VOIDED
THIS WAT3 A UENGAUNCE VIOLENT THAT VOYDED THISE PLACES . . . . CLN 1013
THENNE HIT VANIST VERAYLY AND VOYDED OF SY3T. . . . . CLN 1548
VOYDED OF VCHE VYLANY WYTH VERTUE3 ENNOURNED. . . . . GGK 634
AND AFTER WENGED WITH HER WALOUR AND VOYDED HER CARE . . . . . GGK 1518
VOIDS
VOYDE3 OUT THE AVANTERS AND VERAYLY THERAFTER . . . . GGK 1342
VOUCH
I WOWCHE HIT SAF FYNLY THA3 FELER HIT WERE . . . . GGK 1391
VOUCHE
TO VOUCHE ON AVAYMENT OF HIS VAYNEGLORIE . . . . CLN 1358
VOUCHED
SUMME TO VERNAGU THER VOUCHED AVOWES SOLEMNE. . . . . PAT 165
VOUCHESAFE (V. VOUCHSAFE)
VOUCHSAFE
TO VOUCHESAFE TO REUELE HYM HIT BY AVISION OR ELLES . . . . . ERK 121
VOWES (V. VOWS)
VOWS
WYTH SACRAFYSE VPSET AND SOLEMPNE VOWES . . . . PAT 239
VOYAGE
OF HIS ANIOUS UYAGE . . . . GGK 535
VOYDE (V. VOID)
VOYDED (V. VOIDED)
VOYDE3 (V. VOIDS)
VPBRAYDE (V. UPBRAID)
VPBRAYDES (V. UPBRAIDS)
VPBRAYDE3 (V. UPBRAID)
VPCASTE (V. UPCAST)
VPEN (V. OPEN)
VPFOLDEN (V. UPFOLDED)
VPHALDEN (V. UPHELD)
VPHALDE3 (V. UPHOLDS)
VPHALT (V. UPHELD)
VPLYFTE (V. UPLIFTED)
VPLYFTEN (V. UPLIFT)
VPON (V. OPEN)
VPONANDE (V. OPENING)
VPRERDE (V. UPREARED)
VPROS (V. UPROSE)
VPRYSE (V. UPRISE)
VPRYSEN (V. UPRISE)
VPRYSES (V. UPRISES)
VPSET (V. UPSET)
VPSODOUN (V. UP-SO-DOWN)

VPWAFTE (V. UPWAFTED)
VPYNYOUN (V. OPINION)
VRNMENTES (V. ORNAMENTS)
VRTHE (V. EARTH)
VRTHELY (V. EARTHLY)
VRTHLY (V. EARTHLY)
VRYN (V. URIEN)
VRYSOUN
WYTH A LY3TLY VRYSOUN OUER THE AUENTAYLE . . . . GGK 608
VS (APP. 1)
VSAGE (V. USAGE)
VSE (V. USE)
VSED (V. USED)
VSELLE3
ASKE3 VPE IN THE AYRE AND VSELLE3 THER FLOWEN . . . . CLN 1010
VSEN (V. USE)
VSES (V. USES)
VSE3 (V. USES)
VSIT (V. USED)
VSLE
I AM BOT ERTHE FUL EUEL AND VSLE SO BLAKE. . . . . CLN 747
VSYT (V. USED)
VTER (V. UTHER)
VTTER (V. UTTER)
VTWYTH (V. OUT-WITH)
VYCIOS (V. VICIOUS)
VYF (V. WIFE)
VYGOUR (V. VIGOR)
VYL (V. VILE)
VYLANY (V. VILLAINY)
VYLANYE (V. VILLAINY)
VYLAYNYE (V. VILLAINY)
VYLEN
AVOY HIT IS YOUR VYLAYNYE 3E VYLEN YOURSELUEN . . . . CLN 863
VYNE (V. VINE)
VYOLENCE (V. VIOLENCE)
VYOLES (V. VIALS)
VYRGYN (V. VIRGIN)
VYS
VERED VP HER VYSE WYTH Y3EN GRAYE . . . . PRL 254
PYMALYON PAYNTED NEUER THY VYS . . . . PRL 750
VYSAYGE (V. VISAGE)
VYSE (V. VICE)
VYUE3 (V. WIVES)
V3TEN
RUDDON OF THE DAYRAWE ROS VPON V3TEN . . . . CLN 893
AND SER ERKENWOLDE WAS VP IN THE VGHTEN ERE THEN . . . . ERK 118
WACE (APP. 1)
WACH (V. WATCH)
WACHE (V. WATCH)
WADE
WHEN HE WAN TO THE WATTER THER HE WADE NOLDE. . . . . GGK 2231
BOT THE WATER WAT3 DEPE I DORST NOT WADE . . . . PRL 143
THAT SY3T ME GART TO THENK TO WADE . . . . PRL 1151
WADED
THE WALLE WOD IN THE WATER WONDERLY DEPE . . . . GGK 787
WAFT (V. WAFTE)
WAFTE
WHEDERWARDE SO THE WATER WAFTE HIT REBOUNDE . . . . CLN 422

THENNE WAFTE HE VPON HIS WYNDOWE AND WYSED THEROUTE . . . . . CLN 453
HE WENT FORTHE AT THE WYKET AND WAFT HIT HYM AFTER. . . . . . CLN 857
WAGE
WAT3 CUMEN WYTH WYNTER WAGE . . . . GGK 533
IN LENGHE OF DAYE3 THAT EUER SCHAL WAGE . . . . PRL 416
WAGED (V. WAGGED)
WAGES
I MAY BE FUNDE VPON FOLDE AND FOCH THE SUCH WAGES . . . . . . GGK 396
WAGGED
AS THAY WYTH WYNGE VPON WYNDE HADE WAGED HER FYTHERES. . . . CLN 1484
THEN HUMMYD HE THAT THER LAY AND HIS HEDDE WAGGYD . . . . . . ERK 281
WAGGYD (V. WAGGED)
WAIST
BOTH HIS WOMBE AND HIS WAST WERE WORTHILY SMALE. . . . . . . GGK 144
WAIT
WAYTE3 GORSTE3 AND GREUE3 IF ANI GOME3 LYGGE3 . . . . CLN 99
I SCHAL WAYTE TO BE WAR HER WRENCHE3 TO KEPE. . . . . CLN 292
TO WAYTE THE WRYT THAT HIT WOLDE AND WYTER HYM TO SAY. . . . . CLN 1552
WAYUED HIS BERDE FOR TO WAYTE QUOSO WOLDE RYSE . . . . GGK 306
I WYL ME SUM OTHER WAYE THAT HE NE WAYTE AFTER . . . . PAT 86
FOR TO WAYTE ON THAT WON WHAT SCHULDE WORTHE AFTER. . . . . . PAT 436
WAITED
AND THENNE HE WAYTED HYM ABOUTE AND WYLDE HIT HYM THO3T . . . . GGK 2163
OFTE HAF I WAYTED WYSCHANDE THAT WELE . . . . PRL 14
WAITS
FOR HE WAYTE3 ON WYDE HIS WENCHES BYHOLDES . . . . CLN 1423
AND WAYTE3 WARLY THIDERWARDE QUAT HIT BE MY3T . . . . GGK 1186
THAT AY WAKES AND WAYTES AT WYLLE HAT3 HE SLY3TES . . . . . . PAT 130
WAKED
THEN THAY CAYRED AND COM THAT THE COST WAKED. . . . . CLN 85
AND SYTHEN WAKED ME WYTH 3E ARN NOT WEL WARYST . . . . GGK 1094
WAKEN
FOR I SCHAL WAKEN VP A WATER TO WASCH ALLE THE WORLDE. . . . . CLN 323
TO WAKEN WEDERE3 SO WYLDE THE WYNDE3 HE CALLE3 . . . . CLN 948
AND SYTHEN HE WARNE3 THE WEST TO WAKEN FUL SOFTE . . . . . . PAT 469
WAKENED
THEN HE WAKENED A WYNDE ON WATTERE3 TO BLOWE. . . . . CLN 437
BOT THAY WERN WAKNED AL WRANK THAT THER IN WON LENGED. . . . . CLN 891
THE WY3E WAKENED HIS WYF AND HIS WLONK DE3TERES. . . . . . . CLN 933
AND THAT WAKNED HIS WRATH AND WRAST HIT SO HY3E. . . . . . . CLN 1166
FORTHI OURE FADER VPON FOLDE A FOMAN HYM WAKNED. . . . . . . CLN 1175
IN AL THIS WORLDE NO WORDE NE WAKENYD NO NOICE . . . . ERK 218
WYLDE WERBLES AND WY3T WAKNED LOTE . . . . GGK 119
AND LENGED THERE SELLY LONGE TO LOKE QUEN HE WAKENED . . . . . GGK 1194
WAKNED BI WO3E3 WAXEN TORCHES. . . . . GGK 1650
BOT WYLDE WEDERE3 OF THE WORLDE WAKNED THEROUTE. . . . . . . GGK 2000
THER WAKNED WELE IN THAT WONE WHEN WYST THE GRETE . . . . . . GGK 2490
THEN HE WAKENEDE AND WROTH AND TO-HIR-WARDE TORNED. . . . . . GGK 1200
THAY WAKENED WEL THE WROTHELOKER FOR WROTHELY HE CLEPED . . . . PAT 132
THENNE WAKENED THE WY3 VNDER WODBYNDE . . . . PAT 446
AND WYDDERED WAT3 THE WODBYNDE BI THAT THE WY3E WAKNED . . . . PAT 468
THEN WAKENED THE WY3E OF HIS WYLDREMES. . . . . PAT 473
THEN WAKNED I IN THAT ERBER WLONK . . . . PRL 1171
WAKENEDE (V. WAKENED)
WAKENYD (V. WAKENED)
WAKES
THAT AY WAKES AND WAYTES AT WYLLE HAT3 HE SLY3TES . . . . . . PAT 130
WAKKER (V. WEAKER)
WAKKEST (V. WEAKEST)

WAKNED (V. WAKENED)
WAL (V. WALL)
WALE

NOV WALE THE A WONNYNG THAT THE WARISCH MY3T.	CLN	921
WALE WYNE TO THY WENCHES IN WARYED STOUNDES	CLN	1716
THY WALE RENGNE IS WALT IN WE3TES TO HENG.	CLN	1734
BOT THEN WOS WONDER TO WALE ON WEHES THAT STODEN	ERK	73
WHERE SCHULDE I WALE THE QUOTH GAUAN WHERE IS THY PLACE . . .	GGK	398
BOT 3ET I WOT THAT WAWEN AND THE WALE BURDE	GGK	1010
YOWRE AWEN WON TO WALE	GGK	1238
WY3E3 THE WALLE WYN WE3ED TO HEM OFT	GGK	1403
THENNE WAT3 HE WENT ER HE WYST TO A WALE TRYSTER	GGK	1712
HE WELCUME3 HIR WORTHILY WITH A WALE CHERE	GGK	1759
AND WYMMEN VNWYTTE THAT WALE NE COUTHE.	PAT	511
THAT I ON THE FYRST BASSE CON WALE	PRL	1000
THE SEXTE THE RYBE HE CON HIT WALE	PRL	1007
THE SEXTE THE SARDE HE CON HIT WALE.	PRL 2	1007

WALED

IWYSSE WORTHY QUOTH THE WY3E 3E HAF WALED WEL BETTER	GGK	1276

WALES

THAI BETE OUTE THE BRETONS AND BRO3T HOM INTO WALES	ERK	9
TIL THAT HE NE3ED FUL NEGHE INTO THE NORTHE WALE3	GGK	697

WALE3 (V. WALES)
WALK

HER WYUE3 WALKE3 HEM WYTH AND THE WYLDE AFTER	CLN	503
AND IN WASTURNE WALK AND WYTH THE WYLDE DOWELLE.	CLN	1674
AND WELCUM HERE TO WALK AND BYDE.	PRL	399

WALKED

I WELKE AY FORTH IN WELY WYSE.	PRL	101
HOW JESUS HYM WELKE IN ARETHEDE	PRL	711

WALKE3 (V. WALK, WALKS)
WALKS

YOUR WORDE AND YOUR WORCHIP WALKE3 AYQUERE	GGK	1521
THENNE HE BO3E3 TO THE BER3E ABOUTE HIT HE WALKE3	GGK	2178

WALKYRIES

WYCHE3 AND WALKYRIES WONNEN TO THAT SALE	CLN	1577

WALL

WYTH A WONDER WRO3T WALLE WRUXELED FUL HI3E	CLN	1381
BOTHE OF WERK AND OF WUNDER AND WALLE AL ABOUTE.	CLN V	1390
THE WALLE WOD IN THE WATER WONDERLY DEPE	GGK	787
ON THE WAL HIS ERND HE NOME	GGK	809
THE WAL ABOF THE BANTELS BENT.	PRL	1017
THE WAL OF JASPER THAT GLENT AS GLAYRE.	PRL	1026
THE WAL ABOF THE BANTELS BRENT	PRL 2	1017
THE WAL ABOF THE BANTELS BRENT	PRL 3	1017

WALLANDE (V. WELLING)
WALLE (V. WALE, WALL)
WALLED

BOTH OF WERK AND OF WUNDER AND WALLED AL ABOUTE.	CLN	1390

WALLEHEUED (V. WELL-HEAD)
WALLES (V. WALLS)
WALLE3 (V. WALLS)
WALLS

UMBEWALT ALLE THE WALLES WYTH WY3ES FUL STRONGE.	CLN	1181
IN BIGGE BRUTAGE OF BORDE BULDE ON THE WALLES	CLN	1190
ASSCAPED OUER THE SKYRE WATTERES AND SCAYLED THE WALLES . . .	CLN	1776
THE WALLE3 WERE WEL ARAYED.	GGK	783

WALON

THAT AS ALLE THE WORLDE WERE THIDER WALON WITHIN A HONDEQUILE .	ERK	64

WALOUR (V. VALOR)
WALT (ALSO V. WIELDED)
THEN WENT THAY TO THE WYKKET HIT WALT VPON SONE. . . . . . . CLN 501
THY WALE RENGNE IS WALT IN WE3TES TO HENG. . . . . CLN 1734
THE WESAUNT FRO THE WYNTHOLE AND WALT OUT THE GUTTE3 . . . . . GGK 1336
BY3ONDE THE WATER THA3 HO WERE WALTE . . . . PRL 1156
WALTE (V. WALT)
WALTER (V. WELTER)
WALTERANDE (V. WELTERING)
WALTERED (V. WELTERED)
WALTERES (V. WELTERS)
WALTERE3 (V. WELTERS)
WALTES
WALTES OUT VCH WALLEHEUED IN FUL WODE STREME3 . . . . CLN 364
AND THER WALTE3 OF THAT WATER IN WAXLOKES GRETE. . . . . . . CLN 1037
WALTE3 (V. WALTES)
WAMEL
THA3 HIT LYTTEL WERE HYM WYTH TO WAMEL AT HIS HERT. . . . . . PAT 300
WAN
THE WYNDES ON THE WONNE WATER SO WRASTEL TOGEDER . . . . . . PAT 141
WAN (V. WON)
WAND
AT VCHE WENDE VNDER WANDE WAPPED A FLONE . . . . GGK 1161
WANDE (V. WAND)
WANDE3 (V. WANDS)
WANDS
THAT WAT3 WOUNDEN WYTH YRN TO THE WANDE3 ENDE . . . . GGK 215
WANE
THA3 HYM WORDE3 WERE WANE WHEN THAY TO SETE WENTEN. . . . . . GGK 493
WANED
HOW THAT WATTERE3 WERN WONED AND THE WORLDE DRYED . . . . . . CLN 496
WANING
FRENDE NO WANING I WYL THE 3ETE . . . . PRL 558
WANLE3
THA3 WERE WANLE3 OF WELE IN WOMBE OF THAT FISSCHE . . . . . . PAT 262
WANT
BOT IF THAY CONTERFETE CRAFTE AND CORTAYSYE WONT . . . . CLN 13
AND FYUE WONT OF FYFTY QUOTH GOD I SCHAL FOR3ETE ALLE. . . . . CLN 739
FOR VCH WY3E MAY WEL WIT NO WONT THAT THER WERE. . . . . . . GGK 131
ER ME WONT THE WEDE WITH HELP OF MY FRENDE3 . . . . GGK 987
WANTED
NO3T BOT AGHT HUNDRED 3ERE THER AGHTENE WONTYD . . . . ERK 208
BOT HERE YOW LAKKED A LYTTEL SIR AND LEWTE YOW WONTED. . . . . GGK 2366
HER DEPE COLOUR 3ET WONTED NON . . . . PRL 215
WANTS
AND OF THAT ILK NW3ERE BOT NEKED NOW WONTE3 . . . . GGK 1062
WAP
WHEN THOU WYPPED OF MY HEDE AT A WAP ONE . . . . GGK 2249
BOT AT A WAP HIT HERE WAX AND AWAY AT AN OTHER . . . . PAT 499
WAPPED
WAPPED VPON THE WYKET AND WONNEN HEM TYLLE . . . . CLN 882
AT VCHE WENDE VNDER WANDE WAPPED A FLONE . . . . GGK 1161
THE WERBELANDE WYNDE WAPPED FRO THE HY3E . . . . GGK 2004
WAR
AND THER HE WAST WYTH WERRE THE WONES OF THORPES . . . . CLN 1178
FOR HOR WRAKEFUL WERRE QUIL HOR WRATHE LASTYD . . . . ERK 215
WHERE WERRE AND WRAKE AND WONDER. . . . . GGK 16
BOT FOR I WOLDE NO WERE MY WEDE3 AR SOFTER . . . . GGK 271
FOR WERRE WRATHED HYM NOT SO MUCH THAT WYNTER WAS WORS . . . . GGK 726

OF THE WERE OF THE WYLDE SWYN IN WOD THER HE FLED . . . . . . GGK 1628
WAR (V. WARE)
WARBLES
WYLDE WERBLES AND WY3T WAKNED LOTE . . . . GGK 119
WARBLING
THE WERBELANDE WYNDE WAPPED FRO THE HY3E . . . . GGK 2004
WARDE
WHEN JESUS CON TO HYM WARDE GON . . . . PRL 820
BY3ONDE THE BROK FRO ME WARDE KEUED. . . . . PRL 981
BY3ONDE THE BROK FRO ME WARDE BREUED . . . . PRL 1 981
WARDED
WARDED THIS WRECH MAN IN WARLOWES GUTTE3 . . . . PAT 258
WARE
BOT WAR THE WEL IF THOU WYLT THY WEDE3 BEN CLENE . . . . . . CLN 165
I SCHAL WAYTE TO BE WAR HER WRENCHE3 TO KEPE. . . . . CLN 292
FORTHY WAR THE NOW WY3E THAT WORSCHYP DESYRES . . . . CLN 545
THER IS NO WY3E IN HIS WERK SO WAR NE SO STYLLE. . . . . . . CLN 589
THENNE WAT3 HE WAR ON THE WAYE OF WLONK WY3E3 THRYNNE. . . . CLN 606
THAT WY3E3 SCHAL BE BY HEM WAR WORLDE WYTHOUTEN ENDE . . . . CLN 712
WHEN THAY WERN WAR OF THE WRAKE THAT NO WY3E ACHAPED . . . . CLN 970
BOT WAR THE WEL IF THOU BE WASCHEN WYTH WATER OF SCHRYFTE . . CLN 1133
WAR THE THENNE FOR THE WRAKE HIS WRATH HAT3 ACHAUFED . . . . CLN 1143
ER HE WAT3 WAR IN THE WOD OF A WON IN A MOTE. . . . . GGK 764
THE HINDE3 WERE HALDEN IN WITH HAY AND WAR . . . . GGK 1158
THE WYLDE WAT3 WAR OF THE WY3E WITH WEPPEN IN HONDE . . . . GGK 1586
THE WY3E WAT3 WAR OF THE WYLDE AND WARLY ABIDES. . . . . . . GGK 1900
AND EFTE I SCHAL BE WARE . . . . GGK 2388
AND WAT3 WAR OF THAT WY3E THAT THE WATER SO3TE . . . . PAT 249
I WAT3 WAR OF A PROSESSYOUN . . . . PRL 1096
WARE - M.E. (ALSO V. APP. 1)
AND I SCHAL WARE ALLE MY WYT TO WYNNE ME THEDER. . . . . . . GGK 402
I SCHAL WARE MY WHYLE WEL QUYL HIT LASTE3. . . . . GGK 1235
WARET
I COUTHE WROTHELOKER HAF WARET TO THE HAF WRO3T ANGER. . . . GGK 2344
WARILY (CP. WARLOKER)
AND WAYTE3 WARLY THIDERWARDE QUAT HIT BE MY3T . . . . GGK 1186
THE WY3E WAT3 WAR OF THE WYLDE AND WARLY ABIDES. . . . . . . GGK 1900
WARISCH
NOV WALE THE A WONNYNG THAT THE WARISCH MY3T. . . . . CLN 921
WARLA3ES (V. WARLOCKS)
WARLOCKS
THAT WER WYSE OF WYCHECRAFTE AND WARLA3ES OTHER. . . . . . . CLN 1560
WARDED THIS WRECH MAN IN WARLOWES GUTTE3 . . . . PAT 258
WARLOK
WRYTHE ME IN A WARLOK WRAST OUT MYN Y3EN . . . . PAT 80
WARLOKER (CP. WARILY)
WARLOKER TO HAF WRO3T HAD MORE WYT BENE . . . . GGK 677
WARLOWES (V. WARLOCKS)
WARLY (V. WARILY)
WARM
SCHYRE SCHEDE3 THE RAYN IN SCHOWRE3 FUL WARME . . . . GGK 506
WEL MUCH WAT3 THE WARME WATER THAT WALTERED OF Y3EN . . . . GGK 684
AND SAYE3 VNTE 3EFERUS THAT HE SYFLE WARME . . . . PAT 470
THE WARM WYNDE OF THE WESTE WERTES HE SWYTHE3 . . . . PAT 478
WARME (V. WARM)
WARMED
SO FASTE THAY WE3ED TO HIM WYNE HIT WARMED HIS HERT . . . . CLN 1420
WI3T WALLANDE JOYE WARMED HIS HERT . . . . GGK 1762
WARNE3 (V. WARNS)

WARNING
    HE WAYNED HEM A WARNYNG THAT WONDER HEM THO3T . . . . CLN 1504
WARNS
    WARNE3 HYM FOR THE WYNTER TO WAX FUL RYPE. . . . . GGK 522
    AND SYTHEN HE WARNE3 THE WEST TO WAKEN FUL SOFTE . . . . . . PAT 469
WARNYNG (V. WARNING)
WARP
    THAT HE NE WYST ON WORDE WHAT HE WARP SCHULDE . . . . CLN 152
    WITH THIS WORDE THAT HE WARP THE WRAKE ON HYM LY3T. . . . . CLN 213
    AS WY3E WO HYM WITHINNE WERP TO HYMSELUEN. . . . . CLN 284
    FOR THE WORDES THAT THOU WERPE AND THE WATER THAT THOU SHEDDES. ERK 329
    THE FYRST WORD THAT HE WARP WHER IS HE SAYD . . . . GGK 224
    WYLDE WORDE3 HYM WARP WYTH A WRAST NOYCE . . . . GGK 1423
    WHYLE THE WLONKEST WEDES HE WARP ON HYMSELUEN . . . . GGK 2025
    AND WARP THE NO WERNYNG TO WORCH AS THE LYKE3 . . . . GGK 2253
    A NOTE FUL NWE I HERDE HEM WARPE. . . . . PRL 879
WARPE (V. WARP)
WARPEN
    WHERE THE WYNDE AND THE WEDER WARPEN HIT WOLDE . . . . CLN 444
WARPED
    WITH THAT WORDE THAT HE WARPYD OF HIS WETE EGHEN . . . . . . ERK 321
    ER EUER HE WARPPED ANY WORDE TO WY3E THAT HE METTE. . . . . . PAT 356
WARPPED (V. WARPED)
WARPYD (V. WARPED)
WARS
    SUMWHYLE WYTH WORME3 HE WERRE3 AND WITH WOLUES ALS. . . . . . GGK 720
WARTHE
    AT VCHE WARTHE OTHER WATER THER THE WY3E PASSED. . . . . . . GGK 715
    THE WHAL WENDE3 AT HIS WYLLE AND A WARTHE FYNDE3 . . . . . . PAT 339
WARY
    NOW NOE NO MORE NEL I NEUER WARY. . . . . CLN 513
WARYED
    WALE WYNE TO THY WENCHES IN WARYED STOUNDES . . . . CLN 1716
WARYST
    AND SYTHEN WAKED ME WYTH 3E ARN NOT WEL WARYST . . . . GGK 1094
WAS (APP. 1)
WASCH (V. WASH)
WASCHE (V. WASH)
WASCHEN (V. WASHED)
WASCHENE (V. WASHED)
WASCHE3 (V. WASHES)
WASH
    FOR I SCHAL WAKEN VP A WATER TO WASCH ALLE THE WORLDE. . . . CLN 323
    THAT SCHAL WASCH ALLE THE WORLDE OF WERKE3 OF FYLTHE . . . . CLN 355
    TYL ANY WATER IN THE WORLDE TO WASCHE THE FAYLY. . . . . . . CLN 548
    I SCHAL FETTE YOW A FATTE YOUR FETTE FORTO WASCHE . . . . . . CLN 802
    NOBOT WASCH HIR WYTH WOURCHYP IN WYN AS HO ASKES . . . . . . CLN 1127
    FOR WITH THE WORDES AND THE WATER THAT WESHE VS OF PAYNE. . . ERK 333
    HIT MAY WEL BE THAT MESTER WERE HIS MANTYLE TO WASCHE. . . . PAT 342
WASHED
    AND FAST ABOUTE SCHAL I FARE YOUR FETTE WER WASCHENE . . . . CLN 618
    WELAWYNNELY WLONK TYL THAY WASCHEN HADE . . . . CLN 831
    BOT WAR THE WEL IF THOU BE WASCHEN WYTH WATER OF SCHRYFTE . . CLN 1133
    AND WEL HATTER TO HATE THEN HADE THOU NOT WASCHEN . . . . . . CLN 1138
    WHEN THAY HAD WASCHEN WORTHYLY THAY WENTEN TO SETE. . . . . . GGK 72
    THE WY3E WESCHE AT HIS WYLLE AND WENT TO HIS METE . . . . . GGK 887
    IN HYS BLOD HE WESCH MY WEDE ON DESE . . . . PRL 766
WASHES

THAT WASCHE3 AWAY THE GYLTE3 FELLE	PRL	655
WASSAIL		
WE3E WYN IN THIS WON WASSAYL HE CRYES	CLN	1508
WASSAYL (V. WASSAIL)		
WASSE (APP. 1)		
WAST (V. WAIST, WASTE, WASTED)		
WASTE		
I SCHAL WAST WITH MY WRATH THAT WONS VPON VRTHE.	CLN	326
HIT WAT3 NOT WONTE IN THAT WONE TO WAST NO SERGES	CLN	1489
THER WONE3 A WY3E IN THAT WASTE THE WORST VPON ERTHE	GGK	2098
WASTED		
AL WAT3 WASTED THAT WONYED THE WORLDE WYTHINNE	CLN	431
AND THER HE WAST WYTH WERRE THE WONES OF THORPES	CLN	1178
AL WELWED AND WATED THO WORTHELYCH LEUES	PAT	475
WASTURNE		
AND IN WASTURNE WALK AND WYTH THE WYLDE DOWELLE.	CLN	1674
WATCH		
AL IN LONGING FOR LOTH LEYEN IN A WACHE	CLN	1003
BOT ER THAY ATWAPPE NE MO3T THE WACH WYTHOUTE	CLN	1205
WATE (V. WOT)		
WATED (V. WASTED)		
WATER		
FOR I SCHAL WAKEN VP A WATER TO WASCH ALLE THE WORLDE.	CLN	323
FOR WHEN THE WATER OF THE WELKYN WYTH THE WORLDE METTE	CLN	371
WATER WYLGER AY WAX WONE3 THAT STRYEDE.	CLN	375
SYTHEN THE WYLDE OF THE WODE ON THE WATER FLETTE	CLN	387
WHEDERWARDE SO THE WATER WAFTE HIT REBOUNDE	CLN	422
TOWALTEN ALLE THYSE WELLEHEDE3 AND THE WATER FLOWED	CLN	428
DRYF OUER THIS DYMME WATER IF THOU DRUYE FYNDE3.	CLN	472
TYL ANY WATER IN THE WORLDE TO WASCHE THE FAYLY.	CLN	548
AND I SCHAL WYNNE YOW WY3T OF WATER A LYTTEL.	CLN	617
AND THER WATER MAY WALTER TO WETE ANY ERTHE	CLN	1027
AND THER WALTE3 OF THAT WATER IN WAXLOKES GRETE.	CLN	1037
BOT WAR THE WEL IF THOU BE WASCHEN WYTH WATER OF SCHRYFTE	CLN	1133
BY GODDES LEUE AS LONGE AS I MY3T LACCHE WATER	ERK	316
FOR THE WORDES THAT THOU WERPE AND THE WATER THAT THOU SHEDDES.	ERK	329
FOR WITH THE WORDES AND THE WATER THAT WESHE VS OF PAYNE.	ERK	333
WEL MUCH WAT3 THE WARME WATER THAT WALTERED OF Y3EN	GGK	684
AT VCHE WARTHE OTHER WATER THER THE WY3E PASSED.	GGK	715
WHEN THE COLDE CLER WATER FRO THE CLOUDE3 SCHADDE	GGK	727
THE WALLE WOD IN THE WATER WONDERLY DEPE	GGK	787
IN THE WY3TEST OF THE WATER THE WORRE HADE THAT OTHER.	GGK	1591
AND HE 3ARRANDE HYM 3ELDE AND 3EDOUN THE WATER	GGK	1595
WHAT HIT WARRED AND WHETTE AS WATER AT A MULLE	GGK	2203
WHEN HE WAN TO THE WATTER THER HE WADE NOLDE.	GGK	2231
AND HE 3ARRANDE HYM 3ELDE AND 3ED OUER THE WATER	GGK V	1595
WHAT HIT WHARRED AND WHETTE AS WATER AT A MULNE.	GGK V	2203
THE WYNDES ON THE WONNE WATER SO WRASTEL TOGEDER	PAT	141
THE COGE OF THE COLDE WATER AND THENNE THE CRY RYSES	PAT	152
SCOPEN OUT THE SCATHEL WATER THAT FAYN SCAPE WOLDE.	PAT	155
AND EUER WROTHER THE WATER AND WODDER THE STREMES	PAT	162
FOR WHATSO WORTHED OF THAT WY3E FRO HE IN WATER DIPPED	PAT	243
AND WAT3 WAR OF THAT WY3E THAT THE WATER SO3TE	PAT	249
AND PREUE THE LY3TLY A LORDE IN LONDE AND IN WATER.	PAT	288
I AM WRAPPED IN WATER TO MY WOSTOUNDE3.	PAT	317
NE NON OXE TO NO HAY NE NO HORSE TO WATER.	PAT	394
I WAN TO A WATER BY SCHORE THAT SCHERE3	PRL	107
SWANGEANDE SWETE THE WATER CON SWEPE	PRL	111
OF WOD AND WATER AND WLONK PLAYNE3	PRL	122

I HOPED THE WATER WERE A DEUYSE	PRL	139
BOT THE WATER WAT3 DEPE I DORST NOT WADE	PRL	143
ON WYTHER HALF WATER COM DOUN THE SCHORE	PRL	230
THE THRYDDE TO PASSE THYS WATER FRE.	PRL	299
THOU WYLNE3 OUER THYS WATER TO WEUE.	PRL	318
AS WALLANDE WATER GOT3 OUT OF WELLE.	PRL	365
HE LAUE3 HYS GYFTE3 AS WATER OF DYCHE	PRL	607
IN THE WATER OF BABTEM THAY DYSSENTE	PRL	627
AND WYNNE WATER THEN AT THAT PLYT	PRL	647
BLOD AND WATER OF BRODE WOUNDE	PRL	650
THE WATER IS BAPTEM THE SOTHE TO TELLE.	PRL	653
ABOUTE THAT WATER ARN TRES FUL SCHYM	PRL	1077
BY3ONDE THE WATER THA3 HO WERE WALTE	PRL	1156
WATERS		
THEN HE WAKENED A WYNDE ON WATTERE3 TO BLOWE.	CLN	437
HOW THAT WATTERE3 WERN WONED AND THE WORLDE DRYED	CLN	496
VMBESWEYED ON VCH A SYDE WYTH SEUEN GRETE WATERES	CLN	1380
ASSCAPED OUER THE SKYRE WATTERES AND SCAYLED THE WALLES . . .	CLN	1776
BI THAY WERE TENED AT THE HY3E AND TAYSED TO THE WATTRE3. . .	GGK	1169
BLOWES BOTHE AT MY BODE VPON BLO WATTERES.	PAT	134
WHEN BOTHE BRETHES CON BLOWE VPON BLO WATTERES	PAT	138
WATERES (V. WATERS)		
WATHE (V. WOTHE)		
WATTER (V. WATER)		
WATTERES (V. WATERS)		
WATTERE3 (V. WATERS)		
WATTRE3 (V. WATERS)		
WAT3 (APP. 1)		
WAVED		
WAYUED HIS BERDE FOR TO WAYTE QUOSO WOLDE RYSE	GGK	306
HO WAYUED ME THIS WONDER YOUR WYTTE3 TO REUE.	GGK	2459
AND WAYUED HOM TO WYNNE THE WORCHIP THEROF	GGK V	984
OF THE WYNNE WORSCHIP THAT HE HYM WAYUED HADE	GGK V	1032
THAT EUER WAYUED A WYNDE SO WYTHE AND SO COLE	PAT	454
WAVES		
THE RO3E RAYNANDE RYG NE THE RAYKANDE WAWE3	CLN	382
THAT THE FLOD NADE AL FRETEN WYTH FE3TANDE WA3E3	CLN	404
WAYUE3 VP A WYNDOW AND ON THE WY3E CALLE3.	GGK	1743
THAT THE WAWES FUL WODE WALTERED SO HI3E	PAT	142
NOW WERE I AT YOW BY3ONDE THISE WAWE3	PRL	287
WAWAN (V. GAWAIN)		
WAWEN (V. GAWAIN)		
WAWES (V. WAVES)		
WAWE3 (V. WAVES)		
WAX (ALSO V. WAXED)		
BOT WAXE3 NOW AND WENDE3 FORTH AND WORTHE3 TO MONYE	CLN	521
AND WAX HO EUER IN THE WORLDE IN WERYNG SO OLDE.	CLN	1123
AS MONY MORTERES OF WAX MERKKED WYTHOUTE	CLN	1487
WARNE3 HYM FOR THE WYNTER TO WAX FUL RYPE.	GGK	522
SO WROTH FOR A WODBYNDE TO WAX SO SONE.	PAT	491
WAXED		
AND WEX WOD TO THE WRACHE FOR WRATH AT HIS HERT.	CLN	204
BOT THAT OTHER WRAKE THAT WEX ON WY3E3 HIT LY3T.	CLN	235
BI THAT THE FLOD TO HER FETE FLO3ED AND WAXED	CLN	397
FRO THAT METE WAT3 MYST MEGRE THAY WEXEN	CLN	1198
HE WEX AS WROTH AS WYNDE	GGK	319
HE WEX AS WROTH AS THE WYNDE TOWARDE OURE LORDE.	PAT	410
THOU ART WAXEN SO WROTH FOR THY WODBYNDE	PAT	497
BOT AT A WAP HIT HERE WAX AND AWAY AT AN OTHER	PAT	499

THE SUNNE WAT3 DOUN AND HIT WEX LATE	PRL		538
THE GRACE OF GOD WEX GRET INNOGHE	PRL		648
INNOGHE THER WAX OUT OF THAT WELLE	PRL		649
WAXEN (ALSO V. WAXED)			
WAKNED BI WO3E3 WAXEN TORCHES.	GGK		1650
WAXES			
WELAWYNNE IS THE WORT THAT WAXES THEROUTE.	GGK		518
WELE WAXE3 IN VCHE A WON IN WORLDE FOR HIS SAKE.	GGK		997
WAXE3 (V. WAXES)			
WAXLOKES			
AND THER WALTE3 OF THAT WATER IN WAXLOKES GRETE.	CLN		1037
WAY			
THENNE WAT3 HE WAR ON THE WAYE OF WLONK WY3E3 THRYNNE.	CLN		606
THEN HE WENDE3 HIS WAY WEPANDE FOR CARE	CLN		777
AND IN THE MYRY MORNYNG 3E MAY YOUR WAYE TAKE	CLN		804
AND THE WENCHES HYM WYTH THAT BY THE WAY FOL3ED.	CLN		974
HE SPERRED THE STED WITH THE SPURE3 AND SPRONG ON HIS WAY	GGK		670
BOT WY3TLY WENT HYS WAY.	GGK		688
MCNY WYLSUM WAY HE RODE.	GGK		689
VCHON TO WENDE ON HIS WAY THAT WAT3 WY3E STRANGE	GGK		1028
BI NON WAY THAT HE MY3T.	GGK		1045
MON SCHAL YOW SETTE IN WAYE	GGK		1077
VCHE WY3E ON HIS WAY THER HYM WEL LYKED	GGK		1132
DO WAY QUOTH THAT DERF MON MY DERE THAT SPECHE	GGK		1492
AND WENT HIR WAYE IWYSSE	GGK		1557
SYTHEN CHEUELY TO THE CHAPEL CHOSES HE THE WAYE.	GGK		1876
THER ASYNGNES HE A SERUAUNT TO SETT HYM IN THE WAYE	GGK		1971
AND WENT ON HIS WAY WITH HIS WY3E ONE	GGK		2074
WELAWYLLE WAT3 THE WAY THER THAY BI WOD SCHULDEN	GGK		2084
VCHON TO WENDE ON HIS WAY THAT WAT3 WY3E STRONGE	GGK	V	1028
NYM THE WAY TO NYNYUE WYTHOUTEN OTHER SPECHE.	PAT		66
I WYL ME SUM OTHER WAYE THAT HE NE WAYTE AFTER	PAT		86
OF THE WAY A FOTE NE WYL HE WRYTHE	PRL		350
BY THE WAY OF RY3T TO ASKE DOME	PRL		580
DO WAY LET CHYLDER VNTO ME TY3T	PRL		718
WAYE (V. WAY)			
WAYES (V. WAYS)			
WAYE3 (V. WAYS)			
WAYFARING			
THE WAYFERANDE FREKE3 ON FOTE AND ON HORS.	CLN		79
WAYFERANDE (V. WAYFARING)			
WAYKE (V. WEAK)			
WAYKNED (V. WEAKENED)			
WAYMOT			
WHY ARE THOU SO WAYMOT WY3E FOR SO LYTTEL.	PAT		492
WAYNE			
AND WYNNE HYM WYTH THI WORCHYP TO WAYNE THE BOTE	CLN		1616
WAYNED			
HE WAYNED HEM A WARNYNG THAT WONDER HEM THO3T	CLN		1504
THENNE HE WAYNED HYM HIS WYT THAT HADE WO SOFFERED.	CLN		1701
AND THAT HAT3 WAYNED ME HIDER IWYIS AT THIS TYME	GGK		264
AND WAYNED HOM TO WYNNE THE WORCHIP THEROF	GGK		984
OF THE WYNNE WORSCHIP THAT HE HYM WAYNED HADE	GGK		1032
HO WAYNED ME VPON THIS WYSE TO YOUR WYNNE HALLE.	GGK		2456
HO WAYNED ME THIS WONDER YOUR WYTTE3 TO REUE.	GGK	V	2459
WHIL GOD WAYNED A WORME THAT WROT VPE THE ROTE	PAT		467
WHAT WYRDE HAT3 HYDER MY IUEL VAYNED	PRL		249
WAYNE3			
THE WY3 TO WHAM HER WYLLE HO WAYNE3.	PRL		131

Entry	Poem	Line
WAYS		
AND VCH FREKE FORLOYNED FRO THE RY3T WAYE3	CLN	282
AND GODDE GLYDE3 HIS GATE BY THOSE GRENE WAYE3	CLN	767
AND HE NIKKED HYM NAYE HE NOLDE BI NO WAYES	GGK	2471
WYLDE WAYE3 IN THE WORLDE WOWEN NOW RYDE3.	GGK	2479
NYLT THOU NEUER TO NUNIUE BI NOKYNNE3 WAYE3	PAT	346
BE NO3T SO GRYNDEL GODMAN BOT GO FORTH THY WAYES	PAT	524
BY WAYE3 FUL STRE3T HO CON HYM STRAYN	PRL	691
WAYTE (V. WAIT)		
WAYTED (V. WAITED)		
WAYTES (V. WAITS)		
WAYTE3 (ALSO V. WAIT, WAITS)		
AND WAYTE3 AS WROTHELY AS HE WODE WERE.	GGK	2289
WAYTH		
3E IWYSSE QUOTH THAT OTHER WY3E HERE IS WAYTH FAYREST.	GGK	1381
WAYUE3 (V. WAVES)		
WA3E3 (V. WAVES)		
WE (ALSO V. APP. 1)		
WE LORDE QUOTH THE GENTYLE KNY3T.	GGK	2185
LET GOD WORCHE WE LOO	GGK	2208
WEAK		
HERE IS NO MON ME TO MACH FOR MY3TE3 SO WAYKE	GGK	282
WEAKENED		
AND AL WAYKNED HIS WYT AND WEL NE3E HE FOLES.	CLN	1422
WEAKER		
ALLE THAT WEPPEN MY3T WELDE THE WAKKER AND THE STRONGER	CLN	835
WEAKEST		
I AM THE WAKKEST I WOT AND OF WYT FEBLEST.	GGK	354
WEAL		
WYTH WELE AND WYTH WORSCHYP THE WORTHELY PEPLE	CLN	651
BOT FOR WOTHE NE WELE NE WRATHE NE DREDE	ERK	233
WELNE3E OF AL THE WELE IN THE WEST ILES	GGK	7
WITH ALL THE WELE OF THE WORLDE THAY WONED THER SAMEN.	GGK	50
WYTH WELE WALT THAY THAT DAY TIL WORTHED AN ENDE	GGK	485
WELE WAXE3 IN VCHE A WON IN WORLDE FOR HIS SAKE.	GGK	997
AND AL THE WELE OF THE WORLDE WERE IN MY HONDE	GGK	1270
THER WAT3 BOT WELE AT WYLLE	GGK	1371
WHERE 3E WAN THIS ILK WELE BI WYTTE OF 3ORSELUEN	GGK	1394
MUCH WELE THEN WAT3 THERINNE	GGK	1767
WYT 3E WEL HIT WAT3 WORTH WELE FUL HOGE	GGK	1820
BOT WERED NOT THIS ILK WY3E FOR WELE THIS GORDEL	GGK	2037
WORTHE HIT WELE OTHER WO AS THE WYRDE LYKE3	GGK	2134
FOR WELE NE FOR WORCHYP NE FOR THE WLONK WERKKE3	GGK	2432
THER WAKNED WELE IN THAT WONE WHEN WYST THE GRETE	GGK	2490
THA3 WERE WANLE3 OF WELE IN WOMBE OF THAT FISSCHE	PAT	262
OFTE HAF I WAYTED WYSCHANDE THAT WELE	PRL	14
MORE OF WELE WAT3 IN THAT WYSE	PRL	133
AND LOUE AY GOD IN WELE AND WO	PRL	342
IS WORTHEN TO WORSCHYP AND WELE IWYSSE.	PRL	394
WEALS		
FOR WO THER WELE3 SO WYNNE WORE	PRL	154
FOR WOTHE THE WELE3 SO WYNNE WORE	PRL 2	154
WEAPON		
ALLE THAT WEPPEN MY3T WELDE THE WAKKER AND THE STRONGER	CLN	835
LEPE LY3TLY ME TO AND LACH THIS WEPPEN.	GGK	292
KNELED DOUN BIFORE THE KYNG AND CACHE3 THAT WEPPEN.	GGK	368
WYTH WHAT WEPPEN SO THOU WYLT AND WYTH NO WY3 ELLE3	GGK	384
THE WYLDE WAT3 WAR OF THE WY3E WITH WEPPEN IN HONDE	GGK	1586

WHYRLANDE OUT OF A WRO WYTH A FELLE WEPPEN . . . . GGK 2222
WEAPONS
ANDE OTHER WEPPENES TO WELDE I WENE WEL ALS . . . . GGK 270
WEAR
SITHEN THOU WAS KIDDE FOR NO KYNGE QUY THOU THE CRCN WERES . . ERK 222
FOR HIT IS MY WEDE THAT THOU WERE3 THAT ILKE WOUEN GIRDEL . . GGK 2358
WEARING
AND WAX HO EUER IN THE WORLDE IN WERYNG SO OLDE. . . . . CLN 1123
WEARY
THEN THO WERY FORWRO3T WYST NO BOTE. . . . . PAT 163
WEATHER
WHERE THE WYNDE AND THE WEDER WARPEN HIT WOLDE . . . . CLN 444
HO WYRLED OUT ON THE WEDER ON WYNGE3 FUL SCHARPE . . . . CLN 475
THAT 3ET THE WYND AND THE WEDER AND THE WORLDE STYNKES . . . . CLN 847
MOURKENES THE MERY WEDER AND THE MYST DRYUES. . . . . CLN 1760
HO WYRLE OUT ON THE WEDER ON WYNGE3 FUL SCHARPE. . . . . CLN V 475
BOT THENNE THE WEDER OF THE WORLDE WYTH WYNTER HIT THREPE3 . . GGK 504
WEATHERS
TO WAKEN WEDERE3 SO WYLDE THE WYNDE3 HE CALLE3 . . . . CLN 948
BOT WYLDE WEDERE3 OF THE WORLDE WAKNED THEROUTE. . . . . GGK 2000
WEAVE
FOR WERN NEUER WEBBE3 THAT WY3E3 WEUEN. . . . . PRL 71
WEBBE3 (V. WEBS)
WEBS
FOR WERN NEUER WEBBE3 THAT WY3E3 WEUEN. . . . . PRL 71
WED
AND OTHER TWO MYRI MEN THO MAYDENE3 SCHULDE WEDDE . . . . . . CLN 934
THAT THE WOLDE WEDDE VNTO HYS VYF . . . . PRL 772
WED (V. WED-M.E.)
WED (ME)
SO WAT3 THE WY3E WYTLES HE WED WEL NER. . . . . CLN 1585
WEDDED
AND I HAF WEDDED A WYF SO WER HYM THE THRYD . . . . CLN 69
AND THY WEDDED WYF WITH THE THOU TAKE . . . . CLN 330
WEDDE (V. WED)
WEDDING
ARAYED TO THE WEDDYNG IN THAT HYLCOPPE. . . . . PRL 791
ARAYED TO THE WEDDYNG IN THAT HYLCOT . . . . PRL 3 791
WEDDYNG (V. WEDDING)
WEDE (V. WEED)
WEDER (V. WEATHER)
WEDERE3 (V. WEATHERS)
WEDES (V. WEEDS)
WEDE3 (V. WEEDS)
WEED
WLONK WHIT WAT3 HER WEDE AND WEL HIT HEM SEMED . . . . CLN 793
AND AL HIS WEDE VNWEMMYD THUS YLKA WEGHE ASKYD . . . . ERK 96
ALLE HASPED IN HIS HE3 WEDE TO HALLE THAY HYM WONNEN . . . . . GGK 831
ER ME WONT THE WEDE WITH HELP OF MY FRENDE3 . . . . GGK 987
CLEPES TO HIS CHAMBERLAYN CHOSES HIS WEDE. . . . . GGK 1310
FOR HIT IS MY WEDE THAT THOU WERE3 THAT ILKE WOUEN GIRDEL . . GGK 2358
THAT WRO3T THY WEDE HE WAT3 FUL WYS. . . . . PRL 748
IN HYS BLOD HE WESCH MY WEDE ON DESE . . . . PRL 766
AS PRAYSED PERLE3 HIS WEDE WASSE. . . . . PRL 2 1112
WEEDS
BOTHE WYTHINNE AND WYTHOUTEN IN WEDE3 FUL BRY3T. . . . . CLN 20
AND AY AS SEGGES SEERLY SEMED BY HER WEDE3 . . . . CLN 117
HOV WAN THOU INTO THIS WON IN WEDE3 SO FOWLE. . . . . CLN 140
THOU BURNE FOR NO BRYDALE ART BUSKED IN WEDE3 . . . . CLN 142

BOT WAR THE WEL IF THOU WYLT THY WEDE3 BEN CLENE	CLN	165
WICH ARN THENNE THY WEDE3 THOU WRAPPE3 THE INNE.	CLN	169
THA3 THE FELOUN WERE SO FERS FOR HIS FAYRE WEDE3	CLN	217
RYCHE RUTHED OF HER REST RAN TO HERE WEDES	CLN	1208
IN THE CLERNES OF HIS CONCUBINES AND CURIOUS WEDE3.	CLN	1353
THENNE CRYES THE KYNG AND KERUES HIS WEDES	CLN	1582
AND AY A SEGGE SOERLY SEMED BY HER WEDE3	CLN V	117
ARAIDE ON A RICHE WISE IN RIALLE WEDES.	ERK	77
ALS WEMLES WERE HIS WEDES WITHOUTEN ANY TECCHE	ERK	85
ANDE AL GRAYTHED IN GRENE THIS GOME AND HIS WEDES	GGK	151
BOT FOR I WOLDE NO WERE MY WEDE3 AR SOFTER	GGK	271
BOTHE THE GROUNDE3 AND THE GREUE3 GRENE AT HER WEDE3	GGK	508
THE BURN OF HIS BRUNY AND OF HIS BRY3T WEDE3.	GGK	861
THAT OTHER FERKE3 HYM VP AND FECHE3 HYM HIS WEDE3	GGK	2013
WHYLE THE WLONKEST WEDES HE WARP ON HYMSELUEN	GGK	2025
HER BAGGES AND HER FETHERBEDDES AND HER BRY3T WEDES	PAT	158
DEPAYNT IN PERLE3 AND WEDE3 QWYTE	PRL	1102
AS PRAYSED PERLE3 HIS WEDE3 WASSE	PRL	1112
SO WORTHLY WHYT WERN WEDE3 HYS	PRL	1133
WEEN		
BOT 3ET I WENE THAT THE WYF HIT WROTH TO DYSPYT.	CLN	821
ANDE OTHER WEPPENES TO WELDE I WENE WEL ALS	GGK	270
FOR I WENE WEL IWYSSE SIR WOWEN 3E ARE.	GGK	1226
AND SAYDE WITH MY WYF I WENE	GGK	2404
HIT WERE A WONDER TO WENE 3IF HOLY WRYT NERE.	PAT	244
ON THIS WYSE AS I WENE HIS WORDE3 WERE MONY	PAT	304
THER WONYS THAT WORTHYLY I WOT AND WENE	PRL	47
WYTH LAPPE3 LARGE I WOT AND I WENE	PRL	201
THE LOMBE DELYT NON LYSTE TO WENE	PRL	1141
WEENED		
HE WENDE FOR EUER MORE	GGK	669
WENT HAF WYLT OF THE WODE WITH WYLE3 FRO THE HOUNDES	GGK	1711
HE WENDE WEL THAT THAT WY3 THAT AL THE WORLD PLANTED	PAT	111
WEENING		
HIT WAT3 A WENYNG VNWAR THAT WELT IN HIS MYNDE	PAT	115
WEEPING		
THEN HE WENDE3 HIS WAY WEPANDE FOR CARE	CLN	777
THAGHE I BE VNWORTHI AL WEPANDE HE SAYDE	ERK	122
WEPANDE FUL WONDERLY ALLE HIS WRANGE DEDES	PAT	384
WEEPS		
THAY AR HAPPEN ALSO THAT FOR HER HARME WEPES.	PAT	17
WEETE (V. WET)		
WEGHE (V. WY3E)		
WEHES (V. WY3ES)		
WEIGH		
AND WEYE VPON THE WORRE HALF THAT WRATHED THE NEUER	CLN	719
WE3E WYN IN THIS WON WASSAYL HE CRYES	CLN	1508
WI3T AT THE WYNDAS WE3EN HER ANKRES.	PAT	103
WEIGHED		
SO FASTE THAY WE3ED TO HIM WYNE HIT WARMED HIS HERT	CLN	1420
WY3E3 THE WALLE WYN WE3ED TO HEM OFT	GGK	1403
WEIGHTS		
THY WALE RENGNE IS WALT IN WE3TES TO HENG.	CLN	1734
WEKKED (V. WICKED)		
WELAWYLLE		
WELAWYLLE WAT3 THE WAY THER THAY BI WOD SCHULDEN	GGK	2084
WELAWYNNE		
WELAWYNNE IS THE WORT THAT WAXES THEROUTE.	GGK	518
WELAWYNNELY		

WELAWYNNELY WLONK TYL THAY WASCHEN HADE . . . . CLN 831
WELCOM (V. WELCOME)
WELCOME
THE WY3E3 WERN WELCOM AS THE WYF COUTHE . . . . CLN 813
AND SAYDE WY3E WELCUM IWYS TO THIS PLACE . . . . GGK 252
THAT 3E BE WY3E WELCUM TO WON QUYLE YOW LYKE3 . . . . GGK 814
TO WELCUM THIS ILK WY3 AS WORTHY HOM THO3T . . . . GGK 819
HE SAYDE 3E ARE WELCUM TO WONE AS YOW LYKE3 . . . . GGK 835
3E AR WELCUM TO MY CORS. . . . . GGK 1237
IWYSSE THOU ART WELCOM WY3E TO MY PLACE . . . . GGK 2240
HE SAYDE 3E AR WELCUM TO WELDE AS YOW LYKE3 . . . . GGK V 835
AND WELCUM HERE TO WALK AND BYDE. . . . . PRL 399
WELCOMED
SIR WAWEN HER WELCUMED WORTHY ON FYRST. . . . . GGK 1477
WELCOMES
HE WELCUME3 HIR WORTHILY WITH A WALE CHERE . . . . GGK 1759
WELCOMEST
AND SAYDE HE WAT3 THE WELCOMEST WY3E OF THE WORLDE. . . . . . GGK 938
WELCUM (V. WELCOME)
WELCUMED (V. WELCOMED)
WELCUME3 (V. WELCOMES)
WELDE (V. WIELD)
WELDER (V. WIELDER)
WELDES (V. WIELD, WIELDS)
WELDE3 (V. WIELD, WIELDS)
WELE (V. WEAL)
WELEDEDE (V. WELL-DEEDS)
WELE3 (V. WEALS)
WELGEST
THAT ON WYF HADE BEN WORTHE THE WELGEST FOURRE . . . . CLN 1244
WELHALED (V. WELL-HALED)
WELKE (V. WALKED)
WELKIN
FOR WHEN THE WATER OF THE WELKYN WYTH THE WORLDE METTE . . . . CLN 371
WROTHE WYNDE OF THE WELKYN WRASTELE3 WITH THE SUNNE . . . . . GGK 525
AND FUL CLERE CASTE3 THE CLOWDES OF THE WELKYN . . . . GGK 1696
AND FUL CLERE COSTE3 THE CLOWDES OF THE WELKYN . . . . GGK V 1696
ALLE THE WORLDE WYTH THE WELKYN THE WYNDE AND THE STERNES . . PAT 207
STAREN IN WELKYN IN WYNTER NY3T . . . . PRL 116
WELKYN (V. WELKIN)
WELL
AS WALLANDE WATER GOT3 OUT OF WELLE. . . . . PRL 365
INNOGHE THER WAX OUT OF THAT WELLE . . . . PRL 649
WELL-DEEDS
QUAT WAN WE WITH OURE WELEDEDE THAT WROGHTYN AY RI3T . . . . . ERK 301
WELLE (V. WELL)
WELLEHEDE3 (V. WELL-HEADS)
WELLE3 (V. WELLS)
WELL-HALED
HEME WELHALED HOSE OF THAT SAME GRENE . . . . GGK V 157
WELL-HEAD
WALTES OUT VCH WALLEHEUED IN FUL WODE STREME3 . . . . CLN 364
WELL-HEADS
TOWALTEN ALLE THYSE WELLEHEDE3 AND THE WATER FLOWED . . . . . CLN 428
WELLING
WI3T WALLANDE JOYE WARMED HIS HERT . . . . GGK 1762
AS WALLANDE WATER GOT3 OUT OF WELLE. . . . . PRL 365
WELL-NIGH
THAT WELNEGHE AL THE NY3T HADE NAITYD HIS HOURES . . . . . . ERK 119

WELNE3E OF AL THE WELE IN THE WEST ILES . . . . GGK 7
WELNE3 TO VCHE HATHEL ALLE OUER HWES . . . . GGK 867
WELNE3 WYL DAY WAT3 PASSED DATE . . . . PRL 528
WHETHER WELNYGH NOW I CON BYGYNNE . . . . PRL 581
WELNE3 WYLDAY WAT3 PASSED DATE . . . . PRL 1 528
WELNE3 WYLDAY WAT3 PASSED DATE . . . . PRL 3 528
WELLS
THEN HE STAC VP THE STANGE3 STOPED THE WELLE3 . . . . CLN 439
WELNEGHE (V. WELL-NIGH)
WELNE3 (V. WELL-NIGH)
WELNE3E (V. WELL-NIGH)
WELNYGH (V. WELL-NIGH)
WELT
HIT WAT3 A WENYNG VNWAR THAT WELT IN HIS MYNDE . . . . PAT 115
WELTER
AND THER WATER MAY WALTER TO WETE ANY ERTHE . . . . CLN 1027
WELTERED
HIT WALTERED ON THE WYLDE FLOD WENT AS HIT LYSTE . . . . . . CLN 415
WEL MUCH WAT3 THE WARME WATER THAT WALTERED OF Y3EN . . . . . GGK 684
THAT THE WAWES FUL WODE WALTERED SO HI3E . . . . PAT 142
WELTERING
A WYLDE WALTERANDE WHAL AS WYRDE THEN SCHAPED . . . . PAT 247
WELTERS
AND ALSO DRYUEN THUR3 THE DEPE AND IN DERK WALTERE3 . . . . . PAT 263
ANDE EUER WALTERES THIS WHAL BI WYLDREN DEPE. . . . . PAT 297
WELY
I WELKE AY FORTH IN WELY WYSE. . . . . PRL 101
WEMLES
ALS WEMLES WERE HIS WEDES WITHOUTEN ANY TECCHE . . . . ERK 85
FOR HIT IS WEMLE3 CLENE AND CLERE . . . . PRL 737
WEMLE3 (V. WEMLES)
WELWED
AL WELWED AND WATED THO WORTHELYCH LEUES . . . . PAT 475
WEMME
BOT A WONDER PERLE WYTHOUTEN WEMME . . . . PRL 221
THE CALSYDOYNE THENNE WYTHOUTEN WEMME . . . . PRL 1003
WENCHES
AND THE WENCHES HYM WYTH THAT BY THE WAY FOL3ED. . . . . CLN 974
WYUES AND WENCHES HER WOMBES TOCORUEN . . . . CLN 1250
FOR HE WAYTE3 ON WYDE HIS WENCHES BYHOLDES . . . . CLN 1423
WALE WYNE TO THY WENCHES IN WARYED STOUNDES . . . . CLN 1716
WEND
WENDE WORTHELYCH WY3T VS WONE3 TO SECHE . . . . CLN 471
BOT WAXE3 NOW AND WENDE3 FORTH AND WORTHE3 TO MONYE . . . . . CLN 521
THAT SO WORTHE AS WAWAN SCHULDE WENDE ON THAT ERNDE . . . . . GGK 559
FOR WYN IN HIS HED THAT WENDE. . . . . GGK 900
VCHON TO WENDE ON HIS WAY THAT WAT3 WY3E STRANGE . . . . . . GGK 1028
I NE WOT IN WORLDE WHEDERWARDE TO WENDE HIT TO FYNDE . . . . . GGK 1053
FORTHI IWYSSE BI 3OWRE WYLLE WENDE ME BIHOUES . . . . GGK 1065
TOMORN QUYLE THE MESSEQUYLE AND TO METE WENDE . . . . GGK 1097
ON HUNTYNG WYL I WENDE . . . . GGK 1102
AT VCHE WENDE VNDER WANDE WAPPED A FLONE . . . . GGK 1161
VCHON TO WENDE ON HIS WAY THAT WAT3 WY3E STRONGE . . . . . . GGK V 1028
HE WYL WENDE OF HIS WODSCHIP AND HIS WRATH LEUE. . . . . . . PAT 403
AND SYTHEN WENDE TO HELLE HETE . . . . PRL 643
THAT I WENDE HAD STANDEN BY ME IN SCLADE . . . . PRL 1148
WENDE (V. WEENED, WEND)
WENDE3 (V. WEND, WENDS)
WENDS

WHERESO WONYED THIS ILKE WY3 THAT WENDE3 WYTH OURE LORDE. . . . CLN 675
THEN HE WENDE3 HIS WAY WEPANDE FOR CARE . . . . CLN 777
BI THAT THE WY3E IN THE WOD WENDE3 HIS BRYDEL . . . . GGK 2152
THE WHAL WENDE3 AT HIS WYLLE AND A WARTHE FYNDE3 . . . . . . PAT 339
WENE (V. WEEN)
WENER
AND WENER THEN WENORE AS THE WY3E THO3T . . . . GGK 945
WENG (V. VENGE)
WENGED (V. VENGED)
WENORE (V. GUENEVERE)
WENT (ALSO V. WEENED)
HIT WALTERED ON THE WYLDE FLOD WENT AS HIT LYSTE . . . . . . CLN 415
THEN WENT THAY TO THE WYKKET HIT WALT VPON SONE. . . . . . . CLN 501
HE WENT FORTHE AT THE WYKET AND WAFT HIT HYM AFTER. . . . . . CLN 857
WY3T WERKEMEN WITH THAT WENTEN THERTILLE . . . . ERK 69
WHEN THAY HAD WASCHEN WORTHYLY THAY WENTEN TO SETE. . . . . GGK 72
THA3 HYM WORDE3 WERE WANE WHEN THAY TO SETE WENTEN. . . . . GGK 493
BOT WY3TLY WENT HYS WAY. . . . . GGK 688
THE WY3E WESCHE AT HIS WYLLE AND WENT TO HIS METE . . . . . . GGK 887
AND THAY CHASTYSED AND CHARRED ON CHASYNG THAT WENT . . . . . GGK 1143
AND WENT HIR WAYE IWYSSE . . . . GGK 1557
THENNE WAT3 HE WENT ER HE WYST TO A WALE TRYSTER . . . . . . GGK 1712
TO THE WOD HE WENT AWAY. . . . . GGK 1718
AND WENT ON HIS WAY WITH HIS WY3E ONE . . . . GGK 2074
WYTH LEUE LA3T OF THE LORDE HE WENT HEM A3AYNES. . . . . . . GGK V 971
THAY WENTE INTO THE VYNE AND WRO3TE. . . . . PRL 525
THAT WRO3T NEUER WRANG ER THENNE THAY WENTE . . . . PRL 631
WHEN I WENTE FRO YOR WORLDE WETE. . . . . PRL 761
WYTH MUCH MERUAYLE IN MYNDE WENT. . . . . PRL 1130
WENTE (V. WENT)
WENTEN (V. WENT)
WENYNG (V. WEENING)
WEPANDE (V. WEEPING)
WEPED (V. WEPT)
WEPES (V. WEEPS)
WEPID (V. WEPT)
WEPPEN (V. WEAPON)
WEPPENES (V. WEAPONS)
WEPT
WITH MECHE WONDER FORWRAST AND WEPID FUL MONY . . . . ERK 220
THAT ALLE WEPYD FOR WOO THE WORDES THAT HERDEN . . . . ERK 310
HIS WODBYNDE WAT3 AWAY HE WEPED FOR SOR3E. . . . . PAT 480
WEPYD (V. WEPT)
WER (V. WERED, WORE, AND APP. 1)
WERBELANDE (V. WARBLING)
WERBLES (V. WARBLES)
WERDLYCH
AND IF VNWELCUM HE WERE TO A WERDLYCH PRYNCE. . . . . CLN 49
WERE (ME)
FYRST HE CLAD HYM IN HIS CLOTHE3 THE COLDE FOR TO WERE . . . GGK 2015
TO BYDE BALE WITHOUTE DEBATE OF BRONDE HYM TO WERE. . . . . . GGK 2041
THA3 WERE WANLE3 OF WELE IN WOMBE OF THAT FISSCHE . . . . . . PAT 262
WERE (V. WAR, WERE-M.E., WORE, AND APP. 1)
WERED (ALSO V. WORE)
AND I HAF WEDDED A WYF SO WER HYM THE THRYD . . . . CLN 69
MY WODBYNDE SO WLONK THAT WERED MY HEUED . . . . PAT 486
WEREN(APP. 1)
WERES (V. WEAR)
WERESOEUER (V. WHERESOEVER)

WERE3 (ALSO V. WEAR)
AND FLEME OUT OF THE FOLDE AL THAT FLESCH WERE3. . . . . . . CLN 287
WERK (V. WORK)
WERKE (V. WORK)
WERKEMEN (V. WORKMEN)
WERKES (V. WORKS)
WERKE3 (V. WORKS)
WERKKES (V. WORKS)
WERKKE3 (V. WORKS)
WERKMEN (V. WORKMEN)
WERLE
TO HED HADE HO NON OTHER WERLE . . . . PRL 209
WERN (APP. 1)
WERNE (APP. 1)
WERNED
IF I WERE WERNED I WERE WRANG IWYSSE 3IF I PROFERED . . . . . GGK 1494
MA FAY QUOTH THE MERE WYF 3E MAY NOT BE WERNED . . . . GGK 1495
WERNES
HO BEDE HIT HYM FUL BYSILY AND HE HIR BODE WERNES . . . . GGK 1824
WERNYNG
AND WARP THE NO WERNYNG TO WORCH AS THE LYKE3 . . . . GGK 2253
WERP (V. WARP)
WERPE (V. WARP)
WERRE (V. WAR)
WERRE3 (V. WARS)
WERS (V. WORSE)
WERST (V. WORST)
WERTES (V. WORTS)
WERY (V. WEARY)
WERYNG (V. WEARING)
WESAUNT
THE WESAUNT FRO THE WYNTHOLE AND WALT OUT THE GUTTE3 . . . . . GGK 1336
WESCH (V. WASHED)
WESCHE (V. WASHED)
WESHE (V. WASH)
WEST
WELNE3E OF AL THE WELE IN THE WEST ILES . . . . GGK 7
AND SYTHEN HE WARNE3 THE WEST TO WAKEN FUL SOFTE . . . . PAT 469
THE WARM WYNDE OF THE WESTE WERTES HE SWYTHE3 . . . . PAT 478
WESTE (V. WEST)
WESTERNAYS
3E SETTEN HYS WORDE3 FUL WESTERNAYS. . . . . PRL 307
WET
AND THER WATER MAY WALTER TO WETE ANY ERTHE . . . . CLN 1027
WITH THAT WORDE THAT HE WARPYD OF HIS WETE EGHEN . . . . ERK 321
WHEN I WENTE FRO YOR WORLDE WETE. . . . . PRL 761
BOT A WOUNDE FUL WYDE AND WEETE CON WYSE . . . . PRL 1135
WETE (V. WET)
WETERLY
WRE3ANDE HYM FUL WETERLY WITH A WROTH NOYSE . . . . GGK 1706
WETHER (V. WHETHER)
WEUE (CP. VEUED)
SUCH WORCHIP HE WOLDE HYM WEUE . . . . GGK 1976
THOU WYLNE3 OUER THYS WATER TO WEUE. . . . . PRL 318
WEUED
MYN OWEN WYF HIT THE WEUED I WOT WEL FORSOTHE . . . . GGK 2359
WEUEN (V. WEAVE)
WEX (V. WAXED)
WEXEN (V. WAXED)

WEYE (V. WEIGH)
WE3E (V. WEIGH)
WE3ED (V. WEIGHED)
WE3EN (V. WEIGH)
WE3TES (V. WEIGHTS)
WHAL (V. WHALE)
WHALE

A WYLDE WALTERANDE WHAL AS WYRDE THEN SCHAPED	PAT	247
ANDE EUER WALTERES THIS WHAL BI WYLDREN DEPE.	PAT	297
THE WHAL WENDE3 AT HIS WYLLE AND A WARTHE FYNDE3	PAT	339

WHALES

HER BLE MORE BLA3T THEN WHALLE3 BON.	PRL	212

WHALLE3 (V. WHALES)
WHARRED

WHAT HIT WARRED AND WHETTE AS WATER AT A MULLE	GGK	2203
WHAT HIT WHARRED AND WHETTE AS WATER AT A MULNE.	GGK V	2203

WHATKYN

WHATKYN FOLK SO THER FARE FECHE3 HEM HIDER	CLN	100

WHATSO

FOR WHATSO HE TOWCHED ALSO TYD TOURNED TO HELE	CLN	1099
AND QUATSO THY WYLLE IS WE SCHAL WYT AFTER	GGK	255
THAT BEDE THE THIS BUFFET QUATSO BIFALLE3 AFTER.	GGK	382
DOWELLE AND ELLE3 DO QUATSO 3E DEMEN	GGK	1082
FORTO HAF WONNEN HYM TO WO3E WHATSO SCHO THO3T ELLE3	GGK	1550
FOR WHATSO WORTHED OF THAT WY3E FRO HE IN WATER DIPPED	PAT	243
TO DO WYTH MYN QUATSO ME LYKE3	PRL	566

WHATSOEVER

QUATSOEUER I WYNNE IN THE WOD HIT WORTHE3 TO YOURE3	GGK	1106
I WYST WEL WHEN I HADE WORDED QUATSOEUER I COWTHE	PAT	421

WHEDERWARDE

WHEDERWARDE SO THE WATER WAFTE HIT REBOUNDE	CLN	422
I NE WOT IN WORLDE WHEDERWARDE TO WENDE HIT TO FYNDE	GGK	1053

WHEAT

NO WHETE WERE ELLE3 TO WONE3 WONNE	PRL	32

WHENE (V. QUEEN)
WHENSO

FOR THE LUR MAY MON LACH WHENSO MON LYKE3.	GGK	1682

WHER (V. WHERE)
WHERE

WHERE THE WYNDE AND THE WEDER WARPEN HIT WOLDE	CLN	444
THEN WAT3 THER JOY IN THAT GYN WHERE WAT3 JUMPRED ER DRY3E . .	CLN	491
AND THER WAT3 ROSE REFLAYR WHERE ROTE HAT3 BEN EUER	CLN	1079
AND THER WAT3 SOLACE AND SONGE WHER SOR3 HAT3 AY CRYED	CLN	1080
THEN WAT3 THER JOY IN THAT GYN WHERE JUMPRED ER DRY3ED	CLN V	491
WITH QUEME QUESTIS OF THE QUERE WITH FUL QUAYNT NOTES.	ERK	133
QUERE IS HO STABLID AND STADDE IF THOU SO STRE3T WROGHTES . .	ERK	274
FORTHI SAY ME OF THI SOULE IN SELE QUERE HO WONNES.	ERK	279
WHERE WERRE AND WRAKE AND WONDER.	GGK	16
THIS WAT3 THE KYNGES COUNTENAUNCE WHERE HE IN COURT WERE. . .	GGK	100
THE FYRST WORD THAT HE WARP WHER IS HE SAYD	GGK	224
WHERE IS NOW YOUR SOURQUYDRYE AND YOUR CONQUESTES	GGK	311
WHERE SCHULDE I WALE THE QUOTH GAUAN WHERE IS THY PLACE . . .	GGK	398
WHERE SCHULDE I WALE THE QUOTH GAUAN WHERE IS THY PLACE . . .	GGK	398
I WOT NEUER WHERE THOU WONYES BI HYM THAT ME WRO3T.	GGK	399
OF THE GRENE CHAPEL QUERE HIT ON GROUNDE STONDE3	GGK	1058
WHERE 3E WAN THIS ILK WELE BI WYTTE OF 3ORSELUEN	GGK	1394
AND THENNE HE LURKKES AND LAYTES WHERE WAT3 LE BEST	PAT	277
I NE WYSTE IN THIS WORLDE QUERE THAT HIT WACE	PRL	65

WHERE RYCH ROKKE3 WER TO DYSCREUEN . . . . PRL 68
I WYSTE NEUER QUERE MY PERLE WAT3 GON . . . . PRL 376
WHERE WYSTE3 THOU EUER ANY BOURNE ABATE . . . . PRL 617

WHEREEUER (V. WHEREEVER)

WHEREEVER

WHEREEUER THE GOMEN BYGAN OR GLOD TO AN ENDE. . . . . GGK 661

WHEREFORE

QUERFORE QUOTH THE FREKE AND FRESCHLY HE ASKE3 . . . . GGK 1294
WHERFORE THE BETTER BURNE ME BURDE BE CALLED. . . . . GGK 2278

WHERESO

WHERESO WONYED THIS ILKE WY3 THAT WENDE3 WYTH OURE LORDE. . . . CLN 675
OF BLE AS THE BREREFLOUR WHERESO THE BARE SCHEWEED. . . . . . CLN 791
THAT THOU SCHAL SECHE ME THISELF WHERESO THOU HOPES . . . . . GGK 395
THAT ALLE THE WORLDE WORCHIPE3 QUERESO 3E RIDE . . . . GGK 1227
QUERESO COUNTENAUNCE IS COUTHE QUIKLY TO CLAYME. . . . . GGK 1490

WHERESOEUER (V. WHERESOEVER)

WHERESOEVER

AND QUERESOEUER THYS MON IN MELLY WAT3 STAD . . . . GGK 644
THE HEDE HYPPED A3AYN WERESOEUER HIT HITTE . . . . GGK 1459
BOT LENGE WHERESOEUER HIR LYST LYKE OTHER GREME. . . . . PAT 42
QUERESOEUER I JUGGED GEMME3 GAYE. . . . . PRL 7

WHERFORE (V. WHEREFORE)

WHETE (V. WHEAT)

WHETHEN

NEUERMORE THEN THAY WYSTE FRAM QUETHEN HE WAT3 WONNEN. . . . . GGK 461
WHETHEN IN WORLDE HE WERE . . . . GGK 871

WHETHER

WHETHER THAY WERN WORTHY OTHER WERS WEL WERN THAY STOWED. . . . CLN 113
WHEDER WONDERLY HE WRAK ON WYKKED MEN AFTER . . . . CLN 570
WHETHER HE THAT STYKKED VCHE A STARE IN VCHE STEPPE Y3E . . . . CLN 583
WETHER EUER HIT LYKE MY LORDE TO LYFTE SUCH DOME3 . . . . CLN 717
TO CREPE FRO MY CREATOUR I KNOW NOT WHEDER . . . . CLN 917
NE WHETHER HIS FOOSCHIP ME FOL3E3 BIFORE OTHER BIHYNDE . . . . CLN 918
QUETHER MONY PORER IN THIS PLACE IS PUTTE INTO GRAUE . . . . . ERK 153
QUETHER ART THOU IOYNED TO IOY OTHER IUGGID TO PYNE . . . . . ERK 188
WHETHER HADE HE NO HELME NE HAWBERGH NAUTHER. . . . . GGK 203
QUETHER LEUDE SO LYMP LERE OTHER BETTER . . . . GGK 1109
WHETHER THIS BE THE GRENE CHAPELLE . . . . GGK 2186
WHETHER SOLACE HO SENDE OTHER ELLE3 SORE . . . . PRL 130
MORE WETHER LOUYLY IS ME MY GYFTE . . . . PRL 565
WHETHER WELNYGH NOW I CON BYGYNNE . . . . PRL 581
WHETHER LYTTEL OTHER MUCH BE HYS REWARDE . . . . PRL 604
WHETHER ON HYMSELF HE CON AL CLEM . . . . PRL 826

WHETHERSOEVER

QUETHERSOEUER HE DELE NESCH OTHER HARDE . . . . PRL 606

WHETS

WHETTE3 HIS WHYTE TUSCHE3 WITH HYM THEN IRKED . . . . GGK 1573

WHETTE (V. WHETTED)

WHETTED

WHAT HIT WARRED AND WHETTE AS WATER AT A MULLE . . . . GGK 2203
WHAT HIT WHARRED AND WHETTE AS WATER AT A MULNE. . . . . GGK V 2203

WHETTE3 (V. WHETS)

WHETTING

AND WYTH QUETTYNG AWHARF ER HE WOLDE LY3T. . . . . GGK 2220

WHICH

WICH ARN THENNE THY WEDE3 THOU WRAPPE3 THE INNE. . . . . CLN 169
OF WICH BERYNG THAT HO BE AND WYCH HO BEST LOUYES . . . . . . CLN 1060
OF WICH BERYNG THAT HO BE AND WYCH HO BEST LOUYES . . . . . . CLN 1060
IN WYCH PURYTE THAY DEPARTED THA3 THAY POUER WERE . . . . . . CLN 1074

WICH SPEDE IS IN SPECHE VNSPURD MAY WE LERNE. . . . . GGK 918
IN WYCH GUT SO EUER HE GOT3 BOT EUER IS GOD SWETE . . . . . . PAT 280

WHICHCHE
AND ALLE WONED IN THE WHICHCHE THE WYLDE AND THE TAME. . . . . CLN 362

WHIDER-WARDE-SO-EUER
WHIDER-WARDE-SO-EUER HE WOLDE. . . . . GGK 2478

WHIL (V. WHILE)

WHILE (CP. AWHILE)
WHYL HE WAT3 HY3E IN THE HEUEN HOUEN VPON LOFTE. . . . . CLN 206
WHYL OF THE LENTHE OF THE LONDE LASTE3 THE TERME . . . . CLN 568
QUYL I FETE SUMQUAT FAT THOU THE FYR BETE. . . . . CLN 627
NAY THA3 FAURTY FORFETE 3ET FRYST I A WHYLE . . . . CLN 743
WHYL THE SOUERAYN TO SODAMAS SENDE TO SPYE . . . . CLN 780
FRO THE SEGGE3 HADEN SOUPED AND SETEN BOT A WHYLE . . . . . . CLN 833
AND AL TOMARRED IN MYRE WHYLE THOU ON MOLDE LYUYES. . . . . . CLN 1114
3ET THE PERLE PAYRES NOT WHYLE HO IN PYESE LASTTES. . . . . . CLN 1124
ALLE HE SPOYLED SPITOUSLY IN A SPED WHYLE. . . . . CLN 1285
MONI A WORTHLY WY3E WHIL HER WORLDE LASTE. . . . . CLN 1298
THE BURNE BYFORE BALTA3AR WAT3 BRO3T IN A WHYLE. . . . . CLN 1620
AND WHYLE THAT COYNTISE WAT3 CLE3T CLOS IN HIS HERT . . . . . CLN 1655
QUYLE SEUEN SYTHE3 WERE OUERSEYED SOMERES I TRAWE . . . . . . CLN 1686
THE BODEWORDE TO THE BYSCHOP WAS BROGHT ON A QUILE. . . . . . ERK 105
FOR HOR WRAKEFUL WERRE QUIL HOR WRATHE LASTYD . . . . ERK 215
QUIL HE IN SPELUNKE THUS SPAKE THER SPRANGE IN THE PEPULLE . . ERK 217
IF 3E WYL LYSTEN THIS LAYE BOT ON LITTEL QUILE . . . . GGK 30
WYLE NW3ER WAT3 SO 3EP THAT HIT WAT3 3ISTERNEUE CUMMEN . . . . GGK 60
FOR VNETHE WAT3 THE NOYCE NOT A WHYLE SESED . . . . GGK 134
TO WONE ANY QUYLE IN THIS WON HIT WAT3 NOT MYN ERNDE . . . . . GGK 257
WHIL MONY SO BOLDE YOW ABOUTE VPON BENCH SYTTEN. . . . . GGK 351
3ET QUYL ALHALDAY WITH ARTHER HE LENGES . . . . GGK 536
THAT 3E BE WY3E WELCUM TO WON QUYLE YOW LYKE3 . . . . GGK 814
TO HERBER IN THAT HOSTEL WHYL HALYDAY LESTED. . . . . GGK 805
SERE SEGGE3 HYM SESED BY SADEL QUEL HE LY3T . . . . GGK 822
THAT MOST MYRTHE MY3T MEUE THAT CRYSTENMAS WHYLE . . . . GGK 985
IWYSSE SIR QUYL I LEUE ME WORTHE3 THE BETTER. . . . . GGK 1035
QUYLE FORTH DAYE3 AND FERK ON THE FYRST OF THE 3ERE . . . . . GGK 1072
DOWELLE3 WHYLE NEW3ERES DAYE . . . . GGK 1075
WHYL I BYDE IN YOWRE BOR3E BE BAYN TO 3OWRE HEST . . . . GGK 1092
TOMORN QUYLE THE MESSEQUYLE AND TO METE WENDE . . . . GGK 1097
THISE LORDE3 AND LADYE3 QUYLE THAT HEM LYKED. . . . . GGK 1115
THE LEDE LAY LURKED A FUL LONGE QUYLE . . . . GGK 1195
LURKKE3 QUYL THE DAYLY3T LEMED ON THE WOWES . . . . GGK 1180
I SCHAL WARE MY WHYLE WEL QUYL HIT LASTE3. . . . . GGK 1235
I SCHAL WARE MY WHYLE WEL QUYL HIT LASTE3. . . . . GGK 1235
WY3E3 WHYL THAY WYSTEN WEL WYTHINNE HEM HIT WERE . . . . GGK 1435
WHYLE OURE LUFLYCH LEDE LYS IN HIS BEDDE . . . . GGK 1469
WHIL MY LORDE IS FRO HAME . . . . GGK 1534
3E BEN RYCHE IN A WHYLE. . . . . GGK 1646
MAKE WE MERY QUYL WE MAY AND MYNNE VPON JOYE. . . . . GGK 1681
ON THIS MANER BI THE MOUNTES QUYLE MYD-OUER-VNDER . . . . . . GGK 1730
WHYLE THE HENDE KNY3T AT HOME HOLSUMLY SLEPE3 . . . . GGK 1731
NE NON WIL WELDE THE QUILE. . . . . GGK 1791
WHILE HE HIT HADE HEMELY HALCHED ABOUTE . . . . GGK 1852
AND 3E WYL A WHYLE BE STYLLE . . . . GGK 1996
WHYLE THE WLONKEST WEDES HE WARP ON HYMSELUEN . . . . GGK 2025
AND 3IF I MY3T LYF VPON LONDE LEDE ANY QUYLE. . . . . GGK 2058
THAT OTHER STIF MON IN STUDY STOD A GRET WHYLE . . . . GGK 2369
AND I MOT NEDE3 HIT WERE WYLE I MAY LAST . . . . GGK 2510
WYLE NW3ER WAT3 SO 3EP THAT HIT WAT3 NWE CUMMEN. . . . . GGK V 60

AND SETEN SOBERLY SAMEN THE SERUISE QUYLE. . . . . GGK V 940
WYL 3E TARY A LYTTEL TYNE AND TENT ME A WHYLE . . . . PAT 59
I SCHAL TEE INTO TARCE AND TARY THERE A WHYLE . . . . PAT 87
O FOLE3 IN FOLK FELE3 OTHER WHYLE . . . . PAT 121
STYFFE STREMES AND STRE3T HEM STRAYNED A WHYLE . . . . PAT 234
THOU SCHAL RELEUE ME RENK WHIL THY RY3T SLEPE3 . . . . PAT 323
THE WHYLE GOD OF HIS GRACE DED GROWE OF THAT SOYLE. . . . . . PAT 443
WHIL GOD WAYNED A WORME THAT WROT VPE THE ROTE . . . . PAT 467
THAT WONT WAT3 WHYLE DEUOYDE MY WRANGE. . . . . PRL 15

WHIPPED
WHEN THOU WYPPED OF MY HEDE AT A WAP ONE . . . . GGK 2249

WHIRL
HO WYRLE OUT ON THE WEDER ON WYNGE3 FUL SCHARPE. . . . . . . CLN V 475

WHIRLED
HO WYRLED OUT ON THE WEDER ON WYNGE3 FUL SCHARPE . . . . CLN 475

WHIRLING
WHYRLANDE OUT OF A WRO WYTH A FELLE WEPPEN . . . . GGK 2222

WHIT (V. WHITE)

WHITE
WLONK WHIT WAT3 HER WEDE AND WEL HIT HEM SEMED . . . . CLN 793
THAT WYNNES WORSCHYP ABOF ALLE WHYTE STONES . . . . CLN 1120
AND COUERED MONY A CUPBORDE WITH CLOTHES FUL QUITE. . . . . . CLN 1440
VPON BASTEL ROUE3 THAT BLENKED FUL QUYTE . . . . GGK 799
CLAD WYTH A CLENE CLOTHE THAT CLER QUYT SCHEWED. . . . . . . GGK 885
BOTHE QUIT AND RED IN BLANDE . . . . GGK 1205
WHETTE3 HIS WHYTE TUSCHE3 WITH HYM THEN IRKED . . . . GGK 1573
THE QUYTE SNAW LAY BISYDE . . . . GGK 2088
AS PERLE BI THE QUITE PESE IS OF PRYS MORE . . . . GGK 2364
BLYSNANDE WHYT WAT3 HYR BLEAUNT . . . . PRL 163
HYR VYSAYGE WHYT AS PLAYN YUORE . . . . PRL 178
AL BLYSNANDE WHYT WAT3 HIR BEAU BIYS . . . . PRL 197
HI3E PYNAKLED OF CLER QUYT PERLE. . . . . PRL 207
WYTH WHYTE PERLE AND NON OTHER GEMME . . . . PRL 219
AND BORNYSTE QUYTE WAT3 HYR UESTURE. . . . . PRL 220
OF OTHER HUEE BOT QUYT JOLYF . . . . PRL 842
FOR WOLLE QUYTE SO RONK AND RYF . . . . PRL 844
THE A3TTHE THE BERYL CLER AND QUYT . . . . PRL 1011
DEPAYNT IN PERLE3 AND WEDE3 QWYTE . . . . PRL 1102
OF HIS QUYTE SYDE HIS BLOD OUTSPRENT . . . . PRL 1137
SO WORTHLY WHYT WERN WEDE3 HYS . . . . PRL 1133
AMONG HER FERE3 THAT WAT3 SO QUYT . . . . PRL 1150
AL BLYSNANDE WHYT WAT3 HIR BLEAUNT OF BIYS . . . . PRL 1 197
AL BLYSNANDE WHYT WAT3 HIR BEAU MYS. . . . . PRL 2 197
AL BLYSNANDE WHYT WAT3 HIR BEAU MYS. . . . . PRL 3 197

WHITHER
WHYDER IN WORLDE THAT THOU WYLT AND WHAT IS THYN ARNDE . . . . PAT 202

WHO
WHO JOYNED THE BE IOSTYSE OURE IAPE3 TO BLAME . . . . CLN 877
TIL HE WYST FUL WEL WHO WRO3T ALLE MY3TES. . . . . CLN 1699
SITHEN WE WOT NOT QWO THOU ART WITERE VS THISELWEN. . . . . . ERK 185
FYRST TO SAY THE THE SOTHE QUO MYSELFE WERE . . . . ERK 197
QUO WALT THER MOST RENOUN . . . . GGK 231
AND LEST LUR OF MY LYF QUO LAYTES THE SOTHE . . . . GGK 355
WHO KNEW EUER ANY KYNG SUCH COUNSEL TO TAKE . . . . GGK 682
WHO BRYNGE3 VS THE BEUERAGE THIS BARGAYN IS MAKED . . . . . . GGK 1112
WHO STI3TLE3 IN THIS STED ME STEUEN TO HOLDE. . . . . GGK 2213
AND QUO FOR THRO MAY NO3T THOLE THE THIKKER HE SUFFERES . . . . PAT 6
WHO NEDE3 SCHAL THOLE BE NOT SO THRO . . . . PRL 344
THE CROUNE FRO HYR QUO MO3T REMWE . . . . PRL 427

LORDE QUO SCHAL KLYMBE THY HY3 HYLLE . . . . PRL 678
AS QUO SAYS LO 3ON LOUELY YLE. . . . . PRL 693
RY3TWYSLY QUO CON REDE . . . . PRL 709
QUO FORMED THE THY FAYRE FYGURE . . . . PRL 747
HYS GENERACYOUN QUO RECEN CON. . . . . PRL 827
ALAS THO3T I WHO DID THAT SPYT . . . . PRL 1138

WHOLE
BE THAY HOL BE THAY HALT BE THAY ONY3ED . . . . CLN 102
WYTH HERT HONEST AND HOL THAT HATHEL HE HONOURE3 . . . . CLN 594
HALED HEM BY A LYTTEL HOLE TO HAUE HOLE SYDES . . . . GGK 1338
AND HEUEN HIT VP AL HOLE AND HWEN HIT OF THERE . . . . GGK 1346
AND 3ET HEM HALCHE3 AL HOLE THE HALUE3 TOGEDER . . . . GGK 1613
SO NOW THOU HAT3 THI HERT HOLLE HITTE ME BIHOUES . . . . GGK 2296
I HALDE HIT HARDILY HOLE THE HARME THAT I HADE . . . . GGK 2390
THE HURT WAT3 HOLE THAT HE HADE HENT IN HIS NEK. . . . . GGK 2484
AND OFFER THE FOR MY HELE A FUL HOL GYFTE. . . . . PAT 335
BE DEP DEUOTE IN HOL MEKENESSE . . . . PRL 406

WHOLESOMELY
WHYLE THE HENDE KNY3T AT HOME HOLSUMLY SLEPE3 . . . . GGK 1731

WHOLLY
THAT MY HOUS MAY HOLLY BY HALKE3 BY FYLLED . . . . CLN 104
HE HOLLY HALDES HIT HIS AND HAUE HIT HE WOLDE . . . . CLN 1140
ER THE HALIDAYE3 HOLLY WERE HALET OUT OF TOUN . . . . GGK 1049
I HAF HIT HOLLY IN MY HONDE THAT AL DESYRES . . . . GGK 1257
HYS LEF IS I AM HOLY HYSSE. . . . . PRL 418

WHOM
BOT MY LADY OF QUOM JESU CON SPRYNG. . . . . PRL 453

WHOSE
AND QUOS DETH SO HE DE3YRED HE DREPED ALS FAST . . . . CLN 1648
AND QUOS DETH SO HE DE3YRE HE DREPED ALS FAST . . . . CLN V 1648

WHOSO
CLANNESSE WHOSO KYNDLY COWTHE COMMENDE. . . . . CLN 1
WHOSO WOLDE WEL DO WEL HYM BITYDE . . . . CLN 1647
WHOSO HYM LYKED TO LYFT ON LOFTE WAT3 HE SONE . . . . CLN 1649
AND QUOSO HYM LYKED TO LAY WAT3 LO3ED BYLYUE. . . . . CLN 1650
A SPETOS SPARTHE TO EXPOUN IN SPELLE QUOSO MY3T. . . . . GGK 209
WAYUED HIS BERDE FOR TO WAYTE QUOSO WOLDE RYSE . . . . GGK 306
BOT WHOSO KNEW THE COSTES THAT KNIT AR THERINNE. . . . . GGK 1849
FOR QUOSO SUFFER COWTHE SYT SELE WOLDE FOL3E. . . . . PAT 5
AND WHOSO LYMPES THE LOSSE LAY HYM THEROUTE . . . . PAT 174
RY3TWYSLY QUOSO CON REDE . . . . PRL 2 709

WHYDER (V. WHITHER)
WHYL (V. WHILE)
WHYLE (V. WHILE)
WHYRLANDE (V. WHIRLING)
WHYT (V. WHITE)
WHYTE (V. WHITE)
WICH (V. WHICH)

WICKED
WHEDER WONDERLY HE WRAK ON WYKKED MEN AFTER . . . . CLN 570
THAT THE WYKKED AND THE WORTHY SCHAL ON WRAKE SUFFER . . . . . CLN 718
WHAT HE WONDED FOR NO WOTHE OF WEKKED KNAUE3. . . . . CLN 855
AND WITTNESSE OF THAT WYKKED WERK AND THE WRAKE AFTER. . . . . CLN 1050
BOT IF ALLE THE WORLDE WYT HIS WYKKED DEDES . . . . CLN 1360

WICKET
THEN WENT THAY TO THE WYKKET HIT WALT VPON SONE. . . . . CLN 501
HE WENT FORTHE AT THE WYKET AND WAFT HIT HYM AFTER. . . . . . CLN 857
WAPPED VPON THE WYKET AND WONNEN HEM TYLLE . . . . CLN 882

WIDE

AND A WYNDOW WYD VPONANDE WRO3T VPON LOFTE	CLN		318
OUERWALTE3 VCHE A WOD AND THE WYDE FELDE3.	CLN		370
FOR HE WAYTE3 ON WYDE HIS WENCHES BYHOLDES	CLN		1423
AND A WYNDOW WYD VPON WRO3T VPON LOFTE.	CLN	V	318
THAY 3OLDEN HYM THE BRODE 3ATE 3ARKED VP WYDE	GGK		820
BOT A WOUNDE FUL WYDE AND WEETE CON WYSE	PRL		1135
WIDOWS			
AND DYSHERIETE AND DEPRYUE DOWRIE OF WYDOE3	CLN		185
WIELD			
ELLE3 THAY MO3T HONESTLY AYTHER OTHER WELDE	CLN		705
ALLE THAT WEPPEN MY3T WELDE THE WAKKER AND THE STRONGER	CLN		835
AND HADE A WYF FOR TO WELDE A WORTHELYCH QUENE	CLN		1351
AND ALLE THE WORLDE IN HIS WYLLE WELDE AS HYM LYKED	CLN		1646
AND ALLE THE WORLDE IN HIS WYLLE WELDE AS HYM LYKES	CLN	V	1646
ANDE OTHER WEPPENES TO WELDE I WENE WEL ALS	GGK		270
AND WELDE	GGK		837
GLADLOKER BI GODDE3 SUN THEN ANY GOD WELDE	GGK		1064
WHY AR 3E LEWED THAT ALLE THE LOS WELDE3	GGK		1528
TO YOW THAT I WOT WEL WELDE3 MORE SLY3T	GGK		1542
IN FAYTH I WELDE RI3T NON	GGK		1790
NE NON WIL WELDE THE QUILE.	GGK		1791
THE LEUEST THING FOR THY LUF THAT I IN LONDE WELDE.	GGK		1802
THAT WYL I WELDE WYTH GOUD WYLLE NOT FOR THE WYNNE GOLDE. . . .	GGK		2430
HE SAYDE 3E AR WELCUM TO WELDE AS YOW LYKE3	GGK	V	835
FOR THAY SCHAL WELDE THIS WORLDE AND ALLE HER WYLLE HAUE. . . .	PAT		16
THAT I MAY LACHCHE NO LONT AND THOU MY LYF WELDES	PAT		322
IWYSSE A WORTHLOKER WON TO WELDE I NEUER KEPED	PAT		464
WIELDED			
QUO WALT THER MOST RENOUN	GGK		231
WYTH WELE WALT THAY THAT DAY TIL WORTHED AN ENDE	GGK		485
WIELDER			
FOR THE WELDER OF WYT THAT WOT ALLE THYNGES	PAT		129
WIELDS			
HE IS SO CLENE IN HIS COURTE THE KYNG THAT AL WELDE3	CLN		17
THAT THAT ILK PROPER PRYNCE THAT PARADYS WELDE3.	CLN		195
MYNYSTRED METE BYFORE THO MEN THAT MY3TES AL WELDE3	CLN		644
AS HE THAT HY3E IS IN HEUEN HIS AUNGELES THAT WELDES	CLN		1664
TOWARDE THE PROUIDENS OF THE PRINCE THAT PARADIS WELDES	ERK		161
WELDE3 NON SO HY3E HAWTESSE	GGK		2454
WIFE			
AND I HAF WEDDED A WYF SO WER HYM THE THRYD	CLN		69
AND THY WEDDED WYF WITH THE THOU TAKE	CLN		330
ENTER IN THENN QUOTH HE AND HAF THI WYF WITH THE	CLN		349
BOTHE THE WY3E AND HIS WYF SUCH WERK WAT3 HEM FAYLED	CLN		658
THE WY3E3 WERN WELCOM AS THE WYF COUTHE	CLN		813
BOT 3ET I WENE THAT THE WYF HIT WROTH TO DYSPYT.	CLN		821
WYTH THY WYF AND THY WY3E3 AND THY WLONC DE3TTERS	CLN		899
THE WY3E WAKENED HIS WYF AND HIS WLONK DE3TERES.	CLN		933
HIT WAT3 LUSTY LOTHES WYF THAT OUER HER LYFTE SCHULDER	CLN		981
THAT ON WYF HADE BEN WORTHE THE WELGEST FOURRE	CLN		1244
AND HADE A WYF FOR TO WELDE A WORTHELYCH QUENE	CLN		1351
THE OLDE AUNCIAN WYF HE3EST HO SYTTE3	GGK		1001
WHEN 3E WYL WYTH MY WYF THAT WYTH YOW SCHAL SITTE	GGK		1098
MA FAY QUOTH THE MERE WYF 3E MAY NOT BE WERNED	GGK		1495
THOU KYSSEDES MY CLERE WYF THE COSSE3 ME RA3TE3.	GGK		2351
MYN OWEN WYF HIT THE WEUED I WOT WEL FORSOTHE	GGK		2359
AND THE WOWYNG OF MY WYF I WRO3T HIT MYSELUEN	GGK		2361
AND SAYDE WITH MY WYF I WENE	GGK		2404
THAT THE WOLDE WEDDE VNTO HYS VYF	PRL		772

Line	Poem	Line no.
IS TO THAT LOMBE A WORTHYLY WYF	PRL	846
WIGHT		
WENDE WORTHELYCH WY3T VS WONE3 TO SECHE	CLN	471
THAT IS A WORDE QUOTH THAT WY3T THAT WORST IS OF ALLE.	GGK	1792
LONG SYTHEN FRO THE SOUNDER THAT WI3T FOROLDE	GGK V	1440
THENNE SAYDE THAT WY3T WHY DOT3 THOU SO	PRL	338
THEN SAYDE TO ME THAT WORTHY WY3TE	PRL	494
WIL (APP. 1)		
WILD		
WYTH SCHELDE3 OF WYLDE SWYN SWANE3 AND CRONE3	CLN	58
WYLDE WRAKFUL WORDE3 IN HIS WYLLE GREUED	CLN	302
WYRK WONE3 THERINNE FOR WYLDE AND FOR TAME	CLN	311
AND ALLE WONED IN THE WHICHCHE THE WYLDE AND THE TAME.	CLN	362
SYTHEN THE WYLDE OF THE WODE ON THE WATER FLETTE	CLN	387
HIT WALTERED ON THE WYLDE FLOD WENT AS HIT LYSTE	CLN	415
HER WYUE3 WALKE3 HEM WYTH AND THE WYLDE AFTER	CLN	503
THEN WAT3 A SKYLLY SKYLNADE QUEN SCAPED ALLE THE WYLDE	CLN	529
SESOUNE3 SCHAL YOW NEUER SESE OF SEDE NE OF HERUEST	CLN	523
TO WAKEN WEDERE3 SO WYLDE THE WYNDE3 HE CALLE3	CLN	948
THENNE RAN THAY TO THE RELYKES AS ROBBORS WYLDE.	CLN	1269
AND IN WASTURNE WALK AND WYTH THE WYLDE DOWELLE.	CLN	1674
WYTH WROTHE WOLFES TO WON AND WYTH WYLDE ASSES	CLN	1676
THEN WAT3 A SKYLLY SKYVALDE QUEN SCAPED ALLE THE WYLDE	CLN V	529
SO BISIED HIM HIS 3ONGE BLOD AND HIS BRAYN WYLDE	GGK	89
WYLDE WERBLES AND WY3T WAKNED LOTE	GGK	119
INTO A FOREST FUL DEP THAT FERLY WAT3 WYLDE	GGK	741
AT THE FYRST QUETHE OF THE QUEST QUAKED THE WYLDE	GGK	1150
WHAT WYLDE SO ATWAPED WY3ES THAT SCHOTTEN.	GGK	1167
WYLDE WORDE3 HYM WARP WYTH A WRAST NOYCE	GGK	1423
SUANDE THIS WYLDE SWYN TIL THE SUNNE SCHAFTED	GGK	1467
THE WYLDE WAT3 WAR OF THE WY3E WITH WEPPEN IN HONDE	GGK	1586
OF THE WERE OF THE WYLDE SWYN IN WOD THER HE FLED	GGK	1628
THE WY3E WAT3 WAR OF THE WYLDE AND WARLY ABIDES.	GGK	1900
BOT WYLDE WEDERE3 OF THE WORLDE WAKNED THEROUTE.	GGK	2000
THE SNAWE SNITERED FUL SNART THAT SNAYTHED THE WYLDE	GGK	2003
AND THENNE HE WAYTED HYM ABOUTE AND WYLDE HIT HYM THO3T	GGK	2163
WYLDE WAYE3 IN THE WORLDE WOWEN NOW RYDE3.	GGK	2479
A WYLDE WALTERANDE WHAL AS WYRDE THEN SCHAPED	PAT	247
WILDERNESS		
IN THE WYLDRENESSE OF WYRALE WONDE THER BOT LYTE	GGK	701
WILDREN		
ANDE EUER WALTERES THIS WHAL BI WYLDREN DEPE.	PAT	297
WILES		
TRAYLE3 OFTE A TRAUERES BI TRAUNT OF HER WYLES	GGK	1700
WENT HAF WYLT OF THE WODE WITH WYLE3 FRO THE HOUNDES	GGK	1711
AND THUR3 WYLES OF WYMMEN BE WONEN TO SOR3E	GGK	2415
NOW THESE WERE WRATHED WYTH HER WYLES HIT WERE A WYNNE HUGE.	GGK	2420
WILL		
MORE TO WYTE IS HER WRANGE THEN ANY WYLLE GENTYL	CLN	76
NE SO HASTYFLY WAT3 HOT FOR HATEL OF HIS WYLLE	CLN	200
NE PRAY HYM FOR NO PITE SO PROUD WAT3 HIS WYLLE.	CLN	232
WYLDE WRAKFUL WORDE3 IN HIS WYLLE GREUED	CLN	302
BOT MAKE TO THE A MANCIOUN AND THAT IS MY WYLLE.	CLN	309
IN THE MESURE OF HIS MODE AND METHE OF HIS WYLLE	CLN	565
ME BOS TELLE TO THAT TOLK THE TENE OF MY WYLLE	CLN	687
AND THE REMNAUNT BE REKEN HOW RESTES THE WYLLE	CLN	738
I WOLDE IF HIS WYLLE WORE TO THAT WON SCAPE	CLN	928
AND ALLE THE WORLDE IN HIS WYLLE WELDE AS HYM LYKED	CLN	1646
AND ALLE THE WORLDE IN HIS WYLLE WELDE AS HYM LYKES	CLN V	1646

Line	Text	No.
AL WAS HIT NEUER MY WILLE THAT WROGHT THUS HIT WERE	ERK	226
KYNG HY3EST MON OF WYLLE	GGK	57
AND QUATSO THY WYLLE IS WE SCHAL WYT AFTER	GGK	255
THAT VNDER HEUEN I HOPE NON HA3ERER OF WYLLE.	GGK	352
AND WELDE	GGK	837
THE WY3E WESCHE AT HIS WYLLE AND WENT TO HIS METE	GGK	887
AND I AM WY3E AT YOUR WYLLE TO WORCH YOURE HEST.	GGK	1039
FORTHI IWYSSE BI 3OWRE WYLLE WENDE ME BIHOUES	GGK	1065
NOW ACHEUED IS MY CHAUNCE I SCHAL AT YOUR WYLLE.	GGK	1081
ME SCHAL WORTHE AT YOUR WILLE AND THAT ME WEL LYKE3	GGK	1214
THER WAT3 BOT WELE AT WYLLE	GGK	1371
IWYSSE WITH AS GOD WYLLE HIT WORTHE3 TO 3OURE3	GGK	1387
AND VCHE GIFT THAT IS GEUEN NOT WITH GOUD WYLLE.	GGK	1500
AS LONGE AS HOR WYLLE HOM LAST	GGK	1665
AND HE GRANTED AND HO HYM GAFE WITH A GOUD WYLLE	GGK	1861
WITH MERTHE AND MYNSTRALSYE WYTH METE3 AT HOR WYLLE	GGK	1952
IN GOD FAYTHE QUOTH THE GODMON WYTH A GOUD WYLLE	GGK	1969
TO GODDE3 WYLLE I AM FUL BAYN.	GGK	2158
LETE3 ME OUERTAKE YOUR WYLLE	GGK	2387
THAT WYL I WELDE WYTH GOUD WYLLE NOT FOR THE WYNNE GOLDE.	GGK	2430
FOR THAY SCHAL WELDE THIS WORLDE AND ALLE HER WYLLE HAUE.	PAT	16
THUR3 MONY A REGIOUN FUL RO3E THUR3 RONK OF HIS WYLLE.	PAT	298
THE WHAL WENDE3 AT HIS WYLLE AND A WARTHE FYNDE3	PAT	339
MY WRECHED WYLLE IN WO AY WRA3TE.	PRL	56
THE WY3 TO WHAM HER WYLLE HO WAYNE3.	PRL	131
WILLE (V. WILL)		
WILLFULNESS		
NE NEUER WOLDE FOR WYLFULNES HIS WORTHY GOD KNAWE	CLN V	231
WILLNESSFUL		
NE NEUER WOLDE FOR WYLNESFUL HIS WORTHY GOD KNAWE	CLN	231
WILLSFULLY		
AND ALS WITH OTHER WYLSFULLY VPON A WRANGE WYSE.	CLN	268
WILY		
THAT WYTH SO CURIOUS A CRAFTE CORUEN WAT3 WYLY	CLN	1452
AND OFTE RELED IN A3AYN SO RENIARDE WAT3 WYLE	GGK	1728
AND WORIED ME THIS WYLY WYTH A WROTH NOYSE	GGK	1905
WIN		
AND I SCHAL WYNNE YOW WY3T OF WATER A LYTTEL.	CLN	617
THAT SCHAL BE ABRAHAME3 AYRE AND AFTER HYM WYNNE	CLN	650
SONE SO THE KYNGE FOR HIS CARE CARPING MY3T WYNNE	CLN	1550
AND WYNNE HYM WYTH THI WORCHYP TO WAYNE THE BOTE	CLN	1616
AND I SCHAL WARE ALLE MY WYT TO WYNNE ME THEDER.	GGK	402
AND WAYNED HOM TO WYNNE THE WORCHIP THEROF	GGK	984
QUATSOEUER I WYNNE IN THE WOD HIT WORTHE3 TO YOURE3	GGK	1106
THAT SO WORTHY AS 3E WOLDE WYNNE HIDERE	GGK	1537
IF ANY WY3E O3T WYL WYNNE HIDER FAST	GGK	2215
AND WAYUED HOM TO WYNNE THE WORCHIP THEROF	GGK V	984
THEN ALLE THE WY3E3 IN THE WORLDE MY3T WYNNE.	PRL	579
THOU MAY HIT WYNNE IF THOU BE WY3TE.	PRL	694
AND SAYDE HYS RYCHE NO WY3 MY3T WYNNE	PRL	722
WIND		
THEN HE WAKENED A WYNDE ON WATTERE3 TO BLOWE.	CLN	437
WHERE THE WYNDE AND THE WEDER WARPEN HIT WOLDE	CLN	444
THAT 3ET THE WYND AND THE WEDER AND THE WORLDE STYNKES	CLN	847
AS THAY WYTH WYNGE VPON WYNDE HADE WAGED HER FYTHERES.	CLN	1484
HE WEX AS WROTH AS WYNDE	GGK	319
WROTHE WYNDE OF THE WELKYN WRASTELE3 WITH THE SUNNE	GGK	525
THE WERBELANDE WYNDE WAPPED FRO THE HY3E	GGK	2004
ALLE THE WORLDE WYTH THE WELKYN THE WYNDE AND THE STERNES	PAT	207

THENNE A WYNDE OF GODDE3 WORDE EFTE THE WY3E BRUXLE3	PAT	345
HE WEX AS WROTH AS THE WYNDE TOWARDE OURE LORDE.	PAT	410
THAT EUER WAYUED A WYNDE SO WYTHE AND SO COLE	PAT	454
THE WARM WYNDE OF THE WESTE WERTES HE SWYTHE3	PAT	478
WIND-HOLE		
THE WESAUNT FRO THE WYNTHOLE AND WALT OUT THE GUTTE3	GGK	1336
WINDLASS		
WI3T AT THE WYNDAS WE3EN HER ANKRES.	PAT	103
WINDOW		
AND A WYNDOW WYD VPONANDE WRO3T VPON LOFTE	CLN	318
THENNE WAFTE HE VPON HIS WYNDOWE AND WYSED THEROUTE	CLN	453
AND A WYNDOW WYD VPON WRO3T VPON LOFTE.	CLN V	318
WAYUE3 VP A WYNDOW AND ON THE WY3E CALLE3.	GGK	1743
WINDS		
BOT FLOTE FORTHE WYTH THE FLYT OF THE FELLE WYNDE3.	CLN	421
AND HE FONGE3 TO THE FLY3T AND FANNE3 ON THE WYNDE3	CLN	457
THE FOX AND THE FOLMARDE TO THE FRYTH WYNDE3.	CLN	534
TO WAKEN WEDERE3 SO WYLDE THE WYNDE3 HE CALLE3	CLN	948
AFTER THE SESOUN OF SOMER WYTH THE SOFT WYNDE3	GGK	516
AND WYNTER WYNDE3 A3AYN AS THE WORLDE ASKE3	GGK	530
HIT OUT NO WYNDE3 BLASTE	GGK	784
THE WYNDES ON THE WONNE WATER SO WRASTEL TOGEDER	PAT	141
BOT EUER WAT3 ILYCHE LOUD THE LOT OF THE WYNDES.	PAT	161
WINE		
NOBOT WASCH HIR WYTH WOURCHYP IN WYN AS HO ASKES	CLN	1127
SO FASTE THAY WE3ED TO HIM WYNE HIT WARMED HIS HERT	CLN	1420
WE3E WYN IN THIS WON WASSAYL HE CRYES	CLN	1508
WALE WYNE TO THY WENCHES IN WARYED STOUNDES	CLN	1716
GOOD BER AND BRY3T WYN BOTHE	GGK	129
OF WYNE	GGK	338
FOR WYN IN HIS HED THAT WENDE.	GGK	900
AND THE WYNNELYCH WYNE THERWITH VCHE TYME.	GGK	980
FORTHY WONDERLY THAY WOKE AND THE WYN DRONKEN	GGK	1025
WY3E3 THE WALLE WYN WE3ED TO HEM OFT	GGK	1403
THAT IN THE FORME OF BRED AND WYN	PRL	1209
WING		
AS THAY WYTH WYNGE VPON WYNDE HADE WAGED HER FYTHERES.	CLN	1484
WINGS		
HO WYRLED OUT ON THE WEDER ON WYNGE3 FUL SCHARPE	CLN	475
HO WYRLE OUT ON THE WEDER ON WYNGE3 FUL SCHARPE.	CLN V	475
FOR QUEN THOSE BRYDDE3 HER WYNGE3 BETE.	PRL	93
WINS		
THAT WYNNES WORSCHYP ABOF ALLE WHYTE STONES	CLN	1120
BOT IN THE HAST THAT HE MY3T HE TO A HOLE WYNNE3	GGK	1569
WYNNE3 THEROUTE BILYUE	GGK	2044
THE WY3E WYNNE3 HYM TO AND WYTE3 ON HIS LYRE.	GGK	2050
THAY LAYDEN IN ON LADDEBORDE AND THE LOFE WYNNES	PAT	106
WINTER		
NE THE SWETNESSE OF SOMER NE THE SADDE WYNTER	CLN	525
AND EUER IN FOURME OF GODE FAITHE MORE THEN FOURTY WYNTER	ERK	230
BOT THENNE THE WEDER OF THE WORLDE WYTH WYNTER HIT THREPE3	GGK	504
WARNE3 HYM FOR THE WYNTER TO WAX FUL RYPE.	GGK	522
AND WYNTER WYNDE3 A3AYN AS THE WORLDE ASKE3	GGK	530
WAT3 CUMEN WYTH WYNTER WAGE	GGK	533
AS MONY BURDE THERABOUTE HAD BEN SEUEN WYNTER	GGK	613
FOR WERRE WRATHED HYM NOT SO MUCH THAT WYNTER WAS WORS	GGK	726
THAT I SE3 THIS SEUEN 3ERE IN SESOUN OF WYNTER	GGK	1382
STAREN IN WELKYN IN WYNTER NY3T	PRL	116
WIPED		

WYPPED FUL WEL AND WLONK GGK 2022

WIRRAL

IN THE WYLDRENESSE OF WYRALE WONDE THER BOT LYTE GGK 701

WISE

AND ALS WITH OTHER WYLSFULLY VPON A WRANGE WYSE. CLN 268
AND FALLEN IN FELA3SCHYP WYTH HEM ON FOLKEN WYSE CLN 271
BOT MY FORWARDE WYTH THE I FESTEN ON THIS WYSE. CLN 327
AND FYLTER FOLYLY IN FERE ON FEMMALE3 WYSE CLN 696
AND IF THOU WYRKKES ON THIS WYSE THA3 HO WYK WERE. CLN 1063
HE SETE ON SALAMONES SOLIE ON SOMEMNE WYSE CLN 1171
AT VCH BRUGGE A BERFRAY ON BASTELES WYSE. CLN 1187
AND THER HE WRO3T AS THE WYSE AS 3E MAY WYT HEREAFTER. CLN 1319
IN IUDE IN IERUSALEM IN GENTYLE WYSE CLN 1432
BOT THER WAT3 NEUER ON SO WYSE COUTHE ON WORDE REDE CLN 1555
THAT WER WYSE OF WYCHECRAFTE AND WARLA3ES OTHER. CLN 1560
WORDES OF WORCHYP WYTH A WYS SPECHE. CLN 1592
THAT THRETES THE OF THYN VNTHRYFTE VPON THRE WYSE. CLN 1728
THE KYNG COMAUNDED ANON TO CLETHE THAT WYSE. CLN 1741
ARAIDE ON A RICHE WISE IN RIALLE WEDES. ERK 77
OF SPIRITUS DOMINI FOR HIS SPEDE ON SUTILE WISE. ERK 132
I IUSTIFIET THIS IOLY TOUN ON GENTIL WISE. ERK 229
BOT THI COLOURE NE THI CLOTHE I KNOW IN NO WISE. ERK 263
THAT HALF HIS ARMES THERVNDER WERE HALCHED IN THE WYSE GGK 185
FOR HAD I FOUNDED IN FERE IN FE3TYNG WYSE. GGK 267
THENNE WAT3 SPYED AND SPURED VPON SPARE WYSE. GGK 901
THIS DAY WYTH THIS ILK DEDE THAY DRYUEN ON THIS WYSE. GGK 1468
THENNE A WY3E THAT WAT3 WYS VPON WODCRAFTE3. GGK 1605
ABOUT THE FYRE VPON FLET AND ON FELE WYSE. GGK 1653
AND HE NAY THAT HE NOLDE NEGHE IN NO WYSE. GGK 1836
AND GRAYTHE3 ME SIR GAWAYN VPON A GRETT WYSE. GGK 2014
AND HADE BEN SOIOURNED SAUERLY AND IN A SIKER WYSE. GGK 2048
DELE HERE HIS DEUOCIOUN ON THE DEUELE3 WYSE. GGK 2192
HO WAYNED ME VPON THIS WYSE TO YOUR WYNNE HALLE. GGK 2456
SUNDERLUPES FOR HIT DISSERT VPON A SER WYSE. PAT 12
TO OURE MERCYABLE GOD ON MOYSES WYSE PAT 238
ON THIS WYSE AS I WENE HIS WORDE3 WERE MONY. PAT 304
THE TRWE TENOR OF HIS TEME HE TOLDE ON THIS WYSE PAT 358
A PRAYER TO THE HY3E PRYNCE FOR PYNE ON THYS WYSE. PAT 412
THAT VPBRAYDES THIS BURNE VPON A BREME WYSE. PAT 430
I WELKE AY FORTH IN WELY WYSE. PRL 101
MORE OF WELE WAT3 IN THAT WYSE PRL 133
THAT WRO3T THY WEDE HE WAT3 FUL WYS. PRL 748
SO SODANLY ON A WONDER WYSE PRL 1095

WISES

THUS VPON THRYNNE WYSES I HAF YOW THRO SCHEWED. CLN 1805

WISHED

AND WYSCHED HIT WERE IN HIS KYTH THER HE WONY SCHULDE. PAT 462

WISHING

OFTE HAF I WAYTED WYSCHANDE THAT WELE. PRL 14

WIST

THAT HE NE WYST ON WORDE WHAT HE WARP SCHULDE CLN 152
AND HARDE HURLES THUR3 THE OSTE ER ENMIES HIT WYSTE CLN 1204
TIL HE WYST FUL WEL WHO WRO3T ALLE MY3TES. CLN 1699
OF HEM WYST NO WY3E THAT IN THAT WON DOWELLED CLN 1770
NEUERMORE THEN THAY WYSTE FRAM QUETHEN HE WAT3 WONNEN. GGK 461
AS WY3 THAT WOLDE OF HIS WYTE NE WYST QUAT HE MY3T. GGK 1087
WY3E3 WHYL THAY WYSTEN WEL WYTHINNE HEM HIT WERE GGK 1435
NE NON EUEL ON NAWTHER HALUE NAWTHER THAY WYSTEN GGK 1552
THENNE WAT3 HE WENT ER HE WYST TO A WALE TRYSTER GGK 1712

THAT EUER 3E FONDET TO FLE FOR FREKE THAT I WYST GGK 2125
THER WAKNED WELE IN THAT WONE WHEN WYST THE GRETE GGK 2490
THEN THO WERY FORWRO3T WYST NO BOTE. PAT 163
I WYST WEL WHEN I HADE WORDED QUATSOEUER I COWTHE PAT 421
THE FAYREST BYNDE HYM ABOF THAT EUER BURNE WYSTE PAT 444
THE SCHYRE SUNNE HADE HEM SCHENT ER EUER THE SCHALK WYST. PAT 476
I NE WYSTE IN THIS WORLDE QUERE THAT HIT WACE PRL 65
I WYSTE NEUER QUERE MY PERLE WAT3 GON PRL 376
WHERE WYSTE3 THOU EUER ANY BOURNE ABATE PRL 617

WIT

AL IS WRO3T AT THI WORDE AS THOU ME WYT LANTE3 CLN 348
THENNE VCH WY3E MAY WEL WYT THAT HE THE WLONK LOUIES CLN 1052
AND THER HE WRO3T AS THE WYSE AS 3E MAY WYT HEREAFTER. CLN 1319
BOT IF ALLE THE WORLDE WYT HIS WYKKED DEDES CLN 1360
THAT I MAY WYTERLY WYT WHAT THAT WRYT MENES CLN 1567
WYT THE WYTTE OF THE WRYT THAT ON THE WOWE CLYUES CLN 1630
WYT THE WYTTE OF THE WRYT THAT ON THE WOWE CLYUES CLN 1630
THENNE HE WAYNED HYM HIS WYT THAT HADE WO SOFFERED. CLN 1701
FOR VCH WY3E MAY WEL WIT NO WONT THAT THER WERE. GGK 131
AND QUATSO THY WYLLE IS WE SCHAL WYT AFTER GGK 255
I AM THE WAKKEST I WOT AND OF WYT FEBLEST. GGK 354
AND I SCHAL WARE ALLE MY WYT TO WYNNE ME THEDER. GGK 402
WARLOKER TO HAF WRO3T HAD MORE WYT BENE GGK 677
AS WY3 THAT WOLDE OF HIS WYTE NE WYST QUAT HE MY3T. GGK 1087
WHERE 3E WAN THIS ILK WELE BI WYTTE OF 3ORSELUEN GGK 1394
I WOLED WYT AT YOW WY3E THAT WORTHY THER SAYDE GGK 1508
DOS TECHE3 ME OF YOUR WYTTE GGK 1533
WYT 3E WEL HIT WAT3 WORTH WELE FUL HOGE GGK 1820
THAT NEUER WY3E SCHULDE HIT WYT IWYSSE BOT THAT TWAYNE GGK 1864
WOLDE 3E WORCH BI MY WYTTE YOW WORTHED THE BETTER GGK 2096
WOLDE 3E WORCHE BI MY WYTTE 3E WORTHED THE BETTER GGK V 2096
AL HE WRATHED IN HIS WYT AND WYTHERLY HE THO3T PAT 74
FOR THE WELDER OF WYT THAT WOT ALLE THYNGES PAT 129
WHAT WOTE OTHER WYTE MAY 3IF THE WY3E LYKES PAT 397
THENNE WYTE NOT ME FOR THE WERK THAT I HIT WOLDE HELP. PAT 501
THY WORDE BYFORE THY WYTTE CON FLE PRL 294
I SCHULDE NOT TEMPTE THY WYT SO WLONC PRL 903

WITCHCRAFT

THAT WER WYSE OF WYCHECRAFTE AND WARLA3ES OTHER. CLN 1560

WITCHES

WYCHE3 AND WALKYRIES WONNEN TO THAT SALE CLN 1577

WITERE

SITHEN WE WOT NOT QWO THOU ART WITERE VS THISELWEN. ERK 185

WITHALL

AND BRYNGE3 BUTTER WYTHAL AND BY THE BRED SETTE3 CLN 636
MUCH MIRTHE HE MAS WITHALLE GGK 106
SIR GAWAYN THE GODE THAT GLAD WAT3 WITHALLE GGK 1926

WITHALLE (V. WITHALL)

WITHDREW

BYTWENE VS AND BLYSSE BOT THAT HE WYTHDRO3 PRL 658

WITHERED

AND WYDDERED WAT3 THE WODBYNDE BI THAT THE WY3E WAKNED PAT 468

WITHHELD

THENNE HE HOUED AND WYTHHYLDE HIS HORS AT THAT TYDE GGK 2168
WITHHELDE HETERLY HIS HONDE ER HIT HURT MY3T. GGK 2291
THA3 HE OTHER BIHY3T WYTHHELDE HIS VENGAUNCE. PAT 408

WITHHELDE (V. WITHHELD)

WITHHOLD

AND WYTHHALDE MY HONDE FOR HORTYNG ON LEDE CLN 740

WITHHOLDS
THAT OTHER SCHALK WYTH A SCHUNT THE SCHENE WYTHHALDE3. . . . . GGK 2268
WITLESS
SO WAT3 THE WY3E WYTLES HE WED WEL NER. . . . . CLN 1585
LO THE WYTLES WRECHCHE FOR HE WOLDE NO3T SUFFER. . . . . . . PAT 113
WITNESS
AND WITTNESSE OF THAT WYKKED WERK AND THE WRAKE AFTER. . . . CLN 1050
THE BRUTUS BOKE3 THEROF BERES WYTTENESSE . . . . GGK 2523
WITS
FOR I SE WEL THAT HIT IS SOTHE THAT ALLE SEGGE3 WYTTE3 . . . CLN 515
FOR I SE WEL THAT HIT IS SOTHE THAT ALLE MANNE3 WYTTE3 . . . CLN V 515
FYRST HE WAT3 FUNDEN FAUTLE3 IN HIS FYUE WYTTE3. . . . . . . GGK 640
BOT QUEN THAT COMLY HE KEUERED HIS WYTTES. . . . . GGK 1755
NOW I FELE HIT IS THE FENDE IN MY FYUE WYTTE3 . . . . GGK 2193
HO WAYUED ME THIS WONDER YOUR WYTTE3 TO REUE. . . . . GGK 2459
BOT QUEN THAT COMLY COM HE KEUERED HIS WYTTES . . . . GGK V 1755
HO WAYNED ME THIS WONDER YOUR WYTTE3 TO REUE. . . . . GGK V 2459
WITTNESSE (V. WITNESS)
WIVES
HIT WEREN NOT ALLE ON WYUE3 SUNE3 WONEN WYTH ON FADER. . . . . CLN 112
HE HAD THRE THRYUEN SUNE3 AND THAY THRE WYUE3 . . . . CLN 298
THY THRE SUNE3 WYTHOUTEN THREP AND HER THRE WYUE3 . . . . CLN 350
HER WYUE3 WALKE3 HEM WYTH AND THE WYLDE AFTER . . . . CLN 503
WYUES AND WENCHES HER WOMBES TOCORUEN . . . . CLN 1250
THE LAMBE3 VYUE3 IN BLYSSE WE BENE . . . . PRL 785
WI3T (V. WIGHT)
WLATES
WYTH HER VNWORTHELYCH WERK ME WLATE3 WYTHINNE . . . . CLN 305
SO THE WORCHER OF THIS WORLDE WLATES THERWYTH . . . . CLN 1501
WLATE3 (V. WLATES)
WLATSUM
LO SUCHE A WRAKFUL WO FOR WLATSUM DEDE3 . . . . CLN 541
WLONC (V. WLONK)
WLONK
THENNE WAT3 HE WAR ON THE WAYE OF WLONK WY3E3 THRYNNE. . . . . CLN 606
WLONK WHIT WAT3 HER WEDE AND WEL HIT HEM SEMED . . . . CLN 793
WELAWYNNELY WLONK TYL THAY WASCHEN HADE . . . . CLN 831
WYTH THY WYF AND THY WY3E3 AND THY WLONC DE3TTERS . . . . CLN 899
THE WY3E WAKENED HIS WYF AND HIS WLONK DE3TERES. . . . . . . CLN 933
THENNE VCH WY3E MAY WEL WYT THAT HE THE WLONK LOUIES . . . . . CLN 1052
AR HERDE IN WOD SO WLONK . . . . GGK 515
VMBEWEUED THAT WY3 VPON WLONK STUFFE . . . . GGK 581
THEN AT THO LADYE3 WLONK . . . . GGK 1977
AS THAY HADE WONDE WORTHYLY WITH THAT WLONK EUER . . . . . . GGK 1988
WYPPED FUL WEL AND WLONK . . . . GGK 2022
FOR WELE NE FOR WORCHYP NE FOR THE WLONK WERKKE3 . . . . . . GGK 2432
MY WODBYNDE SO WLONK THAT WERED MY HEUED . . . . PAT 486
OF WOD AND WATER AND WLONK PLAYNE3 . . . . PRL 122
I SCHULDE NOT TEMPTE THY WYT SO WLONC . . . . PRL 903
THEN WAKNED I IN THAT ERBER WLONK . . . . PRL 1171
WLONKEST
WHYLE THE WLONKEST WEDES HE WARP ON HYMSELUEN . . . . GGK 2025
WO (V. WOE)
WOD (ALSO V. WADED, WOOD)
AND WEX WOD TO THE WRACHE FOR WRATH AT HIS HERT. . . . . . . CLN 204
WALTES OUT VCH WALLEHEUED IN FUL WODE STREME3 . . . . CLN 364
WHY WAT3 HO WRECH SO WOD HO WRATHED OURE LORDE. . . . . CLN 828
THENNE THE BOLDE BALTA3AR BRED NER WODE . . . . CLN 1558
AND WAYTE3 AS WROTHELY AS HE WODE WERE. . . . . GGK 2289

THAT THE WAWES FUL WODE WALTERED SO HI3E	PAT	142
I REDE THE FORSAKE THE WORLDE WODE	PRL	743
WODBYNDE (V. WOODBINE)		
WODCRAFTE3 (V. WOODCRAFTS)		
WODDER		
AND EUER WROTHER THE WATER AND WODDER THE STREMES	PAT	162
WODE (V. WOD, WOOD)		
WODSCHAWE3 (V. WOODSHAWS)		
WODSCHIP		
HE WYL WENDE OF HIS WODSCHIP AND HIS WRATH LEUE.	PAT	403
WODWOS		
SUMWHYLE WYTH WODWOS THAT WONED IN THE KNARRE3	GGK	721
WOE		
AS WY3E WO HYM WITHINNE WERP TO HYMSELUEN.	CLN	284
LO SUCHE A WRAKFUL WO FOR WLATSUM DEDE3	CLN	541
THENNE HE WAYNED HYM HIS WYT THAT HADE WO SOFFERED.	CLN	1701
THAT ALLE WEPYD FOR WOO THE WORDES THAT HERDEN	ERK	310
WITH ALLE THE WO ON LYUE	GGK	1717
WORTHE HIT WELE OTHER WO AS THE WYRDE LYKE3	GGK	2134
AS LYTTEL WONDER HIT WAT3 3IF HE WO DRE3ED	PAT	256
MY WRECHED WYLLE IN WO AY WRA3TE.	PRL	56
FOR WO THER WELE3 SO WYNNE WORE	PRL	154
AND LOUE AY GOD IN WELE AND WO	PRL	342
WOGHE		
THAY LAFTEN RY3T AND WRO3TEN WOGHE	PRL	622
WOKE		
FORTHY WONDERLY THAY WOKE AND THE WYN DRONKEN	GGK	1025
WOL (APP. 1)		
WOLDE (ALSO V. APP. 1)		
THAT NEUER HADE NON HYMSELF TO WOLDE	PRL	812
WOLDE3 (APP. 1)		
WOLED (APP. 1)		
WOLEN (V. WOOLEN)		
WOLFES (V. WOLFS)		
WOLLE (V. WOOL)		
WOLUES (V. WOLFS)		
WOLVES		
WYTH WROTHE WOLFES TO WON AND WYTH WYLDE ASSES	CLN	1676
SUMWHYLE WYTH WORME3 HE WERRE3 AND WITH WOLUES ALS.	GGK	720
WOMAN		
ENCLYNANDE LOWE IN WOMMON LORE	PRL	236
WOMB		
FALLE3 ON THE FOULE FLESCH AND FYLLE3 HIS WOMBE.	CLN	462
BOTH HIS WOMBE AND HIS WAST WERE WORTHILY SMALE.	GGK	144
THA3 WERE WANLE3 OF WELE IN WOMBE OF THAT FISSCHE	PAT	262
OUT OF THE HOLE THOU ME HERDE OF HELLEN WOMBE	PAT	306
WOMBE (V. WOMB)		
WOMBES (V. WOMBS)		
WOMBS		
WYUES AND WENCHES HER WOMBES TOCORUEN	CLN	1250
FESTNED FETTRES TO HER FETE VNDER FOLE WOMBES	CLN	1255
WOMEN		
FOR WERE I WORTH AL THE WONE OF WYMMEN ALYUE.	GGK	1269
AND THUR3 WYLES OF WYMMEN BE WONEN TO SOR3E	GGK	2415
WITH WYMMEN THAT THAY VSED.	GGK	2426
AND WYMMEN VNWYTTE THAT WALE NE COUTHE.	PAT	511
WOMMON (V. WOMAN)		
WON		
HIT WEREN NOT ALLE ON WYUE3 SUNE3 WONEN WYTH ON FADER. . . .	CLN	112

HOV WAN THOU INTO THIS WON IN WEDE3 SO FOWLE.	CLN	140
WAPPED VPON THE WYKET AND WONNEN HEM TYLLE	CLN	882
THER HE LAFTE HADE OURE LORDE HE IS ON LOFTE WONNEN	CLN	1004
NOV HE THE KYNG HAT3 CONQUEST AND THE KYTH WUNNEN	CLN	1305
KYNGES CAYSERES FUL KENE TO THE COURT WONNEN.	CLN	1374
WYCHE3 AND WALKYRIES WONNEN TO THAT SALE	CLN	1577
WAT3 NOT THIS ILKE WORDE ONE WONNEN OF HIS MOWTHE	CLN	1669
LYFTE LADDRES FUL LONGE AND VPON LOFTE WONEN.	CLN	1777
QUAT WAN WE WITH OURE WELEDEDE THAT WROGHTYN AY RI3T	ERK	301
AND HE THAT WAN WAT3 NOT WROTHE THAT MAY 3E WEL TRAWE.	GGK	70
NEUERMORE THEN THAY WYSTE FRAM QUETHEN HE WAT3 WONNEN.	GGK	461
ALLE HASPED IN HIS HE3 WEDE TO HALLE THAY HYM WONNEN	GGK	831
BI THAT THE DAYLY3T WAT3 DONE THE DOUTHE WAT3 AL WONEN	GGK	1365
HOW PAYE3 YOW THIS PLAY HAF I PRYS WONNEN.	GGK	1379
THAT I HAF WORTHYLY WONNEN THIS WONE3 WYTHINNE	GGK	1386
WHERE 3E WAN THIS ILK WELE BI WYTTE OF 3ORSELUEN	GGK	1394
FORTO HAF WONNEN HYM TO WO3E WHATSO SCHO THO3T ELLE3	GGK	1550
FOR I HAF WONNEN YOW HIDER WY3E AT THIS TYME.	GGK	2091
WHEN HE WAN TO THE WATTER THER HE WADE NOLDE.	GGK	2231
AND THUR3 WYLES OF WYMMEN BE WONEN TO SOR3E	GGK	2415
THER WAT3 LOUYNG ON LOFTE WHEN THAY THE LONDE WONNEN	PAT	237
NO WHETE WERE ELLE3 TO WONE3 WONNE	PRL	32
I WAN TO A WATER BY SCHORE THAT SCHERE3	PRL	107
ER DATE OF DAYE HIDER ARN WE WONNE	PRL	517

WON (V. WON-M.E.)

WON (ME)

HOV WAN THOU INTO THIS WON IN WEDE3 SO FOWLE.	CLN	140
WYLDE WORME3 TO HER WON WYRTHE3 IN THE ERTHE.	CLN	533
THAT WAT3 NEUER THY WON THAT WRO3TE3 VS ALLE.	CLN	720
BOT THAY WERN WAKNED AL WRANK THAT THER IN WON LENGED.	CLN	891
I WOLDE IF HIS WYLLE WORE TO THAT WON SCAPE	CLN	928
HIT WAT3 NOT WONTE IN THAT WONE TO WAST NO SERGES	CLN	1489
WE3E WYN IN THIS WON WASSAYL HE CRYES	CLN	1508
WYTH WROTHE WOLFES TO WON AND WYTH WYLDE ASSES	CLN	1676
OF HEM WYST NO WY3E THAT IN THAT WON DOWELLED	CLN	1770
TO WONE ANY QUYLE IN THIS WON HIT WAT3 NOT MYN ERNDE	GGK	257
TO WONE ANY QUYLE IN THIS WON HIT WAT3 NOT MYN ERNDE	GGK	257
AND WYSSE HYM TO SUM WONE	GGK	739
ER HE WAT3 WAR IN THE WOD OF A WON IN A MOTE.	GGK	764
THAT 3E BE WY3E WELCUM TO WON QUYLE YOW LYKE3	GGK	814
HE SAYDE 3E ARE WELCUM TO WONE AS YOW LYKE3	GGK	835
AND HIT WAT3 WAWEN HYMSELF THAT IN THAT WON SYTTE3.	GGK	906
WELE WAXE3 IN VCHE A WON IN WORLDE FOR HIS SAKE.	GGK	997
YOWRE AWEN WON TO WALE	GGK	1238
FOR WERE I WORTH AL THE WONE OF WYMMEN ALYUE.	GGK	1269
THER WAKNED WELE IN THAT WONE WHEN WYST THE GRETE	GGK	2490
FOR IWYSSE HIT ARN SO WYKKE THAT IN THAT WON DOWELLE3.	PAT	69
FOR TO WAYTE ON THAT WON WHAT SCHULDE WORTHE AFTER.	PAT	436
AND WYSCHED HIT WERE IN HIS KYTH THER HE WONY SCHULDE.	PAT	462
IWYSSE A WORTHLOKER WON TO WELDE I NEUER KEPED	PAT	464
AND WONY WYTH HYT IN SCHYR WODSCHAWE3	PRL	284
THYSELF SCHAL WON WYTH ME RY3T HERE.	PRL	298
THOU SAYT3 THOU SCHAL WON IN THIS BAYLY	PRL	315
THERINNE TO WON WYTHOUTE RESPYT	PRL	644
NE MANER THER 3E MAY METE AND WON	PRL	918
THUR3 WO3E AND WON MY LOKYNG 3EDE	PRL	1049
THOU SAYT3 THOU SCHAL WON IN THIS BAYLE	PRL 3	315

WONDE

FOR WOTHE THAT THOU NE WONDE	GGK	488

AND SAYDE QUAT SCHULD I WONDE. GGK 563
IN THE WYLDRENESSE OF WYRALE WONDE THER BOT LYTE GGK 701
AS THAY HADE WONDE WORTHYLY WITH THAT WLONK EUER GGK 1988
AND EUER ME THO3T I SCHULDE NOT WONDE PRL 153
WONDED
WHAT HE WONDED FOR NO WOTHE OF WEKKED KNAUE3. CLN 855
WONDER
FOR WONDER WROTH IS THE WY3 THAT WRO3T ALLE THINGES CLN 5
THEN THE LORDE WONDER LOUDE LALED AND CRYED CLN 153
3IF HYMSELF BE BORE BLYNDE HIT IS A BROD WONDER. CLN 584
AND DISTRESED HYM WONDER STRAYT WYTH STRENKTHE IN THE PRECE. CLN 880
WHEN HIT WAT3 SCHEWED HYM SO SCHENE SCHARP WAT3 HIS WONDER CLN 1310
WYTH A WONDER WRO3T WALLE WRUXELED FUL HI3E CLN 1381
BOTH OF WERK AND OF WUNDER AND WALLED AL ABOUTE. CLN 1390
HE WAYNED HEM A WARNYNG THAT WONDER HEM THO3T CLN 1504
BOTHE OF WERK AND OF WUNDER AND WALLE AL ABOUTE. CLN V 1390
BOT THEN WOS WONDER TO WALE ON WEHES THAT STODEN ERK 73
HE LYES DOLUEN THUS DEPE HIT IS A DERFE WONDER ERK 99
OF THAT BURIEDE BODY AL THE BOLDE WONDER ERK 106
THE MYSTERIE OF THIS MERUAILE THAT MEN OPON WONDRES ERK 125
WITH MECHE WONDER FORWRAST AND WEPID FUL MONY ERK 220
WHERE WERRE AND WRAKE AND WONDER. GGK 16
FOR WONDER OF HIS HWE MEN HADE GGK 147
WYTH AL THE WONDER OF THE WORLDE WHAT HE WORCH SCHULDE GGK 238
THA3 ARTHER THE HENDE KYNG AT HERT HADE WONDER GGK 467
AND BI TRWE TYTEL THEROF TO TELLE THE WONDER. GGK 480
BOT THA3 THE ENDE BE HEUY HAF 3E NO WONDER GGK 496
OF DOS AND OF OTHER DERE TO DEME WERE WONDER. GGK 1322
SIR 3IF 3E BE WAWEN WONDER ME THYNKKE3. GGK 1481
BI3ONDE THE BROKE IN A BONK A WONDER BREME NOYSE GGK 2200
HO WAYUED ME THIS WONDER YOUR WYTTE3 TO REUE. GGK 2459
HO WAYNED ME THIS WONDER YOUR WYTTE3 TO REUE. GGK V 2459
HIT WERE A WONDER TO WENE 3IF HOLY WRYT NERE. PAT 244
AS LYTTEL WONDER HIT WAT3 3IF HE WO DRE3ED PAT 256
IF I WOLDE HELP MY HONDEWERK HAF THOU NO WONDER. PAT 496
BOT A WONDER PERLE WYTHOUTEN WEMME PRL 221
SO SODANLY ON A WONDER WYSE PRL 1095
WONDERED
AND VNLOUKED HIS Y3ELYDDE3 AND LET AS HYM WONDERED. GGK 1201
WONDERE3 (V. WONDERS)
WONDERLY
WHEDER WONDERLY HE WRAK ON WYKKED MEN AFTER CLN 570
THE WALLE WOD IN THE WATER WONDERLY DEPE GGK 787
FORTHY WONDERLY THAY WOKE AND THE WYN DRONKEN GGK 1025
WEPANDE FUL WONDERLY ALLE HIS WRANGE DEDES PAT 384
WONDERS
AND AN OUTTRAGE AWENTURE OF ARTHURE3 WONDERE3 GGK 29
WONDRES (V. WONDER)
WONE (V. WON-M.E.)
WONED (ALSO V. WANED)
AND ALLE WONED IN THE WHICHCHE THE WYLDE AND THE TAME. CLN 362
WITH ALL THE WELE OF THE WORLDE THAY WONED THER SAMEN. GGK 50
SUMWHYLE WYTH WODWOS THAT WONED IN THE KNARRE3 GGK 721
WONEN (V. WON)
WONES (V. WONE3)
WONE3
WYRK WONE3 THERINNE FOR WYLDE AND FOR TAME CLN 311
I SCHAL WAST WITH MY WRATH THAT WONS VPON VRTHE. CLN 326
WATER WYLGER AY WAX WONE3 THAT STRYEDE. CLN 375

WENDE WORTHELYCH WY3T VS WONE3 TO SECHE . . . . CLN 471
AND THERE IN LONGYNG AL NY3T HE LENGE3 IN WONES. . . . . CLN 779
IF THOU LOUYE3 THY LYF LOTH IN THYSE WONES . . . . CLN 841
WOST THOU NOT WEL THAT THOU WONE3 HERE A WY3E STRANGE. . . . CLN 875
AND THER HE WAST WYTH WERRE THE WONES OF THORPES . . . . . . CLN 1178
THENNE WERN THO ROWTES REDLES IN THO RYCHE WONES . . . . . . CLN 1197
FORTHI SAY ME OF THI SOULE IN SELE QUERE HO WONNES. . . . . . ERK 279
WHEN THAT SEMLY SYRE SO3T FRO THO WONE3 . . . . GGK 685
A HE3E ERNDE AND A HASTY ME HADE FRO THO WONE3 . . . . GGK 1051
THAT I HAF WORTHYLY WONNEN THIS WONE3 WYTHINNE . . . . GGK 1386
THER WONE3 A WY3E IN THAT WASTE THE WORST VPON ERTHE . . . . . GGK 2098
HE ROME3 VP TO THE ROFFE OF THO RO3 WONE3. . . . . GGK 2198
AND 3E SCHAL IN THIS NWE3ER A3AYN TO MY WONE3 . . . . GGK 2400
HE ROME3 VP TO THE ROKKE OF THO RO3 WONE3. . . . . GGK V 2198
AND ALLE THAT WONE3 THER WYTHINNE AT A WORDE ONE . . . . . . PAT 208
NO WHETE WERE ELLE3 TO WONE3 WONNE . . . . PRL 32
FOR MEKE ARN ALLE THAT WONE3 HYM NERE . . . . PRL 404
HAF 3E NO WONE3 IN CASTELWALLE . . . . PRL 917
YOUR WONE3 SCHULDE BE WYTHOUTEN MOTE . . . . PRL 924
THE WONE3 WYTHINNE ENURNED WARE . . . . PRL 1027

WONIES

BOT HONOURED HE NOT HYM THAT IN HEUEN WONIES. . . . . CLN 1340
OF THAT WYNNELYCH LORDE THAT WONYES IN HEUEN. . . . . CLN 1807
I WOT NEUER WHERE THOU WONYES BI HYM THAT ME WRO3T. . . . . . GGK 399
THER WONYS THAT WORTHYLY I WOT AND WENE . . . . PRL 47

WONNE (V. WAN, WON)

WONNEN (V. WON)

WONNES (V. WONE3)

WONNYNG

NOV WALE THE A WONNYNG THAT THE WARISCH MY3T. . . . . CLN 921

WONS (V. WONE3)

WONT (ALSO V. WANT, WONYED)

HIT WAT3 NOT WONTE IN THAT WONE TO WAST NO SERGES . . . . . . CLN 1489
THAT WONT WAT3 WHYLE DEUOYDE MY WRANGE. . . . . PRL 15
AS LYTTEL BYFORE THERTO WAT3 WONTE . . . . PRL 172

WONTE (V. WONT)

WONTED (V. WANTED)

WONTE3 (V. WANTS)

WONTYD (V. WANTED)

WONY (V. WON-ME)

WONYANDE

THENNE IN WORLDE WAT3 A WY3E WONYANDE ON LYUE . . . . CLN 293

WONYD (V. WONYED)

WONYED

THAT THEN WONYED IN THE WORLDE WYTHOUTEN ANY MAYSTER3. . . . . CLN 252
AL WAT3 WASTED THAT WONYED THE WORLDE WYTHINNE . . . . CLN 431
WHERESO WONYED THIS ILKE WY3 THAT WENDE3 WYTH OURE LORDE. . . CLN 675
BI SYTHE3 HAT3 WONT THERINNE . . . . GGK 17
HE HAT3 WONYD HERE FUL 3ORE . . . . GGK 2114

WONYES (V. WONIES)

WONYS (V. WONIES)

WOO (V. WOE)

WOOD

OUERWALTE3 VCHE A WOD AND THE WYDE FELDE3. . . . . CLN 370
SYTHEN THE WYLDE OF THE WODE ON THE WATER FLETTE . . . . . . CLN 387
SCHAL NEUER GRENE THERON GROWE GRESSE NE WOD NAWTHER . . . . . CLN 1028
AR HERDE IN WOD SO WLONK . . . . GGK 515
ER HE WAT3 WAR IN THE WOD OF A WON IN A MOTE. . . . . GGK 764
QUATSOEUER I WYNNE IN THE WOD HIT WORTHE3 TO YOURE3 . . . . . GGK 1106

THE DOUTHE DRESSED TO THE WOD ER ANY DAY SPRENGED . . . . . . GGK 1415
OF THE WERE OF THE WYLDE SWYN IN WOD THER HE FLED . . . . . . GGK 1628
WENT HAF WYLT OF THE WODE WITH WYLE3 FRO THE HOUNDES . . . . . GGK 1711
TO THE WOD HE WENT AWAY. . . . . GGK 1718
WELAWYLLE WAT3 THE WAY THER THAY BI WOD SCHULDEN . . . . . . GGK 2084
BI THAT THE WY3E IN THE WOD WENDE3 HIS BRYDEL . . . . GGK 2152
OF WOD AND WATER AND WLONK PLAYNE3 . . . . PRL 122
WOODBINE
THENNE WAKENED THE WY3 VNDER WODBYNDE . . . . PAT 446
SO BLYTHE OF HIS WODBYNDE HE BALTERES THERVNDER. . . . . PAT 459
AND WYDDERED WAT3 THE WODBYNDE BI THAT THE WY3E WAKNED . . . . PAT 468
AND BLUSCHED TO HIS WODBYNDE THAT BROTHELY WAT3 MARRED . . . . PAT 474
HIS WODBYNDE WAT3 AWAY HE WEPED FOR SOR3E. . . . . PAT 480
MY WODBYNDE SO WLONK THAT WERED MY HEUED . . . . PAT 486
SO WROTH FOR A WODBYNDE TO WAX SO SONE. . . . . PAT 491
THOU ART WAXEN SO WROTH FOR THY WODBYNDE . . . . PAT 497
WOODCRAFTS
THENNE A WY3E THAT WAT3 WYS VPON WODCRAFTE3 . . . . GGK 1605
WOODSHAWS
AND WONY WYTH HYT IN SCHYR WODSCHAWE3 . . . . PRL 284
WOOING
AND THE WOWYNG OF MY WYF I WRO3T HIT MYSELUEN . . . . GGK 2361
BOT THAT WAT3 FOR NO WYLYDE WERKE NE WOWYNG NAUTHER . . . . . GGK 2367
WOOL
FOR WOLLE QUYTE SO RONK AND RYF . . . . PRL 844
WOOLEN
AND SOLDE ALLE HYS GOUD BOTHE WOLEN AND LYNNE . . . . PRL 731
WORCH (V. WORK)
WORCHE (V. WORK)
WORCHEN (V. WORK)
WORCHER (V. WORKER)
WORCHIP (V. WORSHIP)
WORCHIPE3 (V. WORSHIPS)
WORCHYP (V. WORSHIP)
WORD
THAT HE NE WYST ON WORDE WHAT HE WARP SCHULDE . . . . CLN 152
WITH THIS WORDE THAT HE WARP THE WRAKE ON HYM LY3T. . . . . . CLN 213
AL IS WRO3T AT THI WORDE AS THOU ME WYT LANTE3 . . . . CLN 348
BOT THER WAT3 NEUER ON SO WYSE COUTHE ON WORDE REDE . . . . . CLN 1555
WAT3 NOT THIS ILKE WORDE ONE WONNEN OF HIS MOWTHE . . . . . . CLN 1669
IN AL THIS WORLDE NO WORDE NE WAKENYD NO NOICE . . . . ERK 218
WITH THAT WORDE THAT HE WARPYD OF HIS WETE EGHEN . . . . . . ERK 321
THE FYRST WORD THAT HE WARP WHER IS HE SAYD . . . . GGK 224
OUERWALT WYTH A WORDE OF ON WY3ES SPECHE . . . . GGK 314
YOUR WORDE AND YOUR WORCHIP WALKE3 AYQUERE . . . . GGK 1521
THAT IS A WORDE QUOTH THAT WY3T THAT WORST IS OF ALLE. . . . . GGK 1792
THE FORME WORDE VPON FOLDE THAT THE FREKE MELED. . . . . . . GGK 2373
AND ALLE THAT WONE3 THER WYTHINNE AT A WORDE ONE . . . . . . PAT 208
THENNE A WYNDE OF GODDE3 WORDE EFTE THE WY3E BRUXLE3 . . . . . PAT 345
ER EUER HE WARPPED ANY WORDE TO WY3E THAT HE METTE. . . . . . PAT 356
WAT3 NOT THIS ILK MY WORDE THAT WORTHEN IS NOUTHE . . . . . . PAT 414
THY WORDE BYFORE THY WYTTE CON FLE . . . . PRL 294
WORDE (V. WORD)
WORDED
I WYST WEL WHEN I HADE WORDED QUATSOEUER I COWTHE . . . . . . PAT 421
WORDES (V. WORDS)
WORDE3 (V. WORDS)
WORDS
THAT OTHER BURNE WAT3 ABAYST OF HIS BROTHE WORDE3 . . . . . . CLN 149

BOT HIS SOUERAYN HE FORSOKE AND SADE THYSE WORDE3	CLN	210
WYLDE WRAKFUL WORDE3 IN HIS WYLLE GREUED	CLN	302
THENN CON DRY3TTYN HYM DELE DRY3LY THYSE WORDE3.	CLN	344
IN COMLY COMFORT FUL CLOS AND CORTAYS WORDE3.	CLN	512
AND MY RANKOR REFRAYNE FOR THY REKEN WORDE3	CLN	756
LOTH LATHED SO LONGE WYTH LUFLYCH WORDE3	CLN	809
AND WYTH A SCHRYLLE SCHARP SCHOUT THAY SCHEWE THYSE WORDE3	CLN	840
OF THE BRYCH THAT VPBRAYDE3 THOSE BROTHELYCH WORDE3	CLN	848
THENNE HE MELED TO THO MEN MESURABLE WORDE3	CLN	859
WORDES OF WORCHYP WYTH A WYS SPECHE.	CLN	1592
DERFLY THENNE DANYEL DELES THYSE WORDES	CLN	1641
HIS MY3T METE TO GODDES HE MADE WYTH HIS WORDES.	CLN	1662
THISE ARE THE WORDES HERE WRYTEN WYTHOUTE WERK MORE	CLN	1725
THER BESIET HOM ABOUTE NO3T TO BRYNGE HOM IN WORDES	ERK	56
LYFTANDE VP HIS EGHELYDDES HE LOUSED SUCHE WORDES	ERK	178
AND WITH A DRERY DREME HE DRYUES OWTE WORDES.	ERK	191
THAT ALLE WEPYD FOR WOO THE WORDES THAT HERDEN	ERK	310
AND CAST VPON THI FAIRE CORS AND CARPE THES WORDES.	ERK	317
FOR THE WORDES THAT THOU WERPE AND THE WATER THAT THOU SHEDDES.	ERK	329
FOR WITH THE WORDES AND THE WATER THAT WESHE VS OF PAYNE.	ERK	333
YOUR GRYNDELLAYK AND YOUR GREME AND YOUR GRETE WORDES.	GGK	312
I KNOW NO GOME THAT IS GAST OF THY GRETE WORDES.	GGK	325
THA3 HYM WORDE3 WERE WANE WHEN THAY TO SETE WENTEN.	GGK	493
THUR3 HER DERE DALYAUNCE OF HER DERNE WORDE3.	GGK	1012
TO DALY WITH DERELY YOUR DAYNTE WORDE3.	GGK	1253
AND AS HO STOD HO STONYED HYM WYTH FUL STOR WORDE3.	GGK	1291
WYLDE WORDE3 HYM WARP WYTH A WRAST NOYCE	GGK	1423
AND HO HYM 3ELDE3 A3AYN FUL 3ERNE OF HIR WORDE3.	GGK	1478
AND WYTH A LUFLYCH LOKE HO LAYDE HYM THYSE WORDE3	GGK	1480
3ET HERDE I NEUER OF YOUR HED HELDE NO WORDE3	GGK	1523
THAY LAUCED WORDES GODE.	GGK	1766
AND RADLY THUS REHAYTED HYM WITH HIR RICHE WORDE3	GGK	1744
AND THENNE REPREUED HE THE PRYNCE WITH MONY PROWDE WORDE3	GGK	2269
THAY LANCED WORDES GODE.	GGK V	1766
ON THIS WYSE AS I WENE HIS WORDE3 WERE MONY	PAT	304
THRE WORDE3 HAT3 THOU SPOKEN AT ENE.	PRL	291
3E SETTEN HYS WORDE3 FUL WESTERNAYS.	PRL	307
AS MAN TO GOD WORDE3 SCHULDE HEUE	PRL	314
REBUKE ME NEUER WYTH WORDE3 FELLE	PRL	367
HE WORDE3 ACORDED TO YSAYE.	PRL	819
3E SETTEN HYS WORDE3 FUL BESTERNAYS.	PRL 1	307
3E SETTEN HYS WORDE3 FUL BESTORNAYS.	PRL 3	307
WORE		
HE WERE A BLEAUNT OF BLWE THAT BRADDE TO THE ERTHE.	GGK	1928
BOT WERED NOT THIS ILK WY3E FOR WELE THIS GORDEL	GGK	2037
A PY3T COROUNE 3ET WER THAT GYRLE	PRL	205
WORE (APP. 1)		
WORIED (V. WORRIED)		
WORK		
THAT EUER HE WREK SO WYTHERLY ON WERK THAT HE MADE.	CLN	198
WYTH HER VNWORTHELYCH WERK ME WLATE3 WYTHINNE	CLN	305
WYRK WONE3 THERINNE FOR WYLDE AND FOR TAME	CLN	311
THER IS NO WY3E IN HIS WERK SO WAR NE SO STYLLE.	CLN	589
BOTHE THE WY3E AND HIS WYF SUCH WERK WAT3 HEM FAYLED	CLN	658
HOPE3 HO O3T MAY BE HARDE MY HONDE3 TO WORK	CLN	663
AND WITTNESSE OF THAT WYKKED WERK AND THE WRAKE AFTER.	CLN	1050
BOTH OF WERK AND OF WUNDER AND WALLED AL ABOUTE.	CLN	1390
AND IF THOU WYRKKES ON THIS WYSE THA3 HO WYK WERE	CLN	1063
WYTH ALLE THE COYNTYSE THAT HE COWTHE CLENE TO WYRKE	CLN	1287

Line	Text	V	Line no.
BOTH OF WERK AND OF WUNDER AND WALLED AL ABOUTE.	CLN		1390
THISE ARE THE WORDES HERE WRYTEN WYTHOUTE WERK MORE	CLN		1725
BOTHE OF WERK AND OF WUNDER AND WALLE AL ABOUTE.	CLN	V	1390
A NOBLE NOTE FOR THE NONES AND NEW WERKE HIT HATTE.	ERK		38
LADDES LAFTEN HOR WERKE AND LEPEN THIDERWARDES	ERK		61
MONY A MERY MASON WAS MADE THER TO WYRKE	ERK		39
WYTH AL THE WONDER OF THE WORLDE WHAT HE WORCH SCHULDE	GGK		238
NOW AR THAY STOKEN OF STURNE WERK STAFFUL HER HOND.	GGK		494
AND I AM WY3E AT YOUR WYLLE TO WORCH YOURE HEST.	GGK		1039
I WOLDE YOWRE WYLNYNG WORCHE AT MY MY3T	GGK		1546
WOLDE 3E WORCH BI MY WYTTE YOW WORTHED THE BETTER	GGK		2096
LET GOD WORCHE WE LOO	GGK		2208
AND WARP THE NO WERNYNG TO WORCH AS THE LYKE3	GGK		2253
BOT THAT WAT3 FOR NO WYLYDE WERKE NE WOWYNG NAUTHER	GGK		2367
WOLDE 3E WORCHE BI MY WYTTE 3E WORTHED THE BETTER	GGK	V	2096
SO BAYN WER THAY BOTHE TWO HIS BONE FOR TO WYRK.	PAT		136
THENNE WYTE NOT ME FOR THE WERK THAT I HIT WOLDE HELP.	PAT		501
WRYTHEN AND WORCHEN AND DON GRET PYNE	PRL		511
AND WYRKE3 AND DOT3 THAT AT 3E MOUN.	PRL		536
THENNE THE LASSE IN WERKE TO TAKE MORE ABLE	PRL		599
WORKER			
SO THE WORCHER OF THIS WORLDE WLATES THERWYTH	CLN		1501
WORKMEN			
WY3T WERKEMEN WITH THAT WENTEN THERTILLE	ERK		69
TO HYRE WERKMEN TO HYS VYNE	PRL		507
WORKS			
NE IN NO FESTIUAL FROK BOT FYLED WITH WERKKE3	CLN		136
HIT ARN THY WERKE3 WYTERLY THAT THOU WRO3T HAUE3	CLN		171
AND CONTROEUED AGAYN KYNDE CONTRARE WERKE3	CLN		266
THAT SCHAL WASCH ALLE THE WORLDE OF WERKE3 OF FYLTHE	CLN		355
BOT RELECE ALLE THAT REGIOUN OF HER RONK WERKKE3	CLN		760
IF TEN TRYSTY IN TOUNE BE TAN IN THI WERKKE3.	CLN		763
NOW AR CHAUNGED TO CHORLES AND CHARGED WYTH WERKKES	CLN		1258
AND OFTE HIT MEKNED HIS MYNDE HIS MAYSTERFUL WERKKES	CLN		1328
IN LUST AND IN LECHERYE AND LOTHELYCH WERKKES	CLN		1350
VPON HIT BASE3 OF BRASSE THAT BER VP THE WERKES.	CLN		1480
ABOUTTE HYMSELF AND HIS SADEL VPON SILK WERKE3	GGK		164
AND AL BIGRAUEN WITH GRENE IN GRACIOS WERKES.	GGK		216
HIT IS THE TYTELET TOKEN OF TYXT OF HER WERKKE3.	GGK		1515
HO RA3T HYM A RICHE RYNK OF RED GOLDE WERKE3.	GGK		1817
HIS COTE WYTH THE CONYSAUNCE OF THE CLERE WERKE3	GGK		2026
FOR WELE NE FOR WORCHYP NE FOR THE WLONK WERKKE3	GGK		2432
ALLE FASTE FRELY FOR HER FALCE WERKES	PAT		390
WORLD			
ON VCHE SYDE OF THE WORLDE AYWHERE ILYCHE.	CLN		228
THAT THEN WONYED IN THE WORLDE WYTHOUTEN ANY MAYSTER3.	CLN		252
THENNE IN WORLDE WAT3 A WY3E WONYANDE ON LYUE	CLN		293
FOR I SCHAL WAKEN VP A WATER TO WASCH ALLE THE WORLDE.	CLN		323
THAT SCHAL WASCH ALLE THE WORLDE OF WERKE3 OF FYLTHE	CLN		355
FOR WHEN THE WATER OF THE WELKYN WYTH THE WORLDE METTE	CLN		371
AL WAT3 WASTED THAT WONYED THE WORLDE WYTHINNE	CLN		431
HOW THAT WATTERE3 WERN WONED AND THE WORLDE DRYED	CLN		496
TYL ANY WATER IN THE WORLDE TO WASCHE THE FAYLY.	CLN		548
THAT SO FELE FOLK SCHAL FALLE FRO TO FLETE ALL THE WORLDE	CLN		685
THAT WY3E3 SCHAL BE BY HEM WAR WORLDE WYTHOUTEN ENDE	CLN		712
THAT 3ET THE WYND AND THE WEDER AND THE WORLDE STYNKES	CLN		847
AND WAX HO EUER IN THE WORLDE IN WERYNG SO OLDE.	CLN		1123
MONI A WORTHLY WY3E WHIL HER WORLDE LASTE.	CLN		1298
BOT IF ALLE THE WORLDE WYT HIS WYKKED DEDES	CLN		1360

SO THE WORCHER OF THIS WORLDE WLATES THERWYTH . . . . CLN 1501
A PROPHETE OF THAT PROUINCE AND PRYCE OF THE WORLDE . . . . . CLN 1614
AND ALLE THE WORLDE IN HIS WYLLE WELDE AS HYM LYKED . . . . . CLN 1646
AND ALLE THE WORLDE IN HIS WYLLE WELDE AS HYM LYKES . . . . . CLN V 1646
THAT AS ALLE THE WORLDE WERE THIDER WALON WITHIN A HONDEQUILE . ERK 64
IN WORLDE QUAT WEGHE THOU WAS AND QUY THOW THUS LIGGES . . . . ERK 186
IN AL THIS WORLDE NO WORDE NE WAKENYD NO NOICE . . . . ERK 218
WITH ALL THE WELE OF THE WORLDE THAY WONED THER SAMEN. . . . . GGK 50
WYTH AL THE WONDER OF THE WORLDE WHAT HE WORCH SCHULDE . . . . GGK 238
BOT THENNE THE WEDER OF THE WORLDE WYTH WYNTER HIT THREPE3 . . GGK 504
AND WYNTER WYNDE3 A3AYN AS THE WORLDE ASKE3 . . . . GGK 530
WHETHEN IN WORLDE HE WERE . . . . GGK 871
AND SAYDE HE WAT3 THE WELCOMEST WY3E OF THE WORLDE. . . . . . GGK 938
WELE WAXE3 IN VCHE A WON IN WORLDE FOR HIS SAKE. . . . . . . GGK 997
I NE WOT IN WORLDE WHEDERWARDE TO WENDE HIT TO FYNDE . . . . . GGK 1053
THAT ALLE THE WORLDE WORCHIPE3 QUERESO 3E RIDE . . . . GGK 1227
AND AL THE WELE OF THE WORLDE WERE IN MY HONDE . . . . GGK 1270
BIFORE ALLE THE WY3E3 IN THE WORLDE WOUNDED IN HERT . . . . . GGK 1781
BOT WYLDE WEDERE3 OF THE WORLDE WAKNED THEROUTE. . . . . . . GGK 2000
WAT3 HE NEUER IN THIS WORLDE WY3E HALF SO BLYTHE . . . . . . GGK 2321
WYLDE WAYE3 IN THE WORLDE WOWEN NOW RYDE3. . . . . GGK 2479
FOR THAY SCHAL WELDE THIS WORLDE AND ALLE HER WYLLE HAUE. . . . PAT 16
HE WENDE WEL THAT THAT WY3 THAT AL THE WORLD PLANTED . . . . . PAT 111
WHYDER IN WORLDE THAT THOU WYLT AND WHAT IS THYN ARNDE . . . . PAT 202
ALLE THE WORLDE WYTH THE WELKYN THE WYNDE AND THE STERNES . . . PAT 207
I WOLDE I WERE OF THIS WORLDE WRAPPED IN MOLDE3. . . . . . . PAT 494
THAT ON HANDE FRO THAT OTHER FOR ALLE THIS HY3E WORLDE . . . . PAT 512
I NE WYSTE IN THIS WORLDE QUERE THAT HIT WACE . . . . PRL 65
THOU NE WOSTE IN WORLDE QUAT ON DOT3 MENE. . . . . PRL 293
THAT AL THYS WORLDE SCHAL DO HONOUR. . . . . PRL 424
THAT HADE ENDURED IN WORLDE STRONGE. . . . . PRL 476
SONE THE WORLDE BYCOM WEL BROUN . . . . PRL 537
THEN ALLE THE WY3E3 IN THE WORLDE MY3T WYNNE. . . . . PRL 579
NOW IS THER NO3T IN THE WORLDE ROUNDE . . . . PRL 657
I REDE THE FORSAKE THE WORLDE WODE . . . . PRL 743
WHEN I WENTE FRO YOR WORLDE WETE. . . . . PRL 761
THAT ALLE THYS WORLDE HAT3 WRO3T VPON . . . . PRL 824

WORLDE (V. WORLD)

WORLDES (V. WORLDS)

WORLDE3 (V. WORLDS)

WORLDS

NO WORLDE3 GOUD HIT WYTHINNE BOT WYNDOWANDE ASKES . . . . . . CLN 1048
AND OF THYSE WORLDES WORCHYP WRAST OUT FOR EUER. . . . . . . CLN 1802
THE WY3TEST AND THE WORTHYEST OF THE WORLDES KYNDE. . . . . . GGK 261

WORM

WHIL GOD WAYNED A WORME THAT WROT VPE THE ROTE . . . . PAT 467

WORME (V. WORM)

WORMES (V. WORMS)

WORME3 (V. WORMS)

WORMS

WYLDE WORME3 TO HER WON WYRTHE3 IN THE ERTHE. . . . . CLN 533
THAT HIT THAR RYNE NE ROTE NE NO RONKE WORMES . . . . ERK 262
THAT HIT THAR RYUE NE ROTE NE NO RONKE WORMES . . . . ERK V 262
SUMWHYLE WYTH WORME3 HE WERRE3 AND WITH WOLUES ALS. . . . . . GGK 720

WORRE (CP. WORSE)

AND WEYE VPON THE WORRE HALF THAT WRATHED THE NEUER . . . . . CLN 719
THAT FELE FERDE FOR THE FREKE LEST FELLE HYM THE WORRE . . . . GGK 1588
IN THE WY3TEST OF THE WATER THE WORRE HADE THAT OTHER. . . . . GGK 1591

WORRIED

AND WORIED ME THIS WYLY WYTH A WROTH NOYSE . . . . GGK 1905
WORS (V. WORSE)
WORSCHIP (V. WORSHIP)
WORSCHYP (V. WORSHIP)
WORSE (CP. WORRE)
BOTHE BURNE3 AND BURDE3 THE BETTER AND THE WERS. . . . . CLN 80
WHETHER THAY WERN WORTHY OTHER WERS WEL WERN THAY STOWED. . . . CLN 113
FOR HADE HE LET OF HEM LY3T HYM MO3T HAF LUMPEN WORSE. . . . . CLN 1320
FOR WERRE WRATHED HYM NOT SO MUCH THAT WYNTER WAS WORS . . . . GGK 726
THENNE WYTHER WYTH AND BE WROTH AND THE WERS HAUE . . . . PAT 48
WORSHIP
FORTHY WAR THE NOW WY3E THAT WORSCHYP DESYRES . . . . CLN 545
WYTH WELE AND WYTH WORSCHYP THE WORTHELY PEPLE . . . . CLN 651
THAT WYNNES WORSCHYP ABOF ALLE WHYTE STONES . . . . CLN 1120
NOBOT WASCH HIR WYTH WOURCHYP IN WYN AS HO ASKES . . . . CLN 1127
WORDES OF WORCHYP WYTH A WYS SPECHE. . . . . CLN 1592
AND WYNNE HYM WYTH THI WORCHYP TO WAYNE THE BOTE . . . . CLN 1616
AND OF THYSE WORLDES WORCHYP WRAST OUT FOR EUER. . . . . CLN 1802
AND WAYNED HOM TO WYNNE THE WORCHIP THEROF . . . . GGK 984
OF THE WYNNE WORSCHIP THAT HE HYM WAYNED HADE . . . . GGK 1032
HIT IS THE WORCHYP OF YOURSELF THAT NO3T BOT WEL CONNE3 . . . . GGK 1267
YOUR WORDE AND YOUR WORCHIP WALKE3 AYQUERE . . . . GGK 1521
SUCH WORCHIP HE WOLDE HYM WEUE . . . . GGK 1976
FOR WELE NE FOR WORCHYP NE FOR THE WLONK WERKKE3 . . . . GGK 2432
WYTH YOW WYTH WORSCHYP THE WY3E HIT YOW 3ELDE . . . . GGK 2441
AND WAYUED HOM TO WYNNE THE WORCHIP THEROF . . . . GGK V 984
OF THE WYNNE WORSCHIP THAT HE HYM WAYUED HADE . . . . GGK V 1032
THAT WY3E I WORCHYP IWYSSE THAT WRO3T ALLE THYNGES. . . . . . PAT 206
IS WORTHEN TO WORSCHYP AND WELE IWYSSE. . . . . PRL 394
WHAT MORE WORSCHYP MO3T HE FONGE. . . . . PRL 479
WORSHIPS
THAT ALLE THE WORLDE WORCHIPE3 QUERESO 3E RIDE . . . . GGK 1227
WORST
THAT THAY HAN FOUNDEN IN HER FLESCH OF FAUTE3 THE WERST . . . . CLN 694
THAT IS A WORDE QUOTH THAT WY3T THAT WORST IS OF ALLE. . . . . GGK 1792
THER WONE3 A WY3E IN THAT WASTE THE WORST VPON ERTHE . . . . . GGK 2098
WORT
WELAWYNNE IS THE WORT THAT WAXES THEROUTE. . . . . GGK 518
WORTE3 (V. WORTS)
WORTH
FOR WERE I WORTH AL THE WONE OF WYMMEN ALYUE. . . . . GGK 1269
WYT 3E WEL HIT WAT3 WORTH WELE FUL HOGE . . . . GGK 1820
WEL WORTH THE WY3E THAT WOLDE3 MY GODE. . . . . GGK 2127
CORSED WORTH COWARDDYSE AND COUETYSE BOTHE . . . . GGK 2374
WORTHE
COME3 COF TO MY CORTE ER HIT COLDE WORTHE. . . . . CLN 60
THAT SCHAME3 FOR NO SCHREWEDSCHYP SCHENT MOT HE WORTHE . . . . CLN 580
AND VCHE BLOD IN THAT BURNE BLESSED SCHAL WORTHE . . . . CLN 686
THAT NAS NEUER THYN NOTE VNNEUENED HIT WORTHE . . . . CLN 727
CAYRE TID OF THIS KYTHE ER COMBRED THOU WORTHE . . . . CLN 901
LORDE LOUED HE WORTHE QUOTH LOTH VPON ERTHE . . . . CLN 925
CLERRER COUNSAYL CON I NON BOT THAT THOU CLENE WORTHE. . . . . CLN 1056
AND LELLY LOUY THY LORDE AND HIS LEEF WORTHE. . . . . CLN 1066
AND PURE THE WITH PENAUNCE TYL THOU A PERLE WORTHE. . . . . . CLN 1116
AND IF HIT CHEUE THE CHAUNCE VNCHERYST HO WORTHE . . . . CLN 1125
THAT ON WYF HADE BEN WORTHE THE WELGEST FOURRE . . . . CLN 1244
THAGHE MEN MENSKID HIM SO HOW HIT MY3T WORTHE . . . . ERK 258
FRO BALE HAS BRO3T VS TO BLIS BLESSID THOU WORTHE . . . . . . ERK 340
THAT SO WORTHE AS WAWAN SCHULDE WENDE ON THAT ERNDE . . . . . GGK 559

Text	Source	Line
AND SAYNED HYM AS BI HIS SA3E THE SAUER TO WORTHE	GGK	1202
ME SCHAL WORTHE AT YOUR WILLE AND THAT ME WEL LYKE3	GGK	1214
THEN QUOTH WOWEN IWYSSE WORTHE AS YOW LYKE3	GGK	1302
WORTHE HIT WELE OTHER WO AS THE WYRDE LYKE3	GGK	2134
FOR MERCY IN ALLE MANERES HER MEDE SCHAL WORTHE.	PAT	22
SOBERLY TO DO THE SACRAFYSE WHEN I SCHAL SAUE WORTHE	PAT	334
AND THENNE SCHAL NINIUE BE NOMEN AND TO NO3T WORTHE	PAT	360
FOR TO WAYTE ON THAT WON WHAT SCHULDE WORTHE AFTER.	PAT	436
NIS NO WY3 WORTHE THAT TONGE BERE3	PRL	100
NE WORTHE NO WRATHTHE VNTO MY LORDE.	PRL	362
AND WOLDE HER COROUNE3 WERN WORTHE THO FYUE	PRL	451
WORTHED		
THE BRY3T BOURNE OF THIN EGHEN MY BAPTEME IS WORTHYN	ERK	330
WYTH WELE WALT THAY THAT DAY TIL WORTHED AN ENDE	GGK	485
AND HAF DY3T 3ONDER DERE A DUK TO HAUE WORTHED	GGK	678
WOLDE 3E WORCH BI MY WYTTE YOW WORTHED THE BETTER	GGK	2096
WOLDE 3E WORCHE BI MY WYTTE 3E WORTHED THE BETTER	GGK V	2096
FOR WHATSO WORTHED OF THAT WY3E FRO HE IN WATER DIPPED	PAT	243
WAT3 NOT THIS ILK MY WORDE THAT WORTHEN IS NOUTHE	PAT	414
IS WORTHEN TO WORSCHYP AND WELE IWYSSE.	PRL	394
WORTHELY (V. WORTHLY)		
WORTHELYCH (V. WORTHLY)		
WORTHEN (V. WORTHED)		
WORTHES		
DEPARTED IS THY PRYNCIPALTE DEPRYUED THOU WORTHES	CLN	1738
THAT THOU THUS SLYDES ON SLEPE WHEN THOU SLAYN WORTHES	PAT	200
WORTHE3		
BOT WAXE3 NOW AND WENDE3 FORTH AND WORTHE3 TO MONYE	CLN	521
IWYSSE SIR QUYL I LEUE ME WORTHE3 THE BETTER.	GGK	1035
QUATSOEUER I WYNNE IN THE WOD HIT WORTHE3 TO YOURE3	GGK	1106
IWYSSE WITH AS GOD WYLLE HIT WORTHE3 TO 3OURE3	GGK	1387
WORTHIEST		
THE WY3TEST AND THE WORTHYEST OF THE WORLDES KYNDE.	GGK	261
WORTHILY		
WHEN THAY HAD WASCHEN WORTHYLY THAY WENTEN TO SETE.	GGK	72
BOTH HIS WOMBE AND HIS WAST WERE WORTHILY SMALE.	GGK	144
THAT I HAF WORTHYLY WONNEN THIS WONE3 WYTHINNE	GGK	1386
HE WELCUME3 HIR WORTHILY WITH A WALE CHERE	GGK	1759
AS THAY HADE WONDE WORTHYLY WITH THAT WLONK EUER	GGK	1988
THER WONYS THAT WORTHYLY I WOT AND WENE	PRL	47
SO WORTHLY WHYT WERN WEDE3 HYS	PRL	1133
WORTHILYCH (V. WORTHLY)		
WORTHLOKER		
IWYSSE A WORTHLOKER WON TO WELDE I NEUER KEPED	PAT	464
WORTHLY		
WENDE WORTHELYCH WY3T VS WONE3 TO SECHE	CLN	471
WYTH WELE AND WYTH WORSCHYP THE WORTHELY PEPLE	CLN	651
MONI A WORTHLY WY3E WHIL HER WORLDE LASTE.	CLN	1298
AND HADE A WYF FOR TO WELDE A WORTHELYCH QUENE	CLN	1351
WOLDE 3E WORTHILYCH LORDE QUOTH WAWAN TO THE KYNG	GGK	343
AL WELWED AND WATED THO WORTHELYCH LEUES	PAT	475
IS TO THAT LOMBE A WORTHYLY WYF	PRL	846
AND TO EUEN WYTH THAT WORTHLY LY3T	PRL	1073
WORTHY		
THISE OTHER WRECHE3 IWYSSE WORTHY NO3T WERN	CLN	84
WHETHER THAY WERN WORTHY OTHER WERS WEL WERN THAY STOWED.	CLN	113
NE NEUER WOLDE FOR WYLNESFUL HIS WORTHY GOD KNAWE	CLN	231
THAT THE WYKKED AND THE WORTHY SCHAL ON WRAKE SUFFER	CLN	718
NE NEUER WOLDE FOR WYLFULNES HIS WORTHY GOD KNAWE	CLN V	231

TO WELCUM THIS ILK WY3 AS WORTHY HOM THO3T . . . . GGK 819
IWYSSE WORTHY QUOTH THE WY3E 3E HAF WALED WEL BETTER . . . . . GGK 1276
SIR WAWEN HER WELCUMED WORTHY ON FYRST. . . . . GGK 1477
I WOLED WYT AT YOW WY3E THAT WORTHY THER SAYDE . . . . GGK 1508
THAT SO WORTHY AS 3E WOLDE WYNNE HIDERE . . . . GGK 1537
LO SO HIT IS LITTEL THE LASSE HIT IS WORTHY . . . . GGK 1848
THEN SAYDE TO ME THAT WORTHY WY3TE . . . . PRL 494
AM NOT WORTHY SO GRET FERE. . . . . PRL 616
AM NOT WORTHY SO GRET HERE. . . . . PRL 1 616
AM NOT WORTHY SO GRET HERE. . . . . PRL 2 616
AM NOT WORTHY SO GRET HERE. . . . . PRL 3 616

WORTHYEST (V. WORTHIEST)

WORTHYLY (V. WORTHILY, WORTHLY)

WORTHYN (V. WORTHED)

WORTS

THE WARM WYNDE OF THE WESTE WERTES HE SWYTHE3 . . . . PAT 478
SCHADOWED THIS WORTE3 FUL SCHYRE AND SCHENE . . . . PRL 42

WOS (APP. 1)

WOSE

AND THA3 I BE BUSTWYS AS A WOSE . . . . PRL 2 911

WOST

WOST THOU NOT WEL THAT THOU WONE3 HERE A WY3E STRANGE. . . . . CLN 875
AS THOU HIT WOST WYTERLY AND WE HIT WELE LEUEN . . . . ERK 183
THOU NE WOSTE IN WORLDE QUAT ON DOT3 MENE. . . . . PRL 293
THOW WOST WEL WHEN THY PERLE CON SCHEDE . . . . PRL 411

WOSTE (V. WOST)

WOSTOUNDE3

I AM WRAPPED IN WATER TO MY WOSTOUNDE3. . . . . PAT 317

WOT

SITHEN WE WOT NOT QWO THOU ART WITERE VS THISELWEN. . . . . . ERK 185
THEN IN ANY OTHER THAT I WOT SYN THAT ILK TYME . . . . GGK 24
I AM THE WAKKEST I WOT AND OF WYT FEBLEST. . . . . GGK 354
I WOT NEUER WHERE THOU WONYES BI HYM THAT ME WRO3T. . . . . . GGK 399
BOT 3ET I WOT THAT WAWEN AND THE WALE BURDE . . . . GGK 1010
I NE WOT IN WORLDE WHEDERWARDE TO WENDE HIT TO·FYNDE . . . . . GGK 1053
I AM WY3E VNWORTHY I WOT WEL MYSELUEN . . . . GGK 1244
WHAT IS THAT QUOTH THE WYGHE IWYSSE I WOT NEUER. . . . . . . GGK 1487
TO YOW THAT I WOT WEL WELDE3 MORE SLY3T . . . . GGK 1542
FOR I MOT NEDES AS 3E WOT MEUE TOMORNE. . . . . GGK 1965
MYN OWEN WYF HIT THE WEUED I WOT WEL FORSOTHE . . . . GGK 2359
FOR THE WELDER OF WYT THAT WOT ALLE THYNGES . . . . PAT 129
BOT NOW I WOT WYTERLY THAT THOSE VNWYSE LEDES . . . . PAT 330
WHAT WOTE OTHER WYTE MAY 3IF THE WY3E LYKES . . . . PAT 397
I WOT HIS MY3T IS SO MUCH THA3 HE BE MYSSEPAYED. . . . . . . PAT 399
THER WONYS THAT WORTHYLY I WOT AND WENE . . . . PRL 47
WYTH LAPPE3 LARGE I WOT AND I WENE . . . . PRL 201
TO A LORDE THAT HADE A VYNE I WATE . . . . PRL 502
HUNDRETH THOWSANDE3 I WOT THER WERE. . . . . PRL 1107

WOTE (V. WOT)

WOTHE

WHAT HE WONDED FOR NO WOTHE OF WEKKED KNAUE3. . . . . CLN 855
THAT SO HIS SERUAUNTES WOLDE SEE AND SAUE OF SUCH WOTHE . . . CLN 988
BOT FOR WOTHE NE WELE NE WRATHE NE DREDE . . . . ERK 233
DRIUANDE TO THE HE3E DECE DUT HE NO WOTHE. . . . . GGK 222
FOR WOTHE THAT THOU NE WONDE . . . . GGK 488
FOR WOTHE . . . . GGK 1576
THENNE THAR MON DREDE NO WATHE . . . . GGK 2355
FRO THOU WAT3 WROKEN FRO VCH A WOTHE . . . . PRL 375
FOR WOTHE THE WELE3 SO WYNNE WORE . . . . PRL 2 154

Entry	Text	Line
WOTHE3		
BOT WOTHE3 MO IWYSSE THER WARE	PRL	151
WOUEN (V. WOVEN)		
WOUND		
THAT WAT3 WOUNDEN WYTH YRN TO THE WANDE3 ENDE	GGK	215
BLOD AND WATER OF BRODE WOUNDE	PRL	650
BOT A WOUNDE FUL WYDE AND WEETE CON WYSE	PRL	1135
THA3 HE WERE HURT AND WOUNDE HADE	PRL	1142
WOUNDE (V. WOUND)		
WOUNDED		
BIFORE ALLE THE WY3E3 IN THE WORLDE WOUNDED IN HERT	GGK	1781
WOUNDEN (V. WOUND)		
WOUNDS		
AND ALLE HIS AFYAUNCE VPON FOLDE WAT3 IN THE FYUE WOUNDE3	GGK	642
WOURCHYP (V. WORSHIP)		
WOVEN		
FOR HIT IS MY WEDE THAT THOU WERE3 THAT ILKE WOUEN GIRDEL	GGK	2358
WOWAYN (V. GAWAIN)		
WOWCHE (V. VOUCH)		
WOWE (V. WO3E)		
WOWEN (V. GAWAIN)		
WOWES (V. WO3ES)		
WOWE3 (V. WO3ES)		
WOWYNG (V. WOOING)		
WO3E		
THE TRESTES TYLT TO THE WO3E AND THE TABLE BOTHE	CLN	832
IN THE PALAYS PRYNCIPALE VPON THE PLAYN WOWE.	CLN	1531
AND RASPED ON THE RO3 WO3E RUNISCH SAUE3	CLN	1545
WYT THE WYTTE OF THE WRYT THAT ON THE WOWE CLYUES	CLN	1630
THAT RASPED RENYSCHLY THE WO3E WYTH THE RO3 PENNE	CLN	1724
TAPYTE3 TY3T TO THE WO3E OF TULY AND TARS.	GGK	858
FORTO HAF WONNEN HYM TO WO3E WHATSO SCHO THO3T ELLE3	GGK	1550
THUR3 WO3E AND WON MY LOKYNG 3EDE	PRL	1049
WO3ES		
WYTH KENE CLOBBE3 OF THAT CLOS THAY CLATER3 ON THE WOWE3.	CLN	839
AYWHERE BY THE WOWES WRASTEN KRAKKES	CLN	1403
AND HIS BOLDE BARONAGE ABOUTE BI THE WO3ES	CLN	1424
WYTH KENE CLOBBE3 OF THAT CLOS THAY CLAT3 ON THE WOWE3	CLN V	839
LURKKE3 QUYL THE DAYLY3T LEMED ON THE WOWES	GGK	1180
WAKNED BI WO3E3 WAXEN TORCHES.	GGK	1650
WO3E3 (V. WO3ES)		
WRACHE (V. WRACK)		
WRACK		
AND WEX WOD TO THE WRACHE FOR WRATH AT HIS HERT.	CLN	204
WITH THIS WORDE THAT HE WARP THE WRAKE ON HYM LY3T.	CLN	213
3ISSE HIT WAT3 A BREM BREST AND A BYGE WRACHE	CLN	229
BOT THAT OTHER WRAKE THAT WEX ON WY3E3 HIT LY3T.	CLN	235
AND THERON FLOKKED THE FOLKE FOR FERDE OF THE WRAKE	CLN	386
THAT THE WYKKED AND THE WORTHY SCHAL ON WRAKE SUFFER	CLN	718
WHEN THAY WERN WAR OF THE WRAKE THAT NO WY3E ACHAPED	CLN	970
AND WITTNESSE OF THAT WYKKED WERK AND THE WRAKE AFTER.	CLN	1050
WAR THE THENNE FOR THE WRAKE HIS WRATH HAT3 ACHAUFED	CLN	1143
NOW SE SO THE SOUERAYN SET HAT3 HIS WRAKE.	CLN	1225
ENTYSES HYM TO BE TENE TELLED VP HIS WRAKE	CLN	1808
THIS HIT WAT3 A BREM BREST AND A BYGE WRACHE.	CLN V	229
ENTYSES HYM TO BE TENE TELDES VP HIS WRAKE	CLN V	1808
WHERE WERRE AND WRAKE AND WONDER.	GGK	16
ONHELDE BY THE HURROK FOR THE HEUEN WRACHE	PAT	185
WRACKFUL		

WYLDE WRAKFUL WORDE3 IN HIS WYLLE GREUED . . . . CLN 302
LO SUCHE A WRAKFUL WO FOR WLATSUM DEDE3 . . . . CLN 541
FOR HOR WRAKEFUL WERRE QUIL HOR WRATHE LASTYD . . . . ERK 215
WRAK (V. WREAKED)
WRAKE (V. WRACK)
WRAKEFUL (V. WRACKFUL)
WRAKFUL (V. WRACKFUL)
WRANG (V. WRONG)
WRANGE (V. WRONG)
WRANGES (V. WRONGS)
WRANK (V. WRONG)
WRAP
WICH ARN THENNE THY WEDE3 THOU WRAPPE3 THE INNE. . . . . . . CLN 169
WRAPPED
I AM WRAPPED IN WATER TO MY WOSTOUNDE3. . . . . PAT 317
I WOLDE I WERE OF THIS WORLDE WRAPPED IN MOLDE3. . . . . . . PAT 494
WRAPPE3 (V. WRAP)
WRAST (ALSO V. WREST, WRESTED)
WYLDE WORDE3 HYM WARP WYTH A WRAST NOYCE . . . . GGK 1423
TO WRAST. . . . . GGK 1663
WRASTEL (V. WRESTLE)
WRASTELE3 (V. WRESTLED)
WRASTEN (V. WRESTED)
WRASTLED (V. WRESTLED)
WRATH
AND WEX WOD TO THE WRACHE FOR WRATH AT HIS HERT. . . . . . . CLN 204
I SCHAL WAST WITH MY WRATH THAT WONS VPON VRTHE. . . . . . . CLN 326
AND THE GULT OF GOMORRE GARE3 ME TO WRATH. . . . . CLN 690
NOW SAYNED BE THOU SAUIOUR SO SYMPLE IN THY WRATH . . . . . . CLN 746
WAR THE THENNE FOR THE WRAKE HIS WRATH HAT3 ACHAUFED . . . . . CLN 1143
AND THAT WAKNED HIS WRATH AND WRAST HIT SO HY3E. . . . . . . CLN 1166
FOR HOR WRAKEFUL WERRE QUIL HOR WRATHE LASTYD . . . . ERK 215
BOT FOR WOTHE NE WELE NE WRATHE NE DREDE . . . . ERK 233
HE WYL WENDE OF HIS WODSCHIP AND HIS WRATH LEUE. . . . . . . PAT 403
HERK RENK IS THIS RY3T SO RONKLY TO WRATH. . . . . PAT 431
WHY SCHULDE I WRATH WYTH HEM SYTHEN WY3E3 WYL TORNE . . . . . PAT 518
NE WORTHE NO WRATHTHE VNTO MY LORDE. . . . . PRL 362
WRATHE (V. WRATH)
WRATHED
AND 3ET WRATHED NOT THE WY3 NE THE WRECH SA3TLED . . . . . . CLN 230
AND WEYE VPON THE WORRE HALF THAT WRATHED THE NEUER . . . . . CLN 719
WHY WAT3 HO WRECH SO WOD HO WRATHED OURE LORDE. . . . . . . CLN 828
FOR WERRE WRATHED HYM NOT SO MUCH THAT WYNTER WAS WORS . . . . GGK 726
AND YOW WRATHED NOT THERWYTH WHAT WERE THE SKYLLE . . . . . . GGK 1509
NOW THESE WERE WRATHED WYTH HER WYLES HIT WERE A WYNNE HUGE. . GGK 2420
AL HE WRATHED IN HIS WYT AND WYTHERLY HE THO3T . . . . PAT 74
WRATHTHE (V. WRATH)
WRA3TE
MY WRECHED WYLLE IN WO AY WRA3TE. . . . . PRL 56
WREAKED
THAT EUER HE WREK SO WYTHERLY ON WERK THAT HE MADE. . . . . . CLN 198
WHEDER WONDERLY HE WRAK ON WYKKED MEN AFTER . . . . CLN 570
WRECH (V. WRETCH)
WRECHCHE (V. WRETCH)
WRECHED (V. WRETCHED)
WRECHE3 (V. WRETCHES)
WREK (V. WREAKED)
WRENCHES
I SCHAL WAYTE TO BE WAR HER WRENCHE3 TO KEPE. . . . . CLN 292

WRENCHE3 (V. WRENCHES)

WREST
- WRYTHE ME IN A WARLOK WRAST OUT MYN Y3EN . . . . PAT 80

WRESTED
- AND THAT WAKNED HIS WRATH AND WRAST HIT SO HY3E. . . . . CLN 1166
- AYWHERE BY THE WOWES WRASTEN KRAKKES . . . . CLN 1403
- AND OF THYSE WORLDES WORCHYP WRAST OUT FOR EUER. . . . . . . CLN 1802
- WY3E THAT IS SO WEL WRAST ALWAY TO GOD. . . . . GGK 1482

WRESTLE
- THE WYNDES ON THE WONNE WATER SO WRASTEL TOGEDER . . . . . . PAT 141

WRESTLED
- AND THAY WROTHELY VPWAFTE AND WRASTLED TOGEDER . . . . CLN 949

WRESTLES
- WROTHE WYNDE OF THE WELKYN WRASTELE3 WITH THE SUNNE . . . . . GGK 525

WRETCH
- AND 3ET WRATHED NOT THE WY3 NE THE WRECH SA3TLED . . . . . . CLN 230
- WHY WAT3 HO WRECH SO WOD HO WRATHED OURE LORDE. . . . . . . CLN 828
- LO THE WYTLES WRECHCHE FOR HE WOLDE NO3T SUFFER. . . . . . . PAT 113
- I LEUE HERE BE SUM LOSYNGER SUM LAWLES WRECH. . . . . PAT 170
- WHAT THE DEUEL HAT3 THOU DON DOTED WRECH . . . . PAT 196
- WARDED THIS WRECH MAN IN WARLOWES GUTTE3 . . . . PAT 258

WRETCHED
- MY WRECHED WYLLE IN WO AY WRA3TE. . . . . PRL 56

WRETCHES
- THISE OTHER WRECHE3 IWYSSE WORTHY NO3T WERN . . . . CLN 84
- FOR HE KNEW THE COSTOUM THAT KYTHED THOSE WRECHE3 . . . . . . CLN 851

WRE3ANDE
- WRE3ANDE HYM FUL WETERLY WITH A WROTH NOYSE . . . . GGK 1706

WRINKLED
- RUGH RONKLED CHEKE3 THAT OTHER ON ROLLED . . . . GGK 953

WRIST
- NON OTHER FORME BOT A FUST FAYLANDE THE WRYSTE . . . . CLN 1535

WRIT
- FOR SOTHELY AS SAYS THE WRYT HE WERN OF SADDE ELDE. . . . . . CLN 657
- TO WAYTE THE WRYT THAT HIT WOLDE AND WYTER HYM TO SAY. . . . . CLN 1552
- THAT I MAY WYTERLY WYT WHAT THAT WRYT MENES . . . . CLN 1567
- WYT THE WYTTE OF THE WRYT THAT ON THE WOWE CLYUES . . . . . . CLN 1630
- I SCHAL WYSSE YOW THERWYTH AS HOLY WRYT TELLES . . . . PAT 60
- HIT WERE A WONDER TO WENE 3IF HOLY WRYT NERE. . . . . PAT 244
- OTHER HOLY WRYT IS BOT A FABLE . . . . PRL 592
- AS JOHN THISE STONE3 IN WRIT CON NEMME. . . . . PRL 997

WRITES
- THAT WAT3 GRYSLY AND GRET AND GRYMLY HE WRYTES . . . . CLN 1534
- AS JOHN HYM WRYTE3 3ET MORE I SY3E . . . . PRL 1033

WRITHE
- WYLDE WORME3 TO HER WON WYRTHE3 IN THE ERTHE. . . . . CLN 533
- WRYTHE ME IN A WARLOK WRAST OUT MYN Y3EN . . . . PAT 80
- OF THE WAY A FOTE NE WYL HE WRYTHE . . . . PRL 350
- THAT GOD WOLDE WRYTHE SO WRANGE AWAY . . . . PRL 488
- WRYTHEN AND WORCHEN AND DON GRET PYNE . . . . PRL 511

WRITHED
- THEN HE WAKENEDE AND WROTH AND TO-HIR-WARDE TORNED. . . . . . GGK 1200

WRITS
- FOR AS HE SAYS IN HIS SOTHE PSALMYDE WRITTES. . . . . ERK 277

WRITTEN
- THISE ARE THE WORDES HERE WRYTEN WYTHOUTE WERK MORE . . . . . CLN 1725
- IN APOKALYPE3 WRYTEN FUL 3ARE. . . . . PRL 834
- IN APPOCALYPPECE IS WRYTEN IN WRO . . . . PRL 866
- ON ALLE HER FORHEDE3 WRYTEN I FANDE. . . . . PRL 871

WRITTES (V. WRITS)
WRO
    WHYRLANDE OUT OF A WRO WYTH A FELLE WEPPEN . . . . GGK 2222
    IN APPOCALYPPECE IS WRYTEN IN WRO . . . . PRL 866
WROGHT (V. WROUGHT)
WROGHTES (V. WROUGHT)
WROGHTYN (V. WROUGHT)
WROKEN (V. RECKED)
WRONG
    MORE TO WYTE IS HER WRANGE THEN ANY WYLLE GENTYL . . . . . . CLN 76
    AND ALS WITH OTHER WYLSFULLY VPON A WRANGE WYSE. . . . . . . CLN 268
    BOT THAY WERN WAKNED AL WRANK THAT THER IN WON LENGED. . . . CLN 891
    FOR TO DRESSE A WRANGE DOME NO DAY OF MY LYUE . . . . ERK 236
    IF I WERE WERNED I WERE WRANG IWYSSE 3IF I PROFERED . . . . GGK 1494
    THAT THAT PENAUNCE PLESED HIM THAT PLAYNE3 ON HER WRONGE. . . PAT 376
    WEPANDE FUL WONDERLY ALLE HIS WRANGE DEDES . . . . PAT 384
    THAT WONT WAT3 WHYLE DEUOYDE MY WRANGE. . . . . PRL 15
    THAT GOD WOLDE WRYTHE SO WRANGE AWAY . . . . PRL 488
    THAT I MY PENY HAF WRANG TAN HERE . . . . PRL 614
    THAT WRO3T NEUER WRANG ER THENNE THAY WENTE . . . . PRL 631
WRONGE (V. WRONG)
WRONGS
    THAGHE HAD BENE MY FADER BONE I BEDE HYM NO WRANGES . . . . ERK 243
WROT (V. ROOTED)
WROTH (ALSO V. WRITHED, WROUGHT)
    FOR WONDER WROTH IS THE WY3 THAT WRO3T ALLE THINGES . . . . CLN 5
    WYTH WROTHE WOLFES TO WON AND WYTH WYLDE ASSES . . . . CLN 1676
    AND HE THAT WAN WAT3 NOT WROTHE THAT MAY 3E WEL TRAWE. . . . GGK 70
    HE WEX AS WROTH AS WYNDE . . . . GGK 319
    WROTHE WYNDE OF THE WELKYN WRASTELE3 WITH THE SUNNE . . . . GGK 525
    THAT AL FORWONDERED WAT3 THE WY3E AND WROTH WITH HYMSELUEN . . GGK 1660
    WRE3ANDE HYM FUL WETERLY WITH A WROTH NOYSE . . . . GGK 1706
    AND WORIED ME THIS WYLY WYTH A WROTH NOYSE . . . . GGK 1905
    THENNE WYTHER WYTH AND BE WROTH AND THE WERS HAUE . . . . . . PAT 48
    HE WEX AS WROTH AS THE WYNDE TOWARDE OURE LORDE. . . . . . . PAT 410
    SO WROTH FOR A WODBYNDE TO WAX SO SONE. . . . . PAT 491
    THOU ART WAXEN SO WROTH FOR THY WODBYNDE . . . . PAT 497
    GOD FORBEDE WE BE NOW WROTHE . . . . PRL 379
WROTHE (V. WROTH)
WROTHELOKER
    I COUTHE WROTHELOKER HAF WARET TO THE HAF WRO3T ANGER. . . . GGK 2344
    THAY WAKENED WEL THE WROTHELOKER FOR WROTHELY HE CLEPED . . . PAT 132
WROTHELY (V. WROTHLY)
WROTHER
    AND EUER WROTHER THE WATER AND WODDER THE STREMES . . . . . . PAT 162
WROTHLY
    THAT THE WY3E THAT AL WRO3T FUL WROTHLY BYGYNNE3 . . . . . . CLN 280
    AND THAY WROTHELY VPWAFTE AND WRASTLED TOGEDER . . . . CLN 949
    AND WAYTE3 AS WROTHELY AS HE WODE WERE. . . . . GGK 2289
    THAY WAKENED WEL THE WROTHELOKER FOR WROTHELY HE CLEPED . . . PAT 132
WROUGHT
    FOR WONDER WROTH IS THE WY3 THAT WRO3T ALLE THINGES . . . . CLN 5
    HIT ARN THY WERKE3 WYTERLY THAT THOU WRO3T HAUE3 . . . . . . CLN 171
    FOR THE FYRSTE FELONYE THE FALCE FENDE WRO3T. . . . . CLN 205
    THAT THE WY3E THAT AL WRO3T FUL WROTHLY BYGYNNE3 . . . . . . CLN 280
    AND A WYNDOW WYD VPONANDE WRO3T VPON LOFTE . . . . CLN 318
    AL IS WRO3T AT THI WORDE AS THOU ME WYT LANTE3 . . . . CLN 348
    THAT WAT3 NEUER THY WON THAT WRO3TE3 VS ALLE. . . . . CLN 720
    SCHAL THAY FALLE IN THE FAUTE THAT OTHER FREKE3 WRO3T. . . . CLN 725

BOT 3ET I WENE THAT THE WYF HIT WROTH TO DYSPYT. . . . . CLN 821
AND THER HE WRO3T AS THE WYSE AS 3E MAY WYT HEREAFTER. . . . . CLN 1319
WYTH A WONDER WRO3T WALLE WRUXELED FUL HI3E . . . . CLN 1381
FOR TO COMPAS AND KEST TO HAF HEM CLENE WRO3T . . . . CLN 1455
TIL HE WYST FUL WEL WHO WRO3T ALLE MY3TES. . . . . CLN 1699
AND A WYNDOW WYD VPON WRO3T VPON LOFTE. . . . . CLN V 318
AL WAS HIT NEUER MY WILLE THAT WROGHT THUS HIT WERE . . . . . ERK 226
QUERE IS HO STABLID AND STADDE IF THOU SO STRE3T WROGHTES . . ERK 274
QUAT WAN WE WITH OURE WELEDEDE THAT WROGHTYN AY RI3T . . . . . ERK 301
THE TULK THAT THE TRAMMES OF TRESOUN THER WRO3T. . . . . GGK 3
IN MONY TURNED TYME TENE THAT WRO3TEN . . . . GGK 22
I WOT NEUER WHERE THOU WONYES BI HYM THAT ME WRO3T. . . . . . GGK 399
WARLOKER TO HAF WRO3T HAD MORE WYT BENE . . . . GGK 677
I SCHAL TELLE YOW HOW THAY WRO3T. . . . . GGK 1997
I COUTHE WROTHELOKER HAF WARET TO THE HAF WRO3T ANGER. . . . . GGK 2344
AND THE WOWYNG OF MY WYF I WRO3T HIT MYSELUEN . . . . GGK 2361
THAT WY3E I WORCHYP IWYSSE THAT WRO3T ALLE THYNGES. . . . . . PAT 206
AS LYTTEL BARNE3 ON BARME THAT NEUER BALE WRO3T. . . . . PAT 510
THAY WENTE INTO THE VYNE AND WRO3TE. . . . . PRL 525
THENN THYSE THAT WRO3T NOT HOURE3 TWO . . . . PRL 555
THAY LAFTEN RY3T AND WRO3TEN WOGHE . . . . PRL 622
THAT WRO3T NEUER WRANG ER THENNE THAY WENTE . . . . PRL 631
FYRSTE WAT3 WRO3T TO BLYSSE PARFYT . . . . PRL 638
THAT WRO3T THY WEDE HE WAT3 FUL WYS. . . . . PRL 748
THAT ALLE THYS WORLDE HAT3 WRO3T VPON . . . . PRL 824
HYMSELF NE WRO3T NEUER 3ET NON . . . . PRL 825

WRO3T (V. WROUGHT)
WRO3TE (V. WROUGHT)
WRO3TEN (V. WROUGHT)
WRO3TE3 (V. WROUGHT)
WRUXELED (V. WRUXLED)
WRUXLED

WYTH A WONDER WRO3T WALLE WRUXELED FUL HI3E . . . . CLN 1381
WEL BISEME3 THE WY3E WRUXLED IN GRENE . . . . GGK 2191

WRYSTE (V. WRIST)
WRYT (V. WRIT)
WRYTEN (V. WRITTEN)
WRYTES (V. WRITES)
WRYTE3 (V. WRITES)
WRYTHE (V. WRITHE)
WRYTHEN (V. WRITHE)
WUNDER (V. WONDER)
WUNNEN (V. WON)
WYCH (V. WHICH)
WYCHECRAFTE (V. WITCHCRAFT)
WYCHE3 (V. WITCHES)
WYD (V. WIDE)
WYDDERED (V. WITHERED)
WYDE (V. WIDE)
WYDOE3 (V. WIDOWS)
WYF (V. WIFE)
WYGHE (V. WY3E)
WYK (V. WYKKE)
WYKET (V. WICKET)
WYKE3

THE FROTHE FEMED AT HIS MOUTH VNFAYRE BI THE WYKE3. . . . . . GGK 1572

WYKKE

WYTH ALLE THISE WY3E3 SO WYKKE WY3TLY DEVOYDE . . . . CLN 908
AND IF THOU WYRKKES ON THIS WYSE THA3 HO WYK WERE . . . . . . CLN 1063

FOR IWYSSE HIT ARN SO WYKKE THAT IN THAT WON DOWELLE3. . . . . PAT 69
WYKKED (V. WICKED)
WYKKET (V. WICKET)
WYL (APP. 1)
WYLDAY
WELNE3 WYLDAY WAT3 PASSED DATE . . . . PRL 1 528
WELNE3 WYLDAY WAT3 PASSED DATE . . . . PRL 3 528
WYLDE (V. WILD)
WYLDREMES
THEN WAKENED THE WY3E OF HIS WYLDREMES. . . . . PAT 473
WYLDREN (V. WILDREN)
WYLDRENESSE (V. WILDERNESS)
WYLE (V. WHILE, WILY)
WYLES (V. WILES)
WYLE3 (V. WILES)
WYLFULNES (V. WILLFULNESS)
WYLGER
WATER WYLGER AY WAX WONE3 THAT STRYEDE. . . . . CLN 375
WYLLE (V. WILL AND APP. 1)
WYLNESFUL (V. WILLNESSFUL)
WYLNE3
THOU WYLNE3 OUER THYS WATER TO WEUE. . . . . PRL 318
WYLNYNG
I WOLDE YOWRE WYLNYNG WORCHE AT MY MY3T . . . . GGK 1546
WYLSFULLY (V. WILLSFULLY)
WYLSUM
MONY WYLSUM WAY HE RODE. . . . . GGK 689
WYLT (ALSO V. APP. 1)
WENT HAF WYLT OF THE WODE WITH WYLE3 FRO THE HOUNDES . . . . . GGK 1711
WYLY (V. WILY)
WYLYDE
BOT THAT WAT3 FOR NO WYLYDE WERKE NE WOWYNG NAUTHER . . . . . GGK 2367
WYMMEN (V. WOMEN)
WYN (V. WINE)
WYND (V. WIND)
WYNDAS (V. WINDLASS)
WYNDE (V. WIND)
WYNDES (V. WINDS)
WYNDE3 (V. WINDS)
WYNDOW (V. WINDOW)
WYNDOWANDE
NO WORLDE3 GOUD HIT WYTHINNE BOT WYNDOWANDE ASKES . . . . . . CLN 1048
WYNDOWE (V. WINDOW)
WYNE (V. WINE)
WYNGE (V. WING)
WYNGE3 (V. WINGS)
WYNNE (ALSO V. WIN)
WYTH WYNNE . . . . GGK 15
OF THE WYNNE WORSCHIP THAT HE HYM WAYNED HADE . . . . GGK 1032
AND WYNNE . . . . GGK 1765
NOW THESE WERE WRATHED WYTH HER WYLES HIT WERE A WYNNE HUGE. . GGK 2420
THAT WYL I WELDE WYTH GOUD WYLLE NOT FOR THE WYNNE GOLDE. . . GGK 2430
HO WAYNED ME VPON THIS WYSE TO YOUR WYNNE HALLE. . . . . . . GGK 2456
OF THE WYNNE WORSCHIP THAT HE HYM WAYUED HADE . . . . GGK V 1032
FOR WO THER WELE3 SO WYNNE WORE . . . . PRL 154
AND WYNNE WATER THEN AT THAT PLYT . . . . PRL 647
FOR WOTHE THE WELE3 SO WYNNE WORE . . . . PRL 2 154
WYNNELYCH
OF THAT WYNNELYCH LORDE THAT WONYES IN HEUEN. . . . . CLN 1807

AND THE WYNNELYCH WYNE THERWITH VCHE TYME. . . . . GGK 980
WYNNES (V. WINS)
WYNNE3 (V. WINS)
WYNTER (V. WINTER)
WYNTHOLE (V. WIND-HOLE)
WYPPED (V. WHIPPED, WIPED)
WYRALE (V. WIRRAL)
WYRDE
HOW THAT DESTINE SCHULDE THAT DAY DELE HYM HIS WYRDE . . . . . GGK 1752
WORTHE HIT WELE OTHER WO AS THE WYRDE LYKE3 . . . . GGK 2134
DALYDA DALT HYM HYS WYRDE AND DAUYTH THERAFTER . . . . GGK 2418
A WYLDE WALTERANDE WHAL AS WYRDE THEN SCHAPED . . . . PAT 247
WHAT WYRDE HAT3 HYDER MY IUEL VAYNED . . . . PRL 249
AND THOU HAT3 CALLED THY WYRDE A THEF . . . . PRL 273
WYRDES
AND THERE IN DOUNGOUN BE DON TO DRE3E THER HIS WYRDES. . . . . CLN 1224
HE KEUERED HYM WYTH HIS COUNSAYL OF CAYTYF WYRDES . . . . . . CLN 1605
TO DELE ON NW3ERE3 DAY THE DOME OF MY WYRDES. . . . . GGK 1968
WYRK (V. WORK)
WYRKE (V. WORK)
WYRKE3 (V. WORK)
WYRKKES (V. WORK)
WYRLE (V. WHIRL)
WYRLED (V. WHIRLED)
WYS (V. WISE)
WYSCHANDE (V. WISHING)
WYSCHED (V. WISHED)
WYSE (ALSO V. WISE)
BOT A WOUNDE FUL WYDE AND WEETE CON WYSE . . . . PRL 1135
WYSED
THENNE WAFTE HE VPON HIS WYNDOWE AND WYSED THEROUTE . . . . . CLN 453
WYSES (V. WISES)
WYSSE
TO SECH THE GOME OF THE GRENE AS GOD WYL ME WYSSE . . . . . . GGK 549
AND WYSSE HYM TO SUM WONE . . . . GGK 739
I SCHAL WYSSE YOW THERWYTH AS HOLY WRYT TELLES . . . . PAT 60
WYSSES
AND CALLE WYTH A HI3E CRY HE THAT THE KYNG WYSSES. . . . . . CLN 1564
WYST (V. WIST)
WYSTE (V. WIST)
WYSTEN (V. WIST)
WYSTE3 (V. WIST)
WYSTY
NOW IWYSSE QUUTH WOWAYN WYSTY IS HERE . . . . GGK 2189
WYT (V. WIT)
WYTE (ALSO V. WIT)
MORE TO WYTE IS HER WRANGE THEN ANY WYLLE GENTYL . . . . CLN 76
WYTER
TO WAYTE THE WRYT THAT HIT WOLDE AND WYTER HYM TO SAY. . . . . CLN 1552
WYTERED
WHEN HO WAT3 WYTERED BI WY3ES WHAT WAT3 THE CAUSE . . . . . . CLN 1587
WYTERLY
HIT ARN THY WERKE3 WYTERLY THAT THOU WRO3T HAUE3 . . . . CLN 171
THAT I MAY WYTERLY WYT WHAT THAT WRYT MENES . . . . CLN 1567
AS THOU HIT WOST WYTERLY AND WE HIT WELE LEUEN . . . . ERK 183
BOT NOW I WOT WYTERLY THAT THOSE VNWYSE LEDES . . . . PAT 330
WYTE3
THE WY3E WYNNE3 HYM TO AND WYTE3 ON HIS LYRE. . . . . GGK 2050
WYTHAL (V. WITHALL)

WYTHDRO3 (V. WITHDREW)
WYTHE
THAT EUER WAYUED A WYNDE SO WYTHE AND SO COLE . . . . PAT 454
WYTHER
THENNE WYTHER WYTH AND BE WROTH AND THE WERS HAUE . . . . . . PAT 48
ON WYTHER HALF WATER COM DOUN THE SCHORE . . . . PRL 230
WYTHERLY
THAT EUER HE WREK SO WYTHERLY ON WERK THAT HE MADE. . . . . . CLN 198
AL HE WRATHED IN HIS WYT AND WYTHERLY HE THO3T . . . . PAT 74
WYTHHALDE (V. WITHHOLD)
WYTHHALDE3 (V. WITHHOLDS)
WYTHHYLDE (V. WITHHELD)
WYTHNAY
WYTHNAY THOU NEUER MY RUFUL BONE. . . . . PRL 916
WYTLES (V. WITLESS)
WYTTE (V. WIT)
WYTTENESSE (V. WITNESS)
WYTTES (V. WITS)
WYTTE3 (V. WITS)
WYUES (V. WIVES)
WYUE3 (V. WIVES)
WY3 (V. WY3E)
WY3E
FOR WONDER WROTH IS THE WY3 THAT WRO3T ALLE THINGES . . . . . CLN 5
AND 3ET WRATHED NOT THE WY3 NE THE WRECH SA3TLED . . . . . . CLN 230
THAT THE WY3E THAT AL WRO3T FUL WROTHLY BYGYNNE3 . . . . . . CLN 280
AS WY3E WO HYM WITHINNE WERP TO HYMSELUEN. . . . . CLN 284
THENNE IN WORLDE WAT3 A WY3E WONYANDE ON LYUE . . . . CLN 293
FORTHY WAR THE NOW WY3E THAT WORSCHYP DESYRES . . . . CLN 545
THER IS NO WY3E IN HIS WERK SO WAR NE SO STYLLE. . . . . . . CLN 589
BOTHE THE WY3E AND HIS WYF SUCH WERK WAT3 HEM FAYLED . . . . . CLN 658
WHERESO WONYED THIS ILKE WY3 THAT WENDE3 WYTH OURE LORDE. . . . CLN 675
WOST THOU NOT WEL THAT THOU WONE3 HERE A WY3E STRANGE. . . . . CLN 875
THE WY3E WAKENED HIS WYF AND HIS WLONK DE3TERES. . . . . . . CLN 933
WHEN THAY WERN WAR OF THE WRAKE THAT NO WY3E ACHAPED . . . . . CLN 970
THENNE VCH WY3E MAY WEL WYT THAT HE THE WLONK LOUIES . . . . . CLN 1052
MONI A WORTHLY WY3E WHIL HER WORLDE LASTE. . . . . CLN 1298
SO WAT3 THE WY3E WYTLES HE WED WEL NER. . . . . CLN 1585
OF HEM WYST NO WY3E THAT IN THAT WON DOWELLED . . . . CLN 1770
AND AL HIS WEDE VNWEMMYD THUS YLKA WEGHE ASKYD . . . . ERK 96
IN WORLDE QUAT WEGHE THOU WAS AND QUY THOW THUS LIGGES . . . . ERK 186
FOR VCH WY3E MAY WEL WIT NO WONT THAT THER WERE. . . . . . . GGK 131
CAST VNTO THAT WY3E . . . . GGK 249
AND SAYDE WY3E WELCUM IWYS TO THIS PLACE . . . . GGK 252
WYTH WHAT WEPPEN SO THOU WYLT AND WYTH NO WY3 ELLE3 . . . . . GGK 384
VMBEWEUED THAT WY3 VPON WLONK STUFFE . . . . GGK 581
AT VCHE WARTHE OTHER WATER THER THE WY3E PASSED. . . . . . . GGK 715
THAT 3E BE WY3E WELCUM TO WON QUYLE YOW LYKE3 . . . . GGK 814
THEN 3EDE THE WY3E 3ARE AND COM A3AYN SWYTHE. . . . . GGK 815
TO WELCUM THIS ILK WY3 AS WORTHY HOM THO3T . . . . GGK 819
THE WY3E WESCHE AT HIS WYLLE AND WENT TO HIS METE . . . . . . GGK 887
AND SAYDE HE WAT3 THE WELCOMEST WY3E OF THE WORLDE. . . . . . GGK 938
AND WENER THEN WENORE AS THE WY3E THO3T . . . . GGK 945
VCHON TO WENDE ON HIS WAY THAT WAT3 WY3E STRANGE . . . . . . GGK 1028
AND I AM WY3E AT YOUR WYLLE TO WORCH YOURE HEST. . . . . . . GGK 1039
AS WY3 THAT WOLDE OF HIS WYTE NE WYST QUAT HE MY3T. . . . . . GGK 1087
VCHE WY3E ON HIS WAY THER HYM WEL LYKED . . . . GGK 1132
I AM WY3E VNWORTHY I WOT WEL MYSELUEN . . . . GGK 1244
IWYSSE WORTHY QUOTH THE WY3E 3E HAF WALED WEL BETTER . . . . . GGK 1276

3E IWYSSE QUOTH THAT OTHER WY3E HERE IS WAYTH FAYREST. . . . . GGK 1381
WY3E THAT IS SO WEL WRAST ALWAY TO GOD. . . . . GGK 1482
WHAT IS THAT QUOTH THE WYGHE IWYSSE I WOT NEUER. . . . . . . GGK 1487
I WOLED WYT AT YOW WY3E THAT WORTHY THER SAYDE . . . . GGK 1508
THE WYLDE WAT3 WAR OF THE WY3E WITH WEPPEN IN HONDE . . . . GGK 1586
THENNE A WY3E THAT WAT3 WYS VPON WODCRAFTE3 . . . . GGK 1605
THAT AL FORWONDERED WAT3 THE WY3E AND WROTH WITH HYMSELUEN . . GGK 1660
WAYUE3 VP A WYNDOW AND ON THE WY3E CALLE3. . . . . GGK 1743
NOW IWYSSE QUOTH THAT WY3E I WOLDE I HADE HERE . . . . GGK 1801
THAT NEUER WY3E SCHULDE HIT WYT IWYSSE BOT THAY TWAYNE . . . GGK 1864
THE WY3E WAT3 WAR OF THE WYLDE AND WARLY ABIDES. . . . . . . GGK 1900
BOT WERED NOT THIS ILK WY3E FOR WELE THIS GORDEL . . . . . . GGK 2037
THE WY3E WYNNE3 HYM TO AND WYTE3 ON HIS LYRE. . . . . GGK 2050
AND WENT ON HIS WAY WITH HIS WY3E ONE . . . . GGK 2074
FOR I HAF WONNEN YOW HIDER WY3E AT THIS TYME. . . . . GGK 2091
THER WONE3 A WY3E IN THAT WASTE THE WORST VPON ERTHE . . . . GGK 2098
WEL WORTH THE WY3E THAT WOLDE3 MY GODE. . . . . GGK 2127
BI THAT THE WY3E IN THE WOD WENDE3 HIS BRYDEL . . . . GGK 2152
WEL BISEME3 THE WY3E WRUXLED IN GRENE . . . . GGK 2191
IF ANY WY3E O3T WYL WYNNE HIDER FAST . . . . GGK 2215
IWYSSE THOU ART WELCOM WY3E TO MY PLACE . . . . GGK 2240
WAT3 HE NEUER IN THIS WORLDE WY3E HALF SO BLYTHE . . . . . . GGK 2321
WYTH YOW WYTH WORSCHYP THE WY3E HIT YOW 3ELDE . . . . GGK 2441
AND I WOL THE AS WEL WY3E BI MY FAYTHE. . . . . GGK 2469
VCHON TO WENDE ON HIS WAY THAT WAT3 WY3E STRONGE . . . . . . GGK V 1028
HE WENDE WEL THAT THAT WY3 THAT AL THE WORLD PLANTED . . . . PAT 111
THAT WY3E I WORCHYP IWYSSE THAT WRO3T ALLE THYNGES. . . . . . PAT 206
FOR WHATSO WORTHED OF THAT WY3E FRO HE IN WATER DIPPED . . . PAT 243
AND WAT3 WAR OF THAT WY3E THAT THE WATER SO3TE . . . . PAT 249
THENNE A WYNDE OF GODDE3 WORDE EFTE THE WY3E BRUXLE3 . . . . PAT 345
ER EUER HE WARPPED ANY WORDE TO WY3E THAT HE METTE. . . . . . PAT 356
WHAT WOTE OTHER WYTE MAY 3IF THE WY3E LYKES . . . . PAT 397
THENNE WAKENED THE WY3 VNDER WODBYNDE . . . . PAT 446
AND WYDDERED WAT3 THE WODBYNDE BI THAT THE WY3E WAKNED . . . PAT 468
THEN WAKENED THE WY3E OF HIS WYLDREMES. . . . . PAT 473
WHY ARE THOU SO WAYMOT WY3E FOR SO LYTTEL. . . . . PAT 492
NIS NO WY3 WORTHE THAT TONGE BERE3 . . . . PRL 100
THE WY3 TO WHAM HER WYLLE HO WAYNE3. . . . . PRL 131
AND SAYDE HYS RYCHE NO WY3 MY3T WYNNE . . . . PRL 722

WY3ES (V. WY3E3)

WY3E3

BOT THAT OTHER WRAKE THAT WEX ON WY3E3 HIT LY3T. . . . . . . CLN 235
THENNE WAT3 HE WAR ON THE WAYE OF WLONK WY3E3 THRYNNE. . . . . CLN 606
THAT WY3E3 SCHAL BE BY HEM WAR WORLDE WYTHOUTEN ENDE . . . . . CLN 712
THE WY3E3 WERN WELCOM AS THE WYF COUTHE . . . . CLN 813
WYTH THY WYF AND THY WY3E3 AND THY WLONC DE3TTERS . . . . . . CLN 899
WYTH ALLE THISE WY3E3 SO WYKKE WY3TLY DEVOYDE . . . . CLN 908
UMBEWALT ALLE THE WALLES WYTH WY3ES FUL STRONGE. . . . . . . CLN 1181
WHEN HO WAT3 WYTERED BI WY3ES WHAT WAT3 THE CAUSE . . . . . . CLN 1587
BOT THEN WOS WONDER TO WALE ON WEHES THAT STODEN . . . . . . ERK 73
OUERWALT WYTH A WORDE OF ON WY3ES SPECHE . . . . GGK 314
WHAT WYLDE SO ATWAPED WY3ES THAT SCHOTTEN. . . . . GGK 1167
WY3E3 THE WALLE WYN WE3ED TO HEM OFT . . . . GGK 1403
WY3E3 WHYL THAY WYSTEN WEL WYTHINNE HEM HIT WERE . . . . . . GGK 1435
BIFORE ALLE THE WY3E3 IN THE WORLDE WOUNDED IN HERT . . . . . GGK 1781
WHY SCHULDE I WRATH WYTH HEM SYTHEN WY3E3 WYL TORNE . . . . . PAT 518
FOR WERN NEUER WEBBE3 THAT WY3E3 WEUEN. . . . . PRL 71
THEN ALLE THE WY3E3 IN THE WORLDE MY3T WYNNE. . . . . PRL 579

WY3T (ALSO V. WIGHT)

AND I SCHAL WYNNE YOW WY3T OF WATER A LYTTEL. CLN 617
WY3T WERKEMEN WITH THAT WENTEN THERTILLE ERK 69
WYLDE WERBLES AND WY3T WAKNED LOTE GGK 119
WI3T WALLANDE JOYE WARMED HIS HERT GGK 1762
WI3T AT THE WYNDAS WE3EN HER ANKRES. PAT 103
THOU MAY HIT WYNNE IF THOU BE WY3TE. PRL 694

WY3TE (V. WIGHT, WY3T)

WY3TEST
THE WY3TEST AND THE WORTHYEST OF THE WORLDES KYNDE. GGK 261
IN THE WY3TEST OF THE WATER THE WORRE HADE THAT OTHER. GGK 1591

WY3TLY
WYTH ALLE THISE WY3E3 SO WYKKE WY3TLY DEVOYDE CLN 908
BOT WY3TLY WENT HYS WAY. GGK 688

YARD
AS THAI HADE 3EPELY IN THAT 3ORDE BENE 3ISTURDAY SHAPEN ERK 88

YDEL (V. IDLE)

YDOLS (V. IDOLS)

YDRES
BIFORE THY BORDE HAT3 THOU BRO3T BEUERAGE IN THE YDRES CLN 1717

YDROPIKE (V. HYDROPIC)

YEA
3E LORDE WYTH THY LEUE SAYDE THE LEDE THENNE. CLN 347
3EA BOT SAY THOU OF THI SAULE THEN SAYD THE BISSHOP ERK 273
3E PETER QUOTH THE PORTER AND PURELY I TROWEE GGK 813
3E SIR FORSOTHE SAYD THE SEGGE TRWE. GGK 1091
3E IWYSSE QUOTH THAT OTHER WY3E HERE IS WAYTH FAYREST. GGK 1381
3E BE GOD QUOTH GAWAYN GOOD IS YOUR SPECHE GGK 1498
AND 3E HE LAD HEM BI LAGMON THE LORDE AND HIS MEYNY GGK 1729
3E OF THE CHEPE NO CHARG QUOTH CHEFLY THAT OTHER GGK 1940

YEAR (CP. TO3ERE)
THAT FALLE3 FORMAST IN THE 3ER AND THE FYRST DAY CLN 494
TIL TWO 3ER OUERTORNED 3ET TOK THAY HIT NEUER CLN 1192
THAT SALOMON SO MONY A SADDE 3ER SO3T TO MAKE CLN 1286
SALAMON SETE HIM SEUEN 3ERE AND A SYTHE MORE. CLN 1453
NO3T BOT AGHT HUNDRED 3ERE THER AGHTENE WONTYD ERK 208
THRE HUNDRED 3ERE AND THRITTY MO AND 3ET THRENEN AGHT. ERK 210
IN 3ONGE 3ER FOR HE 3ERNED 3ELPYNG TO HERE GGK 492
A 3ERE 3ERNES FUL 3ERNE AND 3ELDE3 NEUER LYKE GGK 498
FORTHI THIS 3OL OUER3EDE AND THE 3ERE AFTER GGK 500
AND THUS 3IRNE3 THE 3ERE IN 3ISTERDAYE3 MONY. GGK 529
QUYLE FORTH DAYE3 AND FERK ON THE FYRST OF THE 3ERE GGK 1072
THAT I SE3 THIS SEUEN 3ERE IN SESOUN OF WYNTER GGK 1382
THOU LYFED NOT TWO 3ER IN OURE THEDE PRL 483
OF TYME OF 3ERE THE TERME WAT3 TY3T. PRL 503
THAT DATE OF 3ERE WEL KNAWE THYS HYNE PRL 505
TWELUE SYTHE3 ON 3ER THAY BEREN FUL FRYM PRL 1079

YEARN
NAY 3IF THOU 3ERNE3 HIT 3ET 3ARK I HEM GRACE. CLN 758

YEARNED
I HAF 3ERNED AND 3AT 3OKKE3 OF OXEN. CLN 66
BOT THAT THE 3ONGE MEN SO 3EPE 3ORNEN THEROUTE CLN 881
IN 3ONGE 3ER FOR HE 3ERNED 3ELPYNG TO HERE GGK 492
AND 3ERNED NO MORE THEN WAT3 ME GYUEN PRL 1190

YEARS
THE SEX HUNDRETH OF HIS AGE AND NONE ODDE 3ERE3. CLN 426
THEN WOS THIS REAME RENAIDE MONY RONKE 3ERES. ERK 11
3E3ED 3ERES 3IFTES ON HI3 3ELDE HEM BI HOND GGK 67

YELL

FUL 3OMERLY 3AULE AND 3ELLE	GGK	1453
YELLING		
SUCH A 3OMERLY 3ARM OF 3ELLYNG THER RYSED.	CLN	971
YELLOW		
FOR IF THE 3ONGE WAT3 3EP 3OL3E WAT3 THAT OTHER.	GGK	951
YELPED		
WHAT THAY 3E3ED AND 3OLPED OF 3ESTANDE SOR3E.	CLN	846
YELPING		
IN 3ONGE 3ER FOR HE 3ERNED 3ELPYNG TO HERE	GGK	492
YEOMEN		
GOT3 TO MY VYNE 3EMEN 3ONGE	PRL	535
YES		
3ISSE HIT WAT3 A BREM BREST AND A BYGE WRACHE	CLN	229
3IS THAT MAYSTER IS MERCYABLE THA3 THOU BE MAN FENNY	CLN	1113
3ISE HE BLUSCHED FUL BRODE THAT BURDE HYM BY SURE	PAT	117
3ISSE LORDE QUOTH THE LEDE LENE ME THY GRACE.	PAT	347
3YS AND PAY HEM AT THE FYRST FYNE	PRL	635
YESTERDAY		
AND SONE 3EDERLY FOR3ETE 3ISTERDAY STEUEN.	CLN	463
AS THAI HADE 3EPELY IN THAT 3ORDE BENE 3ISTURDAY SHAPEN	ERK	88
THOU HAT3 FOR3ETEN 3EDERLY THAT 3ISTERDAY I TA3TTE.	GGK	1485
YESTERDAYS		
AND THUS 3IRNE3 THE 3ERE IN 3ISTERDAYE3 MONY.	GGK	529
YESTEREVE		
WYLE NW3ER WAT3 SO 3EP THAT HIT WAT3 3ISTERNEUE CUMMEN	GGK	60
YIELD		
I SCHAL 3EPLY A3AYN AND 3ELDE THAT I HY3T.	CLN	665
3E3ED 3ERES 3IFTES ON HI3 3ELDE HEM BI HOND	GGK	67
THAY 3OLDEN HYM THE BRODE 3ATE 3ARKED VP WYDE	GGK	820
AL THE HONOUR IS YOUR AWEN THE HE3E KYNG YOW 3ELDE.	GGK	1038
FOR I 3ELDE ME 3EDERLY AND 3E3E AFTER GRACE	GGK	1215
MADAME QUOTH THE MYRY MON MARY YOW 3ELDE	GGK	1263
NOW HE THAT SPEDE3 VCHE SPECH THIS DISPORT 3ELDE YOW	GGK	1292
AND HE 3ARRANDE HYM 3ELDE AND 3EDOUN THE WATER	GGK	1595
YOUR HONOUR AT THIS HY3E FEST THE HY3E KYNG YOW 3ELDE.	GGK	1963
AND THAY 3ELDEN HYM A3AYN 3EPLY THAT ILK	GGK	1981
THAT HALDEN HONOUR IN HER HONDE THE HATHEL HEM 3ELDE	GGK	2056
A DENE3 AX NWE DY3T THE DYNT WITH TO 3ELDE	GGK	2223
AND 3ELDE 3EDERLY A3AYN AND THERTO 3E TRYST	GGK	2325
AND HE 3ELDE HIT YOW 3ARE THAT 3ARKKE3 AL MENSKES	GGK	2410
WYTH YOW WYTH WORSCHYP THE WY3E HIT YOW 3ELDE	GGK	2441
AND HE 3ARRANDE HYM 3ELDE AND 3ED OUER THE WATER	GGK V	1595
YIELDED		
AND SO 3EPLY WAT3 3ARKED AND 3OLDEN HIS STATE	CLN	1708
TO BE 3EDERLY 3OLDEN ON NW3ERES MORN	GGK	453
YIELDS		
A 3ERE 3ERNES FUL 3ERNE AND 3ELDE3 NEUER LYKE	GGK	498
AND HO HYM 3ELDE3 A3AYN FUL 3ERNE OF HIR WORDE3.	GGK	1478
YLE (V. ISLE)		
YLKA (V. ILK)		
YLLE (V. ILL)		
YMAGE (V. IMAGE)		
YNDE (V. INDE)		
YOKES		
I HAF 3ERNED AND 3AT 3OKKE3 OF OXEN.	CLN	66
YON		
WHAT IF THRETTY THRYUANDE BE THRAD IN 3ON TOUNE3	CLN	751
LOTH LENGE3 IN 3ON LEEDE THAT IS MY LEF BROTHER.	CLN	772
AND RYDE ME DOUN THIS ILK RAKE BI 3ON ROKKE SYDE	GGK	2144

AS QUO SAYS LO 3ON LOUELY YLE. . . . . PRL 693
YOND
NOW FYFTY FYN FRENDE3 WER FOUNDE IN 3ONDE TOUNE. . . . . . . CLN 721
3ONDE HE WAT3 3AYNED WITH 3ARANDE SPECHE . . . . GGK 1724
YONDER
AND THA3 THE MATER BE MERK THAT MERKED IS 3ENDER . . . . . . CLN 1617
AND HAF DY3T 3ONDER DERE A DUK TO HAUE WORTHED . . . . GGK 678
SYN 3E BE LORDE OF THE 3ONDER LONDE THER I HAF LENT INNE. . . GGK 2440
AND TYPE DOUN 3ONDER TOUN WHEN HIT TURNED WERE . . . . PAT 506
YOR (APP. 1)
YORE
HE HAT3 WONYD HERE FUL 3ORE . . . . GGK 2114
THAT SWANGE AND SWAT FOR LONG 3ORE . . . . PRL 586
YORE-FATHER
OURE 3OREFADER HIT CON MYSSE3EME. . . . . PRL 322
YORE-WHILE
3ETE VS OUT THOSE 3ONG MEN THAT 3OREWHYLE HERE ENTRED. . . . CLN 842
YOT (V. 3ODE)
YOUNG
MEUANDE MEKELY TOGEDER AS MYRY MEN 3ONGE . . . . CLN 783
3ETE VS OUT THOSE 3ONG MEN THAT 3OREWHYLE HERE ENTRED. . . . CLN 842
BOT THAT THE 3ONGE MEN SO 3EPE 3ORNEN THEROUTE . . . . CLN 881
SO BISIED HIM HIS 3ONGE BLOD AND HIS BRAYN WYLDE . . . . . . GGK 89
IN 3ONGE 3ER FOR HE 3ERNED 3ELPYNG TO HERE . . . . GGK 492
FOR IF THE 3ONGE WAT3 3EP 3OL3E WAT3 THAT OTHER. . . . . . . GGK 951
THE ALDER AND THE 3ONGE. . . . . GGK 1317
THAT SO 3ONG AND SO 3EPE AS 3E AT THIS TYME . . . . GGK 1510
OGHE TO A 3ONKE THYNK 3ERN TO SCHEWE . . . . GGK 1526
I WAT3 FUL 3ONG AND TENDER OF AGE . . . . PRL 412
TO MAKE THE QUEN THAT WAT3 SO 3ONGE. . . . . PRL 474
GOT3 TO MY VYNE 3EMEN 3ONGE . . . . PRL 535
YOUR (APP. 1)
YOURE (APP. 1)
YOURE3 (APP. 1)
YOURSELF (APP. 1)
YOURSELUEN (APP. 1)
YOW (APP. 1)
YOWL
FUL 3OMERLY 3AULE AND 3ELLE . . . . GGK 1453
YOWRE (APP. 1)
YOWRESELF (APP. 1)
YOWRE3 (APP. 1)
YOWSELF (APP. 1)
YRE (V. IRE)
YRN (V. IRON)
YRNE (V. IRON)
YRNES (V. IRONS)
YSAYE (V. ISAIAH)
YSSEIKKLES (V. ICICLES)
YTHES (V. YTHE3)
YTHE3
VCHE HILLE WAT3 THER HIDDE WYTH YTHE3 FUL GRAYE. . . . . . . CLN 430
FOR HIT RELED ON ROUN VPON THE RO3E YTHES. . . . . PAT 147
THENNE THA3 HER TAKEL WERE TORNE THAT TOTERED ON YTHE3 . . . . PAT 233
YUORE (V. IVORY)
YULE
FOR HIT IS 3OL AND NWE3ER AND HERE AR 3EP MONY . . . . GGK 284
FORTHI THIS 3OL OUER3EDE AND THE 3ERE AFTER . . . . GGK 500
YWAN (V. IWAIN)

Y3E (V. EYE)
Y3ELDYDDE3 (V. EYE-LIDS)
Y3EN (V. EYES)
ZEBOIM
    ABDAMA AND SYBOYM THISE CETEIS ALLE FAURE. . . . . CLN 958
ZEDEKIAH
    HIT WAT3 SEN IN THAT SYTHE THAT 3EDECHYAS RENGNED . . . . CLN 1169
ZEPHYRUS
    QUEN 3EFERUS SYFLE3 HYMSELF ON SEDE3 AND ERBE3 . . . . GGK 517
    AND SAYE3 VNTE 3EFERUS THAT HE SYFLE WARME . . . . PAT 470
ZION
    ON THE HYL OF SYON THAT SEMLY CLOT . . . . PRL 789
    ON THE MOUNT OF SYON FUL THRYUEN AND THRO. . . . . PRL 868
3ARANDE
    AND HE 3ARRANDE HYM 3ELDE AND 3EDOUN THE WATER . . . . GGK 1595
    3ONDE HE WAT3 3AYNED WITH 3ARANDE SPECHE . . . . GGK 1724
    AND HE 3ARRANDE HYM 3ELDE AND 3ED OUER THE WATER . . . . GGK V 1595
    LOUDE HE WAT3 3AYNED WITH 3ARANDE SPECHE . . . . GGK V 1724
3ARE
    THEN 3EDE THE WY3E 3ARE AND COM A3AYN SWYTHE. . . . . GGK 815
    AND HE 3ELDE HIT YOW 3ARE THAT 3ARKKE3 AL MENSKES . . . . . . GGK 2410
    IN APOKALYPE3 WRYTEN FUL 3ARE. . . . . PRL 834
3ARK
    NAY 3IF THOU 3ERNE3 HIT 3ET 3ARK I HEM GRACE. . . . . CLN 758
3ARKED
    THAT SCHAL HALDE IN HERITAGE THAT I HAF HEM 3ARKED. . . . . . CLN 652
    AND SO 3EPLY WAT3 3ARKED AND 3OLDEN HIS STATE . . . . CLN 1708
    THAT SCHAL HALDE IN HERITAGE THAT I HAF MEN 3ARKED. . . . . . CLN V 652
    THAY 3OLDEN HYM THE BRODE 3ATE 3ARKED VP WYDE . . . . GGK 820
3ARKKE3
    AND HE 3ELDE HIT YOW 3ARE THAT 3ARKKE3 AL MENSKES . . . . . . GGK 2410
3ARM
    SUCH A 3OMERLY 3ARM OF 3ELLYNG THER RYSED. . . . . CLN 971
3ARRANDE (V. 3ARANDE)
3AT (V. GOTTEN)
3ATE
    AND THAT THE 3EP VNDER3EDE THAT IN THE 3ATE SYTTE3. . . . . . CLN 796
    THAY 3OLDEN HYM THE BRODE 3ATE 3ARKED VP WYDE . . . . GGK 820
    TYT SCHAL HEM MEN THE 3ATE VNPYNNE . . . . PRL 728
    AND VCH 3ATE OF A MARGYRYE. . . . . PRL 1037
3ATE3
    IN A PORCHE OF THAT PLACE PY3T TO THE 3ATES . . . . CLN 785
    IN GRETE FLOKKE3 OF FOLK THAY FALLEN TO HIS 3ATE3 . . . . . . CLN 837
    AND BOWE3 FORTH FRO THE BENCH INTO THE BRODE 3ATES. . . . . . CLN 854
    AND STEKEN THE 3ATES STONHARDE WYTH STALWORTH BARRE3 . . . . . CLN 884
    AND ENFORSED ALLE FAWRE FORTH AT THE 3ATE3 . . . . CLN 938
    THISE AUNGELE3 HADE HEM BY HANDE OUT AT THE 3ATE3 . . . . . . CLN 941
    THAT SEUEN SYTHE VCH A DAY ASAYLED THE 3ATES. . . . . CLN 1188
    BETES ON THE BARERS BRESTES VP THE 3ATES . . . . CLN 1263
    THE 3ATE3 WER STOKEN FASTE. . . . . GGK 782
    WERE BOUN BUSKED ON HOR BLONKKE3 BIFORE THE HALLE 3ATE3 . . . . GGK 1693
    THE BRYGGE WAT3 BRAYDE DOUN AND THE BRODE 3ATE3. . . . . GGK 2069
    VCH PANE OF THAT PLACE HAD THRE 3ATE3 . . . . PRL 1034
    THE 3ATE3 STOKEN WAT3 NEUER 3ET . . . . PRL 1065
3AULE (V. YOWL)
3AYNED
    3ONDE HE WAT3 3AYNED WITH 3ARANDE SPECHE . . . . GGK 1724
    LOUDE HE WAT3 3AYNED WITH 3ARANDE SPECHE . . . . GGK V 1724
3E (V. YEA AND APP. 1)

3EA (V. YEA)
3ED (V. 3EDE)
3EDE (CP. 3ODE)
THAT EUER FLOTE OTHER FLWE OTHER ON FOTE 3EDE . . . . CLN 432
THE SEGGE HERDE THAT SOUN TO SEGOR THAT 3EDE. . . . . CLN 973
THEN 3EDE THE WY3E 3ARE AND COM A3AYN SWYTHE. . . . . GGK 815
TO BED 3ET ER THAY 3EDE. . . . . GGK 1122
TO SOPER THAY 3EDE ASSWYTHE . . . . GGK 1400
AND LOKED TO THE LEUDE THAT ON THE LAUNDE 3EDE . . . . GGK 2333
ON THE FAUTLEST FREKE THAT EUER ON FOTE 3EDE. . . . . GGK 2363
AND HE 3ARRANDE HYM 3ELDE AND 3ED OUER THE WATER . . . . GGK V 1595
THAT ON JOURNAY FUL JOYNT JONAS HYM 3EDE . . . . PAT 355
AND AL DAY THE LORDE THUS 3EDE HIS GATE . . . . PRL 526
FOR HAPPE AND HELE THAT FRO' HYM 3EDE . . . . PRL 713
THUR3 WO3E AND WON MY LOKYNG 3EDE . . . . PRL 1049
3EDECHYAS (V. ZEDEKIAH)
3EDEN
THAY LET DOUN THE GRETE DRA3T AND DERELY OUT 3EDEN. . . . . . GGK 817
BLITHE BRO3T WAT3 HYM DRYNK AND THAY TO BEDDE 3EDEN . . . . . GGK 1684
3EDERLY
AND SONE 3EDERLY FOR3ETE 3ISTERDAY STEUEN. . . . . CLN 463
TO BE 3EDERLY 3OLDEN ON NW3ERES MORN . . . . GGK 453
FOR I 3ELDE ME 3EDERLY AND 3E3E AFTER GRACE . . . . GGK 1215
THOU HAT3 FOR3ETEN 3EDERLY THAT 3ISTERDAY I TA3TTE. . . . . . GGK 1485
AND 3ELDE 3EDERLY A3AYN AND THERTO 3E TRYST . . . . GGK 2325
3EDOUN
AND HE 3ARRANDE HYM 3ELDE AND 3EDOUN THE WATER . . . . GGK 1595
3EF (V. GIVE)
3EFERUS (V. ZEPHYRUS)
3ELDE (V. YIELD)
3ELDEN (V. YIELD)
3ELDE3 (V. YIELDS)
3ELLE (V. YELL)
3ELLYNG (V. YELLING)
3ELPYNG (V. YELPING)
3EMED
HOW THE CHEUETAYN HYM CHARGED THAT THE KYST 3EMED . . . . . . CLN 464
THE BEST BO3ED WYTH THE BURNE THAT THE BOR3 3EMED . . . . . . CLN 1242
TO SYTTE VPON SAYD CAUSES THIS CITE I 3EMYD . . . . ERK 202
3EMEN (V. YEOMAN)
3EMES
LEUE THOU WEL THAT THE LORDE THAT THE LYFTE 3EMES . . . . . . CLN 1493
3EMYD (V. 3EMED)
3ENDER (V. YONDER)
3EP
AND THAT THE 3EP VNDER3EDE THAT IN THE 3ATE SYTTE3. . . . . . CLN 796
BOT THAT THE 3ONGE MEN SO 3EPE 3ORNEN THEROUTE . . . . CLN 881
WYLE NW3ER WAT3 SO 3EP THAT HIT WAT3 3ISTERNEUE CUMMEN . . . . GGK 60
FUL 3EP IN THAT NW3ERE . . . . GGK 105
FOR HIT IS 3OL AND NWE3ER AND HERE AR 3EP MONY . . . . GGK 284
FOR IF THE 3ONGE WAT3 3EP 3OL3E WAT3 THAT OTHER. . . . . . . GGK 951
THAT SO 3ONG AND SO 3EPE AS 3E AT THIS TYME . . . . GGK 1510
WYLE NW3ER WAT3 SO 3EP THAT HIT WAT3 NWE CUMMEN. . . . . . . GGK V 60
3EPE (V. 3EP)
3EPELY (V. 3EPLY)
3EPLY
I SCHAL 3EPLY A3AYN AND 3ELDE THAT I HY3T. . . . . CLN 665
AND SO 3EPLY WAT3 3ARKED AND 3OLDEN HIS STATE . . . . CLN 1708
AS THAI HADE 3EPELY IN THAT 3ORDE BENE 3ISTURDAY SHAPEN . . . . ERK 88

AND THAY 3ELDEN HYM A3AYN 3EPLY THAT ILK . . . . GGK 1981

AND I SCHULDE AT THIS NWE3ERE 3EPLY THE QUYTE . . . . GGK 2244

3ER (V. YEAR)

3ERE (V. YEAR)

3ERES (V. YEARS)

3ERE3 (V. YEARS)

3ERN (V. 3ERNE)

3ERNE

A 3ERE 3ERNES FUL 3ERNE AND 3ELDE3 NEUER LYKE . . . . GGK 498

AND HO HYM 3ELDE3 A3AYN FUL 3ERNE OF HIR WORDE3. . . . . GGK 1478

OGHE TO A 3ONKE THYNK 3ERN TO SCHEWE . . . . GGK 1526

3ERNED (V. YEARNED)

3ERNES

A 3ERE 3ERNES FUL 3ERNE AND 3ELDE3 NEUER LYKE . . . . GGK 498

AND THUS 3IRNE3 THE 3ERE IN 3ISTERDAYE3 MONY. . . . . GGK 529

3ERNE3 (V. YEARN)

3ESTANDE

WHAT THAY 3E3ED AND 3OLPED OF 3ESTANDE SOR3E. . . . . CLN 846

3ETE (ALSO V. GET)

FRENDE NO WANING I WYL THE 3ETE . . . . PRL 558

NOW BONE HOSTEL COTHE THE BURNE I BESECHE YOW 3ETTE . . . . . GGK 776

3ETTE (V. 3ETE)

3E3E

FOR I 3ELDE ME 3EDERLY AND 3E3E AFTER GRACE . . . . GGK 1215

3E3ED

WHAT THAY 3E3ED AND 3OLPED OF 3ESTANDE SOR3E. . . . . CLN 846

3E3ED 3ERES 3IFTES ON HI3 3ELDE HEM BI HOND . . . . GGK 67

3IFTES (V. GIFTS)

3IRNE3 (V. 3ERNES)

3IS (V. YES)

3ISE (V. YES)

3ISSE (V. YES)

3ISTERDAY (V. YESTERDAY)

3ISTERDAYE3 (V. YESTERDAYS)

3ISTERNEUE (V. YESTEREVE)

3ISTURDAY (V. YESTERDAY)

3OD (V. 3ODE)

3ODE (CP. 3EDE)

ONE THE VNHAPNEST HATHEL THAT EUER ON ERTHE 3ODE . . . . ERK 198

TO TRYSTORS VEWTERS 3OD. . . . . GGK 1146

THUR3 GRESSE TO GROUNDE HIT FRO ME YOT. . . . . PRL 10

3OKKE3 (V. YOKES)

3OL (V. YULE)

3OLDEN (V. YIELD, YIELDED)

3OLPED (V. YELPED)

3OL3E (V. YELLOW)

3OMERLY

SUCH A 3OMERLY 3ARM OF 3ELLYNG THER RYSED. . . . . CLN 971

FUL 3OMERLY 3AULE AND 3ELLE . . . . GGK 1453

3ON (V. YON)

3ONDE (V. YOND)

3ONDER (V. YONDER)

3ONG (V. YOUNG)

3ONGE (V. YOUNG)

3ONKE (V. YOUNG)

3ORDE (V. YARD)

3ORE (V. YORE)

3OREFADER (V. YORE-FATHER)

3OREWHYLE (V. YORE-WHILE)

3ORNEN (V. YEARNED)
3ORSELUEN (APP. 1)
3OSKYD
THAT HADE NO SPACE TO SPEKE SO SPAKLY HE 3OSKYD. . . . . . . ERK 312
3OUR (APP. 1)
3OURE3 (APP. 1)
3OURSELF (APP. 1)
3OW (APP. 1)
3OWRE (APP. 1)
3YS (V. YES)

APPENDIX 1

Words Partially Concorded—
Personal Pronouns,
Forms of BE, DO, HAVE,
and Certain Negative Constructions

Form	Source		References
A			
	GGK		1281
AM			
	CLN		736 747 1663
	GGK		354 356 388 548 624 1039 1040 1052 1244 1277
			1501 1544 1547 1673 1793 1808 1842 2158 2382 2509
	GGK	V	1808
	PAT		35 46 88 205 210 314 317 320
	PRL		246 335 382 389 393 418 568 616 782 905
	PRL	1	382 616
	PRL	2	616
	PRL	3	616
AR			
	CLN		15 168 864 864 867 1012 1041 1049 1111 1258
			1344 1725 1769
	CLN	V	15
	GGK		207 259 271 284 356 494 515 774 1210 1230
			1231 1237 1251 1496 1511 1520 1525 1528 1641 1645
			1849 2077 2095 2102 2245 2246
	GGK	V	835
	PAT		15 17 19 21 23 25 27 286
	PRL		923
ARE			
	ERK		164 283 298 302
	GGK		835 1209 1226
	PAT		492
ARN			
	CLN		8 55 162 163 169 171 352 516 869 869
			871 920 1000 1034 1035 1518 1810
	CLN	V	1518
	GGK		280 1094
	PAT		13 23 29 37 38 40 45 69 77 509
	PRL		384 402 404 458 517 626 893 895 927 1075
			1077 1199
ARNE			
	ERK		304
	PRL		628
ART			
	CLN		142 145 345 728 923
	ERK		185 188
	GGK		675 2240 2270 2391
	PAT		201 286 487 497
	PRL		242 276 423 904 915 1188

ARTE
PRL 707

BE
CLN 12 14 42 45 47 83 101 101 102 102
102 123 130 148 160 173 234 289 292 339
474 474 517 547 550 554 584 624 633 650
663 684 712 730 733 738 741 746 751 759
763 819 824 824 877 878 932 943 1029 1054
1059 1060 1061 1113 1118 1119 1129 1130 1133 1144
1145 1223 1224 1500 1568 1570 1571 1617 1640 1645
1682 1740 1808
CLN V 1808
ERK 94 97 122 180 181 244 261 324 325 326
327
GGK 79 265 272 286 291 342 350 371 396 448
453 456 468 496 675 814 873 976 982 1071
1084 1092 1186 1211 1216 1240 1242 1275 1287 1293
1393 1481 1488 1495 1498 1548 1579 1739 1775 1788
1828 1840 1845 1854 1858 1879 1990 1996 2107 2111
2131 2136 2145 2179 2186 2271 2278 2338 2388 2415
2427 2428 2440
PAT 20 26 41 48 49 76 95 124 156 170
240 241 260 283 285 342 360 363 399 420
515 522 522 524 525 525
PRL 29 281 290 311 344 352 379 406 421 470
480 482 523 570 571 572 604 668 670 694
702 703 710 715 771 794 901 911 914 924
958 976 1155 1176 1177 1185 1211
PRL 2 702 911

BEN
CLN 103 165 328 353 424 517 1006 1079 1229 1232
1244 1445 1596
ERK 98
GGK 36 497 613 680 724 725 1036 1646 1884 1956
1986 2048 2264 2382
PAT 2 387 516
PRL 252 373 572 1194

BENE
CLN V 659
ERK 7 26 88 243 260
GGK 141 677 2343
PRL 785

BES
CLN 904

	272	275	296	328	340					
HAT3										
CLN	30	141	306	328	346	517	586	714	748	915
	919	922	1014	1079	1080	1143	1225	1281	1291	1305
	1595	1597	1598	1601	1625	1665	1671	1711	1715	1717
	1722	1731	1774							
CLN V	1598	1717								
GGK	17	19	36	264	324	330	392	407	450	452
	477	490	491	773	778	920	1036	1485	1612	1869
	1895	1978	1995	2114	2194	2241	2296	2341	2392	2408
	2448	2449								
PAT	114	130	171	196	199	411				
PRL	249	273	274	286	291	441	446	465	625	770
	824	935	946	971						
PRL 1	935									
PRL 2	935									
PRL 3	935									
HAUE										
CLN	164	183	193	260	317	351	590	726	749	900
	1140	1636								
ERK	155	260								
GGK	99	268	359	406	678	836	921	1225	1234	1338
	1358	1380	1809	1816	1980	2053	2287	2507	2516	
GGK V	2053									
PAT	16	48	49	282	396					
PRL	132	661	704	928	967					
HAUEN										
GGK	1255									
PRL	859									
HAUE3										
CLN	171									
HE										
CLN	3	17	21	24	28	29	31	37	42	47
	48	49	62	63	72	74	75	92	110	126
	129	133	133	138	150	151	151	152	152	154
	168	178	198	198	203	206	208	209	209	210
	213	216	234	234	241	275	281	295	298	349
	359	396	437	439	453	456	457	459	459	461
	466	469	500	511	528	542	543	543	550	558
	559	559	560	561	562	564	566	570	576	577
	580	583	585	586	590	591	593	594	598	598
	599	601	605	606	610	610	623	629	631	632
	637	639	640	657	661	684	715	749	752	768
	769	770	773	777	779	787	788	797	798	812
	850	851	852	853	855	856	857	859	860	890

	898	922	925	948	962	963	1004	1004	1005	1030
	1031	1052	1053	1058	1069	1070	1073	1089	1090	1091
	1098	1099	1103	1105	1107	1109	1130	1131	1140	1140
	1141	1147	1148	1151	1163	1167	1171	1172	1173	1174
	1177	1178	1179	1219	1219	1221	1234	1235	1237	1239
	1262	1284	1285	1287	1288	1290	1293	1295	1296	1305
	1313	1313	1317	1318	1319	1320	1322	1325	1327	1330
	1331	1332	1334	1335	1336	1337	1340	1343	1345	1346
	1348	1349	1422	1423	1426	1438	1500	1500	1502	1503
	1504	1508	1517	1520	1534	1541	1551	1564	1568	1570
	1571	1573	1583	1584	1585	1601	1604	1605	1606	1606
	1613	1618	1621	1622	1648	1648	1649	1653	1659	1660
	1661	1662	1664	1665	1677	1678	1681	1682	1683	1685
	1698	1699	1701	1702	1703	1704	1705	1766	1800	1809
	1811									
CLN V	28	456	1107	1267	1618	1622	1648	1648		
ERK	13	15	17	23	29	92	95	98	99	100
	113	115	115	122	126	126	131	139	139	145
	149	157	164	175	177	178	182	182	191	217
	269	272	275	275	277	281	312	313	321	324
	338	341								
GGK	9	14	53	70	83	86	87	91	91	94
	100	104	106	126	140	145	149	170	173	178
	199	203	206	222	223	223	224	224	228	230
	238	251	256	301	304	307	316	319	328	334
	334	335	340	367	369	374	376	376	416	418
	419	422	431	432	434	438	440	444	445	457
	460	461	468	476	476	492	523	536	537	543
	544	566	590	592	592	594	605	621	637	640
	646	650	669	670	687	689	693	694	694	695
	697	698	700	703	703	703	712	713	714	716
	720	724	725	729	740	750	753	759	761	763
	764	773	773	777	778	794	798	804	807	809
	821	822	826	829	835	860	864	871	872	882
	903	903	908	909	938	939	946	971	972	973
	974	974	975	1031	1032	1045	1079	1087	1088	1135
	1136	1138	1182	1182	1184	1185	1190	1194	1198	1200
	1217	1242	1284	1289	1292	1294	1295	1300	1304	1309
	1311	1312	1321	1374	1376	1388	1389	1395	1438	1441
	1442	1443	1450	1452	1461	1462	1465	1466	1551	1564
	1567	1568	1568	1569	1569	1571	1577	1583	1587	1595
	1607	1611	1619	1621	1621	1624	1624	1626	1628	1630
	1632	1639	1640	1661	1666	1671	1689	1690	1691	1704
	1707	1709	1712	1712	1715	1718	1723	1724	1725	1726
	1727	1727	1729	1748	1749	1753	1755	1759	1760	1773
	1773	1774	1777	1789	1811	1821	1824	1825	1826	1835
	1836	1836	1838	1850	1852	1854	1857	1858	1859	1861
	1866	1875	1876	1878	1879	1880	1882	1883	1885	1887
	1891	1892	1895	1895	1896	1897	1902	1903	1927	1928
	1932	1933	1933	1936	1937	1951	1961	1971	1972	1976

	1979	1980	1983	1984	1984	1989	1991	1992	1992	1995
	1995	2007	2007	2008	2009	2011	2015	2019	2021	2025
	2030	2032	2033	2046	2053	2060	2061	2063	2063	2068
	2073	2076	2099	2100	2103	2105	2106	2114	2126	2136
	2153	2160	2163	2168	2170	2178	2178	2183	2198	2199
	2219	2220	2221	2229	2231	2231	2232	2236	2255	2257
	2258	2261	2262	2263	2269	2289	2290	2295	2305	2309
	2311	2316	2319	2320	2321	2336	2337	2370	2372	2376
	2410	2471	2471	2478	2481	2482	2484	2485	2488	2489
	2494	2495	2498	2499	2501	2501	2502	2504	2520	2530
GGK V	368	646	835	971	1032	1295	1304	1441	1595	1611
	1724	1755	2198	2290						
PAT	6	11	34	44	54	58	65	74	74	77
	86	88	89	91	93	97	98	101	107	108
	111	113	114	116	117	120	123	124	125	126
	127	128	130	131	131	132	168	176	181	183
	186	189	191	205	213	214	226	231	242	243
	252	253	256	261	265	269	272	273	277	278
	280	281	289	291	292	293	296	301	338	340
	341	343	344	351	352	356	356	357	358	377
	378	379	380	381	383	385	399	400	402	403
	407	408	410	411	435	437	437	441	442	459
	460	461	461	462	466	469	470	478	480	481
	526									
PAT V	54	189	269							
PRL	302	332	348	350	414	475	479	495	496	499
	501	506	514	515	527	531	539	571	597	606
	607	619	634	640	658	663	671	680	686	705
	710	723	742	748	762	765	766	794	801	803
	808	811	813	816	819	821	826	847	862	1001
	1007	1119	1131	1140	1142	1211				
PRL 1	302									
PRL 2	499	1007								
PRL 3	499									
HEM										
CLN	24	62	67	68	71	81	82	86	100	128
	131	168	170	242	256	263	267	271	272	291
	424	454	489	498	499	499	500	500	503	528
	561	561	562	610	611	612	626	639	652	658
	678	678	680	697	697	707	710	711	712	732
	752	757	758	759	793	797	798	808	811	814
	827	872	882	889	920	936	937	941	942	942
	952	1098	1154	1155	1163	1182	1184	1194	1195	1212
	1213	1213	1220	1220	1232	1268	1313	1317	1320	1346
	1348	1363	1370	1433	1433	1434	1434	1455	1503	1504
	1504	1524	1527	1562	1563	1583	1710	1715	1770	
GGK	67	301	482	668	748	821	870	971	977	1005
	1084	1115	1130	1140	1164	1165	1171	1172	1254	1327
	1328	1338	1398	1403	1428	1433	1435	1462	1613	1614

1626 1626 1704 1729 1764 1768 1910 1937 1979 1984
2053 2056 2421 2498
GGK V 971 2053
PAT 3 11 46 75 180 215 215 218 222 226
234 235 236 367 391 476 503 504 504 518
527
PRL 69 70 75 79 532 543 543 545 551 556
611 623 635 715 717 728 788 790 879 1044
1196
PRL 1 1196
PRL 3 1196

HEMSELF
CLN 15 388
CLN V 15
GGK 976 1085

HEMSELUEN
CLN 702
PAT 517

HER
CLN 24 75 76 117 118 128 269 272 274 292
305 350 378 381 397 400 418 424 477 503
516 517 533 672 694 726 726 730 760 792
793 823 825 827 874 968 975 978 980 981
1085 1161 1163 1165 1208 1232 1248 1250 1251 1255
1260 1265 1298 1307 1484 1502 1522 1522 1763
CLN V 117
GGK 54 120 428 494 508 557 706 818 976 1002
1011 1012 1012 1027 1118 1129 1129 1131 1232 1254
1337 1363 1373 1404 1455 1460 1477 1515 1516 1517
1518 1518 1698 1700 1778 1919 2056 2420
PAT 16 17 22 24 24 25 27 39 47 70
71 99 101 103 107 135 148 158 158 158
159 159 159 193 218 221 222 227 233 332
368 374 374 375 376 390 391 405 423
PRL 4 6 92 93 96 106 131 170 177 203
210 211 212 213 215 237 254 442 451 452
518 534 539 573 575 634 687 688 712 714
716 871 881 888 898 1040 1041 1046 1047 1063
1108 1150
PRL 1 210 1041
PRL 2 210 1108
PRL 3 210 1041

HERE
CLN 978 1208

HIM
CLN 745 1230 1297 1346 1347 1420 1453
CLN V 745
ERK 142 204 258
GGK 49 89 90 423 1599 1608 1617
PAT 118 327 376
PRL 662

HIMSELF
CLN 924

HIMSELFE
CLN 1498

HIMSELUEN
CLN 1237
GGK 1046

HIR
CLN 480 480 482 487 624 667 985 985 998 998
1000 1059 1064 1064 1072 1119 1127
GGK 76 647 649 942 947 955 955 958 959 964
966 967 974 1188 1193 1289 1308 1478 1479 1556
1557 1661 1662 1734 1735 1735 1738 1739 1740 1740
1741 1742 1744 1749 1759 1760 1761 1769 1772 1824
1830 1831 1859 1859 1862 1863 1866 1870 2054 2362
2453 2460
GGK V 649 967 1738
PAT 41 42
PRL 22 188 191 197 428
PRL 1 197
PRL 2 197
PRL 3 197

HIRSELF
CLN 654 822
CLN V 654

HIS
CLN 3 9 10 11 16 17 18 27 31 32
40 41 41 47 51 52 53 54 61 92
124 128 129 133 149 150 151 154 155 155
156 176 177 200 203 204 210 214 215 215
216 217 218 231 232 238 283 295 296 296
302 395 396 401 409 426 436 436 453 462
502 510 544 546 549 563 565 565 572 576
576 588 589 595 596 602 623 629 631 632
642 642 658 683 695 703 713 767 768 777
781 811 814 818 837 852 860 874 879 897
915 916 918 928 933 933 939 939 947 977

	988	993	994	1002	1005	1054	1055	1057	1066	1087
	1091	1097	1101	1103	1106	1109	1110	1140	1143	1144
	1154	1155	1157	1158	1163	1166	1172	1202	1214	1218
	1219	1221	1222	1224	1225	1226	1228	1228	1229	1236
	1237	1238	1238	1240	1262	1289	1289	1310	1317	1321
	1324	1327	1328	1328	1332	1333	1334	1338	1347	1349
	1353	1358	1360	1361	1362	1367	1368	1369	1370	1371
	1396	1400	1419	1420	1421	1421	1422	1423	1424	1425
	1427	1429	1430	1431	1492	1495	1496	1497	1503	1512
	1538	1539	1540	1541	1541	1542	1542	1550	1551	1569
	1582	1583	1599	1602	1604	1605	1609	1609	1610	1646
	1653	1655	1658	1658	1659	1662	1662	1664	1669	1670
	1677	1678	1678	1681	1683	1687	1690	1690	1691	1693
	1693	1694	1694	1695	1701	1705	1706	1706	1707	1707
	1708	1709	1709	1713	1714	1744	1762	1765	1767	1768
	1787	1788	1788	1789	1800	1801	1808	1809	1810	1811
	1812									
CLN V	10	16	32	40	177	231	1101	1419	1646	1687
	1808									
ERK	5	28	30	65	78	80	83	84	85	90
	90	95	96	107	112	115	119	120	120	131
	132	148	148	149	151	152	152	154	162	163
	164	171	174	178	180	181	181	182	213	257
	259	276	277	281	297	311	318	321	323	341
	342	343								
ERK V	171	297								
GGK	4	5	10	86	87	89	89	101	139	139
	142	143	144	144	145	147	148	151	152	155
	156	156	158	161	162	163	164	168	169	171
	171	180	180	181	182	183	183	184	185	186
	191	202	206	208	228	242	286	293	303	303
	304	305	306	317	328	330	334	335	369	371
	371	416	419	419	421	433	434	436	436	437
	440	443	444	447	458	458	535	543	544	575
	577	579	582	587	589	590	592	594	595	607
	631	640	641	642	645	646	649	650	653	653
	662	667	670	695	711	714	729	732	737	750
	759	760	773	775	809	823	826	827	828	828
	831	833	845	852	861	861	866	868	881	883
	887	887	900	911	914	915	920	922	937	983
	993	994	997	1006	1028	1030	1033	1034	1034	1048
	1087	1120	1132	1138	1183	1184	1191	1196	1201	1202
	1231	1284	1295	1300	1310	1310	1312	1319	1358	1375
	1388	1388	1411	1413	1456	1457	1465	1469	1475	1479
	1505	1562	1563	1564	1565	1571	1572	1573	1579	1581
	1582	1583	1607	1610	1617	1622	1629	1661	1688	1690
	1691	1702	1703	1721	1726	1729	1752	1754	1755	1758
	1762	1773	1774	1825	1855	1857	1878	1879	1880	1894
	1899	1908	1912	1921	1929	1930	1930	1960	1978	1985
	1985	1985	1989	1990	1990	2006	2007	2010	2011	2012

	2012	2013	2015	2016	2017	2017	2018	2024	2026	2032
	2033	2034	2050	2051	2061	2061	2062	2065	2066	2074
	2074	2090	2101	2104	2105	2116	2122	2139	2152	2168
	2169	2175	2188	2192	2197	2197	2197	2216	2217	2229
	2261	2264	2291	2309	2314	2317	2317	2318	2318	2320
	2331	2371	2371	2462	2462	2480	2484	2486	2487	2494
	2499	2503	2511	2530						
GGK V	171	171	646	649	881	1028	1295	1457	1755	2177
PAT	10	10	44	52	56	64	73	74	75	92
	94	97	115	128	131	135	136	164	168	171
	172	172	187	188	188	224	228	242	250	251
	252	255	257	264	264	268	274	276	278	287
	295	295	295	298	299	300	302	302	304	327
	328	339	342	358	378	379	379	384	385	398
	399	400	403	403	405	407	408	411	429	441
	441	443	457	459	462	473	474	480	515	515
	526									
PAT V	56	188	188							
PRL	285	526	715	998	1019	1092	1112	1120	1127	1134
	1137	1137	1143	1144	1145	1194	1211	1212		
PRL 2	998	1112								

HISE

CLN	1216

HISSELUEN

GGK	107

HIT

CLN	11	22	22	23	32	60	112	134	141	171
	194	229	235	253	257	264	264	290	304	312
	343	379	405	415	415	416	422	423	440	444
	445	446	448	484	501	506	515	562	584	586
	587	590	590	608	615	631	632	669	670	697
	698	708	717	727	749	758	793	795	808	819
	821	823	826	857	858	863	868	869	869	922
	924	926	927	927	935	935	956	967	981	1008
	1016	1020	1021	1022	1024	1025	1026	1033	1033	1047
	1048	1101	1106	1107	1108	1118	1125	1140	1140	1141
	1141	1142	1145	1147	1153	1166	1169	1192	1204	1226
	1234	1291	1292	1310	1326	1328	1356	1359	1391	1412
	1420	1479	1480	1489	1514	1530	1532	1544	1546	1548
	1552	1553	1618	1618	162,3	1632	1633	1633	1643	1657
	1691	1692	1704	1732	1735	1742	1771			
CLN V	32	229	379	515	935	935	1101	1107	1391	1618
	1618									
ERK	7	26	31	37	38	47	49	54	54	67
	72	94	97	98	99	111	121	123	127	134
	157	158	160	165	183	183	206	226	226	258
	261	262	264	304	309	314	320			

ERK V	49	206	262							
GGK	5	10	10	28	31	33	58	60	73	187
	201	214	233	235	240	246	257	280	284	293
	293	331	331	348	348	350	358	359	359	369
	404	421	425	428	428	433	446	465	478	479
	504	605	607	621	625	626	627	629	629	631
	674	716	719	728	772	784	788	802	803	827
	839	843	866	872	890	894	898	906	909	929
	948	975	988	991	998	1008	1009	1027	1037	1053
	1054	1058	1059	1078	1106	1111	1186	1187	1198	1235
	1241	1247	1250	1250	1251	1257	1267	1268	1274	1287
	1293	1304	1339	1341	1346	1346	1351	1384	1387	1391
	1391	1392	1393	1393	1422	1424	1435	1459	1488	1515
	1539	1545	1564	1630	1633	1637	1671	1719	1742	1799
	1806	1820	1821	1824	1825	1827	1832	1835	1835	1840
	1847	1847	1848	1848	1850	1852	1855	1856	1860	1862
	1864	1875	1875	1915	1922	2061	2068	2085	2107	2129
	2134	2135	2148	2163	2171	2174	2177	2178	2179	2180
	2183	2193	2195	2196	2201	2201	2203	2204	2209	2226
	2261	2263	2266	2283	2285	2288	2291	2292	2298	2309
	2335	2341	2358	2359	2361	2378	2390	2396	2408	2410
	2414	2420	2433	2436	2441	2453	2457	2491	2504	2510
	2512	2512	2520	2521						
GGK V	60	214	1304	2171	2203					
PAT	1	12	38	40	47	61	69	85	115	124
	146	147	148	244	256	267	300	342	350	353
	425	439	449	450	455	462	465	493	498	499
	501	506	530	531						
PAT V	1	350								
PRL	10	13	30	41	45	46	65	88	108	120
	147	160	224	227	228	272	308	321	322	328
	329	332	377	396	492	500	512	522	538	569
	639	663	667	694	698	737	740	742	787	877
	878	895	921	922	954	984	985	988	1007	1019
	1030	1032	1054	1059	1118	1164	1165	1183	1185	1199
	1202	1207								
PRL 1	698									
PRL 2	1007	1030								

HITSELF

GGK	1847									

HITSELUEN

CLN	281									

HO

CLN	2	475	477	478	479	483	486	487	659	663
	668	825	827	828	828	982	982	983	984	997
	998	999	1060	1060	1063	1077	1084	1121	1122	1123
	1124	1125	1126	1126	1127	1128	1586	1587	1591	

Word	Text											
	CLN	V	475	659	668							
	ERK		274	279	308	326						
	GGK		738	934	942	943	948	1001	1191	1199	1206	1281
			1283	1290	1291	1291	1305	1308	1474	1476	1478	1479
			1480	1658	1742	1796	1797	1797	1817	1824	1826	1830
			1834	1860	1861	1869	1870	1871	1872	2448	2449	2455
			2456	2459	2463	2464						
	GGK	V	2459									
	PAT		4	41	232	472						
	PRL		129	130	131	177	187	209	232	233	235	256
			428	437	443	444	454	456	691	1070	1149	1156
	PRL	1	209									
HOM												
	ERK		9	16	16	18	23	53	56	56	214	232
			260	291								
	GGK		99	819	979	984	1484	1484	1609	1665	1980	2421
	GGK	V	984									
HOR												
	CLN		1524									
	ERK		17	18	61	87	215					
	GGK		130	244	1014	1127	1139	1155	1252	1265	1406	1516
			1519	1559	1665	1693	1918	1923	1952	1959	2413	
HORES												
	PAT		14	28								
HYM												
	CLN		6	16	50	63	69	124	125	130	138	154
			157	157	160	192	213	214	232	284	294	297
			344	398	411	464	465	468	486	510	539	561
			562	569	578	590	595	633	650	676	676	677
			681	745	753	768	770	784	810	817	820	843
			850	853	857	858	880	883	883	896	898	915
			974	987	1058	1086	1087	1131	1137	1150	1162	1175
			1176	1201	1229	1310	1320	1326	1337	1340	1357	1368
			1369	1371	1428	1454	1520	1528	1552	1586	1605	1606
			1607	1613	1615	1616	1622	1645	1646	1647	1649	1650
			1657	1685	1689	1700	1701	1706	1712	1714	1746	1752
			1766	1796	1808							
	CLN	V	16	745	1622	1646	1808					
	ERK		17	89	100	109	114	121	129	138	140	141
			143	162	165	176	192	243	244	257	313	
	ERK	V	192									
	GGK		8	87	92	96	97	141	196	200	221	229
			237	248	251	288	289	294	295	297	303	307
			308	308	328	332	337	367	369	370	370	373
			376	399	417	437	438	442	493	521	522	584
			596	596	619	679	692	694	706	716	717	723

726 738 739 749 761 775 816 820 822 831
842 848 850 851 851 853 862 865 883 888
895 904 907 909 926 936 936 937 937 939
975 977 977 994 1029 1029 1030 1031 1031 1032
1042 1044 1047 1083 1083 1104 1132 1190 1197 1201
1202 1219 1234 1259 1281 1286 1290 1291 1296 1305
1309 1309 1312 1370 1375 1377 1378 1389 1423 1437
1444 1454 1455 1455 1460 1464 1473 1474 1478 1480
1549 1549 1550 1551 1555 1558 1565 1573 1574 1575
1575 1582 1588 1589 1592 1594 1595 1597 1598 1620
1639 1640 1666 1672 1672 1684 1692 1701 1702 1704
1705 1705 1706 1713 1720 1723 1744 1752 1758 1770
1771 1771 1777 1796 1797 1817 1824 1837 1853 1856
1860 1860 1861 1862 1863 1870 1872 1873 1874 1877
1878 1880 1883 1883 1885 1890 1893 1897 1903 1904
1906 1907 1909 1929 1933 1936 1951 1961 1971 1972
1976 1981 1982 1986 1987 1994 2011 2012 2012 2013
2013 2015 2033 2040 2041 2049 2050 2061 2071 2073
2075 2089 2105 2109 2109 2154 2159 2163 2163 2167
2170 2236 2259 2262 2265 2266 2290 2305 2307 2311
2312 2331 2335 2403 2418 2471 2491 2493 2494 2517

GGK V 368 1032 1595 2290

PAT 58 58 63 63 92 99 100 114 117 164
174 181 187 187 188 189 190 191 195 213
216 226 229 230 240 246 250 251 260 265
270 289 290 296 299 300 331 338 340 343
355 381 396 404 435 437 444 465 479

PAT V 188 189

PRL 324 349 360 404 478 598 610 676 691 692
711 712 713 714 721 732 774 797 804 813
820 821 836 867 869 886 1033 1048 1091 1165
1203

PRL 1 690 836

PRL 2 690

PRL 3 690 836

HYMSELF

CLN 23 209 490 584

GGK 164 226 517 763 906 1198 1581 2040 2051 2179

PRL 680 808 811 812 825 826 896 1134

HYMSELUE

GGK 126

HYMSELUEN

CLN 9 219 284 435 695 1426 1448 1591 1656 1702

GGK 113 285 902 1298 1660 2025 2031 2109

PAT 219 402

	325	327	341	345	347	352	354	354	356	357
	359	360	373	379	380	381	387	388	391	391
	393	396	398	399	400	402	403	406	406	407
	410	451	474	475	475	545	546	548	563	624
	630	651	690	753	755	756	757	776	813	926
	986	1002	1009	1010	1035	1039	1040	1052	1053	1054
	1054	1056	1061	1063	1066	1069	1080	1081	1089	1092
	1095	1099	1101	1102	1106	1110	1144	1211	1215	1220
	1221	1223	1224	1225	1226	1234	1235	1242	1244	1244
	1245	1246	1250	1252	1256	1257	1264	1269	1271	1272
	1274	1277	1278	1279	1303	1347	1379	1380	1382	1383
	1385	1386	1390	1391	1485	1486	1487	1489	1493	1493
	1494	1494	1494	1499	1501	1508	1522	1523	1531	1542
	1544	1544	1546	1547	1638	1642	1645	1673	1673	1677
	1678	1679	1679	1784	1785	1790	1793	1794	1795	1800
	1801	1801	1802	1804	1808	1815	1822	1823	1823	1829
	1839	1840	1842	1934	1941	1943	1943	1949	1962	1964
	1965	1970	1970	1991	1997	2058	2059	2059	2067	2091
	2094	2094	2095	2110	2121	2122	2124	2125	2128	2129
	2131	2131	2132	2142	2150	2157	2158	2159	2193	2196
	2205	2210	2218	2244	2248	2251	2252	2273	2274	2276
	2280	2281	2283	2286	2301	2303	2323	2324	2341	2342
	2343	2344	2345	2346	2350	2352	2359	2360	2361	2362
	2368	2382	2385	2388	2390	2390	2393	2395	2404	2409
	2427	2430	2433	2434	2439	2440	2444	2445	2467	2469
	2483	2506	2507	2508	2509	2510	2510			
GGK V	660	1283	1493	1493	1808	1815	1941	2110	2124	2346
PAT	9	28	35	36	46	55	60	68	70	75
	76	78	84	85	86	87	88	95	127	170
	173	205	206	210	212	283	285	299	304	305
	307	313	313	314	315	317	318	320	322	326
	329	330	333	334	399	413	415	416	417	421
	421	421	424	432	464	485	487	488	494	494
	496	501	503	504	505	518	520	521	522	
PRL	3	4	7	8	9	11	14	37	38	47
	49	53	57	59	65	66	67	101	107	126
	127	134	134	137	139	142	143	147	149	150
	152	153	158	164	164	167	168	169	170	175
	182	184	185	186	187	188	200	201	201	225
	232	239	241	242	244	246	252	279	281	282
	283	283	287	288	301	325	326	327	327	328
	328	329	333	335	361	363	366	368	376	377
	382	385	386	388	389	390	393	402	409	412
	418	421	422	469	469	487	502	524	543	558
	560	568	569	577	581	582	584	589	614	615
	673	704	743	746	761	782	783	784	793	867
	871	873	876	879	902	902	903	905	910	911
	913	931	932	933	962	967	973	975	977	979
	980	986	998	1000	1019	1021	1033	1035	1083	1085
	1087	1088	1089	1096	1107	1128	1132	1138	1145	1147

1148 1155 1155 1157 1160 1161 1162 1163 1165 1167
1168 1169 1171 1174 1175 1181 1182 1189 1194 1198
1203 1205 1207
PRL 1 142 185 200 382 1035
PRL 2 11 53 911 998
PRL 3 53 1035

IS
CLN 5 17 19 50 57 59 76 96 189 196
246 297 304 309 324 348 515 518 546 549
555 584 588 589 591 598 608 669 684 772
844 861 863 865 870 913 926 1004 1008 1015
1016 1019 1020 1022 1033 1039 1047 1053 1068 1078
1109 1113 1117 1117 1121 1139 1148 1148 1158 1164
1332 1359 1436 1449 1505 1524 1563 1599 1601 1611
1613 1617 1623 1627 1629 1643 1664 1672 1679 1734
1735 1738 1739 1739 1792 1809
CLN V 515 1015
ERK 19 25 33 44 99 146 147 149 150 153
154 160 163 172 175 193 205 274 299 330
332
ERK V 205 206
GGK 33 207 224 255 258 263 282 284 289 309
311 313 323 325 348 349 353 358 398 404
518 625 627 629 664 666 674 676 754 836
836 905 913 914 918 1037 1038 1078 1081 1112
1216 1228 1267 1297 1298 1319 1369 1381 1385 1392
1393 1482 1487 1488 1490 1498 1499 1500 1513 1515
1534 1536 1635 1637 1683 1747 1792 1792 1806 1811
1847 1848 1848 1851 1853 1894 1924 1941 1942 1945
2052 2097 2099 2100 2106 2189 2190 2193 2195 2196
2206 2214 2270 2294 2358 2364 2365 2375 2381 2386
2395 2396 2414 2436 2453 2463 2463 2464 2466 2506
2507 2509 2512 2521
GGK V 1941
PAT 1 7 14 28 47 70 81 124 156 175
202 203 209 242 245 280 324 350 398 399
414 420 431 485 490 493 523 526 531
PAT V 1 350
PRL 26 33 40 63 258 259 272 309 394 396
400 408 418 420 444 448 456 461 464 481
492 493 495 501 559 563 565 567 576 591
592 593 603 605 609 612 624 636 637 653
657 659 660 664 667 672 674 680 682 684
696 700 719 720 729 733 735 737 764 787
833 846 860 861 863 866 922 939 947 948
955 957 960 983 1013 1041 1070 1071 1187 1202
PRL 1 733 1041
PRL 2 565 672 733 735
PRL 3 735 1041

ME

CLN	25	68	70	105	106	139	146	285	290	305
	306	336	348	553	687	690	693	744	803	914
	915	918	1153	1623	1634	1635	1639	1663		
ERK	124	193	195	241	249	251	252	254	256	259
	261	271	272	278	279	284	292	320	331	
ERK V	251	252	252	292						
GGK	256	264	273	282	292	295	326	344	348	359
	380	390	394	395	397	399	401	401	402	407
	449	454	455	474	549	624	762	987	1008	1009
	1035	1051	1055	1057	1063	1065	1067	1094	1107	1111
	1214	1214	1215	1216	1218	1220	1239	1241	1268	1271
	1277	1393	1395	1481	1529	1533	1536	1539	1548	1785
	1793	1794	1798	1799	1810	1828	1905	1932	1946	1964
	1966	1967	2014	2112	2121	2123	2128	2133	2144	2159
	2194	2194	2206	2209	2211	2213	2250	2278	2284	2285
	2287	2296	2322	2324	2327	2348	2349	2351	2362	2379
	2380	2387	2411	2428	2428	2437	2456	2459		
GGK V	2459									
PAT	8	36	36	46	47	49	50	51	53	54
	59	71	72	72	77	78	79	79	80	83
	86	88	108	209	211	211	306	308	309	312
	321	323	326	336	347	348	426	426	427	427
	428	484	485	485	488	501	519	528	529	
PAT V	54									
PRL	10	13	19	20	21	50	55	66	88	98
	102	123	144	146	149	153	155	171	173	181
	187	233	235	238	239	245	250	267	277	286
	295	296	298	316	325	330	334	366	367	369
	371	391	400	415	438	487	494	544	565	566
	590	613	718	755	759	762	763	765	768	850
	919	936	938	963	964	981	1148	1151	1153	1157
	1158	1158	1159	1170	1177	1180	1183	1187	1190	1191
	1192									
PRL 1	369	981								
PRL 2	565	755								
PRL 3	613									

MY

CLN	55	55	56	57	60	67	77	81	83	104
	107	107	108	146	147	158	211	304	307	309
	326	327	656	663	683	687	709	717	731	740
	744	749	752	754	755	756	772	800	861	862
	866	866	872	917	1084	1433	1553	1562	1566	1571
	1572	1581	1624							
CLN V	1566									
ERK	123	184	205	226	228	236	237	242	242	243
	244	247	248	266	293	300	305	327	328	330
	331	332	335	339						
ERK V	205									

```
  GGK      271  288  346  355  357  402  403  408  408  409
           474  545  757  986  987 1036 1081 1098 1199 1216
          1225 1231 1232 1235 1237 1257 1266 1270 1278 1380
          1390 1492 1534 1545 1545 1546 1638 1638 1673 1800
          1822 1827 1829 1968 2096 2127 2193 2210 2240 2249
          2276 2276 2282 2285 2287 2351 2358 2361 2380 2386
          2396 2400 2404 2433 2438 2446 2468 2468 2469 2506
  GGK  V  2096
  PAT        8   51   54   56   67   76   83  134  210  283
           317  319  322  325  326  335  336  350  414  415
           425  426  486  486  487  496  505  507  519
  PAT  V    54   56  350
  PRL       15   16   16   17   18   24   48   49   51   53
            56   58   61   62   63   86  123  124  124  126
           156  157  181  199  234  242  249  279  280  282
           285  325  330  362  364  368  372  373  373  374
           376  377  384  395  396  403  407  408  413  420
           453  471  501  521  535  565  583  583  614  740
           741  757  758  763  766  795  795  795  796  796
           796  805  829  865  901  902  912  916 1049 1100
          1147 1154 1155 1164 1170 1172 1173 1197 1206
  PRL  1    51
  PRL  2    53  565
  PRL  3    53

MYN
  CLN      682  688  689  698 1667 1668
  ERK      194  235  253
  GGK      257  356  408  811 1488 1942 2359 2392 2412
  PAT       40   80  307  328  503
  PRL      128  174  176  179  200  243  566 1208
  PRL  1   200
  PRL  2   179
  PRL  3   179

MYNE
  GGK      342 1816
  PRL      335

MYSELF
  CLN      291
  GGK     1540
  PAT      503
  PRL      414 1175

MYSELFE
  ERK      197  300
  GGK     1052
```

ON
CLN 42 63 299 892 997 999 1555
GGK 137 442 864 1340 1964 2117 2363 2439
PAT 11
PRL 293 551 557 953

ONE
CLN 25 178
ERK 198 214
PAT 34

OUR
CLN 986
PRL 851

OURE
CLN 28 345 410 424 489 497 661 675 714 769
828 843 877 919 1004 1051 1053 1175 1642 1726
1804 1811
CLN V 28 1051
ERK 21 154 155 169 280 294 295 301 315 324
349
GGK 378 752 996 1055 1230 1469 1657 1934 2245
PAT 93 238 337 340 395 401 410 429 489
PAT V 489
PRL 304 322 455 483 639 702 807 808 854 857
860 861 953 958
PRL 1 690
PRL 2 690 702
PRL 3 690

OURESELFE
ERK 170

SCHAL
CLN 28 29 47 170 211 286 289 292 307 323
326 329 332 354 355 356 519 523 617 618
619 647 649 650 652 665 685 686 691 712
716 718 725 731 739 752 754 762 802 865
871 907 910 922 932 1028 1064 1128 1435 1568
1570 1571 1618 1636 1640 1740
CLN V 28 652 1618
GGK 31 255 288 290 294 327 374 374 389 391
394 395 402 675 898 916 922 925 927 986
1069 1071 1077 1081 1096 1098 1101 1211 1214 1223
1224 1235 1303 1544 1638 1674 1677 1776 1794 1829
1934 1970 1997 2094 2121 2122 2124 2147 2218 2251
2252 2286 2324 2388 2400 2405 2433 2437 2438 2444
GGK V 2124
PAT 16 18 20 22 24 26 36 60 87 323

334 359 360 361 362 370 395 396 396 472
PRL 265 283 298 315 328 329 332 344 348 356
405 416 424 449 569 570 588 675 676 678
683 686 701 702 728 956 959 973 976
PRL 2 702
PRL 3 315

SCHALE
CLN 553
GGK 1240

SCHALT
CLN 742

SCHALTE
PRL 564

SCHIN
CLN 1435

SCHO
GGK 969 1259 1550 1555 1556
PRL 758

SCHUL
CLN 107

SCHULD
CLN 249 1366
GGK 563 1879 2059

SCHULDE
CLN 42 53 61 108 152 566 671 703 915 934
1077 1107 1110 1112 1144 1363 1368 1746
CLNV 1107
GGK 238 248 371 398 559 584 624 750 1157 1221
1271 1275 1286 1671 1692 1752 1774 1816 1864 1879
1884 1902 2075 2076 2201 2241 2244 2349 2501 2504
2516
PAT 416 436 462 505 515 518
PRL 153 186 314 634 668 903 924 930 1072 1159
1162

SCHULDEN
GGK 931 2084

SCHYN
CLN 1810
GGK 2401

Word	Text										
SHAL											
	ERK	174									
SHALLE											
	ERK	347									
SHULD											
	ERK	42									
SHULDE											
	ERK	54	255								
THAI											
	ERK	9	43	43	45	46	66	68	72	88	248
		254	256	351							
THAY											
	CLN	9	11	12	12	13	15	53	61	71	75
		82	85	86	89	89	101	101	102	102	102
		103	108	111	113	113	118	123	265	274	298
		378	380	394	498	501	607	645	645	646	647
		668	671	671	692	693	694	705	709	725	730
		789	805	805	806	807	810	816	829	831	834
		837	839	840	845	846	879	885	886	887	891
		895	898	935	936	945	946	949	970	985	986
		987	1042	1074	1074	1087	1098	1165	1191	1191	1192
		1198	1199	1199	1203	1205	1209	1247	1249	1252	1254
		1269	1275	1297	1344	1346	1347	1385	1420	1435	1466
		1484	1528	1580	1581	1769	1775	1779	1780	1780	1781
		1782	1785								
	CLN V	10	15	668	839	935					
	GGK	50	69	71	72	72	239	363	461	464	481
		485	493	494	497	540	541	567	574	596	619
		704	707	817	820	828	831	931	975	977	978
		1003	1019	1025	1027	1113	1114	1117	1122	1127	1128
		1143	1152	1154	1160	1163	1163	1169	1255	1266	1280
		1307	1318	1323	1324	1329	1330	1332	1333	1335	1337
		1339	1343	1344	1347	1350	1351	1353	1354	1355	1356
		1359	1362	1363	1398	1400	1402	1404	1405	1407	1407
		1408	1410	1418	1421	1433	1434	1435	1437	1452	1468
		1506	1552	1554	1592	1615	1633	1648	1664	1667	1668
		1684	1704	1705	1705	1721	1763	1766	1864	1904	1911
		1918	1919	1920	1922	1951	1953	1955	1958	1981	1982
		1986	1988	1997	2038	2055	2077	2078	2083	2084	2087
		2425	2426	2472							
	GGK V	1333	1343	1350	1434	1766	2053	2055	2472		
	PAT	13	15	16	17	18	19	20	21	23	24
		25	26	27	78	100	101	102	106	132	136
		153	177	193	195	213	216	222	225	227	228
		229	230	237	241	373	374	423			

VCHONE3

PRL	863	1103								

VS

CLN	246	471	473	720	842	922	1507	1811		
ERK	172	185	212	294	333	340				
GGK	920	921	925	1060	1112	1210	2242	2246	2246	2530
PAT	29	171	198	404						
PRL	454	520	552	552	553	556	651	652	656	658
	813	816	828	848	853	861	862	1210	1211	
PRL 1	656	848								
PRL 3	848									

VSCHON

ERK	93									

WACE

PRL	65									

WARE

GGK	2388									
PRL	151	1027								

WAS

CLN	126	257	373	1395						
ERK	3	6	12	19	21	28	29	36	37	39
	47	50	75	93	105	107	108	118	130	134
	136	139	159	182	186	201	211	213	214	216
	222	226	228	231	245	255	289	345	346	350
GGK	169	251	573	619	726					
PRL	988									

WASSE

PRL	1108	1112								
PRL 2	1108	1112								

WAT3

CLN	92	110	120	134	137	143	147	149	151	200
	206	229	232	233	238	243	245	247	249	250
	251	258	263	275	276	293	296	297	300	343
	365	373	381	383	395	413	430	431	433	438
	455	455	456	484	489	491	491	492	508	529
	559	573	600	605	606	630	642	646	658	673
	720	781	786	786	792	793	795	808	812	812
	828	834	886	962	975	981	989	992	994	996
	1001	1013	1070	1071	1072	1073	1075	1075	1078	1079
	1080	1084	1085	1092	1092	1101	1144	1149	1154	1160
	1161	1169	1172	1174	1183	1185	1198	1206	1207	1211
	1215	1227	1236	1237	1241	1252	1274	1302	1310	1310
	1314	1322	1324	1333	1334	1338	1355	1365	1377	1386

	1389	1393	1397	1399	1417	1437	1439	1443	1451	1452
	1477	1478	1489	1513	1534	1555	1574	1585	1586	1587
	1587	1603	1612	1619	1620	1649	1650	1651	1655	1656
	1669	1683	1685	1688	1696	1698	1704	1705	1707	1708
	1743	1745	1751	1753	1765	1771	1786	1787	1789	1791
	1797	1800								
CLN V	229	456	491	529	1101					
GGK	1	4	5	20	26	44	48	54	60	60
	61	62	64	70	86	100	109	134	156	161
	178	179	184	197	215	232	241	257	461	465
	478	495	527	533	558	569	590	590	592	597
	603	606	607	615	633	640	642	644	645	652
	662	684	707	741	752	764	781	800	845	853
	860	864	876	878	884	901	906	928	929	938
	943	948	951	951	957	961	966	969	991	996
	1006	1007	1007	1007	1014	1020	1022	1023	1027	1028
	1060	1079	1085	1120	1133	1168	1187	1260	1311	1315
	1365	1365	1371	1395	1409	1413	1414	1432	1436	1441
	1447	1474	1559	1568	1580	1586	1601	1605	1616	1660
	1671	1683	1684	1689	1691	1694	1712	1719	1723	1724
	1725	1727	1728	1737	1748	1751	1764	1767	1820	1832
	1872	1891	1900	1912	1915	1916	1922	1926	1929	1935
	1950	1958	1989	2010	2016	2019	2019	2036	2047	2047
	2065	2069	2079	2084	2085	2182	2226	2233	2264	2320
	2321	2367	2394	2406	2416	2419	2484	2488	2491	2519
	2525									
GGK V	60	60	558	1028	1441	1724				
PAT	62	73	109	109	115	126	135	146	146	157
	161	177	183	214	218	220	231	237	248	249
	256	261	264	266	276	277	290	325	353	354
	414	439	449	457	468	474	480			
PRL	15	45	53	97	108	118	120	133	143	147
	148	163	172	185	197	217	220	222	227	228
	233	234	239	239	266	269	277	321	364	372
	374	375	376	412	474	503	504	518	528	534
	538	540	562	584	638	732	748	801	805	809
	810	830	876	880	889	920	942	953	989	994
	1042	1046	1056	1061	1062	1063	1065	1084	1088	1096
	1098	1100	1103	1123	1131	1143	1149	1150	1161	1163
	1164	1168	1172	1183	1190	1192	1197			
PRL 1	185	197	528							
PRL 2	53	197								
PRL 3	53	197	528							

WE

CLN	95	622	670	843	876	900	907	909	1111	1112
	1112	1811	1812							
ERK	155	156	169	169	171	183	185	300	301	302
ERK V	171									
GGK	255	378	378	916	918	919	1105	1108	1230	1641

1642 1681 1681 1935 2245 2347 2401 2405
PAT 30 173 401 404
PRL 251 378 378 379 380 425 430 458 467 517
519 553 641 785 849 859 957

WER
CLN 115 360 618 721 789 815 816 1029 1231 1243
1254 1257 1352 1456 1462 1467 1473 1485 1495 1496
1497 1527 1560 1575
CLN V 1485
GGK 782 877 1024 1251 2422
PAT 136 228 520
PRL 68 490 641 930 972

WERE
CLN 22 37 49 72 82 118 209 217 233 259
274 449 607 823 967 998 1063 1074 1084 1110
1122 1142 1376 1401 1406 1442 1523 1551 1580 1623
1684 1686 1695 1697 1714 1718 1756 1785 1799
CLN V 379 1406 1697
ERK 32 52 53 64 72 85 92 128 128 158
197 226 239 259 297
ERK V 297
GGK 58 78 85 92 100 114 131 140 143 144
149 163 165 166 185 244 281 301 320 438
443 493 540 567 618 653 655 656 716 719
744 783 852 871 903 950 963 1008 1049 1152
1158 1169 1170 1198 1245 1247 1250 1269 1270 1283
1322 1326 1328 1391 1399 1435 1493 1494 1494 1497
1509 1545 1590 1604 1625 1693 1773 1799 1835 1856
1856 1858 1931 1955 2038 2087 2131 2171 2289 2420
2420 2425 2457
GGK V 1283 1493 2171
PAT 34 34 84 92 116 127 177 233 244 300
304 342 427 450 462 494 506 520
PRL 6 32 87 139 263 264 287 288 452 621
739 849 878 1092 1107 1118 1142 1156 1167

WEREN
CLN 112
GGK 1138
PAT 29

WERN
CLN 84 89 113 113 119 164 253 254 262 270
273 361 379 403 434 442 451 496 657 724
795 806 813 829 891 939 969 970 985 986
990 1015 1197 1217 1241
CLN V 1015
PAT 268 344

```
  PRL       71   73   82  110  251  278  292  378  451  633
           838 1022 1101 1114 1133 1144 1146
  PRL 1    838
  PRL 2    838
  PRL 3    838

WERNE
  PRL      585

WIL
  GGK     1791 1822 2512

WOL
  GGK     2469

WOLDE
  CLN       36  126  231  360  444  500  752  800  807  928
           988 1058 1140 1153 1153 1503 1552 1629 1647
  CLN V    231
  ERK       68
  GGK       85   91   99  225  271  306  307  343  347 1063
          1063 1087 1127 1199 1218 1220 1393 1457 1497 1537
          1546 1801 1828 1835 1850 1878 1976 1992 2096 2220
          2258 2262 2439 2478
  GGK V   1457 2096
  PAT        5   30   83  113  155  160  424  494  496  501
  PRL      304  390  391  451  488  772  849  910  977 1155
          1195

WOLDE3
  GGK      811 2127 2128
  PAT      500
  PRL      410

WOLED
  GGK     1508

WORE
  CLN      928
  PRL      142  154  232  574
  PRL 1    142
  PRL 2    154

WOS
  ERK       11   24   31   73   78   83   94  101  103  141
           227  265  288  343  349
  ERK V    103

WYL
  CLN      358  517 1065
```

GGK 30 130 273 295 549 1090 1098 1102 1823 1967
1996 2132 2157 2215 2281 2303 2430
PAT 59 86 276 403 518
PRL 350 443 528 558 794 965

WYLLE
GGK 1547

WYLT
CLN 165 764 930
GGK 384 2141
PAT 202

YOR
CLN 715
PRL 761

YOUR
CLN 94 94 618 620 801 802 804 861 862 863
864 903 903 931
CLN V 620
GGK 311 311 312 312 312 347 347 349 357 1038
1039 1081 1096 1096 1211 1214 1219 1223 1228 1228
1240 1247 1253 1278 1303 1384 1484 1498 1501 1520
1521 1521 1523 1525 1529 1533 1538 1635 1806 1810
1840 1843 1845 1963 2368 2387 2406 2411 2429 2450
2456 2459
GGK V 2459
PRL 257 258 305 306 369 389 393 497 924
PRL 1 369

YOURE
GGK 1039

YOURE3
GGK 1106 1815 1964
GGK V 1815

YOURSELF
GGK 1267 1522

YOURSELUEN
CLN 863
GGK 350 1548

YOW
CLN 352 357 522 523 617 799 802 803 865 871
872 904 1805
GGK 130 344 351 358 359 470 545 547 624 776
814 835 839 1038 1056 1069 1070 1073 1077 1080

APPENDIX 2

Head Words in Order of Frequency

899
HE

755
HIS

683
I

522
HIT

506
WAT3

489
HYM

345
IS

337
THAY

297
THOU

296
ME

275
MY

215
BE

199
HEM

189
WERE

187
HER

171
SCHAL

167
NEUER

164
3E

140
THY

137
HADE

133
LORDE

121
GOD

120
MONY

119
YOW

115
HO
MAY

111
CON

110
HERE

107
MORE

103
EUER

101
HAF

100
QUOTH

98
MY3T

96
MON

90
HAT3

82
HIR

79
WOLDE

78
YOUR

76
OUT

75
OURE
SAYDE

72
HYS

70
HERT

69
HY3E

67
SCHULDE

66
KNY3T

65
ER
MEN
WE

64
DERE

62
SYTHEN

60
GRENE
WY3E

58
MUCH
WERN

56
BRY3T
CLENE
DAY
RY3T

54
BURNE
KYNG

52
COM
FAYRE
FYRST
GAWAYN

51
BEST
PERLE
THUS
WORLDE

50
GOLDE
RYCHE
VS
WAS

49
AR
WATER

48
THI

47
LEUE

46
AM
LONGE
SIR

45
VNDER

HAUE

43
GRET
OUER

42
ARN

41
FREKE
HAD
SONE

40
LEDE
WER

39
SE

38
ERTHE
GRETE
HEUEN

37
LY3T
OFTE
TYME

36
HONDE
LYF
MADE
MO3T
ONE
WYLLE

35
BEN
FORTH
GRACE
SEGGE

34
BIFORE
LYTTEL
METE
MYN
SETTE
SPECHE
THERINNE

33
GROUNDE
MAKE
PLACE
WYSE

31
LET
THO3T
WYL

30
DOUN
HEDE

29
FELE
FOLDE
GAY
GOME
HATHEL
HYR
LOKE
MAN
SWETE
WYLDE

28
BLYSSE
FACE
FADER
KYNDE
TELLE
WORDE3

27
BEDE
BODY
BOLDE
BRODE
DRY3TYN
HOR
LADY
SAY
WONDER

26
BARE
BETTER
CLER
HERDE
LOMBE
SYDE
SY3T
TWO
WRO3T

25
BRO3T
FELLE
GODE
HALLE
KEST
TALE
THYN
WORTHE

24
DO
FORTHY
GAWAN
HOM
IWYSSE
LONDE
MYNDE
SERUED
SUM
SUNNE
TOGEDER

23
ART
ENDE
HOUS
ILK
MOTE
PRYNCE
SETE
TAKE
THRE
WHYLE
WON
WYNNE

22
DEPE
FOLK
FRE
FYLTHE
FYRRE
HENDE
HIM
HYMSELF
NOBLE
NY3T
TRWE

21
BYFORE
COUTHE
DEDE
FYNDE
HARDE
LOFTE
LUF
SENDE
SWYTHE
THEROF
WELE

20
BALTA3AR
BURDE
CHAPEL
COLDE
HYMSELUEN
HY3T
SET
THEROUTE

19
BYLYUE
EFTE
FARE
FAST
FERLY
GOUD
HALDE
HENT
LASTE
LEST
PRYS
SE3
STEUEN
SUMME
TABLE

WYF

18

ABOF
AMONG
BALE
BLOD
CALLED
FORSOTHE
FYUE
HAN
LYFTE
LYKE3
MERCY
MOT
MYRY
ONE3
RICHE
SALE
STYLLE
Y3EN

17

ATHEL
BERE
CLERE
COMLY
DY3T
FOTE
INNOGHE
KRYST
LASSE
LAST
LY3TLY
MO
SECHE
SEMED
SEMLY
STIF
STOD
TRAWTHE
WONE3
WOT

16

BLYTHE
CHERE
DAYE3
DELE
DREDE
EUEN
FLESCH
HALDEN
LYUE
MEYNY
MONE
NOTE
NWE
PURE
RADLY
SAMEN
SOUERAYN
THERTO
WAY
WEDE3
WORDE
WORTHY
WOS

15

ARE
BENE
DATE
DON
FASTE
FEST
GEF
HALF
HAS
HED
HE3E
ILKE
JERUSALEM
JOHN
LEDE3
LEUE3
LO
LOKED
LYKED
MOLDE
NOLDE
PY3T
QUENE
SAME
SAUE
THERAFTER
THERON
THRO
TOKEN
WAR
WELDE
WENDE
WORDES

14

BITWENE
BODE
BRYNG
CALDE
CARE
CLOS
COURT
DOT3
FERDE
FETE
GLENT
HOLY
HONOUR
HOPE
KNEW
LAWE
LOTH
LYST
PERLE3
POYNT
REDE
ROS
SCHYRE
SEUEN
SORE
SOTHE
STON
SYNNE
TECHE
TENE
THERFORE
WHERE
WLONK
WOD
3ELDE

13

ANOTHER
A3AYN
BURNE3
BYTWENE
COME
ELLE3
FAYLED
FAYTH
FERE
GATE
GODDE3
GODE3
HALDE3
HELLE
KENE
LAY
LA3ED
LENGE
LENTHE
LEUDE
LYKE
MAD
MAYSTER
MORNE
NAY
NOME
SCHARP
SCHENE
SCHEWED
SOLACE
THAI
THYNK
TOUN
VCHON
WALE
WENT

12

ANVNDER
ARMES
AWAY
AWEN
AYTHER
BED
BEDDE
BENT
BLAME
BONK
BORDE
BORNE
CALLE
CHAUNCE
COWTHE
DEMED
DETH
DETHE
DRY3E
FAYR

FLOD
FONDE
FYNDE3
GRAYTHELY
HETERLY
HIDER
HOLDE
HOME
ILLE
JONAS
LEDES
LENGED
LENGER
LOUDE
LUFLYCH
MOST
NAUTHER
NOYSE
PUT
RENK
ROUNDE
RYCH
RYSE
SAYD
SO3T
SPACE
STRONGE
SUFFER
VMBE
WONNEN
WY3
WY3E3

11
ALOFTE
APOSTEL
ARAYED
ASKE3
BILYUE
BONE
BOTE
BOUNDEN
BUR3
BYDE
CORTAYSYE
CRYED
DEME
DROF
EUERMORE
FAYN
FORME
FOUNDEN
FRYTH
GO
GOT3
HELME
HI3E
HY3
KNY3TE3
LARGE
LA3T
LOTE
NOE
ONES
PASSED
PAYNE
PRAY
PRAYSED
PRYDE
RED
RI3T
RODE
SAYS
SEE
SENE
SITTE
SLEPE
SOR3E
STONES
THIK
TWELUE
VCHONE
WRAKE
WROTH
WYNDE
3EDE

10
ABRAHAM
ADOUN
BERE3
BOR3
BRED
BREME
BREST
CETE
CHAMBRE
COMFORT
DELYT
DOME
DOR
DRYUEN
ERLY
FALLE
FALLEN
FORTO
FREKE3
GENTYLE
GLAD
GOMEN
GRAYTHED
GREME
GREUE
HOLE
HORS
HUGE
INNO3E
KNOT
LEMED
LOUED
MASSE
MERE
MERUAYLE
NAME
PLAY
PYNE
QUO
QUYLE
RA3T
SAKE
SAYNT
SELF
SELUEN
SERUE
SESED
SETEN
SYDE3
SYRE
TAN
THIDER
THOW
VRTHE
WERK
WYNTER
WYST
Y3E
3ERE

9
AGAYN
AX
BAK
BER
BLUSCHED
BLYS
BOWED
BROD
CA3T
CLOTHE
COMEN
CORT
DECE
DEDE3
DOUTHE
ERDE
FER
FOLE
FYNE
GIF
GODDES
HADEN
HALUE
HAPPEN
HELP
HOUNDE3
IOYE
KYNGE
KYTH
LAUNDE
LAYNE
LEF
LENT
LOME
LUFLY
MADDE
MELE
MOSTE
MYSELUEN
NAKED
NAWTHER
OFT
OLDE
PASSE
PENAUNCE
PLAYN
PRECIOS
RONK
RO3E
SADEL
SAF

SCHELDE
SEGGE3
SER
SERE
SOPER
SPEDE
SPEKE
SPOT
SUMTYME
SWARE
THERWYTH
TOWARDE
TY3T
VYNE
WAKNED
WECE
WENE
WHETHER
WO
WRATH
YOWRE

8

ABYME
ARME3
BLYSFUL
BOUN
BUR
BURNES
CARP
CHEF
CLCSED
CORTAYS
DAME
DOEL
DCM
DRESSED
DUBBED
ERE
FALLE3
FAYREST
FAYTHE
FEL
FELDE
FOL3ED
FORTY
FYN
GAYN
GENTYL
GERED
GREUED
HARME
HATTE
HELDE
HUNDRETH
HYT
KEPE
LACE
LERE
LETTRES
LEUES
LONG
LO3E
LYSTE
MAKED
MASKELLE3
MEDE
MERTHE
MYNNE
MYRTHE
NABUGODENO3AR
NA3T
NERE
OUTE
QUYTE
RAN
RECHE
REKEN
RENOUN
REST
ROTE
RY3TWYS
SARE
SCHEWE
SITHEN
SOBERLY
SODAMAS
SOTH
SPERE
STOKEN
STONE3
STURNE
SWYN
SYN
TEMPLE
THRY3T
TROWE
WAYNED
WODBYNDE
WOTHE
3ATE3
3ONGE

7

ARK
AUTER
AYWHERE
A3T
BETEN
BIHYNDE
BLAKE
BLESSED
BLO
BLWE
BOKE
BONKE3
BOUTE
BOWE
BO3ED
BO3T
BRONDE
BYSYDE
BY3ONDE
COSTES
CRAFTE
DAYE
DEDES
DERELY
DERK
DERREST
ERNDE
FALCE
FLET
FONGE
FORTHI
FYGURE
GERE
GOSTE
GRYNGOLET
HABBE3
HALED
HELE
HENGED
HETE
HEUED
HYRE
IOY
JOYE
JUELER
KEUER
KNOWE
KYN
LACH
LADIES
LADYES
LADYE3
LATE
LAUCE
LAYDE
LELLY
LETTE
LITTEL
LORDES
LURE
LOTE3
LOUE
LYFT
LYK
MARRED
MARY
MEKE
MENE
MENSKE
MERY
MESURE
MODE
MORN
MUKEL
MYSSE
NE3E
O3T
PAY
PAYE
PAYED
PEPLE
PES
PLYT
PROPHETE
REDY
RENT
RYDE
SALT
SAYT3
SCATHE
SCHALK
SCHON
SELLY
SEMBLAUNT
SERUAUNT
SIKER

SKYL
SOULE
SOUN
STILLE
STONDE
STRANGE
STROK
SYTTE3
SY3
SY3E
TERME
THEDER
THENK
THIKKE
THONKKE3
THYSELF
TORNE
TOWCHED
TRONE
TWYNNE
TYD
TYDE
WAX
WAYE
WEDES
WELCUM
WHO
WHYT
WODE
WORE
WRATHED
WRYT
WYLT
WYN
WYNDE3

6

ADAM
ANGER
ASKES
AUNGELE3
AYQUERE
BENCH
BENDE
BESTE3
BLONK
BLYNDE
BLYSNANDE
BONKKE3
BOR
BRAYDE
BREDE
BROUN
BRYNGE3
BYDE3
CALLE3
CARPE
CLANLY
CLAY
CLOTHES
COMLYCH
CORTAYSE
COUNTENAUNCE
CRAUE
DANYEL
DAYES
DEPARTED
DERF
DERNE
DID
DISPLESE
DONE
DUK
DURST
DYNT
EFT
ESE
ETE
EUEL
FAITHE
FLOWEN
FORMED
FORTHE
FOWRE
FRAYST
FRELY
FRENDE
FYFTY
FYR
GEMME
GETE
GLAM
GLE
GLORY
GLYDE3
GODDE
GON
GOUDE
GRECE
HALDES
HANDE
HAPPE
HASPED
HAYLSED
HEGHE
HEUENED
HONDES
HOPED
HURT
HYDE
KA3T
KNAWE
KYDDE
KYNGES
KYNGE3
KYSSES
LAYK
LA3ANDE
LEDE
LEMMAN
LETHE
LUFLYLY
LYKES
MADEN
MELED
MERUAYL
METTE
METTEN
MONNES
MYLDE
NAS
NEDE
NEW
NE3ED
PALAYS
PRAYSE
PREUE
PROUDE
PRYNCES
QUELLE
QUERE
QUYL
REKENLY
REME
RENGNE
RESOUN
ROSE
RO3
RYSED
RYSES
SADDE
SAULE
SAWLE
SCHO
SEGGES
SELE
SETTE3
SLAYN
SMAL
SUFTE
SONGE
SOTHLY
SOUNDE
SPARE
START
STEL
STELE
STODEN
STOUTE
STRYF
SUTE
SYTHE
SYTHE3
SYTTES
THOLE
THOWSANDE
THROTE
THRYD
TOKE
TOLDE
TOLKE
TRAWE
VENGAUNCE
VERAYLY
VSED
WAKENED
WAN
WARP
WEDER
WELDE3
WELKYN
WEPPEN
WERKE3
WEX
WHYL
WONE
WONT
WORCHYP
WORSCHYP
WO3E

WRANGE
WRAST
WYRDE
WYTTE
WYTTE3
WY3T
3EP
3ER

5

ABIDE
ACCORDE
AGE
ALDER
ALONE
ANON
APROCHE
ARTHURE3
ASK
ASKE
A3TE
BARNE3
BAYN
BERDE
BESTE
BETE
BEUERAGE
BISSHOP
BITYDE
BLE
BLODE
BLYTHELY
BOR3E
BOTHEM
BOUR
BO3E3
BRAYDE3
BRAYN
BRENT
BRESTE
BREUED
BRYDDE3
BURDES
BURGHE
BUSK
BUSKED
BYSCHOP
CACH
CAN
CAST
CAUSE
CHARGED
CHAUNGE
CHOSEN
CLERKES
COLOUR
COMAUNDED
COME3
COMLYLY
COMPAS
CORS
CORTAYSLY
CORUEN
COTE
COUNSAYL
COURTE
CROUN
CRY
DALT
DAUNGER
DAYNTE
DED
DEUEL
DE3TER
DI3T
DRAWEN
DRYNK
DYN
ENCLYNE
ETHE
FECH
FENDE
FLE
FLESCHE
FLOT
FOLKE
FOWLE
FOX
FRAYNED
FRENDE3
GART
GAYE
GEST
GESTES
GETEN
GLETTE
GODLY
GODMON
GOOD
GRANT
GRESSE
GREUE3
GRYMME
HALCHED
HALYDAY
HASTE
HATE
HAY
HEF
HEMSELF
HENTES
HEREINNE
HERKEN
HIL
HITTE
HODE
HOGE
HONEST
HORNE3
HURLED
HWE
HY3LY
ILYCHE
INMYDDE3
INNOGH
JOY
KEPED
KESTEN
KNAW
KNAWEN
KNOW
KNY3TES
KYST
KYTHE
LAGHE
LANCE
LAYD
LAYKE3
LEUEN
LIF
LITELLE
LOKEN
LONGED
LORDE3
LOUE3
LOWE
LURE3
LUTHER
LYRE
LYUE3
MANER
MANNE3
MAYN
MA3TYLY
MELE3
MELLE
MERCI
MERKED
MESCHEF
MYSELF
NABU3ARDAN
NADE
NEDE3
NEK
NEM
NERRE
PARADYS
POUER
POYNTE3
PRAYED
PRECIOUS
PREST
PROFERED
PURED
QUOSO
QUOYNT
QUYT
REMNAUNT
REUEL
REUERENCE
REWARDE
RUNNEN
RURD
SADLY
SAUTER
SAYDEN
SAYN
SAYNED
SCHAPE
SCHORE
SCHOT
SCHOWUED
SCHULD
SCHULDERES
SCHYR
SEME
SEME3
SESOUN
SODENLY
SONGEN

SPEKE3
SPELLE
STAD
STYNT
SUNE3
SYNFUL
TAYT
THONK
THRAWEN
THRYCDE
THRYNNE
THYNG
THYNGES
TOUMBE
TOWARD
TRWLY
TRYED
TWENTY
TWEYNE
TYNE
VNHAP
VNTRWE
WAL
WALT
WARE
WAYE3
WAYTE
WAYUED
WENDE3
WERKKE3
WHIL
WHOSO
WOLDE3
WONDE
WORTHED
WORTHYLY
WRECH
WYSTE
YNDE
3ATES
3EDERLY

4

ABYDE
ACORDED
ADUBBEMENT
APERT
AQUYLE
ARTHUR
AR3ED
ASKED
AUNE
BABYLOYN
BARET
BARNE
BAY
BEAU
BELT
BENCHE
BERYL
BESTES
BIDDE3
BISYDE
BITE
BLAUNNER
BLENDE
BLYNNE
BONES
BOST
BRAYDEN
BREK
BRENDE
BRENNED
BREUE
BROTHELY
BRUTUS
BRYDEL
BURDE3
BUSKE3
BYGYNNE3
BYHOUES
BYLDE
BYTYDE
CACE
CALLES
CHAUNGED
CHEFLY
CHER
CHOSE
CITE
CLANNES
CLOTHE3
CLYFFE
CLYPPER
COFER
COLE
COMLOKEST
COROUN
CORSED
CORTYN
COST
COUENAUNT
COUETYSE
CRAFTE3
CROKED
CURIOUS
DALE
DAR
DAUID
DEBATE
DEBONERTE
DELYUER
DES
DESTYNE
DEUISED
DEUYSE
DORE
DOS
DOTED
DOUBLE
DOWELLE3
DO3TY
DREMES
DREPED
DRONKEN
DRO3
DRYUE3
DRY3LY
DY3E
EGGE
EGHEN
ELLES
ERBE3
ERES
ERKENWOLDE
EUENTYDE
EXCUSED
EXPOUN
FALS
FAUT
FAUTE
FECHE3
FELA3SCHYP
FESTE
FETTE
FETTLED
FEWE
FLOR
FLUTE
FODE
FOLDEN
FORFERDE
FORFETE
FORLOYNE
FORSAKE
FORWARDE
FOR3ELDE
FOULE
FOUNDE3
FOURME
FRYT
FURRED
FYLED
FYLTER
FYRSTE
GALLE
GARLANDE
GEDERED
GEMME3
GEUEN
GLADE
GLOD
GLORIOUS
GLY3T
GOS
GOST
GRACIOS
GRAUEN
GRAUNT
GRAY
GROWE
HALLE3
HAST
HAT
HATEL
HATHELES
HATHELE3
HAUEN
HELE3
HENDELY
HETHEN
HEUENRYCHE
HEWEN
HE3LY
HILLE
HOL
HOLLY
HONOURED
HOTE
HUNT

HWE3
HYLLE
HYNE
HY3EC
HY3EST
HY3E3
IAPE3
ISRAEL
JESUS
KARP
KENNE
KEUEREC
KRYSTMASSE
KYC
KYNDELY
KYSSE
LACDE
LAPPE3
LATHED
LAUNCE
LEL
LEME
LEPE3
LERNEC
LES
LOCE
LOCLY
LOGHE
LONDCN
LORD
LOSE
LOST
LOTHE
LOUTE3
LOUYES
LUR
LYE
LYS
LYTE
LYUEC
LY3E
LY3TE
MA
MAKELE3
MAKES
MAKE3
MALTE
MANTYLE
MATE
MATER

MATHEW
MAYDENE3
MA3TY
MECHE
MEDES
MENSK
MENY
MERK
MEUE
MIRTHE
MODER
MONI
MONYTH
MORNYNG
MOTE3
MOUNT
MOUTHE
MYRIEST
MYTHE
NEDES
NER
NEWE
NOBEL
NOMEN
NORNE
NOUMBRE
NOWHERE
NYE
PAYRE
PERTLY
PLAYNED
PORT
POUERTE
PRAYER
PRESTLY
PROPHETES
PROUED
QUATSO
QUEME
QUYK
RAWTHE
RAYLED
RAYN
REGIOUN
RELED
RENNE
RERE
REUE
RONKE
RYAL

RYDES
RYS
RY3TE
SADE
SAKERFYSE
SALAMON
SA3
SA3TLEC
SCHAME
SCHARPE
SCHELDE3
SCHENT
SCHRANK
SCHUNT
SECOUNDE
SEDE
SEGE
SEGOR
SEMELY
SEN
SERUYSE
SETT
SETTEN
SLYPPED
SLY3T
SMYTE
SNAWE
SONDE
SPAKLY
SPED
SPEKEN
SPYT
STABLED
STALWORTH
STANDE
STIFLY
STODE
STOKKES
STOUTLY
STRAY
STRETE
STRE3T
STROT
STRYDE3
STRYKE3
SUMWHYLE
SURE
SWANGE
SWYRE
SYDES

SYKED
SYLK
SYMPLE
SYNGNE
SYNGNETTE3
SYNNE3
SYT
TAKEN
TARCE
TARY
TEME
TENTED
THERABOUTE
THERAT
THEWES
THEWE3
THINK
THRYUEN
THYNKKE3
TOM
TONGE
TOUNE
TRAUTHE
TRES
TROIE
TROYE
TULK
VMBEGON
VNCLENE
VNCOUTHE
VOYDED
VTTER
WALLE
WASCHEN
WASSE
WAST
WAWEN
WAYTE3
WELNE3
WENCHES
WERKE
WERRE
WISE
WOMBE
WONDERLY
WONED
WONEN
WONES
WORCH
WORCHIP

WORTH
WORTHE3
WRACHE
WROTHE
WRYTEN
WYDE
WYKKED
WYLE
WYMMEN
WYNE
WYTE
WYTERLY
WYUE3
WY3ES
YDEL
YOURE3
3ARKED
3ATE
3EPLY
3ON

3

ACHEUE
AGHT
ALTHA3
ALTOGEDER
AMONGE
APOCALYPPE3
APROCHED
ARAYE
ARME
ARTHOUR
ARTHURE
ASENT
ASSPYE
AUEN
AUENTURE
AUENTURUS
AUNCIAN
AUTHER
AYRE
BANNE
BANTELS
BARRE3
BAUDERYK
BAYED
BECOM
BEFORE
BEFOLDE
BEREN
BESECHE
BIDE
BIDE3
BIGGED
BIGLY
BIHOUED
BIHOUES
BISCHOP
BISECHE
BISO3T
BLANDE
BLEAUNT
BLOWE
BOD
BODI
BOFFET
BONKE
BONKES
BORELYCH
BORNYST
BOUNTE
BOWE3
BO3
BO3E
BRASSE
BRAYD
BREM
BREMLY
BRETHE
BROK
BROKE
BROTHE
BRO3TEN
BRUNY
BRYMME
BRYNGE
BRY3TER
BRY3TEST
BUGLE
BURYNES
BYGGE
BYGLY
BYHOUE3
BYHYNDE
BYSSHOP
BYTE
CACHED
CACHEN
CALDEE
CARE3
CAROLES
CASTEL
CAYRE
CHACE
CHARYTE
CHEKES
CHEMNE
CHES
CHEUE
CHILDER
CHYLDER
CITEES
CLAD
CLANNESSE
CLATERED
CLERKE3
CLOT
CLOWDES
CLYUEN
COF
COMFORTHE
COMME3
COMPAYNY
COMPAYNYE
CONE3
CORSE
COSTE3
COUENAUNDE
COUENAUNTE3
COUERED
COUNSELLE
COUNSEYL
CRAFT
CRAGGE
CREDE
CRYE
CRYES
CUM
CUMMEN
CUNTRE
CYTE
DAM
DAYLY3T
DAYNTES
DEFENCE
DEMEN
DERFLY
DERKE
DERUELY
DISCHES
DISPLAYED
DISPLESED
DOLE
DOUTE
DOWELLE
DOWELLED
DOWNE3
DRWRY
DRYE
DRYUE
DRYUES
DUKE3
DUT
ELDE
EMPYRE
ENBRAUDED
ENE
ENTER
ENTYSES
ERBER
ERBES
ERE3
FALLES
FAURE
FAUTE3
FAX
FAYLY
FAYTHFUL
FA3T
FEIRER
FELLEN
FELLY
FERK
FERKE3
FERLYLY
FERRE
FE3T
FLAYED
FLEME
FLODE
FLY3T
FOLES
FOL3ANDE
FOL3ES
FON
FONGE3
FONTE
FOO
FORBODEN
FORTUNE

FORWARDE3
FOR3ETE
FOUNCE
FRAUNCHYSE
FREUCH
FYNGER
FYNGERES
FYNGRES
FYRE
FYSCH
GAME
GARYSOUN
GAUAN
GAWEN
GAYNLY
GEDERE3
GEMMES
GENT
GENTE
GESSE
GISERNE
GLADLY
GLAS
GLEM
GLENTE
GLORYOUS
GLYDES
GODES
GOMNE3
GOMORRE
GORDE
GORDEL
GOSTLY
GOTE3
GOUDES
GOUERNOUR
GRACIOUS
GRATTEST
GRAUNTED
GRAYE
GRES
GULTY
GYES
GYF
GYFTE
GYLE
GYN
HALME
HALS
HANDE3
HAPPED
HARD
HARDY
HASTED
HATED
HATTES
HAYRE
HELDER
HELDET
HELLEHOLE
HENTE
HEPES
HERBER
HERTE
HERTTE3
HEST
HETES
HETHYNG
HEUE
HEUY
HEWE
HEWES
HE3
HILLE3
HIRSELF
HONDE3
HONDRED
HONESTLY
HORES
HORNE
HORSE
HOT
HOUEN
HUNDRED
HUNTES
HYDER
HYGHE
HY3ES
IERUSALEM
INSEME
INWITH
IOYNED
JON
JOPARDE
JOYNED
JUEL
KAYRE
KEPES
KNELED
KNEWE
KNOWEN
KNYF
KYNNED
KYNTLY
KYRK
KYTHE3
LAD
LADIS
LAFTEN
LAKKED
LANDE
LANT
LAPPED
LASTES
LASTE3
LATER
LATHE
LAUSED
LAYTES
LENDE
LENED
LENGE3
LEPES
LERNE
LEUDE3
LEUED
LEWED
LOF
LOKE3
LOKKE3
LONDES
LOS
LOT
LOUELYCH
LOUIED
LOUIES
LOUPE
LO3
LO3LY
LUDE
LUMPEN
LYFE
LYGYNGE3
LYKYNG
LYM
LYMPED
LYNE
LYSTEN
MACH
MALE
MALT
MANE
MANERLY
MANE3
MANSED
MARRE
MASKELE3
MAYDEN
MAYDENES
MEKENESSE
MENES
MENSKFUL
MERE3
MERUAILE
MESSE
METELY
METES
MEUED
MOLDE3
MOR
MORSEL
MOUNTE
MOUNTES
MOUTH
MO3TEN
MUNSTER
MUNT
MURYLY
MUTE
MUTHE
MYLE
MYNE
MYNSTER
MYRE
MYS
MYSELFE
MYST
MY3TES
MY3TE3
NEUENED
NEUERTHELES
NE3
NOMBRE
NOTHER
NOTHYNG
NOTHYNK
NOUTHE
NOYCE
NUMMEN
NURNED

NWE3ER
NW3ERE
NYS
NY3E
ONSWARE
OPEN
ORDURE
OUERTHWERT
OWEN
PACYENCE
PARAGE
PARED
PART
PASSE3
PASSYD
PAST
PAYRED
PENTANGEL
PENY
PEPUL
PERE
PERLES
PERRE
PESE
PHARES
PITE
PLAYNE3
PLESE
PLY3T
PORPOSE
PORTER
POUERT
PRAYERE
PRECE
PRES
PRESENS
PREUED
PRINCE
PROWES
PRYNCE3
PURELY
PYKED
PYNED
PY3TE
QUEST
QUETHER
QUILE
RAD
RAFTE
RAPELY
RAUTHE
RAYKED
RAYNE
RAYSOUN
REDES
REDLES
REDYLY
REGET
REHAYTED
REMWE
RENAYED
RENGNED
RENKES
RENKE3
RENKKE3
RERED
RES
RESOUNE3
RESTAYED
REUERENS
RIDE
RISES
ROBE
ROKKE3
ROUN
ROWTES
RUNGEN
RURDE
RUSCHED
RYALLY
RYCHEST
RYNGE3
RYNK
SACRAFYSE
SAMNED
SAUERLY
SAYL
SA3E
SA3ES
SCAPE
SCHAPED
SCHAWE
SCHENDE
SCHERE
SCHEWE3
SCHORTLY
SCHRYFTE
SCHULDER
SCHYLDE
SCHYNDERED
SECH
SECHE3
SEGG
SEMLYCH
SERUE3
SEUENTHE
SE3E
SE3EN
SILK
SITTES
SKATHE
SKYLLE3
SLE3E
SLODE
SMELLE
SMOTHE
SODANLY
SODOMAS
SOFTLY
SOLEMPNE
SOMER
SONNE
SOTHES
SOUR
SOYLE
SPEDE3
SPELUNKE
SPENNE
SPOKEN
SPRANGE
STADDE
STALKED
STALLE
STANDE3
STARED
STED
STEDE
STEPE
STEPPE3
STERE
STERNE3
STONDES
STOUNDES
STOUT
STRAUNGE
STRAYT
STREM
STREMANDE
STREME3
STRENKTHE
STRENTHE
STROKE
STROTHE
STRYE
STRYKE
STUD
STYLLY
SUED
SULPED
SUMQUAT
SUNES
SURELY
SWELT
SWENGED
SWEPE
SWERE
SWORDE
SWYFTLY
SYLUER
SYNGE
SYNK
SYTTE
TA
TAKE3
TAME
TARS
TAS
TECHES
TEE
TELDE
TELDED
TELLES
TELLE3
TEMEN
TENDER
TENT
TERES
TERMES
THAR
THEDE
THENKKE3
THERTYLLE
THERVNDER
THINGES
THRAT
THRID
THROLY
THRONE
THRONG
THROWEN

THRWE
THU3T
THYSELUEN
TODAY
TOMORNE
TON
TOR
TORENT
TOWCHE
TRAW
TRAWED
TRE
TRESOR
TROUTHE
TRUE
TRULY
TULKES
TURNED
TWELMONYTH
TYT
VALE
VERRAY
VESSEL
VESSELLES
VGLY
VNSOUNDE
VOYDE
VPROS
VYLANYE
WADE
WAKEN
WALKE3
WALLES
WALTERED
WAPPED
WARDE
WARME
WASCH
WASCHE
WATTERES
WELDES
WENTE
WENTEN
WEPANDE
WEREN
WERKES
WERKKES
WERS
WETE
WHAL

WHATSO
WHERESO
WHYTE
WICH
WIL
WI3T
WONNE
WONYED
WORCHE
WORRE
WORTHELYCH
WORTHLY
WOST
WOUNDE
WOWEN
WRANG
WROTHELY
WRYTHE
WYCH
WYLES
WYNDOW
WYNGE3
WYNNE3
WYRDES
WYS
WYSSE
YOURSELUEN
YRE
3ARE
3ERNED
3ETE
3OLDEN
3ONDER
3ONG
3OUR

2

ABATE
ABELEF
ABOUE
ABYDE3
ACHAUFED
ACHEUED
ACOLEN
ACORDE3
ADUBBEMENTE
ALDERMEN
ALDEST
ALOFT
ALOSED

ALTHERGRATTEST
ALYUE
ANENDE
ANOYNTED
ANSUARE
APERE
APPLE
APOCALYPPCE
ARAY
ARAYDE
AREST
ARMENE
ARNE
ARSOUN3
ARTHER
ARY3T
AR3E
ASAY
ASCAPED
ASCRYED
ASKYNG
ASSEMBLE
ASSPYED
ASTOUNT
ASTYT
ASYSE
ATYRED
AUNGELS
AUNTER
AVYLED
A3AYNES
A3LY
BABILOYN
BABILOYNE
BALE3
BAL3
BANNED
BARAYN
BARBE3
BAROUN
BAROUNES
BAROUN3
BARRED
BASSYNES
BATHED
BAWELYNE
BAYLE
BAYLY
BAYTHEN
BEDELS

BEDEN
BEHOUES
BELE
BEM
BERES
BERYNG
BET
BET3
BEWTE
BIDDE
BIDDES
BIGGE
BIGYLED
BIGYNE3
BIHY3T
BIKENDE
BIKNOWE
BILEUE
BISCHOPES
BISEMED
BISEME3
BISYDE3
BIT
BIYS
BLEE
BLENT
BLESSE
BLESSYNG
BLIS
BLISSE
BLOME3
BLONKKE3
BLUNT
BLUSCH
BLYKKED
BOBAUNCE
BODEN
BODYES
BODYLY
BOK
BOLE
BOLLE
BOLLE3
BOLNE
BONC
BONGRE
BORDES
BORE
BORE3
BOS

BOSKE3
BOURCE3
BOURE
BOURE3
BOURNE
BOWELES
BO3ES
BRACHES
BRATH
BRAUNCHE
BRAUNCHES
BRAWDEN
BRAWEN
BRAYNWOD
BREKE
BREMELY
BRENNE3
BRENTEST
BRESED
BRESTES
BRETAYN
BRETH
BREUYT
BRITNED
BRITNE3
BROKE3
BRONDE3
BRONT
BROWE
BRYDDES
BRYGE
BRYGGE
BUFFET
BUGLE3
BUKKE3
BURN
BURNYST
BURRE
BUR3E
BUSCH
BUSKEN
BUSTWYS
BUSY
BUTTOKE3
BYDDE3
BYDEN
BYDENE
BYE
BYFORNE
BYGE
BYGGYNG
BYGONNE
BYHOLDE
BYHOUED
BYNDE
BYNNE
BYRTH
BYTHENK
BY3E
BY3T
CACHE3
CANDELSTIK
CAPADOS
CARANDE
CAREFUL
CARFULLY
CAROLE3
CARPED
CARPPE3
CASTE3
CAUSE3
CAYRED
CAYRE3
CAYSER
CESSYD
CETY
CHAFFER
CHAMBERLAYN
CHARGE
CHARRED
CHASTYSED
CHAYER
CHEK
CHEPE3
CHERYSEN
CHEUED
CHEUELY
CHEUISAUNCE
CHORLES
CHOSES
CHYDE
CHYLDE
CHYMNE
CLENGE3
CLEPED
CLEPES
CLERGYE
CLERKKES
CLE3T
CLOBBE3
CLOSE
CLOSES
CLOSET
CLOTH
CLOUDE3
CLOUTES
CLOWDE3
CLOYSTER
CLUSTERED
CLYFFE3
COFERES
COFLY
COKRE3
COLER
COLORED
COMAUNDEMENT
COMBRED
COMMEN
COMMES
COMPAST
CONCUBINES
CONNE3
CONTRARE
CONTRE
COPEROUNES
CORONDE
COROUNDE
CORTE
CORTYNES
COSSES
COUACLES
COUMFORDE
COUNSEL
COUNTES
COURTAYSYE
COYNTYSE
CRABBED
CRAFTES
CRAFTY
CRAUED
CREATORE
CRISTEN
CROWNES
CRYSTAL
CUMFORT
CUMLY
CUPPE
CURE
DALTEN
DALYAUNCE
DANIEL
DARE
DASED
DAWES
DAYNTYE3
DEBONERE
DECLAR
DECLYNE
DECRE
DEDAYN
DEFENDE
DEFOWLED
DEGRE
DELES
DELFUL
DELYUERED
DEME3
DENE
DENNED
DEP
DEPAYNT
DEPAYNTED
DEPRYUE
DEPRYUED
DERE3
DERUE
DESE
DESTINE
DESYRES
DEUELE3
DEUINE
DEUOYDIT
DEUYSED
DEUYSE3
DEVYSED
DEWYNE
DICH
DICHES
DINER
DISPOYLED
DISSERUED
DITTE
DORST
DOTES
DOUNGOUN
DOUTH
DOWUE
DRANK
DRAWE
DRED

DREDES
DREM
DREME
DREPE3
DRESSE
DRESSE3
DREST
DRE3
DRE3LY
DRIUEN
DROUNDE
DROWNED
DRO3EN
DRURYE
DRUYE
DRY3
DUE
DULFULLY
DUNT
DURE
DURRE
DUST
DUTTE
DYM
DYMLY
DYMME
DYNE
DYNGNE
DYNTE3
DYSPLESE3
DYSSTRYE
EGGE3
EKE
EME
ENBANED
ENBAWMYD
ENBRAWDED
ENCLOSE
ENDELE3
ENDURED
ENGLONDE
ENKER
ENTOUCHID
ENTRE
ENTRED
ENTRE3
ERANDE
ERDE3
ERMYN
ERNESTLY
EST
EXPRESSE
FAIRE
FALE
FANDE
FARAND
FARANDE
FAREN
FARES
FARE3
FASOUN
FAUOUR
FAURTY
FAUTLE3
FAWRE
FAWTY
FAY
FAYE
FAYLE3
FAYRER
FEBLE
FEDE
FEE
FELER
FELLE3
FELONYE
FENDES
FENG
FERE3
FERKED
FERS
FERSLY
FERYED
FESTNED
FETLY
FETURES
FIRE
FIRST
FLA3
FLA3E
FLETE
FLETTE
FLODE3
FLOKKED
FLORE
FLOWRE3
FLY3E
FOLDE3
FOL3E3
FONDET
FOREST
FORFARE
FORFETED
FORGO
FORLONGE
FORSAKEN
FORSOKE
FORST
FORWARD
FOR3ETEN
FOT
FOUNDED
FOURTY
FOYSOUN
FRAYSTE3
FRECH
FRELYCH
FRESCH
FRETES
FROUNT
FRYTE3
FUNDE
FURRID
FUST
FYGURES
FYLLE
FYLLED
FYLSENED
FYNDES
FYNEST
FYRTE
FY3T
GARE3
GARGULUN
GAYLY
GAYNES
GAYNE3
GENTIL
GENTRYSE
GENTYLEST
GERE3
GESTE3
GIFTE
GIFTE3
GILE
GILES
GILT
GIRDEL
GLASSE
GLEDE
GLEMANDE
GLODE
GLOUE
GLOWANDE
GLYDANDE
GLYFTE
GLYSNANDE
GOANDE
GODLYCH
GODNESSE
GOLD
GOLDEN
GOME3
GORSTE3
GOUNES
GRAME
GRANTED
GRAUNTE
GRAYTHE
GRAYTHIST
GREF
GRETYNG
GRONE
GRYMLY
GRYNDEL
GULT
GURDE
GURDEN
GUTTE3
GYLTE3
GYNG
HABBE
HABBES
HADES
HALE3
HALKE3
HALOWED
HAL3ED
HAME
HAPPES
HARDER
HARDYLY
HARE3
HARLOT
HARLOTE3
HARME3
HARMLE3
HARNAYS
HASPEDE
HASTYLY

HATES
HAUNCHE
HA3ER
HEDES
HEDE3
HEERE
HELDANDE
HELDEN
HELDES
HELDE3
HEMME
HEMSELUEN
HENCE
HENDELAYK
HENDLY
HENG
HENGE
HENGES
HEPE
HERD
HERELEKE
HERITAGE
HERKKEN
HERLE
HERNE3
HERTTE
HERTTES
HERUEST
HERYED
HER3ED
HESTE
HETHE
HEUENES
HEUENE3
HEUENKYNG
HEUE3
HE3EST
HE3T
HID
HIDDE
HILLES
HIMSELUEN
HI3
HI3ED
HOD
HOLDELY
HOLDEN
HOLT
HOLTE3
HOND
HONDELED
HONDELYNG
HONE
HONESTE
HOPE3
HORCE
HORNES
HOSE
HOSTEL
HOUED
HOUE3
HOUNDES
HOUSES
HOWSE3
HUES
HUNGER
HUNTERES
HUNTERE3
HURLANDE
HURROK
HURTE3
HWEN
HWES
HYL
HYNDE
HYPPED
HYRNE
HYURE
ILES
INLYCHE
INMONG
INNERMORE
INNOCENT
INNOSENT
INSAMPLE
INWYTH
IUELES
IUES
IUGGED
JANGLANDE
JASPER
JESU
JOLEF
JOLY
JOYE3
JUDE
JUDEE
JUELLE
JUGGED
JUMPRED
JWE
KAKE3
KARK
KENDE
KENELY
KENLY
KENNED
KEPE3
KERRE
KERUE
KESTE
KEUERE3
KIDDE
KNARRE
KNARRE3
KNE
KNELES
KNEWEN
KNIT
KNI3TES
KNOWE3
KNWE
KNYT
KOYNT
KOYNTYSE
KRYSTE3
KYNDAM
KYNDES
KYNDOM
KYNNES
KYN3T
KYRKE
KYSSED
KYSSEN
KYSSE3
KYSSYNG
KYSTE
KYTE
KYTHES
LACHCHE3
LACHEN
LACHET
LACHE3
LADE
LADI
LADIE3
LAFT
LAFTE
LAFTES
LAKE
LALED
LAMBE
LAMPES
LANCED
LANSED
LASNED
LAUANDE
LAUCED
LAUE
LAUNCES
LAWE3
LAYE
LAYKED
LAYT
LAYTE
LA3E
LA3ES
LED
LEE
LEFSEL
LEKE
LENE
LENG
LENGES
LENGHE
LENGTHE
LEPEN
LESE
LESSE
LESTE
LETE3
LETHER
LETTED
LETTRURE
LEUER
LEUEST
LEWTE
LIFE
LIKE3
LIMBO
LI3T
LODLYCH
LOFFYNGE
LOFT
LOGE
LOGGE
LOGRES
LOKYNG
LONGEYNG
LOPEN

LOSSE
LOTES
LOUD
LOUELOKER
LOUELY
LOUES
LOUKED
LOUTE
LOUY
LOUYD
LOUYNG
LOWANDE
LOWKANDE
LUFDAUNGERE
LUFLACE
LURKED
LUTTE
LYFTANDE
LYFTES
LYGGES
LYINGE
LYMME3
LYNDE
LYPPE3
LYSTILY
LYUYES
LY3TEN
LY3TE3
MAIRE
MAKER
MALE3
MALICIOUS
MALYCE
MALYS
MAMBRE
MANERE3
MANTEL
MARBRE
MARRE3
MARSCHAL
MARYE
MAS
MASKELLES
MAST
MAT3
MAUGREF
MAWE
MAYNFUL
MAYNTEINES
MAYSTERFUL
MAYSTRES
MECUL
MEKELY
MELLY
MEMORIE
MENSKED
MENSKES
MENSKLY
MERCYABLE
MERKKE3
MERSY
MES
MESSAGE
MESTER
MET
METEN
METE3
METHE
MIRY
MOD
MOL
MONYE
MORGNE
MOROUN
MOTELE3
MOTES
MOUL
MOUNTE3
MOURNYNG
MO3TE
MO3TE3
MUCHE
MUL
MYDDES
MYDMORN
MYDNY3T
MYLKE
MYNE3
MYNTES
MYNTE3
MYRTHE3
MYSTE
MY3TY
NABIGODENO3AR
NABUGO
NATURE
NAWHERE
NEGHE
NEKED
NEUEN
NEUENYD
NEUERTHELECE
NEUERTHELESE
NICE
NINIUE
NOBOT
NOKE
NORTHE
NOTES
NOTE3
NOTYDE
NOURNE
NOUTHER
NOWTHE
NUNIUE
NURTURE
NW3ER
NW3ERES
NW3ERE3
NYES
NYL
NYME
NY3TE3
OBECHED
ODDE
ODDELY
OKE3
OLOFTE
ONLY
ORES
OUERAL
OUERGROWEN
OUER3EDE
OUR
OUTTAKEN
OWNE
OXE
PACIENCE
PALLE
PANE
PARADIS
PARAUENTURE
PARAUNTER
PARFORMED
PARFYT
PASSAGE
PASSANDE
PASSEN
PASSES
PATER
PAULE
PAYE3
PAYNE3
PAYNTED
PAYTTRURE
PELURES
PENE
PENE3
PENNE
PENNED
PENTED
PEPULLE
PERIL
PERILE
PIKED
PINE
PIPES
PITOSLY
PLAT
PLATE
PLATE3
PLAYED
PLEDE
POLMENT
POLYSED
PORE
PORPRE
POUERE
POURSEUT
POWER
POYNTE
PRECHE
PRELATE
PRELATES
PRESED
PRESENT
PRESENTED
PRESONERES
PRESTES
PROFETE
PROPER
PROUD
PROUINCE
PROWDE
PRUDLY
PRYCE
PRYNCIPALTE
PRYSOUN
PURTRAYED
PUTTE

PYECE
PYLED
PYLERES
PYTE
QUATSOEUER
QUAYNT
QUED
QUELLED
QUERESO
QUERESOEUER
QUIK
QUIL
QUITE
QUONTYSE
QUOS
RABEL
RACE
RACH
RACHCHE3
RAK
RAKE
RAKENTES
RAPES
RASPED
RASSE
RAUE
RAUEN
RAWE3
RAYKANDE
RAYKE
RAYKE3
RAYSED
REAME
RECH
RECHATED
RECHEN
RECHES
RECOUERER
REDEN
REFETE
REFLAYR
REGNE
RELECE
RELYGIOUN
RELYKES
REMEN
REMORDE
REMUED
RENKE
RENKKES
RENNES
RENNE3
RESET
RESON
RESOUN3
RESTE
RESTORE
RESTORED
RICH
RICHELY
RIDE3
RISE
ROBBED
ROCHE
ROD
ROGHE
ROK
ROKKE
ROLED
ROME
ROME3
RONGE
ROP
ROTE3
ROTHELED
ROUE
ROUTE
RUCHCHED
RUFUL
RUNISCH
RUNNE
RUNYSCHLY
RWE
RWLY
RYALLE
RYBBE3
RYCHED
RYCHELY
RYDE3
RYF
RYGGE
RYME3
RYNGANDE
RYOL
RYPE
RYSE3
RYUE
RYUE3
RY3TE3
RY3TWYSLY
SAFFER
SANCTA
SANCTORUM
SAUED
SAUE3
SAUOR
SAUYOUR
SAWE
SAWES
SAXONES
SAYE
SA3TLYNG
SCAPED
SCARRED
SCHADE
SCHAFT
SCHAFTE
SCHALE
SCHAPEN
SCHAPPES
SCHAUED
SCHAUEN
SCHA3E
SCHEDE
SCHEDE3
SCHEUED
SCHOME
SCHONIED
SCHORNE
SCHORT
SCHOTE
SCHREWE
SCHROWDE
SCHRYLLE
SCHULDEN
SCHULDERE3
SCHYN
SCHYNE
SCHYNE3
SCHYP
SCOYMUS
SCRYPTURE
SEBOTHEM
SEGH
SEGHE
SEKER
SELDEN
SELLYLY
SELY
SEM
SEMBELAUNT
SEMBLE
SEMLOKER
SENDE3
SEPTRE
SERTAYN
SERUANT
SERUEN
SERUISE
SESE
SEUER
SEWE
SEWES
SEXTE
SHULDE
SILKE
SITTE3
SIUE
SKELT
SKETE
SKYFTED
SKYLLE
SKYLLY
SKYRTE3
SLADE
SLAYNE
SLEPED
SLEPES
SLEPE3
SLOT
SMACH
SMALE
SMARTLY
SMOKE3
SMOLT
SMOTHELY
SMYLT
SNAW
SOBRE
SOGHE
SOLEMPLY
SOLEMPNETE
SOR
SOROWE
SOR3
SOTHELY
SOTYLE
SOUFRE
SOUNDER
SO3TE

SPARRED
SPECH
SPECHE3
SPECIAL
SPEDLY
SPENDE
SPENNED
SPITOUSLY
SPOTE
SPOTTE
SPRANG
SPRENGED
SPRENT
SPRYNG
SPURED
SPYCE3
SPYE
SPYED
SPYRYT
STABLE
STAF
STALE
STALLED
STANDEN
STARE
STAUED
STAYRE
STEKE3
STIFFE
STILLY
STI3TLE3
STOFFED
STOLLEN
STONDE3
STONGE
STORE
STOUNDE
STOUNDE3
STOWNED
STRAKANDE
STRAYNED
STREMES
STRIKE
STYF
STYFLY
STY3E
SUFFRAUNCE
SUFFRED
SUN
SUNDER
SUPPE
SWAP
SWARED
SWE
SWEFTE
SWENGEN
SWENGES
SWETELY
SWETTER
SWETTEST
SWEY
SWEYED
SWE3E
SWOL3ED
SWYERE3
SWYFT
SWYFTE
SYENCE
SYKANDE
SYKYNG
SYLUEREN
SYNGEN
SYNGLERE
SYNKKE3
SYNNES
SYON
TABLE3
TABORNES
TACHCHED
TALENT
TALE3
TALK
TALKYNG
TAYL
TECH
TECHAL
TECHE3
TELDES
TENED
TENE3
TENTHE
TETHE
THAYR
THAYRES
THEF
THENKANDE
THENKE
THERAS
THERBI
THERFOR
THERWITH
THIDERWARDE
THIKE
THIN
THOLED
THONKKED
THOWSANDE3
THRENGE
THREPE
THRETE
THRETES
THRETTY
THRONGE
THROWE
THRYNGE3
THRYUANDE
THRYUANDELY
THRYUE
THUR3OUT
THWONG
THYDER
THYK
THYKKE
THYNGE
THYNKES
THYNKE3
TITLE
TOK
TOLE
TOLES
TORCHES
TORET
TOROF
TOTORNE
TOURES
TOWEN
TO3T
TRAUAYL
TRAUAYLED
TRAYTOURES
TRESTES
TRON
TROW
TROWID
TRYFLE3
TRYST
TRYSTE
TULKKES
TULT
TUSCHE3
TWAYNE
TWELFTHE
TYKLE
TYMBRES
TYME3
TYTHYNG
TYTHYNGE3
TYXT
TYXTE
TY3ED
VALAY
VANYTE
VAYLED
VAYLES
VAYNE
VAYNEGLORIE
VCHONE3
VELUET
VENYM
VERTUE
VERTUES
VERTUUS
VESSELMENT
VMBEKESTEN
VMBEPY3TE
VNBLYTHE
VNCLANNES
VNCOWTHE
VNFAYRE
VNGODERLY
VNKNAWEN
VNLOUKE
VNMETE
VNTHONK
VNTHRYFTE
VNTRAWTHE
VNWEMMYD
VNWORTHI
VPRYSE
VSEN
VSES
VTWYTH
VYLANY
VYSE
WAFTE
WAGE
WAKED
WALK
WALLANDE
WAP

WARLY
WARMED
WARNE3
WARTHE
WATTERE3
WAWAN
WAWE3
WAXEN
WAXE3
WAYES
WAYTED
WECDE
WEDDED
WEDDYNG
WEDERE3
WEGHE
WELCOM
WELE3
WELKE
WELLE
WEMME
WERED
WERE3
WERNED
WEST
WETHER
WEUE
WE3ED
WHEDER
WHEDERWARDE
WHENE
WHER
WHETTE
WILLE
WITHALLE
WLCNC
WOMBES
WONTE
WONTED
WONY
WONYES
WORLDES
WORMES
WORME3
WORSCHIP
WORST
WORTHEN
WORTHES
WORTHILY
WOWE
WOWES
WOWE3
WOWYNG
WRAKFUL
WRAPPED
WRATHE
WRECHE3
WRO
WROTHELOKER
WRO3TEN
WUNDER
WYD
WYKET
WYKKE
WYLDAY
WYLY
WYNDES
WYNNELYCH
WYNNES
WYPPED
WYRK
WYRKE
WYSTEN
WYTHER
WYTHERLY
WYTLES
WYTTES
WY3TE
WY3TEST
WY3TLY
YDOLS
YMAGE
YOR
YOURSELF
YRNE
YSAYE
YTHE3
Y3ELYDDE3
3ARANDE
3ARRANDE
3AYNED
3EDEN
3EFERUS
3ELDE3
3EMED
3EPE
3ERES
3ERNE
3ETTE
3E3ED
3ISSE
3ISTERDAY
3OL
3OMERLY
3ONDE
3ORE
3OWRE

1

ABATAYLMENT
ABATED
ABATYD
ABAYST
ABBAY
ABDAMA
ABIDEN
ABIDES
ABLE
ABLOY
ABOD
ABODE
ABOMINACIONES
ABOUEN
ABRAHAME3
ABRAM
ABROCHED
ABSOLUCIOUN
ABYDYNG
ABYT
ACCES
ACHAPED
ACOLES
ACORDEN
ACOUNTE
ACROCHE
ADAUNT
ADON
ADRE3
ADYTE
AFFRAY
AFFYEN
AFRAYED
AFTERWARDE
AFYAUNCE
AGAYNE
AGAYNES
AGAYNE3
AGAYNTOTE
AGAYN3
AGHE
AGHLICH
AGHTENE
AGHTES
AGLY3TE
AGRAUAYN
AGRETE
AGREUED
AIQUERE
ALABAUNDARYNES
ALAROM
ALDERES
ALDERGRATTEST
ALDERGRATTYST
ALDERTRUEST
ALEGGE
ALGATE
ALHALDAY
ALICHE
ALKARAN
ALLEKYNE3
ALLYT
ALMY3T
ALMY3TY
ALONG
ALONGE
ALOW
ALOWES
ALOYNTE
ALO3
ALTHERFAYREST
ALTHERFYNEST
ALTHERRYCHEST
ALTHERSWETTEST
ALUISCH
ALUM
ALWAY
AMAFFISED
AMARAUN3
AMATYST
AME
AMED
AMENDE
AMENDED
AMESYNG
AMONESTES
AMOUNT
AMOUNTE
AMOUNTED
ANAMAYLD
ANANDE

ANANIE
ANELEDE
ANENDE3
ANGARDE3
ANGELE3
ANGELHAUYNG
ANGLESAY
ANGRE
ANGUYCH
ANIOUS
ANIOYNT
ANKRES
ANKRE3
ANCURNEMENTES
ANSWAR
ANSWARE
ANSWARED
ANSWRE3
ANTER
ANYSKYNNE3
APARAUNT
APASSED
APENDES
APENCE3
APERED
APOKALYPCE
APOKALYPE3
APPARAYL
APPARAYLMENTE
APPAREMENT
APPLEGARNADE
APPOCALYPPECE
APPOLYN
APPOSE
APPOSTEL
APPULLE
APROCH
APROCHEN
APYKE
APYKED
AQUILOUN
AQUOYNTAUNCE
AQUYLDE
ARAICE
ARARACH
ARAYNED
ARC
ARENCE
ARERED
ARETHEDE
AREWE3
ARMED
ARNDE
AROS
AROUNDE
ARRABY
ARSOUNE3
ARTE
ARTHOR
ARTHURES
ARTHURUS
ARWES
ARYSTOTEL
ARYUE
AR3E3
ASAUTE
ASAYLED
ASCRY
ASENTE
ASKEN
ASKRY
ASKYD
ASLYPPED
ASOYLED
ASPALTOUN
ASPERLY
ASPIED
ASPYE
ASSAUT
ASSAY
ASSCAPED
ASSCRY
ASSE
ASSEMBLED
ASSENT
ASSES
ASSTATE
ASSWYTHE
ASSYSE
ASTATE
ASTEL
ASTIT
ASTRAYE
ASURE
ASWAGEN
ASYNGNES
ATLED
ATLYNG
ATOUNT
ATSLYKE3
ATTENY
ATTLE
ATTLED
ATTYRED
ATWAPED
ATWAPPE
ATYRIDE
AUAY
AUAYED
AUCLY
AUE
AUENTAYLE
AUGCSTE
AUGUSTYNES
AUISED
AUISYDE
AUMAYL
AUNANT
AUNCETERE3
AUNGELES
AUNGELLES
AUNT
AUNTE
AUNTERED
AUNTERES
AUNTERE3
AUSTYN
AUTERE
AUWHERE
AUYSED
AVANTERS
AVAUNT
AVAYMENT
AVENTURE
AVISION
AVOW
AVOWES
AVOY
AVTER
AVYSE
AVYSYOUN
AWAYE
AWAYED
AWAYLED
AWENTURE
AWHARF
AWHYLE
AWOWE
AWYSE
AXE
AYLASTANDE
AYLED
AYWAN
A3ARIE
A3AYNE3
A3ER
A3LE3
A3TSUM
A3TTHE
BABEL
BABOYNES
BABTEM
BACHELERES
BACHLERE3
BADDE
BADE
BAFT
BAGGES
BAKBON
BAKEN
BAKKE3
BALDELY
BALDLY
BALEFULLY
BALELE3
BALESTOUR
BALKE
BALLEFUL
BALTERANDE
BALTERES
BAL3E
BANDE
BANER
BANERES
BANTELE3
BANTELLES
BAPTEM
BAPTEME
BAPTYSED
BARAYNE
BARBE
BARBICAN
BARED
BAREHEUED
BARELY
BARERES
BARERS
BARGAYN
BARLAY
BARME

BARN
BARNAGE
BARNES
BARONAGE
BARONES
BAROUNE3
BARRES
BARSABE
BARST
BASES
BASE3
BASHIS
BASSE
BASSYN
BASTEL
BASTELES
BASYNG
BATAYL
BATAYLED
BATE
BATEDE
BATELMENT
BATERED
BATHES
BAULE3
BAUME
BAUSENE3
BAWDEWYN
BAWEMEN
BAYARD
BAYE
BAYEN
BAYSMENT
BAYST
BAYTED
BAYTHE
BAYTHES
BEAUTE
BEDD
BEDDE3
BEDDYNG
BEDENE
BEDSYDE
BEFALLE
BEGYNES
BEGYNNE
BEGYNNES
BEHALUE
BEHELDE
BEHOUED
BEHOUE3
BEKE
BEKNEW
BEKNOWEN
BEKYR
BELDE
BELFAGOR
BELLES
BELLE3
BELSSABUB
BELTED
BELYAL
BELYN
BEME
BEME3
BENTE
BENTFELDE
BERANDE
BERCILAK
BERD
BERDLES
BERDLE3
BERESTE
BERFRAY
BERYD
BERYNGE
BER3
BER3E
BES
BESECHE3
BESIET
BESTEN
BESTERNAYS
BESTORNAYS
BESTTES
BESYDE
BETES
BETHELEN
BETTE
BETYDES
BEUE
BEUERHWED
BEYNG
BIBBES
BICAUSE
BICNV
BICOME
BICUMES
BID
BIDDEN
BIDEN
BIFALLEN
BIFALLE3
BIFEL
BIG
BIGAN
BIGES
BIGEST
BIGGER
BIGGEST
BIGINE3
BIGOG
BIGONNE
BIGRAUEN
BIGRIPIDE
BIGRYPTE
BIGYNES
BIGYNNES
BIFORNE
BIGYNNE3
BIHALDEN
BIHINDE
BIHOLDAND
BIHOLDE
BIHOLDE3
BIHOUE3
BIKENNEN
BIKENNES
BIKNOWE3
BILDE
BILEUED
BILIUE
BILOOGHE
BIRLEN
BIROLLED
BISEGED
BISIDES
BISIED
BISINESSE
BISO3TEN
BISPEKE
BITALT
BITAN
BITECHE
BITED
BITEN
BITHENKKES
BITHO3T
BITIDDE
BITIDE
BITTE
BITTER
BITYDDE
BIWYLED
BI3ONDE
BLADES
BLAK
BLAKKE
BLAME3
BLASFAMYE
BLASFEMY
BLASOUN
BLASTE
BLASTES
BLASTE3
BLAWYNG
BLAYKE
BLA3T
BLEDDE
BLEDEN
BLEEAUNT
BLEMYST
BLENCH
BLENCHED
BLENDED
BLENDEN
BLENK
BLENKED
BLENTE
BLERED
BLESSE3
BLESSID
BLESSYD
BLEST
BLISFUL
BLISFULLE
BLISSID
BLITHE
BLOBER
BLODHOUNDE3
BLODY
BLOK
BLOM
BLOMES
BLONKE
BLONKE3
BLONKKEN
BLONKKES
BLOSCHED
BLOSE

BLOSSUME3
BLOT
BLOWED
BLOWES
BLOWE3
BLUBER
BLUBRANDE
BLUBRED
BLUK
BLUNDER
BLUSCHET
BLUSNANDE
BLUSSCHANDE
BLUSTERED
BLW
BLYCANDE
BLYKKANDE
BLYKNANDE
BLYKNED
BLYNDES
BLYNNES
BLYNNE3
BLYSFOL
BLYSNED
BLYTHEST
BLYTHLY
BOBBAUNCE
BOBBE
BODEWORDE
BODWORDE
BOERNE
BOFFETE3
BOGHE
BOGHIT
BOGHTES
BOKE3
BOKLERED
BOL
BOLD
BOLES
BOLLED
BOLNANDE
BOLNED
BON
BONCHEF
BONDE
BONER
BONERTE
BONE3
BONKKES
BOOS
BORDURE
BORDURES
BORES
BORGES
BORGOUNE3
BORLYCH
BORN
BORNE3
BORNYSTE
BORO3T
BOSK
BOSKED
BOSKEN3
BOSTER
BOSTWYS
BOSUM
BOTHEME3
BOTHEMLE3
BOTHOM
BOTHUM
BOTOUN3
BOUEL
BOUELE3
BOUGOUN3
BOUNET
BOUNTEES
BOUNTY
BOURDE
BOURDED
BOURDYNG
BOUR3
BOUT
BOW
BOY
BOYE3
BOYLED
BOYLES
BO3EN
BO3SOMLY
BO3TED
BRACE
BRACHETES
BRACHE3
BRAD
BRADDE
BRADE
BRAKEN
BRAKE3
BRAS
BRASTE
BRATHE3
BRATHTHE
BRAUNCH
BRAUNDYSCH
BRAWNCHE
BRAWNE
BRAY
BRAYED
BRAYEN
BRAYNE3
BRAYTHED
BREDANDE
BREDDEN
BREDES
BREDE3
BREDFUL
BREED
BREF
BREKEN
BREMLYCH
BREND
BRENED
BRENNANDE
BRENNE
BREREFLOUR
BRERES
BRETAYGNE
BRETAYNES
BRETHER
BRETHES
BRETON
BRETONS
BREYTHED
BRITTENED
BROGHT
BROKEN
BROM
BRONCH
BROTHELYCH
BROTHER
BROTHERHEDE
BROTHIRE
BROWDEN
BROWEN
BROWES
BRO3ES
BRO3E3
BRO3TE
BRUGGE
BRUNT
BRURDES
BRURDFUL
BRUSED
BRUSTEN
BRUT
BRUTAGE
BRUXLE3
BRYCH
BRYD
BRYDALE
BRYDELES
BRYM
BRYNE
BRYNGES
BRYNKE3
BRYNSTON
BRY3TE
BUGGID
BUGGYD
BULDE
BULE3
BULK
BULLE3
BULT
BURGEYS
BURIED
BURIEDE
BURIET
BURNIST
BURSTEN
BURTHE
BURTHEN
BUS
BUSCHED
BUSILY
BUSKKE3
BUSKYD
BUSMAR
BUSMARE
BUSYE3
BUSYLY
BUSYNES
BUTTER
BUURNE
BUYRNE
BYCALLE
BYCALT
BYCAWSE
BYCOM

BYCOMMES
BYCDE
BYCUER
BYFALLE
BYFALLEN
BYG
BYGAN
BYGGER
BYGCNNEN
BYGYLED
BYGYN
BYGYNG
BYGYNGE3
BYGYNNE
BYGYNNER
BYGYNNES
BYHELDE
BYHOD
BYHOCE
BYHOLDES
BYHOLDE3
BYHYNDEN
BYKENNEN
BYLDED
BYLED
BYLIUE
BYNDES
BYNDE3
BYRTHWHATE3
BYRLED
BYSECH
BYSECHE
BYSEME
BYSIDE
BYSILY
BYSULPE3
BYSWYKE3
BYTA3T
BYTA3TE
BYTEN
BYTES
BYTOKNYNG
BYTTE
BYTTERLY
BYTWYSTE
BYTYDE3
BYTYME
BYYE
CABLES
CACHCHES
CACHCHE3
CACHE
CACHERES
CAGGED
CAGGEN
CAKLED
CAL
CALDEE3
CALDEN
CALDER
CALDYE
CALF
CALLEN
CALLID
CALLYNG
CALL3
CALSYDOYNE
CAM
CAMBE
CAMELYN
CAMPE
CAMYLOT
CANDEL
CAPELES
CAPLE
CAPSTAN
CAPTYUIDE
CARALDES
CARAYNE
CARED
CARELES
CARF
CARLE
CARNELES
CARNELE3
CARPES
CARPE3
CARPING
CARYED
CAS
CASE
CASTE
CASTELES
CASTELWALLE
CASTES
CASYDOYNES
CATEL
CAUE
CAUELACIOUN3
CAUSES
CAWSE
CAYSERES
CAYTIF
CAYTYF
CA3TE
CA3TEN
CEMMED
CENACLE
CERCLE
CERTE3
CERUES
CETEIS
CEUER
CHALKQUYTE
CHALKWHYT
CHAMBER
CHAMBRE3
CHAPAYLE
CHAPELES
CHAPELLE
CHAPLAYN
CHAPLAYNE3
CHARCOLE
CHARDE
CHARG
CHARGEAUNT
CHARGIT
CHARIOTES
CHARRE
CHARRES
CHAST
CHASYNG
CHAUFEN
CHAUNCELY
CHAUNDELER
CHAUNGANDE
CHAUNGIT
CHAUNSEL
CHAUNTRE
CHAWLE3
CHAYERE
CHEFTAYN
CHEKE
CHEKE3
CHEKKE
CHEKKES
CHELDE3
CHEPE
CHEPEN
CHERISCH
CHERISCHED
CHERYCH
CHERYCHE
CHERYCHED
CHESE
CHEUALROUS
CHEUALRY
CHEUALRYE
CHEUENTAYN
CHEUETAYN
CHEUE3
CHEUICAUNCE
CHEUYSAUNCE
CHEYER
CHILDES
CHILDGERED
CHORLE
CHOS
CHYCHE
CHYLDRYN
CHYLLED
CHYMBLED
CHYMNEES
CHYN
CHYNE
CHYNNE
CHYNNE3
CHYSLY
CIENCES
CITIES
CLADDEN
CLAM
CLAMBE
CLAMBERANDE
CLAMBRED
CLANLYCH
CLANNER
CLANSYD
CLARENCE
CLARYOUN
CLATER
CLATERANDE
CLATERING
CLATER3
CLAT3
CLAWRES
CLAYDAUBED
CLAYME
CLAYMED
CLECHE

CLECHES
CLECHE3
CLEF
CLEM
CLEME
CLENER
CLENGED
CLENGES
CLENTE
CLERER
CLEREST
CLERKE
CLERNES
CLERRER
CLETHE
CLEUE
CLEUEN
CLOMBEN
CLOPYNGNEL
CLOTHED
CLOTTE3
CLOUDE
CLOUDES
CLOUEN
CLOWDE
CLOWTE3
CLOYSTOR
CLUCHCHES
CLUSTERES
CLUSTREDE
CLUTTE
CLUTTE3
CLYDE
CLYFF
CLYFFES
CLYKET
CLYM
CLYNGE
CLYPPE
CLYUES
CLYUY
CLY3T
CNAWE
CNAWYNG
CNES
CNOKEN
CNOKE3
CNOWEN
COGE
COKE
COLEN
COLOR
COLOURE
COLTOUR
COLWARDE
COMAUNDES
COMAUNDET
COMAUNDE3
COMAUNDIT
COMBRAUNCE
COMBRE3
COMENDED
COMES
COMFORTE
COMFORTE3
COMLOKER
COMLYCHE
COMMAUNDED
COMMENDE
COMMITTID
COMMUNE
COMMUNNATES
COMPARISUNE3
COMPEYNY
COMYNES
CONABLE
CONCIENCE
CONCIENS
CONCUBYNES
CONDELSTIK
CONFESSED
CONFIRMYNGE
CONFOURME
CONFOURMYD
CONINGES
CONNE
CONNYNG
CONQUERD
CONQUERE
CONQUEROUR
CONQUEST
CONQUESTES
CONSAYUE
CONSCIENS
CONSTRAYNE
CONTERFETE
CONTRARY
CONTRAY
CONTRAYE3
CONTROEUED
CONUERTYD
CONUEYE
CONUEYED
CONUEYEN
CONYSAUNCE
COOLDE
COOSTE3
COPROUNES
CORAGE
CORBELES
CORBY
CORBYAL
CORCE
CORDES
CORNE
CORNER
CORNERS
CORON
CORONYD
COROUNE
COROUNE3
CORRUPT
CORSEDEST
CORSES
CORSOUR
CORSYES
CORTAYSY
CORTEL
CORTE3
CORTFERE3
CORTYNED
CORUPPTE
COSSE
COSSE3
COSTE
COSTESE
COSTOUM
COSYN
COTEARMURE
COTHE
COUACLE3
COUARDISE
COUENAUNTES
COUERT
COUERTOR
COUERTORE3
COUERTOUR
COUETISE
COUEYTES
COUMFORT
COUNCELE
COUNDUE
COUNDUTES
COUNSAYLE
COUNTED
COUNTERFETE
COUNTRE
COUNTRYSSYOUN
COUPLES
COURCE
COURSE
COUT
COUTH
COUTHELY
COUTHLY
COVHOUS
COWARDDYSE
COWARDISE
COWARDYSE
COWPES
COWPLED
COWTERS
COWTHE3
COWWARDELY
COYFE
COYNT
COYNTISE
COYNTLY
COYNTLYCH
CO3ED
CRAFTYLY
CRAGE3
CRAK
CRAKIT
CRAKKANDE
CRAKKYNG
CRATHAYN
CREATOR
CREATORES
CREATOUR
CREATURE
CREATURES
CREPE
CREPED
CRESPED
CRESSE
CREST
CRESTE
CREUISSE
CRIANDE

CRIST
CRISTE
CRISTENDAME
CRISTENDOME
CRISTES
CRISTMASSE
CROKE3
CRON
CRONECLES
CRONE3
CRONICLE
CROPORE
CROPURE
CROSKRYST
CROSSAYL
CROSSE
CROUKE3
CROUNE
CROWEN
CROWES
CROWNE
CROYS
CRUE
CRUPPELE3
CRYSOLYT
CRYSOLYTES
CRYSOPASE
CRYST
CRYSTEMAS
CRYSTENMAS
CRYSTENMASSE
CRYSTES
CRYSTMASSE
CUBIT
CUBITES
CUMAUNDE3
CUMEN
CUNEN
CUPBORDE
CUPPES
CUPPLE
CUPYDE3
CURTEST
CYTY
DALE3
DALFE
DALY
DALYDA
DAMPNED
DAMPNYD
DAMPPED
DAMYSEL
DAMYSELLE
DARD
DARES
DARYOUS
DARYUS
DASANDE
DASCHANDE
DATE3
DAUBE
DAUNCE
DAUNGERDE
DAUNSED
DAUNSYNG
DAUYTH
DAWANDE
DAWED
DAWE3
DAWID
DAYBELLE
DAYGLEM
DAYLE
DAYLY
DAYLYEDEN
DAYNTYS
DAYRAWE
DA3ED
DEBATANDE
DEBATED
DECLYNET
DEDIFIE
DEDIFIET
DEERE
DEFAUTE
DEFENDED
DEFOULE
DEFOWLE
DEGHED
DEGRES
DEKENES
DEL
DELED
DELEN
DELFULLY
DELIT
DELIUER
DELIUERLY
DEM
DEMAY
DEMERLAYK
DEMME
DEMMED
DEMORLAYKES
DENAYED
DENE3
DENOUNCED
DENYED
DEPARTES
DEPARTYNG
DEPRECE
DEPRECED
DEPRES
DEPRESED
DEPUTATE
DER
DERED
DERELYCH
DERFE
DERNLY
DERTHE
DERWORTH
DERWORTHLY
DESERT
DESERUED
DESEUERED
DESSERTE
DESSYPELE3
DESTINES
DETERMYNABLE
DEUAYED
DEUE
DEUELLE
DEUELY
DEUICE
DEUINORES
DEUISE
DEUISYT
DEUOCIOUN
DEUOTE
DEUOUT
DEUOUTLY
DEUOYDE
DEUOYDES
DEUYNE
DEUYS
DEUYSEMENT
DEUYSIT
DEVAYE
DEVISED
DEVOYDE
DEVOYDYNGE
DEVYSE
DEW
DEWE
DEWOUTLY
DEWOYDE
DE3E
DE3EN
DE3TERES
DE3TTERS
DE3YRE
DE3YRED
DIALOKE3
DIAMAUNTE3
DIANA
DIDDEN
DIDEN
DIETE
DIGNE
DILLE
DINT
DINTE3
DIPPED
DIPTE3
DISCEUER
DISCOUERE3
DISCRYE
DISERT
DISMAYD
DISPAYRED
DISPIT
DISPLAYES
DISPLESES
DISPORT
DISPYSED
DISSERNE
DISSERT
DISSERUE
DISSTRYE
DISSTRYED
DISSTRYE3
DISTRES
DISTRESED
DISTRESSE
DIT
DITTE3
DIUINITE
DI3E
DI3TEN

ENTERES
ENTERLUDE3
ENTRES
ENTYSE
ENUIRENED
ENURNED
ERBERE
ERD
ERIGAUT
ERLE
ERMONNES
ERND
ERNEHWED
ERRAUNT
ERRIK
ERROUR
ERYTAGE
ESCHAPED
ESEX
ETAYN
ETAYNE3
ETHEDE
ETTE
EUE
EUELE3
EUENDEN
EUENDOUN
EUENSONG
EUENSONGE
EUENTIDE
EUERFERNE
EUERYCHONE
EUESED
EUE3
EWERES
EWRUS
EXCUSE
EXELLENTLY
EXILED
EXORSISMUS
EXPOUNDE3
EXPOUNED
EXPOUNYNG
EXPOWNE
EXPOWNED
FABLE
FACE
FACERE3
FAGE
FAITHEFUL
FAITHELES
FALEWED
FALLED
FALSE
FALSSYNG
FALTERED
FAMACIONS
FAMED
FANGE
FANNAND
FANNE3
FANTOUM
FANTUMMES
FARANDELY
FASOR
FASTEN
FASTYNGE
FASURE
FAT
FATE3
FATHMED
FATHME3
FATTE
FATTED
FAUNT
FAUOR
FAUTES
FAUTLES
FAUTLEST
FAUTY
FAWNE
FAWTES
FAXE
FAYLANDE
FAYLD
FAYLE
FAYLEN
FAYLID
FAYLIDE
FAYNE
FAYNED
FAYNEST
FAYNTYSE
FAYRY3E
FAYTHDEDES
FAYTHELY
FEBELE
FEBLEST
FECHE
FECHED
FECHES
FEDDE
FEERSLY
FEES
FEE3
FEIER
FELA3ES
FELDE3
FELEFOLDE
FELE3
FELIX
FELONSE
FELOUN
FELT
FEMED
FEMMALE3
FENDEN
FENDE3
FENNY
FENYX
FERD
FERDEN
FERES
FERFORTHE
FERKKES
FERLYCHE
FERLYES
FERLYLE
FERMED
FERMYSOUN
FERSLYCH
FERSNES
FESTEN
FESTENE3
FESTIUAL
FESTNES
FESTRED
FESTRES
FET
FETED
FETHERBEDDES
FETLED
FETTELE3
FETTERE3
FETTRES
FETURE3
FETYS
FETYSE
FETYSELY
FEYE
FE3TANDE
FE3TYNG
FIFTEN
FIGURE
FILDORE
FINDE
FIRRE
FISCHE3
FISSCHE
FLAKE
FLAKERANDE
FLAKES
FLAMBE
FLAT
FLAUMBANDE
FLAUMBEANDE
FLAUNKES
FLAUORE3
FLAWEN
FLAYN
FLA3T
FLED
FLEE3
FLEM
FLEME3
FLEMUS
FLES
FLESCHLY
FLESCHLYCH
FLESHE
FLETEN
FLETE3
FLE3E
FLODELOTES
FLOK
FLOKKES
FLOKKE3
FLONC
FLONE
FLONE3
FLOR-DE-LYS
FLORES
FLOSCHE
FLOSED
FLOTEN
FLOTTE
FLOTY
FLOUR
FLOUR-DE-LYS
FLOURY

DOBLER
DOC
DOCDINAUAL
DOELCOUNGOUN
DOELCYSTRESSE
DOES
DOGGE
DOGGE3
DOK
DOL
DOLUEN
DOMESMON
DOME3
DOME3DAY
DOMINI
DONKANDE
DOOL
DOCLE
DORSTE
DORSTEN
DOSER
DOTAGE
DOTEL
DOTEN
DOUBBLE
DOUBLEFELDE
DOUMBE
DOUNE3
DOURED
DOUSOUR
DOUTELES
DOUUE
DOWED
DOWES
DOWN
DOWRIE
DOWYNE
DO3TER
DO3TERE3
DO3TYEST
DRAUELED
DRAW
DRAWES
DRA3
DRA3E3
DRA3T
DRA3TES
DRECHCH
DREDLES
DRERY
DRES
DRESSES
DRESSET
DREUE
DREUED
DRE3E
DRE3ED
DRINK
DRINKE3
DRIUANDE
DRONKKEN
DROPE3
DROPPANDE
DROPPED
DROPPYD
DROUPYNG
DROUY
DROWNE
DROWPING
DRO3T
DRO3THE
DRURY
DRURYES
DRWRYE
DRYED
DRYF
DRYFTES
DRYGHTYN
DRY3ED
DRY3LYCH
DRY3TTYN
DRY3TYNE3
DUBBEMENT
DUBBEMENTE
DUBBET
DUBLERES
DUBLET
DUC
DUCHES
DUKE
DUL
DULFUL
DUMPE
DUNGEN
DUNNE
DUNTE
DURANDE
DURED
DUREN
DUSCHED
DUSTE
DUTANDE
DUTHE
DU3TY
DWELLE3
DWELLIDE
DWYNANDE
DYCH
DYCHE
DYD
DYDEN
DYED
DYGHT
DYLLE
DYNGE3
DYNGNETE
DYNTTE3
DYSCHE
DYSCOUERED
DYSCREUEN
DYSHERIETE
DYSPLESES
DYSPYT
DYSSENTE
DYSSTRESSE
DYSTRESSE
DYSTRYED
DYT
DYUERSE
DY3ED
DY3EN
DY3TE
DY3TTE3
EBRU
EBRV
EFFRAYM
EFTERSONES
EFTSONE3
EGGIT
EGGYNG
EGHELYDDES
EIRE
ELBOWES
ELDEE
ELN3ERDE
EM
EMERAD
EMERADE
EMPERISE
EMPEROUR
EMPIRE
ENAUMAYLD
ENAUMAYLDE
ENBELICIT
ENBELYSE
ENBRAWDEN
ENCHACE
ENCLYIN
ENCLYNANDE
ENCLYNED
ENCRES
ENCROCHE
ENCROCHED
ENDELES
ENDENT
ENDENTE
ENDENTUR
ENDEURE
ENDE3
ENDITE
ENDORDE
ENDURE
ENDYTE
ENFAMINED
ENFORSED
ENFOUBLED
ENGENDERED
ENGLYCH
ENHERITE
ENIOYNYD
ENLE
ENLEUENTHE
ENMIES
ENMY
ENMYES
ENNIAS
ENNOURNED
ENNURNED
ENOURLED
ENPOYSENED
ENPRECE3
ENPRESSES
ENPRISE
ENPRYSE
ENPRYSONMENT
ENQUEST
ENQUYLEN
ENSENS
ENTAYLED
ENTENT

FLCWED
FLCWREC
FLC3ED
FLURTED
FLWE
FLYNT
FLYT
FLYTANDE
FLYTE
FLY3ES
FNAST
FNASTED
FO
FOCH
FOCHCHE3
FODE3
FOES
FOGGE
FOLDED
FOLER
FOLEWANDE
FOLE3
FOLKEN
FOLMARDE
FOLOWIC
FOLWANDE
FOLWE
FOLY
FOLYLY
FOL3
FOL3E
FOMAN
FONDED
FONDEN
FONG
FONGED
FONGEN
FONT
FOCSCHIP
FORBE
FORBEDE
FORBEDES
FORBI
FORBRENT
FORCE
FORCLEMMED
FORDE3
FORDICCEN
FORDCKKED
FORDOLKED
FORESTE
FORFAREN
FORGART
FORGARTE
FORGAT
FORGED
FORGEF
FORGIF
FORGOO
FORGOS
FORGYUE
FORHEDE3
FCRIUSTED
FORKNOWEN
FORLANCYNG
FORLETE
FORLETE3
FORLONDE3
FORLOYNED
FORMAST
FORMEFOSTER
FORMES
FORME3
FORNE
FORNES
FOROLDE
FORPAYNED
FORRAY
FORRED
FORSE
FORSELET
FORSER
FORSETTE3
FORSNES
FORTHER
FORTHERDE
FORTHERING
FORTHIKKE
FORTHLEP
FORTHO3T
FORTHRAST
FORTHWYTH
FORTHYNK
FORTHYNKE3
FORTWNE
FORWARDES
FORWONDERED
FORWRAST
FORWRO3T
FOR3
FOR3ATE
FOR3ES
FOR3ET
FOR3ETES
FOSCHIP
FOTE3
FOTTE
FOULED
FOULE3
FOUNCE
FOUNDANDE
FOUNDEMENTE3
FOUNDERED
FOUNS
FOURCHE3
FOURE
FOURMYT
FOURRE
FOWLED
FOWLEST
FOWLE3
FOYNED
FO3T
FRAUNCHIS
FRAYES
FRAYN
FRAYNE3
FRAYSTE
FRAYSTED
FREEST
FREK
FREKES
FRELES
FRELICH
FRELOKER
FREMEDLY
FRENCH
FRENGES
FRENKYSCH
FRES
FRESCHE
FRESCHLY
FRESHE
FRETEN
FRETTE
FRETTED
FROK
FROKKES
FROTE
FROTHANDE
FROTHE
FROUNSES
FROWARDE
FRUNT
FRUYT
FRYM
FRYST
FRYTE
FRYTHE3
FULFILLE
FULFYLLE
FULFYLLED
FULLOGHT
FULLY
FULSEN
FULSUN
FUL3ED
FUNDAMENT
FUNDEMENT
FUNDEN
FURRIT
FURST
FURTHE
FUTE
FUYT
FYCHED
FYF
FYFT
FYFTE
FYFTENE
FYFTHE
FYIN
FYKED
FYKEL
FYLDOR
FYLLEN
FYLLES
FYLLE3
FYLOR
FYLTERED
FYLTHE3
FYLYOLES
FYLYOLE3
FYNDYNG
FYNDYNGE
FYNED
FYNGRE3
FYNISMENT
FYNLY
FYNNE

FYCLES
FYRCE
FYRES
FYRMAMENT
FYSCHE
FYSCHES
FYSCHE3
FYSKE3
FYSTE
FYTHEL
FYTHER
FYTHERES
FYTHERE3
FY3ED
GAFE
GALALYE
GAMNE3
GARDYN
GARE
GARGELES
GARNYSHT
GARNYST
GARTEN
GARYTE3
GAST
GATES
GATE3
GAUAYN
GAUDI
GAUE
GAULE
GAULE3
GAWAYNE
GAWAYNE3
GAWLE
GAYEST
GAYNE
GAYNED
GAYNEST
GAYNLYCH
GAYNOUR
GA3AFYLACE
GEDER
GEDEREN
GEDERES
GEDRID
GEFE
GELE
GENDERED
GENDRE3

GENERACYOUN
GENTYLESTE
GENTYLMEN
GESERNE
GESTE
GET
GETTES
GIFT
GIFTES
GILDE
GILOFRE
GILYAN
GIUES
GLACE
GLADANDE
GLADDER
GLADDEST
GLADED
GLADLOKER
GLADNE3
GLAD3
GLAUER
GLAUERE3
GLAUM
GLAUMANDE
GLAYM
GLAYMANDE
GLAYRE
GLAYUE
GLEDE3
GLEMED
GLEMERED
GLENE
GLENTE3
GLET
GLEW
GLEWED
GLISNANDE
GLODES
GLODE3
GLOPED
GLOPNEDLY
GLOPNYNG
GLORI
GLORYE
GLORYED
GLOTOUNES
GLOTTE
GLOUE3
GLOUMBES

GLOW
GLOWED
GLYDE
GLYMME
GLYTERANDE
GLYTERED
GNEDE
GOBELOTES
GOBLOTES
GODELIEST
GODEMON
GODHEDE
GODMAN
GOLDEHEMMED
GOLF
GOMENLY
GOMES
GOMNES
GOMORRA
GOODE
GORDE3
GORE
GORGER
GOSPEL
GOSTES
GOSTLYCH
GOTE
GOUDLY
GOUERNANCE
GOUERNORES
GOULE3
GOUN
GOUNE
GOWDE3
GOWLE3
GOWNE
GRACIOUSE
GRACIOUSLY
GRACYOUSLY
GRANTE
GRANTE3
GRAUAYL
GRAUE
GRAUNTE3
GRAYES
GRAYN
GRAYNE3
GRAYTH
GRAYTHE3
GRAYTHLY

GRE
GREAT
GREDIRNE
GREFFE
GREHOUNDE3
GREM
GREMED
GREMEN
GRENER
GRENNE
GRETT
GRETTE
GREUEN
GREUING
GREWE
GREWEN
GRIPPED
GROME
GROME3
GROMYLYOUN
GRONED
GRONYED
GRONYNGE
GROPANDE
GROPYNG
GROUELYNG
GROUNDELE3
GROUNDEN
GROUNDE3
GROW
GRUBBER
GRUCH
GRUCHEN
GRUCHYNG
GRUE
GRU3T
GRWE
GRYCHCHYNG
GRYED
GRYM
GRYNDE
GRYNDELLAYK
GRYNDELLY
GRYNDELSTON
GRYPED
GRYPE3
GRYPTE
GRYSLY
GRYSPYNG
GRYSPYTYNG

GRYSTE
GUENORE
GUERE
GUFERES
GULTE
GURDEL
GURDILLE
GUT
GWENORE
GYDEROPES
GYE
GYFE
GYFT
GYFTE3
GYLD
GYLT
GYLTLE3
GYLTYF
GYNFUL
GYNGE
GYNGURE
GYRDE3
GYRLE
GYSE
GYTERNERE
GYUE
GYUEN
HABES
HABRAHAM
HACH
HACHCHES
HADET
HADE3
HAFE
HAFYNG
HAGHERLYCH
HAL
HALAWED
HALCE
HALCHE3
HALDANDE
HALES
HALET
HALFSUSTER
HALIDAYE3
HALLED
HALLEFLOR
HALOWES
HALOWE3
HALOWING
HALSE
HALSED
HALT
HALTE
HALUES
HALUE3
HALYDAM
HAL3E3
HAMPPRED
HANDEHELME
HANDES
HANSELLE
HAP
HAPENE3
HAPNEST
HAPPE3
HARDENED
HARDENES
HARDI
HARDILY
HARLATE3
HARLED
HARLOTES
HARLOTTRYE
HARMES
HARNAYST
HARPE
HARPEN
HARPORE3
HASEL
HASPE
HASPPE3
HASTID
HASTIF
HASTILY
HASTLETTE3
HASTY
HASTYFLY
HATER
HATERE3
HATTER
HAUBERGHE
HAUEKE3
HAUE3
HAUILOUNE3
HAUNCHE3
HAUNTE
HAUTDESERT
HAWBERGH
HAWK
HAWTESSE
HAYLCE
HAYLSES
HAYRE3
HA3ERER
HA3ERLY
HA3THORNE
HEDDE
HEDLE3
HEGGE3
HEGHEST
HEKE
HELDED
HELDYT
HELED
HELES
HELLEN
HELPE
HELPEN
HELPPE3
HEME
HEMELY
HEMEWEL
HEMME3
HEMMYD
HENDEST
HENGYST
HENNE
HENS
HENTTE3
HEP
HEPE3
HERAFTER
HERANDE
HERBERED
HERBISYDE
HERDEN
HEREAFTER
HEREAWAY
HEREBIFORNE
HERED
HEREDMEN
HERES
HERGHEDES
HERID
HERINNE
HERK
HERKENED
HERKENE3
HERKKENED
HERKNED
HERKNE3
HERRE
HERSUM
HERYTAGE
HER3E3
HES
HESTES
HESTOR
HETER
HETTE
HETTERLY
HETTE3
HEUENESSE
HEUENGLEM
HEUEN3
HE3ED
HE3THE
HIDE
HIDERE
HIDOR
HIGHE
HIGHIDE
HILED
HIMSELF
HIMSELFE
HINDE3
HISE
HISSELUEN
HITSELF
HITSELUEN
HITTEN
HITTE3
HI3LICH
HI3LY
HI3TLY
HOBESTE3
HODLE3
HOFEN
HOKYLLEN
HOLDE3
HOLEFOTED
HOLKKED
HOLLE
HOLSUMLY
HOLTEWODE3
HOLTWODE3
HOLYN
HOL3
HOL3E

HOMERED
HOMES
HOMLY
HOMMES
HONDEL
HONDELE
HONDELE3
HONDELYNGE3
HONDEMY3T
HONDEQUILE
HONDESELLE
HONDEWERK
HONDEWHYLE
HONGYT
HONOURE3
HONOURS
HONOWRED
HONYSE3
HOO
HOPES
HORE
HORSSES
HORTYNG
HORWED
HORYED
HOUES
HOURE
HOURES
HOURE3
HOURLANDE
HOURLE
HOUSDORE
HOUSE
HOUSHOLDE
HOVE3
HOWNDES
HOWNDE3
HOWRE
HOWS
HOWSEEUER
HOWSO
HO3ES
HUE
HUEE
HULT
HUMMYD
HUNDRETHE
HUNDRID
HUNGERES
HUNGRIDE
HUNGRIE
HUNTE
HUNTED
HUNTYNG
HURKELE3
HURKLED
HURLES
HURLYD
HUYDE
HUYLE
HWED
HYDEN
HYLCOPPE
HYLCOT
HYLLE3
HYMSELUE
HYNDE3
HYRED
HYRNE3
HYSSE
HYTSELF
HYTTE3
HYUE
HYUL
HY3TE
HY3TLED
IAPES
IAUELES
IBRAD
ICHOSE
IDOLATRYE
IEAUNTE3
IENTYLE
IERICO
IESUS
ILLE3
ILYCH
IMAGE
INMONGE3
INMYDDE
INMYDDES
INMYDE3
INNOCENS
INNOME
INNOSSENT
INNOWE
INOBEDYENT
INOGH
INOGHE
INOSCENCE
INOSCENTE
INOW
INO3
INO3E
INSPRANC
INSTRUMENTES
INSY3T
INTENT
INURNDE
IOLY
IOLYF
IONAS
IOSTYSE
IOYFOL
IOYFUL
IOYLES
IOYLE3
IOYNE
IOYNTES
IOYST
IRE
IRKED
ISRAYL
IUDE
IUEL
IUELE
IUELER
IUELE3
IUELRYE
IUGE
IUGEMENT
IUGGE
IUGGEMENT
IUGGID
IUGGIT
IUISE
IUSTIFIET
IUSTISED
IUSTISES
IUSTYNG
IUYNE
IWIS
IWYIS
IWYS
IWYSE
JACYNGHT
JAMES
JAPE
JAPE3
JAPH
JAPHETH
JASPORYE
JENTYLE
JHERUSALEM
JHESU
JHESUS
JHON
JOLILE
JOLYF
JONE3
JONO
JORDAN
JOUELER
JOURNAY
JOWKED
JOYFNES
JOYFUL
JOYLES
JOYLE3
JOYNE
JOYNT
JUBITER
JUDA
JUDY
JUE
JUELE
JUELERE
JUE3
JUGGE
JUIS
JUISE
JUSTED
JUSTYFYET
KABLE
KACHANDE
KACHE3
KAGHTEN
KALLEN
KANEL
KARE
KARLE
KART
KAST
KASTE
KASTEL
KAUELACION
KAY
KAYRED
KAYSER
KA3TEN

KEIES
KENEL
KENET
KENNEN
KENNES
KENNEST
KEPPTE
KEPTEN
KEPYD
KER
KERCHOFES
KERUEN
KERUES
KESTES
KESTE3
KEUE
KEUED
KEYES
KITHE
KITTEN
KLERK
KLUBBE
KLYF
KLYFE3
KLYFFES
KLYFFE3
KLYMBE
KNAGED
KNAPE
KNAUEN
KNAUES
KNAUE3
KNAWE3
KNAWLACH
KNELANDE
KNES
KNE3
KNITTEN
KNOKKE
KNOKKES
KNOKLED
KNORNED
KNOTE3
KNOTTES
KNOWES
KNYDE
KNYFFE
KNYUE3
KNY3TLY
KNY3TYLY
KOK
KORT
KOSTE
KOTE
KOURT
KOW
KOWARDE
KOWPES
KOYNTISE
KOYNTLY
KRAKKES
KRY
KRYES
KRYSTE
KRYSTEN
KRYSTES
KRYSTYIN
KUY
KYLDE
KYLLE
KYLLED
KYLLEN
KYNDE3
KYNDLY
KYNNE3
KYPPE
KYRF
KYRKES
KYRTEL
KYRYOUS
KYSSEDES
KYSTEN
KYSTES
KYSTTES
KYTHED
KYTHYN
LABOR
LABOUR
LACCHE
LACHCHE
LACHCHED
LACHE
LACHED
LACHES
LADDEBORDE
LADDES
LADDRES
LADEN
LADYLY
LADYSCHYP
LAGHES
LAGHT
LAGMON
LAIDE
LAITID
LAKERYFTES
LAMB
LAMBE3
LAMP
LANGABERDE
LANGAGE
LANGOUR
LANTE
LANTE3
LANTYRNE
LAPE
LAPPE
LAPPID
LARGES
LARGESSE
LASCHED
LASSEN
LASSHIT
LASTED
LASTTES
LASTYD
LAT
LATHE3
LAUCEN
LAUCYNG
LAUE3
LAUMPE
LAUNCED
LAUNCELOT
LAUNCE3
LAUSEN
LAUSNED
LAW
LAWES
LAWLES
LAWSE3
LAYDEN
LAYKE
LAYKYNG
LAYN
LAYNED
LAYS
LAYTED
LAYTE3
LAYTH
LA3ARES
LA3EN
LA3E3
LA3TE
LA3TER
LA3YNG
LE
LEAUTE
LEBARDE3
LECHERYE
LEDANDE
LEDDEN
LEDEN
LEDER
LEDERES
LEDISCH
LEEDE
LEEF
LEFLY
LEGE3
LEGG
LEGGE
LEGGE3
LEGHE
LEGIOUN
LEGIOUNES
LEGYOUNES
LELE
LELY
LEMANDE
LEMANES
LENCTHE
LENGEST
LENGYD
LENKTHE
LENTOUN
LEP
LEPE
LEPRE
LERN
LERS
LESANDE
LESTED
LESTE3
LESYNG
LETE
LETES
LETHE3
LETTEN
LETTER

LETTERES
LETTES
LETTE3
LEUDES
LEUDLE3
LEUYD
LEUYLY
LEWID
LEYEN
LE3
LE3EN
LE3TEN
LIBRARIE
LICHE
LIDDE
LIDDE3
LIES
LIFLODE
LIGGES
LIGHTEN
LIK
LIKE
LIKED
LIKKED
LIKKES
LIPPES
LIRE
LIS
LIST
LISTE
LISTENCE
LITHERNE3
LITTLE
LIURE
LIURE3
LI3TE3
LI3TLY
LLAK
LODELY
LODESMON
LODE3MON
LOFDEN
LOFE
LOFLY
LOFLYEST
LOGEDOR
LOGGES
LOGGING
LOKANDE
LOKES
LOKYD
LOLTRANDE
LOMBELY3T
LOMBE3
LOMERANDE
LOMP
LOMPE
LONDE3
LONE
LONGANDE
LONGEN
LONGE3
LONGING
LONGYNG
LONGYNGE
LONT
LOO
LOOT
LORDESCHYP
LORNE
LORTSCHYP
LOSED
LOSEN
LOSES
LOSTE
LOSYNG
LOSYNGER
LOTHELYCH
LOTHES
LOTHE3
LOUANDE
LOUELOKKEST
LOUKE3
LOUMBE
LOUSE
LOUSED
LOUTES
LOUUE
LOUYE3
LOUYLY
LOUYNGE
LOVES
LOVUE
LOWDE
LOWEST
LOWKE3
LO3ED
LO3EN
LUCAN
LUCHE
LUDISCH
LUDYCH
LUFED
LUFE3
LUFLA3YNG
LUFLONGYNG
LUFLOWE
LUFLYCHE
LUFSOUM
LUFSUM
LUFTALKYNG
LUGED
LULTED
LULYWHIT
LUMBARDIE
LUMP
LURES
LURKKES
LURKKE3
LUST
LUSTE
LUSTY
LUT
LYCHE
LYDDE
LYES
LYFED
LYFLODE
LYFLY
LYFTE3
LYGE3
LYGGEDE
LYGGE3
LYGGID
LYKHAME
LYKKER
LYKKERWYS
LYKKEST
LYKNES
LYKNE3
LYKNYNG
LYKORES
LYKYNGES
LYLLED
LYMES
LYME3
LYMMES
LYMP
LYMPES
LYNDES
LYNDEWODE3
LYNNE
LYONEL
LYOUNE3
LYPPE
LYSOUN
LYSTENED
LYSTYLY
LYT
LYTEL
LYTH
LYTHE
LYTHEN
LYTHER
LYTHERLY
LYTHE3
LYUER
LYUES
LYUIE
LYUY
LYUYANDE
LYUYE
LY3
LY3TES
LY3TIS
LY3TLOKER
MACE
MACERS
MACHCHES
MACHES
MADAME
MADDYNG
MADEE
MADOR
MAGHTY
MAHON
MAHOUN
MAKELLE3
MAKYD
MALES
MALSCRANDE
MALSKRED
MALYSE
MANACE
MANAS
MANAYRE
MANCIOUN
MANDE
MANERES
MANERS

MANGERIE
MANGERYE
MANKYN
MANKYNDE
MANNE
MANTILE
MARARACH
MARCHAL
MARCIALLE
MARE
MARERE3
MARGARYS
MARGERYEPERLE
MARGRETE
MARGYRYE
MARIE
MARIORYS
MARKED
MARRES
MARRYNG
MARTILAGF
MARYAG
MARYAGE
MARYAGE3
MARYED
MARYNERES
MASCELLE3
MASCLE
MASE
MASKLE
MASKLLE
MASON
MASSEPREST
MAT
MATENS
MATERES
MATYD
MATYNE3
MATYNNES
MAUDELAYNE
MAUGRE
MAWGRE
MAWGREF
MAYDENNE3
MAYE
MAYME3
MAYNLY
MAYNTNAUNCE
MAYNTYNE
MAYNY
MAYNYMOLDE
MAYSTERES
MAYSTERE3
MAYSTERMON
MAYSTERRY
MAYSTERTON
MAYSTERY
MAYSTER3
MAYSTRIE
MA3T
MA3TI
MED
MEDECYN
MEDE3
MEDOES
MEELES
MEERE
MEGRE
MEKEST
MEKNED
MELEDE
MELLYD
MEMBRE
MEMBRE3
MENDDYNG
MENDED
MENDE3
MENDYD
MENDYNG
MENE3
MENG
MENGE
MENGED
MENNE
MENSCLA3T
MENSKEFULLY
MENSKE3
MENSKID
MENTEENE
MENYD
MENYNG
MENYUER
MERCILES
MERCYLES
MERGOT
MERIT
MERITORIE
MERKID
MERKKED
MERLYN
MERTHES
MERUAYLE3
MERUELOUS
MERWAYLE
MERYLY
MESCHAUNCE
MESCHEFE
MESCHEFES
MESCHEFE3
MESE
MESSEQUYLE
MESSES
MESSE3
MESTERSMON
MESURABLE
METAIL
METALLES
METH
METHELE3
METHLES
METROPOL
METTE3
MET3
MEUANDE
MEUEN
MEUE3
MEYNYE
ME3ELMAS
MICHE
MINISTRES
MISLYKE3
MISSCHAPEN
MIST
MISTRAUTHE
MISY
MI3AEL
MODERCHYLDE
MODEY
MODE3
MODY
MOGHTFRETEN
MOKKE
MOLAYNES
MOLD
MOLDES
MONIE
MONK
MONKYNDE
MONLOKEST
MONNE3
MONSWORNE
MONYFOLDE
MOON
MOOTE
MOREWETHER
MORNING
MORNYF
MOROWEN
MORTERES
MOSSE
MOTELES
MOULYNGE
MOUN
MOUNES
MOUNTAUNCE
MOUNTAYNE3
MOUNTURE
MOURKENES
MOURKNE
MOURNE
MOURNE3
MOURNYNGE
MOUTHES
MOWE
MOWTHE
MOYSES
MUCHQUAT
MUCKEL
MUDDE
MUGED
MUKKYDE
MULLE
MULNE
MULTYPLYED
MULTYPLYE3
MUN
MURNANDE
MURTHE
MUSED
MUSET
MUTH
MWE
MYCH
MYD-OUER-VNDER
MYDDELERDE
MYDDE3
MYDELLE
MYERTHE
MYGHTES
MYKE

MYKE3
MYLDEST
MYLE3
MYNGE
MYNGED
MYNN
MYNNED
MYNNYD
MYNNYNGE
MYNSTERDORES
MYNSTRALCIE
MYNSTRALSYE
MYNSTRASY
MYNT
MYNTE
MYNTEST
MYNYSTRED
MYRI
MYRYER
MYRYEST
MYRYESTE
MYRYLY
MYSBODEN
MYSDEDE
MYSDEDES
MYSDEDE3
MYSERECORDE
MYSETENTE
MYSLYKE
MYSSELEUE
MYSSEPAYED
MYSSES
MYSSE3EME
MYSTERIE
MYSTERYS
MYSTHAKEL
MYTE
MYYN
MY3TE
NABI3ARDAN
NAF
NAITYD
NAKERYN
NAKERYS
NAKRYN
NAKYDE
NAME3
NAPPE
NAR
NASE
NATWRE
NAUEL
NAULE
NAUNT
NAUTHELES
NAWTHELES
NAYE
NAYED
NAYLET
NAYLE3
NAYTE
NAYTED
NAYTLY
NA3TE
NA3TES
NEC
NECE
NEDDE
NEDLES
NEDLE3
NEGH
NEKKE
NEL
NEME
NEMME
NENTE
NEPTURNE
NESCH
NEUE
NEUENEN
NEUENES
NEUERMORE
NEWE3ERE3
NEW3ERES
NEXT
NEXTE
NE3EN
NE3E3
NIE3
NIE3BOR
NIKKED
NIRT
NIS
NIYE
NIY3T
NI3T
NOBELAY
NOBELE
NOBLEYE
NOICE
NOK
NOKYNNE3
NOM
NOMES
NONES
NONE3
NOQUERE
NORTH
NORTHEST
NORTURE
NOS
NOTED
NOTHYRE
NOTYNG
NOUMBLES
NOURNET
NOWEL
NOWHARE
NOWTHELESE
NOY
NOYE
NOYS
NO3TY
NUNNIUE
NURNE
NUYED
NUYE3
NW
NWE3
NWE3ERE
NWE3ERE3
NWY
NWYED
NYED
NYKKED
NYLT
NYM
NYMMES
NYMME3
NYNYUE
NYSE
NYSEN
NYTELED
NY3TE
NY3TES
OBES
ODOUR
OFFER
OFFRED
OFFYS
OFTER
OGHE
OKE
OLIPRAUNCE
OLYUE
ONELYCH
ONENDE
ONEVNDER
ONEWE
ONFERUM
ONHEDE
ONHELDE
ONHIT
ONLYUE
ONOURE
ONSLYDE3
ONSTRAY
ONSWARE3
ONVUNDER
ONY3ED
OPENED
OPENLY
ORDAYNT
ORDENAUNCE
ORENGE
ORGANES
ORIENT
ORISOUN
ORITORE
ORNEMENTES
ORPEDLY
ORPPEDLY
ORYENT
ORYENTE
ORY3T
OSSED
OSTE
OSTEL
OTHERQUYLE
OTHERWAYE3
OTHE3
OUERBORDE
OUERBRAWDEN
OUERCLAMBE
OUERDROFE
OUERSEYED
OUERTAKE
OUERTAN
OUERTE
OUERTOK

OUERTORNED
OUERTURE
OUERWALT
OUERWALTE3
OURESELFE
OUTBORST
OUTCOMLYNG
OUTDRYF
OUTFLEME
OUTHER
OUTKAST
OUTRY3TE
OUTSPRENT
OUTTRAGE
OUTTULDE
OWE
OWT
OWTE
OX
OXEN
OYER
O3E
O3TE
PACE
PACIENT
PAKKE
PAKKED
PALAIS
PALASTYN
PALAYCE
PALE
PANE3
PAPEIAYES
PAPER
PAPIAYE3
PAPURE
PAR
PARADISE
PARADYSE
PARAMORE3
PARCHMEN
PARGET
PARK
PARLATYK
PARTED
PARTEN
PARTLE3
PARTRYKE3
PARTYD
PASSIDE
PASSYDE
PASTE
PASTURE
PATIENCE
PATROUNES
PAUME
PAUMES
PAUME3
PAUNCE
PAUNCHE3
PAUNE
PAUUE
PAYMENT
PAYNES
PAYNTET
PAYNTYDE
PAYNYM
PAYNYMES
PAYRES
PECE
PECES
PECE3
PECHCHE
PELURE
PENDAUNDES
PENDAUNTES
PENDAUNTE3
PENIES
PENITOTES
PENNEFED
PENSYF
PENTAUNGEL
PENYES
PEPLE3
PER
PERAUNTER
PERCE
PERELOUS
PERE3
PERFET
PERNYNG
PERSES
PERSOUN
PERUERTYD
PERYL
PERYLE
PERYLES
PETE
PETER
PETRE
PICCHIT
PICH
PICHED
PIKE
PINACLES
PINCHID
PIPED
PIT
PITEE
PITOUSLY
PLACES
PLANED
PLANEDE
PLANETE3
PLANTED
PLANTTED
PLANTYD
PLASTER
PLATER
PLATFUL
PLATTYNG
PLAYES
PLAYFERES
PLAYNES
PLAYNT
PLEASAUNCE
PLEK
PLENY
PLESAUNT
PLESAUNTE
PLESED
PLESE3
PLETE
PLEYNED
PLIED
PLITE
PLONTTE3
PLOW
PLUNGED
PLYANDE
PLYE
PLYED
PLYES
PLYTES
PLYTE3
PLY3TLES
POBBEL
POLAYNE3
POLE
POLICED
POLLE
POLYCE
POLYCED
POLYLE
POLYST
POMGARNADES
PONTIFICALS
POPE
POPLANDE
PORCHACE
PORCHASE3
PORCHE
PORER
PORFYL
PORPOR
PORPOS
PORROS
PORTALE3
PORTRAYED
PORUAY
PORUAYES
POSSYBLE
POSTES
POTAGE
POUDRED
POUEREN
POULE
POURSENT
POURTRAYD
POWDERE
POWDERED
POWLE3
POYNED
POYNTED
POYNTEL
POYSENED
POYSNED
PRAUNCE
PRAYANDE
PRAYE
PRAYEN
PRAYSES
PRAYSID
PRECH
PRECHANDE
PRECHYD
PREF
PRELACIE
PRESE
PRESENSE

PRESENTE
PRESCNERS
PRESTE
PRESTE3
PRESYOUS
PRETERMYNABLE
PREUELY
PRIK
PRIMATE
PRIS
PRISES
PRIUY
PRIYCE
PROCESSION
PROFECIE
PROFECIES
PROFEREN
PROFERES
PROFERT
PROFESSYE
PROPERTE3
PROPERTY
PROPERTY3
PROSESSYOUN
PROUDLY
PROUIDENS
PROUINCES
PROUYNCE
PRUDDEST
PRYK
PRYMATE
PRYME
PRYNCIPAL
PRYNCIPALE
PRYNSE3
PRYSE
PRYSTYLY
PRYUELY
PRYUY
PRYUYEST
PRYUYLY
PSALME
PSALMYDE
PULDEN
PULLE
PURLY
PURPOSE
PURPRE
PURSAUNT
PURSUED
PURYTE
PUTTEN
PUTTYNG
PYCHE
PYCHED
PYES
PYESE
PYKE3
PYLE
PYMALYON
PYNAKLE
PYNAKLED
PYNES
PYNE3
PYNKARDINES
PYNNED
PYONYS
PYPES
PYPYNG
PYSAN
PYTH
PYTOSLY
PYTY
QUAKED
QUAUENDE
QUAYLE
QUAYNTYSE
QUEL
QUELDEPOYNTES
QUELLES
QUENCHES
QUERFORE
QUERRE
QUERY
QUESTIS
QUETHE
QUETHEN
QUETHERSOEUER
QUETTYNG
QUIKKEN
QUIKLY
QUIT
QUITCLAYME
QUOM
QUOP
QUOYNTIS
QUOYNTYSE
QUYKE
QUYKE3
QUYKLY
QUYSSEWES
QUYSSYNES
QUYTE3
QWO
QWYTE
RAAS
RAC
RACHCHE
RACHCHES
RACHE3
RADDE
RAGED
RAGHT
RAGNEL
RACUEL
RAKEL
RAKKES
RAMEL
RANDE
RANDE3
RANK
RANKOR
RAPE
RASCH
RASED
RASE3
RASORES
RATHELED
RATTED
RATTES
RAUYSTE
RAW
RAWE
RAXLED
RAY
RAYKES
RAYNANDE
RAYNE3
RAYNRYFTE
RAYSE
RA3TE3
REAMES
REBAUDE3
REBEL
REBOUNDE
REBUKE
RECEN
RECHATANDE
RECHE3
RECHLES
RECORDE
RECORDED
RECORDE3
RECREAUNT
REDDE
REDDEN
REDELES
REDE3
REDILY
REDLY
REFET
REFETYD
REFOURME
REFRAYNE
REFUSE
REGIOUNES
REGNYD
REGRETTED
REHAYTE
REHERCE
REHERSED
REIATE3
REKENEST
REKKEN
RELANDE
RELE
RELEFE
RELES
RELEUE
RELUSAUNT
REMEMBRED
REMENE
REMEWIT
RENAIDE
RENAUD
RENAUDE
RENAY
RENDED
RENDEN
RENDE3
RENES
RENGNE3
RENIARDE
RENISCHCHE
RENNANDE
RENNEN
RENOWLE3
RENYSCHLY
REPAIREN
REPARDE

REPAYRE
REPAYRES
REPENTE
REPRENE
REPREUED
REQUESTE
REQUIRE
RERD
RERES
RERT
RESAYT
RESAYUE
RESCOGHE
RESCOWE
RESETTE
RESONABELE
RESONES
RESONS
RESOUNABLE
RESPECTE
RESPITE
RESPYT
RESSE
RESTAY
RESTED
RESTES
RESTEYED
RESTLE3
RESTORMENT
RESTTED
RESTTE3
RETRETE
REUELE
REUER
REUERENCED
REUER3
REUESTID
REULE
REWARD
REWARDES
REWARDE3
REWARDID
REWFULLY
REWLED
REWLIT
REYNARDE
REYNYE3
REYSOUN
RE3TFUL
RIAL
RIALLE
RIALTE
RIALTY
RIBOUDRYE
RICCHIS
RICHCHANDE
RICHED
RICHEN
RICHES
RICHLY
RIDES
RIDLANDE
RIFTES
RIGGE
RIGHT
RIMED
RING
RIPE
RIS
RI3TES
ROBBORS
ROBES
ROBORRYE
ROCHER
ROCHERES
ROCHERE3
ROCHE3
ROF
ROFFE
ROFSORE
ROGH
ROGHLYCH
ROKK
ROKKED
ROLLANDE
ROLLED
ROMAUNCE
ROMULUS
ROMYES
RONE3
RONKLED
RONKLY
RONNEN
ROPE3
RORED
RORE3
ROSTED
ROSTTED
ROT
ROTEN
ROTES
ROTHER
ROTHUN
ROTID
ROTTOK
ROUE3
ROUM
ROUNCE
ROUNGEN
ROURDE
ROUS
ROUST
ROUT
ROUTES
ROUTHE
ROW
ROWE
ROWME
ROWNANDE
ROWNED
ROWTANDE
ROWWE
ROYNYSHE
RO3LY
RO3T
RUBIES
RUCHE
RUCHED
RUCHEN
RUDDON
RUDEDE
RUDELE3
RUDNYNG
RUELED
RUGH
RULE
RULES
RUNISCHLY
RUTHED
RUTHEN
RUTHES
RUYT
RU3E
RWED
RWE3
RYALME
RYALMES
RYBAUDES
RYBBE
RYBBES
RYBE
RYCHES
RYCHE3
RYD
RYDDE
RYDELANDE
RYDELLES
RYDYNG
RYG
RYGE
RYNE
RYNE3
RYNGING
RYNKANDE
RYPANDE
RYPE3
RYTH
RYTTE
RY3TES
RY3TWIS
SABATOUN3
SACRAFYCE
SACREFYCE
SACRID
SACRIFICES
SACRYD
SAD
SADELES
SAFYRES
SAGE
SAGHE
SAKEFYSE
SAKLE3
SAKRED
SALAMONES
SALOMON
SALUE
SALURE
SAMARYE
SAMENFERES
SAMNE
SAMNES
SAMPLE
SAMPLES
SAMSON
SANAP
SANDEWICHE
SANGE
SANT
SAPYENCE

SARDE
SARDINERS
SARDCNYSE
SARRE
SARREST
SAT
SATANAS
SATE
SATHANAS
SATHRAPAS
SATTELED
SAT3
SAUAGE
SAUCE
SAUDAN
SAUDANS
SAUEMENT
SAUEN
SAUEOUR
SAUER
SAUERED
SAUERE3
SAUIOR
SAUICUR
SAULE3
SAUNCANS
SAUNCYUER
SAUOUR
SAUOURED
SAUTERAY
SAUYOURE
SAUYTE
SAWELE
SAWE3
SAWSES
SAXCN
SAYE3
SAYLANDE
SAYLEC
SAYM
SAYNTES
SAYNTE3
SAYNTUARE
SAY3
SA3E3
SA3T
SA3TE
SA3TTEL
SCALE
SCARRE3

SCATHEL
SCAYLED
SCELT
SCHAD
SCHADDE
SCHADED
SCHADOW
SCHADOWED
SCHAFTED
SCHAFTE3
SCHALKE
SCHALKE3
SCHALKKE3
SCHALT
SCHALTE
SCHAM
SCHAMED
SCHAME3
SCHANKES
SCHAP
SCHAPES
SCHATERANDE
SCHEDDE
SCHEMERED
SCHENDED
SCHENTE
SCHEP
SCHEPON
SCHER
SCHEREWYKES
SCHERE3
SCHET
SCHEWEED
SCHEWEN
SCHEWYDE
SCHIN
SCHINANDE
SCHIP
SCHOLES
SCHOMELY
SCHONKES
SCHONKE3
SCHOP
SCHOR
SCHORE3
SCHOTTEN
SCHOUT
SCHOWEN
SCHOWRE3
SCHOWTED

SCHOWUE3
SCHRANKE
SCHREWEDSCHYP
SCHREWES
SCHREWE3
SCHROF
SCHROUDEHOUS
SCHUL
SCHWUE
SCHYIRE
SCHYLDERE3
SCHYM
SCHYMERYNG
SCHYNDE
SCHYNED
SCHYNES
SCHYREE
SCHYRER
SCHYRLY
SCHYRRER
SCKETE
SCLADE
SCLA3T
SCOLE
SCOLERES
SCOMFYTED
SCOPEN
SCCRNE
SCCRNED
SCOUMFIT
SCCWTE3
SCCWTEWACH
SCRAPE
SCRAPED
SCRCF
SCUE
SCYLFUL
SCYLLE
SECHES
SED
SEDE3
SEELE
SEERLY
SEET
SEETE
SEKKE
SEKNESSE
SELCOUTH
SELLEN
SELLOKEST

SELLYE3
SELUE
SELURE
SEMBLED
SEMES
SEMLYLY
SENDAL
SENGEL
SENGELEY
SEPTURE
SERCHED
SERELYCH
SERGAUNTE3
SERGES
SERIAUNTES
SERLEPES
SERLYPE3
SERMOUN
SERUAGE
SERUAUNTES
SERUAUNTE3
SERUICE
SERUISEQUYLE
SERUYCE
SERUYD
SESES
SESE3
SESOUNDE
SESOUNE3
SESSED
SESYD
SETHE
SETTEL
SEUENTETHE
SEUERED
SEUERES
SEUE3
SEVE
SEVEN
SEVES
SEWED
SEWER
SEWIDE
SEWRTE
SEX
SEXTENE
SEYE
SEYED
SEYSOUN
SHAL

SHALLE
SHAPEN
SHEDDES
SHEWID
SHOPE
SHULD
SIDBORDE3
SIDE
SIDEBORDES
SIDES
SIKE
SILLE
SISTER
SI3T
SKARMOCH
SKAYNED
SKELES
SKELTEN
SKELTON
SKERE
SKEWES
SKILFULLE
SKOWTE3
SKOYMOS
SKURTES
SKWE
SKWES
SKWE3
SKYFTE
SKYG
SKYLNADE
SKYLY
SKYRE
SKYRME3
SKYVALDE
SLADE3
SLAKE
SLAKED
SLAUTHE
SLA3T
SLA3TES
SLEKE
SLEKKYD
SLENT
SLENTE
SLENTYNG
SLEPANDE
SLEPER
SLEPT
SLEPTE
SLEPYNGSLA3TE
SLETE
SLE3LY
SLE3T
SLE3TE3
SLIPPIDE
SLOBERANDE
SLOGHE
SLOKES
SLOMERYNG
SLOUEN
SLOUMBESLEP
SLOUMBESLEPE
SLOW
SLOWE
SLOWEN
SLUCHCHED
SLYDE
SLYDES
SLYDE3
SLYP
SLYPPE
SLYPTE
SLYT
SLY3TES
SMACHANDE
SMART
SMETEN
SMETHELY
SMOD
SMOKE
SMOLDERANDE
SMOLTES
SMYLE
SMYLYNG
SMYTEN
SNART
SNAYTHED
SNITERED
SNYRT
SODOMIS
SOERLY
SOFFER
SOFFERED
SOFFRAUNCE
SOFLY
SOFT
SOFTELY
SOFTER
SOIORNE
SOICKNED
SOICURNED
SOK
SOKORED
SOLASED
SOLDE
SOLEMNE
SOLEMNETE
SOLEMPNELY
SOLEMPNEST
SOLIE
SOLY
SOMEMNE
SOMERES
SOMMOUN
SOMONES
SON
SONDE3MON
SONET
SONETE3
SONGE3
SONKKEN
SOP
SOPE
SOREWE
SOROW
SORQUYDRY3E
SORSERS
SORSORY
SORTES
SOSTNAUNCE
SOTHEFAST
SOTHEN
SOTHFOL
SOTTE
SOTTE3
SOTYLY
SOUMME
SOUNANDE
SOUNDYLY
SOUNED
SOUPED
SOUPEN
SOURE
SOURQUYDRYE
SOU3ED
SOVLY
SOWLE
SOWME
SOWNE
SO3TTEN
SPAK
SPAKE
SPAKEST
SPAKK
SPARDE
SPARED
SPARE3
SPARLYR
SPARTHE
SPEC
SPECE
SPECHES
SPECIALLY
SPECIALTE
SPECYAL
SPEDED
SPEDELES
SPEK
SPEKED
SPEKES
SPELLE3
SPEND
SPENET
SPENNEFOTE
SPENT
SPERLES
SPERRED
SPETOS
SPIED
SPIRITUALLY
SPIRITUS
SPITOUS
SPONE3
SPONNE
SPORE3
SPORNANDE
SPOTLE3
SPOTTE3
SPOTTY
SPOYLE
SPOYLED
SPRAD
SPRADDE
SPRAWLYNG
SPREDE
SPREDES
SPRETE
SPRIT
SPRONG

SPRUCE
SPRYNGANDE
SPUMANDE
SPURES
SPURE3
SPURYED
SPUT
SPUTEN
SPYCE
SPYCES
SPYLLED
SPYLLE3
SPYLT
SPYR
SPYRAKLE
SPYRIT
SPYSE
SPYSERE3
SPYSE3
STABELED
STABLID
STABLYDE
STABLYE
STAC
STAFFUL
STAGE
STAL
STALWORTHEST
STAMYN
STANC
STANCES
STANGE
STANGE3
STANK
STAPE
STAPLED
STARANDE
STAREN
STARTE3
STATE
STATUE
STATUT
STAUE
STAUE3
STAWED
STAYNED
STAYRED
STEDDE
STEDES
STEK
STEKE
STEKEN
STELBAWE
STELE3
STELGERE
STEMED
STEMME
STEMMED
STEP
STEPPE
STEPPED
STEPPEN
STERNE
STERNES
STEROPES
STERRE3
STEWARDE
STIFEST
STIK
STILLER
STIROP
STI3TEL
STOK
STOKE3
STOKKE3
STOMAK
STONDANDE
STONDEN
STONE
STONEN
STONFYR
STONHARDE
STONSTIL
STONYED
STOPED
STOR
STORI
STORME
STOTE
STOUNED
STOWED
STRAKE
STRATE3
STRAYD
STRAYN
STRAYNE
STRAYNE3
STRECH
STRECHE
STRECHE3
STREETE3
STRENGHTHE
STRENKLE
STRENY
STRESSE
STRETE3
STROKED
STROKES
STROKE3
STRONDE
STRONDES
STRONG
STRONGER
STROTHEMEN
STRYED
STRYEDE
STRYNDE3
STRYTHE
STRYTHTHE
STRYUANDE
STRYUEN
STUBBE
STUDIE
STUDIED
STUDY
STUFFE
STURE3
STURN
STURNELY
STURTES
STYFEST
STYFFE
STYFFEST
STYKE3
STYKKED
STYNGANDE
STYNKANDE
STYNKES
STYNKKE3
STYNTE3
STYRY
STYRYED
STYTHLY
STY3TEL
STY3TLED
STY3TLE3
SUANDE
SUES
SUFFERES
SUFFRIDE
SUFFYSE
SULP
SULPANDE
SULPEN
SUMKYN
SUMNED
SUMOUN
SUMQUYLE
SUNDERLUPES
SUNDRED
SUNKKEN
SUNNEBEME3
SUNNES
SUPPLANTORE3
SURFET
SURKOT
SURQUIDRE
SUSTNAUNCE
SUTILE
SUYT
SVE
SWALT
SWALTE
SWANE3
SWANGEANDE
SWARE3
SWARME3
SWART
SWARUES
SWAT
SWAYF
SWAYNES
SWAYUES
SWEANDE
SWELME
SWEMANDE
SWENG
SWENGE3
SWEPEN
SWER
SWERE3
SWETHLED
SWETNESSE
SWEUED
SWEUEN
SWEUENES
SWE3
SWE3ED
SWOGHE
SWOGHESYLENCE

SWCL3
SWCNE
SWCWED
SWYED
SWYFTELY
SWYMME
SWYMMED
SWYNDIC
SWYNGE3
SWYPPED
SWYTHELY
SWYTHE3
SYBOYM
SYFLE
SYFLE3
SYKER
SYKERLY
SYKYNGE3
SYLED
SYLENCE
SYLKE
SYLKYN
SYLUERIN
SYMBALES
SYMPELNESSE
SYMPLEST
SYNAGOGE
SYNG
SYNGLERTY
SYNGNES
SYNKANDE
SYNKES
SYNNED
SYRES
SYRE3
SYTE
SYTHES
SYTOLESTRYNG
SYTTEN
SY3TE
SY3TES
SY3TE3
TABARDE
TABELMENT
TABIL
TACCHED
TACHED
TACHE3
TAKEL
TAKES
TAKLES
TALENTTYF
TALKE
TALKED
TALKEDE
TALKES
TALKE3
TALKKANDE
TALLE
TANE
TAPE
TAPIT
TAPITES
TAPPE
TAPYTE3
TASSELE3
TAT3
TAYLES
TAYSED
TA3T
TA3TTE
TECCHE
TECCHELES
TEDE
TEEN
TELDET
TELLED
TELLEN
TEME3
TEMMPLE
TEMPEST
TEMPLES
TEMPPLE
TEMPRE
TEMPTANDE
TEMPTE
TEMYD
TEN
TENFULLY
TENOR
TENOUN
TENTE
TENTH
TERME3
TERNE
TEUELED
TEUELYNG
THANES
THEFTE
THEME
THERAMONGE3
THERATE
THERATTE
THERBYSIDE
THERBYSYDE
THEREAFTER
THEREBY
THEREINE
THERETO
THERFORNE
THERIN
THEROUER
THERTHUR3E
THERTILLE
THERUE
THERVPONE
THESTER
THEWED
THE3E
THIDERWARDES
THIKER
THIKKER
THING
THINGE3
THINKE3
THINKKE3
THIRLED
THISELF
THISELWEN
THONC
THONKE
THONKE3
THOO
THORNE
THORNE3
THORPES
THOUSANDE3
THO3TE
THO3TEN
THO3TES
THRAD
THRAL
THRANGE
THRAST
THRATTEN
THRAWE3
THRED
THREFTE
THRENEN
THREP
THREPE3
THREPYNG
THRESCH
THRET
THRETED
THRETE3
THRETTE
THREUENEST
THRICH
THRITTY
THROBLED
THROGHE
THRONGEN
THROW
THROWE3
THRUBLANDE
THRWEN
THRYCH
THRYDE
THRYE
THRYES
THRYE3
THRYF
THRYFTYLY
THRYNGES
THRYSE
THRYUANDLY
THRYUED
THRYUENEST
THULGED
THUNDER
THUNDERTHRAST
THURLED
THUR3OUTLY
THWARLE
THWARLEKNOT
THWONGES
THYNGE3
THY3E
THY3ES
THY3E3
TICIUS
TID
TITE
TITHYNGES
TITLERES
TO-HIR-WARDE
TOCLEUES
TOCORUEN
TODRAWE3

TOFYLCHED
TOGEDERE
TOHEWE
TOKENED
TOKENES
TOKENE3
TOKENYNG
TOKERUE
TOKNOWE
TOLDEN
TOLK
TOLOUSE
TOLOWSE
TOMARRED
TOME
TOMORN
TOMURTE
TONE
TONG
TONNE
TOCL
TOP
TOPACE
TOPASYE
TOPPYNG
TORACED
TORE
TORENTE
TORIUEN
TORKYE
TORMENTTOURE3
TORNAYEE3
TORNED
TORNE3
TORRES
TORRE3
TORTORS
TORUAYLE
TOS
TOTERED
TOTES
TOTE3
TOTHE
TOT3
TOUCH
TOUMBEWONDER
TOUNE3
TOUR
TOURNAYED
TOURNE
TOURNED
TOURNE3
TOWALTEN
TOWCH
TOWCHES
TOWCHE3
TOWE
TOWRAST
TOWRES
TO3E
TO3ERE
TRAMME
TRAMMES
TRAMOUNTAYNE
TRANTES
TRAS
TRASCHED
TRASCHE3
TRASED
TRAUAYLE
TRAUAYLEDE3
TRAUERCE
TRAUERES
TRAUNT
TRAVE
TRAWANDE
TRAWETH
TRAWE3
TRAYLED
TRAYLE3
TRAYSOUN
TRAYST
TRAYTHELY
TRAYTHLY
TRAYTOR
TRECHERYE
TREDE
TREIETED
TRELETED
TRENDELED
TRESORE
TRESORYE
TRESCUN
TRESCUR
TRESPAS
TRESPAST
TRESSOUR
TRESTE3
TREW
TREWEST
TRIAPOLITAN
TRIAPOLITANES
TRICHCHERYE
TRICHERIE
TRIED
TRIFEL
TRIFLES
TRILLYD
TRIYS
TROCHED
TROCHET
TRONYD
TROT
TROUBULLE
TROWEE
TRUEE
TRULOFE3
TRUMPEN
TRUMPES
TRUMPE3
TRUSSED
TRUSSEN
TRW
TRWEE
TRWELUF
TRWELY
TRWLUF
TRYESTE
TRYFLE
TRYFLED
TRYFLES
TRYLLE
TRYNANDE
TRYSTER
TRYSTERES
TRYSTORS
TRYSTY
TRYSTYLY
TRY3E
TUCH
TUKKET
TULE
TULKET
TULY
TURNE
TURNES
TURNYD
TUSKAN
TWAYNED
TWENTYFOLDE
TWYES
TWYE3
TWYGES
TWYNANDE
TWYNNEHEW
TWYNNEN
TWYS
TYDE3
TYFFEN
TYLT
TYLTE
TYMED
TYNDE
TYNED
TYNE3
TYNT
TYNTAGELLE
TYPE
TYPPED
TYRAUNTE3
TYRAUNTYRE
TYRUE
TYRUED
TYRUEN
TYSTE
TYTEL
TYTELET
TYTHE
TYTHYNGES
TYTLE
TYTTER
TY3TE
UENGAUNCE
UENGED
UERAY
UERAYLY
UESTURE
UISAGE
UMBEBRAYDE
UMBEWALT
UNSMYTEN
UNTRWE
UOCHED
UYAGE
VALE3
VANIST
VAYL
VAYN
VAYNED
VAYRES

VENGE
VENGED
VENKKYST
VENKQUYST
VENQUYST
VENYSOUN
VER
VERAY
VERCE
VERDURE
VERED
VERE3
VERGYNE3
VERGYNTE
VERGYNYTE
VERNAGU
VERRAYLY
VERTU
VERTUE3
VERTUOUS
VESSAYL
VESSAYLES
VESTURE
VESTURES
VEUED
VEWTERS
VGHTEN
VGLOKEST
VICE
VIGURES
VILANOUS
VILANYE
VILTE
VIOLENT
VISITE
VMBEBRAYDE
VMBECLYPPED
VMBEFOLDES
VMBEGROUEN
VMBEKESTE3
VMBELAPPE3
VMBELY3E
VMBESCHON
VMBESTOUNDE
VMBESTOUNDES
VMBESWEYED
VMBETE3E
VMBETHOUR
VMBETORNE
VMBEWEUED
VMBRE
VNAVYSED
VNBARRED
VNBENE
VNBLEMYST
VNBROSTEN
VNBYNDE
VNCELY
VNCHAUNGIT
VNCHERYST
VNCLANNESSE
VNCLER
VNCLOSED
VNCLOSES
VNCLOSE3
VNCLOSID
VNCORTAYSE
VNCOUPLED
VNDEFYLDE
VNDERNOMEN
VNDERSTONDE
VNDERSTONDES
VNDERTAKE
VNDER3EDE
VNDO
VNDYD
VNETHE
VNFOLDE
VNFOLDED
VNFRE
VNGARNYST
VNGLAD
VNHAPNEST
VNHAPPEN
VNHARDELED
VNHASPE
VNHOLE
VNHONEST
VNHULED
VNHYDE
VNHYLES
VNKYNDELY
VNLACE
VNLAPPED
VNLEUTE
VNLOUKED
VNLYKE
VNMANERLY
VNMARD
VNNEUENED
VNNYNGES
VNPRESTE
VNPYNNE
VNRESOUNABLE
VNRYDELY
VNRY3T
VNSAUERE
VNSA3T
VNSKATHELY
VNSLAYN
VNSLY3E
VNSOUNDELY
VNSOUNDYLY
VNSPARELY
VNSPARID
VNSPURD
VNSTERED
VNSTRAYNED
VNSWOL3ED
VNTHEWE3
VNTHRYFTYLY
VNTHRYUANDE
VNTHRYUANDELY
VNTWYNE3
VNTY3TEL
VNWAR
VNWASCHEN
VNWELCUM
VNWORTHELYCH
VNWORTHY
VNWYSE
VNWYTTE
VOUCHED
VOUCHESAFE
VOWES
VOYDE3
VPBRAYDE
VPBRAYDES
VPBRAYDE3
VPCASTE
VPEN
VPFOLDEN
VPHALDEN
VPHALDE3
VPHALT
VPLYFTE
VPLYFTEN
VPONANDE
VPRERDE
VPRYSEN
VPRYSES
VPSET
VPSODOUN
VPWAFTE
VPYNYOUN
VRNMENTES
VRTHELY
VRTHLY
VRYN
VRYSOUN
VSAGE
VSCHON
VSE
VSELLE3
VSE3
VSIT
VSLE
VSYT
VTER
VYCIOS
VYF
VYGOUR
VYL
VYLAYNYE
VYLEN
VYOLENCE
VYOLES
VYRGYN
VYS
VYSAYGE
VYUE3
V3TEN
WACE
WACH
WACHE
WAFT
WAGED
WAGES
WAGGYD
WAKENEDE
WAKENYD
WAKES
WAKKER
WAKKEST
WALED
WALES
WALE3
WALKYRIES
WALLED
WALLEHEUED

WALLE3
WALON
WALOUR
WALTE
WALTER
WALTERANDE
WALTERES
WALTERE3
WALTES
WALTE3
WAMEL
WANDE
WANDE3
WANE
WANING
WANLE3
WARDED
WARET
WARISCH
WARLA3ES
WARLOK
WARLOKER
WARLOWES
WARM
WARNYNG
WARPE
WARPEN
WARPPED
WARPYD
WARY
WARYED
WARYST
WASCHENE
WASCHE3
WASSAYL
WASTE
WASTED
WASTURNE
WATE
WATED
WATERES
WATHE
WATTER
WATTRE3
WAWES
WAXED
WAXES
WAXLOKES
WAYFERANDE
WAYKE
WAYKNED
WAYMOT
WAYNE
WAYNE3
WAYTES
WAYTH
WAYUE3
WA3E3
WEBBE3
WED
WEETE
WEHES
WEKKED
WELAWYLLE
WELAWYNNE
WELAWYNNELY
WELCOMEST
WELCUMED
WELCUME3
WELDER
WELEDEDE
WELGEST
WELHALED
WELLEHEDE3
WELLE3
WELNEGHE
WELNE3E
WELNYGH
WELT
WELWED
WELY
WEMLES
WEMLE3
WENER
WENG
WENGED
WENORE
WENYNG
WEPED
WEPES
WEPID
WEPPENES
WEPYD
WERBELANDE
WERBLES
WERDLYCH
WERES
WERESOEUER
WERKEMEN
WERKMEN
WERLE
WERNE
WERNES
WERNYNG
WERP
WERPE
WERRE3
WERST
WERTES
WERY
WERYNG
WESAUNT
WESCH
WESCHE
WESHE
WESTE
WESTERNAYS
WETERLY
WEUED
WEUEN
WEXEN
WEYE
WE3E
WE3EN
WE3TES
WHALLE3
WHARRED
WHATKYN
WHAT3
WHENSO
WHEREEUER
WHERESOEUER
WHERFORE
WHETE
WHETHEN
WHETTE3
WHICHCHE
WHIDER-WARDE-SO-EUER
WHILE
WHIT
WHYDER
WHYRLANDE
WITERE
WITHHELDE
WITTNESSE
WLATES
WLATE3
WLATSUM
WLONKEST
WODCRAFTE3
WODDER
WODSCHAWE3
WODSCHIP
WODWOS
WOGHE
WOKE
WOL
WOLED
WOLEN
WOLFES
WOLLE
WOLUES
WOMMON
WONDED
WONDERED
WONDERE3
WONDRES
WONIES
WONNES
WONNYNG
WONS
WONTE3
WONTYD
WONYANDE
WONYD
WONYS
WOO
WORCHEN
WORCHER
WORCHIPE3
WORD
WORDED
WORIED
WORK
WORLD
WORLDE3
WORME
WORS
WORSE
WORT
WORTE3
WORTHELY
WORTHILYCH
WORTHLOKER
WORTHYEST
WORTHYN
WOSE
WOSTE
WOSTOUNDE3
WOTE

WOTHE3
WOUEN
WOUNCED
WOUNCEN
WOUNCE3
WOURCHYP
WOWAYN
WOWCHE
WO3ES
WO3E3
WRAK
WRAKEFUL
WRANGES
WRANK
WRAPPE3
WRASTEL
WRASTELE3
WRASTEN
WRASTLED
WRATHTHE
WRA3TE
WRECHCHE
WRECHED
WREK
WRENCHE3
WRE3ANDE
WRIT
WRITTES
WROGHT
WROGHTES
WROGHTYN
WROKEN
WRONGE
WROT
WROTHER
WROTHLY
WRO3TE
WRO3TE3
WRUXELED
WRUXLED
WRYSTE
WRYTES
WRYTE3
WRYTHEN
WUNNEN
WYCHECRAFTE
WYCHE3
WYDDERED
WYDOE3
WYGHE
WYK
WYKE3
WYKKET
WYLDREMES
WYLDREN
WYLDRENESSE
WYLE3
WYLFULNES
WYLGER
WYLNESFUL
WYLNE3
WYLNYNG
WYLSFULLY
WYLSUM
WYLYDE
WYND
WYNDAS
WYNDOWANDE
WYNDOWE
WYNGE
WYNTHOLE
WYRALE
WYRKE3
WYRKKES
WYRLE
WYRLED
WYSCHANDE
WYSCHED
WYSED
WYSES
WYSSES
WYSTE3
WYSTY
WYTER
WYTERED
WYTE3
WYTHAL
WYTHDRO3
WYTHE
WYTHHALDE
WYTHHALDE3
WYTHHYLDE
WYTHNAY
WYTTENESSE
WYUES
YDRES
YDROPIKE
YLE
YLKA
YLLE
YOT
YOURE
YOWRESELF
YOWRE3
YOWSELF
YRN
YRNES
YSSEIKKLES
YTHES
YUORE
YWAN
3ARK
3ARKKE3
3ARM
3AT
3AULE
3EA
3ED
3EDECHYAS
3EDOUN
3EF
3ELDEN
3ELLE
3ELLYNG
3ELPYNG
3EMEN
3EMES
3EMYD
3ENDER
3EPELY
3ERE3
3ERN
3ERNES
3ERNE3
3ESTANDE
3E3E
3IFTES
3IRNE3
3IS
3ISE
3ISTERDAYE3
3ISTERNEUE
3ISTURDAY
3OD
3ODE
3OKKE3
3OLPED
3OL3E
3ONKE
3ORDE
3OREFADER
3OREWHYLE
3ORNEN
3ORSELUEN
3OSKYD
3OURE3
3OURSELF
3OW
3YS